総目次

支出負担行為及び支出

契　約

現金出納及び保管金

資　金

特　別　会　計

物品及び有価証券

国　有　財　産

会　計　検　査

地方財政

諸法

附録

法令名索引（あいうえお順）

あ　行

か　行

さ行

た　行

な　行

は　行

や　行

わ　行

＊　＊

財政小六法

令和7年版

財政会計法規編集室
［編］

学陽書房

編集のことば

国の財政・会計法令は周知のとおり広汎かつ複雑です。近年、行政の多様化が進展する一方で、事務処理の簡素化・効率化が強く要請されており、会計経理及び予算執行の適正な運用を図ることの重要さはますます増大しています。加えて、その事務が国民等の方々に対するものである場合には、それらの方々の利便性にも配慮することが求められています。

この財政小六法は、昭和二十八年に発刊されて以来、内容の最新・正確さを期するだけでなく、〝使いやすく、便利な六法〟ということを目標として編集しており、利用頻度の高い法令については活字を大きくするなど、実務法令集としての本書の企画趣旨に添うよう努めてきたところです。本年版《令和七年版》においては、新たに公布された財政会計法令等を追加収録するとともに参照条文を整備補完することとしました。

今後とも、関係者各位の利用上のご希望を広くとり入れ、各位の期待に応えられるよう逐年改善を加えてまいりたいと考えています。

令和六年八月

財政会計法規編集室

凡　例

【本書の目的】

本書は、財政会計関係を担当される方のために必要な法令を網ら収録して、常に携帯し、簡便に、日常の事務処理に役立てられるように編集した。


【収録法令】

収録法令は、常時必要とされる重要法令等を吟味選択した。


【内容現在】

本書の内容は、原則として令和六年七月十九日（参照条文については同年五月八日）までに公布され、施行期日が令和七年四月一日までのものである。未施行の法令については一部改正法の形で各法令の末尾に収録した。

【分　類】
本書は、それぞれの部門に従って、憲法・財政及び会計通則・債権及び収入・支出負担行為及び支出・契約・現金出納及び保管金・資金・特別会計・物品及び有価証券・国有財産・会計検査・地方財政・諸法の十三編に分類した。

【公布・改正】

各法令の公布年月日及び法令番号は、各法令名の下に示し、以後の改正については、直近の改正の年月日及び法令番号のみを示した。これに使用した略号は、次の用例による。

法――法律　　政令――政令　　財務令――財務省令

【条文見出】

本書の編集者がつけた条文見出は、〔　〕を附して示し、法令自体についている（　）の見出と区別した。


【項番号】

項番号の附されていない法令にあっては、検出の便宜上、編集者においてそれぞれ項番号を附したが、最近の法令形式の2・3等と区別するため、②・③とした。


【参照条文・事項索引】

日本国憲法第七章（財政）、財政法、会計法、予算決算及び会計令、国の債権の管理等に関する法律及び物品管理法には参照条文を附し、さらに巻末に事項索引を添えた。

なお、これに使用した法令名の略語は、次の通りである。

日本国憲法	憲法
予算決算及び会計令	予決令
予算決算及び会計令臨時特例	予決令臨特
予算執行職員等の責任に関する法律	予責法
補助金等に係る予算の執行の適正化に関する法律	補助金適正化法
国等の債権債務等の金額の端数計算に関する法律	端数計算法
国の会計帳簿及び書類の様式等に関する省令	様式令
国の債権の管理等に関する法律	債権管理法
国の債権の管理等に関する法律施行令	債権管理令
債権管理事務取扱規則	債権管理規則
歳入徴収官事務規程	徴収官規程
国税通則法	通則法
国税徴収法	徴収法
証券ヲ以テスル歳入納付ニ関スル法律	証券納付法
印紙をもつてする歳入金納付に関する法律	印紙納付法
支出負担行為等取扱規則	支出負担規則
支出官事務規程	支出官規程
小切手振出等事務取扱規程	小切手振出規程
国庫金振替書その他国庫金の払出しに関する書類の様式を定める省令	払出書式令
契約事務取扱規則	契約事務規則
国の物品等又は特定役務の調達手続の特例を定める政令	調達政令
国の物品等又は特定役務の調達手続の特例を定める省令	調達省令
政府契約の支払遅延防止等に関する法律	遅延防止法
出納官吏事務規程	出納官規程
保管金払込事務等取扱規程	保管金払込規程
日本銀行国庫金取扱規程	日銀国庫金規程
国税収納金整理資金に関する法律	国税整理資金法
国税収納金整理資金に関する法律施行令	国税整理資金令
特別会計に関する法律	特会法
特別会計に関する法律施行令	特会令
物品管理法施行令	物品管理令
物品管理法施行規則	物品管理規則
物品の無償貸付及び譲与等に関する法律	物品無償貸付法
国有財産法	財産法
国有財産法施行令	財産令
国有財産特別措置法	財産特法
会計検査院法	会計院法
計算証明規則	計算規則
地方財政法	地財法
国家公務員等の旅費に関する法律	旅費法
恩給金額分担及国庫納金収入等取扱規則	恩給取扱規則
皇室経済法	皇経法
公職選挙法	選挙法
国有林野の管理経営に関する法律	国有林野法
国会予備金に関する法律	国会予備金法

国家公務員共済組合法　共済組合法
国家公務員法　国公法
裁判所予備金に関する法律　裁判所予備金法
社会福祉法　福祉法
私立学校法　私学法
地方自治法　自治法
地方自治法施行令　自治令
日本銀行政府有価証券取扱規程　日銀有価証券規程
日本赤十字社法　日赤法
民事執行法　民執
民事訴訟法　民訴

なお、参照条文中の漢数字は「条」を、ローマ数字は「項」を、算用数字は「号」を示す。

(例)「財産法三Ⅱ3」は「国有財産法第三条第二項第三号」の意である。

【財政制度のくみたて】

巻頭に財政、財政法、国の財政管理法について概説し、あわせて財政管理法規の構成を体系的に表示して、その理解に資するようにした。

財政制度のくみたて

一　財　政

一般に、財政とは、「国または地方公共団体がその活動を行うために必要な財力を調達し、管理し、及び使用する作用」といわれる。

国または地方公共団体は、その存立上各般にわたる活動が必要であるが、それらの活動には、多かれ少なかれ財的な裏づけが必要とされ、この裏づけによつて初めて、活動の円滑が確保され、目的の遂行が期待される。ここに財力の取得が必要となり、財力の調達に伴つて管理の問題も生じてくるが、財政とは一言でいえばそれらの作用の総称といえよう。

この財政の作用は、その作用の性質の差異から財政権力作用と財政管理作用とに大別することができる。国の活動に必要な財力の調達のため一般統治権に基づいて国民に命令し、強制する作用が前者であり、収入支出及び財産を管理する作用が後者である。前者は、国の権力の行使を内容とするのに対し、後者は、本質上権力の行使を内容とするものではない。

しかし、それらの作用は、国民の経済生活と密接な関係をもち、しかも国または地方公共団体の存立をささえる基盤となるものであるから、その運営は、無秩序無統制であつてはならない。そこで近代国家においては、財政処理について国会または地方議会の統制と監督の下に行使すべきことが強く要請され、財政権力の作用については厳重な法的規制に服させるとともに、財政管理の作用についてもその運営につき、秩序と統制とを確保するために一定の法的規範に服させている。そこに制度としての財政、財政法規が必要となる。

二　財　政　法　規

財政の作用は、国民経済との関係からも、その運営の上からも、一定の法的規律の下に運営すべきことが強く要請されることは前述したが、ここにいう「財政法規」とは、作用としての財政の運営に関する諸法制を総称するものである。

財政法規は、財政の作用の区別と等しく財政権の法規と財政管理の法規とに区別することができる。各種の租税法等は、財政権の法規であり、財政法、会計法、国有財産法、物品管理法、国の債権の管理等に関する法律、会計検査院法等は財政管理の法規に属するものといえよう。

財政権の法規は、その名の示すように、財政下命、財政許可、財政強制及び財政罰の諸作用についての法的規律を内容とするものであつて、その性質は、その無制限の発動を制限し、適正な発動の授権を定めた実体法の性質をもつものと解される。他方、財政管理に関する法規は、その内容が国または地方公共団体の収入支出及び財産の管理についての法的規律であり、その性質は、それらの作用の秩序と統制を確保するための訓令法の性質をもつものと解される。

財政法は、憲法にその淵源を発している。すなわち、憲法は、その第七章に「財政」に関する九箇条の規定を設け財政処理に関する大原則を掲げている。しかし、これらの原則は、財政処理の大綱を示しているものであつて、その運営についての具体的、手続的な基準は租税法、財政法、会計法、国有財産法、物品管理法、国の債権の管理等に関する法律、会計検査院法その他多数の財政に関する法令に委ねている。

三　国の財政管理法

財政管理の作用は、縷々述べたように収入支出の管理と財産の管理とをその内容とする。

これらの作用は、国家権力の行使を内容とせず、国の組織内部における管理作用としての性質をもつものである。したがつて、本質は私経済の作用と大差のあるものではないが、ただ、国の財政管理の当否は、国民の利害にも直接、間接に重大な関係をもち、しかも、国の財政管理機構が極めて複雑多岐にわたることから、その秩序と統制の確保は一段と強く要請されるところである。そこで国は、特に財政法、会計法、国有財産法、物品管理法、国の債権の管理等に関する法律等の法的規律を設け、その管理にあたる機関に遵守させるとともに、憲法上の独立の機関として会計検査院を設け、国の収入支出、財産の管理について検査を行わせて秩序と統制の確保を図つているのである。

財政管理に関する法規は、憲法を頂点に、財政法、会計法、国有財産法、物品管理法、国の債権の管理等に関する法律を基幹とし、これに会計検査院法を配し、更にそれらの基幹的法規の下部法令を経とし、それらの補充的、特例的法令を緯として構成される極めて広汎、多岐にわたるものであり、しかも、これらの法規は互に脈絡を保ち、紛糾することなく一つの体系をなしている。

財政法は、予算決算その他財政管理の基本に関して制定された財政管理法規であり、最も主要な地位にある。旧憲法当時には、憲法からすぐに会計法につながつていて、その内容も予算決算制度に関するものの外、収入支出その他の経理手続をも含むものであつたが、新憲法の制定を機会に、旧会計法を予算決算制度に関する部分とその他の部分とに区別して、前者には、あらたに財政管理に関する基本原則を加えて、財政法とし、後者は、旧会計規則中の収入支出に関する主要な手続的規定を引き上げこれを合せて会計法とした。

したがつて財政法は、予算決算制度、財政管理の原則等を内容とする財政制度法としての性格をもつものということができ、会計法は、収入支出の手続を主な内容とする金銭経理の手続法としての性格をもつ法律ということができる。そして、両者は沿革的にも、制度的にも極めて密接な関係にある。

国有財産法は、国有の不動産、特定の動産及び権利の管理及び処分に関する一般的規律を内容とする法律であり、不動産等の管理に関する法規の中枢をなすものである。

国有財産法は、大正十年に制定され、昭和二十二年五月に至るまでは、著しい改正もなく、会計法とともに、我が国財政制度の基本法として不動の法制となつていたが、新憲法の制定に伴つて、国有財産法も他の法令と同様に新情勢に適応する国有財産制度を確立することが要請されるに至り、取り敢えずの措置として昭和二十二年法律第五十三号及び第八十六号をもつて必要最小限度の改正が加えられたが、更に、恒久的制度として昭和二十三年法律第七十三号をもつて現行の国有財産法が制定された。

国の物品の経理は、明治二十二年に制定された物品会計規則によつて行われてきたところであるが、同規則は制定以来七十年におよぶ社会経済状勢の変遷によつて、各般の制度及び行政活動の実体に適応しない面が多く、ために種々の弊害の発生をもたらすことも多かつたが、第二十四国会において物品管理法が成立し、昭和三十一年五月二十二日法律第百十三号をもつて公布され同三十二年一月十日から施行をみ、物品管理制度の整備が図られた。

国の債権の管理等に関しては、統一された管理制度がなく、その適正な管理が行われない事例もあり、戦後諸制度の整備と相俟つて、確立化の必要が痛感されていたところであつたが、その全般的な検討を遂げた結果、債権管理に関する事務処理についての機関及び手続を整えるとともに、一定の債権についてはその内容の変更、免除等に関しても基準を設ける等によつて適正且つ効率的な運営を期するための統一的な制度として、国の債権の管理等に関する法律が物品管理法と同日成立し、五月二十二日法律第百十四号をもつて公布され、物品管理法と同日施行をみたところである。本法の制定はひとり前述の管理制度整備の上に意義があるのみならず、物品管理法の制定と相俟つて財政制度全般の整備の上に大なる意義があるものといえよう。

会計検査院法は憲法第九十条の規定に基づく法律であり、会計検査院の地位、構成及び権限について詳細に規定している。

これらは、財政管理に関する法規の中でその基幹をなしているものについての大要である。これらの法規は更にその下部に幾多の法令をもつものであるがその主なものは会計法の系統としては、予算決算及び会計令、予算決算及び会計令臨時特例、更に予算決算及び会計令の規定に基づくものとして、歳入徴収官事務規程、支出負担行為等取扱規則、支出官事務規程、小切手振出等事務取扱規程、契約事務取扱規則、出納官吏事務規程等があり、国有財産法の系統としては、基本法である同法に対する特別法として国有財産特別措置法、国有財産法の下部法令として国有財産法施行令及びこれに基づく国有財産法施行細則等があり、会計検査院法には、会計検査院法施行規則、計算証明規則、会計検査院懲戒処分要求及び検定規則がある。

財政法、会計法及び国有財産法の補充あるいは特例法規としては、財政法第三条の特例に関する法律、予算執行職員等の責任に関する法律、国等の債権債務等の金額の端数計算に関する法律、証券ヲ以テスル歳入納付ニ関スル法律、印紙をもつてする歳入金納付に関する法律、国の所有に属する物品の売払代金の納付に関する法律、国有財産特別措置法、物品の無償貸付及び譲与等に関する法律等があり、更にそれらの法律に基づいて下部の法規として政令あるいは省令が設けられている。また、物品管理法及び国の債権の管理等に関する法律の下部法令としてそれぞれ施行令並びに施行規則が制定されている。

以上は、財政管理法規を構成する法令を系統的に分類して、そのうちの主な法規の内容について略説したのであるが、次に角度を変えて、財政管理作用とそれらの法規との適用関係について一言触れよう。

財政管理作用は、その態様によつて、収入支出の管理作用と財産の管理作用とに区分することができ、更に財産の管理作用は不動産等の管理作用と物品の管理作用とに区分することができる。

収入支出の管理作用は、国の各般の需要を充たすための現金の収納及びその需要を充たすための現金の支払に関する作用であつて、いわゆる現金会計と称されているものであるが、この現金会計は早くから予算決算の制度を伴い、我が国の財政制度中最も発達した分野に属する。これに適用される主な法規は、財政法であり、会計法である。財政法は主として収入支出の予算及び決算について適用があり、収入支出の経理については会計法が主として適用される。

物品管理作用については、主として物品管理法が適用されるが、なお、財政法は国の財産の管理処分に関する原則をも掲げているのでその範囲では物品管理法及び国有財産法に対する基礎法とも考えられ、したがつてその適用を受けるわけであつて、物品の購入または処分の際の契約等については、会計法の適用がある。

不動産の管理の作用については、国有財産法が主として適用されるが、その管理処分については、財政法が基礎法であり、その処分にあたつては、物品管理の場合と同様に会計法の適用があり、しかもこれらの作用については、会計検査院の検査を経るものとされ、したがつて会計検査院法の拘束を受けるものであり、また現金及び物品の出納保管の責任についても同法の適用を受けるものである。

その他、国の会計は、財政法第十三条の規定によつて一般会計と特別会計とに区分して経理され、しかも特別会計は、その設置目的によつて数多く分立されているがこれらの会計については、特別会計に関する法律が適用され、特別の規定のない場合に、原則に返つて、財政法、会計法、国有財産法、物品管理法、国の債権の管理等に関する法律等が適用されるべき性質のものであつて、ここにも一般法と特別法との関係が生ずることも注目すべきことであろう。

以上これを要約すれば、財政管理法規の構成は、憲法をその頂点として、財政法を中心に収入支出の経理法としての会計法、不動産の管理法としての国有財産法、物品の管理法としての物品管理法及び債権の管理法としての国の債権の管理等に関する法律を基幹としこれに会計検査院法を配し、それに幾多の財政管理の補充的法規を設け、更に、これらの法規に基づく法令として数多くの政令及び省令を派生させる体系を経とし、財政法第三条の特例に関する法律、特別会計に関する法律、国有財産特別措置法及びこれらの法律に基づく法令等、財政法、会計法、国有財産法等の一般法に対する特別法を緯の体系とし、これに加えるに財政管理の諸作用に対する規律関係も単純でなく、また一般法の中においても更に一般法と特別法の関係を生じさせているなど、財政管理法規の構成は極めて複雑でありしかも広汎多岐にわたるものである。（なお、これら法令を一表にすれば大要次表のごとくである。）

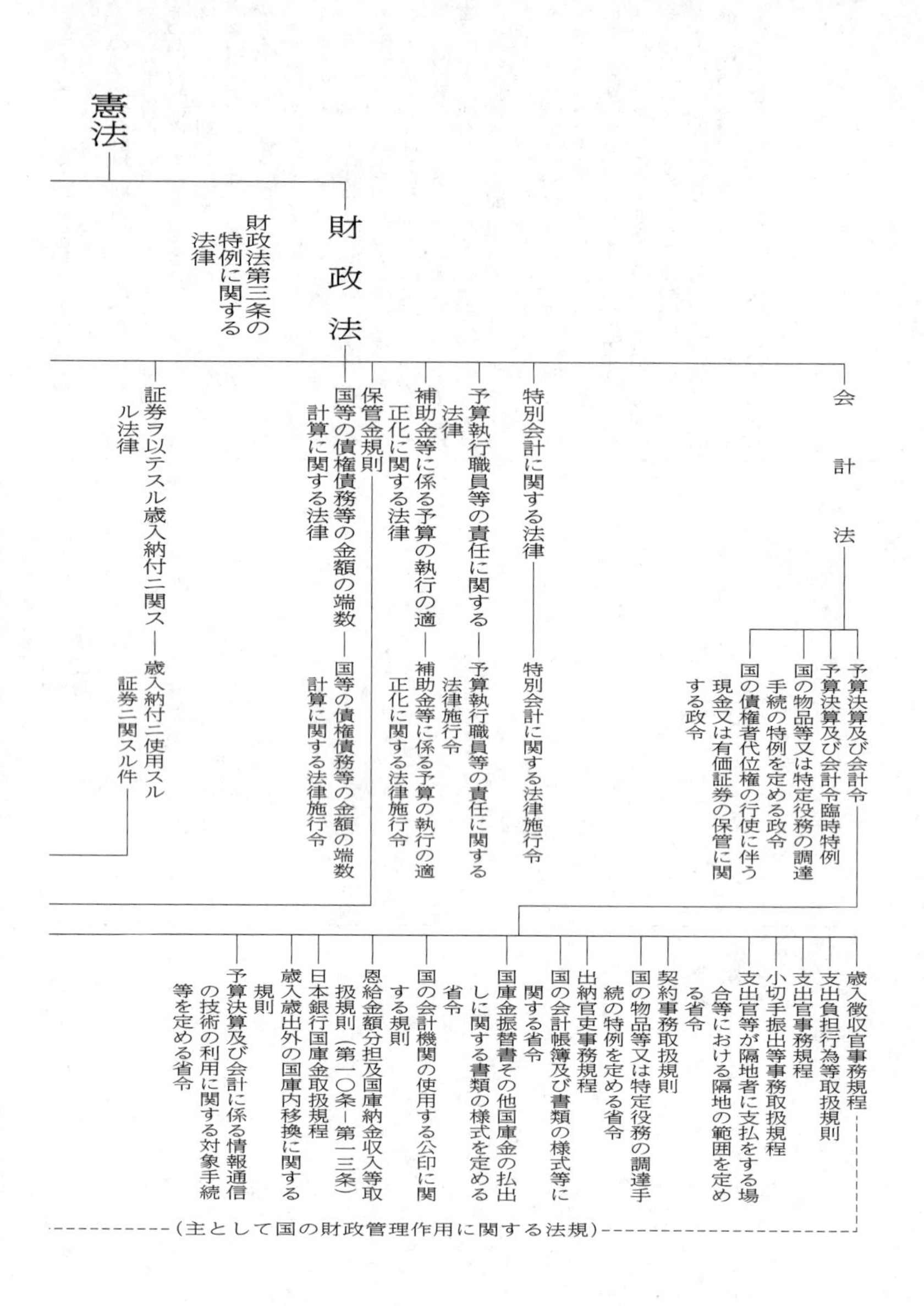
憲法
財政法
財政法第三条の特例に関する法律
会計法
特別会計に関する法律
予算執行職員等の責任に関する法律
補助金等に係る予算の執行の適正化に関する法律
保管金規則
国等の債権債務等の金額の端数計算に関する法律
証券ヲ以テスル歳入納付ニ関スル法律
予算決算及び会計令
予算決算及び会計令臨時特例
国の物品等又は特定役務の調達手続の特例を定める政令
国の債権者代位権の行使に伴う現金又は有価証券の保管に関する政令
特別会計に関する法律施行令
予算執行職員等の責任に関する法律施行令
補助金等に係る予算の執行の適正化に関する法律施行令
国等の債権債務等の金額の端数計算に関する法律施行令
歳入納付ニ使用スル証券ニ関スル件
歳入徴収官事務規程
支出負担行為等取扱規則
支出官事務規程
小切手振出等事務取扱規程
支出官等が隔地者に支払をする場合等における隔地の範囲を定める省令
契約事務取扱規則
国の物品等又は特定役務の調達手続の特例を定める省令
出納官吏事務規程
国の会計帳簿及び書類の様式等に関する省令
国庫金振替書その他国庫金の払出しに関する書類の様式を定める省令
国の会計機関の使用する公印に関する規則
恩給金額分担及国庫納金収入等取扱規則（第一〇条―第一三条）
日本銀行国庫金取扱規程
歳入歳出外の国庫内移換に関する規則
予算決算及び会計に係る情報通信の技術の利用に関する対象手続等を定める省令
（主として国の財政管理作用に関する法規）

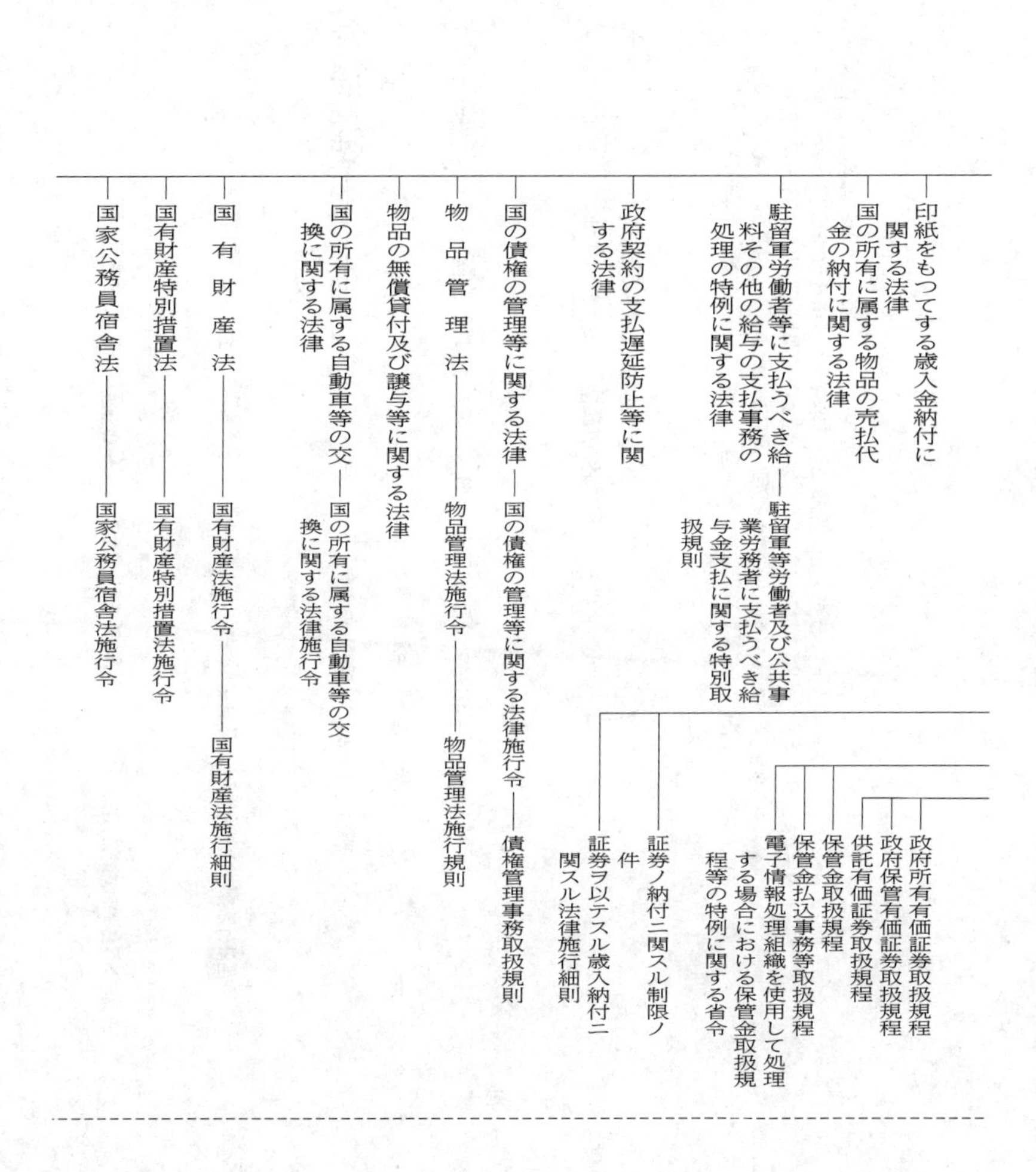
印紙をもつてする歳入金納付に関する法律
国の所有に属する物品の売払代金の納付に関する法律
駐留軍労働者等に支払うべき給料その他の給与の支払事務の処理の特例に関する法律
駐留軍等労働者及び公共事業労務者に支払うべき給与金支払に関する特別取扱規則
政府契約の支払遅延防止等に関する法律
国の債権の管理等に関する法律
国の債権の管理等に関する法律施行令
債権管理事務取扱規則
物品管理法
物品管理法施行令
物品管理法施行規則
物品の無償貸付及び譲与等に関する法律
国の所有に属する自動車等の交換に関する法律
国の所有に属する自動車等の交換に関する法律施行令
国有財産法
国有財産法施行令
国有財産法施行細則
国有財産特別措置法
国有財産特別措置法施行令
国家公務員宿舎法
国家公務員宿舎法施行令
政府所有有価証券取扱規程
政府保管有価証券取扱規程
供託有価証券取扱規程
保管金取扱規程
保管金払込事務等取扱規程
電子情報処理組織を使用して処理する場合における保管金取扱規程等の特例に関する省令
証券ノ納付ニ関スル制限ノ件
証券ヲ以テスル歳入納付ニ関スル法律施行細則

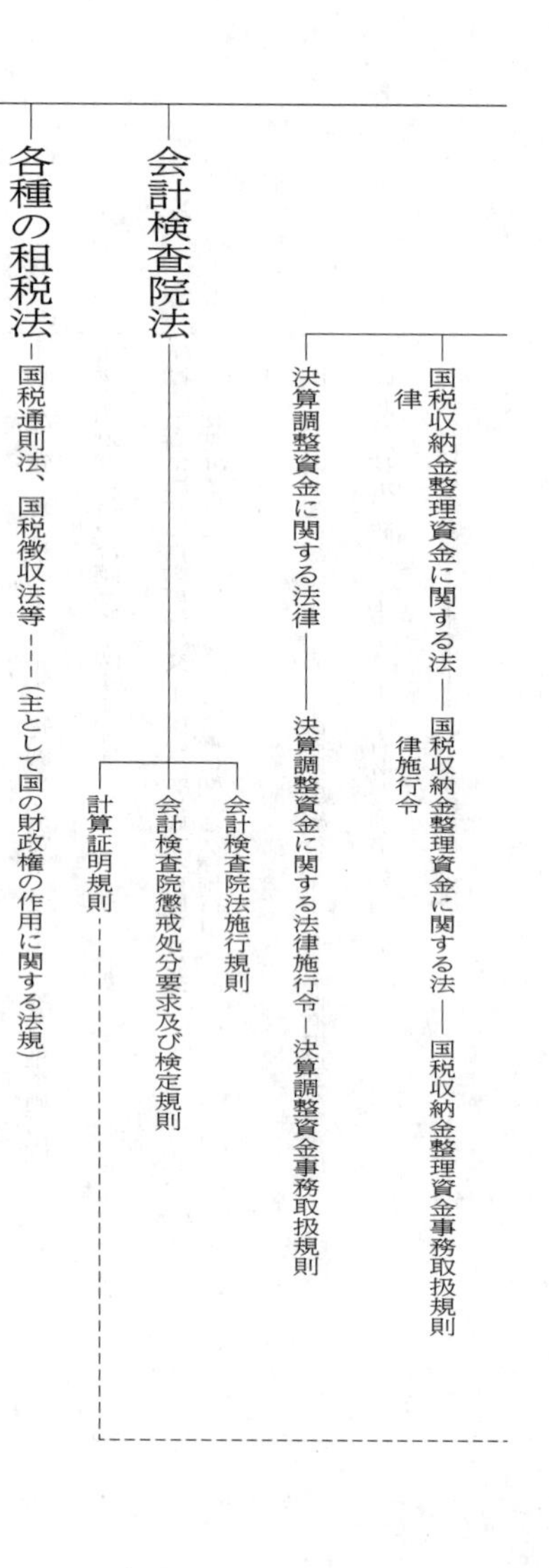

(1) この一覧表に掲げた財政管理に関する法規は、一部を除き、概ね財政小六法に収録したものの範囲にとどめたものであつて、このほかに、幾多の財政管理に関する法規が存在することは、もちろんである。

(2) 一覧表では実定法たる財政法が会計法、国有財産法等の上位に位するようになつているが、これは体系上の考え方であつて法律上のものではない。法律上は、会計法も国有財産法も財政法と同等の地位を占めるものであつて上下の関係に立つものでない。

憲　法

○日本国憲法

昭二一・一一・三

日本国民は、正当に選挙された国会における代表者を通じて行動し、われらとわれらの子孫のために、諸国民との協和による成果と、わが国全土にわたつて自由のもたらす恵沢を確保し、政府の行為によつて再び戦争の惨禍が起ることのないやうにすることを決意し、ここに主権が国民に存することを宣言し、この憲法を確定する。そもそも国政は、国民の厳粛な信託によるものであつて、その権威は国民に由来し、その権力は国民の代表者がこれを行使し、その福利は国民がこれを享受する。これは人類普遍の原理であり、この憲法は、かかる原理に基くものである。われらは、これに反する一切の憲法、法令及び詔勅を排除する。

日本国民は、恒久の平和を念願し、人間相互の関係を支配する崇高な理想を深く自覚するのであつて、平和を愛する諸国民の公正と信義に信頼して、われらの安全と生存を保持しようと決意した。われらは、平和を維持し、専制と隷従、圧迫と偏狭を地上から永遠に除去しようと努めてゐる国際社会において、名誉ある地位を占めたいと思ふ。われらは、全世界の国民が、ひとしく恐怖と欠乏から免かれ、平和のうちに生存する権利を有することを確認する。

われらは、いづれの国家も、自国のことのみに専念して他国を無視してはならないのであつて、政治道徳の法則は、普遍的なものであり、この法則に従ふことは、自国の主権を維持し、他国と対等関係に立たうとする各国の責務であると信ずる。

日本国民は、国家の名誉にかけ、全力をあげてこの崇高な理想と目的を達成することを誓ふ。

第一章　天皇

第一条　天皇は、日本国の象徴であり日本国民統合の象徴であつて、この地位は、主権の存する日本国民の総意に基く。

第二条　皇位は、世襲のものであつて、国会の議決した皇室典範の定めるところにより、これを継承する。

第三条　天皇の国事に関するすべての行為には、内閣の助言と承認を必要とし、内閣が、その責任を負ふ。

第四条　天皇は、この憲法の定める国事に関する行為のみを行ひ、国政に関する権能を有しない。

②　天皇は、法律の定めるところにより、その国事に関する行為を委任することができる。

第五条　皇室典範の定めるところにより摂政を置くときは、摂政は、天皇の名でその国事に関する行為を行ふ。この場合には、前条第一項の規定を準用する。

第六条　天皇は、国会の指名に基いて、内閣総理大臣を任命する。

②　天皇は、内閣の指名に基いて、最高裁判所の長たる裁判官を任命する。

第七条　天皇は、内閣の助言と承認により、国民のために、左の国事に関する行為を行ふ。

一　憲法改正、法律、政令及び条約を公布すること。
二　国会を召集すること。
三　衆議院を解散すること。
四　国会議員の総選挙の施行を公示すること。
五　国務大臣及び法律の定めるその他の官吏の任免並びに全権委任状及び大使及び公使の信任状を認証すること。
六　大赦、特赦、減刑、刑の執行の免除及び復権を認証すること。
七　栄典を授与すること。
八　批准書及び法律の定めるその他の外交文書を認証すること。
九　外国の大使及び公使を接受すること。
十　儀式を行ふこと。

第八条　皇室に財産を譲り渡し、又は皇室が、財産を譲り受け、若しくは賜与することは、国会の議決に基かなければならない。

第二章　戦争の放棄

第九条　日本国民は、正義と秩序を基調とする国際平和を誠実に希求し、国権の発動たる戦争と、武力による威嚇又は武力の行使は、国際紛争を解決する手段としては、永久にこれを放棄する。

②　前項の目的を達するため、陸海空軍その他の戦力は、これを保持しない。国の交戦権は、これを認めない。

第三章　国民の権利及び義務

第十条　日本国民たる要件は、法律でこれを定める。

第十一条　国民は、すべての基本的人権の享有を妨げられない。この憲法が国民に保障する基本的人権は、侵すことのできない永久の権利として、現在及び将来の国民に与へられる。

第十二条　この憲法が国民に保障する自由及び権利は、国民の不断の努力によつて、これを保持しなければならない。又、国民は、これを濫用してはならないのであつて、常に公共の福祉のためにこれを利用する責任を負ふ。

第十三条　すべて国民は、個人として尊重される。生命、自由及び幸福追求に対する国民の権利については、公共の福祉に反しない限り、立法その他の国政の上で、最大の尊重を必要とする。

第十四条　すべて国民は、法の下に平等であつて、人種、信条、性別、社会的身分又は門地により、政治的、経済的又は社会的関係において、差別されない。

②　華族その他の貴族の制度は、これを認めない。

③　栄誉、勲章その他の栄典の授与は、いかなる特権も伴はない。栄典の授与は、現にこれを有し、又は将来これを受ける者の一代に限り、その効力を有する。

第十五条　公務員を選定し、及びこれを罷免することは、国民固有の権利である。

②　すべて公務員は、全体の奉仕者であつて、一部の奉仕者ではない。

③　公務員の選挙については、成年者による普通選挙を保障する。

④　すべて選挙における投票の秘密は、これを侵してはならない。選挙人は、その選択に関し公的にも私的にも責任を問はれない。

第十六条　何人も、損害の救済、公務員の罷免、法律、命令又は規則の制定、廃止又は改正その他の事項に関し、平穏に請願する権利を有し、何人も、かかる請願をしたためにいかなる差別待遇も受けない。

第十七条　何人も、公務員の不法行為により、損害を受けたときは、法律の定めるところにより、国又は公共団体に、その賠償を求めることができる。

第十八条　何人も、いかなる奴隷的拘束も受けない。又、犯罪に因る処罰の場合を除いては、その意に反する苦役に服させられない。

第十九条　思想及び良心の自由は、これを侵してはならない。

第二十条　信教の自由は、何人に対してもこれを保障する。いかなる宗教団体も、国から特権を受け、又は政治上の権力を行使してはならない。

②　何人も、宗教上の行為、祝典、儀式又は行事に参加することを強制されない。

③　国及びその機関は、宗教教育その他いかなる宗教的活動もしてはならない。

第二十一条　集会、結社及び言論、出版その他一切の表現の自由は、これを保障する。

②　検閲は、これをしてはならない。通信の秘密は、これを侵してはならない。

第二十二条　何人も、公共の福祉に反しない限り、居住、移転及び職業選択の自由を有する。

②　何人も、外国に移住し、又は国籍を離脱する自由を侵されない。

第二十三条　学問の自由は、これを保障する。

第二十四条　婚姻は、両性の合意のみに基いて成立し、夫婦が同等の権利を有することを基本として、相互の協力により、維持されなければならない。

②　配偶者の選択、財産権、相続、住居の選定、離婚並びに婚姻及び家族に関するその他の事項に関しては、法律は、個人の尊厳と両性の本質的平等に立脚して、制定されなければならない。

第二十五条　すべて国民は、健康で文化的な最低限度の生活を営む権利を有する。

②　国は、すべての生活部面について、社会福祉、社会保障及び公衆衛生の向上及び増進に努めなければならない。

第二十六条　すべて国民は、法律の定めるところにより、その能力に応じて、ひとしく教育を受ける権利を有する。

②　すべて国民は、法律の定めるところにより、その保護する子女に普通教育を受けさせる義務を負ふ。義務教育は、これを無償とする。

第二十七条　すべて国民は、勤労の権利を有し、義務を負ふ。

②　賃金、就業時間、休息その他の勤労条件に関する基準は、法律でこれを定める。

③　児童は、これを酷使してはならない。

第二十八条　勤労者の団結する権利及び団体交渉その他の団体行動をする権利は、これを保障する。

第二十九条　財産権は、これを侵してはならない。

②　財産権の内容は、公共の福祉に適合するやうに、法律でこれを定める。

③　私有財産は、正当な補償の下に、これを公共のために用ひることができる。

第三十条　国民は、法律の定めるところにより、納税の義務を負ふ。

第三十一条　何人も、法律の定める手続によらなければ、その生命若しくは自由を奪はれ、又はその他の刑罰を科せられない。

第三十二条　何人も、裁判所において裁判を受ける権利を奪はれない。

第三十三条　何人も、現行犯として逮捕される場合を除いては、権限を有する司法官憲が発し、且つ理由となつてゐる犯罪を明示する令状によらなければ、逮捕されない。

第三十四条　何人も、理由を直ちに告げられ、且つ、直ちに弁護人に依頼する権利を与へられなければ、抑留又は拘禁されない。又、何人も、正当な理由がなければ、拘禁されず、要求があれば、その理由は、直ちに本人及びその弁護人の出席する公開の法廷で示されなければならない。

第三十五条　何人も、その住居、書類及び所持品について、侵入、捜索及び押収を受けることのない権利は、第三十三条の場合を除いては、正当な理由に基いて発せられ、且つ捜索する場所及び押収する物を明示する令状がなければ、侵されない。
② 捜索又は押収は、権限を有する司法官憲が発する各別の令状により、これを行ふ。
第三十六条 公務員による拷問及び残虐な刑罰は、絶対にこれを禁ずる。
第三十七条 すべて刑事事件においては、被告人は、公平な裁判所の迅速な公開裁判を受ける権利を有する。
② 刑事被告人は、すべての証人に対して審問する機会を充分に与へられ、又、公費で自己のために強制的手続により証人を求める権利を有する。
③ 刑事被告人は、いかなる場合にも、資格を有する弁護人を依頼することができる。被告人が自らこれを依頼することができないときは、国でこれを附する。
第三十八条 何人も、自己に不利益な供述を強要されない。
② 強制、拷問若しくは脅迫による自白又は不当に長く抑留若しくは拘禁された後の自白は、これを証拠とすることができない。
③ 何人も、自己に不利益な唯一の証拠が本人の自白である場合には、有罪とされ、又は刑罰を科せられない。
第三十九条 何人も、実行の時に適法であつた行為又は既に無罪とされた行為については、刑事上の責任を問はれない。又、同一の犯罪について、重ねて刑事上の責任を問はれない。
第四十条 何人も、抑留又は拘禁された後、無罪の裁判を受けたときは、法律の定めるところにより、国にその補償を求めることができる。

第四章 国会

第四十一条 国会は、国権の最高機関であつて、国の唯一の立法機関である。
第四十二条 国会は、衆議院及び参議院の両議院でこれを構成する。
第四十三条 両議院は、全国民を代表する選挙された議員でこれを組織する。
② 両議院の議員の定数は、法律でこれを定める。
第四十四条 両議院の議員及びその選挙人の資格は、法律でこれを定める。但し、人種、信条、性別、社会的身分、門地、教育、財産又は収入によつて差別してはならない。
第四十五条 衆議院議員の任期は、四年とする。但し、衆議院解散の場合には、その期間満了前に終了する。
第四十六条 参議院議員の任期は、六年とし、三年ごとに議員の半数を改選する。
第四十七条 選挙区、投票の方法その他両議院の議員の選挙に関する事項は、法律でこれを定める。
第四十八条 何人も、同時に両議院の議員たることはできない。
第四十九条 両議院の議員は、法律の定めるところにより、国庫から相当額の歳費を受ける。
第五十条 両議院の議員は、法律の定める場合を除いては、国会の会期中逮捕されず、会期前に逮捕された議員は、その議院の要求があれば、会期中これを釈放しなければならない。
第五十一条 両議院の議員は、議院で行つた演説、討論又は表決について、院外で責任を問はれない。
第五十二条 国会の常会は、毎年一回これを召集する。
第五十三条 内閣は、国会の臨時会の召集を決定することができる。いづれかの議院の総議員の四分の一以上の要求があれば、内閣は、その召集を決定しなければならない。
第五十四条 衆議院が解散されたときは、解散の日から四十日以内に、衆議院議員の総選挙を行ひ、その選挙の日から三十日以内に、国会を召集しなければならない。
② 衆議院が解散されたときは、参議院は、同時に閉会となる。但し、内閣は、国に緊急の必要があるときは、参議院の緊急集会を求めることができる。
③ 前項但書の緊急集会において採られた措置は、臨時のものであつて、次の国会開会の後十日以内に、衆議院の同意がない場合には、その効力を失ふ。
第五十五条 両議院は、各〻その議員の資格に関する争訟を裁判する。但し、議員の議席を失はせるには、出席議員の三分の二以上の多数による議決を必要とする。
第五十六条 両議院は、各〻その総議員の三分の一以上の出席がなければ、議事を開き議決することができない。
② 両議院の議事は、この憲法に特別の定のある場合を除いては、出席議員の過半数でこれを決し、可否同数のときは、議長の決するところによる。
第五十七条 両議院の会議は、公開とする。但し、出席議員の三分の二以上の多数で議決したときは、秘密会を開くことができる。
② 両議院は、各〻その会議の記録を保存し、秘密会の記録の中で特に秘密を要すると認められるもの以外は、これを公表し、且つ一般に頒布しなければならない。
③ 出席議員の五分の一以上の要求があれば、各議員の表決は、これを会議録に記載しなければならない。
第五十八条 両議院は、各〻その議長その他の役員を選任する。

② 両議院は、各〻その会議その他の手続及び内部の規律に関する規則を定め、又、院内の秩序をみだした議員を懲罰することができる。但し、議員を除名するには、出席議員の三分の二以上の多数による議決を必要とする。

第五十九条 法律案は、この憲法に特別の定のある場合を除いては、両議院で可決したとき法律となる。

② 衆議院で可決し、参議院でこれと異なつた議決をした法律案は、衆議院で出席議員の三分の二以上の多数で再び可決したときは、法律となる。

③ 前項の規定は、法律の定めるところにより、衆議院が、両議院の協議会を開くことを求めることを妨げない。

④ 参議院が、衆議院の可決した法律案を受け取つた後、国会休会中の期間を除いて六十日以内に、議決しないときは、衆議院は、参議院がその法律案を否決したものとみなすことができる。

第六十条 予算は、さきに衆議院に提出しなければならない。

② 予算について、参議院で衆議院と異なつた議決をした場合に、法律の定めるところにより、両議院の協議会を開いても意見が一致しないとき、又は参議院が、衆議院の可決した予算を受け取つた後、国会休会中の期間を除いて三十日以内に、議決しないときは、衆議院の議決を国会の議決とする。

第六十一条 条約の締結に必要な国会の承認については、前条第二項の規定を準用する。

第六十二条 両議院は、各〻国政に関する調査を行ひ、これに関して、証人の出頭及び証言並びに記録の提出を要求することができる。

第六十三条 内閣総理大臣その他の国務大臣は、両議院の一に議席を有すると有しないとにかかはらず、何時でも議案について発言するため議院に出席することができる。又、答弁又は説明のため出席を求められたときは、出席しなければならない。

第六十四条 国会は、罷免の訴追を受けた裁判官を裁判するため、両議院の議員で組織する弾劾裁判所を設ける。

② 弾劾に関する事項は、法律でこれを定める。

第五章 内閣

第六十五条 行政権は、内閣に属する。

第六十六条 内閣は、法律の定めるところにより、その首長たる内閣総理大臣及びその他の国務大臣でこれを組織する。

② 内閣総理大臣その他の国務大臣は、文民でなければならない。

③ 内閣は、行政権の行使について、国会に対し連帯して責任を負ふ。

第六十七条 内閣総理大臣は、国会議員の中から国会の議決で、これを指名する。この指名は、他のすべての案件に先だつて、これを行ふ。

② 衆議院と参議院とが異なつた指名の議決をした場合に、法律の定めるところにより、両議院の協議会を開いても意見が一致しないとき、又は衆議院が指名の議決をした後、国会休会中の期間を除いて十日以内に、参議院が、指名の議決をしないときは、衆議院の議決を国会の議決とする。

第六十八条 内閣総理大臣は、国務大臣を任命する。但し、その過半数は、国会議員の中から選ばれなければならない。

② 内閣総理大臣は、任意に国務大臣を罷免することができる。

第六十九条 内閣は、衆議院で不信任の決議案を可決し、又は信任の決議案を否決したときは、十日以内に衆議院が解散されない限り、総辞職をしなければならない。

第七十条 内閣総理大臣が欠けたとき、又は衆議院議員総選挙の後に初めて国会の召集があつたときは、内閣は、総辞職をしなければならない。

第七十一条 前二条の場合には、内閣は、あらたに内閣総理大臣が任命されるまで引き続きその職務を行ふ。

第七十二条 内閣総理大臣は、内閣を代表して議案を国会に提出し、一般国務及び外交関係について国会に報告し、並びに行政各部を指揮監督する。

第七十三条 内閣は、他の一般行政事務の外、左の事務を行ふ。

一 法律を誠実に執行し、国務を総理すること。

二 外交関係を処理すること。

三 条約を締結すること。但し、事前に、時宜によつては事後に、国会の承認を経ることを必要とする。

四 法律の定める基準に従ひ、官吏に関する事務を掌理すること。

五 予算を作成して国会に提出すること。

六 この憲法及び法律の規定を実施するために、政令を制定すること。但し、政令には、特にその法律の委任がある場合を除いては、罰則を設けることができない。

七 大赦、特赦、減刑、刑の執行の免除及び復権を決定すること。

第七十四条 法律及び政令には、すべて主任の国務大臣が署名し、内閣総理大臣が連署することを必要とする。

第七十五条 国務大臣は、その在任中、内閣総理大臣の同意がなければ、訴追されない。但し、これがため、訴追の権利は、害されない。

第六章 司法

第七十六条 すべて司法権は、最高裁判所及び法律の定めるところにより設置する下級裁判所に属する。
② 特別裁判所は、これを設置することができない。行政機関は、終審として裁判を行ふことができない。
③ すべて裁判官は、その良心に従ひ独立してその職権を行ひ、この憲法及び法律にのみ拘束される。

第七十七条 最高裁判所は、訴訟に関する手続、弁護士、裁判所の内部規律及び司法事務処理に関する事項について、規則を定める権限を有する。
② 検察官は、最高裁判所の定める規則に従はなければならない。
③ 最高裁判所は、下級裁判所に関する規則を定める権限を、下級裁判所に委任することができる。

第七十八条 裁判官は、裁判により、心身の故障のために職務を執ることができないと決定された場合を除いては、公の弾劾によらなければ罷免されない。裁判官の懲戒処分は、行政機関がこれを行ふことはできない。

第七十九条 最高裁判所は、その長たる裁判官及び法律の定める員数のその他の裁判官でこれを構成し、その長たる裁判官以外の裁判官は、内閣でこれを任命する。
② 最高裁判所の裁判官の任命は、その任命後初めて行はれる衆議院議員総選挙の際国民の審査に付し、その後十年を経過した後初めて行はれる衆議院議員総選挙の際更に審査に付し、その後も同様とする。
③ 前項の場合において、投票者の多数が裁判官の罷免を可とするときは、その裁判官は、罷免される。
④ 審査に関する事項は、法律でこれを定める。
⑤ 最高裁判所の裁判官は、法律の定める年齢に達した時に退官する。
⑥ 最高裁判所の裁判官は、すべて定期に相当額の報酬を受ける。この報酬は、在任中、これを減額することができない。

第八十条 下級裁判所の裁判官は、最高裁判所の指名した者の名簿によつて、内閣でこれを任命する。その裁判官は、任期を十年とし、再任されることができる。但し、法律の定める年齢に達した時には退官する。
② 下級裁判所の裁判官は、すべて定期に相当額の報酬を受ける。この報酬は、在任中、これを減額することができない。

第八十一条 最高裁判所は、一切の法律、命令、規則又は処分が憲法に適合するかしないかを決定する権限を有する終審裁判所である。

第八十二条 裁判の対審及び判決は、公開法廷でこれを行ふ。
② 裁判所が、裁判官の全員一致で、公の秩序又は善良の風俗を害する虞があると決した場合には、対審は、公開しないでこれを行ふことができる。但し、政治犯罪、出版に関する犯罪又はこの憲法第三章で保障する国民の権利が問題となつてゐる事件の対審は、常にこれを公開しなければならない。

第七章 財政

〔財政処理の基本原則〕

第八十三条 国の財政を処理する権限は、国会の議決に基いて、これを行使しなければならない。

参 **内閣の財政処理の権限**（憲法六五） **財政処理の諸原則**（憲法八四～九一、財政法八・九等） **財政に関する憲法附属法令**（財政法、会計法、財産法、物品管理法、債権管理法、会計院法、皇経法等） **国会の地位及び国会に対する内閣の責任**（憲法四一・六六Ⅲ・八七Ⅱ）

〔租税法律主義〕

第八十四条 あらたに租税を課し、又は現行の租税を変更するには、法律又は法律の定める条件によることを必要とする。

参 **国民の納税の義務**（憲法三〇） **法律の制定**（憲法七・五九・七四） **租税法**（所得税法、法人税法、相続税法、消費税法、酒税法、印紙税法、登録免許税法、関税法、自動車重量税法等） **租税以外の課徴金、国の独占事業料金と法律又は国会の議決**（財政法三、財政法第三条の特例に関する法律） **地方税**（憲法九四、自治法二二三）

〔国費の支出及び国の債務負担〕

第八十五条 国費を支出し、又は国が債務を負担するには、国会の議決に基くことを必要とする。

参 **国費の支出及び国の債務負担と予算**（憲法八六、財政法一四・一四の二・一五Ⅰ・Ⅱ・一六・四三の三） **国費支出の範囲**（財政法二） **国の債務負担の予算以外の国会の議決形式**〔**法律に規定されている公債の発行等**（財政法四・七、各年度の公債の発行の特例等を定める法律については財政法第四条の参照条文**特例規定**を参照、外貨公債の発行に関する法律一、特会法六二等） **条約**（憲法七三3） **法律において債務負担の規定をした例**（会計法二九の一二、国際学会等への加入に伴う分担金の債務負担に関する法律、義務教育費国庫負担法二、義務教育諸学校等の施設費の国庫負担等に関する法律三、公立学校施設災害復旧費国庫負担法三、義務教育諸学校の教科用図書の無償に関する法律一、義務教育諸学校の教科用図書の無償措置に関する法律三、生活保護法七五Ⅰ、公共土木施設災害復旧事業費国庫負担法三、身体障害者福祉法三七の二、未帰還者に関する特別措置法三、老人福祉法二六Ⅰ、戦没者等の妻に対する特別給付金支給法三、戦没者等の遺族に対する特別弔慰金支給法三、戦傷病者等の妻に対する特別給付金支給法三、戦没者の父母等に対する特別給付金支給法三、引揚者等に対する特別交付金の支給に関する法律三、引揚者給付金等支給法四、雇用対策法一八、外航船舶建造融資利子補給臨時措置法二、首都圏、近畿圏及び中部圏の近郊整備地帯等の整備のための国の財政上の特別措置に関する法律三Ⅱ、駐留軍関係離職者等臨時措置法一五、古都における歴史的風土の保存に関する特別措置法一四Ⅰ、児童手当法一八、農地所有者等賃貸住宅建設融資利子補給臨時措置法二等〕　**法律による債務保証の例**〔独立行政法人日本高速道路保有・債務返済機構法二三、国際復興開発銀行等からの外資の受入に関する特別措置に関する法律二、国立研究開発法人日本原子力研究開発機構法二三、銀行等の株式等の保有の制限等に関する法律五一等〕　**皇室費用の議決形式**〔憲法八八〕　**公金支出の制限**〔憲法八九〕　**支出の決算**〔憲法九〇〕

〔予算〕

第八十六条　内閣は、毎会計年度の予算を作成し、国会に提出して、その審議を受け議決を経なければならない。

参　**予算の編成権**〔憲法六五・七三5、内閣法一・三Ⅰ、国家行政組織法三～五、財務省設置法四2〕　**会計年度**〔会計年度（財政法一一）会計年度所属区分（会計法一Ⅱ、予決令一の二・二）年度独立の原則（財政法一二・例外一四の三・四二但書・四三～四三の三）〕　**予算の内容**〔予算の内容（財政法一六）予算総則（財政法二二）歳入歳出予算（財政法一四・二三）継続費（財政法一四の二・二五）繰越明許費（財政法一四の三）国庫債務負担行為（財政法一五・二六）〕　**予算の種類**〔一般会計予算・特別会計予算（財政法一三）補正予算（財政法二九）暫定予算（財政法三〇）〕　**予算の作成**〔会計区分（財政法一三）総計予算主義（財政法一四）作成手続（財政法一七～二一、予決令八～一五）皇室費用（憲法八八）国会経費（国会法三二Ⅰ）裁判所経費（裁判所法八三Ⅰ）人事院経費（国公法一三Ⅲ）〕　**予算の国会提出**〔衆議院の予算先議権（憲法六〇Ⅰ）議案国会提出に関する内閣総理大臣の職務（憲法七二、内閣法五）予算の国会提出時期（財政法二七）予算添附書類（財政法二八）〕　**予算の審議**〔総予算等に関する公聴会（国会法五一Ⅱ〕　**予算の議決・成立**〔予算審議に関する衆議院の優越（憲法六〇Ⅱ）予算その他財政状況の報告（財政法四六）〕　**予算の執行**〔予算の配賦（財政法三一、予決令一六）歳出予算及び継続費の目的外使用の禁止（財政法三二）歳出予算及び継続費の移用・流用（財政法三三、予決令一七）支払計画及び支出負担行為実施計画（財政法三四・三四の二、予決令一八の二～一八の一五）予算執行に関する弁償責任等（予責法）〕　**予備費**（憲法八七、財政法二四・三五・三六）

〔予備費〕

第八十七条　予見し難い予算の不足に充てるため、国会の議決に基いて予備費を設け、内閣の責任でこれを支出することができる。

②　すべて予備費の支出については、内閣は、事後に国会の承諾を得なければならない。

参　**予備費**〔予備費の議決形式（財政法二四）予備費の管理（財政法三五Ⅰ）使用手続（財政法三五Ⅱ～Ⅳ）予備費使用調書の作製及び国会提出等（財政法三六）〕　**類似の経費**〔国会予備経費（国会法三二Ⅱ、国会予備金法）裁判所予備経費（裁判所法八三Ⅱ、裁判所予備金法）〕

〔皇室の財産及び費用〕

第八十八条　すべて皇室財産は、国に属する。すべて皇室の費用は、予算に計上して国会の議決を経なければならない。

参　**皇室用財産**〔皇経法二・附Ⅱ・Ⅲ、財産法三Ⅱ3〕　**皇室財産授受の制限**〔憲法八〕　**皇室の費用**〔皇室費の内容（皇経法三）内廷費（皇経法四）宮廷費（皇経法五）皇族費（皇経法六）〕　**皇室経済会議**〔権能（皇経法四Ⅲ・六Ⅱ）組織（皇経法八～一一）〕

〔公の財産の支出及び利用の制限〕

第八十九条　公金その他の公の財産は、宗教上の組織若しくは団体の使用、便益若しくは維持のため、又は公の支配に属しない慈善、教育若しくは博愛の事業に対し、これを支出し、又はその利用に供してはならない。

参　**信教及び学問の自由**〔憲法二〇・二三〕　**教育博愛事業への援助と支配**〔私学法五九、福祉法五八、日赤法三九〕

〔決算検査及び会計検査院〕

第九十条　国の収入支出の決算は、すべて毎年会計検査院がこれを検査し、内閣は、次の年度に、その検査報告とともに、これを国会に提出しなければならない。

② 会計検査院の組織及び権限は、法律でこれを定める。

参 **収入・支出**〔財政法二〕 **会計年度**〔財政法一一〕 **歳入歳出決算の作成**〔財政法三七・三八、予決令二〇〕 **歳入歳出決算の会計検査院への送付**〔財政法三九〕 **会計検査院の検査及び確認**〔会計院法二〇～二八〕 **検査報告**〔会計院法二九〕 **歳入歳出決算の国会への提出**〔決算の国会提出〔財政法四〇〕 国会の委員会の会計検査院長・検査官の出席説明要求〔国会法七二Ⅰ〕 会計検査院の国会出席説明〔会計院法三〇〕〕 **国有財産に関する検査と国会報告**〔国有財産増減及び現在額総計算書〔財産法三三・三四〕 国有財産無償貸付状況総計算書〔財産法三六・三七〕〕 **物品に関する国会報告等**〔物品増減及び現在額総計算書〔物品管理法三八〕〕 **国の債権の国会報告等**〔債権管理法四〇〕 **会計検査院の組織及び権限**〔組織〔会計院法一～一九の六〕 権限〔会計院法二〇～三七〕〕

〔財政状況の報告〕

第九十一条 内閣は、国会及び国民に対し、定期に、少くとも毎年一回、国の財政状況について報告しなければならない。

参 **予算成立の際の報告**〔財政法四六Ⅰ〕 **毎四半期毎の報告**〔財政法四六Ⅱ〕

第八章 地方自治

第九十二条 地方公共団体の組織及び運営に関する事項は、地方自治の本旨に基いて、法律でこれを定める。

第九十三条 地方公共団体には、法律の定めるところにより、その議事機関として議会を設置する。

② 地方公共団体の長、その議会の議員及び法律の定めるその他の吏員は、その地方公共団体の住民が、直接これを選挙する。

第九十四条 地方公共団体は、その財産を管理し、事務を処理し、及び行政を執行する権能を有し、法律の範囲内で条例を制定することができる。

第九十五条 一の地方公共団体のみに適用される特別法は、法律の定めるところにより、その地方公共団体の住民の投票においてその過半数の同意を得なければ、国会は、これを制定することができない。

第九章 改正

第九十六条 この憲法の改正は、各議院の総議員の三分の二以上の賛成で、国会が、これを発議し、国民に提案してその承認を経なければならない。この承認には、特別の国民投票又は国会の定める選挙の際行はれる投票において、その過半数の賛成を必要とする。

② 憲法改正について前項の承認を経たときは、天皇は、国民の名で、この憲法と一体を成すものとして、直ちにこれを公布する。

第十章 最高法規

第九十七条 この憲法が日本国民に保障する基本的人権は、人類の多年にわたる自由獲得の努力の成果であつて、これらの権利は、過去幾多の試錬に堪へ、現在及び将来の国民に対し、侵すことのできない永久の権利として信託されたものである。

第九十八条 この憲法は、国の最高法規であつて、その条規に反する法律、命令、詔勅及び国務に関するその他の行為の全部又は一部は、その効力を有しない。

② 日本国が締結した条約及び確立された国際法規は、これを誠実に遵守することを必要とする。

第九十九条 天皇又は摂政及び国務大臣、国会議員、裁判官その他の公務員は、この憲法を尊重し擁護する義務を負ふ。

第十一章 補則

第百条 この憲法は、公布の日から起算して六箇月を経過した日〔昭二二・五・三〕から、これを施行する。

② この憲法を施行するために必要な法律の制定、参議院議員の選挙及び国会召集の手続並びにこの憲法を施行するために必要な準備手続は、前項の期日よりも前に、これを行ふことができる。

第百一条 この憲法施行の際、参議院がまだ成立してゐないときは、その成立するまでの間、衆議院は、国会としての権限を行ふ。

第百二条 この憲法による第一期の参議院議員のうち、その半数の者の任期は、これを三年とする。その議員は、法律の定めるところにより、これを定める。

第百三条 この憲法施行の際現に在職する国務大臣、衆議院議員及び裁判官並びにその他の公務員で、その地位に相応する地位がこの憲法で認められてゐる者は、法律で特別の定をした場合を除いては、この憲法施行のため、当然にはその地位を失ふことはない。但し、この憲法によつて、後任者が選挙又は任命されたときは、当然その地位を失ふ。

○大日本帝国憲法（抄）

明二二・二・一一

第六章　会計

第六十二条　新ニ租税ヲ課シ及税率ヲ変更スルハ法律ヲ以テ之ヲ定ムヘシ
② 但シ報償ニ属スル行政上ノ手数料及其ノ他ノ収納金ハ前項ノ限ニ在ラス
③ 国債ヲ起シ及予算ニ定メタルモノヲ除ク外国庫ノ負担トナルヘキ契約ヲ為スハ帝国議会ノ協賛ヲ経ヘシ

第六十三条　現行ノ租税ハ更ニ法律ヲ以テ之ヲ改メサル限ハ旧ニ依リ之ヲ徴収ス

第六十四条　国家ノ歳出歳入ハ毎年予算ヲ以テ帝国議会ノ協賛ヲ経ヘシ
② 予算ノ款項ニ超過シ又ハ予算ノ外ニ生シタル支出アルトキハ後日帝国議会ノ承諾ヲ求ムルヲ要ス

第六十五条　予算ハ前ニ衆議院ニ提出スヘシ

第六十六条　皇室経費ハ現在ノ定額ニ依リ毎年国庫ヨリ之ヲ支出シ将来増額ヲ要スル場合ヲ除ク外帝国議会ノ協賛ヲ要セス

第六十七条　憲法上ノ大権ニ基ツケル既定ノ歳出及法律ノ結果ニ由リ又ハ法律上政府ノ義務ニ属スル歳出ハ政府ノ同意ナクシテ帝国議会之ヲ廃除シ又ハ削減スルコトヲ得ス

第六十八条　特別ノ須要ニ因リ政府ハ予メ年限ヲ定メ継続費トシテ帝国議会ノ協賛ヲ求ムルコトヲ得

第六十九条　避クヘカラサル予算ノ不足ヲ補フ為ニ又ハ予算ノ外ニ生シタル必要ノ費用ニ充ツル為ニ予備費ヲ設クヘシ

第七十条　公共ノ安全ヲ保持スル為緊急ノ需用アル場合ニ於テ内外ノ情形ニ因リ政府ハ帝国議会ヲ召集スルコト能ハサルトキハ勅令ニ依リ財政上必要ノ処分ヲ為スコトヲ得
② 前項ノ場合ニ於テハ次ノ会期ニ於テ帝国議会ニ提出シ其ノ承諾ヲ求ムルヲ要ス

第七十一条　帝国議会ニ於テ予算ヲ議定セス又ハ予算成立ニ至ラサルトキハ政府ハ前年度ノ予算ヲ施行スヘシ

第七十二条　国家ノ歳出歳入ノ決算ハ会計検査院之ヲ検査確定シ政府ハ其ノ検査報告ト倶ニ之ヲ帝国議会ニ提出スヘシ
② 会計検査院ノ組織及職権ハ法律ヲ以テ之ヲ定ム

第七章　補則

第七十三条　将来此ノ憲法ノ条項ヲ改正スルノ必要アルトキハ勅命ヲ以テ議案ヲ帝国議会ノ議ニ付スヘシ
② 此ノ場合ニ於テ両議院ハ各〻其ノ総員三分ノ二以上出席スルニ非サレハ議事ヲ開クコトヲ得ス出席議員三分ノ二以上ノ多数ヲ得ルニ非サレハ改正ノ議決ヲ為スコトヲ得ス

第七十四条　皇室典範ノ改正ハ帝国議会ノ議ヲ経ルヲ要セス
② 皇室典範ヲ以テ此ノ憲法ノ条規ヲ変更スルコトヲ得ス

第七十五条　憲法及皇室典範ハ摂政ヲ置クノ間之ヲ変更スルコトヲ得ス

第七十六条　法律規則命令又ハ何等ノ名称ヲ用ヰタルニ拘ラス此ノ憲法ニ矛盾セサル現行ノ法令ハ総テ遵由ノ効力ヲ有ス
② 歳出上政府ノ義務ニ係ル現在ノ契約又ハ命令ハ総テ第六十七条ノ例ニ依ル

財政及び会計通則

○財政法

昭二二・三・三一
法　三　四

最終改正　令三・五・一九法三六

目次〔略〕

第一章　財政総則

〔財政法の趣旨〕

第一条　国の予算その他財政の基本に関しては、この法律の定めるところによる。

参　**財政処理に関する憲法の基本原則**（憲法八三～九一）

〔収入支出及び歳入歳出の定義〕

第二条　収入とは、国の各般の需要を充たすための支払の財源となるべき現金の収納をいい、支出とは、国の各般の需要を充たすための現金の支払をいう。

② 前項の現金の収納には、他の財産の処分又は新らたな債務の負担に因り生ずるものをも含み、同項の現金の支払には、他の財産の取得又は債務の減少を生ずるものをも含む。

③ なお第一項の収入及び支出には、会計間の繰入その他国庫内において行う移換によるものを含む。

④ 歳入とは、一会計年度における一切の収入をいい、歳出とは、一会計年度における一切の支出をいう。

参　**国費の支出**（憲法八五）　**収入支出の決算**（憲法九〇）　**収入手続等**（会計法三～九、予決令二六～三七、債権管理法一三、徴収官規程）　**支出手続等**（会計法一〇・一四～二八、予決令四〇～六五、支出官規程、小切手振出規程）　**会計年度**（財政法一一）　**歳入歳出の見合（年度独立の原則）**（財政法一二）　**歳入歳出と予算（総計予算主義）**（財政法一四）　**歳入歳出の決算**（財政法三七～四〇、予決令一九～二三）　**決算上の剰余金の翌年度歳入繰入**（財政法四一）　**収入支出に属しないものの例**（保管金の受入及び払戻（会計法三三）　財務省証券及び一時借入金による受入金の受入及び償還（財政法七）等）

〔課徴金、独占事業の価格及び料金の決定の制限〕

第三条　租税を除く外、国が国権に基いて収納する課徴金及び法律上又は事実上国の独占に属する事業における専売価格若しくは事業料金については、すべて法律又は国会の議決に基いて定めなければならない。

参　**租税法律主義**（憲法八四）　**課徴金に属するものの例**（日本銀行法五三Ⅴ、株式会社日本政策金融公庫法四七Ⅰ～Ⅳ、沖縄振興開発金融公庫法二五、接収貴金属等の処理に関する法律一六Ⅰ・Ⅲ但書、日本中央競馬会法二七、天災による被害農林漁業者等に対する資金の融通に関する暫定措置法五、関税法八二・一〇〇、土地収用法一二五、道路法三九・五八、建設業法二五の二四、砂利採取法三五、家庭用品品質表示法一八、特許法一〇七・一九五、実用新案法三一・五四、意匠法四二・六七、商標法四〇・七六、核原料物質、核燃料物質及び原子炉の規制に関する法律七五、放射性同位元素等による放射線障害の防止に関する法律四九、技術士法一〇・三九、航空法一三五、電波法一〇三・一〇三の二、医薬品、医療機器等の品質、有効性及び安全性の確保等に関する法律七八、薬剤師法一六、旅行業法二二、旅券法二〇、家畜改良増殖法三六、公認会計士法一一、麻薬及び向精神薬取締法五九の五、税理士法九、鉱業法一三六、航空機製造事業法一八、武器等製造法二七、計量法一五八、私的独占の禁止及び公正取引の確保に関する法律七の二、通関業法二六、子ども・子育て支援法六九、国民生活安定緊急措置法一一等）　**特例法令**（財政法第三条の特例に関する法律）

〔公債及び借入金財源による歳出支弁の制限〕

第四条　国の歳出は、公債又は借入金以外の歳入を以て、その財源としなければならない。但し、公共事業費、出資金及び貸付金の財源については、国会の議決を経た金額の範囲内で、公債を発行し又は借入金をなすことができる。

② 前項但書の規定により公債を発行し又は借入金をなす場合においては、その償還の計画を国会に提出しなければならない。

③ 第一項に規定する公共事業費の範囲については、毎会計年度、国会の議決を経なければならない。

参　**債務負担に関する基本原則**（憲法八五）　**公債の発行又は借入金の借入の限度額について国会の議決を経る形式**（財政法二二1）　**公債の発行又は借入金の借入の方法に関する制限**（財政法五）　**公共事業費の範囲について国会の議決を経る形式**（財政法二二2）　**公債の発行**（国債の発行等に関する省令）　**特別会計の公債発行又は借入金等の規定**（特会法一三・一四・三六・四六・四七・六一～六三・九四Ⅰ・Ⅲ・一三六Ⅲ・二二〇・附四Ⅰ・Ⅱ・附三〇Ⅰ・附七五・附七六・附七七・附一〇一・附一四二・附一七〇・附一七七・附一八九・附二〇六の六・附二二二Ⅵ・附二二三Ⅵ・附二二九Ⅴ・附二三〇Ⅵ・附二三四Ⅴ・附二五二Ⅴ・附二五三Ⅴ・附二五九の三Ⅸ、外貨公債の発行に関する法律一、脱炭素成長型経済構造への円滑な移行の推進に関する法律七Ⅰ）　**特例規定**（昭和四十年度における財政処理の特例に関する法律二Ⅰ、昭和五十年度の公債の発行の特例に関する法律一、昭和五十一年度の公債の発行の特例に関する法律二、昭和五十二年度の公債の発行の特例に関する法律二、昭和五十三年度における財政処理のための公債の発行及び専売納付金の納付の特例に関する法律二Ⅰ、昭和五十四年度の公債の発行の特例に関する法律二、昭和五十五年度の公債の発行の特例に関する法律二、財政運営に必要な財源の確保を図るための特別措置に関する法律二Ⅰ、昭和五十七年度の公債の発行の特例に関する法律二、昭和五十八年度の財政運営に必要な財源の確保を図るための特別措置に関する法律二Ⅰ、昭和五十九年度の財政運営に必要な財源の確保を図るための特別措置等に関する法律二Ⅰ、昭和六十年度の財政運営に必要な財源の確保を図るための特別措置に関する法律二Ⅰ、昭和六十一年度の財政運営に必要な財源の確保を図るための特別措置に関する法律二Ⅰ、昭和六十二年度の財政運営に必要な財源の確保を図るための特別措置に関する法律二Ⅰ、昭和六十三年度の財政運営に必要な財源の確保を図るための特別措置に関する法律二Ⅰ、平成元年度の財政運営に必要な財源の確保を図るための特別措置に関する法律二Ⅰ、湾岸地域における平和回復活動を支援するため平成二年度において緊急に講ずべき財政上の措置に必要な財源の確保に係る臨時措置に関する法律四八Ⅰ、平成六年分所得税の特別減税の実施等のための公債の発行の特例に関する法律一、所得税法及び消費税法の一部を改正する法律の施行等による租税収入の減少を補うための平成六年度から平成八年度までの公債の発行の特例等に関する法律一、阪神・淡路大震災に対処するための平成六年度における公債の発行の特例等に関する法律二Ⅰ、平成六年度歳入歳出の決算上の剰余金の処理の特例等に関する法律二Ⅰ、平成七年度における公債の発行の特例に関する法律二、平成七年度における租税収入の減少を補うための公債の発行の特例に関する法律一、平成八年度における財政運営のための公債の発行の特例等に関する法律二Ⅰ、平成九年度における財政運営のための公債の発行の特例等に関する法律二Ⅰ、平成十年度における財政運営のための公債の発行の特例等に関する法律二Ⅰ、平成十一年度における公債の発行の特例に関する法律二Ⅰ、平成十二年度における公債の発行の特例に関する法律二Ⅰ、平成十三年度における公債の発行の特例に関する法律二Ⅰ、平成十四年度における財政運営のための公債の発行の特例等に関する法律二Ⅰ、平成十五年度における公債の発行の特例に関する法律二Ⅰ、平成十六年度における財政運営のための公債の発行の特例等に関する法律二Ⅰ、平成十七年度における財政運営のための公債の発行の特例等に関する法律二Ⅰ、平成十八年度における財政運営のための公債の発行の特例等に関する法律二Ⅰ、平成十九年度における財政運営のための公債の発行の特例等に関する法律二Ⅰ、平成二十年度における公債の発行の特例に関する法律二Ⅰ、財政運営に必要な財源の確保を図るための公債の発行及び財政投融資特別会計からの繰入れの特例に関する法律二Ⅰ、平成二十二年度における財政運営のための公債の発行の特例等に関する法律二Ⅰ、平成二十三年度における公債の発行の特例に関する法律二Ⅰ、財政運営に必要な財源の確保を図るための公債の発行の特例に関する法律三）　**参照規定**　地方公共団体の公債発行（自治法二三〇、地財法五但書）

〔公債発行及び借入金借入の方法に関する制限〕

第五条　すべて、公債の発行については、日本銀行にこれを引き受けさせ、又、借入金の借入については、日本銀行からこれを借り入れてはならない。但し、特別の事由がある場合において、国会の議決を経た金額の範囲内では、この限りでない。

参　**日本銀行引受の限度額について国会の議決を経る形式**（財政法二二３）　**日本銀行の政府に対する貸付及び国債の応募引受**（日本銀行法三四）

〔決算上の剰余金の公債又は借入金の償還財源への充当〕

第六条　各会計年度において歳入歳出の決算上剰余を生じた場合においては、当該剰余金のうち、二分の一を下らない金額は、他の法律によるものの外、これを剰余金を生じた年度の翌翌年度までに、公債又は借入金の償還財源に充てなければならない。

②　前項の剰余金の計算については、政令でこれを定める。

参　**決算上の剰余金の処分**（財政法四一）　**剰余金の計算方法**（予決令一九・附九の二・附九の三）　**他の法律による公債又は借入金の償還財源の繰入**（特会法四二・四三）　**特例規定**（財政法附七、昭和五十一年分所得税の特別減税の実施のための財政処理の特別措置に関する法律一、昭和五十八年分の所得税の臨時特例等に関する法律八、平成三年度歳入歳出の決算上の剰余金の処理の特例等に関する法律一、平成六年度歳入歳出の決算上の剰余金の処理の特例等に関する法律一、平成十一年度歳入歳出の決算上の剰余金の処理の特例に関する法律、平成十二年度歳入歳出の決算上の剰余金の処理の特例に関する法律、平成十四年度歳入歳出の決算上の剰余金の処理の特例に関する法律、令和元年度歳入歳出の決算上の剰余金の処理の特例に関する法律

〔財務省証券の発行及び一時借入金〕

第七条　国は、国庫金の出納上必要があるときは、財務省証券を発行し又は日本銀行から一時借入金をなすことができる。

② 前項に規定する財務省証券及び一時借入金は、当該年度の歳入を以て、これを償還しなければならない。

③ 財務省証券の発行及び一時借入金の借入の最高額については、毎会計年度、国会の議決を経なければならない。

改 本条…一部改正（平一一法一六〇）

参 **債務負担に関する基本原則**（憲法八五）　**財務省証券及び一時借入金の最高額について国会の議決を経る形式**（財政法二二4）　**公債及び短期証券の発行、償還等の手続**（政府資金調達事務取扱規則）　**特別会計の一時借入金等の規定**（特会法一五Ⅰ～Ⅳ・二六・三七Ⅰ～Ⅲ・八二Ⅱ・Ⅲ・八三Ⅰ～Ⅲ・Ⅴ・一〇七Ⅰ～Ⅲ・一二三Ⅰ～Ⅲ・一三七Ⅱ～Ⅳ・一九七・附一七一・附一七八・附二〇五）　**参照規定**　地方公共団体の一時借入金（自治法二三五の三）

〔債権の免除及び効力変更〕

第八条　国の債権の全部若しくは一部を免除し又はその効力を変更するには、法律に基くことを要する。

参 **債権免除の例**（旧軍関係債権の処理に関する法律三、債権管理法三二・三三、予責法七、矯正医官修学資金貸与法七・九、災害被害者に対する租税の減免、徴収猶予等に関する法律一～四、資産再評価法八六～八八、文化財保護法四二Ⅲ、自衛隊法九八Ⅳ、文部科学省著作教科書の出版権等に関する法律一三、公衆衛生修学資金貸与法七・九、戦傷病者戦没者遺族等援護法三二の四・三八の二、未帰還者留守家族等援護法一一Ⅲ、国有林野法八の四、特許法一〇九、実用新案法三二の二、公務員等の懲戒免除等に関する法律四、外国政府に対して有する米穀の売渡しに係る債権の免除に関する特別措置法二、日本国との平和条約の効力発生に伴う予算執行職員等の弁償責任の減免に関する政令等）　**債権効力の変更**（債権管理法二四～三一、旧軍関係債権の処理に関する法律一・二、矯正医官修学資金貸与法一〇、労働保険の保険料の徴収等に関する法律一八、国税通則法四六、相続税法三八～四〇、資産再評価法五六・五八・六〇、揮発油税法一三、財政融資資金の債権の条件変更等に関する法律、災害被害者に対する租税の減免、徴収猶予等に関する法律一、公衆衛生修学資金貸与法一〇、国有林野法八の四等）　**会計検査院の検査**（会計院法二二3）

〔財産の管理処分〕

第九条　国の財産は、法律に基く場合を除く外、これを交換しその他支払手段として使用し、又は適正な対価なくしてこれを譲渡し若しくは貸し付けてはならない。

② 国の財産は、常に良好の状態においてこれを管理し、その所有の目的に応じて、最も効率的に、これを運用しなければならない。

参 **管理法令**（財産法、財産特法、国有林野法、会計法三三・三五－有価証券に関する部分、物品管理法、土地改良法九四）　**無償及び減額譲渡の例**（社寺等に無償で貸し付けてある国有財産の処分に関する法律一・二、駐留軍関係離職者等臨時措置法一二、旧軍港市転換法五、国が施行する内国貿易設備に関する港湾工事に因り生ずる土地又は工作物の譲与又は貸付及び使用料の徴収に関する法律一、財産法二八、空港法二七、土地改良法五〇Ⅰ・九四の三・九四の四、北海道国有未開地処分法三、河川法九三、道路法九〇Ⅱ・九四Ⅱ、砂防法二八、公有水面埋立法二五、物品無償貸付法三・四、下水道法三六、国際連合の決議に基く民生事業のため必要な物品無償譲渡に関する法律、財産特法三・五・六の二、国有の炭鉱医療施設の譲渡及び貸付に関する特例法一、警察法附Ⅺ・ⅩⅢ、経済及び技術協力のため必要な物品等の外国政府等に対する譲与等に関する法律、義務教育諸学校の教科用図書の無償措置に関する法律三・五、国有の会議場施設の管理の委託等に関する特別措置法Ⅰ、急傾斜地の崩壊による災害の防止に関する法律二五、国際連合平和維持活動等に対する協力に関する法律三4・二五、民間海外援助事業の推進のための物品の譲与に関する法律二等）　**無償及び減額貸付の例**（国が施行する内国貿易設備に関する港湾工事に因り生ずる土地又は工作物の譲与又は貸付及び使用料の徴収に関する法律二、財産法一八Ⅶ・二二、駐留軍関係離職者等臨時措置法一二、国有林野法八の二・八の三、主要食糧の需給及び価格の安定に関する法律一七Ⅰ、国有の炭鉱医療施設の譲渡及び貸付に関する特例法一、物品無償貸付法二、計量法一六七、日本国とアメリカ合衆国との間の相互協力及び安全保障条約第六条に基づく施設及び区域並びに日本国における合衆国軍隊の地位に関する協定の実施に伴う国有の財産の管理に関する法律二、財産特法二・三、下水道法三六、道路法九〇Ⅱ、空港法二六、都市公園法附Ⅸ、警察法七八・附Ⅻ・ⅩⅢ、航空機工業振興法一一、国有の会議場施設の管理の委託等に関する特別措置法Ⅰ、消防組織法五〇、急傾斜地の崩壊による災害の防止に関する法律二五、社寺等に無償で貸し付けてある国有財産の処分に関する法律附一〇・附一四、国家公務員宿舎法一〇～一二等）　**交換の例**（財産法二七、財産特法九、国の所有に属する自動車等の交換に関する法律、土地改良法九四の二）　**会計検査院の検査**（会計院法二二2）

（**国の特定事務に要する費用の負担・分担についての制限**）

第十条　国の特定の事務のために要する費用について、国以外の者にその全部又は一部を負担させるには、法律に基かなければならない。

参 **地方公共団体の負担**（自治法二三二、河川法六〇、道路法五〇Ⅰ・Ⅱ、土地改良法九〇Ⅰ、高速自動車国道法二〇Ⅱ等）　**地方公共団体以外の者の負担**（自然公園法五八・五九、河川法六七、道路法五八Ⅰ・五九Ⅰ・六〇等）　**施行時期**（財政法附一―未施行）

第二章　会計区分

（**会計年度**）

第十一条　国の会計年度は、毎年四月一日に始まり、翌年三月三十一日に終るものとする。

参 **憲法における会計年度の規定**（憲法八六・九〇）　**出納閉鎖期限**（会計法一Ⅰ、予決令一三九）　**出納整理期限**（予決令三～七、附一〇）　**歳入歳出**（財政法二Ⅳ）　**継続費**（財政法一四の二）　**参照規定**　地方公共団体の会計年度（自治法二〇八Ⅰ）　公庫の事業年度（沖縄振興開発金融公庫の予算及び決算に関する法律二）

（**会計年度独立の原則**）

第十二条　各会計年度における経費は、その年度の歳入を以て、これを支弁しなければならない。

参 **年度経過（歳出予算の翌年度への繰越使用）の禁止**（財政法四二本文）　**会計年度独立の原則に対する特例・予算の繰越**（財政法一四の三・四二但書・四三・四三の二等）　**過年度収入**（会計法九、予決令六・六二）　**過年度支出**（会計法二七、予決令六〇）　**会計年度所属区分**（会計法一Ⅱ、予決令一の二・二）　**出納整理期限**（予決令三～七、附一〇）　**出納閉鎖期限**（会計法一Ⅰ、予決令一三九）

（**会計の区分**）

第十三条　国の会計を分つて一般会計及び特別会計とする。

② 国が特定の事業を行う場合、特定の資金を保有してその運用を行う場合その他特定の歳入を以て特定の歳出に充て一般の歳入歳出と区分して経理する必要がある場合に限り、法律を以て、特別会計を設置するものとする。

参 **特別会計の財政法の規定に関する特例**（財政法四五）　**特別会計法**　**参照規定**　地方公共団体の特別会計の設置（自治法二〇九）

第三章　予算

第一節　総則

（**総計予算主義の原則**）

第十四条　歳入歳出は、すべて、これを予算に編入しなければならない。

参 **国費の支出**（憲法八五）　**予算**（憲法八六、財政法一六）　**歳入歳出**（財政法二）　**収支統一の原則**（会計法二）　**参照規定**　地方公共団体の総計予算主義（自治法二一〇）

（**継続費**）

第十四条の二　国は、工事、製造その他の事業で、その完成に数年度を要するものについて、特に必要がある場合においては、経費の総額及び年割額を定め、予め国会の議決を経て、その議決するところに従い、数年度にわたつて支出することができる。

② 前項の規定により国が支出することができる年限は、当該会計年度以降五箇年度以内とする。但し、予算を以て、国会の議決を経て更にその年限を延長することができる。

③ 前二項の規定により支出することができる経費は、これを継続費という。

④ 前三項の規定は、国会が、継続費成立後の会計年度の予算の審議において、当該継続費につき重ねて審議することを妨げるものではない。

改 本条…追加（昭二七法四）

参 **憲法上の根拠**（憲法八三・八五・八六）　**国会の議決を経る形式**（財政法一六）　**継続費の区分**（財政法二五）　**継続費の見積に関する書類の作製及び送付**（財政法一七、予決令八）　**継続費の概算の作製、閣議決定及び通知**（財政法一八、予決令九Ⅰ）　**継続費要求書の作製及び送付**（財政法二〇Ⅱ、予決令一一Ⅱ・Ⅴ）　**予算の作成及び閣議決定**（財政法二一）　**継続費要求書の区分**（予決令一一Ⅱ）　**予算総則の継続費に関する総括的規定**（財政法二二）　**予算の国会提出時期**（財政法二七）　**予算に添附する継続費要求書等**（財政法二八2・9）　**補正予算**（財政法二九）　**暫定予算**（財政法三〇）　**継続費の配賦**（財政法三一、予決令一六）　**継続費の目的外使用の禁止**（財政法三二）　**継続費の移用・流用**（財政法三三・予決令一七）　**継続費にかかる支出負担行為の実施計画**（財政法三四の二、予決令一八の二～一八の七）　**継続費年割額の逓次繰越**（財政法四三の二、予決令二五の二）　**継続費の決算**（財政法三七Ⅲ・三九・四〇、予決令二〇Ⅱ）

財政に関する報告（財政法四六） **参照規定** 地方公共団体の継続費（自治法二一二）

（繰越明許費）

第十四条の三 歳出予算の経費のうち、その性質上又は予算成立後の事由に基き年度内にその支出を終らない見込のあるものについては、予め国会の議決を経て、翌年度に繰り越して使用することができる。

② 前項の規定により翌年度に繰り越して使用することができる経費は、これを繰越明許費という。

改 本条…追加（昭二七法四）

参 **国会の議決を経る形式**（財政法一六） **会計年度独立の原則**（財政法一二） **繰越明許費の見積に関する書類の作製及び送付**（財政法一七、予決令八） **繰越明許費の概算の作製、閣議決定及び通知**（財政法一八、予決令九Ⅰ） **繰越明許費要求書の作製及び送付**（財政法二〇Ⅱ、予決令一一Ⅲ・Ⅴ） **予算の作成及び閣議決定**（財政法二一） **予算総則の繰越明許費に関する総括的規定**（財政法二二） **予算の国会提出時期**（財政法二七） **予算に添附する繰越明許費要求書**（財政法二八2） **補正予算**（財政法二九） **繰越明許費の通知**（予決令一六） **繰越の手続等**（財政法四三、会計法四六の二・四八、予決令二四～二五の四） **繰越明許費に係る翌年度にわたる債務の負担**（財政法四三の三、予決令二五の五） **財政に関する報告**（財政法四六） **参照規定** 地方公共団体の繰越明許費（自治法二一三）

（国庫債務負担行為）

第十五条 法律に基くもの又は歳出予算の金額（第四十三条の三に規定する承認があつた金額を含む。）若しくは継続費の総額の範囲内におけるものの外、国が債務を負担する行為をなすには、予め予算を以て、国会の議決を経なければならない。

② 前項に規定するものの外、災害復旧その他緊急の必要がある場合においては、国は毎会計年度、国会の議決を経た金額の範囲内において、債務を負担する行為をなすことができる。

③ 前二項の規定により国が債務を負担する行為に因り支出すべき年限は、当該会計年度以降五箇年度以内とする。但し、国会の議決により更にその年限を延長するもの並びに外国人に支給する給料及び恩給、地方公共団体の債務の保証又は債務の元利若しくは利子の補給、土地、建物の借料及び国際条約に基く分担金に関するもの、その他法律で定めるものは、この限りでない。

④ 第二項の規定により国が債務を負担した行為については、次の常会において国会に報告しなければならない。

⑤ 第一項又は第二項の規定により国が債務を負担する行為は、これを国庫債務負担行為という。

改 一項…一部改正（昭二七法四）、一・三項…一部改正（昭二九法九〇）

参 **憲法上の根拠**（憲法八五） **国会の議決を経る形式**（一五条一項の分－国庫債務負担行為の権能についての国会の議決（財政法一六）、国庫債務負担行為の区分形式（財政法二六）、一五条二項の分－国庫債務負担行為の限度額についての国会の議決（財政法一六・二二5）） **国庫債務負担行為の年限の特例**（民間資金等の活用による公共施設等の整備等の促進に関する法律六八、競争の導入による公共サービスの改革に関する法律三〇、特定防衛調達に係る国庫債務負担行為により支出すべき年限に関する特別措置法二等） **国庫債務負担行為の見積に関する書類の作製及び送付**（財政法一七、予決令八） **国庫債務負担行為の概算の作製、閣議決定及び通知**（財政法一八、予決令九Ⅰ） **国庫債務負担行為要求書の作製及び送付**（財政法二〇Ⅱ、予決令一一Ⅳ・Ⅴ） **予算総則の国庫債務負担行為に関する総括的規定**（財政法二二） **予算に添附する国庫債務負担行為の参考書類**（財政法二八2・8） **予算の作成及び閣議決定**（財政法二一） **予算の国会提出時期**（財政法二七） **補正予算**（財政法二九） **暫定予算**（財政法三〇） **国庫債務負担行為の配賦**（財政法三一、予決令一六） **国庫債務負担行為にかかる支出負担行為の実施計画**（財政法三四の二、予決令一八の二～一八の七） **一五条二項の国庫債務負担行為をなす場合の手続**（財政法三五Ⅴ） **国庫債務負担行為の調書及び総調書の作製**（予決令一八） **法律によつて債務負担をするものの例**（会計法二九の一二、国際学会等への加入に伴う分担金の債務負担に関する法律、外航船舶建造融資利子補給臨時措置法二、首都圏、近畿圏及び中部圏の近郊整備地帯等の整備のための国の財政上の特別措置に関する法律三Ⅱ、農地所有者等賃貸住宅建設融資利子補給臨時措置法二等） **参照規定** 地方公共団体の債務負担行為（自治法二一四）

第二節 予算の作成

（予算の内容）

第十六条 予算は、予算総則、歳入歳出予算、継続費、繰越明許費及び国庫債務負担行為とする。

改 本条…一部改正（昭二七法四）

参 **憲法上の根拠**（憲法八六） **予算総則**（財政法二二） **歳入歳出予算**（財政法一四・二三・二四） **継続費**（財政法一四の二・二五） **繰越明許費**（財政法一四の三） **国庫債務**

負担行為（財政法一五・二六）

〔歳入歳出等の見積に関する書類の作製及び送付〕

第十七条　衆議院議長、参議院議長、最高裁判所長官及び会計検査院長は、毎会計年度、その所掌に係る歳入、歳出、継続費、繰越明許費及び国庫債務負担行為の見積に関する書類を作製し、これを内閣における予算の統合調整に供するため、内閣に送付しなければならない。

② 内閣総理大臣及び各省大臣は、毎会計年度、その所掌に係る歳入、歳出、継続費、繰越明許費及び国庫債務負担行為の見積に関する書類を作製し、これを財務大臣に送付しなければならない。

改　二項…一部改正（昭二四法一四五）、一・二項…一部改正（昭二七法四）、二項…一部改正（昭二七法二六八　平一一法一六〇）

参　**作製・送付の方法及び手続**（予決令八、歳入歳出予算概定順序一・三、予定経費算出概則）　**内閣及び財務大臣の予算編成の権限**（憲法七三5、内閣法三・五、財務省設置法四2）

〔概算の作製及び閣議決定〕

第十八条　財務大臣は、前条の見積を検討して必要な調整を行い、歳入、歳出、継続費、繰越明許費及び国庫債務負担行為の概算を作製し、閣議の決定を経なければならない。

② 内閣は、前項の決定をしようとするときは、国会、裁判所及び会計検査院に係る歳出の概算については、予め衆議院議長、参議院議長、最高裁判所長官及び会計検査院長に対しその決定に関し意見を求めなければならない。

改　一項…一部改正（昭二七法四　平一一法一六〇）

参　**概算の閣議提出決定**（内閣法四、歳入歳出予算概定順序五〜七）　**概算決定の通知**（予決令九）　**独立機関**（国会、裁判所及び会計検査院をいう。以下同じ。）**の予算の特殊性**（国会法三二、裁判所法八三、会計院法一一）

〔独立機関の歳出見積の減額とその処置〕

第十九条　内閣は、国会、裁判所及び会計検査院の歳出見積を減額した場合においては、国会、裁判所又は会計検査院の送付に係る歳出見積について、その詳細を歳入歳出予算に附記するとともに、国会が、国会、裁判所又は会計検査院に係る歳出額を修正する場合における必要な財源についても明記しなければならない。

参　**独立機関の特殊的地位**（憲法四一・七六・九〇）　**独立機関の予算の特殊性**（国会法三二、裁判所法八三、会計院法一一）　**概算決定の通知**（予決令九）　**独立機関の予定経費増額要求明細書の作製送付及び附記事項の作成**（予決令一一の二・一一の三）

〔歳入予算明細書・予定経費要求書等の作製及び送付〕

第二十条　財務大臣は、毎会計年度、第十八条の閣議決定に基いて、歳入予算明細書を作製しなければならない。

② 衆議院議長、参議院議長、最高裁判所長官、会計検査院長並びに内閣総理大臣及び各省大臣（以下各省各庁の長という。）は、毎会計年度、第十八条の閣議決定のあつた概算の範囲内で予定経費要求書、継続費要求書、繰越明許費要求書及び国庫債務負担行為要求書（以下予定経費要求書等という。）を作製し、これを財務大臣に送付しなければならない。

改　二項…一部改正（昭二四法一四五　昭二七法四・二六八）、本条…一部改正（平一一法一六〇）

参　**歳入予算明細書の内容の区分**（予決令一〇）　**予定経費要求書等の内容の区分及び作製・送付**（予決令一一・一一の二・一二・一三）　**予算に添付する参考書類**（財政法二八1・2）

〔予算の作成及び閣議決定〕

第二十一条　財務大臣は、歳入予算明細書、衆議院、参議院、裁判所、会計検査院並びに内閣（内閣府及びデジタル庁を除く。）、内閣府、デジタル庁及び各省（以下「各省各庁」という。）の予定経費要求書等に基づいて予算を作成し、閣議の決定を経なければならない。

改　本条…一部改正（昭二四法一四五　昭二七法四・二六八　平一一法一六〇　令三法三六）

参　**予算作成の基礎資料**（財政法二〇）　**予算作成の職務**（憲法六五・七三5、財務省設置法四2）　**予算の閣議決定**（内閣法四）　**各省各庁の特例**（復興庁設置法附三、デジタル庁設置法附四）

〔予算総則の内容〕

第二十二条　予算総則には、歳入歳出予算、継続費、繰越明許費及び国庫債務負担行為に関する総括的規定を設ける外、左の事項に関する規定を設けるものとする。

一　第四条第一項但書の規定による公債又は借入金の限度額

二　第四条第三項の規定による公共事業費の範囲

三　第五条但書の規定による日本銀行の公債の引受及び借入金の借入の限度額

四　第七条第三項の規定による財務省証券の発行及び一時

借入金の借入の最高額

五　第十五条第二項の規定による国庫債務負担行為の限度額

六　前各号に掲げるものの外、予算の執行に関し必要な事項

七　その他政令で定める事項

改　本条…一部改正（昭二七法四　平九法一〇九　平一二法一六〇）

参　**予算の執行に関し必要な事項の例**（財政法三三Ⅰ但書－移用の範囲）　**予算の移替え、特別会計における弾力条項**（特会法七）

（歳入歳出予算の区分）

第二十三条　歳入歳出予算は、その収入又は支出に関係のある部局等の組織の別に区分し、その部局等内においては、更に歳入にあつては、その性質に従つて部に大別し、且つ、各部中においてはこれを款項に区分し、歳出にあつては、その目的に従つてこれを項に区分しなければならない。

改　本条…全部改正（昭二四法二三）、一部改正（昭二七法四）

参　**歳入歳出予算の部局等の区分・歳入予算の部款項・歳出予算の項の区分の決定**（予決令一四）　**特別会計の歳入歳出予算の区分の特例**（財政法、会計法等の財政関係法律の一部を改正する等の法律－昭二七法四）　**特別会計における勘定別区分**（特会法四・五二・八七・九八・一一〇・一二六・二一二等）

（予備費）

第二十四条　予見し難い予算の不足に充てるため、内閣は、予備費として相当と認める金額を、歳入歳出予算に計上することができる。

改　本条…一部改正（昭二四法二三）

参　**憲法上の根拠**（憲法八七）　**予備費の管理使用及び予備費使用調書**（財政法三五・三六）　**予備経費**（国会法三二Ⅱ、国会予備金法、裁判所法八三Ⅱ、裁判所予備金法）　**参照規定**　地方公共団体の予備費（自治法二一七）

（継続費の区分）

第二十五条　継続費は、その支出に関係のある部局等の組織の別に区分し、その部局等内においては、項に区分し、更に各項ごとにその総額及び年割額を示し、且つ、その必要の理由を明らかにしなければならない。

改　本条…全部改正（昭二七法四）

参　**継続費の部局等の区分の決定**（予決令一四）　**継続費**（財政法一四の二）

（国庫債務負担行為の区分）

第二十六条　国庫債務負担行為は、事項ごとに、その必要の理由を明らかにし、且つ、行為をなす年度及び債務負担の限度額を明らかにし、又、必要に応じて行為に基いて支出をなすべき年度、年限又は年割額を示さなければならない。

参　**一五条一項の国庫債務負担行為の部局等の区分の決定**（予決令一四）　**国庫債務負担行為**（財政法一五）

（予算の国会提出）

第二十七条　内閣は、毎会計年度の予算を、前年度の一月中に、国会に提出するのを常例とする。

改　本条…一部改正（平三法八六）

参　**国会の召集及び会期**（憲法五二、国会法一・二・一〇・一二・一四）　**予算の国会提出**（憲法六〇Ⅰ、国会法五八）　**予算の国会提出の権限**（憲法七三5・八六、内閣法五）　**予算の閣議決定**（財政法二一）　**参照規定**　国会の予算修正及び予算を伴う法律案についての内閣との関係等（国会法五七～五七の三）　地方公共団体の予算提出（自治法二一一Ⅰ）

（予算に添附する参考書類）

第二十八条　国会に提出する予算には、参考のために左の書類を添附しなければならない。

一　歳入予算明細書

二　各省各庁の予定経費要求書等

三　前前年度歳入歳出決算の総計表及び純計表、前年度歳入歳出決算見込の総計表及び純計表並びに当該年度歳入歳出予算の総計表及び純計表

四　国庫の状況に関する前前年度末における実績並びに前年度末及び当該年度末における見込に関する調書

五　国債及び借入金の状況に関する前前年度末における実績並びに前年度末及び当該年度末における現在高の見込及びその償還年次表に関する調書

六　国有財産の前前年度末における現在高並びに前年度末及び当該年度末における現在高の見込に関する調書

七　国が、出資している主要な法人の資産、負債、損益その他についての前前年度、前年度及び当該年度の状況に関する調書

八　国庫債務負担行為で翌年度以降に亘るものについての前年度末までの支出額及び支出額の見込、当該年度以降

の支出予定額並びに数会計年度に亘る事業に伴うものについてはその全体の計画その他事業等の進行状況等に関する調書

九　継続費についての前前年度末までの支出額、前年度末までの支出額及び支出額の見込、当該年度以降の支出予定額並びに事業の全体の計画及びその進行状況等に関する調書

十　その他財政の状況及び予算の内容を明らかにするため必要な書類

改　本条…一部改正（昭二七法四）

参　**歳入予算明細書・予定経費要求書等**（財政法二〇、予決令一〇～一一の三・一三）　**特別会計の予算添付書類の規定**（特会法三Ⅱ・三一・四一・五四・六二Ⅲ・七四・一〇〇・一二二・一二八・二二四・附二五九の三Ⅵ）

（補正予算）

第二十九条　内閣は、次に掲げる場合に限り、予算作成の手続に準じ、補正予算を作成し、これを国会に提出することができる。

一　法律上又は契約上国の義務に属する経費の不足を補うほか、予算作成後に生じた事由に基づき特に緊要となつた経費の支出（当該年度において国庫内の移換えにとどまるものを含む。）又は債務の負担を行なうため必要な予算の追加を行なう場合

二　予算作成後に生じた事由に基づいて、予算に追加以外の変更を加える場合

改　本条…全部改正（昭三七法一〇八）

参　**補正予算の作成及び国会提出等**（財政法一六～二六・二八、予決令八～一五）　**予算配賦等の規定**（財政法三一、予決令一六）　**国庫内の移換え**（財政法二Ⅲ）　**参照規定**　地方公共団体の補正予算（自治法二一八Ⅰ）

（暫定予算）

第三十条　内閣は、必要に応じて、一会計年度のうちの一定期間に係る暫定予算を作成し、これを国会に提出することができる。

②　暫定予算は、当該年度の予算が成立したときは、失効するものとし、暫定予算に基く支出又はこれに基く債務の負担があるときは、これを当該年度の予算に基いてなしたものとみなす。

参　**暫定予算の作成及び国会提出等**（財政法一六～二六・二八、予決令八～一五）　**予算配賦等の規定**（財政法三一、予決令一六）　**参照規定**　地方公共団体の暫定予算（自治法二一八Ⅱ）

第三節　予算の執行

（予算の配賦）

第三十一条　予算が成立したときは、内閣は、国会の議決したところに従い、各省各庁の長に対し、その執行の責に任ずべき歳入歳出予算、継続費及び国庫債務負担行為を配賦する。

②　前項の規定により歳入歳出予算及び継続費を配賦する場合においては、項を目に区分しなければならない。

③　財務大臣は、第一項の規定による配賦のあつたときは、会計検査院に通知しなければならない。

改　二項…全部改正（昭二五法六〇）、一・二項…一部改正（昭二七法四）、三項…一部改正（平一一法一六〇）

参　**歳入・歳出の執行の責任**（会計法四・一〇）　**予算の配賦及び継続費年割額等の通知**（予決令一六）　**特別会計の予算配賦の特例規定**（特会法附一一二Ⅶ）　**予算の配賦とみなす規定**（財政法三五Ⅳ・Ⅴ・四三Ⅳ・四三の二Ⅱ）　**特別会計における予算の配賦とみなす規定**（特会法一八Ⅲ）　**予算配賦の特例**―経過措置（財政法附一の二）　**参照規定**　地方公共団体の予算議決の通知等（自治法二一九Ⅰ）

（予算の目的外使用の禁止）

第三十二条　各省各庁の長は、歳出予算及び継続費については、各項に定める目的の外にこれを使用することができない。

改　本条…一部改正（昭二七法四）

参　**歳出予算及び継続費の区分・科目**（財政法二三・二五、予決令一四）　**歳出予算及び継続費の執行の権限の範囲**（財政法三一Ⅰ・Ⅱ・附一の二）　**移用及び流用の制限**（財政法三三、予決令一七）　**会計検査院の検査**（会計院法二九3）

（予算の移用及び流用とその制限）

第三十三条　各省各庁の長は、歳出予算又は継続費の定める各部局等の経費の金額又は部局等内の各項の経費の金額については、各部局等の間又は各項の間において彼此移用することができない。但し、予算の執行上の必要に基き、あらかじめ予算をもつて国会の議決を経た場合に限り、財務大臣の承認を経て移用することができる。

②　各省各庁の長は、各目の経費の金額については、財務大臣の承認を経なければ、目の間において、彼此流用することができない。

③財務大臣は、第一項但書又は前項の規定に基く移用又は流用について承認をしたときは、その旨を当該各省各庁の長及び会計検査院に通知しなければならない。

④第一項但書又は第二項の規定により移用又は流用した経費の金額については、歳入歳出の決算報告書において、これを明らかにするとともに、その理由を記載しなければならない。

改 本条…全部改正（昭二四法二三）、二項…一部改正・三・六項…削除・旧四・五項…一部改正し一項ずつ繰上（昭二五法六〇）、一・三項…一部改正（昭二七法四）、一～三項…一部改正（平一一法一六〇）

参 **予算の目的外使用禁止の原則**（財政法三二） **予算の部局等及び項・目の区分の決定**（財政法二三・二五・三一Ⅱ、予決令一一・一二・一四） **移用及び流用の承認を受ける手続**（予決令一七） **移用につき国会の議決を経る形式**（財政法二二6）

〔支払計画〕

第三十四条 各省各庁の長は、第三十一条第一項の規定により配賦された予算に基いて、政令の定めるところにより、支出担当事務職員ごとに支出の所要額を定め、支払の計画に関する書類を作製して、これを財務大臣に送付し、その承認を経なければならない。

②財務大臣は、国庫金、歳入及び金融の状況並びに経費の支出状況等を勘案して、適時に、支払の計画の承認に関する方針を作製し、閣議の決定を経なければならない。

③財務大臣は、第一項の支払の計画について承認をしたときは、各省各庁の長に通知するとともに、財務大臣が定める場合を除き、これを日本銀行に通知しなければならない。

改 本条…全部改正（昭二四法二三）、一項…一部改正（昭二五法六〇）、一～三項…一部改正（昭二七法四）、三項…一部改正（昭二九法九〇）、本条…一部改正（平一一法一六〇）、三項…一部改正（平一四法一五二）

参 **予算の配賦**（財政法三一、予決令一六） **支払計画の作製及び送付**（予決令一八の九・一八の一〇・一八の一一Ⅰ、支出負担規則二～四・六） **財務大臣の支払計画の承認等**（予決令一八の一一・一八の一二Ⅱ・一八の一三～一八の一五、支出負担規則七Ⅱ・八Ⅱ） **支払計画による予算執行の統制**（会計法二四Ⅰ） **財務大臣が定める場合**（支出負担規則六の二）

〔支出負担行為実施計画〕

第三十四条の二 各省各庁の長は、第三十一条第一項の規定により配賦された歳出予算、継続費及び国庫債務負担行為のうち、公共事業費その他財務大臣の指定する経費に係るものについては、政令の定めるところにより、当該歳出予算、継続費又は国庫債務負担行為に基いてなす支出負担行為（国の支出の原因となる契約その他の行為をいう。以下同じ。）の実施計画に関する書類を作製して、これを財務大臣に送付し、その承認を経なければならない。

②財務大臣は、前項の支出負担行為の実施計画を承認したときは、これを各省各庁の長及び会計検査院に通知しなければならない。

改 本条…追加（昭二七法四）、本条…一部改正（平一一法一六〇）

参 **予算の配賦**（財政法三一、予決令一六） **予算配賦の特別規定**（特会法附一一二Ⅶ） **支出負担行為実施計画の作製及び送付**（予決令一八の二・一八の三・一八の五Ⅰ、支出負担規則一・五） **財務大臣の支出負担行為実施計画の承認等**（予決令一八の四・一八の五Ⅱ・一八の六・一八の七、支出負担規則七Ⅰ・八Ⅰ、平二〇支出負担行為実施計画の告示） **支出負担行為実施計画による予算執行の統制**（会計法一二）

〔予備費の管理及び使用〕

第三十五条 予備費は、財務大臣が、これを管理する。

②各省各庁の長は、予備費の使用を必要と認めるときは、理由、金額及び積算の基礎を明らかにした調書を作製し、これを財務大臣に送付しなければならない。

③財務大臣は、前項の要求を調査し、これに所要の調整を加えて予備費使用書を作製し、閣議の決定を求めなければならない。但し、予め閣議の決定を経て財務大臣の指定する経費については、閣議を経ることを必要とせず、財務大臣が予備費使用書を決定することができる。

④予備費使用書が決定したときは、当該使用書に掲げる経費については、第三十一条第一項の規定により、予算の配賦があつたものとみなす。

⑤第一項の規定は、第十五条第二項の規定による国庫債務負担行為に、第二項、第三項本文及び前項の規定は、各省各庁の長が第十五条第二項の規定により国庫債務負担行為をなす場合に、これを準用する。

改 五項…全部改正（昭二四法二三）、一～三項…一部改正（平一一法一六〇）

参 **予備費を設ける規定**（憲法八七、財政法二四） **財務大臣の指定する経費**（予備費の使用について昭二九閣議決定－平一九改正） **予備費管理の職務**（財務省設置法四3） **国会**

等予備金の管理・使用等（国会予備金法一・二、裁判所予備金法）

〔予備費使用調書〕

第三十六条　予備費を以て支弁した金額については、各省各庁の長は、その調書を作製して、次の国会の常会の開会後直ちに、これを財務大臣に送付しなければならない。

② 財務大臣は、前項の調書に基いて予備費を以て支弁した金額の総調書を作製しなければならない。

③ 内閣は、予備費を以て支弁した総調書及び各省各庁の調書を次の常会において国会に提出して、その承諾を求めなければならない。

④ 財務大臣は、前項の総調書及び調書を会計検査院に送付しなければならない。

改 一・二・四項…一部改正（平一一法一六〇）

参 **予備費使用についての国会の承諾**（憲法八七Ⅱ）　**予備費の管理・使用**（財政法三五）　**予備費使用についての会計検査院の検査報告**（会計院法二九4）　**国会予備金等支出の承認及び承諾**（国会予備金法二・三、裁判所予備金法二）

第四章　決算

〔歳入歳出決算報告書等の作製・送付等〕

第三十七条　各省各庁の長は、毎会計年度、財務大臣の定めるところにより、その所掌に係る歳入及び歳出の決算報告書並びに国の債務に関する計算書を作製し、これを財務大臣に送付しなければならない。

② 財務大臣は、前項の歳入決算報告書に基いて、歳入予算明細書と同一の区分により、歳入決算明細書を作製しなければならない。

③ 各省各庁の長は、その所掌の継続費に係る事業が完成した場合においては、財務大臣の定めるところにより、継続費決算報告書を作製し、これを財務大臣に送付しなければならない。

改 三項…追加（昭二七法四）、本条…一部改正（平一一法一六〇）

参 **財務大臣の歳入歳出決算作成及び会計検査院への送付**（財政法三八・三九）　**歳入歳出決算報告書等の送付の手続**（予決令二〇）　**歳入予算明細書の作製と内容の区分**（財政法二〇Ⅰ、予決令一〇）　**歳入歳出決算の国会提出**（財政法四〇）

〔歳入歳出決算の作成〕

第三十八条　財務大臣は、歳入決算明細書及び歳出の決算報告書に基いて、歳入歳出の決算を作成しなければならない。

② 歳入歳出の決算は、歳入歳出予算と同一の区分により、これを作製し、且つ、これに左の事項を明らかにしなければならない。

㈠ 歳入
一 歳入予算額
二 徴収決定済額（徴収決定のない歳入については収納後に徴収済として整理した額）
三 収納済歳入額
四 不納欠損額
五 収納未済歳入額

㈡ 歳出
一 歳出予算額
二 前年度繰越額
三 予備費使用額
四 流用等増減額
五 支出済歳出額
六 翌年度繰越額
七 不用額

改 一項…一部改正（平一一法一六〇）

参 **歳入歳出決算報告書等**（財政法三七）　**歳入歳出予算、継続費及び国庫債務負担行為の区分及びその決定**（財政法二三・二五・二六、予決令一四）

〔歳入歳出決算の会計検査院への送付〕

第三十九条　内閣は、歳入歳出決算に、歳入決算明細書、各省各庁の歳出決算報告書及び継続費決算報告書並びに国の債務に関する計算書を添附して、これを翌年度の十一月三十日までに会計検査院に送付しなければならない。

改 本条…一部改正（昭二七法四）

参 **会計検査院の歳入歳出決算検査・確認の権限**（憲法九〇、会計院法二〇・二一）　**決算検査及び報告**（会計院法二九）

〔決算の国会提出〕

第四十条　内閣は、会計検査院の検査を経た歳入歳出決算を、翌年度開会の常会において国会に提出するのを常例とする。

② 前項の歳入歳出決算には、会計検査院の検査報告の外、歳入決算明細書、各省各庁の歳出決算報告書及び継続費決算報告書並びに国の債務に関する計算書を添附する。

改 二項…一部改正（昭二七法四）

参 **歳入歳出決算の国会提出**（憲法九〇Ⅰ、内閣法五）　**国会の召集・会期**（憲法五二、国会法一・二・一〇・一二・一四）

国会の委員会の会計検査院に対する出席説明要求（国会法七二Ⅰ）　**会計検査院の国会出席説明**（会計院法三〇）　**歳入歳出決算の作成及び会計検査院への送付検査確認等**（財政法三七〜三九、会計院法二〇・二一）　**参照規定**　地方公共団体の決算の認定（自治法二三三Ⅲ）

〔決算上の剰余金の処分〕

第四十一条　毎会計年度において、歳入歳出の決算上剰余を生じたときは、これをその翌年度の歳入に繰り入れるものとする。

参　**歳入**（財政法二Ⅳ）　**決算上の剰余金の公債又は借入金償還財源への充当**（財政法六・附七）　**公債又は借入金償還財源への充当の対象となる決算上の剰余金の計算**（予決令一九・附九の二・九の三）　**特別会計における決算上の剰余金等の処分**〔翌年度の歳入繰入（特会法八Ⅰ・附二三六）　積立金（特会法三四・五八・八〇・一〇三・一一五・一一六・一一八・一三四・附六二・附一八七・附一九七）　一般会計からの繰入（特会法六）〕　**特別会計における利益及び損失処分**〔利益及び損失の処理等（特会法三三Ⅰ・Ⅱ・五七Ⅳ）　繰越整理（特会法三三Ⅲ・五六・二一八）　資金等繰入（特会法附一八六）〕　**参照規定**　地方公共団体の剰余金処分（自治法二三三の二）

第五章　雑則

〔歳出予算の繰越使用の制限及び事故繰越〕

第四十二条　繰越明許費の金額を除く外、毎会計年度の歳出予算の経費の金額は、これを翌年度において使用することができない。但し、歳出予算の経費の金額のうち、年度内に支出負担行為をなし避け難い事故のため年度内に支出を終らなかつたもの（当該支出負担行為に係る工事その他の事業の遂行上の必要に基きこれに関連して支出を要する経費の金額を含む。）は、これを翌年度に繰り越して使用することができる。

改　本条…一部改正（昭二五法六〇　昭二七法四）

参　**会計年度独立の原則**（財政法一二）　**会計年度独立の原則の例外**〔過年度収入（会計法九本文、予決令六一Ⅰ・Ⅲ）　過年度支出（会計法二七、予決令六〇）〕　**繰越の手続等**（財政法四三、予決令二四・二五の二）　**参照規定**　地方公共団体の事故繰越（自治法二二〇Ⅲ但書）

〔歳出予算繰越の承認〕

第四十三条　各省各庁の長は、第十四条の三第一項又は前条但書の規定による繰越を必要とするときは、繰越計算書を作製し、事項ごとに、その事由及び金額を明らかにして、財務大臣の承認を経なければならない。

②　前項の承認があつたときは、当該経費に係る歳出予算は、その承認があつた金額の範囲内において、これを翌年度に繰り越して使用することができる。

③　各省各庁の長は、前項の規定による繰越をしたときは、事項ごとに、その金額を明らかにして、財務大臣及び会計検査院に通知しなければならない。

④　第二項の規定により繰越をしたときは、当該経費については、第三十一条第一項の規定による予算の配賦があつたものとみなす。この場合においては、同条第三項の規定による通知は、これを必要としない。

改　一項…一部改正（昭二七法四）、二項…全部改正・三・四項…追加（昭二九法九〇）、一・三項…一部改正（平一一法一六〇）

参　**歳出予算繰越の態様**（財政法一四の三・四二但書・四三の二）　**繰越の承認及び手続の事務の委任**（会計法四六の二・四八、予決令二五の三・二五の四・一四〇）　**繰越計算書の作製及び送付**（予決令二四）　**繰越の通知**（予決令二五の二）　**特別会計における支出残額又は支出未済額の繰越**（特会法一八・二七・四八・七〇）　**参照規定**　地方公共団体の繰越手続（自治令一四六Ⅱ・Ⅲ・一五〇Ⅲ）

〔継続費年割額の逓次繰越〕

第四十三条の二　継続費の毎会計年度の年割額に係る歳出予算の経費の金額のうち、その年度内に支出を終らなかつたものは、第四十二条の規定にかかわらず、継続費に係る事業の完成年度まで、逓次繰り越して使用することができる。

②　前条第三項及び第四項の規定は、前項の規定により繰越をした場合に、これを準用する。

改　本条…追加（昭二七法四）、二項…削除・旧三項…一部改正し二項に繰上（昭二九法九〇）

参　**継続費**（財政法一四の二）　**継続費年割額の繰越の通知**（予決令二五の二）　**会計年度独立の原則**（財政法一二）

〔繰越明許費にかかる翌年度にわたる債務の負担〕

第四十三条の三　各省各庁の長は、繰越明許費の金額については、予算の執行上やむを得ない事由がある場合においては、事項ごとに、その事由及び金額を明らかにし、財務大臣の承認を経て、その承認があつた金額の範囲内において、翌年度にわたつて支出すべき債務を負担することができる。

改 本条…追加（昭二九法九〇）、本条…一部改正（平一一法一六〇）

参 **繰越明許費**（財政法一四の三）　**支出負担行為の準則**（会計法一一・一三・一三の二・一三の四、予決令三九～三九の四・三九の七・三九の八）　**翌年度に亘る債務負担の承認及び手続の事務の委任**（会計法四六の二・四八、予決令二五の五・一四〇）

〔特別資金の保有〕

第四十四条　国は、法律を以て定める場合に限り、特別の資金を保有することができる。

参 **一般会計所属の資金**〔国税収納金整理資金（国税整理資金法）決算調整資金（決算調整資金に関する法律）特別調達資金（特別調達資金設置令）貨幣回収準備資金（貨幣回収準備資金に関する法律）防衛力強化資金（我が国の防衛力の抜本的な強化等のために必要な財源の確保に関する特別措置法）〕　**特別会計所属の資金（基金）**〔消費的資金（特会法三八Ⅰ）準備的資金（特会法三四Ⅰ・五八Ⅰ・五九Ⅰ・八〇・九二Ⅰ・九二の二・一〇三Ⅰ～Ⅳ・一〇四・一一五・一一六・一一八）その他の資金（一三三）資本的資金（特会法七一Ⅰ）資金的資金（特会法附三三Ⅲ、財政融資資金法二）〕　**参照規定**　地方公共団体の基金（自治法二四一）

〔特別会計の特例〕

第四十五条　各特別会計において必要がある場合には、この法律の規定と異なる定めをなすことができる。

参 **特別会計の設置**（財政法一三）　**地方公共団体の特別会計規定**（自治法二〇九）

〔内閣の国会及び国民への財政状況の報告〕

第四十六条　内閣は、予算が成立したときは、直ちに予算、前前年度の歳入歳出決算並びに公債、借入金及び国有財産の現在高その他財政に関する一般の事項について、印刷物、講演その他適当な方法で国民に報告しなければならない。

②　前項に規定するものの外、内閣は、少くとも毎四半期ごとに、予算使用の状況、国庫の状況その他財政の状況について、国会及び国民に報告しなければならない。

参 **財政状況の報告に関する憲法の規定**（憲法九一）　**参照規定**　地方財政状況の国会への報告（地財法三〇の二）

〔電磁的記録による作成〕

第四十六条の二　この法律又はこの法律に基づく命令の規定により作成することとされている書類等（書類、調書その他文字、図形その他の人の知覚によつて認識することができる情報が記載された紙その他の有体物をいう。次条において同じ。）については、当該書類等に記載すべき事項を記録した電磁的記録（電子的方式、磁気的方式その他人の知覚によつては認識することができない方式で作られる記録であつて、電子計算機による情報処理の用に供されるものとして財務大臣が定めるものをいう。同条第一項において同じ。）の作成をもつて、当該書類等の作成に代えることができる。この場合において、当該電磁的記録は、当該書類等とみなす。

改 本条…追加（平一四法一五二）、本条…一部改正（令元法一六）

参 予算決算及び会計に係る情報通信の技術の利用に関する対象手続等を定める省令（平一五財務令二四）

〔電磁的方法による提出〕

第四十六条の三　この法律又はこの法律に基づく命令の規定による書類等の提出については、当該書類等が電磁的記録で作成されている場合には、電磁的方法（電子情報処理組織を使用する方法その他の情報通信の技術を利用する方法であつて財務大臣が定めるものをいう。次項において同じ。）をもつて行うことができる。

②　前項の規定により書類等の提出が電磁的方法によつて行われたときは、当該書類等の提出を受けるべき者の使用に係る電子計算機に備えられたファイルへの記録がされた時に当該提出を受けるべき者に到達したものとみなす。

改 本条…追加（平一四法一五二）、本条…一部改正（令元法一六）

参 予算決算及び会計に係る情報通信の技術の利用に関する対象手続等を定める省令（平一五財務令二四）

〔施行政令の制定〕

第四十七条　この法律の施行に関し必要な事項は、政令で、これを定める。

参 **政令**（予決令）

附　則

第一条　この法律は、昭和二十二年四月一日から、これを施行する。但し、第十七条第一項、第十八条第二項、第十九条、第三十条、第三十一条、第三十五条並びに第三十六条の規定は、日本国憲法施行の日〔昭二二・五・三〕から、これを施行し、第三条、第十条及び第三十四条の規定の施行の日は、政令でこれを定める。

注 第十条は未施行、第三条は昭二三政令八六で昭二三・四・一六から、第三十四条は昭二二政令二一八で昭二二・一〇・二一から施行

② 第四条及び第五条の規定は、昭和二十三年度以後の会計年度の予算に計上される公債又は借入金について、第七条、第三章の規定（第十七条第一項、第十八条第二項、第十九条、第二十八条、第三十条、第三十一条並びに第三十四条乃至第三十六条の規定を除く。）及び第四章の規定は、昭和二十二年度以後の会計年度の予算及び決算について、これを適用する。

第一条の二 内閣は、当分の間、第三十一条第一項の規定により歳入歳出予算を配賦する場合において、当該配賦の際、目に区分し難い項があるときは、同条第二項の規定にかかわらず、当該項に限り、目の区分をしないで配賦することができる。

② 前項の規定により目の区分をしないで配賦した場合においては、各省各庁の長は、当該項に係る歳出予算の執行の時までに、財務大臣の承認を経て、目の区分をしなければならない。

③ 財務大臣は、前項の規定により目の区分について承認をしたときは、その旨を会計検査院に通知しなければならない。

改 本条…追加（昭二四法二三）、一～三項…一部改正（昭二五法六〇）、二・三項…一部改正（平一一法一六〇）

第二条 この法律中「国会」、「内閣」、「各省各庁」又は「政令」とあるのは、日本国憲法施行の日までは、これを夫々「帝国議会」、「政府」、「各省」又は「勅令」と読み替えるものとする。

② 日本国憲法施行の日までは、第二十条第二項中「衆議院議長、参議院議長、最高裁判所長官及び会計検査院長並びに内閣総理大臣及び各省大臣（以下各省各庁の長という。）」とあるのは「各省大臣」、第二十一条中「衆議院、参議院、裁判所及び会計検査院並びに内閣及び各省（以下各省各庁という。）」とあるのは「各省」と読み替えるものとする。

第三条 この法律施行前になした予備費の支出並びに昭和二十年度及び同二十一年度の決算に関しては、なお従前の例による。

第四条 従来予算外国庫の負担となるべき契約に関する件として帝国議会の協賛を経た事項は、日本国憲法施行後においては、国庫債務負担行為となるものとする。但し、この場合においては、改正後の第十五条第三項の規定は、これを適用しない。

第五条 左に掲げる法令は、これを廃止する。

明治四十四年法律第二号（公共団体に対する工事補助費繰越使用に関する法律）

明治五年太政官布告第十七号（政府に対する寄附に関する件）

第六条 内閣は、昭和二十五年度の予算に限り、第三十一条第一項の規定により歳入歳出予算を配賦する場合においては、当該年度の予算に添附して国会に提出した予定経費要求書又は歳入歳出予定計算書に掲げた目を整理統合して定めた目の区分により配賦することができる。

改 本条…追加（昭二五法六〇）

第七条 昭和三十八年度以降二箇年度における歳入歳出の決算上の剰余金についての第六条の規定の適用については、同条第一項中「二分の一」とあるのは、「五分の一」とする。

改 本条…追加（昭四〇法四六）

附 則（昭二四・四・一法二三）

1 この法律は、昭和二十四年四月一日から施行する。但し、第二十三条及び附則第一条の二の改正規定は、昭和二十四年度の予算から適用する。

2 昭和二十三年度分の歳出予算の経費の金額の流用並びに同年度分の契約等の計画及び支払計画に関しては、なお、従前の例による。

附 則（昭二四・五・三一法一四五）（抄）

1 この法律は、昭和二十四年六月一日から施行する。但し、第三十六条の規定は、中小企業等協同組合法施行後八月を経過した日から施行する。

附 則（昭二五・三・三一法六〇）（抄）

1 この法律は、公布の日から施行し、昭和二十五年度の予算から適用する。

附 則（昭二五・五・四法一四一）

この法律は、公布の日から施行する。

附 則（昭二六・六・一法一七三）（抄）

1 この法律は、公布の日から施行する。

4 この法律施行の際現に財政制度審議会の学識又は経験のある者のうちから任命された委員である者の任期は、この法律施行の日から起算するものとする。

附 則（昭二七・三・五法四）（抄）

1 この法律中継続費、歳出予算及び支出予算の区分並びに繰越に係る部分は、公布の日から、その他の部分は、昭和二十七年四月一日から施行する。但し、改正後の財政法、会計法等の規定中継続費、歳出予算及び支出予算の区分並びに支出負担行為の実施計画に係る部分は、昭和二十七年度分の予算から適用する。
2 昭和二十六年度分以前の予算に係る歳出予算及び支出予算の区分については、なお従前の例による。
3 改正前の財政法第二十五条の規定により翌年度に繰り越して使用することについて国会の承認を経た昭和二十六年度の歳出予算に係る繰越については、なお従前の例による。
4 この法律施行前、改正前の財政法第三十四条の規定により承認された支出負担行為の計画については、なお従前の例による。

附 則（昭二七・七・三一法二六八）（抄）

1 この法律は、昭和二十七年八月一日から施行する。

附 則（昭二九・五・八法九〇）（抄）

1 この法律は、公布の日から施行する。
2 改正後の財政法の規定は、昭和二十九年度分の予算から適用する。
3 昭和二十八年度分以前の予算に係る繰越については、なお従前の例による。

附 則（昭三七・五・八法一〇八）（抄）

1 この法律は、公布の日から施行する。

附 則（昭四〇・四・一二法四六）

この法律は、公布の日から施行し、改正後の附則第七条の規定は、昭和四十年度分の予算から適用する。

附 則（昭五三・五・二三法五五）（抄）

（施行期日等）
1 この法律は、公布の日から施行する。〔ただし書略〕

附 則（平三・九・一九法八六）（抄）

（施行期日）
1 この法律は、公布の日から施行する。

附 則（平九・一二・五法一〇九）（抄）

（施行期日）
第一条 この法律は、公布の日から施行する。

附 則（平一一・七・一六法一〇二）（抄）

（施行期日）
第一条 この法律は、内閣法の一部を改正する法律（平成十一年法律第八十八号）の施行の日〔平一三・一・六〕から施行する。〔ただし書略〕

附 則（平一一・一二・二二法一六〇）（抄）

（施行期日）
第一条 この法律〔中略〕は、平成十三年一月六日から施行する。〔ただし書略〕

附 則（平一四・一二・一三法一五二）（抄）

（施行期日）
第一条 この法律は、行政手続等における情報通信の技術の利用に関する法律（平成十四年法律第百五十一号）の施行の日〔平一五・二・三〕から施行する。〔ただし書略〕

附 則（令元・五・三一法一六）（抄）

（施行期日）
第一条 この法律は、公布の日から起算して九月を超えない範囲内において政令で定める日〔令元・一二・一六〕から施行する。〔ただし書略〕

附 則（令三・五・一九法三六）（抄）

（施行期日）
第一条 この法律は、令和三年九月一日から施行する。〔ただし書略〕

○財政法第三条の特例に関する法律

昭二三・四・一四
法　二　七

最終改正　平一四・七・三一法九八

政府は、現在の経済緊急事態の存続する間に限り、財政法（昭和二十二年法律第三十四号）第三条に規定する価格、料金等は、法律の定め又は国会の議決を経なくても、これを決定し、又は改定することができる。

附　則

① この法律施行の期日は、その成立の日から十日を超えない期間内において、政令でこれを定める。

② この法律は、物価統制令の廃止とともに、その効力を失う。

③ 財政法第三条の規定施行の際現に効力を有するこの法律の本則各号に掲げる定価、料金及び基本賃率は、財政法第三条の規定施行の日において、同条の規定に基いて定められたものとみなす。

○財政構造改革の推進に関する特別措置法

平九・一二・五
法　一　〇　九

最終改正　令二・六・二四法六三

目次〔略〕

第一章　総則

（目的）

第一条　この法律は、国及び地方公共団体の財政収支が著しく不均衡な状況にあることにかんがみ、財政構造改革の推進に関する国の責務、財政構造改革の当面の目標及び国の財政運営の当面の方針を定めるとともに、各歳出分野における改革の基本方針、集中改革期間（平成十年度から平成十二年度までの期間をいう。以下同じ。）における国の一般会計の主要な経費に係る量的縮減目標及び政府が講ずべき制度改革等並びに地方財政の健全化に必要な事項を定めることを目的とする。

（財政構造改革の趣旨）

第二条　財政構造改革は、人口構造の高齢化等我が国の経済社会情勢の変化、国際情勢の変化等国及び地方公共団体の財政を取り巻く環境が大きく変容している中で、国及び地方公共団体の財政が危機的状況にあることを踏まえ、将来に向けて更に効率的で信頼できる行政を確立し、安心で豊かな福祉社会及び健全で活力ある経済を実現することが緊要な課題であることにかんがみ、経済構造改革を推進しつつ、財政収支を健全化し、これに十分対応できる財政構造を実現するために行われるものとする。

（財政構造改革の推進に関する国の責務）

第三条　国は、前条の趣旨にのっとり、財政構造改革を推進する責務を有する。

（財政構造改革の当面の目標）

第四条　財政構造改革の当面の目標は、次のとおりとする。

一　平成十七年度までに、一会計年度の国及び地方公共団体の財政赤字額（国際連合の定めた基準に準拠して内閣府が作成する国民経済計算の体系（以下「国民経済計算の体系」という。）における中央政府の貯蓄投資差額及び地方政府の貯蓄投資差額を合算した額であって、零未満のものをいう。以下同じ。）を零から差し引いた額を当該会計年度の国内総生産（国民経済計算の体系における国内総生産をいう。以下同じ。）の額で除して得られる数値（次条において「財政赤字の対国内総生産比」という。）を百分の三以下とすること。

二　平成十年度から平成十六年度までの間の各年度に国の一般会計において特例公債（財政法（昭和二十二年法律第三十四号）第四条第一項ただし書の規定により発行される公債以外の公債であって、一会計年度の一般会計の歳出の財源に充てるため、特別の法律に基づき発行されるものをいう。以下同じ。）を発行する場合には、著しく異常かつ激甚な非常災害の発生又は経済活動の著しい停滞（国内総生産の伸び率の低い事態が継続する等の政令で定める状況をいう。）が国民生活等に及ぼす重大な影響に対処するための施策の実施に重大な支障が生ずるときを除きその発行額の縮減を図りつつ、一般会計の歳出（同法第二十九条で定める補正予算（以下単に「補正予算」という。）が作成された場合における一般会計の歳出を含む。）は、平成十七年度までに特例公債に係る収入以外の歳入をもってその財源とするものとし、あわせて同年度の予算における公債依存度（一般会計の歳入（補正予算が作成された場合における一般会計の歳入を含む。）の額における公債金収入の額

（同法第四条第一項ただし書の規定により発行する公債に係る収入の額及び特例公債に係る収入の額を合算した額をいう。）の占める割合をいう。以下同じ。）を平成九年度の予算における公債依存度に比して引き下げること。

（財政赤字の対国内総生産比の公表）

第五条　平成十年度から平成十七年度までの間における各年度の予算及び当該各年度の地方団体（地方交付税法（昭和二十五年法律第二百十一号）第二条第二号に規定する地方団体をいう。第四十一条において同じ。）の歳入歳出総額の見込額に関する地方財政計画（同法第七条に規定する地方団体の歳入歳出総額の見込額に関する書類をいう。第四十一条において同じ。）の国会への提出後、遅滞なく、総務大臣及び財務大臣は、当該各年度における財政赤字の対国内総生産比の見込みの数値を計算して、公表するものとする。

2　総務大臣及び財務大臣は、前項に規定する各年度における国民経済計算の体系における中央政府の貯蓄投資差額及び地方政府の貯蓄投資差額が公表された場合においては、遅滞なく、当該各年度における財政赤字の対国内総生産比を計算して、公表するものとする。

（国の財政運営の当面の方針）

第六条　国は、第四条に規定する財政構造改革の当面の目標の達成に資するよう、財政運営に当たり、一般歳出の額（一般会計の歳出の額から国債費（特別会計に関する法律（平成十九年法律第二十三号）第四十二条第一項の規定その他政令で定める規定による一般会計から国債整理基金特別会計への繰入金をいう。）の額、同法第二十四条の規定による一般会計から交付税及び譲与税配付金特別会計への繰入金の額その他政令で定める経費の額を合算した額を控除した額をいう。以下同じ。）を抑制するとともに、次に掲げる観点等を踏まえ、特別会計を含むすべての歳出分野を対象とした改革を推進することを当面の方針とする。

一　行政の各分野において国及び地方公共団体と民間が分担すべき役割を見直すこと。

二　行政の各分野において国と地方公共団体が分担すべき役割を見直すこと。

三　国及び地方公共団体の施策により国民の受ける利益の水準とそれに要する費用を支弁するための国民の負担の水準との間の衡平を図ること。

四　活力ある経済社会を創出すること。

五　財政資金を効率的に配分すること。

六　国民負担率（一会計年度において国の収入となる租税及び印紙収入の額並びに地方公共団体の収入となる租税の額を合算した額、当該会計年度における国民経済計算の体系における社会保障負担の額及び一般政府の無基金雇用者福祉帰属負担の額を合算した額並びに当該会計年度における国及び地方公共団体の財政赤字額を零から差し引いた額を合算した額を国民経済計算の体系における国民所得の額で除して得られる数値をいう。）を百分の五十を上回らないように抑制すること。

2　政府は、平成十年度の当初予定（補正予算及び財政法第三十条で定める暫定予算以外の予算をいう。以下同じ。）を作成するに当たり、一般歳出の額が平成九年度の当初予算における一般歳出の額を下回るようにするものとする。

第二章　各歳出分野における改革の基本方針、集中改革期間における主要な経費の量的縮減目標及び政府が講ずべき制度改革等

第一節　社会保障

（社会保障関係費に係る改革の基本方針）

第七条　政府は、社会保障制度の構造改革を進め、将来にわたり安定的に運営することが可能な社会保障制度の構築を図るため、社会保障制度の在り方について検討し、その結果に基づいて必要な措置を講ずることにより、人口構造の高齢化等に伴う社会保障関係費の増加額をできる限り抑制するものとする。

2　前項に規定する社会保障関係費とは、生活保護、社会福祉、社会保険、保健衛生対策及び失業対策に関し一般会計予算に計上される経費をいう。

（社会保障関係費の量的縮減目標）

第八条　政府は、集中改革期間における各年度の当初予算を作成するに当たり、次条から第十二条までに定める措置を講ずること等により、社会保障関係費の額を次のとおり抑制するものとする。

一　平成十年度の当初予算における社会保障関係費の額は、平成九年度の当初予算における社会保障関係費の額に三千億円を加算した額を下回ること。

二　平成十一年度の当初予算における社会保障関係費の額の平成十年度の当初予算における社会保障関係費の額に対する増加額は、できる限り抑制した額とすること。

三　平成十二年度の当初予算における社会保障関係費の額は、平成十一年度の当初予算における社会保障関係費の額におおむね百分の百二を乗じた額を上回らないこと。

2　前項の場合において、社会保障関係費の範囲は、集中改革期間の各年度の当初予算で定める。ただし、平成九年度の当初予算における社会保障関係費の範囲は、平成十年度の当初予算で定める。

（医療保険制度改革に関する検討）

第九条　政府は、医療保険制度の安定的運営を図るため、平成十二年度までのできるだけ早い時期に、健康保険法（大正十一年法律第七十号）、国民健康保険法（昭和三十三年法律第百九十二号）その他の法律に基づく医療保険制度等について

抜本的な改革を行うための検討を行い、その結果に基づいて必要な措置を講ずるものとする。

2 政府は、高齢者の置かれた経済状況を踏まえ、平成十二年度までに、一定額以上の収入等を有する高齢者に対する老人保健法（昭和五十七年法律第八十号）の規定に基づく医療給付等の在り方について検討を加え、その結果に基づいて必要な措置を講ずるものとする。

（年金制度改革に関する検討）

第十条 政府は、厚生年金保険法（昭和二十九年法律第百十五号）、国民年金法（昭和三十四年法律第百四十一号）及び共済各法（国民年金法第五条第一項第二号から第四号までに掲げる法律をいう。）（以下「厚生年金保険法等」という。）に基づく年金たる給付に係る保険料等についての将来の世代における負担の抑制を図るため、集中改革期間中において最初に行われる財政再計算（厚生年金保険法第八十一条第四項に規定する再計算等厚生年金保険法等の規定に基づく保険料率等の再計算をいう。第三項において同じ。）に当たり、次に掲げる事項について検討を加え、その結果に基づいて必要な措置を講ずるものとする。

一 主として高齢者が長期にわたり療養を行う医療施設その他の施設に入所している者に対する年金たる給付の在り方

二 年金の額の改定の方法

三 事業所に使用される六十五歳以上の者に対する年金たる給付の在り方

四 年金たる給付を受ける権利を有する者（次項において「受給権者」という。）となる年齢

五 年金たる給付の水準

六 その他将来の世代の負担の抑制を図るための措置（次項に規定する措置を除く。）

2 政府は、平成十二年度までに、給付と負担の適切な関係を維持することが年金制度の円滑な運営に必要であることに配慮しつつ、高齢者の置かれた経済状況を踏まえ、一定額以上の収入等を有する受給権者に対する厚生年金保険法等による年金たる給付の額の在り方について検討を加え、その結果に基づいて必要な措置を講ずるものとする。

3 政府は、集中改革期間中において最初に行われる財政再計算に当たり、世代間及び世代内の負担の公平の観点から、次に掲げる事項について検討を加え、その結果に基づいて必要な措置を講ずるものとする。

一 厚生年金保険法及び国民年金法に基づく保険料率等に関し、厚生年金保険法第八十一条第六項及び国民年金法第八十七条第五項により段階的に行うこととされている保険料率等の引上げの在り方

二 厚生年金保険法等に基づく年金たる給付に係る保険料及び掛金の賦課の対象となる報酬の範囲

（年金事業等の事務費に係る国及び地方公共団体の負担の抑制）

第十一条 政府は、厚生年金保険法等に基づく年金事業その他の社会保険事業の事務の執行に要する費用について、第七条の趣旨を踏まえその在り方について検討を加えるとともに、第八条第一項に掲げる量的縮減目標及び第四条に規定する財政構造改革の当面の目標の達成に資するため、平成十年度から平成十五年度までの間、厚生年金保険法及び国民年金法に基づく年金事業の事務並びに国家公務員共済組合法（昭和三十三年法律第百二十八号）及び地方公務員等共済組合法（昭和三十七年法律第百五十二号）に基づく短期給付及び長期給付に係る組合の事務の執行に要する費用（以下この条において「年金事業等の事務費」という。）の一部に国及び地方公共団体の負担以外の財源を充てるものとし、これにより、年金事業等の事務費に係る国及び地方公共団体の負担を抑制するものとする。

（雇用保険制度の見直し）

第十二条 政府は、平成十年度当初予算の成立の日までのできるだけ早い時期に、雇用保険法（昭和四十九年法律第百十六号）第三十七条の二に規定する高年齢求職者給付金の在り方について廃止を含めて見直しを行うとともに、同法に基づく失業等給付に係る国庫負担の在り方について検討を加え、その結果に基づいて必要な措置を講ずるものとする。

第二節 公共投資

（公共事業予算に係る改革の基本方針）

第十三条 政府は、公共事業に係る予算について、経済構造改革を早急に推進する必要性、行政の各分野における国と地方公共団体との適切な役割分担等の観点を踏まえ、重点化及び効率化を図るものとする。

（公共投資関係費の量的縮減目標）

第十四条 政府は、平成十年度の当初予算を作成するに当たり、公共投資関係費の額が平成九年度の当初予算における公共投資関係費の額に百分の九十三を乗じた額を上回らないようにするものとする。

2 政府は、平成十一年度及び平成十二年度の当初予算を作成するに当たり公共投資関係費の額が当該各年度の前年度の当初予算における公共投資関係費の額を下回るようにするものとする。

3 前二項に規定する公共投資関係費とは、国、地方公共団体等が実施する社会資本としての道路、河川その他の公共の用に供する施設を整備する事業その他の公共的な建設又は復旧の事業（国民生活の安定に寄与するための住宅の建設又は確保に関する事業を含む。）及び官公庁施設の建設等の事業（財政法第四条第一項ただし書に規定する公共事業費に該当するものに限る。）に関し一般会計予算に計上される経費をいう。

4 第八条第二項の規定は、第一項及び第二項の場合における公共投資関係費の範囲について準用する。

（公共事業に関する計画における事業の量の実質的縮減）

第十五条 政府は、公共事業に関する計画（公共事業に関し事業の実施の目標及び量を定める全国に及ぶ計画であって、法

律の規定に基づき策定されるもの又は政府が定めるものをいう。以下同じ。）のうちこの法律の施行の際現に存する平成八年度以前の年度を始期とするもの（住宅建設計画法（昭和四十一年法律第百号）第四条第一項に定める住宅建設五箇年計画及び計画の終期を平成九年度とするものを除く。）について、前条の趣旨及び第四条に規定する財政構造改革の当面の目標を踏まえ、当該各計画を、当該各計画に定める事業の量を変更することなく当該各計画における期間に比して長期の期間の計画に改定するものとし、これにより、一箇年当たり平均事業量（当該各計画に定める事業の量を当該各計画の期間の年数で除して得た量をいう。次項において同じ。）を縮減するものとする。

2　政府は、公共事業に関する計画であって平成九年度を始期とするもの（以下この項において「当該各計画」という。）について、前条の趣旨及び第四条に規定する財政構造改革の当面の目標を踏まえ、長期的視点に立って、当該各計画の期間については当該各計画と同一の公共事業の分野における平成八年度を終期とする各計画における期間に比し長期の期間とするとともに当該各計画の事業の量については前項の趣旨を参酌して策定するものとし、これにより、一箇年当たり平均事業量を抑制するものとする。

第三節　文教

（文教予算に係る改革の基本方針）

第十六条　政府は、文教予算（学校教育、社会教育、学術及び文化の振興及び普及を図る等のための行政事務及び事業を遂行するため、国の予算に計上される経費をいう。）について、児童又は生徒の数の減少に応じた合理化、受益者負担の徹底、国と地方公共団体との適切な役割分担等の観点から、義務教育に対する一般会計の負担及び私立学校に対する助成等の在り方について見直し、抑制するものとする。

（私立学校に対する助成の総額の量的縮減目標）

第十七条　政府は、集中改革期間における各年度の当初予算を作成するに当たり、私立学校振興助成法（昭和五十年法律第六十一号）第四条及び第九条の規定による私立学校の経常的経費に充てるための国の補助金並びに同法第十条の規定による私立学校に対する国の補助金（私立学校の経常的経費に充てるための国の補助金に限る。）の総額が当該各年度の前年度の当初予算におけるこれらの規定による補助金の総額を上回らないようにするものとする。

（公立義務教育諸学校等の教職員の給与費等に係る国及び地方公共団体の負担の抑制）

第十八条　第十六条の趣旨を踏まえるとともに第四条に規定する財政構造改革の当面の目標の達成に資するため、附則第二十四条の規定による改正前の公立義務教育諸学校の学級編制及び教職員定数の標準に関する法律及び公立高等学校の設置、適正配置及び教職員定数の標準等に関する法律の一部を改正する法律（平成五年法律第十四号）附則第二項から第五項までに規定する学級編制及び教職員定数の標準に関し、これらの規定による経過措置の終了に伴い国及び地方公共団体が講ずるものとされる財政上の措置については、平成十二年度までの間に講ずるものとし、これにより、公立義務教育諸学校等の教職員の給与費等に係る国及び地方公共団体の負担を抑制するものとする。

第四節　防衛

（防衛関係費に係る改革の基本方針）

第十九条　政府は、我が国の安全保障上の観点と経済事情及び財政事情等を勘案し、防衛関係費について、節度ある防衛力の整備を行う必要があることを踏まえつつ、財政構造改革の推進の緊要性に配意して、抑制するものとする。

2　前項に規定する防衛関係費とは、自衛隊の管理及び運営並びにこれに関する事務、条約に基づく外国軍隊の駐留及び日本国とアメリカ合衆国との間の相互防衛援助協定の規定に基づくアメリカ合衆国政府の責務の本邦における遂行に伴う事務並びに安全保障会議の事務に関するものとして一般会計予算に計上される経費をいう。

（防衛関係費の量的縮減目標）

第二十条　政府は、集中改革期間における各年度の当初予算を作成するに当たり、防衛関係費（日米安全保障協議委員会の下に設置された沖縄県に所在するアメリカ合衆国軍隊の施設及び区域に関連する諸問題を検討するための特別行動委員会において取りまとめられ、同協議委員会において承認された沖縄県におけるアメリカ合衆国軍隊の施設及び区域の整理、統合及び縮小並びに沖縄県におけるアメリカ合衆国軍隊の運用の方法の調整方策に係る計画及び措置を実施するため必要となる経費（第三項において「特別行動委員会関係経費」という。）を除く。以下この条において同じ。）の額が当該各年度の前年度の当初予算における防衛関係費の額を上回らないようにするものとする。

2　前項に規定する日米安全保障協議委員会とは、日本国とアメリカ合衆国との間の相互協力及び安全保障条約に基づき、日本国政府とアメリカ合衆国政府の間の相互理解を促進することに役立つとともに安全保障の分野における両国間の協力関係の強化に貢献するような問題であって安全保障問題の基盤をなすもののうち、安全保障問題に関するものを検討するために設置された特別の委員会をいう。

3　第八条第二項の規定は、第一項の場合における防衛関係費及び特別行動委員会関係経費の範囲について準用する。

第五節　政府開発援助

（政府開発援助に係る改革の基本方針）

第二十一条　政府は、政府開発援助について、その量的拡充が国際的に顕著なものとなっている一方で、我が国の財政が危機的状況にあることを踏まえ、その量的拡充から質の向上への転換を図るものとする。

2　前項に規定する政府開発援助とは、次に掲げるものをいう。

一　開発途上にある海外の地域等（以下この号において「開発途上地域等」という。）における経済及び社会の開発又は人道支援に寄与し、もって国際協力の促進に資することを目的として、政府が直接又は間接に開発途上地域等に対して行う協力のうち次に掲げるもの（次号に掲げるものを除く。）

イ　技術協力

ロ　無償の資金供与による協力

ハ　有償の資金供与による協力（資金の供与の条件が開発途上地域等にとって重い負担にならないよう金利、償還期間等について緩やかな条件が付けられているものに限る。）

ニ　イからハまでに掲げるもののほか、この号の目的を達成するため必要な協力

二　前号の目的を達成するための活動に携わる国際機関等に対して行う出資並びに資金の拠出及び貸付け（同号ハの条件が付けられているものに限る。）であって、同号の目的達成に係るもの

三　前二号に掲げるものに係る調査、研究、企画、立案、実施等に直接又は間接に関連する事務

（政府開発援助費の量的縮減目標）

第二十二条　政府は、平成十年度の当初予算を作成するに当たり、政府開発援助費の額が平成九年度の当初予算における政府開発援助費の額に十分の九を乗じた額を上回らないようにするものとする。

2　政府は、平成十一年度及び平成十二年度の当初予算を作成するに当たり、政府開発援助費の額が当該各年度の前年度の当初予算における政府開発援助費の額を下回るようにするものとする。

3　前二項に規定する政府開発援助費とは、前条第二項に掲げるものに関し一般会計予算に計上される経費をいう。

4　第八条第二項の規定は、第一項及び第二項の場合における政府開発援助費の範囲について準用する。

第六節　農林水産

（農林水産関係予算に係る改革の基本方針）

第二十三条　政府は、農林水産業の担い手に対して農林水産業に関する施策を集中的に行い、市場原理の一層の導入等を図ることにより、農林水産関係予算（農林水産業の改良発達及び農林漁家の福祉の増進並びに国民食糧の安定的供給を図るための行政事務及び事業を遂行するため、国の予算に計上される経費をいう。）について、重点化及び効率化を図るものとする。

（主要食糧関係費の量的縮減目標）

第二十四条　政府は、集中改革期間における各年度の当初予算を作成するに当たり、主要食糧関係費の額が当該各年度の前年度の当初予算における主要食糧関係費の額を上回らないようにするものとする。

2　前項に規定する主要食糧関係費とは、主要食糧の計画的な流通を確保するための措置、政府による主要食糧の買入れ、輸入及び売渡しの措置並びに主要食糧の需給及び価格の安定を図るための措置に関し一般会計予算に計上される経費をいう。

3　第八条第二項の規定は、第一項の場合における主要食糧関係費の範囲について準用する。

第七節　科学技術

（科学技術振興費に係る改革の基本方針等）

第二十五条　政府は、科学技術・イノベーション基本法（平成七年法律第百三十号）第十二条第一項に規定する科学技術・イノベーション基本計画の実施に当たり、原子力、宇宙開発及び防衛に係る研究に関する経費等を極力抑制するとともに、同計画について、国及び地方公共団体の財政が危機的状況にあることを踏まえた弾力的な取扱いを行うものとする。

2　政府は、科学技術振興費について、当該経費に係る研究開発の適切な評価を行い、その結果を予算の配分へ反映させること等により重点化及び効率化を進めるとともに、集中改革期間中においては科学技術振興費以外の経費との均衡に配慮するものとする。

3　前項に規定する科学技術振興費とは、国の試験研究機関、大学、民間等において行われる研究開発に関し、主として科学技術の振興を図るために必要なものとして一般会計予算に計上される経費をいう。

（科学技術振興費の量的縮減目標）

第二十六条　政府は、平成十年度の当初予算を作成するに当たり、科学技術振興費の額が平成九年度の当初予算における科学技術振興費の額におおむね百分の百五を乗じた額を上回らないようにするものとする。

2　政府は、平成十一年度及び平成十二年度の当初予算を作成するに当たり、科学技術振興費の額が当該各年度の前年度の当初予算における科学技術振興費の額に対する増加額をできる限り抑制するものとする。

3　第八条第二項の規定は、前二項の場合における科学技術振興費の範囲について準用する。

（研究開発機関等の統合又は廃止に関する計画の作成）

第二十七条　政府は、集中改革期間中に、国の試験研究機関、特別の法律により特別の設立行為をもって設立された法人（以下「特殊法人」という。）等であって研究開発を目的とするもの及び特殊法人等に属する研究所等の統合又は廃止に関する計画を作成するものとする。

第八節　エネルギー対策

（エネルギー対策に係る改革の基本方針）

第二十八条　政府は、中長期的に安定的なエネルギー施策を推進する観点に立ちつつ、エネルギー対策特別会計のエネルギー需給勘定の全ての歳出を見直し、一般会計から当該勘定への繰入金の額を縮減するとともに、同特別会計の電源開発促進勘定について、全ての歳出を見直し、電源立地対策、電源利用対策及び原子力安全規制対策の一層の効率化を行うものとする。

（エネルギー対策費の量的縮減目標）

第二十九条　政府は、集中改革期間における各年度の当初予算を作成するに当たり、エネルギー対策費の額が当該各年度の前年度の当初予算におけるエネルギー対策費の額を上回らないようにするものとする。

2　前項に規定するエネルギー対策費とは、エネルギーの長期的かつ安定的な供給を確保する等のため、原子力及びエネルギー技術の研究開発の促進並びに石油及びエネルギー需給構造高度化対策等に関し一般会計予算に計上される経費をいう。

3　第八条第二項の規定は、第一項の場合におけるエネルギー対策費の範囲について準用する。

第九節　中小企業対策

（中小企業対策費に係る改革の基本方針）

第三十条　政府は、中小企業対策費について、中小企業者等の活力及び地方公共団体の役割を尊重する観点から、すべての歳出を見直すものとする。

2　前項に規定する中小企業対策費とは、中小企業の育成及び発展並びにその経営の向上を図る施策に関し一般会計予算に計上される経費をいう。

（中小企業対策費の量的縮減目標）

第三十一条　政府は、集中改革期間における各年度の当初予算を作成するに当たり、中小企業対策費の額が当該各年度の前年度の当初予算における中小企業対策費の額を上回らないようにするものとする。

2　第八条第二項の規定は、前項の場合における中小企業対策費の範囲について準用する。

第十節　人件費

（人件費の抑制）

第三十二条　政府は、集中改革期間中においては、適切な措置を講ずることにより、人件費（国家公務員以外の者に係る人件費に対する国の補助及び負担に要する費用を含む。）の総額を極力抑制するものとする。

第十一節　その他の事項に係る経費

（その他の事項に係る経費の抑制）

第三十三条　政府は、集中改革期間における各年度の当初予算を作成するに当たり、当該各年度の一般歳出のうち第七条、第十四条、第十七条、第二十条、第二十二条、第二十四条、第二十五条、第二十九条、第三十条及び前条に規定する経費以外の経費（以下この条において「その他の事項に係る経費」という。）の総額が、当該各年度の前年度の当初予算におけるその他の事項に係る経費の総額を極力上回らないよう、抑制するものとする。

第十二節　補助金等の見直し

（補助金等の見直し）

第三十四条　国は、経済社会情勢の変化、行政の各分野における国及び地方公共団体と民間との役割分担の在り方並びに行政の各分野における国と地方公共団体との役割分担の在り方を踏まえ、すべての分野において、国の補助金、負担金、交付金（国以外の者が実施する特定の事業等に要する費用の財源の配付を目的として国が交付する給付金をいう。）、補給金（国以外の者が事業等を実施するための経費について不足を生ずる場合にその不足を補うために国が交付する給付金をいう。）、委託費（国の事業等を国以外の者に委託する場合に国が交付する給付金をいう。）その他相当の反対給付を受けないで国が交付する給付金であって政令で定めるもの（以下「補助金等」という。）に関する見直しを行うものとする。

（地方公共団体に対して交付される補助金等の削減等）

第三十五条　政府は、一般会計予算に計上される補助金等であって地方公共団体に対して交付されるもののうち、制度等見直し対象補助金等（次に掲げる事項のいずれかに該当するものをいう。次項において同じ。）については、交付の対象となる事業等に係る制度若しくは施策の見直し又は当該事業等の見直しを行うことにより、当該補助金等の削減又は合理化を図るものとする。

一　国の安全の確保及び対外関係の処理等に係る国の責務に関するもの

二　災害救助又は災害復旧に係るもの

三　法律に基づく財産の使用又は処分の制限に伴う当該財産の所有者の経済的な負担の増加を緩和させるもので、国が負担するもの

四　この法律の規定に基づき、集中改革期間中に当該補助金等の給付の根拠となる制度の改革に関する検討又は制度の見直しを行うこととしているものその他政令で定めるもの

2　政府は、集中改革期間における各年度の当初予算を作成するに当たり、その他補助金等（一般会計予算に計上される補助金等であって地方公共団体に対して交付されるもののうち、制度等見直し対象補助金等以外のものをいう。以下この条において同じ。）の額の各省各庁（財政法第二十一条に規定する各省各庁をいう。以下同じ。）の所管ごとの合算額が当該各年度の前年度の当初予算におけるその他補助金等の額の各省各庁の所管ごとの合算額に十分の九を乗じた額を上回らないようにするものとする。

3　第八条第二項の規定は、前項の場合におけるその他補助金等の範囲について準用する。

（特殊法人等に対して交付される補助金等の削減等）

第三十六条　政府は、一般会計予算に計上される補助金等であって特殊法人その他これに準ずるものとして政令で定める法人（次条において「特殊法人等」という。）に対して交付されるものについては、交付の対象となる事業等の見直しを行うことにより、当該補助金等の削減又は合理化を図るものとする。

（地方公共団体及び特殊法人等以外の者に対して交付される補助金等の削減等）

第三十七条　政府は、一般会計予算に計上される補助金等であって地方公共団体及び特殊法人等以外の者に対して交付されるもののうち、次に掲げる事項のいずれかに該当するものについては、交付の対象となる事業等に係る制度若しくは施策の見直し又は当該事業等の見直しを行うことにより、当該

補助金等の削減又は合理化を図るものとする。

一 国の安全の確保及び対外関係の処理等に係る国の責務に関するもの

二 法律に基づく財産の使用又は処分の制限に伴う当該財産の所有者の経済的な負担の増加を緩和させるもので、国が負担するもの

三 この法律の規定に基づき、集中改革期間中に当該補助金等の給付の根拠となる制度の改革に関する検討又は制度の見直しを行うこととしているものその他政令で定めるもの

2 政府は、集中改革期間における各年度の当初予算を作成するに当たり、一般会計予算に計上される補助金等であって地方公共団体及び特殊法人等以外の者に対して交付されるもののうち、前項に規定するもの以外のものに該当する補助金等の額の各省各庁の所管ごとの合算額が当該各年度の前年度の当初予算における同項に規定するもの以外のものに該当する補助金等の額の各省各庁の所管ごとの合算額に十分の九を乗じた額を上回らないようにするものとする。

3 第八条第二項の規定は、前項の場合における同項の補助金等の範囲について準用する。

（補助金等の交付の決定に関し各省各庁の長が講ずべき措置）

第三十八条 各省各庁の長（財政法第二十条第二項に規定する各省各庁の長をいう。）は、補助金等の交付の決定に関し次に掲げる措置を講ずるものとする。

一 補助金等の交付の目的等に応じ、当該補助金等に係る交付を決定する場合におけるその決定額等の下限を定めること。

二 補助金等の交付の目的等に応じ、当該補助金等の交付の決定の概要等を公表することとし、公表に係る具体的方法等について定めるとともに、補助金等における予算の執行に係る手続の簡素化又は合理化に努めること。

第三章 地方財政の健全化

（財政構造改革の推進に関する地方公共団体の責務）

第三十九条 地方公共団体は、第四条第一号に掲げる財政構造改革の当面の目標の達成に資するよう、国の財政構造改革の推進に関する施策に呼応し、及び並行して、財政構造改革に努め、その財政の自主的かつ自立的な健全化を図るものとする。

（地方公共団体に対する行財政上の措置）

第四十条 政府は、地方公共団体の財政の自主的かつ自立的な健全化が円滑に推進されるよう、地方公共団体に対し、適切に行政上及び財政上の措置を講ずるものとする。

（地方一般歳出の額の抑制等のための措置）

第四十一条 政府は、第四条第一号に掲げる財政構造改革の当面の目標の達成に資するため、地方一般歳出の額（地方財政計画に記載された地方団体の歳出総額の見込額から当該見込額のうち地方債の利子及び元金償還金の額その他政令で定める経費の額を合算した額を控除した額をいう。次項において同じ。）が抑制されたものとなるよう、必要な措置を講ずるものとする。

2 政府は、平成十年度の地方団体の歳入歳出総額の見込額に関する地方財政計画における地方一般歳出の額が、平成九年度の地方団体の歳入歳出総額の見込額に関する地方財政計画における地方一般歳出の額を下回るよう、必要な措置を講ずるものとする。

附 則（抄）

（施行期日）

第一条 この法律は、公布の日から施行する。

（検討）

第二条 政府は、この法律の施行後必要に応じ、財政構造改革の実施状況等を勘案し、国及び地方公共団体の財政の在り方について検討を加え、第四条に規定する財政構造改革の当面の目標の達成のため必要があると認めるときは、更なる歳出の改革と縮減のための措置を講ずるものとする。

○財政構造改革の推進に関する特別措置法施行令

平九・一二・五
政令三四九

最終改正　令二・七・八政令二一七

（経済活動の著しい停滞の状況）

第一条　財政構造改革の推進に関する特別措置法（以下「法」という。）第四条第二号に規定する政令で定める状況は、次の各号に掲げる状況のいずれかに該当するものとする。

一　国際連合の定めた基準に準拠して内閣府が作成する国民経済計算の体系における季節調整系列の実質国内総生産の各年度の四半期における実績の数値（以下この号において「四半期ごとの実質国内総生産の数値」という。）であって各四半期終了後最初に公表される数値（以下この条において「四半期ごとの速報値」という。）を当該四半期ごとの速報値と併せて公表される当該各四半期の一期前の四半期に係る四半期ごとの実質国内総生産の数値（以下この条において「一期前の改定値」という。）で除して得た値を四乗して得た値から一を差し引いて得た値が百分の一未満であって、かつ、当該一期前の改定値を当該四半期ごとの速報値と併せて公表される当該各四半期の二期前の四半期に係る四半期ごとの実質国内総生産の数値（当該数値がない場合にあっては、当該各四半期の一期前の四半期に係る四半期ごとの速報値と併せて公表された当該各四半期の二期前の四半期に係る四半期ごとの実質国内総生産の数値）で除して得た値を四乗して得た値から一を差し引いて得た値が百分の一未満である状況

二　四半期ごとの速報値を当該四半期ごとの速報値と併せて公表される一期前の改定値で除して得た値を四乗して得た値から一を差し引いて得た値が百分の一未満であって、当該四半期後政府が作成し公表する消費の動向に関する指標、設備投資の動向に関する指標及び雇用の状況に関する指標によって示される経済の動向が悪化する傾向にあると認められる状況

（一般会計から国債整理基金特別会計への繰入金を定める規定）

第二条　法第六条第一項に規定する政令で定める規定は、所得税法及び消費税法の一部を改正する法律の施行等による租税収入の減少を補うための平成六年度から平成八年度までの公債の発行の特例等に関する法律（平成六年法律第百八号）第四条の規定とする。

（一般会計の歳出から控除される経費）

第三条　法第六条第一項に規定する政令で定める経費は、決算調整資金に関する法律（昭和五十三年法律第四号）附則第二条第三項の規定による一般会計からの同法第二条の規定により設置された決算調整資金への繰入れに係る経費とする。

（補助金等とする給付金の指定）

第四条　法第三十四条に規定する給付金であって政令で定めるものは、次に掲げる予算の目の経費の支出によるものとする。

一　国有資産所在市町村交付金
二　対馬丸遭難学童遺族特別支出金
三　新産業都市等事業補助率差額
四　演習林所在市町村交付金
五　重要無形文化財保存特別助成金
六　後進地域特例法適用団体等補助率差額及び後進地域特例法適用団体補助率差額
七　計画流通推進対策助成金
八　流通円滑化対策助成金
九　国内麦流通円滑化奨励金
十　旧逓信雇用人原爆被爆者遺族特別支出金
十一　国有提供施設等所在市町村助成交付金
十二　施設等所在市町村調整交付金

（地方公共団体に対して交付される制度等見直し対象補助金等の指定）

第五条　法第三十五条第一項第四号に規定する政令で定めるものは、次に掲げる補助金等（法第三十四条に規定する補助金等をいう。以下同じ。）とする。

一　公共事業に係る補助金等
二　太平洋戦争の結果受けた被害等に関連して国が交付する補助金等
三　国を被告とする裁判に関連して行われている施策の実施に当たって国が交付する補助金等
四　特定の施設の存在に伴い、当該施設の存する地域の住民が被害を受けるおそれがある場合において、その被害の防止又は軽減のために国が交付する補助金等
五　国等が所有する固定資産の存在に伴い減少した地方公共団体の税収を補うために国が交付する補助金等
六　前各号に掲げる補助金等以外の補助金等で別表第一に掲げるもの（同表の二十一から百十六までの項にあっては、当該各項に掲げる予算の目又はこれに準ずるものの経費（当該予算の目の名称を変更した場合であって、当該経費の内容の変更を伴わないものを含む。）の支出によるもの）

（特殊法人に準ずる法人であって補助金等が交付されるものの指定）

第六条　法第三十六条に規定する政令で定める法人は、次に掲げるものとする。

一　警察共済組合
二　国家公務員共済組合、国家公務員共済組合連合会並びに厚生年金保険法等の一部を改正する法律（平成八年法律第八十二号）附則第三十二条第二項に規定する存続組合である同法第二条の規定による改正前の国家公務員等共済組合法（昭和三十三年法律第百二十八号）第八条第二項に規定する日本たばこ産業共済組合及び日本鉄道共済組合

三　日本赤十字社、企業年金連合会及び石炭鉱業年金基金
四　日本商工会議所、全国商工会連合会及び全国中小企業団体中央会
五　中央職業能力開発協会

（地方公共団体及び特殊法人等以外の者に対して交付される制度等が見直しの対象となる補助金等の指定）
第七条　法第三十七条第一項第三号に規定する政令で定めるものは、次に掲げる補助金等とする。
一　公共事業に係る補助金等
二　太平洋戦争の結果受けた被害等に関連して国が交付する補助金等
三　国を被告とする裁判に関連して行われている施策の実施に当たって国が交付する補助金等
四　特定の施設の存在に伴い、当該施設の存する地域の住民が被害を受けるおそれがある場合において、その被害の防止又は軽減のために国が交付する補助金等
五　旧令による共済組合等からの年金受給者のための特別措置法（昭和二十五年法律第二百五十六号）第七条の規定による補助金等及び国民年金法等の一部を改正する法律（昭和六十年法律第三十四号）附則第三十四条第四項の規定による補助金等
六　前各号に掲げる補助金等以外の補助金等で別表第二に掲げるもの（同表の七から五十七までの項にあっては、当該各項に掲げる予算の目又はこれに準ずるものの経費（当該予算の目の名称を変更した場合であって、当該経費の内容の変更を伴わないものを含む。）の支出によるもの）

（地方財政計画に記載された地方団体の歳出総額の見込額から控除される経費）
第八条　法第四十一条第一項に規定する政令で定める経費は、次に掲げる経費とする。
一　公営企業繰出金のうち企業債の元利償還に係るもの
二　地方交付税の不交付団体における平均水準を超える必要経費

附　則（抄）

（施行期日）
第一条　この政令は、公布の日から施行する。

別表第一（第五条関係）
一　農業保険法（昭和二十二年法律第百八十五号）第十九条の規定による負担金
二　農業改良助長法（昭和二十三年法律第百六十五号）第六条第一項に規定する協同農業普及事業交付金
三　漁業法（昭和二十四年法律第二百六十七号）第百五十九条第一項（同法第百七十三条において準用する場合を含む。）に規定する交付金
四　生活保護法（昭和二十五年法律第百四十四号）第七十五条第一項第一号の規定による負担金
五　農業委員会等に関する法律（昭和二十六年法律第八十八号）第二条第一項に規定する交付金及び同条第四項の規定による負担金
六　削除
七　森林法（昭和二十六年法律第二百四十九号）第百九十五条第一項に規定する交付金
八　離島航路整備法（昭和二十七年法律第二百二十六号）第三条に規定する補助金
九　義務教育費国庫負担法（昭和二十七年法律第三百三号）第二条の規定による負担金
十　特別支援学校への就学奨励に関する法律（昭和二十九年法律第百四十四号）第四条の規定による負担金
十一　天災による被害農林漁業者等に対する資金の融通に関する暫定措置法（昭和三十年法律第百三十六号）第三条第一項の規定による補助金
十二　削除
十三　公立学校の学校医、学校歯科医及び学校薬剤師の公務災害補償に関する法律（昭和三十二年法律第百四十三号）第六条の規定による負担金
十四　児童扶養手当法（昭和三十六年法律第二百三十八号）第二十一条の規定による負担金及び同法第二十一条の二の規定による交付金
十五　特別児童扶養手当等の支給に関する法律（昭和三十九年法律第百三十四号）第十四条の規定による交付金
十六　新産業都市建設促進法等を廃止する法律（平成十三年法律第十四号）附則第四条第一項の規定によりなおその効力を有することとされる旧新産業都市建設及び工業整備特別地域整備のための国の財政上の特別措置に関する法律（昭和四十年法律第七十三号）第二条の規定による利子補給金
十七　母子保健法（昭和四十年法律第百四十一号）第二十一条の三の規定による負担金
十八　首都圏、近畿圏及び中部圏の近郊整備地帯等の整備のための国の財政上の特別措置に関する法律（昭和四十一年法律第百十四号）第三条第二項の規定による利子補給金
十九　労働施策の総合的な推進並びに労働者の雇用の安定及び職業生活の充実等に関する法律（昭和四十一年法律第百三十二号）第二十条の規定による負担金
二十　感染症の予防及び感染症の患者に対する医療に関する法律（平成十年法律第百十四号）第六十一条第二項の規定による負担金
二十一　交付地方債元利償還金等補助金
二十二　無医地区医師派遣費補助金
二十三　含みつ糖対策費補助金
二十四　糖業振興臨時助成金
二十五　小笠原諸島振興開発費補助金（診療所運営費に係るものに限る。）
二十六　人権啓発活動等委託費
二十七　教員研修事業費等補助金（ウタリ教育振興奨学事業

費に係るものに限る。）
二十八　学校教育設備整備費等補助金（理科教育設備、定時制高等学校等設備整備等及び特殊教育設備整備費等に係るものに限る。）
二十九　高等学校定時制及通信教育振興奨励費補助金
三十　教育方法等改善研究委託費（スクールカウンセラー活用調査研究委託及び登校拒否児の適応指導教室実践研究委託に係るものに限る。）
三十一　地域改善対策高等学校等進学奨励費補助金
三十二　幼稚園就園奨励費補助金
三十三　高等学校産業教育設備整備費等負担金
三十四　特殊教育就学奨励費補助金
三十五　へき地児童生徒援助費等補助金
三十六　要保護及準要保護児童生徒援助費補助金
三十七　在外教育施設派遣教員経費交付金
三十八　公立学校施設整備費補助金
三十九　新産業都市等事業補助率差額
四十　公立学校施設整備費負担金
四十一　私立高等学校等経常費助成費補助金
四十二　厚生科学研究費補助金
四十三　身体障害者福祉費補助金（市町村在宅福祉事業（障害者や高齢者にやさしいまちづくり推進事業費を除く。）及び施設福祉対策費に係るものに限る。）
四十四　特別障害者手当等給付費負担金
四十五　児童保護費等補助金（職親委託等、心身障害児等デイサービス事業費、心身障害児等地域療育等事業費、特別保育事業促進費等、へき地保育対策費、産休代替保母費等及び家庭支援推進保育事業費に係るものに限る。）
四十六　身体障害者保護費負担金
四十七　児童保護費等負担金
四十八　精神保健対策費等補助金（精神障害者通院医療費、精神障害者医療保護入院費等、精神障害者社会復帰促進費、地域精神保健福祉対策費及び精神障害者社会復帰施設等運営費に係るものに限る。）
四十九　精神障害者措置入院費等負担金
五十　医療施設運営費等補助金（へき地中核病院等運営費、へき地診療所運営費、へき地巡回診療車等運営費、沖縄へき地歯科診療班運営費、離島歯科診療班派遣運営費、病院群輪番制病院等運営費、救命救急センター運営費等、救急医療情報センター運営費及び独立行政法人国立病院機構法（平成十四年法律第百九十一号）附則第五条第一項に規定する旧国立病院等（以下「旧国立病院等」という。）の再編成に係るものに限る。）
五十一　医療施設等設備整備費補助金
五十二　医療施設等施設整備費補助金
五十三　保健衛生施設等設備整備費補助金
五十四　保健衛生施設等施設整備費補助金
五十五　保健衛生施設等設備整備費負担金
五十六　保健衛生施設等施設整備費負担金
五十七　ハンセン病対策事業委託費
五十八　結核医療費補助金（公費負担医療費適正化対策費に係るものを除く。）
五十九　婦人保護施設運営費補助金
六十　一時保護所保護費負担金
六十一　生活福祉資金貸付等補助金
六十二　地方改善事業費補助金
六十三　地方改善施設設備整備費補助金
六十四　地方改善施設整備費補助金
六十五　社会福祉施設等設備整備費補助金
六十六　社会福祉施設等施設整備費補助金
六十七　社会福祉施設等設備整備費負担金
六十八　社会福祉施設等施設整備費負担金
六十九　在宅福祉事業費補助金（居宅生活支援事業に係るものに限る。）
七十　軽費老人ホーム事務費補助金
七十一　老人福祉施設保護費負担金
七十二　保健事業費等負担金（保健事業費、市町村保健活動事業費及び疾病予防事業費等に係るものに限る。）
七十三　国民健康保険団体連合会等補助金
七十四　療養給付費等負担金（事務費に係るものに限る。）
七十五　農業信用基金協会出資補助金
七十六　農業近代化資金利子補給等補助金
七十七　農業委員会費補助金
七十八　小規模零細地域対策事業費補助金
七十九　山村等振興対策事業費補助金
八十　農業振興事業推進費補助金（植物防疫事業費に係るものに限る。）
八十一　農村地域整備開発事業費補助金
八十二　農村地域整備開発促進費補助金（小規模零細地域対策営農等相談事業費、都道府県が実施する農村地域農政総合推進事業費、中山間地域経営改善・安定資金等融通促進費及び中山間ふるさと・水と土保全推進事業費に係るものに限る。）
八十三　農地調整費交付金
八十四　農業構造改善事業費補助金
八十五　農業生産体制強化対策事業費補助金
八十六　水田営農推進交付金
八十七　新生産調整推進対策調査等委託費
八十八　新生産調整推進対策地域調整推進事業費補助金
八十九　農業改良普及対策費補助金
九十　畜産再編総合対策事業費補助金
九十一　牛肉等関税財源畜産再編総合対策費補助金
九十二　食品流通等総合対策事業費補助金
九十三　食品流通等総合対策推進事業費補助金（いもでん粉工場再編整備基本方針策定事業費に係るものに限る。）
九十四　野菜価格安定対策費補助金

九十五　卸売市場施設整備費補助金
九十六　試験研究調査委託費（指定試験事業委託に係るものに限る。）
九十七　農林水産試験研究費補助金（都道府県農林水産業関係試験場費及び地域先端技術等研究開発促進事業費に係るものに限る。）
九十八　保安林整備事業委託費
九十九　森林資源管理費補助金（保安林整備管理事業費に係るものに限る。）
百　林業生産流通振興事業費補助金（普及活動高度化特別対策事業費、森林林業普及啓発推進事業費、林業後継者育成事業費、国民参加の森林づくり推進事業費、新作業システムオペレーター育成事業費、はつらつ林業女性活動促進事業費及び林業技術教育促進事業費に係るものに限る。）
百一　林業生産流通振興基盤施設整備費補助金
百二　林業構造改善事業費補助金
百三　漁業振興事業費補助金（水産業改良普及事業対策費に係るものに限る。）
百四　沿岸漁業構造改善事業費補助金
百五　漁業近代化資金利子補給等補助金（漁業近代化資金利子補給及び漁業経営維持安定資金利子補給等に係るものに限る。）
百六　水産業振興施設整備費補助金
百七　水産業改良普及事業交付金
百八　小規模事業指導費補助金（地域改善対策指導事業に係るものに限る。）
百九　工業団地造成利子補給金
百十　旅行業者登録等事務委託費
百十一　バス運行対策費補助金（地方バス路線維持費に係るものに限る。）
百十二　障害者職業能力開発校運営委託費
百十三　特定地域開発就労事業費補助金
百十四　職業転換訓練費補助金
百十五　建設業等登録免許事務委託費
百十六　公営地下高速鉄道事業助成金

別表第二（第七条関係）

一　健康保険法（大正十一年法律第七十号）第百五十一条の規定による負担金
二　離島航路整備法第三条に規定する補助金
三　削除
四　農業近代化資金融通法（昭和三十六年法律第二百二号）第三条第一項に規定する利子補給金
五　漁業近代化資金融通法（昭和四十四年法律第五十二号）第三条第一項に規定する利子補給金
六　船員の雇用の促進に関する特別措置法（昭和五十二年法律第九十六号）第二十条の規定による補助金
七　アイヌ文化理解促進等事業費補助金
八　法律扶助事業費補助金
九　人権啓発活動等委託費
十　人権啓発活動等補助金
十一　学校教育設備整備費等補助金
十二　特殊教育就学奨励費交付金
十三　私立学校施設整備費補助金
十四　私立大学等研究設備整備費等補助金
十五　私立学校施設高度化推進事業費補助金
十六　科学研究費補助金
十七　アイヌ文化振興等事業費補助金
十八　厚生科学研究費補助金
十九　精神保健対策費等補助金（精神障害者社会復帰促進費に係るものに限る。）
二十　身体障害者福祉費補助金（在宅重度障害者通所援護事業費に係るものに限る。）
二十一　児童保護費等補助金（精神薄弱者通所援護事業等助成費に係るものに限る。）
二十二　心身障害児総合医療育センター運営委託費
二十三　医療施設運営費等補助金（へき地巡回診療車等運営費、中毒情報センターデータベース整備事業及び旧国立病院等の再編成に係るものに限る。）
二十四　医療施設等設備整備費補助金
二十五　医療施設等施設整備費補助金
二十六　保健衛生施設等設備整備費補助金
二十七　保健衛生施設等施設整備費補助金
二十八　ハンセン病対策事業委託費
二十九　ハンセン病療養所費補助金
三十　給付費臨時補助金
三十一　国民健康保険団体連合会等補助金
三十二　療養給付費等負担金（事務費に係るものに限る。）
三十三　療養給付費等補助金（出産育児一時金に係るものに限る。）
三十四　国民年金基金連合会事務費補助金
三十五　農業近代化資金利子補給等補助金（農山漁村振興基金造成費に係るものに限る。）
三十六　農業振興事業推進費補助金（植物防疫事業費に係るものに限る。）
三十七　農村地域整備開発促進費補助金（中山間・都市交流拠点整備事業費に係るものに限る。）
三十八　農産園芸振興事業推進費補助金（果実等生産出荷安定基金造成費に係るものに限る。）
三十九　新生産調整推進助成補助金
四十　畜産再編総合対策推進事業費補助金（経営効率化機械緊急整備リース事業費に係るものに限る。）
四十一　流通飼料対策費補助金
四十二　鶏卵価格安定対策費補助金
四十三　牛肉等関税財源畜産再編総合対策費補助金
四十四　牛肉等関税財源流通飼料対策費補助金

四十五　食品流通等総合対策推進事業費補助金（いもでん粉工場再編整備対策事業費に係るものに限る。）
四十六　大豆備蓄対策費補助金
四十七　試験研究調査委託費（農林水産業技術開発総合研究等委託に係るものに限る。）
四十八　農林水産試験研究費補助金（地域先端技術等研究開発促進事業費、農林水産新産業技術開発事業費及び農林水産業・食品産業等先端産業技術開発事業費に係るものに限る。）
四十九　保安林整備事業委託費
五十　林業生産流通振興事業費補助金（普及活動高度化特別対策事業費及び国民参加の森林づくり推進事業費に係るものに限る。）
五十一　水産業振興事業委託費（栽培漁業技術開発委託（健苗育成技術開発費及び生態系保全型種苗生産技術開発事業費を除く。）に係るものに限る。）
五十二　水産物流通対策事業費補助金（魚価安定基金造成費に係るものに限る。）
五十三　漁業振興事業費補助金（水産業改良普及事業対策費に係るものに限る。）
五十四　漁業共済事業実施費補助金（漁業共済団体の常勤の職員の給料及び手当に係るものに限る。）
五十五　漁業近代化資金利子補給等補助金（漁業経営維持安定資金利子補給等に係るものに限る。）
五十六　新規産業創造技術開発費補助金
五十七　ユースホステルセンター業務委託費

○財政構造改革の推進に関する特別措置法の停止に関する法律

平一〇・一二・一八
法　一　五　〇

財政構造改革の推進に関する特別措置法（平成九年法律第百九号。附則第十条、第十三条、第十五条、第十七条及び第十九条の規定を除く。）は、別に法律で定める日までの間、その施行を停止する。

附　則

1　この法律は、公布の日から施行する。
2　財政構造改革の推進に関する特別措置法の再施行のために必要な措置については、この法律が施行された後の我が国の経済並びに国及び地方公共団体の財政の状況等を踏まえて講ずるものとする。

○財政運営に必要な財源の確保を図るための公債の発行の特例に関する法律

平二四・一一・二六
法　一　〇　一

最終改正　令三・三・三一法一三

（趣旨）

第一条　この法律は、最近における国の財政収支が著しく不均衡な状況にあることに鑑み、経済・財政一体改革を推進しつつ、令和三年度から令和七年度までの間の財政運営に必要な財源の確保を図るため、これらの年度における公債の発行の特例に関する措置を定めるものとする。

（定義）

第二条　この法律において「経済・財政一体改革」とは、我が国経済の再生及び財政の健全化が相互に密接に関連していることを踏まえ、これらのための施策を一体的に実施する取組をいう。

（令和三年度から令和七年度までの間の各年度における特例公債の発行等）

第三条　政府は、財政法（昭和二十二年法律第三十四号）第四条第一項ただし書の規定により発行する公債のほか、令和三年度から令和七年度までの間の各年度の一般会計の歳出の財源に充てるため、当該各年度の予算をもって国会の議決を経た金額の範囲内で、公債を発行することができる。

2　前項の規定による公債の発行は、当該各年度の翌年度の六月三十日までの間、行うことができる。この場合において、当該各年度の翌年度の四月一日以後発行される同項の公債に係る収入は、当該各年度所属の歳入とする。

3　政府は、第一項の議決を経ようとするときは、同項の公債の償還の計画を国会に提出しなければならない。

4　政府は、第一項の規定により発行した公債については、その速やかな減債に努めるものとする。

（特例公債の発行額の抑制）

第四条　政府は、前条第一項の規定により公債を発行する場合においては、同項に定める期間が経過するまでの間、財政の健全化に向けて経済・財政一体改革を総合的かつ計画的に推進し、中長期的に持続可能な財政構造を確立することを旨として、各年度において同項の規定により発行する公債の発行額の抑制に努めるものとする。

附　則

この法律は、公布の日から施行する。

○東日本大震災からの復興のための施策を実施するために必要な財源の確保に関する特別措置法（抄）

平二三・一二・二
法　一　一　七

最終改正　令六・三・三〇法八

目次〔略〕

第一章　総則

（趣旨）

第一条　この法律は、東日本大震災（平成二十三年三月十一日に発生した東北地方太平洋沖地震及びこれに伴う原子力発電所の事故による災害をいう。以下同じ。）からの復興を図ることを目的として東日本大震災復興基本法（平成二十三年法律第七十六号）第二条に定める基本理念に基づき平成二十三年度から令和七年度までの間において実施する施策（以下「復興施策」という。）に必要な財源を確保するための特別措置として、財政投融資特別会計から国債整理基金特別会計への繰入れ並びに日本たばこ産業株式会社、東京地下鉄株式会社及び日本郵政株式会社の株式の所属替等の措置を講ずるとともに、復興特別所得税及び復興特別法人税（以下「復興特別税」という。）を創設するほか、当該財源についての公債の発行に関する措置等を定めるものとする。

（基本原則）

第二条　政府は、復興施策に要する費用（平成二十三年度の一般会計補正予算（第1号）及び一般会計補正予算（第2号）

に計上された費用を除き、第七十条に規定する復興債の収入をもって充てられる費用を含む。）の財源については、東日本大震災復興基本法第七条第一号に基づく歳出の削減並びに第七十二条第一項に定める復興特別税の収入、同条第二項に定める財政投融資特別会計からの国債整理基金特別会計への繰入金、同条第三項に定める株式の処分による収入及び同条第四項に定める国有財産の処分による収入その他の租税収入以外の収入を活用して、確保するものとする。

第二章　財政投融資特別会計からの国債整理基金特別会計への繰入れ

（財政投融資特別会計財政融資資金勘定からの国債整理基金特別会計への繰入れ）

第三条　政府は、平成二十四年度から平成二十七年度までの間において、特別会計に関する法律（平成十九年法律第二十三号。以下「特別会計法」という。）第五十八条第三項の規定にかかわらず、財政投融資特別会計財政融資資金勘定から、予算で定めるところにより、国債整理基金特別会計に繰り入れることができる。

2　前項の規定による繰入金は、財政投融資特別会計財政融資資金勘定の歳出とし、当該繰入金に相当する金額を特別会計法第五十八条第一項の積立金から同勘定の歳入に繰り入れるものとする。

3　前項に規定する繰入金に相当する金額は、特別会計法第五十六条第一項の繰越利益の額から減額して整理するものとする。

（財政投融資特別会計投資勘定からの国債整理基金特別会計への繰入れ）

第三条の二　政府は、平成二十八年度から令和四年度までの間において、財政投融資特別会計投資勘定から、予算で定めるところにより、国債整理基金特別会計に繰り入れることができる。

2　前項の規定による繰入金は、財政投融資特別会計投資勘定の歳出とする。

3　前項に規定する繰入金に相当する金額は、特別会計法第五十七条第四項の利益積立金の額から減額して整理するものとする。

第三章　日本たばこ産業株式会社、東京地下鉄株式会社及び日本郵政株式会社の株式の国債整理基金特別会計への所属替等

（日本たばこ産業株式会社の株式の国債整理基金特別会計への所属替等）

第四条　特別会計法附則第二百二十五条第四項の規定により財政投融資特別会計の投資勘定に帰属した日本たばこ産業株式会社（以下この項において「会社」という。）の株式のうち、会社が発行している株式（株主総会において決議することができる事項の全部について議決権を行使することができないものと定められた種類の株式を除く。以下この項において同じ。）の総数の三分の一を超えて保有するために必要な数を上回る数に相当する数の株式は、同勘定から無償で国債整理基金特別会計に所属替をするものとする。

2　政府は、前項の規定により国債整理基金特別会計に所属替をした株式については、できる限り早期に処分するものとする。

（東京地下鉄株式会社の株式の国債整理基金特別会計への所属替）

第五条　東京地下鉄株式会社法（平成十四年法律第百八十八号）附則第十一条の規定により政府に無償譲渡された東京地下鉄株式会社の株式（日本国有鉄道改革法等施行法（昭和六十一年法律第九十三号）附則第二十四条第二項の規定により政府が譲り受けた帝都高速度交通営団に対する出資持分に相当するものに限る。）は、一般会計から無償で国債整理基金特別会計に所属替をするものとする。

（日本郵政株式会社の株式の国債整理基金特別会計への所属替）

第五条の二　郵政民営化法（平成十七年法律第九十七号）第三十六条第十一項の規定により政府に無償譲渡された日本郵政株式会社の株式の総数の三分の一を超えて保有するために必要な数を上回る数に相当する数の株式は、一般会計から無償で国債整理基金特別会計に所属替をするものとする。

第六章　復興債の発行等

（復興債の発行）

第六十九条　政府は、財政法（昭和二十二年法律第三十四号）第四条第一項の規定にかかわらず、復興施策に要する費用（以下「復興費用」という。）のうち平成二十三年度の一般会計補正予算（第3号）に計上された費用の財源については、当該補正予算をもって国会の議決を経た金額の範囲内で、公債を発行することができる。

2　平成二十三年度の当初予算に計上された基礎年金の国庫負担の追加に伴い見込まれる費用を同年度の一般会計補正予算（第1号）において東日本大震災に対処するために必要な財源を確保するために減額した経緯に鑑み同年度の一般会計補正予算（第3号）に計上された当該費用は、復興費用とみな

して前項の規定を適用する。

3 平成二十三年度において、一般会計補正予算（第3号）の作成後に、新たに補正予算を作成する場合において当該補正予算に復興費用が計上されるときは、当該復興費用の財源について、第一項の規定を適用する。

4 政府は、平成二十四年度から令和七年度までの各年度において、財政法第四条第一項の規定にかかわらず、復興費用の財源については、各年度の予算をもって国会の議決を経た金額の範囲内で、公債を発行することができる。

5 第一項、第三項及び前項に規定する復興費用の範囲については、毎会計年度、国会の議決を経なければならない。

6 財政法第四条第一項ただし書の規定は、第一項、第三項及び第四項に規定する復興費用については、適用しない。

（復興債に係る発行時期及び会計年度所属区分の特例）

第七十条 前条第一項から第四項までの規定により発行する公債（以下「復興債」という。）の発行は、各年度の翌年度の六月三十日までの間、行うことができる。この場合において、翌年度の四月一日以後発行される復興債に係る収入は、当該各年度所属の歳入とする。

（復興債等の償還）

第七十一条 復興債及び当該復興債に係る借換国債（特別会計法第四十六条第一項又は第四十七条第一項の規定により起債される借換国債をいい、当該借換国債につきこれらの規定により順次起債された借換国債を含む。以下同じ。）については、令和十九年度までの間に償還するものとする。

第七章 復興特別税の収入の使途等

（復興特別税の収入の使途等）

第七十二条 平成二十四年度から令和十九年度までの間における復興特別税の収入は、復興費用及び償還費用（復興債（当該復興債に係る借換国債を含む。次条、第七十四条第一項及び附則第十八条において同じ。）の償還に要する費用（借換国債を発行した場合においては、当該借換国債の収入をもって充てられる部分を除く。）をいう。以下同じ。）の財源に充てるものとする。

2 平成二十四年度から平成二十七年度までの間における第三条の規定による財政投融資特別会計財政融資資金勘定からの国債整理基金特別会計への繰入金及び平成二十八年度から令和四年度までの間における第三条の二の規定による財政投融資特別会計投資勘定からの国債整理基金特別会計への繰入金は、償還費用の財源に充てるものとする。

3 次に掲げる株式の処分により令和九年度までに生じた収入は、償還費用の財源に充てるものとする。

一 第四条第一項の規定により国債整理基金特別会計に所属替をした日本たばこ産業株式会社の株式

二 特別会計法附則第二百八条第四項の規定により国債整理基金特別会計に帰属した東京地下鉄株式会社の株式

三 第五条の規定により国債整理基金特別会計に所属替をした東京地下鉄株式会社の株式

四 第五条の二及び特別会計法附則第十二条の二の規定により国債整理基金特別会計に所属替をした日本郵政株式会社の株式

五 特別会計法附則第十二条の三の規定により国債整理基金特別会計に所属替をした日本郵政株式会社の株式

4 前三項に規定する収入のほか、平成二十三年度から令和九年度までの各年度において、国有財産の処分による収入その他の租税収入以外の収入であって国会の議決を経た範囲に属するものは、復興費用及び償還費用の財源に充てるものとする。

（復興特別税の収入の使途等の特例）

第七十三条 令和十九年度における復興特別所得税の収入は、まず償還費用の財源に充て、なお残余があるときは、復興債以外の公債（財政法第四条第一項ただし書の規定により発行された公債（当該公債に係る借換国債を含む。）を除く。）の償還に要する費用の財源に充てるものとする。

2 令和十八年度以前の年度において当該年度までに発行した復興債の償還を完了した場合においては、当該年度から令和十八年度までの間において生じた復興特別税の収入、前条第三項各号に掲げる株式の処分による収入及び同条第四項に規定する国有財産の処分による収入その他の租税収入以外の収入については、前項の規定を準用する。

（特別会計法の適用に関する特例）

第七十四条 復興債は、特別会計法第四十二条第二項の規定の適用については、国債とみなさない。

2 復興債に係る特別会計法第四十二条第四項の規定の適用については、同項中「一般会計」とあるのは、「東日本大震災復興特別会計」とする。

3 第七十条の規定により、各年度の翌年度の四月一日以後発行される復興債は、特別会計法第四十二条第四項の規定の適用については、当該各年度の三月三十一日に発行されたものとみなす。

附 則 (抄)

（施行期日）

第一条 この法律は、公布の日から施行する。〔ただし書略〕

（財政投融資特別会計財政融資資金勘定の健全な運営を確保するために必要な措置）

第二条 特別会計法第六条の規定にかかわらず、平成二十四年度から令和二年度までの間、財政投融資特別会計財政融資資金勘定の歳入歳出の決算上、特別会計法第五十八条第一項に規定する収納済額が同項に規定する支出済額等に不足すると見込まれ、かつ、当該不足を同条第二項の規定により補足することができないと見込まれる場合においては、当該補足することができないと見込まれる金額に相当する金額を限度として、特別会計法第五十三条第一項第二号の経費（同号トに規定する公債の償還金を除く。）に充てるため、予算で定めるところにより、一般会計から同勘定に繰り入れることができる。

2　前項の規定による繰入金は、財政投融資特別会計財政融資資金勘定の歳入とする。

（復興施策に必要な財源の確保等についての見直し）

第十二条　政府は、この法律の施行後適当な時期において、東日本大震災からの復興の状況等を勘案して、復興費用の在り方及び復興施策に必要な財源を確保するための各般の措置の在り方について見直しを行うものとする。

（租税収入以外の収入による財源の確保）

第十三条　政府は、前条の規定による見直しを行うに際し、第二章及び第三章に規定するもののほか、平成二十三年度から令和四年度までの間において二兆円に相当する金額の償還費用の財源に充てる収入を確保することを旨として次に掲げる措置その他の措置を講ずるものとする。

一　日本たばこ産業株式会社の株式について、たばこ事業法等に基づくたばこ関連産業への国の関与の在り方を勘案し、その保有の在り方を見直すことによる処分の可能性について検討を行うこと。

二　エネルギー対策特別会計に所属する株式について、エネルギー政策の観点を踏まえつつ、その保有の在り方を見直すことによる処分の可能性について検討を行うこと。

2　政府は、前項各号の検討の結果、同項各号に規定する株式の全部又は一部を保有する必要がないと認めるときは、法制上の措置その他必要な措置を講じた上で、当該株式について、できる限り早期に処分するものとする。

第十四条　政府は、前条第一項各号に掲げる措置のほか、租税収入以外の収入による償還費用の財源を確保するため、日本郵政株式会社の株式（日本郵政株式会社法（平成十七年法律第九十八号）第二条の規定により政府が保有していなければならない株式を除く。）について、日本郵政株式会社の経営の状況、収益の見通しその他の事情を勘案しつつ処分の在り方を検討し、その結果に基づいて、できる限り早期に処分するものとする。

（決算剰余金の償還費用の財源への活用）

第十五条　政府は、平成二十三年度から平成二十七年度までの間の各年度の一般会計歳入歳出の決算上の剰余金を財政法第六条第一項の規定に基づき公債又は借入金の償還財源に充てる場合においては、償還費用の財源に優先して充てるよう努めるものとする。

（復興特別税の負担軽減措置）

第十六条　政府は、前三条の規定による償還費用の財源の確保が見込まれる場合には、附則第十二条の規定による見直しの結果に基づく復興費用の見込額を勘案しつつ、復興特別税に係る税負担の軽減のための所要の措置を講ずるものとする。

（令和八年度から復興庁が廃止されるまでの間において実施する施策のための財源の確保に係る検討）

第十七条　政府は、東日本大震災からの復興の状況等を勘案し、令和八年度から復興庁設置法（平成二十三年法律第百二十五号）第二十一条の規定により復興庁が廃止されるまでの間において東日本大震災復興基本法（平成二十三年法律第七十六号）第二条に定める基本理念に基づき実施する施策のための財源の確保の在り方について検討を加え、その結果に基づいて所要の措置を講ずるものとする。

（復興に係る特別会計の設置）

第十八条　政府は、東日本大震災からの復興に係る国の資金の流れの透明化を図るとともに復興債の償還を適切に管理するため、復興事業に係る歳入歳出を経理する特別会計を平成二十四年度において設置することとし、必要な法制上の措置を講ずるものとする。

2　前項に規定する特別会計は、平成二十三年度一般会計補正予算（第3号）のうち第六十九条の規定に基づき発行した復興債の償還に係る債務等について承継するものとする。

附　則（平二八・三・三一法二三）（抄）

（施行期日）

第一条　この法律は、平成二十八年四月一日から施行する。

（財政の健全化を図るための施策との整合性に配慮した復興施策に必要な財源の確保）

第三条　政府は、復興施策（第一条の規定による改正後の東日本大震災からの復興のための施策を実施するために必要な財源の確保に関する特別措置法第一条に規定する復興施策をいう。以下同じ。）に必要な財源の確保及び一般会計の歳出の財源の確保が相互に密接な関連を有することに鑑み、財政の健全化を図るための施策との整合性に配慮しつつ、復興施策に必要な財源の確保を適切に行うものとする。

○脱炭素成長型経済構造への円滑な移行の推進に関する法律(抄)

令五・五・一九
法　　三　二

目次〔略〕

第一章　総則

（目的）

第一条　この法律は、世界的規模でエネルギーの脱炭素化に向けた取組等が進められる中で、我が国における脱炭素成長型経済構造への円滑な移行を推進するため、脱炭素成長型経済構造移行推進戦略の策定、脱炭素成長型経済構造移行債の発行並びに化石燃料採取者等に対する賦課金の徴収及び特定事業者への排出枠の割当てに係る負担金の徴収について定めるとともに、脱炭素成長型経済構造移行推進機構に脱炭素成長型経済構造への円滑な移行に資する事業活動を行う者に対する支援等に関する業務を行わせるための措置を講じ、もって国民生活の向上及び国民経済の健全な発展に寄与することを目的とする。

（定義）

第二条　この法律において「脱炭素成長型経済構造」とは、産業活動において使用するエネルギー及び原材料に係る二酸化炭素を原則として大気中に排出せずに産業競争力を強化することにより、経済成長を可能とする経済構造をいう。

2　この法律において「脱炭素成長型経済構造移行債」とは、第七条第一項の規定により政府が発行する公債をいう。

3〜6〔略〕

第三章　脱炭素成長型経済構造移行債

（脱炭素成長型経済構造移行債の発行）

第七条　政府は、令和五年度から令和十四年度までの各年度に限り、財政法（昭和二十二年法律第三十四号）第四条第一項の規定にかかわらず、脱炭素成長型経済構造への円滑な移行の推進に関する施策に要する費用の財源については、各年度の予算をもって国会の議決を経た金額の範囲内で、エネルギー対策特別会計の負担において、公債を発行することができる。

2　前項に規定する費用の範囲については、毎会計年度、国会の議決を経なければならない。

3　脱炭素成長型経済構造移行債の発行は、各年度の翌年度の六月三十日までの間、行うことができる。この場合において、翌年度の四月一日以後発行される脱炭素成長型経済構造移行債に係る収入は、当該各年度所属の歳入とする。

（脱炭素成長型経済構造移行債等の償還）

第八条　脱炭素成長型経済構造移行債に係る借換国債（特別会計に関する法律（平成十九年法律第二十三号）第四十六条第一項又は第四十七条第一項の規定により起債される借換国債をいい、当該借換国債につきこれらの規定により順次起債された借換国債を含む。次項において同じ。）については、化石燃料賦課金及び特定事業者負担金の収入により、令和三十二年度までの間に償還するものとする。

2　化石燃料賦課金及び特定事業者負担金は、脱炭素成長型経済構造移行債に係る借換国債（以下この項及び第十二条第二号イにおいて「脱炭素成長型経済構造移行債等」という。）を償還するまでの間、脱炭素成長型経済構造移行債等の償還金（借換国債を発行した場合においては、当該借換国債の収入をもって充てられる部分を除く。同号イにおいて同じ。）、利子並びに脱炭素成長型経済構造移行債等の発行及び償還に関連する経費として政令で定めるものに充てるものとする。

（脱炭素成長型経済構造への円滑な移行の推進に係る歳入歳出の経理）

第九条　脱炭素成長型経済構造への円滑な移行の推進に関する施策（特別会計に関する法律第八十五条第三項に規定するエネルギー需給構造高度化対策に関するものに限る。）、脱炭素成長型経済構造移行債の発行及び償還並びに化石燃料賦課金及び特定事業者負担金に係る歳入歳出はエネルギー対策特別会計のエネルギー需給勘定において経理するものとし、脱炭素成長型経済構造への円滑な移行の推進に関する施策（同条第五項に規定する電源利用対策に関するものに限る。）に係る歳入歳出は同特別会計の電源開発促進勘定において経理するものとする。

（特別会計に関する法律の適用）

第十条　第七条第一項の規定により脱炭素成長型経済構造移行債を発行する場合におけるエネルギー対策特別会計についての特別会計に関する法律第十六条の規定の適用については、同条中「融通証券」とあるのは、「公債及び融通証券」とする。

第四章　化石燃料賦課金及び特定事業者負担金

第一節　化石燃料賦課金

（化石燃料賦課金の徴収に係る事務の委託）

第十三条　経済産業大臣は、脱炭素成長型経済構造移行推進機構に、化石燃料賦課金の徴収に係る事務を行わせるものとする。

（その他化石燃料賦課金に関し必要な事項）

第十四条　この節に定めるもののほか、化石燃料賦課金の徴収の実施に関する事項その他化石燃料賦課金に関し必要な事項は、別に法律で定める。

第二節　特定事業者負担金

（特定事業者排出枠の割当て等に関する業務等の委託）

第十八条　経済産業大臣は、脱炭素成長型経済構造移行推進機構に、前条第一項に規定する割当て及び同項の入札の実施に関する業務並びに特定事業者負担金の徴収に係る事務を行わせるものとする。

（その他特定事業者排出枠に関し必要な事項等）

第十九条　この節に定めるもののほか、特定事業者排出枠の割当て及び入札の実施に関する事項その他特定事業者排出枠に関し必要な事項は、別に法律で定める。

2　この節に定めるもののほか、特定事業者負担金の徴収の実施に関する事項その他特定事業者負担金に関し必要な事項及び化石燃料賦課金の賦課と特定事業者負担金の賦課との調整に関する事項は、別に法律で定める。

第五章　脱炭素成長型経済構造移行推進機構

第一節　総則

（機構の目的）

第二十条　脱炭素成長型経済構造移行推進機構（以下「機構」という。）は、化石燃料賦課金及び特定事業者負担金の徴収に係る事務、特定事業者排出枠の割当て及び入札の実施に関する業務、脱炭素成長型経済構造への円滑な移行に資する事業活動を行う者に対する債務保証その他の支援等を行うことにより、脱炭素成長型経済構造への円滑な移行を推進することを目的とする。

附　則（抄）

（施行期日）

第一条　この法律は、公布の日から起算して三月を超えない範囲内において政令で定める日〔令五・六・三〇〕から施行する。ただし、次の各号に掲げる規定は、当該各号に定める日から施行する。

一　附則第十条の規定　公布の日

二　第十三条、第十八条、第五章〔中略〕の規定　公布の日から起算して九月を超えない範囲内において政令で定める日〔令六・二・一六〕

（経過措置）

第二条　一般会計の負担に属する公債のうち、額面金額の合計額が一兆千三十四億四千六百三十五万円に相当する公債（財政運営に必要な財源の確保を図るための公債の発行の特例に関する法律（平成二十四年法律第百一号）第三条第一項の規定により発行されたものに限る。）であって政令で定めるものに関する権利義務は、この法律の施行の日において、エネルギー対策特別会計のエネルギー需給勘定に帰属する。

2　前項の規定により権利義務がエネルギー対策特別会計のエネルギー需給勘定に帰属した公債については、脱炭素成長型経済構造移行債とみなす。

3　令和六年度における特別会計に関する法律第四十二条第二項に規定する繰入金額の算定については、同項に規定する国債の総額から第一項に規定する金額を控除するものとする。

第三条　この法律の施行の際一般会計に所属する権利義務であって、次に掲げるものは、政令で定めるところにより、エネルギー対策特別会計のエネルギー需給勘定に帰属するものとする。

一　令和四年度の一般会計補正予算（第2号）（以下この条において「令和四年度第二次補正予算」という。）に計上された費用のうち脱炭素成長型経済構造への円滑な移行の推進に関する施策に要する費用（以下この条において「脱炭素成長型経済構造移行費用」という。）に関する権利義務（財政法第十四条の三第一項又は第四十二条ただし書の規定により繰り越して使用することとされたものに関する権利義務を除く。）

二　財政法第十五条第一項又は第二項の規定により国が負担した債務のうち脱炭素成長型経済構造への円滑な移行の推進に関する施策に係る事業に関するもの（当該債務を負担する行為により支出すべき費用について同法第十四条の三第一項又は第四十二条ただし書の規定により繰り越して使用することとされたものに関する債務を除く。）

2　令和四年度第二次補正予算に計上された脱炭素成長型経済構造移行費用に関する経費であって、財政法第十四条の三第一項又は第四十二条ただし書の規定により繰越しをしたものについて、令和五年度以降、不用となった金額又は国に返納された金額（以下この項において「不用額等」という。）がある場合には、当該不用額等があった年度の翌々年度までに、当該不用額等（返納の際に当該金額に延滞利息又は加算金が付されている場合には、これらの金額を含む。）を、一般会計からエネルギー対策特別会計のエネルギー需給勘定に繰り入れるものとする。

3　令和四年度第二次補正予算に脱炭素成長型経済構造移行費用として計上された額が当該額に係る支出済歳出額及び翌年度繰越額の合計額を上回る場合には、予算で定めるところにより、令和六年度までにその上回る額を、一般会計からエネルギー対策特別会計のエネルギー需給勘定に繰り入れるものとする。

4　令和四年度第二次補正予算に計上された費用のうち脱炭素成長型経済構造移行費用（第一項の規定により同項に掲げる権利義務がエネルギー対策特別会計のエネルギー需給勘定に帰属したものに限る。）についての特別会計に関する法律第八十五条第三項第一号の規定の適用については、同号中「経済産業大臣又は環境大臣」とあるのは、「文部科学大臣、経済産業大臣又は環境大臣」とする。

（政令への委任）

第十条 附則第二条から前条までに定めるもののほか、この法律の施行に関し必要な経過措置は、政令で定める。

○我が国の防衛力の抜本的な強化等のために必要な財源の確保に関する特別措置法

令五・六・二三
法　六　九

目次〔略〕

第一章 総則

（趣旨等）

第一条 この法律は、令和五年度以降における我が国の防衛力の抜本的な強化及び抜本的に強化された防衛力の安定的な維持に必要な財源を確保するための特別措置として、財政投融資特別会計財政融資資金勘定からの一般会計への繰入れの特例に関する措置及び外国為替資金特別会計からの一般会計への繰入れの特別措置並びに独立行政法人国立病院機構及び独立行政法人地域医療機能推進機構の国庫納付金の納付の特例に関する措置を講ずるとともに、防衛力強化資金の設置等について定めるものとする。

2 政府は、令和五年度以降の各年度の予算に計上される防衛力整備計画対象経費の額が令和四年度の当初予算に計上された防衛力整備計画対象経費の額を上回る場合における当該上回る額に係る費用の財源に充てるため、第十四条第一項に定める財政投融資特別会計財政融資資金勘定及び外国為替資金特別会計からの一般会計への繰入金並びに独立行政法人国立病院機構及び独立行政法人地域医療機能推進機構の国庫納付金並びに同条第二項に定める国有財産の処分による収入その他の租税収入以外の収入（第八条第二項において「防衛力強化税外収入」という。）並びに第十一条の規定による防衛力強化資金からの受入金を確保するものとする。

3 前項に規定する防衛力整備計画対象経費とは、自衛隊の管理及び運営並びにこれに関する事務並びに条約に基づく外国軍隊の駐留及び日本国とアメリカ合衆国との間の相互防衛援助協定の規定に基づくアメリカ合衆国政府の責務の本邦における遂行に伴う事務に関するものとして各年度の一般会計予算（防衛省の所管に係るものに限る。）に計上される経費（防衛省が行う情報システムの整備及び管理に関する事業に必要な経費のうちデジタル庁設置法（令和三年法律第三十六号）第四条第二項第十八号イの規定により確保され、デジタル庁の所管に係る予算に一括して計上される経費を含む。）であって、次に掲げる経費を除いたものをいう。

一 日米安全保障協議委員会（日本国とアメリカ合衆国との間の相互協力及び安全保障条約（以下この号において「日米安保条約」という。）に基づき、日本国政府とアメリカ合衆国政府の間の相互理解を促進することに役立つとともに安全保障の分野における両国間の協力関係の強化に貢献するような問題であって安全保障問題の基盤をなすもののうち、安全保障問題に関するものを検討するために設置された特別の委員会をいう。以下この項において「協議委員会」という。）の下に設置された沖縄県に所在する駐留軍（日米安保条約に基づき日本国にあるアメリカ合衆国の軍隊をいう。以下この項において同じ。）の施設及び区域に関連する諸問題を検討するための特別行動委員会において取りまとめられ、協議委員会において承認された沖縄県における駐留軍の施設及び区域の整理、統合及び縮小並びに沖縄県における駐留軍の運用の方法の調整方策に係る計画及び措置を実施するために必要な経費

二 平成十八年五月一日にワシントンで開催された協議委員会において承認された駐留軍又は自衛隊の部隊又は機関の編成、配置又は運用の態様の変更（当該変更が航空機（回転翼航空機を除く。）を保有する部隊の編成又は配置の変更である場合にあっては、当該航空機を搭載し、当該部隊

と一体として行動する艦船の部隊の編成又は配置の変更を含む。）に関して政府が講ずる措置を実施するために必要な経費

三　自衛隊法（昭和二十九年法律第百六十五号）第百条の五第二項に規定する国賓等の輸送の用に主として供するための航空機の取得に要する経費

第二章　財政投融資特別会計財政融資資金勘定及び外国為替資金特別会計からの一般会計への繰入れ

（財政投融資特別会計財政融資資金勘定からの一般会計への繰入れ）

第二条　政府は、令和五年度において、特別会計に関する法律（平成十九年法律第二十三号）第五十八条第三項の規定にかかわらず、財政投融資特別会計財政融資資金勘定から、二千億円を限り、一般会計の歳入に繰り入れることができる。

2　前項の規定による繰入金は、財政投融資特別会計財政融資資金勘定の歳出とし、当該繰入金に相当する金額を特別会計に関する法律第五十八条第一項の積立金から同勘定の歳入に繰り入れるものとする。

3　前項に規定する繰入金に相当する金額は、特別会計に関する法律第五十六条第一項の繰越利益の額から減額して整理するものとする。

（外国為替資金特別会計からの一般会計への繰入れ）

第三条　政府は、令和五年度において、特別会計に関する法律第八条第二項の規定による外国為替資金特別会計からの一般会計の歳入への繰入れをするほか、同特別会計から、一兆二千四億三千三百四万三千円を限り、一般会計の歳入に繰り入れることができる。

2　前項の規定による繰入金は、外国為替資金特別会計の歳出とする。

第三章　独立行政法人国立病院機構及び独立行政法人地域医療機能推進機構の国庫納付金の納付の特例

（独立行政法人国立病院機構の国庫納付金の納付の特例）

第四条　独立行政法人国立病院機構は、令和五事業年度については、独立行政法人国立病院機構法（平成十四年法律第百九十一号）第十七条第二項の規定にかかわらず、独立行政法人通則法（平成十一年法律第百三号。以下この章において「通則法」という。）第四十四条第一項又は第二項の規定によりこの法律の施行の日を含む中期目標の期間（通則法第二十九条第二項第一号に規定する中期目標の期間をいう。次条第一項において同じ。）における積立金として整理された金額のうち四百二十二億円（次項において「国立病院機構の特別国庫納付金額」という。）を令和六年三月三十一日までに国庫に納付しなければならない。

2　国立病院機構の特別国庫納付金額は、通則法第四十四条第一項の規定による積立金の額から減額して整理するものとする。

（独立行政法人地域医療機能推進機構の国庫納付金の納付の特例）

第五条　独立行政法人地域医療機能推進機構は、令和五事業年度については、独立行政法人地域医療機能推進機構法（平成十七年法律第七十一号）第十六条第二項の規定にかかわらず、通則法第四十四条第一項又は第二項の規定によりこの法律の施行の日を含む中期目標の期間における積立金として整理された金額のうち三百二十四億円（次項において「地域医療機能推進機構の特別国庫納付金額」という。）を令和六年三月三十一日までに国庫に納付しなければならない。

2　地域医療機能推進機構の特別国庫納付金額は、通則法第四十四条第一項の規定による積立金の額から減額して整理するものとする。

第四章　防衛力強化資金

（資金の設置）

第六条　防衛力の抜本的な強化及び抜本的に強化された防衛力の安定的な維持のために確保する財源を防衛力の整備に計画的かつ安定的に充てることを目的として、当分の間、防衛力強化資金（以下「資金」という。）を設置する。

（資金の所属及び管理）

第七条　資金は、一般会計の所属とし、財務大臣が、法令の定めるところに従い、管理する。

（資金への繰入れ）

第八条　政府は、予算の定めるところにより、一般会計から資金に繰入れをすることができる。

2　前項の規定による繰入金の財源については、防衛力強化税外収入をもって充てる。

（資金に充てる財源）

第九条　資金は、前条第一項の規定による繰入金及び次条第一項の規定により預託した場合に生ずる利子をもって充てる。

（資金の預託）

第十条　資金に属する現金は、財政融資資金に預託することができる。

2　前項の規定により預託した場合に生ずる利子は、資金に編入するものとする。

（資金の使用）

第十一条　資金は、防衛力整備計画対象経費（第一条第三項に規定する防衛力整備計画対象経費をいう。第十四条において

同じ。）の財源に充てる場合に限り、予算の定めるところにより、使用することができる。

（資金の経理）

第十二条　資金の受払いは、歳入歳出外とし、その経理に関する手続は、財務省令で定める。

（資金の増減に関する計画表及び実績表）

第十三条　財務大臣は、毎会計年度、政令で定めるところにより、資金の増減に関する計画表（次項において「計画表」という。）及び資金の増減に関する実績表（以下この条において「実績表」という。）を作成しなければならない。

2　内閣は、財政法（昭和二十二年法律第三十四号）第二十七条の規定に基づき毎会計年度の予算を国会に提出する場合においては、前々年度の実績表並びに前年度及び当該年度の計画表を添付しなければならない。

3　内閣は、財政法第三十九条の規定に基づき毎会計年度の歳入歳出決算を会計検査院に送付する場合においては、当該年度の実績表を添付しなければならない。

4　内閣は、財政法第四十条第一項の規定に基づき毎会計年度の歳入歳出決算を国会に提出する場合においては、当該年度の実績表を添付しなければならない。

第五章　防衛力強化税外収入の使途

第十四条　令和五年度における第二条の規定による財政投融資特別会計財政融資資金勘定からの一般会計への繰入金及び第三条の規定による外国為替資金特別会計からの一般会計への繰入金並びに第四条の規定による独立行政法人国立病院機構の国庫納付金及び第五条の規定による独立行政法人地域医療機能推進機構の国庫納付金は、防衛力整備計画対象経費の財源又は資金への繰入れの財源に充てるものとする。

2　前項に規定する収入のほか、令和五年度以降の各年度において、国有財産の処分による収入その他の租税収入以外の収入であって国会の議決を経た範囲に属するものは、防衛力整備計画対象経費の財源又は資金への繰入れの財源に充てるものとする。

附　則（抄）

（施行期日）

第一条　この法律は、公布の日から施行する。

（財政投融資特別会計財政融資資金勘定の健全な運営を確保するために必要な措置）

第二条　令和五年度から令和十四年度までの間、第二条第一項の規定による繰入金を繰り入れた後における財政投融資特別会計財政融資資金勘定の健全な運営を確保するために必要がある場合には、予算で定めるところにより、特別会計に関する法律第五十八条第一項の積立金から同勘定の歳入に繰り入れることができる。

2　前項に規定する繰入金に相当する金額は、特別会計に関する法律第五十六条第一項の繰越利益の額から減額して整理するものとする。

○防衛力強化資金に関する政令

令五・八・二
政令二五四

1　我が国の防衛力の抜本的な強化等のために必要な財源の確保に関する特別措置法（次項において「法」という。）第十三条第一項に規定する計画表の作成の時期については、予算決算及び会計令（昭和二十二年勅令第百六十五号）第十一条第五項に規定する書類の財務大臣への送付の時期の例による。

2　法第十三条第一項に規定する実績表は、翌年度の七月三十一日までに作成するものとする。

附　則（抄）

（施行期日）

1　この政令は、公布の日から施行する。

○防衛力強化資金事務取扱規則

令五・八・二
財務令五〇

（通則）
第一条 我が国の防衛力の抜本的な強化等のために必要な財源の確保に関する特別措置法（第四条において「法」という。）第六条に規定する防衛力強化資金（以下「資金」という。）の経理に関する手続については、他の法令に定めるもののほか、この省令の定めるところによる。

（資金の受払い）
第二条 資金は、一般会計からの受入金及び資金に属する現金を財政融資資金に預託した場合に生ずる利子の受入金をもって受けとし、一般会計への繰入金をもって払いとして経理する。

（資金受払簿）
第三条 財務大臣は、別紙第一号書式の防衛力強化資金受払簿を備え、前条に規定する資金の受払いを登記しなければならない。

（計画表及び実績表）
第四条 法第十三条第一項に規定する計画表及び実績表の様式は、別紙第二号書式によるものとする。

附　則（抄）

（施行期日）
1　この省令は、公布の日から施行する。

別紙第一号書式

防衛力強化資金受払簿

年　月　日	対応科目	受入額	払出額	差引残高	備考
		円	円	円	

別紙第二号書式

防衛力強化資金増減計画表及び実績表

区　分	金額（円）	
前年度末現在額		
資金増減額(減は△)		
増減内訳		
受入		
一般会計より受入		
財政融資資金預託利子受入		
払出		
一般会計へ繰入		
本年度末現在額		

○会計法

昭二二・三・三一
法　　三五

最終改正　令元・五・三一法一六

目次〔略〕

第一章　総則

〔出納事務の完結期限及び会計年度所属区分〕

第一条　一会計年度に属する歳入歳出の出納に関する事務は、政令の定めるところにより、翌年度七月三十一日までに完結しなければならない。

② 歳入及び歳出の会計年度所属の区分については、政令でこれを定める。

参 **出納の完結期限**（会計年度（財政法一一）現金の出納整理期限（予決令三～七）歳入歳出主計簿の締切（予決令一三九））**会計年度所属区分**（会計年度独立の原則（財政法一二）会計年度所属区分の標準（予決令一の二・二）過年度収入（会計法九）過年度支出（会計法二七）会計年度所属区分の標準の特例（特会令一、旅費法附Ⅲ・Ⅳ））**国税収納金等の年度所属区分**（国税整理資金法一四Ⅱ、同令三）**参照規定**　地方公共団体の出納閉鎖（自治法二三五の五）地方公共団体の会計年度所属区分（自治令一四二・一四三）

〔収入支出統一の原則〕

第二条　各省各庁の長（財政法第二十条第二項に規定する各省各庁の長をいう。以下同じ。）は、その所掌に属する収入を国庫に納めなければならない。直ちにこれを使用することはできない。

参 **総計予算主義の原則**（財政法一四）**参照規定**　国税収納金等と還付金等支払のための特例法（国税整理資金法）

第二章　収入

〔歳入の徴収及び収納の準則〕

第三条　歳入は、法令の定めるところにより、これを徴収又は収納しなければならない。

改 本条…一部改正（昭二九法三六）

参 **収入・歳入の定義**（財政法二）**参照規定**　国税等の徴収（国税整理資金法九、同令五）地方公共団体の歳入徴収（自治法二二三～二三一の三）

〔歳入事務の管理〕

第四条　財務大臣は、歳入の徴収及び収納に関する事務の一般を管理し、各省各庁の長は、その所掌の歳入の徴収及び収納に関する事務を管理する。

改 本条…一部改正（平一一法一六〇）

参 **歳入予算明細書の作製**（財政法二〇Ⅰ）**歳入決算明細書の作製**（財政法三七Ⅱ）**各省各庁の長の歳入事務の管理権限**（歳入見積に関する書類及び歳入決算報告書の作製（財政法一七・三七）歳入の徴収事務の委任等（会計法四の二・四六の三・四八、予決令二六・二七・一三九の二・一三九の三・一四〇、恩給取扱規則一〇Ⅱ）収入官吏等の任命（会計法三九・四〇・四〇の二・四八、予決令一一一・一四〇））**帳簿・報告等**（会計法四七、予決令二一・二三・三六・三七・一三〇・一三七・一三七の二、様式令別表五書式等）**参照規定**　債権管理事務の総括（債権管理法九）

〔歳入徴収事務の委任〕

第四条の二　各省各庁の長は、政令の定めるところにより、当該各省各庁所属の職員にその所掌の歳入の徴収に関する事務を委任することができる。

② 各省各庁の長は、必要があるときは、政令の定めるところにより、他の各省各庁所属の職員に前項の事務を委任することができる。

③ 各省各庁の長は、必要があるときは、政令の定めるところにより、当該各省各庁所属の職員又は他の各省各庁所属の職員に、歳入徴収官（各省各庁の長又は第一項若しくは前項の規定により委任された職員をいう。以下同じ。）の事務の一部を分掌させることができる。

④ 前三項の場合において、各省各庁の長は、当該各省各庁又は他の各省各庁に置かれた官職を指定することにより、その官職にある者に当該事務を委任し、又は分掌させることができる。

⑤ 第三項の規定により歳入徴収官の事務の一部を分掌する職員は、分任歳入徴収官という。

改 本条…追加（昭二七法四）、三項…削り・旧四・五・六項…一部改正し一項ずつ繰上（昭四六法九六）

参 **歳入の徴収権限**（会計法四－各省各庁の長に関する部分）**歳入徴収事務委任の方法・委任についての協議及び同意等**（予決令二六・二七、徴収官規程一の二、恩給取扱規則一〇Ⅱ・Ⅲ）**歳入徴収事務の代理**（会計法四六の三Ⅰ、予決令一三九の二）**歳入徴収事務の一部処理**（会計法四六の三Ⅱ、予決令一三九の三）　**歳入の徴収の職務と収納の職務の分立**（会計法八、特例－予決令三〇）　**都道府県が行う事務**（会計法四八、予決令一四〇）　**会計事務委任についての本条の準用**（会計法一三Ⅳ・一三の三Ⅲ・二四Ⅲ・二九の二Ⅳ）

〔歳入の徴収権限〕

第五条　歳入は、歳入徴収官でなければ、これを徴収することができない。

改　本条…一部改正（昭二七法四　昭二九法三六）

参　**歳入徴収の権限**（会計法四・四の二・四六の三・四八、予決令二六・二七・一三九の二・一三九の三・一四〇、恩給取扱規則一〇Ⅱ）　**徴収手続**（会計法三・六・九、予決令二八・二九、徴収官規程二章・三章・四八～五一）　**徴収委託**（脱炭素成長型経済構造への円滑な移行の推進に関する法律一三・一八）　**帳簿・報告等**（会計法四七Ⅰ、予決令二一・二三・三六・一三一・一三七・一三七の二、様式令別表四・六書式、徴収官規程四章・五章・六章、計算規則一章・二章等）　**参照規定**　国税等の徴収について本条を準用する規定（国税整理資金法九Ⅱ）国税等の徴収の帳簿・報告等（国税整理資金法一五Ⅰ、同令五章）

〔歳入の徴収方法〕

第六条　歳入徴収官は、歳入を徴収するときは、これを調査決定し、政令で定めるものを除き、債務者に対して納入の告知をしなければならない。

改　本条…一部改正（昭二九法三六　昭四五法一一一）

参　**徴収事務の取扱**（予決令二八・二九、徴収官規程三～二一・四七～四九）　**納入の告知を要しない歳入**（予決令二八の二）　**納付書による納付**（国民年金法等に基づく保険料の納付手続の特例に関する省令等）　**納入の告知及び督促**（債権管理法一三）　**納入告知の時効更新の効力**（会計法三二）　**参照規定**　国税等の徴収（通則法一二・三六、国税整理資金法九等）　**国税等の徴収について本条を準用する規定**（国税整理資金法九Ⅱ）

〔歳入の収納権限及び方法〕

第七条　歳入は、出納官吏でなければ、これを収納することができない。但し、出納員に収納の事務を分掌させる場合又は日本銀行に収納の事務を取り扱わせる場合はこの限りでない。

②　出納官吏又は出納員は、歳入の収納をしたときは、遅滞なく、その収納金を日本銀行に払い込まなければならない。

改　一・二項…一部改正（昭二九法三六）

参　**歳入の収納権限**（出納官吏（会計法三八・三九・四〇の二Ⅰ、予決令三二・一一二）出納員（会計法四〇・四〇の二Ⅱ・四五、予決令一一一）日本銀行（日本銀行法三五、会計法三四））　**歳入の収納の取扱**（予決令三一）　**収入官吏等の収納手続**（収入官吏（出納官規程二章）日本銀行（予決令三二・一〇六・一〇八・一〇九、日銀国庫金規程四・二章））　**委託機関による収納**（厚生年金保険法一〇〇の一一Ⅰ、国民年金法一〇九の一一Ⅰ、健康保険法二〇四の六Ⅰ、船員保険法一五三の六Ⅰ）　**証券等による歳入納付の特例**（証券納付法、同施行細則、歳入納付ニ使用スル証券ニ関スル件、歳入納付ニ使用スル証券ニ関スル件ニ依ル証券ノ納付ニ関スル制限ノ件、印紙納付法）　**参照規定**　国税等の収納について本条を準用する規定（国税整理資金法九Ⅱ）

〔徴収機関と出納機関の分立〕

第八条　歳入の徴収の職務は、現金出納の職務と相兼ねることができない。但し、特別の必要がある場合においては、政令で特例を設けることができる。

参　**特例**（予決令三〇）　**参照規定**　**支出と出納事務の分立**（会計法二六、予決令四〇の二）　国税等の徴収の職務と収納の職務の分立の特例（国税整理資金令五Ⅱ）　**国税等の徴収について本条を準用する規定**（国税整理資金法九Ⅱ）

〔過年度収入及び返納金戻入〕

第九条　出納の完結した年度に属する収入その他予算外の収入は、すべて現年度の歳入に組み入れなければならない。但し、支出済となつた歳出の返納金は、政令の定めるところにより、各〻支払つた歳出の金額に戻入することができる。

参　**会計年度独立の原則**（財政法一二・四二本文）　**会計年度所属の区分**（会計法一Ⅱ、予決令一の二）　**過年度収入となるものの例**（予決令六二Ⅰ・Ⅲ、日銀国庫金規程二〇・三三、出納官規程四四・四五・八三Ⅴ）　**返納金の戻入手続等**（予決令六・三三～三五、支出官規程二〇・二一、出納官規程三四Ⅲ、日銀国庫金規程二五）　**支出済返納金の歳入組入れ手続**（予決令二七）

第三章　支出負担行為及び支出

第一節　総則

〔支出負担行為及び支出事務の管理〕

第十条　各省各庁の長は、その所掌に係る支出負担行為（財政法第三十四条の二第一項に規定する支出負担行為をいう。以下同じ。）及び支出に関する事務を管理する。

改 本条…一部改正（昭二四法二四　昭二七法四）

参 **支出負担行為及び支出の定義**（財政法二Ⅰ・三四の二Ⅰ）　**支出負担行為の準則**（会計法一一）　**各省各庁の長の支出負担行為事務及び支出事務の管理権限**〔支出負担行為事務の委任等（会計法一三・四六の三・四八、予決令三八・一三九の二・一三九の三・一四〇）支出負担行為認証事務の委任（会計法一三の三・四六の三・四八、予決令三九の五・一三九の二・一三九の三・一四〇）支出事務の委任（会計法二四・四六の三・四八、予決令四〇・一三九の二・一三九の三・一四〇）出納官吏等の任命（会計法三九・四〇・四〇の二・四八、予決令一一一・一四〇）帳簿・報告（会計法四七、予決令六五・一三〇・一三七・一三七の二等）〕

第二節　支出負担行為

改 節名…改正（昭二四法二四）

〔支出負担行為の準則〕

第十一条　支出負担行為は、法令又は予算の定めるところに従い、これをしなければならない。

改 本条…一部改正（昭二四法二四）

参 **支出負担行為実施計画及び支出負担行為計画**（財政法三四の二、予決令一八の二～一八の七・三九、支出負担規則一・五・七・八、様式令別表一号書式）　**支出負担行為計画及び支出負担行為限度額等の示達等**（予決令三九、支出負担規則九・九の二・一一・一二）　**支出負担行為担当官・分任支出負担行為担当官・支出負担行為認証官**（会計法一三・一三の三・一三の五・四六の三・四八、予決令三八・三九の五～三九の八・一三九の二～一四〇）　**支出負担行為の実行**（会計法一二・一三の二・一三の四、予決令三九の二～三九の四、支出負担規則一三～一九の二・別表甲・乙・丙）　**帳簿**（会計法四七、予決令一三四・一三四の二・一三七・一三七の二、様式令別表一二書式）　**支出負担行為担当官及び分任支出負担行為担当官等の責任**（予責法二Ⅰ1・2・7～9・11・12・三～五・七・八等）　**参照規定**　地方公共団体の債務負担の制限（自治法二三二の三）

〔特定経費にかかる支出負担行為の制限〕

第十二条　各省各庁の長は、財政法第三十一条第一項の規定により配賦された歳出予算、継続費又は国庫債務負担行為のうち、同法第三十四条の二第一項に規定する経費に係るものに基いて支出負担行為をなすには、同項の規定により承認された支出負担行為の実施計画に定める金額を超えてはならない。

改 本条…一部改正（昭二四法二四　昭二七法四）

参 **予算の配賦**（財政法三一）　**予算の配賦とみなす規定**（財政法三五Ⅳ・Ⅴ・四三Ⅳ・四三の二Ⅱ）　**支出負担行為実施計画**（財政法三四の二、予決令一八の二～一八の七・三九、支出負担規則一・五・七・八）

〔支出負担行為事務の委任〕

第十三条　各省各庁の長は、当該各省各庁所属の職員に、その所掌に係る支出負担行為に関する事務を委任することができる。

② 各省各庁の長は、必要があるときは、政令の定めるところにより、他の各省各庁所属の職員に、前項の事務を委任することができる。

③ 各省各庁の長は、必要があるときは、政令の定めるところにより、当該各省各庁所属の職員又は他の各省各庁所属の職員に、支出負担行為担当官（各省各庁の長又は第一項若しくは前項の規定により委任された職員をいう。以下同じ。）の事務の一部を分掌させることができる。

④ 第四条の二第四項の規定は、前三項の場合に、これを準用する。

⑤ 第三項の規定により支出負担行為担当官の事務の一部を分掌する職員は、分任支出負担行為担当官という。

改 本条…一部改正（昭二四法二四）、全部改正（昭二七法四）、三項…一部改正・四項…追加・旧四・五項…一部改正し一項ずつ繰下（昭二九法九〇）、三項…削り・旧四・五・六項…一部改正し一項ずつ繰上（昭四六法九六）

参 **支出負担行為事務の管理**（会計法一〇）　**支出負担行為事務の委任の方法・委任についての同意等**（予決令三八）　**支出負担行為事務の代理**（会計法四六の三Ⅰ、予決令一三九の二）　**支出負担行為事務の一部処理**（会計法四六の三Ⅱ、予決令一三九の三）　**支出負担行為の認証の職務と支出負担行為の職務の分立**（会計法一三の五、特例―予決令三九の八）　**都道府県が行う事務**（会計法四八、予決令一四〇）　**責任**（予責法二Ⅰ1・7～9・11・12・三等）

〔支出負担行為の確認及び登記〕

第十三条の二　支出負担行為担当官が支出負担行為をするには、政令の定めるところにより、支出負担行為の内容を表示する書類を第二十四条第四項に規定する支出官に送付し、当該支出負担行為が当該支出負担行為担当官に対し政令で定めるところにより示達された歳出予算、継続費又は国庫債務負担行為の金額に超過しないことの確認を受け、且つ、当該支出負担行為が支出負担行為に関する帳簿に登記された後でなければ、これをすることができない。この場合において、支出負担行為担当官が同項に規定する支出官を兼ねているときは、その確認は、自ら行わなければならない。

② 分任支出負担行為担当官が支出負担行為をなす場合における前項の規定の適用については、同項前段中「支出負担行為担当官が」とあるのは「分任支出負担行為担当官が」と、「支出負担行為の内容を表示する書類」とあるのは「支出負担行為担当官が所属の各分任支出負担行為担当官のなす支出負担行為の限度額及びその内訳を記載した書類」と読み替えるものとする。

改 本条…追加（昭二四法二四）、全部改正（昭二七法四）、二項…追加（昭二九法九〇）、一項…一部改正（昭四六法九六）

参 **支出負担行為の管理**（会計法一〇） **支出負担行為実行の要件**（会計法一一・一二、予決令三九の二、支出負担規則一三・一四） **支出負担行為担当官**（会計法一三） **確認**（予決令三九の三・三九の四・三九の六・三九の七Ⅰ・Ⅲ、支出負担規則一五・一七〜一九Ⅱ） **支出負担行為計画及び支出負担行為限度額等の示達**（予決令三九、支出負担規則九・九の二・一一・一二・三号・三号の二書式） **歳出予算**（財政法一四・二三） **継続費**（財政法一四の二・二五） **国庫債務負担行為**（財政法一五・二六） **帳簿**（会計法四七、予決令一三四・一三七・一三七の二、様式令別表一二書式）

〔支出負担行為の認証及びその事務の委任〕

第十三条の三 各省各庁の長は、予算執行の適正を期するため必要があると認めるときは、当該各省各庁所属の職員に、その所掌に係る支出負担行為の全部又は一部について認証を行わしめることができる。

② 各省各庁の長は、必要があるときは、政令の定めるところにより、他の各省各庁所属の職員に支出負担行為の認証を行わしめることができる。

③ 第四条の二第四項の規定は、前二項の場合に、これを準用する。

④ 第一項又は第二項の規定により支出負担行為の認証を行なう職員は、支出負担行為認証官という。

改 本条…追加（昭二四法二四）、全部改正（昭二七法四）、三項…削り・旧四・五項…一部改正し一項ずつ繰上（昭四六法九六）

参 **支出負担行為事務の管理**（会計法一〇） **支出負担行為認証事務委任・委任についての同意等**（予決令三九の五） **支出負担行為認証事務の代理**（会計法四六の三Ⅰ、予決令一三九の二） **支出負担行為認証事務の一部処理**（会計法四六の三Ⅱ、予決令一三九の三） **支出負担行為の認証の職務と支出負担行為の職務の分立**（会計法一三の五、特例＝予決令三九の八） **都道府県が行う事務**（会計法四八、予決令一四〇） **責任**（予責法二Ⅰ2・7〜9・11・12・三等）

〔支出負担行為の認証及び登記〕

第十三条の四 前条の場合において、支出負担行為担当官が支出負担行為をなすには、第十三条の二第一項の規定にかかわらず、支出負担行為の内容を表示する書類を支出負担行為認証官に送付し、政令の定めるところによりその認証を受け、且つ、当該支出負担行為が支出負担行為に関する帳簿に登記された後でなければ、これをなすことができない。

改 本条…追加（昭二四法二四）、全部改正（昭二七法四）、一部改正（昭二九法九〇）

参 **支出負担行為実行の要件**（会計法一一・一二、予決令三九の二、支出負担規則一三・一四） **支出負担行為担当官**（会計法一三・四六の三） **支出負担行為認証官**（会計法一三の三・四六の三） **支出負担行為計画示達の通知**（予決令三九Ⅳ） **認証**（予決令三九の三・三九の四・三九の六・三九の七Ⅱ、支出負担規則一六〜一八） **帳簿**（会計法四七、予決令一三四・一三四の二・一三七・一三七の二、様式令別表一二書式）

〔認証と支出負担行為事務の分立〕

第十三条の五 支出負担行為の認証の職務は、支出負担行為の職務と相兼ねることができない。但し、特別の必要がある場合においては、政令で特例を設けることができる。

改 本条…追加（昭二四法二四）

参 **特例**（予決令三九の八）

第三節 支出

〔支出の準則〕

第十四条 各省各庁の長は、その所掌に属する歳出予算に基いて、支出しようとするときは、財政法第三十四条の規定により承認された支払計画に定める金額を超えてはならない。

② 各省各庁の長は、前項の金額の範囲内であっても、支出負担行為の確認又は認証を受け、且つ、支出負担行為に関する帳簿に登記されたものでなければ支出することはできない。

改 二項…追加（昭二四法二四）、一部改正（昭二七法四）

参 支出・歳出（財政法二）　歳出予算（財政法一四・二三）　支出の制限（予決令四三、支出負担規則一八の二）　支払計画（財政法三四、予決令一八の九～一八の一五・四一、支出負担規則二～四・六・七Ⅱ・八Ⅱ・一〇～一二）　支出負担行為の確認・認証（会計法一三の二～一三の四、予決令三九の三・三九の四、支出負担規則一五～一八）　支出の方法（会計法一五・一六、予決令四二～五〇、小切手振出規程六～九・一〇Ⅰ～Ⅲ、支出官規程）　帳簿（会計法四七、予決令一三四、様式令別表一二書式）　参照規定　国税還付金等の支払（国税整理資金法一〇・一一）

〔支出の方法〕

第十五条　各省各庁の長は、その所掌に属する歳出予算に基づいて支出しようとするときは、現金の交付に代え、日本銀行を支払人とする小切手を振り出し、又は財務大臣の定めるところにより、国庫内の移換のための国庫金振替書（以下「国庫金振替書」という。）若しくは日本銀行をして支払をなさしめるための支払指図書（以下「支払指図書」という。）を日本銀行に交付しなければならない。

改 本条…一部改正（平一一法一六〇　平一四法一五二）

参 **歳出予算**（財政法一四・二三）　**支出の審査及び決定**（会計法一四・一六～二一、予決令四二、支出負担規則一八の二等）　**予算の執行**（財政法三一～三六）　**小切手の振出の事務**（会計法一六・二四、予決令四五・四六・四八・五〇、支出官規程二章・三章、小切手振出規程、出納官規程六～七の二・二九・三〇・四三・四八～五〇・五二）、隔地送金のための小切手の振出についての隔地の定義（支出官等が隔地者に支払をする場合等における隔地の範囲を定める省令）、代物弁済―小切手振出の効力―（民法四八二）　**国庫金振替書の発行の事務**（会計法二四、予決令四七、支出官規程九・一〇・一五・二七・三九～四一、出納官規程二九・三一～三七）　**小切手及び国庫金振替書等の誤びゅう訂正**（支出官規程四三・四四、出納官規程七九）　**国庫金振替書の様式**（払出書式令別紙一書式）　**本条の準用**（会計法四九）　**参照規定**　歳入歳出外の国庫内移換に関する規則

〔支出（小切手振出）の制限〕

第十六条　各省各庁の長は、債権者のためでなければ小切手を振り出すことはできない。但し、第十七条、第十九条乃至第二十一条の規定により、主任の職員又は日本銀行に対し資金を交付する場合は、この限りでない。

改 本条…一部改正（昭二七法四）

参 **小切手の振出**（会計法一五・二四、予決令四三～四六・四八・五〇、支出官規程二章・三章、出納官規程六～七の二・二九・三〇・四三・四八～五〇・五二）

〔資金前渡〕

第十七条　各省各庁の長は、交通通信の不便な地方で支払う経費、庁中常用の雑費その他経費の性質上主任の職員をして現金支払をなさしめなければ事務の取扱に支障を及ぼすような経費で政令で定めるものについては、当該職員をして現金支払をなさしめるため、政令の定めるところにより、必要な資金を交付することができる。

改 本条…一部改正（昭二七法四）

参 **資金の前渡をなし得る経費の範囲**（予決令五一、予決令臨特一Ⅰ・Ⅱ、特会令一四・附六五）　**資金前渡の限度額**（予決令五二、予決令臨特一Ⅲ）　**資金前渡官吏等**（会計法三八～四〇の二、予決令一一一・一一二・一一四、出納官規程一Ⅳ）　**資金を日本銀行に預託していない資金前渡官吏に対する資金交付**（会計法二二Ⅱ、予決令四八の二Ⅱ・四九Ⅱ、支出官規程二章・三章、日銀国庫金規程三〇）　**準用**（会計法二一Ⅱ）　**参照規定**　地方公共団体における資金前渡（自治令一六一、地方公営企業法施行令二一の五）

〔年度開始前支出〕

第十八条　各省各庁の長は、前条に規定する経費で政令で定めるものに充てる場合に限り、必要已むを得ないときは財務大臣の承認を経て、会計年度開始前、主任の職員に対し同条の規定により資金を交付することができる。

②　財務大臣は、前項の規定による承認をしたときは、日本銀行及び会計検査院に通知しなければならない。

改 一項…一部改正（昭二七法四）、本条…一部改正（平一一法一六〇）

参 **年度開始前支出をなし得る経費の範囲**（予決令五三、特会令一五・附六六）　**年度開始前支出の手続**（予決令五四、様式令別表三書式甲・乙）

〔国債元利払資金等の交付〕

第十九条　財務大臣は、日本銀行をして国債の元利払及び国の保管に係る現金の利子の支払の事務を取り扱わしめるため、必要な資金を日本銀行に交付することができる。

改 本条…一部改正（昭二六法一〇四　平一一法一六〇）

参 **元利払資金の交付及び日本銀行における請求、受入、支払**

等の事務（国債ニ関スル法律一、会計法三五、支出官規程九Ⅰ13・14・一一Ⅵ13・14、日本銀行国債事務取扱規程五〇～五八） **類似規定**（特会法六九Ⅱ・八四Ⅱ、在外公館等借入金の返済の実施に関する法律六Ⅱ）

〔繰替使用及び繰替払資金の補てん〕

第二十条 各省各庁の長は、政令の定めるところにより、現金支払をなさしめるため、主任の職員をしてその保管に係る歳入金、歳出金又は歳入歳出外現金を繰り替え使用せしめることができる。

② 各省各庁の長は、前項の規定により、歳出金に繰り替え使用した現金を補塡するため、その補塡の資金を当該職員に交付することができる。

改 一項…一部改正（昭二四法一六一 平一四法九八）、一・二項…一部改正（昭二七法四）

参 **前渡資金の繰替使用をなし得る経費及び手続**（予決令五五、予決令臨特一の二） **供託金の繰替使用**（予決令五五の二、支出官規程九Ⅰ11・一一Ⅵ11、供託金の繰替使用に関する事務取扱規程） **積立金の繰替使用**（特会法一五Ⅴ・三七Ⅳ・一〇七Ⅳ・一二三Ⅳ・一九二Ⅳ・附二二Ⅴ・附一九〇・附二〇〇） **参照規定** 地方公共団体における繰替払（自治令一六四、地方公営企業法施行令二一の八）

〔資金を日本銀行に交付してする支払等〕

第二十一条 各省各庁の長は、債権者に支払をする場合において、政令で定める場合に該当するときは、必要な資金を日本銀行に交付して、支払をなさしめることができる。

② 前項の規定は、政令で定める出納官吏に対し第十七条又は前条第二項の規定により資金を交付しようとする場合に、これを準用する。

改 本条…一部改正（昭四〇法四二）

参 **資金を日本銀行に交付して支払等をさせることができる場合**（予決令四八の二） **日本銀行に対する資金交付及び送金通知手続等**（予決令四九・六二Ⅰ、支出官規程一五～二三・四二～四九・五一、出納官規程四八～五二・七七・七九・八一～八五、日銀国庫金規程三〇・三一・三三・三四・三九） **参照規定** 地方公共団体における隔地払（自治令一六五、地方公営企業法施行令二一の九）

〔前金払及び概算払〕

第二十二条 各省各庁の長は、運賃、傭船料、旅費その他経費の性質上前金又は概算を以て支払をしなければ事務に支障を及ぼすような経費で政令で定めるものについては、前金払又は概算払をすることができる。

参 **前金払をなし得る経費の範囲及びその限度額**（予決令五七、予決令臨特二・四） **概算払をなし得る経費の範囲及びその限度額**（予決令五八、予決令臨特三・四、特会令一六Ⅰ、共済組合法一〇二Ⅱ） **参照規定** 地方公共団体における前金払、概算払（自治令一六二・一六三、地方公営企業法施行令二一の六・二一の七）

第二十三条 削除

改 本条…一部改正（昭二四法一六一 昭二七法四）、削除（平一四法九八）

〔支出事務の委任〕

第二十四条 各省各庁の長は、政令の定めるところにより、当該各省各庁所属の職員に、その所掌に属する歳出金を支出するための小切手の振出又は国庫金振替書若しくは支払指図書の交付に関する事務を委任することができる。

② 各省各庁の長は、必要があるときは、政令の定めるところにより、他の各省各庁所属の職員に前項に規定する事務を委任することができる。

③ 第四条の二第四項の規定は、前二項の場合に、これを準用する。

④ 各省各庁の長又は第一項若しくは第二項の規定により委任された職員は、支出官という。

改 二項…追加（昭二四法二四）、本条…全部改正（昭二七法四）、三項…削り・旧四・五項…一部改正し一項ずつ繰上（昭四六法九六）、一項…一部改正（平一四法一五二）

参 **支出管理権**（会計法一〇） **支出事務委任の方法・委任についての協議及び同意等**（予決令四〇、支出官規程二） **支出事務の代理**（会計法四六の三Ⅰ、予決令一三九の二） **支出事務の一部処理**（会計法四六の三Ⅱ、予決令一三九の三） **歳出の支出の職務と現金出納の職務の分立**（会計法二六） **都道府県が行う事務**（会計法四八、予決令一四〇） **支出手続・誤びゅう訂正・科目更正及び事務引継等**（会計法一四～一六、予決令三九の四Ⅰ・Ⅱ・三九の七Ⅰ・四一～五〇、支出負担規則一七・一八、支出官規程一七・一八・二六・四三～四七・五〇、小切手振出規程） **帳簿・報告等**（会計法四七、予決令二三・六四・六五・一三三・一三四・一三七・一三七の二、様式令別表八・一一・一二書式） **責任**（予責法二Ⅰ3・7・8・9・11・12・三～五・七・八）

第二十五条 削除

改　本条…削除（昭二七法四）

〔支出と出納事務の分立〕

第二十六条　歳出の支出の職務は、現金出納の職務と相兼ねることができない。ただし、特別の必要がある場合には、政令で特例を設けることができる。

改　本条…一部改正（昭四六法九六）

参　**特例**（予決令四〇の二）　**支出の事務**（会計法一〇・二四等）　**歳入徴収と出納事務の分立**（会計法八、特例―予決令三〇）　**出納の事務**（会計法三八～四〇の二等）

〔過年度支出〕

第二十七条　過年度に属する経費は、現年度の歳出の金額からこれを支出しなければならない。但し、財政法第三十五条第三項但書の規定により財務大臣の指定する経費の外、その経費所属年度の毎項金額中不用となつた金額を超過してはならない。

改　本条…一部改正（平一一法一六〇）

参　**過年度支出の制限**（予決令六〇）　**会計年度独立の原則**（財政法一二・四二本文）　**過年度支出にかかる支出負担行為の整理**（支出負担規則別表乙号3）

第四節　支払

〔日本銀行の支払〕

第二十八条　日本銀行は、支出官の振り出した小切手の提示を受けた場合において、その小切手が振出日附から十日以上を経過しているものであつても一年を経過しないものであるときは、その支払をしなければならない。

②　日本銀行は、第二十一条の規定により、資金の交付を受けた場合においては、支出官がその資金の交付のために振り出した小切手の振出日附から一年を経過した後は、債権者又は出納官吏に対し支払をすることができない。

参　**小切手振出の効力**（予決令四四、民法四八二）　**一般小切手の呈示期間**（小切手法二九）　**日本銀行の支払手続**（予決令六一、日銀国庫金規程四・二三・二八）　**日本銀行交付資金の歳入納付手続**（予決令六二Ⅰ、日銀国庫金規程三三）　**歳出支払未済繰越金**（予決令六二Ⅱ・Ⅲ、日銀国庫金規程二〇・二六～二九）　**小切手の償還**（予決令六三）

第四章　契約

〔契約事務の管理〕

第二十九条　各省各庁の長は、第十条の規定によるほか、その所掌に係る売買、貸借、請負その他の契約に関する事務を管理する。

改　本条…一部改正（昭二七法四）、全部改正（昭三六法二三六）

参　**第十条の規定**（支出負担行為及び支出事務の管理）　**支出負担行為の定義**（財政法三四の二Ⅰ）　**各省各庁の長の契約事務の管理権限**（契約事務の委任等（会計法二九の二・四六の三・四八、予決令六八・一三九の二・一三九の三・一四〇）　契約審査委員の指定（予決令六九）一般競争参加者の資格（会計法二九の三Ⅱ、予決令七〇～七三、契約事務規則四）　最低落札の特例の定（会計法二九の六Ⅰ但書、予決令八四～九〇）交換等についての落札方法（会計法二九の六Ⅱ、予決令九一）指名競争参加者の資格及び指名基準（予決令九五・九六、契約事務規則四）契約書作成の省略（会計法二九の八Ⅰ但書、予決令一〇〇の二）監督及び検査を行わせる職員の任命（会計法二九の一一Ⅳ）財務大臣への協議（予決令一〇二の三・一〇二の四、予決令臨特五Ⅱ、調達政令一二））

〔契約事務の委任〕

第二十九条の二　各省各庁の長は、政令の定めるところにより、当該各省各庁所属の職員に前条の契約に関する事務を委任することができる。

②　各省各庁の長は、必要があるときは、政令の定めるところにより、他の各省各庁所属の職員に前項の事務を委任することができる。

③　各省各庁の長は、必要があるときは、政令の定めるところにより、当該各省各庁所属の職員又は他の各省各庁所属の職員に、契約担当官（各省各庁の長又は第一項若しくは前項の規定により委任された職員をいう。以下同じ。）の事務の一部を分掌させることができる。

④　第四条の二第四項の規定は、前三項の場合に、これを準用する。

⑤　第三項の規定により契約担当官の事務の一部を分掌する職員は、分任契約担当官という。

改　本条…追加（昭三六法二三六）、三項…削り・旧四・五・六項…一部改正し一項ずつ繰上（昭四六法九六）

参　**契約事務の管理**（会計法二九）　**契約事務の委任**（予決令六八）　**契約事務の代理**（会計法四六の三Ⅰ、予決令一三九の二）　**契約事務の一部処理**（会計法四六の三Ⅱ、予決令一三九の三）　**都道府県が行う事務**（会計法四八、予決令一四〇）

〔契約の方式〕

第二十九条の三　契約担当官及び支出負担行為担当官（以下「契約担当官等」という。）は、売買、貸借、請負その他の契約を締結する場合においては、第三項及び第四項に規定する場合を除き、公告して申込みをさせることにより競争に付さなければならない。

②　前項の競争に加わろうとする者に必要な資格及び同項の公告の方法その他同項の競争について必要な事項は、政令でこれを定める。

③　契約の性質又は目的により競争に加わるべき者が少数で第一項の競争に付する必要がない場合及び同項の競争に付することが不利と認められる場合においては、政令の定めるところにより、指名競争に付するものとする。

④　契約の性質又は目的が競争を許さない場合、緊急の必要により競争に付することができない場合及び競争に付することが不利と認められる場合においては、政令の定めるところにより、随意契約によるものとする。

⑤　契約に係る予定価格が少額である場合その他政令で定める場合においては、第一項及び第三項の規定にかかわらず、政令の定めるところにより、指名競争に付し又は随意契約によることができる。

改　本条…追加（昭三六法二三六）、一項…一部改正（昭四六法九六）

参　**一般競争**（公告（予決令七四～七六・九一、調達政令五・六）参加者の資格等（予決令七〇～七三・一〇二、調達政令八Ⅰ・Ⅲ）競争－入札保証金（予決令七七・七八）予定価格（予決令七九・八〇）開札等（予決令八一・八二）落札者の決定等（予決令八三～九一）せり売り（予決令九三）入札説明書の交付（調達政令九））　**指名競争**（第五項の規定により指名競争に付することができる場合（予決令九四）参加者の資格及び指名基準（予決令九五・九六・一〇二の三）参加者の指名（予決令九七、調達政令八Ⅱ）入札説明書の交付（調達政令九）他の規定による指名競争（文部科学省著作教科書の出版権等に関する法律三））　**随意契約**（第五項の規定による随意契約によることができる場合（予決令九九～九九の三、予決令臨特四の八・五、調達政令一一・一二）見積書の徴取（予決令九九の六）他の規定による随意契約及び優先契約（特会令二四、国有林野法八、文部科学省著作教科書の出版権等に関する法律三但書、飼料需給安定法四・五））　**参照規定**　地方公共団体の契約（自治法二三四～二三四の三）

〔入札保証金〕

第二十九条の四　契約担当官等は、前条第一項、第三項又は第五項の規定により競争に付そうとする場合においては、その競争に加わろうとする者をして、その者の見積る契約金額の百分の五以上の保証金を納めさせなければならない。ただし、その必要がないと認められる場合においては、政令の定めるところにより、その全部又は一部を納めさせないことができる。

②　前項の保証金の納付は、政令の定めるところにより、国債又は確実と認められる有価証券その他の担保の提供をもつて代えることができる。

改　本条…追加（昭三六法二三六）

参　**入札保証金の納付の免除**（予決令七七）　**入札保証金に代わる担保**（予決令七八、契約事務規則五・九）　**保証金に代わる国債の担保価格**（政府ニ納ムヘキ保証金其ノ他ノ担保ニ充用スル国債ノ価格ニ関スル件（明四一勅二八七））　**本条第二項を準用する規定**　**国税徴収上の公売保証金**（徴収法一〇〇）　**他法令の規定**（文部科学省著作教科書の出版権等に関する法律四）　**参照条文**　買受けの申出の保証（民執六六）

〔入札の原則及び入札書の引換え等の禁止〕

第二十九条の五　第二十九条の三第一項、第三項又は第五項の規定による競争（以下「競争」という。）は、特に必要がある場合においてせり売りに付するときを除き、入札の方法をもつてこれを行なわなければならない。

②　前項の規定により入札を行なう場合においては、入札者は、その提出した入札書の引換え、変更又は取消しをすることができない。

改　本条…追加（昭三六法二三六）

参　**申込の取消に関する民法の規定**（承諾期間の定めのあるもの（民法五二三）承諾期間の定めのないもの（民法五二五））　**民法上の無効**（民法九〇・九三～九六）　**入札の無効**（予決令七六）　**予定価格の作成**（予決令七九）　**開札**（予決令八一）　**再度入札**（予決令八二）

〔落札の方式〕

第二十九条の六　契約担当官等は、競争に付する場合においては、政令の定めるところにより、契約の目的に応じ、予定価格の制限の範囲内で最高又は最低の価格をもつて申込みをした者を契約の相手方とするものとする。ただし、国の支払の原因となる契約のうち政令で定めるものについて、相手方となるべき者の申込みに係る価格によつては、その者により当該契約の内容に適合した履行がされないおそれがあると認められるとき、又はその者と契約を締結することが公正な取引の秩序を乱すこととなるおそれがあつて著しく不適当であると認められるときは、政令の定めるところにより、予定価格の制限の範囲内の価格をもつて申込みをした他の者のうち最低の価格をもつて申込みをした者を当該契約の相手方とすることができる。

② 国の所有に属する財産と国以外の者の所有する財産との交換に関する契約その他その性質又は目的から前項の規定により難い契約については、同項の規定にかかわらず、政令の定めるところにより、価格及びその他の条件が国にとつて最も有利なもの（同項ただし書の場合にあつては、次に有利なもの）をもつて申込みをした者を契約の相手方とすることができる。

改 本条…追加（昭三六法二三六）

参 **落札者の決定**（予決令八三）　**最低価格の入札者を落札者としないことができる契約**（予決令八四）　**最低価格の入札者を落札者としない場合の手続**（予決令八五～九〇、契約事務規則一〇）　**契約審査委員**（予決令六九）　**交換等についての契約を競争に付して行う場合の落札者の決定**（予決令九一）　**交換の制限**（財政法九Ⅰ）　**交換の例**（財産法二七、財産特法九、国の所有に属する自動車等の交換に関する法律）　**落札者の公示**（調達政令一三、調達省令七の二）

〔入札保証金の国庫帰属〕

第二十九条の七　第二十九条の四の規定により納付された保証金（その納付に代えて提供された担保を含む。）のうち、落札者（前条の規定により契約の相手方とする者をいう。以下次条において同じ。）の納付に係るものは、その者が契約を結ばないときは、国庫に帰属するものとする。

改 本条…追加（昭三六法二三六）

参 **入札保証金の納付等**（会計法二九の四、予決令七七・七八、契約事務規則五～九）　**入札保証金に関する公告記載事項**（予決令七五5）　**損害賠償額の予定**（民法四二〇）

〔契約書の作成〕

第二十九条の八　契約担当官等は、競争により落札者を決定したとき、又は随意契約の相手方を決定したときは、政令の定めるところにより、契約の目的、契約金額、履行期限、契約保証金に関する事項その他必要な事項を記載した契約書を作成しなければならない。ただし、政令で定める場合においては、これを省略することができる。

② 前項の規定により契約書を作成する場合においては、契約担当官等が契約の相手方とともに契約書に記名押印しなければ、当該契約は、確定しないものとする。

改 本条…追加（昭三六法二三六）

参 **契約書の記載事項**（予決令一〇〇、契約事務規則一二・一三）　**契約書の作成等**（契約事務規則一一・一四）　**契約書の作成を省略することができる場合**（予決令一〇〇の二、契約事務規則一五）　**契約書作成についての他法の規定**（遅延防止法四）　**随意契約の相手方の決定の公示**（調達政令一三、調達省令七の二）

〔契約保証金〕

第二十九条の九　契約担当官等は、国と契約を結ぶ者をして、契約金額の百分の十以上の契約保証金を納めさせなければならない。ただし、他の法令に基づき延納が認められる場合において、確実な担保が提供されるとき、その者が物品の売払代金を即納する場合その他政令で定める場合においては、その全部又は一部を納めさせないことができる。

② 第二十九条の四第二項の規定は、前項の契約保証金の納付について、これを準用する。

改 本条…追加（昭三六法二三六）

参 **契約保証金の納付の免除**（予決令一〇〇の三）　**契約保証金に代わる担保**（予決令一〇〇の四、契約事務規則一六・一七）　**国税徴収上の公売保証金**（徴収法一〇〇）

〔契約保証金の国庫帰属〕

第二十九条の十　前条の規定により納付された契約保証金（その納付に代えて提供された担保を含む。）は、これを納付した者がその契約上の義務を履行しないときは、国庫に帰属するものとする。ただし、損害の賠償又は違約金について契約で別段の定めをしたときは、その定めたところによるものとする。

改 本条…追加（昭三六法二三六）

参 **契約保証金の納付等**（会計法二九の九）　**契約保証金に関する契約書記載事項**（会計法二九の八Ⅰ、予決令一〇〇Ⅰ）　**損害賠償額の予定**（民法四二〇）

〔監督及び検査〕

第二十九条の十一　契約担当官等は、工事又は製造その他についての請負契約を締結した場合においては、政令の定めるところにより、自ら又は補助者に命じて、契約の適正な履行を確保するため必要な監督をしなければならない。

② 契約担当官等は、前項に規定する請負契約又は物件の買入れその他の契約については、政令の定めるところにより、

自ら又は補助者に命じて、その受ける給付の完了の確認（給付の完了前に代価の一部を支払う必要がある場合において行なう工事若しくは製造の既済部分又は物件の既納部分の確認を含む。）をするため必要な検査をしなければならない。

③　前二項の場合において、契約の目的たる物件の給付の完了後相当の期間内に当該物件につき破損、変質、性能の低下その他の事故が生じたときは取替え、補修その他必要な措置を講ずる旨の特約があり、当該給付の内容が担保されると認められる契約については、政令の定めるところにより、第一項の監督又は前項の検査の一部を省略することができる。

④　各省各庁の長は、特に必要があるときは、政令の定めるところにより、第一項の監督及び第二項の検査を、当該契約に係る契約担当官等及びその補助者以外の当該各省各庁所属の職員又は他の各省各庁所属の職員に行なわせることができる。

⑤　契約担当官等は、特に必要があるときは、政令の定めるところにより、国の職員以外の者に第一項の監督及び第二項の検査を委託して行なわせることができる。

改　本条…追加（昭三六法二三六）

参　**監督及び検査についての約定事項**（予決令一〇〇Ⅰ3、契約事務規則一三）　**監督の方法等**（予決令一〇一の三・一〇一の六～一〇一の八、契約事務規則一八・一九・二一・二三）　**検査の方法等**（予決令一〇一の四～一〇一の八、契約事務規則二〇～二三）　**検査調書**（予決令一〇一の九、契約事務規則二四）

〔長期継続契約〕

第二十九条の十二　契約担当官等は、政令の定めるところにより、翌年度以降にわたり、電気、ガス若しくは水の供給又は電気通信役務の提供を受ける契約を締結することができる。この場合においては、各年度におけるこれらの経費の予算の範囲内においてその給付を受けなければならない。

改　本条…追加（昭三六法二三六）、一部改正（昭五九法八七）

参　**長期継続契約のできる範囲**（予決令一〇二の二、契約事務規則二七）

第五章　時効

〔金銭債権等の消滅時効〕

第三十条　金銭の給付を目的とする国の権利で、時効に関し他の法律に規定がないものは、これを行使することができる時から五年間行使しないときは、時効によつて消滅する。国に対する権利で、金銭の給付を目的とするものについても、また同様とする。

改　本条…一部改正（平二九法四五）

参　**他の法律に規定している消滅時効の例**（民法一六六～一六九、刑法三二5・6、商法五二二、通則法七二Ⅰ・七四Ⅰ、原子力損害賠償補償契約に関する法律一一、厚生年金保険法九二Ⅰ、健康保険法一九三Ⅰ、国民年金法一〇二Ⅰ・Ⅳ、労働保険の保険料の徴収等に関する法律四一Ⅰ、船員保険法一四二Ⅰ、戦傷病者戦没者遺族等援護法四五、引揚者給付金等支給法一八、未帰還者留守家族等援護法三〇、未帰還者に関する特別措置法一〇、戦傷病者特別援護法二五、自動車損害賠償保障法七五、恩給法五、国債ニ関スル法律九、児童手当法二三Ⅰ等）　**参照規定**　地方公共団体の時効の規定（自治法二三六Ⅰ・Ⅱ、地方税法一八・一八の三、都市再開発法四二Ⅰ・一〇六Ⅷ）

〔消滅時効の完成猶予等に関する民法の準用〕

第三十一条　金銭の給付を目的とする国の権利の時効による消滅については、別段の規定がないときは、時効の援用を要せず、また、その利益を放棄することができないものとする。国に対する権利で、金銭の給付を目的とするものについても、また同様とする。

②　金銭の給付を目的とする国の権利について、消滅時効の完成猶予、更新その他の事項（前項に規定する事項を除く。）に関し、適用すべき他の法律の規定がないときは、民法の規定を準用する。国に対する権利で、金銭の給付を目的とするものについても、また同様とする。

改　一項…追加・二項…一部改正（昭三四法一四八）、二項…一部改正（平二九法四五）

参　**他の法律に規定している消滅時効の完成猶予等の例**（刑法三三・三四、通則法七三、健康保険法一九三Ⅱ、国民年金法一〇二Ⅱ・Ⅴ、船員保険法一四二Ⅱ、労働保険の保険料の徴収等に関する法律四一Ⅱ、厚生年金保険法九二Ⅱ・Ⅲ、恩給法六・七、関税法一四の二Ⅱ、児童手当法二三Ⅱ・Ⅲ等）　**時効の完成猶予等に関する民法の規定**（民法一四四～一六一）　**参照規定**　地方公共団体の消滅時効の中断、停止の規定の例（自治法二三六Ⅲ・Ⅳ、地方税法一八の二、都市再開発法四二Ⅱ・一〇六Ⅷ）

〔納入告知の効力〕

第三十二条　法令の規定により、国がなす納入告知は、時効の更新の効力を有する。

改 参 本条…一部改正（平二九法四五）

納入告知（会計法六、予決令二九、徴収官規程九～一二、債権管理法一三、債権管理令一三～一四の二、債権管理規則一四、国民年金法等に基づく保険料の納付手続の特例に関する省令）　**特例**（国民年金法一〇二Ⅵ）

第六章　国庫金及び有価証券

〔現金・有価証券保管の制限〕

第三十三条　各省各庁の長は、債権の担保として徴するもののほか、法律又は政令の規定によるのでなければ、公有若しくは私有の現金又は有価証券を保管することができない。

改 本条…一部改正（昭三一法一一四）

参 **現金保管の根拠法令**〔財産の管理及び返還に付き財産管理人より提供する担保金（民法二九）民事訴訟費用の担保（民訴七五）強制執行に関する保証又は担保金（民執一五）延納担保（債権管理法二六、国の所有に属する物品の売払代金の納付に関する法律一の二・二、財産法三一Ⅰ、財産特法一一Ⅰ）入札又は契約保証金（会計法二九の四Ⅰ・二九の九Ⅰ、入札又ハ契約ノ保証金ニ関スル件（明四三勅三四〇））在監者領置金（刑事収容施設及び被収容者等の処遇に関する法律四七Ⅱ、救恤又ハ学芸技術奨励寄附金等ノ保管出納ニ関スル件（明三三勅三一九））代位債権行使による受領証券（国の債権者代位権の行使に伴う現金又は有価証券の保管に関する政令）供託金―弁済供託（民法三七九・四九四、商法七五四）担保供託（民訴二五九、相続税法三八Ⅳ・三九Ⅰ・Ⅱ）保管供託（民法三六六Ⅲ・三九四Ⅱ後段・五七八）特殊供託（選挙法九二）特殊保管（外国政府の財産の処分等に伴つて生ずる現金の保管に関する政令）供託手続（民法四九五～四九八等）〕　**有価証券保管の根拠法令**〔入札又は契約保証等の有価証券（会計法二九の四Ⅱ・二九の九Ⅱ、予決令七八・一〇〇の四、契約事務規則五・七～九・一六、政府ニ納ムヘキ保証金其ノ他ノ担保ニ充用スル国債ノ価格ニ関スル件（明四一勅二八七））代位債権行使による受領証券（国の債権者代位権の行使に伴う現金又は有価証券の保管に関する政令）供託有価証券（選挙法九二）等〕　**保管現金に関する取扱法令**〔保管金の除斥期間・利子等に関する規定（保管金規則）保管金の日本銀行払込（予決令一〇三）保管金に関する取扱手続の財務大臣への委任（予決令一〇五）保管金に関する取扱手続（保管金取扱規程、保管金払込規程、出納官規程一Ⅴ・二～一一・六〇～六二、電子情報処理組織を使用して処理する場合における保管金取扱規程等の特例に関する省令）供託（供託法、供託規則）〕　**歳入歳出外現金出納官吏等**（会計法三八～四〇の二・四八、予決令一一一・一一二・一四〇、出納官規程六〇～六二等）　**保管有価証券等に関する取扱法令**〔日本銀行の保管有価証券等の取扱義務（会計法三五、予決令一〇四）保管有価証券等に関する取扱手続の財務大臣への委任（予決令一〇五）保管有価証券等の取扱手続（政府保管有価証券取扱規程、供託有価証券取扱規程）〕　**保管現金及び保管有価証券にかかる帳簿・報告等**（予決令一二二・一二四・一三五・一三七・一三七の二、計算規則四八～五二・六三）　**日本銀行における保管現金及び保管等に係る有価証券の取扱手続・計算報告・検査及び責任**〔取扱の根拠（会計法三四・三五）取扱手続（日銀国庫金規程四二の二～四二の一二、日銀有価証券規程一〇～二〇）計算報告（予決令一〇八）検査（会計法三六、会計院法二二4、予決令一〇九・一一〇）責任（会計法三七）〕

〔日本銀行の国庫金出納事務〕

第三十四条　日本銀行は、政令の定めるところにより、国庫金出納の事務を取り扱わなければならない。

②　前項の規定により日本銀行において受け入れた国庫金は、政令の定めるところにより、国の預金とする。

参 **国庫金出納事務**（日本銀行法三五、予決令一〇六・一〇七、日銀国庫金規程＝総則一～一三、歳入金一四～二一の四、歳出金二三～三五、国税収納金整理資金三五の二～三五の一六、預託金三六～四二、保管金四二の二～四二の一二、財政融資資金預託金四三～五二、その他の国庫金五九～六二、雑則八六の二～九三）　**帳簿・計算報告・出納証明**（会計法四七、予決令一〇八・一〇九・一三八Ⅰ1、日銀国庫金規程六三～八六）

〔日本銀行の国の有価証券等の取扱〕

第三十五条　国は、その所有又は保管に係る有価証券の取扱及びその保管に係る現金の利子の支払を日本銀行に命ずることができる。

改 本条…一部改正（昭二六法一〇四）

参 **有価証券取扱事務**（予決令一〇四・一〇五、日銀有価証券規程、政府所有有価証券取扱規程、政府保管有価証券取扱規程、供託有価証券取扱規程）　**保管金利子の支払資金の交付**（会計法一九）　**帳簿・報告等**（予決令一一〇・一三八Ⅰ4）

〔日本銀行の国庫金出納等に関する検査〕

第三十六条　日本銀行は、その取り扱つた国庫金の出納、国債の発行による収入金の収支、第十九条又は第二十一条の規定により交付を受けた資金の収支及び前条の規定により取り扱つた有価証券の受払に関して、会計検査院の検査を受けなければならない。

［参］ **会計検査院の検査・出納証明**（予決令一〇九・一一〇、日銀国庫金規程八六）　**会計検査院の検査権限等**（会計院法二二４・二四、計算規則六七・六八）

〔日本銀行の賠償責任〕

第三十七条　日本銀行が、国のために取り扱う現金又は有価証券の出納保管に関し、国に損害を与えた場合の日本銀行の賠償責任については、民法及び商法の適用があるものとする。

［参］ **損害賠償責任の規定の例**（民法七〇九、商法五九四・五九五）

第七章　出納官吏

〔出納官吏の意義と職務〕

第三十八条　出納官吏とは、現金の出納保管を掌る職員をいう。

②　出納官吏は、法令の定めるところにより、現金を出納保管しなければならない。

［改］ 一項…一部改正（昭二七法四）、一・二項…一部改正（昭三一法一一三）

［参］ **出納官吏の任命**（会計法三九・四〇の二Ⅰ・四八、予決令一一一・一四〇）　**出納員の設置**（会計法四〇・四〇の二Ⅱ、予決令一一一・一四〇）　**現金出納の事務**（会計法七、予決令三・五・三一・一〇三但書・一一二～一一四、出納官規程）　**帳簿金庫の検査**（予決令一一六～一一九）　**帳簿・報告・証明等**（会計法四七、予決令一二〇～一二五・一三五・一三七・一三七の二、出納官規程二三・七六、計算規則一・二・三一～五二）　**出納官吏の責任**（会計法四一～四四、予決令一一五、予責法二Ⅰ４・５・７・８・11・12・三、会計院法三二）

〔出納官吏等の任命〕

第三十九条　出納官吏は、各省各庁の長又はその委任を受けた職員が、これを命ずる。

②　各省各庁の長又はその委任を受けた職員が必要があると認めるときは、前項の出納官吏の事務の一部を分掌する分任出納官吏又は当該出納官吏若しくは分任出納官吏の事務の全部を代理する出納官吏代理を命ずることができる。

［改］ 一・二項…一部改正（昭二七法四）、二項…一部改正（昭四六法九六）

［参］ **出納官吏・出納官吏代理・分任出納官吏の任命・協議・同意等の手続**｛任命の方法等（予決令一一一、出納官規程二四）他の各省各庁所属の職員についての任命（会計法四〇の二Ⅰ）都道府県の吏員等についての任命（会計法四八、予決令一四〇）｝　**他法令の規定による任命**（特別調達資金設置令五、同施行令三Ⅴ）

〔出納員〕

第四十条　各省各庁の長は、特に必要があると認めるときは、政令の定めるところにより、出納官吏、分任出納官吏及び出納官吏代理以外の職員に現金の出納保管の事務を取り扱わせることができる。

②　前項の規定により現金の出納保管の事務を取り扱う職員は、これを出納員という。

［改］ 本条…全部改正（昭二七法四）、一部改正（昭三一法一一三）、一項…一部改正（昭四六法九六）

［参］ **出納員の任命**｛出納員任命等（予決令一一一）他の各省各庁所属の職員についての任命（会計法四〇の二Ⅱ）都道府県が行う事務（会計法四八、予決令一四〇）｝　**出納員の事務取扱**（予決令一一二～一一四・一二四）　**出納官吏に関する規定の出納員への準用**（会計法四五）

〔他の各省各庁の職員の出納官吏・出納員任命〕

第四十条の二　各省各庁の長は、必要があるときは、政令の定めるところにより、他の各省各庁所属の職員を出納官吏、分任出納官吏又は出納官吏代理とすることができる。

②　前項の場合において、各省各庁の長は、特に必要があると認めるときは、政令の定めるところにより、当該他の各省各庁所属の職員を出納員とすることができる。

［改］ 本条…追加（昭二七法四）、一項…一部改正（昭四六法九六）

［参］ **任命の方法等**（予決令一一一）

〔出納官吏の弁償責任〕

第四十一条　出納官吏が、その保管に係る現金を亡失した場合において、善良な管理者の注意を怠つたときは、弁償の責を免れることができない。

②　出納官吏は、単に自ら事務を執らないことを理由としてその責を免れることができない。ただし、分任出納官吏、出納官吏代理又は出納員の行為については、この限りでない。

改　一項…一部改正（昭三一法一一三）、二項…一部改正（昭四六法九六）

参　**弁償責任の検定**（会計院法三二）　**責任検定前の弁償命令**（会計法四三）　**弁償命令後の検定要求**（予決令一一五）　**分任出納官吏等の弁償責任**（会計法四四）　**出納員の弁償責任**（会計法四五）

〔現金亡失の通知〕

第四十二条　各省各庁の長は、出納官吏がその保管に係る現金を亡失したときは、政令の定めるところにより、これを財務大臣及び会計検査院に通知しなければならない。

改　本条…一部改正（昭二九法九〇　昭三一法一一三　平一一法一六〇）

参　**会計検査院への報告**（会計院法二七）　**各省各庁の長の財務大臣及び会計検査院への通知**（予決令一一五の二）　**保管現金亡失の所属官庁への報告**（出納官規程七六）

〔出納官吏に対する検定前の弁償命令〕

第四十三条　各省各庁の長は、出納官吏の保管に係る現金の亡失があつた場合においては、会計検査院の検定前においても、その出納官吏に対して弁償を命ずることができる。

②　前項の場合において、会計検査院が出納官吏に対し弁償の責がないと検定したときは、その既納に係る弁償金は、直ちに還付しなければならない。

改　一項…一部改正（昭三一法一一三）

参　**弁償責任及び検定**（会計法四一、会計院法三二）　**弁償命令後の検定要求**（予決令一一五）

〔分任出納官吏等の責任〕

第四十四条　分任出納官吏、出納官吏代理及び出納員は、その行為については、自らその責に任ずる。

改　本条…一部改正（昭四六法九六）

参　**出納官吏の弁償責任**（会計法四一～四三）　**弁償責任の検定**（会計院法三二）　**弁償命令後の検定要求**（予決令一一五）

〔出納員の準用規定〕

第四十五条　出納官吏に関する規定は、出納員について、これを準用する。

第八章　雑則

〔財務大臣の予算執行監査〕

第四十六条　財務大臣は、予算の執行の適正を期するため、各省各庁に対して、収支の実績若しくは見込について報告を徴し、予算の執行状況について実地監査を行い、又は必要に応じ、閣議の決定を経て、予算の執行について必要な指示をなすことができる。

②　財務大臣は、予算の執行の適正を期するため、自ら又は各省各庁の長に委任して、工事の請負契約者、物品の納入者、補助金の交付を受けた者（補助金の終局の受領者を含む。）又は調査、試験、研究等の委託を受けた者に対して、その状況を監査し又は報告を徴することができる。

改　本条…一部改正（平一一法一六〇）

参　**財務省の監査権限**（財務省設置法四8、財務省組織令四8、財務省組織規則九ⅢⅣ・二一七Ⅰ6）

〔歳出予算繰越の手続及び承認事務の委任〕

第四十六条の二　各省各庁の長は、財政法第四十三条第一項に規定する繰越しの手続及び同法第四十三条の三に規定する翌年度にわたつて支出すべき債務の負担（以下「繰越明許費に係る翌年度にわたる債務の負担」という。）の手続に関する事務を当該各省各庁所属の職員又は他の各省各庁所属の職員に、財務大臣は、これらの規定に規定する承認に関する事務を財務省所属の職員に、政令の定めるところにより、委任することができる。

改　本条…追加（昭二九法九〇）、一部改正（昭四五法一一一　平一一法一六〇）

参　**繰越しの手続及び繰越明許費に係る翌年度にわたる債務の負担の手続に関する事務の都道府県の吏員への委任**（会計法四八）　**繰越し及び繰越明許費に係る翌年度にわたる債務の負担の承認に関する事務の委任**（予決令二五の三～二五の五、大蔵大臣通達平一〇蔵計二三五四）

〔会計事務の代理等〕

第四十六条の三　各省各庁の長は、次に掲げる者に事故がある場合（これらの者が第四条の二第四項（第十三条第四項、第十三条の三第三項、第二十四条第三項及び第二十九条の二第四項において準用する場合を含む。）の規定により指定された官職にある者である場合には、その官職にある者が欠けたときを含む。）において必要があるときは、政令で定めるところにより、当該各省各庁所属の職員又は他の各省各庁所属の職員にその事務を代理させることができる。

一　歳入徴収官、支出負担行為担当官及び契約担当官並びにこれらの者の分任官

二　支出負担行為認証官及び支出官

②　各省各庁の長は、必要があるときは、政令で定めるところにより、当該各省各庁所属の職員又は他の各省各庁所属の職員に、前項各号に掲げる者（同項の規定によりこれらの者の事務を代理する職員を含む。）の事務の一部を処理させることができる。

改　本条…追加（昭四六法九六）

参　**会計事務の代理の手続**（予決令一三九の二）　**会計事務の一部処理の手続**（予決令一三九の三）　**歳入徴収官・分任歳入徴収官**（会計法四の二）　**支出負担行為担当官・分任支出負担行為担当官**（会計法一三）　**支出負担行為認証官**（会計法一三の三）　**支出官**（会計法二四）　**契約担当官**（会計法二九の二）

〔帳簿及び報告書〕

第四十七条　財務大臣、歳入徴収官、各省各庁の長、支出負担行為担当官、支出負担行為認証官、支出官、出納官吏及び出納員並びに日本銀行は、政令の定めるところにより、帳簿を備え、且つ、報告書及び計算書を作製し、これを財務大臣又は会計検査院に送付しなければならない。

②　出納官吏、出納員及び日本銀行は、政令の定めるところにより、その出納した歳入金又は歳出金について、歳入徴収官又は支出官に報告しなければならない。

改　一項…一部改正（昭二四法二四　昭二七法四　昭二九法九〇　平一一法一六〇）

参　**帳簿**【財務大臣の帳簿〔日記簿、原簿、補助簿（予決令一二八、様式令別表一七・一八書式）　歳入歳出主計簿（予決令一二九・一三九、様式令別表一九・二〇書式）〕　各省各庁の帳簿〔歳入簿、歳出簿、支払計画差引簿（予決令一三〇、様式令別表七・一三・一四書式）〕　歳入徴収官等の帳簿〔徴収簿（予決令一三一、様式令別表六書式、徴収官規程二二～二八の三・五七）　徴収整理簿（徴収官規程四一・四四～四六・四七）〕　支出官の帳簿〔支出決定簿（予決令一三二、様式令別表一〇の二書式、支出官規程二五）　支出簿（予決令一三三、様式令別表一一書式、支出官規程四八）　支出負担行為差引簿（予決令一三四、様式令別表一二書式、支出負担規則一八、支出官規程二五）　小切手振出に関する帳簿（小切手振出規程一三）〕　支出負担行為認証官の帳簿（予決令一三四の二、支出負担規則一八）　出納官吏及び出納員の帳簿〔現金出納簿（予決令一三五、様式令別表一六書式、出納官規程七〇）　日本銀行の帳簿（予決令一三八、日銀国庫金規程六三～七〇の二）　帳簿の様式及び記入方法（予決令一三七、様式令二）〕】　**報告及び計算書**【各省各庁の長への提出（予決令三六・六四、徴収官規程二九～三五・三九・五九、様式令別表四・八書式）　財務大臣への送付〔各省より（予決令三七・六五、予決令第三十七条に規定する財務大臣の定める日を定める省令、様式令別表五・九書式）　日銀の財務大臣への報告（予決令一〇八・一〇九Ⅰ・Ⅱ・一一〇Ⅰ、日銀国庫金規程七七・七八・八五・八六）〕　歳入徴収官、支出官、出納官吏等及び各省各庁の長の会計検査院への送付（予決令二一～二三、計算規則書式一号の二・三・四～六）　財務大臣の会計検査院への送付（予決令一〇九Ⅲ・一一〇Ⅱ）】　**出納官吏・出納員及び日本銀行の歳入徴収官又は支出官に対する報告等**〔出納官吏及び出納員の報告（予決令三一、出納官規程一二～一六・二三）　日本銀行の歳入徴収官又は支出官に対する報告（予決令三二・三五、日銀国庫金規程一四～二〇・二四～二五の二・三〇・三二）〕

〔都道府県が行う国の会計事務〕

第四十八条　国は、政令の定めるところにより、その歳入、歳出、歳入歳出外現金、支出負担行為、支出負担行為の確認又は認証、契約（支出負担行為に該当するものを除く。以下同じ。）、繰越しの手続及び繰越明許費に係る翌年度にわたる債務の負担の手続に関する事務を、都道府県の知事又は知事の指定する職員が行うこととすることができる。

②　前項の規定により都道府県が行う歳入、歳出、歳入歳出外現金、支出負担行為、支出負担行為の確認又は認証、契約、繰越しの手続及び繰越明許費に係る翌年度にわたる債務の負担の手続に関する事務については、この法律及びその他の会計に関する法令中、当該事務の取扱に関する規定を準用する。

③　第一項の規定により都道府県が行うこととされる事務は、地方自治法（昭和二十二年法律第六十七号）第二条第九項第一号に規定する第一号法定受託事務とする。

改　本条…全部改正（昭二三法七九）、一・二項…一部改正（昭二四法二四・一三四　昭二七法四　昭二九法九〇　昭三一法一一三・一四八　昭三六法二三六　昭四五法一一一）、一・二項…一部改正・三項…追加（平一一法八七）、一項…一部改正（平一八法五三）

参　**手続**（予決令一四〇）

〔歳出金以外の国庫金の払出の方法〕

第四十九条　第十五条の規定は、各省各庁の長又はその委任を受けた職員が、歳出金の支出によらない国庫金の払出をする場合について、これを準用する。

改　本条…一部改正（昭二七法四）

参　**歳出金以外の国庫金の払出に関する小切手の振出・国庫金振替書の発行**（歳入歳出外の国庫内移換に関する規則、財政融資資金預託金取扱規則五〜七・九・一一、保管金取扱規程七Ⅱ・Ⅲ、保管金払込規程六・八・九）　**国税還付金等支払のための小切手の振出・国庫金振替書発行**（国税整理資金令九〜一五）

〔電磁的記録による作成〕

第四十九条の二　この法律又はこの法律に基づく命令の規定により作成することとされている書類等（書類、計算書その他文字、図形その他の人の知覚によつて認識することができる情報が記載された紙その他の有体物をいう。次項及び次条において同じ。）については、当該書類等に記載すべき事項を記録した電磁的記録（電子的方式、磁気的方式その他人の知覚によつては認識することができない方式で作られる記録であつて、電子計算機による情報処理の用に供されるものとして財務大臣が定めるものをいう。同項及び同条第一項において同じ。）の作成をもつて、当該書類等の作成に代えることができる。この場合において、当該電磁的記録は、当該書類等とみなす。

② 前項の規定により書類等が電磁的記録で作成されている場合の記名押印については、記名押印に代えて氏名又は名称を明らかにする措置であつて財務大臣が定める措置をとらなければならない。

改　本条…追加（平一四法一五二）、本条…一部改正（令元法一六）

参　予算決算及び会計に係る情報通信の技術の利用に関する対象手続等を定める省令（平一五財務令二四）

〔電磁的方法による提出〕

第四十九条の三　この法律又はこの法律に基づく命令の規定による書類等の提出については、当該書類等が電磁的記録で作成されている場合には、電磁的方法（電子情報処理組織を使用する方法その他の情報通信の技術を利用する方法であつて財務大臣が定めるものをいう。次項において同じ。）をもつて行うことができる。

② 前項の規定により書類等の提出が電磁的方法によつて行われたときは、当該書類等の提出を受けるべき者の使用に係る電子計算機に備えられたファイルへの記録がされた時に当該提出を受けるべき者に到達したものとみなす。

改　本条…追加（平一四法一五二）、本条…一部改正（令元法一六）

参　予算決算及び会計に係る情報通信の技術の利用に関する対象手続等を定める省令（平一五財務令二四）

〔施行政令の制定〕

第五十条　この法律施行に関し必要な事項は、政令でこれを定める。

参　予決令、予決令臨特、国の債権者代位権の行使に伴う現金又は有価証券の保管に関する政令その他

附　則

第一条　この法律は、昭和二十二年四月一日から、これを施行する。但し、第七章及び第四十八条の規定は、日本国憲法施行の日〔昭二二・五・三〕から、これを施行し、第十二条、第十四条及び第二十五条の規定並びにこの法律中国庫金振替書に関する規定施行の日は、各規定について、政令でこれを定める。

注　国庫金振替書に関する規定は、昭和二二政二一六により、第十二条、第十四条、第二十五条は、昭和二三政二九により、それぞれ、昭和二三・一一・一から施行

第二条　この法律中「政令」とあるのは、日本国憲法施行の日までは、これを「勅令」と読み替えるものとする。

第三条　従前の第一条又は第六条の規定は、昭和二十一年度に属する歳入歳出の出納に関する事務の完結並びに同年度に属する大蔵省証券の発行、借入金の借入及びこれらの償還に関しては、この法律施行後においても、なお、その効力を有する。

第四条　従前の第三十五条乃至第三十七条の規定は、日本国憲法施行の日まで、なお、その効力を有する。

第五条　昭和二十年度歳入歳出の決算については、次の会期において国会に提出することができる。

附　則（昭二三・七・一法七九）

① この法律は、公布の日から、これを施行する。

② この法律施行前、都道府県の吏員において取り扱つた国の歳入歳出外現金、会計法第二十五条の規定による認証及び物品に関する事務については会計法及びその他の会計に関する法令中、当該事務の取扱に関する規定の準用があるものとする。

附　則（昭二四・四・一法二四）

この法律は、昭和二十四年四月一日から施行する。但し、昭和二十三年度分に関する契約等及び支出に関しては、なお、従前の例による。

附　則（昭二四・五・三一法一三四）（抄）

1　この法律は、昭和二十四年六月一日から施行する。〔ただし書略〕

附　則（昭二四・五・三一法一六一）

この法律は、昭和二十四年六月一日から施行する。

附　則（昭二五・五・四法一四二）（抄）

1　この法律は、公布の日から施行する。

附　則（昭二六・三・三一法一〇四）

この法律は、昭和二十六年四月一日から施行する。

附　則（昭二七・三・五法四）（抄）

1　この法律中継続費、歳出予算及び支出予算の区分並びに繰越に係る部分は、公布の日から、その他の部分は、昭和二十七年四月一日から施行する。但し、改正後の財政法、会計法等の規定中継続費、歳出予算及び支出予算の区分並びに支出負担行為の実施計画に係る部分は、昭和二十七年度分の予算から適用する。

附　則（昭二九・三・三一法三六）（抄）

1　この法律は、昭和二十九年四月一日から施行する。

附　則（昭二九・五・八法九〇）（抄）

1　この法律は、公布の日から施行する。

3　昭和二十八年度分以前の予算に係る繰越については、なお従前の例による。

附　則（昭三一・五・二二法一一三）（抄）

1　この法律は、公布の日から起算して八月をこえない範囲内で政令で定める日〔昭三二・一・一〇〕から施行する。

9　改正前の会計法第三十八条〔出納官吏の定義及び職務〕に規定する出納官吏又は同法第四十条第二項〔出納員の定義〕に規定する出納員のうち物品の出納保管をつかさどるもの〔中略〕のこの法律の施行前の事実に基く弁償責任については、なお従前の例による。

附　則（昭三一・五・二二法一一四）（抄）

1　この法律は、公布の日から起算して八月をこえない範囲内で政令で定める日〔昭三二・一・一〇〕から施行する。

附　則（昭三一・六・一二法一四八）（抄）

1　この法律は、地方自治法の一部を改正する法律（昭和三十一年法律第百四十七号）の施行の日〔昭三一・九・一〕から施行する。

附　則（昭三四・四・二〇法一四八）（抄）

（施行期日）

1　この法律は、国税徴収法（昭和三十四年法律第百四十七号）の施行の日〔昭三五・一・一〕から施行する。

附　則（昭三六・一一・二二法二三六）（抄）

1　この法律は、公布の日から起算して九月をこえない範囲内で政令で定める日〔昭三七・八・二〇〕から施行する。

附　則（昭四〇・四・一法四二）

この法律は、公布の日から施行する。

附　則（昭四五・六・一法一一一）（抄）

（施行期日）

1　この法律は、〔中略〕公布の日から起算して六月をこえない範囲内において政令で定める日〔昭四五・八・三（第四六条の二・第四八条改正）、昭四五・一〇・一（第六条改正）〕から施行する。

附　則（昭四六・六・一法九六）（抄）

（施行期日等）

1　この法律は、公布の日から施行する。〔ただし書略〕

附　則（昭五九・一二・二五法八七）（抄）

（施行期日）

第一条　この法律は、昭和六十年四月一日から施行する。

附　則（平一一・七・一六法八七）（抄）

（施行期日）

第一条　この法律は、平成十二年四月一日から施行する。〔ただし書略〕

附　則（平一一・一二・二二法一六〇）（抄）

（施行期日）

第一条　この法律〔中略〕は、平成十三年一月六日から施行する。〔ただし書略〕

附　則（平一四・一二・一三法一五二）（抄）

（施行期日）

第一条　この法律は、行政手続等における情報通信の技術の利用に関する法律（平成十四年法律第百五十一号）の施行の日〔平一五・二・三〕から施行する。〔ただし書略〕

附　則（平一八・六・七法五三）（抄）

（施行期日）

第一条　この法律は、平成十九年四月一日から施行する。〔ただし書略〕

附　則（平二九・六・二法四五）（抄）

この法律は、民法改正法の施行の日〔平三二（令二）・四・一〕から施行する。〔ただし書略〕

○民法の一部を改正する法律の施行に伴う関係法律の整備等に関する法律（抄）　平二九・六・二法四五

（会計法の一部改正に伴う経過措置）

第百二十二条　施行日前に前条の規定による改正前の会計法第三十二条に規定する時効の中断の事由が生じた場合におけるその事由の効力については、なお従前の例による。

附　則（令元・五・三一法一六）（抄）

（施行期日）

第一条　この法律は、公布の日から起算して九月を超えない範囲内において政令で定める日〔令元・一二・一六〕から施行する。〔ただし書略〕

○予算決算及び会計令

昭二二・四・三〇
勅令 一六五
最終改正 令五・六・二三政令二二三

目次〔略〕

第一章 総則

第一節 定義

改 本節…追加（平一七政令一）

第一条 この勅令において、次の各号に掲げる用語の意義は、当該各号に定めるところによる。
一 各省各庁の長 財政法（昭和二十二年法律第三十四号）第二十条第二項に規定する各省各庁の長をいう。
二 官署支出官 第四十条第一項の規定により同項第一号に掲げる事務を委任された職員をいう。
三 センター支出官 第四十条第一項の規定により同項第二号に掲げる事務を委任された職員をいう。
四 契約担当官等 会計法（昭和二十二年法律第三十五号）第二十九条の三第一項に規定する契約担当官等をいう。

改 本条…追加（平一七政令一）

第二節 会計年度所属区分

改 旧一節…繰下（平一七政令一）

（歳入の会計年度所属区分）
第一条の二 歳入の会計年度所属は、次の区分による。
一 納期の一定している収入はその納期末日（民法（明治二十九年法律第八十九号）第百四十二条、国税通則法（昭和三十七年法律第六十六号）第十条第二項又は行政機関の休日に関する法律（昭和六十三年法律第九十一号）第二条の規定の適用又は準用がないものとした場合の納期末日をいう。）の属する年度
二 随時の収入で納入告知書を発するものは納入告知書を発した日の属する年度
三 随時の収入で納入告知書を発しないものは領収した日の属する年度
② 前項第一号の収入で納入告知書を発すべきものについて、納期所属の会計年度において納入告知書を発しなかつたときは、当該収入は納入告知書を発した日の属する会計年度の歳入に組み入れるものとする。
③ 法令の規定により他の会計又は資金から繰り入れるべき収入及び印紙をもつてする歳入金納付に関する法律（昭和二十三年法律第百四十二号）第三条第五項の規定により納付される収入は、前二項の規定にかかわらず、その収入を計上した予算の属する会計年度の歳入に繰り入れるものとする。

改 一項…一部改正（昭二九政令五一）、三項…追加（昭二九政令一七二）、一項…一部改正（昭三四政令三八三 昭三七政令一三六 昭六三政令三五〇）、三項…一部改正（平一四政令三八五）、旧一条…繰下・一項…一部改正（平一七政令一）、三項…一部改正（平一九政令二三五）

参 **歳入歳出の会計年度所属区分**（会計法一Ⅱ） **歳入の定義**（財政法二Ⅳ） **特別会計の特例**（特会令一） **その他の特例**（旅費法附Ⅳ）

（歳出の会計年度所属区分）
第二条 歳出の会計年度所属は、次の区分による。
一 国債の元利、年金、恩給の類は支払期日の属する年度
二 諸払戻金、欠損補塡金、償還金の類はその決定をした日の属する年度
三 給与（予備自衛官及び即応予備自衛官に対する給与を除く。）、旅費、手数料の類はその支給すべき事実の生じた時の属する年度
四 使用料、保管料、電灯電力料の類はその支払の原因たる事実の存した期間の属する年度
五 工事製造費、物件の購入代価、運賃の類及び補助費の類で相手方の行為の完了があつた後交付するものはその支払をなすべき日の属する年度
六 前各号に該当しない費用で繰替払をしたものはその繰替払をした日の属する年度、その他のものは小切手を振り出し又は国庫金振替書若しくは支払指図書を発した日の属する年度
② 法令の規定により他の会計又は資金に繰り入れるべき経費は、前項の規定にかかわらず、その支出を計上した予算の属する会計年度の歳出として支出するものとする。

改 本条…一部改正（昭二六政令一〇一 昭二七政令四五六・四九六）、一項…一部改正・二項…追加（昭二九政令一七二）、一項…一部改正（昭三四政令一二二 平九政令三三七 平一五政令二八）

参 **歳入歳出の会計年度所属区分**（会計法一Ⅱ） **歳出の定義**（財政法二Ⅳ） **その他の特例**（旅費法附Ⅲ・Ⅳ）

第三節　出納整理期限

改 旧二節…繰下（平一七政令一）

（歳入金の収納期限）

第三条　出納官吏又は出納員において毎会計年度所属の歳入金を収納するのは、翌年度の四月三十日限りとする。

改 本条…一部改正（昭二九政令一七一）

参 **会計年度**（財政法一一）　**会計年度所属区分**（会計法一Ⅱ、予決令一の二）　**出納完結期限**（会計法一Ⅰ）　**主計簿締切り**（予決令一三九）　**過年度収入**（会計法九）

（歳出金の支出期限）

第四条　支出官において毎会計年度に属する経費を精算して支出するのは、翌年度の四月三十日限りとする。ただし、国庫内における移換のためにする支出又は会計法第二十条第一項の規定により歳出金に繰替使用した現金の補てんのためにする支出については、翌年度の五月三十一日まで、小切手を振り出し又は国庫金振替書若しくは支払指図書を発することができる。

改 本条…一部改正（昭二九政令一七一・平一五政令二八）

参 **会計年度**（財政法一一）　**会計年度所属区分**（会計法一Ⅱ、予決令二）　**出納完結期限**（会計法一Ⅰ）　**主計簿締切り**（予決令一三九）　**過年度支出**（会計法二七、予決令六〇）

（歳出金の支払期限）

第五条　出納官吏又は出納員において毎会計年度所属の歳出金を支払うのは、翌年度の四月三十日限りとする。

改 本条…一部改正（昭二九政令一七一）

参 **会計年度**（財政法一一）　**会計年度所属区分**（会計法一Ⅱ、予決令二）　**出納完結期限**（会計法一Ⅰ、予決令一三九）　**過年度支出**（会計法二七、予決令六〇）

（返納金の戻入期限）

第六条　会計法第九条但書の規定により支出済となつた歳出金の返納金を、支払つた歳出の金額に戻入するのは、翌年度の四月三十日限りとする。

改 本条…一部改正（昭二九政令一七一）

参 **会計年度**（財政法一一）　**会計年度所属区分**（会計法一Ⅱ、予決令一の二・二）　**出納完結期限**（会計法一Ⅰ、予決令一三九）　**戻入**（予決令三三〜三五、支出官規程二〇・二一、出納官規程三四Ⅲ・Ⅳ・五八の二、日銀国庫金規程二五）　**期限の特例**－五月三十一日－（日本銀行に交付した国債の元利払資金の戻入期限の特例に関する政令）

（日本銀行における受入れ及び支払の期限）

第七条　日本銀行において毎会計年度所属の歳入金を受け入れるのは、翌年度の四月三十日限りとする。ただし、次に掲げる場合においては、翌年度の五月三十一日まで、受入れをすることができる。

一　出納官吏からその収納した歳入金の払込みがあつたとき

二　市町村その他の法令の規定により歳入金の収納の事務の委託を受けた者からその領収した歳入金の送付があつたとき

三　国庫内において移換による歳入金の受入れをするとき

四　印紙をもつてする歳入金納付に関する法律第三条第五項の規定による納付金の受入れをするとき

②　日本銀行において毎会計年度所属の歳出金を支払うのは、翌年度の五月三十一日限りとする。

改 本条…一部改正（昭二九政令一七一）、一項…一部改正（昭三〇政令五三）、見出し・一項…一部改正（平一四政令三八五）、一項…一部改正（平一九政令二三五）

参 **会計年度**（財政法一一）　**会計年度所属区分**（会計法一Ⅱ、予決令一の二・二）　**期限の特例**－六月三十日－（予決令附一〇）、－七月十五日－（国税整理資金令二二Ⅳ）、－七月三十一日－（決算調整資金に関する法律施行令六）

第二章　予算

第一節　予算の作成

（歳入歳出等の見積書類の作製及び送付）

第八条　財政法第十七条第一項の規定により、内閣に送付すべき書類は、財務大臣の定めるところにより作製し、前年度の八月三十一日までに、これを内閣に送付しなければならない。

②　内閣は、前項の書類の送付を受けたときは、これを遅滞なく財務大臣に回付しなければならない。

③　財政法第十七条第二項の規定により、財務大臣に送付すべき書類は、財務大臣の定めるところにより作製し、前年度の八月三十一日までに、これを財務大臣に送付しなければならない。

改 本条…一部改正（昭二九政令一七一　平一二政令三〇七）

参 **歳入歳出予算**（財政法一四）　**継続費**（財政法一四の二）　**繰越明許費**（財政法一四の三）　**国庫債務負担行為**（財政法一五）　**作製送付手続**（歳入歳出予算概定順序、予定経費算出概則）　**予算の作成**（財政法一六〜二八）　**補正予算**（財政法二九）　**暫定予算**（財政法三〇）

（歳入歳出等の概算決定の通知）

第九条　財務大臣は、財政法第十八条第一項の規定により歳入、歳出、継続費、繰越明許費及び国庫債務負担行為の概算について閣議の決定を経たときは、これを各省各庁の長に通知しなければならない。

② 前項の場合において、同項の通知が閣議の決定により減額された国会、裁判所又は会計検査院の歳出見積に係るものであるときは、財務大臣は、当該通知において、その減額された旨を明らかにしなければならない。

改　二項…追加（昭二七政令七）、一項…一部改正（昭二七政令七六）、本条…一部改正（昭二九政令一七一　平一二政令三〇七）、一項…一部改正（平一七政令一）

参　**歳入歳出予算**（財政法一四）　**継続費**（財政法一四の二）　**繰越明許費**（財政法一四の三）　**国庫債務負担行為**（財政法一五）　**特別機関の概算決定の要件**（財政法一八Ⅱ）

（歳入予算明細書の内容）

第十条　財政法第二十条第一項の規定による歳入予算明細書は、部局等ごとに歳入の金額を分ち、部局等のうちにおいてはこれを部款項に区分し、更に、各項の金額を各目に区分し、見積の事由及び計算の基くところを示さなければならない。

改　本条…一部改正（昭二九政令一七一）

参　**予算の部局等及び科目の区分**（財政法二三、予決令一四）　**歳入予算明細書の国会提出**（財政法二八1）

（予定経費要求書等の内容及び送付期限）

第十一条　財政法第二十条第二項の規定による予定経費要求書は、部局等ごとに歳出の金額を分ち、部局等のうちにおいては、これを事項別に区分し、経費要求の説明、当該事項に対する項の金額等を示さなければならない。

② 財政法第二十条第二項の規定による継続費要求書は、継続費について部局等ごとの区分を設け、更に事項ごとにその必要の理由を明らかにするとともに、その経費の総額、年割額、当該事項に対する項の金額等を示さなければならない。

③ 財政法第二十条第二項の規定による繰越明許費要求書は、繰越明許費について、歳出予算に定める部局等ごとの区分に従い、事項ごとにその必要の理由を明らかにするとともに、繰越を必要とする経費の項の名称を示さなければならない。

④ 財政法第二十条第二項の規定による国庫債務負担行為要求書は、国庫債務負担行為について部局等ごとの区分を設け、更に事項ごとにその必要の理由を明らかにし、且つ行為をなす年度及び債務負担の限度額を明らかにし、又、必要に応じて行為に基いて支出をなすべき年度、年限又は年割額を示さなければならない。

⑤ 予定経費要求書、継続費要求書、繰越明許費要求書及び国庫債務負担行為要求書は、第九条第一項の通知を受けた後、遅滞なく、これを財務大臣に送付しなければならない。

改　一項…全部改正（昭二四政令六九）、二・三項…追加・旧三項…一部改正し五項に繰下・旧二項…四項に繰下（昭二七政令七六）、本条…一部改正（昭二九政令一七一　昭三七政令三一四）、五項…一部改正（平一二政令三〇七）

参　**概算決定の通知**（予決令九）　**予定経費要求書等の予算への添附**（財政法二八2）　**予定経費要求書等の各目明細**（予決令一二）　**予算の部局等及び科目の区分**（財政法二三、予決令一四）　**特別会計の経費要求書**―歳入歳出予定計算書―（特会令八）

（予定経費増額要求明細書の作製及び送付）

第十一条の二　衆議院議長、参議院議長、最高裁判所長官又は会計検査院長は、第九条の規定による歳出見積を減額した旨の通知を受けた場合において、増額の必要を認めたときは、その減額された歳出見積に係る予定経費増額要求明細書を作製し、予定経費要求書とともに財務大臣に送付しなければならない。

改　本条…追加（昭二七政令七）、一部改正（昭二九政令一七一　平一二政令三〇七）

参　**概算決定及び減額決定通知**（財政法一九、予決令九）

（予定経費増額要求明細書の附記事項の作成）

第十一条の三　財務大臣は、前条の規定により、衆議院議長、参議院議長、最高裁判所長官又は会計検査院長から予定経費増額要求明細書の送付を受けたときは、財政法第十九条の規定に基く附記事項を作成しなければならない。

② 前項の規定による附記事項のうち、経費の区分は、歳出予算の区分に準ずるものとする。

改　本条…追加（昭二七政令七）、一部改正（昭二九政令一七一　平一二政令三〇七）

（予定経費要求書等の各目の明細）

第十二条　各省各庁の長は、財務大臣の定めるところにより、第十一条第一項の規定による予定経費要求書及び同条第二項の規定による継続費要求書の部局等の区分に従い、当該部局等の経費の金額を各目に区分し、必要に応じ、更に、各目の金額を細分し、且つ、これらの計算の基くところを示す明細書を作製し、予算が国会に提出された後、直ちにこれを財務大臣に送付しなければならない。

改 本条…全部改正（昭二四政令六九）、一・二項…一部改正（昭二五政令六二）、一項…一部改正（昭二七政令七六 昭二八政令二〇 昭二九政令一七一）、二項…削除（昭三〇政令一四〇）、本条…一部改正（平一二政令三〇七）

参 **予算の部局等及び科目の区分**（財政法二三、予決令一四） **特別会計の各目明細**（特会令九）

（予定経費要求書に附する説明）

第十三条 予定経費要求書には、各省各庁の所掌する経費全体に関する説明を附さなければならない。

改 本条…一部改正（昭二四政令六九 昭二九政令一七一）

参 **予定経費要求書の作製**（財政法二〇Ⅱ）

（予算の部局等及び部款項目の区分）

第十四条 歳入歳出予算、継続費及び国庫債務負担行為の部局等の区分、歳入予算の部款項目並びに歳出予算及び継続費の項の区分は、財務大臣がこれを定める。

② 歳出予算及び継続費の目の区分及び各目の細分は、各省各庁の長が財務大臣に協議して、これを定める。

改 本条…全部改正（昭二四政令六九）、一部改正（昭二七政令七六 昭二九政令一七一）、一項…一部改正・二項…追加（昭三〇政令一四〇）、本条…一部改正（平一二政令三〇七）

参 **歳入歳出予算**（財政法一四） **継続費**（財政法一四の二） **国庫債務負担行為**（財政法一五） **歳入歳出予算の区分**（財政法二三） **継続費の区分**（財政法二五） **国庫債務負担行為の区分**（財政法二六） **決算作成上の区分**（財政法三八Ⅱ） **類似の区分規定**（特会令附五四・附八三）

（予算総則の内容）

第十五条 財政法第二十二条第七号に規定する政令で定める事項は、次に掲げる事項とする。

一 財政構造改革の推進に関する特別措置法（平成九年法律第百九号。以下この条において「財政構造改革法」という。）第八条第二項に規定する社会保障関係費の範囲

二 財政構造改革法第十四条第四項に規定する公共投資関係費の範囲

三 財政構造改革法第二十条第三項に規定する防衛関係費及び特別行動委員会関係経費の範囲

四 財政構造改革法第二十二条第四項に規定する政府開発援助費の範囲

五 財政構造改革法第二十四条第三項に規定する主要食糧関係費の範囲

六 財政構造改革法第二十六条第三項に規定する科学技術振興費の範囲

七 財政構造改革法第二十九条第三項に規定するエネルギー対策費の範囲

八 財政構造改革法第三十一条第二項に規定する中小企業対策費の範囲

九 財政構造改革法第三十五条第三項に規定するその他補助金等の範囲

十 財政構造改革法第三十七条第三項に規定する同条第二項の補助金等の範囲

十一 消費税の収入が充てられる経費（特別会計に関する法律（平成十九年法律第二十三号）第二十四条の規定による一般会計から交付税及び譲与税配付金特別会計への繰入金を除く。）の範囲

改 本条…削除（昭二七政令七六）、全改（平九政令三四九）、一部改正（平一一政令九 平一九政令一二四）

第二節 予算の執行

（執行すべき予算の作製、送付及び通知）

第十六条 財務大臣は、予算が成立したときは、直ちに、国会の議決したところに従い、各省各庁の長の執行すべき歳入歳出予算（継続費の当該年度の年割額を含む。）、継続費の総額及び国庫債務負担行為を作製し、これを内閣に送付しなければならない。予算総則、各省各庁の長の執行すべき継続費の各年度の年割額及び各省各庁の長の執行すべき歳出予算に係る繰越明許費についても、また同様とする。

② 内閣は、前項後段の規定による送付を受けたときは、その送付に係る予算総則、各省各庁の長の執行すべき継続費の各年度の年割額及び各省各庁の長の執行すべき歳出予算に係る繰越明許費を各省各庁の長に通知する。

③ 財務大臣は、内閣が前項の規定により通知をなしたときは、その通知に係る事項を会計検査院に通知しなければならない。

改 一項…一部改正・二・三項…追加（昭二七政令七六）、一部改正（昭二九政令一七一）、一・三項…一部改正（平一二政令三〇七）

参 **予算の配賦**（財政法三一） **予算執行の権能**（会計法四・一〇・二九） **予算の目的外使用の禁止**（財政法三二） **予**

算の移用又は流用（財政法三三、予決令一七）

（移用又は流用の承認）

第十七条　各省各庁の長は、財政法第三十三条第一項但書又は第二項の規定に基く移用又は流用について財務大臣の承認を受けようとするときは、移用又は流用を必要とする理由、科目及び金額を明らかにした書類を財務大臣に送付しなければならない。

改　本条…全部改正（昭二四政令六九　昭二五政令六二）、一部改正（昭二九政令一七一　平一二政令三〇七）

参　**予算の目的外使用の禁止**（財政法三二）　**移用又は流用の禁止の原則**（財政法三三Ⅰ本文・Ⅱ）

（目的を特定しない議決による国庫債務負担行為の調書の作製等）

第十八条　財政法第十五条第二項の規定によりなした国庫債務負担行為については、各省各庁の長は、その調書を作製して、次の国会の常会の開会後、直ちに、これを財務大臣に送付しなければならない。

②　財務大臣は、前項の調書に基いて国庫債務負担行為の総調書を作製して、国会に報告する手続をしなければならない。

改　本条…一部改正（昭二九政令一七一　平一二政令三〇七）

参　**国会の召集及び会期**（憲法五二〜五四、国会法一・二・一〇・一四）

第三節　支出負担行為の実施計画

改　節名…改正（昭二四政令六九　昭二七政令七六）

（支出負担行為の実施計画）

第十八条の二　各省各庁の長は、その執行の責に任ずべきものとして内閣から配賦された歳出予算、継続費又は国庫債務負担行為のうち財政法第三十四条の二第一項に規定する経費に係るものに基いて支出負担行為をしようとするときは、当該支出負担行為（継続費に基く支出負担行為については当該年度においてなすものに限る。）について、会計の区分に従い、同項に規定する支出負担行為の実施計画を定めなければならない。

②　前項の支出負担行為の実施計画は、当該支出負担行為の所要額について、歳出予算又は継続費に基く支出負担行為の実施計画に関するものは、歳出予算又は継続費に定める部局等並びに項及び目の区分を、国庫債務負担行為に基く支出負担行為の実施計画に関するものは、国庫債務負担行為に定める部局等及び事項の区分を明らかにしなければならない。

改　本条…追加（昭二二政令二二〇）、全部改正（昭二四政令六九）、一・二項…一部改正（昭二五政令六二）、本条…全部改正（昭二七政令七六）、一部改正（昭二九政令一七一）

参　**予算の配賦及び通知**（財政法三一、予決令一六）　**支出負担行為実施計画による予算統制**（会計法一二）　**支出負担行為実施計画の作製又は変更**（予決令一八の三〜一八の七、支出負担規則一・五・七Ⅰ・八Ⅰ）　**様式**（様式令別表一書式）

（支出負担行為実施計画表の作製及び送付）

第十八条の三　各省各庁の長は、前条第一項の規定により定めた支出負担行為の実施計画に基いて支出負担行為実施計画表を作製し、これを財務大臣に送付しなければならない。

改　本条…追加（昭二二政令二二〇）、全部改正（昭二四政令六九）、二項…削除（昭二五政令六二）、本条…全部改正（昭二七政令七六）、一部改正（昭二九政令一七一　平一二政令三〇七）

参　**予算の配賦及び通知**（財政法三一、予決令一六）　**様式**（様式令別表一書式）　**支出負担行為実施計画**（財政法三四の二、予決令一八の二）　**支出負担行為実施計画の作製又は変更**（支出負担規則一・五）　**支出負担行為実施計画の承認等通知**（支出負担規則七Ⅰ・八Ⅰ）

（支出負担行為の実施計画の承認）

第十八条の四　財務大臣は、前条の規定により各省各庁の長から支出負担行為実施計画表の送付を受けたときは、その支出負担行為の実施計画が法令又は予算に違反することがないか、積算の基礎が確実であるか等、計画の適否につき審査した上、これを承認しなければならない。

改　本条…追加（昭二二政令二二〇）、全部改正（昭二四政令六九　昭二七政令七六）、一部改正（昭二九政令一七一　平一二政令三〇七）

参　**予算の配賦及び通知**（財政法三一、予決令一六）　**支出負担行為実施計画**（財政法三四の二、予決令一八の二）　**作製送付**（予決令一八の三、支出負担規則一・五）　**承認通知**（支出負担規則七Ⅰ）

（支出負担行為の実施計画の変更の承認）

第十八条の五　各省各庁の長は、財務大臣の承認を経た支出負担行為の実施計画について変更を要するときは、その事由を明らかにし、財務大臣の承認を求めなければならない。

② 前条の規定は、前項の承認について、これを準用する。

改 本条…追加（昭二二政令二二〇）、全部改正（昭二四政令六九）、一項…一部改正（昭二七政令七六）、一部改正（昭二九政令一七一）、一項…一部改正（平一二政令三〇七）

参 **支出負担行為実施計画**（財政法三四の二、予決令一八の二）　**作製送付、承認**（予決令一八の三・一八の四、支出負担規則一・五）　**変更手続及び承認**（予決令一八の七、支出負担規則五・七Ⅰ・八Ⅰ）

（支出負担行為の実施計画の承認に附する取消の条件）

第十八条の六　財務大臣は、前二条の規定により支出負担行為の実施計画の承認又は実施計画の変更の承認をする場合において、当該実施計画が実情に沿わないことが明らかになつた場合等、その承認を取り消す必要が生じたときは、これを取り消すことができる旨の条件を附することができる。

改 本条…追加（昭二二政令二二〇）、全部改正（昭二四政令六九）、一部改正（昭二七政令七六　昭二九政令一七一　平一二政令三〇七）

参 **支出負担行為実施計画**（財政法三四の二、予決令一八の二）　**実施計画の承認**（予決令一八の四、支出負担規則七Ⅰ）　**承認取消通知**（支出負担規則八Ⅰ）

（支出負担行為の実施計画の変更の承認等の通知）

第十八条の七　財務大臣は、第十八条の五の規定により変更を承認したとき又は前条の規定により附した条件に基いて承認を取り消したときは、これを各省各庁の長及び会計検査院に通知しなければならない。

改 本条…追加（昭二二政令二二〇）、全部改正（昭二四政令六九）、二・三項…削除（昭二五政令六二）、一部改正（昭二九政令一七一　平一二政令三〇七）

参 **支出負担行為実施計画及びその変更の承認**（財政法三四の二、予決令一八の二・一八の五）　**変更承認及び取消の通知**（支出負担規則七Ⅰ・八Ⅰ）

第十八条の八　削除

改 削除（昭二七政令七六）

第四節　支払計画

改 節名…改正（昭二四政令六九）

（支払計画）

第十八条の九　各省各庁の長は、その執行の責に任ずべきものとして内閣から配賦された歳出予算に基づくすべての支出について、会計の区分に従い官署支出官ごとに、財政法第三十四条第一項に規定する支払計画を定めなければならない。

② 前項の支払計画は、毎四半期（財務大臣が経費の全部又は一部につきこれと異なる期間を指定したときは、その期間とする。以下支払計画期間という。）における当該官署支出官の支出の所要額について、歳出予算に定める部局等及び項の区分を明らかにしなければならない。

改 本条…追加（昭二二政令二二〇）、全部改正（昭二四政令六九）、二項…一部改正（昭二七政令七六　昭二九政令一七一　平一二政令三〇七）、一・二項…一部改正（平一七政令二一）

参 **予算の配賦及び通知**（財政法三一、予決令一六）　**支払計画の作製及び送付**（予決令一八の一〇、支出負担規則二～四）　**支払計画の承認等**（予決令一八の一一～一八の一五、支出負担規則七Ⅱ・八Ⅱ）　**様式**（様式令別表二書式）

（支払計画表の作製及び送付）

第十八条の十　各省各庁の長は、財務大臣の定めるところにより、前条第一項の規定により定めた支払計画に基き支払計画表を作製し、財務大臣の定める期限までに、これを財務大臣に送付しなければならない。

② 前項の支払計画表は、支払計画期間分を一括送付しなければならない。

改 本条…追加（昭二二政令二二〇）、全部改正（昭二四政令六九）、一項…一部改正（昭二七政令七六）、一部改正（昭二九政令一七一）、一項…一部改正（平一二政令三〇七）

参 **予算の配賦及び通知**（財政法三一、予決令一六）　**支払計画**（財政法三四、予決令一八の九）　**作製送付**（支出負担規則二～四）　**承認、通知**（予決令一八の一一～一八の一五、支出負担規則七Ⅱ）

（支払計画の承認）

第十八条の十一　財務大臣は、前条の規定により各省各庁の長から支払計画表の送付を受けたときは、その支払計画が法令又は予算に違反することがないか、財政法第三十四条第二項の規定により閣議の決定を経た方針に従つているかどうか等、計画の適否につき審査した上、これを承認しなければならない。

改　本条…追加（昭二二政令二二〇）、全部改正（昭二四政令六九）、一部改正（昭二九政令一七一　平一二政令三〇七）

参　**支払計画**（財政法三四、予決令一八の九）　**変更の承認**（予決令一八の一二、支出負担規則六）　**支払計画承認の通知**（支出負担規則七Ⅱ）

（支払計画の変更の承認）

第十八条の十二　各省各庁の長は、財務大臣の承認を経た支払計画について変更を要するときは、その事由を明らかにし、財務大臣の承認を求めなければならない。

②　前条の規定は、前項の承認について、これを準用する。

改　本条…追加（昭二四政令六九）、一部改正（昭二九政令一七一）、一項…一部改正（平一二政令三〇七）

参　**支払計画**（財政法三四、予決令一八の九）　**作製送付、承認**（予決令一八の一〇・一八の一一、支出負担規則二～四・六）　**支払計画の変更の承認及び通知**（予決令一八の一四、支出負担規則六・七Ⅱ）

（支払計画の承認に附する取消の条件）

第十八条の十三　財務大臣は、前二条の規定により支払計画の承認又は支払計画の変更の承認をする場合において、当該計画が実情に沿わないことが明らかになつた場合等、その承認を取り消す必要が生じたときは、これを取り消すことができる旨の条件を附することができる。

改　本条…追加（昭二四政令六九）、一部改正（昭二九政令一七一　平一二政令三〇七）

参　**支払計画**（財政法三四、予決令一八の九、一八の一〇）　**支払計画の承認**（予決令一八の一一、支出負担規則七Ⅱ）

（支払計画の変更の承認等の通知）

第十八条の十四　財務大臣は、第十八条の十二の規定により変更を承認したとき又は前条の規定により付した条件に基づいて承認を取り消したときは、各省各庁の長に通知しなければならない。

改　本条…追加（昭二四政令六九）、二項…削除（昭二五政令六二）、一部改正（昭二九政令一七一　平一二政令三〇七　平一五政令二八　平一七政令一）

参　**支払計画及び変更承認**（財政法三四、予決令一八の一二）　**変更及び取消通知**（支出負担規則七Ⅱ・八Ⅱ）

（支払計画の支出未済部分の効力）

第十八条の十五　各支払計画期間（各会計年度の最終の支払計画期間を除く。）について財務大臣の承認を経た支払計画（変更の承認を経た計画を含む。）のうちで当該支払計画期間内に支出済とならなかつた部分は、次の支払計画期間について財務大臣の承認のあつた支払計画の一部となるものとする。

②　各会計年度の最終の支払計画期間は、当該会計年度に属する経費の精算支出に関しては、当該会計年度の出納整理期限までの期間を含むものとする。

改　本条…追加（昭二四政令六九）、一部改正（昭二九政令一七一）、一項…一部改正（平一二政令三〇七）

参　**支払計画**（財政法三四、予決令一八の九）　**支払計画の作製、送付**（予決令一八の一〇、支出負担規則二～四）　**支払計画の承認通知等**（予決令一八の一一～一八の一四、支出負担規則六・七Ⅱ・八Ⅱ）　**出納整理期限**（予決令三～七）

第三章　決算

（剰余金の計算）

第十九条　財政法第六条に規定する剰余金は、当該年度において新たに生じた剰余金から次の各号に掲げる額の合算額を控除してこれを計算する。

一　翌年度に繰り越した歳出予算の財源に充てるべき金額

二　当該年度における所得税及び法人税の収入額のそれぞれ百分の三十三・一、酒税の収入額の百分の五十並びに消費税の収入額の百分の十九・五に相当する金額の合算額が当該年度における所得税及び法人税の収入見込額のそれぞれ百分の三十三・一、酒税の収入見込額の百分の五十並びに消費税の収入見込額の百分の十九・五に相当する金額の合算額として予算に定められた額を超えるときは、当該超過額

改　本条…一部改正（昭二九政令一七二）、全部改正（昭三〇政令一八七）、一部改正（昭三一政令一八六　昭三二政令三一五　昭三三政令三三〇　昭三四政令二五八　昭三七政令二三七　昭四〇政令一二四　昭四一政令一八七　平二政令二〇七　平九政令一七　平一八政令三八二　平二五政令五四　平二六政令三一六　平二七政令一六二　平二八政令三六〇）

参　**国債償還財源への充当**（財政法六）　**歳計剰余金の処分**（財政法四一）　**剰余金の計算の特例**（予決令附九の二・附九の三）

（決算報告書等の送付）

第二十条　財政法第三十七条第一項の規定による歳入及び歳出の決算報告書並びに国の債務に関する計算書は、翌年度の七月三十一日までに、これを財務大臣に送付しなければならない。

②　財政法第三十七条第三項の規定による継続費決算報告書は、当該継続費の年割額の最後の支出の属する年度の歳入及び歳出の決算報告書とともに財務大臣に送付しなければならない。

改　二項…追加（昭二七政令七六）、本条…一部改正（昭二九政令一七一・平一二政令三〇七）

参　**決算の作成等**（憲法九〇、財政法三八）　**会計検査院への送付**（財政法三九）　**決算の国会提出**（財政法四〇）　**特別会計の報告書—歳入歳出決定計算書—**（特会法九Ⅰ、特会令一〇）

（歳入徴収額計算書の作製及び送付）

第二十一条　歳入徴収官は、会計検査院に証明のため、歳入徴収額計算書を作製し、証拠書類その他必要な書類を添え、当該歳入に関する事務を管理する各省各庁の長に送付し、各省各庁の長は、これを会計検査院に送付しなければならない。

改　本条…一部改正（昭二九政令一七一）

参　**歳入徴収額計算書の作製手続等**（計算規則一二～一九）　**歳入徴収額計算書の添附書類**（徴収官規程四〇）

（支出計算書の作製及び送付）

第二十二条　支出官は、会計検査院に証明のため、支出計算書を作製し、証拠書類その他必要な書類を添え、当該支出に関する事務を管理する各省各庁の長に送付し、各省各庁の長は、これを会計検査院に送付しなければならない。

改　本条…一部改正（昭二九政令一七一）

参　**支出計算書の作製手続等**（計算規則二〇～三〇の六）

（委任を受けた職員による直接送付）

第二十三条　前二条に規定する計算書は、各省各庁の長から特に委任を受けた職員をして、直ちに、これを会計検査院に送付せしめることができる。

改　本条…一部改正（昭二四政令六九・昭二五政令六二・昭二八政令二〇・昭二九政令一七一）

第四章　予算の繰越等

改　章名…改正（昭二九政令一七一）

（繰越計算書）

第二十四条　財政法第四十三条第一項の規定により、繰越についての財務大臣の承認を経るため繰越計算書を送付するのは、当該年度の三月三十一日限りとする。但し、同日後当該年度の歳出として支出することができる期間内に支出済となる見込がなくなつた経費の金額について繰越をする場合には、その期間満了の日までとする。

②　繰越計算書は、財政法第三十一条第一項の規定により配賦された歳出予算と同一の区分により作成し、かつ、これに次の事項を示さなければならない。

一　繰越しを必要とする経費の予算現額及び科目並びに当該経費に係る部局等

二　前号の経費の予算現額のうち支出済となつた額及び当該年度所属として支出すべき額

三　第一号の経費の予算現額のうち翌年度に繰越しを必要とする額

四　第一号の経費の予算現額のうち不用となるべき額

五　第一号の経費についての事項ごとの繰越しを必要とする理由及び金額その他参考となるべき事項

③　会計法第四十六条の二の規定により、繰越しの手続に関する事務が委任されている場合における前項の規定の適用については、同項中「予算現額」とあるのは、各省各庁の長が作成する繰越計算書にあつては「予算現額（第二十五条の四第一項から第三項までの規定により繰越しの手続に関する事務を委任された職員が取り扱う当該経費に係る支出負担行為計画示達額を除く。）」と、当該事務を委任された職員が作成する繰越計算書にあつては「支出負担行為計画示達額」とする。

改　二項…一部改正（昭二七政令七六）、二項…一部改正・三項…追加（昭二九政令一七一）、二項…一部改正し一号追加・三項…全部改正（昭四四政令二三）、一項…一部改正（平一二政令三〇七）

参　**繰越明許費の繰越**（財政法一四の三）　**事故繰越**（財政法四二但書）　**継続費年割額の逓次繰越**（財政法四三の二）　**様式**（様式令別表一〇書式）　**都道府県が行う事務**（会計法四八、予決令一四〇）

第二十五条　削除

改　本条…削除（昭四四政令二三）

第二十五条の二　（**繰越の通知**）　財政法第四十三条第三項（同法第四十三条の二第二項において準用する場合を含む。）の規定による通知は、当該繰越に係る経費を当該年度の歳出として支出することができる期間満了の日から起算して十五日を経過した日までにこれをしなければならない。

② 前項の通知には、左に掲げる事項を明らかにしなければならない。

一　繰越に係る経費の予算現額及び科目並びに当該経費に係る部局等

二　前号の経費の予算現額のうち支出済となつた額

三　第一号の経費の予算現額のうち翌年度に繰越をした額

四　第一号の経費の予算現額のうち不用となつた額

改　本条…追加（昭二七政令七六）、一・二項…一部改正（昭二九政令一七一）

参　**歳出予算等の翌年度への繰越の根拠**（財政法一四の三・四二但書・四三の二）

第二十五条の三　（**繰越しの承認の事務の委任**）　財務大臣は、会計法第四十六条の二の規定により、財政法第四十三条第一項に規定する承認に関する事務を委任する場合においては、委任しようとする事務の範囲を定めて、財務局長又は福岡財務支局長に委任するものとする。

② 財務大臣は、前項の規定による委任をしたときは、その旨及び委任した事務の範囲を関係の各省各庁の長に通知しなければならない。

改　本条…追加（昭二九政令一七一）、一項…一部改正（昭五六政令二九　昭五九政令二七三）、本条…一部改正（平一二政令三〇七）

参　**財務局及び福岡財務支局の権限**（財務省組織規則二一七Ⅰ④）　**委任通達等**（大蔵大臣通達平一〇蔵計二三五四・二三五五）

第二十五条の四　（**繰越しの手続の事務の委任**）　各省各庁の長は、会計法第四十六条の二の規定により、繰越しの手続に関する事務を委任する場合においては、繰越しに係る経費の支出負担行為を行なうべき支出負担行為担当官に委任するものとする。ただし、各省各庁の長が必要があると認めるときは、当該支出負担行為担当官以外の職員に委任することができる。

② 各省各庁の長は、前項ただし書の場合においては、当該各省各庁又は他の各省各庁に置かれた官職を指定することにより、その官職にある者に当該事務を委任することができる。

③ 各省各庁の長は、第一項ただし書の場合において、その委任しようとする職員が他の各省各庁所属の職員であるときは、当該職員（当該職員が前項の規定により指定される官職にある者である場合においては、その官職）について、あらかじめ当該他の各省各庁の長の同意を経なければならない。

④ 各省各庁の長は、前三項の規定により繰越の手続に関する事務を委任する場合においては、前条第二項の規定により通知を受けた事務の範囲に対応する範囲において、委任しようとする事務の範囲を定めて委任しなければならない。

⑤ 各省各庁の長は、前各項の規定による委任をしたときは、その旨を財務大臣に通知するものとし、財務大臣は、その通知があつたときは、その旨を関係の財務局長又は福岡財務支局長に通知するものとする。

改　本条…追加（昭二九政令一七一）、二項…追加・旧二項～四項…一部改正し一項ずつ繰下（昭三七政令二三七）、見出し・一項…一部改正・三項…全部改正（昭四四政令二三）、五項…一部改正（昭五六政令二九　昭五九政令二七三　平一二政令三〇七）

参　**都道府県が行う事務**（会計法四八、予決令一四〇）　**実施通達**（大蔵大臣通達平一〇蔵計二三五五）

第二十五条の五　（**繰越明許費に係る翌年度にわたる債務の負担の承認**）　各省各庁の長は、財政法第四十三条の三に規定する翌年度にわたつて支出すべき債務の負担（以下「繰越明許費に係る翌年度にわたる債務の負担」という。）について同条の財務大臣の承認を受けようとするときは、左に掲げる事項を明らかにした書類を財務大臣に送付しなければならない。

一　翌年度にわたつて支出すべき債務の負担を必要とする経費の科目及び当該経費に係る部局等並びに当該債務の負担を必要とする理由

二　前号の経費につき翌年度にわたつて支出すべき債務の負担を必要とする額

三　前号の額のうち翌年度所属として支出すべき額

② 前二条の規定は、会計法第四十六条の二の規定により財政法第四十三条の三に規定する承認に関する事務又は繰越明許費に係る翌年度にわたる債務の負担の手続に関する事務を委任する場合について準用する。この場合において、前条第一項中「繰越しに係る経費」とあるのは、「繰越明許費に係る翌年度にわたる債務の負担を必要とする経費」と読み替えるものとする。

改 本条…追加（昭二九政令一七二）、一項…一部改正・二項…追加（昭四五政令二三〇）、一項…一部改正（平一二政令三〇七）

参 **繰越明許費**（財政法一四の三） **実施通達**（大蔵大臣通達平一〇蔵計二三五五）

第五章 収入

第一節 徴収

（歳入徴収の事務の委任）

第二十六条 各省各庁の長は、会計法第四条の二第一項又は第二項の規定により、その所掌の歳入の徴収に関する事務を委任する場合においては、法律又は政令に特別の定がある場合を除く外、各庁の長（衆議院、参議院、最高裁判所及び会計検査院における事務総局の長を含む。以下本項中同じ。）に委任するものとする。但し、各省各庁の長が必要があると認めるときは、各庁の長以外の職員に委任することができる。

② 各省各庁の長は、会計法第四条の二第一項及び第二項の規定により、当該各省各庁所属の職員又は他の各省各庁所属の職員に歳入の徴収に関する事務を委任しようとするときは、当該職員並びにその官職及び委任しようとする事務の範囲について、あらかじめ財務大臣に協議しなければならない。

③ 各省各庁の長は、会計法第四条の二第二項又は第三項の規定により他の各省各庁所属の職員に歳入の徴収に関する事務を委任し、又は分掌させようとするときは、当該職員並びにその官職及び委任しようとする事務の範囲について、あらかじめ当該他の各省各庁の長の同意を経なければならない。

④ 会計法第四条の二第四項の規定により、同条第一項から第三項までの規定による委任又は分掌が官職の指定により行なわれる場合においては、前二項の規定による協議又は同意は、その指定しようとする官職及び委任しようとする事務の範囲についてあれば足りる。

改 本条…全部改正（昭二七政令七六）、一部改正（昭二九政令一七二）、二項…一部改正（昭四四政令二九八）、三・四項…一部改正（昭四六政令三五〇）、二項…一部改正（平一二政令三〇七）

参 **収入・歳入の定義**（財政法二） **歳入事務の管理**（会計法四） **事務委任の特例**（予決令一七、恩給取扱規則一〇Ⅱ） **本条の準用**（予決令三八（支出負担行為認証事務）・三九の五（支出負担行為事務）・四〇（支出事務）・六八（契約事務）・一一一（現金出納事務）） **都道府県が行う事務**（会計法四八、予決令一四〇） **参照規定**（国税整理資金法九、同令五）

（返納金を歳入に組み入れる場合の委任）

第二十七条 各省各庁の長は、支出済となつた歳出の返納金を歳入に組み入れる場合において、会計法第四条の二第一項又は第二項の規定により、その歳入の徴収に関する事務を委任するときは、当該経費について支出の決定（第四十条第一項第一号に規定する支出の決定をいう。）をした官署支出官に委任するものとする。

② 在外公館において支出済みとなつた歳出の返納金を歳入に組み入れる場合その他財務省令で定める特別の事情がある場合においては、前項の規定によらないことができる。

③ 前条第二項及び第三項の規定は、第一項の委任については、これを適用しない。

改 二項…追加（昭二五政令九九）、本条…全部改正（昭二七政令七六）、一部改正（昭二九政令一七二）、二項…一部改正（昭四五政令二三〇 平一二政令三〇七）、一項…一部改正（平一七政令一）

参 **歳入事務の管理**（会計法四） **日本銀行の返納金受入事務**（日銀国庫金規程一九） **返納手続**（予決令三四・三五、支出官規程二〇・二一） **財務大臣の定める特例**（徴収官規程一の二、債権管理規則三九の七）

（歳入の調査決定）

第二十八条 歳入徴収官は、歳入を調査決定しようとするときは、当該歳入について法令に違反していないか、所属年度及び歳入科目を誤ることがないかを調査しなければならない。

改 本条…一部改正（昭二九政令五一・一七一 昭三三政令三三七 昭四五政令二三〇）

参 **歳入徴収の準則**（会計法三） **納入の告知及び督促**（会計法六、予決令二九、債権管理法一三、債権管理令一三・一四、債権管理規則一四） **調査決定事務**（徴収官規程三～八・四一～四三、保管金取扱規程一七） **歳入徴収簿等の登記**（徴収官規程二二～二八の三・四一～四六の五） **収納未済歳入額の繰越**（徴収官規程三六～三八） **本条の準用規定**（国税整理資金令五）

（納入の告知を要しない歳入）

第二十八条の二 会計法第六条に規定する政令で定める歳入は、次に掲げる歳入とする。

一　国の債権の管理等に関する法律施行令（昭和三十一年政令第三百三十七号）第九条第二項各号に掲げる債権に係る歳入
二　労働保険の保険料の徴収等に関する法律（昭和四十四年法律第八十四号。以下「徴収法」という。）第十五条第一項若しくは第二項、第十六条若しくは第十九条第一項若しくは第二項（失業保険法及び労働者災害補償保険法の一部を改正する法律及び労働保険の保険料の徴収等に関する法律の施行に伴う関係法律の整備等に関する法律（昭和四十四年法律第八十五号。以下「整備法」という。）第十九条第三項において準用する場合を含む。）の規定により申告し、又は徴収法第十五条第三項若しくは第十七条第二項（整備法第十九条第三項において準用する場合を含む。）の規定による通知を受けて納付する保険料又は特別保険料
三　石綿による健康被害の救済に関する法律（平成十八年法律第四号）第三十八条第一項の規定において準用する徴収法第十九条第一項又は第二項の規定により申告して納付する石綿による健康被害の救済に関する法律第三十七条第一項の一般拠出金
四　削除
五　国家公務員宿舎法（昭和二十四年法律第百十七号）第十五条第三項の規定により控除する使用料
六　防衛省の職員の給与等に関する法律施行令（昭和二十七年政令第三百六十八号）第十五条第二項又は第十七条の二第二項（同条第四項において準用する場合を含む。）の規定により控除する食事代、弁償金又は払込金
七　国民年金法（昭和三十四年法律第百四十一号）第八十七条第一項の規定により徴収する保険料
八　国民年金法等の一部を改正する法律（昭和六十年法律第三十四号）附則第四十三条又は第四十四条の規定による被保険者が同法の規定により納付する保険料
九　その他財務省令で定める歳入

改　本条…追加（昭四五政令二三〇）、二号…一部改正（昭四七政令四七）、八号…一部改正（昭五一政令一七六）、三号…一部改正（昭六〇政令二四）、八号…一部改正（昭六一政令五三　平一四政令二八二）、六号…一部改正（平二政令二九〇）、九号…一部改正（平一二政令三〇七）、三・四号…削除（平一四政令三八五）、三・四号…一部改正（平一八政令三八九）、六号…一部改正（平一九政令三）、八号…一部改正（平二〇政令二八三）、三・八号…一部改正（平二一政令二九六）

参　**納入の告知を要しない歳入**（徴収官規程八の二）　**納入の告知を要しない歳入外債権**（債権管理法一三Ⅰ、債権管理令一四）

（納入の告知）

第二十九条　会計法第六条の規定による納入の告知は、債務者に対し歳入科目、納付すべき金額、期限及び場所を記載した書面を以てこれをしなければならない。但し、出納官吏又は出納員に即納せしめる場合は、口頭を以てこれをなすことができる。

改　本条…一部改正（昭二九政令一七二）

参　**納入告知の時効中断効力**（会計法三二）　**納入の告知**（債権管理法一三Ⅰ、債権管理令一三・一四、債権管理規則一四・三三１・２）　**告知書様式**（徴収官規程別紙四号書式等）　**歳入徴収官の納入告知**（徴収官規程九～一二）　**納付書による納付**（徴収官規程一二Ⅲ・一三～一七・一八Ⅲ・二一の二、国民年金法等に基づく保険料の納付手続の特例に関する省令等）　**督促**（債権管理法一三Ⅱ、徴収官規程二一）　**国税の納入告知**（通則法三六）　**本条の準用規定**（国税整理資金令五）

（歳入徴収の職務と現金出納の職務とを兼ねることができる場合）

第三十条　会計法第八条ただし書の規定により歳入徴収の職務と現金出納の職務とを兼ねることができる場合は、歳入徴収の職務を行う在外公館の長、財務事務所長、税務署長、地方裁判所の支部、家庭裁判所の支部若しくは簡易裁判所の職員、地方検察庁の支部若しくは区検察庁の職員、財務局出張所長、福岡財務支局出張所長、財務事務所出張所長、税関支署長、税関出張所長、税関支署出張所長、税関支署監視署長、森林管理署長若しくは森林管理署支署長（これらの者の代理をする職員を含む。）又は同法第四十六条の三第二項の規定により歳入徴収の職務を行う者の事務の一部を処理する職員が現金出納の職務を兼ねる場合とする。

改　本条…一部改正（昭二四政令一四九　昭二五政令六二・九九　昭二六政令一六三）、全部改正（昭二九政令一七二）、一部改正（昭四六政令三五〇　昭五六政令二九　昭五九政令二七三　平一一政令三二）

参　**出納官吏の任命**（会計法三九・四〇・四〇の二、予決令一一・一四〇）　**弁償責任**（会計法四一・四三～四五）　**国税徴収の職務の分立規定**（国税整理資金法九Ⅱ、国税整理資金令五Ⅱ）

第二節　収納

（出納官吏等の収納手続）

第三十一条　出納官吏又は出納員は、歳入金の収納をしたと

きは、領収証書を納入者に交付しなければならない。ただし、財務大臣の定める場合は、この限りでない。

② 出納官吏は、歳入金の収納があつたときは、収納済みの旨を歳入徴収官に報告しなければならない。

改 本条…一部改正（昭二九政令五一・一七一）、本条…一部改正・二項…追加（令三政令一七二）

参 **現金収納の範囲**（財政法二Ⅱ）　**現金の収納**（出納官規程一二～一六）　**収納金の払込**（出納官規程一七～一九）　**資金前渡官吏の控除に係る額の払込等**（出納官規程二三）　**誤びゅう訂正**（出納官規程五三～五八）　**歳入徴収官への報告**（出納官規程七七、徴収官規程五〇）　**現金によらない歳入納付**（証券納付法、印紙納付法等）　**本条の準用規定**（国税整理資金令五）

（日本銀行における収納等の手続）

第三十二条 日本銀行において、歳入金を収納し又は歳入金の払込みを受けたときは、領収証書を納入者又は払込者に交付し、領収済の旨を歳入徴収官に報告しなければならない。ただし、財務大臣の定める場合には、領収証書を納入者又は払込者に交付することを要しない。

② 日本銀行において、国庫金振替書により歳入金に移換の請求を受けたときは、振替済書を請求者に交付し、振替済の旨を歳入徴収官に報告しなければならない。

改 本条…一部改正（昭二九政令一七一）、一項…一部改正（平一五政令二八）

参 **現金の収納及びその整理**（日銀国庫金規程一四～二一の四）　**日本銀行の国庫事務取扱**（日本銀行法三五、会計法三四、予決令一〇六）　**本条の準用規定**（国税整理資金令五）

第三節　返納金の戻入

（返納金を戻入することができる場合）

第三十三条 支出済となつた歳出の返納金は、その支払つた歳出の金額にこれを戻入することができる。但し、重大な過失に因り誤払過渡となつた金額についてはこの限りでない。

改 本条…一部改正（昭二九政令一七一）

参 **根拠規定**（会計法九但書）　**手続等**（予決令六・三四・三五、支出官規程二〇・二一、出納官規程三四Ⅲ・Ⅳ・五八の二、債権管理規則一四・同別紙一書式・二書式、日銀国庫金規程二五・三三）

（返納金の戻入手続）

第三十四条 国の債権の管理等に関する法律施行令第五条第一項第二号に掲げる事務を行う官署支出官その他の者（次条において「官署支出官等」という。）は、前条の規定により支払つた歳出の金額に戻入れをしようとするときは、国の債権の管理等に関する法律（昭和三十一年法律第百十四号）第十三条第一項の規定による納入の告知により、返納者にその金額を返納させなければならない。ただし、国の内部における支出に基づく場合においては、官署支出官が当該返納をさせるものとする。

改 本条…一部改正（昭二九政令一七一　昭三一政令三三七　昭四五政令二三〇　平一七政令一）

参 **根拠規定**（会計法九但書）　**戻入手続**（予決令六・三五、支出官規程二〇・二一、出納官規程三四Ⅲ・Ⅳ・五八の二、債権管理規則一四、日銀国庫金規程二五）　**返納告知書様式等**（債権管理規則別紙一～三書式）

（日本銀行における戻入手続）

第三十五条 日本銀行において、前条の返納金を領収したときは、その旨を官署支出官等（前条ただし書の場合にあつては、官署支出官）に通知しなければならない。

改 本条…一部改正（昭二九政令一七一　昭三一政令三三七　昭四五政令二三〇　平一五政令二八　平一七政令一）

参 **戻入手続**（日銀国庫金規程二五・三三）

第四節　報告

（徴収済額報告書の作製及び送付）

第三十六条 歳入徴収官は、毎月、徴収済額報告書を作製し、参照書類を添え、その翌月十五日（次の各号に掲げるものにあつては、それぞれ財務大臣の定める日）までに、これを当該歳入に関する事務を管理する各省各庁の長に送付しなければならない。

一 国税収納金整理資金に関する法律施行令（昭和二十九年政令第五十一号。次号において「資金令」という。）第二十二条第二項の規定により国税収納金整理資金（国税収納金整理資金に関する法律（昭和二十九年法律第三十六号。以下この号において「資金法」という。）第三条に規定する国税収納金整理資金をいう。次号において同じ。）から毎会計年度の歳入に組み入れるべき金額の一部が、翌年度の六月において概算額で一般会計又は特別会計（資金法第六条第二項に規定する特別会計をいう。次号において同じ。）の歳入に組み入れられたことに伴い、当該歳入を取り扱つた歳入徴収官が作製する徴収済額報告書

二　資金令第二十二条第一項の規定により国税収納金整理資金から毎会計年度の歳入に組み入れるべき金額が、翌年度の七月において一般会計若しくは特別会計の歳入に組み入れられ、又は決算調整資金に関する法律（昭和五十三年法律第四号。以下この号において「決算調整資金法」という。）第七条第一項の規定により決算調整資金（決算調整資金法第二条に規定する決算調整資金をいう。）から同資金に属する現金が、翌年度の七月において一般会計の歳入に組み入れられたことに伴い、当該歳入を取り扱つた歳入徴収官が作製する徴収済額報告書

② 在外公館の歳入徴収官は、前項の規定にかかわらず、四半期ごとに、徴収済額報告書を作製し、参照書類を添え、当該四半期経過後十日以内に、外務大臣あてに発送することができる。

改 本条…一部改正（昭二四政令六九）、二項…追加（昭二五政令九九）、一部改正（昭二九政令一七一）、一項…一部改正（昭五三政令四〇六　平一二政令三〇七）

参 **根拠規定**（会計法四七）　**徴収済額報告書の作製等及び送付**（徴収官規程二九～三五・三九・五九）　**財務大臣の定める日**（徴収官規程二九Ⅱ）　**様式**（様式令別表四書式）

（徴収総報告書の作製及び送付）

第三十七条　各省各庁の長は、徴収済額報告書により、毎月、徴収総報告書を作製し、参照書類を添え、その月中（前条各号に掲げる徴収済額報告書により作製するものにあつては、それぞれ財務大臣の定める日まで）にこれを財務大臣に送付しなければならない。

改 本条…一部改正（昭二四政令六九　昭二九政令一七一　昭五三政令四〇六　平一二政令三〇七）

参 **根拠規定**（会計法四七）　**財務大臣の定める日**（予決令第三十七条に規定する財務大臣の定める日を定める省令）　**様式**（様式令別表五書式）

第六章　支出負担行為及び支出

改 章名…改正（昭二四政令六九）

第一節　支出負担行為

改 節名…改正（昭二四政令六九）、本節全部改正（昭二七政令七六）

（支出負担行為の事務の委任）

第三十八条　第二十六条第三項の規定は、各省各庁の長が会計法第十三条第二項又は第三項の規定により他の各省各庁所属の職員に支出負担行為に関する事務を委任し、又は分掌させる場合に、第二十六条第四項の規定は、同法第十三条第四項の規定により同条第二項又は第三項の規定による委任又は分掌を他の各省各庁所属の職員について官職の指定により行なう場合に、これを準用する。

② 各省各庁の長は、会計法第十三条第一項から第四項までの規定により支出負担行為に関する事務を委任し、又は分掌させたときは、その旨を関係の官署支出官、支出負担行為認証官又は同法第十七条の規定により資金の前渡を受ける職員に通知しなければならない。

改 本条…全部改正（昭二四政令六九　昭二七政令七六）、一・二項…一部改正（昭二九政令一七一　昭四六政令三五〇）、一項…一部改正（昭四四政令二九八）、二項…一部改正（平一七政令一）

参 **支出負担行為の定義**（財政法三四の二）　**支出負担行為事務の管理**（会計法一〇）　**支出負担行為の準則**（会計法一一）　**支出負担行為と認証の職務の分立**（会計法一三の五）　**支出負担行為と認証の職務の分立の特例**（予決令三九の八）　**準用規定の内容**（予決令二六―歳入徴収事務委任手続）　**都道府県が行う事務**（会計法四八、予決令一四〇）　**責任**（予責法二Ⅰ1・7・8・三）

（支出負担行為の計画等の示達及び通知）

第三十九条　各省各庁の長は、支出負担行為担当官をして支出負担行為を行わしめようとするときは、財政法第三十一条第一項の規定により配賦された歳出予算、継続費及び国庫債務負担行為（財政法第三十四条の二に規定する歳出予算、継続費又は国庫債務負担行為については、同条の規定により財務大臣の承認を経た支出負担行為の実施計画に係る部分に限る。以下歳出予算等という。）の範囲内において、当該支出負担行為担当官に対して歳出予算等の示達をしなければならない。

② 各省各庁の長は、前項の規定による示達をするには、同項の歳出予算等の範囲内において各支出負担行為担当官ごとに支出負担行為の計画を定め、財務大臣の定めるところにより、当該支出負担行為の計画を当該支出負担行為担当官に示達することにより、これを行わなければならない。

③ 各省各庁の長は、前項の規定により示達した支出負担行為の計画を歳出予算等の範囲内において、変更し又は取り消す必要があるときは、当該支出負担行為担当官に対してその示達した支出負担行為の計画についての変更又は取消若しくは変更の取消の示達をしなければならない。

④　各省各庁の長は、前二項の規定により支出負担行為の計画を示達したときは、これを関係の官署支出官及び支出負担行為認証官に通知しなければならない。

⑤　支出負担行為担当官は、所属の各分任支出負担行為担当官をして支出負担行為を行わしめようとするときは、各分任支出負担行為担当官ごとに支出負担行為の限度額及びその内訳を定め、財務大臣の定めるところにより、これを当該分任支出負担行為担当官に示達しなければならない。

⑥　支出負担行為担当官は、前項の規定により示達した支出負担行為の限度額及びその内訳を変更し、又は取り消す必要があるときは、その示達を受けた分任支出負担行為担当官に対してその示達した支出負担行為の限度額及びその内訳についての変更又は取消若しくは変更の取消の示達をしなければならない。

⑦　支出負担行為担当官は、前二項の規定により支出負担行為の限度額及びその内訳を示達したときは、これを関係の会計法第十七条の規定により資金の前渡を受ける職員に通知しなければならない。

改　本条…全部改正（昭二四政令六九）、一項…一部改正・二項…全部改正・三～五項…追加（昭二五政令六二）、一・二・四項…一部改正（昭二六政令七七）、本条…全部改正（昭二七政令七六）、五～七項…追加（昭二九政令一七一）、一・二・五項…一部改正（平一二政令三〇七）、四項…一部改正（平一七政令一）

参　**支出負担行為実行の要件**（会計法一一・一二、予決令三九の二）　**支出負担行為の実行**（会計法一三の二・一三の四）　**支出負担行為実施計画**（財政法三四の二、予決令一八の二～一八の七、支出負担規則一・五・七Ⅰ・八Ⅰ）　**支出負担行為計画、変更の示達等**（支出負担規則九・九の二・一一・一二・第三号書式・第三号の二書式）

（支出負担行為等の制限）

第三十九条の二　支出負担行為担当官は、支出負担行為又は前条第五項若しくは第六項の規定による示達をなすには、同条第二項又は第三項の規定により示達された支出負担行為の計画の金額をこえてはならない。

②　支出負担行為担当官は、前項の金額の範囲内であつても、会計法第十三条の二の規定による確認又は同法第十三条の四の規定による認証を受け、且つ、第百三十四条に規定する支出負担行為差引簿に登記された後でなければ、支出負担行為又は前条第五項若しくは第六項の規定による示達をなすことができない。

③　分任支出負担行為担当官は、支出負担行為をなすには、前条第五項又は第六項の規定により示達された支出負担行為の限度額及びその内訳に定める金額をこえてはならない。

改　本条…追加（昭二四政令六九）、一項…一部改正・二項…削除（昭二五政令六二）、本条…全部改正（昭二七政令七六）、一・二項…一部改正・三項…追加（昭二九政令一七一）

参　**支出負担行為実行の要件**（会計法一一・一二）　**支出負担行為の実行**（会計法一三の二・一三の四）　**確認**（予決令三九の三・三九の四・三九の六・三九の七、支出負担規則一五・一七）　**認証**（予決令三九の三・三九の四・三九の六・三九の七Ⅱ、支出負担規則一六・一八）　**分任支出負担行為担当官の支出負担行為**（会計法一三の二Ⅱ、予決令三九Ⅴ～Ⅶ）　**帳簿及び登記**（会計法四七、予決令一三七・一三七の二、様式令別表一二書式）

第二節　支出負担行為の確認又は認証

改　節名…改正（昭二七政令七六）

（支出負担行為の確認又は認証のための書類の送付）

第三十九条の三　支出負担行為担当官は、次の各号に掲げる場合においては、会計法第十三条の二の規定による確認又は同法第十三条の四の規定による認証を受けるため、財務大臣の定めるところにより、当該各号に掲げる書類を官署支出官又は支出負担行為認証官に送付しなければならない。

一　支出負担行為をしようとする場合には、当該支出負担行為の内容を示す書類

二　官署支出官の確認又は支出負担行為認証官の認証を受けた支出負担行為を変更し又は取りやめようとする場合には、変更後の支出負担行為の内容を示す書類又は当該支出負担行為の取りやめを示す書類

三　官署支出官の確認又は支出負担行為認証官の認証を受けて支出負担行為をした後当該支出負担行為を変更し又は取り消そうとする場合には、変更後の支出負担行為の内容を示す書類又は当該支出負担行為の取消しを示す書類

四　所属の各分任支出負担行為担当官に支出負担行為を行わせようとする場合には、当該分任支出負担行為担当官が行う支出負担行為の限度額及びその内訳を記載した書類

五　官署支出官の確認を受けた所属の各分任支出負担行為担当官が行う支出負担行為の限度額及びその内訳を変更し、又は取り消そうとする場合には、変更後の支出負担行為の限度額及びその内訳を記載した書類又は当該支出負担行為の限度額及びその内訳の取消し若しくは変更の取消しを示す書類

改 本条…追加（昭二四政令六九）、全部改正（昭二五政令六二）、一部改正（昭二六政令七七　昭二七政令七六　昭二九政令一七一　平一二政令三〇七　平一七政令一）

参 **支出負担行為実行の要件**（会計法一一・一二、予決令三九の二）　**書類の内容等**（支出負担規則一三・一四）　**確認手続**（予決令三九の四Ⅰ・Ⅱ、支出負担規則一五・一七・一八）　**認証手続**（予決令三九の四Ⅲ～Ⅴ、支出負担規則一六・一八）

（支出負担行為の確認又は認証の方法）

第三十九条の四　官署支出官は、確認のため前条の書類の送付を受けたときは、財務大臣の定めるところにより、これを審査し、その支出負担行為の限度額及びその内訳が第三十九条第四項の規定により通知を受けた支出負担行為の計画に定める金額を超えていないことを確認したときは、遅滞なく、当該書類に確認する旨の表示をしなければならない。

② 官署支出官は、前項の場合において、確認することを不適当と認めたときは、確認を拒否しなければならない。

③ 支出負担行為認証官は、認証のため前条第一号から第三号までの書類の送付を受けたときは、その支出負担行為が法令又は予算に違反することがないか、金額の算定に誤りがないか、第三十九条第四項の規定により通知を受けた支出負担行為の計画に定める金額をこえていないかどうか、その他予算の執行上適正かどうかを審査した上、認証すべきものと認めたときは、遅滞なく、当該書類に認証する旨の表示をしなければならない。

④ 各省各庁の長は、前項の規定による審査の基準によりがたいと認める場合においては、財務大臣に協議して、これと異なる基準を定めることができる。

⑤ 第二項の規定は、第三項の場合に、これを準用する。

改 本条…追加（昭二四政令六九）、一・二項…一部改正（昭二六政令七七）、本条…全部改正（昭二七政令七六）、一・四項…一部改正（昭二九政令一七二）、一・二項…一部改正（平一二政令三〇七）、一項…一部改正（平一七政令一）

参 **確認手続**（支出負担規則一五・一七・一八）　**認証手続**（支出負担規則一六・一八）　**確認又は認証の表示**（支出負担規則一八）

（支出負担行為の認証の事務の委任についての準用規定）

第三十九条の五　第二十六条第三項の規定は、各省各庁の長が会計法第十三条の三第二項の規定により他の各省各庁所属の職員に支出負担行為の認証を行なわせる場合に、第二十六条第四項の規定は、同法第十三条の三第三項の規定により同条第二項の規定による認証を他の各省各庁所属の職員について官職の指定により行なう場合に、これを準用する。

改 本条…追加（昭二四政令六九）、二項…削除（昭二五政令六二）、本条…全部改正（昭二七政令七六）、一部改正（昭二九政令一七一　昭四四政令二九八　昭四六政令三五〇）

参 **準用規定の内容**（予決令二六Ⅰ－歳入徴収事務委任手続）　**認証事務の代理、一部処理**（会計法四六の三、予決令一三九の二・一三九の三）　**都道府県が行う事務**（会計法四八、予決令一四〇）

（官署支出官等の官職氏名等の通知）

第三十九条の六　各省各庁の長は、各支出負担行為担当官について、その支出負担行為を確認すべき官署支出官又は認証すべき支出負担行為認証官を定め、当該官署支出官又は支出負担行為認証官の官職、氏名及び所在地を当該支出負担行為担当官に通知するとともに、当該官署支出官及び支出負担行為認証官に対しても、当該支出負担行為担当官の官職、氏名及び所在地を通知しなければならない。

改 本条…追加（昭二四政令六九）、全部改正（昭二七政令七六）、一部改正（昭二九政令一七二）、見出し・本条…一部改正（平一七政令一）

参 **通知の省略**（予決令三九の七）　**支出負担行為担当官からの支出負担行為の通知**（支出負担規則一九）

（通知を省略できる場合）

第三十九条の七　支出負担行為担当官が官署支出官を兼ねる場合においては、第三十八条第二項、第三十九条第四項、前条又は第百三十九条の二第四項の規定による官署支出官に対する通知及び第四十条第三項又は第百三十九条の二第四項の規定による支出負担行為担当官に対する通知は、これを省略することができる。

② 官署支出官が支出負担行為認証官を兼ねる場合においては、第三十八条第二項、第三十九条第四項、前条、第四十条第三項又は第百三十九条の二第四項の規定による支出負担行為認証官に対する通知は、これを省略することができる。

③ 分任支出負担行為担当官が会計法第十七条の規定により資金の前渡を受ける職員を兼ねる場合においては、第三十八条第二項、第三十九条第七項又は第百三十九条の二第四項の規定による当該職員に対する通知は、これを省略することができる。

改 本条…追加（昭二四政令六九）、二項…削除（昭二五政令六二）、本条…全部改正（昭二七政令七六）、三項…追加（昭二九政令一七一）、一～三項…一部改正（昭四六政令三五〇）、一・二項…一部改正（平一七政令一）

参 **支出負担行為の職務とその認証の職務を兼ねることができる場合**（予決令三九の八）

（支出負担行為の職務とその認証の職務とを兼ねることができる場合）

第三十九条の八 会計法第十三条の五の規定により支出負担行為の認証の職務と支出負担行為の職務と相兼ねることができる場合は、職員が僅少であつて、事務の分掌が極めて困難な場合に限る。

改 本条…追加（昭二四政令六九）、二項…削除（昭二七政令七六）、本条…一部改正（昭二九政令一七一）

第三節 支出総則

（支出事務の委任）

第四十条 各省各庁の長は、その所掌に属する歳出金の支出に関する事務（歳出金を支出するための小切手の振出し又は国庫金振替書若しくは支払指図書の交付に関する事務をいう。以下同じ。）を会計法第二十四条第一項又は第二項の規定により当該各省各庁所属の職員又は他の各省各庁所属の職員に委任するときは、次の各号に掲げる事務の区分に応じ、当該各号に定める職員に委任するものとする。

一 歳出金の支出に関する事務のうち歳出金の支出の決定（以下「支出の決定」という。）の事務 当該各省各庁所属の職員又は他の各省各庁所属の職員（次号に定める職員を除く。）

二 支出の決定に基づいて行う小切手の振出し又は国庫金振替書若しくは支払指図書の交付の事務（歳出金の支出に関する事務のうち前号に掲げるもの以外のものをいう。） 財務大臣が指定する財務省所属の職員

② 第二十六条第二項及び第三項の規定は、前項の規定に基づき、各省各庁の長が会計法第二十四条第一項又は第二項の規定により当該各省各庁所属の職員又は他の各省各庁所属の職員に委任する場合に、第二十六条第四項の規定は、前項の規定に基づき、同法第二十四条第三項において準用する同法第四条の二第四項の規定により同法第二十四条第一項又は第二項の規定による委任を官職の指定により行う場合について準用する。

③ 各省各庁の長は、第一項の規定により、同項第一号に掲げる事務を委任したときは、その旨をセンター支出官並びに関係の支出負担行為担当官及び支出負担行為認証官に、第一項第二号に掲げる事務を委任したときは、その旨を官署支出官に、それぞれ通知しなければならない。

改 一項…一部改正・二項…追加（昭二四政令六九）、一項…一部改正・二項…削除（昭二五政令六二）、本条…全部改正（昭二七政令七六、昭二九政令一七一）、一・二項…一部改正（昭四六政令三五〇）、本条…全部改正（平一七政令一）

参 **支出及び歳出の定義**（財政法二） **支出事務の管理**（会計法一〇） **支出の準則**（会計法一四） **支出と出納事務の分立**（会計法二六、特例－予決令四〇の二） **委任、交替等**（支出官規程二・五〇） **責任**（予責法二Ⅰ3・7・8・三～五・七・八） **準用規定の内容**（予決令二六－歳入徴収事務委任手続）

（歳出の支出の職務と現金出納の職務とを兼ねることができる場合）

第四十条の二 会計法第二十六条ただし書の規定により歳出の支出の職務と現金出納の職務とを兼ねることができる場合は、同法第四十六条の三第二項の規定により歳出の支出の職務を行なう者の事務の一部を処理する職員が現金出納の職務を兼ねる場合とする。

改 本条…追加（昭四六政令三五〇）

参 **出納官吏の任命**（会計法三九・四〇・四〇の二、予決令一一一・一四〇） **弁償責任**（会計法四一・四三～四五）

（支払計画の示達及び通知）

第四十一条 各省各庁の長は、官署支出官に支出の決定をさせようとするときは、財政法第三十一条第一項の規定により配賦を受けた歳出予算を当該官署支出官に対して示達しなければならない。

② 各省各庁の長は、前項の規定により歳出予算を示達するには、財政法第三十四条第一項の規定による財務大臣の承認を経た支払計画に定める金額の範囲内において官署支出官のよるべき支払計画を定め、当該支払計画を当該官署支出官に示達することにより、これを行わなければならない。

③ 各省各庁の長は、前項の規定により示達した支払計画を財政法第三十四条第一項の規定による財務大臣の承認を経た支払計画に定める金額の範囲内において変更し又は取り消す必要があるときは、当該官署支出官に対して、その示達した支払計画についての変更又は取消若しくは変更の取消しの示達をしなければならない。

④ 各省各庁の長は、前三項の規定により支払計画を示達したときは、これをセンター支出官に通知しなければならな

い。

改 本条…全部改正（昭二四政令六九）、三項…追加（昭二五政令六二）、二項…一部改正（昭二六政令七七）、本条…全部改正（昭二七政令七六）、一部改正（昭二九政令一七一）、二・三項…一部改正（平一二政令三〇七）、一〜三項…一部改正・四項…追加（平一七政令一）

参 **支払計画の作製及び送付**（財政法三四、予決令一八の九・一八の一〇、支出負担規則二〜四・六） **支払計画の承認等**（予決令一八の一一〜一八の一五、支出負担規則七Ⅱ・八Ⅱ） **支払計画による執行統制**（会計法一四Ⅰ） **計画変更の示達等**（支出負担規則一〇〜一二）

（支出の決定の調査）

第四十二条 官署支出官は、支出の決定をするときは、その経費に係る支出負担行為が確認又は認証されたものであるかどうか及び第百三十四条に規定する支出負担行為差引簿に登記されているかどうかを調査し、当該経費の金額を算定し、かつ、当該経費は、示達を受けた支払計画の金額を超過することがないかどうか並びに所属年度及び歳出科目を誤ることがないかどうかを調査しなければならない。

改 本条…追加（平一七政令一）

参 **支出決定の書類の作成**（支出官規程五）

（支出の決定の通知）

第四十二条の二 官署支出官は、その所掌に属する歳出金について支出の決定をしたときは、その旨をセンター支出官に通知しなければならない。

改 本条…追加（平一七政令一）

参 **支出決定通知の方法**（支出官規程一一）

（支出の制限）

第四十三条 官署支出官は、支出の決定をするには、第四十一条第一項から第三項までの規定により示達された支払計画の金額を超えてはならない。

② 官署支出官は、前項の金額の範囲内であつても、支出負担行為の確認又は認証を受け、かつ、第百三十四条に規定する支出負担行為差引簿に登記されたものでなければ支出の決定をすることができない。

③ センター支出官は、前条の規定により支出の決定をした旨の通知を受け、かつ、当該支出の決定に係る金額が第四十一条第四項の規定により通知を受けた支払計画の金額の範囲内である場合でなければ、小切手を振り出し、又は国庫金振替書若しくは支払指図書を交付することができない。

改 本条…追加（昭二四政令六九）、二項…一部改正（昭二五政令六二）、三項…削除（昭二六政令七七）、二項…一部改正・旧四一条の二…繰下（昭二七政令七六）、本条…一部改正（昭二九政令一七一）、旧四二条…繰下・一・二項…一部改正・三項…追加（平一七政令一）

参 **支出準則**（会計法一四） **支出要件**（支出負担規則一八の二） **確認、認証**（会計法一三の二・一三の四、予決令三九の三・三九の四・三九の六、支出負担規則一五〜一八） **支出負担行為差引簿**（会計法四七、予決令一三四、様式令別表一二書式）

（小切手法との関係）

第四十四条 本章の規定は、小切手法の適用を妨げない。

改 本条…一部改正（昭二九政令一七一）、旧四三条…繰下（平一七政令一）

第四節　小切手等の振出し

改 節名…改正（平一七政一）

（小切手の記載事項）

第四十五条 センター支出官は、その振り出す小切手に受取人の氏名又は名称、金額、年度、部局等及び項、番号その他必要な事項を記載しなければならない。ただし、受取人の氏名又は名称の記載は、財務大臣の特に定める場合を除くほか、その記載を省略することができる。

② 前項ただし書に定めるもののほか、センター支出官は、会計法第二十一条の規定により必要な資金を日本銀行に交付するため、小切手を振り出す場合においては、財務大臣の定めるところにより、同項の規定による部局等及び項その他の小切手の記載事項の一部の記載を省略することができる。

改 本条…一部改正（昭二四政令六九 昭二九政令一七一 平一二政令三〇七）、本条…一部改正・二項…追加（平一七政令一）

参 **小切手振出の制限**（会計法一六） **小切手振出手続等**（予決令四六、支出官規程二七〜三五・四一、小切手振出規程） **会計年度、部局等及び項の区分**（財政法一一・二三、予決令一四） **記載方法及び記載要件等**（小切手振出規程七〜九・一一、小切手法一・二） **出納官吏の小切手振出**（出納官吏規程六・七・七の二・二九・三〇・四三・四八〜五〇・五二、保管金払込規程八）　**誤びゅう訂正**（支出官規程四四、出納官規程七九）　**小切手振出の弁済効力**（民法四八二）　**本条の準用**（予決令四七）

（小切手の振出しの方法）

第四十六条　小切手は、部局等の各項ごとに、これを振り出さなければならない。ただし、前条第二項の規定により部局等及び項の記載が省略される場合は、この限りでない。

改　本条…全部改正（昭二四政令六九）、一部改正（昭二五政令六二　昭二九政令一七二）、見出し…一部改正・ただし書…追加（平一七政令一）

参　**歳出予算の部局等の区分**（財政法二三・二五、予決令一四）　**小切手振出**（予決令四三Ⅲ、支出官規程二七～三五・四一、出納官規程六・七・七の二・二九・三〇・四三・四八～五〇等、小切手振出規程）　**本条の準用**（予決令四七）

（国庫金振替書又は支払指図書を発する場合についての準用規定）

第四十七条　第四十五条第一項本文及び第二項並びに前条の規定は、センター支出官が国庫金振替書又は支払指図書を発する場合について準用する。

改　本条…一部改正（昭二九政令一七一　平一五政令二八　平一七政令一）

参　**支出のための国庫金振替書又は支払指図書の発行**（会計法一五）　**発行手続**（予決令四三Ⅲ、支出官規程二七・三六～四〇、小切手振出規程一五）　**出納官吏による発行**（出納官規程二九・三一～三七、保管金払込規程八Ⅱ・八の二）　**誤びゅう訂正**（支出官規程四三・四四、出納官規程七九）　**国庫金振替書の様式**（払出書式令別紙一書式）

（小切手の種類）

第四十八条　センター支出官の振り出す小切手は、第四十五条第一項ただし書の場合は持参人払式、財務大臣の特に定める場合は記名式、その他の場合は記名式持参人払とする。

改　本条…一部改正（昭二九政令一七一　平一二政令三〇七　平一七政令一）

参　**官庁、出納官吏及び日銀等あての小切手**（支出官規程三二Ⅱ・Ⅲ・三三、出納官規程七Ⅱ・Ⅲ・七の二）　**小切手振出手続**（会計法一五・一六、予決令四四～四六、支出官規程二七～三五・四一、小切手振出規程）　**出納官吏の小切手振出**（出納官規程六・七・七の二・二九・三〇・四三・四八～五〇等、保管金払込規程八）

（資金を日本銀行に交付して支払等をさせることができる場合）

第四十八条の二　会計法第二十一条第一項の政令で定める場合は、次に掲げる場合とする。

一　隔地の債権者に対し支払をする場合

二　郵便貯金銀行（郵政民営化法（平成十七年法律第九十七号）第九十四条に規定する郵便貯金銀行をいう。以下この号において同じ。）の営業所及び郵便局（簡易郵便局法（昭和二十四年法律第二百十三号）第二条に規定する郵便窓口業務を行う日本郵便株式会社の営業所であって郵便貯金銀行を所属銀行とする銀行代理業（銀行法（昭和五十六年法律第五十九号）第二条第十四項に規定する銀行代理業をいう。）の業務を行うものをいう。）から債権者に対し現金支払をする場合

三　前二号に掲げる場合を除くほか、債権者の預金又は貯金への振込みの方法により支払をする場合

②　会計法第二十一条第二項の政令で定める出納官吏は、資金を日本銀行に預託する出納官吏以外の出納官吏とする。

改　本条…追加（昭四〇政令一一一）、一項…一部改正（平一四政令三八五　平一九政令二三五　平二四政令二〇二）

参　**送金等手続**（予決令四九、支出官規程九～一二・一五・一六、出納官規程四八～五二・八五、日銀国庫金規程三〇・三一）　**隔地の範囲**（支出官等が隔地者に支払をする場合等における隔地の範囲を定める省令）

（隔地払等の手続）

第四十九条　支出官は、債権者に支払をする場合において、当該支払が前条第一項各号に該当するものであるときは、支払場所を指定し、日本銀行に必要な資金を交付し送金の手続をなさしめ、その旨を債権者に通知しなければならない。

②　前項の規定は、前条第二項の出納官吏に資金を交付する場合に、これを準用する。

改　本条…一部改正（昭二九政令一七一　昭四〇政令一一一）

参　**日本銀行への資金交付及び送金通知手続等**（会計法二一、支出官規程九～一二・一五・一六、日銀国庫金規程三〇・三一・三四）　**隔地の範囲**（支出官等が隔地者に支払をする場合等における隔地の範囲を定める省令）　**誤びゅう訂正**（支出官規程一七・一八・四三～四五）　**日本銀行の整理**（日銀国庫金規程三〇・三二）　**出納官吏の隔地送金手続等**（出納官規程四八～五二・八四）　**出納官吏の隔地送金等の日銀の整理**（日銀国庫金規程三九）

（小切手の振出しの通知）

第五十条　センター支出官は、小切手を振り出したときは、その都度、これを日本銀行に通知しなければならない。

改　本条…一部改正（昭二九政令一七二）、見出し・本条…一部改正（平一七政令一）

参　**通知書**（支出官規程三五・一三号書式）

第五節　支出の特例

（資金前渡のできる経費の指定）

第五十一条　会計法第十七条の規定により主任の職員に現金支払をさせるため、その資金を当該職員に前渡することができるのは、次に掲げる経費に限る。ただし、第四号に掲げる経費（庁中常用の雑費に限る。以下この条において同じ。）及び第七号に掲げる経費に充てる資金について主任の職員において手持ちすることができる金額は、第四号に掲げる経費に充てる資金にあつては三百万円を、第七号に掲げる経費に充てる資金にあつては同号に規定する直営又は請負の区分ごとにそれぞれ五百万円を限度とする。

一　船舶に属する経費

二　外国で支払う経費

三　交通通信の不便な地方で支払う経費

四　庁中常用の雑費及び旅費

五　場所の一定しない事務所の経費

六　職員に支給する給与及び児童手当法（昭和四十六年法律第七十三号）の規定による児童手当

六の二　法令の規定に基づいて行う試験に要する経費

七　各庁直営の工事、製造又は造林に必要な経費及び各庁の五百万円以下の請負に付する工事、製造又は造林に必要な経費

七の二　国が行う工事又は造林に関連して買収する土地又は土地に定着する物件に関する権利の代価で一件の金額が三百万円以下のもの

七の三　国が行う工事又は造林に関する補償金（土地収用法（昭和二十六年法律第二百十九号）第九十条の三（同法第百三十八条第一項において準用する場合を含む。）の規定による加算金を含む。）で各省各庁の長が財務大臣に協議して指定するもの

七の四　健康保険法（大正十一年法律第七十号）第百六十一条第一項若しくは第百六十九条第一項、船員保険法（昭和十四年法律第七十三号）第百二十五条第一項若しくは厚生年金保険法（昭和二十九年法律第百十五号）第八十二条第一項の規定により政府が事業主若しくは船舶所有者として負担すべき保険料又は徴収法第十五条第一項、第二項若しくは第四項、第十六条、第十七条、第十九条第三項若しくは第五項若しくは第二十三条第一項若しくは子ども・子育て支援法（平成二十四年法律第六十五号）第六十九条第二項の規定により政府が事業主若しくは一般事業主として納付すべき保険料若しくは拠出金

八　諸払戻金

八の二　諸謝金

九　刑事収容施設及び被収容者等の処遇に関する法律（平成十七年法律第五十号）第九十八条（同法第二百八十八条において準用する場合を含む。第五十三条第四号において同じ。）の規定による作業報奨金及び少年院法（平成二十六年法律第五十八号）第二十五条第三項の規定による報奨金

九の二　刑事収容施設及び被収容者等の処遇に関する法律第百条（同法第八十二条第二項（同法第二百八十八条及び第二百八十九条第一項において準用する場合を含む。）及び第二百八十八条において準用する場合を含む。第五十三条第四号の二において同じ。）又は少年院法第四十二条の規定による手当金

十　矯正施設（拘置所、刑務所、少年刑務所、少年院及び少年鑑別所をいう。第五十三条第五号において同じ。）の被収容者の護送費及び食糧費並びにその者に支給する帰住旅費、保護観察に付されている者（更生保護法（平成十九年法律第八十八号）第八十五条第一項に規定する更生緊急保護を受ける者を含む。第五十三条第五号において同じ。）の被服費並びにその者に支給する食事費及び帰住旅費並びに出入国管理及び難民認定法（昭和二十六年政令第三百十九号）の規定により収容される者の護送費及び食糧費

十一　証人、鑑定人、通訳人、参考人、参与員、調停委員、鑑定委員、翻訳人、司法委員、裁判所の選任した代理人、裁判員、補充裁判員、選任予定裁判員、裁判員候補者、検察審査員若しくはその補充員、検察審査会法（昭和二十三年法律第百四十七号）に基づいて専門的助言を求められた者又は家事事件手続法（平成二十三年法律第五十二号）に基づいて調査の嘱託を受け若しくは報告を求められた者に支給する旅費その他の給与

十一の二　少年法（昭和二十三年法律第百六十八号）第二十九条の規定により補導の委託を受けた者に支給する費用

十二　防衛省（大臣官房及び各局を除く。）に関する経費

十三　次に掲げる経費（前各号に掲げる経費に該当するものを除く。）

イ　供託法（明治三十二年法律第十五号）第二条に規定する供託書その他の法令の規定による書面を添えて支

払うこととされている経費

ロ　イに掲げるもののほか、電気事業者（電気事業法（昭和三十九年法律第百七十号）第二条第一項第十七号に規定する電気事業者をいう。）の料金の請求その他の請求について、当該請求に関する書面を添えて支払う必要がある経費

ハ　イ及びロに掲げるもののほか、債権者の請求により特に現金支払をする必要がある経費

改　本条…一部改正（昭二三政令一四一・三三四　昭二四政令六九・三五六　昭二五政令六二・二九一　昭二六政令一六三　昭二七政令七六・三〇五・四五六　昭二八政令二〇・三九三　昭二九政令一七一　昭三〇政令五三　昭三三政令二三〇　昭三四政令二五八　昭三七政令二三七・三一四　昭三九政令三三三　昭四一政令一八七　昭四三政令二六二・三〇一　昭四六政令三五〇　昭四七政令四七　昭五五政令二三三　昭五六政令三一〇　昭五九政令二六八　平八政令四二　平一二政令三〇七　平一四政令二八二　平一七政令一　平一八政令一九三　平一九政令三・一六八　平二〇政令一四六・二八三　平二一政令六〇・二九六　平二四政令一九七　平二七政令九三・一六六　平二八政令四三　令五政令一六三）

参　**他の政令による経費の指定**（予決令臨特一Ⅰ・Ⅱ、特会令一四・附六五）　**資金前渡官吏**（会計法三八・三九・四〇の二、予決令一一一・一一四、出納官規程一Ⅳ・五二の二・五二の三）

（資金前渡の限度額等）

第五十二条　前条（同条第十三号を除く。）の規定により資金を前渡する限度額については、次の各号の定めるところによる。

一　常時の費用に係るものは、毎一月分以内の金額を予定して交付しなければならない。ただし、外国で支払う経費、交通通信の不便な地方で支払う経費又は支払場所の一定しない経費は、事務の必要により六月分以内を交付することができる。

二　随時の費用に係るものは、所要の金額を予定し、事務上差し支えない限りなるべく分割して交付しなければならない。

②　前条第十三号に掲げる経費については、財務大臣の定めるところにより、その都度、必要な資金を前渡することができる。

改　本条…一部改正（昭二九政令一七一）、見出し・本条…一部改正・二項…追加（平一七政令一）

参　**他の政令による限度規定**（予決令臨特一Ⅲ）

（年度開始前に資金交付のできる経費の指定）

第五十三条　会計法第十八条第一項の規定により会計年度開始前に主任の職員に対し資金を交付することができる経費は、次に掲げるものに限る。

一　船舶に属する経費

二　外国で支払う経費

三　交通通信の不便な地方で支払う経費

四　刑事収容施設及び被収容者等の処遇に関する法律第九十八条の規定による作業報奨金及び少年院法第二十五条第三項の規定による報奨金

四の二　刑事収容施設及び被収容者等の処遇に関する法律第百条又は少年院法第四十二条の規定による手当金

五　矯正施設の被収容者に支給する帰住旅費並びに保護観察に付されている者に支給する食事費及び帰住旅費

六　防衛省（大臣官房及び各局を除く。）に関する経費

改　本条…一部改正（昭二四政令六九・三五六　昭二五政令六二・二九一　昭二七政令三〇五・四五六　昭二八政令二〇　昭二九政令一七一　昭三三政令二三〇　昭三四政令二五八　平一八政令一九三　平一九政令三・一六八　平二七政令九三　令五政令一六三）

参　**他の政令による経費の指定**（特会令一五・附六六）　**年度開始前支出手続**（予決令五四）

（年度開始前の資金交付の手続）

第五十四条　各省各庁の長は、会計法第十八条第一項の規定により会計年度開始前において、主任の職員に対し資金を交付しようとするときは、その前渡を要する経費の金額を定め計算書を作製し、これを財務大臣に送付しなければならない。

改　本条…一部改正（昭二八政令二〇　昭二九政令一七一　平一二政令三〇七）

参　**計算書**（様式令別表三書式甲・乙）

（前渡資金の繰替使用）

第五十五条　各省各庁の長は、左に掲げる経費の支払をなさしめるため、出納官吏をしてその保管に係る前渡の資金を繰り替え使用せしめることができる。

一　旅費

二　埋葬費

②　前項の規定による前渡の資金の繰替使用に関する手続は、各省各庁の長が財務大臣に協議してこれを定める。

改　本条…一部改正（昭二九政令一七一　平一二政令三〇七）

参　**他の政令による繰替使用規定**（予決令臨特一の二）　**供託金の繰替使用**（予決令五五の二）

（供託金の繰替使用）

第五十五条の二　法務大臣は、供託金の利子の支払をさせるため、出納官吏をしてその保管に係る供託金たる歳入歳出外現金を繰り替え使用させることができる。

②　前項の規定による歳入歳出外現金の繰替使用に関する手続は、法務大臣が財務大臣に協議して定める。

改　本条…追加（昭三〇政令七六）、二項…一部改正（平一二政令三〇七）

参　**手続**（供託金の繰替使用に関する事務取扱規程）

第五十六条　削除

改　一・二項…一部改正（昭二四政令一七九）、一項…全部改正・二項…一部改正（昭二五政令六二）、本条…一部改正（昭二九政令一七一　平一二政令三〇七）、本条…削除（平一四政令三八五）

（前金払のできる経費の指定）

第五十七条　会計法第二十二条の規定により前金払をすることができるのは、次に掲げる経費に限る。ただし、第八号から第十五号までに掲げる経費について前金払をする場合においては、各省各庁の長は、財務大臣に協議することを要する。

一　外国から購入する機械、機械部品、航空機、航空機部品、航空機専用工具、図書、標本又は実験用材料の代価（購入契約に係る機械、機械部品、航空機、航空機部品、航空機専用工具、図書、標本又は実験用材料を当該契約の相手方が外国から直接購入しなければならない場合におけるこれらの物の代価を含む。）

二　定期刊行物の代価、定額制供給に係る電燈電力料及び日本放送協会に対し支払う受信料

三　土地又は家屋の借料

四　運賃

五　国の買収又は収用に係る土地の上に存する物件の移転料

六　官公署に対し支払う経費（第七号の二、第八号又は第十号に掲げる経費に該当するものを除く。）

七　外国で研究又は調査に従事する者に支給する学資金その他の給与

七の二　職員のために研修又は講習を実施する者に対し支払う経費（次号に掲げる経費に該当するものを除く。）

八　委託費

九　交通至難の場所に勤務する者又は船舶に乗り組む者に支給する給与

十　補助金（補助金等に係る予算の執行の適正化に関する法律第二条第一項第四号の規定に基づき補助金等として指定された助成金を含む。次条第四号において同じ。）、負担金及び交付金

十一　諸謝金

十二　破産法（平成十六年法律第七十五号）第二十三条第一項の規定により国庫から支弁する破産手続の費用のうち破産管財人（破産管財人代理を含む。）及び保全管理人（保全管理人代理を含む。）に交付するもの

十三　国が行う工事又は造林に関連して買収する土地又は土地に定着する物件に関する権利（不動産登記法（平成十六年法律第百二十三号）第三条各号に掲げる権利で各庁において同法による登記の嘱託をする場合にその嘱託情報と併せて登記所に提供しなければならない情報を取得したものに限る。）の代価

十四　外国において調度品の製造又は修理をさせる場合で納入までに長期間を要するときにおけるその代価

十五　外国で支払う経費のうち次に掲げるもの（前各号に掲げる経費に該当するものを除く。）

イ　物品の購入代価

ロ　機械又は器具の借料又は修理費

ハ　建物（附帯設備を含む。）の維持修繕費

ニ　放送の受信、廃棄物の収集その他の役務の提供に対する代価

ホ　国際会議等のために借り受ける施設又は航空機の借料

改　本条…一部改正（昭二四政令六九・一二七　昭二五政令九九　昭二六政令一六三　昭二七政令七六・二八八　昭二八政令二〇・三九三　昭二九政令一七一　昭三二政令三一五　昭三四政令一二二・二五八　昭三七政令二三七　昭四三政令三〇一　昭四七政令二八七　昭五五政令二三三　昭六〇政令二四・三一　昭六二政令五四　平一二政令三〇七　平一五政令一〇二　平一六政令三一八　平一七政令二四）

参　**他の政令による経費の指定**（予決令臨特二・四）

（概算払のできる経費の指定）

第五十八条　会計法第二十二条の規定により概算払をすることができるのは、次に掲げる経費に限る。ただし、第三号から第六号までに掲げる経費について概算払をする場合においては、各省各庁の長は、財務大臣に協議することを要

する。

一　旅費

二　官公署に対し支払う経費（次号から第六号までに掲げる経費を除く。）

三　委託費

四　補助金、負担金及び交付金

五　損害賠償金

六　民事訴訟法（平成八年法律第百九号）第八十二条第一項に規定する訴訟上の救助により納付を猶予された裁判費用のうち鑑定に必要な費用及び刑事訴訟法（昭和二十三年法律第百三十一号）第百七十三条第一項に規定する鑑定に必要な費用

改 本条…一部改正（昭二四政令六九・一二七　昭二七政令七六・二八八　昭二九政令一七一　昭三九政令三三三　昭四一政令一八七　昭四六政令二一〇　昭六〇政令二四・三一　昭六二政令五四　平九政令三三三　平一二政令三〇七）

参 **他の政令による経費の指定**（予決令臨特三・四、特会令一六・附六七、共済組合法一〇二Ⅱ）

第五十九条　削除

改 二項…一部改正（昭二三政令一四一）、一・二項…一部改正（昭二四政令一七九　昭二五政令九九）、二項…一部改正（昭二七政令三〇五）、一項…一部改正（昭二八政令二〇・三九三）、二項…一部改正（昭二九政令一七一　平一二政令三〇七）、本条…削除（平一四政令二八五）

第六十条　**（過年度支出の場合の毎項金額）**　会計法第二十七条但書に規定する毎項金額は、部局等における毎項金額とする。

改 本条…一部改正（昭二九政令一七一）

参 **会計年度独立の原則**（財政法一二・四二本文）　**歳出の年度所属区分**（会計法一Ⅱ、予決令二）　**出納整理期限**（予決令三～七）　**出納完結期限**（会計法一Ⅰ、予決令一三九）

第六節　支払

改 旧七節…繰上（昭二五政令六二）

第六十一条　**（日本銀行における小切手の支払等）**　日本銀行は、小切手の提示があつたときは、その小切手が法令に違反することがないかを調査し、その支払をしなければならない。

② 前項の規定は、日本銀行が国庫金振替書又は支払指図書の交付を受けた場合に、これを準用する。

改 本条…一部改正（昭二九政令一七一）、一・二項…一部改正（平一五政令二八）、一項…一部改正（平一七政令一）

参 **小切手の振出**（会計法一五・一六、予決令四四～四六等）　**日銀の支払事務**（会計法二八）　**支払手続**（日銀国庫金規程四・二三・二八）　**一般小切手呈示期限**（小切手法二九）　**小切手振出の効力**（予決令四三）　**国庫金振替書・支払指図書**（会計法一五、予決令四七等）

第六十二条　**（支払の終らない資金の歳入への納付又は組入）**　第四十九条の規定により交付を受けた資金のうち、資金交付の日から一年を経過しまだ支払を終らない金額に相当するものは、日本銀行においてその送金を取り消し、これをその取り消した日の属する年度の歳入に納付しなければならない。

② 毎会計年度の小切手振出済金額のうち、翌年度の五月三十一日までに、支払を終らない金額に相当する資金は、財政法第四十一条の決算上の剰余金に組み入れずこれを繰越整理しなければならない。

③ 前項の規定により繰り越した資金のうち、小切手の振出日附から一年を経過しまだ支払を終らない金額に相当するものは、これをその期間満了の日の属する年度の歳入に組み入れなければならない。

改 本条…一部改正（昭二九政令一七一）

参 **支払未済繰越整理**（日銀国庫金規程二七～二九）　**支払未済の歳入納付手続**（出納官規程四四・四五・四七、保管金取扱規程四、日銀国庫金規程一八～二〇・三四）　**過年度収入**（会計法九本文）

第六十三条　**（小切手の償還）**　官署支出官が、小切手の所持人から償還の請求を受けた場合において、これを調査し償還すべきものと認めるときは、その償還のための手続をとるものとする。

② 前項の規定は、官署支出官が会計法第二十八条第二項の場合において、その支払を受けない債権者又は出納官吏から更に請求を受けた場合について準用する。

改 本条…一部改正（昭二九政令一七一　平一七政令一）

参 **償還手続**（支出官規程二四、出納官規程四六・四七・八四、保管金取扱規程四）　**小切手法上の利得償還請求**（小切手法七二）

第七節　報告

改 旧八節…繰上（昭二五政令六二）

（支出済額報告書の作成及び提出）

第六十四条 センター支出官は、毎月、支出済額報告書を作成し、翌月十五日までに当該事務を管理する各省各庁の長に提出しなければならない。

改 本条…全部改正（昭二四政令六九）、一項…一部改正・二項…追加（昭二五政令六二）、一項…一部改正・二項…削除（昭二七政令七六）、本条…一部改正（昭二九政令一七一）、見出し・本条…一部改正（平一七政令一）

参 **根拠規定**（会計法四七）　**様式**（様式令別表八書式）

（支出総報告書の作製及び送付）

第六十五条 各省各庁の長は、前条の規定により提出された支出済額報告書に基いて、支出総報告書を作製し、その月中に財務大臣に送付しなければならない。

改 本条…全部改正（昭二四政令六九　昭二五政令六二）、一部改正（昭二七政令七六　昭二九政令一七一　平一二政令三〇七）

参 **根拠規定**（会計法四七）　**様式**（様式令別表九書式）

第六十六条 削除

改 本条…削除（昭二四政令六九）

第六十七条 削除

改 本条…削除（昭二五政令六二）

第七章　契約

改 本章…全部改正（昭三七政令三一四）

第一節　総則

改 本節…全部改正（昭三七政令三一四）

（契約事務の委任）

第六十八条 各省各庁の長は、会計法第二十九条の二第一項又は第三項の規定により、当該各省各庁所属の職員に契約に関する事務を委任し、又は分掌させる場合において、必要があるときは、同条第一項又は第三項の権限を、内閣府設置法（平成十一年法律第八十九号）第五十条の委員長若しくは長官、同法第四十三条若しくは第五十七条（宮内庁法（昭和二十二年法律第七十号）第十八条第一項において準用する場合を含む。）の地方支分部局の長、宮内庁長官、宮内庁法第十七条第一項の地方支分部局の長、国家行政組織法（昭和二十三年法律第百二十号）第六条の委員長若しくは長官、同法第九条の地方支分部局の長又はこれらに準ずる職員（第百三十九条の三第三項において「外局の長等」という。）に委任することができる。

2　第二十六条第三項の規定は、各省各庁の長が会計法第二十九条の二第二項又は第三項の規定により他の各省各庁所属の職員に契約に関する事務を委任し、又は分掌させる場合に、第二十六条第四項の規定は、同法第二十九条の二第四項において準用する同法第四条の二第四項の規定により当該契約に関する事務の委任又は分掌が他の各省各庁所属の職員について官職の指定により行なわれる場合に、それぞれ準用する。

改 本条…一部改正（昭二七政令七六　昭二九政令一七一）、全部改正（昭三七政令三一四）、二項…一部改正（昭四四政令二九八）、一・二項…一部改正（昭四六政令三五〇）、一項…一部改正（平一二政令三〇七）

参 **契約事務の管理**（会計法二九）　**準用規定の内容**（予決令二六Ⅲ－委任し又は分掌させる職員の所属する他の各省各庁の長の同意、同条Ⅳ－官職指定による委任又は分掌の場合のⅢの同意を求める内容の特例）　**都道府県が行う事務**（会計法四八、予決令一四〇）　**責任**（予責法二Ⅰ6～8・三）

（契約審査委員の指定）

第六十九条 各省各庁の長は、当該各省各庁所属の職員又は他の各省各庁所属の職員のうちから、各省各庁の長の委任を受けた当該各省各庁所属の職員は、当該各省各庁所属の職員のうちから、必要があるときは、契約担当官等が第八十六条第二項（第九十八条において準用する場合を含む。）の規定により意見を求めた場合にその意見を表示すべき職員（以下「契約審査委員」という。）を指定しなければならない。

2　各省各庁の長は、前項の規定により他の各省各庁所属の職員を契約審査委員に指定しようとするときは、当該職員及びその官職について、あらかじめ、当該他の各省各庁の長の同意を経なければならない。

3　第一項の場合において、各省各庁の長又はその委任を受けた職員は、当該各省各庁又は他の各省各庁に置かれた官職を指定することにより、その官職にある者を契約審査委員とすることができる。この場合においては、前項の規定による同意は、その指定しようとする官職についてあれば足りる。

4　契約審査委員は、一の契約担当官等について三人とする。ただし、他の契約担当官等に係るものについて兼ねることを妨げない。

5　各省各庁の長又はその委任を受けた職員は、契約審査委員を指定したときは、その旨を関係の契約担当官等に通知しなければならない。

改　本条…一部改正（昭二七政令七六　昭二九政令一七二）、全部改正（昭三七政令三二四）、一項…一部改正（平一七政令一）

参　**契約審査委員の職務**（予決令八七）

第二節　一般競争契約

改　本節…全部改正（昭三七政令三二四）

第一款　一般競争参加者の資格

（一般競争に参加させることができない者）

第七十条　契約担当官等は、売買、貸借、請負その他の契約につき会計法第二十九条の三第一項の競争（以下「一般競争」という。）に付するときは、特別の理由がある場合を除くほか、次の各号のいずれかに該当する者を参加させることができない。

一　当該契約を締結する能力を有しない者

二　破産手続開始の決定を受けて復権を得ない者

三　暴力団員による不当な行為の防止等に関する法律（平成三年法律第七十七号）第三十二条第一項各号に掲げる者

改　本条…一部改正（昭二三政令三三四　昭二九政令一七二）、全部改正（昭三七政令三二四）、一部改正（平一二政令三七　平二五政令九八）

参　**本条以外の資格**（予決令七一～七三）　**本条の準用**（予決令九八）　**後見・保佐・補助開始の審判**（民法七・一一・一五）　**成年被後見人・被保佐人・被補助人の能力**（民法九・一三・一七）　**未成年者の能力**（民法五）　**破産手続開始の効果**（破産法二章三節）

（一般競争に参加させないことができる者）

第七十一条　契約担当官等は、一般競争に参加しようとする者が次の各号のいずれかに該当すると認められるときは、その者について三年以内の期間を定めて一般競争に参加させないことができる。その者を代理人、支配人その他の使用人として使用する者についても、また同様とする。

一　契約の履行に当たり故意に工事、製造その他の役務を粗雑に行い、又は物件の品質若しくは数量に関して不正の行為をしたとき。

二　公正な競争の執行を妨げたとき又は公正な価格を害し若しくは不正の利益を得るために連合したとき。

三　落札者が契約を結ぶこと又は契約者が契約を履行することを妨げたとき。

四　監督又は検査の実施に当たり職員の職務の執行を妨げたとき。

五　正当な理由がなくて契約を履行しなかつたとき。

六　契約により、契約の後に代価の額を確定する場合において、当該代価の請求を故意に虚偽の事実に基づき過大な額で行つたとき。

七　この項（この号を除く。）の規定により一般競争に参加できないこととされている者を契約の締結又は契約の履行に当たり、代理人、支配人その他の使用人として使用したとき。

2　契約担当官等は、前項の規定に該当する者を入札代理人として使用する者を一般競争に参加させないことができる。

改　本条…全部改正（昭二七政令七六）、一部改正（昭二九政令一七二）、全部改正（昭三七政令三二四）、一項…一部改正（平二〇政令二六　平二五政令九八）

参　**競争妨害及び談合行為の罰則**（刑法九六の三）　**本条以外の資格**（予決令七〇・七二・七三）　**本条の準用**（予決令九八）　**本条該当者の報告等**（予決令一〇二、契約事務規則二五・二六）

（各省各庁の長が定める一般競争参加者の資格）

第七十二条　各省各庁の長又はその委任を受けた職員は、必要があるときは、工事、製造、物件の買入れその他についての契約の種類ごとに、その金額等に応じ、工事、製造又は販売等の実績、従業員の数、資本の額その他の経営の規模及び経営の状況に関する事項について一般競争に参加する者に必要な資格を定めることができる。

2　各省各庁の長又はその委任を受けた職員は、前項の規定により資格を定めた場合においては、その定めるところにより、定期に又は随時に、一般競争に参加しようとする者の申請をまつて、その者が当該資格を有するかどうかを審査しなければならない。

3　各省各庁の長又はその委任を受けた職員は、第一項の資格を有する者の名簿を作成するものとする。

4　各省各庁の長又はその委任を受けた職員は、第一項の規定により一般競争に参加する者に必要な資格を定めたときは、その基本となるべき事項並びに第二項に規定する申請の時期及び方法等について公示しなければならない。

改 本条…全部改正（昭二七政令七六）、一部改正（昭二九政令一七二）、全部改正（昭三七政令三二四）

参 **資格審査結果の通知**（契約事務規則四）　**本条以外の資格**（予決令七〇・七一・七三）　**本条の引用及び準用**（予決令九五Ⅰ・Ⅱ）　**資格を定めるときの財務大臣協議**（予決令一〇二の三）　**特定調達契約に係る競争参加者の資格に関する公示等**（調達政令四、調達省令三）

（契約担当官等が定める一般競争参加者の資格）

第七十三条　契約担当官等は、一般競争に付そうとする場合において、契約の性質又は目的により、当該競争を適正かつ合理的に行なうため特に必要があると認めるときは、各省各庁の長の定めるところにより、前条第一項の資格を有する者につき、さらに当該競争に参加する者に必要な資格を定め、その資格を有する者により当該競争を行なわせることができる。

改 本条…一部改正（昭二九政令一七二）、全部改正（昭三七政令三二四）

参 **本条以外の資格**（予決令七〇～七二）

第二款　公告及び競争

（入札の公告）

第七十四条　契約担当官等は、入札の方法により一般競争に付そうとするときは、その入札期日の前日から起算して少なくとも十日前に官報、新聞紙、掲示その他の方法により公告しなければならない。ただし、急を要する場合においては、その期間を五日までに短縮することができる。

改 本条…一部改正（昭二九政令一七二）、全部改正（昭三七政令三二四）

参 **複数落札制度の公告**（予決令臨特四の四・四の一二）　**普通財産の契約に関する公告**（普通財産取扱規則一二）　**特定調達契約に関する公告**（調達政令五）　**公告によらない競争―展示入札**（予決令臨特四の一四）　**国税徴収上の公売公告**（徴収法九五）　**入札説明書の交付**（調達政令九）

（入札について公告する事項）

第七十五条　前条の規定による公告は、次に掲げる事項についてするものとする。

一　競争入札に付する事項
二　競争に参加する者に必要な資格に関する事項
三　契約条項を示す場所
四　競争執行の場所及び日時
五　会計法第二十九条の四第一項の保証金（以下「入札保証金」という。）に関する事項

改 本条…一部改正（昭二三政令三三四、昭二五政令一四九、昭二七政令七六、昭二九政令一七二）、全部改正（昭三七政令三二四）

参 **複数落札制度の公告**（予決令臨特四の四・四の一二）　**特定調達契約に関する公告**（調達政令六）　**国税徴収上の公売公告**（徴収法九五）　**本条の引用**（予決令九七Ⅱ）

（入札の無効）

第七十六条　契約担当官等は、第七十四条の公告において、当該公告に示した競争に参加する者に必要な資格のない者のした入札及び入札に関する条件に違反した入札は無効とする旨を明らかにしなければならない。

改 本条…一部改正（昭二九政令一七二）、全部改正（昭三七政令三二四）

参 **本条の準用**（予決令九八）　**民法上の無効行為**（民法九〇―公序良俗に反する行為、同九三―心裡留保、同九四―虚偽表示、同九五―錯誤）

（入札保証金の納付の免除）

第七十七条　契約担当官等は、会計法第二十九条の四第一項ただし書の規定により、次に掲げる場合においては、入札保証金の全部又は一部を納めさせないことができる。

一　一般競争に参加しようとする者が保険会社との間に国を被保険者とする入札保証保険契約を結んだとき。
二　第七十二条第一項の資格を有する者による一般競争に付する場合において、落札者が契約を結ばないこととなるおそれがないと認められるとき。

改 本条…一部改正（昭二九政令一七二）、全部改正（昭三七政令三二四）

参 **入札保証保険証券の提出**（契約事務規則七）　**本条の準用**（予決令九八）　**国税徴収法上の公売保証金の提供を要しない場合**（徴収法一〇〇Ⅰ但書）

（入札保証金に代わる担保）

第七十八条　会計法第二十九条の四第二項の規定により契約担当官等が入札保証金の納付に代えて提供させることができる担保は、国債のほか、次に掲げるものとする。

一　政府の保証のある債券
二　銀行、株式会社商工組合中央金庫、農林中央金庫又は全国を地区とする信用金庫連合会の発行する債券
三　銀行が振り出し又は支払保証をした小切手
四　その他確実と認められる担保で財務大臣の定めるもの
2　前項の担保の価値及びその提供の手続は、別に定めるものを除くほか、財務大臣の定めるところによる。

改　本条…一部改正（昭二九政令一七一）、全部改正（昭三七政令三一四）、一部改正（昭六二政令五四）、一・二項…一部改正（平一二政令三〇七）、一項…一部改正（平一二政令三六一　平二〇政令一八〇）

参　**財務大臣の定める入札保証金に代わる担保**（契約事務規則五）　**担保として提供された小切手の現金化**（同八）　**担保の価値**（同九）　**本条の準用**（予決令九八）

（予定価格の作成）

第七十九条　契約担当官等は、その競争入札に付する事項の価格（第九十一条第一項の競争にあつては交換しようとするそれぞれの財産の価格の差額とし、同条第二項の競争にあつては財務大臣の定めるものとする。以下次条第一項において同じ。）を当該事項に関する仕様書、設計書等によつて予定し、その予定価格を記載し、又は記録した書面をその内容が認知できない方法により、開札の際これを開札場所に置かなければならない。

改　本条…一部改正（昭二七政令七六　昭二九政令一七一）、全部改正（昭三七政令三一四）、本条…一部改正（平一二政令三〇七　平一五政令二八）

参　**本条の準用**（予決令九八）　**国税徴収上の公売物件の見積価額**（徴収法九八）

（予定価格の決定方法）

第八十条　予定価格は、競争入札に付する事項の価格の総額について定めなければならない。ただし、一定期間継続してする製造、修理、加工、売買、供給、使用等の契約の場合においては、単価についてその予定価格を定めることができる。
2　予定価格は、契約の目的となる物件又は役務について、取引の実例価格、需給の状況、履行の難易、数量の多寡、履行期間の長短等を考慮して適正に定めなければならない。

改　本条…一部改正（昭二七政令七六）、全部改正（昭三七政令三一四）

参　**複数落札制度の予定価格の決定**（予決令臨特四の五、特会令二一）　**本条の準用**（予決令九八）　**他の規定による予定価格の決定方法**（飼料需給安定法五Ⅲ）

（開札）

第八十一条　契約担当官等は、公告に示した競争執行の場所及び日時に、入札者を立ち会わせて開札をしなければならない。この場合において、入札者が立ち会わないときは、入札事務に関係のない職員を立ち会わせなければならない。

改　本条…全部改正（昭二七政令七六）、一部改正（昭二九政令一七一）、全部改正（昭三七政令三一四）

参　**本条の準用**（予決令九八）

（再度入札）

第八十二条　契約担当官等は、開札をした場合において、各人の入札のうち予定価格の制限に達した価格の入札がないときは、直ちに、再度の入札をすることができる。

改　本条…全部改正（昭二七政令七六）、一部改正（昭二九政令一七一）、全部改正（昭三七政令三一四）

参　**本条の準用**（予決令九八）　**他法令の規定**（文部科学省著作教科書の出版権等に関する法律七）　**国税徴収上の再度入札**（徴収法一〇二）

第三款　落札者の決定等

（落札者の決定）

第八十三条　落札となるべき同価の入札をした者が二人以上あるときは、契約担当官等は、直ちに、当該入札者にくじを引かせて落札者を定めなければならない。
2　前項の場合において、当該入札者のうちくじを引かない者があるときは、これに代わつて入札事務に関係のない職員にくじを引かせることができる。

改　本条…一部改正（昭二九政令一七一）、全部改正（昭三七政令三一四）

参　**落札の特例**（会計法二九の六Ⅰ但書・Ⅱ、予決令八四〜九〇、予決令臨特四の二・四の三・四の七・四の一〇・四の一一）　**落札者の公示**（調達政令一三）　**落札者の決定に関する通知**（調達省令七）　**本条の準用**（予決令九八）

（最低価格の入札者を落札者としないことができる契約）

第八十四条　会計法第二十九条の六第一項ただし書に規定する国の支払の原因となる契約のうち政令で定めるものは、予定価格が一千万円（各省各庁の長が財務大臣と協議して一千万円を超える金額を定めたときは、当該金額）を超え

る工事又は製造その他についての請負契約とする。

改　本条…一部改正（昭二九政令一七二）、全部改正（昭三七政令三二四）、本条…一部改正（平一二政令三〇七　平一三政令六七）

参　**落札の特例**（会計法二九の六Ⅰ但書・Ⅱ、予決令八四～九〇、予決令臨特四の二・四の三・四の七・四の一〇・四の一一）　**本条の準用**（予決令九八）

（契約内容に適合した履行がされないおそれがあるため最低価格の入札者を落札者としない場合の手続）

第八十五条　各省各庁の長は、会計法第二十九条の六第一項ただし書の規定により、必要があるときは、前条に規定する契約について、相手方となるべき者の申込みに係る価格によつては、その者により当該契約の内容に適合した履行がされないこととなるおそれがあると認められる場合の基準を作成するものとする。

改　本条…一部改正（昭二七政令七六　昭二九政令一七二）、全部改正（昭三七政令三二四）

参　**最低価格入札者を落札者としないことができる契約**（予決令八四）　**本条関係手続規定**（予決令六九・八六～八八・九〇）　**本条の基準を定める場合の要件**（予決令一〇二の三）　**本条の準用**（予決令九八）

第八十六条　契約担当官等は、第八十四条に規定する契約に係る競争を行なつた場合において、契約の相手方となるべき者の申込みに係る価格が、前条の基準に該当することとなつたときは、その者により当該契約の内容に適合した履行がされないおそれがあるかどうかについて調査しなければならない。

2　契約担当官等は、前項の調査の結果、その者により当該契約の内容に適合した履行がされないおそれがあると認めたときは、その調査の結果及び自己の意見を記載し、又は記録した書面を契約審査委員に提出し、その意見を求めなければならない。

改　本条…一部改正（昭二四政令八一　昭二七政令七六　昭二九政令一七二）、全部改正（昭三七政令三二四）、二項…一部改正（平一五法二八）

参　**本条関係手続規定**（予決令六九・八五・八七・八八・九〇、契約事務規則一〇Ⅰ）　**本条の準用**（予決令九八）

第八十七条　契約審査委員は、前条第二項の規定により、契約担当官等から意見を求められたときは、必要な審査をし、書面によつて意見を表示しなければならない。

改　本条…一部改正（昭二七政令七六　昭二九政令一七二）、全部改正（昭三七政令三二四）

参　**本条関係手続規定**（予決令六九・八五・八六・八八・九〇）　**本条の準用**（予決令九八）

第八十八条　契約担当官等は、前条の規定により表示された契約審査委員の意見のうちの多数が自己の意見と同一であつた場合においては、予定価格の制限の範囲内で最低の価格をもつて申込みをした者を落札者とせず、予定価格の制限の範囲内の価格をもつて申込みをした他の者のうち最低の価格をもつて申込みをした者（以下「次順位者」という。）を落札者とするものとする。

2　契約担当官等は、契約審査委員の意見のうちの多数が自己の意見と異なる場合においても、当該契約の相手方となるべき者により当該契約の内容に適合した履行がされないおそれがあると認めたことについて合理的な理由があるときは、次順位者を落札者とすることができる。

改　本条…一部改正（昭二九政令一七二）、全部改正（昭三七政令三二四）

参　**本条関係手続規定**（予決令六九・八五～八七・九〇、契約事務規則一〇）　**本条の準用**（予決令九八）

（公正な取引の秩序を乱すこととなるおそれがあるため最低価格の入札者を落札者としない場合の手続）

第八十九条　契約担当官等は、第八十四条に規定する契約に係る競争を行なつた場合において、契約の相手方となるべき者と契約を締結することが公正な取引の秩序を乱すこととなるおそれがあつて著しく不適当であると認めたときは、その理由及び自己の意見を記載し、又は記録した書面を当該各省各庁の長に提出し、その者を落札者としないことについて承認を求めなければならない。

2　契約担当官等は、前項の承認があつたときは、次順位者を落札者とするものとする。

改　本条…一部改正（昭二七政令七六　昭二九政令一七二）、全部改正（昭三七政令三二四）、一項…一部改正（平一五政令二八）

参　**本条関係手続規定**（契約事務規則一〇）　**本条の準用**（予決令九八）

（最低入札者を落札者としなかつた場合の書面の提出）

第九十条　契約担当官等は、次の各号に掲げる場合においては、遅滞なく、当該競争に関する調書を作成し、当該各号に掲げる書面の写しを添え、これを当該各省各庁の長を経由して財務大臣及び会計検査院に提出しなければならない。

一　第八十八条の規定により次順位者を落札者としたとき。第八十六条第二項に規定する調査の結果及び自己の意見を記載し、又は記録した書面並びに第八十七条に規定する契約審査委員の意見を記載し、又は記録した書面

二　前条の規定により次順位者を落札者としたとき。同条に規定する理由及び自己の意見を記載し、又は記録した書面並びに当該各省各庁の長の承認があつたことを証する書面

改　本条…一部改正（昭二九政令一七一）、全部改正（昭三七政令三一四）、本条…一部改正（平一二政令三〇七　平一五政令二八）

参　**本条関係手続規定**（予決令八五～八九）　**本条の準用**（予決令九八）

（交換等についての契約を競争に付して行なう場合の落札者の決定）

第九十一条　契約担当官等は、会計法第二十九条の六第二項の規定により、国の所有に属する財産と国以外の者の所有する財産との交換に関する契約については、それぞれの財産の見積価格の差額が国にとつて最も有利な申込みをした者を落札者とすることができる。

2　契約担当官等は、会計法第二十九条の六第二項の規定により難い契約で前項に規定するもの以外のものについては、各省各庁の長が財務大臣に協議して定めるところにより、価格その他の条件が国にとつて最も有利なものをもつて申込みをした者を落札者とすることができる。

改　本条…一部改正（昭二七政令七六　昭二九政令一七一）、全部改正（昭三七政令三一四）、本条…一部改正（平一二政令三〇七）

参　**本条の準用**（予決令九八）　**交換の制限**（財政法九Ⅰ）　**交換の例**（財産法二七、財産特法九、国の所有に属する自動車等の交換に関する法律）

（再度公告入札の公告期間）

第九十二条　契約担当官等は、入札者若しくは落札者がない場合又は落札者が契約を結ばない場合において、さらに入札に付そうとするときは、第七十四条の公告の期間を五日までに短縮することができる。

改　本条…一部改正（昭二三政令三三四　昭二九政令一七一）、全部改正（昭三七政令三一四）

参　**特定調達契約に関する公告期間**（調達政令五）　**国税徴収上の再公売**（徴収法一〇七）

（せり売り）

第九十三条　契約担当官等は、動産の売払いについて特に必要があると認めるときは、本節の規定に準じ、せり売りに付することができる。

改　本条…一部改正（昭二九政令一七一）、全部改正（昭三七政令三一四）

参　**国税徴収上のせり売**（徴収法一〇三）

第三節　指名競争契約

改　本節…全部改正（昭三七政令三一四）

（指名競争に付することができる場合）

第九十四条　会計法第二十九条の三第五項の規定により指名競争に付することができる場合は、次に掲げる場合とする。

一　予定価格が五百万円を超えない工事又は製造をさせるとき。

二　予定価格が三百万円を超えない財産を買い入れるとき。

三　予定賃借料の年額又は総額が百六十万円を超えない物件を借り入れるとき。

四　予定価格が百万円を超えない財産を売り払うとき。

五　予定賃貸料の年額又は総額が五十万円を超えない物件を貸し付けるとき。

六　工事又は製造の請負、財産の売買及び物件の貸借以外の契約でその予定価格が二百万円を超えないものをするとき。

2　随意契約によることができる場合においては、指名競争に付することを妨げない。

改　本条…削除（昭二七政令七六）、追加（昭三七政令三一四）、一項…一部改正（昭四一政令一一四　昭四九政令一六九）

参　**他の規定による指名競争**（文部科学省著作教科書の出版権等に関する法律三）

（指名競争参加者の資格）

第九十五条　各省各庁の長又はその委任を受けた職員は、工事、製造、物件の買入れその他についての契約の種類ごとに、その金額等に応じ、第七十二条第一項に規定する事項について、指名競争に参加する者に必要な資格を定めなけ

ればならない。

2　第七十二条第二項及び第三項の規定は、各省各庁の長又はその委任を受けた職員が前項の規定により資格を定めた場合に準用する。

3　前項の場合において、第一項の資格が第七十二条第一項の資格と同一である等のため、前項において準用する同条第二項及び第三項の規定による資格の審査及び名簿の作成を要しないと認められるときは、当該資格の審査及び名簿の作成は、行なわず、同条第二項及び第三項の規定による資格の審査及び名簿の作成をもつて代えるものとする。

4　各省各庁の長又はその委任を受けた職員は、年間の契約の件数が僅少であることその他特別の事情がある契約担当官等に係る指名競争については、当該競争に参加する者に必要な資格及びその審査に関し第一項及び第二項に定めるところと異なる定めをし、又は当該競争に参加する資格を有する者の名簿を作成しないことができる。

改　本条…一部改正（昭二七政令七六　昭二九政令一七一）、全部改正（昭三七政令三一四）

参　**資格を定めるときの財務大臣協議**（予決令一〇二の三）

（指名基準）

第九十六条　各省各庁の長又はその委任を受けた職員は、契約担当官等が前条の資格を有する者のうちから競争に参加する者を指名する場合の基準を定めなければならない。

2　各省各庁の長又はその委任を受けた職員は、前項の基準を定めたときは、財務大臣に通知しなければならない。

改　本条…一部改正（昭二二政令二八一　昭二三政令三三四　昭二六政令一六三　昭二七政令二八八　昭二八政令三二一・一七五　昭二九政令一七一　昭三〇政令一四〇　昭三一政令一二九　昭三三政令七八・七九　昭三三政令二〇四　昭三五政令一六〇）、全部改正（昭三七政令三一四）、二項…一部改正（平一二政令三〇七）

（競争参加者の指名）

第九十七条　契約担当官等は、指名競争に付するときは、第九十五条の資格を有する者のうちから、前条第一項の基準により、競争に参加する者をなるべく十人以上指名しなければならない。

2　前項の場合においては、第七十五条第一号及び第三号から第五号までに掲げる事項をその指名する者に通知しなければならない。

改　本条…全部改正（昭三七政令三一四）

参　**特定調達契約の公示**（調達政令七）

（一般競争に関する規定の準用）

第九十八条　第七十条、第七十一条及び第七十六条から第九十一条までの規定は、指名競争の場合に準用する。

改　本条…全部改正（昭三七政令三一四）

第四節　随意契約

改　本節…全部改正（昭三七政令三一四）

（随意契約によることができる場合）

第九十九条　会計法第二十九条の三第五項の規定により随意契約によることができる場合は、次に掲げる場合とする。

一　国の行為を秘密にする必要があるとき。

二　予定価格が二百五十万円を超えない工事又は製造をさせるとき。

三　予定価格が百六十万円を超えない財産を買い入れるとき。

四　予定賃借料の年額又は総額が八十万円を超えない物件を借り入れるとき。

五　予定価格が五十万円を超えない財産を売り払うとき。

六　予定賃貸料の年額又は総額が三十万円を超えない物件を貸し付けるとき。

七　工事又は製造の請負、財産の売買及び物件の貸借以外の契約でその予定価格が百万円を超えないものをするとき。

八　運送又は保管をさせるとき。

九　沖縄振興開発金融公庫その他特別の法律により特別の設立行為をもつて設立された法人のうち財務大臣の指定するものとの間で契約をするとき。

十　農場、工場、学校、試験所、刑務所その他これらに準ずるものの生産に係る物品を売り払うとき。

十一　国の需要する物品の製造、修理、加工又は納入に使用させるため必要な物品を売り払うとき。

十二　法律の規定により財産の譲与又は無償貸付けをすることができる者にその財産を売り払い又は有償で貸し付けるとき。

十三　非常災害による罹災者に国の生産に係る建築材料を売り払うとき。

十四　罹災者又はその救護を行なう者に災害の救助に必要な物件を売り払い又は貸し付けるとき。

十五　外国で契約をするとき。

十六　都道府県及び市町村その他の公法人、公益法人、農業協同組合又は農業協同組合連合会から直接に物件を買い入れ又は借り入れるとき。

十六の二　慈善のため設立した救済施設から直接に物件を買い入れ若しくは借り入れ又は慈善のため設立した救済施設から役務の提供を受けるとき。

十七　開拓地域内における土木工事をその入植者の共同請負に付するとき。

十八　事業協同組合、事業協同小組合若しくは協同組合連合会又は商工組合若しくは商工組合連合会の保護育成のためこれらの者から直接に物件を買い入れるとき。

十九　学術又は技芸の保護奨励のため必要な物件を売り払い又は貸し付けるとき。

二十　産業又は開拓事業の保護奨励のため、必要な物件を売り払い若しくは貸し付け、又は生産者から直接にその生産に係る物品を買い入れるとき。

二十一　公共用、公用又は公益事業の用に供するため必要な物件を直接に公共団体又は事業者に売り払い、貸し付け又は信託するとき。

二十二　土地、建物又は林野若しくはその産物を特別の縁故がある者に売り払い又は貸し付けるとき。

二十三　事業経営上の特別の必要に基づき、物品を買い入れ若しくは製造させ、造林をさせ又は土地若しくは建物を借り入れるとき。

二十四　法律又は政令の規定により問屋業者に販売を委託し又は販売させるとき。

二十五　国が国以外の者に委託した試験研究の成果に係る特許権及び実用新案権の一部を当該試験研究を受託した者に売り払うとき。

改　本条…一部改正（昭二九政令一七一）、全部改正（昭三七政令三一四）、一部改正（昭三八政令一五二　昭四一政令一一四　昭四三政令一七三　昭四七政令一八六　昭四九政令一六九　昭六〇政令二四・三一・二八一　昭六一政令二〇〇　昭六二政令五四　平一政令二六七・二七二　平一二政令三〇七　平二〇政令二三七・二九七　平二五政令九八）

参　**他の規定による随意契約及び優先契約**（予決令臨特四の八・五、調達政令一一・一二、特会令二四、文部科学省著作教科書の出版権等に関する法律三但書、国有林野法八、飼料需給安定法四・五、主要食糧の需給及び価格の安定に関する法律四二）　**国税徴収上の随意契約**（徴収法一〇九）

第九十九条の二　契約担当官等は、競争に付しても入札者がないとき、又は再度の入札をしても落札者がないときは、随意契約によることができる。この場合においては、契約保証金及び履行期限を除くほか、最初競争に付するときに定めた予定価格その他の条件を変更することができない。

改　本条…追加（昭二五政令一四九）、一部改正（昭二九政令一七一）、全部改正（昭三七政令三一四）

参　**本条の特例**（予決令臨特四の九）　**国税徴収上の同趣旨規定**（徴収法一〇九Ⅰ3）

第九十九条の三　契約担当官等は、落札者が契約を結ばないときは、その落札金額の制限内で随意契約によることができる。この場合においては、履行期限を除くほか、最初競争に付するときに定めた条件を変更することができない。

改　本条…追加（昭三七政令三一四）、一部改正（昭四〇政令一一一）

（分割契約）

第九十九条の四　前二条の場合においては、予定価格又は落札金額を分割して計算することができる場合に限り、当該価格又は金額の制限内で数人に分割して契約をすることができる。

改　本条…追加（昭三七政令三一四）

参　**本条の適用除外**（調達政令一一Ⅱ）

（予定価格の決定）

第九十九条の五　契約担当官等は、随意契約によろうとするときは、あらかじめ第八十条の規定に準じて予定価格を定めなければならない。

改　本条…追加（昭三七政令三一四）

（見積書の徴取）

第九十九条の六　契約担当官等は、随意契約によろうとするときは、なるべく二人以上の者から見積書を徴さなければならない。

改　本条…追加（昭三七政令三一四）

第五節　契約の締結

改　本節…全部改正（昭三七政令三一四）

（契約書の記載事項）

第百条　会計法第二十九条の八第一項本文の規定により契約担当官等が作成すべき契約書には、契約の目的、契約金額、履行期限及び契約保証金に関する事項のほか、次に掲げる事項を記載しなければならない。ただし、契約の性質又は目的により該当のない事項については、この限りでない。

一　契約履行の場所
二　契約代金の支払又は受領の時期及び方法
三　監督及び検査
四　履行の遅滞その他債務の不履行の場合における遅延利息、違約金その他の損害金、履行の追完、代金の減額及び契約の解除
五　危険負担
六　契約に関する紛争の解決方法
七　その他必要な事項

2　前項に定めるもののほか、契約書の記載その他その作成に関する細目は、財務大臣の定めるところによる。

改　本条…一部改正（昭二九政令一七一）、全部改正（昭三七政令三一四）、二項…一部改正（平一二政令三〇七）、一項…一部改正（平三〇政令一八三）

参　**契約書作成に関する手続等**（契約事務規則一一・一四）　**標準契約書**（同一二）　**契約書記載事項**（同一三）　**契約書作成についての他の規定**（遅延防止法四）　**契約書作成の省略**（会計法二九の八Ⅰ但書）　**民法の危険負担の規定**（民法五三六）

（契約書の作成を省略することができる場合）

第百条の二　会計法第二十九条の八第一項ただし書の規定により契約書の作成を省略することができる場合は、次に掲げる場合とする。

一　第七十二条第一項の資格を有する者による一般競争契約又は指名競争契約若しくは随意契約で、契約金額が百五十万円（外国で契約するときは、二百万円）を超えないものをするとき。
二　せり売りに付するとき。
三　物品を売り払う場合において、買受人が代金を即納してその物品を引き取るとき。
四　第一号に規定するもの以外の随意契約について各省各庁の長が契約書を作成する必要がないと認めるとき。

2　各省各庁の長は、前項第四号の規定による認定をしようとするときは、財務大臣に協議しなければならない。

3　財務大臣は、前項の協議が整つたときは、会計検査院に通知しなければならない。

改　本条…追加（昭三七政令三一四）、一項…一部改正（昭四四政令二九八　昭四九政令一六九）、二・三項…一部改正（平一二政令三〇七）

参　**契約書作成の要否**（契約事務規則一一）　**請書等の徴取**（同一五）

（契約保証金の納付の免除）

第百条の三　契約担当官等は、会計法第二十九条の九第一項ただし書の規定により、次に掲げる場合においては、契約保証金の全部又は一部を納めさせないことができる。

一　契約の相手方が保険会社との間に国を被保険者とする履行保証保険契約を結んだとき。
二　契約の相手方から委託を受けた保険会社、銀行、農林中央金庫その他財務大臣の指定する金融機関と工事履行保証契約を結んだとき。
三　第七十二条第一項の資格を有する者による一般競争に付し、若しくは指名競争若しくはせり売りに付し、又は随意契約による場合において、その必要がないと認められるとき。

改　本条…追加（昭三七政令三一四）、一部改正（平七政令二四六　平一二政令一二六　平一二政令三〇七）

参　**履行保証保険証券の提出**（契約事務規則一七において準用する七）

（契約保証金に代わる担保）

第百条の四　第七十八条の規定は、契約担当官等が契約保証金の納付に代えて担保を提供させる場合に準用する。

改　本条…追加（昭三七政令三一四）

参　**七八条の準用により財務大臣の定める契約保証金に代わる担保**（契約事務規則五Ⅰ・一六）　**契約保証金に代わる担保の提供の方法**（同一七において準用する五Ⅱ・Ⅲ）　**担保の価値**（同九）　**担保として提供された小切手の現金化等**（同一七において準用する八）

第六節　契約の履行

改　本節…追加（昭三七政令三一四）

（売払代金の完納時期）

第百一条　国の所有に属する財産の売払代金は、法律又は政令に特別の規定がある場合を除くほか、その引渡しの時までに、完納させなければならない。

改　本条…削除（昭二七政令七六）、追加（昭三七政令三一四）

参　**他の法令の規定例**（財産法三一Ⅰ本文、国の所有に属する

物品の売払代金の納付に関する法律一）**代金延納規定**（財産法三一Ⅰ但書・Ⅱ、財産特法一一、国の所有に属する物品の売払代金の納付に関する法律一の二・二・四、近畿圏の近郊整備区域及び都市開発区域の整備及び開発に関する法律四五、中部圏の都市整備区域、都市開発区域及び保全区域の整備等に関する法律九、外国政府等に対する米穀の売渡しに関する暫定措置法）

（貸付料の納付時期）

第百一条の二　財産の貸付料は、法律又は政令に特別の規定がある場合を除くほか、前納させなければならない。ただし、貸付期間が六月以上にわたるものについては、分割して定期に前納させることができる。

改 本条…追加（昭三七政令三一四）

参 **他の法令の規定の例**（財産法三三）

（監督の方法）

第百一条の三　会計法第二十九条の十一第一項に規定する工事又は製造その他についての請負契約の適正な履行を確保するため必要な監督（以下本節において「監督」という。）は、契約担当官等が、自ら又は補助者に命じて、立会い、指示その他の適切な方法によつて行なうものとする。

改 本条…追加（昭三七政令三一四）

参 **監督職員の一般的職務**（契約事務規則一八）　**契約担当官等及びその補助者以外の職員に監督を行わせる場合の手続等**（予決令一〇一の六）　**監督と検査の職務の分離**（予決令一〇一の七）　**監督職員の報告**（契約事務規則一九）　**監督実施細目**（同二一）　**監督の委託**（予決令一〇一の八、契約事務規則二三）　**監督職員の責任**（予責法二Ⅰ10・三）

（検査の方法）

第百一条の四　会計法第二十九条の十一第二項に規定する工事若しくは製造その他についての請負契約又は物件の買入れその他の契約についての給付の完了の確認（給付の完了前に代価の一部を支払う必要がある場合において行なう工事若しくは製造の既済部分又は物件の既納部分の確認を含む。）をするため必要な検査（以下本節において「検査」という。）は、契約担当官等が、自ら又は補助者に命じて、契約書、仕様書及び設計書その他の関係書類に基づいて行なうものとする。

改 本条…追加（昭三七政令三一四）

参 **検査の一部省略**（予決令一〇一の五、契約事務規則二二）　**検査職員の一般的職務**（同二〇）　**契約担当官等及びその補助者以外の職員に検査を行わせる場合の手続等**（予決令一〇一の六）　**検査と監督の職務の分離**（同一〇一の七）　**検査調書の作成**（同一〇一の九、省略－契約事務規則二四）　**検査実施細目**（同二一）　**検査の委託**（予決令一〇一の八、契約事務規則二三）　**検査職員の責任**（予責法二Ⅰ10・三）

（検査の一部省略）

第百一条の五　会計法第二十九条の十一第三項に規定する特約により給付の内容が担保されると認められる契約のうち財務大臣の定める物件の買入れに係るものについては、数量以外のものの検査を省略することができる。

改 本条…追加（昭三七政令三一四、平一二政令三〇七）

参 **検査の一部を省略できるもの**（契約事務規則二二）

（監督及び検査を契約担当官等及びその補助者以外の職員に行なわせる場合の手続等）

第百一条の六　第六十八条第一項の規定は、各省各庁の長が会計法第二十九条の十一第四項の規定により当該契約に係る契約担当官等及びその補助者以外の当該各省各庁所属の職員に監督又は検査を行なわせる場合に、第二十六条第三項の規定は、各省各庁の長が同法第二十九条の十一第四項の規定により他の各省各庁所属の職員に監督又は検査を行なわせる場合に、それぞれ準用する。

２　前項に規定する場合において、各省各庁の長又はその委任を受けた職員は、当該各省各庁又は他の各省各庁に置かれた官職を指定することにより、その官職にある者に監督又は検査を行なわせることができる。この場合においては、同項において準用する第二十六条第三項の規定による同意は、その指定しようとする官職及び行なわせようとする事務の範囲についてあれば足りる。

３　各省各庁の長又はその委任を受けた職員は、監督又は検査を当該契約に係る契約担当官等及びその補助者以外の当該各省各庁所属の職員又は他の各省各庁所属の職員に行なわせることとしたときは、当該契約担当官等にその旨並びに当該監督又は検査を行なわせることとした職員の官職及び氏名を、当該監督又は検査を行なわせることとした職員に関係の契約担当官等の官職及び氏名を、それぞれ通知しなければならない。

改 本条…追加（昭三七政令三一四）

参 **外局の長・地方支分部局の長等をして事務の委任を行わせしめる規定**（予決令六八Ⅰ）　**他の各省各庁所属の職員に事務を委任する場合の当該他の各省各庁の長の同意を経る規定**

（同六八Ⅱ）　**本条の監督及び検査職員の責任**（予責法二Ⅰ10・三）

（監督の職務と検査の職務の兼職禁止）

第百一条の七　契約担当官等から検査を命ぜられた補助者及び各省各庁の長又はその委任を受けた職員から検査を命ぜられた職員の職務は、特別の必要がある場合を除き、契約担当官等から監督を命ぜられた補助者及び各省各庁の長又はその委任を受けた職員から監督を命ぜられた職員の職務と兼ねることができない。

改　本条…追加（昭三七政令三一四）

参　**同趣旨規定**（会計法八・二六、特例－予決令三〇・四〇の二）

（監督及び検査の委託）

第百一条の八　契約担当官等は、会計法第二十九条の十一第五項の規定により、特に専門的な知識又は技能を必要とすることその他の理由により国の職員によつて監督又は検査を行なうことが困難であり又は適当でないと認められる場合においては、国の職員以外の者に委託して当該監督又は検査を行なわせることができる。

改　本条…追加（昭三七政令三一四）

参　**監督及び検査を委託して行つた場合の確認手続**（契約事務規則二三）

（検査調書の作成）

第百一条の九　契約担当官等、契約担当官等から検査を命ぜられた補助者及び各省各庁の長又はその委任を受けた職員から検査を命ぜられた職員は、検査を完了した場合においては、財務大臣の定める場合を除くほか、検査調書を作成しなければならない。

2　前項の規定により検査調書を作成すべき場合においては、当該検査調書に基づかなければ、支払をすることができない。

改　本条…追加（昭三七政令三一四）、一項…一部改正（平一二政令三〇七）

参　**検査調書の作成の省略**（契約事務規則二四）　**検査実施の規定**（会計法二九の一一Ⅱ・Ⅳ・Ⅴ、予決令一〇一の四、契約事務規則二〇）　**同時履行の抗弁権**（民法五三三）

（部分払の限度額）

第百一条の十　契約により、工事若しくは製造その他についての請負契約に係る既済部分又は物件の買入契約に係る既納部分に対し、その完済前又は完納前に代価の一部を支払う必要がある場合における当該支払金額は、工事又は製造その他についての請負契約にあつてはその既済部分に対する代価の十分の九、物件の買入契約にあつてはその既納部分に対する代価をこえることができない。ただし、性質上可分の工事又は製造その他についての請負契約に係る完済部分にあつては、その代価の全額までを支払うことができる。

改　本条…追加（昭三七政令三一四）

参　**類似の支払方法**－前金払及び概算払（会計法二二、予決令五七・五八、予決令臨特二～四等）

第七節　雑則

改　節名…追加（昭三七政令三一四）

（競争に参加させないことができる者についての報告等）

第百二条　契約担当官等は、その取扱いに係る契約に関し、第七十一条の規定に該当すると認められる者があつたときは、財務大臣の定めるところにより、その事実を詳細に記載し、又は記録した書面により当該各省各庁の長に報告しなければならない。

2　各省各庁の長は、前項の報告を受けた場合において、その報告に係る者が第七十一条の規定に該当すると認めたときは、その事実を記載し、又は記録した書面を財務大臣に送付しなければならない。

3　財務大臣は、前項の書面の送付を受けたときは、これを取りまとめて関係の各省各庁の長に送付するものとする。

改　本条…全部改正（昭二七政令七六）、一部改正（昭二九政令一七二）、全部改正（昭三七政令三一四）、本条…一部改正（平一二政令三〇七）、一・二項…一部改正（平一五政令二八）

参　**報告の省略**（契約事務規則二五）　**報告の内容等**（同二六）

（長期継続契約ができるもの）

第百二条の二　契約担当官等は、会計法第二十九条の十二の規定により、翌年度以降にわたり、次に掲げる電気、ガス若しくは水又は電気通信役務について、その供給又は提供を受ける契約を締結することができる。

一　電気事業法第二条第一項第十七号に規定する電気事業者が供給する電気

二　ガス事業法第二条第十二項に規定するガス事業者が供給するガス

三　水道法第三条第五項に規定する水道事業者又は工業用水道事業法第二条第五項に規定する工業用水道事業者が供給する水

四　電気通信事業法（昭和五十九年法律第八十六号）第二条第五号に規定する電気通信事業者が提供する電気通信役務（財務大臣の定めるものを除く。）

改　本条…追加（昭三七政令三一四）、一部改正（昭四〇政令二〇六　昭四五政令三〇〇　昭四六政令三五〇　昭四七政令三九五　昭六〇政令三一　平六政令四一一　平七政令三五九　平一一政令四三一　平一二政令三〇七　平一五政令四七六　平二八政令四三　平二九政令四〇）

参　**債務負担についての憲法上の根拠**（憲法八五）　**債務負担権限についての国会の議決を経る形式**−予算（財政法一四〜一四の三・一五Ⅰ・Ⅱ）　**長期継続契約から除外される電気通信役務**（契約事務規則二七）

（競争参加者の資格等を定めようとする場合の財務大臣への協議）

第百二条の三　各省各庁の長は、第七十二条第一項の一般競争に参加する者に必要な資格、第八十五条の基準若しくは第九十五条第一項の指名競争に参加する者に必要な資格を定めようとするとき、又は同条第四項の規定による定めをしようとするときは、あらかじめ、財務大臣に協議しなければならない。この場合において、その定めようとする事項が競争に参加する者に必要な資格であるときは、当該協議は、その資格の基本となるべき事項についてあれば足りる。

改　本条…追加（昭三七政令三一四）、本条…一部改正（平一二政令三〇七）

（指名競争に付し又は随意契約によろうとする場合の財務大臣への協議）

第百二条の四　各省各庁の長は、契約担当官等が指名競争に付し又は随意契約によろうとする場合においては、あらかじめ、財務大臣に協議しなければならない。ただし、次に掲げる場合は、この限りでない。

一　契約の性質又は目的により競争に加わるべき者が少数で一般競争に付する必要がない場合において、指名競争に付そうとするとき。

二　一般競争に付することを不利と認めて指名競争に付そうとする場合において、その不利と認める理由が次のイからハまでの一に該当するとき。

イ　関係業者が通謀して一般競争の公正な執行を妨げることとなるおそれがあること。

ロ　特殊の構造の建築物等の工事若しくは製造又は特殊の品質の物件等の買入れであつて検査が著しく困難であること。

ハ　契約上の義務違反があるときは国の事業に著しく支障をきたすおそれがあること。

三　契約の性質若しくは目的が競争を許さない場合又は緊急の必要により競争に付することができない場合において、随意契約によろうとするとき。

四　競争に付することを不利と認めて随意契約によろうとする場合において、その不利と認める理由が次のイからニまでの一に該当するとき。

イ　現に契約履行中の工事、製造又は物品の買入れに直接関連する契約を現に履行中の契約者以外の者に履行させることが不利であること。

ロ　随意契約によるときは、時価に比べて著しく有利な価格をもつて契約をすることができる見込みがあること。

ハ　買入れを必要とする物品が多量であつて、分割して買い入れなければ売惜しみその他の理由により価格を騰貴させるおそれがあること。

ニ　急速に契約をしなければ、契約をする機会を失い、又は著しく不利な価格をもつて契約をしなければならないこととなるおそれがあること。

五　第九十四条第一項各号に掲げる場合において、指名競争に付そうとするとき。

六　第九十四条第二項の規定により、随意契約によることができる場合において、指名競争に付そうとするとき。

七　第九十九条第一号から第十八号まで、第九十九条の二又は第九十九条の三の規定により随意契約によろうとするとき。

改　本条…追加（昭三七政令三一四）、一部改正（昭四一政令一一四　平一二政令三〇七）

（各省各庁の組織相互間の契約に準ずる行為）

第百二条の五　各省各庁の長は、各省各庁の組織相互の間において行なう契約に準ずる行為については、契約の例により取り扱うものとする。ただし、次に掲げる行為は、行なわないことができる。

一　第七十二条第二項（第九十五条第二項において準用する場合を含む。）の規定による競争に参加する者に必要な資格の審査

二　入札保証金又は契約保証金の納付

三　契約書の作成

四　競争に付すること。

改　本条…追加（昭三七政令三二四）

参　**入札保証金**（会計法二九の四、納付の免除―予決令七七、入札保証金に代わる担保―同令七八、契約事務規則五・八・九）　**契約保証金**（会計法二九の九、納付の免除―同法二九の九Ⅰ但書、予決令一〇〇の三、契約保証金に代わる担保―同令一〇〇の四において準用する七八等）　**契約書**（会計法二九の八、予決令一〇〇、契約事務規則一一～一四、作成の省略―予決令一〇〇の二、契約事務規則一五）　**競争**（会計法二九の三Ⅰ・Ⅲ・Ⅴ、予決令七四～九八）

第八章　国庫金及び有価証券

第一節　保管金及び有価証券

（保管に係る現金の日本銀行への払込）

第百三条　各省各庁の長の保管に係る現金は、これを日本銀行に払い込まなければならない。但し、数日内に払渡をする必要がある場合その他特別の事由がある場合には、この限りでない。

改　本条…全部改正（昭二六政令八二）、一部改正（昭二九政令一七一）

参　**根拠規定**（会計法三四・五〇）　**保管金の例**（会計法二九の四・二九の九、国の債権者代位権の行使に伴う現金又は有価証券の保管に関する政令、外国政府の財産の処分等に伴って生ずる現金の保管に関する政令、救恤又ハ学芸技術奨励寄附金等ノ保管出納ニ関スル件（明三三勅三二九）、民法二九等）　**供託金**（民法四九四、民執一五、選挙法九二等）　**歳入歳出外現金出納官吏**（会計法三八・三九・四〇の二Ⅰ・四八、出納官規程一Ⅱ・Ⅴ）　**保管金取扱準則**（予決令一〇五、保管金規則、保管金取扱規程、保管金払込規程、供託法、供託規則、出納官規程一～一一・六〇～六二）　**日本銀行の保管金規定**（日銀国庫金規程四二の二～四二の一二）

（国の所有又は保管に係る有価証券の取扱）

第百四条　国の所有に係る有価証券又は各省各庁の長の保管に係る有価証券は、財務大臣の定めるところにより、日本銀行をしてその取扱をなさしめる。

改　本条…一部改正（昭二九政令一七一　平一二政令三〇七）

参　**有価証券保管根拠法令の例**（会計法二九の四・二九の九・三三・三五、政府所有有価証券取扱規程、政府保管有価証券取扱規程、国の債権者代位権の行使に伴う現金又は有価証券の保管に関する政令）　**日本銀行の保管義務及び手続**（会計法三五、日銀有価証券規程二章・三章）

（保管に係る現金又は有価証券等の取扱手続）

第百五条　各省各庁の長の保管に係る現金若しくは有価証券又は国の所有に係る有価証券の取扱手続に関しては、法律又は政令に特別の規定がある場合の外は、財務大臣がこれを定める。

改　本条…一部改正（昭二九政令一七一　平一二政令三〇七）

参　**保管の根拠規定**（会計法三三）　**現金保管手続規定**（予決令一〇三、供託法、供託規則、保管金規則（除斥期間、利子等）、保管金取扱規程、出納官規程一～一一・六〇～六二）　**有価証券保管手続準則**（会計法三五、予決令一〇四、政府保管有価証券取扱規程、供託有価証券取扱規程）

第二節　国庫金の出納

（日本銀行における国庫金の出納事務の取扱）

第百六条　日本銀行は、この勅令の規定による外、財務大臣の定めるところにより、国庫金出納の事務を取り扱わなければならない。

②　日本銀行で受け入れた国庫金は、国の預金とし、その種別及び受払に関する事項は、財務大臣がこれを定める。

改　本条…一部改正（昭二九政令一七一　平一二政令三〇七）

参　**根拠規定**（日本銀行法三五、会計法三四）　**取扱規定**（日銀国庫金規程　総則一～一三・歳入金一四～二一の四・歳出金二三～三五・国税収納金整理資金三五の二～三五の一六・預託金三六～四二・保管金四二の二～四二の一二・財政融資資金預託金四三～五二・その他の国庫金五九～六二・雑則八六の二～九三）　**帳簿、計算、報告**（会計法四七、予決令一〇八・一〇九・一三八、日銀国庫金規程六三～八六）

（国の預金の利子）

第百七条　日本銀行は、国の預金については、財務大臣の特に定めるものに限り、その定めるところにより相当の利子を附さなければならない。

改　本条…一部改正（昭二九政令一七一　平一二政令三〇七）

参　**利子の附される預金**（日銀国庫金規程一〇―指定預金）

第三節　日本銀行の計算報告及び出納証明

（国庫金出納報告書の提出）

第百八条　日本銀行は、財務大臣の定めるところにより、国庫金の出納報告書を財務大臣に提出しなければならない。

改 本条…一部改正（昭二九政令一七一 平一二政令三〇七）
参 根拠規定（会計法四七） 報告書提出（日銀国庫金規程七八）

（国庫金出納計算書の作製及び送付）
第百九条 日本銀行は、会計検査院の検査を受けるため、国庫金の出納計算書を作製し、証拠書類その他必要な書類を添え、これを財務大臣に送付しなければならない。
② 日本銀行は、財務大臣の定めるところにより、国債の発行による収入金及び国債元利払資金の収支を整理し、これを前項の計算書に掲記しなければならない。
③ 財務大臣は、第一項の計算書を調査し、同項の書類とともに、これを会計検査院に送付しなければならない。

改 一・三項…一部改正（昭二九政令一七一）、二項…一部改正（昭四〇政令一一一）、本条…一部改正（平一二政令三〇七）
参 根拠規定（会計法四七） 計算書の作製及び送付（日銀国庫金規程八六）

（有価証券受払計算書の作製及び送付）
第百十条 日本銀行は、会計検査院の検査を受けるため、国の所有又は保管に係る有価証券受払計算書を作製し、証拠書類その他必要な書類を添え、これを財務大臣に送付しなければならない。
② 財務大臣は、前項の計算書を調査し、同項の書類とともに、これを会計検査院に送付しなければならない。

改 一・二項…一部改正（昭二九政令一七一 平一二政令三〇七）
参 根拠規定（会計法四七） 計算書の作製及び送付（日銀有価証券規程四二）

第九章 出納官吏

第一節 総則

（出納官吏等の任命）
第百十一条 会計法第三十九条から第四十条の二までの場合において、各省各庁の長又はその委任を受けた職員は、当該各省各庁又は他の各省各庁に置かれた官職を指定することにより、その官職にある者を出納官吏、分任出納官吏、出納官吏代理又は出納員とすることができる。
② 第二十六条第三項及び第四項の規定は、各省各庁の長が他の各省各庁所属の職員を出納官吏、分任出納官吏、出納官吏代理又は出納員としようとする場合に、これを準用する。

改 一項…一部改正（昭二四政令一七九）、全部改正（昭二五政令六二）、本条…全部改正（昭二七政令七六）、一部改正（昭二九政令一七一）、二項…一部改正（昭四四政令二九八）、本条…一部改正（昭四六政令三五〇）
参 都道府県が行う事務（会計法四八、予決令一四〇） 出納官吏の種類（出納官規程二） 資金前渡官吏の任命通知等（出納官規程二四・二五） 準用規定の内容（他の各省各庁の職員への委任の同意、官職指定委任―予決令二六Ⅲ・Ⅳ）

（出納員の事務取扱についての所属）
第百十二条 出納員は、主任出納官吏又は分任出納官吏に所属して出納の事務を取り扱わなければならない。

改 本条…一部改正（昭二九政令一七一）
参 出納員の任命等（会計法四〇・四〇の二Ⅱ） 出納員の現金取扱（予決令一一三・一一四・一二四）

（出納員の領収した現金の取扱）
第百十三条 出納員の領収した現金は、これを所属の出納官吏に払い込まなければならない。但し、各省各庁の長において、必要があると認めるときは、他の出納官吏又は出納員に交付せしめることができる。

改 本条…一部改正（昭二九政令一七一）
参 出納員の事務取扱（会計法四五、予決令一一二・一一四・一二四） 弁償責任（会計法四四）

（現金の出納保管）
第百十四条 出納官吏及び出納員は、この勅令に定めるものの外、財務大臣の定めるところにより、現金の出納保管をしなければならない。

改 本条…一部改正（昭二九政令一七一 平一二政令三〇七）
参 出納事務（出納官規程） 現金の保管等の規定（予決令一〇三・一〇五・一一三・一一四、出納官規程三～五・一七・一八・二七・二八・七六・八〇）

第二節 責任

（弁償責任の検定の請求）
第百十五条 会計法第四十三条第一項（同法第四十五条において準用する場合を含む。）の場合において、弁償を命ぜられた出納官吏又は出納員は、その責を免がれるべき理由があると信ずるときは、その理由を明らかにする書類及び計算書を作製し、証拠書類を添え、各省各庁の長を経由してこれを会計検査院に送付し、その検定を求めることができる。

② 各省各庁の長は、前項の場合においても、その命じた弁償を猶予しない。

改 本条…一部改正（昭二九政令一七二）

参 **出納官吏の弁償責任**（会計法四一・四四、予責法二Ⅰ4・5・7・8・三～五・七・八）　**会計検査院の検定等**（会計院法三二）

（現金の亡失の通知）

第百十五条の二 各省各庁の長は、出納官吏がその保管に係る現金を亡失した場合には、会計検査院又は財務大臣の定めるところにより、その旨をそれぞれ会計検査院又は財務大臣に通知しなければならない。

改 本条…追加（昭二九政令一七二）、一部改正（昭三一政令三三九　昭四〇政令一一一　平一二政令三〇七）

参 **根拠規定**（会計法四二）　**出納官吏の報告**（出納官規程七六）　**出納官吏の現金保管**（出納官規程三～五）

第三節　検査及び証明

（帳簿金庫の検査）

第百十六条 各省各庁の長は、毎年三月三十一日（同日が土曜日に当たるときはその前日とし、同日が日曜日に当たるときはその前々日とする。）又は主任出納官吏若しくは分任出納官吏が交替するとき、若しくはその廃止があったときは、当該各省各庁所属の職員又は他の各省各庁所属の職員のうちから検査員を命じて、当該出納官吏の帳簿金庫を検査させなければならない。ただし、臨時に資金の前渡を受けた職員の帳簿金庫については、定時の検査を必要としない。

② 財務大臣又は各省各庁の長は、必要があると認めるときは、随時、財務省所属の職員若しくは他の各省各庁所属の職員又は当該各省各庁所属の職員若しくは他の各省各庁所属の職員のうちから検査員を命じて、出納官吏又は出納員の帳簿金庫を検査せしめるものとする。

③ 財務大臣又は各省各庁の長は、前二項の規定により検査員を命ずる場合（他の各省各庁所属の職員のうちから検査員を命ずる場合を除く。）において必要があるときは、当該各省各庁所属の職員にこれを行なわせることができる。

④ 第二十六条第三項の規定は、財務大臣又は各省各庁の長が第一項又は第二項の規定により他の各省各庁所属の職員のうちから検査員を命ずる場合に、これを準用する。

改 一項…一部改正（昭二七政令七六）、一・二項…一部改正（昭二九政令一七二）、一項…一部改正（昭三二政令二八）、一・二項…一部改正・三・四項…追加（昭四〇政令一一一）、一項…一部改正（昭四四政令二九八　平五政令三三六）、二～四項…一部改正（平一二政令三〇七）

参 **出納官吏の事務引継**（出納官規程七〇～七五の三）

（検査の立会い）

第百十七条 検査員は、前条の検査をするときは、これを受ける出納官吏又は出納員その他適当な者を立ち会わせなければならない。

改 本条…一部改正（昭二七政令七六　昭二九政令一七二）、全部改正（昭四〇政令一一一）

（検査書の作製等）

第百十八条 検査員は、出納官吏又は出納員の帳簿金庫を検査したときは、検査書二通を作製し、一通を当該出納官吏又は出納員に交付し、他の一通を当該検査員を命じた者に提出しなければならない。

② 検査員は、前項の検査書に記名するとともに、前条の規定により立ち会つた者に記名させるものとする。

改 三項…追加（昭二九政令一七二）、一項…一部改正・二項…全部改正・三項…削除（昭四〇政令一一一）、二項…一部改正（令二政令三六〇）

参 **検査書の計算書への添附**（計算規則三三・三八・五〇）

（他の公金の検査）

第百十九条 出納官吏又は出納員において他の公金の出納を兼掌するときは、検査員は、併せて、他の公金の検査を行わなければならない。

改 本条…一部改正（昭二九政令一七二）

（出納計算書の作成及び提出）

第百二十条 歳入金の収納をつかさどる職員は、会計検査院の検査を受けるため、出納計算書を作成し、証拠書類その他必要な書類を添え、歳入徴収官を経由して会計検査院に提出しなければならない。

改 本条…一部改正（昭二七政令七六　昭二九政令五一・一七一）、見出し・本条…一部改正（平一七政令二）

参 **根拠規定**（会計法四七Ⅰ）　**分任出納官吏等の出納計算**

（予決令一二四）　**交替の場合の計算書**（予決令一二五）　**出納計算書の提出**（計算規則二・三）　**計算書の作製内容等**（計算規則三一～三四）　**歳入徴収官の計算書調査**（徴収官規程五四）

第百二十一条　資金の前渡を受けた職員は、会計検査院の検査を受けるため、出納計算書を作成し、証拠書類その他必要な書類を添え、官署支出官を経由して会計検査院に提出しなければならない。

改　本条…一部改正（昭二七政令七六　昭二九政令一七一　平一七政令一）

参　**根拠規定**（会計法四七Ⅰ）　**分任出納官吏等の出納計算書**（予決令一二四）　**交替の場合の計算書**（予決令一二五）　**出納計算書の提出**（計算規則二・三）　**計算書の作製内容等**（計算規則三五～四七の三）

第百二十二条　歳入歳出外現金の出納を掌る職員は、会計検査院の検査を受けるため、出納計算書を作製し、証拠書類その他必要な書類を添え、その所属の各省各庁の長又はその指定する職員を経由してこれを会計検査院に提出しなければならない。

改　本条…一部改正（昭二七政令七六　昭二九政令一七一）

参　**根拠規定**（会計法四七Ⅰ）　**分任出納官吏等の出納計算書**（予決令一二四）　**交替の場合の計算書**（予決令一二五）　**出納計算書の提出**（計算規則二・三）　**計算書の作製内容等**（計算規則四八～五二）

第百二十三条　削除

改　本条…一部改正（昭二七政令七六　昭二九政令一七一）、本条…削除（平一四政令三八五）

（分任出納官吏及び出納員の出納計算）

第百二十四条　分任出納官吏の出納は、すべて主任出納官吏の計算とし、又、出納員の出納はすべて所属の出納官吏の計算として取り扱い、その出納に関する報告書及び計算書は、各別にこれを提出することを必要としない。但し、その所属の各省各庁の長又は会計検査院において特に必要があると認めるときは、別に分任出納官吏又は出納員をしてその出納の報告書又は計算書を提出せしめることがあるものとする。

改　本条…一部改正（昭二九政令一七一）

参　**根拠規定**（会計法四七）　**出納計算書の提出**（計算規則二・三）　**計算書の作製内容等**（計算規則三二・三六・四九）

（出納官吏の交替等の場合の出納計算）

第百二十五条　出納官吏の交替、廃止その他の異動があつたときは、異動前の出納官吏が執行した出納のうち、まだ第百二十条から第百二十三条までの手続をしていない分については、異動後の出納官吏（各省各庁の長又はその委任を受けた職員が必要があると認めるときは、その指定する職員）がこれらの規定に定める手続をしなければならない。

改　本条…追加（昭四四政令二九八）

参　**交替の事務引継**（出納官規程七〇～七五の三）　**交替の場合の計算証明**（計算規則三（その他予決令一二〇～一二四の参照条文参照））

第百二十六条及び第百二十七条　削除

改　本条…削除（昭四四政令二九八）

第十章　帳簿

（日記簿、原簿及び補助簿）

第百二十八条　財務省は、日記簿、原簿及び補助簿を備え、国庫金の出納を登記しなければならない。

改　本条…一部改正（昭二九政令一七一　平一二政令三〇七）

参　**根拠規定**（会計法四七Ⅰ）　**帳簿の様式及び記入・登記**（予決令一三七・一三七の二、様式令別表一七・一八書式）

（歳入歳出の主計簿）

第百二十九条　財務省は、歳入歳出の主計簿を備え、歳入主計簿には、歳入予算額、徴収決定済額、収納済歳入額、不納欠損額及び収納未済歳入額を登記し、歳出主計簿には、歳出予算額、前年度繰越額、予備費使用額、流用等増減額、支出済歳出額、翌年度へ繰越額及び歳出予算残額を登記しなければならない。

改　本条…全部改正（昭二四政令六九　昭二五政令六二）、一部改正（昭二七政令七六　昭二九政令一七一　平一二政令三〇七）

参　**根拠規定**（会計法四七Ⅰ）　**主計簿の締切**（予決令一三九）　**帳簿の様式及び記入・登記**（予決令一三七・一三七の二、様式令別表一九・二〇書式）

（歳入簿、歳出簿及び支払計画差引簿）

第百三十条 各省各庁は、歳入簿、歳出簿及び支払計画差引簿を備え、歳入簿には、歳入予算額、徴収決定済額、収納済歳入額、不納欠損額及び収納未済歳入額を登記し、歳出簿には、歳出予算額、前年度繰越額、予備費使用額、流用等増減額、支出済歳出額、翌年度へ繰越額及び歳出予算残額を登記し、支払計画差引簿には、歳出予算額、支払計画示達済額及び支払計画示達未済額を登記しなければならない。

改 本条…全部改正（昭二四政令六九 昭二五政令六二）、一部改正（昭二七政令七六 昭二九政令一七一）

参 **根拠規定**（会計法四七Ⅰ） **帳簿の様式及び記入・登記式**（予決令一三七・一三七の二、様式令別表七・一三・一四書式）

（徴収簿）

第百三十一条 歳入徴収官は、徴収簿を備え、徴収決定済額、収納済歳入額、不納欠損額及び収納未済歳入額を登記しなければならない。

改 本条…全部改正（昭二四政令六九）、一部改正（昭二九政令一七一）

参 **根拠規定**（会計法四七Ⅰ） **帳簿の様式及び記入・登記**（予決令一三七・一三七の二、様式令別表六） **徴収簿の登記**（徴収官規程二二～二八の三） **歳入徴収官交替等の帳簿締切**（徴収官規程五七）

（支出決定簿）

第百三十二条 官署支出官は、支出決定簿を備え、支払計画示達額、支出決定済額及び支払計画示達済支出決定未済額を登記しなければならない。

改 本条…削除（昭二七政令七六）、全部改正（平一七政令一）

参 **根拠規定**（会計法四七Ⅰ） **帳簿の様式及び記入・登記**（予決令一三七・一三七の二、様式令別表一〇の二書式、支出官規程二五） **官署支出官交替等の帳簿締切**（支出官規程二六）

（支出簿）

第百三十三条 センター支出官は、支出簿を備え、支払計画示達額、支出済額及び支払計画示達済支出未済額を登記しなければならない。

改 本条…全部改正（昭二四政令六九 昭二五政令六二 昭二七政令七六）、一部改正（昭二九政令一七一 平一七政令一）

参 **根拠規定**（会計法四七Ⅰ） **帳簿の様式及び記入・登記**（予決令一三七・一三七の二、様式令別表一一書式、支出官規程二五） **支出官交替等の帳簿締切**（支出官規程五〇）

（支出負担行為差引簿）

第百三十四条 官署支出官は、支出負担行為差引簿を備え、支出負担行為計画示達額、支出負担行為確認又は認証済額及び支出負担行為計画示達済確認又は認証未済額を登記しなければならない。

改 本条…全部改正（昭二四政令六九 昭二五政令六二）、一部改正（昭二六政令七七）、全部改正（昭二七政令七六）、一部改正（昭二九政令一七一 平一七政令一）

参 **根拠規定**（会計法四七Ⅰ） **帳簿の様式及び記入・登記**（予決令一三七・一三七の二、様式令別表一二書式） **支出負担行為差引簿の登記**（会計法一三の二・一三の四、予決令一三九の四、支出負担規則一八）

（支出負担行為認証官の帳簿）

第百三十四条の二 各省各庁の長が会計法第十三条の三の規定により、その所掌に係る支出負担行為の全部又は一部について認証を行わせる場合においては、前条の規定にかかわらず、支出負担行為認証官は、同条の帳簿を備え、同条に規定する事項を登記しなければならない。この場合において、支出負担行為認証官の備える帳簿は、第三十九条第四項の規定により通知された支出負担行為の計画に関する事項を登記するものとし、その支出負担行為の計画に関しては、官署支出官は、登記することを必要としないものとする。

改 本条…追加（昭二五政令六二）、全部改正（昭二七政令七六）、一部改正（昭二九政令一七一 平一七政令一）

参 **根拠規定**（会計法四七Ⅰ） **帳簿の様式及び記入・登記**（予決令一三七・一三七の二、様式令別表一二書式、支出負担規則一八）

（現金出納簿）

第百三十五条 出納官吏及び出納員は、現金出納簿を備え、現金の出納を登記しなければならない。

改 旧一三六条…繰上（昭二四政令六九）、一部改正（昭二九政令一七一）

参 **根拠規定**（会計法四七Ⅰ） **帳簿の様式及び記入・登記**（予決令一三七・一三七の二、様式令別表一六書式） **現金**

（出納簿の締切引継）（出納官規程七〇）

第百三十六条　削除

改　本条…削除（昭二五政令六二）

（帳簿の様式及び記入の方法）

第百三十七条　第百二十九条から第百三十五条までに規定する帳簿の様式及び記入の方法は、財務大臣がこれを定める。

改　本条…一部改正（昭二二政令二二〇　昭二四政令六九　昭二七政令七六　昭二九政令一七一　平一二政令三〇七）

参　**様式**（様式令）　**記入の訂正**（会計法規ニ基ク出納計算ノ数字及記載事項ノ訂正ニ関スル件）

（帳簿の登記）

第百三十七条の二　帳簿の登記は、その登記原因の発生の都度、直ちにこれをしなければならない。

改　本条…追加（昭二四政令六九）、一部改正（昭二九政令一七一）

（日本銀行の帳簿）

第百三十八条　日本銀行は、次に掲げる帳簿を備え、国のために取り扱う現金の出納又は有価証券の受払いを登記しなければならない。

一　国庫金の出納を登記すべき帳簿
二　国債の発行及び償還に関する出納を登記すべき帳簿
三　国債利払資金の出納を登記すべき帳簿
四　有価証券の受払を登記すべき帳簿

②　前項の帳簿の様式及び記入の方法は、財務大臣の認可を経て、日本銀行がこれを定める。

改　本条…一部改正（昭二九政令一七一　昭四〇政令一一一　平一二政令三〇七）、二項…一部改正（平一五政令二八　平一七政令一）

参　**備付帳簿及び記入**（日銀国庫金規程六三～七〇の二）

（主計簿の締切り）

第百三十九条　財務大臣は、会計検査院の長の指定する検査官その他の職員の立会いの上、毎年七月三十一日（同日が土曜日に当たるときはその前日とし、同日が日曜日に当たるときはその前々日とする。）において、前年度の歳入歳出の主計簿を締め切らなければならない。

改　本条…一部改正（昭二七政令七六　昭二九政令一七一　昭三〇政令一四〇　平五政令三三六　平一二政令三〇七）

参　**会計年度**（財政法一一）　**出納の完結**（会計法一Ⅰ）　**出納整理期限**（予決令三～七）

第十一章　雑則

（事務の代理等）

第百三十九条の二　各省各庁の長は、会計法第四十六条の三第一項の場合において、当該各省各庁又は他の各省各庁に置かれた官職を指定することにより、その官職にある者に同項各号に掲げる者の事務を代理させることができる。

②　第二十六条第三項及び第四項の規定は、各省各庁の長が会計法第四十六条の三第一項の規定により他の各省各庁所属の職員に同項各号に掲げる者の事務を代理させ又は官職の指定により代理させる場合に、第六十八条第一項の規定は、各省各庁の長が同法第四十六条の三第一項の規定により当該各省各庁所属の職員に契約担当官及び分任契約担当官の事務を代理させる場合に、それぞれ準用する。

③　会計法第四十六条の三第一項の規定により同項各号に掲げる者の事務を代理する職員は、その取り扱う事務の区分に応じて、それぞれ歳入徴収官代理、支出負担行為担当官代理、契約担当官代理、分任歳入徴収官代理、分任支出負担行為担当官代理若しくは分任契約担当官代理又は支出負担行為認証官代理若しくは支出官代理という。

④　各省各庁の長は、会計法第四十六条の三第一項の規定により支出負担行為に関する事務を代理させたときはその旨を関係の官署支出官、支出負担行為認証官又は同法第十七条の規定により資金の前渡を受ける職員に、同項の規定により支出に関する事務（支出の決定の事務に限る。）を代理させたときはその旨を関係の支出負担行為担当官及び支出負担行為認証官に、それぞれ通知しなければならない。

改　本条…追加（昭四六政令三五〇）、四項…一部改正（平一七政令一）

参　**歳入徴収官・分任歳入徴収官**（会計法四の二）　**支出負担行為担当官・分任支出負担行為担当官**（会計法一三）　**支出負担行為認証官**（会計法一三の三）　**支出官**（会計法二四）　**契約担当官**（会計法二九の二）

第百三十九条の三　各省各庁の長は、会計法第四十六条の三第二項の規定により当該各省各庁所属の職員又は他の各省各庁所属の職員に同条第一項各号に掲げる者（同項の規定によりこれらの者の事務を代理する職員を含む。以下この条において「会計機関」という。）の事務の一部を処理させる場合には、その処理させる事務の範囲を明らかにしなければならない。

② 前条第一項の規定は、会計法第四十六条の三第二項の場合に準用する。

③ 各省各庁の長は、会計法第四十六条の三第二項の規定により当該各省各庁所属の職員に会計機関の事務の一部を処理させる場合において、必要があるときは、同項の権限を、外局の長等に委任することができる。この場合において、各省各庁の長は、同項の規定により当該事務を処理させる職員（当該各省各庁に置かれた官職を指定することによりその官職にある者に当該事務を処理させる場合には、その官職）の範囲及びその処理させる事務の範囲を定めるものとする。

④ 第二十六条第三項及び第四項の規定は、各省各庁の長が会計法第四十六条の三第二項の規定により他の各省各庁所属の職員に会計機関の事務の一部を処理させ又は官職の指定により処理させる場合に準用する。

⑤ 会計法第四十六条の三第二項の規定により会計機関の事務の一部を処理する職員（次項において「代行機関」という。）は、当該会計機関に所属して、かつ、当該会計機関の名において、その事務を処理するものとする。

⑥ 代行機関は、第一項又は第三項に規定する範囲内の事務であつても、その所属する会計機関において処理することが適当である旨の申出をし、かつ、当該会計機関がこれを相当と認めた事務及び会計機関が自ら処理する特別の必要があるものとして指定した事務については、その処理をしないものとする。

改 本条…追加（昭四六政令三五〇）

参 **歳入徴収官・分任歳入徴収官**（会計法四の二）　**支出負担行為担当官・分任支出負担行為担当官**（会計法一三）　**支出負担行為認証官**（会計法一三の三）　**支出官**（会計法二四）　**契約担当官**（会計法二九の二）　**上記の会計機関の代理**（会計法四六の三Ⅰ）

（都道府県が行う国の会計事務）

第百四十条 会計法第四十八条第一項の規定により都道府県知事又は知事の指定する職員が行うこととすることができる国の歳出に関する事務は、歳出金の支出に関する事務のうち支出の決定の事務とする。

② 各省各庁の長は、会計法第四十八条第一項の規定により国の歳入の徴収及び歳出の支出に関する事務を都道府県の知事又は知事の指定する職員が行うこととなる事務として定める場合には、当該知事又は知事の指定する職員が行うこととなる事務の範囲について、あらかじめ財務大臣に協議しなければならない。

③ 各省各庁の長は、会計法第四十八条第一項の規定により国の歳入、歳出、歳入歳出外現金、支出負担行為、支出負担行為の確認又は認証、契約（支出負担行為に係るものを除く。）、繰越しの手続及び繰越明許費に係る翌年度にわたる債務の負担の手続に関する事務を都道府県の知事又は知事の指定する職員が行うこととなる事務として定める場合には、当該知事又は知事の指定する職員が行うこととなる事務の範囲を明らかにして、当該知事又は知事の指定する職員がこれらの事務を行うこととなることについて、あらかじめ当該知事の同意を求めなければならない。

④ 都道府県の知事は、各省各庁の長から前項の規定により同意を求められた場合には、その内容について同意をするかどうかを決定し、同意をするときは、知事が自ら行う場合を除き、事務を行う職員を指定するものとする。この場合において、当該知事は、都道府県に置かれた職を指定することにより、その職にある者に事務を取り扱わせることができる。

⑤ 前項の場合において、都道府県の知事は、同意をする決定をしたときは同意をする旨及び事務を行う者（同項後段の規定により都道府県に置かれた職を指定した場合においてはその職）を、同意をしない決定をしたときは同意をしない旨を各省各庁の長に通知するものとする。

⑥ 各省各庁の長は、前項の通知（国の歳入の徴収、歳出の支出、繰越しの手続及び繰越明許費に係る翌年度にわたる債務の負担の手続に関する事務に係るものに限る。）があつたときは、その通知の内容について財務大臣に通知するものとし、財務大臣は、当該通知（都道府県の知事が同意をする決定をしたもので、繰越しの手続及び繰越明許費に係る翌年度にわたる債務の負担の手続に関する事務に係るものに限る。）があつたときは、その通知の内容について関係の財務局長又は福岡財務支局長に通知するものとする。

改 本条…全部改正（昭二三政令一四六　昭二四政令六九）、一・二項…一部改正（昭二四政令一二七）、二・三項…一部改正（昭二五政令六二）、一項…一部改正・三項…全部改正・四項…追加（昭二七政令七六）、一・二・四項…一部改正（昭二九政令一七一）、一～三項…一部改正（昭三一政令二六五）、一項…一部改正（昭三一政令三三九）、五・六項…追加（昭三七政令二三七）、一項…一部改正・七項…追加（昭三七政令三一四）、一・二項…一部改正（昭四〇政令一一一）、八項…追加（昭四三政令三〇一）、一・三項…一部改正・五項…全部改正（昭四四政令二三）、一・二項…一部改正（昭四四政令二九八）、五・六項…一部改正（昭四五政令二三〇）、一項…一部改正（昭四六政令三五〇）、本条…

全部改正（平一二政令三二）、一・五項…一部改正（平一二政令三〇七）、一項…追加・旧一～五項…繰下（平一七政令二〇）、一～四項…一部改正（平一八政令三六一）

参 **国の職員に対する事務の委任**（歳入事務（会計法四の二、予決令二六）支出負担行為事務（会計法一三、予決令三八）支出事務（会計法二四、予決令四〇）契約事務等（会計法二九の二、予決令六八・六九）現金出納保管事務（会計法三九・四〇の二、予決令一一一）繰越事務（会計法四六の二、予決令一三五の四））

（計算証明書類の様式及び提出期限）

第百四十一条　この勅令により会計検査院に提出する計算証明書類の様式及び提出期限については、会計検査院の定めるところによらなければならない。

改 本条…一部改正（昭二九政令一七一）

参 **会計検査院の定めた規定**（計算証明規則）

（その他の書類の様式）

第百四十二条　前条の計算証明書類を除く外、この勅令に規定する書類の様式は、財務大臣がこれを定める。

改 本条…一部改正（昭二九政令一七一　平一二政令三〇七）

（財務大臣の権限）

第百四十三条　この勅令に定めるものの外、収入、支出その他国の会計経理に関し必要な規定は、財務大臣がこれを定める。

改 本条…一部改正（昭二九政令一七一　平一二政令三〇七）、旧百四十四条…繰上（令二政令三六〇）

参 **必要な定の例**（徴収官規程、支出官規程、契約事務規則、出納官規程、小切手振出規程、日銀国庫金規程、国の会計機関の使用する公印に関する規則その他）

附　則（抄）

第一条　この勅令は、公布の日から、これを施行する。但し、第八条第一項、第二項及び第十六条の改正規定、第二十六条の改正規定中衆議院、参議院、最高裁判所及び会計検査院に関する部分、第百十一条乃至第百十五条及び第百四十条の改正規定並びに附則第五条の会計規則臨時特例の一部を改正する規定中各省大臣又は所管大臣を各省各庁の長に改める部分は、日本国憲法施行の日から、第二条第六号及び第四条の改正規定中国庫金振替書に関する部分、第三十二条第二項及び第四十七条の改正規定並びに第六十一条第二項の改正規定は、会計法中国庫金振替書に関する規定施行の日から、第三十八条、第三十九条、第四十一条、第六十四条及び第六十五条の改正規定、第百二十九条の改正規定中契約等総括簿に関する部分並びに第百三十二条及び第百三十三条の改正規定は、昭和二十二年十一月一日から、これを施行する。

② 第八条第三項、第九条乃至第十五条、第十七条、第十八条及び第二十条乃至第二十三条の改正規定は、昭和二十二年度以後の会計年度の予算及び決算について、これを適用する。

③ 第百二十九条の改正規定中歳入歳出の主計簿に関する部分、第百三十条、第百三十一条、第百三十四条及び第百三十五条の改正規定並びに第百三十八条第一項第三号及び第四号の改正規定は、昭和二十二年度以後の会計年度の帳簿について、これを適用する。

④ 第一項但書及び前二項に掲げる規定以外の規定は、昭和二十二年四月一日から、これを適用する。

改 一項…一部改正（昭二三政令二二〇）

第二条　この勅令中「政令」とあるのは、日本国憲法施行の日までは、これを「勅令」と読み替えるものとする。

② 第二十四条第二項中「財政法第三十一条第一項の規定により配賦された歳出予算」とあるのは、日本国憲法施行の日までは、これを「歳出予算」と読み替えるものとする。

③ 第三十五条、第四十四条、第六十一条第一項、第百三十四条及び第百三十八条第一項第二号中「支払計画」とあるのは、昭和二十二年十月三十一日までは、これを「支払予算」と読み替えるものとする。

改 三項…一部改正（昭二三政令二二〇）

第三条　従前の会計規則第十七条、第二十一条乃至第二十三条、第二十六条、第二十七条、第百二十四条乃至第百三十五条の規定は、日本国憲法施行の日まで、従前の会計規則第十四条、第十六条及び第四十一条の規定は、昭和二十二年十月三十一日まで、なお、その効力を有する。但し、第二十一条及び第二十三条中「第二予備金」とあるのは、これを「予備費」と読み替え、第二十六条中「会計法第十一条第一項」とあるのは、これを「財政法第十五条第二項」と読み替えるものとする。

② 従前の会計規則第六十八条乃至第七十七条の規定は、昭和二十年度及び同二十一年度の決算については、なお、その効力を有する。

③ 従前の会計規則第七十八条乃至第八十条の規定は、昭和

二十一年度の予算中、翌年度に繰り越して使用することについて特に明許されたものの定額の繰越に関しては、なお、その効力を有する。

④　従前の会計規則第百五十三条乃至第百五十七条の規定並びに第百六十条第一項第三号及び第四号の規定は、昭和二十一年度分の帳簿については、なお、その効力を有する。

改　一項…一部改正（昭二三政令二二〇）

第四条　昭和二十一年度所属の歳入歳出に関する出納整理の期限は、第三条乃至第七条の規定にかかわらず、大蔵大臣の定めるところにより、これを延長することができる。

第六条　大正十二年勅令第三百五号（大蔵大臣の承認を経なければ他の費途の金額を流用することができない費途に関する勅令）は、これを廃止する。但し、昭和二十一年度の予算については、なお、その効力を有する。

第七条　昭和二十二年度の支払計画、契約等の計画及びこれらの総表については、第十八条の二、第十八条の三、第十八条の九及び第十八条の十の改正規定にかかわらず、部局等の組織の別を省略することができる。

改　本条…追加（昭二三政令二二〇）

第八条　削除

改　本条…削除（昭二四政令六九）

第九条　昭和二十二年十月三十一日以前に従前の会計規則第十四条の規定により大蔵大臣の承認を経た支払予算のうちで支出済とならなかつた部分は、同年十一月一日において財政法第三十四条の規定施行後最初の支払計画期間について同条第一項の規定により大蔵大臣の承認を経た支払計画の一部となつたものとみなす。

改　本条…追加（昭二三政令二二〇）

第九条の二　財政法第六条に規定する剰余金は、当分の間、第十九条の規定にかかわらず、同条の規定により計算して得た額から、当該年度における航空機燃料税の収入額の十三分の十一に相当する金額が当該年度における航空機燃料税の収入見込額の十三分の十一に相当する額として一般会計の歳入予算に計上された金額を超える場合における当該超える額を控除して計算する。

改　本条…追加（昭五八政令一二六）、一部改正（昭六〇政令二三三　昭六三政令二一四　平五政令二三六　平一〇政令二四一　平一二政令四一九　平一五政令二八五）、旧九条の三…繰上・一部改正（平一八政令三八二）、一部改正（平一九政令一二四　平二〇政令四〇　平二〇政令一七六　平二一政令一三〇）

第九条の三　令和三年度から令和七年度までの各年度における財政法第六条に規定する剰余金は、第十九条及び前条の規定にかかわらず、同条の規定により計算して得た額から、第一号、第二号及び第五号に掲げる額の合計額が第三号及び第四号に掲げる額の合計額を上回る場合における当該上回る額を控除して計算する。

一　平成二十三年度の一般会計補正予算（第3号）に計上された復興費用（東日本大震災からの復興のための施策を実施するために必要な財源の確保に関する特別措置法（平成二十三年法律第百十七号。第三号及び附則第十条において「復興財源確保法」という。）第六十九条第一項に規定する復興費用をいう。）に関する経費（各特別会計への繰入れに係るものを除く。）であって、財政法第十四条の三第一項又は第四十二条ただし書の規定により繰越しをしたものについて、当該各年度において、国に返納された金額（返納の際に当該金額に延滞利息又は加算金が付されている場合には、これらの金額を含む。）

二　当該各年度の一般会計予算に東日本大震災復興特別会計への繰入金として計上された額（第四号において「東日本大震災復興特別会計繰入金予算額」という。）

三　当該各年度の一般会計予算に復興財源確保法第七十二条第四項に規定する国会の議決を経た範囲に属する収入として計上された額（第五号において「復興税外収入予算額」という。）

四　当該各年度の東日本大震災復興特別会計繰入金予算額に係る支出済歳出額

五　当該各年度の復興税外収入予算額に係る収納済歳入額

改　本条…追加（平二四政令九九）、一部改正（平二五政令一九二　平二六政令二三三　平二七政令二六三　平二八政令二〇九　令四政令二二六　令五政令二三二）

第九条の四　令和四年度における財政法第六条に規定する剰余金は、第十九条及び前二条の規定にかかわらず、前条の規定により計算して得た額から、同年度の一般会計補正予算（第2号）（次項において「令和四年度第二次補正予算」という。）に脱炭素成長型経済構造移行費用（脱炭素成長型経済構造への円滑な移行の推進に関する法律（令和五年法律第三十二号）附則第三条第一項第一号に規定する脱炭素成長型経済構造移行費用をいう。次項において同じ。）として計上された額が当該額に係る支出済歳出額及び翌年度繰越額の合計額を上回る場合における当該上回る額を控除して計算する。

② 令和五年度から令和七年度までの各年度における財政法第六条に規定する剰余金は、第十九条及び前二条の規定にかかわらず、前条の規定により計算して得た額から、令和四年度第二次補正予算に計上された脱炭素成長型経済構造移行費用に関する経費であつて、同法第十四条の三第一項又は第四十二条ただし書の規定により繰越しをしたものについて、当該各年度において不用となつた金額及び国に返納された金額（以下この項において「不用額等」という。）がある場合における当該不用額等（返納の際に当該金額に延滞利息又は加算金が付されている場合には、これらの金額を含む。）を控除して計算する。

③ 前項の規定は、令和八年度から令和十四年度までの各年度における財政法第六条に規定する剰余金について準用する。この場合において、同項中「前二条」とあるのは「附則第九条の二」と、「前条」とあるのは「同条」と、「不用となつた金額及び国に返納された金額（以下この項において「不用額等」という。）」とあるのは「国に返納された金額」と、「当該不用額等」とあるのは「当該金額」と読み替えるものとする。

改 本条…追加（令五政令二二二）

第十条 復興財源確保法第七十条及び財政運営に必要な財源の確保を図るための公債の発行の特例に関する法律（平成二十四年法律第百一号）第三条第二項の規定により令和三年度から令和七年度までの各年度の翌年度の四月一日以後発行される公債に係る収入であつて当該各年度所属の歳入とされるものについては、第七条第一項本文の規定にかかわらず、日本銀行において当該各年度所属の歳入金として当該各年度の翌年度の六月三十日まで受け入れることができる。

改 本条…追加（昭五一政令四〇）、全部改正（平七政令一五六　平八政令六一　平九政令九一　平一〇政令六一　平一一政令四五　平一二政令二一六　平一三政令六七　平一四政令八一　平一五政令一〇二　平一六政令七四　平一七政令六二　平一八政令五〇　平一九政令五四　平二〇政令七八　平二一政令六〇　平二二政令七二　平二三政令四七　平二四政令六七　平二五政令九八）、一部改正（平二八政令二〇九　令三政令一四六）

第十条の二 脱炭素成長型経済構造への円滑な移行の推進に関する法律第七条第三項の規定により令和五年度から令和十四年度までの各年度の翌年度の四月一日以後発行される公債に係る収入であつて当該各年度所属の歳入とされるものについては、第七条第一項本文の規定にかかわらず、日本銀行において当該各年度所属の歳入金として当該各年度の翌年度の六月三十日まで受け入れることができる。

改 本条…追加（令五政令二二二）

第十一条 平成二十二年度等における子ども手当の支給に関する法律（平成二十二年法律第十九号）の規定が適用される場合における第五十一条の規定の適用については、同条第六号中「及び」とあるのは「並びに」と、「よる児童手当」とあるのは「よる児童手当及び平成二十二年度等における子ども手当の支給に関する法律（平成二十二年法律第十九号。以下「平成二十二年度子ども手当支給法」という。）の規定による子ども手当」と、同条第七号の四中「第六十九条第二項」とあるのは「第六十九条第二項（平成二十二年度子ども手当支給法第二十条第一項の規定により適用する児童手当法の一部を改正する法律（平成二十四年法律第二十四号）附則第十一条の規定によりなおその効力を有するものとされた同法第一条の規定による改正前の児童手当法第二十条第二項を含む。）」とする。

② 平成二十三年度における子ども手当の支給等に関する特別措置法（平成二十三年法律第百七号）の規定が適用される場合における第五十一条の規定の適用については、同条第六号中「児童手当法（昭和四十六年法律第七十三号）の規定による児童手当」とあるのは「平成二十三年度における子ども手当の支給等に関する特別措置法（平成二十三年法律第百七号。以下「平成二十三年度子ども手当支給特別措置法」という。）の規定による子ども手当」と、同条第七号の四中「第六十九条第二項」とあるのは「第六十九条第二項（平成二十三年度子ども手当支給特別措置法第二十条第一項、第三項及び第五項の規定により適用する児童手当法の一部を改正する法律（平成二十四年法律第二十四号）附則第十二条の規定によりなおその効力を有するものとされた同法第一条の規定による改正前の児童手当法第二十条第二項を含む。）」とする。

改 本条…追加（平二二政令七五）、一部改正（平二三政令九二）、二項…追加（平二三政令二〇八）、本条…一部改正（平二四政令一一三　平二七政令一六六）

附　則（昭二四・四・一八政令六九）

1　この政令は、公布の日から施行し、昭和二十四年四月一日から適用する。但し、第十一条第一項及び第十二条から第十四条までの改正規定は、昭和二十四年度分の予算から適用する。
2　昭和二十三年度分の歳出予算に関する流用、契約等の計画、支払計画、債務の負担、支出、小切手等の認証、報告及び帳簿に関しては、なお、従前の例による。

改　三・四項…削除（昭二七政令二二二）

附　則（昭二五・三・三一政令六二）

1　この政令は、昭和二十五年四月一日から施行する。但し、第十二条の改正規定は、昭和二十五年度の予算から適用する。
2　昭和二十四年度の歳出予算の移用及び流用、支出負担行為の計画、支出負担行為、支出負担行為の認証、支出、報告及び帳簿に関しては、なお従前の例による。

附　則（昭二六・三・三一政令七七）

1　この政令は、昭和二十六年四月一日から施行し、改正後の予算決算及び会計令第三十九条の規定は、昭和二十六年度の予算から適用する。
2　昭和二十五年度の歳出予算の支出負担行為、支出負担行為の認証、支出の通知及び帳簿に関しては、なお従前の例による。

附　則（昭二六・三・三一政令八二）

1　この政令は、資金運用部資金法（昭和二十六年法律第百号）施行の日（昭二六・四・一）から施行する。
2　この政令施行の際改正前の予算決算及び会計令第百三条の規定により大蔵省預金部に預入されている各省各庁の長の保管に係る現金は、この政令施行の際改正後の予算決算及び会計令第百三条の規定により日本銀行に払い込まれたものとする。

附　則（昭二七・三・三一政令七六）（抄）

1　この政令中継続費、歳出予算の区分及び繰越に係る部分は、公布の日から、その他の部分は、昭和二十七年四月一日から施行する。
2　改正後の予算決算及び会計令（以下「改正後の令」という。）中継続費、歳出予算の区分、支出負担行為の実施計画及び帳簿に係る部分は、昭和二十七年度分の予算から適用する。
3　昭和二十六年度分の予算に係る繰越計算書の記載事項及び添附書類については、なお従前の例による。

附　則（昭三〇・八・二〇政令一八七）

1　この政令は、公布の日から施行する。
2　改正後の第十九条の規定は、昭和二十九年度分の財政法第六条に規定する剰余金（以下「剰余金」という。）から適用し、昭和二十八年度分の剰余金については、なお従前の例による。
3　昭和二十九年度分の剰余金について改正後の第十九条の規定を適用する場合においては、同条中「次の各号に掲げる額」とあるのは「次の各号に掲げる額、地方道路譲与税法（昭和三十年法律第百十三号）附則第四項に規定する超過額及び道路整備費の財源等に関する臨時措置法（昭和二十八年法律第七十三号）第三条第二項第二号イに規定する不足額」と、「所得税、法人税及び酒税の収入額のそれぞれ百分の二十二」とあるのは「所得税及び法人税の収入額のそれぞれ百分の十九・八七四並びに酒税の収入額の百分の二十」と、「所得税、法人税及び酒税の収入見込額のそれぞれ百分の二十二」とあるのは「所得税及び法人税の収入見込額のそれぞれ百分の十九・八七四並びに酒税の収入見込額の百分の二十」と読み替えるものとする。
4　昭和三十年度分又は昭和三十一年度分の剰余金について改正後の第十九条の規定を適用する場合においては、同条中「次の各号に掲げる額」とあるのは、昭和三十年度分の剰余金にあつては「次の各号に掲げる額、道路整備費の財源等に関する臨時措置法第三条第二項第二号ロに規定する不足額及び同項第三号に掲げる額のうち昭和三十年度内に収納されたもの並びに賠償等特殊債務処理特別会計法（昭和三十一年法律第五十三号）附則第二項の規定により賠償等特殊債務処理特別会計に繰り入れるべき金額」と、昭和三十一年度分の剰余金にあつては「次の各号に掲げる額、道路整備費の財源等に関する臨時措置法第三条第二項第二号ハに規定する不足額及び同項第三号に掲げる額のうち昭和三十一年度内に収納されたもの」とそれぞれ読み替えるものとする。

改　四項…一部改正（昭三一政令一八六）

附　則（昭三一・六・一五政令一八六）

1　この政令は、公布の日から施行する。
2　改正後の予算決算及び会計令第十九条の規定は、昭和三十一年度分の財政法第六条に規定する剰余金（以下「剰余金」という。）から適用し、昭和三十年度分の剰余金については、なお従前の例による。

附　則（昭三一・八・二一政令二六五）（抄）

1　この政令は、地方自治法の一部を改正する法律（昭和三十一年法律第百四十七号）及び地方自治法の一部を改正する法律の施行に伴う関係法律の整理に関する法律（昭和三十一年法律第百四十八号）の施行の日（昭和三十一年九月一日）から施行する。

附　則（昭三二・一一・八政令三一五）

1 この政令は、公布の日から施行する。

2 改正後の予算決算及び会計令第十九条の規定は、昭和三十二年度分の財政法第六条に規定する剰余金から適用し、昭和三十一年度分の同条に規定する剰余金については、なお従前の例による。

附　則（昭三三・七・二五政令二三〇）

1 この政令は、公布の日から施行する。

2 改正後の予算決算及び会計令第十九条の規定は、昭和三十三年度分の財政法第六条に規定する剰余金から適用し、昭和三十二年度分の同条に規定する剰余金については、なお従前の例による。

附　則（昭三四・七・二〇政令二五八）

1 この政令は、公布の日から施行する。

2 改正後の予算決算及び会計令第十九条の規定は、昭和三十四年度分の財政法第六条に規定する剰余金から適用し、昭和三十三年度分の同条に規定する剰余金については、なお従前の例による。

附　則（昭三七・六・四政令二三七）

1 この政令は、公布の日から施行する。

2 歳入歳出決算上の剰余金の計算の臨時特例に関する政令（昭和三十三年政令第二百二十三号）は、廃止する。

3 昭和三十六年度における財政法第六条に規定する剰余金は、同年度において新たに生じた剰余金から改正前の予算決算及び会計令第十九条各号及び次の各号に掲げる額の合算額を控除して計算する。

一 昭和三十六年度における所得税、法人税及び酒税の収入額のそれぞれ百分の〇・三に相当する金額の合算額が同年度におけるこれらの税の収入見込額のそれぞれ百分の〇・三に相当する金額の合算額として予算に定められた額をこえる額

二 昭和三十六年度における揮発油税の収入額が同年度における揮発油税の収入見込額として予算に定められた額をこえる額

三 昭和三十六年度における道路整備緊急措置法（昭和三十三年法律第三十四号）第三条第一項第三号に規定する地方債に係る償還金の収入額

4 昭和三十七年度から昭和三十九年度までの各年度における財政法第六条に規定する剰余金は、当該各年度において新たに生じた剰余金から改正後の予算決算及び会計令第十九条各号及び次の各号に掲げる額の合算額を控除して計算する。

一 当該各年度における揮発油税の収入額が当該各年度における揮発油税の収入見込額として予算に定められた額をこえる額

二 当該各年度における道路整備緊急措置法第三条第一項第三号に規定する地方債に係る償還金の収入額

改 四項…一部改正（昭三九政令三三三　昭四一政令一八七）

附　則（昭三七・七・三一政令三一四）（抄）

1 この政令は、会計法の一部を改正する法律（昭和三十六年法律第二百三十六号）の施行の日（昭和三十七年八月二十日）から施行する。

附　則（昭四〇・四・一二政令一二四）

1 この政令は、公布の日から施行する。

2 昭和三十九年度における財政法第六条に規定する剰余金については、なお従前の例による。

3 昭和四十年度における財政法第六条に規定する剰余金は、当該年度において新たに生じた剰余金から予算決算及び会計令第十九条第一号及び次の各号に掲げる額の合算額を控除して計算する。

一 当該年度における揮発油税の収入額の全額及び石油ガス税の収入額の二分の一に相当する金額の合算額が当該年度における揮発油税の収入見込額として予算に定められた額の全額及び石油ガス税の収入見込額として予算に定められた額の二分の一に相当する金額の合算額をこえる額

二 当該年度における道路整備緊急措置法（昭和三十三年法律第三十四号）第三条第一項第三号に規定する地方債に係る償還金の収入額

改 二・三項…一部改正（昭四一政令一八七）、三項…一部改正（昭四一政令三三九）

附　則（昭四一・六・一三政令一八七）

1 この政令は、公布の日から施行する。

2 改正後の予算決算及び会計令第十九条の規定は、昭和四十一年度における財政法第六条に規定する剰余金から適用する。

3 昭和四十一年度から昭和五十五年度まで（昭和五十一年度を除く。）の各年度における財政法第六条に規定する剰余金は、当該各年度において新たに生じた剰余金から改正後の予算決算及び会計令第十九条各号及び次の各号に掲げる額の合算額（昭和五十二年度にあつては同条第一号及び次の第一号に掲げる額の合算額、昭和五十三年度から昭和五十五年度までの各年度にあつては同条各号及び次の第一号に掲げる額の合算額）を控除して計算する。

一 当該各年度における揮発油税の収入額の全額及び石油ガス税の収入額の二分の一に相当する金額の合算額が当

該各年度における揮発油税の収入見込額として予算に定められた額の全額及び石油ガス税の収入見込額として予算に定められた額の二分の一に相当する金額の合算額を超える額

二 当該各年度における道路整備緊急措置法（昭和三十三年法律第三十四号）第三条第一項第三号に規定する地方債に係る償還金の収入額

改 三項…一部改正（昭四一政令三三九 昭四三政令二六二 昭四五政令二二〇 昭四八政令一九三 昭五三政令二四三）

附 則（昭四三・七・二九政令二六二）

1 この政令は、公布の日から施行する。

2 昭和四十三年度における財政法第六条に規定する剰余金は、改正後の予算決算及び会計令等の一部を改正する政令（昭和四十一年政令第百八十七号。以下「改正政令」という。）附則第三項の規定にかかわらず、同項の規定により計算して得た額に国有財産特殊整理資金特別会計法及び国の庁舎等の使用調整等に関する特別措置法の一部を改正する法律（昭和四十四年法律第六号）附則第四項第二号の経費に係る繰越額に相当する金額を加算した額から次の各号に掲げる額の合算額を控除して計算する。

一 当該年度における道路交通法（昭和三十五年法律第百五号）第百二十八条第一項に規定する反則金に係る収入額（過誤納に係る収入額の還付額があるときは、その額を控除した額）が当該年度における当該反則金に係る収入見込額として予算に定められた額（過誤納に係る収入見込額の還付見込額として予算に定められた額があるときは、その額を控除した額）をこえる額

二 道路交通法の一部を改正する法律（昭和四十二年法律第百二十六号）附則第九項の規定により当該年度において国に返還された額

3 昭和四十四年度における財政法第六条に規定する剰余金は、改正政令附則第三項中「改正後の予算決算及び会計令第十九条各号」とあるのは、「改正後の予算決算及び会計令第十九条第一号に掲げる額（空港整備特別会計法施行令（昭和四十五年政令第七十六号）附則第五項に規定する額に相当する額を控除した額とする。）、同条第二号に掲げる額」として同項の規定により計算して得た額から、前項各号に掲げる額の合算額を控除して計算する。

4 昭和四十五年度及び昭和四十六年度における財政法第六条に規定する剰余金は、改正政令附則第三項の規定により計算して得た額から、附則第二項第一号中「道路交通法（昭和三十五年法律第百五号）第百二十八条第一項」とあるのは、「道路交通法（昭和三十五年法律第百五号）第百二十八条第一項（同法第百三十条の二第三項において準用する場合を含む。）」とした場合における同項各号に掲げる額の合算額を控除して計算する。

5 昭和四十七年度から昭和五十六年度までの各年度における財政法第六条に規定する剰余金は、予算決算及び会計令第十九条の規定により計算して得た額（昭和四十七年度から昭和五十五年度まで（昭和五十一年度を除く。）の各年度における当該剰余金にあつては、改正政令附則第三項の規定により計算して得た額）から、附則第二項各号中「当該年度」とあるのは、「当該各年度」と、「道路交通法（昭和三十五年法律第百五号）第百二十八条第一項」とあるのは、「道路交通法（昭和三十五年法律第百五号）第百二十八条第一項（同法第百三十条の二第三項において準用する場合を含む。）」とした場合における同項各号に掲げる額の合算額及び当該各年度における航空機燃料税の収入額の十三分の十一に相当する金額が当該各年度における航空機燃料税の収入見込額の十三分の十一に相当する額として一般会計の歳入予算に計上された金額を超える額を控除して計算する。

改 二項…一部改正（昭四四政令四八 昭四五政令二二〇）、三項…追加（昭四五政令二二〇）、四項…追加（昭四六政令二一〇）、四項…一部改正（昭四七政令二八七）、五項…追加（昭四八政令一九三）、五項…一部改正（昭四九政令二六七 昭五三政令二四三 昭五八政令一二六）

附 則（平一七・一・四政令一）（抄）

（施行期日）

第一条 この政令は、平成十七年四月一日から施行する。

（支出に関する事務を電子情報処理組織を使用して処理する場合における予算決算及び会計令等の臨時特例に関する政令の廃止）

第二条 支出に関する事務を電子情報処理組織を使用して処理する場合における予算決算及び会計令等の臨時特例に関する政令（昭和五十五年政令第二十二号。以下「特例政令」という。）は、廃止する。

附 則（平一八・一二・一五政令三八二）（抄）

（施行期日）

第一条 この政令は、平成十九年四月一日から施行する。

（予算決算及び会計令の一部改正に伴う経過措置）

第二条 第一条の規定による改正後の予算決算及び会計令第十九条及び附則第九条の二の規定は、平成十九年度以後の年度における財政法第六条に規定する剰余金について適用し、平成十八年度以前の年度における同条に規定する剰余金については、なお従前の例による。

附　則（平二〇・二・一四政令二六）

（施行期日）

第一条　この政令は、平成二十年三月一日から施行する。

（適用区分）

第二条　この政令による改正後の予算決算及び会計令第七十一条第一項の規定は、一般競争に参加しようとする者がこの政令の施行の日（以下「施行日」という。）以後の事実により同項各号のいずれかに該当すると認められるときについて適用し、施行日前の事実によりこの政令による改正前の予算決算及び会計令第七十一条第一項各号のいずれかに該当すると認められる者については、なお従前の例による。

附　則（平二三・九・三〇政令三〇八）（抄）

（施行期日）

第一条　この政令は、平成二十三年十月一日から施行する。

附　則（平二四・三・二八政令六七）

この政令は、公布の日から施行する。

附　則（平二四・三・三一政令九九）（抄）

（施行期日）

第一条　この政令は、平成二十四年四月一日から施行する。〔ただし書略〕

附　則（平二四・三・三一政令一一三）（抄）

（施行期日）

第一条　この政令は、平成二十四年四月一日から施行する。〔ただし書略〕

附　則（平二四・七・一九政令一九七）

この政令は、新非訟事件手続法の施行の日（平成二十五年一月一日）から施行する。

○非訟事件手続法等の施行に伴う関係政令の整備に関する政令（抄）

平二四・七・一九
政令一九七

（予算決算及び会計令の一部改正に伴う経過措置）

第四条　前条の規定による改正後の予算決算及び会計令第五十一条第十一号の規定の適用については、非訟事件手続法及び家事事件手続法の施行に伴う関係法律の整備等に関する法律（以下「整備法」という。）第三条の規定による廃止前の家事審判法（昭和二十二年法律第百五十二号。第三十一条において「旧家事審判法」という。）に基づいて調査の嘱託を受け又は報告を求められた者（整備法第四条の規定によりなお従前の例によることとされる場合におけるものを含む。）を家事事件手続法に基づいて調査の嘱託を受け又は報告を求められた者とみなす。

附　則（平二四・七・二五政令二〇二）（抄）

（施行期日）

第一条　この政令は、郵政民営化法等の一部を改正する等の法律（以下「平成二十四年改正法」という。）の施行の日（平成二十四年十月一日）から施行する。〔ただし書略〕

附　則（平二五・三・一三政令五四）（抄）

（施行期日）

第一条　この政令は、平成二十六年四月一日から施行する。

（予算決算及び会計令の一部改正に伴う経過措置）

第六条　前条の規定による改正後の予算決算及び会計令第十九条第二号の規定は、平成二十六年度以後の年度における財政法（昭和二十二年法律第三十四号）第六条に規定する剰余金について適用し、平成二十五年度以前の年度における同条に規定する剰余金については、なお従前の例による。

附　則（平二五・三・二九政令九八）

（施行期日）

1　この政令は、平成二十五年四月一日から施行する。ただし、附則第十条の改正規定は、公布の日から施行する。

（経過措置）

2　この政令による改正後の予算決算及び会計令第七十一条第一項の規定は、一般競争に参加しようとする者がこの政令の施行の日（以下「施行日」という。）以後の事実により同項各号のいずれかに該当すると認められるときについて適用し、施行日前の事実によりこの政令による改正前の予算決算及び会計令第七十一条第一項各号のいずれかに該当すると認められる者については、なお従前の例による。

附　則（平二五・六・二六政令一九二）

この政令は、公布の日から施行する。

附　則（平二六・六・二五政令二二三）

この政令は、公布の日から施行する。

附　則（平二六・九・三〇政令三一六）（抄）

最終改正　令元・六・二一政令三二

（施行期日）

第一条　この政令は、令和元年十月一日から施行する。ただし、〔中略〕附則第七条及び第八条の規定は平成三十一年四月一日から施行する。

（予算決算及び会計令の一部改正に伴う経過措置）

第八条　前条の規定による改正後の予算決算及び会計令第十九条第二号の規定は、令和元年度以後の年度における財政法（昭和二十二年法律第三十四号）第六条に規定する剰余金について適用し、平成三十年度以前の年度における同条に規定する剰余金については、なお従前の例による。

附　則（平二七・三・二五政令九三）（抄）

（施行期日）

1　この政令は、少年院法の施行の日（平成二十七年六月一日）から施行する。

附　則（平二七・三・三一政令一六二）（抄）

（施行期日）

第一条　この政令は、平成二十七年四月一日から施行する。〔ただし書略〕

（予算決算及び会計令の一部改正に伴う経過措置）

第二条　第一条の規定による改正後の予算決算及び会計令第十九条第二号の規定は、平成二十七年度以後の年度における財政法第六条に規定する剰余金について適用し、平成二十六年度以前の年度における同条に規定する剰余金については、なお従前の例による。

附　則（平二七・三・三一政令一六六）（抄）

（施行期日）

1　この政令は、子ども・子育て支援法の施行の日（平成二十七年四月一日）から施行する。〔ただし書略〕

附　則（平二七・七・一政令二六三）

この政令は、公布の日から施行する。

附　則（平二八・二・一七政令四三）（抄）

（施行期日）

第一条　この政令は、改正法施行日（平成二十八年四月一日）から施行する。〔ただし書略〕

附　則（平二八・四・二七政令二〇九）

（施行期日）

1　この政令は、公布の日から施行する。

（経過措置）

2　東日本大震災からの復興のための施策を実施するために必要な財源の確保に関する特別措置法（平成二十三年法律第百十七号）第七十条及び東日本大震災からの復興のための施策を実施するために必要な財源の確保に関する特別措置法及び財政運営に必要な財源の確保を図るための公債の発行の特例に関する法律の一部を改正する法律（平成二十八年法律第二十三号）附則第二条第一項の規定によりなおその効力を有するものとされた同法第二条の規定による改正前の財政運営に必要な財源の確保を図るための公債の発行の特例に関する法律（平成二十四年法律第百一号）第三条第二項の規定により平成二十八年四月一日以後発行されるる公債に係る収入であって平成二十七年度所属の歳入とされるものについては、この政令による改正前の予算決算及び会計令附則第十条の規定は、なおその効力を有する。この場合において、同条中「財政運営に必要な財源の確保を図るための公債の発行の特例に関する法律」とあるのは、「東日本大震災からの復興のための施策を実施するために必要な財源の確保に関する特別措置法及び財政運営に必要な財源の確保を図るための公債の発行の特例に関する法律の一部を改正する法律（平成二十八年法律第二十三号）附則第二条第一項の規定によりなおその効力を有するものとされた同法第二条の規定による改正前の財政運営に必要な財源の確保を図るための公債の発行の特例に関する法律」とする。

附　則（平二八・一一・二八政令三六〇）（抄）

改正　令元・六・二一政令三二

（施行期日）

第一条　この政令は、公布の日から施行する。ただし、第三条〔中略〕並びに次条〔中略〕の規定は、令和二年四月一日から施行する。

（予算決算及び会計令の一部改正に伴う経過措置）

第二条　第三条の規定による改正後の予算決算及び会計令第十九条第二号の規定は、令和二年度以後の年度における財政法第六条に規定する剰余金について適用し、令和元年度以前の年度における同条に規定する剰余金については、なお従前の例による。

附　則（平二九・三・二三政令四〇）（抄）

（施行期日）

第一条　この政令は、第五号施行日（平成二十九年四月一日）から施行する。〔ただし書略〕

附　則（平三〇・六・六政令一八三）

改正　令元・六・二八政令四四

この政令は、民法の一部を改正する法律の施行の日（令和二年四月一日）から施行する。

附　則（令二・一二・二三政令三六〇）

この政令は、令和三年一月一日から施行する。

附　則（令三・四・二三政令一四六）

（施行期日）

1　この政令は、公布の日から施行する。

（経過措置）

2　東日本大震災からの復興のための施策を実施するために必要な財源の確保に関する特別措置法（平成二十三年法律第百十七号）第七十条及び財政運営に必要な財源の確保を図るための公債の発行の特例に関する法律の一部を改正する法律（令和三年法律第十三号）附則第二条第一項の規定によりなおその効力を有するものとされた同法による改正前の財政運営に必要な財源の確保を図るための公債の発行の特例に関する法律（平成二十四年法律第百一号）第三条第二項の規定により令和三年四月一日以後発行される公債に係る収入であって令和二年度所属の歳入とされるものについては、この政令による改正前の予算決算及び会計令附則第十条の規定は、なおその効力を有する。この場合において、同条中「及び」とあるのは、「及び財政運営に必要な財源の確保を図るための公債の発行の特例に関する法律の一部を改正する法律（令和三年法律第十三号）附則第二条第一項の規定によりなおその効力を有するものとされた同法による改正前の」とする。

附　則（令三・六・一八政令一七二）（抄）

（施行期日）

第一条　この政令は、令和三年六月二十八日から施行する。

附　則（令四・六・一五政令二二六）

この政令は、公布の日から施行する。

附　則（令五・四・七政令一六三）（抄）

（施行期日）

第一条　この政令は、令和六年四月一日から施行する。

附　則（令五・六・二三政令二二二）（抄）

（施行期日）

1　この政令は、法の施行の日（令和五年六月三十日）から施行する。〔ただし書略〕

○予算決算及び会計令臨時特例

昭二一・一一・二二
勅令五五八

最終改正　令五・七・一二政令二四〇

（資金の前渡のできる経費）

第一条　各省各庁の長（財政法（昭和二十二年法律第三十四号）第二十条第二項に規定する各省各庁の長をいう。以下同じ。）は、当分の間、会計法（昭和二十二年法律第三十五号。以下「法」という。）第十七条の規定により、次に掲げる経費について、主任の職員に現金支払をさせるため、その資金を当該職員に前渡することができる。

一　日本国とアメリカ合衆国との間の相互協力及び安全保障条約に基づき駐留するアメリカ合衆国軍隊（以下「駐留軍」という。）に使用される労働者の募集に要する経費

二　復員又は引揚げに関する経費

三　国家公務員退職手当法（昭和二十八年法律第百八十二号）の規定による退職手当

四　労働施策の総合的な推進並びに労働者の雇用の安定及び職業生活の充実等に関する法律（昭和四十一年法律第百三十二号）第十八条の規定による職業転換給付金（同条第二号及び第五号に掲げる給付金にあつては、労働施策の総合的な推進並びに労働者の雇用の安定及び職業生活の充実等に関する法律施行令（昭和四十一年政令第二百六十二号）第一条第二号に規定する者に係るものに限る。）

五　漁業経営の改善及び再建整備に関する特別措置法（昭和五十一年法律第四十三号）第十三条第一項の規定による職業転換給付金

六　国際協定の締結等に伴う漁業離職者に関する臨時措置法（昭和五十二年法律第九十四号）第七条第一項の規定による給付金

七　船員の雇用の促進に関する特別措置法（昭和五十二年法律第九十六号）第三条第一項の規定による就職促進給付金

八　本州四国連絡橋の建設に伴う一般旅客定期航路事業等に関する特別措置法（昭和五十六年法律第七十二号）第二十条第一項の規定による就職促進給付金

②　財務大臣は、当分の間、必要があると認めるときは、予算決算及び会計令（昭和二十二年勅令第百六十五号。以下「令」という。）第五十一条ただし書の規定に対して特例を設けることができる。

③　令第五十二条第一項の規定は、第一項の規定により資金を前渡する場合について準用する。

改　一～三項…一部改正（昭二二勅令一六五　昭二三政令九）、一項…一部改正（昭二三政令二六一）、一・二項…一部改正（昭二三政令三三四）、一項…一部改正（昭二四政令二九八）、二・三項…一部改正（昭二四政令二四五）、一項…一部改正（昭二四政令三六五　昭二五政令三二九　昭二七政令二一〇・四五六　昭二八政令三九三　昭三〇政令五〇　昭三五政令一七四　昭三八政令七三・三四九　昭四一政令二六三・二九九　昭四七政令一三・一八五　昭五一政令一六六　昭五三政令三　昭五五政令二三三　昭五六政令一八〇　昭五六政令三一六　昭六二政令五四　平一二政令三〇七・三二六　平一四政令二二九）、三項…一部改正（平一七政令二）、一項…一部改正（平三〇政令二〇〇）

（前渡資金の繰替使用）

第一条の二　各省各庁の長は、前条第一項第三号に掲げる退職手当の支払をなさしめるため、出納官吏をしてその保管に係る前渡の資金を繰り替え使用せしめることができる。

②　前項の規定による前渡の資金の繰替使用に関する手続は、各省各庁の長が、財務大臣に協議してこれを定める。

改　本条…追加（昭二四政令二九八）、一項…一部改正（昭二五政令三二九　昭二七政令二二〇・四五六　昭三〇政令五〇　平一二政令三〇七）

（前金払のできる経費）

第二条　各省各庁の長は、当分の間、法第二十二条の規定により、次に掲げる経費について、前金払をなすことができる。

一　駐留軍の使用する家屋にある設備若しくは備品で当該家屋の運営上これと一体的に使用されるべきもの又は駐留軍の使用する工作物の借料

二　災害を復旧するために必要な物品及び土木建築その他の工事並びにその材料の代価

二の二　自衛隊法（昭和二十九年法律第百六十五号）第七十六条第一項（第一号に係る部分に限る。）の規定により出動を命ぜられた自衛隊の任務遂行のために必要な物品の代価

三　公共工事の前払金保証事業に関する法律（昭和二十七年法律第百八十四号）第二条第四項に規定する保証事業会社により前払金の保証がされた同条第一項に規定する公共工事の代価

四　船舶、船舶用機関、船舶のぎ装品、航空機、航空機用機関、航空機部品、車両、施設機器、訓練機器、通信機器、電子機器又は武器の建造、製造、改造又は修理をさせる場合で納入までに長期間を要するときにおけるその代価

五　日本国とアメリカ合衆国との間の相互防衛援助協定第一条の規定によりアメリカ合衆国から有償で供与を受ける装備、資材又は役務の代価

五の二　防衛施設周辺の生活環境の整備等に関する法律（昭和四十九年法律第百一号）第五条第二項又は公共用飛行場周辺における航空機騒音による障害の防止等に関する法律（昭和四十二年法律第百十号）第九条第二項の規定により買い入れる土地（各庁において不動産登記法（平成十六年法律第百二十三号）による登記の嘱託をする場合にその嘱託情報と併せて登記所に提供しなければならない情報を取得したものに限る。）の代価

六　国が駐留軍の用に供するため、民有若しくは公有の土地を使用し、又は民有若しくは公有の建物（附帯設備を含む。以下本号及び次条第四号において同じ。）若しくは工作物を買収若しくは使用する場合及び日本国とアメリカ合衆国との間の相互協力及び安全保障条約第六条に基づく施設及び区域並びに日本国における合衆国軍隊の地位に関する協定の実施に伴う国有の財産の管理に関する法律（昭和二十七年法律第百十号）第五条において準用する国有財産法（昭和二十三年法律第七十三号）第二十四条（同法第十九条及び第二十六条において準用する場合を含む。）の規定により国有の土地、建物若しくは工作物についての契約を解除する場合並びに国が駐留軍に水面を提供するため、漁業権又は入漁権を制限する場合における当該土地、建物若しくは工作物又は水面にある物件の移転料

六の二　航空機の離着陸の障害となる物件の設置、植栽又は留置の制限により当該物件の除去その他の工事をさせる場合における補償金

六の三　駐留軍の通信施設が被る電波障害を防止するため、建物、工作物その他の物件の設置又は留置を制限する場合における補償金

七　傭船料

改　本条…一部改正（昭二二勅令一六五　昭二四政令三六五　昭二七政令二二〇・四三二　昭二八政令三四・一七一・三九三　昭二九政令九五　昭三三政令二八四・三一六　昭三五政令一七四　昭三七政令三三・一四二・二三七・四二九　昭四〇政令三三九　昭四八政令二〇二　昭四九政令二二八　昭五五政令二三三　平一二政令三〇七　平一五政令四五四　平一七政令二四　平二八政令八四）

（概算払のできる経費）

第三条　各省各庁の長は、当分の間、法第二十二条の規定により、次に掲げる経費について、概算払をすることができる。

一　前条各号に掲げるもの

二　運賃

三　国が連合国軍又は駐留軍の用に供していた民有若しくは公有の土地、建物若しくは工作物又は民有の営業用動産が返還された場合における当該土地、建物若しくは工作物又は営業用動産に係る原状回復のための補償金

四　国が駐留軍に水面を提供するため、漁業権又は入漁権を制限する場合における補償金（前条第六号に規定する水面にある物件の移転料を除く。）

五　日本国とアメリカ合衆国との間の相互協力及び安全保障条約に基づき日本国にあるアメリカ合衆国の軍隊の水

面の使用に伴う漁船の操業制限等に関する法律（昭和二十七年法律第二百四十三号）第二条の規定による補償金

六　義務教育諸学校の教科用図書の無償措置に関する法律（昭和三十八年法律第百八十二号）第四条の規定に基づく契約に係る同法第二条第二項に規定する教科用図書又は障害のある児童及び生徒のための教科用特定図書等の普及の促進等に関する法律（平成二十年法律第八十一号）第十一条の規定に基づく契約に係る同法第二条第一項に規定する教科用特定図書等の購入費

七　電気事業法（昭和三十九年法律第百七十号）第二条第一項第九号に規定する一般送配電事業者、同項第十一号の三に規定する配電事業者又は同項第十三号に規定する特定送配電事業者に行わせる電気供給設備（国の施設となるものを除く。）の工事に要する経費

改　本条…一部改正（昭二三勅令一六五　昭二四政令三六五　昭二七政令六九・四三二・四九〇　昭二八政令一七一　昭三二政令三一六　昭三五政令一七四　昭三八政令三八　昭三九政令一九・三三三　平七政令三五九　平一四政令三八五　平一九政令二三五　平二〇政令二八一　平二八政令四三　令四政令三七）

〔**前金払及び概算払の制限**〕

第四条　第二条第二号から第六号の二まで又は前条第一号から第六号までに掲げる経費についてこれらの規定により前金払又は概算払をなすことができる範囲及び第二条各号又は前条第一号から第六号までに掲げる経費についてこれらの規定により前金払又は概算払をなす場合における当該前金払又は概算払の金額の当該経費の額に対する割合については、各省各庁の長は、あらかじめ財務大臣に協議しなければならない。

改　一項…一部改正（昭二三勅令一六五）、二項…削除（昭二七政令二一〇）、本条…一部改正（昭二七政令四三二・四九〇　昭二八政令三四・一七一　昭三二政令二八四　昭三七政令四二九　昭三八政令三八　昭三九政令三三三　昭五五政令二二三　平一二政令三〇七）

〔**複数落札制入札制度による物品購入等**〕

第四条の二　防衛大臣は、当分の間、自衛隊の装備品その他その装備に必要な物品の製造をなさしめ又は買入をする場合において、その需要数量が多いときは、当該製造又は買入について行う法第二十九条の三第一項の競争（以下「一般競争」という。）又は指名競争は、その需要数量の範囲内で供給者の供給を希望する数量及びその単価を入札せしめ、予定価格をこえない単価の入札者のうち、低価の入札者から順次需要数量に達するまでの入札者をもつて落札者とする方法によることができる。

②　前項の場合において、最後の順位の落札者の入札数量が他の落札者の数量と合算して需要数量をこえるときは、そのこえる数量については、落札がなかつたものとする。

改　本条…追加（昭二四政令三四五）、四条の一〇に繰下及び現条新設（昭二八政令三四）、一項…一部改正（昭二九政令一七二　昭三七政令三二八　平一九政令三）

〔**契約を結ばない者があるときの措置**〕

第四条の三　前条第一項の規定による競争により落札者を定めた場合において、落札者のうち契約を結ばない者があるときは、その者の落札していた数量の範囲内で、まず同条第二項に規定する落札者について同項の規定により落札がなかつたものとし、次に第四条の七の規定により落札者とならなかつた者についてその者の入札数量の落札があつたものとすることができる。

②　前項の場合において、第四条の七の規定により落札者とならなかつた者が二人以上あるときは、同条の規定を準用してその順位を決定し、又、最後の順位に当る者の入札数量について前条第二項に規定する場合に準ずべき場合があるときは、同項の規定を準用するものとする。

改　本条…追加（昭二四政令三四五）、一・二項…一部改正・旧四条の四…繰上（昭二七政令二一〇）、一・二項…一部改正（昭二八政令三四）

〔**公告記載事項**〕

第四条の四　第四条の二第一項の規定による競争に付する場合の公告又は入札者に対する通知には、令第七十五条各号に掲げる事項のほか、第四条の二第一項の規定による競争入札であることを明らかにし、かつ、同条第二項の規定により落札がなかつたものとすることがある旨及び第四条の九第一項の規定により当該競争入札を取り消すことがある旨並びに端数の入札を制限する場合にはその旨の記載又は記録をしなければならない。

改　本条…追加（昭二八政令三四）、一部改正（昭三七政令三二八　平一五政令二八）

〔**予定価格の決定**〕

第四条の五　第四条の二第一項の規定による競争に付する事項の予定価格は、令第八十条第一項の規定にかかわらず、

当該競争入札に付する物品の種類ごとの総価額を当該物品の種類ごとの需要数量で除した金額をもって定めなければならない。

改 本条…追加（昭二八政令三四）、一部改正（昭三七政令三二八）

〔二種以上の物品についての競争〕

第四条の六　第四条の二第一項の規定による競争が二種以上の物品について行われるものである場合には、その入札は、物品の種類の異なるごとにその単価及び数量について行わなければならない。

改 本条…追加（昭二四政令三四五）、一部改正・旧四条の七…繰上（昭二七政令二一〇）、一部改正・旧四条の四…繰下（昭二八政令三四）

〔同価入札に係る落札者の決定〕

第四条の七　第四条の二第一項の規定による競争により落札者を定める場合において同価の入札をした者が二人以上あるときは、入札数量の多い者を先順位の落札者とし、入札数量が同一であるときは、令第八十三条の規定に準じてくじで落札者を定めるものとする。

改 本条…追加（昭二四政令三四五）、一部改正・旧四条の八…繰上（昭二七政令二一〇）、旧四条の五…繰下（昭二八政令三四）、一部改正（昭三七政令三二八）

〔随意契約によることができる場合〕

第四条の八　第四条の二第一項の規定による競争に付した場合において、落札数量が需要数量に達しないとき又は落札者のうち契約を結ばない者があるときは、需要数量に達するまで、最低落札単価の制限内で、令第九十九条の三及び令第九十九条の四の規定に準じて随意契約によることができる。

改 本条…追加（昭二四政令三四五）、一部改正・旧四条の九…繰上（昭二七政令二一〇）、旧四条の六…繰下（昭二八政令三四）、一部改正（昭三七政令三二八）

〔競争入札の取消〕

第四条の九　第四条の二第一項の規定による競争に付する場合において、その競争に加わつた者が五人に満たないときは、当該競争入札を取り消すことができる。

② 前項の規定により競争入札を取り消したときは、入札書は、そのままこれを入札者に送付しなければならない。

③ 第一項の規定により競争入札を取り消した場合には、令第九十九条の二の規定は、これを適用しない。

改 本条…追加（昭二八政令三四）、三項…一部改正（昭三七政令三二八）、二項…一部改正（平一五政令二八）

〔複数落札制入札制度による物品等の売払〕

第四条の十　各省各庁の長は、当分の間、連合国軍又は駐留軍からの返還又は取得に係る物品（以下「返還物品」という。）並びに政府が輸入した物品（米国対日援助物資を含む。以下「政府輸入物品」という。）及び政府が輸出するため買い上げた物品で滞貨となつているもの（以下「政府貿易等に係る物品」という。）並びに国有財産法第二条第一項第六号に規定する有価証券（以下「国の所有に係る有価証券」という。）の売払をなす場合に限り、その売払について行う一般競争は、その売払数量の範囲内で需要者の買受を希望する数量及びその単価を入札せしめ、予定価格をこえる単価の入札者のうち、高価の入札者から順次売払数量に達するまでの入札者をもつて落札者とする方法によることができる。

② 前項の場合において、最後の順位の落札者の入札数量が他の落札者の数量と合算して売払数量をこえるときは、そのこえる数量については、落札がなかつたものとする。

③ 各省各庁の長は、第一項の規定による一般競争（国の所有に係る有価証券の売払について行う一般競争を除く。）に付する場合においては、当該競争に加わろうとする者が買受を希望する数量についての見積金額の総額が四十万円をこえないときに限り、法第二十九条の四第一項ただし書の規定により、同項の保証金（以下「入札保証金」という。）を納めさせないことができる。

改 本条…追加（昭二四政令三六五）、一項…一部改正（昭二五政令二七四）、一・三項…一部改正（昭二六政令二八七）、一・三項…一部改正・旧四条の一一…繰上（昭二七政令二一〇）、旧四条の二…繰下（昭二八政令三四）、一項…一部改正（昭二八政令一七一　昭三二政令三一六　昭三三政令二五一）、一・三項…一部改正（昭三七政令三二八）

〔準用規定〕

第四条の十一　第四条の三及び第四条の六から第四条の八までの規定は、前条第一項の規定による一般競争に付する場合について準用する。この場合において、第四条の六中「二種以上の物品」とあるのは「二種以上の物品又は二種以上の銘柄の有価証券」と、「物品の種類」とあるのは「物品の種類又は有価証券の銘柄」と、第四条の八中「需要数量」とあるのは「売払数量」と、「最低落札単価の制限内」とあるのは「最高落札単価を下らない価額」と読み替えるものとする。

改 本条…追加（昭二八政令三四）、一部改正（昭三七政令三二八）

〔公告記載事項〕

第四条の十二 第四条の十第一項の規定による一般競争に付する場合の公告には、令第七十五条各号に掲げる事項のほか、第四条の十第一項の規定による競争入札であることを明らかにし、かつ、同条第二項の規定により入札数量の一部について落札がなかつたものとすることがある旨の記載又は記録をしなければならない。

改 本条…追加（昭二四政令三六五）、一部改正・旧四条の一三…繰上（昭二七政令二一〇）、一部改正・旧四条の七…繰下（昭二八政令三四）、一部改正（昭三七政令三二八 平一五政令二八）

〔予定価格の決定〕

第四条の十三 第四条の十第一項の規定による一般競争に付する物品又は有価証券の予定価格は、令第八十条第一項の規定にかかわらず、当該物品又は有価証券ごとの単価について定めなければならない。

改 本条…追加（昭二四政令三六五）、一部改正（昭二六政令二八七）、一部改正・旧四条の一四…繰上（昭二七政令二一〇）、一部改正・旧四条の八…繰下（昭二八政令三四）、一部改正（昭三七政令三二八）

〔展示入札売払制度〕

第四条の十四 各省各庁の長は、売払をしようとする物品を一定期間一般に展示してその期間中に入札させ、期間経過後落札者を決定し所定の期日までに代金の納付と同時に当該物品の引渡をなす方法により返還物品及び政府貿易等に係る物品の売払をなす場合においては、当分の間、法第二十九条の四第一項ただし書の規定により、入札保証金を納めさせないこととし、又、落札者が所定の期日までに当該物品の代金の納付をなさなかつたときは、令第八十三条の規定により同価の入札者でくじで落札者とならなかつたものがあるときはその者（その者が二人以上あるときは、その者のうちからくじで定めた者）、同価の入札者がなかつたときは予定価格をこえる価額の入札者で落札者とならなかつたもののうちで最高の価額を入札した者（その者が二人以上あるときは、その者のうちからくじで定めた者）を落札者とすることができる。

② 前項の規定による返還物品及び政府貿易等に係る物品の売払いをなす場合の公告には、令第七十五条各号に掲げる事項のほか、同項の規定により落札者が所定の期日までに当該物品の代金の納付をなさなかつたときは、落札者としての権利を失うことがある旨の記載又は記録をしなければならない。

改 本条…追加（昭二四政令三六五）、一・二項…一部改正（昭二五政令二七四）、一・二項…一部改正・旧四条の一五…繰上（昭二七政令二一〇）、旧四条の九…繰下（昭二八政令三四）、一・二項…一部改正（昭三七政令三二八）、二項…一部改正（平一五政令二八）

〔予定価格の公告〕

第四条の十五 財務大臣は、当分の間、不動産（普通財産に限る。）を入札の方法により一般競争に付して売り払い、又は貸し付けるときは、令第七十九条の規定にかかわらず、その予定価格を記載し、又は記録した書面をその内容が認知できない方法により、開札の際これを開札場所に置く手続によらないで、当該予定価格を法第二十九条の三第一項の規定による公告の際に併せて公告することができる。

改 本条…追加（平一四政令三三八）、一部改正（平一五政令二八 平一八政令一二六 平二四政令二七五 令五政令二四〇）

〔随意契約によることができる場合〕

第五条 各省各庁の長は、当分の間、法第二十九条の三第五項の規定により、他の法令に定めるもののほか、次に掲げる場合においては、随意契約によることができる。

一 法令による価格の額の指定のある場合における当該物品の買入若しくは売払、法令による賃貸料の額の指定のある場合における当該物品の貸付若しくは借入又は法令による加工賃の額の指定のある場合における当該物品の加工について契約をなすとき

二 旧陸軍省、海軍省及び軍需省に属していた財産で用途廃止により普通財産となつたもの並びに普通財産で連合国軍又は駐留軍からの返還又は取得に係るもののうち不動産及びその附属設備であつて、予定賃貸料の年額又は総額が五十万円を超えないものの貸付をなすとき

三 旧陸軍省、海軍省及び軍需省に属していた財産で用途廃止により普通財産となつた船舶、機械及び器具、旧軍

需省に属していた機械及び器具で国有財産法施行前に物品として各省各庁の長に移換されたもの並びに返還物品をこれに特別の縁故がある者に売払又は貸付をなすとき

四　海域にある爆薬兵器若しくは弾薬又はその部分品の引揚を政府から許可された者に対し、そのくず化を条件として当該物件をくずとして売り払うとき

五　旧陸軍省、海軍省及び軍需省の所管に属していた船舶（徴傭されていた船舶を含む。以下「船舶」という。）又は船舶以外の財産で現に沈没し、又は埋没し若しくは水没しているものを、それぞれ、当該財産の管理官庁の承認を受けて、その現状を調査した引揚業者又はその現状を調査した者に売り払うとき

六　旧軍港市転換法（昭和二十五年法律第二百二十号）第四条第一項に規定する旧軍用財産を同法第二条に規定する旧軍港市転換計画の実現に寄与するような用途に供する者に対し、当該財産を売り払うとき

七　国の所有に係る有価証券の売払いにつき一般競争に付することとすれば、当該有価証券に係る取引価格を著しく変動させ、金融商品市場（金融商品取引法（昭和二十三年法律第二十五号）第二条第十四項に規定する金融商品市場をいう。）を混乱させるおそれがある場合において、その売払いをするとき

八　国の所有に係る有価証券の売払いにつき一般競争に付することとすれば、当該有価証券を発行した法人の経営の安定を阻害するおそれがある場合において、その有価証券を当該法人並びに当該法人の株主、役員及び従業員その他当該法人と特別の縁故関係がある者に売り払うとき

九　飼料需給安定法（昭和二十七年法律第三百五十六号）第三条に規定する飼料需給計画を実施するため、急速に輸入飼料を買い入れる必要がある場合において直接に輸入業者から輸入飼料を買い入れるとき

十　国会議事堂の周辺地域において都市計画において定められた重要な道路の新設又は改築が行なわれるのに伴い国会に相当数の議席を有する政党が国会における政治活動の便に資するため当該地域に設置している本部の施設を移転する必要が生じた場合において、当該地域において当該移転に係る施設を設置するため必要な土地又は建物を当該政党に売り払い、又は貸し付けるとき

十一　公共用、公用又は公益事業の用に供する土地を取得するため、公共団体又は事業者が当該土地の所有者に対し当該土地に代わるべき土地を提供する必要があると認められる場合において、当該公共団体又は事業者に対し当該代わるべき土地として必要な土地を直接に売り払うとき

十二　単独で利用することが困難な土地の隣接地の所有者が当該隣接地を信託した受託者に対し当該単独で利用することが困難な土地を信託するとき、又は賃借権その他の土地を使用する権利を有する者が当該権利を信託した受託者に対し当該権利の目的となつている土地を信託するとき

十三　国有林野（国有林野の管理経営に関する法律（昭和二十六年法律第二百四十六号）第二条第一項に規定する国有林野をいう。）の一部の立木の伐採に際し、残余の立木の保護その他当該国有林野の保護上伐採に特殊の技術を必要とする場合において、当該国有林野の立木を直接にその特殊の技術を有する者に売り払うとき

十四　国有林野の管理経営に関する法律第十七条の二の契約をあらかじめ公示した予定価格をもつて締結するとき

② 前項の場合においては、各省各庁の長は、予め財務大臣に協議しなければならない。但し、前項第一号に該当する場合は、この限りでない。

改　一・二項…一部改正（昭二三勅令一六五）、一項…一部改正（昭二三政令一〇〇・三三四　昭二四政令三六五　昭二五政令二一七・二七四・三二九　昭二六政令一六四・二八七・二九三）、一・二項…一部改正・三項…削除（昭二七政令二一〇）、一項…一部改正（昭二七政令二八八　昭二八政令三二・七〇・一七五　昭二九政令一七二　昭三一政令一二九　昭三二政令七八・七九・三一六　昭三三政令二〇四・二五一　昭三五政令一六〇　昭三七政令三二八　昭三八政令一九）、一・二項…一部改正（昭三八政令三三六）、一項…一部改正（昭四三政令二三七　昭四四政令一五八　昭四九政令一六九　昭六一政令二〇〇　平七政令一五八　平七政令一七五）、二項…一部改正（平一二政令三〇七）、一項…一部改正（平一四政令三三八　平一九政令二三三　平二五政令五五）

〔即売制度〕

第六条　各省各庁の長は、当分の間、法第二十九条の三第五項の規定により、返還物品及び政府貿易等に係る物品の売払いについてその需給の状況等に照らし適当であると認める場合には、当該物品を一般に展示して、あらかじめ公示した価格をもつて即売をすることができる。

改　本条…追加（昭二四政令三六五）、一項…一部改正（昭二五政令二七四）、一項…一部改正、二・三項…削除（昭二七政令二一〇）、本条…一部改正（昭三七政令三二八）

附　則

① この勅令は、公布の日から、これを施行する。

② 各省各庁の長は、昭和二十三年度に限り、法第二十二条の規定により、主要官署を急速に開設する等特別の事由により著しく短縮された期間内に完成する必要がある土木建築その他の工事及びその材料の代価並びに当該工事に関連して必要な設備に要する物品及びその材料の代価について、前金払又は概算払をなすことができる。

③ 第四条の規定は、前項の規定により同項の経費について前金払又は概算払をなすことのできる範囲及び同項の規定により前金払又は概算払をなす場合における当該前金払又は概算払の金額の当該経費の額に対する割合について、これを準用する。

改 二・三項…追加（昭二三政令三三四）、二項…一部改正（昭二四政令三六五）、四・五項…追加（昭二五政令三二九）、四・五項…削除（昭二七政令二二〇）

○予算決算及び会計令第三十七条に規定する財務大臣の定める日を定める省令

昭五四・六・二三
大蔵令 三二

改正 平一二・九・二九大蔵令七五

予算決算及び会計令（昭和二十二年勅令第百六十五号）第三十七条に規定する財務大臣の定める日は、同令第三十六条第一項第一号に掲げる徴収済額報告書により作製する徴収総報告書にあつては、翌年度の七月十二日、同項第二号に掲げる徴収済額報告書により作製する徴収総報告書にあつては、翌年度の七月二十二日とする。

附 則（抄）

1 この省令は、公布の日から施行する。

○歳出予算の繰越しの承認及び繰越明許費の金額について翌年度にわたって支出すべき債務の負担の承認に関する事務の委任について

平一〇・九・二二蔵計二三五四
各省各庁の長あて

改正 平一三・一・五蔵計二七八一

会計法（昭和二十二年法律第三十五号）第四十六条の二の規定により、財政法（昭和二十二年法律第三十四号）第四十三条第一項の規定による歳出予算の繰越しの承認及び同法第四十三条の三の規定による繰越明許費の金額について翌年度にわたって支出すべき債務の負担の承認に関する事務を次のとおり委任し、平成十年十月一日から適用することとしたので、予算決算及び会計令（昭和二十二年勅令第百六十五号）第二十五条の三第二項及び第二十五条の五第二項において準用する同令第二十五条の三第二項の規定により、通知する。

なお、これに伴い、昭和五十九年九月二十七日付蔵計第二二九一号「歳出予算の繰越しの承認及び繰越明許費の金額について翌年度にわたって支出すべき債務の負担の承認に関する事務の委任について」は、平成十年十月一日で廃止する。

1 歳出予算の繰越しの承認に関する事務の委任

委任を受ける職員	事務の範囲
財務局長	(1) 財務省組織令（平成十二年政令第二百五十号）第八十条に規定する財務局の管轄区

委任を受ける職員	事務の範囲
	域（財務省組織令第八十二条に規定する福岡財務支局の管轄区域と重複する区域を除く。）内に在勤する支出負担行為担当官（各省各庁の本省及び本庁（以下「本省本庁」という。）に在勤するものを除く。）が支出負担行為を行う歳出予算の財政法第十四条の三第一項及び第四十二条ただし書の規定による繰越し（以下「繰越し」という。）の承認に関する事務。 (2) 本省本庁に在勤する支出負担行為担当官が支出負担行為を行う歳出予算について、会計法第四十六条の二又は第四十八条の規定により繰越しの手続に関する事務の委任を受けた前号の管轄区域内に在勤する職員（本省本庁に在勤するものを除く。）又は都道府県知事若しくは都道府県の吏員がその事務を行う繰越しの承認に関する事務。
福岡財務支局長	(1) 財務省組織令第八十二条に規定する福岡財務支局の管轄区域内に在勤する支出負担行為担当官が支出負担行為を行う歳出予算の繰越しの承認に関する事務。 (2) 本省本庁に在勤する支出負担行為担当官が支出負担行為を行う歳出予算について、会計法第四十六条の二又は第四十八条の規定により繰越しの手続に関する事務の委任を受けた前号の管轄区域内に在勤する職員又は県知事若しくは県の吏員がその事務を行う繰越しの承認に関する事務。
沖縄総合事務局長	(1) 内閣府設置法（平成十一年法律第八十九号）第四十四条に規定する沖縄総合事務局の管轄区域内に在勤する支出負担行為担当官が支出負担行為を行う歳出予算の繰越しの承認に関する事務。 (2) 本省本庁に在勤する支出負担行為担当官が支出負担行為を行う歳出予算について、会計法第四十六条の二又は第四十八条の規定により繰越しの手続に関する事務の委任を受けた前号の管轄区域内に在勤する職員又は県知事若しくは県の吏員がその事務を行う繰越しの承認に関する事務。

2　繰越明許費の金額について翌年度にわたって支出すべき債務の負担の承認に関する事務の委任

委任を受ける職員	事務の範囲
財務局長	(1) 財務省組織令第八十条に規定する財務局の管轄区域（財務省組織令第八十二条に規定する福岡財務支局の管轄区域と重複する区域を除く。）内に在勤する支出負担行為担当官（本省本庁に在勤するものを除く。）が行う財政法第四十三条の三の規定による翌年度にわたって支出すべき債務の負担（以下「翌債」という。）の承認に関する事務。 (2) 本省本庁に在勤する支出負担行為担当官が行う支出負担行為で翌債に係るものについて、会計法第四十六条の二又は第四十八条の規定により翌債の手続に関する事務の委任を受けた前号の管轄区域内に在勤する職員（本省本庁に在勤するものを除く。）又は都道府県知事若しくは都道府県の吏員がその事務を行う翌債の承認に関する事務。
福岡財務支局長	(1) 財務省組織令第八十二条に規定する福岡財務支局の管轄区域内に在勤する支出負担行為担当官が行う翌債の承認に関する事務。 (2) 本省本庁に在勤する支出負担行為担当官が行う支出負担行為で翌債に係るものについて、会計法第四十六条の二又は第四十八条の規定により翌債の手続に関する事務の委任を受けた前号の管轄区域内に在勤する職員又は県知事若しくは県の吏員がその事務を行う翌債の承認に関する事務。
沖縄総合事務局長	(1) 内閣府設置法第四十四条に規定する沖縄総合事務局の管轄区域内に在勤する支出負担行為担当官が行う翌債の承認に関する事務。 (2) 本省本庁に在勤する支出負担行為担当官が行う支出負担行為で翌債に係るものについて、会計法第四十六条の二又は第四十八条の規定により翌債の手続に関する事務の委任を受けた前号の管轄区域内に在勤する職員又は県知事若しくは県の吏員がその事務を行う翌債の承認に関する事務。

○歳出予算の繰越しをする場合及び繰越明許費の金額について翌年度にわたって支出すべき債務を負担する場合の手続について

平一〇・九・二二蔵計二三五五
各省各庁の長あて

最終改正 平二〇・三・二八財計七五三

財政法（昭和二十二年法律第三十四号）第十四条の三第一項、第四十二条ただし書、第四十三条の二第一項及び特別会計法並びに財政法第四十三条の三の規定により、歳出予算を翌年度に繰り越して使用する場合及び繰越明許費の金額について翌年度にわたって支出すべき債務を負担する場合における手続については、同法第四十三条第一項から第三項まで、第四十三条の二第二項及び特別会計法並びに財政法第四十三条の三等の規定によるほか、次によることとしたので、通知する。

第一 歳出予算の繰越しの手続について

1 各省各庁の長が繰越しに関する事務を行う場合

(1) 各省各庁の長が会計法（昭和二十二年法律第三十五号）第四十六条の二又は第四十八条の規定による歳出予算の繰越しの手続に関する事務の委任をしていない場合においては、支出負担行為担当官は、各省各庁の長からの示達に係る歳出予算について、財政法第十四条の三第一項又は第四十二条ただし書の規定により翌年度に繰り越して使用する必要があると認めるときは、別紙第1号書式の繰越計算書を各省各庁の長に提出し、又は当該歳出予算について繰越しを必要とする額が確定したときは、別紙第3号書式の繰越額確定計算書（財政法第十四条の三又は第四十二条ただし書の規定による繰越し以外の繰越しの場合にあっては、各省各庁の長の定めるところにより、当該書式に準じた書式として差し支えない。）により各省各庁の長に対し、繰越しをされたい旨の申請をすること。

(2) 各省各庁の長は、(1)の定めにより支出負担行為担当官から提出された繰越計算書を審査して歳出予算の繰越し（以下「繰越し」という。）をする必要があると認め、又は支出負担行為担当官への示達未済に係る歳出予算を翌年度に繰り越して使用する必要があると認めて、財政法第四十三条第一項の規定により繰越しについて財務大臣又は財務局長、福岡財務支局長若しくは沖縄総合事務局長の承認を経ようとするときは、国の会計帳簿及び書類の様式等に関する省令（大正十一年大蔵省令第二十号）別表第10号書式の繰越計算書を、各省各庁の本省及び本庁（以下「本省本庁」という。）の支出負担行為担当官が支出負担行為を行う歳出予算の繰越し及び支出負担行為計画の示達未済歳出予算の繰越しにあっては財務大臣に、本省本庁以外の支出負担行為担当官が支出負担行為を行う歳出予算の繰越しにあっては当該支出負担行為担当官の在勤地を管轄する財務局長（当該在勤地が福岡財務支局の管轄区域内にあるときは福岡財務支局長とする。）又は沖縄総合事務局長（以下「財務局長等」という。）に提出すること。

なお、この場合において同計算書は別紙第1号書式の繰越計算書の記載方法に準じ、当該繰越しに係る支出負担行為済額等を記載することとし、以下2の(1)の繰越計算書において同様とすること。

(3) 各省各庁の長は、財務局長等の承認に係る繰越しについて繰越しをしたときは、すみやかにその旨を別紙第3号書式の繰越額確定計算書により当該財務局長等に通知すること。

(4) 各省各庁の長は、財政法第四十三条第三項（第四十三条の二第二項の規定により準用する場合を含む。）及び予算決算及び会計令（昭和二十二年勅令第百六十五号）第二十五条の二又は特別会計法の規定により、繰越しについて財務大臣及び会計検査院に通知をするときは、別紙第2号書式の繰越済通知書によること。なお、繰越しについての財務大臣及び会計検査院への通知の規定がない特別会計において繰越しをした場合にも、同書式の繰越済通知書により財務大臣及び会計検査院に通知すること。

2 繰越しに係る支出負担行為担当官等が繰越しに関する事務を行う場合

(1) 会計法第四十六条の二又は第四十八条の規定により繰越しの手続に関する事務の委任を受けている職員又は都道府県知事若しくは都道府県の吏員（以下「繰越しに係る支出負担行為担当官等」という。）は、財政法第四十三条第一項の規定により、繰越しについて財務局長等の承認を経ようとするときは、国の会計帳簿及び書類の様式等に関する省令別表第10号書式の繰越計算書を、当該繰越しに係る歳出予算を執行する支出負担行為担当官（当該支出負担行為担当官が本省本庁の支出負担行為担当官である場合は、当該繰越しに係る支出負担行為担当官等とする。）の在勤地を管轄する財務局長等に提出すること。

(2) 繰越しに係る支出負担行為担当官等は、繰越しについて財務局長等の承認があったときは、各省各庁の長の定めるところにより、各省各庁の長に対し承認があった旨の報告をすること。

(3) 繰越しに係る支出負担行為担当官等は、繰越しを必要とする額が確定したときは、別紙第3号書式の繰越額確定計算書により、各省各庁の長に対し繰越しをされたい旨の申請をすること。

(4) 繰越しに係る支出負担行為担当官等は、繰越しを必要とする額が確定したときは、その旨を別紙第3号書式の繰越額確定計算書により、当該繰越しについて承認をした財務局長等に通知すること。

　この場合において、繰越しに係る支出負担行為担当官等は、後日、当該繰越額確定計算書の記載事項を変更する必要が生じたときは、すみやかにその旨を先に送付した繰越額確定計算書の写しに所要の訂正をして当該財務局長等に通知すること。

(5)　繰越しに係る支出負担行為担当官等が繰越しの手続に関する事務を行う場合における各省各庁の長からの財務大臣及び会計検査院への通知についても1の(4)の定めと同様とすること。

3　その他

予算決算及び会計令第二十四条第一項又は第二十五条の二第一項に定める繰越計算書の提出又は繰越しの通知の期限は、いずれも最終の期限を定めたものであるから事情の許す限り、すみやかに提出又は通知すること。

第二　繰越明許費の金額について翌年度にわたって支出すべき債務の負担をする場合の手続について

1　各省各庁の長が繰越明許費の金額について翌年度にわたって支出すべき債務の負担に関する事務を行う場合

(1)　各省各庁の長が会計法第四十六条の二又は第四十八条の規定による繰越明許費の金額について翌年度にわたって支出すべき債務の負担（以下「翌債」という。）に関する事務の委任をしていない場合においては、支出負担行為担当官は、各省各庁の長からの示達に係る歳出予算について翌債をする必要があると認めるときは、別紙第4号書式の翌年度にわたる債務負担の承認要求書（以下「承認要求書」という。）を各省各庁の長に提出すること。

(2)　各省各庁の長は、(1)の定めにより支出負担行為担当官から提出された承認要求書を審査して翌債の必要があると認め、又は支出負担行為担当官への示達未済に係る歳出予算について翌債をする必要があると認めて、財政法第四十三条の三の規定により翌債について財務大臣又は財務局長等の承認を経ようとするときは、承認要求書を本省本庁の支出負担行為担当官が行う翌債及び支出負担行為計画の示達未済歳出予算に係る翌債にあっては財務大臣に、本省本庁以外の支出負担行為担当官が行う翌債にあっては当該支出負担行為担当官の在勤地を管轄する財務局長等に提出すること。

2　翌債に係る支出負担行為担当官等が翌債に関する事務を行う場合

(1)　会計法第四十六条の二又は第四十八条の規定により翌債の手続に関する事務の委任を受けている職員又は都道府県知事若しくは都道府県の吏員（以下「翌債に係る支出負担行為担当官等」という。）が、財政法第四十三条の三の規定により、翌債について財務局長等の承認を経ようとするときは、承認要求書を当該翌債に係る歳出予算を執行する支出負担行為担当官（当該支出負担行為担当官が本省本庁の支出負担行為担当官である場合は、当該翌債に係る支出負担行為担当官等とする。）の在勤地を管轄する財務局長等に提出すること。

(2)　翌債に係る支出負担行為担当官等は、翌債について財務局長等の承認があったときは、各省各庁の長の定めるところにより、各省各庁の長及び繰越しに係る支出負担行為担当官等に対し翌債の承認があった旨の報告又は通知をすること。この場合において、翌債に係る支出負担行為担当官等が繰越しに係る支出負担行為担当官等を兼ねているときは、繰越しに係る支出負担行為担当官等への通知は、省略することとすること。

第三　翌年度にわたって支出すべき債務の負担について財務大臣又は財務局長等の承認を経た経費の明許繰越しについて

1　財政法第四十三条の三の規定により翌債をした経費について同法第十四条の三第一項の規定による繰越しをしようとする場合において、当該翌債が財務大臣又は財務局長等の承認を経たところに従って行われ、かつ、当該繰越しに係る事項及び事由が財務大臣又は財務局長等の承認を経た翌債の事項及び事由によるものであるとともに、当該繰越しをしようとする金額が財務大臣又は財務局長等の承認に係る承認要求書に記載されている翌年度所属として支出すべき金額の範囲内にとどまるものであるときは、当該繰越しについては、財政法第四十三条第一項の規定による財務大臣の承認があったものとすること。

2　1の定めにより財務大臣の承認があったものとされた場合における財政法第四十三条第三項及び予算決算及び会計令第二十五条の二の規定による繰越しについての財務大臣及び会計検査院への通知は別紙第2号書式の繰越済通知書によること。

　この場合において、当該繰越済通知書の記載事項のうち、各省各庁の長が財務局長等の承認を経た翌債に係るものがあるときは、各省各庁の長は、すみやかにその旨を別紙第3号書式の繰越額確定計算書により当該財務局長等に通知すること。

3　繰越しに係る支出負担行為担当官等は、1の定めにより財務大臣の承認があったものとされた繰越しについて、繰越しを必要とする額が確定したときは、第一の2の(3)及び(4)の定めに準じ、各省各庁の長及び当該繰越しに係る翌債について承認をした財務局長等に対し、申請をし、及び通知すること。

第四　その他

1　この通達は、平成十年十月一日から適用すること。

2　次の通達は、平成十年十月一日で廃止すること。

　昭和五十九年九月二十七日付蔵計第二二九二号「歳出予算の繰越しをする場合及び繰越明許費の金額について翌年度にわたって支出すべき債務を負担する場合の手続について」

第１号書式

番　　　号
平成　年　月　日

各省各庁の長あて

支出負担行為担当官　官　職　氏　名　印

繰　越　計　算　書（　　　繰越しの分）

所　管　　年　度　　会　計　　　　支出官　官　職　氏　名　に係る分

部局等、項及び目（目の細分）並びに事項	支出負担行為計画示達額	支出済額及び支出すべき額	翌年度へ繰越額		不用となるべき額	摘要			
			繰越承認済額	要繰越額		支出負担行為済額	支出負担行為の相手方及び年月日	事務事業の既済高及び検査年月日	事務事業の完了の見込年月日
	円	円	円	円	円	円			

○繰越しを必要とする理由

備考
1　用紙の大きさは、日本工業規格Ａ列４とすること。
2　繰越明許費の繰越しと事故繰越しとは、別葉に作成すること。
3　記載事項が２葉以上にわたる場合は、各葉の右上方余白にページ数を付すこと。
4　「部局等、項及び目（目の細分）並びに事項」欄の項及び目については、当該項及び目に係るコード番号を付すること。
5　勘定の区分がある特別会計にあっては、「部局等、項及び目（目の細分）並びに事項」欄に勘定名を記載すること。
6　既承認に係る翌債について繰越しの承認を経ようとする場合は、「要繰越額」欄に、当該既承認に係る承認要求書に記載されている翌年度所属として支出すべき金額を上段にかっこ書すること。
7　「摘要」欄は、繰越しをしようとする事項の経費について、その該当する項目を記載すること。なお、繰越しをしようとする事項の経費が国庫債務負担行為若しくは継続費に係るもの又は事故繰越しをしようとするものであるときは、上段にかっこ書で当該国庫債務負担行為若しくは継続費又は当該事故繰越しに係る当初の支出負担行為済額及び支出負担行為年月日を記載すること。
8　「繰越しを必要とする理由」欄は、その実態を正確かつ簡潔に把捉できるよう根拠となる法令の条項、繰越しを必要とする事由その他必要な事項を箇条書等により記載すること。

第２号書式

番　　　号
平成　年　月　日

財務大臣
会計検査院長　あて

各省各庁の長　印

繰越済通知書（　　　繰越しの分）

所管　　年度　　会計

部局等、項及び目（目の細分）並びに事項	歳出予算額	前年度繰越額	予備費使用額	流用等増△減額	予算現額	支出済額	不用額	翌年度へ繰越額			翌年度の部局等、項及び目	摘要
								繰越承認額	前回まで報告済額	今回報告額		
	円	円	円	円	円	円	円	円	円	円		

備考　1　用紙の大きさは、日本工業規格Ａ列４とすること。
2　繰越しの種類（明許繰越し、事故繰越し、継続費の繰越し、特別会計法令に基づく繰越し）ごとに作成すること。
3　記載事項が２葉以上にわたる場合は、各葉の右上方余白にページ数を付すこと。
4　「部局等、項及び目（目の細分）並びに事項」欄及び「翌年度の部局等、項及び目」欄の項及び目については、当該項又は目に係るコード番号を付すること。
5　勘定の区分がある特別会計にあっては、「部局等、項及び目（目の細分）並びに事項」欄に勘定名を記載すること。
6　一般会計において、前年度から繰り越された経費の金額、予備費使用書の決定により配航された経費の金額又は移用し、若しくは流用した経費の金額について予算の移替えを行った経費の金額がある場合には、「流用等増△減額」欄の次に「予算決定後移替増△減額」欄を設け、これを記載すること。
7　特別会計において、弾力条項を適用して経費を増額した金額がある場合には、「予備費使用額」欄の次に「弾力条項による使用額」の欄を設け、これを記載すること。
8　繰越しの通知に関係のない部局等、項、目（目の細分）及び事項は、「その他の部局等」、「その他の項」、「その他の目」、「その他の事項」として各欄に記載し、所管合計（特別会計にあっては、会計合計又は勘定合計）を記載すること。
9　「支出済額」欄及び「不用額」欄は、この通知書作成時における見込額を記載すること。
10　「翌年度へ繰越額」欄の「前回まで報告済額」欄には、繰越しの種類に関係なく前回までに報告した額を記載すること。
11　「翌年度へ繰越額」欄の「前回まで報告済額」及び「今回報告額」の各欄は、前回まで報告済額及び今回報告額のうち、支出負担行為額をそれぞれ上段にかっこ内書で記載すること。
12　「摘要」欄は
(1)　当該繰越しに係る承認年月日発遣番号その他参考となる事項
(2)　特別会計において特別の規定によって繰り越した場合は、その根拠となる法令の条項
(3)　この通知書作成時以降に繰越見込額がある場合は、その繰越しの種類及び繰越見込額を記載する。

第3号書式

番　　　号
平成　年　月　日

各省各庁の長又は財務局長等あて

各省各庁の長又は繰越しに係る支出負担行為担当官等
官職　氏　　名　印

繰越額確定計算書

所管　　年度　　会計　　繰越しの種類（明許繰越し、事故繰越し、継続費の繰越し、特別会計法令に基づく繰越し）

区分 部局等、項及び目（目の細分）並びに事項	歳出予算現額	支出済額	不用額	繰越承認額	翌年度へ繰越額		翌年度の部局等、項及び目	摘要
					前回まで報告額	今回報告額		
（部局等） （項） （目） （目の細分） 事項								

備考
1　用紙の大きさは、日本工業規格A列4とすること。
2　記載事項が2葉以上にわたる場合は、各葉の右上余白にページ数を付すこと。
3　「部局等、項及び目（目の細分）並びに事項」欄及び「翌年度の部局等、項及び目」欄の項及び目については、当該項及び目に係るコード番号を付すること。また、勘定の区分がある特別会計にあっては、当該各欄に勘定名を記載すること。
4　「歳出予算現額」欄は、
(1)　各省各庁の長が作成する場合にあっては、「歳出予算現額（本省本庁直轄分）」とし、
(2)　支出負担行為担当官等が作成する場合にあっては、「支出負担行為計画示達額」とすること。
5　「歳出予算現額」、「支出済額」及び「不用額」の各欄には当該項、目及び目の細分の総額を掲記すること。
6　「翌年度へ繰越額」欄の「前回まで報告額」及び「今回報告額」の各欄には、前回までの報告額及び今回報告額のうち、支出負担行為済額をそれぞれ上段にかっこ内書で記載すること。
7　「摘要」欄には、当該繰越しに係る繰越し又は翌債の承認年月日、発遣番号、当該繰越しが翌債に係る繰越しである場合は、翌債に係る支出負担行為担当官等名その他参考となる事項を記載すること。

第４号書式

番　　　　号
平成　年　月　日

財務大臣又は財務局長等あて
（各省各庁の長）

各省各庁の長　　　　　印
（翌債に係る支出負担行為担当官等　官職　氏　名　印）

翌年度にわたる債務負担の承認要求書

所　管　　　年　度　　　会　計　　　　支出負担行為担当官　官職氏名　　　に係る分

部局等、項及び目（目の細分）並びに事項	支出負担行為計画示達額	翌年度にわたる債務負担を必要とする額	左の額の支出見込額内訳		摘要			
			本年度分	翌年度分	支出負担行為済額	支出負担行為の相手方及び年月日	事務事業の既済高及び検査年月日	事務事業の完了の見込年月日
	円	円	円	円	円			

○翌年度にわたる債務負担を必要とする理由

備考
1　用紙の大きさは、日本工業規格Ａ列４とすること。
2　記載事項が２葉以上にわたる場合は、各葉の右上方余白にページ数を付すこと。
3　「部局等、項及び目（目の細分）並びに事項」蘭の項及び目については、当該項及び目に係るコード番号を付すること。
4　勘定の区分がある特別会計にあっては、「部局等、項及び目（目の細分）並びに事項」蘭に勘定名を記載すること。
5　「摘要」欄は、翌債をしようとする事項の経費について、その該当する項目を記載すること。
6　「翌年度にわたる債務負担を必要とする理由」欄は、その実態を正確かつ簡潔に把握できるよう、翌債を必要とする事由その他必要な事項を箇条書等により記載すること。
7　翌債について承認を経た後において、当該承認に係る債務負担額を増額する必要がある場合は、当該増加額及びその増加を必要とする理由を記載するとともに、既承認に係る翌年度にわたる債務負担を必要とする額及び支出見込額内訳の金額を当該各欄にかっこ書で上段に付記し、承認要求書の右上方余白に「変更の分」と記載すること。

○予算決算及び会計に係る情報通信の技術の利用に関する対象手続等を定める省令

平一五・三・三一
財務令二四

最終改正　令六・七・一七財務令五一

（趣旨）

第一条　この省令は、次の第一号から第五号までに掲げる法律の規定により財務大臣が定める書類等又は報告書等の電磁的記録による作成及び電磁的方法による提出並びに第六号に掲げる法律の規定により主務省令で定める書面等（予算決算及び会計に関するものに限る。）の電磁的記録による作成等及び電子情報処理組織による申請等並びに第七号から第十三号までに掲げる法律の規定により財務大臣が定める電磁的記録を定めるものとする。

一　財政法第四十六条の二及び第四十六条の三第一項
二　会計法第四十九条の二第一項及び第四十九条の三第一項
三　国有財産法（昭和二十三年法律第七十三号）第三十九条及び第四十条第一項
四　物品管理法（昭和三十一年法律第百十三号）第四十条の二及び第四十条の三第一項
五　国の債権の管理等に関する法律（昭和三十一年法律第百十四号）第四十条の二及び第四十条の三第一項
六　情報通信技術を活用した行政の推進等に関する法律第六条第一項及び第九条第一項
七　沖縄振興開発金融公庫の予算及び決算に関する法律（昭和二十六年法律第九十九号）第十八条第一項
八　国税収納金整理資金に関する法律（昭和二十九年法律第三十六号）第十六条第一項
九　決算調整資金に関する法律（昭和五十三年法律第四号）第十条第一項
十　貨幣回収準備資金に関する法律（平成十四年法律第四十二号）第十三条第一項
十一　独立行政法人国際協力機構法（平成十四年法律第百三十六号）第二十八条第一項
十二　株式会社日本政策金融公庫法（平成十九年法律第五十七号）第四十条第二項
十三　株式会社国際協力銀行法（平成二十三年法律第三十九号）第二十六条第二項

（電磁的記録による作成又は作成等の方法）

第二条　前条の作成又は作成等（以下「作成等」という。）は、次の各号に掲げる電子情報処理組織を使用して書類等、報告書等又は書面等に記載すべき事項を記録する方法によるものとする。

一　財務省に設置される各省各庁又は政府関係機関の利用に係る電子計算機と各省各庁の官署又は政府関係機関に設置される入出力装置並びに会計検査院及び日本銀行の使用に係る電子計算機とを電気通信回線で接続した電子情報処理組織
二　各省各庁又は政府関係機関の使用に係る電子計算機（入出力装置を含む。以下本号において同じ。）とその手続等の相手方の使用に係る電子計算機とを電気通信回線で接続した電子情報処理組織

2　前条第七号から第十三号までに掲げる法律の規定により財務大臣が定める電磁的記録は、各省各庁又は政府関係機関の使用に係る電子計算機に備えられたファイル又は電磁的記録媒体（電磁的記録に係る記録媒体をいう。以下同じ。）をもって調製するファイルに情報を記録したものとする。

3　第一項の規定により電磁的記録で作成等されている場合において、記名押印に代わる会計法第四十九条の二第二項に規定する財務大臣が定める措置又は署名等に代わる情報通信技術を活用した行政の推進等に関する法律第九条第三項に規定する主務省令で定めるものは、電子署名（電子署名及び認証業務に関する法律（平成十二年法律第百二号）第二条第一項の電子署名をいう。）又は識別符号（第一項第一号に掲げる電子情報処理組織を用いて作成等を行おうとする者が付与された識別符号をいう。）及び暗証符号（当該作成等を行おうとする者がその使用に係る電子計算機において設定した暗証符号をいう。）とする。

（電磁的方法による提出又は申請等の方法）

第三条　第一条の提出又は申請等は、前条第一項の規定により作成等した電磁的記録及び同条第二項の電磁的記録（電磁的記録媒体をもって調製するファイルに情報を記録したものを除く。）を、同条第一項各号に掲げる電子情報処理組織を使用して提出若しくは申請等する方法又は同項の規定により作成等した電磁的記録を記録した電磁的記録媒体により提出する方法によるものとする。

（手続の細目）

第四条　この省令に定めるもののほか、電磁的記録の作成等の方法及び電磁的方法による提出又は電子情報処理組織を使用して行う申請等に関し必要な事項及び手続の細目については、別に定めるところによる。

附　則

この省令は、平成十五年四月一日から施行する。

○予算執行職員等の責任に関する法律

昭二五・五・一一
法　一　七　二

最終改正　令元・五・三一法一六

（目的）

第一条　この法律は、予算執行職員の責任を明確にして、法令又は予算に違反した支出等の行為をすることを防止し、もつて国の予算の執行の適正化を図ることを目的とする。

（定義）

第二条　この法律において「予算執行職員」とは、次に掲げる職員をいう。

一　会計法（昭和二十二年法律第三十五号）第十三条第三項に規定する支出負担行為担当官

二　会計法第十三条の三第四項に規定する支出負担行為認証官

三　会計法第二十四条第四項に規定する支出官

四　会計法第十七条の規定により資金の交付を受ける職員

五　会計法第二十条の規定に基き繰替使用をさせることを命ずる職員

六　会計法第二十九条の二第三項に規定する契約担当官

七　前各号に掲げる者の分任官

八　前各号に掲げる者の代理官

九　会計法第四十六条の三第二項の規定により第一号から第三号まで又は前三号に掲げる者の事務の一部を処理する職員

十　会計法第二十九条の十一第四項の規定に基づき契約に係る監督又は検査を行なうことを命ぜられた職員

十一　会計法第四十八条の規定により前各号に掲げる者の事務を行う都道府県の知事又は知事の指定する職員

十二　前各号に掲げる者から、政令で定めるところにより、補助者としてその事務の一部を処理することを命ぜられた職員

2　この法律において「法令」とは、財政法（昭和二十二年法律第三十四号）、会計法その他国の経理に関する事務を処理するための法律及び命令をいう。

3　この法律において「支出等の行為」とは、国の債務負担の原因となる契約その他の行為、支出負担行為の確認又は認証（会計法第十三条の二の規定による支出負担行為の確認及び同法第十三条の四の規定による支出負担行為の認証をいう。）、支出、支払、会計法第二十条の規定に基く繰替使用をさせることの命令及び同法第二十九条の契約並びに小切手、小切手帳及び印鑑の保管、帳簿の記帳、報告等国の予算の執行に関連して行われるべき行為（会計法第四十一条第一項の規定による弁償責任の対象となる行為を除く。）をいう。

（予算執行職員の義務及び責任）

第三条　予算執行職員は、法令に準拠し、且つ、予算で定めるところに従い、それぞれの職分に応じ、支出等の行為をしなければならない。

2　予算執行職員は、故意又は重大な過失に因り前項の規定に違反して支出等の行為をしたことにより国に損害を与えたときは、弁償の責に任じなければならない。

3　前項の場合において、その損害が二人以上の予算執行職員が前項の支出等の行為をしたことにより生じたものであるときは、当該予算執行職員は、それぞれの職分に応じ、且つ、当該行為が当該損害の発生に寄与した程度に応じて弁償の責に任ずるものとする。

（弁償責任の検定、弁償命令及び通知義務）

第四条　会計検査院は、予算執行職員が故意又は重大な過失に因り前条第一項の規定に違反して支出等の行為をしたことにより国に損害を与えたと認めるときは、その事実があるかどうかを審理し、弁償責任の有無及び弁償額を検定する。但し、その事実の発生した日から三年を経過したときは、この限りでない。

2　会計検査院が弁償責任があると検定したときは、予算執行職員の任命権者（国家公務員法（昭和二十二年法律第百二十号）第五十五条第一項に規定する任命権者をいい、当該予算執行職員が都道府県の職員である場合にあつては、都道府県知事とする。以下同じ。）は、その検定に従つて、弁償を命じなければならない。

3　各省各庁の長（財政法第二十条第二項に規定する各省各庁の長をいう。以下同じ。）は、予算執行職員が故意又は重大な過失に因り前条第一項の規定に違反して支出等の行為をしたことにより国に損害を与えたと認めるときは、会計検査院の検定前においても、その予算執行職員に対して弁償を命ずることができる。

4　各省各庁の長は、予算執行職員が前条第一項の規定に違反して支出等の行為をした事実があると認めるときは、遅滞なく、財務大臣及び会計検査院に通知しなければならない。

5　第三項の場合において、各省各庁の長は、会計検査院が予算執行職員に対し弁償の責がないと検定したときは、その既納に係る弁償金を直ちに還付しなければならない。

6　前項の規定により還付する弁償金には、当該弁償金納付のときから還付のときまでの期間に応じ、当該金額に対し財務大臣が納付のときから還付のときまでの期間における

銀行の一般貸付利率を勘案して決定する率を乗じて計算した額に相当する金額を加算しなければならない。

（再検定）

第五条　会計検査院は、前条第一項の規定による予算執行職員の弁償責任の検定後において、その検定が不当であることを発見したとき、又は各省各庁の長若しくは予算執行職員がその責を免かれる理由があると信じ、その理由を明らかにする書類及び計算書を作成し、証拠書類を添え、書面をもつて再審の請求をしたときは、その都度再検定をしなければならない。ただし、請求に基いて再検定をする場合において、当該請求が検定のあつた日から五年を経過した日後にされたときは、この限りでない。

２　会計検査院は、前項の規定による再検定のための審理をする場合において、各省各庁の長又は予算執行職員から請求があつたときは、口頭審理を行わなければならない。口頭審理は、当該職員から請求があつたときは、公開して行わなければならない。

３　各省各庁の長又はその代理官及び予算執行職員は、すべての口頭審理に出席し、自己の代理人として弁護人を選任し、陳述を行い、証人を出席させ、並びに書類、計算書その他のあらゆる適切な事実及び資料を提出することができる。

４　前項に掲げる者以外の者は、当該事案に関し、会計検査院に対し、あらゆる事実及び資料を提出することができる。

５　前条第一項本文、第二項、第五項及び第六項の規定は、第一項の場合に準用する。この場合において、前条第五項中「第三項の場合において、各省各庁の長は、」とあるのは「各省各庁の長は、」と読み替えるものとする。

（懲戒処分）

第六条　会計検査院は、検査又は検定（前条第一項に規定する再検定を含む。）の結果、予算執行職員が故意又は過失に因り第三条第一項の規定に違反して支出等の行為をしたことにより国に損害を与えたと認めるとき、又は国に損害を与えないが故意又は重大な過失に因り同項の規定に違反して支出等の行為をしたと認めるときは、当該職員の任命権者に対し、当該職員の懲戒処分を要求することができる。この場合において、会計検査院は、適当と認める処分の種類及び内容を参考のため明示するものとする。

２　会計検査院は、前項の規定により懲戒処分の要求をしたときは、その旨を人事院に通知しなければならない。

３　任命権者は、第一項の規定による懲戒処分の要求を受けたときは、当該職員に対しその懲戒処分をすることが適当かどうかを直ちに調査してこれについて措置するとともにその結果を会計検査院及び人事院に通知しなければならない。

４　会計検査院は、第一項の規定による予算執行職員の懲戒処分を要求した後において、その要求が不当であることを発見したとき、又は当該職員の任命権者からその要求が不当であるとして再審の請求を受け実情を調査した結果、その要求が不当であることが明らかになつたときは、直ちにこれを取り消さなければならない。

５　第二項の規定及び第三項の規定中人事院に対する通知に関する部分は、予算執行職員が都道府県の職員である場合には、適用しない。

（弁償責任の減免）

第七条　第四条第一項本文（第五条第五項において準用する場合を含む。）の規定による弁償責任は、国会の議決に基かなければ減免されない。

（予算執行職員の弁償責任の転嫁）

第八条　予算執行職員は、その上司から第三条第一項の規定に違反すると認められる支出等の行為をすることの要求を受けたときは、書面をもつて、その理由を明らかにし、当該上司が任命権者（宮内庁長官及び外局の長であるものを除く。）である場合にあつては直ちに任命権者、当該上司が宮内庁長官又は外局の長である任命権者である場合にあつては各省各庁の長）にその支出等の行為をすることができない旨の意見を表示しなければならない。

２　予算執行職員が前項の規定によつて意見の表示をしたにもかかわらず、更に、上司が当該職員に対し同一の支出等の行為をすべき旨の要求をしたときは、その支出等の行為に基く弁償責任は、その要求をした上司が負うものとする。

３　第四条第一項及び第二項、第五条並びに前条の規定は、前項の場合に準用する。

（公庫の予算執行職員に対する準用）

第九条　沖縄振興開発金融公庫（以下「公庫」という。）の理事長（以下「公庫の長」という。）から公庫の予算執行の職務を行う者として指定された者（以下「公庫予算執行職員」という。）は、公庫の経理に関する事務を処理するための法律及び命令の規定、公庫の定款並びに公庫の経理に関する規程（以下「公庫に関する法令」という。）に準拠し、かつ、予算で定めるところに従い、それぞれの職分に応じ、公庫において行う第二条第三項に規定する支出等の行為に相当する行為（以下「公庫の支出等の行為」という。）をしなければならない。

２　第三条第二項及び第三項並びに第四条から前条までの規定は、前項の公庫予算執行職員について準用する。ただし、国家公務員法の適用を受けない公庫予算執行職員については、第六条第二項の規定及び第三項の規定中人事院に対する通知に関する部分は、この限りでない。

３　前項の場合において、同項に掲げる準用規定中「予算執行職員」とあるのは「公庫予算執行職員」と、「法令」とあるのは「公庫に関する法令」と、「国」とあるのは「公庫」と、「支出等の行為」とあるのは「公庫の支出等の行為」と、「各省各庁の長」とあるのは「公庫の長」と、「任命権者」とあるのは「公庫の長又は公庫の職員の任免を行う権限を有する者」と、「懲戒処分」とあるのは、公庫予算執行職員で国家公務員法その他の法律による懲戒処分の規定の適用を受けないものにあつては「公庫の長の行う懲戒処分に相当する処分」と、第四条第四項中「財務大臣」とあるのは「主務大臣、財務大臣」と読み替えるものとする。

4　公庫の長は、公庫予算執行職員を指定したときは、遅滞なく、主務大臣、財務大臣及び会計検査院に通知しなければならない。

5　公庫予算執行職員がその職務の執行に関し疑義のある事項について会計検査院に意見を求めたときは、会計検査院は、これに対し意見を表示しなければならない。

（公庫の現金出納職員の弁償責任）

第十条　公庫において、公庫の長又はその委任を受けた者から現金の出納保管をつかさどることを命ぜられた職員（以下「公庫の現金出納職員」という。）は、公庫に関する法令の定めるところにより、現金を出納保管しなければならない。

2　公庫の現金出納職員が、その保管に係る現金を亡失した場合において、善良な管理者の注意を怠つたときは、公庫に対し弁償の責を免かれることができない。

3　会計法第四十一条第二項、第四十二条、第四十三条並びに会計検査院法第三十二条第一項及び第三項から第五項までの規定は、前項の場合に準用する。この場合において、当該準用規定中「出納官吏」とあるのは「公庫の現金出納職員」と、「各省各庁の長」とあるのは「公庫の長」と、「財務大臣」とあるのは「主務大臣、財務大臣」と、「国」とあるのは「公庫」と、「本属長官」とあるのは「公庫の長」と読み替えるものとする。

（公庫の物品管理職員の弁償責任）

第十一条　公庫において、公庫の長又はその委任を受けた者から公庫の物品の管理の職務を行う者として指定された者（以下「公庫の物品管理職員」という。）は、公庫に関する法令に準拠するほか、善良な管理者の注意をもつて公庫の物品を管理しなければならない。

2　物品管理法第三十一条から第三十三条まで及び会計検査院法第三十二条第二項から第五項までの規定は、公庫の物品管理職員について準用する。この場合において、これらの規定中「この法律」とあり、又は「物品管理法（昭和三十一年法律第百十三号）」とあるのは「予算執行職員等の責任に関する法律第十一条第一項」と、「国」とあるのは「公庫」と、「各省各庁の長」とあり、又は「本属長官」とあるのは「公庫の長」と、「財務大臣」とあるのは「主務大臣、財務大臣」と読み替えるものとする。

（電磁的記録による作成）

第十二条　第五条第一項又は第八条第一項（これらの規定を第九条第二項において準用する場合を含む。次条において同じ。）の規定により作成することとされている書類については、当該書類に記載すべき事項を記録した電磁的記録（電子的方式、磁気的方式その他人の知覚によつては認識することができない方式で作られる記録であつて、電子計算機による情報処理の用に供されるものとして財務大臣が定めるもの（第五条第一項の規定による書類については会計検査院規則をもつて定めるもの）をいう。次条第一項において同じ。）の作成をもつて、当該書類の作成に代えることができる。この場合において、当該電磁的記録は、当該書類とみなす。

（電磁的方法による提出）

第十三条　第五条第一項又は第八条第一項の規定による書類の提出については、当該書類が電磁的記録で作成されている場合には、電磁的方法（電子情報処理組織を使用する方法その他の情報通信の技術を利用する方法であつて財務大臣が定めるもの（第五条第一項の規定による書類の提出については会計検査院規則をもつて定めるもの）をいう。次項において同じ。）をもつて行うことができる。

2　第五条第一項又は第八条第一項の規定による書類の提出が前項の規定により電磁的方法によつて行われたときは、当該書類の提出を受けるべき者の使用に係る電子計算機に備えられたファイルへの記録がされた時に当該提出を受けるべき者に到達したものとみなす。

附　則（抄）

1　この法律は、公布の日から施行する。

○予算執行職員等の責任に関する法律施行令

昭四六・一一・二六
政令三五六

最終改正　令二・一二・二三政令三六〇

予算執行職員等の責任に関する法律第二条第一項第十二号に掲げる職員は、同項第一号から第十一号までに掲げる者（以下「予算執行機関」という。）からその処理すべき事務の範囲を明らかにしてその補助者として当該事務を処理することを命ぜられた職員（当該予算執行機関の所属に係る各省各庁の長（財政法（昭和二十二年法律第三十四号）第二十条第二項に規定する各省各庁の長をいう。）若しくは各省各庁の長から委任を受けた各省各庁所属の職員又は都道府県の知事若しくは知事から指定された職員が当該補助者となるべき職員及び当該事務の範囲を定めている場合には、これに従つて命ぜられた職員に限る。）とする。

附　則

1　この政令は、昭和四十六年十一月三十日から施行する。

2　この政令の施行の際、許可、認可等の整理に関する法律（昭和四十六年法律第九十六号）第六条の規定による改正前の予算執行職員等の責任に関する法律第二条第一項第一号から第八号までに掲げる者からその補助者としてその事務の一部を処理することを当該事務の範囲を明らかにした書面により命ぜられている職員は、本則に規定する職員に該当するものとみなす。

○予算執行職員等の責任に関する法律施行規則

平一五・一〇・一
財務令一〇二

改正　令元・一二・一三財務令三八

（電磁的記録による作成）

第一条　予算執行職員等の責任に関する法律（昭和二十五年法律第百七十二号。以下「法」という。）第十二条の規定により財務大臣が定める電磁的記録は、各省各庁（財政法（昭和二十二年法律第三十四号）第二十一条に規定する各省各庁をいう。以下同じ。）に設置された予算執行職員の使用に係る電子計算機に備えつけられたファイルへ記録されたものとする。

（電磁的方法による提出）

第二条　法第十三条の規定により財務大臣が定める電磁的方法は、各省各庁の使用に係る電子計算機（入出力装置を含む。以下本号において同じ。）とその手続等の相手方の使用に係る電子計算機とを電気通信回線で接続した電子情報処理組織を使用する方法とする。

附　則

この省令は、公布の日から施行する。

○予算執行職員等の責任に関する法律について

昭二五・七・四計発四八四
主計局長から各省各庁の会計課長、各財務局長公団その他各政府関係機関あて

標記の件について、会計検査院とも打合の結果現在の段階においてとりあえず別紙のとおり法律の解釈と運用方針が決定したから通知する。よつてその趣旨の徹底並びに事務処理に遺憾のないことを期せられたい。

（別紙）

予算執行職員等の責任に関する法律の解釈及び運用方針

第一条（目的）

1　この法律の目的が究極には、国の予算の執行の適正化を図ることにあることは明らかであるが、ここにこの条文があるからと言つて不適正な予算の執行が必ずしも第三条第一項の法令に違反することになるものではない。

第二条（定義）

1　現行においては「前各号に掲げる者の代理官及び分任官」の分任官は、郵政事業特別会計及び電気通信事業特別会計の分任支出負担行為担当官及び分任支出官をいう。

2　「補助者としてその事務の一部を処理することを命ぜられた職員」とは、第一項第一号から第七号〔注・現在の第十一号にあたる。〕までに掲げる者から直接その所掌すべき事務の範囲を明示された書面による特別の命令を受けた職員のみをいい、人事系統からする勤務辞令はここに言う命令とはみない。又その補助者の実際上の補助者もここにいう補助者ではない。補助者の再補助者は認めない。従つ

てその取扱としては補助者は当該予算執行職員を直接補助する身分と地位を有する者に限ることとする。

3　補助者に処理させる事務の範囲は、各々その事務の一部であるべきであるが、一部づつを各補助者に処理させた結果自ら負うべき責任が全然ないという形の命令をすることはできない。支出等の事務のうち、その要素をなす重要な部分を補助者に処理させることは妥当でない。但し、特別調達庁の如く機構上特に定められている場合はこれによつて処理させることはやむを得ないであろう。

4　補助者は本官の部下の職員のうちから命ずるのが普通であろうが、他部課（本官と同格又はそれ以上の職員を含む。）のうちから命ずることをさまたげるものではない。

5　補助者は、本官の交替することによつて当然補助者でなくなるものではない。

6　補助者の執務できない場合に本官が補充的補助者を命ずることは差支えない。

7　「国の経理に関する事務を処理するための法律及び命令」とは、国の経理（この場合は支出等の行為）の準則として規定されたものをいう。したがつて一般的な行政法規にそう入されてある支出等の行為を規律する法律又は命令の規定も、これに含まれる。

8　「命令」とは、政令、国家行政組織法第十二条及び第十三条の規定に基く命令並びに国会、最高裁判所、会計検査院及び人事院規則のうち支出等の行為を実質上規律した部分をいい、同法第十四条の告示、訓令又は通達の類は含まれない。

9　「国の債務負担の原因となる契約その他の行為」とは、正規の支出負担行為より範囲が広く、資金前渡官吏等の債務負担の原因となる契約行為等も含まれる。

第三条（予算執行職員の義務及び責任）

1　「それぞれの職分に応じ」とは、支出負担行為担当官、同認証官、支出官等の職務の範囲を明確にしたものであつて、本法により職分に応ずべきあらたな特別の義務を課したものではない。

2　「故意」とは、支出等の行為が法令又は予算に違反していることを認識することである。その行為の結果国に損害を与えることの認識を必要としない。

3　「重大な過失」とは、善良な管理者の注意を著しく欠くことである。善良な管理者の注意義務とは、社会の一般的観念において、その職にある人に当然要求せられる注意義務をいい、特定の個人の注意能力が標準となるものではない。

4　補助者が、補助を命ぜられた範囲内の事務について、その内容が専ら補助者の責に帰すべき性質のものであるときは、補助者が全責任を負うことになる。

5　「損害」とは経済的な実損をいう。従つて反対給付があつたときの当該処分価格の如きは、すくなくとも損害とは見られない。

6　損害額の計算時期は、損害の発生時による。

7　損害額は国に損失を与えた額であり、弁償額は検定時において現に存する国の損失額であつて、必ずしも相等しいものではない。

8　「弁償」は金銭によるべきである。但し、「証券ヲ以テスル歳入納付ニ関スル法律」の適用をさまたげるものではない。

第四条（弁償責任の検定、弁償命令及び通知義務）

1　「事実が発生した日から三年」の「三年」は除斥期間であつて、この計算は、民法の期間計算の例による。

2　検定前に弁償を命ずることができるのは、「各省各庁の長」であつて、検定に従つて弁償を命じなければならないのは「任命権者」である。

3　各省各庁の長は、第三条第一項の規定に違反して支出等の行為をした事実があると認めるときは、損害の有無とか弁償の済否にかかわらず通知すべき義務がある。

第五条（再検定）

1　会計検査院が検定後「その検定が不当であることを発見したとき」に行う再検定は、予算執行職員に有利な場合と不利な場合とがある。

2　「再検定」の再検定は行わない。

3　「口頭審理の請求」だけでは公開とならないから予算執行職員が公開を要求するときは更に公開審理の請求を附け加えなければならない。公開審理は、予算執行職員の外第八条の規定によつて責任を転嫁された上司だけが、これを請求することができる。

4　本法には会計検査院が職権として証人を出席させることができる旨の規定はないが、会計検査院法第二十六条の「関係者に質問し若しくは出頭を求めることができる」規定によりこれを行うことができる。

第六条（懲戒処分）

1　「懲戒処分」の要求とは当該職員に適用される懲戒法規による懲戒処分の要求であつて、国家公務員法に規定する一般職の職員についていえば、「処分の種類」は、免職、停職、減給又は戒告の別を、「内容」とは停職の期間、減給の程度等をいう。

2　不適正な予算の執行の結果この法律の懲戒処分要求とは関係なく国家公務員法上の懲戒処分に附されることがあることをさまたげられるものではない。

3　会計検査院法第三十一条第一項の規定による懲戒処分の要求は、予算執行職員の法令又は予算違反による支出等の行為については本条の規定による懲戒処分の要求に吸収される。

4　法律上の明文はないが、任命権者は、会計検査院の懲戒処分の要求に従つて懲戒処分を行つた後においても会計検査院の要求が不当であると認めたときは、事実上再審を請求することを妨げるものではないと解する。ただ当該職員が任命権者のなした懲戒処分に対し不服があるときは、国家公務員法第九十条以下の審査請求等の手続をとらなければならない。

第七条（弁償責任の減免）

1　弁償責任があるという検定を受けた予算執行職員は裁判所に出訴する権利を有しているから裁判の結果、弁償責任額が変更されることのあるのは勿論であつて裁判の判決によつてなされる弁償額の変更はここに言う減免ではない。

第八条（予算執行職員の弁償責任の転嫁）

1　「上司」とは予算の執行に関し、予算執行職員の指揮監督権を有する者をいい、上司の上司も含まれるが、国の予算の執行を掌る吏員に対して都道府県又は特別市の長は、「上司」ではない。

2　予算執行職員が支出等の行為をすることができない旨の意思表示をしたのに更に上司からの要求によりやむをえず支出等の行為をした場合において、その責任を免れるためには、上司からの要求があつたことを証明するに足る資料を後日のためととのえて置くことが望ましい。

第九条（公団等の予算執行職員に対する準用）

1　「公団等の経理に関する規程」とは、公団等が定めた経理に関するもので、必ずしも「規程」という字句が用いられていることを要件としない。

2　国家公務員法の適用を受ける公団等予算執行職員は、公団（食糧配給公団を除く。）、連合国軍人等住宅公社、国民金融公庫、住宅金融公庫、商船管理委員会の予算執行職員でその他の公団等予算執行職員は国家公務員法の適用がない。

附　則

1　「公布の日から施行する。」のであるから施行の日の前日以前の支出等の行為又は現金物品の亡失き損に対して会計検査院は弁償責任の検定又は懲戒処分の要求を行うことができない。

○補助金等に係る予算の執行の適正化に関する法律

昭三〇・八・二七
法　一　七　九

最終改正　令四・六・一七法六八

※令和四年六月一七日法律第六八号の第一八四条で本法が一部改正されましたが、未施行のため、本法の末尾に掲げました。

目次〔略〕

第一章　総則

（この法律の目的）

第一条　この法律は、補助金等の交付の申請、決定等に関する事項その他補助金等に係る予算の執行に関する基本的事項を規定することにより、補助金等の交付の不正な申請及び補助金等の不正な使用の防止その他補助金等に係る予算の執行並びに補助金等の交付の決定の適正化を図ることを目的とする。

（定義）

第二条　この法律において「補助金等」とは、国が国以外の者に対して交付する次に掲げるものをいう。

一　補助金
二　負担金（国際条約に基く分担金を除く。）
三　利子補給金
四　その他相当の反対給付を受けない給付金であつて政令で定めるもの

2　この法律において「補助事業等」とは、補助金等の交付の対象となる事務又は事業をいう。

3　この法律において「補助事業者等」とは、補助事業等を行う者をいう。

4　この法律において「間接補助金等」とは、次に掲げるものをいう。

一　国以外の者が相当の反対給付を受けないで交付する給付金で、補助金等を直接又は間接にその財源の全部又は一部とし、かつ、当該補助金等の交付の目的に従つて交付するもの
二　利子補給金又は利子の軽減を目的とする前号の給付金の交付を受ける者が、その交付の目的に従い、利子を軽減して融通する資金

5　この法律において「間接補助事業等」とは、前項第一号の給付金の交付又は同項第二号の資金の融通の対象となる事務又は事業をいう。

6　この法律において「間接補助事業者等」とは、間接補助事業等を行う者をいう。

7　この法律において「各省各庁」とは、財政法（昭和二十二年法律第三十四号）第二十一条に規定する各省各庁をいい、「各省各庁の長」とは、同法第二十条第二項に規定する各省各庁の長をいう。

（関係者の責務）

第三条　各省各庁の長は、その所掌の補助金等に係る予算の執行に当つては、補助金等が国民から徴収された税金その他の貴重な財源でまかなわれるものであることに特に留意し、補助金等が法令及び予算で定めるところに従つて公正かつ効率的に使用されるように努めなければならない。

2　補助事業者等及び間接補助事業者等は、補助金等が国民から徴収された税金その他の貴重な財源でまかなわれるものであることに留意し、法令の定及び補助金等の交付の目的又は間接補助金等の交付若しくは融通の目的に従つて誠実に補助事業等又は間接補助事業等を行うように努めなければならない。

（他の法令との関係）

第四条　補助金等に関しては、他の法律又はこれに基く命令若しくはこれを実施するための命令に特別の定のあるものを除くほか、この法律の定めるところによる。

第二章　補助金等の交付の申請及び決定

（補助金等の交付の申請）

第五条　補助金等の交付の申請（契約の申込を含む。以下同じ。）をしようとする者は、政令で定めるところにより、補助事業等の目的及び内容、補助事業等に要する経費その他必要な事項を記載した申請書に各省各庁の長が定める書類を添え、各省各庁の長に対しその定める時期までに提出しなければならない。

（補助金等の交付の決定）

第六条　各省各庁の長は、補助金等の交付の申請があつたときは、当該申請に係る書類等の審査及び必要に応じて行う現地調査等により、当該申請に係る補助金等の交付が法令及び予算で定めるところに違反しないかどうか、補助事業等の目的及び内容が適正であるかどうか、金額の算定に誤がないかどうか等を調査し、補助金等を交付すべきものと認めたときは、すみやかに補助金等の交付の決定（契約の承諾の決定を含む。以下同じ。）をしなければならない。

2　各省各庁の長は、補助金等の交付の申請が到達してから当該申請に係る補助金等の交付の決定をするまでに通常要

すべき標準的な期間（法令により当該各省各庁の長と異なる機関が当該申請の提出先とされている場合は、併せて、当該申請が当該提出先とされている機関の事務所に到達してから当該各省各庁の長に到達するまでに通常要すべき標準的な期間）を定め、かつ、これを公表するよう努めなければならない。

3　各省各庁の長は、第一項の場合において、適正な交付を行うため必要があるときは、補助金等の交付の申請に係る事項につき修正を加えて補助金等の交付の決定をすることができる。

4　前項の規定により補助金等の交付の申請に係る事項につき修正を加えてその交付の決定をするに当つては、その申請に係る当該補助事業等の遂行を不当に困難とさせないようにしなければならない。

（補助金等の交付の条件）

第七条　各省各庁の長は、補助金等の交付の決定をする場合において、法令及び予算で定める補助金等の交付の目的を達成するため必要があるときは、次に掲げる事項につき条件を附するものとする。

一　補助事業等に要する経費の配分の変更（各省各庁の長の定める軽微な変更を除く。）をする場合においては、各省各庁の長の承認を受けるべきこと。

二　補助事業等を行うため締結する契約に関する事項その他補助事業等に要する経費の使用方法に関する事項

三　補助事業等の内容の変更（各省各庁の長の定める軽微な変更を除く。）をする場合においては、各省各庁の長の承認を受けるべきこと。

四　補助事業等を中止し、又は廃止する場合においては、各省各庁の長の承認を受けるべきこと。

五　補助事業等が予定の期間内に完了しない場合又は補助事業等の遂行が困難となつた場合においては、すみやかに各省各庁の長に報告してその指示を受けるべきこと。

2　各省各庁の長は、補助事業等の完了により当該補助事業者等に相当の収益が生ずると認められる場合においては、当該補助金等の交付の目的に反しない場合に限り、その交付した補助金等の全部又は一部に相当する金額を国に納付すべき旨の条件を附することができる。

3　前二項の規定は、これらの規定に定める条件のほか、各省各庁の長が法令及び予算で定める補助金等の交付の目的を達成するため必要な条件を附することを妨げるものではない。

4　補助金等の交付の決定に附する条件は、公正なものでなければならず、いやしくも補助金等の交付の目的を達成するため必要な限度をこえて不当に補助事業者等に対し干渉をするようなものであつてはならない。

（決定の通知）

第八条　各省各庁の長は、補助金等の交付の決定をしたときは、すみやかにその決定の内容及びこれに条件を附した場合にはその条件を補助金等の交付の申請をした者に通知しなければならない。

（申請の取下げ）

第九条　補助金等の交付の申請をした者は、前条の規定による通知を受領した場合において、当該通知に係る補助金等の交付の決定の内容又はこれに附された条件に不服があるときは、各省各庁の長の定める期日までに、申請の取下げをすることができる。

2　前項の規定による申請の取下げがあつたときは、当該申請に係る補助金等の交付の決定は、なかつたものとみなす。

（事情変更による決定の取消等）

第十条　各省各庁の長は、補助金等の交付の決定をした場合において、その後の事情の変更により特別の必要が生じたときは、補助金等の交付の決定の全部若しくは一部を取り消し、又はその決定の内容若しくはこれに附した条件を変更することができる。ただし、補助事業等のうちすでに経過した期間に係る部分については、この限りでない。

2　各省各庁の長が前項の規定により補助金等の交付の決定を取り消すことができる場合は、天災地変その他補助金等の交付の決定後生じた事情の変更により補助事業等の全部又は一部を継続する必要がなくなつた場合その他政令で定める特に必要な場合に限る。

3　各省各庁の長は、第一項の規定による補助金等の交付の決定の取消により特別に必要となつた事務又は事業に対しては、政令で定めるところにより、補助金等を交付するものとする。

4　第八条の規定は、第一項の処分をした場合について準用する。

第三章　補助事業等の遂行等

（補助事業等及び間接補助事業等の遂行）

第十一条　補助事業者等は、法令の定並びに補助金等の交付の決定の内容及びこれに附した条件その他法令に基く各省各庁の長の処分に従い、善良な管理者の注意をもつて補助事業等を行わなければならず、いやしくも補助金等の他の用途への使用（利子補給金にあつては、その交付の目的となつている融資又は利子の軽減をしないことにより、補助金等の交付の目的に反してその交付を受けたことになることをいう。以下同じ。）をしてはならない。

2　間接補助事業者等は、法令の定及び間接補助金等の交付又は融通の目的に従い、善良な管理者の注意をもつて間接補助事業等を行わなければならず、いやしくも間接補助金等の他の用途への使用（利子の軽減を目的とする第二条第四項第一号の給付金にあつては、その交付の目的となつている融資又は利子の軽減をしないことにより間接補助金等の交付の目的に反してその交付を受けたことになることをいい、同項第二号の資金にあつては、その融通の目的に従つて使用しないことにより不当に利子の軽減を受けたことになることをいう。以下同じ。）をしてはならない。

（状況報告）

第十二条　補助事業者等は、各省各庁の長の定めるところにより、補助事業等の遂行の状況に関し、各省各庁の長に報告しなければならない。

（補助事業等の遂行等の命令）

第十三条　各省各庁の長は、補助事業者等が提出する報告等により、その者の補助事業等が補助金等の交付の決定の内容又はこれに附した条件に従つて遂行されていないと認めるときは、その者に対し、これらに従つて当該補助事業等を遂行すべきことを命ずることができる。

2　各省各庁の長は、補助事業者等が前項の命令に違反したときは、その者に対し、当該補助事業等の遂行の一時停止を命ずることができる。

（実績報告）

第十四条　補助事業者等は、各省各庁の長の定めるところにより、補助事業等が完了したとき（補助事業等の廃止の承認を受けたときを含む。）は、補助事業等の成果を記載した補助事業等実績報告書に各省各庁の長の定める書類を添えて各省各庁の長に報告しなければならない。補助金等の交付の決定に係る国の会計年度が終了した場合も、また同様とする。

（補助金等の額の確定等）

第十五条　各省各庁の長は、補助事業等の完了又は廃止に係る補助事業等の成果の報告を受けた場合においては、報告書等の書類の審査及び必要に応じて行う現地調査等により、その報告に係る補助事業等の成果が補助金等の交付の決定の内容及びこれに附した条件に適合するものであるかどうかを調査し、適合すると認めたときは、交付すべき補助金等の額を確定し、当該補助事業者等に通知しなければならない。

（是正のための措置）

第十六条　各省各庁の長は、補助事業等の完了又は廃止に係る補助事業等の成果の報告を受けた場合において、その報告に係る補助事業等の成果が補助金等の交付の決定の内容及びこれに附した条件に適合しないと認めるときは、当該補助事業等につき、これに適合させるための措置をとるべきことを当該補助事業者等に対して命ずることができる。

2　第十四条の規定は、前項の規定による命令に従つて行う補助事業等について準用する。

第四章　補助金等の返還等

（決定の取消）

第十七条　各省各庁の長は、補助事業者等が、補助金等の他の用途への使用をし、その他補助事業等に関して補助金等の交付の決定の内容又はこれに附した条件その他法令又はこれに基く各省各庁の長の処分に違反したときは、補助金等の交付の決定の全部又は一部を取り消すことができる。

2　各省各庁の長は、間接補助事業者等が、間接補助金等の他の用途への使用をし、その他間接補助事業等に関して法令に違反したときは、補助事業者等に対し、当該間接補助金等に係る補助金等の交付の決定の全部又は一部を取り消すことができる。

3　前二項の規定は、補助事業等について交付すべき補助金等の額の確定があつた後においても適用があるものとする。

4　第八条の規定は、第一項又は第二項の規定による取消をした場合について準用する。

（補助金等の返還）

第十八条　各省各庁の長は、補助金等の交付の決定を取り消した場合において、補助事業等の当該取消に係る部分に関し、すでに補助金等が交付されているときは、期限を定めて、その返還を命じなければならない。

2　各省各庁の長は、補助事業者等に交付すべき補助金等の額を確定した場合において、すでにその額をこえる補助金等が交付されているときは、期限を定めて、その返還を命じなければならない。

3　各省各庁の長は、第一項の返還の命令に係る補助金等の交付の決定の取消が前条第二項の規定によるものである場合において、やむを得ない事情があると認めるときは、政令で定めるところにより、返還の期限を延長し、又は返還の命令の全部若しくは一部を取り消すことができる。

（加算金及び延滞金）

第十九条　補助事業者等は、第十七条第一項の規定又はこれに準ずる他の法律の規定による処分に関し、補助金等の返還を命ぜられたときは、政令で定めるところにより、その命令に係る補助金等の受領の日から納付の日までの日数に応じ、当該補助金等の額（その一部を納付した場合におけるその後の期間については、既納額を控除した額）につき年十・九五パーセントの割合で計算した加算金を国に納付しなければならない。

2　補助事業者等は、補助金等の返還を命ぜられ、これを納期日までに納付しなかつたときは、政令で定めるところにより、納期日の翌日から納付の日までの日数に応じ、その未納付額につき年十・九五パーセントの割合で計算した延滞金を国に納付しなければならない。

３　各省各庁の長は、前二項の場合において、やむを得ない事情があると認めるときは、政令で定めるところにより、加算金又は延滞金の全部又は一部を免除することができる。

（他の補助金等の一時停止等）

第二十条　各省各庁の長は、補助事業者等が補助金等の返還を命ぜられ、当該補助金等、加算金又は延滞金の全部又は一部を納付しない場合において、その者に対して、同種の事務又は事業について交付すべき補助金等があるときは、相当の限度においてその交付を一時停止し、又は当該補助金等と未納付額とを相殺することができる。

（徴収）

第二十一条　各省各庁の長が返還を命じた補助金等又はこれに係る加算金若しくは延滞金は、国税滞納処分の例により、徴収することができる。

２　前項の補助金等又は加算金若しくは延滞金の先取特権の順位は、国税及び地方税に次ぐものとする。

第五章　雑則

（理由の提示）

第二十一条の二　各省各庁の長は、補助金等の交付の決定の取消し、補助事業等の遂行若しくは一時停止の命令又は補助事業等の是正のための措置の命令をするときは、当該補助事業者等に対してその理由を示さなければならない。

（財産の処分の制限）

第二十二条　補助事業者等は、補助事業等により取得し、又は効用の増加した政令で定める財産を、各省各庁の長の承認を受けないで、補助金等の交付の目的に反して使用し、譲渡し、交換し、貸し付け、又は担保に供してはならない。ただし、政令で定める場合は、この限りでない。

（立入検査等）

第二十三条　各省各庁の長は、補助金等に係る予算の執行の適正を期するため必要があるときは、補助事業者等若しくは間接補助事業者等に対して報告をさせ、又は当該職員にその事務所、事業場等に立ち入り、帳簿書類その他の物件を検査させ、若しくは関係者に質問させることができる。

２　前項の職員は、その身分を示す証票を携帯し、関係者の要求があるときは、これを提示しなければならない。

３　第一項の規定による権限は、犯罪捜査のために認められたものと解してはならない。

（不当干渉等の防止）

第二十四条　補助金等の交付に関する事務その他補助金等に係る予算の執行に関する事務に従事する国又は都道府県の職員は、当該事務を不当に遅延させ、又は補助金等の交付の目的を達成するため必要な限度をこえて不当に補助事業者等若しくは間接補助事業者等に対して干渉してはならない。

（行政手続法の適用除外）

第二十四条の二　補助金等の交付に関する各省各庁の長の処分については、行政手続法（平成五年法律第八十八号）第二章及び第三章の規定は、適用しない。

（不服の申出）

第二十五条　補助金等の交付の決定、補助金等の交付の決定の取消、補助金等の返還の命令その他補助金等の交付に関する各省各庁の長の処分に対して不服のある地方公共団体（港湾法（昭和二十五年法律第二百十八号）に基く港務局を含む。以下同じ。）は、政令で定めるところにより、各省各庁の長に対して不服を申し出ることができる。

２　各省各庁の長は、前項の規定により不服の申出があつたときは、不服を申し出た者に意見を述べる機会を与えた上、必要な措置をとり、その旨を不服を申し出た者に対して通知しなければならない。

３　前項の措置に不服のある者は、内閣に対して意見を申し出ることができる。

（事務の実施）

第二十六条　各省各庁の長は、政令で定めるところにより、補助金等の交付に関する事務の一部を各省各庁の機関に委任することができる。

２　国は、政令で定めるところにより、補助金等の交付に関する事務の一部を都道府県が行うこととすることができる。

３　前項の規定により都道府県が行うこととされる事務は、地方自治法（昭和二十二年法律第六十七号）第二条第九項第一号に規定する第一号法定受託事務とする。

（電磁的記録による作成）

第二十六条の二　この法律又はこの法律に基づく命令の規定により作成することとされている申請書等（申請書、書類その他文字、図形その他の人の知覚によつて認識することができる情報が記載された紙その他の有体物をいう。次条において同じ。）については、当該申請書等に記載すべき事項を記録した電磁的記録（電子的方式、磁気的方式その他人の知覚によつては認識することができない方式で作られる記録であつて、電子計算機による情報処理の用に供されるものとして各省各庁の長が定めるものをいう。同条第一項において同じ。）の作成をもつて、当該申請書等の作成に代えることができる。この場合において、当該電磁的記録は、当該申請書等とみなす。

（電磁的方法による提出）

第二十六条の三　この法律又はこの法律に基づく命令の規定による申請書等の提出については、当該申請書等が電磁的記録で作成されている場合には、電磁的方法（電子情報処理組織を使用する方法その他の情報通信の技術を利用する方法であつて各省各庁の長が定めるものをいう。次項において同じ。）をもつて行うことができる。

2　前項の規定により申請書等の提出が電磁的方法によつて行われたときは、当該申請書等の提出を受けるべき者の使用に係る電子計算機に備えられたファイルへの記録がされた時に当該提出を受けるべき者に到達したものとみなす。

（適用除外）

第二十七条　他の法律又はこれに基く命令若しくはこれを実施するための命令に基き交付する補助金等に関しては、政令で定めるところにより、この法律の一部を適用しないことができる。

（政令への委任）

第二十八条　この法律に定めるもののほか、この法律の施行に関し必要な事項は、政令で定める。

第六章　罰則

第二十九条　偽りその他不正の手段により補助金等の交付を受け、又は間接補助金等の交付若しくは融通を受けた者は、五年以下の懲役若しくは百万円以下の罰金に処し、又はこれを併科する。

2　前項の場合において、情を知つて交付又は融通をした者も、また同項と同様とする。

第三十条　第十一条の規定に違反して補助金等の他の用途への使用又は間接補助金等の他の用途への使用をした者は、三年以下の懲役若しくは五十万円以下の罰金に処し、又はこれを併科する。

第三十一条　次の各号の一に該当する者は、三万円以下の罰金に処する。

一　第十三条第二項の規定による命令に違反した者

二　法令に違反して補助事業等の成果の報告をしなかつた者

三　第二十三条の規定による報告をせず、若しくは虚偽の報告をし、検査を拒み、妨げ、若しくは忌避し、又は質問に対して答弁せず、若しくは虚偽の答弁をした者

第三十二条　法人（法人でない団体で代表者又は管理人の定のあるものを含む。以下この項において同じ。）の代表者又は法人若しくは人の代理人、使用人その他の従業者が、その法人又は人の業務に関し、前三条の違反行為をしたときは、その行為者を罰するほか、当該法人又は人に対し各本条の罰金刑を科する。

2　前項の規定により法人でない団体を処罰する場合においては、その代表者又は管理人がその訴訟行為につきその団体を代表するほか、法人を被告人とする場合の刑事訴訟に関する法律の規定を準用する。

第三十三条　前条の規定は、国又は地方公共団体には、適用しない。

2　国又は地方公共団体において第二十九条から第三十一条までの違反行為があつたときは、その行為をした各省各庁の長その他の職員又は地方公共団体の長その他の職員に対し、各本条の刑を科する。

附　則（抄）

1　この法律は、公布の日から起算して三十日を経過した日から施行する。ただし、昭和二十九年度分以前の予算により支出された補助金等及びこれに係る間接補助金等に関しては、適用しない。

2　この法律の施行前に補助金等が交付され、又は補助金等の交付の意思が表示されている事務又は事業に関しては、政令でこの法律の特例を設けることができる。

※刑法等の一部を改正する法律の施行に伴う関係法律の整理等に関する法律（令四・六・一七法六八）の第一八四条で本法が一部改正されましたが、未施行のため、ここに別に掲げました。

（印紙犯罪処罰法等の一部改正）

第百八十四条　次に掲げる法律の規定中「懲役」を「拘禁刑」に改める。

一～五　〔略〕

六　補助金等に係る予算の執行の適正化に関する法律（昭和三十年法律第百七十九号）第二十九条第一項及び第三十条

七～三十三　〔略〕

附　則（抄）

（施行期日）

1　この法律は、刑法等一部改正法施行日〔令七・六・一〕から施行する。〔ただし書略〕

○補助金等に係る予算の執行の適正化に関する法律施行令

昭三〇・九・二六
政令二五五

最終改正 令六・三・二九政令一〇四

（定義）

第一条 この政令において「補助金等」、「補助事業等」、「補助事業者等」、「間接補助金等」、「間接補助事業等」、「間接補助事業者等」、「各省各庁」又は「各省各庁の長」とは、補助金等に係る予算の執行の適正化に関する法律（日本中央競馬会法（昭和二十九年法律第二百五号）第二十条の二、国立研究開発法人情報通信研究機構法（平成十一年法律第百六十二号）第十九条（同法附則第八条第二項の規定により読み替えられる場合を含む。）、独立行政法人エネルギー・金属鉱物資源機構法（平成十四年法律第九十四号）第十二条の二、独立行政法人農畜産業振興機構法（平成十四年法律第百二十六号）第十七条（肉用子牛生産安定等特別措置法（昭和六十三年法律第九十八号）第十五条の二の規定により読み替えられる場合を含む。）、独立行政法人国際協力機構法（平成十四年法律第百三十六号）第三十七条、独立行政法人国際交流基金法（平成十四年法律第百三十七号）第十三条、国立研究開発法人新エネルギー・産業技術総合開発機構法（平成十四年法律第百四十五号）第十八条、独立行政法人中小企業基盤整備機構法（平成十四年法律第百四十七号）第十六条（同法附則第十四条の規定により読み替えられる場合を含む。）、独立行政法人日本学術振興会法（平成十四年法律第百五十九号）第十七条第二項及び附則第二条の六、国立研究開発法人宇宙航空研究開発機構法（平成十四年法律第百六十一号）第二十四条、独立行政法人日本スポーツ振興センター法（平成十四年法律第百六十二号）第二十八条、独立行政法人日本芸術文化振興会法（平成十四年法律第百六十三号）第十七条、独立行政法人福祉医療機構法（平成十四年法律第百六十六号）第十三条、独立行政法人鉄道建設・運輸施設整備支援機構法（平成十四年法律第百八十号）第二十三条、独立行政法人環境再生保全機構法（平成十五年法律第四十三号）第十一条、独立行政法人日本学生支援機構法（平成十五年法律第九十四号）第二十四条、独立行政法人大学改革支援・学位授与機構法（平成十五年法律第百十四号）第二十二条、国立研究開発法人医薬基盤・健康・栄養研究所法（平成十六年法律第百三十五号）第十六条並びに国立研究開発法人日本医療研究開発機構法（平成二十六年法律第四十九号）第十七条の三において準用する場合を含む。以下「法」という。）第二条に規定する補助金等、補助事業等、補助事業者等、間接補助金等、間接補助事業等、間接補助事業者等、各省各庁又は各省各庁の長をいう。

（補助金等とする給付金の指定）

第二条 法第二条第一項第四号に規定する給付金で政令で定めるものは、次に掲げるもの（第五十八号から第二百号までにあつては、当該各号に掲げる予算の目又はこれに準ずるものの経費の支出によるもの）とする。

一 児童福祉法（昭和二十二年法律第百六十四号）第五十六条の四の三第二項に規定する交付金

二 農業保険法（昭和二十二年法律第百八十五号）第十八条及び附則第三条第一項に規定する交付金

三 農業改良助長法（昭和二十三年法律第百六十五号）第六条第一項に規定する協同農業普及事業交付金

四 漁業法（昭和二十四年法律第二百六十七号）第百五十九条第一項（同法第百七十三条において準用する場合を含む。）に規定する交付金

五 電波法（昭和二十五年法律第百三十一号）第七十一条の三第九項（同法第七十一条の三の二第十一項において準用する場合を含む。）の規定による交付金

六 植物防疫法（昭和二十五年法律第百五十一号）第三十五条第一項に規定する交付金

七 旧令による共済組合等からの年金受給者のための特別措置法（昭和二十五年法律第二百五十六号）第七条又は第十一条の規定による交付金

八 社会福祉法（昭和二十六年法律第四十五号）第百六条の八に規定する交付金

九 農業委員会等に関する法律（昭和二十六年法律第八十八号）第二条第一項に規定する交付金

十 公共土木施設災害復旧事業費国庫負担法（昭和二十六年法律第九十七号）第十三条第二項の規定による交付金

十一 森林法（昭和二十六年法律第二百四十九号）第百九十五条第一項に規定する交付金

十二 離島振興法（昭和二十八年法律第七十二号）第七条の三第二項に規定する交付金

十三 特別支援学校への就学奨励に関する法律（昭和二十九年法律第百四十四号）第二条第四項の規定による給付金

十四 奄美群島振興開発特別措置法（昭和二十九年法律第百八十九号）第九条第二項に規定する交付金

十五 義務教育諸学校等の施設費の国庫負担等に関する法律（昭和三十三年法律第八十一号）第十二条第一項に規定する交付金

十六 国民健康保険法（昭和三十三年法律第百九十二号）第七十二条の規定による交付金

十七 激甚災害に対処するための特別の財政援助等に関する法律（昭和三十七年法律第百五十号）第三条第一項及び第四条第五項の規定による交付金

十八 漁船損害補償法の一部を改正する法律（昭和四十一年法律第四十六号）附則第五項、漁船損害補償法の一部を改正する法律（昭和四十八年法律第五十五号）附則第三項及び漁船損害等補償法の一部を改正する法律（平成十一年法

律第四十六号）附則第五条に規定する交付金
十九　石炭鉱業の構造調整の推進等の石炭対策の総合的な実施のための関係法律の整備等に関する法律（平成四年法律第二十三号）附則第五条第一項の規定によりなおその効力を有するものとされる同法第八条の規定による廃止前の石炭鉱業再建整備臨時措置法（昭和四十二年法律第四十九号）第十条第一項の規定による損失補償金
二十　職業能力開発促進法（昭和四十四年法律第六十四号）第九十五条第一項に規定する交付金
二十一　公害健康被害の補償等に関する法律（昭和四十八年法律第百十一号）第五十条の規定による交付金
二十二　発電用施設周辺地域整備法（昭和四十九年法律第七十八号）第七条（同法第十条第四項において準用する場合を含む。）に規定する交付金
二十三　防衛施設周辺の生活環境の整備等に関する法律（昭和四十九年法律第百一号）第九条第二項に規定する特定防衛施設周辺整備調整交付金
二十四　高齢者の医療の確保に関する法律（昭和五十七年法律第八十号）第九十三条第三項、第九十五条第一項及び附則第五条の規定による交付金
二十五　港湾労働法（昭和六十三年法律第四十号）第三十五条の規定による交付金
二十六　介護労働者の雇用管理の改善等に関する法律（平成四年法律第六十三号）第二十三条の規定による交付金
二十七　特定先端大型研究施設の共用の促進に関する法律（平成六年法律第七十八号）第二十一条の規定による交付金
二十八　介護保険法（平成九年法律第百二十三号）第百二十二条第一項、第百二十二条の二及び第百二十二条の三の規定による交付金
二十九　沖縄振興特別措置法（平成十四年法律第十四号）第九十六条第二項に規定する交付金
三十　都市再生特別措置法（平成十四年法律第二十二号）第四十七条第二項に規定する交付金
三十一　独立行政法人水資源機構法（平成十四年法律第百八十二号）第二十一条第一項及び第二十二条第一項の規定による交付金
三十二　次世代育成支援対策推進法（平成十五年法律第百二十号）第十一条第一項に規定する交付金
三十三　地域再生法（平成十七年法律第二十四号）第十三条第一項に規定する交付金
三十四　地域における多様な需要に応じた公的賃貸住宅等の整備等に関する特別措置法（平成十七年法律第七十九号）第七条第二項に規定する交付金
三十五　石綿による健康被害の救済に関する法律（平成十八年法律第四号）第三十二条第一項の規定による交付金のうち同法の規定により独立行政法人環境再生保全機構が行う業務の事務の執行に要する費用に係るもの
三十六　自殺対策基本法（平成十八年法律第八十五号）第十四条に規定する交付金
三十七　道州制特別区域における広域行政の推進に関する法律（平成十八年法律第百十六号）第十九条第一項に規定する交付金
三十八　農山漁村の活性化のための定住等及び地域間交流の促進に関する法律（平成十九年法律第四十八号）第七条第二項に規定する交付金
三十九　広域的地域活性化のための基盤整備に関する法律（平成十九年法律第五十二号）第十九条第二項に規定する交付金
四十　駐留軍等の再編の円滑な実施に関する特別措置法（平成十九年法律第六十七号）第六条に規定する再編交付金
四十一　森林の間伐等の実施の促進に関する特別措置法（平成二十年法律第三十二号）第六条第二項に規定する交付金
四十二　高等学校等就学支援金の支給に関する法律（平成二十二年法律第十八号）第十五条の規定による交付金
四十三　平成二十三年度における子ども手当の支給等に関する特別措置法（平成二十三年法律第百七号）第二十三条に規定する交付金
四十四　東日本大震災復興特別区域法（平成二十三年法律第百二十二号）第七十八条第二項に規定する交付金
四十五　特定B型肝炎ウイルス感染者給付金等の支給に関する特別措置法（平成二十三年法律第百二十六号）第三十八条の規定による交付金
四十六　福島復興再生特別措置法（平成二十四年法律第二十五号）第三十四条第二項及び第四十六条第二項に規定する交付金
四十七　子ども・子育て支援法（平成二十四年法律第六十五号）第六十六条の二の規定による給付金及び同法第六十八条第三項に規定する交付金
四十八　外国人の技能実習の適正な実施及び技能実習生の保護に関する法律（平成二十八年法律第八十九号）第九十六条の規定による交付金
四十九　地域における大学の振興及び若者の雇用機会の創出による若者の修学及び就業の促進に関する法律（平成三十年法律第三十七号）第十一条に規定する交付金
五十　旧優生保護法に基づく優生手術等を受けた者に対する一時金の支給等に関する法律（平成三十一年法律第十四号）第二十九条の規定による交付金
五十一　アイヌの人々の誇りが尊重される社会を実現するための施策の推進に関する法律（平成三十一年法律第十六号）第十五条第一項に規定する交付金
五十二　大学等における修学の支援に関する法律（令和元年法律第八号）第十条第一号の規定による給付金
五十三　自殺対策の総合的かつ効果的な実施に資するための調査研究及びその成果の活用等の推進に関する法律（令和元年法律第三十二号）第十三条の規定による交付金

五十四　ハンセン病元患者家族に対する補償金の支給等に関する法律（令和元年法律第五十五号）第二十八条の規定による交付金
五十五　公的給付の支給等の迅速かつ確実な実施のための預貯金口座の登録等に関する法律（令和三年法律第三十八号）附則第三条第二項の規定により読み替えて適用される同法第十五条の規定による交付金
五十六　預貯金者の意思に基づく個人番号の利用による預貯金口座の管理等に関する法律（令和三年法律第三十九号）第十三条（同法附則第三条第二項の規定により読み替えて適用される場合を含む。）の規定による交付金
五十七　特定石綿被害建設業務労働者等に対する給付金等の支給に関する法律（令和三年法律第七十四号）第二十条第一項の規定による交付金
五十八　不発弾等処理交付金
五十九　啓発宣伝事業等委託費
六十　特別支援教育就学奨励費交付金（第十三号に掲げる給付金に該当するものを除く。）
六十一　社会事業学校等経営委託費
六十二　生活保護指導監査委託費
六十三　身体障害者福祉促進事業委託費
六十四　衛生関係指導者養成等委託費（医務衛生関係指導者養成等委託のうち救急医療施設医師研修会の委託に係るものを除く。）
六十五　遺族及留守家族等援護事務委託費のうち戦傷病者福祉事業助成委託及び昭和館運営委託に係るもの
六十六　水産業改良普及事業交付金
六十七　後進地域特例法適用団体等補助率差額及び後進地域特例法適用団体補助率差額
六十八　石油貯蔵施設立地対策等交付金
六十九　国連・障害者の十年記念施設運営委託費
七十　電源立地等推進対策交付金
七十一　原子力施設等防災対策等交付金
七十二　森林整備地域活動支援交付金
七十三　電源立地地域対策交付金（第二十二号に掲げる給付金に該当するものを除く。）
七十四　循環型社会形成推進交付金
七十五　農業・食品産業強化対策整備交付金
七十六　農業・食品産業強化対策推進交付金
七十七　自然環境整備交付金
七十八　医療提供体制施設整備交付金
七十九　地域住宅交付金（第三十四号に掲げる給付金に該当するものを除く。）
八十　労働時間等設定改善推進助成金
八十一　農山漁村活性化対策整備交付金（第三十八号に掲げる給付金に該当するものを除く。）
八十二　農山漁村活性化対策推進交付金（第三十八号に掲げる給付金に該当するものを除く。）
八十三　森林整備・林業等振興推進交付金
八十四　水産業強化対策推進交付金
八十五　生物多様性保全推進交付金
八十六　高齢者医療制度円滑運営臨時特例交付金
八十七　地域活性化・生活対策臨時交付金
八十八　子育て支援対策臨時特例交付金
八十九　緊急雇用創出事業臨時特例交付金
九十　妊婦健康診査臨時特例交付金
九十一　地域活性化・経済危機対策臨時交付金
九十二　高等学校授業料減免事業等支援臨時特例交付金
九十三　新型インフルエンザワクチン開発・生産体制整備臨時特例交付金
九十四　地域医療再生臨時特例交付金
九十五　緊急人材育成・就職支援事業臨時特例交付金
九十六　社会福祉施設等耐震化等臨時特例交付金
九十七　農山漁村地域整備交付金
九十八　過疎地域事業補助率差額
九十九　北方領土隣接地域振興等事業補助率差額
百　森林整備・林業等振興整備交付金
百一　水産業強化対策整備交付金
百二　社会資本整備総合交付金（第三十号、第三十四号又は第三十九号に掲げる給付金に該当するものを除く。）
百三　受動喫煙防止対策助成金
百四　被災児童生徒就学支援等臨時特例交付金
百五　被災農家経営再開支援交付金
百六　被災私立高等学校等教育環境整備支援臨時特例交付金
百七　革新的医療機器創出促進等臨時特例交付金
百八　電力基盤高度化等対策交付金
百九　放射線監視設備整備臨時特別交付金
百十　原子力災害影響調査等交付金
百十一　原子力災害健康管理施設整備交付金
百十二　地域経済活性化・雇用創出臨時交付金
百十三　地域経済循環創造事業交付金
百十四　防災・安全社会資本整備交付金（第三十号、第三十四号又は第三十九号に掲げる給付金に該当するものを除く。）
百十五　生物多様性保全回復施設整備交付金
百十六　森林・山村多面的機能発揮対策交付金
百十七　水産多面的機能発揮対策交付金
百十八　原子力災害避難指示区域消防活動費交付金
百十九　防災対策推進後進地域特例法適用団体補助率差額
百二十　防災対策推進社会資本整備総合交付金
百二十一　女性活躍推進交付金
百二十二　福島再生加速化交付金（第四十六号に掲げる給付金に該当するものを除く。）
百二十三　地域医療対策支援臨時特例交付金
百二十四　道路整備事業後進地域特例法適用団体補助率差額
百二十五　港湾整備事業後進地域特例法適用団体補助率差額

百二十六　森林整備事業後進地域特例法適用団体補助率差額
百二十七　水産基盤整備事業後進地域特例法適用団体補助率差額
百二十八　地域女性活躍推進交付金
百二十九　地方消費者行政推進交付金
百三十　生活基盤施設耐震化等交付金
百三十一　保育所等整備交付金（第一号に掲げる給付金に該当するものを除く。）
百三十二　廃棄物処理施設整備交付金
百三十三　鳥獣捕獲等事業交付金
百三十四　福島原子力災害復興交付金
百三十五　中間貯蔵施設整備等影響緩和交付金
百三十六　教育支援体制整備事業費交付金
百三十七　認定こども園施設整備交付金
百三十八　特定防衛施設周辺整備調整交付金（第二十三号又は第四十号に掲げる給付金に該当するものを除く。）
百三十九　二酸化炭素排出抑制対策事業費交付金
百四十　被災児童生徒就学支援等事業交付金
百四十一　地域子供の未来応援交付金
百四十二　地域少子化対策重点推進交付金
百四十三　地域介護対策支援臨時特例交付金
百四十四　拠点返還地跡地利用推進交付金
百四十五　食料安全保障確立対策推進交付金
百四十六　食料安全保障確立対策整備交付金
百四十七　農地集積・集約化対策整備交付金
百四十八　被災者支援総合交付金
百四十九　特定非営利活動法人等被災者支援交付金
百五十　緊急スクールカウンセラー等活用事業交付金
百五十一　東北観光復興対策交付金
百五十二　九州観光支援交付金
百五十三　特定有人国境離島地域社会維持推進交付金
百五十四　離島漁業再生支援等交付金
百五十五　環境保全施設整備交付金
百五十六　放射線健康影響調査等交付金
百五十七　農林水産業再生支援交付金
百五十八　地方消費者行政強化交付金
百五十九　地域自殺対策強化交付金（第三十六号に掲げる給付金に該当するものを除く。）
百六十　農業水利施設保全管理整備交付金
百六十一　六次産業化市場規模拡大対策整備交付金
百六十二　ブロック塀・冷房設備対応臨時特例交付金
百六十三　外国人受入環境整備交付金
百六十四　農業水利施設保全管理推進交付金
百六十五　地域就職氷河期世代支援加速化交付金
百六十六　性暴力・配偶者暴力被害者等支援交付金
百六十七　特定地域づくり事業推進交付金
百六十八　民間都市開発推進機構補給金
百六十九　新型コロナウイルス感染症対応地方創生臨時交付金
百七十　新型コロナウイルス感染症緊急包括支援交付金
百七十一　新型コロナウイルスワクチン等生産体制整備臨時特例交付金
百七十二　新型コロナウイルス感染症セーフティネット強化交付金
百七十三　成果連動型民間委託契約方式推進交付金
百七十四　過疎地域持続的発展支援交付金
百七十五　農地集積・集約化等対策推進交付金
百七十六　農地集積・集約化等対策整備交付金
百七十七　国産農産物生産基盤強化等対策交付金
百七十八　日本型直接支払交付金
百七十九　デジタル田園都市国家構想推進交付金
百八十　新型コロナウイルス感染症対応協力要請推進交付金
百八十一　新型コロナウイルス感染症対応検査促進交付金
百八十二　福祉・介護職員処遇改善臨時特例交付金
百八十三　国産農産物生産基盤強化等対策整備交付金
百八十四　農林水産業環境政策推進交付金
百八十五　農林水産業環境政策推進整備交付金
百八十六　豪雪地帯安全確保緊急対策交付金
百八十七　保育士等処遇改善臨時特例交付金
百八十八　農林水産物・食品輸出促進対策整備交付金
百八十九　農地利用効率化等支援交付金
百九十　農林水産業環境技術開発推進交付金
百九十一　防災・安全交付金（第三十号、第三十四号又は第三十九号に掲げる給付金に該当するものを除く。）
百九十二　妊娠出産子育て支援交付金
百九十三　就学前教育・保育施設整備交付金（第一号に掲げる給付金に該当するものを除く。）
百九十四　地域再犯防止等推進事業交付金
百九十五　農山漁村情報通信環境整備交付金
百九十六　脱炭素成長型経済構造移行推進対策費交付金
百九十七　物価高騰対応重点支援地方創生臨時交付金
百九十八　地域産業基盤整備推進交付金
百九十九　地域福祉推進支援臨時特例交付金
二百　孤独・孤立対策推進交付金

（補助金等の交付の申請の手続）
第三条　法第五条の申請書には、次に掲げる事項を記載しなければならない。
一　申請者の氏名又は名称及び住所
二　補助事業等の目的及び内容
三　補助事業等の経費の配分、経費の使用方法、補助事業等の完了の予定期日その他補助事業等の遂行に関する計画
四　交付を受けようとする補助金等の額及びその算出の基礎
五　その他各省各庁の長（日本中央競馬会、国立研究開発法人情報通信研究機構、独立行政法人農畜産業振興機構、独立行政法人エネルギー・金属鉱物資源機構、独立行政法人国際協力機構、独立行政法人国際交流基金、国立研究開発

法人新エネルギー・産業技術総合開発機構、独立行政法人中小企業基盤整備機構、独立行政法人日本学術振興会、国立研究開発法人宇宙航空研究開発機構、独立行政法人日本スポーツ振興センター、独立行政法人日本芸術文化振興会、独立行政法人福祉医療機構、独立行政法人環境再生保全機構、独立行政法人日本学生支援機構、国立研究開発法人医薬基盤・健康・栄養研究所又は国立研究開発法人日本医療研究開発機構の補助金等に関しては、これらの理事長とし、独立行政法人大学改革支援・学位授与機構の補助金等に関しては、その機構長とする。第九条第二項及び第三項（第十四条第二項において準用する場合を含む。）、第十三条第四号及び第五号並びに第十四条第一項第二号を除き、以下同じ。）が定める事項

2　前項の申請書には、次に掲げる事項を記載した書類を添附しなければならない。

一　申請者の営む主な事業

二　申請者の資産及び負債に関する事項

三　補助事業等の経費のうち補助金等によつてまかなわれる部分以外の部分の負担者、負担額及び負担方法

四　補助事業等の効果

五　補助事業等に関して生ずる収入金に関する事項

六　その他各省各庁の長が定める事項

3　第一項の申請書若しくは前項の書類に記載すべき事項の一部又は同項の規定による添附書類は、各省各庁の長の定めるところにより、省略することができる。

（事業完了後においても従うべき条件）

第四条　各省各庁の長は、補助金等の交付の目的を達成するため必要がある場合には、その交付の条件として、補助事業等の完了後においても従うべき事項を定めるものとする。

2　補助金等が基金造成費補助金等（補助事業者等が基金事業等（複数年度にわたる事務又は事業であつて、各年度の所要額をあらかじめ見込み難く、弾力的な支出が必要であることその他の特段の事情があり、あらかじめ当該複数年度にわたる財源を確保しておくことがその安定的かつ効率的な実施に必要であると認められるものをいう。以下この項において同じ。）の財源として設置する基金に充てる資金として各省各庁の長が交付する補助金等をいう。第三号及び第四号において同じ。）に該当する場合には、前項の補助事業等の完了後においても従うべき事項は、次に掲げる事項とする。

一　基金事業等に係る運営及び管理に関する基本的事項として各省各庁の長が定めるものを公表すべきこと。

二　基金を廃止するまでの間、毎年度、当該基金の額及び基金事業等の実施状況を各省各庁の長に報告すべきこと。

三　基金の額が基金事業等の実施状況その他の事情に照らして過大であると各省各庁の長が認めた場合又は各省各庁の長が定めた基金の廃止の時期が到来したことその他の事情により基金を廃止した場合は、速やかに、交付を受けた基金造成費補助金等の全部又は一部に相当する金額を国に納付すべきこと。

四　前三号に掲げるもののほか、基金造成費補助金等の交付の目的を達成するため必要と認められる事項

（事情変更による決定の取消ができる場合）

第五条　法第十条第二項に規定する政令で定める特に必要な場合は、補助事業者等又は間接補助事業者等が補助事業等又は間接補助事業等を遂行するため必要な土地その他の手段を使用することができないこと、補助事業等又は間接補助事業等に要する経費のうち補助金等又は間接補助金等によつてまかなわれる部分以外の部分を負担することができないことその他の理由により補助事業等又は間接補助事業等を遂行することができない場合（補助事業者等又は間接補助事業者等の責に帰すべき事情による場合を除く。）とする。

（決定の取消に伴う補助金等の交付）

第六条　法第十条第三項の規定による補助金等は、次に掲げる経費について交付するものとする。

一　補助事業等に係る機械、器具及び仮設物の撤去その他の残務処理に要する経費

二　補助事業等を行うため締結した契約の解除により必要となつた賠償金の支払に要する経費

2　前項の補助金等の額の同項各号に掲げる経費の額に対する割合その他その交付については、法第十条第一項の規定による取消に係る補助事業等についての補助金等に準ずるものとする。

（補助事業等の遂行の一時停止）

第七条　各省各庁の長は、法第十三条第二項の規定により補助事業等の遂行の一時停止を命ずる場合においては、補助事業者等が当該補助金等の交付の決定の内容及びこれに附した条件に適合させるための措置を各省各庁の長の指定する期日までにとらないときは、法第十七条第一項の規定により当該補助金等の交付の決定の全部又は一部を取り消す旨を、明らかにしなければならない。

（国の会計年度終了の場合における実績報告）

第八条　法第十四条後段の規定による補助事業等実績報告書には、翌年度以降の補助事業等の遂行に関する計画を附記しなければならない。ただし、その計画が当該補助金等の交付の決定の内容となつた計画に比して変更がないときは、この限りでない。

（補助金等の返還の期限の延長等）

第九条　法第十八条第三項の規定による補助金等の返還の期限の延長又は返還の命令の全部若しくは一部の取消は、補助事業者等の申請により行うものとする。

2　補助事業者等は、前項の申請をしようとする場合には、申請の内容を記載した書面に、当該補助事業等に係る間接補助金等の交付又は融通の目的を達成するためとつた措置及び当該補助金等の返還を困難とする理由その他参考となるべき事項を記載した書類を添えて、これを各省各庁の長（日本中央競馬会、国立研究開発法人情報通信研究機構、独立行政法人

エネルギー・金属鉱物資源機構、独立行政法人農畜産業振興機構、独立行政法人国際協力機構、独立行政法人国際交流基金、国立研究開発法人新エネルギー・産業技術総合開発機構、独立行政法人中小企業基盤整備機構、独立行政法人日本学術振興会、国立研究開発法人宇宙航空研究開発機構、独立行政法人日本スポーツ振興センター、独立行政法人日本芸術文化振興会、独立行政法人福祉医療機構、独立行政法人鉄道建設・運輸施設整備支援機構、独立行政法人環境再生保全機構、独立行政法人日本学生支援機構、国立研究開発法人医薬基盤・健康・栄養研究所又は国立研究開発法人日本医療研究開発機構の補助金等に関しては、これらの理事長とし、独立行政法人大学改革支援・学位授与機構の補助金等に関しては、その機構長とする。次項（第十四条第二項において準用する場合を含む。）、第十三条第四号及び第五号並びに第十四条第一項第二号において同じ。）に提出しなければならない。

3　各省各庁の長は、法第十八条第三項の規定により補助金等の返還の期限の延長又は返還の命令の全部若しくは一部の取消をしようとする場合には、財務大臣に協議しなければならない。

4　日本中央競馬会、国立研究開発法人情報通信研究機構、独立行政法人エネルギー・金属鉱物資源機構、独立行政法人農畜産業振興機構、独立行政法人国際協力機構、独立行政法人国際交流基金、国立研究開発法人新エネルギー・産業技術総合開発機構、独立行政法人中小企業基盤整備機構、独立行政法人日本学術振興会、国立研究開発法人宇宙航空研究開発機構、独立行政法人日本スポーツ振興センター、独立行政法人日本芸術文化振興会、独立行政法人福祉医療機構、独立行政法人鉄道建設・運輸施設整備支援機構、独立行政法人環境再生保全機構、独立行政法人日本学生支援機構、国立研究開発法人医薬基盤・健康・栄養研究所若しくは国立研究開発法人日本医療研究開発機構の理事長又は独立行政法人大学改革支援・学位授与機構の機構長は、法第十八条第三項の規定により補助金等の返還の期限の延長又は返還の命令の全部若しくは一部の取消しをしようとする場合には、前項の規定にかかわらず、日本中央競馬会又は独立行政法人農畜産業振興機構にあつては農林水産大臣、国立研究開発法人宇宙航空研究開発機構にあつては内閣総理大臣、総務大臣、文部科学大臣及び経済産業大臣、国立研究開発法人日本医療研究開発機構にあつては内閣総理大臣、文部科学大臣、厚生労働大臣及び経済産業大臣、国立研究開発法人情報通信研究機構にあつては総務大臣、独立行政法人国際協力機構又は独立行政法人国際交流基金にあつては外務大臣、独立行政法人日本学術振興会、独立行政法人日本スポーツ振興センター、独立行政法人日本芸術文化振興会、独立行政法人日本学生支援機構又は独立行政法人大学改革支援・学位授与機構にあつては文部科学大臣、独立行政法人福祉医療機構又は国立研究開発法人医薬基盤・健康・栄養研究所にあつては厚生労働大臣、独立行政法人エネルギー・金属鉱物資源機構、国立研究開発法人新エネルギー・産業技術総合開発機構又は独立行政法人中小企業基盤整備機構にあつては経済産業大臣、独立行政法人鉄道建設・運輸施設整備支援機構にあつては国土交通大臣、独立行政法人環境再生保全機構にあつては環境大臣の承認を受けなければならない。

5　農林水産大臣、内閣総理大臣、総務大臣、外務大臣、文部科学大臣、厚生労働大臣、経済産業大臣、国土交通大臣又は環境大臣は、前項の承認をしようとする場合には、財務大臣に協議しなければならない。

（加算金の計算）

第十条　補助金等が二回以上に分けて交付されている場合における法第十九条第一項の規定の適用については、返還を命ぜられた額に相当する補助金等は、最後の受領の日に受領したものとし、当該返還を命ぜられた額がその日に受領した額をこえるときは、当該返還を命ぜられた額に達するまで順次さかのぼりそれぞれの受領の日において受領したものとする。

2　法第十九条第一項の規定により加算金を納付しなければならない場合において、補助事業者等の納付した金額が返還を命ぜられた補助金等の額に達するまでは、その納付金額は、まず当該返還を命ぜられた補助金等の額に充てられたものとする。

（延滞金の計算）

第十一条　法第十九条第二項の規定により延滞金を納付しなければならない場合において、返還を命ぜられた補助金等の未納付額の一部が納付されたときは、当該納付の日の翌日以後の期間に係る延滞金の計算の基礎となるべき未納付額は、その納付金額を控除した額によるものとする。

（加算金又は延滞金の免除）

第十二条　第九条の規定は、法第十九条第三項の規定による加算金又は延滞金の全部又は一部の免除について準用する。この場合において、第九条第二項中「当該補助事業等に係る間接補助金等の交付又は融通の目的を達成するため」とあるのは、「当該補助金等の返還を遅延させないため」と読み替えるものとする。

（処分を制限する財産）

第十三条　法第二十二条に規定する政令で定める財産は、次に掲げるものとする。

一　不動産

二　船舶、航空機、浮標、浮さん橋及び浮ドツク

三　前二号に掲げるものの従物

四　機械及び重要な器具で、各省各庁の長が定めるもの

五　その他各省各庁の長が補助金等の交付の目的を達成するため特に必要があると認めて定めるもの

（財産の処分の制限を適用しない場合）

第十四条　法第二十二条ただし書に規定する政令で定める場合は、次に掲げる場合とする。

一　補助事業者等が法第七条第二項の規定による条件に基き補助金等の全部に相当する金額を国に納付した場合

二　補助金等の交付の目的及び当該財産の耐用年数を勘案して各省各庁の長が定める期間を経過した場合

2　第九条第三項から第五項までの規定は、前項第二号の期間を定める場合について準用する。

（不服の申出の手続）

第十五条　法第二十五条第一項の規定により不服を申し出ようとする者は、当該不服の申出に係る処分の通知を受けた日（処分について通知がない場合においては、処分があつたことを知つた日）から三十日以内に、当該処分の内容、処分を受けた年月日及び不服の理由を記載した不服申出書に参考となるべき書類を添えて、これを当該処分をした各省各庁の長（法第二十六条第一項の規定により当該処分を委任された機関があるときは当該機関とし、同条第二項の規定により当該処分を行うこととなつた都道府県の知事又は教育委員会があるときは当該知事又は教育委員会とする。以下この条において同じ。）に提出しなければならない。

2　各省各庁の長は、通信、交通その他の状況により前項の期間内に不服を申し出なかつたことについてやむを得ない理由があると認める者については、当該期間を延長することができる。

3　各省各庁の長は、第一項の不服の申出があつた場合において、その申出の方式又は手続に不備があるときは、相当と認められる期間を指定して、その補正をさせることができる。

（事務の委任の範囲及び手続）

第十六条　各省各庁の長は、法第二十六条第一項の規定により、補助金等の交付に関する事務（補助金等の交付の申請の受理、交付の決定及びその取消し、補助事業等の実績報告の受理、補助金等の額の確定、補助金等の返還に関する処分その他補助事業等の監督に関する事務をいう。以下この条及び次条において同じ。）の一部を当該各省各庁の機関（日本中央競馬会、国立研究開発法人情報通信研究機構、独立行政法人エネルギー・金属鉱物資源機構、独立行政法人農畜産業振興機構、独立行政法人国際協力機構、独立行政法人国際交流基金、国立研究開発法人新エネルギー・産業技術総合開発機構、独立行政法人中小企業基盤整備機構、独立行政法人日本学術振興会、国立研究開発法人宇宙航空研究開発機構、独立行政法人日本スポーツ振興センター、独立行政法人日本芸術文化振興会、独立行政法人福祉医療機構、独立行政法人環境再生保全機構、独立行政法人日本学生支援機構、国立研究開発法人医薬基盤・健康・栄養研究所又は国立研究開発法人日本医療研究開発機構の理事長の補助金等の交付に関する事務については日本中央競馬会、国立研究開発法人情報通信研究機構、独立行政法人エネルギー・金属鉱物資源機構、独立行政法人農畜産業振興機構、独立行政法人国際協力機構、独立行政法人国際交流基金、国立研究開発法人新エネルギー・産業技術総合開発機構、独立行政法人中小企業基盤整備機構、独立行政法人日本学術振興会、国立研究開発法人宇宙航空研究開発機構、独立行政法人日本スポーツ振興センター、独立行政法人日本芸術文化振興会、独立行政法人福祉医療機構、独立行政法人環境再生保全機構、独立行政法人日本学生支援機構、国立研究開発法人医薬基盤・健康・栄養研究所又は国立研究開発法人日本医療研究開発機構の機関、独立行政法人大学改革支援・学位授与機構の機構長の補助金等の交付に関する事務については独立行政法人大学改革支援・学位授与機構の機関）に委任することができる。この場合において、各省各庁の地方支分部局に委任しようとするときは、当該補助金等の名称を明らかにして、委任しようとする補助金等の交付に関する事務の内容及び機関について、財務大臣に協議しなければならない。

2　各省各庁の長は、他の法律の規定により当該各省各庁の所掌事務を他の各省各庁の機関が行う場合には、法第二十六条第一項の規定により、当該所掌事務に係る補助金等の交付に関する事務の一部を当該他の各省各庁の機関に委任することができる。この場合においては、当該補助金等の名称を明らかにして、委任しようとする補助金等の交付に関する事務の内容及び機関について、財務大臣に協議しなければならない。

3　日本中央競馬会、国立研究開発法人情報通信研究機構、独立行政法人エネルギー・金属鉱物資源機構、独立行政法人農畜産業振興機構、独立行政法人国際協力機構、独立行政法人国際交流基金、国立研究開発法人新エネルギー・産業技術総合開発機構、独立行政法人中小企業基盤整備機構、独立行政法人日本学術振興会、国立研究開発法人宇宙航空研究開発機構、独立行政法人日本スポーツ振興センター、独立行政法人日本芸術文化振興会、独立行政法人福祉医療機構、独立行政法人環境再生保全機構、独立行政法人日本学生支援機構、国立研究開発法人医薬基盤・健康・栄養研究所若しくは国立研究開発法人日本医療研究開発機構の理事長又は独立行政法人大学改革支援・学位授与機構の機構長は、法第二十六条第一項の規定により補助金等の交付に関する事務の一部を従たる事務所の職員に委任しようとする場合には、当該補助金等の名称を明らかにして、委任しようとする補助金等の交付に関する事務の内容及び職員について、日本中央競馬会又は独立行政法人農畜産業振興機構にあつては農林水産大臣、国立研究開発法人宇宙航空研究開発機構にあつては内閣総理大臣、総務大臣、文部科学大臣及び経済産業大臣、国立研究開発法人日本医療研究開発機構にあつては内閣総理大臣、文部科学大臣、厚生労働大臣及び経済産業大臣、国立研究開発法人情報通信研究機構にあつては総務大臣、独立行政法人国際協力機構又は独立行政法人国際交流基金にあつては外務大臣、独立行政法人日本学術振興会、独立行政法人日本スポーツ振興センター、独立行政法人日本芸術文化振興会、独立行政法人日本学生支援機構又は独立行政法人大学改革支援・学位授与機構にあつては文部科学大臣、独立行政法人福祉医療機構又は国立研究開発法人医薬基盤・健康・栄養研究所にあつては厚生労働大臣、独立行政法人エネルギー・金属鉱物資源機構、国立研究開発法人新エネルギー・産業技術総合開発機構又は独立行政法人中小企業基盤整備機構にあつては経済産業大臣、独立行政法人環境再生保全機構にあつては環境大臣の承認を受けなければならない。

4　第九条第五項の規定は、前項の承認について準用する。

5　各省各庁の長は、法第二十六条第一項の規定により補助金等の交付に関する事務の一部を委任したときは、直ちに、その内容を公示しなければならない。

（都道府県が行う事務の範囲及び手続）

第十七条　各省各庁の長は、法第二十六条第二項の規定により、補助金等の交付に関する事務の一部を都道府県の知事又は教育委員会（以下「知事等」という。）が行うこととすることができる。この場合においては、当該補助金等の名称を明らかにして、知事等が行うこととなる補助金等の交付に関する事務の内容について、財務大臣に協議しなければならない。

2　前項の場合においては、各省各庁の長は、当該補助金等の名称及び知事等が行うこととなる補助金等の交付に関する事務の内容を明らかにして、知事等が補助金等の交付に関する事務を行うこととなることについて、都道府県の知事の同意を求めなければならない。

3　都道府県の知事は、前項の規定により各省各庁の長から同意を求められた場合には、その内容について同意をするかどうかを決定し、同意をする決定をしたときは同意をする旨を、同意をしない決定をしたときは同意をしない旨を各省各庁の長に通知するものとする。

4　各省各庁の長は、法第二十六条第二項の規定により補助金等の交付に関する事務の一部を知事等が行うこととなつたときは、直ちに、その内容を公示しなければならない。

5　法第二十六条第二項の規定により補助金等の交付に関する事務の一部を知事等が行つた場合は、知事等は、各省各庁の長に対し、その旨及びその内容を報告するものとする。

6　法第二十六条第二項の規定により補助金等の交付に関する事務の一部を知事等が行うこととなつた場合においては、法中補助金等の交付に関する事務に係る各省各庁の長に関する規定は、知事等に関する規定として知事等に適用があるものとする。

（都道府県が行うこととなつた場合の事務の実施）

第十八条　各省各庁の長は、法第二十六条第二項の規定により法第二十三条の規定による職権に属する事務を知事等が行うこととなつた場合においても、自ら当該事務を行うことができるものとする。

附　則

1　この政令は、公布の日から施行する。

2　法の施行前に交付された補助金等について法の施行後に返還を命じた場合における法第十九条第一項の加算金の計算については、同項中「受領の日」とあるのは、「この法律の施行の日」と読み替えるものとする。

3　法第十九条から第二十一条までの規定は、法の施行前に補助金等の返還を命じた場合については、適用しない。

○補助金等適正化法第二十二条の規定に基づく同法施行令第十四条第一項第二号により各省各庁の長が定める期間について

昭四六・五・一二
蔵計一六一八

減価償却の耐用年数等に関する省令（昭和四十年三月三十一日大蔵省令第十五号）で定めている耐用年数を基礎とし、これに補助金等の交付の目的を勘案して定める期間とする。

○国等の債権債務等の金額の端数計算に関する法律

昭二五・三・三一
法　六一

最終改正　平二二・三・三一法一五

（通則）

第一条　国、沖縄振興開発金融公庫、地方公共団体及び政令で指定する公共組合（以下「国及び公庫等」という。）の債権若しくは債務の金額又は国の組織相互間の受払金等についての端数計算は、この法律の定めるところによる。

2　他の法令中の端数計算に関する規定がこの法律の規定に矛盾し、又はてい触する場合には、この法律の規定が優先する。

（国等の債権又は債務の金額の端数計算）

第二条　国及び公庫等の債権で金銭の給付を目的とするもの（以下「債権」という。）又は国及び公庫等の債務で金銭の給付を目的とするもの（以下「債務」という。）の確定金額に一円未満の端数があるときは、その端数金額を切り捨てるものとする。

2　国及び公庫等の債権の確定金額の全額が一円未満であるときは、その全額を切り捨てるものとし、国及び公庫等の債務の確定金額の全額が一円未満であるときは、その全額を一円として計算する。

3　国及び公庫等の相互の間における債権又は債務の確定金額の全額が一円未満であるときは、前項の規定にかかわらず、その全額を切り捨てるものとする。

（分割して履行すべき金額の計算）

第三条　国及び公庫等の債権又は債務の確定金額を、二以上の履行期限を定め、一定の金額に分割して履行することとされている場合において、その履行期限ごとの分割金額に一円未満の端数があるとき、又はその分割金額の全額が一円未満であるときは、その端数金額又は分割金額は、すべて最初の履行期限に係る分割金額に合算するものとする。

（概算払等に係る金額の端数計算）

第四条　第二条の規定は、国及び公庫等の債権又は債務について、概算払、前金払若しくはその債権若しくは債務に係る反対給付のうち既済部分に対してする支払を受け、又はこれらの支払をすべき金額の計算について準用する。

（国等の組織相互間の受払金の端数計算）

第五条　第二条第一項及び第三項、第三条並びに前条の規定は、国の組織相互の間又は地方公共団体の組織相互の間において収納し、又は支払うべき金額の計算について準用する。

第六条　削除

（適用除外）

第七条　この法律は、次に掲げるものについては適用しない。

一　政府契約の支払遅延防止等に関する法律（昭和二十四年法律第二百五十六号）第八条、第九条及び第十条の規定による遅延利息

二　健康保険法（大正十一年法律第七十号）第百八十一条第一項、船員保険法（昭和十四年法律第七十三号）第百三十三条第一項、厚生年金保険法（昭和二十九年法律第百十五号）第八十七条第一項、国民年金法（昭和三十四年法律第百四十一号）第九十七条第一項及び労働保険の保険料の徴収等に関する法律（昭和四十四年法律第八十四号）第二十八条（失業保険法及び労働者災害補償保険法の一部を改正する法律及び労働保険の保険料の徴収等に関する法律の施行に伴う関係法律の整備等に関する法律（昭和四十四年法律第八十五号）第十九条第三項において準用する場合を含む。）の規定により徴収する延滞金

三　国税（その滞納処分費を含む。）並びに当該国税に係る還付金及び過誤納金（これらに加算すべき還付加算金を含む。）

四　地方団体の徴収金並びに地方団体の徴収金に係る過誤納金及び還付金（これらに加算すべき還付加算金を含む。）

五　国有資産等所在市町村交付金又は国有資産等所在都道府県交付金

六　前各号に掲げるものの外政令で指定するもの

附　則

1　この法律は、昭和二十五年四月一日から施行する。

2　国庫出納金端数計算法（大正五年法律第二号）は、廃止する。

附　則（平一七・一〇・二一法一〇二）（抄）

（施行期日）

第一条　この法律は、郵政民営化法の施行の日（平一九・一〇・一）から施行する。〔ただし書略〕

（国等の債権債務等の金額の端数計算に関する法律の一部改正に伴う経過措置）

第七十八条　平成十九年度分までの第三十三条の規定による改正前の国等の債権債務等の金額の端数計算に関する法律第七条第五号の規定による日本郵政公社有資産所在市町村納付金又は日本郵政公社有資産所在都道府県納付金の金額についての端数計算については、なお従前の例による。

○国等の債権債務等の金額の端数計算に関する法律施行令

昭二五・四・一
政令七七

最終改正　平三一・一・八政令二

第一条　国等の債権債務等の金額の端数計算に関する法律（以下「法」という。）第一条第一項に規定する公共組合は、左に掲げるものとする。

一　土地改良区及び同連合
二　普通水利組合及び同連合
三　水害予防組合及び同連合
四　北海道土功組合
五　耕地整理組合及び同連合会
六　土地区画整理組合
七　健康保険組合

第二条　法第七条第六号に規定するものは、次に掲げるものとする。

一　地方交付税法（昭和二十五年法律第二百十一号）の規定により交付すべき地方交付税及び同法第十九条第五項の規定により納付すべき加算金
二　政党助成法（平成六年法律第五号）の規定により政党に対して交付すべき政党交付金
三　特許法（昭和三十四年法律第百二十一号）第百七条第三項の規定により納付すべき特許料、同法第百九条及び第百九条の二第一項の規定により軽減された同法第百七条第一項の規定により納付すべき特許料、同法第百九十五条第五項及び第六項の規定により納付すべき手数料、同法第百九十五条の二及び第百九十五条の二の二の規定により軽減された同法第百九十五条第二項の規定により納付すべき手数料並びに同条第九項の規定により返還する同項の政令で定める額
四　実用新案法（昭和三十四年法律第百二十三号）第三十一条第三項の規定により納付すべき登録料並びに同法第五十四条第四項及び第五項の規定により納付すべき手数料
五　意匠法（昭和三十四年法律第百二十五号）第四十二条第三項の規定により納付すべき登録料及び同法第六十七条第四項の規定により納付すべき手数料
六　商標法（昭和三十四年法律第百二十七号）第四十条第四項（同法第四十一条の二第九項及び第六十五条の七第三項において準用する場合を含む。）の規定により納付すべき登録料及び同法第七十六条第四項の規定により納付すべき手数料
七　特許協力条約に基づく国際出願等に関する法律（昭和五十三年法律第三十号。以下この号において「国際出願法」という。）第十八条第三項において準用する特許法第百九十五条第五項及び第六項の規定により納付すべき手数料並びに国際出願法第十八条の二の規定により軽減された国際出願法第十八条第二項の規定により納付すべき手数料
八　工業所有権に関する手続等の特例に関する法律（平成二年法律第三十号）第四十条第四項の規定により納付すべき手数料
九　国税収納金整理資金に関する法律施行令（昭和二十九年政令第五十一号）第二十二条又は第二十三条の規定による一般会計、交付税及び譲与税配付金特別会計又は東日本大震災復興特別会計の歳入への組入金で同令第四条の二第一項各号に掲げる国税に係るもの（同条第二項から第四項までの規定により計算する場合に限る。）

附　則

1　この政令は、公布の日から施行する。
2　左に掲げる命令は、廃止する。
公共団体ノ収入及仕払ニ関シ国庫出納金端数計算法準用ノ件（大正五年勅令第二百九号）
経理事務ノ簡捷ヲ図ル為銭位未満ノ国庫金ニ付特別ノ取扱ヲ為スノ件（昭和十八年勅令第三百二十一号）

〇国の会計帳簿及び書類の様式等に関する省令（抄）

大二二・三・二九
大蔵令二〇

最終改正 令二・一二・四財務令七三

別表

第二号書式

支払計画表

（所管）（年度）（会計名）第　期分　第　号

（官署支出官 官職 氏名）（センター支出官 官職 氏名）日本銀行（何店）

部局等	項	計画額		摘要
		増	減	

第　号

「年　月　日

財務大臣 あて

各省各庁の長　」

「上記計画を承認したから通知する。

各省各庁の長 あて

年月日財務大臣　」又は

「上記計画を示達する。

官署支出官 あて

年月日　各省各庁の長　」

備考

1 紙の寸法は、日本産業規格A列4とする。

2 変更の計画の場合には、変更による増加額又は減少額を記載し、標題の右側に「変更の分」と記載する。

3 変更の計画の場合には、摘要欄に既に承認済みとなつた計画表の番号、計画額、計画の変更の適否を審査するために必要な事項を記載する。

4 記載事項が二葉以上にわたる場合には、各葉の右上方にページ数を付する。

5 本書式は、複数の所管大臣の管理に係る特別会計にあつては、当該所管大臣のそれぞれの所管区分ごとに作成するものとする。この場合において、（所管）欄には、当該特別会計の所管名及び当該所管区分に係る所管名を併せて記載するものとする。

第四号書式甲

徴　収　済　額　報　告　書

某年度一般会計（何特別会計）

何主管（所管）　部局等　　　何年何月分

科　目	摘要	徴収決定済額		収納済歳入額		不納欠損額		収納未済歳入額	備　考
		本月分	本月までの累計	本月分	本月までの累計	本月分	本月までの累計		
		円	円	円	円	円	円	円	
何(部)		0	0	0	0	0	0	0	
何(款)		0	0	0	0	0	0	0	現金払込仕訳
何(項)		0	0	0	0	0	0	0	前月までの払込未済0
何(目)		0	0	0	0	0	0	0	本月中現金領収額　0
何(目)		0	0	0	0	0	0	0	本月中現金払込高　0
何(項)		0	0	0	0	0	0	0	翌月へ越高　0

年　月　日

各省各庁の長あて

歳入徴収官　職　氏　名

備考

1　用紙の寸法は、日本産業規格Ａ列４とする。ただし、これにより難い場合は、日本産業規格Ｂ列４とすることができる。

2　この報告書には、日本銀行の歳入金月計突合表の写しを添付するものとする。

3　勘定の区分がある特別会計にあつては、科目の欄中「何（部）」とあるのは「何（勘定）」とする。

第六号書式

その１

徴　収　簿
総　括　表

年度　年　月分　　主管・所管名　　　会計名

科　目	摘要	徴収決定済額		収納済歳入額		不納欠損額		収納未済歳入額	備　考
		本月分	本月までの累計	本月分	本月までの累計	本月分	本月までの累計		
		円	円	円	円	円	円	円	
何（部）									
何（款）									
何（項）									
何（目）									

その2

徴　収　決　定　一　覧　表

科　目　名　　　年度　年　月分　　　会計名

年　月　日	摘　　　要	徴収決定済額	備　　　考
		円	

その3

収　納　済　等　一　覧　表

科　目　名　　　年度　年　月分　　　会計名

年　月　日	摘　　　要	収納済等金額	備　　　考
		円	

その4

収　納　未　済　一　覧　表

科　目　名　　　年度　年　月末　　　会計名

摘　　　要	収納未済歳入額	備　　　考
	円	

その５

収　納　未　済　繰　越　一　覧　表

年度　　　　会計名

科　　目	摘　　　　要	繰　越　額	備　　　　考
何（部） 何（款） 何（項） 何（目）		円	

備考

1　用紙の大きさは、日本産業規格Ａ列４とする。

2　その１からその４までの表は、歳入徴収官事務規程（以下「歳入規程」という。）第29条の徴収済額報告書又は歳入規程第46条の６の徴収額集計表を作成するときに、電子情報処理組織を使用して作成するものとする。

3　その５の表は、前年度から当該年度への繰越しに係るもの及び当該年度から翌年度への繰越しに係るものについて、歳入規程第36条（歳入規程第47条において準用する場合を含む。）又は歳入規程第37条（歳入規程第47条において準用する場合を含む。）の規定により繰り越した場合に電子情報処理組織を使用して作成するものとする。

4　その１からその５までの表は、該当する月ごとに編集するものとする。この場合において、歳入規程第46条の２に規定する分任歳入徴収官が置かれている歳入徴収官は、当該分任歳入徴収官から送付を受けた徴収額集計表を併せ編集し、徴収簿とする。

5　その１及びその５の表の科目の欄中「何（部）」とあるのは、勘定の区分のある特別会計にあつては「何（勘定）」とする。

6　その３の表には、収納済歳入額及び不納欠損額について、その区分を明らかにして記載するものとする。

7　その３及びその４の表における利息及び延滞金の記載については、これらが付される元本科目の表に利息及び延滞金の欄を設け、これらの欄に記載することができる。

8　その５の表は、徴収決定をした年度の別に作成するものとする。

9　必要があるときは、各欄を区分し、又は各欄の配置に所要の変更を加えることその他所要の調整を加えることができる。

第八号書式

支　出　済　額　報　告　書

（所管）
（会計名）

年度　　年　　月分

部局等及び科目	支払計画示達額本月までの累計	支出済額						備考
		本月分	本月れい入額	本月科目等更正額	本月分差引計	前月までの差引計	差引計	
（部局等） （項） （目）	円	円	円	円	円	円	円	

年　　月　　日

（各省各庁の長　あて）
（センター支出官　官　職　氏　名）

支　出　済　額　報　告　書　付　表

（所管）
（会計名）

（官署支出官所属庁名）
年度　　年　　月分

部局等及び科目	支払計画示達額本月までの累計	支出済額						備考
		本月分	本月れい入額	本月科目等更正額	本月分差引計	前月までの差引計	差引計	
（部局等） （項） （目）	円	円	円	円	円	円	円	

備考　1　用紙の大きさは、日本産業規格Ａ列４とする。
2　勘定区分のある特別会計にあつては、部局等及び科目の欄中「何（部局等）」とあるのは、「（勘定）」とする。
3　最終ページに合計額を付するものとする。
4　記載事項が二葉以上にわたる場合には、各葉の右上方に頁数を付するものとする。
5　本月科目等更正額の等とは、年度、所管、会計、部局等及び勘定をいう。
6　支出済額報告書には、官署支出官ごとに作成した支出済額報告書付表を添付するものとする。
7　この報告書は、電子情報処理組織を使用して作成するものとする。

第十号書式

番　　号
年　月　日

財務大臣、財務局長又は福岡財務支局長　あて

各省各庁の長又は支出負担行為担当官その他各省各庁の長から委任を受けた職員　官　職　氏　名

繰　越　計　算　書（　　繰越しの分）

所管　　年度　　会計

支出負担行為担当官	官　職　氏　名
支　出　官	官　職　氏　名

部局等、項及び目並びに事項	予算現額	支出済額及び支出すべき額	翌年度へ繰越額		不用となるべき額	摘　要
			繰越承認済額	要繰越額		

繰越しを必要とする理由

備考　1　用紙の寸法は、日本産業規格Ａ列４とする。
2　繰越明許費の繰越しと事故繰越しとは、別業に作成するものとする。
3　会計法（昭和22年法律第35号）第46条の２の規定により、繰越しの手続に関する事務が委任されている場合における繰越計算書については、本書式中「予算現額」とあるのは、各省各庁の長が作成する繰越計算書にあつては「予算現額（本省本庁直轄分）」と、当該事務を委任された職員が作成する繰越計算書にあつては「支出負担行為計画示達額」とする。
4　記載事項が２葉以上にわたる場合には、各葉の右上方にページ数を付するものとする。
5　前各号に定めるもののはか、繰越計算書の記載に関し必要な事項は、別に定める。

第十号の二書式

支　出　決　定　簿

（所管）
（会計名）　　（項）
（部局等）　　（目）　　年度　年　月分

日付	摘　要	支払計画示達額	支出決定済額	支払計画示達済支出決定未済額
		円	円	円

備考　1　用紙の大きさは、日本産業規格Ａ列４とする。
2　必要があるときは、各欄を区分することその他所要の調整を加えることができる。

第十一号書式

支　出　簿

(その１)
(所管)
(会計名)　(項)
(部局等)　年度　年　月分

日付	摘　要	支払計画示達額	支出済額	支払計画示達済支出未済額
		円	円	円

支　出　簿

(その２)
(所管)　(項)
(会計名)
(部局等)　(目)　年度　年　月分

日付	支出済額					備　考
	本月分	本月れい入額	本月科目等更正額		本月分差引額	
			増	減		
	円	円	円	円	円	

備考　第十号の二書式の備考は、本書式に準用する。

第十二号書式

支出負担行為差引簿

(部局等)　(項)　(目)					
年月	日	摘　要	支出負担行為計画示達額	支出負担行為確認又は認証済額	支出負担行為計画示達済確認又は認証未済額
			円	円	円

備考　(1)　用紙の寸法は、日本産業規格Ａ列４とすること。
　　　(2)　必要に応じ、支出済額及び支出負担行為確認又は認証済支出未済額の欄を設けることができる。

第十五号書式　現金領収証書

第一片

領　収　証　書

(住　所) (氏　名) 殿								(年　度)		(番　号)
								(会　計)		(主管又は所管)
								(項)		
								(目)		
納　付　金　額	千	百	十	万	千	百	十	円		

年　月　日領収しました。

(収入官吏、収入官吏代理、分任収入官吏又は分任収入官吏代理官職氏名等)

第二片

領収済報告書

(住　所) (氏　名) 殿								(年　度)		(番　号)
								(会　計)		(主管又は所管)
								(項)		
								(目)		
納　付　金　額	千	百	十	万	千	百	十	円		

年　月　日　領　収

(収入官吏、収入官吏代理、分任収入官吏又は分任収入官吏代理官職氏名等)

あ　て　先

(歳入徴収官、歳入徴収官代理、分任歳入徴収官又は分任歳入徴収官代理官職氏名等)

第三片

原　　符

(住　所) (氏　名) 殿								(年　度)		(番　号)
								(会　計)		(主管又は所管)
								(項)		
								(目)		
納　付　金　額	千	百	十	万	千	百	十	円		

年　月　日　領　収

(収入官吏、収入官吏代理、分任収入官吏又は分任収入官吏代理官職氏名等)

備　考

1　用紙寸法は、各片とも日本産業規格A列6とする。ただし、事務処理上、必要があるときは、おおむね縦11cm、横21cmとすることができる。

2　各片は左端をのり付けその他の方法により接続するものとする。

3　領収証書を送付する必要がある場合は、領収証書の片の記載事項を記入した郵便葉書を使用することができる。

4　各片に共通する事項（あらかじめ印刷する事項を除く。）は、複写により記入するものとする。

5　歳入徴収官又は分任歳入徴収官と同一の官署に在勤する収入官吏（収入官吏代理、分任収入官吏又は分任収入官吏代理を含む。以下この書式において同じ。）にあつては、原符をもつて領収済報告書に代えることができる。

6　金銭登録機を用いて現金の出納を行なう収入官吏で各省各庁の長の指定するものにあつては、領収証書である旨を表示する文字、納入者ごとの整理番号、領収年月日、領収金額又は歳入科目の表示に代わるべきものとして、各省各庁の長が定める符号及び収入官吏の在勤官庁名を記載した書面をもつて領収証書に代えることができる。この場合においては、領収年月日、当該符号ごとの領収金額の日計額及び収入官吏の官職氏名を記載した書面並びに納入者ごとの領収金額を表示した内訳書類をもつて領収済報告書に代えることができる。

第十六号書式

現　金　出　納　簿

年　月　日	摘　　要	受			払			残		
		現金	預金	計	現金	預金	計	現金	預金	計
		円	円	円	円	円	円	円	円	円

備　考

1　この帳簿には、各省各庁の長の定めるところにより出納官吏の取り扱う現金の種類又は当該現金に係る歳出科目の区分その他適当と認める区分を設けることができる。

2　現金を日本銀行に預託し、又は銀行に預け入れる場合においては、その金額を現金の払とするとともに、預金に受入れの手続をするものとする。

3　現金又は預金のみを取り扱う出納官吏にあつては、この書式のうち、現金、預金及び計の内訳区分を省略することができる。

4　出納員の備える現金出納簿については、各省各庁の長がこの書式に準拠して適宜の様式を定めることができる。

○国の会計機関の使用する公印に関する規則

昭三九・四・一
大蔵令一二

最終改正　平一八・一一・二二財務令七二

（総則）

第一条　国の会計機関の使用する公印を制定する場合の公印の形式、寸法等に関しては、この省令の定めるところによる。

（定義）

第二条　この省令において、「国の会計機関」とは、次に掲げる機関をいう。

一　会計法（昭和二十二年法律第三十五号）第四条の二第三項に規定する歳入徴収官
二　会計法第十三条第三項に規定する支出負担行為担当官
三　会計法第十三条の三第四項に規定する支出負担行為認証官
四　会計法第二十四条第四項に規定する支出官
五　会計法第二十九条の二第三項に規定する契約担当官
六　会計法第三十八条に規定する出納官吏
七　会計法第四十条に規定する出納員
八　物品管理法（昭和三十一年法律第百十三号）第八条第三項に規定する物品管理官
九　物品管理法第九条第二項に規定する物品出納官
十　物品管理法第十条第二項に規定する物品供用官
十一　国税収納金整理資金に関する法律（昭和二十九年法律第三十六号）第八条第二項に規定する国税収納命令官
十二　国税収納金整理資金に関する法律第十一条第一項に規定する国税資金支払命令官
十三　削除
十四　特別調達資金設置令施行令（昭和二十六年政令第二百七十一号）第三条第二項に規定する資金会計官（以下「特別調達資金会計官」という。）
十五　特別調達資金設置令施行令第三条第六項に規定する資金契約等担当官（以下「特別調達資金契約等担当官」という。）
十六　特別調達資金設置令施行令第三条第六項に規定する資金出納命令官（以下「特別調達資金出納命令官」という。）
十七　前各号（第三号、第七号、第十号、第十二号、第十三号、第十五号及び前号を除く。）に掲げる者の分任官
十八　前各号（第七号及び第十四号を除く。）に掲げる者の代理官
十九　政府所有有価証券取扱規程（大正十一年大蔵省令第七号）第十条又は政府保管有価証券取扱規程（大正十一年大蔵省令第八号）第三条に規定する取扱主任官（以下「有価証券取扱主任官」という。）

2　この省令において、「公印」とは、国の会計機関が使用する次条、第四条及び第七条に規定する形式等を備えた印章で、その印影を押すことにより、当該会計機関が作成する文書が真正であることを認証することを目的とするものをいう。

（公印の形式）

第三条　公印は、方形の印面の周囲に一条の外側縁を附し、その内側に国の会計機関の名称及び当該会計機関の属する組織の名称又は当該会計機関の属する組織における職名（以下「会計機関等名」という。）を明りような字体をもつて浮き彫りにするものとする。この場合においては、会計機関等名のほかに「印」又は「之印」の文字を加えて彫刻することができる。

（公印の寸法）

第四条　公印は、次の表に掲げる区分の寸法によるものとする。

<table>
<tr><th>区分</th><th>寸法</th></tr>
<tr><td>一　歳入徴収官
二　支出負担行為担当官
三　支出負担行為認証官
四　支出官
五　契約担当官
六　物品管理官
七　国税収納命令官
八　国税資金支払命令官
九　削除
十　特別調達資金会計官
十一　特別調達資金契約等担当官
十二　特別調達資金出納命令官</td><td>二十三ミリメートル平方</td></tr>
<tr><td>十三　前各号（第四号を除く。）に掲げる者の分任官
十四　出納官吏
十五　物品出納官
十六　有価証券取扱主任官
十七　第十四号及び第十五号に掲げる者の分任官
十八　出納員及び物品供用官</td><td>二十ミリメートル平方</td></tr>
</table>

（公印の印材）

第五条　公印の印材には、容易に摩滅又は腐食しない硬質のものを使用しなければならない。

（代理官の公印）

第六条　国の会計機関の代理官の公印は、その代理される者の公印をもつて、その公印とするものとする。

（納入告知書等に使用する公印の形式の特例）

第六条の二　歳入徴収官及び分任歳入徴収官が、歳入徴収官事務規程（昭和二十七年大蔵省令第百四十一号）第二十一条の三第一項本文の規定により納入告知書、納付書及び督促状を電子情報処理組織（同項に規定する電子情報処理組織をいう。）を使用して作成し、発する場合における当該納入告知書、納付書及び督促状に使用する公印の形式については、第三条及び第七条の規定にかかわらず、財務大臣が別に定めるものとする。

（公印の形式等の特例）

第七条　各省各庁の長（財政法（昭和二十二年法律第三十四号）第二十条に規定する各省各庁の長をいう。）は、国の会計機関の使用する公印について、特に必要があると認める場合には、第三条から第六条までの規定にかかわらず、その特例を定めることができる。

（公印印影の印刷）

第八条　国の会計機関が作成する文書（小切手、国庫金振替書、支払指図書及び現金等の領収を証する書類を除く。）で、一定の字句及び内容のものを多数印刷する場合において、支障がないと認められるときは、その公印の印影を当該文書と同時に印刷して公印の押印にかえることができる。

（都道府県が国の会計事務を行う場合の準用）

第九条　この省令の規定は、会計法第四十八条及び物品管理法第十一条の規定により都道府県の知事又は知事の指定する職員が第二条第一項各号に掲げる者の事務を行う場合に準用する。

附　則

1　この省令は、公布の日から施行する。

2　この省令施行の際現に国の会計機関が使用している印章は、公印を新たに作成するまでそのまま使用することができる。

○会計事務簡素化のための法令の実施について

昭四三・一〇・二二蔵計二四一三
大蔵大臣から各省各庁の長あて

改正　昭四四・三・一一蔵計七九四

今回、会計事務の簡素化を図るため、次の法令が公布されたところであるが、これらの法令のうち、その施行に伴い経過措置を必要とするものならびにその実施にあたり統一的に処理することを適当と認める事項について下記のとおり定めたので、御了知のうえ、その旨を貴省庁関係の機関に対し御通知願いたい。

予算決算及び会計令の一部を改正する政令（昭和四十三年十月七日公布政令第三百一号）

国の債権の管理等に関する法律施行令の一部を改正する政令（同日公布政令第三百二号）

国の所有に属する自動車の交換に関する法律施行令の一部を改正する政令（同日公布政令第三百三号）

国庫金振替書その他国庫金の払出しに関する書類の様式を定める省令（同日公布大蔵省令第五十一号）

会計事務簡素化のための債権管理事務取扱規則等の一部を改正する省令（同日公布大蔵省令第五十二号）

記

第一　経過措置

会計事務簡素化のための債権管理事務取扱規則等の一部を改正する省令（以下「改正省令」という。）附則第六項の規定に基づき、同省令の施行に伴い必要な経過措置を次のように定める。

1　改正省令による改正前の書式（改正前の支出官事務規程（昭和二十二年大蔵省令第九十四号）第十号書式、出納官吏事務規程（昭和二十二年大蔵省令第九十五号）第十六号書式及び国税収納金整理資金事務取扱規則（昭和二十九年大蔵省令第三十九号）第二十一号書式を除く。）による用紙は、当分の間、これを使用することができる。

2　改正省令の施行前に、各省各庁の長、防衛施設庁長官、出納官吏（その代理官及び分任官を含む。）を任命した者、保管金の取扱官庁又は支出官等（支出官、国税資金支払命令官、資金前渡官吏、繰替払等出納官吏又は特別調達資金出納官吏（これらの代理官及び分任官を含む。）をいう。以下同じ。）が支出官等の新設、異動若しくは代理の開始、残務の承継又は日本銀行取引店若しくは預託先日本銀行の変更について日本銀行に通知した事項に変更を生じた場合において、その変更の事由が改正省令による改正後の支出官事務規程第三条第五項（国税収納金整理資金事務取扱規則第七十条において準用する場合を含む。）、出納官吏事務規程第二十四条第五項（同規則第六十五条において準用する場合を含む。）、保管金払込事務等取扱規程（昭和二十六年大蔵省令第三十号）第二条第五項又は特別調達資金出納官吏事務規程（昭和二十六年大蔵省令第九十五号）第二条の二第五項の規定により日本銀行に通知すべき取引関係通知書の記載事項の変更の事由に相当するものであるときは、保管金の取扱官庁又は支出官等は、当該各項の規定に準じてその旨を日本銀行に通知するものとする。

3　国庫金振替書その他国庫金の払出しに関する書類の様式を定める省令（以下「様式省令」という。）第二号書式備考五（第三号書式備考二において準用する場合を含む。）に規定する付表の項番号一の会計名は、会計番号をもつて表示することとなつているが、当分の間、これに代え、スタンプ印の押なつ等により正規の会計名をもつて表示することとする。この場合において、当該会計名の表示は、付表の第一版について行なえば足りるものとする。

第二　統一的に処理すべき事項

1　債権管理簿の様式

(1)　国の債権の管理等に関する法律施行令（昭和三十一年政令第三百三十七号）第四十条の改正により、今後、債権管理簿の様式は、各省各庁の長又は債権管理官（代理債権管理官又は分任債権管理官を含む。(2)において同じ。）が、債権の管理に関する事務を取り扱う官署の組織、職員の数、取り扱う債権の内容、取扱件数等を勘案して任意に定めることができることとなつたところであるが、その場合においては、事務上支障のない限り、次に掲げる一又は二以上の帳簿又は書類に所要の補正を加えて、これをその管理する債権に係る債権管理簿として利用するよう配慮されたい。

イ　国の債権の管理等に関する法律施行令第十一条第一項の規定による通知書、債権管理事務取扱規則第十条の書類及び国の債権の管理等に関する法律（昭和三十一年法律第百十四号）第二十二条第二項若しくは国の債権の管理等に関する法律施行令第二十二条の規定による債権の消滅の通知に関する書類

ロ　徴収簿（予算決算及び会計令（昭和二十二年勅令第百六十五号）第百三十一条に規定する徴収簿をいう。）、徴収整理簿（歳入徴収官事務規程（昭和二十七年大蔵省令第百四十一号）第四十一条に規定する徴収整理簿をいう。）及び領収済通知書

ハ　基準給与簿、職員別給与簿、被保険者台帳、貸付金台帳、売上伝票及び診療カード等各省各庁においてその事務又は事業を遂行するために必要とする帳簿又は書類

(2)　債権管理官は、その使用する債権管理簿の目録を常時、備えておくものとする。この場合において、事務上支障がない限り、当該債権管理簿として使用する帳簿又は書類に債権管理簿である旨を表示しておくものとする。

2　債権のみなし消滅

「債権管理事務取扱規則第三十条第二項の規定に基く債権を消滅したものとみなして整理した内容の報告について（昭和三十二年七月十二日付蔵計第二三三四号）」を廃止するが、各省各庁においては、今後とも、債権管理事務取扱規則第三十条の規定により債権を消滅したものとみなして整理したものの内容を充分は握できるようにしておかれたい。

3　納入告知書、納付書等における主管番号又は会計番号の付記

歳入徴収官、債権管理官、支出官又は出納官吏が使用する納入告知書、納付書又は現金払込書の印刷にあたつては、日本銀行の行なう機械計算事務の迅速正確化を期するため、一般会計関係の書類にあつては同行が使用する主管番号を、特別会計関係の書類にあつては同行が使用する会計番号をあわせて印刷するよう配慮されたい。

なお、日本銀行においては、これらの主管番号又は会計番号をそれぞれの統轄店から連絡することとしている。

4　線引小切手の採用に伴う処理

(1)　改正省令の施行に伴い、国の支払事務担当職員がその振り出す小切手に線引きをしようとする場合には、当該小切手の右上部に小切手法（昭和八年法律第五十七号）第三十七条第二項の規定により線引きをするものとする。

(2)　国の支払事務担当職員から改正省令に基づき線引きをした小切手の交付を受ける官庁のうちには、日本銀行（本店、支店又は代理店をいう。以下同じ。）に保管金の払込みを行なわず、かつ、金融機関と取引関係のないものがきわめて例外的に見受けられる。このような官庁については、当該官庁の所属庁の歳入歳出外現金出納官吏が、その交付を受ける線引小切手の支払店である日本銀行に対し、当該支払店が行なう照合のため、当該官庁の印鑑及びその官職氏名を明示した書面を送付しておくものとする。

(3)　改正省令による改正後の支出官事務規程第十二条の二、出納官吏事務規程第七条の二、特別調達資金出納官吏事務規程第十二条の二の規定により又は上記(2)により、支出官、出納官吏又は所属官庁が日本銀行に対し照合のために書面を送付した後において当該書面に明示した職員の転免、任務終了等によりその照合の必要がなくなつたときは、その旨を日本銀行に通知するものとする。

(4)　改正省令施行の際、現に国の支払事務担当職員又は日本銀行が保有する記名式小切手の用紙は、当分の間、これを取りつくろい使用することは差し支えないものであるので念のため申し添える。

5　国庫金送金関係用紙の作成

(1)　様式省令及び改正省令の施行に伴い、昭和四十四年四月一日以降、国庫金送金関係用紙は、新様式のものを使用することとなり、かつ、当該用紙は原則として日本銀行から交付を受けることとなるが、同行から交付を受ける用紙は、関係省令の規定においても明らかなごとく、様式省令第二号書式から第六号書式（その一）までの用紙に限られており、様式省令第六号書式（その二）の用紙は、送金請求官署においてみずから作成するものであるから念のため申し添える。

(2)　様式省令の施行に伴い、国庫金の送金のために必要な書類は、日本銀行及び払出し金融機関において必要とする書類を含めすべて国の支払事務担当職員が作成することとなるので、これまで以上にこれらの書類の用紙についての厳重な保管に留意されたい。

○会計事務簡素化のための法令の実施について

昭四四・一二・一七蔵計四三九〇
大蔵大臣から各省各庁の長あて

今回、会計事務の簡素化を図るため、次の法令が公布されたが、これらの改正法令の実施にあたつては、下記によることとしたので、御了知の上、その旨を貴省庁関係の機関に対し御通知願いたい。

一　予算決算及び会計令の一部を改正する政令（昭和四十四年十二月十七日公布政令第二百九十八号）
二　国の特定の支払金に係る返還金債権の管理の特例等に関する法律施行令の一部を改正する政令（同日公布政令第二百九十九号）
三　物品管理法施行令の一部を改正する政令（同日公布政令第三百号）
四　会計事務簡素化のための歳入徴収官事務規程等の一部を改正する省令（同日公布大蔵省令第六十号）

記

一　代理出納官吏の代理の開始及び終止の際における現金現在高の確認について
　上記一の改正政令により、出納官吏の代理の開始又は終止に伴う異動については、代理手続の円滑化の趣旨により、予算決算及び会計令第百十六条の規定による帳簿及び金庫の検査手続を要しないこととなつた。しかし、この場合においても出納官吏の交替又は廃止の場合と同様に、出納機関相互の間において国庫に属する現金の保管責任が移転することになるものであるから、公金を授受する場合の厳正を期する必要上、現金の引継を受ける代理出納官吏（代理の終止の場合は主任出納官吏）は、主任出納官吏（代理の終止の場合は代理出納官吏）又は適当と認める他の職員とともに、そのときにおける保管現金の現在高を確認した上で引き継ぐべきことはいうまでもないところであり、上記の改正はかかる注意義務までも免除するものではないことに留意されたい。

二　単価契約の適正化について
　上記四の改正省令による支出負担行為等取扱規則別表甲号の改正により、物品費の類の一部について単価契約をすることができることとなつた。しかし、単価契約は、その運用の厳正を欠くときは経費の不適正な使用を生ずることとなるおそれがあるので、単価契約の実施に当たつては、必要に応じ、契約担当官等又はその補助職員の作成にかかる発注書（票）を契約の相手方に交付し、かつ、請求書に当該発注書（票）を添附させる等予算の範囲内における発注の規制とその発注にかかる給付の受領の事実の確認に資するために必要な措置を講じ、単価契約にかかる歳出予算の適正な執行を図ることとされたい。

○会計事務簡素化のための法令の実施について

昭四六・一一・二六蔵計三五六八
大蔵大臣から各省各庁の長あて
改正　令二・一二・二三財計四九四六

今回、会計事務の簡素化を図るため、次の法令〔略〕が公布されいずれも昭和四十六年十一月三十日から施行されることになつたが、これらの改正法令の施行に伴い必要な経過措置ならびにその実施について下記のとおり定めたので、御了知の上、その旨を貴省庁関係の機関に対し御通知願いたい。

記

一　代行機関の設置について
(1)　各省各庁の長が代行機関に処理させる事務の範囲を定めるにあたつては、経常的な会計事務で軽微なもの又は法令の規定に基づき支払義務額が定額となつているものについて定めるものとし、予算決算及び会計令（昭和二十二年勅令第百六十五号）に規定する徴収済額報告書、支出済額報告書、歳入徴収額計算書又は支出計算書の作成、徴収簿、支出簿又は支出負担行為差引簿の登記等各省各庁の長への報告、会計検査院への証明に関する事務等については代行機関に処理させないものとする。
(2)　各省各庁の長が定める代行機関となるべき職員又は官職の範囲は、歳入徴収官その他の会計機関が取り扱う会計事務の主要事項について当該会計機関を責任をもつて補佐することができる職務にある者とし、処理させる事務の内容に応じ、複数の代行機関を設けることはさしつかえないものとする。
(3)　代行機関は、各省各庁の長又はその委任を受けた職員から処理すべきものとされた事務を処理するときは、決議書上の歳入徴収官その他の会計機関又は上級の代行機関の決裁欄を抹消したうえ自らの決裁欄に決裁印等をもつてその決裁をしたことを明らかにしておくとともに、その処理すべきものとされた範囲内の事務であつてもその所属の歳入徴収官その他の会計機関において処理することとされたため、自らその処理をしないこととした事務については、決議書上にその旨を表示しておくものとする。

二　代理官について

(1)　許可、認可等の整理に関する法律（昭和四十六年法律第九十六号。以下「許認可整理法」という。）の施行の際、同法による改正前の会計法（昭和二十二年法律第三十五号）、物品管理法（昭和三十一年法律第百十三号）又は国税収納金整理資金に関する法律（昭和二十九年法律第三十六号）に基づき、歳入徴収官、支出負担行為担当官、支出負担行為認証官、支出官、契約担当官、出納官吏、物品管理官、物品出納官、物品供用官、国税収納命令官、国税資金支払命令官又は国税資金支払委託官の代理官である者は命免手続を行なう必要はなく、許認可整理法による改正後のこれらの法律に基づくこれらの者の代理をする者という名称に変更されたものとして取扱うものとする。また、代理官の名称変更に伴い必要となる各省庁の訓令等の改正措置をすみやかに講ずべきものであるが、当該措置が講ぜられるまでの間は各省各庁の長の通達により所要の暫定措置を講じておくよう配慮されたい。

(2)　支出官事務規程等の一部を改正する省令（昭和四十六年大蔵省令第八十一号（予定））附則第三項の規定に基づく経過措置として、上記(1)に規定する支出官、出納官吏又は国税資金支払命令官の代理官から日本銀行（取扱店）へ送付されている取引関係通知書（支出官事務規程（昭和二十二年大蔵省令第九十四号）第十号書式、出納官吏事務規程（昭和二十二年大蔵省令第九十五号）第十六号書式、保管金払込事務取扱規則（昭和二十六年大蔵省令第三十号）第五号書式又は国税収納金整理資金事務取扱規則（昭和二十九年大蔵省令第三十九号）第二十一号書式をいう。）に係るこれらの大蔵省令の規定に基づく当該代理官の名称変更に伴う記載事項の変更通知は要しないものとし、日本銀行（取扱店）の内部処理として当該取引関係通知書に所要の措置を講じておくこととする（日本銀行へは別途通達）。なお、この取扱いは特別調達資金に係る会計機関の代理官の取引関係通知書についても同様とする。

三　予算執行職員等の責任に関する法律施行令について

(1)　予算執行職員等の責任に関する法律施行令（昭和四十六年政令第三百五十六号）本則の規定に基づき、予算執行機関がその処理すべき事務の範囲を明らかにしてその補助者として当該事務を処理することを命ずる場合には、その補助者となるべき者に対し個々に書面により通知（書面の作成に代えて電磁的記録（電子的方式、磁気的方式その他人の知覚によつては認識することができない方式で作られる記録をいう。）で作成されている場合には、当該電磁的記録を電磁的方法（電子的方法、磁気的方法その他人の知覚によつて認識することができない方法をいう。）により通知）する方法又はその処理すべき事務の範囲、任命年月日及び当該事務処理すべきことを命ずる旨その他の必要な事項を明らかにした帳簿（補助者任命簿）にその補助者となるべき職員名を記入し、これを当該職員に提示する方法によることとされたい。

(2)　同令本則の規定により予算執行機関の所属に係る各省各庁の長若しくは各省各庁の長から委任を受けた各省各庁所属の職員又は都道府県の知事若しくは知事から指定された職員（以下「補助者設置基準作成者」という。）が、当該補助者となるべき職員及びその処理すべき事務の範囲を定めている場合には、当該予算執行機関の補助者となるべき職員はこれに従つて当該予算執行機関から命ぜられなければならないこととされている。この場合の補助設置基準作成者が定める「補助者となるべき職員及びその処理すべき事務の範囲」には、官職又は職及び官職又は職にある者が処理すべき事務の範囲を定める方法によることを含むものであるが、この方法による場合においても予算執行機関から当該補助者として命ぜられるためには(1)に規定する方法によることを必要とするものである。

四　国の所有に属する自動車等の交換に関する法律施行令について

(1)　国の所有に属する自動車等の交換に関する法律施行令（昭和四十六年政令第三百五十七号。以下「令」という。）第二項に規定する「同種の自動車等」とは、令第一項第一号に規定する自動車にあつては、乗用自動車（貨客兼用車を含む。）、バス、貨物自動車等の別に同種の自動車とし、同項第二号又は第三号に掲げる物品にあつては、国の所有に属する自動車等の交換に関する法律施行規則（昭和四十六年大蔵省令第八十二号（予定））各号に掲げる物品ごとに、又は各省各庁の長が大蔵大臣と協議して定める物品ごとに同種の物品として取り扱うものとする。

(2)　乗用自動車の交換について令第二項第一号の規定を適用する場合の耐用年数の取扱いについては原則として従来から実施している予算執行上の統一的取扱いは変更しないこととする。

○会計事務簡素化のための法令の実施について

昭五五・八・三〇蔵計二二五二
大蔵大臣から各省各庁の長あて

今回、会計事務の簡素化を図るため、契約事務取扱規則等の一部を改正する省令（昭和五十五年大蔵省令第三十六号）が別添のとおり公布されたが、改正後の契約事務取扱規則第二十三条の実施に当たつては、下記によることとしたので、御了知の上、その旨を貴省庁関係の機関に対し御指導願います。

記

契約事務取扱規則第二十三条の規定により、検査調書の作成を省略することができる場合においても、検査調書の作成に代え、給付の完了の確認を証する適宜の書面を作成するか、又は契約の相手方からの請求書に検査担当職員が検査年月日を記入の上押印する等、検査の完了の事績を明らかにしておくものとする。

○会計事務簡素化のための法令の実施について

平九・八・二二蔵計二〇一九
大蔵大臣から各省各庁の長あて

今回、会計事務簡素化を図るため、「会計事務簡素化のための国の会計帳簿及び書類の様式等に関する省令等の一部を改正する省令（平成九年八月二十二日大蔵省令第六十五号）」が公布されたところであるが、その施行に伴う経過的な措置及びその実施にあたり統一的に処理する事項について下記のとおり定めたので、御了知のうえ、その旨を貴省庁関係の機関に対し御通知願いたい。

なお、「物品の交換について（昭和四十七年九月五日付蔵計第二九四三号）」及び「物品の交換について（昭和四十九年八月二十日付蔵計第二七四〇号）」は、廃止する。

記

1　経過的な措置

(1)　国庫金の振込にあたっての日本銀行への振込請求については、日本銀行の事務の迅速化を図るため、国庫金振込明細表（国庫金振替書その他国庫金の払出しに関する書類の様式を定める省令（以下「様式省令」という。）第三号書式の付表（その一）第一片～第三片）の氏名にフリガナを付することとし、その施行期日を全ての官署において対応が可能と見込まれる平成十二年四月一日としたところであるが、同期日以前であっても、対応可能な官署においては積極的に氏名にフリガナを付するよう特段の配慮をされたい。

(2)　国庫金の振込にあたっての債権者への振込通知については、書面による方法から適宜の方法によることとされたため、国庫金振込通知書（様式省令第五号書式）の様式等を廃止したところであるが、事務処理上必要やむを得ない場合には、当分の間、従前の例により日本銀行取引店から振込通知の用紙の交付を受けることができるものとする。

2　統一的に処理すべき事項

(1)　受入科目が同一であるときに使用する国庫金振替書明細表（様式省令第一号書式の付表）の金額欄の記載については、印影を刻み込むことができる印字機を用いることを要しないが、日本銀行の事務の正確性を期するため、正確明りように記載されるよう留意されたい。

(2)　資金前渡官吏からの銀行振込による支払については、会計事務の簡素・合理化の観点から、支出官からの銀行振込による支出とされるよう特段の配慮をされたい。

○すべての土曜日が行政機関の休日となることに伴う会計事務手続きについて

平四・五・一二
蔵計一三六九

今般、行政機関の休日に関する法律が改正され、本年五月以降すべての土曜日が行政機関の休日となり、通常の場合、土曜日においては日曜日と同様に会計事務手続きを行わないこととなります。

ついては、今後、納付期限又は履行期限を設定する場合に、仮に会計事務手続きを行っていない土曜日をこれらの期限としたときは、その納付又は履行の場所が閉じられていることとなり、債務者としてはその納付又は履行が不可能となるので、今後とも土曜日をこれらの期限としないよう御留意願います。

なお、この旨を貴省庁関係の機関に対し周知方よろしく取り計らい願います。

おって、「土曜日が銀行等の休日又は郵便局の事務の窓口取扱いをしない日となること等に伴う会計事務手続きについて（平成元年一月十一日付蔵計第四二号）」は、廃止します。

債権及び収入

○国の債権の管理等に関する法律

昭三一・五・二二
法　一一四

最終改正　令六・六・一四法五二

※令和六年六月一四日法律第五二号の附則第三六条で本法が一部改正されましたが、未施行のため、本法の末尾に掲げました。

目次〔略〕

第一章　総則

（趣旨）

第一条　この法律は、国の債権の管理の適正を期するため、その管理に関する事務の処理について必要な機関及び手続を整えるとともに、国の債権の内容の変更、免除等に関する一般的基準を設け、あわせて国の債権の発生の原因となる契約に関し、その内容とすべき基本的事項を定めるものとする。

参　**財政処理の基本原則**（憲法八三）　**債権の免除及び効力変更の制限**（財政法八）　**国の財産の管理、運用及び処分の原則**（財政法九）

（定義）

第二条　この法律において「国の債権」又は「債権」とは、金銭の給付を目的とする国の権利をいう。

2　この法律において「債権の管理に関する事務」とは、国の債権について、債権者として行うべき保全、取立、内容の変更及び消滅に関する事務のうち次に掲げるもの以外のものをいう。

一　国の利害に関係のある訴訟についての法務大臣の権限等に関する法律（昭和二十二年法律第百九十四号）により法務大臣の権限に属する事項に関する事務

二　法令の規定により滞納処分を執行する者が行うべき事務

三　弁済の受領に関する事務

四　金銭又は物品管理法（昭和三十一年法律第百十三号）第三十五条の規定により同法の規定を準用する動産の保管に関する事務

3　この法律において「各省各庁」とは、財政法（昭和二十二年法律第三十四号）第二十一条に規定する各省各庁をいい、「各省各庁の長」とは、同法第二十条第二項に規定する各省各庁の長をいう。

4　この法律において「歳入徴収官等」とは、各省各庁の長、各省各庁の長以外の国の機関で他の法令の規定により債権の管理に関する事務を行なうべきこととされているもの又は第五条第一項若しくは第二項の規定により債権の管理に関する事務を行なう者をいう。

改　二項…一部改正（昭四五法一一一）、四項…追加（昭四六法九六）

参　**法務大臣の権限**（国の利害に関係のある訴訟についての法務大臣の権限等に関する法律一）　**滞納処分の手続**（徴収法五章）　**滞納処分の執行を規定する法令の例**（通則法四〇、補助金適正化法二一、文化財保護法四二Ⅳ、健康保険法一八〇、厚生年金保険法八六、労働保険の保険料の徴収等に関する法律二七、船員保険法一三二、児童福祉法五六Ⅸ、国民年金法九六、河川法七四Ⅲ、砂防法三八、都市計画法七五Ⅴ、都市再開発法四一Ⅱ・Ⅲ、土地収用法一二八Ⅴ、道路法七三Ⅲ、鉱業法一四三、森林法三六Ⅳ、漁業法三九ⅩⅤ、行政代執行法六）　**弁済受領機関**（出納官吏・出納員（会計法七Ⅰ）、日本銀行（会計法七Ⅰ・三四、日本銀行法三五））　**金銭の保管**（会計法三三、国の債権者代位権の行使に伴う有価証券の保管に関する政令、外国政府の財産の処分等に伴って生ずる現金の保管に関する政令、予決令一〇三・一〇五、出納官規程）　**金銭の保管機関**（会計法三八・四〇・四〇の二・四八、予決令一一四、出納官規程一Ⅲ～Ⅴ）　**動産の保管**（物品管理法九・二二・三五）

（適用除外）

第三条　この法律は、次に掲げる債権については、適用しない。ただし、当該債権のうち政令で定めるものについては、第三十九条及び第四十条の規定を適用する。

一　罰金、科料、刑事追徴金、過料及び刑事訴訟費用並びにこれらに類する徴収金で政令で定めるものに係る債権

二　証券に化体されている債権（社債、株式等の振替に関する法律（平成十三年法律第七十五号）の規定により振替口座簿に記載され、又は記録されたものを含む。）

三　日本銀行に対する国の預金に係る債権その他会計法（昭和二十二年法律第三十五号）第三十八条から第四十条の二まで又は第四十八条の規定に基き金銭の出納保管の事務を行う者（以下「現金出納職員」という。）がその保管に係る金銭を預託した場合の預託金に係る債権

四　保管金となるべき金銭の給付を目的とする債権

五　寄附金に係る債権

六　国税収納金整理資金に属する債権

七　法律の規定により国が保有する資金（積立金を含む。）の運用により生ずる債権

八　電子記録債権法（平成十九年法律第百二号）第二条第一項に規定する電子記録債権

2　外国を債務者とする債権その他政令で定める債権については、政令で定めるところにより、この法律の一部を適用しないことができる。

改　一項…一部改正（昭四五法一一一　平一四法六五　平一六法八八　平一九法一〇二）

参　**報告に関する規定に限り適用がある債権**（債権管理令二）　**罰金等に類する徴収金で政令で定めるもの**（債権管理令三）　**日本銀行に対する国の預金又は預託金**（会計法三四Ⅱ、予決令一〇六Ⅱ、出納官規程二七）　**保管金となるべき金銭の例**（債権の担保等（会計法三三、国の債権者代位権の行使に伴う現金又は有価証券の保管に関する政令、外国政府の財産の処分等に伴つて生ずる現金の保管に関する政令）契約保証金（会計法二九の九）入札保証金（会計法二九の四）供託金（供託法））　**国税収納金整理資金に属する債権**（国税収納金整理資金に関する法律一・二）　**国が保有する資金で運用を行うもの**（外国為替資金、財政融資資金）　**一部適用除外の債権**（債権管理令四、昭三二大蔵告六、平一〇大蔵告八七）

（他の法令との関係）

第四条　債権の管理に関する事務の処理については、他の法律又はこれに基く命令に特別の定がある場合を除くほか、この法律の定めるところによる。

参　**特別の法令の定の例**（旧軍関係債権の処理に関する法律）

第二章　債権の管理の機関

（管理事務の実施）

第五条　各省各庁の長は、政令で定めるところにより、会計法第四条の二に規定する歳入徴収官、同法第二十四条に規定する支出官その他の職員で当該各省各庁又は他の各省各庁に所属するものに、当該各省各庁の所掌事務に係る債権の管理に関する事務（他の法令の規定により各省各庁の長以外の国の機関が行うべきこととされているものを除く。）を行わせることができる。

2　国は、政令で定めるところにより、都道府県の知事又は知事の指定する職員が前項の事務を行うこととすることができる。

3　各省各庁の長は、必要があるときは、政令で定めるところにより、当該各省各庁の所掌事務に係る債権の管理に関する事務で自ら行なうもの又は第一項の規定により当該各省各庁若しくは他の各省各庁に所属する職員が行なうものの一部をこれらの各省各庁に所属する他の職員に処理させることができる。

4　前項の規定は、第二項の場合及び他の法令の規定により各省各庁の長以外の国の機関が債権の管理に関する事務を行なう場合について準用する。

5　第二項の規定により都道府県が行うこととされる事務は、地方自治法（昭和二十二年法律第六十七号）第二条第九項第一号に規定する第一号法定受託事務とする。

改　一・二項…一部改正・三～五項…削除（昭四五法一一一）、三・四項…追加（昭四六法九六）、一・二項…一部改正・五項…追加（平一一法八七）、二項…一部改正（平一八法五三）

参　**債権管理事務の委任の手続等**（債権管理事務を委任させる者（歳入徴収官等）（債権管理令五Ⅰ）事故がある場合に代理する者（歳入徴収官等代理）（債権管理令五Ⅲ、債権管理規則五）事務の一部を分掌する者（分任歳入徴収官等）（債権管理令五Ⅱ）歳出の返納金債権の管理の特例（債権管理令五Ⅳ、債権管理規則三九の七）官職指定による委任等（債権管理令五Ⅴ）他の各省各庁所属の職員への委任等に係る同意（債権管理令五Ⅵ）都道府県が事務を行う場合（債権管理令六））　**債権の管理に関する事務の一部処理**＝代行機関（債権管理令五の二）　**他の法令の規定により債権の管理に関する事務を行うべきこととされている各省各庁の長以外の国の機関の例**（文化庁長官（文化財保護法四二）検疫所長（検疫法三二））

第六条から第八条まで　削除

改　本条…削除（昭四五法一一一）

（管理事務の総括）

第九条　財務大臣は、債権の管理の適正を期するため、債権の管理に関する制度を整え、債権の管理に関する事務の処理手続を統一し、及び当該事務の処理について必要な調整をするものとする。

2　財務大臣は、債権の管理の適正を期するため必要があると認めるときは、各省各庁の長に対し、当該各省各庁の所掌事務に係る債権の内容及び当該債権の管理に関する事務の状況に関する報告を求め、又は当該事務について、当該職員をして実地監査を行わせ、若しくは閣議の決定を経て、必要な措置を求めることができる。

改　本条…一部改正（平一一法一六〇）

参　**総括権限の担当部局**（財務省主計局（財務省設置法四10、財務省組織令四9））　**実地監査の担当機関**（主計監査官（財務省組織令二九））　**実地監査要領**（債権管理規則四三Ⅰ）　**監査証票**（債権管理規則四三Ⅱ）

第三章　債権の管理の準則

（管理の基準）

第十条　債権の管理に関する事務は、法令の定めるところに従い、債権の発生原因及び内容に応じて、財政上もつとも国の利益に適合するように処理しなければならない。

参　**国の財産管理処分の原則**（財政法九）

（帳簿への記載）

第十一条　歳入徴収官等は、その所掌に属すべき債権が発生し、又は国に帰属したとき（政令で定める債権については、政令で定めるとき）は、政令で定める場合を除き、遅滞なく、債務者の住所及び氏名、債権金額並びに履行期限その他政令で定める事項を調査し、確認の上、これを帳簿に記載し、又は記録しなければならない。当該確認に係る事項について変更があつた場合も、また同様とする。

2　歳入徴収官等は、前項に規定するもののほか、政令で定めるところにより、その所掌に属する債権の管理に関する事務の処理につき必要な事項を帳簿に記載し、又は記録しなければならない。

改　本条…一部改正（昭四五法一一一）、一項…一部改正（昭四六法九六）、本条…一部改正（平一四法一五二）

参　**債権管理簿への記載を行うべき時期の特例**（債権管理令八、債権管理規則八）　**債権管理簿への記載を要しない場合**（債権管理令九Ⅰ）　**債権管理簿に記載できなかつた場合における事後的措置**（債権管理令九Ⅱ、債権管理規則九）　**調査、確認及び記帳を要する事項等**（債権管理令一〇、債権管理規則九の二・一一・一二・別表四、大蔵大臣通達昭三二蔵計一〇五）　**外国通貨をもつて表示される債権の外国貨幣換算率**（債権管理令一〇Ⅴ、昭三二大蔵告七）　**調査確認の書類**（債権管理規則一〇）　**法施行前に発生又は帰属した債権で現に存するものについての準用**（債権管理法附Ⅶ）　**第一項に掲げるもののほか債権管理簿に記載すべき事項**（債権管理令一〇Ⅵ・Ⅶ）　**債権が国に帰属する場合の例**（相続財産（民法九五九））

（発生等に関する通知）

第十二条　次の各号に掲げる者は、当該各号に掲げる場合には、遅滞なく、債権が発生し、又は国に帰属したことを、当該債権に係る歳入徴収官等に通知しなければならない。

一　法令の規定に基き国のために債権が発生し、又は国に帰属する原因となる契約その他の行為をする者　当該行為をしたとき（債権の発生又は帰属につき停止条件又は不確定の始期があるときは、当該行為に基き、条件の成就又は期限の到来により債権が発生し、又は国に帰属したとき）。

二　法令の規定に基き国のために支出負担行為（財政法第三十四条の二第一項に規定する支出負担行為をいう。以下同じ。）をする者　当該支出負担行為の結果返納金に係る債権が発生したことを知つたとき。

三　法令の規定に基き国のために契約をする者　当該契約に関して債権が発生し、又は国に帰属したことを知つたとき（前二号に該当する場合を除く。）。

四　現金出納職員、物品管理法第八条若しくは第十一条の規定に基き物品の管理に関する事務を行う者（同法第十条若しくは第十一条の規定に基き当該物品の供用に関する事務を行う者があるときは、その者）又は国有財産法（昭和二十三年法律第七十三号）第九条第一項若しくは第三項の規定に基き国有財産に関する事務を行う者　その取扱に係る財産に関して債権が発生したことを知つたとき（前各号に該当する場合を除く。）。

改　本条…一部改正（昭四五法一一一）

参　**債権の発生又は帰属の通知の手続**（債権管理令一一、大蔵大臣通達昭三二蔵計一〇五）　**通知を省略できる場合**（債権管理令一三1）　**債権の異動の通知**（債権管理令一二）　**債権の異動の通知の省略**（債権管理令一三4）　**現金出納職員**（会計法三八～四〇の二）　**通知の遅延した事由の疎明**（債権管理規則九Ⅱ～Ⅳ）

（納入の告知及び督促）

第十三条　歳入徴収官等は、その所掌に属する債権（申告納付に係る債権その他の政令で定める債権を除く。）について、履行を請求するため、会計法第六条の規定によるもののほか、政令で定めるところにより、債務者に対して納入の告知をしなければならない。

2　歳入徴収官等は、その所掌に属する債権について、その全部又は一部が前項に規定する納入の告知で指定された期限（納入の告知を要しない債権については、履行期限）を経過してもなお履行されていない場合には、債務者に対してその履行を督促しなければならない。

改 本条…全部改正（昭四五法一一一）

参 **納入の告知に際しての調査**（債権管理令一三Ⅰ）　**納入の告知をすべき時期**（債権管理令一三Ⅱ）　**納入の告知の手続**（債権管理規則一四、大蔵大臣通達昭三二蔵計一〇五）　**特定の歳入金に係る債権についての納入の告知等**（債権管理令一四の二、債権管理規則三九の三）　**歳入徴収官の行う納入の告知**（会計法六、予決令二八の二・二九）　**歳出金への戻入**（予決令三四）　**前渡資金等への戻入**（出納官規程五二の五・五八の二）　**納入告知書等を亡失した場合等の納付書の送付**（債権管理規則一八）　**納入の告知の時効中断の効力**（会計法三二）　**納入の告知に係る手続をしない債権**（債権管理令一四）　**支出官等に対する債権金額等の通知の省略**（債権管理規則一五）　**支出官等に対する債権金額等の通知**（債権管理規則三三）　**納付書による納付**（国民年金法等に基づく保険料の納付手続の特例に関する省令）　**督促の手続**（債権管理規則二〇・別紙四書式）　**特定の歳入金に係る債権についての納入の告知等**（債権管理令一四の二、債権管理規則三九の四）　**歳入徴収官の行う督促の手続**（徴収官規則二一）　**国税における督促の時効中断の効力**（通則法七三Ⅰ4）

（納付の委託）

第十四条　歳入徴収官等は、その所掌に属する債権で履行期限を経過してもなおその全部又は一部が履行されていないものについて、債務者が証券をもつてする歳入納付に関する法律（大正五年法律第十号）により歳入の納付に使用することができる証券以外の有価証券を提供して、その取立て及び取り立てた金銭による当該債権に係る弁済金の納付の委託を申し出た場合には、その証券が最近において確実に取り立てることができるものであり、かつ、その委託に応ずることが徴収上有利であると認められるときに限り、政令で定めるところにより、その委託に応ずることができる。この場合において、その証券の取立てにつき費用を要するときは、その委託をしようとする者から当該費用の額に相当する金額をあわせて提供させなければならない。

2　歳入徴収官等は、前項の委託があつた場合において、必要があるときは、確実と認める金融機関に当該証券の取立て及び納付の再委託をすることができる。

改 本条…全部改正（昭四五法一一一）

参 **納付委託に応ずることができる有価証券**（債権管理令一五Ⅰ、債権管理規則二〇の二）　**納付委託の手続**（有価証券等の受領（債権管理規則二〇の三・別紙五書式）納付受託通知（債権管理令一五Ⅱ、債権管理規則二〇の四・別紙五の二書式）納付書の作成交付（債権管理規則二〇の六）領収証書の送付（債権管理規則二〇の七）有価証券の返付（債権管理規則二〇の八））　**再委託をすることができる金融機関**（債権管理規則二〇の五）　**他の法令による納付委託の例**（通則法五五）

（強制履行の請求等）

第十五条　歳入徴収官等は、その所掌に属する債権（国税徴収又は国税滞納処分の例によつて徴収する債権その他政令で定める債権を除く。）で履行期限を経過したものについて、その全部又は一部が第十三条第二項の規定による督促があつた後、相当の期間を経過してもなお履行されない場合には、次に掲げる措置をとらなければならない。ただし、第二十一条第一項の措置をとる場合又は第二十四条第一項の規定により履行期限を延長する場合（他の法律の規定に基きこれらに準ずる措置をとる場合を含む。）その他各省各庁の長が財務大臣と協議して定める特別の事情がある場合は、この限りでない。

一　担保の附されている債権（保証人の保証がある債権を含む。以下同じ。）については、当該債権の内容に従い、その担保を処分し、若しくは法務大臣に対して競売その他の担保権の実行の手続をとることを求め、又は保証人に対して履行を請求すること。

二　債務名義のある債権（次号の措置により債務名義を取得したものを含む。）については、法務大臣に対し、強制執行の手続をとることを求めること。

三　前二号に該当しない債権（第一号に該当する債権で同号の措置をとつてなお履行されないものを含む。）については、法務大臣に対し、訴訟手続（非訟事件の手続を含む。）により履行を請求することを求めること。

改 本条…一部改正（昭四五法一一一　平一一法一六〇）

参 **強制履行の請求等の法務大臣への手続**（債権管理規則二一、大蔵大臣通達昭三二蔵計一〇五）　**歳入徴収官等がみずから行う担保の処分**（商法第五一五条の規定により商事質権を実行する場合、弁済期後の債務者又は物上保証人との特約で動産質権を競売法によらないで実行できる場合、民法第三六六条により質権の目的たる債権を取り立てる場合）　**保証人に対する履行の請求の手続**（債権管理規則二二）　**国税徴収又は国税滞納処分の例により徴収する債権に係る滞納処分の手続の請求**（債権管理令一六、債権管理規則二三）

（履行期限の繰上）

第十六条　歳入徴収官等は、その所掌に属する債権について履行期限を繰り上げることができる理由が生じたときは、遅滞なく、第十三条第一項の措置をとらなければならない。

ただし、第二十四条第一項各号の一に該当する場合その他特に支障がある場合は、この限りでない。

改　本条…一部改正（昭四五法一一一）

参　**履行期限の繰上の手続**（納入の告知をまだしていない場合（債権管理規則二四Ｉ）納入の告知をすでにしてある場合（債権管理規則二四Ⅱ）特定分任歳入徴収官等の手続（債権管理規則三九の五Ⅱ））　**履行期限を繰り上げることができる場合**（法二七2に掲げる条件、法三五2・5若しくは法三六9に掲げる事項その他契約の内容で履行期限を繰り上げるものとした場合、一般的期限の利益の喪失（民法一三七）限定承認（民法九三〇）財産分離（民法九四七Ⅱ・九五〇）相続財産法人の成立（民法九五一、九五七Ｉ）国税徴収又は国税滞納処分の例によつて徴収する債権についての繰上請求（通則法三八））

（債権の申出）

第十七条　歳入徴収官等は、その所掌に属する債権について、次に掲げる理由が生じたことを知つた場合において、法令の規定により国が債権者として配当の要求その他債権の申出をすることができるときは、直ちに、そのための措置をとらなければならない。

一　債務者が強制執行を受けたこと。

二　債務者が租税その他の公課について滞納処分を受けたこと。

三　債務者の財産について競売の開始があつたこと。

四　債務者が破産手続開始の決定を受けたこと。

五　債務者の財産について企業担保権の実行手続の開始があつたこと。

六　債務者である法人が解散したこと。

七　債務者について相続の開始があつた場合において、相続人が限定承認をしたこと。

八　第四号から前号までに定める場合のほか、債務者の総財産についての清算が開始されたこと。

改　本条…一部改正（昭三三法一〇六　昭四五法一一一　平一六法七六）

参　**債権の申出のうち法務大臣へ措置を求める手続**（債権管理規則二一）　**債務者の総財産についての清算**（相続財産の分離（民法九四一～九五〇）相続人の不存在の場合の相続財産の清算（民法九五一～九五九）会社更生手続（会社更生法））

（その他の保全措置）

第十八条　歳入徴収官等は、その所掌に属する債権を保全するため、法令又は契約の定めるところに従い、債務者に対し、担保の提供若しくは保証人の保証を求め、又は必要に応じ増担保の提供若しくは保証人の変更その他担保の変更を求めなければならない。

2　歳入徴収官等は、その所掌に属する債権を保全するため必要があるときは、法務大臣に対し、仮差押又は仮処分の手続をとることを求めなければならない。

3　歳入徴収官等は、その所掌に属する債権を保全するため必要がある場合において、法令の規定により国が債権者として債務者に属する権利を行うことができるときは、債務者に代位して当該権利を行うため必要な措置をとらなければならない。

4　歳入徴収官等は、その所掌に属する債権について、債務者が国の利益を害する行為をしたことを知つた場合において、法令の規定により国が債権者として当該行為の取消を求めることができるときは、遅滞なく、法務大臣に対し、その取消を裁判所に請求することを求めなければならない。

5　歳入徴収官等は、その所掌に属する債権が時効によつて消滅することとなるおそれがあるときは、時効を更新するため必要な措置をとらなければならない。

改　本条…一部改正（昭四五法一一一）、五項…一部改正（平二九法四五）

参　**担保の種類**（債権管理令一七Ｉ）　**担保の価値**（債権管理令一七Ⅱ、債権管理規則二五、大蔵大臣通達昭三三蔵計一〇五）　**担保の提供の手続等**（債権管理令一七Ⅱ、債権管理規則二六）　**延納担保への準用**（債権管理令二七Ｉ）　**担保の提供又は変更を求めることができる場合の例**（延納担保（債権管理法二六Ｉ）、特別の法令に基づく場合又は債権管理法第三五条第三号、債権管理令第三一条などに基づきあらかじめ契約に定める場合）　**仮差押又は仮処分の手続を法務大臣に求める手続**（債権管理規則二一）　**債権者代位権**（民法四二三、法務大臣に措置を求める手続（債権管理規則二一））　**詐害行為取消権**（民法四二四、通則法四二、会社法八三二・八三一・八六三、法務大臣への請求の手続（債権管理規則二一））　**法務大臣へ時効更新の措置を求める手続**（債権管理規則二一）　**時効の更新事由**（民法一四七）　**民法第一五三条の規定にかかわらず時効更新の効力を有するもの**（会計法三二の納入の告知、通則法七三Ｉの更正又は決定等、労働保険の保険料の徴収等に関する法律四一Ⅱの徴収の告知又は督促、厚生年金保険法九二Ⅲの納入の告知又は督促、健康保険法一九三Ⅱの納入の告知又は督促、国民年金法一〇二Ⅴ、農業災害補償法八七の二Ⅵ）

（担保の保全）

第十九条　歳入徴収官等は、その所掌に属する債権について担保が提供されたときは、遅滞なく、担保権の設定について、登記、登録その他の第三者に対抗することができる要件を備えるため必要な措置をとらなければならない。

改　本条…一部改正（昭四五法一一一）

参　**担保の保全の手続等**（債権管理規則二六）　**登記**（不動産登記法、工場抵当法、鉱業抵当法等）　**登録**（鉄道抵当法等）

（担保及び証拠物件等の保存）

第二十条　歳入徴収官等は、その所掌に属する債権について、国が債権者として占有すべき金銭以外の担保物（債務者に属する権利を代位して行うことにより受領する物を含む。以下この条において同じ。）及びもつぱら債権又は債権の担保に係る事項の立証に供すべき書類その他の物件を、善良な管理者の注意をもつて、整備し、かつ、保存しなければならない。

2　前項の場合において、有価証券の取扱は、会計法及びこれに基く命令の定めるところによる。

3　第一項の場合において、担保物が物品管理法第三十五条の規定により同法の規定を準用する動産であるときは、同法第九条又は第十一条の規定に基き物品の保管に関する事務を行う者がこれを保管するものとし、同法第二十三条の出納命令は、歳入徴収官等が行うものとする。

改　一・三項…一部改正（昭四五法一一一）

参　**担保物等の保存に関する事項の債権管理簿への記載**（債権管理令一〇Ⅵ）　**現金又は有価証券の保管の制限**（会計法三三）　**債権者代位権の行使に伴う現金又は有価証券の保管**（国の債権者代位権の行使に伴う現金又は有価証券の保管に関する政令）　**債権者代位権の行使に伴う現金又は有価証券の保管の手続**（会計法三四・三五、予決令一〇三～一〇五）　**物品管理法を準用する動産**（国が寄託を受けた動産（物品管理令四一Ⅰ））

（徴収停止）

第二十一条　歳入徴収官等は、その所掌に属する債権（国税徴収又は国税滞納処分の例によつて徴収する債権その他政令で定める債権を除く。次項において同じ。）で履行期限（履行期限の定めのない債権にあつては、第十一条第一項前段の規定による記載又は記録をした日）後相当の期間を経過してもなお完全に履行されていないものについて、次の各号の一に該当し、これを履行させることが著しく困難又は不適当であると認められるときは、政令で定めるところにより、以後当該債権について、保全及び取立に関する事務（前条に規定するものを除く。）をすることを要しないものとして整理することができる。

一　法人である債務者がその事業を休止し、将来その事業を再開する見込が全くなく、かつ、差し押えることができる財産の価額が強制執行の費用をこえないと認められる場合（当該法人の債務につき弁済の責に任ずべき他の者があり、その者について次号に掲げる事情がない場合を除く。）

二　債務者の所在が不明であり、かつ、差し押えることができる財産の価額が強制執行の費用をこえないと認められる場合その他これに類する政令で定める場合

三　債権金額が少額で、取立に要する費用に満たないと認められる場合

2　歳入徴収官等は、その所掌に属する債権について、第十一条第一項前段の規定による記載又は記録をした後相当の期間を経過してもなおその債務者が明らかでなく、かつ、将来これを取り立てることができる見込みがないと認められるときは、政令で定めるところにより、前項の措置をとることができる。

3　歳入徴収官等は、前二項の措置をとつた後、事情の変更等によりその措置を維持することが不適当となつたことを知つたときは、直ちに、その措置を取りやめなければならない。

改　一項…一部改正・二項…追加・旧二項…一部改正し三項に繰下（昭四五法一一一）、一・二項…一部改正（平一四法一五二）

参　**徴収停止をしない債権**（債権管理令一八）　**徴収停止の手続**（債権管理令一九、債権管理規則二七）　**各省各庁の長の承認**（債権管理法三八Ⅰ）　**徴収停止の承認をする場合の財務大臣への協議**（債権管理法三八Ⅱ）　**徴収停止をすることができるものとして政令で定める場合**（債権管理令二〇）　**履行期限の定めのない債権の請求**（民法四一二Ⅲ）

（相殺等）

第二十二条　歳入徴収官等は、その所掌に属する債権について、法令の規定により当該債権と相殺し、又はこれに充当することができる国の債務があることを知つたときは、直ちに、当該債務に係る支払事務担当職員（会計法第二十四条に規定する支出官その他の法令の規定により国の支払事務を行う者をいう。以下同じ。）に対し、相殺又は充当をすべきことを請求しなければならない。

2　支払事務担当職員は、その所掌に属する支払金に係る債務について、前項の請求があつたときその他法令の規定により当該債務と相殺し、又はこれを充当することができる国の債権があることを知つたときは、政令で定める場合を

除き、遅滞なく、相殺又は充当をするとともに、その旨を当該債権に係る歳入徴収官等に通知しなければならない。

3　歳入徴収官等は、前項の通知を受けた場合を除き、その所掌に属する債権と国の債務との間に相殺が行われたことを知つたときは、直ちに、その旨を当該債務に係る支払事務担当職員に通知しなければならない。

改　本条…一部改正（昭四五法一一一）

参　**相殺**（民法五〇五～五一一、補助金適正化法二〇）　**充当**（通則法五七、労働保険の保険料の徴収等に関する法律一九Ⅵ、国民年金法九六Ⅵ）　**相殺・充当を要しないものとして政令で定める場合**（債権管理令二二）　**相殺等の請求・相殺等をした旨の通知及び相殺等が行われた旨の通知を省略できる場合**（債権管理令二三2）　**相殺があつた場合の支払事務担当職員への書面の送付**（債権管理規則三二Ⅲ）　**相殺があつた場合の歳入徴収官等の行う納付書の送付**（債権管理規則一六・一七）　**歳入徴収官の行う相殺額の調査決定**（徴収官規程六）　**歳入徴収官の行う相殺超過額についての納入告知書等の送付**（徴収官規程一二Ⅱ・Ⅲ）　**特定分任歳入徴収官等の相殺の通知**（債権管理規則三九の六Ⅱ）

（消滅に関する通知）

第二十三条　法令の規定に基き国のために弁済の受領をする者、第十二条第一号に掲げる者その他政令で定める者は、会計法第四十七条第二項の規定によるもののほか、政令で定めるところにより、その職務上債権が消滅したことを知つたときは、遅滞なく、その旨を当該債権に係る歳入徴収官等に通知しなければならない。

改　本条…一部改正（昭四五法一一一）

参　**消滅に関する通知を行うべき者及び通知を行うべきとき**（債権管理令二二）　**消滅に関する通知等の手続**（債権管理規則三二）　**消滅に関する通知の省略**（債権管理令二三3）　**特定分任歳入徴収官等の消滅等の通知**（債権管理規則三九の六Ⅰ）　**みなし消滅の整理**（債権管理規則三〇）

第四章　債権の内容の変更、免除等

（履行延期の特約等をすることができる場合）

第二十四条　歳入徴収官等は、その所掌に属する債権（国税徴収又は国税滞納処分の例によつて徴収する債権その他政令で定める債権を除く。）について、他の法律に基く場合のほか、次の各号の一に該当する場合に限り、政令で定めるところにより、その履行期限を延長する特約又は処分をすることができる。この場合において、当該債権の金額を適宜分割して履行期限を定めることを妨げない。

一　債務者が無資力又はこれに近い状態にあるとき。

二　債務者が当該債務の全部を一時に履行することが困難であり、かつ、その現に有する資産の状況により、履行期限を延長することが徴収上有利であると認められるとき。

三　債務者について災害、盗難その他の事故が生じたことにより、債務者が当該債務の全部を一時に履行することが困難であるため、履行期限を延長することがやむを得ないと認められるとき。

四　契約に基く債権について、債務者が当該債務の全部を一時に履行することが困難であり、かつ、所定の履行期限によることが公益上著しい支障を及ぼすこととなるおそれがあるとき。

五　損害賠償金又は不当利得による返還金に係る債権について、債務者が当該債務の全部を一時に履行することが困難であり、かつ、弁済につき特に誠意を有すると認められるとき。

六　貸付金に係る債権について、債務者が当該貸付金の使途に従つて第三者に貸付を行つた場合において、当該第三者に対する貸付金に関し、第一号から第四号までの一に該当する理由があることその他特別の事情により、当該第三者に対する貸付金の回収が著しく困難であるため、当該債務者がその債務の全部を一時に履行することが困難であるとき。

2　歳入徴収官等は、履行期限後においても、前項の規定により履行期限を延長する特約又は処分（以下「履行延期の特約等」という。）をすることができる。この場合においては、既に発生した延滞金（履行の遅滞に係る損害賠償金その他の徴収金をいう。以下同じ。）に係る債権は、徴収すべきものとする。

3　歳入徴収官等は、その所掌に属する債権で分割して弁済させることとなつているものにつき履行延期の特約等をする場合において、特に必要があると認めるときは、政令で定めるところにより、当該履行期限後に弁済することとなつている金額に係る履行期限をもあわせて延長することとすることができる。

改　本条…一部改正（昭四五法一一一）

参　**債権の免除・効力変更の制限**（財政法八）　**履行延期の特約等をすることができない政令で定める債権**（債権管理令二四）　**履行期限を延長する期間**（債権管理法二五）　**履行延期の特約等に係る措置―担保・利息―**（債権管理法二六）　**履行延期の特約等に附する条件**（債権管理法二七）　**履行延期の特約等の手続**（履行延期申請書（債権管理令二五、債権管理規則三四Ⅰ・別紙六書式）各省各庁の長の承認（債権管理法三八Ⅰ、債権管理規則三四Ⅱ）財務大臣への協議（債権管理法三八Ⅱ）必要な調査（債権管理規則三四Ⅲ）履行延期承認通知書（債権管理規則三四Ⅳ・別紙七書式）｝　**分割して弁済させる債権の履行延期の特例**（債権管理令二六）　**履行延期の特約等に代わる和解**（債権管理法二八）　**他の法律の特例**（公衆衛生修学資金貸与法一〇Ⅰ、矯正医官修学資金貸与法一〇Ⅰ、旧軍関係債権の処理に関する法律一・二、日本国とアメリカ合衆国との間の相互協力及び安全保障条約第六条に基づく施設及び区域並びに日本国における合衆国軍隊の地位に関する協定の実施に伴う土地等の使用等に関する特別措置法一二Ⅳ）

（履行期限を延長する期間）

第二十五条　歳入徴収官等は、履行延期の特約等をする場合には、履行期限（履行期限後に履行延期の特約等をする場合には、当該履行延期の特約等をする日）から五年（前条第一項第一号又は第六号に該当する場合には、十年）以内において、その延長に係る履行期限を定めなければならない。ただし、さらに履行延期の特約等をすることを妨げない。

改　本条…一部改正（昭四五法一一一）

参　前条の参考　**他の法律の特例**　参照

（履行延期の特約等に係る措置）

第二十六条　歳入徴収官等は、その所掌に属する債権について履行延期の特約等をする場合には、政令で定めるところにより、担保を提供させ、かつ、利息を附するものとする。ただし、第二十四条第一項第一号に該当する場合、当該債権が第三十三条第三項に規定する債権に該当する場合その他政令で定める場合には、政令で定めるところにより、担保の提供を免除し、又は利息を附さないことができる。

2　歳入徴収官等は、その所掌に属する債権（債務名義のあるものを除く。）について履行延期の特約等をする場合には、政令で定める場合を除き、当該債権について債務名義を取得するため必要な措置をとらなければならない。

改　本条…一部改正（昭四五法一一一）

参　**延納担保の種類、提供の手続等**（債権管理令二七Ⅰ、債権管理規則二五・二六・三五）　**延納利息の率**（債権管理令二九、昭三二大蔵告八）　**延納担保の提供を免除できる場合**（債権管理令二八）　**延納利息を附さないことができる場合**（債権管理令三〇）　**履行延期の特約等に附する条件**（債権管理令三一）　**本条にいう債務名義**（執行証書（民執二二5）和解調書（民訴二六七、民執二二7）認諾調書（民訴二六七、民執二二7）｝　**債務名義を取得することを要しない場合**（債権管理令三二、債務証書（債権管理規則三六Ⅱ・別紙八書式）｝　**債務名義を取得するための措置**（債権管理規則三六Ⅰ）　**公正証書の作成嘱託**（主計局長通達昭三三蔵計二九七三）　**担保の提供等がない場合における履行延期の特約等の取消し措置**（債権管理規則三七）

（履行延期の特約等に附する条件）

第二十七条　歳入徴収官等は、履行延期の特約等をする場合には、次に掲げる趣旨の条件を附するものとする。

一　当該債権の保全上必要があるときは、債務者又は保証人に対し、その業務又は資産の状況に関して、質問し、帳簿書類その他の物件を調査し、又は参考となるべき報告若しくは資料の提出を求めること。

二　次の場合には、当該債権の全部又は一部について、当該延長に係る履行期限を繰り上げることができること。

イ　債務者が国の不利益にその財産を隠し、そこない、若しくは処分したとき、若しくはこれらのおそれがあると認められるとき、又は虚偽に債務を負担する行為をしたとき。

ロ　当該債権の金額を分割して履行期限を延長する場合において、債務者が分割された弁済金額についての履行を怠つたとき。

ハ　第十七条各号の一に掲げる理由が生じたとき。

ニ　債務者が第一号の条件その他の当該履行延期の特約等に附された条件に従わないとき。

ホ　その他債務者の資力の状況その他の事情の変化により当該延長に係る履行期限によることが不適当となつたと認められるとき。

改　本条…一部改正（昭四五法一一一）

参　**履行期限の繰上**（債権管理法一六、債権管理規則二四・三九の五Ⅱ）

（履行延期の特約等に代わる和解）

第二十八条　歳入徴収官等は、前四条の規定により履行延期の特約等をしようとする場合において、民事訴訟法（平成八年法律第百九号）第二百七十五条の和解によることを相当と認めるときは、法務大臣に対し、その手続をとることを求めるものとする。

改　本条…一部改正（昭四五法一一一　平八法一一〇）

参　**法務大臣の権限**（国の利害に関係のある訴訟についての法務大臣の権限等に関する法律一）　**法務大臣に対する請求の**

手続（債権管理規則二一）　即決和解（民訴二七五）　即決和解の債務名義としての効力（民訴二六七、民執二二Ⅰ⑦）

（市場金利の低下による利率の引下）

第二十九条　歳入徴収官等は、その所掌に属する貸付金に係る債権その他の契約に基く債権に係る利息（延滞金を含む。）で、その利率（延滞金の計算の基準となつている割合を含む。以下この条において同じ。）が一般金融市場における金利に即して定められたものについて、当該金利が低下したことにより、その利率を維持することが不適当となつたときは、これを是正するため必要な限度において、その利率を引き下げる特約をすることができる。

改　本条…一部改正（昭四五法一一一）

参　**手続**（書面による申請（債権管理令三三）各省各庁の長の承認及びその特例（債権管理法三八Ⅰ、債権管理規則三八Ⅰ）財務大臣への協議（債権管理法三八Ⅱ）債務者への書面の送付（債権管理規則三八Ⅱ））

（更生計画案等についての同意）

第三十条　法務大臣は、国の債権について、民事再生法（平成十一年法律第二百二十五号）の規定により決議に付された若しくは付されるべき再生計画案若しくは変更計画案（同意再生の場合にあつては裁判所に提出された再生計画案）又は会社更生法（平成十四年法律第百五十四号）若しくは金融機関等の更生手続の特例等に関する法律（平成八年法律第九十五号）の規定により決議に付された更生計画案若しくは変更計画案がこれらの法律の規定に違反しないものであり、かつ、その内容が債務者が遂行することができる範囲内において国の不利益を最少限度にするように定められていると認められる場合に限り、これに同意することができる。

改　本条…一部改正（平八法九五　平一一法二二五　平一四法一五五　平一六法七六）

参　**財務大臣の意見**（債権管理法三八Ⅲ）　**再生計画案**（再生計画案の提出（民事再生法七章三節）再生計画案の決議（民事再生法七章二節）計画の効力の発生（民事再生法一七六）効力の範囲（民事再生法一七七）再生計画の変更（民事再生法一八七））　**更生計画案**（決議に付する旨の決定（会社更生法一八九）可決の要件（会社更生法一九六）可決の時期（会社更生法一九八Ⅱ）計画の効力の発生（会社更生法二〇一）効力の範囲（会社更生法二〇三）更生計画の変更（会社更生法二三三））

（和解等）

第三十一条　法務大臣は、国の債権について、この法律その他の法令の規定により認められた内容によるほか、法律上の争いがある場合においては、その争いを解決するためやむを得ず、かつ、国にとつて当該債権の徴収上有利と認められる範囲内において、裁判上の和解（以下「和解」という。）をし、民事調停法（昭和二十六年法律第二百二十二号）若しくは労働審判法（平成十六年法律第四十五号）による調停（以下「調停」という。）に応じ、又は同法第二十一条第一項の規定による異議の申立てをしないことができる。ただし、債権の性質がこれに適しない場合は、この限りでない。

改　本条…一部改正（平一六法四五）

参　**法務大臣の権限**（国の利害に関係のある訴訟についての法務大臣の権限等に関する法律一・八）　**財務大臣の意見**（債権管理法三八Ⅲ）　**裁判所の和解の提案**（民訴八九）　**和解の効力**（民訴二六七）　**調停機関**（民事調停法五）　**調停の効力**（民事調停法一六）

（免除）

第三十二条　歳入徴収官等は、債務者が無資力又はこれに近い状態にあるため履行延期の特約等（和解、調停又は労働審判（労働審判法第二十条の規定による労働審判をいう。第三十八条第三項において同じ。）によつてする履行期限の延長で当該履行延期の特約等に準ずるものを含む。以下この条において同じ。）をした債権について、当初の履行期限（当初の履行期限後に履行延期の特約等をした場合は、最初に履行延期の特約等をした日）から十年を経過した後において、なお債務者が無資力又はこれに近い状態にあり、かつ、弁済することができることとなる見込みがないと認められる場合には、当該債権並びにこれに係る延滞金及び利息を免除することができる。

2　前項の規定は、第二十四条第一項第六号に掲げる理由により履行延期の特約等をした貸付金に係る債権で、同号に規定する第三者が無資力又はこれに近い状態にあることに基いて当該履行延期の特約等をしたものについて準用する。この場合における免除については、債務者が当該第三者に対する貸付金について免除をすることを条件としなければならない。

3　歳入徴収官等は、履行延期の特約等をした債権につき延納利息（第二十六条第一項本文の規定による利息をいう。以下同じ。）を附した場合において、債務者が当該債権の金額の全部に相当する金額をその延長された履行期限内に弁済したときは、当該債権及び延納利息については、債務者の資力の状況によりやむを得ない事情があると認められる場合に限り、当該延納利息の全部又は一部に相当する金額を免除することができる。

改　一・三項…一部改正（昭四五法一一一）、一項…一部改正（平一六法四五）

参　**手続**（書面による申請（債権管理令三三）各省各庁の長の承認（債権管理法三八Ⅰ、債権管理規則三九Ⅰ）財務大臣への協議（債権管理法三八Ⅱ）債務者への書面の送付（債権管理規則三九Ⅱ））　**従前の定期貸債権又はすえ置貸債権に関しての本条の適用**（債権管理法附Ⅴ）　**延滞金に関する特則**（債権管理法三三）　**債権の免除の特例**（カネミ油症事件関係仮払金返還債権の免除についての特例に関する法律二）

（延滞金に関する特則）

第三十三条　国の債権（利息を附することとなつている債権及び特別の法律において延滞金に関する定のある債権を除く。以下この条において同じ。）に係る延滞金は、履行期限内に弁済されなかつた当該債権の金額が千円未満である場合には、附さない。

2　国の債権及びこれに係る延滞金については、弁済金額の合計額が当該債権の金額の全部に相当する金額に達することとなつた場合において、その時までに附される延滞金の額（その時までに徴収した金額を含む。以下この条において同じ。）が百円未満であるときは、当該延滞金の額に相当する金額を免除することができる。

3　国が設置する教育施設の授業料に係る債権その他政令で定める国の債権及びこれらに係る延滞金については、弁済金額の合計額が当該債権の金額の全部に相当する金額に達することとなつた場合には、政令で定めるところにより、その時までに付される延滞金の額に相当する金額の全部又は一部を免除することができる。

改　三項…一部改正（平一五法一一七）、一項…一部改正（平一六法四五）

参　**弁済の充当の順序**（民法四九一、通則法五七Ⅰ）　**政令で定める債権**（債権管理令三四Ⅰ）　**免除の範囲**（債権管理令三四Ⅱ）　**法施行前に発生した債権について本条第二項、第三項を適用する場合の特例**（債権管理法附Ⅷ・Ⅸ）

第五章　債権に関する契約等の内容

（債権に関する契約等の内容）

第三十四条　法令の規定に基き国のために契約その他の債権の発生に関する行為をすべき者（以下「契約等担当職員」という。）は、当該債権の内容を定めようとするときは、法律又はこれに基く命令で定められた事項を除くほか、債権の減免及び履行期限の延長に関する事項についての定をしてはならない。

参　**債権の免除・効力変更の制限**（財政法八）　**債権の減免についての法律又はこれに基づく命令の例**（旧軍関係債権の処理に関する法律三Ⅰ、自衛隊法九八Ⅳ、関税法一〇二）　**履行期限の延長についての法律又はこれに基づく命令の例**（財産法三一Ⅰ但書・Ⅱ・Ⅲ、財産特法一一、国の所有に属する物品の売払代金の納付に関する法律一の二）

第三十五条　契約等担当職員は、債権の発生の原因となる契約について、その内容を定めようとする場合には、契約書の作成を省略することができる場合その他政令で定める場合を除き、次に掲げる事項についての定をしなければならない。ただし、当該事項について他の法令に規定がある場合は、その事項については、この限りでない。

一　債務者は、履行期限までに債務を履行しないときは、延滞金として一定の基準により計算した金額を国に納付しなければならないこと。

二　分割して弁済させることとなつている債権について、債務者が分割された弁済金額についての履行を怠つたときは、当該債権の全部又は一部について、履行期限を繰り上げることができること。

三　担保の附されている債権について、担保の価額が減少し、又は保証人を不適当とする事情が生じたときは、債務者は、国の請求に応じ、増担保の提供又は保証人の変更その他担保の変更をしなければならないこと。

四　当該債権の保全上必要があるときは、債務者又は保証人に対し、その業務又は資産の状況に関して、質問し、帳簿書類その他の物件を調査し、又は参考となるべき報告若しくは資料の提出を求めること。

五　債務者が前号に掲げる事項についての定に従わないときは、当該債権の全部又は一部について、履行期限を繰り上げることができること。

参　**契約書の作成を省略できる場合**（予決令一〇〇の二）　**本条の適用を受けないものとして政令で定める場合**（債権管理令三五）　**延滞金についての定めの基準**（債権管理令三六、遅延防止法一一）　**履行期限の繰上**（債権管理法一六、債権管理規則二四）

第三十六条　前条の場合において、当該債権が国の貸付金（使途の特定しないものを除く。）に係るものであるときは、契約等担当職員は、同条各号に掲げる事項のほか、次に掲げる事項についての定をするものとする。

一 債務者は、当該貸付金を他の使途に使用してはならないこと、又は当該貸付金を他の使途に使用する場合には、各省各庁の長（その委任を受けた者を含む。以下この条において同じ。）の承認を受けなければならないこと。

二 債務者は、当該貸付金の貸付の対象である事務又は事業（以下「貸付事業等」という。）に要する経費の配分その他貸付事業等の内容で、当該契約で特に定めるもの（以下単に「貸付事業等の内容」という。）の変更をする場合には、各省各庁の長の承認を受けなければならないこと。

三 債務者は、貸付事業等を中止し、又は廃止する場合には、各省各庁の長の承認を受けなければならないこと。

四 債務者は、貸付事業等が予定の期間内に完了しない場合又は貸付事業等の遂行が困難となつた場合には、すみやかに各省各庁の長に報告して、その指示に従わなければならないこと。

五 債務者は、貸付事業等により取得し、又は効用の増加した財産で、当該貸付の契約で定めるものを、当該契約で定める期間内に、貸付の目的に反して使用し、処分し、又は担保に供する場合（債務者がその債務の全部を履行した場合を除く。）には、各省各庁の長の承認を受けなければならないこと。

六 債務者は、当該貸付の契約で定めるところにより、貸付事業等の遂行の状況に関し、各省各庁の長に報告しなければならないこと。

七 債務者は、貸付事業等が完了した場合（貸付事業等の廃止の承認を受けた場合を含む。）には、当該貸付の契約で定めるところにより、貸付事業等の成果を記載し、又は記録した実績報告を各省各庁の長に提出しなければならないこと。

八 債務者は、各省各庁の長により前号に規定する実績報告に係る貸付事業等の成果が当該貸付金の貸付の目的及び貸付事業等の内容に適合していないと認められた場合には、その指示に従わなければならないこと。

九 第四号又は前号に規定する指示による場合のほか、次に掲げる場合には、当該債権の全部又は一部について、履行期限を繰り上げることができること。

イ 債務者が前各号に掲げる事項についての定に従わないとき。

ロ 債務者が当該貸付の契約で定める期間内に貸付金を貸付の目的に従つて使用しないとき。

ハ その他債務者が当該貸付の契約の定に従つて誠実に貸付事業等を遂行しないとき。

十 債務者は、第四号若しくは第八号に規定する指示により、又は前号の規定により履行期限を繰り上げられたときは、政令で定める金額の範囲内で、一定の基準により計算した金額を国に納付しなければならないこと。

十一 債務者は、国の貸付金をその財源の全部又は一部とし、かつ、当該貸付金の貸付の使途に従つて第三者に貸付金（使途の特定しないものを除く。）の貸付を行う場合には、当該貸付の契約において、第一号から第九号までに掲げる事項に準ずる定をしなければならないこと。

改 本条…一部改正（平一四法一五二）

参 **履行期限の繰上**（債権管理法一六、債権管理規則二四）　**履行期限を繰り上げた場合に加算して納付させる金額**（債権管理令三七、昭三二大蔵告九）　**類似の立法例**（補助金適正化法七・一一・一四）

第三十七条 前二条の規定は、契約等担当職員が、これらの規定に定めるもののほか、必要な定をすることを妨げるものではない。

第六章　雑則

（財務大臣への協議等）

第三十八条 歳入徴収官等は、次の各号に掲げる場合には、あらかじめ、各省各庁の長の承認を受けなければならない。ただし、各省各庁の長が財務大臣と協議して定めた基準により当該各号に規定する行為をする場合は、この限りでない。

一 第二十一条第一項又は第二項の措置をとる場合

二 履行延期の特約等をする場合

三 第二十九条の規定により利率を引き下げる特約をする場合

四 第三十二条の規定による免除をする場合

2 各省各庁の長は、前項各号に規定する行為をし、又は同項の承認をするときは、あらかじめ、財務大臣に協議しなければならない。ただし、あらかじめ財務大臣と協議して定めた基準によつて行う場合は、この限りでない。

3 法務大臣は、第三十条の同意をするとき、第三十一条の規定により和解をし、調停に応じ、若しくは労働審判法第二十一条第一項の規定による異議の申立てをしないとき、又は和解、調停若しくは労働審判によつて第一項第二号から第四号までに規定する行為に準ずる行為をするときは、あらかじめ、財務大臣の意見を求めなければならない。ただし、あらかじめ財務大臣と協議して定めた基準によつて行う場合は、この限りでない。

改　一項…一部改正（昭四五法一一一）、本条…一部改正（平一一法一六〇）、三項…一部改正（平一六法四五）

参　債権管理事務の総括（債権管理法九―財務大臣）

（債権現在額報告書）

第三十九条　各省各庁の長は、政令で定めるところにより、当該各省各庁の所掌事務に係る債権の毎年度末における現在額（政令で定める債権については、翌年度の四月三十日までに消滅した額を除く。）の報告書を作成し、翌年度の七月三十一日までに、財務大臣に送付しなければならない。

改　本条…一部改正（平一一法一六〇）

参　**債権現在額報告書の内容・様式・作成の方法**（債権管理令三八・四〇、債権管理規則四二・別紙一二書式）　**債権の種類**（債権管理規則一一Ⅱ・四一・別表二・三）　**出納整理期間中に消滅した額を除いて現在額を計算する債権**（債権管理令三九）　**各省各庁内における債権現在額の通知**（債権管理規則四〇）　**報告書の作成者**（債権管理規則四Ⅱ―債権管理総括機関）

（国会への報告等）

第四十条　財務大臣は、前条の報告書に基き、債権現在額総計算書を作成しなければならない。

2　内閣は、前項の債権現在額総計算書を前条の報告書とともに、翌年度の十一月三十日までに、会計検査院に送付しなければならない。

3　内閣は、第一項の債権現在額総計算書に基き、毎年度末における国の債権の現在額について、当該年度の歳入歳出決算の提出とともに、国会に報告しなければならない。

改　一項…一部改正（平一一法一六〇）

参　**債権現在額総計算書の様式・作成の方法**（債権管理令四〇、債権管理規則四二・別紙一二書式）

（電磁的記録による作成）

第四十条の二　この法律又はこの法律に基づく命令の規定により作成することとされている報告書等（報告書、債権現在額総計算書その他文字、図形その他の人の知覚によつて認識することができる情報が記載された紙その他の有体物をいう。次条において同じ。）については、当該報告書等に記載すべき事項を記録した電磁的記録（電子的方式、磁気的方式その他人の知覚によつては認識することができない方式で作られる記録であつて、電子計算機による情報処理の用に供されるものとして財務大臣が定めるものをいう。同条第一項において同じ。）の作成をもつて、当該報告書等の作成に代えることができる。この場合において、当該電磁的記録は、当該報告書等とみなす。

改　本条…追加（平一四法一五二）、本条…一部改正（令元法一六）

参　予算決算及び会計に係る情報通信の技術の利用に関する対象手続等を定める省令（平一五財務令二四）

（電磁的方法による提出）

第四十条の三　この法律又はこの法律に基づく命令の規定による報告書等の提出については、当該報告書等が電磁的記録で作成されている場合には、電磁的方法（電子情報処理組織を使用する方法その他の情報通信の技術を利用する方法であつて財務大臣が定めるものをいう。次項において同じ。）をもつて行うことができる。

2　前項の規定により報告書等の提出が電磁的方法によつて行われたときは、当該報告書等の提出を受けるべき者の使用に係る電子計算機に備えられたファイルへの記録がされた時に当該提出を受けるべき者に到達したものとみなす。

改　本条…追加（平一四法一五二）、本条…一部改正（令元法一六）

参　予算決算及び会計に係る情報通信の技術の利用に関する対象手続等を定める省令（平一五財務令二四）

（政令への委任）

第四十一条　この法律に定めるもののほか、この法律の施行に関し必要な事項は、政令で定める。

附　則（抄）

1　この法律は、公布の日から起算して八月をこえない範囲内で政令で定める日から施行する。

注　**施行期日**（昭三二・一一・一〇…国の債権の管理等に関する法律の施行期日を定める政令）

2　第三十九条及び第四十条の規定は、昭和三十二年度末以後における債権の現在額に関して適用する。

3　次に掲げる法律は、廃止する。

一　政府貸付金処理に関する法律（昭和十年法律第二十五号）

二　租税債権及び貸付金債権以外の国の債権の整理に関する法律（昭和二十六年法律第百九十七号）

参　政府貸付金処理に関する法律施行令…廃止（債権管理令

附Ⅱ）　租税債権及び貸付金債権以外の国の債権の整理に関する法律施行令…廃止（債権管理令附Ⅱ）　定期貸債権及びすえ置貸債権整理取扱規程…廃止（債権管理規則附Ⅱ）

4　旧租税債権及び貸付金債権以外の国の債権の整理に関する法律の規定により、この法律の施行の際現に定期貸債権又はすえ置貸債権とされている債権については、同法第六条の規定は、この法律の施行後も、なおその効力を有する。

注　**「旧租税債権及び貸付金債権以外の国の債権の整理に関する法律」のなお効力を有する部分の条文**

第六条　管理者は、その管理に係る定期貸債権又はすえ置貸債権について、債務者の資力が回復し、又はその資力の状況が悪化した場合において、当該債権を保全し、及び当該債権に係る収入金の納付を容易ならしめるため必要があると認められるときは、その貸付の条件を変更することができる。

5　前項に規定する債権については、旧租税債権及び貸付金債権以外の国の債権の整理に関する法律の規定により定期貸債権又はすえ置貸債権とした日をこの法律の規定により履行延期の特約等をした日とみなして、第三十二条第一項の規定を適用する。

6　第四項に規定する債権その他この法律の施行の際現に各省各庁において管理している債権は、当該各省各庁の所掌事務に係る債権とみなして、この法律を適用する。

7　第十一条第一項の規定は、この法律の施行の際現に存する国の債権で、この法律の施行前に発生し、又は国に帰属したものについて準用する。

8　第三十三条第二項及び第三項の規定は、この法律の施行前に弁済金額の合計額がこれらの規定に定める債権の金額の全部に相当する金額に達することとなつた場合にも、適用があるものとする。この場合において、同条第二項中「当該延滞金の額に相当する金額」とあるのは、「延滞金の額の全部に相当する金額」とする。

9　前項の規定は、既に弁済された金額に影響を及ぼすものと解してはならない。

10　この法律の施行前に発生し、又は国に帰属した債権については、政令でこの法律の特例を設けることができる。

参　**本項に基く政令の定**（債権管理令附Ⅳ－債権管理法施行前に発生した延滞金債権で現に存するものに係る一部相当額の免除）

13　第四項及び第五項の規定は、改正前の国の援助等を必要とする帰国者に関する領事館の職務等に関する法律第七条の規定により、この法律の施行の際現に定期貸債権又はすえ置貸債権とされている債権について準用する。

附　則（平一三・六・二七法七五）（抄）

（施行期日等）

第一条　この法律は、平成十四年四月一日（以下「施行日」という。）から施行し、施行日以後に発行される短期社債等について適用する。

附　則（平一四・六・一二法六五）（抄）

改正　平一七・一〇・二一法一〇二

（施行期日）

第一条　この法律は、平成十五年一月六日から施行する。〔ただし書略〕

附　則（平一四・一二・一三法一五二）（抄）

（施行期日）

第一条　この法律は、行政手続等における情報通信の技術の利用に関する法律（平成十四年法律第百五十一号）の施行の日〔平一五・二・三〕から施行する。〔ただし書略〕

附　則（平一四・一二・一三法一五五）（抄）

（施行期日）

第一条　この法律は、会社更生法（平成十四年法律第百五十四号）の施行の日〔平一五・四・一〕から施行する。

附　則（平一六・六・九法八八）（抄）

（施行期日）

第一条　この法律は、公布の日から起算して五年を超えない範囲内において政令で定める日〔平二一・一・五〕（以下「施行日」という。）から施行する。〔ただし書略〕

附　則（平一九・六・二七法一〇二）（抄）

（施行期日）

第一条　この法律は、公布の日から起算して一年六月を超えない範囲内において政令で定める日〔平二〇・一二・一〕から施行する。

附　則（平二九・六・二法四五）（抄）

この法律は、民法改正法の施行の日〔平三二（令二）・四・一〕から施行する。〔ただし書略〕

附　則（令元・五・三一法一六）（抄）

（施行期日）

第一条　この法律は、公布の日から起算して九月を超えない範囲内において政令で定める日〔令元・一二・一六〕から施行する。〔ただし書略〕

※事業性融資の推進等に関する法律（令六・六・一四法五二）の附則第三六条で本法が一部改正されましたが、未施行のため、ここに別に掲げました。

（国の債権の管理等に関する法律の一部改正）
第三十六条　国の債権の管理等に関する法律（昭和三十一年法律第百十四号）の一部を次のように改正する。

第十七条中第八号を第九号とし、第七号を第八号とし、第六号を第七号とし、第五号の次に次の一号を加える。

六　債務者の財産について企業価値担保権の実行手続の開始があつたこと。

附　則（抄）

（施行期日）
第一条　この法律は、公布の日から起算して二年六月を超えない範囲内において政令で定める日から施行する。〔ただし書略〕

○国の債権の管理等に関する法律施行令

昭三一・一一・一〇
政　令　三　三　七

最終改正　令六・五・二九政令一九七

目次〔略〕

第一章　総則

（定義）
第一条　この政令において「国の債権」若しくは「債権」、「債権の管理に関する事務」、「各省各庁」、「各省各庁の長」、「歳入徴収官等」、「現金出納職員」、「支払事務担当職員」、「履行延期の特約等」、「延滞金」、「延納利息」若しくは「契約等担当職員」、「歳入徴収官」若しくは「分任歳入徴収官」又は「官署支出官」、「歳入徴収官代理」、「分任歳入徴収官代理」若しくは「支出官代理」とは、国の債権の管理等に関する法律（以下「法」という。）第二条、第三条第一項第三号、第二十二条第一項、第二十四条第二項、第三十二条第三項若しくは第三十四条、会計法（昭和二十二年法律第三十五号）第四条の二又は予算決算及び会計令（昭和二十二年勅令第百六十五号）第一条第二号若しくは第百三十九条の二第三項に規定する国の債権若しくは債権、債権の管理に関する事務、各省各庁、各省各庁の長、歳入徴収官等、現金出納職員、支払事務担当職員、履行延期の特約等、延滞金、延納利息若しくは契約等担当職員、歳入徴収官若しくは分任歳入徴収官又は官署支出官、歳入徴収官代理、分任歳入徴収官代理若しくは支出官代理をいう。

（報告に関する規定に限り適用がある債権）
第二条　法第三条第一項ただし書に規定する政令で定める債権は、次に掲げる債権とする。

一　法第三条第一項第六号に掲げる債権
二　法第三条第一項第七号に掲げる債権（同項第二号に掲げる債権及び特別会計に関する法律（平成十九年法律第二十三号）第七十六条第二項の規定により預入した外国為替等又は現金に係る債権を除く。）

（罰金等に類する適用除外の徴収金）
第三条　法第三条第一項第一号に規定する政令で定める徴収金は、次に掲げる徴収金とする。

一　民事訴訟法（平成八年法律第百九号）第三百三条第一項の規定による裁判により納付を命じた金銭
二　国税通則法（昭和三十七年法律第六十六号）第百五十七条第一項又は関税法（昭和二十九年法律第六十一号）第百四十六条第一項（とん税法（昭和三十二年法律第三十七号）第十四条及び特別とん税法（昭和三十二年法律第三十八号）第十二条において準用する場合を含む。）の規定による通告処分に基づき納付する金額に係る徴収金
三　刑事訴訟法（昭和二十三年法律第百三十一号）第三百四十八条の仮納付の裁判により納付を命じた罰金、科料若しくは追徴に相当する金額又は交通事件即決裁判手続法（昭和二十九年法律第百十三号）第十五条の仮納付の裁判により納付を命じた罰金若しくは科料に相当する金額に係る徴収金
四　刑事訴訟法第九十六条第二項、第三項、第五項、第六項本文若しくは第七項、第九十八条の八第二項、第九十八条の十第三項又は第九十八条の十一の規定による没取

金

五　刑事訴訟法第百三十三条若しくは第百三十七条（同法第二百二十二条において準用する場合を含む。）、第百五十条若しくは第百六十条（これらの規定を同法第百七十一条（同法第百七十八条において準用する場合を含む。）において準用する場合を含む。）又は第二百六十九条の規定により命じた費用の賠償に係る徴収金

六　少年法（昭和二十三年法律第百六十八号）第三十一条第一項又は心神喪失等の状態で重大な他害行為を行った者の医療及び観察等に関する法律（平成十五年法律第百十号）第七十八条第一項の規定により徴収する費用に係る徴収金

七　金融商品取引法（昭和二十三年法律第二十五号）第百八十五条の七第一項、第二項、第四項から第八項まで及び第十項から第十七項までの決定（同法第百八十五条の八第六項又は第七項の規定による変更後のものを含む。）により納付を命じた課徴金及び同法第百八十五条の十四第二項の規定により徴収する延滞金

八　公認会計士法（昭和二十三年法律第百三号）第三十四条の五十三第一項から第五項までの決定により納付を命じた課徴金及び同法第三十四条の五十九第二項の規定により徴収する延滞金

九　犯罪被害者等の権利利益の保護を図るための刑事手続に付随する措置に関する法律（平成十二年法律第七十五号）第十七条第一項の規定により徴収する旅費、日当、宿泊料及び報酬に係る徴収金

十　不当景品類及び不当表示防止法（昭和三十七年法律第百三十四号）第八条第一項の規定により納付を命じた課徴金及び同法第十八条第二項の規定により徴収する延滞金

十一　医薬品、医療機器等の品質、有効性及び安全性の確保等に関する法律（昭和三十五年法律第百四十五号）第七十五条の五の二第一項の規定により納付を命じた課徴金及び同法第七十五条の五の十一第二項の規定により徴収する延滞金

（法の一部適用除外の範囲）

第四条　法第三条第二項に規定する政令で定める債権は、次に掲げる債権とする。

一　本邦に住所又は居所を有しない者（その者に対する債権につき強制執行（国税徴収又は国税滞納処分の例による場合の滞納処分を含む。以下同じ。）をすることができる本邦内にある財産の価額が強制執行をした場合の費用並びに他の優先して弁済を受ける債権及び国以外の者の権利（以下第十八条及び第二十条において「優先債権等」という。）の金額の合計額をこえると見込まれる者を除く。）を債務者とする債権

二　外国の大使、公使その他の外交官又はこれらに準ずる者で財務大臣の指定するものを債務者とする債権

2　外国を債務者とする債権については、法第十五条、法第十八条（第五項を除く。）、法第三十五条及び法第三十六条の規定並びに当該債権のうち財務大臣の指定するものについては法第十三条、法第二十五条、法第二十六条（延納利息に係る部分を除く。）又は法第二十七条の規定を、前項各号に掲げる債権については、法第十五条及び法第十八条（第一項及び第五項を除く。）の規定をそれぞれ適用しない。

第二章　債権の管理の機関

（各省各庁に所属する職員に対する債権管理事務の委任等）

第五条　各省各庁の長は、法第五条第一項の規定により当該各省各庁の所掌事務に係る債権の管理に関する事務を当該各省各庁又は他の各省各庁に所属する職員に行わせる場合には、次の各号に掲げる区分に応じ、当該各号に掲げる職員にその事務を委任するものとする。

一　歳入金に係る債権の管理に関する事務　歳入徴収官

二　歳出の金額に戻し入れる返納金に係る債権の管理に関する事務　官署支出官

三　前二号に規定する債権以外の債権の管理に関する事務　内閣府設置法（平成十一年法律第八十九号）第十七条若しくは第五十三条の官房、局若しくは部の長、同法第三十九条若しくは第五十五条の施設等機関の長、同法第四十条若しくは第五十六条の特別の機関の長、同法第四十三条若しくは第五十七条（宮内庁法（昭和二十二年法律第七十号）第十八条第一項において準用する場合を含む。）の地方支分部局の長、内閣府設置法第五十二条の委員会の事務局若しくは事務総局の長、宮内庁法第三条第一項の長官官房、侍従職等若しくは部の長、同法第十六条第二項の機関の長、同法第十七条第一項の地方支分部局の長、デジタル庁設置法（令和三年法律第三十六号）第十三条第一項の職、国家行政組織法（昭和二十三年法律第百二十号）第七条の官房、局、部若しくは委員会の事務局若しくは事務総局の長、同法第八条の二の施設等機関の長、同法第八条の三の特別の機関の長、同法第九条の地方支分部局の長又はこれらに準ずる職員（各省各庁の長が必要があると認めるときは、これらの職員以外の職員）

2　各省各庁の長は、前項の場合において、必要があるときは、同項第一号又は第三号の規定により委任を受けた職員の事務の一部を分任歳入徴収官その他の職員に分掌させることができる。

3　各省各庁の長は、前二項の規定により債権の管理に関する事務を委任した職員又は当該職員の事務の一部を分掌させた職員に事故がある場合（これらの職員が会計法第四条の二第四項（同法第二十四条第三項において準用する場合を含む。）の規定又は第五項の規定により指定された官職にある者である場合には、その官職にある者が欠けたときを含む。）において、必要があるときは、次の各号に掲げる区分に応じ、当該各号に掲げる職員にその事務を代理させることができる。

一　第一項第一号に掲げる事務　歳入徴収官代理又は分任歳入徴収官代理若しくは当該事務を分掌させた職員以外の職員

二　第一項第二号に掲げる事務　支出官代理（官署支出官の事務を代理する職員に限る。第五項において同じ。）

三　第一項第三号に掲げる事務　当該事務を委任し、又は分掌させた職員以外の職員

4　各省各庁の長は、第一項第二号に掲げる事務を同項又は前項の規定により委任し、又は代理させる場合において、財務省令で定める特別の事情があるときは、同号又は同項第二号に掲げる職員以外の職員にその事務を委任し、又は代理させることができる。

5　各省各庁の長は、前各項の規定により歳入徴収官、分任歳入徴収官、歳入徴収官代理、分任歳入徴収官代理、官署支出官及び支出官代理以外の職員に債権の管理に関する事務を委任し、分掌させ、又は代理させる場合において、当該各省各庁又は他の各省各庁に置かれた官職を指定することにより、その官職にある者に当該事務を委任し、分掌させ、又は代理させることができる。

6　各省各庁の長は、前項に規定する場合において、他の各省各庁に所属する職員に当該事務を委任し、分掌させ、又は代理させるときは、当該職員及びその官職並びに行なわせようとする事務の範囲について、あらかじめ、当該他の各省各庁の長の同意を得なければならない。ただし、その委任、分掌又は代理が同項の規定に基づいて官職の指定により行なわれる場合には、その同意は、その指定しようとする官職及び行なわせようとする事務の範囲についてあれば足りる。

第五条の二　各省各庁の長は、法第五条第三項の規定により当該各省各庁又は他の各省各庁に所属する職員に同項に規定する債権の管理に関する事務の一部を処理させる場合には、その処理させる事務の範囲を明らかにしなければならない。

2　各省各庁の長は、法第五条第三項の規定により当該各省各庁に所属する職員に同項に規定する債権の管理に関する事務の一部を処理させる場合において、必要があるときは、同項の権限を、内閣府設置法第五十条の委員長若しくは長官、同法第四十三条若しくは第五十七条（宮内庁法第十八条第一項において準用する場合を含む。）の地方支分部局の長、宮内庁長官、宮内庁法第十七条第一項の地方支分部局の長、国家行政組織法第六条の委員長若しくは長官、同法第九条の地方支分部局の長又はこれらに準ずる職員に委任することができる。この場合において、各省各庁の長は、同項の規定により当該事務を処理させる職員（当該各省各庁に置かれた官職を指定することによりその官職にある者に当該事務を処理させる場合には、その官職）の範囲及びその処理させる事務の範囲を定めるものとする。

3　前条第五項及び第六項の規定は、各省各庁の長が法第五条第三項の規定により当該各省各庁又は他の各省各庁に所属する職員に同項に規定する債権の管理に関する事務の一部を処理させる場合について準用する。

4　法第五条第三項の規定により同項に規定する債権の管理に関する事務の一部を処理する職員（次項において「代行機関」という。）は、当該債権の管理に関する事務を行なう歳入徴収官等に所属して、かつ、当該歳入徴収官等の名において、その事務を処理するものとする。

5　代行機関は、第一項又は第二項に規定する範囲内の事務であつても、その所属する歳入徴収官等において処理することが適当である旨の申出をし、かつ、当該歳入徴収官等がこれを相当と認めた事務及び歳入徴収官等が自ら処理する特別の必要があるものとして指定した事務については、その処理をしないものとする。

（都道府県が行う管理事務）

第六条　各省各庁の長は、法第五条第二項又は第四項の規定により債権の管理に関する事務を都道府県の知事又は知事の指定する職員が行うこととなる事務として定める場合には、当該知事又は知事の指定する職員が行うこととなる事務の範囲を明らかにして、当該知事又は知事の指定する職員が債権の管理に関する事務を行うこととなることについて、あらかじめ当該知事の同意を求めなければならない。

2　都道府県の知事は、各省各庁の長から前項の規定により同意を求められた場合には、その内容について同意をするかどうかを決定し、同意をするときは、知事が自ら行う場合を除き、事務を行う職員を指定するものとする。この場合において、当該知事は、都道府県に置かれた職を指定することにより、その職にある者に事務を取り扱わせることができる。

3　前項の場合において、都道府県の知事は、同意をする決定をしたときは同意をする旨及び事務を行う者（同項後段の規定により都道府県に置かれた職を指定した場合においてはその職）を、同意をしない決定をしたときは同意をし

ない旨を各省各庁の長に通知するものとする。

（管理事務の引継ぎ）

第七条　各省各庁の長は、当該各省各庁の所掌事務に係る債権について、債務者の住所の変更その他の事情により必要があると認めるときは、財務省令で定めるところにより、当該債権に係る歳入徴収官等の事務を他の歳入徴収官等に引き継がせるものとする。

第三章　債権の管理の準則

（帳簿への記載又は記録を行うべき時期の特例）

第八条　法第十一条第一項に規定する政令で定める債権は、次の各号に掲げる債権とし、同項に規定する政令で定めるときは、当該債権について当該各号に掲げるときとする。

一　利息、国の財産の貸付料若しくは使用料又は国が設置する教育施設の授業料に係る債権　その発生の原因となる契約その他の行為をした日の属する年度に利払期又は履行期限が到来する債権にあつては、その行為をしたとき、当該年度の翌年度以後の各年度に利払期又は履行期限が到来する債権にあつては、当該各年度の開始したとき（当該各年度の四月中に利払期又は履行期限が到来する債権で財務省令で定めるものについては、前年度の三月中において財務省令で定めるとき。）。

二　一定期間内に多数発生することが予想される同一債務者に対する同一種類の債権で、法令又は契約の定めるところによりこれをとりまとめて当該期間経過後に履行させることとなつているもの　当該期間の満了の日の翌日からその履行期限までの間において各省各庁の長が定めるとき。

三　法令の定めるところにより国の行政機関以外の者によつてのみその内容が確定される債権　その者が当該債権の内容を確定したとき。

四　延滞金に係る債権　当該延滞金を附することとなつている債権が履行期限の定のあるものである場合には、当該履行期限が経過したとき、当該債権が損害賠償金又は不当利得による返還金に係るものである場合には、当該賠償又は返還の請求をするとき。

五　補助金等に係る予算の執行の適正化に関する法律（昭和三十年法律第百七十九号）第十九条第一項に規定する加算金で返還すべき補助金等に関し納付すべきもの、法第三十六条第十号に掲げる事項についての契約の定をした貸付金に係る債権につきその定に従つて納付させる金額に係る債権その他法令又は契約の定めるところにより一定の期間に応じて附する加算金に係る債権　当該補助金等の返還金の返還を命じ、当該貸付金に係る履行期限を繰り上げる旨の指示又は決定をし、その他法令又は契約の定めるところにより当該加算金を附することとなつたとき。

六　金銭の給付以外の給付を目的とする国の権利についての債務の履行の遅滞に係る損害賠償金その他これに類する徴収金に係る債権で債権金額が一定の期間に応じて算定されることとなつているもの　当該権利の履行期限が経過したとき。

（帳簿への記載又は記録を要しない場合）

第九条　法第十一条第一項に規定する政令で定める場合は、次に掲げる場合とする。

一　歳入徴収官等が、その所掌に属すべき債権でまだ法第十一条第一項に規定する帳簿（以下「債権管理簿」という。）に記載され、又は記録されていないものについて、その全部が消滅していることを確認した場合

二　歳入徴収官等が、国の施設への入場者から徴収することとされている料金に係る債権（当該入場者に対するものに限る。）について、当該料金を立て替えて納付する事務を適正かつ確実に実施することができると認められる者として各省各庁の長が指定するものにより立て替えて納付されるものであることを確認した場合

2　前項第一号の場合においては、歳入徴収官等は、財務大臣の定めるところにより、当該債権について債権管理簿に記載し、又は記録することができなかつた理由を明らかにしておかなければならない。ただし、当該債権が次に掲げる債権に該当する場合は、この限りでない。

一　法令又は契約により債権金額の全部をその発生と同時に納付すべきこととなつている債権

二　健康保険法（大正十一年法律第七十号）第百六十七条第一項若しくは第百六十九条第六項、船員保険法（昭和十四年法律第七十三号）第百三十条、労働保険の保険料の徴収等に関する法律（昭和四十四年法律第八十四号）第三十二条又は厚生年金保険法（昭和二十九年法律第百十五号）第八十四条の規定により国が報酬又は賃金から控除する保険料に係る債権

三　恩給金額分担及国庫納金収入等取扱規則（大正十二年勅令第四百三十九号）第十条第一項の規定により俸給又は給料から控除する金額に係る債権及び同規則第十一条第二項ただし書の規定により納付する金額に係る債権

四　予算決算及び会計令第六十二条第一項の規定による納付金及びこれに準ずる返納金で現金出納職員が隔地の債権者又は他の現金出納職員に現金の支払をするため日本銀行に交付した資金に係るものに係る債権

五　ポツダム宣言の受諾に伴い発する命令に関する件に基く大蔵省関係諸命令の措置に関する法律施行令（昭和二

十七年政令第百十二号）第一項又は第二項の規定による納付金に係る債権
六　接収貴金属等の処理に関する法律（昭和三十四年法律第百三十五号）第十六条の規定による納付金に係る債権

（調査、確認及び記帳を要する事項）
第十条　法第十一条第一項に規定する政令で定める事項は、次に掲げる事項とする。
一　債権の発生原因
二　債権の発生年度
三　債権の種類
四　利率その他利息に関する事項
五　延滞金に関する事項
六　債務者の資産又は業務の状況に関する事項
七　担保（保証人の保証を含む。以下同じ。）に関する事項
八　解除条件
九　その他各省各庁の長が定める事項
2　歳入徴収官等は、債権の管理上支障がないと認められるときは、財務省令で定めるところにより、前項各号に掲げる事項の記載又は記録を省略することができる。
3　第八条第四号から第六号までに掲げる債権の債権金額は、その支払われるべき金額が確定した場合を除くほか、記載し、又は記録することを要しない。
4　第一項第二号に掲げる債権の発生年度の区分及び同項第三号に掲げる債権の種類は、財務省令で定める。
5　歳入徴収官等は、法第十一条の規定により外国通貨をもつて表示される債権の内容に関する事項を債権管理簿に記載し、又は記録するときは、債権金額を当該外国通貨をもつて表示し、財務大臣が定める外国為替相場でこれを換算した本邦通貨の金額を付記するものとする。
6　歳入徴収官等は、法第二十条第一項に規定する担保物及び債権又はその担保に係る事項の立証に供すべき書類その他の物件の保存に関する事項を債権管理簿に記載し、又は記録しなければならない。
7　歳入徴収官等は、その所掌に属する債権で債権管理簿に記載し、又は記録したものについてその管理に関する事務の処理上必要な措置をとつたとき、当該債権が消滅したことを確認したとき、又はその管理に関係する事実で当該事務の処理上必要なものがあると認めるときは、その都度遅滞なく、これらの内容を債権管理簿に記載し、又は記録しなければならない。

（債権の発生又は帰属の通知）
第十一条　法第十二条各号に掲げる者が同条の規定によりすべき通知は、次に掲げる事項を記載し、又は記録した書面に、債権又はその担保に係る事項の立証に供すべき書類の写その他の関係物件を添えて、これを歳入徴収官等に送付することによりするものとする。
一　債務者の住所及び氏名又は名称
二　債権金額
三　履行期限
四　前条第一項各号に掲げる事項
2　各省各庁の長は、前項各号に掲げる事項のうち通知をする必要がないと認められるものの通知を省略させることができる。

（債権についての異動の通知）
第十二条　法第十二条第一号に掲げる者は、同号の規定により歳入徴収官等に通知した債権について異動を生じたときは、遅滞なく、その旨を歳入徴収官等に通知しなければならない。

（納入の告知）
第十三条　第五条第一項第二号又は第三号に掲げる事務を行なう者は、法第十三条第一項の規定により納入の告知をしようとするときは、当該告知に係る債権の内容が法令又は契約に違反していないかどうかを調査しなければならない。
2　前項の納入の告知は、同一債務者に対する債権金額の合計額が履行の請求に要する費用をこえない場合を除くほか、法第十一条第一項の規定により債務者及び債権金額を確認した日（履行期限の定のある債権にあつては、その確認した日と当該履行期限から起算して二十日前の日とのいずれか遅い日）後遅滞なく、しなければならない。
3　予算決算及び会計令第二十九条の規定は、第一項の規定による納入の告知について準用する。

（納入の告知に係る手続をしない債権）
第十四条　法第十三条第一項に規定する政令で定める債権は、次に掲げる債権とする。
一　第九条第二項第一号、第二号又は第四号に掲げる債権
二　職員に対して支給する給与の返納金に係る債権で債権金額の全部に相当する金額をその支払つた日の属する年度内において当該職員に対して支払うべき給与の金額から一時に控除して徴収することができるもの

（特定の歳入金に係る債権についての納入の告知等）
第十四条の二　分任歳入徴収官以外の者で第五条第二項の規定により歳入金に係る債権の管理に関する事務を分掌するものは、その債権について納入の告知、履行の督促又は保証人に対する履行の請求を必要とするときは、当該債権に係る歳入の徴収に関する事務を取り扱う歳入徴収官又は分任歳入徴収官に対してこれらの措置をとるべきことを請求するものとする。ただし、必要に応じ、みずから履行の督促をすることを妨げない。

（納付の委託）

第十五条　法第十四条第一項の規定により歳入徴収官等が納付の委託に応ずることができる有価証券は、財務省令で定める小切手、約束手形及び為替手形とする。

２　歳入徴収官等は、法第十四条第一項の規定により納付の委託に応じた場合には、納付受託通知書を当該納付の委託を申し出た者に交付するものとする。

（自力執行の手続）

第十六条　歳入徴収官等は、その所掌に属する債権で国税徴収又は国税滞納処分の例によつて徴収するものの全部又は一部が督促の後相当の期間を経過してもなお履行されない場合には、当該債権について法令の規定により滞納処分を執行することができる者に対し、滞納処分の手続をとることを求めなければならない。

（担保の種類及び提供の手続等）

第十七条　歳入徴収官等は、法第十八条第一項の規定により担保の提供を求める場合において、法令又は契約に別段の定がないときは、次に掲げる担保の提供を求めなければならない。ただし、当該担保の提供ができないことについてやむを得ない事情があると認められる場合においては、他の担保の提供を求めることをもつて足りる。

一　国債及び地方債（港湾法（昭和二十五年法律第二百十八号）第三十条第一項の規定により港務局が発行する債券を含む。以下同じ。）

二　歳入徴収官等が確実と認める社債その他の有価証券

三　土地並びに保険に附した建物、立木、船舶、航空機、自動車及び建設機械

四　鉄道財団、工場財団、鉱業財団、軌道財団、運河財団、漁業財団、港湾運送事業財団及び道路交通事業財団

五　歳入徴収官等が確実と認める金融機関その他の保証人の保証

２　前項の担保の価値及びその提供の手続は、法令又は契約に別段の定がある場合を除くほか、財務省令で定めるところによる。

（徴収停止をしない債権）

第十八条　法第二十一条第一項に規定する政令で定める債権は、担保の附されている債権（当該担保の価額が担保権を実行した場合の費用及び優先債権等の金額の合計額をこえないと見込まれる債権を除く。）とする。

（徴収停止をした債権の区分整理）

第十九条　歳入徴収官等は、法第二十一条第一項及び第二項の措置をとる場合には、その措置をとる債権を債権管理簿において他の債権と区分して整理するものとする。

（徴収停止ができる場合）

第二十条　法第二十一条第一項第二号に規定する政令で定める場合は、次に掲げる場合とする。

一　債務者の所在が不明であり、かつ、差し押えることができる財産の価額が強制執行の費用をこえると認められる場合において、優先債権等がそのこえると認められる額の全部の弁済を受けるべきとき。

二　債務者が死亡した場合において、相続人のあることが明らかでなく、かつ、相続財産の価額が強制執行をした場合の費用及び優先債権等の金額の合計額をこえないと見込まれるとき。

三　歳入徴収官等が債権の履行の請求又は保全の措置をとつた後、債務者が本邦に住所又は居所を有しないこととなつた場合において、再び本邦に住所又は居所を有することとなる見込がなく、かつ、差し押えることができる財産の価額が強制執行をした場合の費用及び優先債権等の金額の合計額をこえないと見込まれるとき。

（相殺等を要しない場合）

第二十一条　法第二十二条第二項に規定する政令で定める場合は、相殺又は充当をすることが公の事務又は事業の遂行を阻害する等公益上著しい支障を及ぼすこととなるおそれがあるものとして各省各庁の長が定める場合とする。

（消滅に関する通知）

第二十二条　法第二十三条に規定する政令で定める者は、第五条第二項の規定により分任歳入徴収官以外の者が歳入金に係る債権の管理に関する事務を分掌する場合における当該債権に係る歳入の徴収に関する事務を取り扱う歳入徴収官又は分任歳入徴収官とする。

２　法第二十三条の規定による通知は、次の各号に掲げる者が当該各号に掲げるときに行うものとする。

一　現金出納職員及び日本銀行　歳入金に係る債権以外の債権について国のために弁済の受領をしたとき。

二　法令の規定に基き金銭（証券を以てする歳入納付に関する法律（大正五年法律第十号）により金銭に代えて納付される証券を含む。）以外の財産の出納保管の事務を行う者　法令の規定により当該財産をもつて国のために弁済の受領をしたとき。

三　法第十二条第一号に掲げる者　同号に規定する契約その他の行為について解除又は取消があつたとき。

四　前項に規定する歳入徴収官又は分任歳入徴収官　歳入金に係る債権について国のために弁済の受領をした者から当該歳入金の領収済みの旨の報告を受けたとき、及び当該債権と国の債務との間における相殺の意思表示を債務者から受けたとき。

（通知等の省略）

第二十三条　次の各号に掲げる通知又は請求は、当該各号に掲げる場合においては、省略することができる。

一　法第十二条の規定による通知　同条各号に掲げる者が

歳入徴収官等を兼ねる場合
二　法第二十二条第一項の規定による請求及び同条第二項又は第三項の規定による通知　歳入徴収官等が支払事務担当職員を兼ねる場合
三　法第二十三条の規定による通知　前条第二項第一号から第三号までに掲げる者が歳入徴収官等を兼ねる場合
四　第十二条の規定による通知　同条に規定する者が歳入徴収官等を兼ねる場合

第四章　債権の内容の変更、免除等

（履行延期の特約等をすることができない債権）

第二十四条　法第二十四条第一項に規定する政令で定める債権は、次に掲げる債権とする。
一　法令の規定により地方債をもつて納付させることができる債権
二　法令の規定に基き国に納付する事業上の利益金、剰余金又は収入金の全部又は一部に相当する金額に係る債権
三　恩給法（大正十二年法律第四十八号）第五十九条（他の法律において準用する場合を含む。）の規定による納付金に係る債権
四　地方交付税法（昭和二十五年法律第二百十一号）第十六条第三項の規定による還付金に係る債権及び同法第十九条第二項若しくは第三項若しくは第二十条の二第四項又は地方財政法（昭和二十三年法律第百九号）第二十六条第一項の規定による返還金に係る債権
五　国家公務員及び公共企業体職員に係る共済組合制度の統合等を図るための国家公務員共済組合法等の一部を改正する法律（昭和五十八年法律第八十二号）附則第三十七条の規定によりなお効力を有することとされる同法附則第二条の規定による廃止前の公共企業体職員等共済組合法（昭和三十一年法律第百三十四号）附則第三十六条の規定による負担金に係る債権

（履行延期の特約等の手続）

第二十五条　法第二十四条の規定による履行延期の特約等は、債務者からの書面による申請に基づいて行うものとする。ただし、外国を債務者とする債権について履行延期の特約等をする場合には、各省各庁の長が財務大臣と協議して定める手続によることができる。

2　前項の書面は、次に掲げる事項を記載したものでなければならない。
一　債務者の住所及び氏名又は名称
二　債権金額
三　債権の発生原因
四　履行期限の延長を必要とする理由
五　延長に係る履行期限
六　履行期限の延長に伴う担保及び利息に関する事項
七　法第二十七条各号に掲げる趣旨の条件を附すること及び法第三十五条各号に掲げる事項を承諾すること。
八　その他各省各庁の長が定める事項

（分割して弁済させる債権の履行延期の特例）

第二十六条　分割して弁済させることとなつている債権について法第二十四条第三項の規定により最初に弁済すべき金額の履行期限後に弁済することとなつている金額に係る履行期限をあわせて延長する場合においては、最後に弁済すべき金額に係る履行期限の延長は、最初に弁済すべき金額に係る履行期限の延長期間をこえないものとする。ただし、特に徴収上有利と認められるときは、当該履行期限の延長は、法第二十五条に規定する期間の範囲内において、当該期間をこえることができる。

（延納担保の種類、提供の手続等）

第二十七条　第十七条の規定は、法第二十六条第一項の規定により担保を提供させようとする場合について準用する。

2　歳入徴収官等は、その所掌に属する債権で既に担保の附されているものについて履行延期の特約等をする場合において、その担保が当該債権を担保するのに十分であると認められないときは、増担保の提供又は保証人の変更その他担保の変更をさせるものとする。

（延納担保の提供を免除することができる場合）

第二十八条　法第二十六条第一項ただし書の規定により担保の提供を免除することができる場合は、次に掲げる場合に限る。
一　債務者から担保を提供させることが公の事務又は事業の遂行を阻害する等公益上著しい支障を及ぼすこととなるおそれがある場合
二　同一債務者に対する債権金額の合計額が十万円未満である場合
三　履行延期の特約等をする債権が債務者の故意又は重大な過失によらない不当利得による返還金に係るものである場合
四　担保として提供すべき適当な物件がなく、かつ、保証人となるべき者がない場合

（延納利息の率）

第二十九条　法第二十六条第一項の規定により付する延納利息の率は、財務大臣が一般金融市場における金利を勘案して定める率（以下この条において「財務大臣の定める率」という。）によるものとする。ただし、履行延期の特約等をする事情を参酌すれば不当に又は著しく負担の増加をもたらすこととなり、財務大臣の定める率によることが著しく不適当である場合は、当該財務大臣の定める率を下回る

率によることができる。

2　外国を債務者とする債権について履行延期の特約等をする場合における法第二十六条第一項の規定により付する延納利息の率については、当該履行延期の特約等をする事情その他の事情を参酌して財務大臣の定める率により難いと認められるときは、前項の規定にかかわらず、各省各庁の長が財務大臣と協議して定める率によることができる。

（延納利息を附さないことができる場合）

第三十条　法第二十六条第一項ただし書の規定により延納利息を附さないことができる場合は、次に掲げる場合に限る。

一　履行延期の特約等をする債権が法第二十四条第一項第一号に規定する債権に該当する場合

二　履行延期の特約等をする債権が法第三十三条第三項に規定する債権に該当する場合

三　履行延期の特約等をする債権が貸付金に係る債権その他の債権で既に利息を附することとなつているものである場合

四　履行延期の特約等をする債権が利息、延滞金その他法令又は契約の定めるところにより一定期間に応じて附する加算金に係る債権である場合

五　履行延期の特約等をする債権の金額が千円未満である場合

六　延納利息を附することとして計算した場合において、当該延納利息の額の合計額が百円未満となるとき。

（履行延期の特約等に附する条件）

第三十一条　歳入徴収官等は、法第二十六条第一項ただし書の規定により担保の提供を免除し、又は延納利息を附さないこととした場合においても、債務者の資力の状況その他の事情の変更により必要があると認めるときは、担保を提供させ、又は延納利息を附することとすることができる旨の条件を附するものとする。

（債務名義を取得することを要しない場合）

第三十二条　法第二十六条第二項に規定する政令で定める場合は、次に掲げる場合とする。

一　履行延期の特約等をする債権に確実な担保が附されている場合

二　第二十八条第二号又は第三号に掲げる場合

三　強制執行をすることが公の事務又は事業の遂行を阻害する等公益上著しい支障を及ぼすこととなるおそれがある場合

2　前項各号に掲げる場合のほか、歳入徴収官等は、債務者が無資力であることにより債務名義を取得するために要する費用を支弁することができないと認める場合においては、その債務者が当該費用及び債権金額をあわせて支払うことができることとなるときまで、債務名義を取得するために必要な措置をとらないことができる。

（利率を引き下げる特約等の手続）

第三十三条　法第二十九条の規定による利率を引き下げる特約及び法第三十二条の規定による債権の免除は、債務者からの書面による申請に基いて行うものとする。

（延滞金を免除することができる範囲）

第三十四条　法第三十三条第三項に規定する政令で定める国の債権は、次に掲げる債権とする。

一　国が設置する教育施設において教育を受ける者のために設けられた寄宿舎の使用料に係る債権

二　国が設置する病院、診療所、療養所その他の医療施設における療養費に係る債権

三　障害者の日常生活及び社会生活を総合的に支援するための法律（平成十七年法律第百二十三号）第五条第二十五項に規定する補装具の売渡し、貸付け又は修理に係る債権

四　未帰還者留守家族等援護法（昭和二十八年法律第百六十一号）第二十条第二項に規定する一部負担金に係る債権

五　債務者の故意又は重大な過失によらない不当利得による返還金に係る債権

2　法第三十三条第三項に規定する債権及びこれに係る延滞金について同項の規定により免除することができる金額は、同項に規定する延滞金の額に相当する金額の範囲内において各省各庁の長が定める額をこえないものとする。

第五章　債権に関する契約等の内容

（契約の内容について別段の定を要しない場合）

第三十五条　法第三十五条に規定する政令で定める場合は、双務契約に基く国の債権に係る履行期限が国の債務の履行期限以前とされている場合とする。

（延滞金の基準）

第三十六条　契約等担当職員が法第三十五条の規定により同条第一号に規定する事項についての定をする場合においては、同号に規定する一定の基準は、第二十九条本文に規定する率を下つてはならない。

（履行期限を繰り上げた場合に加算して納付させる金額）

第三十七条　法第三十六条第十号に規定する政令で定める金額は、同号に掲げる事項についての契約の定により履行期限を繰り上げた貸付金の貸付の日の翌日から履行する日までの期間に応じ、当該貸付金の額（債務者がその一部を履行した場合における当該履行の日の翌日以後の期間については、その額から既に履行した額を控除した額）に対し、財務大臣が一般金融市場における金利を勘案して定める率

から当該貸付金の利率を控除した率を乗じて得た金額とする。

2　契約等担当職員は、法第三十六条第十号に規定する事項についての契約の定で前項の規定により算出した額を下る金額を納付させることとするものをしようとする場合には、あらかじめ、各省各庁の長の承認を受けなければならない。

3　各省各庁の長は、前項の承認をする場合には、あらかじめ、財務大臣に協議しなければならない。

第六章　雑則

（債権現在額報告書の内容）

第三十八条　各省各庁の長は、法第三十九条の規定により債権の毎年度末における現在額の報告書を作成する場合には、各省各庁の長の指定する者）からの報告に基き、債権の帰属すべき会計の区別に応じ、債権の種類ごとに、前年度以前において発生した債権の金額と当該年度において発生した債権の金額とに区分し、さらに、それぞれの金額を当該年度末までに履行期限が到来した額と履行期限がまだ到来しない額とに細分して、その内訳を明らかにしなければならない。

（出納整理期間中に消滅した額を除いて現在額を計算する債権）

第三十九条　法第三十九条に規定する政令で定める債権は、歳入金に係る債権又は歳出の返納金に係る債権のうち、これらの債権に基づいて翌年度の四月三十日までに収納された金額が法令の規定により当該年度所属の歳入金、又は歳出の金額への戻入金として整理されるものとする。

（報告書等の様式及び作成方法）

第四十条　法第三十九条の報告書及び法第四十条第一項の債権現在額総計算書の様式及び作成方法は、財務省令で定める。

（省令への委任）

第四十一条　この政令に定めるもののほか、この政令の施行に関し必要な事項は、財務省令で定める。

附　則（抄）

1　この政令は、法の施行の日（昭和三十二年一月十日）から施行する。

○債権管理事務取扱規則

昭三一・一二・二九
大蔵令八六

最終改正 令五・三・三一財務令八

目次〔略〕

第一章 総則

（通則）

第一条 国の債権の管理等に関する法律（昭和三十一年法律第百十四号。以下「法」という。）第二条第四項に規定する歳入徴収官等（以下「歳入徴収官等」という。）の事務取扱その他国の債権の管理に関する事務の取扱については、他の法令に定めるもののほか、この省令の定めるところによる。

（定義）

第二条 この省令において「国の債権」若しくは「債権」、「債権の管理に関する事務」、「各省各庁」、「各省各庁の長」、「現金出納職員」、「支払事務担当職員」、「履行延期の特約等」、「延滞金」、「延納利息」又は「債権管理簿」とは、法第二条、第三条第一項第三号、第二十二条第一項、第二十四条第二項又は第三十二条第三項に規定する国の債権若しくは債権、債権の管理に関する事務、各省各庁、各省各庁の長、現金出納職員、支払事務担当職員、履行延期の特約等、延滞金、延納利息又は国の債権の管理等に関する法律施行令（昭和三十一年政令第三百三十七号。以下「令」という。）第九条第一項第一号に規定する債権管理簿をいう。

2 この省令において、次の各号に掲げる用語の意義は、当該各号に定めるところによる。

一 主任歳入徴収官等 令第五条第一項若しくは第四項又は令第六条の規定により債権の管理に関する事務の委任を受けた又は当該事務を行うこととなつた歳入徴収官等をいう。

二 分任歳入徴収官等 令第五条第二項の規定により債権の管理に関する事務を分掌する歳入徴収官等又は令第六条の規定により債権の管理に関する事務を行うこととなつた都道府県の知事若しくは知事の指定する職員が行う当該事務の一部を分掌する歳入徴収官等をいう。

三 歳入徴収官等代理 令第五条第三項若しくは第四項の規定により債権の管理に関する事務を代理する歳入徴収官等又は令第六条の規定により債権の管理に関する事務を行うこととなつた都道府県の知事若しくは知事の指定する職員若しくは当該知事若しくは知事の指定する職員から当該事務の一部を分掌する職員に事故がある場合においてこれらの事務を代理する歳入徴収官等をいう。

（債権管理事務取扱の特例）

第三条 歳入徴収官等の事務取扱その他国の債権の管理に関する事務の取扱で特別の事情によりこの省令により難いものについては、別に財務大臣の定めるところによる。

第二章 債権の管理の機関

（債権管理総括機関）

第四条 各省各庁の長は、当該各省各庁の所掌事務に係る債権の管理に関する事務を総括させるための職員（以下「債権管理総括機関」という。）を指定するものとする。

2 債権管理総括機関は、各省各庁の長の定めるところにより、債権現在額報告書の作成に関する事務の取扱、当該各省各庁の所掌事務に係る債権の管理に関する事務の処理手続の整備及び当該事務の処理について必要な調整をするものとする。

（代理をさせる場合）

第五条 各省各庁の長は、法第五条第二項及び第四項の規定により債権の管理に関する事務を都道府県の知事又は知事の指定する職員が行うこととなる事務として定める場合を除き、歳入徴収官等代理が主任歳入徴収官等又は分任歳入徴収官等の事務を代理する場合を定めて置くものとする。ただし、やむを得ない事情がある場合には、代理させるつど定めることを妨げない。

2 歳入徴収官等代理は、前項の規定により各省各庁の長の定める場合において、主任歳入徴収官等又は分任歳入徴収官等の事務を代理するものとする。

3 主任歳入徴収官等又は分任歳入徴収官等及び歳入徴収官等代理は、歳入徴収官等代理が主任歳入徴収官等又は分任歳入徴収官等の事務を代理するときは、代理開始及び終止の年月日並びに歳入徴収官等代理が取り扱つた債権の管理に関する事務の範囲を適宜の書面において明らかにしておかなければならない。

4 前項の規定は、歳入徴収官等代理が主任歳入徴収官等又は分任歳入徴収官等の事務を代理している間に当該歳入徴収官等代理に異動があつたときについて準用する。

（交替の手続）

第六条 主任歳入徴収官等又は分任歳入徴収官等が交替するときは、前任の主任歳入徴収官等又は分任歳入徴収官等（歳入徴収官等代理がこれらの歳入徴収官等の事務を代理しているときは、これらの歳入徴収官等代理。以下この条において同じ。）は、引き渡すべき債権管理簿及びその関係書類の名称及び件数並びに法第二十条第一項に規定する担保物及びもつぱら債権又は債権の担保に係る事項の立証に供すべき書類その他の物件の名称及び件数並びに引渡の日付その他必要な事項を記載した引継書を交替の日の前日をもつて作成し、後任の主任歳入徴収官等又は分任歳入徴収官等とともに記名し、当該引継書を債権管理簿に添附して、債権管理簿、関係書類、担保物及び物件を後任の主任歳入徴収官等又は分任歳入徴収官等に引き渡すものとする。ただし、前任の主任歳入徴収官等又は分任歳入徴収官等が交替の手続をすることができない事由があるときは、後任の主任歳入徴収官等又は分任歳入徴収官等が引継書を作成し、これに記名すれば足りる。

（管理事務の引継の手続）

第七条　各省各庁の長は、令第七条の規定により歳入徴収官等の事務を他の歳入徴収官等に引き継がせる場合には、当該他の歳入徴収官等が当該事務の管理を開始すべき期日を定めて委任し、又は分掌させるとともに、引継ぎをする歳入徴収官等をして、その期日までに、当該事務に係る債権管理簿又はその引き継ぐべき事項に係る部分の写しその他の関係書類並びに法第二十条第一項に規定する担保物及び物件の当該他の歳入徴収官等に対する引渡しを完了させるものとする。

2　前条の規定は、前項の規定により歳入徴収官等が債権の管理に関する事務を他の歳入徴収官等に引き継ぐため引渡をする場合において準用する。この場合において、同条中「債権管理簿」とあるのは、「債権管理簿又はその引き継ぐべき事項に係る部分の写」と読み替えるものとする。

3　前項の規定による引継が隔地にいる歳入徴収官等に対して行われるものである場合においては、当該引継ぎを受ける歳入徴収官等の引継書への記名及びなつ印は要しないものとし、当該引継ぎを受ける歳入徴収官等は、引継を受けた旨を明らかにした書面を引継ぎをした歳入徴収官等に送付するものとする。

第三章　債権の管理の準則

（帳簿への記載又は記録を行なうべき時期の特例）

第八条　令第八条第一号に規定する財務省令で定める債権は、同号に掲げる債権で納入の告知をしなければならないもののうち、その利払期又は履行期限から起算して二十日前の日が当該利払期又は履行期限の属する年度の前年度の三月中における日に該当するものとし、同号に規定する財務省令で定めるときは、同月中における当該日以前の日とする。

（債権管理簿に記載又は記録できなかつた場合の措置）

第九条　歳入徴収官等は、債権について令第九条第二項本文の規定により債権管理簿に記載し、又は記録することができなかつた理由を明らかにしておくには、適宜の様式による帳簿に債権の概要、記載し、又は記録することができなかつた理由その他必要な事項を記載し、又は記録しなければならない。

2　歳入徴収官等は、法第十二条各号に掲げる者からの通知が遅延したことにより債権について債権管理簿に記載し、又は記録することができなかつた場合には、その者に対してその遅延した事由を疎明すべきことを要求しなければならない。

3　前項の規定により要求をされた者は、書面をもつて疎明しなければならない。

4　前三項の規定は、歳入徴収官等がその所掌に属すべき債権で債権管理簿にまだ記載し、又は記録されていないものについて当該債権の一部が消滅していることを確認した場合について準用する。

（債権管理簿への記載又は記録の省略）

第九条の二　歳入徴収官等は、その所掌に属する債権に係る令第十条第一項第一号から第五号まで（第二号を除く。）又は第八号に掲げる事項については、その内容が債権管理簿として使用される帳簿においてすでに明らかとなつている場合又は財務大臣がその記載又は記録を要しないものとして特に指定する場合においては、その記載又は記録を省略することができる。

2　歳入徴収官等は、その所掌に属する債権で債権金額の全部を法第十一条第一項前段の規定により調査及び確認をする日の属する年度内に履行させることとされているものについては、当該年度内に限り、令第十条第一項第二号に掲げる事項の記載又は記録を省略することができる。

3　歳入徴収官等は、その所掌に属する次の各号に掲げる債権については、令第十条第一項第六号に掲げる事項の記載又は記録を省略することができる。

一　債権の発生の原因となる契約その他の行為により発生する債権以外の債権

二　地方公共団体、独立行政法人等（独立行政法人等登記令（昭和三十九年政令第二十八号）第一条の独立行政法人等をいう。）又は金融機関（出資の受入れ、預り金及び金利等の取締りに関する法律（昭和二十九年法律第百九十五号）第三条に規定する金融機関をいう。以下同じ。）を債務者とする債権（前号に該当する債権を除く。）

三　法第三条第二項の規定の適用を受ける債権（第一号に該当する債権を除く。）

四　前三号に掲げる債権以外の債権であつて、同一債務者に対する債権金額の合計額が十万円に達しないもの又は債権金額の全部を法第十一条第一項の規定により調査及び確認をしようとする日から起算して二十日以内に履行

させることとされているもの

五　その他財務大臣の指定する債権

4　前項の規定により記載又は記録を省略した後、当該債権について法第十五条、法第二十一条第一項若しくは第二項、法第二十四条第一項又は法第二十八条から第三十二条までに規定する措置をとる必要があるとき、当該債権に係る債務者の資産又は業務の状況に重大な変更が生じたとき、その他必要があると認めるときは、歳入徴収官等は、遅滞なく、当該事項についての記載又は記録をするものとする。

（債権の調査確認の書類）

第十条　歳入徴収官等は、法第十一条第一項の規定によりその所掌に属する債権について調査確認したときは、その調査確認した事項を明らかにした書類を作成するものとする。

（発生年度の区分及び債権の種類）

第十一条　令第十条第一項第二号に規定する債権の発生年度の区分は、別表第一に定めるところによる。

2　令第十条第一項第三号に規定する債権の種類は、別表第二に定めるところによる。

（債権管理簿の記載又は記録の方法）

第十二条　債権管理簿の記載又は記録の方法に関し必要な事項は、別表第四に定めるところによる。

（返納金に係る債権の発生に関する通知の手続）

第十二条の二　法第十二条第二号に掲げる者は、同号の規定により支出負担行為の結果返納金に係る債権が発生したことを通知する場合において当該返納金が法令の規定により支出官又は出納官吏の支払つた金額に戻し入れることができるものであるときは、その支払金額に係る歳出の所属年度、所管、会計名、部局等及び項をあわせて通知するものとする。

（納入の告知に係る履行期限の設定及び弁済充当の順序）

第十三条　歳入徴収官等は、その所掌に属する債権の履行期限については、法令又は契約に定めがある場合を除き、法第十一条第一項の規定により債務者及び債権金額を確認した日から二十日以内における適宜の履行期限を定めるものとする。

2　歳入徴収官等は、次に掲げる債権について納入の告知をする場合に、納付された金額が当該債権の金額及び利息、延滞金又は一定の期間に応じて附する加算金（以下この項及び第二十条の二において「延滞金等」という。）の金額の合計額に足りないときは、その納付された金額を先ず当該債権に充当し、次いで延滞金等に充当する旨を明らかにすることができる。

一　法第三十三条第三項に規定する債権

二　歳入金に属する返納金以外の返納金に係る債権

（歳入徴収官等の行う納入の告知の手続）

第十四条　歳入徴収官等は、法第十三条第一項の規定により、債務者に対して納入の告知をする場合には、同一債務者に対する債権金額の合計額が履行の請求に要する費用をこえない場合を除くほか、法第十一条第一項の規定により債務者及び債権金額を確認した日（履行期限の定のある債権にあつては、その確認した日と当該履行期限から起算して二十日前の日とのいずれか遅い日）後遅滞なく、債務者の住所及び氏名又は名称、納付すべき金額、期限及び場所、弁済の充当の順序その他納付に関し必要な事項を明らかにした書類を作成しなければならない。

2　歳入徴収官等は、前項の書類を作成した後遅滞なく、次の各号に掲げる場合の区分に応じ、債務者の住所及び氏名又は名称、納付すべき金額、期限及び場所その他納付に関し必要な事項を明らかにした当該各号に掲げる書式の納入告知書を作成して債務者に送付しなければならない。ただし、口頭をもつてする納入の告知により債務者をして即納させる場合は、この限りでない。

一　センター支出官（予算決算及び会計令（昭和二十二年勅令第百六十五号）第一条第三号に規定するセンター支出官をいう。以下同じ。）の小切手（支出官事務規程（昭和二十二年大蔵省令第九十四号）第十一条第二項第一号に規定する小切手をいう。第十六条第一項第一号及び第三十二条第二項において同じ。）の振出し又は支払指図書若しくは国庫金振替書の交付若しくは送信（同令第十条第一項に規定する送信をいう。第十六条第一項第一号及び第三十二条第二項において同じ。）に係る歳出の返納金を返納させる場合　別紙第一号書式

二　前号以外の場合　別紙第二号書式

3　前項の場合において、日本銀行本店が日本銀行国庫金取扱規程（昭和二十二年大蔵省令第九十三号）第三十四条の規定により振込み又は送金を取り消したことに伴い、歳入徴収官等が日本銀行本店に前項第一号に掲げる書式により納入の告知をするときにおける同項の規定の適用については、同項中「作成して債務者」とあるのは、「作成し、センター支出官（第一号に規定するセンター支出官をいう。）を経由して日本銀行本店」とする。

4　歳入徴収官等は、第二項の規定により納入告知書を作成する場合において、当該債権が歳入金に属する返納金以外の返納金に係るものであるときは、当該返納金に係る日本銀行本店又は資金前渡官吏の預託先日本銀行以外の日本銀行に払込みをさせるものであつて、至急戻入を要するものであるときは、その納入告知書の表面余白に「要電信れい入」と朱書しなければならない。

5　歳入徴収官等は、第二項の規定により納入告知書を送付した場合において、当該債権が歳入金に属する返納金以外

の返納金に係るものであるときは、同項に規定する事項を明らかにした書面を当該返納金に係る支払事務担当職員に送付しなければならない。

6　歳入徴収官等は、口頭をもつてする納入の告知により債務者をして即納させる場合には、その納付を受けるべき現金出納職員に対し、納付すべき金額その他納付に関し必要な事項を通知しなければならない。

（官署支出官等に対する債権金額等の通知）

第十五条　歳入徴収官等は、その所掌に属する債権のうち、令第十四条第二号に掲げるもの、予算決算及び会計令第二十八条の二第五号及び第六号に掲げる歳入に係るもの又は同条第九号に掲げる歳入でその必要があると認めるものに係るものについては、第十条の規定により調査確認した事項を明らかにした書類を作成した日後遅滞なく、債務者の住所及び氏名又は名称、履行すべき金額、履行期限、弁済の充当の順序その他履行に関し必要な事項を関係の官署支出官（同令第一条第二号に規定する官署支出官をいう。以下同じ。）又は現金出納職員に通知するものとする。

（相殺超過額の納付書の送付）

第十六条　歳入徴収官等は、第十四条第二項の規定によりその所掌に属する債権について債務者に対して納入告知書を送付した後当該債権が国の債務と相殺された場合において、当該債権の金額が相殺額を超過するときは、次の各号に掲げる場合の区分に応じ、債務者の住所及び氏名又は名称、納付すべき金額、期限及び場所その他納付に関し必要な事項を明らかにした当該各号に掲げる書式の納付書（以下「納付書」という。）を作成して債務者に送付しなければならない。この場合において、納付期限は、既に納入の告知をした納付期限と同一の期限とし、当該納付書の表面余白に「相殺超過額」と記載するものとする。

一　センター支出官の小切手の振出し又は支払指図書若しくは国庫金振替書の交付若しくは送信に係る歳出の返納金を返納させる場合　別紙第一号書式

二　前号以外の場合　別紙第三号書式

2　前項の場合において、納入者が納付すべき金額が納付書の送付に要する費用をこえないときは、歳入徴収官等は、同項の規定にかかわらず納付書を送付しないことができる。

（相殺があつた場合に資金前渡官吏等に送付する納付書）

第十七条　歳入徴収官等は、出納官吏事務規程（昭和二十二年大蔵省令第九十五号）第五十五条第三項本文又は第五十六条第一項の場合において資金前渡官吏から請求があつたときは、直ちに相殺額に相当する金額について前条の規定に準じて作成した納付書に当該資金前渡官吏の官職及び氏名を附記し、当該納付書の表面余白に「相殺額」と記載した上、これを当該資金前渡官吏に送付しなければならない。

2　歳入徴収官等は、支出官事務規程第七条第二項の場合において官署支出官から請求があつたときは、直ちに相殺のあつた債権に係る納入告知書又は納付書に記載していた事項を記載した納付書を作成し、これに当該官署支出官の官職及び氏名を付記し、これを当該官署支出官に送付しなければならない。

（納入告知書等を亡失した場合等に債務者に送付する納付書）

第十八条　歳入徴収官等は、債務者から納入告知書又は納付書を亡失し、又は著しく汚損した旨の申出があつたときは、直ちに当該納入告知書又は納付書に記載された事項を記載した納付書を作成し、これを当該債務者に送付しなければならない。

（電信戻入の準用）

第十九条　第十四条第四項の規定は、前三条の場合について準用する。この場合において、同項中「納入告知書」とあるのは、「納付書」と読み替えるものとする。

（督促の手続等）

第二十条　法第十三条第二項の規定により歳入徴収官等が行う履行の督促は、別紙第四号書式の督促状を債務者に送付することにより行うものとする。ただし、必要に応じ、口頭をもつて履行の督促を行なうことができる。

（納付の委託に応ずることができる証券）

第二十条の二　令第十五条第一項の財務省令で定める小切手、約束手形又は為替手形は、次の各号に該当するものとする。

一　券面金額の合計額が法第十四条第一項の規定による取立て及び納付の委託（以下「納付委託」という。）に係る債権の金額（納付の日まで附される延滞金等の金額を含む。）をこえないもの

二　受取人の指定がないもの又は歳入徴収官等をその受取人として指定し、若しくは納付委託をする者がその取立てのために裏書をしたもの

三　法第十四条第二項の規定により再委託をする有価証券にあつては、その再委託を受ける金融機関が加入している手形交換所の加入金融機関を支払場所とするものその他当該再委託を受ける金融機関を通じて取り立てることができるもの

（納付委託に係る証券等の受領）

第二十条の三　歳入徴収官等の所属庁に属する職員は、債務者から納付委託の申出があつた場合において、その委託に応ずることが適当であると認められるときは、債務者の提供に係る有価証券（その証券の取立てにつき費用を要するときは、有価証券及び当該費用の額に相当する現金）を受領し、別紙第五号書式の受領証書を当該債務者に交付するものとする。

（納付受託通知書の送付）

第二十条の四　歳入徴収官等は、前条の規定により受領した有価証券について納付委託に応ずることとした場合は、別紙第五号の二書式の納付受託通知書を債務者に交付しなければならない。

（再委託をすることができる金融機関）

第二十条の五　法第十四条第二項の規定による有価証券の取立て及び納付の再委託（以下「再委託」という。）をすることができる金融機関は、日本銀行の代理店又は歳入代理店である金融機関とする。

（納付委託に係る納付書の交付）

第二十条の六　歳入徴収官等は、法第十四条第二項の規定により金融機関に再委託をし、又は所属庁の職員をして納付委託に係る有価証券の取立てにより受領した金銭をもつて債権に係る弁済金の納付をさせるときは、債務者の住所及び氏名又は名称、納付すべき金額、期限及び場所その他納付に関し必要な事項を記載した納付書を作成して当該金融機関又は職員に交付するものとする。

（納付委託の完了に伴う領収証書の送付）

第二十条の七　歳入徴収官等は、前条に規定する金融機関又は職員から納付委託による弁済金の納付に対する領収証書の送付を受けたときは、直ちにこれを債務者に送付しなければならない。

（納付委託に係る有価証券の返付）

第二十条の八　歳入徴収官等は、次の各号に掲げる場合には、遅滞なく、その旨を債務者に通知し、第二十条の三の規定により交付した受領証書と引き換えに、納付委託に係る有価証券（第一号に掲げる場合には、当該有価証券及びその取立てに要する費用に充てるため提供を受けた現金）の返付の手続をとるものとする。

一　第二十条の三の規定により受領した有価証券について納付委託に応じないこととした場合

二　債務者から納付委託の解除の申出があり、やむを得ない事由があると認めてその解除をした場合

三　再委託をした金融機関から納付委託に係る有価証券について、その支払いを受けることができなかつたため、当該証券の返付を受けた場合

四　納付委託に係る有価証券について所属庁の職員が取立てを行なつた場合において、その支払いを受けることができなかつたとき。

五　納付委託の原因となる国の債権が消滅した場合

（強制履行の請求等の手続）

第二十一条　歳入徴収官等は、法第十五条、法第十八条第二項若しくは第四項若しくは法第二十八条の規定により、又は法第十七条（第二号、第六号及び第七号を除く。）若しくは法第十八条第三項若しくは第五項の措置として法務大臣に対しその措置をとることを求める場合には、その措置に関し必要な事項を明らかにした書面を当該事務を所掌する法務大臣（その措置に関する事務が法務局長又は地方法務局長の所掌に属するものであるときは、当該法務局長又は地方法務局長）に送付するものとする。

（保証人に対する履行の請求の手続）

第二十二条　歳入徴収官等は、歳入金に係る債権以外の債権について保証人に対して履行の請求をする場合には、保証人及び債務者の住所及び氏名又は名称、履行すべき金額、当該履行の請求をすべき事由、弁済の充当の順序その他履行の請求に必要な事項を明らかにした納付書を保証人に送付するものとする。

（自力執行を求める手続）

第二十三条　歳入徴収官等は、令第十六条の規定により滞納処分を執行することができる者に対して滞納処分の手続をとることを求める場合には、債務者の住所及び氏名又は名称、履行すべき金額、履行期限、延滞金に関する事項その他滞納処分に必要な事項を明らかにした書面を当該滞納処分を執行することができる者に送付するものとする。

（履行期限の繰上の手続）

第二十四条　歳入徴収官等が法第十六条の規定により歳入金に係る債権以外の債権について履行期限を繰り上げて行なう納入の告知は、履行期限を繰り上げる旨及びその理由を明らかにして行わなければならない。

2　歳入徴収官等は、歳入金に係る債権以外の債権について債務者に対して納入の告知をした後において、当該債権について履行期限を繰り上げようとするときは、履行期限を繰り上げる旨及びその理由を明らかにした納付書を債務者に送付しなければならない。

（担保の価値）

第二十五条　令第十七条第一項に規定する担保の価値は、次の各号に掲げる担保について当該各号に掲げるところによる。

一　国債及び地方債（港湾法（昭和二十五年法律第二百十八号）第三十条第一項の規定により港務局が発行する債券を含む。）　政府に納むべき保証金其の他の担保に充用する国債の価格に関する件（明治四十一年勅令第二百八十七号）に規定し、又は同令の例による金額

二　歳入徴収官等が確実と認める社債、特別の法律により法人の発行する債券及び貸付信託の受益証券　額面金額又は登録金額（発行価額が額面金額又は登録金額と異なるときは、発行価額）の八割に相当する金額

三　金融商品取引所に上場されている株券（端株券を含む。）、出資証券及び投資信託の受益証券　時価の八割以

内において歳入徴収官等が決定する価額

四　金融機関の引受、保証又は裏書のある手形　手形金額（その手形の満期の日が当該担保を附することとなつている債権の履行期限後であるときは、当該履行期限の翌日から手形の満期の日までの期間に応じ当該手形金額を一般金融市場における手形の割引率により割り引いた金額）

五　令第十七条第一項第三号及び第四号に掲げる担保　時価の七割以内において歳入徴収官等が決定する価額

六　歳入徴収官等が確実と認める金融機関その他の保証人の保証　その保証する金額

七　前各号に掲げる担保以外の担保　財務大臣の定めるところにより歳入徴収官等が決定する金額

（担保の提供の手続等）

第二十六条　有価証券を担保として提供しようとする者は、これを供託所に供託し、供託書正本を歳入徴収官等に提出するものとする。ただし、登録国債については、その登録を受け、登録済通知書を提出するものとし、振替株式等（社債、株式等の振替に関する法律（平成十三年法律第七十五号）第二条第一項に掲げる社債等で同条第二項に規定する振替機関が取り扱うものをいう。以下この項において同じ。）を提供しようとする者は、振替株式等の種類に応じ、当該振替株式等に係る振替口座簿の歳入徴収官等の口座の質権欄に増加又は増額の記載又は記録をするために振替の申請をするものとする。

2　土地、建物その他の抵当権の目的とすることができる財産を担保として提供しようとする者は、当該財産について抵当権の設定の登記原因又は登録原因を証明する書面及びその登記又は登録についての承諾書を歳入徴収官等に提出するものとする。

3　歳入徴収官等は、前項の書面の提出を受けたときは、遅滞なく、これらの書面を添えて、抵当権の設定の登記又は登録を登記所又は登録機関に嘱託しなければならない。

4　金融機関その他の保証人の保証を担保として提供しようとする者は、その保証人の保証を証明する書面をその担保を求めた歳入徴収官等に提出するものとする。

5　歳入徴収官等は、前項の保証人の保証を証明する書面の提出を受けたときは、遅滞なく、当該保証人との間に保証契約を締結しなければならない。

6　動産で第一項又は第二項に規定するもの以外のものを担保として提供しようとする者は、これを物品管理法（昭和三十一年法律第百十三号）第三十五条において準用する同法第九条又は第十一条の規定に基き物品の保管に関する事務を行う者で歳入徴収官等が指定するものに引き渡すものとする。

7　債権を担保として提供しようとする者は、民法（明治二十九年法律第八十九号）第三百六十四条第一項の措置をとつた後、その債権の証書及び第三債務者の承諾を証明する書類を歳入徴収官等に交付するものとする。

8　前七項に規定するもの以外のものの担保としての提供の手続及びこれらのうち担保権の設定について登記又は登録によつて第三者に対抗する要件を備えることができるものについてのその登記又は登録の嘱託については、前七項の例による。

（徴収停止等の手続）

第二十七条　歳入徴収官等は、その所掌に属する債権について法第二十一条第一項又は第二項に規定する措置をとる場合には、同条第一項又は第二項の規定に該当する理由、その措置をとることが債権の管理上必要であると認める理由及び当該理由に応じて債務者の業務又は資産に関する状況、債務者の所在その他必要な事項を記載した書類を各省各庁の長に送付してその承認を受けなければならない。ただし、法第三十八条第一項ただし書の規定に該当する場合は、当該書類を作成して直ちにその措置をとることができる。

第二十八条及び第二十九条　削除

（債権を消滅したものとみなして整理する場合）

第三十条　歳入徴収官等は、その所掌に属する債権で債権管理簿に記載し、又は記録したものについて、次の各号に掲げる事由が生じたときは、その事の経過を明らかにした書類を作成し、当該債権の全部又は一部が消滅したものとみなして整理するものとする。

一　当該債権につき消滅時効が完成し、かつ、債務者がその援用をする見込があること。

二　債務者である法人の清算が結了したこと（当該法人の債務につき弁済の責に任ずべき他の者があり、その者について第一号から第四号までに掲げる事由がない場合を除く。）。

三　債務者が死亡し、その債務について限定承認があつた場合において、その相続財産の価額が強制執行をした場合の費用並びに他の優先して弁済を受ける債権及び国以外の者の権利の金額の合計額をこえないと見込まれること。

四　破産法（平成十六年法律第七十五号）第二百五十三条第一項、会社更生法（平成十四年法律第百五十四号）第二百四条第一項その他の法令の規定により債務者が当該債権につきその責任を免かれたこと。

五　当該債権の存在につき法律上の争がある場合において、法務大臣が勝訴の見込がないものと決定したこと。

（歳入徴収官又は分任歳入徴収官に対する歳入金に係る債権の通知）

第三十一条　歳入徴収官等は、その所掌に属する債権が法令の規定により歳入金に係る債権として整理されることとなつたときは、その旨を関係の歳入徴収官又は分任歳入徴収官に通知しなければならない。

（消滅に関する通知等の手続）

第三十二条　令第二十二条に規定する債権の消滅に関する通知は、歳入徴収官事務規程（昭和二十七年大蔵省令第百四十一号）第五十四条の三第一項、出納官吏事務規程第五十二条の五、日本銀行国庫金取扱規程第二十五条第三項、第二十五条の三第一項、第三十九条の二第三項若しくは第四項若しくは第三十九条の三第一項若しくは第二項、日本銀行の歳入金等の受入に関する特別取扱手続（昭和二十四年大蔵省令第百号。以下この条において「特別手続」という。）第三条の四第二項又は日本銀行の公庫預託金取扱規程（昭和二十五年大蔵省令第三十一号）第二十一条の九の規定によるもののほか、債務者の住所及び氏名又は名称、消滅の日付、消滅金額、消滅の事由その他必要な事項を記載した書面を送付することにより行うものとする。

2　前項の場合において、センター支出官の小切手の振出し又は支払指図書若しくは国庫金振替書の交付若しくは送信に係る歳出の返納金に係る債権の消滅に関するものは、センター支出官を経由して通知を行うものとする。

3　歳入徴収官等は、歳入徴収官事務規程第五十四条の三第四項の規定により歳入徴収官から相殺に関する通知を受けたとき、又はその所掌に属する債権と国の債務との間における相殺の意思表示を債務者から受けたときは、直ちに同項に規定する事項を明らかにした書面を作成して当該債務に係る支払事務担当職員に送付しなければならない。

4　歳入徴収官等は、日本銀行から日本銀行国庫金取扱規程第二十五条第三項、第二十五条の三第一項若しくは特別手続第三条の四第二項の規定による返納金領収済通知情報の送信、日本銀行国庫金取扱規程第三十九条の二第三項の規定による領収済通知書若しくは振替済通知書の送付又は日本銀行国庫金取扱規程第三十九条の二第四項、第三十九条の三第一項若しくは第二項若しくは日本銀行の公庫預託金取扱規程第二十一条の九の規定による振替済通知書の送付を受けたときは、直ちに当該通知書に記載された事項を明らかにした書面を作成して当該返納金に係る支払事務担当職員に送付しなければならない。ただし、当該返納金に係る債権が第三十九条の二第三項の規定により出納官吏に対して通知をしたものであるときは、その通知した事項を当該書面に付記しなければならない。

（通知等の省略）

第三十三条　次の各号に掲げる請求又は通知は、当該各号に掲げる場合においては、省略することができる。

一　第十四条第五項の規定による書面の送付　歳入徴収官等が支払事務担当職員を兼ねる場合

二　第十四条第六項の規定による通知　歳入徴収官等が現金出納職員を兼ねる場合

三　第十五条の規定による通知　歳入徴収官等が官署支出官又は現金出納職員を兼ねる場合

四　第三十一条の規定による通知　歳入徴収官等が歳入徴収官又は分任歳入徴収官を兼ねる場合

五　前条第三項の規定による書面の送付　歳入徴収官等が支払事務担当職員を兼ねる場合

第四章　債権の内容の変更、免除等

（履行延期の特約等の手続）

第三十四条　令第二十五条第一項に規定する書面には、同条第二項各号に掲げる事項及び令第三十一条に規定する条件を附することを承認する旨を記載するものとし、その書式は、別紙第六号書式の履行延期申請書によるものとする。

2　歳入徴収官等は、債務者から前項の履行延期申請書の提出を受けた場合において、その内容を審査し、法第二十四条第一項各号に掲げる場合の一に該当し、かつ、履行延期の特約等をすることが債権の管理上必要であると認めたときは、その該当する理由及び必要であると認める理由を記載した書類に当該申請書又はその写その他の関係書類を添え、各省各庁の長に送付して履行延期の特約等をすることの承認を受けなければならない。ただし、法第三十八条第一項ただし書の規定に該当する場合は、当該書類を作成して直ちにその措置をとることができる。

3　前項の場合において、当該申請書の内容を確認するため必要があるときは、債務者又は保証人（保証人となるべき者を含む。）に対し、法令又は契約に定がある場合を除きその承諾を得て、その業務又は資産の状況に関して、質問し、帳簿書類その他の物件を調査し、又は参考となるべき報告若しくは資料の提出を求める等必要な調査を行うものとする。

4　歳入徴収官等は、履行延期の特約等をする場合には、直ちに別紙第七号書式の履行延期承認通知書を作成して債務者に送付しなければならない。この場合において、その通知書には、必要に応じ、歳入徴収官等が指定する期限までに担保の提供、第三十六条第一項に規定する債務名義の取得のために必要な行為又は同条第二項に規定する債務証書の提出がなかつたときは、その承認を取り消すことがある旨を附記しなければならない。

（期限を指定して延納担保を提供させる場合）

第三十五条　歳入徴収官等は、履行延期の特約等をする債権で法第二十六条第一項の規定により担保を提供させることになつているものについて、その履行延期の特約等をするときまでに債務者が担保を提供することが著しく困難であると認めるときは、期限を指定して、その履行延期の特約等をした後においてその提供をさせることができる。

（債務名義を取得するための措置等）

第三十六条　歳入徴収官等は、法第二十六条第二項の規定により履行延期の特約等をする債権について債務名義を取得する場合には、債務者に対し、債務名義を取得するためのすべき必要な行為及びその期限を指定して通知しなければならない。

２　歳入徴収官等は、令第三十二条の規定に該当するため履行延期の特約等をする債権について債務名義を取得することを要しない場合においては、当該債権につきその存在を証明する書類が存在する場合を除き、期限を指定して債務者をして履行延期の特約等をした後別紙第八号書式の債務証書を提出させなければならない。

（履行延期の特約等の取消の措置）

第三十七条　歳入徴収官等は、履行延期の特約等をした債権について、債務者の責に帰すべき事由により、第三十五条又は前条に規定する担保の提供、債務名義の取得のために必要な行為又は債務証書の提出がこれらの条に規定する期限までになかつたときは、直ちに履行延期の特約等の解除又は取消を行い、その旨を債務者に通知しなければならない。

（利率を引き下げる特約の手続）

第三十八条　歳入徴収官等は、債務者から令第三十三条の規定により利率の引下の申請書の提出を受けた場合において、その内容を審査し、その申請に正当な理由があると認めたときは、利率引下の理由を明らかにした書類を各省各庁の長に送付して利率を引き下げることの承認を受けなければならない。ただし、法第三十八条第一項ただし書の規定に該当する場合は、当該書類を作成して直ちにその特約をすることができる。

２　歳入徴収官等は、利率を引き下げる特約をする場合には、引き下げられた利率及び当該利率を適用すべき起算日を明らかにした書面を債務者に送付しなければならない。この場合において、起算日は、その送付の日以後の日としなければならない。

（免除の手続）

第三十九条　歳入徴収官等は、債務者から令第三十三条の規定により債権の免除の申請書の提出を受けた場合において、法第三十二条各項の規定の一に該当し、かつ、当該債権を免除することがその管理上やむを得ないと認められるときは、その該当する理由及びやむを得ないと認める理由を記載した書類に当該申請書又はその写その他の関係書類を添え、各省各庁の長に送付して債権を免除することの承認を受けなければならない。ただし、法第三十八条第一項ただし書の規定に該当する場合は、当該書類を作成して直ちにその措置をとることができる。

２　歳入徴収官等は、債権の免除をする場合には、免除する金額、免除の日付及び法第三十二条第二項に規定する債権にあつては、同項後段に規定する条件を明らかにした書面を債務者に送付しなければならない。

第五章　雑則

（納入告知書又は納付書記載事項の訂正）

第三十九条の二　歳入徴収官等は、支出済となつた歳出の返納金に係る債権（法令の規定により歳入金に係る債権として整理されることとなつたものを除く。）について発した納入告知書又は納付書に記載された年度、所管、会計名、部局等又は項に誤びゆうがあることを発見したときは、当該返納金を受け入れた日本銀行（返納金を受け入れた日本銀行が支出官の取引店以外のものであるときは、当該支出官の取引店）に対し、当該年度所属の歳出金を支払うことができる期限までにその訂正を請求しなければならない。

２　歳入徴収官等は、前項の規定による誤びゆう訂正の請求をした場合において、日本銀行から訂正済の報告を受けたときは、直ちにその旨を当該返納金に係る官署支出官に通知しなければならない。

３　歳入徴収官等は、出納官吏の取り扱つた支払金の返納金に係る債権（法令の規定により歳入金に係る債権として整理されることとなつたものを除く。）について発した納入告知書又は納付書に記載された年度、所管、会計名、部局等又は項に誤びゆうがあることを発見したときは、直ちに当該返納金に係る出納官吏に対してその旨を通知しなければならない。

（特定分任歳入徴収官等の事務取扱手続の特例）

第三十九条の三　歳入徴収官に所属する令第十四条の二に規定する者（以下「特定分任歳入徴収官等」という。）は、法第十一条の規定により歳入金に係る債権について調査確認したとき、又は当該調査確認に係る事項に変更があつたときは、債務者の住所及び氏名又は名称、債権金額並びに履行期限その他債権の調査確認に関する事項並びに当該債権に係る歳入の徴収に必要とされる事項を当該歳入徴収官に通知しなければならない。当該債権について必要な措置をとり、又は当該債権が消滅（収納による消滅を除く。）したときも、同様とする。

２　特定分任歳入徴収官等は、前項の規定により債権の調査確認に関する事項及び当該債権に係る歳入の徴収に必要とされる事項を歳入徴収官に通知する場合には、翌年度以後において調査確認することとなる債権の当該調査確認に必要とされる事項及び当該債権に係る歳入の徴収に必要とされる事項を併せて通知するものとする。

第三十九条の四　特定分任歳入徴収官等が令第十四条の二本文の規定により歳入徴収官又は分任歳入徴収官に対して行う納入の告知の請求は、債務者の住所及び氏名又は名称、履行すべき金額、履行期限、弁済の充当の順序その他履行の請求に必要な事項を明らかにした書面を作成し、契約書その他の証拠書類を添え、これを当該歳入徴収官又は分任歳入徴収官に送付することにより行うものとする。

2　前項の場合において、歳入徴収官又は分任歳入徴収官が法令の規定により口頭をもつて納入の告知をすることができるときは、同項の請求は口頭をもつてすることができる。

3　特定分任歳入徴収官等は、第一項の規定により送付した契約書その他の証拠書類で法第二十条第一項の規定により引き続き整備保存すべきものについては、当該歳入徴収官又は分任歳入徴収官が納入の告知をした後、その返付を受けるものとする。

4　特定分任歳入徴収官等は、延滞金又は一定の期間に応じて付する加算金を附することとなつている債権について弁済を受け、又は相殺された金額が法令に定める弁済の充当（相殺の充当を含む。）の順序に従い元本金額の全部に充当された場合において当該延滞金又は加算金の金額の全部又は一部が未納であるときは、当該未納に係る延滞金又は加算金の金額について前三項の規定により歳入徴収官又は分任歳入徴収官に対する納入の告知の請求をするものとする。この場合において、第一項中「履行すべき金額、履行期限、弁済の充当の順序」とあるのは、「履行すべき金額」と読み替えるものとする。

5　特定分任歳入徴収官等は、その所掌に属する歳入金に係る債権について第十五条の規定により関係の官署支出官又は現金出納職員に通知するときは、同一の事項を関係の歳入徴収官又は分任歳入徴収官にも通知するものとする。

第三十九条の五　特定分任歳入徴収官等は、債務者に対して履行の督促を必要とするときは、歳入徴収官又は分任歳入徴収官に対しその督促をすべきことを請求するものとする。ただし、緊急の必要があるときその他特別の事由があるときは、口頭又は適宜の書面により自ら履行の督促を行うものとする。

2　特定分任歳入徴収官等は、法第十六条の規定により履行期限を繰り上げて履行の請求をするため令第十四条の二の規定により歳入徴収官又は分任歳入徴収官に対して債務者に対する納入の告知をすべきことを請求するときは、履行期限を繰り上げる旨及びその理由を明らかにして行うものとする。

3　特定分任歳入徴収官等は、保証人に対して履行の請求を必要とするときは、第二十二条に規定する事項を明らかにした書面を歳入徴収官又は分任歳入徴収官に送付し、保証人に対する履行の請求をすべきことを請求するものとする。

第三十九条の六　特定分任歳入徴収官等は、その所掌に属する歳入金に係る債権で納入の告知をしているもの又は第三十九条の四第五項の規定により歳入徴収官又は分任歳入徴収官に対して通知をしたものが次の各号の一に該当することとなつたときは、直ちにその事由を明らかにした書面を作成し、歳入徴収官又は分任歳入徴収官に送付しなければならない。

一　債権が法令の規定に基づいてその履行期限を延長されたこと。

二　債権が法令の規定に基づいて免除されたこと。

三　債権につき消滅時効が完成し、かつ、債務者がその援用をしたこと、又は当該債権が法律の規定により債務者の援用をまたないで消滅するものであるときは、その消滅時効が完成したこと。

四　債権で国税徴収又は国税滞納処分の例によつて徴収するものが国税徴収法（昭和三十四年法律第百四十七号）第百五十三条第四項又は第五項の規定により消滅したこと。

五　債権について、第三十条の規定によりその全部又は一部が消滅したものとみなして整理したこと。

六　債権について、令第二十二条第二号又は第三号に掲げる者から第三十二条第一項に規定する消滅の通知を受けたこと。

七　債権でその発生又は国への帰属の原因となる契約その他の行為に解除条件が付されているものについて、当該解除条件が成就したこと。

八　債権が法令の規定に基づき譲渡され、又は更改若しくは混同により消滅したこと。

九　債権の存在につき法律上の争いがある場合において、裁判所の判決によりその不存在が確定したこと。

2　特定分任歳入徴収官等は、その所掌に属する歳入金に係る債権について、支出官事務規程第八条又は出納官吏事務規程第四十一条の二の規定により官署支出官又は資金前渡官吏から相殺又は充当をした旨の通知を受けたときは、直ちにその事由を明らかにした書面を作成し、歳入徴収官又は分任歳入徴収官に送付しなければならない。

（債権の管理事務の委任に関する特別の事情）

第三十九条の七　令第五条第四項に規定する財務省令で定める特別の事情があるときは、歳出の返納金に係る債権の管理に関する事務について、会計法（昭和二十二年法律第三十五号）第十三条又は第四十八条第一項の規定により当該歳出の支出負担行為に関する事務の委任を受けた者又は当該事務を行うこととなつた者の所属庁と同法第二十四条又は第四十八条第一項の規定により当該歳出の支出に関する事務の委任を受けた者又は当該事務を行うこととなつた者の所属庁とが異なつている場合において、各省各庁の長が必要があると認めるときとする。

（歳入徴収官及び官署支出官以外の歳入徴収官等の官職の表示等）

第三十九条の八　令第五条第五項に規定する場合又は令第六条の規定により債権の管理に関する事務を行うこととなつた都道府県の知事若しくは知事の指定する職員若しくは当該事務を分掌若しくは代理する職員が歳入徴収官、分任歳入徴収官、歳入徴収官代理、分任歳入徴収官代理、官署支出官及び支出官代理（官署支出官の事務を代理する職員に限る。）以外である場合における歳入徴収官等が発する文書には、当該歳入徴収官等の官職又は職及び氏名のほか、当該歳入徴収官等が法令の規定によりその所掌に属する債権に係る受入金の徴収に関する事務を取り扱う会計機関（国の会計機関の使用する公印に関する規則（昭和三十九年大蔵省令第二十二号）第二条（同令第九条において準用する場合を含む。）に規定する国の会計機関をいう。以下同じ。）であるときは、その会計機関の名称を付記するものとする。

（債権現在額の通知）

第四十条　分任歳入徴収官等（歳入徴収官等代理がその事務を代理しているときは、当該歳入徴収官等代理。以下この条において同じ。）は、その分掌に属する債権の毎年度末における現在額（令第三十九条に規定する債権については、翌年度の四月三十日までに消滅した額を除く。以下この条において同じ。）について、債権管理簿に基き別紙第九号書式の債権現在額通知書（以下「債権現在額通知書」という。）を作成して各省各庁の長の定める期限までに主任歳入徴収官等に送付しなければならない。

2　主任歳入徴収官等は、その所掌に属する債権の毎年度末における現在額について、債権管理簿及び前項の規定により分任歳入徴収官等から送付を受けた債権現在額通知書に基き債権現在額通知書を作成して各省各庁の長の定める期限までに債権管理総括機関に送付しなければならない。

3　同一の官署に二人以上の主任歳入徴収官等がいる場合における前項の規定による通知書の作成及び送付は、当該関係の主任歳入徴収官等がそれぞれの所掌区分を明らかにして、一の書面をもつて行なうことができる。同一の官署に一の主任歳入徴収官等に所属する二人以上の分任歳入徴収官等がいる場合における第一項の規定による通知書の作成及び送付についても同様とする。

（債権現在額報告書に区分して整理すべき債権の種類）

第四十一条　令第三十八条に規定する債権の種類は、第十一条第二項に規定するところによるほか、別表第三に定めるところによる。

（報告書等の様式及び作成の方法）

第四十二条　次の各号に掲げる報告書又は計算書の様式及び作成の方法は、当該各号の書式に定めるところによる。

一　法第三十九条の債権現在額報告書　別紙第十一号書式

二　法第四十条第一項の債権現在額総計算書　別紙第十二号書式

（実地監査）

第四十三条　法第九条第二項の規定による当該職員の実地監査は、別に定める監査要領に従つてしなければならない。

2　当該職員は、前項の実地監査をする場合には、別紙第十三号書式の監査証票を携帯し、関係者の請求があつたときは、呈示しなければならない。

附　則（抄）

1　この省令は、法の施行の日（昭和三十二年一月十日）から施行する。

別表第一 債権の発生年度区分

債権の区分	発生年度の区分
1 令第八条各号に掲げる債権	同条各号の規定により債権管理簿に記載し、又は記録すべき日の属する年度。ただし、同条第一号かつこ書に該当する債権にあつては、当該各年度の四月中に到来する利払期又は履行期限の属する年度
2 契約その他の行為により発生する債権（前項に該当する債権を除く。）	当該契約の締結をした日又は当該行為をした日の属する年度（債権の発生につき停止条件又は不確定の始期があるときは、条件の成就又は期限の到来により債権が発生した日の属する年度）
3 不当利得による返還金又は損害賠償金に係る債権	当該請求権の発生の原因となる事実のあつた日の属する年度
4 契約に関して発生した債権（前三項に該当する債権を除く。）	当該契約に関して債権が発生した日の属する年度
5 法令の規定により一定の事由により発生する債権であつて前各項に該当するもの以外のもの。	当該法令において定められた履行期間の初日の属する年度

別表第二 第十一条第二項の規定による債権の種類

一 歳入金に係る債権

財政法（昭和二十二年法律第三十四号）第二十三条の規定により毎会計年度の歳入予算について定められた科目の区分に従い、部、款及び項（特別会計に属する債権にあつては、款及び項）に区分し、更に、債権の性質に従い、次に掲げるところによるものの外、各省各庁の長が財務大臣に協議して定めるところにより目に区分する。

1 手数料の類
- 授業料債権
- 講習料債権
- 入学料及び入学検定料債権
- 免許料及び手数料債権
- 収容課金債権

2 負担金の類
- 公共事業費地方負担金債権
- 公共事業費受益者等負担金債権
- 独立行政法人等恩給負担金債権
- 独立行政法人日本スポーツ振興センター保護者負担金債権
- 日雇拠出金債権
- 厚生年金拠出金債権
- 基礎年金拠出金債権
- 電波利用料債権
- 労働者災害補償保険通勤災害一部負担金債権
- 国家公務員通勤災害一部負担金債権
- 災害等廃棄物処理事業費地方負担金債権
- 原子力損害賠償負担金債権
- 諸負担金債権

3 納付金の類
- 日本銀行納付金債権
- 日本中央競馬会納付金債権
- 恩給法納付金債権
- 職域等費用納付金債権
- 輸入食糧納付金債権
- 価格差益及び価格等割増差額納付金債権
- 保険回収金納付金債権
- 独立行政法人日本スポーツ振興センター納付金債権
- 特定アルコール譲渡者納付金債権
- 独立行政法人造幣局納付金債権
- 法科大学院設置者納付金債権
- 独立行政法人地域医療機能推進機構納付金債権
- 独立行政法人住宅金融支援機構納付金債権
- 独立行政法人福祉医療機構納付金債権
- 独立行政法人農畜産業振興機構納付金債権
- 株式会社日本政策金融公庫納付金債権
- 国立大学法人納付金債権
- 株式会社国際協力銀行納付金債権
- 原子力損害賠償・廃炉等支援機構納付金債権
- 特定タンカー所有者納付金債権
- 独立行政法人鉄道建設・運輸施設整備支援機構納付金債権
- 沖縄振興開発金融公庫納付金債権
- 特定基地局開設料債権
- 独立行政法人納付金債権
- 諸納付金債権

4 保険料及び掛金の類
- 保険料債権
- 再保険料債権
- 原子力損害補償料債権
- 自動車事故対策事業賦課金債権
- 掛金債権
- 子ども・子育て拠出金債権
- 石綿健康被害救済拠出金債権

5 財産売払代の類
- 不動産売払代債権
- 船舶売払代債権
- 機械売払代債権
- 証券売払代債権
- 製品売払代債権
- 返還物品売払代債権
- 刊行物売払代債権
- 食糧売払代債権
- 農産物等売払代債権
- 輸入飼料売払代債権

林産物売払代債権
自動車検査登録印紙売払代債権
印紙売りさばき収入債権
備蓄石油売払代債権
不用物品売払代債権
物件売払代債権

6　財産貸付料及び使用料の類
公務員宿舎使用料債権
寄宿料債権
物件貸付料債権
物件使用料債権
財産利用料債権
物件入場料債権

7　配当金の類
配当金債権

8　費用弁償金及び立替金返還金の類
費用弁償金債権
立替金返還金債権
特定原子力損害塡補仮払金回収金債権

9　委任、請負及び寄託等に基づく受託収入の類
受託事業費債権
刑務作業費債権
少年院等職業指導及び職業補導作業費債権
病院等療養費債権
防衛省職員等給食費債権
受託調査及び試験手数料債権
受託手数料債権

10　貸付金回収金の類
自衛隊学資貸与金債権
独立行政法人水資源機構貸付金債権
帰国費貸付金債権
沖縄振興開発金融公庫貸付金債権
沖縄振興開発金融公庫償還時貸付金債権
日本政策投資銀行貸付金債権
日本政策投資銀行償還時貸付金債権
清酒製造業近代化事業基金貸付金債権
単式蒸留焼酎業対策基金貸付金債権
急傾斜地崩壊対策事業資金貸付金債権
後進地域特例法適用団体等追加貸付金債権
海岸保全施設整備事業資金貸付金債権
海岸環境整備事業資金貸付金債権
公有地造成護岸等整備事業資金貸付金債権
漁港漁村整備事業資金収益回収特別貸付金債権
漁港漁村整備事業資金収益回収償還時貸付金債権
公営住宅建設等事業資金貸付金債権
住宅地区改良事業資金貸付金債権
宅地開発関連公共施設整備事業資金収益回収特別貸付金債権
宅地開発関連公共施設整備事業資金収益回収償還時貸付金債権
下水道事業資金貸付金債権
市街地再開発事業資金貸付金債権
水道施設整備事業資金貸付金債権
廃棄物処理施設整備事業資金貸付金債権
かんがい排水事業資金貸付金債権
圃場整備事業資金貸付金債権
諸土地改良事業資金貸付金債権
農道整備事業資金貸付金債権
農村総合整備事業資金貸付金債権
農業集落排水事業資金貸付金債権
農地防災事業資金貸付金債権
農地保全事業資金貸付金債権
農業生産基盤整備事業資金収益回収特別貸付金債権
農業生産基盤整備事業資金収益回収償還時貸付金債権
農村整備事業資金収益回収償還時貸付金債権
農地等保全事業資金収益回収特別貸付金債権
農地等保全事業資金収益回収償還時貸付金債権
干拓等事業資金貸付金債権
造林事業資金収益回収償還時貸付金債権
林道事業資金収益回収償還時貸付金債権
特定森林地域開発林道整備事業資金貸付金債権
工業用水道事業資金貸付金債権
新幹線鉄道整備事業資金貸付金債権
海岸事業資金貸付金債権
農業生産基盤整備事業資金貸付金債権
農村整備事業資金貸付金債権
水道水源開発施設整備事業資金貸付金債権
水道水源開発等施設整備事業資金貸付金債権
独立行政法人日本学生支援機構貸付金債権
母子父子寡婦福祉貸付金債権
公衆衛生修学資金貸付金債権
災害援護貸付金債権
農地保有合理化促進対策資金貸付金債権
就農支援資金貸付金債権
治山事業資金貸付金債権
地すべり防止事業資金貸付金債権
治山事業資金収益回収償還時貸付金債権
発明実施化試験費貸付金債権
小企業等経営改善資金貸付金債権
小規模企業者等設備導入資金貸付金債権
航空機騒音対策事業資金貸付金債権
独立行政法人自動車事故対策機構貸付金債権
埠頭整備資金等貸付金債権
港湾改修事業資金貸付金債権
港湾環境整備事業資金貸付金債権
港湾事業資金収益回収特別貸付金債権
港湾事業資金収益回収償還時貸付金債権
空港整備事業資金貸付金債権
関西国際空港整備事業資金貸付金債権
中部国際空港整備事業資金貸付金債権
国立研究開発法人情報通信研究機構貸付金債権
道路開発資金貸付金債権
有料道路整備資金貸付金債権
都市開発資金貸付金債権
沿道整備資金貸付金債権
一般国道改修資金貸付金債権
地方道改修資金貸付金債権
雪寒地域道路事業資金貸付金債権
交通安全施設等整備事業資金貸付金債権
道路事業資金収益回収特別貸付金債権
道路事業資金収益回収償還時貸付金債権
土地区画整理事業資金貸付金債権
街路事業資金貸付金債権

街路事業資金収益回収特別貸付金債権
街路事業資金収益回収償還時貸付金債権
道路事業資金貸付金債権
河川改修資金貸付金債権
都市河川改修資金貸付金債権
準用河川改修資金貸付金債権
河川事業資金収益回収特別貸付金債権
河川事業資金収益回収償還時貸付金債権
河川総合開発事業資金貸付金債権
治水ダム建設事業資金貸付金債権
河川総合開発事業資金収益回収特別貸付金債権
河川総合開発事業資金収益回収償還時貸付金債権
独立行政法人水資源機構収益回収償還時貸付金債権
砂防事業資金貸付金債権
地すべり対策事業資金貸付金債権
砂防事業資金収益回収特別貸付金債権
砂防事業資金収益回収償還時貸付金債権
都市計画事業資金収益回収特別貸付金債権
都市計画事業資金収益回収償還時貸付金債権
急傾斜地崩壊対策事業資金収益回収特別貸付金債権
海岸事業資金収益回収特別貸付金債権
海岸事業資金収益回収償還時貸付金債権
都市開発事業用地取得推進資金貸付金債権
水産基盤整備事業資金収益回収特別貸付金債権
本州四国連絡道路事業資金貸付金債権
沖縄産業振興施設整備資金貸付金債権
都道府県警察施設整備資金貸付金債権
電気通信格差是正施設整備資金貸付金債権
国立研究開発法人情報通信研究機構施設整備資金貸付金債権
消防防災施設整備資金貸付金債権
市町村消防施設整備資金貸付金債権
情報通信格差是正事業資金貸付金債権
独立行政法人国立科学博物館施設整備資金貸付金債権
公立学校施設整備資金貸付金債権
私立学校施設整備資金貸付金債権
地域先導科学技術基盤施設整備資金貸付金債権
国立研究開発法人物質・材料研究機構施設整備資金貸付金債権
国立研究開発法人量子科学技術研究開発機構施設整備資金貸付金債権
国立研究開発法人防災科学技術研究所施設整備資金貸付金債権
国立研究開発法人宇宙航空研究開発機構施設整備資金貸付金債権
社会体育施設整備資金貸付金債権
国宝重要文化財保存施設整備資金貸付金債権
医療施設等施設整備資金貸付金債権
保健衛生施設等施設整備資金貸付金債権
社会福祉施設等施設整備資金貸付金債権
総合食料対策事業資金貸付金債権
卸売市場施設整備資金貸付金債権
農業生産総合対策事業資金貸付金債権
畜産振興総合対策事業資金貸付金債権
農業経営対策事業資金貸付金債権
農村振興対策事業資金貸付金債権
中山間地域等振興対策事業資金貸付金債権
山村振興等対策事業資金貸付金債権
林業生産流通総合対策施設整備資金貸付金債権
水産業振興総合対策施設整備資金貸付金債権
畑地帯総合農地整備事業資金貸付金債権
農村振興整備事業資金貸付金債権
中山間総合整備事業資金貸付金債権
農村環境保全対策事業資金貸付金債権
森林保全整備事業資金貸付金債権
森林環境整備事業資金貸付金債権
水産物供給基盤整備事業資金貸付金債権
水産資源環境整備事業資金貸付金債権
漁村総合整備事業資金貸付金債権
農地等保全事業資金貸付金債権
水産基盤整備事業資金貸付金債権
環境調和型地域振興施設整備資金貸付金債権
地域新事業創出基盤施設整備資金貸付金債権
商業・サービス業集積関連施設整備資金貸付金債権
国立研究開発法人産業技術総合研究所施設整備資金貸付金債権
中心市街地商店街・商業集積活性化施設整備資金貸付金債権
国立研究開発法人土木研究所施設整備資金貸付金債権
国立研究開発法人建築研究所施設整備資金貸付金債権
軌間可変電車研究開発施設整備資金貸付金債権
地下高速鉄道整備事業資金貸付金債権
ニュータウン鉄道等整備事業資金貸付金債権
幹線鉄道等活性化事業資金貸付金債権
鉄道駅総合改善事業資金貸付金債権
住宅宅地関連公共施設整備促進事業資金貸付金債権
住宅市街地整備総合支援事業資金貸付金債権
密集住宅市街地整備促進事業資金貸付金債権
都市再生推進事業資金貸付金債権
まちづくり総合支援事業資金貸付金債権
都市公園事業資金貸付金債権
廃棄物再生利用施設整備資金貸付金債権
国立研究開発法人国立環境研究所施設整備資金貸付金債権
環境保全施設整備資金貸付金債権
自然公園等事業資金貸付金債権
環境保全保安林整備事業資金貸付金債権
交通連携推進道路事業資金貸付金債権
交通連携推進街路事業資金貸付金債権
沿道環境改善事業資金貸付金債権
電線共同溝整備事業資金貸付金債権
床上浸水対策特別緊急事業資金貸付金債権
河川災害復旧等関連緊急事業資金貸付金債権
河川激甚災害対策特別緊急事業資金貸付金債権
統合河川整備事業資金貸付金債権
ダム周辺環境整備事業資金貸付金債権
堰堤改良資金貸付金債権
特定緊急砂防事業資金貸付金債権
特定緊急地すべり対策事業資金貸付金債権
中部国際空港整備事業資金収益回収特別貸付金債権
都市再生事業資金貸付金債権

海外滞在費貸出金債権
日本下水道事業団貸付金債権
独立行政法人国立高等専門学校機構施設整備資金貸付金債権
国立大学法人等施設整備資金貸付金債権
独立行政法人国立病院機構施設整備資金貸付金債権
過剰米短期融資資金貸付金債権
成田国際空港株式会社貸付金債権
連続立体交差事業資金貸付金債権
地方道路整備臨時貸付金債権
株式会社日本政策金融公庫貸付金債権
特定大規模道路用地取得資金貸付金債権
空港機能施設災害復旧事業資金貸付金債権
株式会社国際協力銀行貸付金債権
修習資金貸与金債権
株式会社農林漁業成長産業化支援機構貸付金債権
電線敷設工事資金貸付金債権
株式会社商工組合中央金庫貸付金債権
特定連絡道路工事資金貸付金債権
自動運行補助施設設置工事資金貸付金債権
成田国際空港整備事業資金貸付金債権
定期貸債権
据置貸債権
諸貸付金債権

11　利得償還金の類
留学費用償還金債権
返納金債権
利得償還金債権

12　損害賠償金の類
延滞金債権
追徴金債権
過怠金債権
加算金債権
弁償金債権
損害賠償金債権

13　利息の類
利息債権

14　金銭引渡請求権の類
金銭引渡請求権債権

15　出資回収金の類
国際機関出資回収金債権
特殊法人等出資回収金債権

二　歳入金に係る債権以外の債権（三及び四に掲げるものを除く。）
次に掲げるところにより部、款、項及び目に区分する。

部	款	項	目
歳入外債権	歳出戻入金債権	歳出戻入金債権	返納金債権
	前渡資金返納金債権	前渡資金返納金債権	返納金債権
	繰替払等資金返納金債権	繰替払等資金返納金債権	返納金債権

三　特別調達資金に属する債権
次に掲げるところにより部、款及び項に区分し、更に、防衛大臣が財務大臣に協議して定めるところにより目に区分する。

部	款	項
特別調達資金債権	調達資金受入金債権	合衆国政府受入金債権
		派遣国政府受入金債権
	諸収入債権	諸収入債権

四　貨幣回収準備資金に属する債権
次に掲げるところにより、部、款、項及び目に区分する。

部	款	項	目
貨幣回収準備資金債権	貨幣回収準備資金受入金債権	貨幣回収準備資金受入金債権	地金売払代債権

別表第三

第四十一条の規定による債権の種類

一　歳入金に係る債権
　別表第二中歳入金に係る債権に関する規定に準じて、款、項及び目に区分する。

二　歳入金に係る債権以外の債権
　次に掲げるところにより部、款及び項又は款及び項に区分し、更に、各省各庁の長が財務大臣に協議して定めるところにより目に区分する。

1　国税収納金整理資金に属する債権

部	款	項
国税収納金整理資金債権	歳入組入収納金債権	各税受入金債権 滞納処分費等受入金債権
	歳入組入外収納金債権	特定返納金受入金債権

2　財政融資資金に属する債権

款	項
財政融資資金債権	政府関係機関貸付金債権 地方公共団体貸付金債権 特別法人貸付金債権 諸貸付金債権

3　外国為替資金に属する債権

款	項
外国為替資金債権	特別決済勘定貸越金債権 取立未済外国為替等債権 仮払金債権

4　年金特別会計の国民年金勘定の積立金に属する債権

款	項
国民年金勘定積立金債権	運用寄託金債権

5　年金特別会計の厚生年金勘定の積立金に属する債権

款	項
厚生年金勘定積立金債権	運用寄託金債権

別表第四

一　債権管理簿の記載又は記録の方法に関し必要な事項
　債権管理簿には、法第十一条第一項及び令第十条の規定により記載し、又は記録する事項のほか、次に掲げる日付を記載し、又は記録するものとする。
1　債権が発生した日付（法令又は契約の定めるところにより国に帰属した債権については、その発生した日付及び国に帰属した日付）
2　他の歳入徴収官等から債権の管理に関する事務の引継を受けた日付
3　法第十一条第一項前段の規定により調査確認した事項に変更があつた日付
4　債権が消滅した日付
5　前各号に掲げるもののほか、債権の管理に関する事務の処理に関して必要な措置をとつた日付又は債権の管理に関係する事実で当該事務の処理上必要と認められるものの発生した日付

二　同一の発生年度若しくは種類に属する債権又は同一の発生原因に基づいて発生した債権をその他の債権と区分して整理することとなつている債権管理簿においては、債権の発生年度若しくは種類又は発生原因を当該債権管理簿の表紙又は見出しに記載し、又は記録することができる。同一の種類に属する債権をその他の債権と区分して整理することとしている債権管理簿において、利息に関する事項、延滞金に関する事項その他債権管理簿に記載し、又は記録すべき事項の内容が当該種類に属するすべての債権について同一である場合におけるこれらの事項の記載又は記録についても同様とする。

三　利息、延滞金又は一定の期間に応じて付する加算金に係る債権は、予算決算及び会計令第百三十一条に規定する徴収簿又は歳入徴収官事務規程第四十一条に規定する徴収整理簿を債権管理簿として使用する場合を除き、これを付することとなつている債権と併せて記載し、又は記録するものとする。

四　債権の種類は、略称又は符号をもつて表示することができる。

五　歳入徴収官等は、1に掲げる減少額については、債権金額の減額整理をするため法第十一条第一項後段の規定により調査確認の上、変更の記載又は記録をするものとし、2又は3に掲げる減少額については、同条第二項の規定により債権の消滅の記載又は記録をするものとする。この場合において、債権管理簿には、これらの減少額をそれぞれ区分して整理しなければならない。
1　次の各号に掲げる事由による債権の減少額
　イ　債権の発生の原因となる契約その他の行為の解除又は取消し、当該行為に解除条件が附されている場合における当該解除条件の成就、債権の発生に関する法令の改廃その他特別の事由により債権の発生の原因となる法律関係が消滅したこと。
　ロ　債権が法令の規定に基づき譲渡され、又は更改若しくは混同により消滅したこと。
　ハ　令第八条第一号の規定により記載し、又は記録した債権金額が利率又は貸付料の減額変更その他の事由により減少することとなつたこと。
　ニ　前各号に定めるもののほか、裁判所の判決による債権の不存在の確定、誤びゆうその他特別の事由により既に記載され、若しくは記録されている債権の債権金額が過大であり、又はその債権が存在しないことが明らかとなつたこと。
2　弁済（代物弁済を含む。）、相殺又は充当による債権の減少額
3　債権の免除、消滅時効の完成その他1又は2に掲げる事由以外の事由による債権の減少額（第三十条の規定により債権が消滅したものとみなして整理する金額を含む。）

六　債権管理簿への記録は、記録に必要な事項を電子情報処理組織（歳入徴収官事務規程第二十一条の三第一項及び支出官事務規程第十一条第二項第五号に規定する電子情報処理組織をいう。第九号において同じ。）に記録する方法により行うものとする。
七　前号の場合において、法第十一条の規定により歳入金に係る債権について調査確認をしたとき、又は当該調査確認に係る事項に変更があつたときは、債務者の住所及び氏名又は名称、債権金額並びに履行期限その他債権の調査確認に関する事項並びに当該債権に係る歳入の徴収に必要とされる事項を記録するものとする。当該債権について必要な措置をとり、又は当該債権が消滅したときも、同様とする。
八　前号の規定により債権の調査確認に関する事項及び当該債権に係る歳入の徴収に必要とされる事項を記録する場合には、翌年度以後において調査確認することとなる債権の当該調査確認に必要とされる事項及び当該債権に係る歳入の徴収に必要とされる事項を併せて記録するものとする。
九　前三号の場合において、必要な事項が既に電子情報処理組織に記録されているときは、当該事項を重ねて記録することを要しない。

別紙第１号書式

第一片

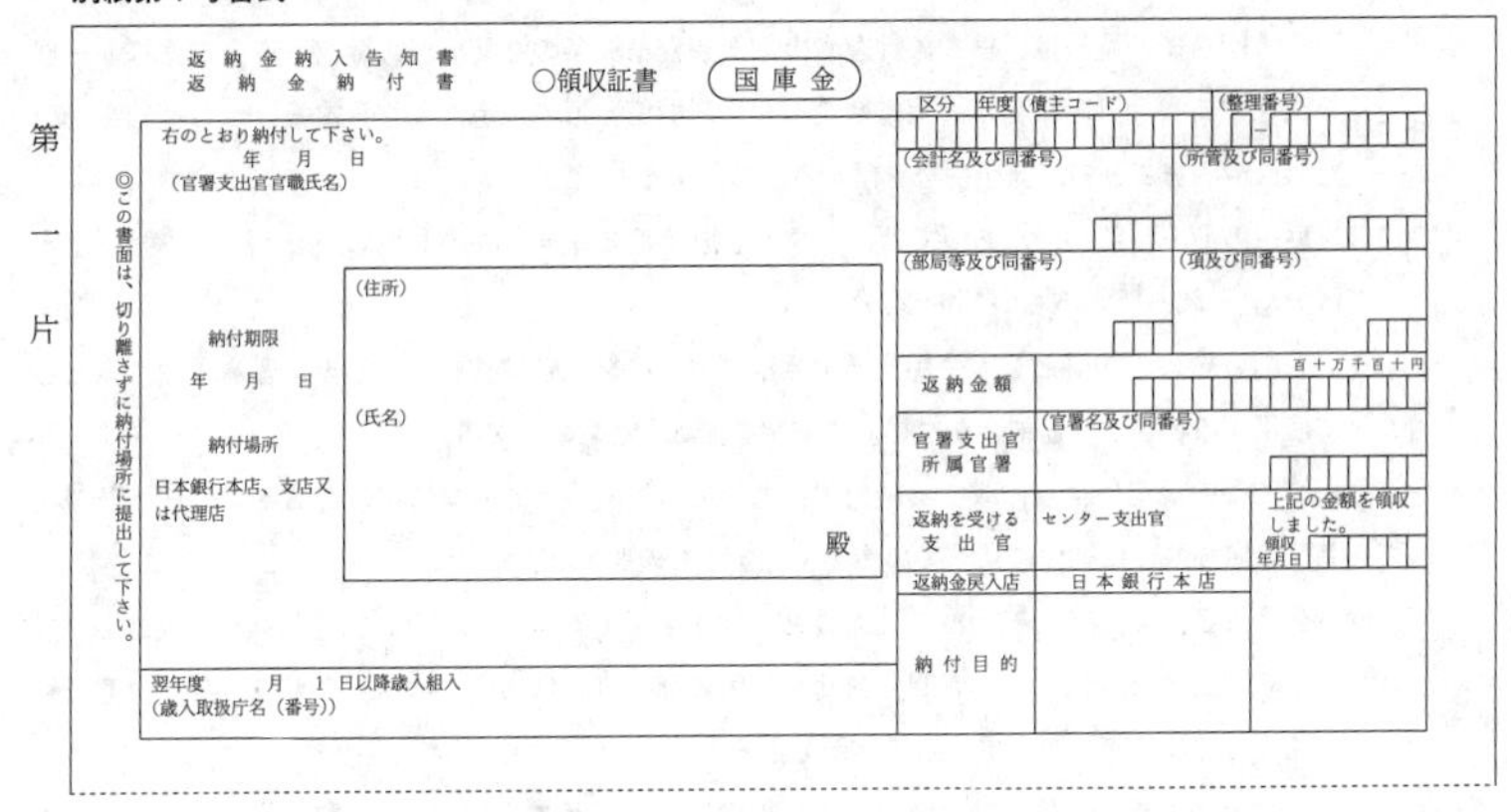

返納金納入告知書
返納金納付書
○領収証書
国庫金

区分　年度　(債主コード)　(整理番号)
(会計名及び同番号)　(所管及び同番号)
(部局等及び同番号)　(項及び同番号)
返納金額　百十万千百十円
官署支出官所属官署　(官署名及び同番号)
返納を受ける支出官　センター支出官
上記の金額を領収しました。
領収年月日
返納金戻入店　日本銀行本店
納付目的

右のとおり納付して下さい。
年　月　日
(官署支出官官職氏名)

◎この書面は、切り離さずに納付場所に提出して下さい。

納付期限
年　月　日
納付場所
日本銀行本店、支店又は代理店

(住所)
(氏名)
殿

翌年度　月　1　日以降歳入組入
(歳入取扱庁名（番号))

第二片

領収控　国庫金　返納金

区分　年度　(債主コード)　(整理番号)
(会計名及び同番号)　(所管及び同番号)
(部局等及び同番号)　(項及び同番号)
返納金額　百十万千百十円
官署支出官所属官署　(官署名及び同番号)
返納を受ける支出官　センター支出官
上記の金額を領収しました。
領収年月日
返納金戻入店　日本銀行本店
納付目的

納付期限
年　月　日
納付場所
日本銀行本店、支店又は代理店

(住所)
(氏名)
殿

翌年度　月　1　日以降歳入組入
(歳入取扱庁名（番号))

第三片

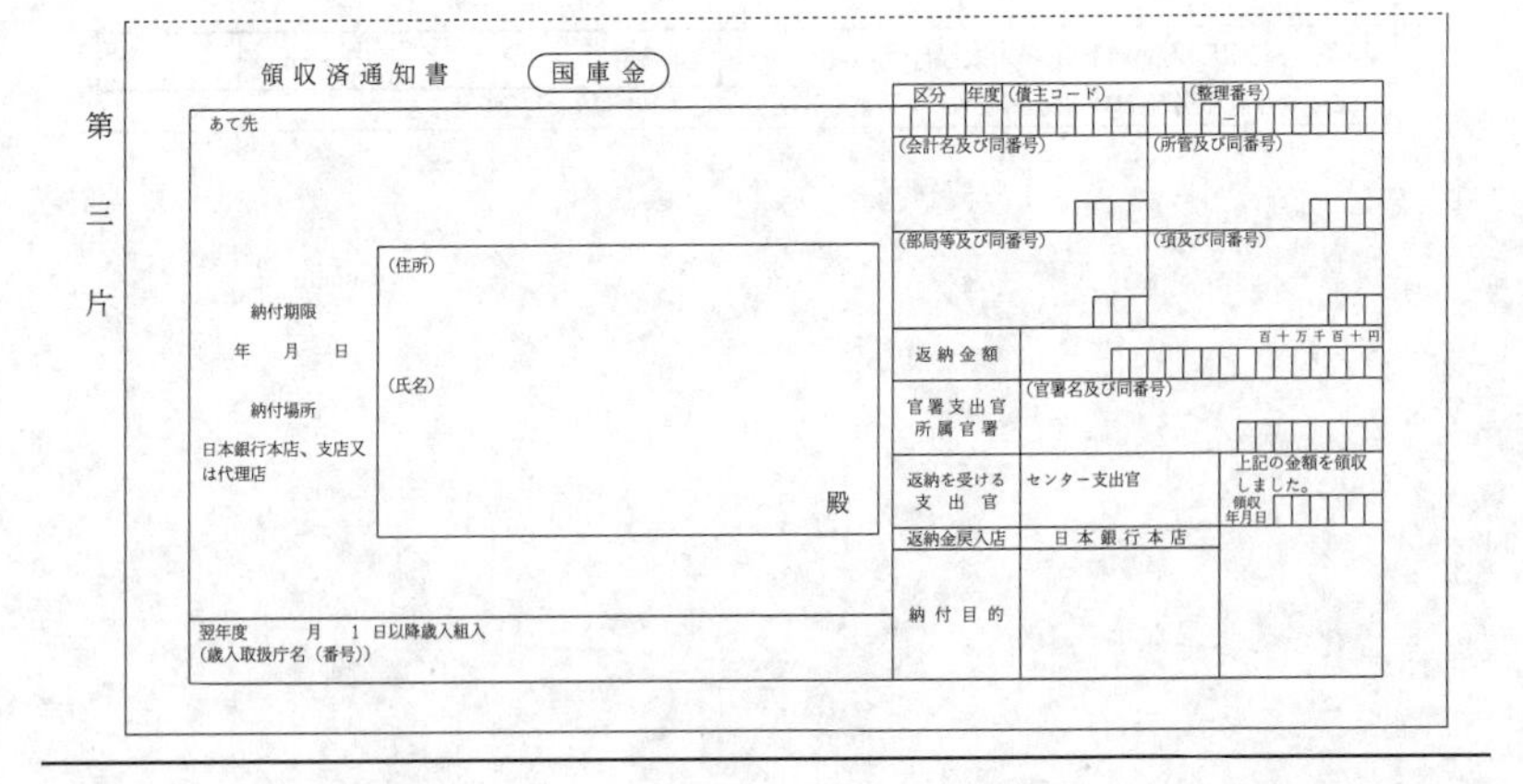

領収済通知書　国庫金

区分　年度　(債主コード)　(整理番号)
(会計名及び同番号)　(所管及び同番号)
(部局等及び同番号)　(項及び同番号)
返納金額　百十万千百十円
官署支出官所属官署　(官署名及び同番号)
返納を受ける支出官　センター支出官
上記の金額を領収しました。
領収年月日
返納金戻入店　日本銀行本店
納付目的

あて先

納付期限
年　月　日
納付場所
日本銀行本店、支店又は代理店

(住所)
(氏名)
殿

翌年度　月　1　日以降歳入組入
(歳入取扱庁名（番号))

備考　1　用紙寸法は、各片ともおおむね縦11cm、横21cmとする。

2　取扱庁名欄の番号は、日本銀行国庫金取扱規程第86条の２又は歳入徴収官事務規程等の一部を改正する省令（昭和40年大蔵省令第67号）附則第４項の規定により日本銀行から通知を受けた歳入徴収官ごとの取扱庁番号を付するものとする。

3　勘定のある特別会計にあつては、「(歳入取扱庁名（番号))」を「歳入取扱庁名（番号）（勘定区分)」と読み替えるものとする。

4　返納金納入告知書として使用するときは「返納金納入告知書」の文字を、返納金納付書として使用するときは「返納金納付書」の文字を記載するものとする。

5　第22条の規定により作成する納付書にあつては、納付目的の欄に主たる債務者の住所及び氏名又は名称並びに納付の請求の事由を付記するものとする。

6　住所氏名欄は左端から４cm、上端から3.5cmを超える部分に縦4.5cm、横８cmの大きさで設けることとする。ただし、窓明き封筒を利用しない官署にあつては、その大きさ及び位置を著しく変更しない範囲で変更することができる。

7　返納者に本書式に係る納付情報により納付させようとするときは、当該納付に必要な事項を記載することができる。

別紙第２号書式

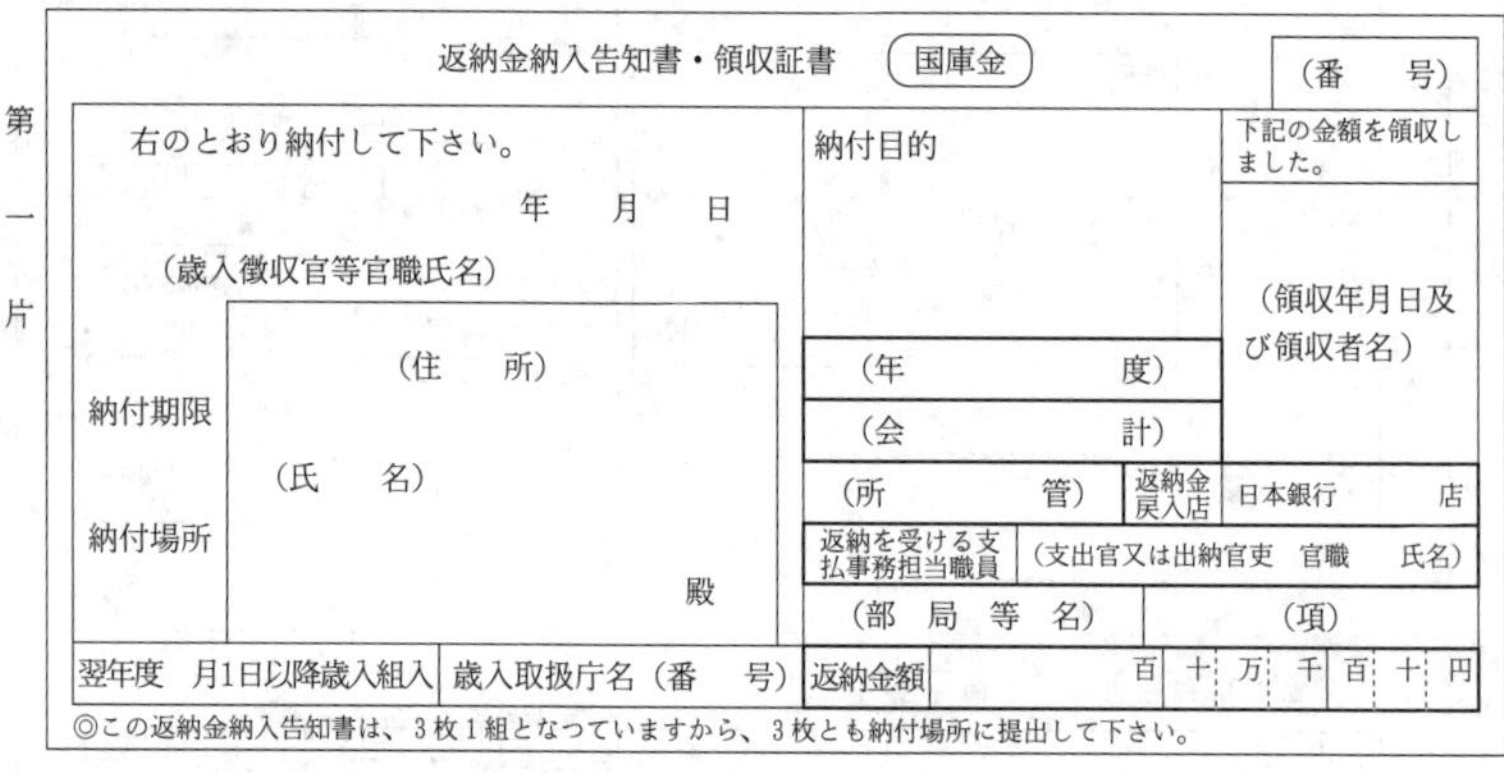
第一片

返納金納入告知書・領収証書　（国庫金）　（番　号）

右のとおり納付して下さい。
年　月　日
（歳入徴収官等官職氏名）

納付期限
納付場所
（住　所）
（氏　名）
殿

納付目的
（年　度）
（会　計）
（所　管）
返納金戻入店　日本銀行　店
返納を受ける支払事務担当職員　（支出官又は出納官吏　官職　氏名）
（部　局　等　名）　（項）

下記の金額を領収しました。
（領収年月日及び領収者名）

翌年度　月1日以降歳入組入　歳入取扱庁名（番　号）　返納金額　百　十　万　千　百　十　円

◎この返納金納入告知書は、３枚１組となつていますから、３枚とも納付場所に提出して下さい。

第二片

領　収　控　（国庫金）（返）				（番　号）
納付期限 納付場所	（住　所） （氏　名） 殿	納付目的		下記の金額を領収しました。
		（年　度）		（領収年月日及び領収者名）
		（会　計）		
		（所　管）	返納金戻入店	日本銀行　店
		返納を受ける支払事務担当職員	（支出官又は出納官吏　官職　氏名）	
		（部　局　等　名）	（項）	
翌年度　月1日以降歳入組入	歳入取扱庁名（番　号）	返納金額	百　十　万　千　百　十　円	

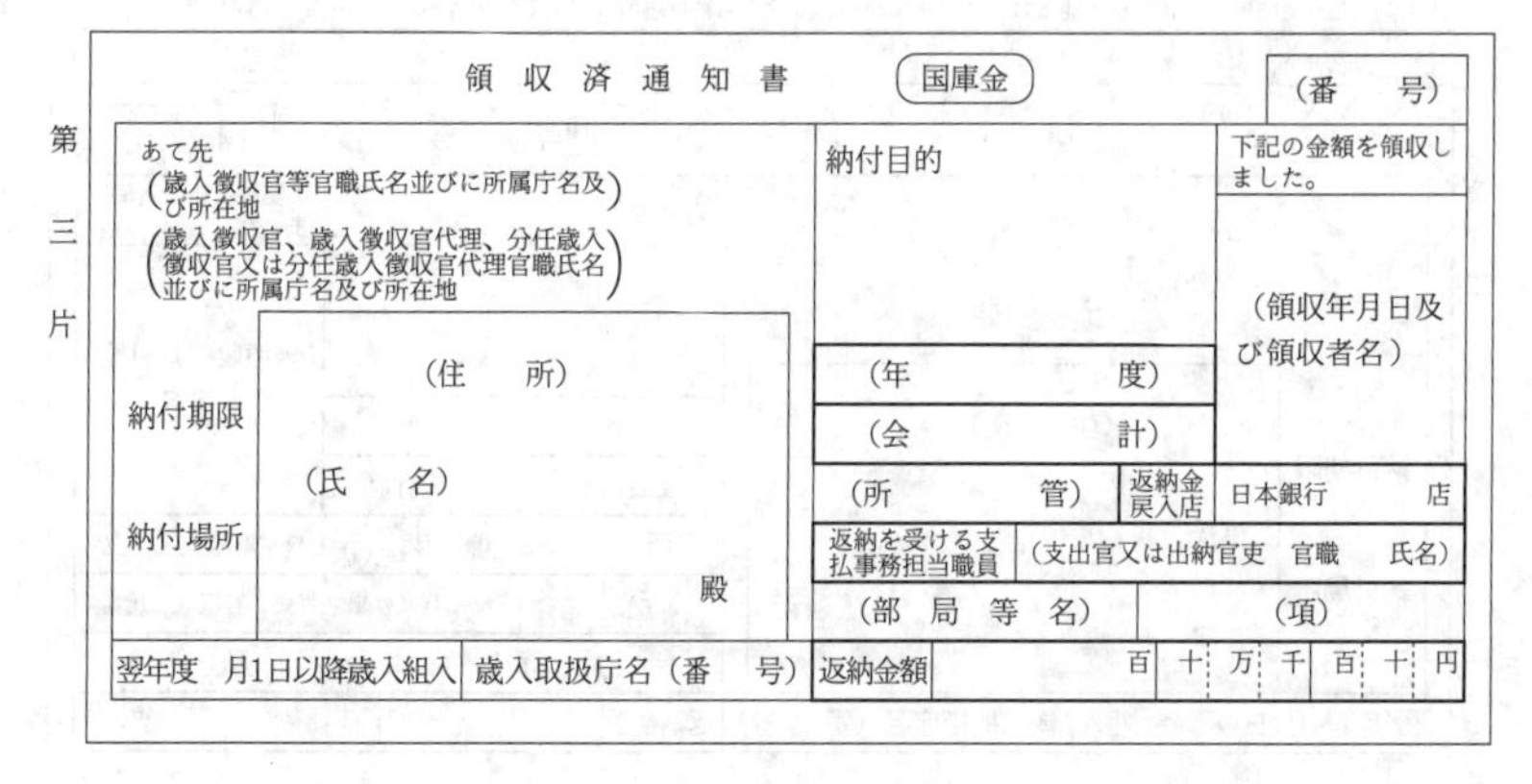

第三片

領　収　済　通　知　書　（国庫金）				（番　号）
あて先 （歳入徴収官等官職氏名並びに所属庁名及び所在地） （歳入徴収官、歳入徴収官代理、分任歳入徴収官又は分任歳入徴収官代理官職氏名並びに所属庁名及び所在地） 納付期限 納付場所	（住　所） （氏　名） 殿	納付目的		下記の金額を領収しました。
		（年　度）		（領収年月日及び領収者名）
		（会　計）		
		（所　管）	返納金戻入店	日本銀行　店
		返納を受ける支払事務担当職員	（支出官又は出納官吏　官職　氏名）	
		（部　局　等　名）	（項）	
翌年度　月1日以降歳入組入	歳入取扱庁名（番　号）	返納金額	百　十　万　千　百　十　円	

備　考

1　第１号書式備考１、２及び６は、本書式に準用する。

2　各片は左端をのり付けその他の方法により接続するものとする。

3　各片に共通する事項（あらかじめ印刷する事項を除く。）は、複写により記入するものとする。

4　勘定のある特別会計にあつては「（歳入取扱庁名（番号））」を「（歳入取扱庁名（番号））（勘定区分）」と読み替えるものとする。

5　資金前渡官吏の支払金に係る返納金に係る債権にあつては、前渡を受けた資金に係る歳出金の所属年度及び所属会計名を記載し、部局等名及び項の欄に斜線を引き、かつ、納付目的の欄の右下余白に（預託金）（日本銀行に預託金を有しない資金前渡官吏にあつては、（前渡資金））と表示しなければならない。

6　日本銀行に預託金を有しない資金前渡官吏の支払金に係る返納金にあつては、返納金戻入店の欄に斜線を引き、かつ、領収済通知書の片を省略するものとする。

別紙第３号書式

第一片

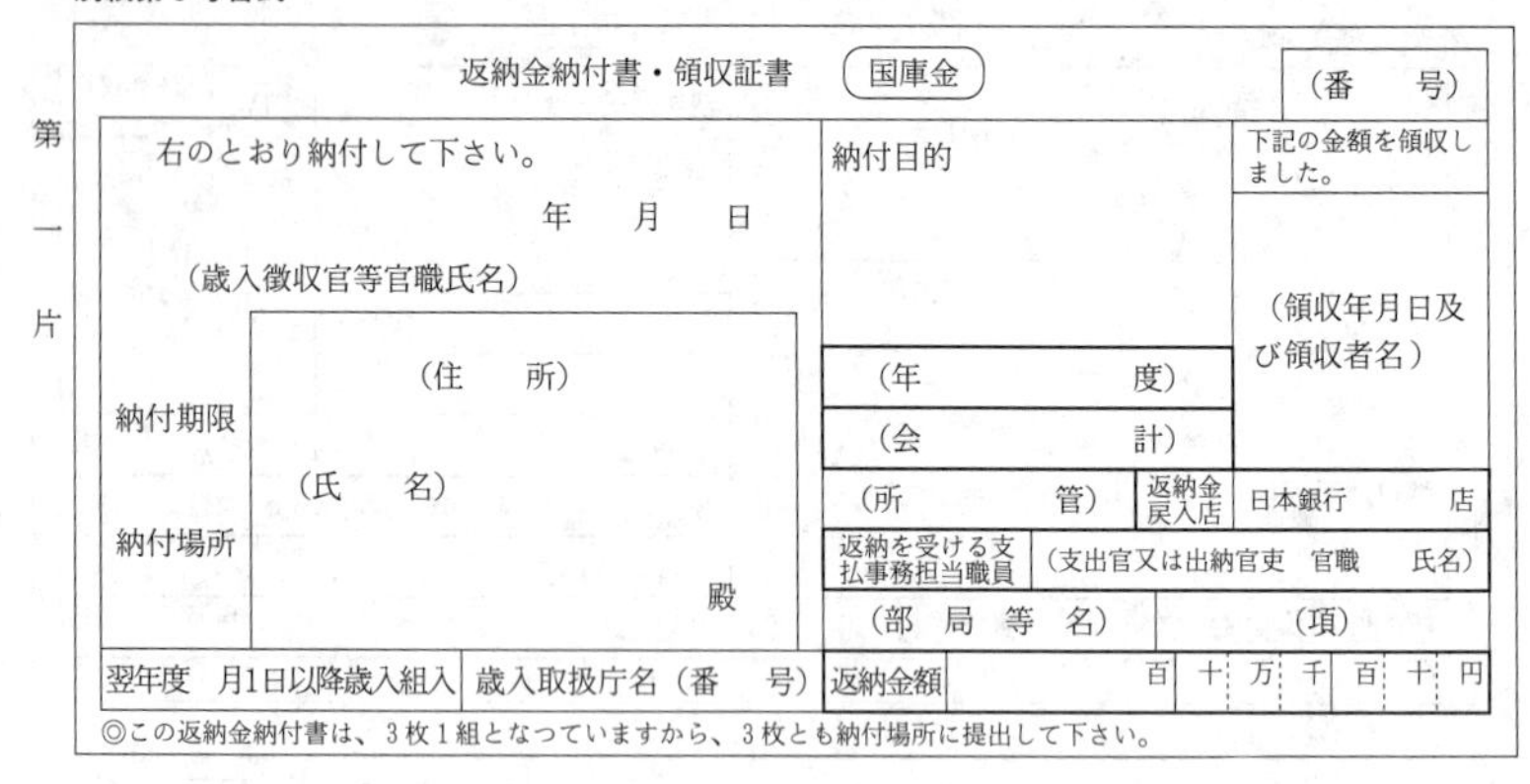

返納金納付書・領収証書　国庫金　（番　号）

右のとおり納付して下さい。

年　月　日

（歳入徴収官等官職氏名）

納付期限

納付場所

（住　所）

（氏　名）

殿

納付目的

（年　度）

（会　計）

（所　管）

返納金戻入店　日本銀行　店

返納を受ける支払事務担当職員　（支出官又は出納官吏　官職　氏名）

（部局等名）　（項）

下記の金額を領収しました。

（領収年月日及び領収者名）

翌年度　月1日以降歳入組入　歳入取扱庁名（番　号）　返納金額　百　十　万　千　百　十　円

◎この返納金納付書は、３枚１組となつていますから、３枚とも納付場所に提出して下さい。

第二片

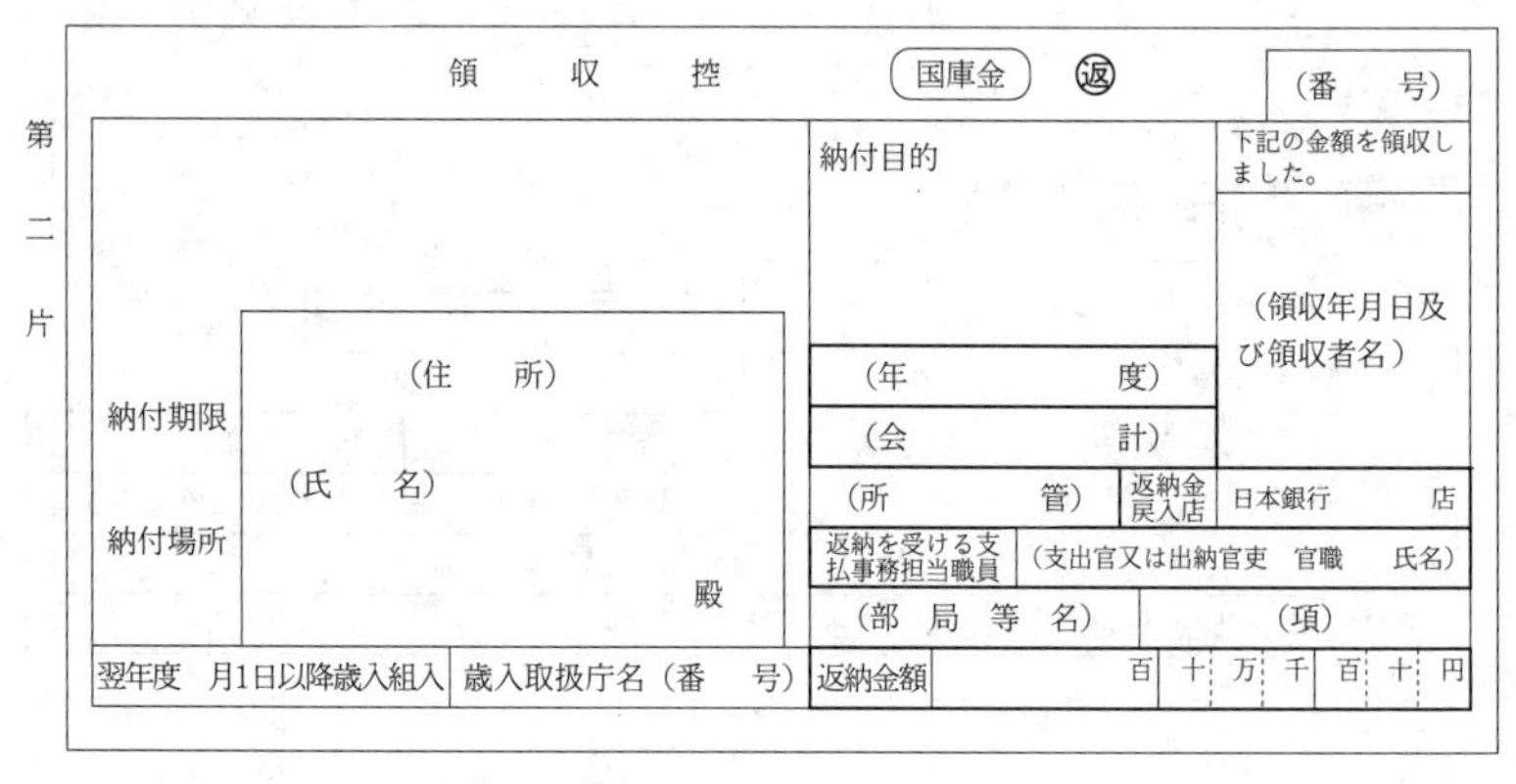

領　収　控　国庫金　㊙返　（番　号）

納付期限

納付場所

（住　所）

（氏　名）

殿

納付目的

（年　度）

（会　計）

（所　管）

返納金戻入店　日本銀行　店

返納を受ける支払事務担当職員　（支出官又は出納官吏　官職　氏名）

（部局等名）　（項）

下記の金額を領収しました。

（領収年月日及び領収者名）

翌年度　月1日以降歳入組入　歳入取扱庁名（番　号）　返納金額　百　十　万　千　百　十　円

第三片

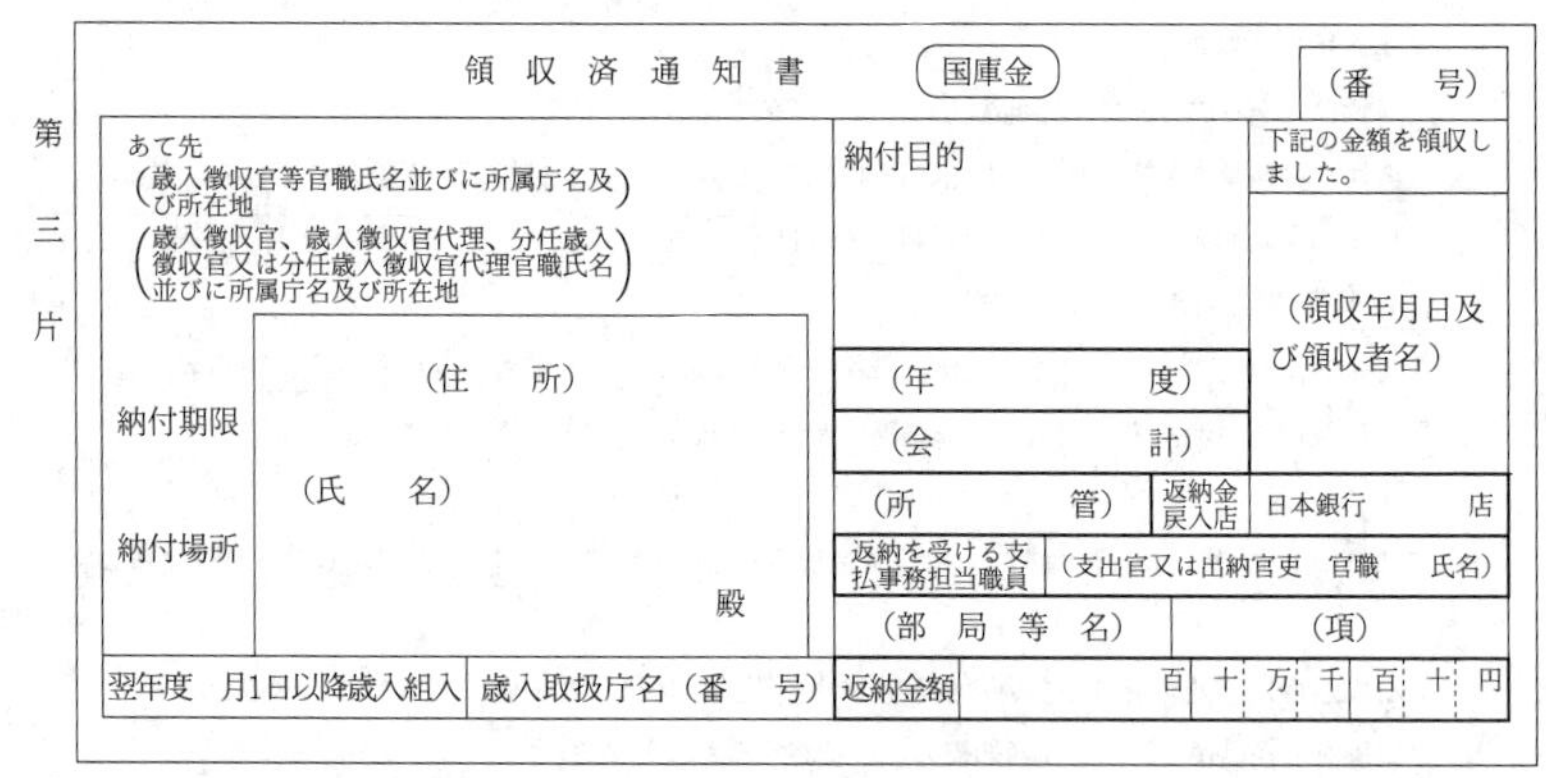

領　収　済　通　知　書　国庫金　（番　号）

あて先

（歳入徴収官等官職氏名並びに所属庁名及び所在地）

（歳入徴収官、歳入徴収官代理、分任歳入徴収官又は分任歳入徴収官代理官職氏名並びに所属庁名及び所在地）

納付期限

納付場所

（住　所）

（氏　名）

殿

納付目的

（年　度）

（会　計）

（所　管）

返納金戻入店　日本銀行　店

返納を受ける支払事務担当職員　（支出官又は出納官吏　官職　氏名）

（部局等名）　（項）

下記の金額を領収しました。

（領収年月日及び領収者名）

翌年度　月1日以降歳入組入　歳入取扱庁名（番　号）　返納金額　百　十　万　千　百　十　円

備　考　第１号書式備考１、２、５及び６並びに第２号書式備考２から６までは、本書式に準用する。

別紙第4号書式

裏　面

第　　号 督　　促　　状									
（年度区分）	（部局等名及び項）又は（資金名）								
（会計名） （所管名）	金		百	十	万	千	百	十	円
さきに貴殿に対して納入の告知をした金額は、納付期限（　年　月　日）までに完納されておりませんので至急納付して下さい。なお、納入告知書又は納付書に記載したところにより計算した延滞金又は加算金額をあわせて納付して下さい。									

備考　1　用紙の大きさは、郵便はがき大とする。

2　特別会計においては、科目欄は適宜必要な科目区分（勘定別を含む。）によることができる。

3　督促前において返納者が延滞金、利息又は加算金を含む債務金額の一部の弁済があつた場合において、その弁済金額を法令の定めるところにより延滞金、利息又は加算金及び元本の順に充当したものについては、その充当した旨及び充当した金額の内訳を督促状に附記しなければならない。

4　督促文は必要に応じて適宜修正することができる。

表　面

（返納者）
（住所）
（氏名又は名称）殿
年　月　日
（所属庁名）
（歳入徴収官等）
（官職氏名）

別紙第5号書式

有価証券（・現金）受領控〔納付委託関係〕

第一片

債務者	（住　所）			（氏　名）		
証券の種類	記号番号	券面金額	支払場所（支払人）	支払期日	振出人	（取立費用）
合計額	—		—	—	—	

次の債権について、貴殿からの納付委託の申出に基づき、上記のとおり有価証券を受領しました。

（なお、本証券の取立てについて、取立費用を必要としますので、合計額欄に記載した金額に相当する現金をあわせて受領しました。）

年　月　日

（所属庁名　官職　氏　名）

債権の概要	
債権管理職員	（歳入徴収官等　官職　氏　名）

第二片

有価証券（・現金）受領証書〔納付委託関係〕

㊟ 納付委託に関する裏面の記載事項を御参照下さい。

債務者	（住		所）	（氏		名）
証券の種類	記号番号	券面金額	支払場所（支払人）	支払期日	振出人	（取立費用）
合計額	—		—	—	—	

次の債権について、貴殿からの納付委託の申出に基づき、上記のとおり有価証券を受領しました。
（なお、本証券の取立てについて、取立費用を必要としますので、合計額欄に記載した金額に相当する現金をあわせて受領しました。）

年　　月　　日

（所属庁名　官職　氏　　名 印）

債権の概要	
債権管理職員	（歳入徴収官等　官職　氏　　名）

（裏　面）

納付委託に関する取扱要領

納付委託のために提供された有価証券については、下記の手続により納付委託の処理が行なわれることとなりますので御了知下さい。

1　受領した有価証券については、その後、債権管理職員が審査し、納付委託に応ずることとしたときは、納付受託通知書を送付します（納付委託に応じないこととした場合には、3～(1)により、貴殿に受領した有価証券を返還します。）。

2　納付委託に応じた有価証券の取立てが完了し、かつ、その取り立てた金銭をもつて国の債権の弁済を行ない、領収証書を受け取つたときは、債権管理職員からその領収証書を貴殿に送付します。

3　次の場合には、その旨を貴殿に通知し、提供された有価証券をこの受領証書と引き換えに返還しますので、これを御持参のうえ表記の官署にお出で下さるか、又は貴殿からの受領証書の送付と引き換えに貴殿の負担において郵送します。

(1)　債権管理職員において、納付委託に応じないこととした場合

(2)　納付委託をした有価証券について、支払いを受けることができなかつた場合

(3)　納付委託の原因となる国の債権が消滅した場合

4　納付委託をした有価証券について、支払いを受けることができなかつた場合におけるその証券のそ求権の行使については、いうまでもなく貴殿において行なうこととなります。

5　受領した取立費用の金額以上の取立費用を要したときは、債権管理職員からの請求により、その支払いをして下さい。納付委託した有価証券について支払いを受けることができなかつた場合にも同様といたします。

6　貴殿から納付委託の解除の申出があり、債権管理職員においてやむを得ない事由があり、かつ、解除に応じても支障がないと認めたときは、この納付委託を解除することができることとします（この場合には、3と同様の方法により、受領した有価証券を返還します。）。

7　上記6の納付委託の解除に伴い費用を要するときは、その費用の支払いをして下さい。

以上の注意事項は、1により債権管理職員が納付受託通知書を送付することにより納付委託に応ずることとした場合の条件になりますから御承知下さい。

備　考

1　用紙の大きさは、各片ともおおむね日本産業規格A列5とする。

2　各片に共通する事項は、複写により記入するものとする。

3　本書式中取立費用に関するかつこ書の部分については、実際に取立費用を受領する必要が生じたときに記載し、又は当該部分をあらかじめ記載しておき、その必要が生じないときは抹消することができる。

4　本書式は、必要に応じて記載事項を修正することができる。

別紙第5号の2書式

年　月　日

納付受託通知書

(住　所)

(氏　名)　殿

(歳入徴収官等　官職　氏　名)

貴殿から納付委託のために提供されました　年　月　日付有価証券（・現金）受領証書（所属庁名　官職　氏名の取扱）記載の有価証券については、同受領証書記載のとおり納付委託に応ずることとしたので通知します。

備考

1　用紙の大きさは、郵便はがき大とする。

2　本書式は、必要に応じて記載事項を修正することができる。

別紙第6号書式

年　月　日

(歳入徴収官等)

(官　職　氏　名)　殿

(債務者の住所)

(氏名又は名称)

履行延期申請書

下記の債務について下記の条件により履行期限を延長して下さい。

記

1．債務の概要

(1)　債務者の住所、氏名又は名称及び職業又は業務

(2)　元本債務金額

(3)　履行延期の特約等の承認のある日までに附されている利息、延滞金又は加算金

(4)　債務の発生原因

2．履行期限を延期しなければならない理由

3．履行された後における履行期限、延納利息及び延滞金

(1)　履行期限　　履行期限ごとに履行すべき金額

年　月　日　円

年　月　日　円

(2)　履行延期の申請の承認の日から附すべき延納利息

利　率　　利払期日

(3)　延滞金

履行期限の翌日から納付の日までの期間に応じて、年　パーセントの割合で延滞金を支払う。

4．担　保

(1)　担保物件の種類、数量、金額及び物件の所在その他担保の状況

(2)　保証人の住所、氏名又は名称、職業又は業務、保証金額及び保証人の資産の状況その他保証に関する必要な事項

5．担保の提供及び債務名義の取得

国の指示するところに従い、担保の提供又は債務名義の作成に関する必要な措置に応ずるとともに、これらの措置をとるために必要な費用を負担する。

6．その他の条件

(1)　国はこの債権の保全上必要があると認めるときは、債務者に対してその業務又は資産の状況に関して、質問し、帳簿書類その他の物件を調査し、又は参考となるべき報告若しくは資料の提出を求めることができる。

(2)　国は、次に掲げる場合には、この債権の全部又は一部について延長された履行期限を繰り上げることができる。

(イ)　国において、債務者が国の不利益にその財産を隠し、そこない、若しくは処分したと認めるとき、若しくはこれらのおそれがあると認めるとき、又は虚偽に債務を負担する行為をしたと認めるとき。

(ロ)　債務者が分割された弁済金額についての履行を怠ったとき。

(ハ)　債務者に次の事由が生じたこと。

Ⅰ)　強制執行を受けたこと。

Ⅱ)　租税その他の公課について滞納処分を受けたこと。

Ⅲ)　その財産について競売の開始があったこと。

Ⅳ)　破産手続開始の決定を受けたこと。

Ⅴ)　解散したこと。

Ⅵ)　債務者について相続の開始があった場合において、相続人が限定承認をしたこと。

Ⅶ)　上記ⅣからⅥまでに掲げる場合のほか、債務者の総財産についての清算が開始されたこと。

(ニ)　債務者が履行延期の特約（処分）に附された条件に従わないとき。

(ホ)　その他国において、債務者の資力の状況その他の事情の変更により当該延長に係る履行期限によることが不適当となったと認めるとき。

(3)　国において、担保の価額が減少し、又は保証人を不適当とする事情が生じたと認めるときは、債務者は、国の請求に応じて増担保の提供又は保証人の変更をしなければならないこと。

(4) 国において債務者の資力の状況その他の事情の変更により必要があると認めて債務者に対し、担保を提供し、又は延納利息を附する旨の請求をしたときは、その請求するところに従つて担保を提供し、又は利息を附して支払をしなければならないこと。

(5) （その他各省各庁の長が定める事項）

備考 1 用紙の大きさは、適宜とする。

2 本書式は必要に応じて縦書とし、又は本書式中必要としない事項を省略し、若しくは必要に応じて記載事項を修正することができる。

別紙第７号書式

履 行 延 期 承 認 通 知 書

年 月 日

（債務者の氏名又は名称）殿

（歳入徴収官等）

（官 職 氏 名）

年 月 日付履行延期申請書によつて申請のあつた下記の債権に関する履行期限の延長については、同申請書の内容に下記の条件を附して承認します。

記

1．債権の概要

(1) 債務者の住所及び氏名又は名称

(2) 債権金額

(3) 債権の発生原因

2．承認の条件

(1) 担保物件のうち については、供託の手続をした上、 年 月 日までに供託書正本を提出して下さい。

(2) 担保物件のうち については、抵当権の設定の登記又は登録をする必要がありますから抵当権の登記原因又は登録原因を証明する書面及び登記又は登録についての承諾書を 年 月 日までに提出して下さい。

(3) 保証人の債務保証書を 年 月 日までに提出して下さい。なお、保証契約を締結する必要がありますので、保証人が 年 月 日までに（又は 年 月 日において）官公署の作成した印鑑証明書その他本人であることを証明するに足りる確実な証明書及び印鑑を持参の上当庁又は に出頭するよう取り計らつて下さい。

(4) この債権について公正証書を作成する必要がありますので、 年 月 日までに（又は 年 月 日において）官公署の作成した印鑑証明書その他本人であることを証明するに足るこれに準ずべき確実な証明書及び印鑑を持参の上、当庁又は に出頭して下さい。

(5) 年 月 日までに債務証書を提出して下さい。

(6) 債務者が上記の期日又は期限までに上記の措置をとらなかつたときは、国はこの承認を取り消すことがあります。

(7) （その他各省各庁の長が定める事項）

備考 第６号書式備考は、本書式に準用する。

別紙第8号書式

収入印紙

債　　務　　証　　書

年　月　日

（歳入徴収官等）
（官職氏名）殿

（債務者の住所）
（氏名又は名称　　印）

（債務者の氏名又は名称）（以下「乙」という。）が国（以下「甲」という。）に対する（債務の名称）の未払額　　円及びこれに係る　　年　月　日から　　年　月　日まで、年　　パーセントの割合で計算した（利息、加算金及び延滞金の名称）　　円は、下記第1に記載するところにより履行するとともにこの債務の履行に関して下記第2から第6までに記載する条件に従います。

第1．履行期限、延納利息及び延滞金

(1) 乙は、甲に対し上記の金額　　円を次のとおり支払うこと。

履行期限	履行すべき金額
年　月　日	円
年　月　日	円

(2) 乙は、上記の履行すべき金額に対し、　年　月　日からそれぞれの履行期限までの期間に応じて、年　　パーセントの割合で計算した延納利息を甲に支払うこと。

(3) 乙は、上記(1)の履行期限（履行期限を繰り上げられたときは、その繰上げられた履行期限）までに履行すべき金額を完納しなかつたときは、その完納しなかつた金額（乙が、その一部を履行した場合における当該履行の日の翌日以後の期間については、その額から既に履行した額を控除した額）に対し、それぞれの履行期限の翌日から完納した日までの期間に応じて年　　パーセントの割合で計算した延滞金を甲に支払うこと。

第2．乙は、甲がこの債権の保全上必要があると認めて乙に対し、その資産の状況に関して、質問し、帳簿書類その他の物件を調査し、又は参考となるべき報告若しくは資料の提出を求めたときは、その要求に従うこと。

第3．乙は、甲において乙が次に掲げる場合に該当し、又は該当するものと認めて、上記第1の(1)の金額の全部又は一部についてその延長された履行期限を繰り上げる旨の指示をしたときは、その指示に従うこと。

(イ) 乙が甲の不利益に乙の財産を隠し、そこない、若しくは処分したとき、若しくはこれらのおそれがあると認めるとき、又は虚偽に債務を負担する行為をしたとき。

(ロ) 乙が分割された弁済金額について履行を怠つたとき。

(ハ) 乙に次の事由が生じたとき。

Ⅰ 強制執行を受けたこと。

Ⅱ 租税その他の公課について滞納処分を受けたこと。

Ⅲ その財産について競売の開始があつたこと。

Ⅳ 破産手続開始の決定を受けたこと。

Ⅴ 解散したこと。

Ⅵ 乙について相続の開始があつた場合において、相続人が限定承認をしたこと。

Ⅶ 上記ⅣからⅥまでに掲げる場合のほか、乙の総財産についての清算が開始されたこと。

(ニ) 乙が、この債務証書に記載された条件に従わないとき。

(ホ) その他乙の資力の状況その他の事情の変更により第1の(1)に記載された履行期限によることが不適当となつたとき。

第4．甲において、担保の価格が減少し、又は保証人を不適当とする事情が生じたと認めるときは、乙は甲の請求に応じて増担保の提供又は保証人の変更その他担保の変更をしなければならないこと。

第5．乙は、担保の提供を免除され、又は延納利息を附さないことができることとされた場合においても、甲において乙の資力の状況その他の事情の変更により必要があると認めて、乙に対し、担保を提供し、又は延納利息を附する旨の請求をしたときは、その請求するところに従つて担保を提供し、又は利息を附して支払をしなければならないこと。

第6．（その他各省各庁の長が定める事項）

備考　1　第6号書式備考は、本書式に準用する。

2　収入印紙については、印紙税法（昭和42年法律第23号）の規定に基づき貼付するものとする。

別紙第９号書式

債　権　現　在　額　通　知　書

年度　　　所管　　　会計

区分及び債権の種類	本年度末現在額												総合計	備考
	一般分									徴収停止分				
	本年度発生債権分			前年度以前発生債権分			合計			本年度発生債権分	前年度以前発生債権分	合計		
	履行期限到来額	履行期限未到来額	計	履行期限到来額	履行期限未到来額	計	履行期限到来額	履行期限未到来額	計					

年　月　日
主任歳入徴収官等
又は歳入徴収官等
代理
官職氏名あて
分任歳入徴収官等
又は歳入徴収官等
代理
官職　氏　名
年　月　日
各省各庁の長あて
主任歳入徴収官等
又は歳入徴収官等
代理
官職　氏　名

備考　１　用紙の大きさは、適宜とする。
２　この通知書には、次の各号に掲げる区分を設け、それぞれ当該各号に掲げる債権の現在額を計上するものとする。
イ　歳　入　歳入金に係る債権
ロ　歳入外　歳入金に係る債権以外の債権でハ及びニに掲げるもの以外のもの
ハ　積立金　積立金に属する債権
ニ　資　金　資金（積立金を除く。）に属する債権
３　勘定のある特別会計にあつては、前号の区分をさらに勘定別に区分するものとする。
４　一般分の欄には、法第21条第１項又は第２項（徴収停止）の措置をとつた債権以外の債権の現在額を、徴収停止分の欄には、同項の措置をとつた債権の現在額を、それぞれ計上するものとする。
５　必要があるときは、この書式に定める事項以外の事項の欄を付け加えることができる。

別紙第10号書式　削除

別紙第11号書式

（その１）

債　権　現　在　額　報　告　書

年度　　　所管　　　会計

区分及び債権の種類	本年度発生債権分			前年度以前発生債権分			合計			備考
	履行期限到来額	履行期限未到来額	計	履行期限到来額	履行期限未到来額	計	履行期限到来額	履行期限未到来額	計	

年　月　日
財務大臣あて
各省各庁の長

備考　１　用紙の大きさは、日本産業規格Ａ列４とする。
２　法第21条第１項又は第２項（徴収停止）の措置をとつた債権の現在額は、この報告書に計上しないものとする。
３　第９号書式備考２及び３の規定は、この書式に準用する。

（その２）

債権現在額報告書（徴収停止分）

年度　　　所管　　　会計

区分及び債権の種類	本年度発生債権分	前年度以前発生債権分	合計	備考

年　月　日
財務大臣あて
各省各庁の長

備考　１　用紙の大きさは、日本産業規格Ａ列４とする。
２　この報告書は、法第21条第１項又は第２項（徴収停止）の措置をとつた債権の現在額を計上するものとする。
３　第９号書式備考２及び３の規定は、この書式に準用する。

別紙第12号書式

（その１）

年度　　会計　　債権現在額総計算書

区分及び債権の種類	本年度発生債権分			前年度以前発生債権分			合　　計			備考
	履行期限到来額	履行期限未到来額	計	履行期限到来額	履行期限未到来額	計	履行期限到来額	履行期限未到来額	計	

備考　1　用紙の大きさは、適宜とする。

2　第11号書式（その１）備考２及び３の規定は、この書式に準用する。

（その２）

年度　　会計　　債権現在額総計算書（徴収停止分）

区分及び債権の種類	本年度発生債権分	前年度以前発生債権分	合　　計	備　考

備考　1　用紙の大きさは、適宜とする。

2　第11号書式（その２）備考２及び３の規定は、この書式に準用する。

別紙第13号書式

表　面

第　　　号

年　　月　　日発行

官職氏名

国の債権の管理等に関する法律（昭和31年法律第114号）第９条第２項の規定に基づく監査証票

財務大臣
財務局長
又は福岡財務支局長

裏　面

国の債権の管理等に関する法律（抄）

（管理事務の総括）

第９条　（第１項　略）

2　財務大臣は、債権の管理の適正を期するため必要があると認めるときは、各省各庁の長に対し、当該各省各庁の所掌事務に係る債権の内容及び当該債権の管理に関する事務の状況に関する報告を求め、又は当該事務について、当該職員をして実地監査を行わせ、若しくは閣議の決定を経て、必要な措置を求めることができる。

この監査証票の有効期限は、発行の日の属する会計年度の終了する日までとする。

備　考

1　用紙は厚質青紙とし、寸法は日本産業規格Ｂ列８とする。

2　この監査証票は、財務本省所属の職員に係るものにあつては財務大臣が、財務局所属の職員に係るものにあつては財務局長が、福岡財務支局所属の職員に係るものにあつては福岡財務支局長が、それぞれ発行するものとする。

○債権管理事務取扱規則別表第二に掲げる債権の目の説明について

令六・四・一
財務省主計局法規課長から各省各庁会計課長あて

（別紙）

目	説明
（1　手数料の類）	
授業料債権	国が設置する教育施設において徴収する授業料に係る債権
講習料債権	定期講習の講習料に係る債権
入学料及び入学検定料債権	国が設置する教育施設の管理規則に基づいて入学検定を受ける者から徴収する検定料及び新たに入学する者から徴収する入学料に係る債権
免許料及び手数料債権	行政上及び司法上の手数料に係る債権（例えば、民事調停申立手数料、特許料、実用新案登録料、意匠登録料その他の登録手数料、特許等申請手数料、証明書交付手数料、各種試験、検査又は審査手数料、各種原簿閲覧手数料、入国許可手数料、あへん栽培許可料等）
収容課金債権	関税法第七十九条に基づいて指定保税地域、保税倉庫、保税工場等にある貨物を収容した場合において同法第八十二条の規定により課する収容課金に係る債権
（2　負担金の類）	
公共事業費地方負担金債権	土地改良法、港湾法、森林法、河川法、砂防法、道路法、公共土木施設災害復旧事業費国庫負担法等に基づいて国が直轄施行する公共事業費について地方公共団体が負担する負担金に係る債権
公共事業費受益者等負担金債権	前記諸法律に基づいて国が徴収する受益者負担金、原因者負担金、占用工事負担金、付帯工事負担金等に係る債権
独立行政法人等恩給負担金債権	独立行政法人（独立行政法人通則法（平成十一年法律第百三号）第二条第一項に規定する独立行政法人をいう。以下同じ。）、日本郵政株式会社、日本電信電話株式会社及び日本たばこ産業株式会社から恩給支給財源に充てるため徴収する納付金に係る債権
独立行政法人日本スポーツ振興センター保護者負担金債権	独立行政法人日本スポーツ振興センター法第十七条第四項の規定により国が設置する教育施設の児童又は生徒の保護者等から徴収する共済掛金の一部負担金に係る債権
日雇拠出金債権	健康保険法第百七十三条に基づき日雇特例被保険者を使用する事業主の設立する健康保険組合より徴収する拠出金に係る債権
厚生年金拠出金債権	厚生年金保険法第八十四条の五第一項に基づき実施機関（厚生労働大臣を除く。）より徴収する拠出金に係る債権
基礎年金拠出金債権	国民年金法第九十四条の二第二項に基づき実施機関たる共済組合等より徴収する拠出金に係る債権
電波利用料債権	電波法第百三条の二の規定に基づき無線局の免許を受けた者から徴収する電波利用料に係る債権
労働者災害補償保険通勤災害一部負担金債権	労働者災害補償保険法第三十一条第二項の規定に基づき通勤による負傷又は疾病に係る療養補償を受ける労働者から徴収する一部負担金に係る債権
国家公務員通勤災害一部負担金債権	国家公務員災害補償法第三十二条の二の規定に基づき通勤による負傷又は疾病に係る療養補償を受ける職員から徴収する一部負担金に係る債権
災害等廃棄物処理事業費地方負担金債権	東日本大震災により生じた災害廃棄物の処理に関する特別措置法に基づいて国が直轄施行する災害等廃棄物処理事業費について地方公共団体が負担する負担金に係る債権
原子力損害賠償負担金債権	原子力損害の補完的な補償に関する条約の実施に伴う原子力損害賠償資金の補助等に関する法律第四条第一項及び第十条第一項の規定に基づき原子力事業者から徴収する負担金に係る債権
諸負担金債権	前記以外の各種負担金債権
（3　納付金の類）	
日本銀行納付金債権	日本銀行法第五十三条に基づく国庫納付金に係る債権
日本中央競馬会納付金債権	日本中央競馬会法第二十七条の規定に基づく国庫納付金に係る債権
恩給法納付金債権	恩給法その他恩給関係法令の規定に

	より恩給法の適用又は準用を受ける公務員が国庫に納付する納付金に係る債権
職域等費用納付金債権	厚生年金保険法等の一部を改正する法律（平成八年法律第八十二号）附則第二十条に基づき存続組合等から徴収する納付金に係る債権
輸入食糧納付金債権	主要食糧の需給及び価格の安定に関する法律第三十四条第一項の規定に基づき米穀等の輸入を行おうとする者及び同法第四十五条第一項の規定に基づき麦等の輸入を行おうとする者が国庫に納付する納付金に係る債権
価格差益及び価格等割増差額納付金債権	物価統制令第二十条に基づく価格等割増差額納付金又は国民生活安定緊急措置法第十一条に基づく課徴金に係る債権
保険回収金納付金債権	国から保険金又は再保険金の支払を受けた被保険者等又は元請保険業者が保険事故に係る相手方から支払を受けた金額のうち保険金に係る部分を法令又は契約の定めるところにより国庫に納付する納付金に係る債権
独立行政法人日本スポーツ振興センター納付金債権	独立行政法人日本スポーツ振興センター法第二十二条の規定に基づく国庫納付金に係る債権
特定アルコール譲渡者納付金債権	アルコール事業法第三十一条第一項の規定により特定アルコールを譲渡した者から納付される納付金に係る債権
独立行政法人造幣局納付金債権	通貨の単位及び貨幣の発行等に関する法律第十条第五項の規定により独立行政法人造幣局から納付される納付金に係る債権
法科大学院設置者納付金債権	法科大学院への裁判官及び検察官その他の一般職の国家公務員の派遣に関する法律第六条第二項の規定により法科大学院設置者から納付される納付金に係る債権
独立行政法人地域医療機能推進機構納付金債権	独立行政法人年金・健康保険福祉施設整理機構法の一部を改正する法律（平成二十三年法律第七十三号）附則第五条の規定により独立行政法人地域医療機能推進機構から納付される納付金に係る債権
独立行政法人住宅金融支援機構納付金債権	独立行政法人住宅金融支援機構法第十八条第四項並びに附則第七条第八項、第十項及び第十四項の規定により独立行政法人住宅金融支援機構から納付される納付金に係る債権
独立行政法人福祉医療機構納付金債権	独立行政法人福祉医療機構法附則第五条の二第八項又は第九項の規定により独立行政法人福祉医療機構から納付される納付金に係る債権
独立行政法人農畜産業振興機構納付金債権	独立行政法人農畜産業振興機構法第十一条の規定により独立行政法人農畜産業振興機構から納付される納付金に係る債権
株式会社日本政策金融公庫納付金債権	株式会社日本政策金融公庫法第四十七条第一項の規定に基づく国庫納付金に係る債権（株式会社国際協力銀行法附則第十二条第八項の規定により株式会社国際協力銀行から納付される納付金に係る債権を含む。）
国立大学法人納付金債権	国立大学法人法第三十二条第三項の規定に基づく国庫納付金に係る債権
株式会社国際協力銀行納付金債権	株式会社国際協力銀行法第三十一条第一項の規定に基づく国庫納付金に係る債権
原子力損害賠償・廃炉等支援機構納付金債権	原子力損害賠償・廃炉等支援機構法第五十九条第四項の規定により原子力損害賠償・廃炉等支援機構から納付される納付金に係る債権
特定タンカー所有者納付金債権	特定タンカーに係る特定賠償義務履行担保契約等に関する特別措置法第三条第一項の規定により同法第二条第四号に規定する特定タンカー所有者から納付される納付金に係る債権
独立行政法人鉄道建設・運輸施設整備支援機構納付金債権	独立行政法人鉄道建設・運輸施設整備支援機構法第十八条第三項の規定により独立行政法人鉄道建設・運輸施設整備支援機構から納付される納付金に係る債権
沖縄振興開発金融公庫納付金債権	沖縄振興開発金融公庫法第二十五条第一項の規定に基づく国庫納付金に係る債権
特定基地局開設料債権	電波法第二十七条の十三の規定により特定基地局の開設計画の認定を受けた者から納付される特定基地局開設料に係る債権
独立行政法人納付金債権	独立行政法人通則法第一条第一項の規定による個別法に基づき積立金の処分として独立行政法人から納付される納付金又は同法第四十六条の二第一項（政府からの出資に係るものを除く。）、第二項（政府からの出資に係るものを除く。）若しくは第三項の規定に基づ

	く国庫納付金に係る債権
諸納付金債権	前記納付金以外の各種納付金に係る債権
（４　保険料及び掛金の類）	
保険料債権	健康保険、厚生年金保険（厚生年金保険法第二条の五第一項第一号に規定する第一号厚生年金被保険者に係るものに限る。）、船員保険、労働保険、漁業共済保険等の国営保険に係る保険料債権
再保険料債権	農業再保険、農業共済再保険、漁船再保険、自動車損害賠償責任再保険等の国営再保険に係る保険料債権
原子力損害補償料債権	原子力損害の賠償に関する法律第十条の規定に基づき原子力事業者が納付する損害補償料に係る債権
自動車事故対策事業賦課金債権	自動車損害賠償保障法第七十八条に基づき保険会社及び組合が国庫に納付する賦課金に係る債権
掛金債権	国営年金保険の掛金に係る債権
子ども・子育て拠出金債権	子ども・子育て支援法第六十九条及び第七十条に基づき一般事業主が国に納付する拠出金に係る債権
石綿健康被害救済拠出金債権	石綿による健康被害の救済に関する法律第三十五条及び第三十七条に基づき労災保険適用事業主が国に納付する拠出金に係る債権
（５　財産売払代の類）	
不動産売払代債権	土地、建物、工作物又は立木竹の売払代金又は交換差金に係る債権（交換差金債権については、民法第五百八十六条第二項においても売買の代金に関する規定を準用しており、債権管理の実体も売払代債権と異なるところがなく、歳入科目においても売払収入として計上しているから、財産売払代の類に含めている。）
船舶売払代債権	船舶の売払代金又は交換差金に係る債権
機械売払代債権	機械の売払代金又は交換差金に係る債権
証券売払代債権	有価証券の売払代金に係る債権
製品売払代債権	官業等による製品の売払代金に係る債権
返還物品売払代債権	在日合衆国軍の返還物品の売払代金に係る債権
刊行物売払代債権	刊行物の売払代金に係る債権
食糧売払代債権	国が食糧管理のため生産者等から買い入れた食糧の売払代金に係る債権（国が直接生産した食糧の売払代金は、農産物等売払代金として整理する。）
農産物等売払代債権	農産物価格の安定のため国が買い入れた農産物等（食糧を除く。）又は国が直接生産した農産物の売払代金に係る債権
輸入飼料売払代債権	食料安定供給特別会計において買い入れた輸入飼料の売払代金に係る債権
林産物売払代債権	国の所有する林産物の売払代金に係る債権
自動車検査登録印紙売払代債権	道路運送車両法第百二条第二項に基づく自動車検査登録印紙の売払代金に係る債権
印紙売りさばき収入債権	印紙をもってする歳入金納付に関する法律第三条に基づき郵便事業株式会社に委託して売りさばく印紙類に係る債権
備蓄石油売払代債権	エネルギー対策特別会計の所有する備蓄石油の売払代金に係る債権
不用物品売払代債権	不用物品の売払代金に係る債権
物件売払代債権	前記財産以外の国有の財産（無体財産権を含む。）の売払代金又は交換差金に係る債権
（６　財産貸付料及び使用料の類）	
公務員宿舎使用料債権	国家公務員宿舎法に基づく使用料に係る債権
寄宿料債権	国が設置する教育施設において設置する寄宿舎の使用料に係る債権
物件貸付料債権	前記の財産以外の国が管理する財産を貸付契約に基づき貸付けた場合において徴する貸付料に係る債権
物件使用料債権	前記の財産以外の国が管理する行政上の財産の使用又は占用の認可をした場合においてその認可の条件に従い徴する使用料又は占用料に係る債権
財産利用料債権	特許権、著作権等の国の無体財産権又は国が管理する温泉、水道等の利用料に係る債権
物件入場料債権	国が管理する財産への入場を許可した場合においてその許可の条件に従い

	徴する入場料に係る債権
（７　配当金の類）	
配当金債権	国の出資に係る会社その他の法人の利益の配当金又は残余財産の分配金に係る債権
（８　費用弁償金及び立替金返還金の類）	
費用弁償金債権	行政代執行費用、滞納処分費等国が支弁した費用のうち法令の規定により国以外の者が負担すべき金額を弁償させる場合における弁償金に係る債権
立替金返還金債権	国以外の者が支弁すべき費用を法令の規定により国が代わって支払った場合においてその者から返還を受ける返還金に係る債権
特定原子力損害填補仮払金回収金債権	平成二十三年原子力事故による被害に係る緊急措置に関する法律第九条第二項の規定により国が仮払金を支払ったときに取得する求償権の行使により発生する回収金に係る債権
（９　委任、請負及び寄託等に基づく受託収入の類）	
受託事業費債権	国が委託を受けて施行する河川、砂防、港湾等の公共事業その他の工事又は委託を受けて製造する機械施設等の対価に係る債権
刑務作業費債権	刑務所において刑務作業として民間の業者又は団体から委託を受けて作業を行う場合における作業代金に係る債権
少年院等職業指導及び職業補導作業費債権	少年院において職業指導作業、婦人補導院において職業補導作業として民間の業者又は団体から委託を受けて作業を行う場合における作業代金に係る債権
病院等療養費債権	国が設置する病院、診療所、療養所等における診察料、入院料、手術料、投薬料等に係る債権
防衛省職員等給食費債権	防衛省において職員等に給与する食事代金に係る債権
受託調査及び試験手数料債権	委託契約に基づく試験、調査、検査、分析、その他これに類する受託事務に対する手数料に係る債権
受託手数料債権	委託契約に基づく事務で前記以外の手数料に係る債権
（10　貸付金回収金の類）	
自衛隊学資貸与金債権	自衛隊法第九十八条の規定により貸付けた貸与金に係る債権
独立行政法人水資源機構貸付金債権	独立行政法人水資源機構に対する貸付金に係る債権（他の目に該当するものを除く。）
帰国費貸付金債権	国の援助を必要とする帰国者に関する領事官の職務等に関する法律に基づき在外邦人を国が援助して帰国させるために領事官が外国において貸付けた帰国旅費貸付金に係る債権
沖縄振興開発金融公庫貸付金債権	沖縄振興開発金融公庫に対する貸付金に係る債権（他の目に該当するものを除く。）
沖縄振興開発金融公庫償還時貸付金債権	平成七年度における財政運営のための国債整理基金に充てるべき資金の繰入れの特例等に関する法律第三条第二項の規定により沖縄振興開発金融公庫に対して貸付けた貸付金に係る債権
日本政策投資銀行貸付金債権	日本政策投資銀行に対する貸付金に係る債権（他の目に該当するものを除く。）
日本政策投資銀行償還時貸付金債権	平成七年度における財政運営のための国債整理基金に充てるべき資金の繰入れの特例等に関する法律第三条第二項の規定により北海道東北開発公庫及び日本開発銀行に対して貸付けた貸付金に係る債権
清酒製造業近代化事業基金貸付金債権	清酒製造業等の安定に関する特別措置法第六条の二第二項の規定により近代化事業基金に充てる資金について日本酒造組合中央会に対して貸付けた貸付金に係る債権
単式蒸留焼酎業対策基金貸付金債権	清酒製造業等の安定に関する特別措置法第六条の三第二項の規定により単式蒸留焼酎業対策基金に充てる資金の全部又は一部について日本酒造組合中央会に対して貸付けた貸付金に係る債権
急傾斜地崩壊対策事業資金貸付金債権	急傾斜地の崩壊による災害の防止に関する法律附則第二項の規定により都道府県に対して貸付けた貸付金に係る債権
後進地域特例法適	後進地域の開発に関する公共事業に

用団体等追加貸付金債権	係る国の負担割合の特例に関する法律施行令附則第五項、産炭地域振興臨時措置法施行令附則第六項、新産業都市建設及び工業整備特別地域整備のための国の財政上の特別措置に関する法律施行令附則第五項及び首都圏、近畿圏及び中部圏の近郊整備地帯等の整備のための国の財政上の特別措置に関する法律施行令附則第六項の規定により地方公共団体に対して貸付けた貸付金に係る債権
海岸保全施設整備事業資金貸付金債権	海岸法附則第六項の規定により海岸保全施設整備事業に要する資金の一部について地方公共団体に対して貸付けた貸付金に係る債権
海岸環境整備事業資金貸付金債権	海岸法附則第七項の規定により海岸環境整備事業に要する資金の一部について地方公共団体に対して貸付けた貸付金に係る債権
公有地造成護岸等整備事業資金貸付金債権	海岸法附則第七項の規定により公有地造成護岸等整備事業に要する資金の一部について地方公共団体に対して貸付けた貸付金に係る債権
漁港漁村整備事業資金収益回収特別貸付金債権	漁港及び漁場の整備等に関する法律附則第十一項の規定により漁港施設の整備及びこれと併せて漁港施設に相当する施設の整備を行う事業に要する資金の一部について水産業協同組合に対して貸付けた貸付金に係る債権（他の目に該当するものを除く。）
漁港漁村整備事業資金収益回収償還時貸付金債権	漁港及び漁場の整備等に関する法律附則第十一項の規定により漁港施設の整備及びこれと併せて漁港施設に相当する施設の整備を行う事業に要する資金の一部について水産業協同組合に対して貸付けた貸付金の償還のため、平成七年度における財政運営のための国債整理基金に充てるべき資金の繰入れの特例等に関する法律第三条第二項の規定により水産業協同組合に対して貸付けた貸付金に係る債権
公営住宅建設等事業資金貸付金債権	公営住宅法附則第五項、第六項若しくは第七項、特定優良賃貸住宅の供給の促進に関する法律附則第二項又は高齢者の居住の安定確保に関する法律附則第三条第一項若しくは第二項の規定により事業主体又は地方公共団体に対して貸付けた貸付金に係る債権
住宅地区改良事業資金貸付金債権	住宅地区改良法附則第八項又は第九項の規定により施行者に対して貸付けた貸付金に係る債権
宅地開発関連公共施設整備事業資金収益回収特別貸付金債権	独立行政法人都市再生機構法附則第十八条の規定による廃止前の都市基盤整備公団法附則第二十一条第一項、独立行政法人都市再生機構法附則第二十一条第一項、同法附則第十六条の規定による改正前の地域振興整備公団法附則第九条第一項又は地方住宅供給公社法附則第九項の規定により都市基盤整備公団、独立行政法人都市再生機構、地域振興整備公団又は地方住宅供給公社に対して貸付けた貸付金に係る債権
宅地開発関連公共施設整備事業資金収益回収償還時貸付金債権	独立行政法人都市再生機構法附則第十八条の規定による廃止前の都市基盤整備公団法附則第十七条の規定による廃止前の住宅・都市整備公団法附則第二十四条の二第一項、独立行政法人都市再生機構法附則第十六条の規定による改正前の地域振興整備公団法附則第九条第一項又は地方住宅供給公社法附則第九項の規定により住宅・都市整備公団、地域振興整備公団又は地方住宅供給公社に対して貸付けた貸付金の償還のため、平成七年度における財政運営のための国債整理基金に充てるべき資金の繰入れの特例等に関する法律第三条第二項の規定により住宅・都市整備公団、地域振興整備公団又は地方住宅供給公社に対して貸付けた貸付金に係る債権
下水道事業資金貸付金債権	下水道法附則第五条第一項（独立行政法人都市再生機構法附則第二十二条第一項の規定により読み替えて適用する場合を含む。）の規定により下水道事業に要する資金の一部について地方公共団体又は独立行政法人都市再生機構に対して貸付けた貸付金に係る債権
市街地再開発事業資金貸付金債権	都市再開発法附則第五条第一項及び第二項の規定による個人施行者、市街地再開発組合若しくは地方公共団体又は大都市地域における住宅地等の供給の促進に関する特別措置法附則第三条第一項の規定による地方公共団体に対して貸付けた貸付金に係る債権
水道施設整備事業資金貸付金債権	水道法附則第十一条第一項又は第二項の規定により地方公共団体に対して

債権の目	説明
	貸付けた貸付金に係る債権（他の目に該当するものを除く。）
廃棄物処理施設整備事業資金貸付金債権	港湾法附則第十六項又は廃棄物の処理及び清掃に関する法律附則第四条第一項若しくは第二項の規定により廃棄物処理施設整備事業に要する資金の一部について港湾管理者又は地方公共団体に対して貸付けた貸付金に係る債権
かんがい排水事業資金貸付金債権	土地改良法附則第二項の規定によりかんがい排水事業に要する資金の一部について都道府県に対して貸付けた貸付金に係る債権
圃場整備事業資金貸付金債権	土地改良法附則第二項の規定により圃場整備事業に要する資金の一部について都道府県に対して貸付けた貸付金に係る債権
諸土地改良事業資金貸付金債権	土地改良法附則第二項の規定により諸土地改良事業に要する資金の一部について都道府県に対して貸付けた貸付金に係る債権
農道整備事業資金貸付金債権	土地改良法附則第二項の規定により農道整備事業に要する資金の一部について都道府県に対して貸付けた貸付金に係る債権
農村総合整備事業資金貸付金債権	土地改良法附則第二項又は第三項の規定により農村総合整備事業に要する資金の一部について都道府県に対して貸付けた貸付金に係る債権
農業集落排水事業資金貸付金債権	土地改良法附則第三項の規定により農業集落排水事業に要する資金の一部について都道府県に対して貸付けた貸付金に係る債権
農地防災事業資金貸付金債権	土地改良法附則第二項の規定により農地防災事業に要する資金の一部について都道府県に対して貸付けた貸付金に係る債権
農地保全事業資金貸付金債権	土地改良法附則第二項の規定により農地保全事業に要する資金の一部について都道府県に対して貸付けた貸付金に係る債権
農業生産基盤整備事業資金収益回収特別貸付金債権	独立行政法人水資源機構法附則第六条の規定による廃止前の水資源開発公団法附則第九条第一項の規定により農業生産基盤整備事業に要する資金の一部について水資源開発公団に対して貸付けた貸付金に係る債権
農業生産基盤整備事業資金収益回収償還時貸付金債権	森林開発公団法の一部を改正する法律（平成十一年法律第七十号）附則第八条の規定による廃止前の農用地整備公団法附則第二十一条又は独立行政法人水資源機構法附則第六条の規定による廃止前の水資源開発公団法附則第九条第一項の規定により農業生産基盤整備事業に要する資金の一部について農用地整備公団又は水資源開発公団に対して貸付けた貸付金の償還のため、平成七年度における財政運営のための国債整理基金に充てるべき資金の繰入れの特例等に関する法律第三条第二項の規定により農用地整備公団又は水資源開発公団に対して貸付けた貸付金に係る債権
農村整備事業資金収益回収償還時貸付金債権	森林開発公団法の一部を改正する法律（平成十一年法律第七十号）附則第八条の規定による廃止前の農用地整備公団法附則第二十一条の規定により農村整備事業に要する資金の一部について農用地整備公団に対して貸付けた貸付金の償還のため、平成七年度における財政運営のための国債整理基金に充てるべき資金の繰入れの特例等に関する法律第三条第二項の規定により農用地整備公団に対して貸付けた貸付金に係る債権
農地等保全事業資金収益回収特別貸付金債権	独立行政法人緑資源機構法を廃止する法律による廃止前の独立行政法人緑資源機構法附則第十条の規定による廃止前の緑資源公団法附則第十一条第一項の規定により農地等保全事業に要する資金の一部について緑資源公団に対して貸付けた貸付金に係る債権
農地等保全事業資金収益回収償還時貸付金債権	森林開発公団法の一部を改正する法律（平成十一年法律第七十号）附則第八条の規定による廃止前の農用地整備公団法附則第二十一条の規定により農地等保全事業に要する資金の一部について農用地整備公団に対して貸付けた貸付金の償還のため、平成七年度における財政運営のための国債整理基金に充てるべき資金の繰入れの特例等に関する法律第三条第二項の規定により農用地整備公団に対して貸付けた貸付金に係る債権
干拓等事業資金貸付金債権	土地改良法附則第二項の規定により干拓事業に要する資金の一部について都道府県に対して貸付けた貸付金に係

債権の目	説明
	る債権
造林事業資金収益回収償還時貸付金債権	森林開発公団法の一部を改正する法律（平成十一年法律第七十号）による改正前の森林開発公団法附則第十一条第一項の規定により造林事業に要する資金の一部について森林開発公団に対して貸付けた貸付金の償還のため、平成七年度における財政運営のための国債整理基金に充てるべき資金の繰入れの特例等に関する法律第三条第二項の規定により森林開発公団に対して貸付けた貸付金に係る債権
林道事業資金収益回収償還時貸付金債権	森林開発公団法の一部を改正する法律（平成十一年法律第七十号）による改正前の森林開発公団法附則第十一条第一項の規定により林道事業に要する資金の一部について森林開発公団に対して貸付けた貸付金の償還のため、平成七年度における財政運営のための国債整理基金に充てるべき資金の繰入れの特例等に関する法律第三条第二項の規定により森林開発公団に対して貸付けた貸付金に係る債権
特定森林地域開発林道整備事業資金貸付金債権	森林開発公団法の一部を改正する法律（平成十一年法律第七十号）による改正前の森林開発公団法附則第十二条第一項の規定により森林開発公団に対して貸付けた貸付金に係る債権
工業用水道事業資金貸付金債権	工業用水道事業法附則第十三項又は独立行政法人水資源機構法附則第五条第二項の規定により工業用水道事業に要する資金の一部について地方公共団体又は独立行政法人水資源機構に対して貸付けた貸付金に係る債権
新幹線鉄道整備事業資金貸付金債権	独立行政法人鉄道建設・運輸施設整備支援機構法附則第十条第一項の規定により独立行政法人鉄道建設・運輸施設整備支援機構に対して貸付けた貸付金に係る債権
海岸事業資金貸付金債権	海岸法附則第六項又は第七項の規定により離島振興地域（離島振興法第二条第一項に基づき指定された離島振興対策実施地域及び奄美群島振興開発特別措置法第一条に規定する奄美群島をいう。以下同じ。）及び沖縄県において事業を行う地方公共団体に対して貸付けた貸付金に係る債権
農業生産基盤整備事業資金貸付金債権	土地改良法附則第二項の規定により離島振興地域において事業を行う都県若しくは沖縄県又は独立行政法人水資源機構法附則第五条第二項の規定により農業生産基盤整備事業に要する資金の一部について独立行政法人水資源機構に対して貸付けた貸付金に係る債権
農村整備事業資金貸付金債権	土地改良法附則第二項の規定により離島振興地域及び沖縄県において農村整備事業を行う都県に対して貸付けた貸付金に係る債権
水道水源開発施設整備事業資金貸付金債権	独立行政法人水資源機構法附則第五条第二項の規定により水道水源開発施設整備事業に要する資金の一部について独立行政法人水資源機構に対して貸付けた貸付金に係る債権
水道水源開発等施設整備事業資金貸付金債権	水道法附則第十一条第一項又は第二項の規定により沖縄県に対して貸付けた貸付金に係る債権
独立行政法人日本学生支援機構貸付金債権	独立行政法人日本学生支援機構法第二十二条の規定により学資の貸与に要する資金の一部について独立行政法人日本学生支援機構に対して貸付けた貸付金に係る債権
母子父子寡婦福祉貸付金債権	母子及び父子並びに寡婦福祉法第三十七条第一項の規定により都道府県に対して貸付けた貸付金に係る債権
公衆衛生修学資金貸付金債権	公衆衛生修学資金貸与法第二条の規定により将来保健所において勤務しようとする者に対して貸付けた貸付金に係る債権
災害援護貸付金債権	災害弔慰金の支給等に関する法律第十二条の規定により都道府県、指定都市に対して貸付けた貸付金に係る債権
農地保有合理化促進対策資金貸付金債権	株式会社日本政策金融公庫法の施行に伴う関係法律の整備に関する法律第三十一条の規定による改正前の農業経営基盤強化促進法附則第八項、農業経営に関する金融上の措置の改善のための農業改良資金助成法等の一部を改正する法律第二条による改正前の農業経営基盤強化促進法第三十四条第一項の規定により農林漁業金融公庫、株式会社日本政策金融公庫若しくは沖縄振興開発金融公庫又は都道府県に対して貸付けた貸付金に係る債権
就農支援資金貸付金債権	農業の構造改革を推進するための農業経営基盤強化促進法等の一部を改正

債権の目	説明
	する等の法律（平成二十五年法律第百二号）第四条の規定による廃止前の青年等の就農促進のための資金の貸付け等に関する特別措置法第十九条第一項及び第二項又は農業の構造改革を推進するための農業経営基盤強化促進法等の一部を改正する等の法律附則第九条第四項の規定により都道府県に対して貸付けた貸付金に係る債権
治山事業資金貸付金債権	森林法附則第六項の規定により都道府県に対して貸付けた貸付金に係る債権
地すべり防止事業資金貸付金債権	地すべり等防止法附則第八条第一項の規定により地すべり防止事業に要する資金の一部について都道府県に対して貸付けた貸付金に係る債権
治山事業資金収益回収償還時貸付金債権	森林開発公団法の一部を改正する法律（平成十一年法律第七十号）による改正前の森林開発公団法附則第十一条第一項の規定により治山事業に要する資金の一部について森林開発公団に対して貸付けた貸付金の償還のため、平成七年度における財政運営のための国債整理基金に充てるべき資金の繰入れの特例等に関する法律第三条第二項の規定により森林開発公団に対して貸付けた貸付金に係る債権
発明実施化試験費貸付金債権	発明等の実施化試験を行う者に対する貸付金に係る債権
小企業等経営改善資金貸付金債権	株式会社日本政策金融公庫法附則第四十二条の規定による廃止前の国民生活金融公庫法第二十二条の二第二項の規定により貸付けた貸付金に係る債権
小規模企業者等設備導入資金貸付金債権	小規模企業者等設備導入資金助成法第三条第一項の規定により都道府県に対して貸付けた貸付金又は同法附則第二条第三項若しくは第三条第四項、中小企業振興資金等助成法の一部を改正する法律（昭和三十八年法律第七十一号）附則第三条第二項若しくは中小企業の事業活動の活性化等のための中小企業関係法律の一部を改正する法律（平成十一年法律第二百二十二号）附則第五条第一項の規定により都道府県に対して貸付けたこととなる貸付金に係る債権
航空機騒音対策事業資金貸付金債権	公共用飛行場周辺における航空機騒音による障害の防止等に関する法律第三十三条の規定により航空機騒音対策事業に要する資金の一部として独立行政法人空港周辺整備機構に対して貸付けた貸付金に係る債権
独立行政法人自動車事故対策機構貸付金債権	独立行政法人自動車事故対策機構法第十八条第一項の規定により交通遺児等への貸付事業に要する資金の一部として独立行政法人自動車事故対策機構に対して貸付けた貸付金に係る債権
埠頭整備資金等貸付金債権	港湾法第五十五条の七第一項（阪神・淡路大震災に対処するための特別の財政援助及び助成に関する法律第七十二条及び東日本大震災に対処するための特別の財政援助及び助成に関する法律第百三十五条の規定によりみなして適用する場合を含む。）若しくは第五十五条の八第一項、海上物流の基盤強化のための港湾法等の一部を改正する法律第二条による改正前の外貿埠頭公団の解散及び業務の承継に関する法律第六条、特定外貿埠頭の管理運営に関する法律第六条第一項若しくは民間都市開発の推進に関する特別措置法第五条第一項の規定により港湾管理者、指定法人若しくは同法第三条第一項の規定により指定された民間都市開発推進機構に対して貸付けた貸付金又は海上物流の基盤強化のための港湾法等の一部を改正する法律第二条による改正前の外貿埠頭公団の解散及び業務の承継に関する法律第二条第三項の規定により指定法人に対して貸付けたこととなる貸付金に係る債権
港湾改修事業資金貸付金債権	港湾法附則第十五項から第十七項まで、北海道開発のためにする港湾工事に関する法律附則第七項、奄美群島振興開発特別措置法附則第七項又は沖縄振興特別措置法附則第五条第一項の規定により港湾改修事業に要する資金の一部について港湾管理者に対して貸付けた貸付金に係る債権
港湾環境整備事業資金貸付金債権	港湾法附則第十六項若しくは第十七項、北海道開発のためにする港湾工事に関する法律附則第七項、沖縄振興特別措置法附則第五条第一項又は広域臨海環境整備センター法附則第三条第一項の規定により港湾環境整備事業に要する資金の一部について港湾管理者等

債権の目	説明
	に対して貸付けた貸付金に係る債権
港湾事業資金収益回収特別貸付金債権	港湾法附則第二十七項の規定により港湾改修事業に要する資金の一部について地方公共団体の出資又は拠出に係る法人に対して貸付けた貸付金に係る債権
港湾事業資金収益回収償還時貸付金債権	港湾法附則第二十七項の規定により港湾改修事業に要する資金の一部について地方公共団体の出資又は拠出に係る法人に対して貸付けた貸付金の償還のため、平成七年度における財政運営のための国債整理基金に充てるべき資金の繰入れの特例等に関する法律第三条第二項の規定により地方公共団体の出資又は拠出に係る法人に対して貸付けた貸付金に係る債権
空港整備事業資金貸付金債権	空港法附則第七条第一項から第四項までの規定により地方公共団体に対して貸付けた貸付金及び民間資金等の活用による公共施設等の整備等の促進に関する法律第七十二条第一項の規定により同法第八条第一項の規定により選定された民間事業者に対して貸付けた貸付金に係る債権
関西国際空港整備事業資金貸付金債権	関西国際空港株式会社法第七条の四第二項又は第十条の規定により新空港建設事業に要する資金の一部について関西国際空港株式会社に対して貸付けた貸付金に係る債権
中部国際空港整備事業資金貸付金債権	中部国際空港の設置及び管理に関する法律第九条の規定により新空港建設事業に要する資金の一部について同法

債権の目	説明
	第四条の規定により指定された株式会社に対して貸付けた貸付金に係る債権
国立研究開発法人情報通信研究機構貸付金債権	通信・放送機構法の一部を改正する法律（平成十一年法律第三十九号）附則第二条第一項の規定により通信・放送機構に対して貸付けたこととなる貸付金及び基盤技術研究円滑化法の一部を改正する法律（平成十三年法律第六十号）附則第二条第一項の規定により通信・放送機構が承継した基盤技術研究促進センターに対して貸付けた貸付金に係る債権
道路開発資金貸付金債権	道路に関する公共の利益に資する事業への民間活力等の導入を促進し、道路機能開発等を図るために、その事業者に対して貸付けた貸付金に係る債権
有料道路整備資金貸付金債権	道路整備特別措置法第二十条の規定により地方道路公社又は地方公共団体に対して貸付けた貸付金に係る債権
都市開発資金貸付金債権	独立行政法人都市再生機構法附則第四十三条の規定による改正前の都市開発資金の貸付けに関する法律第一条又は同法第一条の規定により都市基盤整備公団若しくは地域振興整備公団又は地方公共団体、独立行政法人都市再生機構、土地開発公社若しくは民間都市開発の推進に関する特別措置法第三条第一項の規定により指定された民間都市開発推進機構に対して貸付けた貸付金に係る債権
沿道整備資金貸付金債権	幹線道路の沿道の整備に関する法律第十一条第一項の規定により市町村に

債権の目	説明
	対して貸付けた貸付金に係る債権
一般国道改修資金貸付金債権	道路法附則第四項若しくは第五項又は共同溝の整備等に関する特別措置法附則第二項の規定により一般国道改修に要する資金の一部について地方公共団体に対して貸付けた貸付金に係る債権
地方道改修資金貸付金債権	道路法附則第五項（独立行政法人都市再生機構法附則第十八条の規定による廃止前の都市基盤整備公団法附則第二十二条第一項又は独立行政法人都市再生機構法附則第二十二条第一項の規定により読み替えて適用する場合を含む。）又は共同溝の整備等に関する特別措置法附則第二項（独立行政法人都市再生機構法附則第十八条の規定による廃止前の都市基盤整備公団法附則第二十二条第一項又は独立行政法人都市再生機構法附則第二十二条第一項の規定により読み替えて適用する場合を含む。）の規定により地方道改修に要する資金の一部について地方公共団体、都市基盤整備公団又は独立行政法人都市再生機構に対して貸付けた貸付金に係る債権
雪寒地域道路事業資金貸付金債権	積雪寒冷特別地域における道路交通の確保に関する特別措置法附則第三項の規定により地方公共団体に対して貸付けた貸付金に係る債権
交通安全施設等整備事業資金貸付金債権	交通安全施設等整備事業の推進に関する法律附則第五項又は沖縄振興特別措置法附則第五条第二項の規定により

目	説明
	地方公共団体に対して貸付けた貸付金に係る債権
道路事業資金収益回収特別貸付金債権	道路整備特別措置法第二十条の規定による貸付金のうち同法附則第八条に規定する貸付金に該当する貸付金、同法附則第七条第一項の規定により東日本高速道路株式会社、首都高速道路株式会社、中日本高速道路株式会社、西日本高速道路株式会社、阪神高速道路株式会社若しくは本州四国連絡高速道路株式会社に対して貸付けた貸付金、日本道路公団等の民営化に伴う道路関係法律の整備等に関する法律第一条による改正前の道路整備特別措置法附則第七条第一項の規定により日本道路公団、首都高速道路公団、阪神高速道路公団若しくは本州四国連絡橋公団に対して貸付けた貸付金、土地区画整理法附則第二項により道路事業に要する資金の一部について独立行政法人都市再生機構若しくは地方住宅供給公社に対して貸付けた貸付金、独立行政法人都市再生機構法附則第三十条の規定による改正前の土地区画整理法附則第二項により道路事業に要する資金の一部について都市基盤整備公団、地域振興整備公団若しくは地方住宅供給公社に対して貸付けた貸付金又は民間都市開発の推進に関する特別措置法附則第十五条第一項の規定により道路事業に要する資金の一部について同法第三条第一項の規定により指定された民間都市開発推進機構に対して貸付けた貸付金に係る債権
道路事業資金収益回収償還時貸付金債権	道路整備特別措置法第二十条の規定による貸付金のうち同法附則第八条に規定する貸付金に該当するもの又は日本道路公団等の民営化に伴う道路関係法律の整備等に関する法律第一条による改正前の道路整備特別措置法附則第七条第一項の規定により日本道路公団、首都高速道路公団、阪神高速道路公団若しくは本州四国連絡橋公団に対して貸付けた貸付金の償還のため、平成七年度における財政運営のための国債整理基金に充てるべき資金の繰入れの特例等に関する法律第三条第二項の規定により日本道路公団、首都高速道路公団、阪神高速道路公団若しくは本州四国連絡橋公団に対して貸付けた貸付金に係る債権
土地区画整理事業資金貸付金債権	土地区画整理法附則第二項又は第五項から第七項までの規定により地方公共団体、独立行政法人都市再生機構又は地方住宅供給公社に対して貸付けた貸付金に係る債権（他の目に該当するものを除く。）
街路事業資金貸付金債権	道路法附則第四項若しくは第五項又は共同溝の整備等に関する特別措置法附則第二項の規定により街路事業に要する資金の一部について地方公共団体に対して貸付けた貸付金に係る債権
街路事業資金収益回収特別貸付金債権	独立行政法人都市再生機構法附則第三十条の規定による改正前の土地区画整理法附則第二項又は同法附則第二項若しくは民間都市開発の推進に関する特別措置法附則第十五条第一項の規定により街路事業に要する資金の一部について都市基盤整備公団若しくは地域振興整備公団又は独立行政法人都市再生機構、地方住宅供給公社若しくは同法第三条第一項の規定により指定された民間都市開発推進機構に対して貸付けた貸付金に係る債権
街路事業資金収益回収償還時貸付金債権	独立行政法人都市再生機構法附則第十八条の規定による廃止前の都市基盤整備公団法附則第二十九条の規定による改正前の土地区画整理法附則第二項又は民間都市開発の推進に関する特別措置法附則第十五条第一項の規定により街路事業に要する資金の一部について住宅・都市整備公団、地域振興整備公団又は同法第三条第一項の規定により指定された民間都市開発推進機構に対して貸付けた貸付金の償還のため、平成七年度における財政運営のための国債整理基金に充てるべき資金の繰入れの特例等に関する法律第三条第二項の規定により住宅・都市整備公団、地域振興整備公団又は民間都市開発推進機構に対して貸付けた貸付金に係る債権
道路事業資金貸付金債権	道路法附則第四項若しくは第五項又は交通安全施設等整備事業の推進に関する法律附則第五項の規定により離島振興地域において事業を行う地方公共

債権の目	説明
	団体に対して貸付けた貸付金に係る債権
河川改修資金貸付金債権	河川法附則第五項又は第六項の規定により河川改修に要する資金の一部について地方公共団体に対して貸付けた貸付金に係る債権
都市河川改修資金貸付金債権	河川法附則第五項又は第六項の規定により都市河川改修に要する資金の一部について地方公共団体に対して貸付けた貸付金に係る債権
準用河川改修資金貸付金債権	河川法附則第六項の規定により準用河川改修に要する資金の一部について地方公共団体に対して貸付けた貸付金に係る債権
河川事業資金収益回収特別貸付金債権	民間都市開発の推進に関する特別措置法附則第十五条第一項の規定により河川事業に要する資金の一部について同法第三条第一項の規定により指定された民間都市開発推進機構に対して貸付けた貸付金に係る債権
河川事業資金収益回収償還時貸付金債権	民間都市開発の推進に関する特別措置法附則第十五条第一項の規定により河川事業に要する資金の一部について同法第三条第一項の規定により指定された民間都市開発推進機構に対して貸付けた貸付金の償還のため、平成七年度における財政運営のための国債整理基金に充てるべき資金の繰入れの特例等に関する法律第三条第二項の規定により民間都市開発推進機構に対して貸付けた貸付金に係る債権
河川総合開発事業資金貸付金債権	河川法附則第五項の規定により河川総合開発事業に要する資金の一部について地方公共団体に対して貸付けた貸付金に係る債権
治水ダム建設事業資金貸付金債権	河川法附則第五項の規定により治水ダム建設事業に要する資金の一部について地方公共団体に対して貸付けた貸付金に係る債権
河川総合開発事業資金収益回収特別貸付金債権	民間都市開発の推進に関する特別措置法附則第十五条第一項の規定により河川総合開発事業に要する資金の一部について同法第三条第一項の規定により指定された民間都市開発推進機構に対して貸付けた貸付金に係る債権
河川総合開発事業資金収益回収償還時貸付金債権	民間都市開発の推進に関する特別措置法附則第十五条第一項の規定により河川総合開発事業に要する資金の一部について同法第三条第一項の規定により指定された民間都市開発推進機構に対して貸付けた貸付金の償還のため、平成七年度における財政運営のための国債整理基金に充てるべき資金の繰入れの特例等に関する法律第三条第二項の規定により民間都市開発推進機構に対して貸付けた貸付金に係る債権
独立行政法人水資源機構収益回収償還時貸付金債権	独立行政法人水資源機構法附則第六条の規定による廃止前の水資源開発公団法附則第九条第一項の規定により治水事業に要する資金の一部について水資源開発公団に対して貸付けた貸付金の償還のため、平成七年度における財政運営のための国債整理基金に充てるべき資金の繰入れの特例等に関する法律第三条第二項の規定により水資源開発公団に対して貸付けた貸付金に係る債権
砂防事業資金貸付金債権	砂防法第五十二条第一項の規定により地方公共団体に対して貸付けた貸付金に係る債権
地すべり対策事業資金貸付金債権	地すべり等防止法附則第八条第一項の規定により地すべり対策事業に要する資金の一部について都道府県に対して貸付けた貸付金に係る債権
砂防事業資金収益回収特別貸付金債権	民間都市開発の推進に関する特別措置法附則第十五条第一項の規定により砂防事業に要する資金の一部について同法第三条第一項の規定により指定された民間都市開発推進機構に対して貸付けた貸付金に係る債権
砂防事業資金収益回収償還時貸付金債権	民間都市開発の推進に関する特別措置法附則第十五条第一項の規定により砂防事業に要する資金の一部について同法第三条第一項の規定により指定された民間都市開発推進機構に対して貸付けた貸付金の償還のため、平成七年度における財政運営のための国債整理基金に充てるべき資金の繰入れの特例等に関する法律第三条第二項の規定により民間都市開発推進機構に対して貸付けた貸付金に係る債権
都市計画事業資金収益回収特別貸付金債権	独立行政法人都市再生機構法附則第四十三条の規定による改正前の都市開発資金の貸付けに関する法律第三項又は同法附則第二項若しくは第三項の規定により都市計画事業に要する資金の

債権の目	説明
	一部について都市基盤整備公団若しくは地域振興整備公団又は民間都市開発の推進に関する特別措置法第三条第一項の規定により指定された民間都市開発推進機構、独立行政法人都市再生機構若しくは地方住宅供給公社に対して貸付けた貸付金に係る債権
都市計画事業資金収益回収償還時貸付金債権	独立行政法人都市再生機構法附則第四十三条の規定による改正前の都市開発資金の貸付けに関する法律附則第三項又は同法附則第二項の規定により都市計画事業に要する資金の一部について住宅・都市整備公団若しくは地域振興整備公団又は民間都市開発の推進に関する特別措置法第三条第一項の規定により指定された民間都市開発推進機構に対して貸付けた貸付金の償還のため、平成七年度における財政運営のための国債整理基金に充てるべき資金の繰入れの特例等に関する法律第三条第二項の規定により住宅・都市整備公団若しくは地域振興整備公団又は民間都市開発推進機構に対して貸付けた貸付金に係る債権
急傾斜地崩壊対策事業資金収益回収特別貸付金債権	都市開発資金の貸付けに関する法律附則第二項の規定により急傾斜地崩壊対策事業に要する資金の一部について民間都市開発の推進に関する特別措置法第三条第一項の規定により指定された民間都市開発推進機構に対して貸付けた貸付金に係る債権
海岸事業資金収益回収特別貸付金債権	都市開発資金の貸付けに関する法律附則第二項の規定により海岸事業に要する資金の一部について民間都市開発の推進に関する特別措置法第三条第一項の規定により指定された民間都市開発推進機構に対して貸付けた貸付金に係る債権
海岸事業資金収益回収償還時貸付金債権	都市開発資金の貸付けに関する法律附則第二項の規定により海岸事業に要する資金の一部について民間都市開発の推進に関する特別措置法第三条第一項の規定により指定された民間都市開発推進機構に対して貸付けた貸付金の償還のため、平成七年度における財政運営のための国債整理基金に充てるべき資金の繰入れの特例等に関する法律第三条第二項の規定により民間都市開発推進機構に対して貸付けた貸付金に係る債権
都市開発事業用地取得推進資金貸付金債権	都市開発資金の貸付けに関する法律附則第六項の規定により都市開発事業用地の取得等に係る事務の管理及び運営に要する費用の財源をその運用によって得るための資金について民間都市開発の推進に関する特別措置法第三条第一項の規定により指定された民間都市開発推進機構に対して貸付けた貸付金に係る債権
水産基盤整備事業資金収益回収特別貸付金債権	漁港及び漁場の整備等に関する法律附則第十一項の規定により漁港施設の整備及びこれと併せて漁港施設に相当する施設の整備を行う事業に要する資金の一部について水産業協同組合に対して貸付けた貸付金に係る債権
本州四国連絡道路事業資金貸付金債権	本州四国連絡道路事業に係る有利子負債の圧縮を図り、償還確実性を高めるために、日本道路公団等民営化関係法施行法第三十七条第四号による廃止前の本州四国連絡橋公団法附則第十四条第一項の規定により本州四国連絡橋公団に対して貸付けた貸付金に係る債権
沖縄産業振興施設整備資金貸付金債権	沖縄振興特別措置法附則第五条第四項の規定により沖縄産業振興施設の整備に要する資金の一部について地方公共団体に対して貸付けた貸付金に係る債権
都道府県警察施設整備資金貸付金債権	警察法附則第三十三条の規定により、交通安全施設の整備に要する資金の一部について都道府県に対して貸付けた貸付金に係る債権
電気通信格差是正施設整備資金貸付金債権	特定通信・放送開発事業実施円滑化法附則第三条第一項及び第二項の規定により電気通信格差是正施設の整備に要する資金の一部を地方公共団体に対して貸付けた貸付金に係る債権
国立研究開発法人情報通信研究機構施設整備資金貸付金債権	独立行政法人通則法附則第四条第一項の規定により国立研究開発法人情報通信研究機構の施設の整備に要する資金について国立研究開発法人情報通信研究機構に対して貸付けた貸付金に係る債権
消防防災施設整備資金貸付金債権	消防施設強化促進法附則第五項の規定により消防防災施設の整備に要する資金の一部について市町村に対して貸

債権の目	説明
	付けた貸付金に係る債権及び日本電信電話株式会社の株式の売払収入の活用による社会資本の整備の促進に関する特別措置法（以下「社会資本整備特別措置法」という。）第二条の二第一項の規定により同項第一号に該当する消防防災施設の整備に要する資金の一部について都道府県に対して貸付けた貸付金に係る債権
市町村消防施設整備資金貸付金債権	消防施設強化促進法附則第四項又は第五項の規定により消防防災施設の整備に要する資金の一部について市町村に対して貸付けた貸付金に係る債権
情報通信格差是正事業資金貸付金債権	特定通信・放送開発事業実施円滑化法附則第三条第一項及び第二項の規定により情報通信格差是正事業に要する資金の一部を地方公共団体に対して貸付けた貸付金に係る債権
独立行政法人国立科学博物館施設整備資金貸付金債権	独立行政法人通則法附則第四条第一項の規定により独立行政法人国立科学博物館の施設の整備に要する資金について独立行政法人国立科学博物館に対して貸付けた貸付金に係る債権
公立学校施設整備資金貸付金債権	活動火山対策特別措置法附則第二項、国の補助金等の整理及び合理化等に伴う義務教育費国庫負担法等の一部を改正する等の法律（以下「平成十八年義務教育費国庫負担法等改正法」という。）第十一条による改正前の過疎地域自立促進特別措置法附則第七条の二第一項、平成十八年義務教育費国庫負担法等改正法第十五条による廃止前の公立高等学校危険建物改築促進臨時措置法附則第二項若しくは第三項、平成十八年義務教育費国庫負担法等改正法第八条による改正前のへき地教育振興法附則第二項、平成十八年義務教育費国庫負担法等改正法第五条による改正前の学校給食法附則第二項若しくは第三項、平成十八年義務教育費国庫負担法等改正法第十五条による廃止前の公立養護学校整備特別措置法附則第十二項から第十四項まで、平成十八年義務教育費国庫負担法等改正法第六条による改正前の夜間課程を置く高等学校における学校給食に関する法律附則第二項若しくは第三項、義務教育諸学校施設費国庫負担法附則第四項若しくは第五項、平成十八年義務教育費国庫負担法等改正法第七条による改正前のスポーツ振興法附則第四項若しくは第五項、平成十八年義務教育費国庫負担法等改正法第九条による改正前の離島振興法附則第六項又は平成十八年義務教育費国庫負担法等改正法附則第十条による改正前の豪雪地帯対策特別措置法附則第二項の規定により公立学校施設の整備に要する資金の一部について地方公共団体に対して貸付けた貸付金に係る債権及び社会資本整備特別措置法第二条の二第一項の規定により同項第二号に該当する公立学校施設の整備に要する資金の一部について地方公共団体に対して貸付けた貸付金に係る債権
私立学校施設整備資金貸付金債権	私立学校振興助成法附則第三条第一項の規定により私立学校施設の整備に要する資金の一部について学校法人に対して貸付けた貸付金に係る債権
地域先導科学技術基盤施設整備資金貸付金債権	社会資本整備特別措置法第二条の二第一項の規定により同項第三号に該当する地域先導科学技術基盤施設の整備に要する資金の一部について地方公共団体に対して貸付けた貸付金に係る債権
国立研究開発法人物質・材料研究機構施設整備資金貸付金債権	独立行政法人通則法附則第四条第一項の規定により国立研究開発法人物質・材料研究機構の施設の整備に要する資金について国立研究開発法人物質・材料研究機構に対して貸付けた貸付金に係る債権
国立研究開発法人量子科学技術研究開発機構施設整備資金貸付金債権	独立行政法人通則法附則第四条第一項の規定により国立研究開発法人量子科学技術研究開発機構の施設の整備に要する資金について国立研究開発法人量子科学技術研究開発機構に対して貸付けた貸付金に係る債権
国立研究開発法人防災科学技術研究所施設整備資金貸付金債権	独立行政法人通則法附則第四条第一項の規定により国立研究開発法人防災科学技術研究所の施設の整備に要する資金について国立研究開発法人防災科学技術研究所に対して貸付けた貸付金に係る債権
国立研究開発法人宇宙航空研究開発機構施設整備資金貸付金債権	独立行政法人通則法附則第四条第一項の規定により国立研究開発法人宇宙航空研究開発機構の施設の整備に要する資金について国立研究開発法人宇宙

	航空研究開発機構に対して貸付けた貸付金に係る債権
社会体育施設整備資金貸付金債権	平成十八年義務教育費国庫負担法等改正法第七条による改正前のスポーツ振興法附則第四項又は第五項の規定により社会体育施設の整備に要する資金の一部について地方公共団体に対して貸付けた貸付金に係る債権
国宝重要文化財保存施設整備資金貸付金債権	文化財保護法第百二十二条の規定により文化財施設の整備に要する資金の一部について重要文化財の所有者又は管理団体に対して貸付けた貸付金に係る債権
医療施設等施設整備資金貸付金債権	医師法附則第四十四条第一項、医療法附則第八十六条第一項若しくは第二項、歯科医師法附則第四十五条第一項、歯科衛生士法附則第三項、児童福祉法附則第七十二条第四項又は国の補助金等の整理及び合理化等に伴う児童手当法等の一部を改正する法律第二条の規定による改正前の児童福祉法附則第七十二条第五項の規定により医療施設等施設の整備に要する資金の一部として地方公共団体等に対して貸付けた貸付金に係る債権
保健衛生施設等施設整備資金貸付金債権	介護保険法附則第六条第一項若しくは第二項、老人福祉法附則第八条第一項、精神保健及び精神障害者福祉に関する法律附則第三項から第七項まで又は地域保健法附則第二条第一項の規定により保健衛生施設等施設の整備に要する資金の一部として地方公共団体等に対して貸付けた貸付金に係る債権（他の目に該当するものを除く。）
社会福祉施設等施設整備資金貸付金債権	児童福祉法附則第七十二条第一項から第三項まで、国の補助金等の整理及び合理化等に伴う児童手当法等の一部を改正する法律第二条の規定による改正前の児童福祉法附則第七十二条第一項から第四項まで、知的障害者福祉法附則第四項、国の補助金等の整理及び合理化等に伴う児童手当法等の一部を改正する法律第五条の規定による改正前の知的障害者福祉法附則第四項若しくは第五項、身体障害者福祉法附則第五十一条第一項、国の補助金等の整理及び合理化等に伴う児童手当法等の一部を改正する法律第三条の規定による改正前の身体障害者福祉法附則第五十一条第一項若しくは第二項、老人福祉法附則第八条第一項から第三項まで、生活保護法附則第九項、国の補助金等の整理及び合理化等に伴う児童手当法等の一部を改正する法律第四条の規定による改正前の生活保護法附則第九項若しくは第十項又は社会福祉法附則第十六項から第十八項までの規定により社会福祉施設等施設の整備に要する資金の一部として地方公共団体に対して貸付けた貸付金に係る債権
総合食料対策事業資金貸付金債権	社会資本整備特別措置法第二条の二第一項の規定により同項第四号又は第五号に該当する総合食料対策事業に要する資金の一部について地方公共団体に対して貸付けた貸付金に係る債権
卸売市場施設整備資金貸付金債権	卸売市場法附則第十一条第一項又は第二項の規定により卸売市場施設の整備に要する資金の一部について地方公共団体に対して貸付けた貸付金に係る債権
農業生産総合対策事業資金貸付金債権	社会資本整備特別措置法第二条の二第一項の規定により同項第四号に該当する農業生産総合対策事業に要する資金の一部について都道府県に対して貸付けた貸付金に係る債権
畜産振興総合対策事業資金貸付金債権	社会資本整備特別措置法第二条の二第一項の規定により同項第四号に該当する畜産振興総合対策事業に要する資金の一部について都道府県に対して貸付けた貸付金に係る債権
農業経営対策事業資金貸付金債権	社会資本整備特別措置法第二条の二第一項の規定により同項第六号に該当する農業経営対策事業に要する資金の一部について都道府県に対して貸付けた貸付金に係る債権
農村振興対策事業資金貸付金債権	土地改良法附則第二項の規定により農村振興対策事業に要する資金の一部について都道府県に対して貸付けた貸付金に係る債権
中山間地域等振興対策事業資金貸付金債権	社会資本整備特別措置法第二条の二第一項の規定により同項第六号、第七号及び第八号に該当する中山間地域等振興対策事業に要する資金の一部について都道府県に対して貸付けた貸付金に係る債権
山村振興等対策事	社会資本整備特別措置法第二条の二

債権の目	説明
業資金貸付金債権	第一項の規定により同項第八号に該当する山村振興等対策事業に要する資金の一部について都道府県に対して貸付けた貸付金に係る債権
林業生産流通総合対策施設整備資金貸付金債権	森林法附則第八項の規定により林業生産流通総合対策施設の整備に要する資金の一部について都道府県に対して貸付けた貸付金に係る債権
水産業振興総合対策施設整備資金貸付金債権	社会資本整備特別措置法第二条の二第一項の規定により同項第六号に該当する水産業振興総合対策施設の整備に要する資金の一部について都道府県に対して貸付けた貸付金に係る債権
畑地帯総合農地整備事業資金貸付金債権	土地改良法附則第二項又は第三項の規定による畑地帯総合農地整備事業に要する資金の一部について都道府県に対して貸付けた貸付金に係る債権
農村振興整備事業資金貸付金債権	土地改良法附則第二項又は第三項の規定による農村振興整備事業に要する資金の一部について都道府県に対して貸付けた貸付金に係る債権
中山間総合整備事業資金貸付金債権	土地改良法附則第二項又は第三項の規定による中山間総合整備事業に要する資金の一部について都道府県に対して貸付けた貸付金に係る債権
農村環境保全対策事業資金貸付金債権	土地改良法附則第二項の規定により農村環境保全対策事業に要する資金の一部について都道府県に対して貸付けた貸付金に係る債権
森林保全整備事業資金貸付金債権	森林法附則第七項の規定により森林保全整備事業に要する資金の一部について都道府県に対して貸付けた貸付金に係る債権
森林環境整備事業資金貸付金債権	森林法附則第七項の規定により森林環境整備事業に要する資金の一部について都道府県に対して貸付けた貸付金に係る債権
水産物供給基盤整備事業資金貸付金債権	漁港及び漁場の整備等に関する法律附則第二項、第三項又は第四項の規定により水産物供給基盤整備事業に要する資金の一部について地方公共団体に対して貸付けた貸付金に係る債権
水産資源環境整備事業資金貸付金債権	漁港及び漁場の整備等に関する法律附則第三項又は第四項の規定により水産資源環境整備事業に要する資金の一部について地方公共団体に対して貸付けた貸付金に係る債権
漁村総合整備事業資金貸付金債権	漁港及び漁場の整備等に関する法律附則第四項の規定により漁村総合整備事業に要する資金の一部について地方公共団体に対して貸付けた貸付金に係る債権
農地等保全事業資金貸付金債権	土地改良法附則第二項又は第三項の規定により農地等保全事業に要する資金の一部について都道府県に対して貸付けた貸付金に係る債権
水産基盤整備事業資金貸付金債権	漁港及び漁場の整備等に関する法律附則第二項、第三項又は第四項の規定により北海道、離島振興地域及び沖縄県における水産基盤整備事業に要する資金の一部について地方公共団体に対して貸付けた貸付金に係る債権
環境調和型地域振興施設整備資金貸付金債権	資源の有効な利用の促進に関する法律附則第二条の規定により環境調和型地域振興施設の整備に要する資金の一部について地方公共団体に対して貸付けた貸付金に係る債権
地域新事業創出基盤施設整備資金貸付金債権	新事業創出促進法附則第十六条の規定により起業家育成施設の整備に要する資金の一部として地方公共団体に対して貸付けた貸付金に係る債権
商業・サービス業集積関連施設整備資金貸付金債権	中心市街地における市街地の整備改善及び商業等の活性化の一体的推進に関する法律附則第五条の規定により商業基盤施設の整備に要する資金の一部として地方公共団体に対して貸付けた貸付金に係る債権
国立研究開発法人産業技術総合研究所施設整備資金貸付金債権	独立行政法人通則法附則第四条第一項の規定により国立研究開発法人産業技術総合研究所の施設の整備に要する資金について国立研究開発法人産業技術総合研究所に対して貸付けた貸付金に係る債権
中心市街地商店街・商業集積活性化施設整備資金貸付金債権	中心市街地における市街地の整備改善及び商業等の活性化の一体的推進に関する法律附則第五条の規定により商業基盤施設又は商業施設の整備に要する資金の一部として地方公共団体に対して貸付けた貸付金に係る債権
国立研究開発法人土木研究所施設整備資金貸付金債権	独立行政法人通則法附則第四条第一項の規定により国立研究開発法人土木研究所の施設の整備に要する資金について国立研究開発法人土木研究所に対して貸付けた貸付金に係る債権
国立研究開発法人建築研究所施設整	独立行政法人通則法附則第四条第一項の規定により国立研究開発法人建築

備資金貸付金債権	研究所の施設の整備に要する資金について国立研究開発法人建築研究所に対して貸付けた貸付金に係る債権
軌間可変電車研究開発施設整備資金貸付金債権	社会資本整備特別措置法第二条の二第一項の規定により同項第十一号に該当する軌間可変電車研究開発施設の整備に要する資金について鉄道総合技術研究所に対して貸付けた貸付金に係る債権
地下高速鉄道整備事業資金貸付金債権	鉄道軌道整備法附則第三項の規定により地下高速鉄道整備事業に要する資金の一部について鉄道事業者等に対して貸付けた貸付金に係る債権
ニュータウン鉄道等整備事業資金貸付金債権	鉄道軌道整備法附則第三項の規定によりニュータウン鉄道等整備事業に要する資金の一部について鉄道事業者等に対して貸付けた貸付金に係る債権
幹線鉄道等活性化事業資金貸付金債権	鉄道軌道整備法附則第三項の規定により幹線鉄道等活性化事業に要する資金の一部について鉄道事業者等に対して貸付けた貸付金に係る債権
鉄道駅総合改善事業資金貸付金債権	鉄道軌道整備法附則第三項の規定により鉄道駅総合改善事業に要する資金の一部について鉄道事業者等に対して貸付けた貸付金に係る債権
住宅宅地関連公共施設整備促進事業資金貸付金債権	社会資本整備特別措置法第二条の二第一項の規定により同項第十号に該当する住宅宅地関連公共施設整備促進事業に要する資金の一部について地方公共団体又は地方住宅供給公社に対して貸付けた貸付金に係る債権
住宅市街地整備総合支援事業資金貸付金債権	社会資本整備特別措置法第二条の二第一項の規定により同項第十号に該当する住宅市街地整備総合支援事業に要する資金の一部について地方公共団体又は地方住宅供給公社に対して貸付けた貸付金に係る債権
密集住宅市街地整備促進事業資金貸付金債権	密集市街地における防災地区の整備の促進に関する法律附則第四条第一項又は第二項の規定により密集住宅市街地整備促進事業に要する資金の一部について市町村又は地方公共団体に対して貸付けた貸付金に係る債権
都市再生推進事業資金貸付金債権	土地区画整理法附則第五項から第七項まで及び第九項、社会資本整備特別措置法第二条の二第一項第九号又は密集市街地における防災街区の整備の促進に関する法律附則第四条第二項の規定により都市再生推進事業に要する資金の一部について地方公共団体に対して貸付けた貸付金に係る債権
まちづくり総合支援事業資金貸付金債権	社会資本整備特別措置法第二条の二第一項の規定により同項第九号に該当するまちづくり総合支援事業に要する資金の一部について地方公共団体に対して貸付けた貸付金に係る債権
都市公園事業資金貸付金債権	都市公園法附則第十項（独立行政法人都市再生機構法附則第二十二条第一項の規定により読み替えて適用する場合を含む。）又は社会資本整備重点計画法附則第二条第一項の規定により都市公園事業に要する資金の一部について地方公共団体又は独立行政法人都市再生機構に対して貸付けた貸付金に係る債権
廃棄物再生利用施設整備資金貸付金債権	廃棄物の処理及び清掃に関する法律附則第四条第二項の規定により廃棄物再生利用施設を整備する事業に要する資金の一部について民間団体に対して貸付けた貸付金に係る債権
国立研究開発法人国立環境研究所施設整備資金貸付金債権	独立行政法人通則法附則第四条第一項の規定により国立研究開発法人国立環境研究所の施設の整備に要する資金について国立研究開発法人国立環境研究所に対して貸付けた貸付金に係る債権
環境保全施設整備資金貸付金債権	社会資本整備特別措置法第二条の二第一項の規定により同項第十二号及び第十三号に該当する環境保全施設を整備する事業に要する資金の一部について地方公共団体に対して貸付けた貸付金に係る債権
自然公園等事業資金貸付金債権	社会資本整備特別措置法第二条の二第一項の規定により同項第十二号に該当する自然公園等事業に要する資金の一部について地方公共団体に対して貸付けた貸付金に係る債権
環境保全保安林整備事業資金貸付金債権	森林法附則第六項の規定により環境保全保安林整備事業に要する資金の一部について都道府県に対して貸付けた貸付金に係る債権
交通連携推進道路事業資金貸付金債権	道路法附則第四項又は第五項の規定により交通連携推進道路事業に要する資金の一部について地方公共団体に対して貸付けた貸付金に係る債権
交通連携推進街路	道路法附則第四項又は第五項の規定

事業資金貸付金債権	により交通連携推進街路事業に要する資金の一部について地方公共団体に対して貸付けた貸付金に係る債権
沿道環境改善事業資金貸付金債権	道路法附則第四項若しくは第五項又は道路の修繕に関する法律第三条の規定により沿道環境改善事業に要する資金の一部について地方公共団体に対して貸付けた貸付金に係る債権
電線共同溝整備事業資金貸付金債権	電線共同溝の整備等に関する特別措置法附則第二条第一項又は第二項の規定により電線共同溝整備事業に要する資金の一部について地方公共団体に対して貸付けた貸付金に係る債権
床上浸水対策特別緊急事業資金貸付金債権	河川法附則第五項又は第六項の規定により床上浸水対策特別緊急事業に要する資金の一部について地方公共団体に対して貸付けた貸付金に係る債権
河川災害復旧等関連緊急事業資金貸付金債権	河川法附則第五項の規定により河川災害復旧等関連緊急事業に要する資金の一部について地方公共団体に対して貸付けた貸付金に係る債権
河川激甚災害対策特別緊急事業資金貸付金債権	河川法附則第五項の規定により河川激甚災害対策特別緊急事業に要する資金の一部について地方公共団体に対して貸付けた貸付金に係る債権
統合河川整備事業資金貸付金債権	河川法附則第六項の規定により統合河川整備事業に要する資金の一部について地方公共団体に対して貸付けた貸付金に係る債権
ダム周辺環境整備事業資金貸付金債権	河川法附則第六項の規定によりダム周辺環境整備事業に要する資金の一部について地方公共団体に対して貸付けた貸付金に係る債権
堰堤改良資金貸付金債権	河川法附則第五項又は第六項の規定により堰堤改良に要する資金の一部について地方公共団体に対して貸付けた貸付金に係る債権
特定緊急砂防事業資金貸付金債権	砂防法第五十二条第一項の規定により特定緊急砂防事業に要する資金の一部について地方公共団体に対して貸付けた貸付金に係る債権
特定緊急地すべり対策事業資金貸付金債権	地すべり等防止法附則第八条第一項の規定により特定緊急地すべり対策事業に要する資金の一部について地方公共団体に対して貸付けた貸付金に係る債権
中部国際空港整備事業資金収益回収特別貸付金債権	中部国際空港の設置及び管理に関する法律附則第二条の規定により新空港整備事業に要する資金の一部について同法第四条の規定により指定された株式会社に対して貸付けた貸付金に係る債権
都市再生事業資金貸付金債権	都市再生特別措置法第三十条の規定により民間都市開発の推進に関する特別措置法第三条第一項の規定により指定された民間都市開発推進機構に対して貸付けた貸付金に係る債権
海外滞在費貸出金債権	盗難、紛失その他やむを得ない理由により、海外での滞在に要する金銭等を一時的に失った在外邦人に対して、金銭等を調達するまでの間の滞在に必要な経費について領事官が外国において貸出した海外滞在費貸出金に係る債権
日本下水道事業団貸付金債権	日本下水道事業団法の一部を改正する法律（平成十四年法律第百八十六号）附則第二条第二項の規定により日本下水道事業団に対して貸付けたこととなる貸付金に係る債権
独立行政法人国立高等専門学校機構施設整備資金貸付金債権	独立行政法人通則法附則第四条第一項の規定により独立行政法人国立高等専門学校機構の施設の整備に要する資金について独立行政法人国立高等専門学校機構に対して貸付けた貸付金及び独立行政法人国立高等専門学校機構法附則第十条第一項の規定により独立行政法人国立高等専門学校機構に対して貸付けたこととなる貸付金に係る債権
国立大学法人等施設整備資金貸付金債権	国立大学法人法附則第十四条第一項の規定により国立大学法人等の施設の整備に要する資金について国立大学法人等に対して貸付けた貸付金及び同法附則第十一条第一項の規定により国立大学法人等に対して貸付けたこととなる貸付金に係る債権
独立行政法人国立病院機構施設整備資金貸付金債権	独立行政法人通則法附則第四条第一項の規定により独立行政法人国立病院機構の施設の整備に要する資金について独立行政法人国立病院機構に対して貸付けた貸付金及び独立行政法人国立病院機構法附則第十二条第一項の規定により独立行政法人国立病院機構に対して貸付けたこととなる貸付金に係る債権
過剰米短期融資資金貸付金債権	主要食糧の需給及び価格の安定に関する法律第十七条第一項の規定により

	過剰米短期融資に要する資金の一部について同法第八条第一項により指定された米穀安定供給確保支援機構に対して貸付けた貸付金に係る債権
成田国際空港株式会社貸付金債権	成田国際空港株式会社法附則第十二条第二項の規定により成田国際空港株式会社に対して貸付けたこととなる貸付金に係る債権
連続立体交差事業資金貸付金債権	踏切道改良促進法第九条第一項の規定により地方公共団体に対して貸付けた貸付金に係る債権
地方道路整備臨時貸付金債権	道路法等の一部を改正する法律（平成二十五年法律第三十号）第四条の規定による改正前の道路整備事業に係る国の財政上の特別措置に関する法律第三条第一項の規定により都道府県若しくは指定都市又は同条第二項の規定により地方公共団体に対して貸付けた貸付金に係る債権
株式会社日本政策金融公庫貸付金債権	株式会社日本政策金融公庫法第四十八条第一項の規定により株式会社日本政策金融公庫に対して貸付けた貸付金に係る債権
特定大規模道路用地取得資金貸付金債権	高規格幹線道路及び地域高規格道路の整備を推進するために、用地の先行取得を行う地方道路公社等に対して貸付けた貸付金に係る債権
空港機能施設災害復旧事業資金貸付金債権	東日本大震災に対処するための特別の財政援助及び助成に関する法律第百三十七条の規定により同法第二条第二項に規定する特定被災地方公共団体である県に対して貸付けた貸付金に係る債権
株式会社国際協力銀行貸付金債権	株式会社日本政策金融公庫法第三十二条の規定により株式会社国際協力銀行に対して貸付けた貸付金に係る債権
修習資金貸与金債権	裁判所法第六十七条の三第一項又は裁判所法の一部を改正する法律（平成二十九年法律第二十三号）による改正前の裁判所法第六十七条の二第一項の規定により貸付けた貸与金に係る債権
株式会社農林漁業成長産業化支援機構貸付金債権	株式会社農林漁業成長産業化支援機構法第三十一条の規定により株式会社農林漁業成長産業化支援機構に対して貸付けた貸付金に係る債権
電線敷設工事資金貸付金債権	道路整備事業に係る国の財政上の特別措置に関する法律第四条第一項の規定により都道府県又は市町村に対して貸付けた貸付金に係る債権
株式会社商工組合中央金庫貸付金債権	株式会社商工組合中央金庫に対する貸付金に係る債権
特定連絡道路工事資金貸付金債権	道路整備事業に係る国の財政上の特別措置に関する法律第六条第一項の規定により都道府県又は市町村に対して貸付けた貸付金に係る債権
自動運行補助施設設置工事資金貸付金債権	道路整備事業に係る国の財政上の特別措置に関する法律第五条第一項の規定により都道府県又は市町村に対して貸付けた貸付金に係る債権
成田国際空港整備事業資金貸付金債権	成田国際空港株式会社法第八条の規定により空港整備事業に要する資金の一部について成田国際空港株式会社に対して貸付けた貸付金に係る債権
定期貸債権	旧租税債権及び貸付金債権以外の国の債権の整理に関する法律の規定による定期貸債権（債務の弁済が著しく困難な無資力債務者に対する債権を定期に分割して返済させる貸付金に組み替えることとするものである。）
据置貸債権	旧租税債権及び貸付金債権以外の国の債権の整理に関する法律の規定による据置貸債権（債務者に対する債権の履行を債務者の資力が回復するときまで据置く貸付金に組み替えることとするものである。）
諸貸付金債権	前記以外の各種貸付金に係る債権
（11　利得償還金の類）	
留学費用償還金債権	国家公務員の留学費用の償還に関する法律第三条（第十条及び第十一条において準用する場合並びに国会職員法第二十七条の三の規定によりその例によることとされる場合を含む。）の規定に基づく償還金に係る債権
返納金債権	金銭の利得に係る償還金又は法令の規定に基づく返還命令による補助金、保険金その他の納付金の返還金に係る債権
利得償還金債権	金銭以外の財産の利得に係る償還金に係る債権（例えば、民法第六百八条第二項による賃貸借終了後における有益費償還金）
（12　損害賠償金の	

類）	
延滞金債権	金銭債権の履行遅滞に係る損害賠償金その他これに類する徴収金に係る債権
追徴金債権	保険料の過少申告又は無申告による保険料額の更正又は決定があった場合において法令の規定により保険料に合わせて徴収する追徴金に係る債権
過怠金債権	自動車損害賠償保障法第七十二条の規定により損害を政府が代わっててん補した場合において同法第七十九条の規定により、その損害賠償の責に任ずる者から徴収する損害賠償金に合わせて徴収する過怠金債権に係る債権
加算金債権	補助金等に係る予算の執行の適正化に関する法律第十九条、国の債権の管理等に関する法律第三十六条第十号その他法令又は契約の定めるところにより債務者の債務不履行に伴い返還金がある場合において一定の期間に応じ当該返還金に付される加算金に係る債権
弁償金債権	特別の法律に基づき会計職員その他の国の職員又は国の機関が国に対して負う賠償責任に基づく債権（例えば、会計法第四十一条、予算執行職員等の責任に関する法律第三条、物品管理法第三十一条、国家賠償法第一条第二項等）
損害賠償金債権	前記の各種賠償金以外の損害賠償金その他これに類する徴収金に係る債権
（13　利息の類）	
利息債権	延納利息又は貸付金利息に係る債権
（14　金銭引渡請求権の類）	
金銭引渡請求権債権	法令又は契約の定めるところにより国庫に帰属した現金をその保管する者から引渡を受けるべき請求権に基づく債権（例えば、解散公団の残余財産である現金が法令の規定により国庫に帰属した場合において、当該現金を清算人から引渡を受けるべき債権）
（15　出資回収金の類）	
国際機関出資回収金債権	国際開発協会協定に基づき出資価値が加盟国通貨の外国為替相場の著しい上昇により増加した場合等における返還に係る債権
特殊法人等出資回収金債権	法律の規定に基づき特殊法人等から納付される政府の出資額に相当する金額の回収金に係る債権

○国の債権の管理等に関する法律施行令第二十九条第一項本文に規定する財務大臣が定める率を定める件

昭三二・一・一〇
大蔵省告示八

最終改正　令二・三・一〇財務省告示五一

国の債権の管理等に関する法律施行令（昭和三十一年政令第三百三十七号）第二十九条第一項本文に規定する財務大臣が定める率は、年三パーセントとする。

前文（令二・三・一〇財務省告示五一）（抄）

令和二年四月一日から適用する。

○国の債権の管理等に関する法律施行令第四条第二項に規定する財務大臣の指定する債権を定める件

平二九・三・三一
財務省告示八〇

国の債権の管理等に関する法律施行令（昭和三十一年政令第三百三十七号）第四条第二項に規定する財務大臣の指定する債権は、国際約束に基づく政府と外国の政府との間の交換公文等により行われる債務救済措置の対象となる政府が外国政府等に売り渡した米穀に係る債権とし、当該債権については、国の債権の管理等に関する法律（昭和三十一年法律第百十四号）第二十五条、第二十六条（延納利息に係る部分を除く。）及び第二十七条の規定を適用しない。

附　則

１　この告示は、平成二十九年四月一日から適用する。

２　国の債権の管理等に関する法律施行令第四条第二項に規定する財務大臣の指定する債権の件（平成十年大蔵省告示第八十七号）は、廃止する。

○会計事務簡素化のための債権管理法令等の改正法令の実施について

昭四五・九・二二蔵計三〇九七
大蔵大臣通達

今回、会計事務の簡素化を図るため、次の法令が公布され、来る十月一日から施行されることとされたが、これらの改正法令の実施にあたつては、下記によることとしたので、御了知の上、その旨を貴省庁の関係機関に対し御通知願いたい。

一 許可、認可等の整理に関する法律（昭和四十五年六月一日法律第百十一号）〔第八条 国の債権の管理等に関する法律の一部改正〕
二 国の債権の管理等に関する法律施行令の一部を改正する政令（昭和四十五年八月三日政令第二百三十一号）
三 債権管理事務取扱規則等の一部を改正する省令（昭和四十五年八月二十五日大蔵省令第六十二号）

記

1 債権管理事務の引継ぎについて

今回の改正により、債権管理官が廃止され、歳入徴収官等が債権の管理に関する事務を行なうこととなつたが、歳入徴収官等が廃止される債権管理官（代理債権管理官及び分任債権管理官を含む。）と異なる場合には、債権管理事務取扱規則（以下「規則」という。）第六条の規定により、事務の引継ぎの手続を行なうこととする。

2 納付委託の実施について

(1) 改正後の国の債権の管理等に関する法律第十四条第一項の規定による納付委託に係る有価証券の取立てについて費用を要するときは、同項後段の規定によりその委託をしようとする者から当該費用の額に相当する金額（歳入歳出外現金）の提供を受けることになるので、債権の取立てについて臨戸督促をする歳入徴収官等の所属庁の職員（収入官吏等）を必要に応じ歳入歳出外現金出納官吏に任命しておくこととされたい。

(2) 歳入徴収官等の所属庁の職員が受領する納付委託に係る有価証券は、小切手にあつてはこれに線引きをし、約束手形又は為替手形で債務者が振出人であるものにあつては、これに指図禁止の記載をしなければならないものとする。

(3) 歳入徴収官等は、納付委託に係る有価証券の取扱いについて、事故の防止を期するため、担当の職員からそのつど有価証券受領証書を提出させて、その使用状況及び発行した受領証書の控えと現物の有価証券との照合をする等十分な監督を行なうこととする。

3 小切手支払未済金収入等の歳入組入庁の変更について

(1) 支出官若しくは出納官吏が振り出した小切手又は日本銀行に交付した隔地払送金資金でその振出日又は資金の交付の日から一年を経過したものの金額を歳入に組み入れる場合には、これまでは次に掲げる通達により、一般会計に係るものにあつてはすべて大蔵省主管歳入徴収官大蔵大臣官房会計課長の取り扱う歳入に、特別会計に係るものにあつては各省各庁の長の指定する歳入徴収官の取り扱う歳入にそれぞれ組み入れることとしていたが、会計事務の簡素化を図るため、昭和四十五年十月一日以降同通達を廃止することとする。

1 歳出支払未済繰越金並隔地払資金一年経過歳入ニ組入ノ場合取扱方（大正十二年蔵第四四〇八号大蔵大臣通達）
2 保管金時効調書ニ依ル歳入組入方（大正十二年蔵第一三二三〇号大蔵大臣通達）
3 預託金保管金小切手期限経過歳入ニ組入ノ件（大正十四年蔵計第四八号大蔵大臣通達）

(注) 今回の改正省令においてはこの通達の廃止を前提として、日本銀行が支出官の振り出した小切手又は交付した隔地払送金資金で一年を経過したものを歳入に組み入れる場合には、当該支出官の所属庁の歳入に組み入れることを定めている（日本銀行国庫金取扱規程第二十条及び第三十三条改正）。また、出納官吏がその振り出した小切手又は交付した隔地払送金資金で一年を経過したものを預託金又は保管金から歳入に組み入れる場合には、各省各庁の長が別段の定めをしない限り、当該出納官吏の所属庁の歳入に組み入れられることになるが、この場合における所属庁の歳入への組入れにあたつては、事務簡素化のため、歳入徴収官から納入告知書の交付を受けることなく、その調査決定に基づいて組入れの手続をすることとされた（出納官吏事務規程第三十一条、第三十二条、第三十四条、第四十五条及び保管金取扱規程第十七条改正）。

(2) 一般会計に係る小切手支払未済金収入の歳入科目の設置について

今回の改正により、大蔵省の主管から各省各庁の主管に切り替えられた一般会計に係る小切手及び隔地送金資金の一年経過による収入金の昭和四十五年度分の歳入科目については、各省各庁においてすでに該当する歳入科目が設置されている場合を除き、「昭和四十五年度における一般会計歳入の科目設置について」（昭和四十五年三月二十日蔵計第七一一号大蔵大臣通達）に基づく各省各庁の長からの個々の申請によることなく、次の歳入科目を設置し、これによつて整理することとしたから通知する。

（部）五〇〇〇－〇〇　雑収入
（款）五三〇〇－〇〇　諸収入
（項）五三九九－〇〇　雑入
（目）五三九九－〇三　小切手支払未済金収入

○国の債権の管理等に関する法律及びこれに基く命令の実施について

昭三二・一・一〇蔵計一〇五
大蔵大臣通達

国の債権の管理に関する事務については、下記によることとされたい。なお、下記中第四（法務大臣に対し強制履行の請求等の措置を求める場合の取扱について）については、法務省訟務局とも協議済であるから申し添える。

記

略語については、次による。

「法」……国の債権の管理等に関する法律（昭和三十一年法律第百十四号）

「令」……国の債権の管理等に関する法律施行令（昭和三十一年政令第三百三十七号）

「規則」……債権管理事務取扱規則（昭和三十一年大蔵省令第八十六号）

第一 債権の調査確認及び債権管理簿への記載について

一 延滞金債権の調査確認及び債権管理簿への記載について

延滞金については、従来、各省各庁は、これが徴収について全くかえりみないきらいがあつた。これは、既に発生している延滞金債権を行使しないで放置するものであつて、財政法第九条第二項及び法第十条の規定の趣旨にもとるものであるから、今後は、延滞金債権についても、令第八条第四号、令第十条第三項等に規定するところによりその調査確認及び債権管理簿への記載を行い、他の債権と全く同様の管理を行うものとする。

二 国内部における金銭の受払について

国の組織の相互間において物又は役務の提供を行い、これらの対価として金銭を収受する場合（例、農林省食糧事務所（食糧管理特別会計）が刑務所（一般会計）から食糧売却代金を徴収する場合や郵便局（郵政事業特別会計）が他の官庁から後納郵便料金を徴収する場合）は、一の権利主体である国の内部における金銭の受払であるから法律上の債権債務は発生せず、従つて、この法律は適用されない（法律第二条第一項）。しかし、一般の債権債務とかかる国内部における金銭の受払とを別個に経理することが各省各庁の事務取扱の実情から見て困難であり、かつ、非能率であるときは、国内部における金銭の受払についても、一般の債権に準じて、調査確認及び記載（法第十一条）、債権の発生又は国への帰属に関する通知（法第十二条）、証拠物件等の保存（法第二十条第一項）等に関する事務の取扱をしてさしつかえないものとする。なお、かかる国内部の金銭の受払を一般の債権債務と全く同様に取り扱い、同一の債権管理簿に記載整理をする官庁においては、標識又は記号により一般の債権との明確な識別をはかり、規則第四十条に規定する債権現在額通知書及び法第三十九条に規定する債権現在額報告書に計上されることのないようにするものとする。

第二 債権の発生等に関する通知について

一 債権の発生等の通知義務者が債権管理官等を兼ねる場合における債権の発生又は国への帰属（以下「債権の発生等」という。）に関する通知について

法第十二条の規定により債権の発生等に関する通知を行うべき者（以下「通知義務者」という。）が債権管理官等（規則第六条に規定する債権管理官等をいう。以下同じ。）を兼ねる場合には、令第二十三条第一号の規定により債権の発生等に関する通知を省略できるものとされているが、これは、債権の発生等を知り得る系統の事務を行う係等と債権管理官等の事務を行う係等とが内部組織上分離している場合における係等間の連絡をも省略しうるものとしたのではない。このような場合には、令第十一条及び第十二条の規定に準じ、当該係等の間の連絡を密にするものとする。

二 債権の発生等に関する通知に添附する書類について

通知義務者が債権管理官等に対して債権の発生等に関する通知を行う場合に添附する書類のうち、債権又はその担保に係る事項の立証に供すべき書類（以下「証拠書類」という。）は、原本ではなく、その写でよいこととなつている（令第十一条第一項）。これは、通知義務者がその職務上引き続き原本を保存する必要がある場合又は原本を直ちに債権管理官等に送付することが適当でない場合が多いので、写を添附することとしたのであつて、通知の際に原本を送付することが可能である場合には原本を添附することとする。

証拠書類のうちもつぱら債権又はその担保に係る事項の立証に供すべき書類の原本は、法第二十条第一項の規定により債権管理官等が整備保存すべきものであるから、なるべく早い機会において通知義務者から債権管理官等に送付するものとする。

第三 納入の告知の手続について

一 延滞金等が附される債権の納入の告知の請求等をする場合に明らかにする弁済の充当の順序

債権管理官等が、利息、延滞金又は一定の期間に応じて附する加算金（以下「延滞金等」という。）が附される債権について歳入徴収官に対して納入の告知をすべきことの請求をし、又はみずから債務者に対し納入の告知をする場合に明らかにする弁済の充当の順序は、次によるものとし、債権管理官等は、この順序を規則第十三条第一項に規定する書面又は規則第十四条第一項に規定する書類及び規則第十四条第二項に規定する納入告知書に記載するものとする。

1 一般の債権（下記2及び3の債権以外の債権）についての弁済の充当の順序

元本と延滞金等との間においては、まず延滞金等に充

当し、次いで元本に充当する。延滞金等相互の間においては、弁済期の早いものを先にし、弁済期の同じものについてはそれぞれの延滞金等の金額に均分して充当するのを原則とするが利息と履行期限までの加算金との間においては、とくに事務処理の便宜を考慮して、利息を先にし、加算金を後とする。

2 歳出予算の金額又は前渡資金に戻入することができる返納金債権の弁済の充当の順序

規則第十四条第三項に規定するところにより、まず元本に充当し、次いで延滞金等に充当する。

3 法施行前に告知済である債権の弁済の充当の順序

法施行の日（昭和三十二年一月十日）前に改正前の歳入徴収官事務規程第九条又は改正前の支出官事務規程第四十条の規定により既に元本について納入告知書又は返納告知書が発行されている債権について、当該告知に基いて弁済がされたときは、判例上その弁済は元本に対する弁済と解釈されるから、元本に充当し、延滞金等についてまだ納入の告知がされていないときは、別途納入の告知をするものとする。

二 履行期限の定のない債権について納入の告知をする場合の履行期限の設定について

債権管理官等は、その所掌に属する債権について納入の告知をすべきことを歳入徴収官に対して請求し、又はみずから納入の告知をする場合において、当該債権の履行について法令又は契約に期限の定がないときは、納入の告知の請求の日又はみずから納入の告知をする日から二十日以内において適宜の履行期限を定めることとなつているが（規則第十三条第三項、第十四条第七項、歳入徴収官事務規則第十八条第一項）、悪意の不当利得者に対する不当利得返還金債権又は不法行為による損害賠償金債権については、債務者は不当利得時又は不法行為時から遅延利息を附して弁済すべきこととされている（民法第七百四条、大正三年六月二十四日大審院判例）ので、当該不当利得の日又は不法行為の日を履行期限として指定するものとする。

第四 法務大臣に対し強制履行の請求等の措置を求める場合の取扱について

一 債権管理官等が規則第二十一条の規定により行う書面の送付の宛先は、次のとおりとする。

1 各省各庁の中央機関に所属する債権管理官等にあつては、法務大臣（所掌は法務省訟務局）に送付する。

2 各省各庁の地方支分部局に所属する債権管理官等にあつては、その地方支分部局の所在地を管轄区域とする法務局長（所掌は法務局訟務部）又は地方法務局長（所掌は地方法務局訟務課）に送付する。

3 他の地方支分部局を監督する地方支分部局でその所在地が地方法務局長の管轄区域内にあるものに所属する債権管理官等は、訴の提起、仮差押若しくは仮処分の申請又は会社更生若しくは破産の申立の措置を求める場合には、上記2にかかわらず、当該地方法務局長を監督する法務局長に送付することができる。

4 他の地方支分部局を監督する地方支分部局でその所在地が東京法務局長の管轄区域内にあるものに所属する債権管理官等は、上記3の措置を求める場合には、上記2にかかわらず、当分の間、法務大臣に直接送付することができる。

二 規則第二十一条の規定により送付する書面に明らかにする事項は、次のとおりとする。

1 債務者の住所及び氏名又は名称

2 債権の内容（債権金額、履行期限、利率その他利息に関する事項、延滞金に関する事項等）

3 債権の発生原因

4 要求する措置の種類及びその措置を必要とする理由

5 次の措置の種類に応じそれぞれ次に定める事項

(1) 担保権の実行（法第十五条第一号）にあつては

Ⅰ 担保権の種類及び内容

Ⅱ 担保物の種類、所在及び価額

Ⅲ 優先債権等（令第四条第一項第一号に規定する優先債権等をいう。）の種類及び内容

(2) 強制執行（法第十五条第二号）にあつては

Ⅰ 債務名義の種類及び内容

Ⅱ 執行の目的物の種類、所在及び価額

(3) 訴訟手続等による履行の請求（法第十五条第三号）にあつては

Ⅰ 従前の経過の詳細、ことに争の有無及び内容

Ⅱ 関係人の住所及び氏名又は名称

Ⅲ 証拠書類の有無及び内容

(4) 債権の申出（法第十七条第一号、第三号、第四号及び第七号）にあつては

Ⅰ 申出に係る事件の種類及び内容

Ⅱ 当該事件の管轄裁判所

Ⅲ 申出の期限

Ⅳ 申出をする債権に係る債務名義の有無、種類及び内容

Ⅴ 当該債権に係る担保の有無、種類及び内容

(5) 仮差押及び仮処分（法第十八条第二項）にあつては、前記(3)に定める事項

(6) 債権者代位権の行使（法第十八条第三項）にあつては

Ⅰ 代位権の対象となる権利の種類及び内容並びに当該権利の相手方の住所及び氏名又は名称

Ⅱ 保全する債権及び代位権の対象となる権利についての前記(3)に定める事項

(7) 詐害行為の取消（法第十八条第四項）にあつては

Ⅰ 詐害行為の内容及びその行為を知つた時期

Ⅱ 保全する債権についての前記(3)に定める事項

(8) 履行延期の特約等に代る和解（法第二十八条）にあ

つては、和解条項案

6　法務大臣の所部の職員との連絡に当る職員の官職氏名及び所属部局名。なお、国の指定代理人とすることを必要と認める者のあるときは、その者の官職氏名及び所属部局名

7　その他参考となる事項

三　前記二の書面には、証拠書類その他必要と認められる書類の写のほか、債務者が法人である場合にはその法人に関する登記簿謄抄本、不動産に関する措置を求める場合にはその不動産登記簿謄本を添附するものとする。

第五　担保について

一　担保の価値について

規則第二十五条第七号に掲げる担保の価値は、次による。

(1)　規則第二十五条第四号に規定する手形以外の手形及び小切手　手形又は小切手の金額及び当該手形債務者又は小切手債務者の資産の状況を勘案して債権管理官等が決定する金額

(2)　保険に附されていない建物、立木、船舶、航空機、自動車及び建設機械　時価の六割以内において債権管理官等が決定する価額

(3)　動産（無記名債権、船舶、航空機、自動車及び建設機械を除く。）　時価の五割以内において債権管理官等が決定する価額

(4)　規則第二十五条第六号に規定する保証人の保証以外の保証　保証金額及び保証人の資産の状況を勘案して債権管理官等が決定する金額

(5)　指名債権　指名債権の金額及び第三債務者の資産の状況を勘案して債権管理官等が決定する金額

二　担保として提供する有価証券のうち供託による提供を要しないものについて

登録した債券以外の有価証券を担保として提供するときは、供託所に供託することとなつているが、特殊の売買契約における事例として、七日～十日間程度の短期延納特約の担保として手形又は小切手を提供する場合には、規則第二十六条第一項の規定の特例として、その提供は供託所に対する供託によらず、これを債権管理官等に引き渡すことにより行うことができるものとし、債権管理官等は、受領後は、政府保管有価証券取扱規程第二条第一項ただし書の規定によりみずから保管し、又は部下の職員をして保管させるものとする。

○歳入徴収官事務規程

昭二七・一一・二九
大蔵令一四一

最終改正　令五・三・三一財務令六

目次〔略〕

第一章　総則

（通則）

第一条　歳入徴収官、分任歳入徴収官、歳入徴収官代理及び分任歳入徴収官代理の事務取扱に関しては、他の法令に定めるものの外、この省令の定めるところによる。

（歳入の徴収事務の委任に関する特別の事情）

第一条の二　予算決算及び会計令（昭和二十二年勅令第百六十五号）第二十七条第二項に規定する財務省令で定める特別の事情がある場合は、債権管理事務取扱規則（昭和三十一年大蔵省令第八十六号）第三十九条の七に規定する場合とする。

（徴収事務の特例）

第二条　歳入徴収官、分任歳入徴収官、歳入徴収官代理及び分任歳入徴収官代理の事務取扱で、特別の事情によりこの省令により難いものについては、特例を設けることができる。

第二章　調査決定

（調査決定）

第三条　歳入徴収官（歳入徴収官代理を含む。第五十五条から第五十七条までに規定する場合を除き、以下同じ。）は、歳入を徴収しようとするときは、当該歳入に係る法令、契約書その他の関係書類に基いて、当該歳入が法令又は契約に違反していないか、当該歳入の所属年度及び科目に誤りがないか、納付させる金額の算定に誤りがないか、当該歳入の納入者、納付期限及び納付場所が適正であるかどうかを調査し、その調査事項が適正であると認めたときは、直ちに徴収の決定をしなければならない。

2　歳入徴収官は、次の各号に掲げる歳入の納付があった場合においては、収入官吏（分任収入官吏を含む。以下同じ。）又は日本銀行（本店、支店、代理店及び歳入代理店（日本銀行の歳入金等の受入に関する特別取扱手続（昭和二十四年大蔵省令第百号。以下「特別手続」という。）第一条に規定する歳入代理店をいう。以下同じ。）を含む。以下同じ。）から送付された領収済みの報告書、領収済通知書、振替済通知書、支払未済繰越金歳入組入報告書その他の関係書類（第二十五条の二の規定による処理をした場合にあつては、当該処理をした後における書類）に基づいて、前項の規定による調査及び徴収の決定（以下「調査決定」という。）をしなければならない。ただし、日本銀行から送付された領収済通知書が収入官吏から払い込まれた歳入金に係るものであるときは、この限りでない。

一　予算決算及び会計令第二十八条の二第一号に掲げる歳入

二　国の債権の管理等に関する法律（昭和三十一年法律第百十四号）第三条第一項第一号に掲げる債権に係る歳入並びに刑事手続における没収により国庫に帰属した現金に係る歳入及び押収に係る現金で刑事訴訟法（昭和二十三年法律第百三十一号）第四百九十九条第二項に規定する還付の請求がないこと等により国庫に帰属したものに係る歳入

三　元本債権に係る歳入とあわせて納付すべき旨を定めた納入の告知に基づいて納付する延滞金又は加算金に係る歳入

四　同一の納入者に対する歳入で、その合計額が納入の告知に要する費用に満たないもの

五　歳出の財源に充てるため、他の会計、勘定又は資金から繰り入れる繰入金

六　当該年度又は翌年度の一般会計又は特別会計の歳入に繰り入れる歳入歳出の決算上の剰余金に係る歳入

七　日本銀行国庫金取扱規程（昭和二十二年大蔵省令第九十三号。以下「国庫金規程」という。）第二十条の規定により組み入れる歳入

八　印紙をもつてする歳入金納付に関する法律（昭和二十三年法律第百四号）第三条第五項の規定により納付される歳入

九　前各号に掲げる歳入以外の歳入で、納入の告知前に納付されたもの

3　歳入徴収官は、次の各号に掲げる歳入の納付があった場合においては、日本銀行代理店又は歳入代理店からの電磁的記録（電子的方式、磁気的方式その他人の知覚によつては認識することができない方式で作られる記録であつて、電子計算機による情報処理の用に供されるものをいう。以下この項において同じ。）による領収済みの通知（第二十五条において「領収済みの通知」という。）に基づいて、調査決定をしなければならない。

一　電波法（昭和二十五年法律第百三十一号）第百三条の二第二十三項の承認に係る電波利用料のうち、同項の金融機関が歳入徴収官等から当該電波利用料の納付に関し必要な事項について電磁的記録による通知を受け、当該

事項に従い納付するもの

二　健康保険法（大正十一年法律第七十号）第百六十六条、船員保険法（昭和十四年法律第七十三号）第百二十九条及び厚生年金保険法（昭和二十九年法律第百十五号）第八十三条の二の承認に係る保険料（子ども・子育て支援法（平成二十四年法律第六十五号）第七十一条第一項の規定により厚生年金保険の保険料その他の徴収金の徴収の例により徴収される拠出金を含む。）のうち、これらの条の金融機関が歳入徴収官から当該保険料の納付に関し必要な事項について電磁的記録による通知を受け、当該事項に従い納付するもの

三　国民年金法（昭和三十四年法律第百四十一号）第九十二条の二の承認に係る保険料のうち、同条の金融機関が歳入徴収官から当該保険料の納付に関し必要な事項について電磁的記録による通知を受け、当該事項に従い納付するもの

四　労働保険の保険料の徴収等に関する法律（昭和四十四年法律第八十四号。以下「労働保険料徴収法」という。）第二十一条の二第一項の承認に係る労働保険料及び石綿による健康被害の救済に関する法律（平成十八年法律第四号。以下「石綿健康被害救済法」という。）第三十八条第一項の規定により準用する労働保険料徴収法第二十一条の二第一項の承認に係る一般拠出金（以下この号において「労働保険料等」という。）のうち、同項の金融機関が歳入徴収官から労働保険料等の納付に関し必要な事項について電磁的記録による通知を受け、当該事項に従い納付するもの

4　歳入徴収官は、前三項の規定により調査決定をしようとするときは、当該調査決定をしようとする歳入の内容を示す書類によつて、その徴収をしようとする旨を明らかにしなければならない。

（分納金額の調査決定）

第四条　歳入徴収官は、法令の規定により歳入について分割して納付させる処分又は特約をしている場合においては、当該処分又は特約に基き納期の到来するごとに当該納期に係る金額について調査決定をしなければならない。

（返納金の調査決定）

第五条　歳入徴収官は、支出済又は支払済となつた歳出その他の支払金の返納金を歳入に組み入れる場合において、法令の規定により当該返納金につき歳入徴収官（分任歳入徴収官を含む。）以外の者が納入告知書を発しているときは、当該年度の歳出その他の支払金の金額にれい入することができる期間満了の日の翌日をもつて調査決定をしなければならない。

（相殺の場合の調査決定）

第六条　歳入徴収官は、民法（明治二十九年法律第八十九号）の規定により国の債務と私人の債務との間に相殺があつた場合において、その相殺額に相当する金額について調査決定をしていないときは、当該金額につき直ちに調査決定をしなければならない。

2　歳入徴収官は、前項の場合において、国の収納すべき金額が相殺額を超過するときは、その超過額についても調査決定をしなければならない。

（元本充当済の場合における延滞金等の調査決定）

第六条の二　歳入徴収官は、延滞金又は一定の期間に応じて附する加算金を附することとなつている歳入について収納した金額を第二十五条の二の規定により元本金額の全部に充当した場合において、当該延滞金又は加算金の金額の全部又は一部が未納であるときは、未納に係る金額について直ちに調査決定をしなければならない。ただし、当該金額についてすでに調査決定が行われている場合は、この限りでない。

（調査決定の変更等）

第七条　歳入徴収官は、調査決定をした後において、当該調査決定をした金額（以下「徴収決定済額」という。）につき、法令の規定又は調査決定もれその他の誤びゆう等特別の事由により変更しなければならないときは、直ちにその変更の事由に基く増加額又は減少額に相当する金額について調査決定をしなければならない。

2　歳入徴収官は、納入者の住所の変更、各省各庁の所掌事務の異動又は各省各庁の内部における所掌事務の異動その他の事情により、調査決定をした歳入の徴収に関する事務を他の歳入徴収官から引継を受け、又は他の歳入徴収官に引き継いだときは、直ちにその引継に係る増加額又は減少額に相当する金額について調査決定をしなければならない。

3　歳入徴収官は、納入者が、誤つて納付義務のない歳入金を納付し、又は徴収決定済額をこえた金額の歳入金を納付した場合においては、その納付した金額について徴収決定外誤納として調査決定をしなければならない。

（物納等の場合の調査決定）

第八条　歳入徴収官は、調査決定をした歳入について、法令の規定により、現金の納付に代え、印紙をもつて納付があつた場合又は物納がされた場合には、その納付額に相当する金額について減額の調査決定をしなければならない。

第三章　納入の告知等

（納入の告知を要しない歳入）

第八条の二　予算決算及び会計令第二十八条の二第九号に規定する財務省令で定める歳入は、次に掲げる歳入とする。

一　第三条第二項第二号から第九号までに掲げる歳入
二　第三条第三項第一号及び第二号に掲げる歳入
三　出納官吏事務規程（昭和二十二年大蔵省令第九十五号）第四十五条若しくは第八十三条第五項又は保管金取扱規程（大正十一年大蔵省令第五号）第四条、第十七条若しくは第十八条の規定により納付する歳入で同一の官庁に属する出納官吏からの納付に係るもの
四　労働者災害補償保険法（昭和二十二年法律第五十号）第三十一条第三項又は国家公務員災害補償法（昭和二十六年法律第百九十一号）第三十二条の二第二項の規定により控除する通勤による負傷又は疾病に係る費用の一部負担金
五　国有財産法（昭和二十三年法律第七十三号）第二十三条第二項（同法第十九条及び第二十六条並びに国有財産特別措置法（昭和二十七年法律第二百十九号）第十一条第二項において準用する場合を含む。）の承認に係る貸付料
六　第十七条の規定により納付書をもつて納付させる歳入その他財務大臣が指定する歳入

（文書による納入の告知）
第九条　歳入徴収官は、その所掌に属する歳入（予算決算及び会計令第二十八条の二各号に掲げる歳入を除く。）について調査決定をした場合には、直ちに、納入者の住所及び氏名、歳入科目、納付すべき金額、期限及び場所その他納付に関し必要な事項を明らかにした納入告知書を作成して納入者に送付しなければならない。ただし、第五条、第七条第二項及び第三項若しくは第八条の規定により調査決定をした場合又は口頭による納入の告知若しくは公告による納入の告知により納付させる場合は、この限りでない。
2　歳入徴収官は、日本銀行が国庫金規程第三十四条の規定により振込み又は送金を取り消したことに伴い、日本銀行に納入の告知をする場合には、納入告知書をセンター支出官（予算決算及び会計令第一条第三号に規定するセンター支出官をいう。）を経由して送付しなければならない。
3　歳入徴収官が第五条の規定により調査決定をした場合における納入の告知については、歳入徴収官（分任歳入徴収官を含む。）以外の者が発した納入告知書により納入の告知があつたものとみなす。

（口頭による納入の告知）
第十条　歳入徴収官は、予算決算及び会計令第二十九条但書の規定により口頭をもつてする納入の告知により納入者をして収入官吏又は出納員に歳入を即納させる場合には、納付すべき金額その他納付に関し必要な事項を当該収入官吏又は出納員に通知しなければならない。

（公告による納入の告知）
第十一条　歳入徴収官は、法令の規定により公告をもつて歳入の納入の告知をする場合には、納入者の氏名、歳入科目、納付すべき金額及び期限並びに納付すべき収入官吏の官職氏名、在勤官署名及び在勤官署の所在地その他納付に関し必要な事項を明らかにしなければならない。

（相殺の場合の納入の告知）
第十二条　歳入徴収官は、第六条第一項の規定により調査決定をしたときは、相殺に係る国の債務の金額について支出の決定（予算決算及び会計令第四十条第一項第一号に規定する支出の決定をいう。第五十四条の三第四項において同じ。）をする官署支出官（同令第一条第二号に規定する官署支出官をいう。以下同じ。）又は支払う出納官吏の官職及び氏名を納入告知書に付記し、第九条第一項の規定にかかわらず、これを当該官署支出官又は出納官吏に送付しなければならない。この場合においては、当該納入告知書の表面余白に「相殺額」と記載し又は記録しなければならない。
2　歳入徴収官は、第六条第二項の規定により調査決定をしたときは、当該超過額に係る納入告知書を当該超過額を納付すべき私人に送付しなければならない。この場合においては、当該納入告知書の表面余白に「相殺超過額」と記載し又は記録しなければならない。
3　歳入徴収官は、納入者に対し納入の告知をした後、民法又は補助金等に係る予算の執行の適正化に関する法律（昭和三十年法律第百七十九号）第二十条の規定により国の債務と当該納入者の債務との間に相殺があつた場合において、国の収納すべき金額が相殺額を超過するときは、第六条の二の規定により調査決定をする延滞金及び加算金を除くほか、納入者の住所及び氏名、歳入科目、納付すべき金額、期限及び場所その他納付に関し必要な事項を明らかにした納付書を作成して納入者に送付し、これにより当該超過額を納付すべき旨を納入者に通知しなければならない。この場合においては、納付期限は、既に告知をした納付期限と同一の期限とし、当該納付書の表面余白に「相殺超過額」と記載し又は記録しなければならない。

（立替納付の場合の納付書の送付）
第十二条の二　歳入徴収官は、各省各庁の長があらかじめ認めた本来の債務者以外の者が立て替えて納付することとされているものにつき調査決定をしたときは、直ちに前条第三項の規定に準じて作成した納付書を納入者に送付しなければならない。

（調査決定が超過した場合の納付書の送付等）
第十三条　歳入徴収官は、第七条第一項の規定により減少額に相当する金額について調査決定をした歳入で、すでに納入告知書を発し又は納付書を送付し、且つ、収納済となつ

ていないものについては、直ちに納入者に対し、当該納入告知書又は納付書に記載された納付すべき金額が当該調査決定後の納付すべき金額を超過している旨の通知をするとともに、第十二条第三項の規定に準じて作製した納付書を当該通知に添えて送付しなければならない。

2 歳入徴収官は、第七条第三項の規定により徴収決定外誤納として調査決定をした歳入については、官署支出官又は出納官吏に対して還付の請求をすべき旨を納入者に通知するとともに、徴収決定外誤納の旨及び当該金額の還付に関し必要な事項を当該官署支出官又は出納官吏に通知しなければならない。ただし、当該徴収決定外誤納に係る歳入について第五十条又は第五十一条の規定により訂正の手続をする場合には、この限りでない。

3 歳入徴収官は、前項但書の場合において、当該徴収決定外誤納に係る歳入が他の歳入徴収官の所掌に属するものであるときは、誤納があつた旨を当該他の歳入徴収官に通知しなければならない。

（物納等の場合の納付書の送付）

第十四条 歳入徴収官は、第八条の規定により減額の調査決定をした場合においてなお残額があるときは、当該残額に相当する金額につき第十二条第三項の規定に準じて作製した納付書を納入者に送付しなければならない。

（証券につき支払がなかつた場合の納付書の送付）

第十五条 歳入徴収官は、第二十六条の規定により収納済歳入額の取消の登記をしたとき（分任歳入徴収官の取扱に係る収納済歳入額の取消の登記をしたときを除く。）は、直ちに納入者に対し、当該納入者の納付した証券について支払がなかつた旨を通知するとともに、第十二条第三項の規定に準じて作製した納付書を当該通知に添えて納入者に送付しなければならない。

（相殺があつた場合の納付書の送付）

第十五条の二 歳入徴収官は、出納官吏事務規程第五十五条第二項の場合において、資金前渡官吏から請求があつたときは、直ちにその相殺額に相当する金額について第十二条第三項の規定に準じて作成した納付書に当該資金前渡官吏の官職及び氏名を附記し、これを当該資金前渡官吏に送付しなければならない。この場合においては、当該納付書の表面余白に「相殺額」と記載し又は記録しなければならない。

2 歳入徴収官は、支出官事務規程（昭和二十二年大蔵省令第九十四号）第七条第二項の場合において、官署支出官から請求があつたときは、直ちにその相殺額に対する納入告知書又は納付書に記載していた事項を記載した納付書を作成し、これに当該官署支出官の官職及び氏名を付記し、これを当該支出官に送付しなければならない。

（弁済の充当をした場合の納付書の送付）

第十五条の三 歳入徴収官は、その収納した歳入の金額を第二十五条の二の規定により充当した場合において元本金額又は利息、延滞金又は一定の期間に応じて附する加算金の未納があるときは、第六条の二の規定により調査決定をする延滞金又は一定の期間に応じて附する加算金を除くほか、直ちにその未納に係る金額につき第十二条第三項の規定に準じて作成した納付書にその充当した金額の内訳を附記して、これを納入者に送付しなければならない。

（引継を受けた場合の納付書の送付）

第十五条の四 歳入徴収官は、第七条第二項の規定により他の歳入徴収官から引継を受けた歳入につき調査決定をしたときは、各省各庁の所掌事務の異動又は各省各庁の内部における所掌事務の異動によりその引継を受けた場合を除き、直ちに第十二条第三項の規定に準じて作成した納付書を納入者に送付しなければならない。

（納入告知書等の亡失等の場合の納付書の送付）

第十六条 歳入徴収官は、納入者から納入告知書又は納付書を亡失し又は著しく汚損した旨の申出があつたときは、直ちに、当該納入告知書又は納付書に記載していた事項を納付書に記載し、当該納入者に送付しなければならない。

（納付書の送付を要しない場合）

第十六条の二 歳入徴収官は、第十二条第三項、第十三条から第十五条まで、第十五条の三又は第十五条の四に規定する場合において、納入者が納付すべき歳入の金額が納付書の送付に要する費用をこえないときは、これらの規定による納付書を送付しないことができる。

（納付書により歳入を納付させる場合の制限）

第十七条 歳入徴収官は、法令の規定による場合並びに特に財務大臣の指定する場合を除くほか、納付書をもつて歳入を納付させることができない。

（納付期限及び繰上徴収の通知）

第十八条 歳入徴収官は、第九条第一項、第十一条並びに第十二条第一項及び第二項の規定により納入の告知をする場合の納付期限については、法令その他の定めがある場合を除く外、調査決定の日から二十日以内において適宜の納付期限を定めるものとする。

2 歳入徴収官は、法令その他の定めるところにより納付期限を繰り上げて納入の告知をする場合には、納付期限を繰り上げる旨及びその理由を明らかにして行わなければならない。

3 歳入徴収官は、納入の告知をした後において、法令その他の定めるところにより納付期限を繰り上げて徴収するときは、納付期限を繰り上げる旨及びその理由を明らかにした納付書を作成し、納付者に送付しなければならない。

（納入者の氏名）

第十九条　歳入徴収官は、納入者の氏名を納入告知書若しくは納付書に記載する場合又は公告によつて明示する場合には、次の方法によるものとする。

一　法人にあつては、その法人の名称

二　個人にあつては、その個人の氏名

三　連帯納付義務者がある場合にあつては、各人名又は各法人の名称。但し、何某外何名と記載し、他の連帯納付義務者の氏名又は名称の列記を省略することができる。

四　官公署にあつては、官署支出官若しくは納入者となるべき出納官吏若しくはこれらに相当する者又は官公署の長の職

（納付場所）

第二十条　歳入徴収官は、納入告知書を発する場合又は納付書を送付する場合においては、収入官吏又は日本銀行を、法令の規定により公告をもつて納入の告知をする場合においては、収入官吏を納付場所としなければならない。

２　歳入徴収官は、前項の規定により日本銀行を納付場所とする場合において、特に必要があると認めるときは、特定の日本銀行（歳入代理店を除く。）を納付場所として指定することができる。この場合において、歳入徴収官は、納入告知書又は納付書の表面余白に「要特定店納付」と記載し又は記録しなければならない。

（督促）

第二十一条　歳入徴収官は、その所掌に属する歳入の全部又は一部が納付期限を過ぎてもなお納付されない場合には、納入者に対し、別紙第一号書式の督促状をもつて、完納すべき旨の督促をしなければならない。ただし、特別の事由があるときは、口頭又は適宜の書面により督促をすることを妨げない。

（保証人に対する納付の請求）

第二十一条の二　歳入徴収官は、債権に係る歳入について保証人に対し納付の請求をするときは、保証人及び債務者の住所及び氏名、歳入科目、納付すべき金額、納付の請求に係る事由、期限及び場所その他納付に関し必要な事項を明らかにした納付書を作成して保証人に送付し、これにより納付すべき旨を保証人に通知するものとする。この場合において、納付期限は、すでに告知をした納付期限と同一の期限とする。

（納入告知書等の作成及び送付に関する事務手続）

第二十一条の三　歳入徴収官は、その発する納入告知書、納付書（第二十一条の六第一項第一号から第八号までに掲げる納付書のうち第十五条の三及び第十六条の規定により作成する納付書に限る。）及び督促状（以下「納入告知書等」という。）については、電子情報処理組織（歳入徴収官及び分任歳入徴収官がその所掌に属する歳入の徴収に関する事務を処理するため、財務省に設置される各省各庁の利用に係る電子計算機と歳入徴収官及び分任歳入徴収官の所在する官署に設置される入出力装置とを電気通信回線で接続した電子情報処理組織をいう。以下同じ。）を使用して作成するものとする。ただし、歳入徴収官が電子情報処理組織を使用して作成する必要がないと認める場合は、この限りでない。

２　歳入徴収官は、第二十八条の三第一項の規定により調査決定に係る事項を電子情報処理組織に記録する場合には、当該調査決定に係る事項のほか、納入告知書等の作成に必要な事項を併せて記録しなければならない。

３　歳入徴収官は、第一項の規定により納入告知書等を電子情報処理組織を使用して作成した場合においては、自ら送付する必要がある場合を除き、別紙第二号書式の納入告知書等送付指示書を作成し、次条第一号に規定する代行機関に対し、当該納入告知書等の送付に関する指示をするものとする。

４　歳入徴収官は、前項の規定による納入告知書等送付指示書の作成及び納入告知書等の送付に関する指示を電子情報処理組織を使用してしなければならない。

（納入告知書等の送付に関する事務等の処理）

第二十一条の四　各省各庁の長（財政法（昭和二十二年法律第三十四号）第二十条第二項に規定する各省各庁の長をいう。以下同じ。）は、歳入徴収官の事務のうち、電子情報処理組織を使用して作成する納入告知書等の送付及び日本銀行からの領収済通知情報又は国庫金規程第一号の五書式の領収済通知書（領収した歳入金に関する事項を収録した電磁的記録媒体（電子的方式、磁気的方式その他人の知覚によつては認識することができない方式で作られる記録であつて電子計算機による情報処理の用に供されるものに係る記録媒体をいう。以下同じ。）を含む。以下同じ。）の受領に関する事務については、次の各号に掲げる区分に応じ、会計法（昭和二十二年法律第三十五号）第四十六条の三第二項及び予算決算及び会計令第百三十九条の三の規定に基づき、次の各号に掲げる者に処理させるものとする。

一　電子情報処理組織を使用して作成する納入告知書等の送付並びに日本銀行本店、代理店又は歳入代理店から電気通信回線を使用して送信される第二十一条の六第一項第九号及び同条第二項第一号に掲げる歳入金に係る領収済通知情報及び取りまとめ指定代理店（特別手続第三条第四項に規定する取りまとめ指定代理店をいう。以下同じ。）から送付される第二十一条の六第一項第九号及び同条第二項第一号に掲げる歳入金に係る国庫金規程第一

号の五書式の領収済通知書の受領に関する事務　財務大臣が指定する財務省所属の職員（次条（第三項を除く。）において「第一号代行機関」という。）

二　日本銀行本店から送付される第二十一条の六第一項第一号から第六号まで並びに同条第二項第二号及び第三号に掲げる歳入金に係る国庫金規程第一号の五書式の領収済通知書、日本銀行代理店又は歳入代理店から電気通信回線を使用して送信される第二十一条の六第一項第一号から第六号まで及び同条第二項第二号から第四号までに掲げる歳入金に係る領収済通知情報並びに取りまとめ指定代理店から送付される第二十一条の六第一項第一号から第六号まで及び同条第二項第二号から第四号までに掲げる歳入金に係る国庫金規程第一号の五書式の領収済通知書の受領に関する事務　当該歳入金を取り扱う各省各庁の長が指定する当該各省各庁所属の職員（次条第三項及び第四項において「第二号代行機関」という。）

（代行機関の事務手続）

第二十一条の五　第一号代行機関は、電子情報処理組織により納入告知書等が作成され、第二十一条の三第三項の規定により当該納入告知書等の送付に関する指示を受けたときは、同項に規定する当該指示に係る納入告知書等送付指示書により当該納入告知書等の件数を確認した上、当該納入告知書等を納入者に送付し、その旨を当該納入告知書等送付指示書において明らかにしておかなければならない。

2　第一号代行機関は、国庫金規程第十四条の二第三項の規定により日本銀行本店、同条第一項ただし書、国庫金規程第十四条の四若しくは国庫金規程第十九条の五第一項の規定により日本銀行代理店若しくは特別手続第三条第二項ただし書、同条第三項ただし書若しくは同条第八項若しくは第三条の四第一項の規定により日本銀行歳入代理店から領収済通知情報を受信したとき又は特別手続第三条第五項の規定により取りまとめ指定代理店から国庫金規程第一号の五書式の領収済通知書の送付を受けたときは、歳入徴収官又は分任歳入徴収官に電子情報処理組織を使用して、その旨を通知しなければならない。

3　第二号代行機関は、国庫金規程第十四条の二第四項の規定により日本銀行本店若しくは特別手続第三条第六項の規定により取りまとめ指定代理店から国庫金規程第一号の五書式の領収済通知書の送付を受けたとき又は国庫金規程第十四条の二第一項ただし書、第十四条の三若しくは第十四条の四の規定により日本銀行代理店若しくは特別手続第三条第二項ただし書、同条第三項ただし書、同条第七項若しくは同条第八項の規定により日本銀行歳入代理店から領収済通知情報を受信したときは、歳入徴収官又は分任歳入徴収官に電子情報処理組織を使用して、その旨を通知しなければならない。

4　第一号代行機関及び第二号代行機関は、前二項の規定により歳入徴収官又は分任歳入徴収官に通知したときは、当該通知に係る電磁的記録媒体を別紙第三号書式の電磁的記録媒体返付書に添え、日本銀行本店又は取りまとめ指定代理店に返付しなければならない。

（納入告知書の様式等）

第二十一条の六　歳入徴収官が発する納入告知書及び納付書の様式は、次の各号に掲げる区分に応じ当該各号に定める書式によるものとする。

一　労働保険料（労働保険料徴収法第十条第二項に規定する労働保険料（事業主が労働保険料徴収法第二十一条の二第一項の承認を受けて納期限までに納付する同項に規定する労働保険料を除き、納期限までに納付されなかつた場合の労働保険料を含む。）及び失業保険法及び労働者災害補償保険法の一部を改正する法律及び労働保険の保険料の徴収等に関する法律の施行に伴う関係法律の整備等に関する法律（昭和四十四年法律第八十五号）第十九条第一項に規定する特別保険料をいう。次号及び次項第二号において同じ。）及び一般拠出金（石綿健康被害救済法第三十七条第一項に規定する一般拠出金（事業主が石綿健康被害救済法第三十八条第一項の規定により準用する労働保険料徴収法第二十一条の二第一項の承認を受けて納期限までに納付する一般拠出金を除き、納期限までに納付されなかつた場合の一般拠出金を含む。）をいう。次号及び次項第二号において同じ。）に係る納入告知書及び納付書　納入告知書にあつては別紙第四号の二書式及び別紙第四号の二の二書式、納付書にあつては別紙第四号の十三書式及び別紙第四号の十六書式

一の二　労働保険料及び一般拠出金に係る追徴金及び延滞金に係る納入告知書及び納付書　納入告知書にあつては別紙第四号の二の二書式及び別紙第四号の二の二書式、納付書にあつては別紙第四号の十三書式

二　電波利用料（電波法第百三条の二第四項に規定する電波利用料（電波利用料を納付しようとする者が同法第百三条の二第二十三項の承認を受けて納期限までに納付する電波利用料を除き、情報通信技術を利用する方法による国の歳入等の納付に関する法律（令和四年法律第三十九号）第六条第三項の規定により指定納付受託者が電波利用料を納付しようとする者から委託を受けて納付する場合及び納期限までに納付されなかつた場合の電波利用料を含む。）をいう。）並びにこれに係る利息及び延滞金に係る納入告知書及び納付書　別紙第四号の三書式

三　健康保険法第百五十五条第一項の規定により厚生労働大臣が徴収する保険料（同法第三条第二項に規定する日

雇特例被保険者に係る保険料及び納付義務者が同法第百六十六条の承認を受けて納期限までに納付する保険料を除く。第四号において「健康保険料」という。）及び厚生年金保険法第八十一条第一項の規定により厚生労働大臣が徴収する保険料（納付義務者が同法第八十三条の二の承認を受けて納期限までに納付する保険料を除く。）並びに子ども・子育て支援法第六十九条第一項の規定により同法第六十九条第一項第一号に掲げる者から徴収する拠出金（納付義務者が同法第七十一条第一項の規定により厚生年金保険法第八十三条の二の承認を受けて納期限までに納付する拠出金を除く。）に係る納入告知書及び納付書　別紙第四号の四書式

三の二　公的年金制度の健全性及び信頼性の確保のための厚生年金保険法等の一部を改正する法律（平成二十五年法律第六十三号）附則第十三条第一項（同項の規定により政府が当該自主解散型基金の設立事業所の事業主から徴収するものに限る。）、同法附則第二十二条第一項（同項の規定により政府が当該清算型基金の設立事業所の事業主から徴収するものに限る。）及び同法附則第三十一条第一項の規定により徴収する徴収金（納付義務者が同法附則第八十二条第二項の規定によりみなして適用する厚生年金保険法第八十三条の二の承認を受けて納付する徴収金を除く。）並びに公的年金制度の健全性及び信頼性の確保のための厚生年金保険法等の一部を改正する法律附則第十六条第一項（同法附則第二十三条及び第三十二条において準用する場合を含む。）の規定により徴収する加算金（納付義務者が同法附則第八十二条第二項の規定によりみなして適用する厚生年金保険法第八十三条の二の承認を受けて納期限までに納付する加算金を除く。）に係る納入告知書及び納付書　別紙第四号の四の二書式

四　健康保険法第百八十一条第一項本文の規定により徴収する延滞金（健康保険料に係る延滞金に限る。）、厚生年金保険法第八十七条第一項本文の規定により徴収する延滞金及び子ども・子育て支援法第七十一条第一項の規定により厚生年金保険の保険料その他の徴収金の徴収の例により徴収する延滞金に係る納入告知書及び納付書　別紙第四号の五書式

五　船員保険法第百十四条第一項の規定により徴収する保険料（同法第二条第二項の規定による被保険者に係る保険料及び納付義務者が同法第百二十九条の承認を受けて納期限までに納付する保険料を除く。）に係る納入告知書及び納付書　別紙第四号の六書式

六　船員保険法第百三十三条第一項本文の規定により徴収する延滞金（前号に規定する保険料に係る延滞金に限る。）に係る納入告知書及び納付書　別紙第四号の七書式

六の二　年金特別会計に係る歳入金（第三号から前号まで並びに次項第三号及び第四号に掲げる歳入金を除く。）に係る納入告知書及び納付書（厚生労働省年金局の歳入徴収官が第二十一条の三第一項本文の規定により作成するものを除く。）　別紙第四号書式及び別紙第四号の十一書式

六の三　年金生活者支援給付金の支給に関する法律（平成二十四年法律第百二号）第三十一条第一項の規定により徴収する徴収金及び同条第二項において読み替えて準用する国民年金法第九十七条第一項の規定により徴収する延滞金並びに年金生活者支援給付金の支給に関する法律第二十五条第一項に規定する年金生活者支援給付金の過誤払による返還金に係る納入告知書及び納付書　別紙第四号書式、別紙第四号の七の二書式及び別紙第四号の十一書式

七　財政融資資金の貸付金の利子に係る納入告知書及び納付書　別紙第四号の八書式及び別紙第四号の九書式

八　自動車損害賠償保障法（昭和三十年法律第九十七号）第七十六条各項の規定により国に帰属した債権を徴収する場合の歳入金及び同法第七十九条の規定により徴収する過怠金並びにこれらに係る延滞金及び延納利子並びに私的独占の禁止及び公正取引の確保に関する法律（昭和二十二年法律第五十四号）第七条の二第一項（同法第八条の三において読み替えて準用する場合を含む。）、第七条の九第一項若しくは第二項又は第二十条の二から第二十条の六までの規定により納付を命じた課徴金及び同法第六十九条第二項の規定により徴収する延滞金に係る納入告知書及び納付書　別紙第四号書式及び別紙第四号の十一書式

九　前各号に掲げる歳入金以外の歳入金（次に掲げる歳入金を除く。）に係る納入告知書及び納付書　別紙第四号の十書式

イ　事業主が労働保険料徴収法第二十一条の二第一項又は石綿健康被害救済法第三十八条第一項の規定により準用する労働保険料徴収法第二十一条の二第一項の承認を受けて納期限までに納付する労働保険料徴収法第二十一条の二第一項に規定する労働保険料又は石綿健康被害救済法第三十七条第一項に規定する一般拠出金

ロ　電波利用料を納付しようとする者が電波法第百三条の二第二十三項の承認を受けて納期限までに納付する電波利用料

ハ　子ども・子育て支援法施行令（平成二十六年政令第二百十三号）第四十条に規定する共済組合が、同令第四十一条第二項（同令第十一条において準用する場合を含む。）の規定により納付する子ども・子育て支援

法第七十一条第九項の規定により取り立てた拠出金その他同法の規定による徴収金

2　前項の規定によるもののほか、歳入徴収官が送付する納付書の様式は、次の各号に掲げる区分に応じ当該各号に定める書式によるものとする。

一　現金により納付する場合の手数料等（特許法（昭和三十四年法律第百二十一号）第百七条第一項に規定する特許料、同法第百十二条第二項に規定する割増特許料、同法第百九十五条第一項から第三項までに規定する手数料（工業所有権に関する手続等の特例に関する法律施行規則（平成二年通商産業省令第四十一号。以下この号において「特例法施行規則」という。）第十条第五十四号から第五十六号までに規定する手続であつて工業所有権に関する手続等の特例に関する法律（平成二年法律第三十号。以下この項において「特例法」という。）第二条第一項に規定する電子情報処理組織を使用して行う手続に係るものを除く。）、実用新案法（昭和三十四年法律第百二十三号）第三十一条第一項に規定する登録料、同法第三十三条第二項に規定する割増登録料、同法第五十四条第一項若しくは第二項に規定する手数料（特例法施行規則第十条第五十四号から第五十六号までに規定する手続であつて特例法第二条第一項に規定する電子情報処理組織を使用して行う手続に係るものを除く。）、意匠法（昭和三十四年法律第百二十五号）第四十二条第一項に規定する登録料、同法第四十四条第二項に規定する割増登録料、同法第六十七条第一項若しくは第二項に規定する手数料（特例法施行規則第十条第五十四号から第五十六号までに規定する手続であつて特例法第二条第一項に規定する電子情報処理組織を使用して行う手続に係るものを除く。）、商標法（昭和三十四年法律第百二十七号）第四十条第一項若しくは第二項、第四十一条の二第一項若しくは第七項若しくは第六十五条の七第一項若しくは第二項に規定する登録料、同法第四十三条第一項から第三項までに規定する割増登録料、同法第七十六条第一項若しくは第二項に規定する手数料（特例法施行規則第十条第五十四号から第五十六号までに規定する手続であつて特例法第二条第一項に規定する電子情報処理組織を使用して行う手続に係るものを除く。）、特許協力条約に基づく国際出願等に関する法律（昭和五十三年法律第三十号）第八条第四項、第十二条第三項若しくは第十八条第一項若しくは第二項に規定する手数料、特例法第四十条第一項に規定する手数料（特例法第二条第一項に規定する電子情報処理組織を使用して行う手続に係るものを除く。）、商標法等の一部を改正する法律（平成八年法律第六十八号）附則第十五条第二項に規定する登録料及び割増登録料、同法附則第十九条に規定する手数料（特例法施行規則第十条第五十四号から第五十六号までに規定する手続であつて特例法第二条第一項に規定する電子情報処理組織を使用して行う手続に係るものを除く。）又は特許協力条約に基づく国際出願等に関する法律施行規則（昭和五十三年通商産業省令第三十四号）第八十二条第一項に規定する手数料をいう。）に係る納付書　別紙第四号の十二書式

二　労働保険料及び一般拠出金並びにこれらに係る追徴金及び延滞金に係る納付書　別紙第四号の十三書式

三　国民年金法等の一部を改正する法律（昭和六十年法律第三十四号）附則第四十三条又は第四十四条の規定による被保険者がこれらの法律の規定により納付する保険料に係る納付書　別紙第四号の十四書式

四　国民年金法第八十七条第一項の規定により徴収する保険料（被保険者が同法第九十二条の二の承認を受けて納期限までに納付する保険料、被保険者が同法第九十二条の二の二第二項の承認を受けて同条第一項に規定する指定代理納付者に立て替えて納付させる保険料、同法第九十二条の三第一項の規定に基づき被保険者の委託を受けて保険料の納付を行う者が納付する保険料及び北朝鮮当局によつて拉致された被害者等の支援に関する法律施行令（平成十四年政令第四百七号）第八条の規定により被害者の子及び孫が納付する保険料を除く。）及び同法第九十七条第一項の規定により徴収する延滞金に係る納付書　別紙第四号の十五書式

第四章　徴収簿の登記等

（徴収決定済額及び徴収決定外誤納額等の登記）

第二十二条　歳入徴収官は、調査決定をしたとき又は分任歳入徴収官（分任歳入徴収官代理を含む。第四十六条の二、第五十五条第二項及び第五十六条に規定する場合を除き、以下同じ。）から調査決定報告書の送付を受けたときは、直ちに調査決定年月日、徴収決定済額その他必要な事項を徴収簿に登記しなければならない。この場合において、徴収決定外誤納として調査決定をした金額又は分任歳入徴収官が徴収決定外誤納として調査決定をした金額については、更に別紙第五号書式の過誤納額整理簿に登記しなければならない。

（収入官吏からの報告に基く収納済歳入額等の登記）

第二十三条　歳入徴収官は、収入官吏において収納した歳入金について、当該収入官吏から領収済の報告書又は領収済通知書の送付を受けたときは、直ちに当該領収済の報告書又は領収済通知書により収納年月日、収納済歳入額その他

必要な事項を徴収簿に登記しなければならない。

2　歳入徴収官は、前項の規定により徴収簿に登記する場合において、当該領収済の報告書又は領収済通知書が第四十九条の規定により分割して収納した歳入金に係るものであるときは、その分割して収納した歳入金に相当する金額を徴収決定済額の一部受入として登記するものとする。

（日本銀行からの報告に基づく収納済歳入額等の登記）

第二十四条　歳入徴収官は、日本銀行において収納した歳入金、振替払込の手続をした歳入金又は支払未済繰越金から歳入に組み入れた歳入金について、日本銀行から領収済通知書、振替済通知書又は支払未済繰越金歳入組入報告書の送付を受けたときは、直ちに、当該領収済通知書、振替済通知書又は支払未済繰越金歳入組入報告書の枚数及び金額を、これらに添付されている集計表により確認した上、当該領収済通知書、振替済通知書又は支払未済繰越金歳入組入報告書により収納年月日、収納済歳入額その他必要な事項を徴収簿に登記しなければならない。ただし、当該領収済通知書が収入官吏から払い込まれた歳入金に係るものであるときは、この限りでない。

（口座振替による納付の場合における領収済みの通知等に基づく収納済歳入額等の登記）

第二十五条　歳入徴収官は、日本銀行代理店又は歳入代理店において収納した第三条第三項各号又は第二十一条の六第一項第七号に掲げる歳入について、日本銀行代理店又は歳入代理店から領収済みの通知又は領収済通知情報（国庫金規程第十四条の五及び特別手続第三条第九項に規定する領収済通知情報に限る。）を受けたときは、前条の規定にかかわらず、直ちに、当該領収済みの通知又は領収済通知情報により収納年月日、収納済歳入額その他必要な事項を徴収簿に登記しなければならない。

（収納すべき金額に足りない収納済歳入額等の登記等）

第二十五条の二　歳入徴収官は、前三条の場合において、その収納した歳入金の金額が国の収納すべき元本、利息、延滞金又は一定の期間に応じて附する加算金の金額の合計額に足りないときは、法令の定めるところにより順次にその収納金額をこれらの金額に充当して徴収簿に登記しなければならない。この場合において、その充当した金額の内訳が領収済の報告書、領収済通知書若しくは振替済通知書に記載された金額の内訳と異なるときは、その充当した金額の内訳をこれらの書面に附記するものとする。

（証券につき支払がなかつた場合の登記等）

第二十六条　歳入徴収官は、前四条の規定により、収納済歳入額の登記をした後において、収入官吏又は日本銀行から、証券を以てする歳入納付に関する法律施行細則（大正五年大蔵省令第三十二号）第五条第一項の規定により収納済歳入額の取消しの報告があつたときは、当該報告に係る歳入の収納済歳入額の取消しの登記をしなければならない。

（不納欠損の整理及び登記）

第二十七条　歳入徴収官は、調査決定をした歳入に係る債権が次の各号の一に該当するときは、直ちに当該歳入について収納ができない事由を明らかにした書面を作成し、不納欠損として整理する旨を明らかにしなければならない。

一　債権が法令の規定に基づいて免除されたこと。

二　債権につき消滅時効が完成し、かつ、債務者がその援用をしたこと（債権が法律の規定により債務者の援用をまたないで消滅するものであるときは、消滅時効が完成したこと。）。

三　債権で国税徴収又は国税滞納処分の例によつて徴収するものが国税徴収法（昭和三十四年法律第百四十七号）第百五十三条第四項又は第五項の規定により消滅したこと。

四　債権について、債権管理事務取扱規則第三十条の規定によりその全部又は一部が消滅したものとみなして整理したこと（国の債権（国の債権の管理等に関する法律第二条第一項に規定する国の債権で、同法第三条第一項各号に掲げる債権を除いたものをいう。第五十四条の二において同じ。）以外のものについては、債権管理事務取扱規則第三十条各号に掲げる事由に該当すること）。

2　歳入徴収官は、前項の規定により不納欠損として整理した場合又は分任歳入徴収官から不納欠損として整理した旨の通知があつた場合には、直ちに整理した年月日、不納欠損額その他必要な事項を徴収簿に登記するとともに、別紙第六号書式の不納欠損整理簿に登記しなければならない。

（誤びゆうの訂正の登記等）

第二十八条　歳入徴収官は、調査決定をした後において、当該調査決定をした歳入の歳入科目に誤びゆうがあることを発見したとき又は分任歳入徴収官からその調査決定をした歳入の歳入科目の誤びゆうの訂正の請求があつたときは、当該歳入の属する年度の最終月分の徴収済額報告書を提出するときまでに徴収簿に訂正の登記をし、当該訂正が分任歳入徴収官の請求に係るものにあつては、訂正済の旨を分任歳入徴収官に通知しなければならない。

2　歳入徴収官は、第五十条又は第五十一条の規定により誤びゆうの訂正又は口座更正の請求をした場合において、収入官吏又は日本銀行から誤びゆう訂正済みの報告を受けたときは、直ちに徴収簿に訂正の登記（第四十六条の二に規定する分任歳入徴収官の分掌に係るものを除く。次項において同じ。）をし、訂正の事由を当該領収済みの報告書、領収済通知書（国庫金規程第十四条の二第三項に規定する領収済通知情報並びに同条第四項及び特別手続第三条第五項及び第六項に規定する国庫金規程第一号の五書式の領収済通知書を除く。）、振替済通知書又は支払未済繰越金歳入組入報告書に付記するとともに、当該訂正済みの報告が分任歳入徴収官からの訂正の請求に係るものにあつては、訂正済みの旨を当該分任歳入徴収官に通知しなければならない。

３　歳入徴収官は、収入官吏から領収済みの報告書又は領収済通知書の記載事項の誤びゆうの訂正の請求があつたときは、当該領収済みの報告書又は領収済通知書の訂正をし、訂正済みの旨を当該収入官吏に通知するとともに徴収簿に訂正の登記をしなければならない。この場合において、当該訂正が分任歳入徴収官の取り扱つた歳入に係るものであるときは、訂正済みの旨を当該分任歳入徴収官に通知しなければならない。

４　歳入徴収官は、前三項の規定により誤びゆうの訂正をしようとするときは、当該誤びゆうの内容を示す書類によつて、その訂正をしようとする旨を明らかにしなければならない。

（徴収額集計表による合計登記）

第二十八条の二　歳入徴収官は、第四十六条の二に規定する分任歳入徴収官の分掌に係る歳入については、第四十六条の六の規定により当該分任歳入徴収官から送付を受ける徴収額集計表により徴収決定済額等の金額、その他必要な事項を徴収簿に登記しなければならない。

（徴収簿の登記等に必要な事項の電子情報処理組織への記録）

第二十八条の三　歳入徴収官がこの章に定めるところにより行う徴収簿への登記は、必要な事項を電子情報処理組織に記録する方法により行わなければならない。

２　歳入徴収官は、債権管理事務取扱規則第三十九条の三の規定により特定分任歳入徴収官等から歳入の徴収に必要とされる事項について通知を受けたときは、当該通知に係る事項を電子情報処理組織に記録しなければならない。

３　前二項の場合において、必要な事項が既に電子情報処理組織に記録されているときは、当該事項を重ねて記録することを要しない。

４　歳入徴収官は、財務大臣が指定する歳入金については、債権管理事務取扱規則別表第四第六号から第八号までの規定にかかわらず、電子情報処理組織に日別、目別に徴収決定済額、収納済歳入額、収納未済歳入額及び不納欠損額を記録することができる。

５　歳入徴収官は、各省各庁の長があらかじめ認めた本来の債務者以外の者が納付することとされているものについては、債権管理事務取扱規則別表第四第六号から第八号までの規定にかかわらず、電子情報処理組織に、概ね一月の範囲内に発生した歳入金の額を合算した額により、徴収決定済額、収納済歳入額、収納未済歳入額及び不納欠損額を記録することができる。

第五章　徴収済額報告書及び歳入金月計突合表等

（徴収済額報告書の作成及び送信又は送付）

第二十九条　歳入徴収官は、毎月、徴収簿により徴収済額報告書を作成し、これに当該月分の歳入金月計突合表、差額仕訳書その他の参照書類を添え、その翌月の十五日（予算決算及び会計令第三十六条第一項各号に掲げるものにあつては、次項に規定する財務大臣の定める日）までに、各省各庁の長等（各省各庁の長及び法令の規定により各省各庁の長以外の職員に送付することとなつている場合におけるその職員をいう。以下同じ。）に送信又は送付しなければならない。

２　予算決算及び会計令第三十六条第一項及び特別会計に関する法律施行令（平成十九年政令第百二十四号）第十七条第二項に規定する財務大臣の定める日は、予算決算及び会計令第三十六条第一項第一号に掲げるものにあつては、翌年度の七月八日、同項第二号に掲げるものにあつては、翌年度の七月二十日とする。

３　予算決算及び会計令第三十六条第一項第二号の歳入徴収官は、次の各号に掲げる区分に応じ翌年度の七月一日から当該各号に掲げる日までの間における当該年度所属の歳入金に係る徴収済額報告書を作成するものとする。

一　決算調整資金に関する法律（昭和五十三年法律第四号）第七条第一項の規定により決算調整資金（同法第二条に規定する決算調整資金をいう。）に属する現金が一般会計の歳入に組み入れられたとき　同資金に属する現金が同会計の歳入に組み入れられた日

二　決算調整資金事務取扱規則（昭和五十三年大蔵省令第七号）第二条第二項の通知を受けたとき　国税収納金整理資金に関する法律施行令（昭和二十九年政令第五十一号。次号において「資金令」という。）第二十二条第一項の規定により国税収納金整理資金（国税収納金整理資金に関する法律（昭和二十九年法律第三十六号。次号において「資金法」という。）第三条に規定する国税収納金整理資金をいう。次号及び第三十四条第五項において同じ。）に属する現金が一般会計の歳入に組み入れられた日

三　資金令第二十二条第一項の規定により国税収納金整理資金に属する現金が特別会計（資金法第六条第二項に規定する特別会計をいう。）の歳入に組み入れられたとき

同資金に属する現金が同会計の歳入に組み入れられた日

（現金払込仕訳書等による記載）

第三十条　歳入徴収官は、収入官吏から現金払込仕訳書又は現金振替払込仕訳書により払込みの報告があつたときは、当該報告に基づき、徴収済額報告書の現金払込仕訳欄に当該払込みのあつた金額その他必要な事項を記載しなければならない。

（徴収済額報告書の訂正）

第三十一条　歳入徴収官は、第二十九条第一項の規定により徴収済額報告書を送付した後において、当該報告書に記載した徴収決定済額、収納済歳入額その他の事項について、第二十八条の規定により誤びゆうの訂正をしたことにより異動しなければならなくなつたとき又はその他の事由により異動すべきものを発見したときは、当該訂正をした日の属する月分又はその異動すべき事項を発見した日の属する月分の徴収済額報告書において増減等の訂正をなし、その事由を附記しなければならない。

２　歳入徴収官は、前項の場合において、当該訂正をすべき徴収済額報告書が当該年度の最終の月分に係るものであるときは、同項の規定にかかわらず、当該増減等の事由を具して当該徴収済額報告書の訂正を各省各庁の長等に請求しなければならない。この場合においては、当該訂正が、おそくとも翌年度の六月末日（予算決算及び会計令第三十六条第一項第二号に規定するものにあつては、七月二十二日）までに終わるように請求しなければならない。

（徴収決定済額等の異動がない場合の報告）

第三十二条　歳入徴収官は、各月において、当該月までの徴収決定済額、収納済歳入額、不納欠損額及び現金払込高のそれぞれの累計額が前月までの当該額のそれぞれの累計額に比して増減がない場合においては、その旨を第二十九条の手続に準じて報告しなければならない。

（現金払込済仕訳書）

第三十三条　歳入徴収官は、各月において、当該月までの徴収決定済額、収納済歳入額及び不納欠損額のそれぞれの累計額が前月までの当該額のそれぞれの累計額に比して増減がなく、当該月までの現金払込高の累計額が前月までの当該累計額に比し異動がある場合においては、現金払込済仕訳書を作製し、第二十九条の手続に準じて送付しなければならない。

（歳入金月計突合表等の調査等）

第三十四条　歳入徴収官は、日本銀行本店から統轄店別収入額の記録を添えて歳入金月計突合表の送信を受けたときは、これを調査し、適正であると認めたときは、その旨を電子情報処理組織に記録しなければならない。この場合において、収納済歳入額と歳入金月計突合表の収入額とに差額があるときは、その旨及び事由を付記するものとする。

２　歳入徴収官は、前項の規定により送信を受けた歳入金月計突合表に誤りがあることを発見したときは、当該歳入金月計突合表の送信を受けた月の第十二営業日までにその旨を日本銀行本店に通知しなければならない。

３　第一項の規定は、歳入徴収官が前項の通知をした後、日本銀行本店から再度歳入金月計突合表の送信を受けた場合について準用する。

４　第二項の規定は、歳入徴収官が、日本銀行本店から毎会計年度の翌年度の六月における歳入金の収入に係る歳入金月計突合表（以下この項において「六月分月計突合表」という。）及び翌年度の七月における歳入金の収入（第二十九条第三項の規定により徴収済額報告書を作成する歳入金に限る。）に係る歳入金月計突合表（以下この項において「七月分月計突合表」という。）の送信を受けた場合について準用する。この場合において、第二項中「当該歳入金月計突合表の送信を受けた月の第十二営業日までに」とあるのは、六月分月計突合表の送信を受けた場合については「当該歳入金月計突合表の送信を受けた月の第七営業日までに」と、七月分月計突合表の送信を受けた場合については「第二十九条第三項各号に掲げる区分に応じた当該各号に掲げる日（第二号に掲げるものにあつては、同号に掲げる通知を受けた日）の翌々営業日までに」と読み替えるものとする。

５　第一項から第三項までの規定は、国税収納金整理資金からの組入れに係る一般会計の歳入の徴収に関する事務を取り扱う歳入徴収官が、翌年度の七月において、日本銀行本店から収納済歳入額突合表の送付を受けた場合について準用する。この場合において、第一項中「歳入金月計突合表の収入額」とあるのは「収納済歳入額突合表の収入額」と、第二項中「当該歳入金月計突合表の送信を受けた月の第十二営業日までに」とあるのは「当該収入済歳入額突合表の送付を受けた日の翌営業日までに」と読み替えるものとする。

６　本条において「営業日」とは、日本銀行の休日でない日をいう。

（差額仕訳書）

第三十五条　歳入徴収官は、前条第一項後段の場合においては、別紙第七号書式の差額仕訳書を作成し、徴収済額報告書に添付しなければならない。

２　前項の規定は、前条第五項の場合について準用する。この場合において、前項中「徴収済額報告書」とあるのは「収納済歳入額計算書」と読み替えるものとする。

第六章　収納未済歳入額の繰越及び計算証明

（翌年度への繰越）

第三十六条　歳入徴収官は、毎会計年度において調査決定をした金額で該当年度所属の歳入金を受け入れることができる期間（以下「出納期間」という。）内に収納済とならなかつたもの（不納欠損として整理したものを除く。）は、当該期間満了の日の翌日において翌年度の徴収決定済額に繰り越すものとする。

（翌翌年度以降への繰越）

第三十七条　歳入徴収官は、前条の規定により繰越をした徴収決定済額で、翌年度末までに収納済とならないもの（不納欠損として整理したものを除く。）は、翌年度末において翌翌年度の徴収決定済額に繰り越し、翌翌年度末までになお収納済とならないもの（不納欠損として整理したものを除く。）については、その後逓次繰り越すものとする。

（徴収決定済額の減額整理）

第三十八条　歳入徴収官は、前条の規定により繰り越す場合においては、その繰越をする年度の徴収決定済額から当該繰越をする金額を減額して整理するものとする（次の各号に掲げる特別会計及び歳入を除く。）。

一　労働保険特別会計

二　農地法（昭和二十七年法律第二百二十九号）第四十五条第一項に規定する土地、立木、工作物及び権利並びに農地法等の一部を改正する法律（平成二十一年法律第五十七号）附則第八条第一項に規定する土地等の管理及び処分に係る歳入

（収納未済歳入額繰越計算書等）

第三十九条　歳入徴収官は、第三十六条の規定により繰り越した金額については、当該出納期間満了の日の属する月分の徴収済額報告書に繰越金額及び収納未済の事由を附記しなければならない。

2　歳入徴収官は、第三十七条の規定により繰り越した金額については、別紙第八号書式により収納未済歳入額繰越計算書を作成し、毎会計年度の三月分の徴収済額報告書に添付しなければならない。

（歳入金月計突合表の添付）

第四十条　歳入徴収官は、予算決算及び会計令第二十一条の規定により歳入徴収額計算書を各省各庁の長に送付するときは、証拠書類のほか、日本銀行本店から送信を受けた歳入金月計突合表を添付しなければならない。

第七章　分任歳入徴収官の事務取扱

（徴収整理簿への登記）

第四十一条　分任歳入徴収官（第四十六条の二に規定する分任歳入徴収官を除く。以下第四十三条第二項に規定する場合を除き、第四十二条から第四十六条までの各条において同じ。）は、調査決定をしたときは、直ちに調査決定年月日、徴収決定済額その他必要な事項を別紙第九号書式の徴収整理簿に登記しなければならない。

（調査決定報告書の作成及び送付）

第四十二条　分任歳入徴収官は、前条の規定により徴収整理簿に登記したときは、その都度別紙第十号書式の調査決定報告書を作成し、証拠書類を添えて歳入徴収官に送付しなければならない。

（歳入科目等の訂正）

第四十三条　分任歳入徴収官は、調査決定をした後において、当該調査決定をした歳入の歳入科目に誤びゆうがあることを発見したときは、歳入徴収官が徴収簿の訂正をすることができるときまでに当該歳入徴収官に当該誤びゆうの訂正の請求をしなければならない。

2　分任歳入徴収官は、収入官吏又は日本銀行が歳入金を収納した後において、当該歳入の所属年度、主管名（特別会計又は資金にあつては所管名。以下同じ。）、会計名又は取扱庁名に誤びゆうがあることを発見したときは、当該誤びゆうの訂正を歳入徴収官に請求しなければならない。

3　前項の場合において、第五十条第二項の規定の適用を受ける歳入徴収官の事務の一部を分掌する分任歳入徴収官は、その取扱いに係る歳入の所属年度の誤びゆうについて訂正を請求するときは、その歳入が日本銀行に収納され、又は払い込まれた月ごとに、当該訂正すべき誤びゆうに係る金額を取りまとめ、その合計額をもつて誤びゆうの訂正を請求することができる。

（収納済歳入額の登記）

第四十四条　分任歳入徴収官は、収入官吏又は日本銀行から領収済みの報告書、領収済通知書又は振替済通知書の送付を受けたときは、直ちに、当該領収済みの報告書、領収済通知書又は振替済通知書の枚数及び金額を、これらに添付されている集計表により確認した上、当該領収済みの報告書、領収済通知書又は振替済通知書により徴収整理簿に収納年月日、収納済歳入額その他必要な事項を登記し、その都度当該領収済みの報告書、領収済通知書又は振替済通知書を歳入徴収官に送付しなければならない。ただし、日本銀行から送付された領収済通知書が収入官吏から払い込まれた歳入金に係るものであるときは、徴収整理簿の登記は必要としない。

2　国庫金規程第十四条の二第二項ただし書の規定に基づき

日本銀行統轄店又は特別手続第三条第四項ただし書の規定に基づき指定代理店から領収済通知書の送付を受けた場合及び第二十一条の五第二項及び第三項の規定に基づき代行機関から通知を受けた場合には、前項の規定にかかわらず、領収済みの報告書、領収済通知書又は振替済書の枚数及び金額をこれらに添付される集計表により確認することを要しない。

（徴収整理簿の訂正の登記）

第四十五条　分任歳入徴収官は、第二十八条の規定により歳入徴収官から誤びゆう訂正済の通知があつたときは、徴収整理簿に訂正の登記をしなければならない。

（不納欠損の整理の登記及び通知）

第四十六条　分任歳入徴収官は、徴収決定済額について不納欠損として整理した場合においては、直ちに整理した年月日、不納欠損額その他必要な事項を徴収整理簿に登記するとともに、証拠書類を添えて歳入徴収官にその旨を通知しなければならない。

（指定分任歳入徴収官の行う徴収簿の登記等）

第四十六条の二　財務大臣の指定する分任歳入徴収官（当該分任歳入徴収官の代理を含む。以下「指定分任歳入徴収官」という。）は、調査決定をしたときは、直ちに調査決定年月日、徴収決定済額その他必要な事項を徴収簿に登記しなければならない。この場合において、徴収決定外誤納として調査決定をした金額については、第二十二条の規定に準じて過誤納額整理簿に登記しなければならない。

第四十六条の三　指定分任歳入徴収官は、収入官吏又は日本銀行から領収済の報告書、領収済通知書又は振替済通知書の送付を受けたときは、直ちに当該領収済の報告書、領収済通知書又は振替済通知書の枚数及び金額を、これらに添付されている集計表により確認した上、当該領収済の報告書、領収済通知書又は振替済通知書により収納年月日、収納済歳入額その他必要な事項を徴収簿に登記しなければならない。ただし、日本銀行から送付された領収済通知書が収入官吏から払い込まれた歳入金に係るものであるときは、この限りでない。

第四十六条の四　指定分任歳入徴収官は、徴収決定済額について不納欠損として整理した場合においては、直ちに整理した年月日、不納欠損額その他必要な事項を徴収簿に登記するとともに、第二十七条第二項の規定に準じて不納欠損整理簿に登記しなければならない。

第四十六条の五　指定分任歳入徴収官は、調査決定をした後において、当該調査決定をした歳入の歳入科目に誤びゆうがあることを発見したときは、第四十六条の六の規定により当該歳入の属する年度の最終月分の徴収額集計表を送付するときまでに徴収簿に訂正の登記をしなければならない。

２　第二十八条第四項の規定は、指定分任歳入徴収官が前項の規定により誤びゆうの訂正をしようとする場合について準用する。

３　指定分任歳入徴収官は、第二十八条第二項又は第三項の規定により歳入徴収官から誤びゆう訂正済の通知があつたときは、直ちに徴収簿に訂正の登記をしなければならない。

（徴収額集計表の作成及び送付）

第四十六条の六　指定分任歳入徴収官は、毎月、徴収簿により別紙第十一号書式の徴収額集計表を作成し、これに調査決定又は不納欠損整理に係る証拠書類、収入官吏又は日本銀行から送付を受けた領収済みの報告書、領収済通知書又は振替済通知書その他関係書類を添え、翌月五日までに歳入徴収官に送付しなければならない。

（収納未済歳入額の繰越）

第四十六条の七　指定分任歳入徴収官は、第四十七条において準用する第三十六条の規定により繰り越した金額については、当該出納期間満了の日の属する月分の徴収額集計表に繰越金額及び収納未済の事由を附記しなければならない。

２　指定分任歳入徴収官は、第四十七条において準用する第三十七条の規定により繰り越した金額については、第三十九条の規定に準じて収納未済歳入額繰越計算書を作製し、毎会計年度の三月分の徴収額集計表に添附しなければならない。

（準用規定）

第四十七条　第三条から第二十一条の六まで（第三条第三項及び第九条第二項を除く。）、第二十三条第二項、第二十六条、第二十七条第一項、第二十八条の三（第二項を除く。）、第三十六条から第三十八条まで、第四十八条、第四十九条、第五十七条第一項、第三項、第四項及び第五項並びに第五十八条の規定は、分任歳入徴収官（その所掌に属する歳入の徴収に関する事務を電子情報処理組織を使用して行う分任歳入徴収官に限る。）の歳入の事務取扱について準用する。

２　第三条から第二十一条の二まで（第三条第三項及び第九条第二項を除く。）、第二十三条第二項、第二十六条、第二十七条第一項、第三十六条から第三十八条まで、第四十八条、第四十九条、第五十七条第一項、第三項及び第四項並びに第五十八条の規定は、前項に定める分任歳入徴収官以外の分任歳入徴収官の歳入の事務取扱について準用する。この場合において、第九条第一項本文中「納入告知書を作成して」とあるのは「別紙第四号書式の納入告知書を作成して」と、第十二条第三項前段中「納付書を作成して」とあるのは「別紙第四号の十一書式の納付書を作成して」と読み替えるものとする。

第八章　雑則

（支払保証不要の場合の納入の告知）

第四十八条　歳入徴収官は、大正五年勅令第二百五十六号第六条第一項に依り証券の納付に関する制限を定める省令（大正五年大蔵省令第三十号）第二条の規定により支払保証を要しない旨の承認をする場合においては、納入者に対して発する納入告知書又は送付する納付書の表面余白に「支払保証不要」と記載し又は記録しなければならない。

（納付期限前の分割徴収）

第四十九条　歳入徴収官は、納入者から納付期限前に納付すべき金額を適宜分割して納入することの申出があつたときは、収入官吏をして当該申出に係る歳入を分割して収納させることができる。

2　歳入徴収官は、前項の規定により分割して収納させる場合には、その旨及び当該分割して納入させる金額その他納付に関し必要な事項を収入官吏に通知しなければならない。

（年度等の誤びゆうの訂正）

第五十条　歳入徴収官は、収入官吏又は日本銀行が歳入金として現金を収納した後において、当該収納金の所属年度、主管名、会計名又は取扱庁名に誤びゆうがあることを発見したとき又は分任歳入徴収官から当該誤びゆうの訂正の請求があつたときは、別紙第十二号書式の訂正請求書を作成して出納期間内に収入官吏又は日本銀行に送付し、誤びゆうの訂正を請求しなければならない。

2　前項の場合において、申告納付その他特別の納付手続により納付される歳入を取り扱う歳入徴収官で財務大臣の指定するものは、その所掌に属する歳入の所属年度の誤びゆうについて訂正を請求するときは、その歳入が日本銀行に収納され、又は払い込まれた月ごとに、当該訂正すべき誤びゆうに係る金額を取りまとめ、その合計額をもつて日本銀行に対し誤びゆうの訂正を請求することができる。

（他の歳入徴収官又は国税収納命令官の所掌に属する収納金を徴収した場合の訂正）

第五十一条　歳入徴収官は、前条第一項に規定する誤びゆうが他の歳入徴収官又は国税収納命令官の所掌に属する収納金を徴収したことに係る場合においては、同項の規定にかかわらず、当該他の歳入徴収官又は国税収納命令官と連署して別紙第十三号書式の歳入徴収官口座更正請求書を作成し、出納期間内にこれを当該収納金を取り扱つた日本銀行に送付して口座更正の請求をしなければならない。

（すえ置整理報告書の作成及び送付）

第五十二条　歳入徴収官は、出納期間内に前二条に規定する誤びゆうの訂正を終わらなかつた場合又は出納期間経過後において同条に規定する誤びゆうを発見し若しくは分任歳入徴収官から当該誤びゆうの訂正の請求があつた場合は、誤びゆうのまますえ置整理をし、別紙第十四号書式のすえ置整理報告書を作成して各省各庁の長を経て財務大臣に送付するとともに、当該すえ置整理が分任歳入徴収官の訂正の請求に係るものにあつては、その旨を当該分任歳入徴収官に通知しなければならない。

（すえ置整理報告書及び徴収済額報告書の送付の特例）

第五十三条　歳入徴収官は、第二十九条第一項の規定により徴収済額報告書を各省各庁の長等に送付する場合又は前条の規定によりすえ置整理報告書を各省各庁の長を経て財務大臣に送付する場合においては、宮内庁長官又は外局の長を経て行うことができる。

（出納計算書の調査）

第五十四条　歳入徴収官は、収入官吏から会計検査院の検査を受けるため出納計算書の送付を受けたときは、当該出納計算書に誤りがないかを調査した後、会計検査院に送付しなければならない。

（特定分任歳入徴収官等の所掌に属する債権に係る歳入についての事務取扱手続の特例）

第五十四条の二　歳入徴収官で国の債権の管理等に関する法律施行令（昭和三十一年政令第三百三十七号）第二十二条第一項に規定する歳入徴収官（分任歳入徴収官を含む。次項及び次条において同じ。）は、その所掌に属する歳入で国の債権に係るものについて、第九条第一項、第二十一条又は第二十一条の二の規定により納入の告知、督促又は保証人に対する納付の請求をしたときは、その旨を同令第十四条の二に規定する者（以下「特定分任歳入徴収官等」という。）に通知しなければならない。

2　前項の歳入徴収官が第二十一条の規定により納入者に対して督促状を送付し、又は第二十一条の二の規定により保証人に対して納付書を送付する場合には、当該特定分任歳入徴収官等の官職氏名をこれらの書面に明らかにして行なうものとする。

第五十四条の三　前条第一項の歳入徴収官は、特定分任歳入徴収官等の分掌に属する国の債権（以下この条及び次条において「特定の債権」という。）に係る歳入金について、収入官吏又は日本銀行から領収済みの報告書、領収済通知書又は振替済通知書の送付を受けたときは、直ちにこれらの書類を当該特定分任歳入徴収官等に回付し、確認を受けた後、その返付を受けなければならない。ただし、当該歳入金が法令の規定により相殺された国の債権に係るものであるとき、又は日本銀行から送付された領収済通知書が収入官吏から払い込まれた歳入金に係るものであるときは、この限りでない。

2　前項本文の場合において、歳入徴収官が必要があると認めるときは、同項本文の書類の回付に代え、領収済みの旨を記載した書面を送付すれば足りる。

3　前条第一項の歳入徴収官は、特定の債権に係る歳入について第二十六条の規定により収納済歳入額の取消しの登記を行なつたときは、直ちにその旨を特定分任歳入徴収官等に通知しなければならない。

4　前条第一項の歳入徴収官は、特定の債権に係る歳入について納入者から法令の規定により国の債務との間において相殺をする旨の申出があつたときは、直ちに、納入者の住所及び氏名、納付すべき金額、相殺額、申出があつた日付並びに当該債務に係る支出の決定の事務を担当する官署支出官又は資金前渡官吏の官職及び氏名その他必要な事項を明らかにした書面を特定分任歳入徴収官等に送付しなければならない。

（歳入徴収官の新設に伴う手続）

第五十五条　各省各庁の長の指定する職員は、歳入徴収官の新設があつたときは、ただちにその旨及び新設の年月日並びに当該歳入徴収官の官職を日本銀行本店に通知するものとする。

2　前項に規定する職員は、国庫金規程第八十六条の二の規定により日本銀行本店から歳入徴収官に係る取扱庁番号の通知を受けたときは、その番号を当該歳入徴収官及びその分任歳入徴収官に通知するものとする。

（歳入徴収官代理又は分任歳入徴収官代理の代理する場合）

第五十六条　各省各庁の長は、歳入徴収官代理又は分任歳入徴収官代理を置く場合においては、あらかじめ、歳入徴収官代理又は分任歳入徴収官代理が歳入徴収官又は分任歳入徴収官にいかなる事故がある場合（歳入徴収官又は分任歳入徴収官が会計法第四条の二第四項の規定により指定された官職にある者である場合においては、その官職にある者が欠けたときを含む。）に代理を行うべきかを定めて置くものとする。ただし、時宜により、代理をさせる都度定めることを妨げない。

2　歳入徴収官代理又は分任歳入徴収官代理は、前項の規定による各省各庁の長の定める場合に、歳入徴収官又は分任歳入徴収官の事務を代理するものとする。

3　歳入徴収官若しくは歳入徴収官代理又は分任歳入徴収官若しくは分任歳入徴収官代理は、歳入徴収官代理又は分任歳入徴収官代理が前項の規定により歳入徴収官又は分任歳入徴収官の事務を代理するときは、代理開始及び終止の年月日並びに歳入徴収官代理又は分任歳入徴収官代理が取扱つた徴収に関する事務の範囲を別紙第十五号書式の歳入徴収官（分任歳入徴収官）代理開始及び終止整理表において明らかにしておかなければならない。

4　第四十七条第三項に定める分任歳入徴収官の事務を代理する場合における前項の規定の適用については、同項中「別紙第十五号書式の歳入徴収官（分任歳入徴収官）代理開始及び終止整理表」とあるのは、「関係の帳簿」とする。

5　前二項の規定は、歳入徴収官代理又は分任歳入徴収官代理が歳入徴収官又は分任歳入徴収官の事務を代理している間に当該歳入徴収官代理又は分任歳入徴収官代理に異動があつたときについて準用する。

（歳入徴収官の交替又は廃止に伴う手続）

第五十七条　歳入徴収官（第二十八条の三第四項の規定により財務大臣が指定する歳入金を取り扱う歳入徴収官を除く。以下この項から第四項までにおいて同じ。）が交替するときは、前任の歳入徴収官（歳入徴収官代理がその事務を代理しているときは、歳入徴収官代理。以下この項において同じ。）は、交替の日の前日現在における徴収簿総括表（国の会計帳簿及び書類の様式等に関する省令（大正十一年大蔵省令第二十号）別表第六号書式（その一）の徴収簿総括表をいう。第三項において同じ。）に引継ぎの年月日を記入し、後任の歳入徴収官とともに記名し、関係書類を後任の歳入徴収官に引き継ぐものとする。

2　各省各庁の長は、歳入徴収官を廃止し、又は歳入徴収官の廃止がある場合においては、当該歳入徴収官の残務を引き継ぐべき歳入徴収官を定め、その旨を日本銀行本店に通知しなければならない。

3　歳入徴収官が廃止されるときは、廃止される歳入徴収官（歳入徴収官代理がその事務を代理しているときは、歳入徴収官代理。以下この条において同じ。）は、廃止される日の前日現在における徴収簿総括表に引継ぎの年月日を記入し、引継を受ける歳入徴収官とともに記名し、関係書類の引継ぎを受ける歳入徴収官に引き継ぐものとする。

4　前任の歳入徴収官又は廃止される歳入徴収官が第一項又は前項の規定による引継の事務を行なうことができないときは、後任の歳入徴収官又は廃止に伴い引継を受ける歳入徴収官のみで引継の事務を行なうものとする。

5　第二十八条の三第四項の規定により財務大臣が指定する歳入金を取り扱う歳入徴収官が交替し、又は廃止される場合における第一項及び第三項の規定の適用については、第一項中「前日現在における徴収簿総括表（国の会計帳簿及び書類の様式等に関する省令（大正十一年大蔵省令第二十号）別表第三号書式（その一）の徴収簿総括表をいう。第三項において同じ。）に引継ぎの年月日を記入し、」とあり、及び第三項中「前日現在における徴収簿総括表に引継ぎの年月日を記入し、」とあるのは、「前日をもつて徴収簿の締切りをし、引継ぎの年月日を記入し、」とする。

（領収済み等の証明請求）

第五十八条　歳入徴収官は、収入官吏又は日本銀行が収納した歳入金に係る領収済みの報告書、領収済通知書又は振替済通知書を亡失し、又は著しく汚損した場合には、別紙第十六号書式の歳入金領収済証明請求書を作成して、収入官吏又は日本銀行に送付し、領収済みの証明の請求をしなければならない。

（在外公館の歳入徴収官の事務取扱の特例）

第五十九条　在外公館の歳入徴収官は、第二十九条第一項の規定にかかわらず、四半期ごとに、徴収簿により徴収済額報告書を作成し、これに参照書類を添え、当該四半期経過後十日以内に外務大臣あてに発送することができる。

2　前項の規定により在外公館の歳入徴収官が徴収済額報告書を発送した後における当該歳入徴収官に対する第三十一条から第三十三条までの規定の適用については、第三十一条中「第二十九条第一項」とあるのは「第五十九条第一項」と、「月分」とあるのは「四半期分」と、第三十二条及び第三十三条中「月」とあるのは「四半期」と、「第二十九条」とあるのは「第五十九条第一項」と読み替えるものとする。

3　在外公館の歳入徴収官に係る第三十四条第一項から第三項までに基づく歳入金月計突合表の事務の取扱い及び第三十五条第一項に基づく差額仕訳書の事務の取扱いについては、外務省の本省の歳入徴収官が行うものとする。この場合において、第三十四条第一項中「歳入徴収官」とあるのは「外務省の本省の歳入徴収官」と、「統轄店別収入額の記録を添えて歳入金月計突合表の送信」とあるのは「統轄店別収入額を記載した書類を添えて在外公館の歳入徴収官に係る歳入金月計突合表の送付」と、「これを調査し」とあるのは「在外公館の歳入徴収官から送付された徴収済報告書により調査し」と、「その旨を電子情報処理組織に記録しなければ」とあるのは「歳入金月計突合表に記名しなければ」と、同条第二項及び第三項中「歳入徴収官」とあるのは「外務省の本省の歳入徴収官」と、「送信」とあるのは「送付」と、第三十五条第一項中「歳入徴収官」とあるのは「外務省の本省の歳入徴収官」とする。

4　前項の規定による在外公館の歳入徴収官に係る歳入金月計突合表及び差額仕訳書の事務の取扱いについては、第三十四条第四項及び第五項並びに第三十五条第二項の規定は、適用しない。

5　在外公館の歳入徴収官に係る歳入徴収額計算書に添付する歳入金月計突合表については、第四十条の規定にかかわらず、外務省の本省の歳入徴収官が当該歳入金月計突合表の写しを作成して外務大臣に提出しなければならない。

（歳入徴収官及び分任歳入徴収官による電子情報処理組織への記録等の手続等の細目）

第六十条　歳入徴収官及び分任歳入徴収官が電子情報処理組織に記録しなければならない事項及び当該記録の方法その他電子情報処理組織の使用に関する手続の細目については、別に定めるところによる。

附　則（抄）

1　この省令は、昭和二十八年一月一日から施行する。

2　左に掲げる省令は、廃止する。

歳入年度等誤謬の場合訂正手続（大正十一年大蔵省令第三十八号）

歳入徴収官の歳入金月計突合表証明に関する件（大正十五年大蔵省令第五号）

3　子ども・子育て支援法及び就学前の子どもに関する教育、保育等の総合的な提供の推進に関する法律の一部を改正する法律の施行に伴う関係法律の整備等に関する法律（平成二十四年法律第六十七号）第三十八条の規定によりその徴収についてなお従前の例によるものとされた同法第三十六条の規定による改正前の児童手当法（昭和四十六年法律第七十三号）第二十条第一項の拠出金に関する規定を適用する場合におけるこの省令の適用については、第三条第三項第二号中「第七十一条第一項」とあるのは「第七十一条第一項（子ども・子育て支援法及び就学前の子どもに関する教育、保育等の総合的な提供の推進に関する法律の一部を改正する法律の施行に伴う関係法律の整備等に関する法律（平成二十四年法律第六十七号。以下「子ども・子育て整備法」という。）第三十八条の規定によりその徴収についてなお従前の例によるものとされた子ども・子育て整備法第三十六条の規定による改正前の児童手当法（昭和四十六年法律第七十三号。以下「旧児童手当法」という。）の規定による拠出金に係る旧児童手当法第二十二条第一項を含む。第二十一条の六第一項第三号及び第四号において同じ。）」と、第二十一条の六第一項第三号中「子ども・子育て支援法第六十九条第一項」とあるのは「子ども・子育て支援法第六十九条第一項（子ども・子育て整備法第三十八条の規定によりその徴収についてなお従前の例によるものとされた旧児童手当法の規定による拠出金に係る旧児童手当法第二十条第一項を含む。以下この号において同じ。）」と、同項第九号ハ中「第四十条」とあるのは「第四十条（子ども・子育て整備法第三十八条の規定によりその徴収についてなお従前の例によるものとされた旧児童手当法の規定による拠出金に係る子ども・子育て支援法施行令等の一部を改正する政令（平成二十七年政令第百六十六号）第七条の規定による改正前の児童手当法施行令（昭和四十六年政令第二百八十一号。以下「旧児童手当法施行令」という。）第八条を含む。）」と、「同令第四十一条第二項」とあるのは「子ども・子育て支援法施行令第四十一条第二項

（子ども・子育て整備法第三十八条の規定によりその徴収についてなお従前の例によるものとされた旧児童手当法の規定による拠出金に係る旧児童手当法施行令第九条第二項を含む。）」と、「第七十一条第九項」とあるのは「第七十一条第九項（子ども・子育て整備法第三十八条の規定によりその徴収についてなお従前の例によるものとされた旧児童手当法の規定による拠出金に係る旧児童手当法第二十二条第九項を含む。）」と、「同法の規定」とあるのは「子ども・子育て支援法の規定（子ども・子育て整備法第三十八条の規定によりその徴収についてなお従前の例によるものとされた旧児童手当法の規定による拠出金に係る規定を含む。）」とする。

4　平成二十二年度等における子ども手当の支給に関する法律（平成二十二年法律第十九号）第二十条第一項の規定により児童手当法の一部を改正する法律（平成二十四年法律第二十四号）附則第十一条の規定によりなおその効力を有するものとされた同法第一条の規定による改正前の児童手当法第二十条第一項の規定を適用する場合におけるこの省令の適用については、第三条第三項第二号中「第七十一条第一項」とあるのは「第七十一条第一項（平成二十二年度等における子ども手当の支給に関する法律（平成二十二年法律第十九号。以下「平成二十二年度子ども手当支給法」という。）第二十条第一項の規定により適用する児童手当法の一部を改正する法律（平成二十四年法律第二十四号。以下「一部改正法」という。）附則第十一条の規定によりなおその効力を有するものとされた一部改正法第一条の規定による改正前の児童手当法（昭和四十六年法律第七十三号。以下「旧児童手当法」という。）第二十二条第一項を含む。第二十一条の六第一項第三号及び第四号において同じ。）」と、第二十一条の六第一項第三号中「子ども・子育て支援法第六十九条第一項」とあるのは「子ども・子育て支援法第六十九条第一項（平成二十二年度子ども手当支給法第二十条第一項の規定により適用する一部改正法附則第十一条の規定によりなおその効力を有するものとされた旧児童手当法第二十条第一項を含む。以下この号において同じ。）」と、同項第九号ハ中「第四十条」とあるのは「第四十条（平成二十二年度等における子ども手当の支給に関する法律施行令（平成二十二年政令第七十五号。以下「平成二十二年度子ども手当支給法施行令」という。）第五条の規定により読み替えて適用する一部改正法附則第十一条の規定によりなおその効力を有するものとされた児童手当法施行令の一部を改正する政令（平成二十四年政令第百十三号）による改正前の児童手当法施行令（昭和四十六年政令第二百八十一号。以下「旧児童手当法施行令」という。）第八条を含む。）」と、「同令第四十一条第二項」とあるのは「子ども・子育て支援法施行令第四十一条第二項（平成二十二年度子ども手当支給法施行令第五条の規定により読み替えて適用する一部改正法附則第十一条の規定によりなおその効力を有するものとされた旧子ども・子育て支援法施行令第四十一条第二項を含む。）」と、「第七十一条第九項」とあるのは「第七十一条第九項（平成二十二年度子ども手当支給法第二十条第一項の規定により適用する一部改正法附則第十一条の規定によりなおその効力を有するものとされた旧児童手当法第二十二条第九項を含む。）」と、「同法」とあるのは「子ども・子育て支援法（平成二十二年度子ども手当支給法第二十条第一項の規定により適用する一部改正法附則第十一条の規定によりなおその効力を有するものとされた旧児童手当法を含む。）」とする。

5　平成二十三年度における子ども手当の支給等に関する特別措置法（平成二十三年法律第百七号）第二十条第一項、第三項及び第五項の規定により児童手当法の一部を改正する法律附則第十二条の規定によりなおその効力を有するものとされた同法第一条の規定による改正前の児童手当法第二十条第一項の規定を適用する場合におけるこの省令の適用については、第三条第三項第二号中「第七十一条第一項」とあるのは「第七十一条第一項（平成二十三年度における子ども手当の支給等に関する特別措置法（平成二十三年法律第百七号。以下「平成二十三年度子ども手当支給特別措置法」という。）第二十条第一項、第三項及び第五項の規定により適用する児童手当法の一部を改正する法律（平成二十四年法律第二十四号。以下「一部改正法」という。）附則第十二条の規定によりなおその効力を有するものとされた一部改正法第一条の規定による改正前の児童手当法（昭和四十六年法律第七十三号。以下「旧児童手当法」という。）第二十二条第一項を含む。第二十一条の六第一項第三号及び第四号において同じ。）」と、第二十一条の六第一項第三号中「子ども・子育て支援法第六十九条第一項」とあるのは「子ども・子育て支援法第六十九条第一項（平成二十三年度子ども手当支給特別措置法第二十条第一項、第三項及び第五項の規定により適用する一部改正法附則第十二条の規定によりなおその効力を有するものとされた旧児童手当法第二十条第一項を含む。以下この号において同じ。）」と、同項第九号ハ中「第四十条」とあるのは「第四十条（平成二十三年度における子ども手当の支給等に関する特別措置法施行令（平成二十三年政令第三百八号。以下「平成二十三年度子ども手当支給特別措置法施行令」という。）第六条の規定により読み替えて適用する一部改正法附則第十二条の規定によりなおその効力を有するものとされた児童手当法施行令の一部を改正する政令（平成二十四年政令第百十三号）による改正前の児童手当法施行令（昭和四十六年政令第二百八十一号。以下「旧児童手当法施行令」という。）第八条を含む。）」と、「同令第四十一条第二項」とあるのは「子ども・子育て支援法施行令第四十一条第二項（平成二十三年度子ども手当支給特別措置法施行令第六条の規定により読み替えて適用する一部改正法附則第十二条の規定によりなおその効力を有するものとされた旧児童手当法施行令第四十一条第二項を含む。）」と、「第七十一条第九項」とあるのは「第七十一条第九項（平成二十三年度子ども手当支給特別措置法第二十条第一項、第三項及び第五項の規定により適用する一部改正法附則第十二条の規定によりなおその効力を有するものとされた旧児童手当法第二十二条第九項を含む。）」と、「同法」とあるのは「子ども・子育て支援法（平成二十三年度子ども手当支給特別措置法第二十条第一項、第三項及び第五項の規定により適用する一部改正法附則第十二条の規定によりなおその効力を有するものとされた旧児童手当法を含む。）」とする。

別紙第1号書式

裏面

第　　号　督　促　状				
(年度区分)	(部)	(款)	(項)	(目)
(会計名)	金			万千百十円十銭
(主管又は所管名)	納付目的			

先に貴殿に対して納入の告知をした上記の金額は、納付期日（　年　月　日）までに完納されておりませんので至急納付して下さい。なお、納入告知書又は納付書に記載したところにより計算した利息、延滞金又は加算金の金額を併せて納付して下さい。

表面

（納入者）
住所
氏名　殿

年月日

所属庁名
歳入徴収官
歳入徴収官代理
分任歳入徴収官
又は分任歳入徴収官代理
官職氏名

備考
1　用紙の大きさは、郵便はがき大とすること。
2　特別会計においては、科目欄は、適宜必要な科目区分（勘定別を含む。）によることができる。
3　督促前において納入者が延滞金、利息又は一定の期間に応じて付する加算金を含む債務金額の一部の弁済があつた場合において、その弁済金額を法令の定めるところにより延滞金、利息又は加算金及び元本の順に充当したものについては、その充当した旨及び充当した金額の内訳を督促状に付記しなければならない。
4　督促文は必要に応じて適宜修正することができる。

別紙第2号書式

納入告知書等送付指示書

（発行年月日）

（歳入徴収官又は分任歳入徴収官官職）

納入告知書等の区分　　　整理番号

（納入告知書、納付書又は督促状件数）　件

備考
1　用紙の大きさは、日本産業規格A列4とする。
2　納入告知書等の区分欄は、納入告知書、納付書又は督促状の区分を記載するものとする。
3　整理番号欄は、納入告知書等に付された整理番号を記載するものとする。

別紙第3号書式

電磁的記録媒体返付書

年　月　日

年　月　日付領収通知書に添付された別添の電磁的記録媒体については、その収録内容を歳入徴収官又は分任歳入徴収官に通知したので返付します。

電磁的記録媒体（正・副）番号	

（日本銀行　あて）

代行機関

備考　用紙の大きさは、日本産業規格A列4とする。

別紙第4号書式

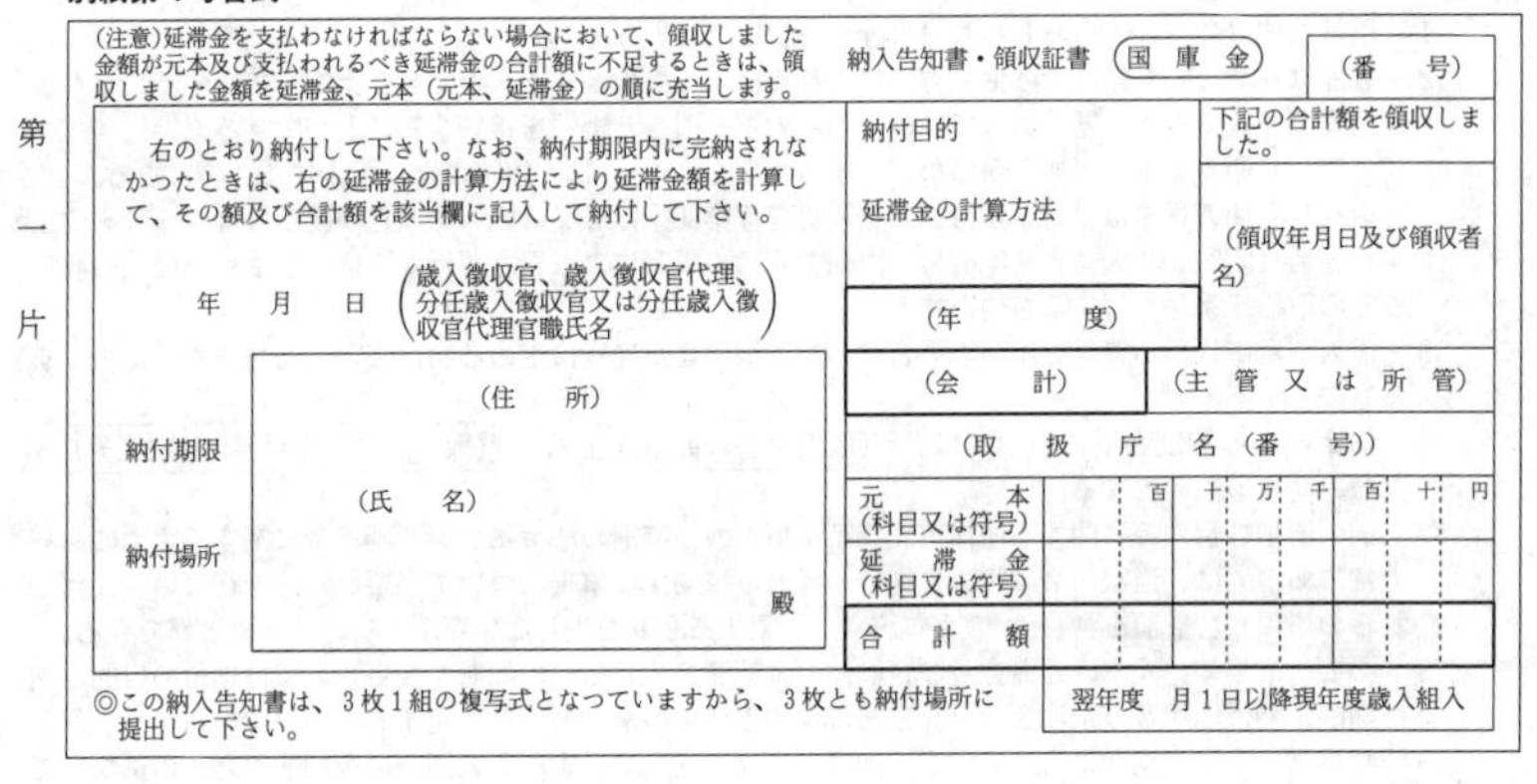

第一片

（注意）延滞金を支払わなければならない場合において、領収しました金額が元本及び支払われるべき延滞金の合計額に不足するときは、領収しました金額を延滞金、元本（元本、延滞金）の順に充当します。

納入告知書・領収証書　（国庫金）　（番　号）

右のとおり納付して下さい。なお、納付期限内に完納されなかつたときは、右の延滞金の計算方法により延滞金額を計算して、その額及び合計額を該当欄に記入して納付して下さい。

年　月　日　（歳入徴収官、歳入徴収官代理、分任歳入徴収官又は分任歳入徴収官代理官職氏名）

納付期限

納付場所

（住　所）

（氏　名）

殿

納付目的

延滞金の計算方法

下記の合計額を領収しました。

（領収年月日及び領収者名）

（年　度）

（会　計）　（主管又は所管）

（取扱庁名（番号））

	百	十	万	千	百	十	円
元本（科目又は符号）							
延滞金（科目又は符号）							
合計額							

翌年度　月1日以降現年度歳入組入

◎この納入告知書は、3枚1組の複写式となつていますから、3枚とも納付場所に提出して下さい。

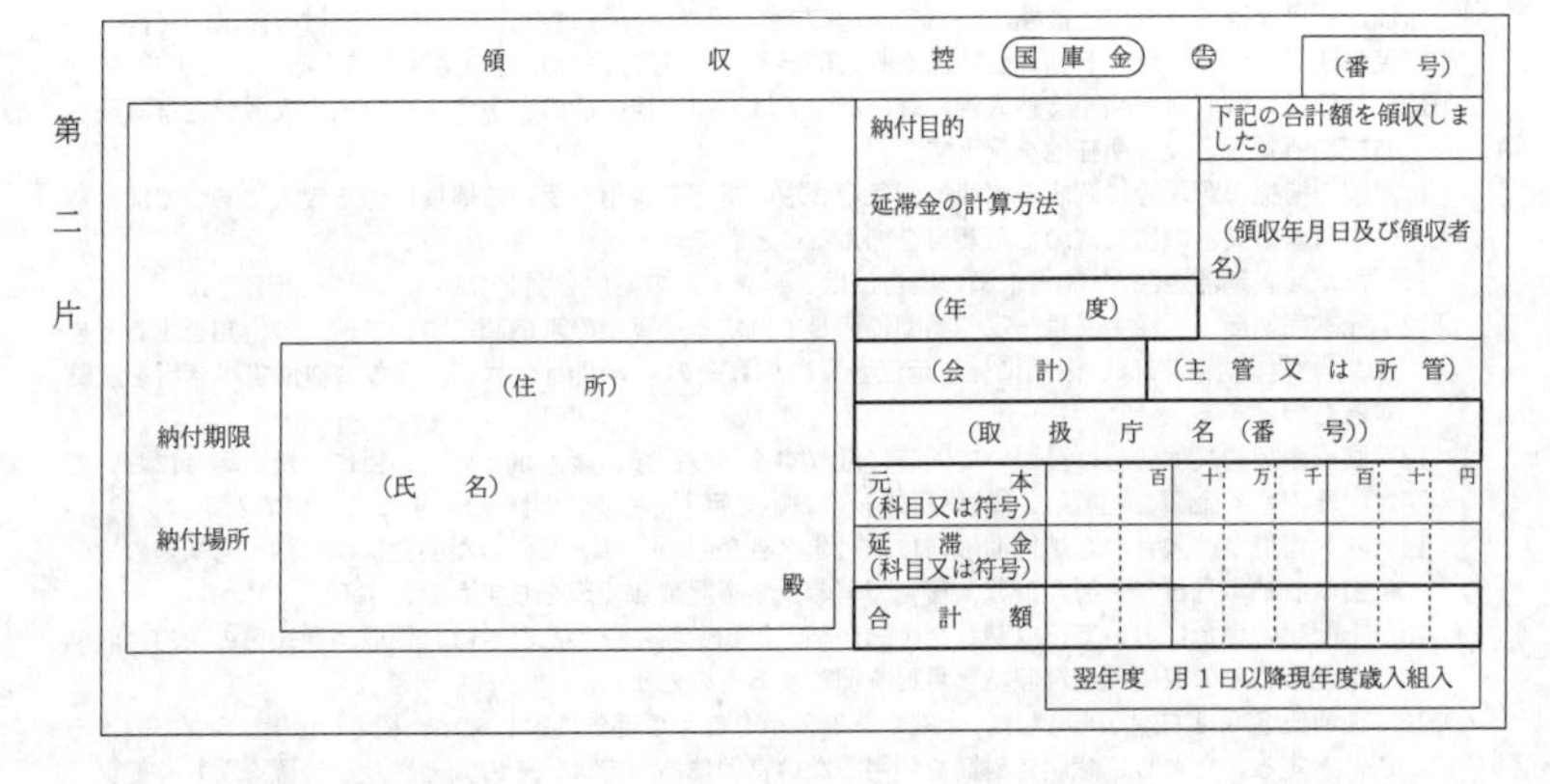

第二片

領　収　控　（国庫金）　㊞　（番　号）

納付期限

納付場所

（住　所）

（氏　名）

殿

納付目的

延滞金の計算方法

下記の合計額を領収しました。

（領収年月日及び領収者名）

（年　度）

（会　計）　（主管又は所管）

（取扱庁名（番号））

	百	十	万	千	百	十	円
元本（科目又は符号）							
延滞金（科目又は符号）							
合計額							

翌年度　月1日以降現年度歳入組入

第三片

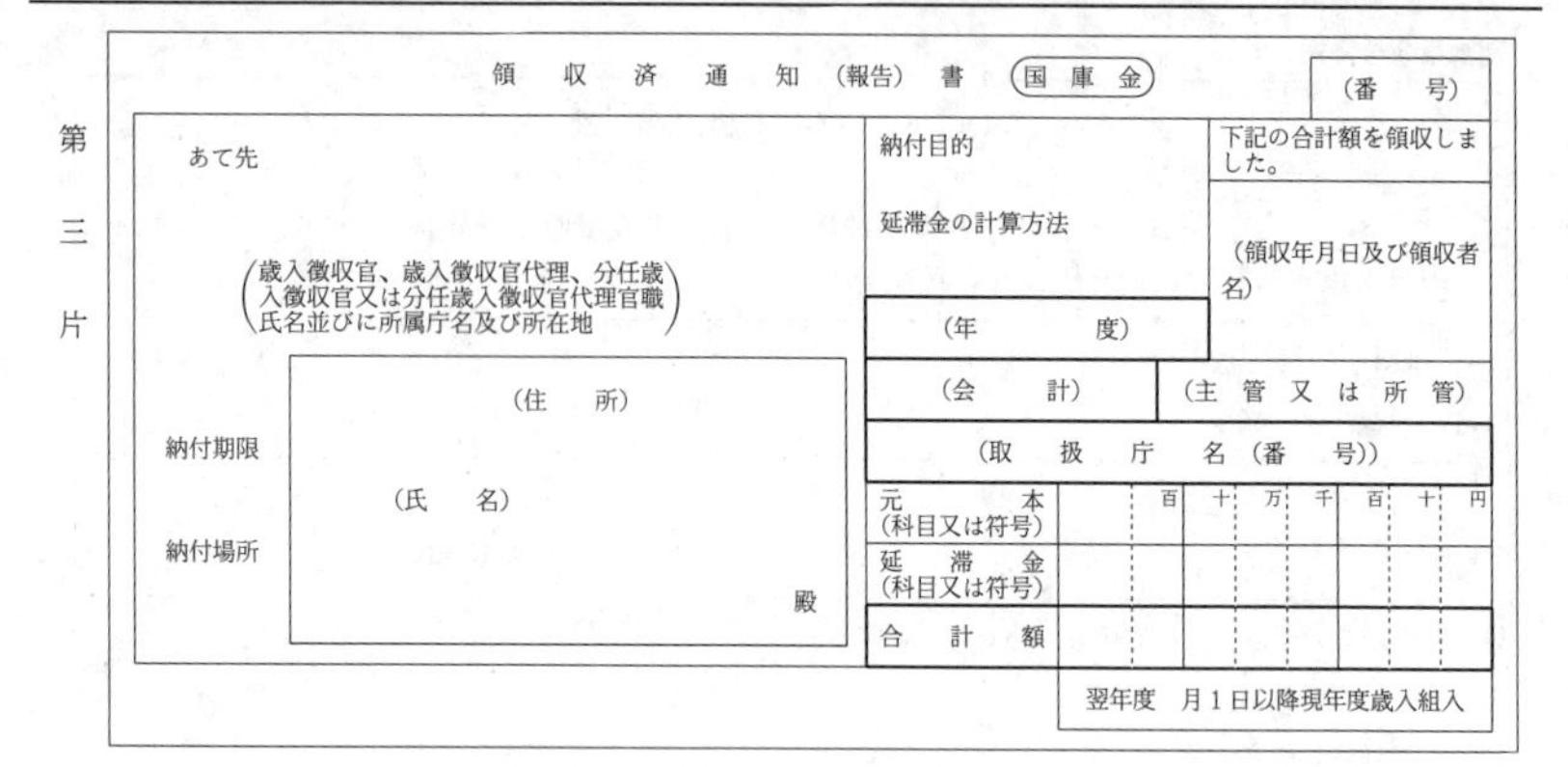

領収済通知（報告）書（国庫金）　（番号）

あて先

（歳入徴収官、歳入徴収官代理、分任歳入徴収官又は分任歳入徴収官代理官職氏名並びに所属庁名及び所在地）

納付期限

納付場所

（住所）

（氏名）

殿

納付目的

延滞金の計算方法

下記の合計額を領収しました。

（領収年月日及び領収者名）

（年度）

（会計）　（主管又は所管）

（取扱庁名（番号））

		百	十	万	千	百	十	円
元本（科目又は符号）								
延滞金（科目又は符号）								
合計額								

翌年度　月１日以降現年度歳入組入

備考

1　用紙寸法は、各片ともおおむね縦11cm、横21cmとする。

2　各片は左端をのり付けその他の方法により接続するものとする。ただし、上端を接続することが事務処理上便宜である官署にあつては、上端に太線を引き、上端を接続することができる。

3　各片に共通する事項（あらかじめ印刷する事項を除く。）は、複写により記入するものとする。

4　取扱庁名欄の番号は、日本銀行国庫金取扱規程第86条の２又は歳入徴収官事務規程等の一部を改正する省令（昭和40年大蔵省令第67号）附則第４項の規定により日本銀行から通知を受けた歳入徴収官ごとの取扱庁番号を付するものとする。

5　歳人科目に代わる符号を用いる場合は、歳入徴収官が適宜に定める科目ごとの符号をもつて表示するものとする。

6　勘定のある特別会計にあつては、「(取扱庁名（番号))」を「(取扱庁名（番号))(勘定区分)」と読み替えるものとする。

7　国の債権の管理等に関する法律第33条第１項その他特別の法令において延滞金に関する定めのある債権にあつては、当該法令の定めに従い、延滞金に関する事項について必要な修正を行ない、又はこれらの事項（合計額を含む。）のうち法令上記載する必要を生じない事項を省略することができる。

8　必要に応じて、元本、延滞金及び合計額の金額欄のそれぞれの配置を変更し、又は納付の目的、納付期限、納付場所及び延滞金の計算方法に関する事項の記載順序を変更することができる。

9　利息又は一定の期間に応じて付する加算金に係る収入で元本収入と同時に収納すべきものについては、利息又は加算金の金額欄、「利息の計算方法」又は「加算金の計算方法」、納付の請求の文言（一定の期間に応じて付する加算金に係る収入に限る。）及び弁済の充当の文言を加えるものとする。

10　分任歳入徴収官が発する納入告知書にあつては、領収控の片の左上余白に分任歳入徴収官官職氏名並びに所属庁名及び所在地を記入する。

11　国の債権の管理等に関する法律第33条第２項の規定の適用を受ける債権に係る歳入にあつては、納付の請求の文言の次に次のただし書を加えることができる。

　ただし、延滞金額が100円未満の場合には、延滞金額の納付を要しない。

12　元本完納後、延滞金又は一定の期間に応じて付する加算金の未納額について納入の告知をするときは、「納付期限」には、未納に係る延滞金又は加算金の計算期問を示し、直ちに納付すべき旨を記載するものとする。

13　同一の契約又は処分に基づいて同時に徴収する同一種類の歳入が２以上の目にわたる場合においては、その合計金額を記載し、「納付目的」において目別の金額を明らかにすることができる。

14　収入官吏が納入者から納付期限前に納付すべき金額の一部を収納した場合には、納入告知書の片の余白に収納年月日、金額及び収入官吏の官職氏名を記載して印をおすものとする。

15　上記14の場合において、収納した金額が納入告知金額に達したときは、領収済通知書の余白に収納した金額ごとの収納額及び収納年月日を記載するものとする。

16　住所氏名欄は左端から４cm、上端から3.5cmをこえる部分に縦4.5cm、横８cmの大きさで設けることとする。ただし、窓明き封筒を利用しない官署にあつては、その大きさ及び位置を著しく変更しない範囲で変更することができる。

別紙第4号の2書式

第一片

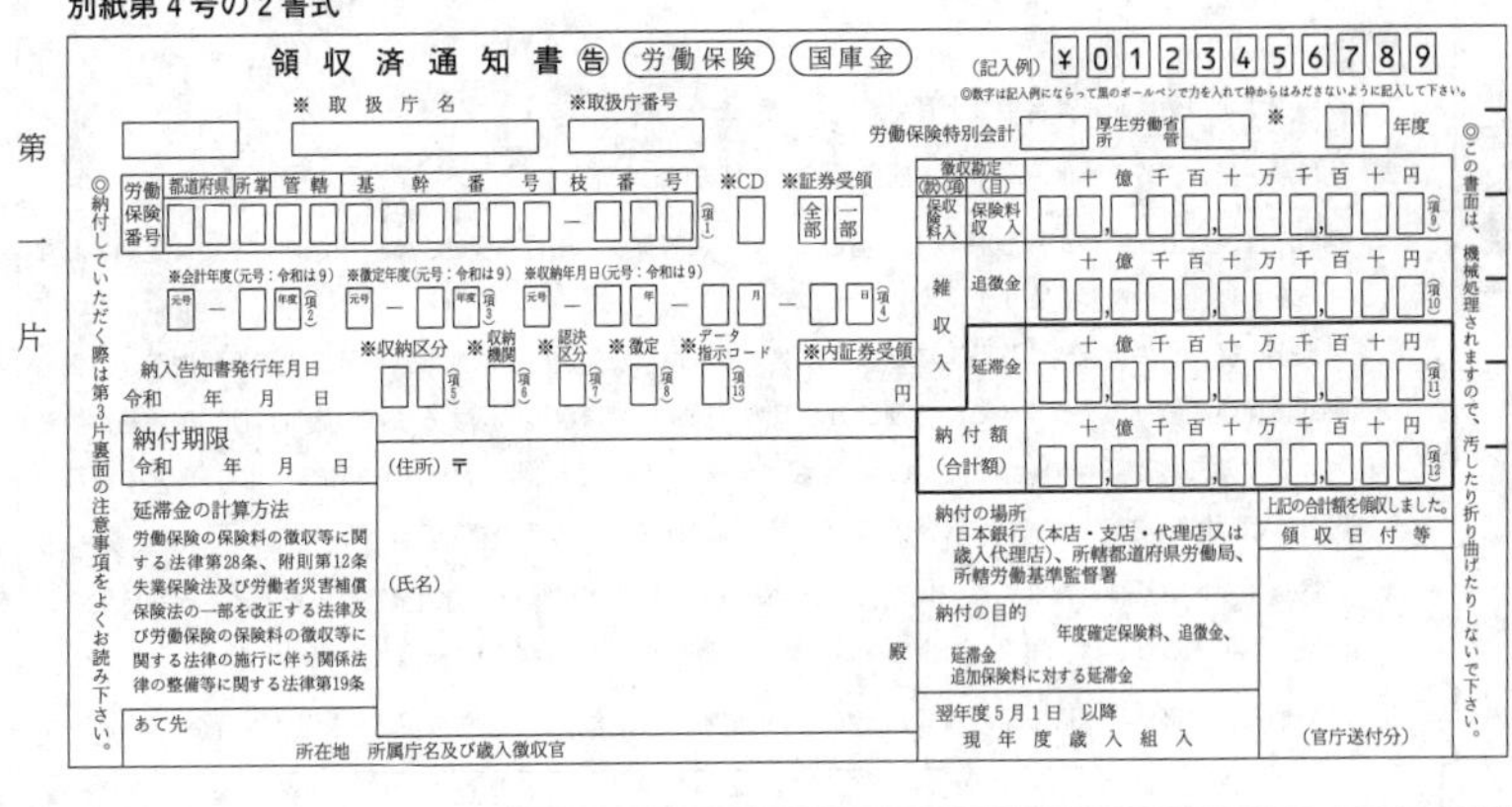

領収済通知書 告 労働保険 国庫金

(記入例) ¥0123456789
◎数字は記入例にならって黒のボールペンで力を入れて枠からはみださないように記入して下さい。

※取扱庁名　※取扱庁番号

労働保険特別会計　厚生労働省所管　※　年度

労働保険番号　都道府県　所掌　管轄　基幹番号　枝番号　※CD　※証券受領　全部　一部

※会計年度(元号：令和は9)　※徴定年度(元号：令和は9)　※収納年月日(元号：令和は9)

※収納区分　※収納機関　※認決区分　※徴定　※データ指示コード　※内証券受領　円

納入告知書発行年月日　令和　年　月　日

納付期限　令和　年　月　日

延滞金の計算方法
労働保険の保険料の徴収等に関する法律第28条、附則第12条失業保険法及び労働者災害補償保険法の一部を改正する法律及び労働保険の保険料の徴収等に関する法律の施行に伴う関係法律の整備等に関する法律第19条

あて先

所在地　所属庁名及び歳入徴収官

(住所) 〒

(氏名)

殿

徴収勘定 (款)(項) (目)　十 億 千 百 十 万 千 百 十 円
保険料収入　保険料収入
雑収入　追徴金
雑収入　延滞金
納付額(合計額)

納付の場所
日本銀行（本店・支店・代理店又は歳入代理店）、所轄都道府県労働局、所轄労働基準監督署

納付の目的
年度確定保険料、追徴金、延滞金
追加保険料に対する延滞金

翌年度5月1日 以降
現年度歳入組入

上記の合計額を領収しました。
領収日付等

(官庁送付分)

◎納付していただく際は第3片裏面の注意事項をよくお読み下さい。

◎この書面は、機械処理されますので、汚したり折り曲げたりしないで下さい。

第二片

領収控 告 労働保険 国庫金

※取扱庁名　※取扱庁番号

労働保険特別会計　厚生労働省所管　※　年度

労働保険番号　都道府県　所掌　管轄　基幹番号　枝番号　※CD　※証券受領　全部　一部

※会計年度(元号：令和は9)　※徴定年度(元号：令和は9)

※収納区分　※認決区分　※内証券受領　円

納入告知書発行年月日　令和　年　月　日

納付期限　令和　年　月　日

延滞金の計算方法
労働保険の保険料の徴収等に関する法律第28条、附則第12条失業保険法及び労働者災害補償保険法の一部を改正する法律及び労働保険の保険料の徴収等に関する法律の施行に伴う関係法律の整備等に関する法律第19条

(住所) 〒

(氏名)

殿

徴収勘定 (款)(項) (目)　十 億 千 百 十 万 千 百 十 円
保険料収入　保険料収入
雑収入　追徴金
雑収入　延滞金
納付額(合計額)　十 億 千 百 十 万 千 百 十 円

上記の合計額を領収しました。
領収日付等

納付の目的
年度確定保険料、追徴金、延滞金
追加保険料に対する延滞金

翌年度5月1日 以降
現年度歳入組入

(収納機関用)

第三片

納入告知書・領収証書　労働保険 国庫金

※取扱庁名　※取扱庁番号

労働保険特別会計　厚生労働省所管　※　年度

労働保険番号　都道府県　所掌　管轄　基幹番号　枝番号　※CD　※証券受領　全部　一部

※会計年度(元号：令和は9)　※徴定年度(元号：令和は9)

※収納区分　※認決区分　※内証券受領　円

右のとおり納付して下さい。
令和　年　月　日

納付期限　令和　年　月　日

労働局労働保険特別会計
歳入徴収官

(住所) 〒

(氏名)

殿

徴収勘定 (款)(項) (目)　十 億 千 百 十 万 千 百 十 円
保険料収入　保険料収入
雑収入　追徴金
雑収入　延滞金
納付額(合計額)　十 億 千 百 十 万 千 百 十 円

納付の場所
日本銀行（本店・支店・代理店又は歳入代理店）、所轄都道府県労働局、所轄労働基準監督署

上記の合計額を領収しました。
領収日付等

納付の目的
年度確定保険料、追徴金、延滞金
追加保険料に対する延滞金

翌年度5月1日 以降
現年度歳入組入

(納付者渡し)

延滞金の計算方法　労働保険の保険料の徴収等に関する法律第28条、附則第12条失業保険法及び労働者災害補償保険法の一部を改正する法律及び労働保険の保険料の徴収等に関する法律の施行に伴う関係法律の整備等に関する法律第19条

第三片裏面

注意事項

1　※印のついた欄は記載しないで下さい。

2　納付額を記入するときは、必ずその前に「¥」記号を付して下さい。

3　延滞金は、労働保険料が1,000円以上の場合において、督促状の送付を受け、その指定期限までに完納されなかったときは、納付を要します。

延滞金の額は、労働保険の保険料の徴収等に関する法律第28条、同法附則第12条及び失業保険法及び労働者災害補償保険法の一部を改正する法律及び労働保険の保険料の徴収等に関する法律の施行に伴う関係法律の整備等に関する法律第19条の計算方法（元本金額×延滞金利率×納期限の翌日から納付日の前日までの日数÷365）により計算して、その額及び合計額を該当欄に記入して納付して下さい。

4　延滞金を支払わなければならない場合において領収した金額が保険料、追徴金及び支払われるべき延滞金の合計額に不足するときは、領収した金額を保険料、追徴金及び延滞金の順に充当します。

5　この納入告知書は、３枚１組の複写式となっていますから、３枚とも納付の場所に提出して下さい。

備考

1　用紙の寸法は、各片ともおおむね縦11cm、横21cmとする。

2　各片は、左端をのり付けその他の方法により接続するものとする。

3　別紙第４号書式の備考４、14及び15は本書式に準用する。この場合において、別紙第４号書式の備考４中「取扱庁名欄の番号」とあるのは「取扱庁番号欄」と読み替えるものとする。

4　住所氏名欄は、左端から4.3cm上端から5.5cmの部分に縦4.7cm、横８cmの大きさで設けること。

5　納入者に本書式に係る納付情報により納付させようとするときは、当該納付に必要な事項を記載すること。

6　必要があるときは、各欄の配置を著しく変更することなく所要の調整を加えることができる。

別紙第４号の２の２書式

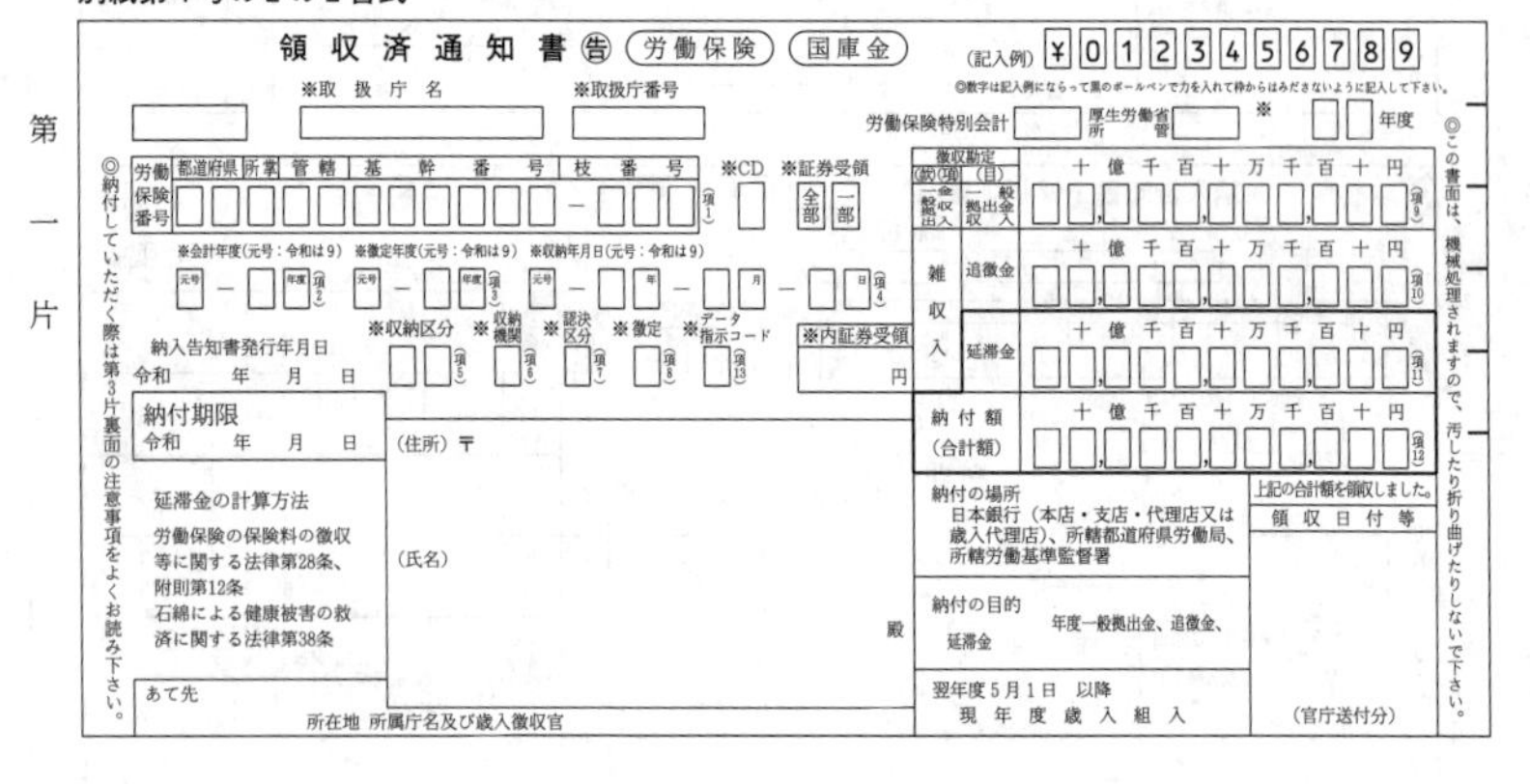
第一片

領収済通知書㊎　（労働保険）　（国庫金）

（記入例）¥ 0 1 2 3 4 5 6 7 8 9

◎数字は記入例にならって黒のボールペンで力を入れて枠からはみださないように記入して下さい。

※取扱庁名　※取扱庁番号

労働保険特別会計　厚生労働省所管　※　年度

労働保険番号：都道府県　所掌　管轄　基幹番号　枝番号（項1）　※CD　※証券受領　全部　一部

※会計年度（元号：令和は９）　元号　年度（項2）　※徴定年度（元号：令和は９）　元号　年度（項3）　※収納年月日（元号：令和は９）　元号　年　月　日（項4）

納入告知書発行年月日　令和　年　月　日

※収納区分（項5）　※収納機関（項6）　※認決区分（項7）　※徴定（項8）　※データ指示コード（項13）

※内証券受領　円

徴収勘定（款）（項）	（目）	十 億 千 百 十 万 千 百 十 円	
一般拠出金収入	一般拠出金収入		（項9）
雑収入	追徴金		（項10）
雑収入	延滞金		（項11）
納付額（合計額）			（項12）

納付期限　令和　年　月　日

延滞金の計算方法
労働保険の保険料の徴収等に関する法律第28条、附則第12条
石綿による健康被害の救済に関する法律第38条

（住所）〒

（氏名）

殿

あて先
所在地 所属庁名及び歳入徴収官

納付の場所
日本銀行（本店・支店・代理店又は歳入代理店）、所轄都道府県労働局、所轄労働基準監督署

納付の目的
年度一般拠出金、追徴金、延滞金

翌年度５月１日　以降
現年度歳入組入

上記の合計額を領収しました。
領収日付等

（官庁送付分）

◎納付していただく際は第３片裏面の注意事項をよくお読み下さい。

◎この書面は、機械処理されますので、汚したり折り曲げたりしないで下さい。

第二片

領　　　収　　　控 告　労働保険　国庫金

※取扱庁名　※取扱庁番号

労働保険特別会計　厚生労働省所管　※　年度

労働保険番号	都道府県	所掌	管轄	基幹番号	枝番号	※CD	※証券受領
					―		全部　一部

※会計年度（元号：令和は9）　元号 ― 年度　※徴定年度（元号：令和は9）　元号 ― 年度

納入告知書発行年月日　令和　年　月　日　※収納区分　※認決区分　※内証券受領　円

徴収勘定（款）（項）（目）		十	億	千	百	十	万	千	百	十	円
一般拠出金収入	一般拠出金収入										
雑収入	追徴金										
	延滞金										
納付額（合計額）											

納付期限　令和　年　月　日

（住所）〒

（氏名）

殿

延滞金の計算方法
労働保険の保険料の徴収等に関する法律第28条、附則第12条
石綿による健康被害の救済に関する法律第38条

上記の合計額を領収しました。
領収日付等

納付の目的
年度一般拠出金、追徴金、延滞金

翌年度5月1日以降
現年度歳入組入

（収納機関用）

第三片

納入告知書・領収証書　労働保険　国庫金

※取扱庁名　※取扱庁番号

労働保険特別会計　厚生労働省所管　※　年度

労働保険番号	都道府県	所掌	管轄	基幹番号	枝番号	※CD	※証券受領
					―		全部　一部

※会計年度（元号：令和は9）　元号 ― 年度　※徴定年度（元号：令和は9）　元号 ― 年度

右のとおり納付して下さい。　令和　年　月　日　※収納区分　※認決区分　※内証券受領　円

徴収勘定（款）（項）（目）		十	億	千	百	十	万	千	百	十	円
一般拠出金収入	一般拠出金収入										
雑収入	追徴金										
	延滞金										
納付額（合計額）											

納付期限　令和　年　月　日

（住所）〒

労働局労働保険特別会計
歳入徴収官

（氏名）

殿

納付の場所
日本銀行（本店・支店・代理店又は歳入代理店）、所轄都道府県労働局、所轄労働基準監督署

上記の合計額を領収しました。
領収日付等

納付の目的
年度一般拠出金、追徴金、延滞金

延滞金の計算方法　労働保険の保険料の徴収等に関する法律第28条、附則第12条
石綿による健康被害の救済に関する法律第38条

翌年度5月1日以降
現年度歳入組入

（納付者渡し）

第三片裏面

注意事項

1　※印のついた欄は記載しないで下さい。

2　納付額を記入するときは、必ずその前に「¥」記号を付して下さい。

3　延滞金は、一般拠出金が1,000円以上の場合において、督促状の送付を受け、その指定期限までに完納されなかったときは、納付を要します。

延滞金の額は、労働保険の保険料の徴収等に関する法律第28条、同法附則第12条及び石綿による健康被害の救済に関する法律第38条の計算方法（元本金額×延滞金利率×納期限の翌日から納付日の前日までの日数÷365）により計算して、その額及び合計額を該当欄に記入して納付してください。

4　延滞金を支払わなければならない場合において領収した金額が一般拠出金、追徴金及び支払われるべき延滞金の合計額に不足するときは、領収した金額を一般拠出金、追徴金及び延滞金の順に充当します。

5　この納入告知書は、3枚1組の複写式となっていますから、3枚とも納付の場所に提出して下さい。

備考

1　用紙の寸法は、各片ともおおむね縦11cm、横21cmとする。

2　各片は、左端をのり付けその他の方法により接続するものとする。

3　別紙第４号書式の備考４、14及び15は本書式に準用する。この場合において、別紙第４号書式の備考４中「取扱庁名欄の番号」とあるのは「取扱庁番号欄」と読み替えるものとする。

4　住所氏名欄は、左端から4.3cm上端から5.5cmの部分に縦4.7cm、横８cmの大きさで設けること。

5　納入者に本書式に係る納付情報により納付させようとするときは、当該納付に必要な事項を記載すること。

6　必要があるときは、各欄の配置を著しく変更することなく所要の調整を加えることができる。

別紙第４号の３書式

第一片

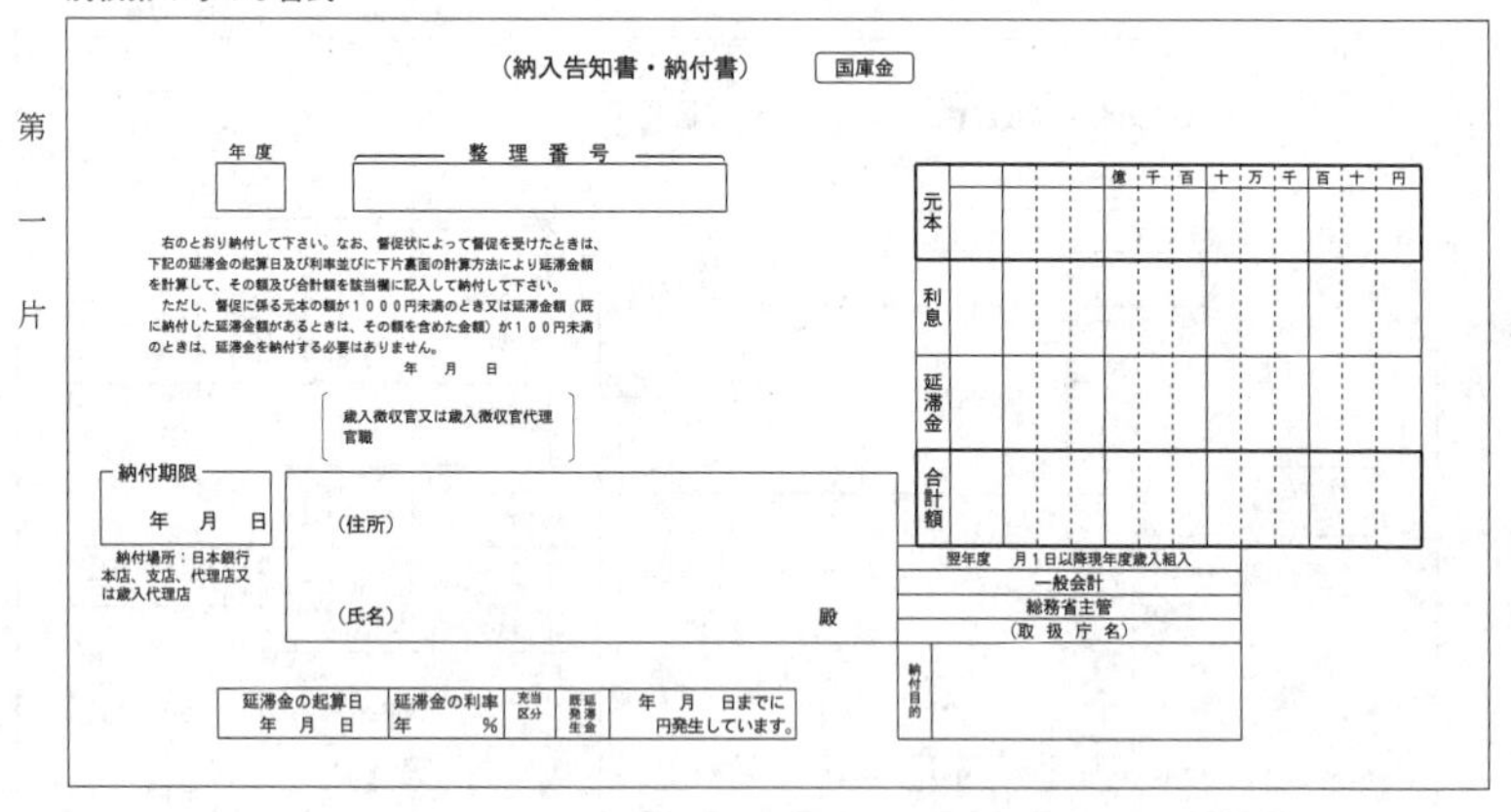
（納入告知書・納付書）　国庫金

年度

整理番号

右のとおり納付して下さい。なお、督促状によって督促を受けたときは、下記の延滞金の起算日及び利率並びに下片裏面の計算方法により延滞金額を計算して、その額及び合計額を該当欄に記入して納付して下さい。

ただし、督促に係る元本の額が１０００円未満のとき又は延滞金額（既に納付した延滞金額があるときは、その額を含めた金額）が１００円未満のときは、延滞金を納付する必要はありません。

年　月　日

歳入徴収官又は歳入徴収官代理
官職

納付期限
年　月　日

納付場所：日本銀行本店、支店、代理店又は歳入代理店

（住所）

（氏名）　殿

	億	千	百	十	万	千	百	十	円
元本									
利息									
延滞金									
合計額									

翌年度　月１日以降現年度歳入組入

一般会計

総務省主管

（取扱庁名）

納付目的

延滞金の起算日	延滞金の利率	充当区分	既発生延滞金	年　月　日までに
年　月　日	年　%			円発生しています。

第二片

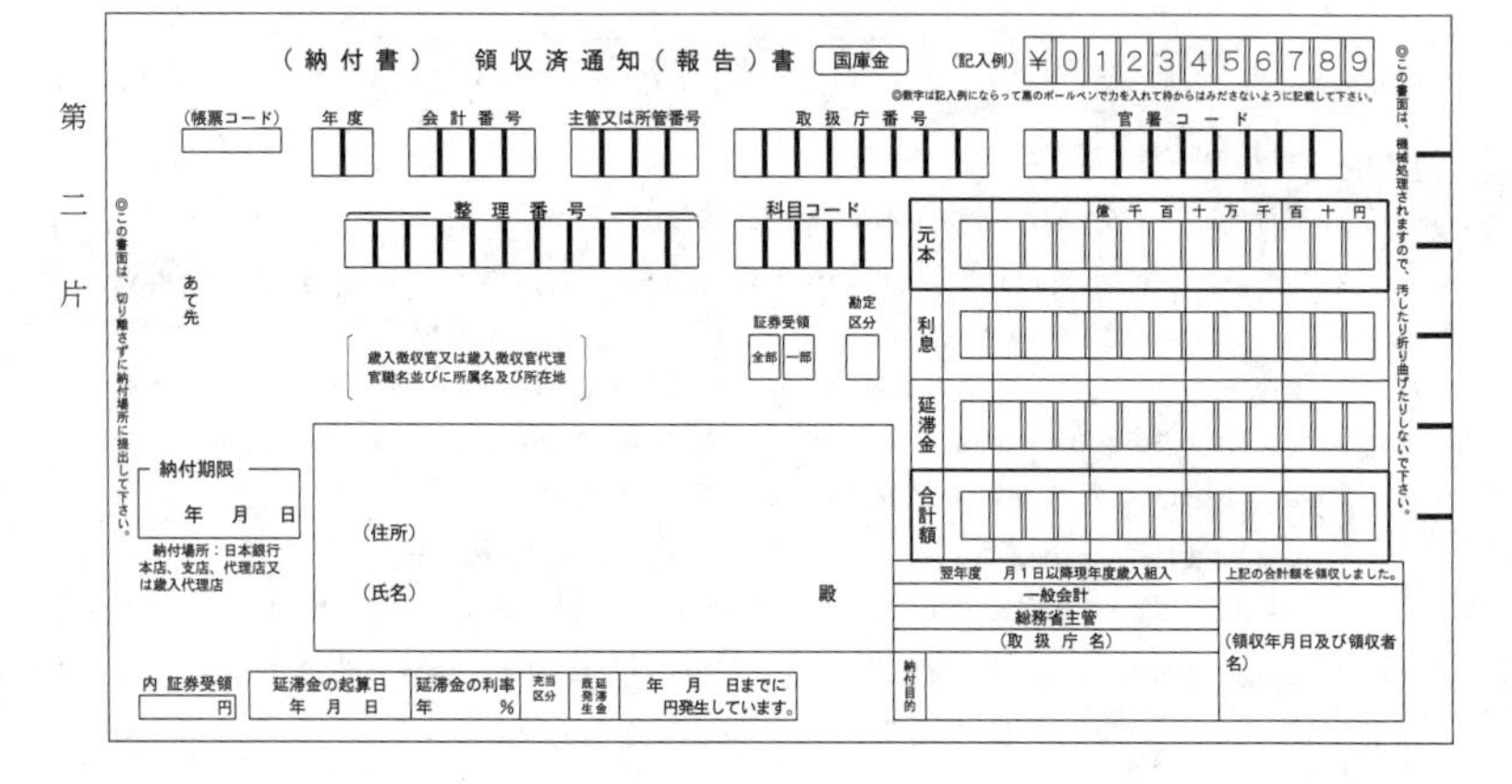
（納付書）　領収済通知（報告）書　国庫金

（記入例）¥0123456789

◎数字は記入例にならって黒のボールペンで力を入れて枠からはみださないように記載して下さい。

（帳票コード）　年度　会計番号　主管又は所管番号　取扱庁番号　官署コード

整理番号　科目コード

あて先

歳入徴収官又は歳入徴収官代理
官職名並びに所属名及び所在地

証券受領　全部　一部

勘定区分

	億	千	百	十	万	千	百	十	円
元本									
利息									
延滞金									
合計額									

◎この書面は、切り離さずに納付場所に提出して下さい。

◎この書面は、機械処理されますので、汚したり折り曲げたりしないで下さい。

納付期限
年　月　日

納付場所：日本銀行本店、支店、代理店又は歳入代理店

（住所）

（氏名）　殿

翌年度　月１日以降現年度歳入組入

一般会計

総務省主管

（取扱庁名）

納付目的

上記の合計額を領収しました。

（領収年月日及び領収者名）

内 証券受領	延滞金の起算日	延滞金の利率	充当区分	既発生延滞金	年　月　日までに
円	年　月　日	年　%			円発生しています。

第三片

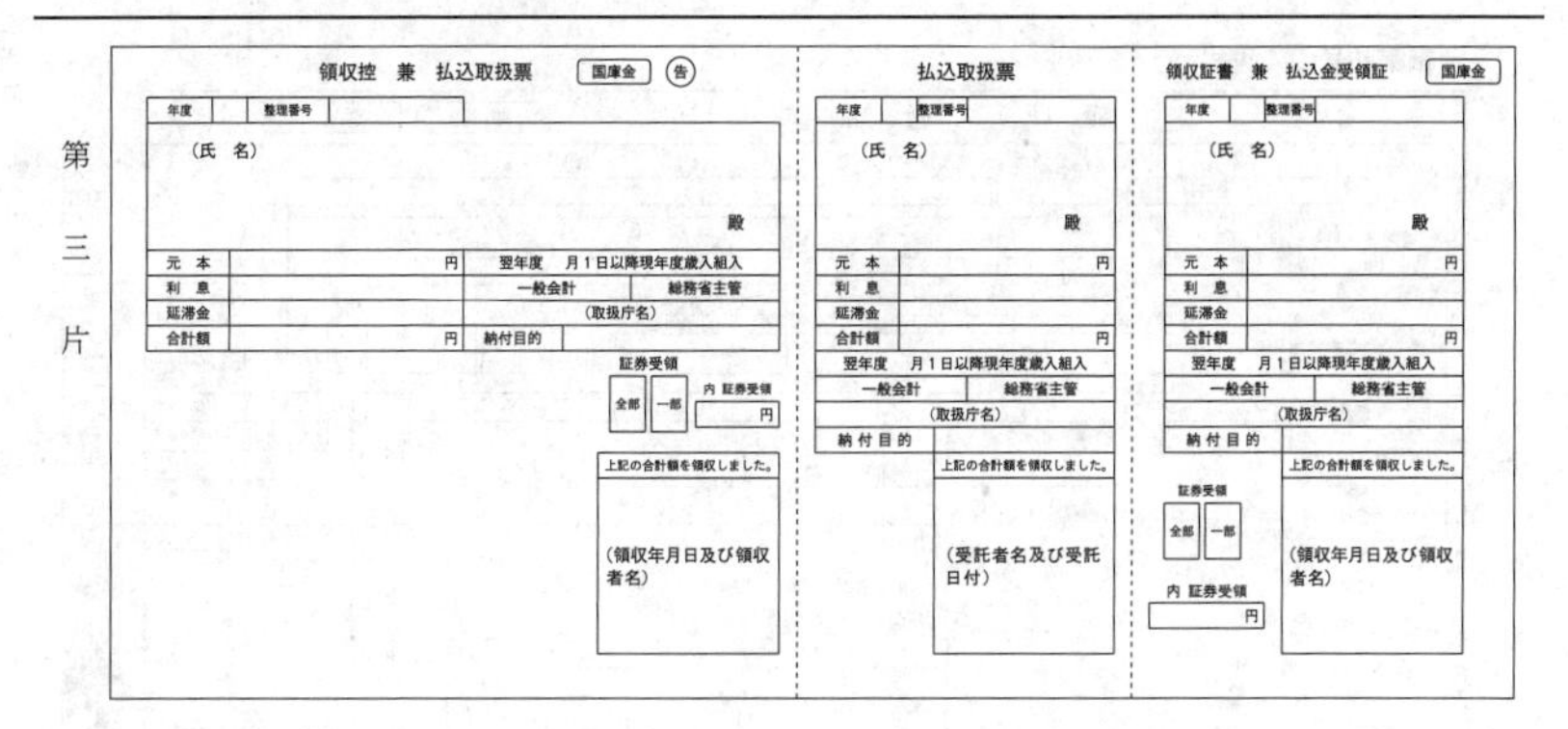

領収控　兼　払込取扱票　国庫金　告

年度　整理番号

（氏　名）

殿

元　本	円	翌年度　月１日以降現年度歳入組入	
利　息		一般会計	総務省主管
延滞金		（取扱庁名）	
合計額	円	納付目的	

証券受領　全部　一部　内 証券受領　円

上記の合計額を領収しました。

（領収年月日及び領収者名）

払込取扱票

年度　整理番号

（氏　名）

殿

元　本	円
利　息	
延滞金	
合計額	円
翌年度　月１日以降現年度歳入組入	
一般会計	総務省主管
（取扱庁名）	
納付目的	

上記の合計額を領収しました。

（受託者名及び受託日付）

領収証書　兼　払込金受領証　国庫金

年度　整理番号

（氏　名）

殿

元　本	円
利　息	
延滞金	
合計額	円
翌年度　月１日以降現年度歳入組入	
一般会計	総務省主管
（取扱庁名）	
納付目的	

証券受領　全部　一部

内 証券受領　円

上記の合計額を領収しました。

（領収年月日及び領収者名）

第三片の裏面

1　延滞金の計算方法

（元本金額×延滞金利率×延滞金起算日から納付の日の前日までの日数）÷365＝納付すべき延滞金額

ただし、既発生延滞金欄に延滞金額が記載されているときは、当該延滞金額との合計額が納付すべき延滞金額となります。

（注）　納付すべき延滞金額に１円未満の端数があるときは、その端数金額を切り捨てて下さい。

2　充当順序

延滞金を支払わなければならない場合において、領収した金額が元本及び支払われるべき延滞金の合計額に不足するときは、その金額を延滞金、元本の順に充当します。

備考

1　用紙の寸法は、各片ともおおむね縦11cm、横21cmとする。

2　別紙第４号書式の備考４、14、15及び16は本書式に準用する。この場合において、別紙第４号書式の備考４中「取扱庁名欄の番号」とあるのは「取扱庁番号欄」と読み替えるものとする。

3　納入告知書として使用するときは「納入告知書」の文字を、納付書として使用するときは「納付書」の文字を記載するものとする。

4　納入者に本書式に係る納付情報により納付させようとするときは、当該納付に必要な事項を記載すること。

5　必要があるときは、各欄の配置を著しく変更することなく所要の調整を加えること及び複写式とすることができる。

別紙第４号の４書式

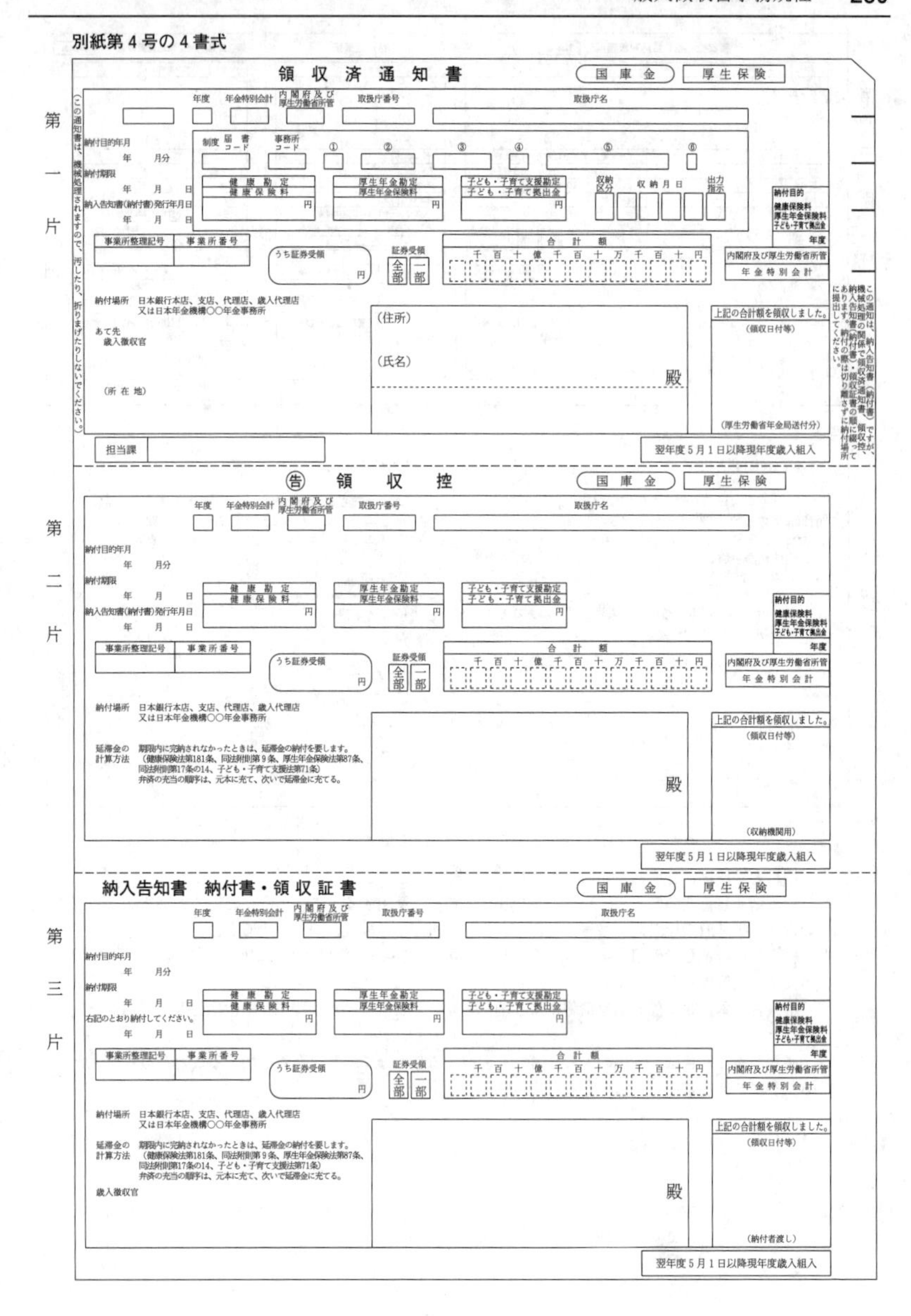

第一片

領　収　済　通　知　書　　（国庫金）　厚生保険

（この通知書は、機械処理されますので、汚したり、折りまげたりしないでください。）

年度　年金特別会計　内閣府及び厚生労働省所管　取扱庁番号　取扱庁名

納付目的年月　年　月分
納付期限　年　月　日
納入告知書(納付書)発行年月日　年　月　日

制度　届書コード　事務所コード　①　②　③　④　⑤　⑥

健康勘定 健康保険料　円　厚生年金勘定 厚生年金保険料　円　子ども・子育て支援勘定 子ども・子育て拠出金　円　収納区分　収納月日　出力指示

事業所整理記号　事業所番号　うち証券受領　円　証券受領　全部　一部

合計額　千 百 十 億 千 百 十 万 千 百 十 円

納付目的　健康保険料　厚生年金保険料　子ども・子育て拠出金　年度　内閣府及び厚生労働省所管　年金特別会計

納付場所　日本銀行本店、支店、代理店、歳入代理店
又は日本年金機構○○年金事務所

あて先
歳入徴収官

（所在地）


（住所）

（氏名）　殿

上記の合計額を領収しました。

（領収日付等）

（厚生労働省年金局送付分）


この通知は、納入告知書（納付書）ですが、機械処理の関係で領収済通知書・領収控と納入告知書（納付書）・領収証書の順に綴っていますので、あしからず。納付の際は切り離さずに納付場所に提出してください。

担当課

翌年度５月１日以降現年度歳入組入

第二片

㊟告　領　収　控　　（国庫金）　厚生保険

年度　年金特別会計　内閣府及び厚生労働省所管　取扱庁番号　取扱庁名

納付目的年月　年　月分
納付期限　年　月　日
納入告知書(納付書)発行年月日　年　月　日

健康勘定 健康保険料　円　厚生年金勘定 厚生年金保険料　円　子ども・子育て支援勘定 子ども・子育て拠出金　円

事業所整理記号　事業所番号　うち証券受領　円　証券受領　全部　一部

合計額　千 百 十 億 千 百 十 万 千 百 十 円

納付目的　健康保険料　厚生年金保険料　子ども・子育て拠出金　年度　内閣府及び厚生労働省所管　年金特別会計

納付場所　日本銀行本店、支店、代理店、歳入代理店
又は日本年金機構○○年金事務所

延滞金の計算方法　期限内に完納されなかったときは、延滞金の納付を要します。

（健康保険法第181条、同法附則第９条、厚生年金保険法第87条、同法附則第17条の14、子ども・子育て支援法第71条）

弁済の充当の順序は、元本に充て、次いで延滞金に充てる。

殿

上記の合計額を領収しました。

（領収日付等）

（収納機関用）

翌年度５月１日以降現年度歳入組入

第三片

納入告知書　納付書・領収証書　　（国庫金）　厚生保険

年度　年金特別会計　内閣府及び厚生労働省所管　取扱庁番号　取扱庁名

納付目的年月　年　月分
納付期限　年　月　日
右記のとおり納付してください。　年　月　日

健康勘定 健康保険料　円　厚生年金勘定 厚生年金保険料　円　子ども・子育て支援勘定 子ども・子育て拠出金　円

事業所整理記号　事業所番号　うち証券受領　円　証券受領　全部　一部

合計額　千 百 十 億 千 百 十 万 千 百 十 円

納付目的　健康保険料　厚生年金保険料　子ども・子育て拠出金　年度　内閣府及び厚生労働省所管　年金特別会計

納付場所　日本銀行本店、支店、代理店、歳入代理店
又は日本年金機構○○年金事務所

延滞金の計算方法　期限内に完納されなかったときは、延滞金の納付を要します。

（健康保険法第181条、同法附則第９条、厚生年金保険法第87条、同法附則第17条の14、子ども・子育て支援法第71条）

弁済の充当の順序は、元本に充て、次いで延滞金に充てる。

歳入徴収官

殿

上記の合計額を領収しました。

（領収日付等）

（納付者渡し）

翌年度５月１日以降現年度歳入組入

備考

1　用紙の寸法は、各片ともおおむね縦11cm、横21cmとすること。

2　別紙第4号書式の備考4は本書式に準用する。この場合において、別紙第4号書式の備考4中「取扱庁名欄の番号」とあるのは「取扱庁番号欄」と読み替えるものとする。

3　第1片領収済通知書の中央上部欄の①欄から⑥欄には、光学式文字読取装置を使用して事務処理をするために必要な項目として、「郡市区（①欄）」、「事業所符号（②欄）」、「納付目的年月分（③欄）」、「調定種別（④欄）」及び「勘定別保険料額の読取りの際の確認に関する事項（⑤欄及び⑥欄）」をアラビア数字で記入すること。

4　納入告知書として使用するときは「納付書」の文字を、納付書として使用するときは「納入告知書」の文字を抹消すること。

5　納入者に本書式に係る納付情報により納付させようとするときは、当該納付に必要な事項を記載すること。

6　必要があるときは、本書式による処分についての審査請求等の教示を記載することができる。

7　必要があるときは、各欄の配置を著しく変更することなく所要の変更を加えることその他所要の調整を加えることができる。

別紙第4号の4の2書式

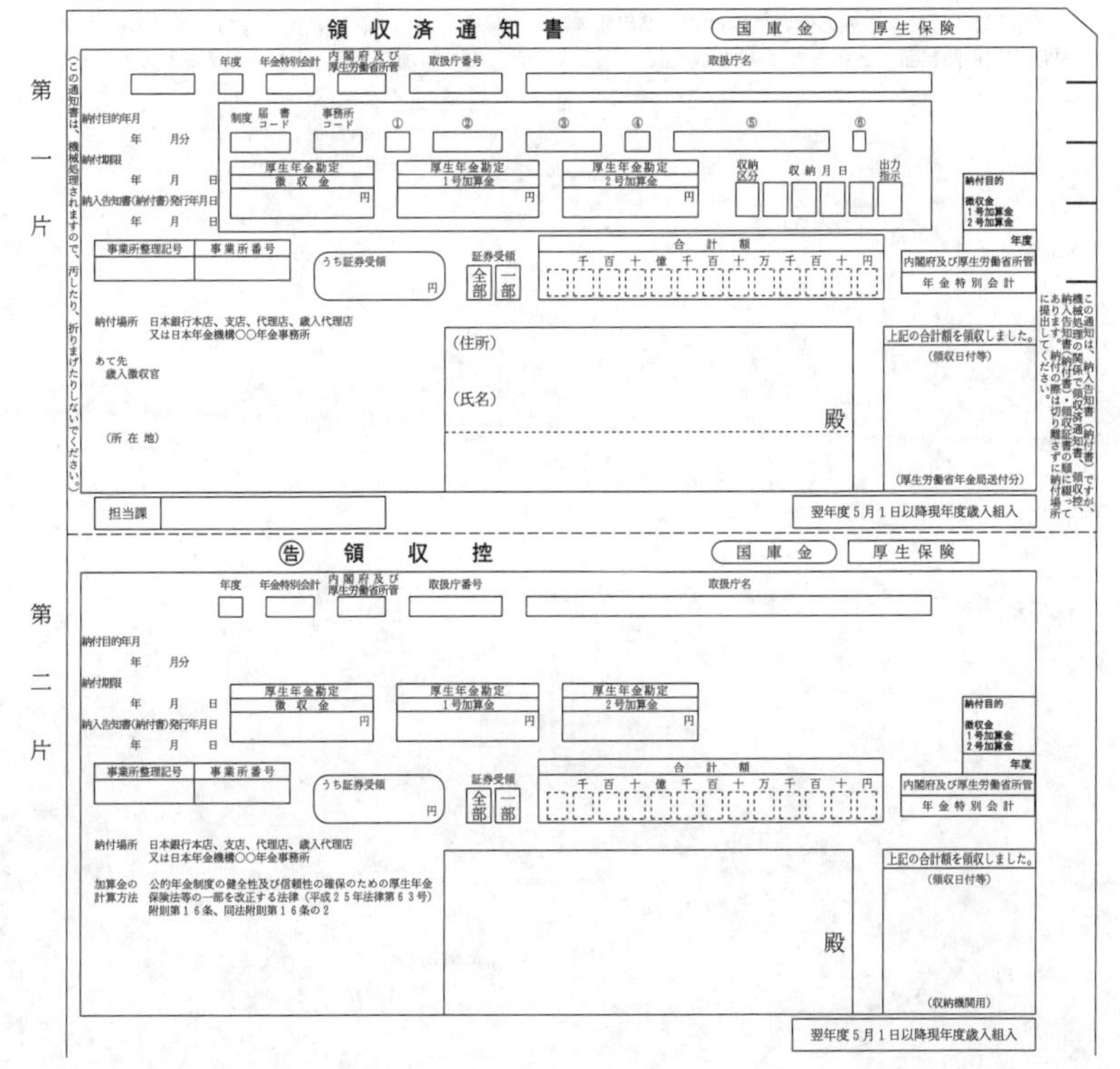

第一片

領収済通知書　（国庫金）　厚生保険

（この通知書は、機械処理されますので、汚したり、折りまげたりしないでください。）

年度　年金特別会計　内閣府及び厚生労働省所管　取扱庁番号　取扱庁名

納付目的年月　年　月分

制度　届書コード　事務所コード　①　②　③　④　⑤　⑥

納付期限　年　月　日

厚生年金勘定 徴収金 円　厚生年金勘定 1号加算金 円　厚生年金勘定 2号加算金 円

収納区分　収納月日　出力指示

納入告知書(納付書)発行年月日　年　月　日

納付目的　徴収金　1号加算金　2号加算金　年度

事業所整理記号　事業所番号

うち証券受領　円

証券受領　全部　一部

合計額　千　百　十　億　千　百　十　万　千　百　十　円

内閣府及び厚生労働省所管　年金特別会計

納付場所　日本銀行本店、支店、代理店、歳入代理店又は日本年金機構○○年金事務所

あて先　歳入徴収官

（所在地）

（住所）

（氏名）　殿

上記の合計額を領収しました。（領収日付等）

（厚生労働省年金局送付分）

この通知は、納入告知書（納付書）・領収済通知書・領収控が、機械処理の関係で納付書・領収証書の順に綴っています。納付の際は切り離さずに納付場所に提出してください。

担当課

翌年度5月1日以降現年度歳入組入

第二片

㊟　領　収　控　（国庫金）　厚生保険

年度　年金特別会計　内閣府及び厚生労働省所管　取扱庁番号　取扱庁名

納付目的年月　年　月分

納付期限　年　月　日

厚生年金勘定 徴収金 円　厚生年金勘定 1号加算金 円　厚生年金勘定 2号加算金 円

納入告知書(納付書)発行年月日　年　月　日

納付目的　徴収金　1号加算金　2号加算金　年度

事業所整理記号　事業所番号

うち証券受領　円

証券受領　全部　一部

合計額　千　百　十　億　千　百　十　万　千　百　十　円

内閣府及び厚生労働省所管　年金特別会計

納付場所　日本銀行本店、支店、代理店、歳入代理店又は日本年金機構○○年金事務所

加算金の計算方法　公的年金制度の健全性及び信頼性の確保のための厚生年金保険法等の一部を改正する法律（平成２５年法律第６３号）附則第１６条、同法附則第１６条の２

殿

上記の合計額を領収しました。（領収日付等）

（収納機関用）

翌年度5月1日以降現年度歳入組入

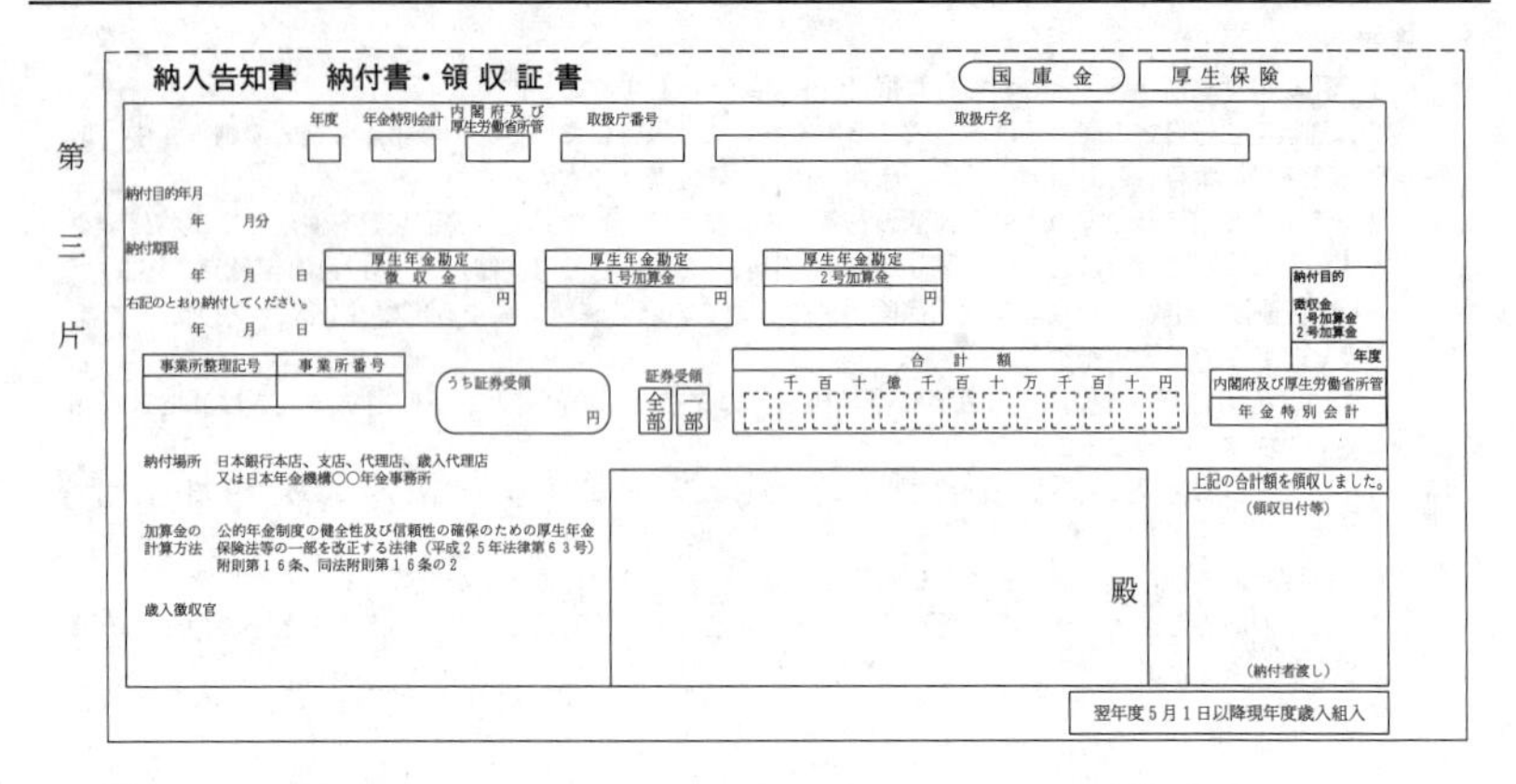
第三片

納入告知書　納付書・領収証書

国庫金　厚生保険

年度　年金特別会計　内閣府及び厚生労働省所管　取扱庁番号　取扱庁名

納付目的年月
年　月分

納付期限
年　月　日

右記のとおり納付してください。
年　月　日

厚生年金勘定 徴収金	厚生年金勘定 1号加算金	厚生年金勘定 2号加算金
円	円	円

納付目的
徴収金
1号加算金
2号加算金
年度

事業所整理記号	事業所番号

うち証券受領　円

証券受領　全部　一部

合計額
千　百　十　億　千　百　十　万　千　百　十　円

内閣府及び厚生労働省所管
年金特別会計

納付場所　日本銀行本店、支店、代理店、歳入代理店
又は日本年金機構○○年金事務所

加算金の計算方法　公的年金制度の健全性及び信頼性の確保のための厚生年金保険法等の一部を改正する法律（平成２５年法律第６３号）附則第１６条、同法附則第１６条の２

歳入徴収官

殿

上記の合計額を領収しました。
（領収日付等）

（納付者渡し）

翌年度５月１日以降現年度歳入組入

備考

別紙第４号の４書式の備考は本書式に準用する。この場合において、別紙第４号の４書式の備考３中「勘定別保険料額」とあるのは「徴収金額、１号加算金額及び２号加算金額」と読み替えるものとする。

別紙第4号の5書式

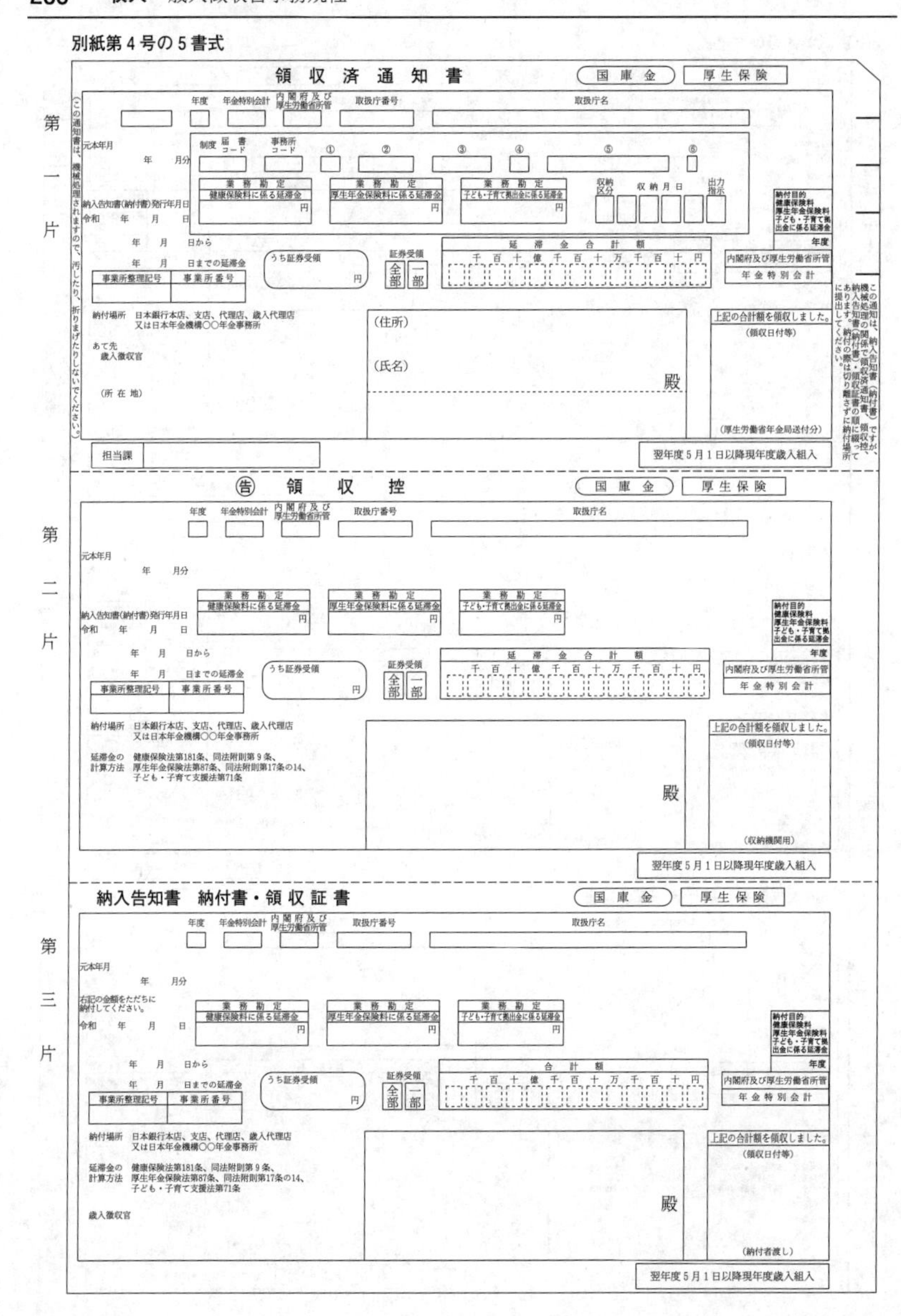
領 収 済 通 知 書　国庫金　厚生保険

第一片

（この通知書は、機械処理されますので、汚したり、折りまげたりしないでください。）

年度　年金特別会計　内閣府及び厚生労働省所管　取扱庁番号　取扱庁名

元本年月　年　月分

制度　届書コード　事務所コード　①　②　③　④　⑤　⑥

業務勘定 健康保険料に係る延滞金 円　業務勘定 厚生年金保険料に係る延滞金 円　業務勘定 子ども・子育て拠出金に係る延滞金 円

収納区分　収納月日　出力指示

納入告知書(納付書)発行年月日 令和 年 月 日

年 月 日から
年 月 日までの延滞金

うち証券受領 円　証券受領 全部 一部

延滞金合計額 千 百 十 億 千 百 十 万 千 百 十 円

納付目的 健康保険料 厚生年金保険料 子ども・子育て拠出金に係る延滞金

年度　内閣府及び厚生労働省所管　年金特別会計

事業所整理記号　事業所番号

納付場所 日本銀行本店、支店、代理店、歳入代理店 又は日本年金機構○○年金事務所

あて先 歳入徴収官

（所在地）

（住所）

（氏名）　殿

上記の合計額を領収しました。（領収日付等）（厚生労働省年金局送付分）

（この通知は、納入告知書（納付書）ですが、機械処理の関係で領収済通知書・領収控、納入告知書（納付書）・領収証書の順に綴ってありますので、納付の際は切り離さずに納付場所に提出してください。）

担当課

翌年度5月1日以降現年度歳入組入

㊀告 領 収 控　国庫金　厚生保険

第二片

年度　年金特別会計　内閣府及び厚生労働省所管　取扱庁番号　取扱庁名

元本年月　年　月分

業務勘定 健康保険料に係る延滞金 円　業務勘定 厚生年金保険料に係る延滞金 円　業務勘定 子ども・子育て拠出金に係る延滞金 円

納入告知書(納付書)発行年月日 令和 年 月 日

年 月 日から
年 月 日までの延滞金

うち証券受領 円　証券受領 全部 一部

延滞金合計額 千 百 十 億 千 百 十 万 千 百 十 円

納付目的 健康保険料 厚生年金保険料 子ども・子育て拠出金に係る延滞金

年度　内閣府及び厚生労働省所管　年金特別会計

事業所整理記号　事業所番号

納付場所 日本銀行本店、支店、代理店、歳入代理店 又は日本年金機構○○年金事務所

延滞金の計算方法 健康保険法第181条、同法附則第9条、厚生年金保険法第87条、同法附則第17条の14、子ども・子育て支援法第71条

殿

上記の合計額を領収しました。（領収日付等）（収納機関用）

翌年度5月1日以降現年度歳入組入

納入告知書 納付書・領収証書　国庫金　厚生保険

第三片

年度　年金特別会計　内閣府及び厚生労働省所管　取扱庁番号　取扱庁名

元本年月　年　月分

右記の金額をただちに納付してください。 令和 年 月 日

業務勘定 健康保険料に係る延滞金 円　業務勘定 厚生年金保険料に係る延滞金 円　業務勘定 子ども・子育て拠出金に係る延滞金 円

年 月 日から
年 月 日までの延滞金

うち証券受領 円　証券受領 全部 一部

合計額 千 百 十 億 千 百 十 万 千 百 十 円

納付目的 健康保険料 厚生年金保険料 子ども・子育て拠出金に係る延滞金

年度　内閣府及び厚生労働省所管　年金特別会計

事業所整理記号　事業所番号

納付場所 日本銀行本店、支店、代理店、歳入代理店 又は日本年金機構○○年金事務所

延滞金の計算方法 健康保険法第181条、同法附則第9条、厚生年金保険法第87条、同法附則第17条の14、子ども・子育て支援法第71条

歳入徴収官

殿

上記の合計額を領収しました。（領収日付等）（納付者渡し）

翌年度5月1日以降現年度歳入組入

別紙第４号の６書式

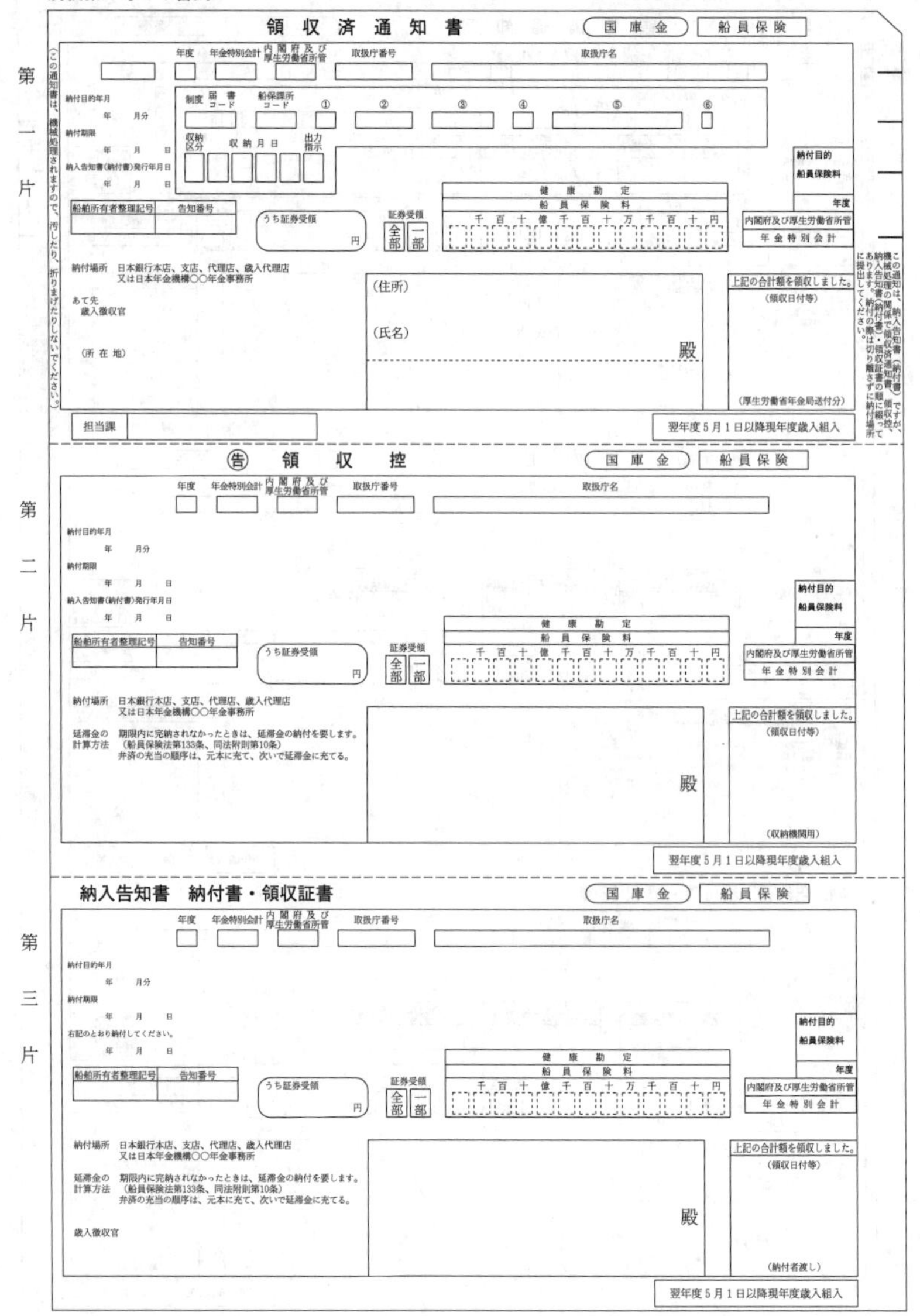

第一片

領収済通知書　（国庫金）　船員保険

（この通知書は、機械処理されますので、汚したり、折りまげたりしないでください。）

年度　年金特別会計　内閣府及び厚生労働省所管　取扱庁番号　取扱庁名

納付目的年月　年　月分

納付期限　年　月　日

納入告知書(納付書)発行年月日　年　月　日

制度　届書コード　船保課所コード　①　②　③　④　⑤　⑥

収納区分　収納月日　出力指示

船舶所有者整理記号　告知番号

うち証券受領　円

証券受領　全部　一部

健康勘定　船員保険料　千　百　十　億　千　百　十　万　千　百　十　円

納付目的　船員保険料　年度

内閣府及び厚生労働省所管　年金特別会計

納付場所　日本銀行本店、支店、代理店、歳入代理店　又は日本年金機構○○年金事務所

あて先　歳入徴収官

（所在地）

（住所）

（氏名）

殿

上記の合計額を領収しました。

（領収日付等）

（厚生労働省年金局送付分）

担当課

翌年度５月１日以降現年度歳入組入

この通知は、納入告知書（納付書）ですが、機械処理の関係で領収済通知書、領収控、納入告知書（納付書）・領収証書の順に綴ってあります。納付の際は切り離さずに納付場所に提出してください。

第二片

㊋　領収控　（国庫金）　船員保険

年度　年金特別会計　内閣府及び厚生労働省所管　取扱庁番号　取扱庁名

納付目的年月　年　月分

納付期限　年　月　日

納入告知書(納付書)発行年月日　年　月　日

船舶所有者整理記号　告知番号

うち証券受領　円

証券受領　全部　一部

健康勘定　船員保険料　千　百　十　億　千　百　十　万　千　百　十　円

納付目的　船員保険料　年度

内閣府及び厚生労働省所管　年金特別会計

納付場所　日本銀行本店、支店、代理店、歳入代理店　又は日本年金機構○○年金事務所

延滞金の計算方法　期限内に完納されなかったときは、延滞金の納付を要します。（船員保険法第133条、同法附則第10条）　弁済の充当の順序は、元本に充て、次いで延滞金に充てる。

殿

上記の合計額を領収しました。

（領収日付等）

（収納機関用）

翌年度５月１日以降現年度歳入組入

第三片

納入告知書　納付書・領収証書　（国庫金）　船員保険

年度　年金特別会計　内閣府及び厚生労働省所管　取扱庁番号　取扱庁名

納付目的年月　年　月分

納付期限　年　月　日

右記のとおり納付してください。　年　月　日

船舶所有者整理記号　告知番号

うち証券受領　円

証券受領　全部　一部

健康勘定　船員保険料　千　百　十　億　千　百　十　万　千　百　十　円

納付目的　船員保険料　年度

内閣府及び厚生労働省所管　年金特別会計

納付場所　日本銀行本店、支店、代理店、歳入代理店　又は日本年金機構○○年金事務所

延滞金の計算方法　期限内に完納されなかったときは、延滞金の納付を要します。（船員保険法第133条、同法附則第10条）　弁済の充当の順序は、元本に充て、次いで延滞金に充てる。

歳入徴収官

殿

上記の合計額を領収しました。

（領収日付等）

（納付者渡し）

翌年度５月１日以降現年度歳入組入

備考

別紙第４号の４書式の備考は本書式に準用する。この場合において、別紙第４号の４書式の備考３中「事業所符号」とあるのは「被保険者証符号」と、「勘定別保険料額」とあるのは「保険料額」と読み替えるものとする。

別紙第４号の７書式

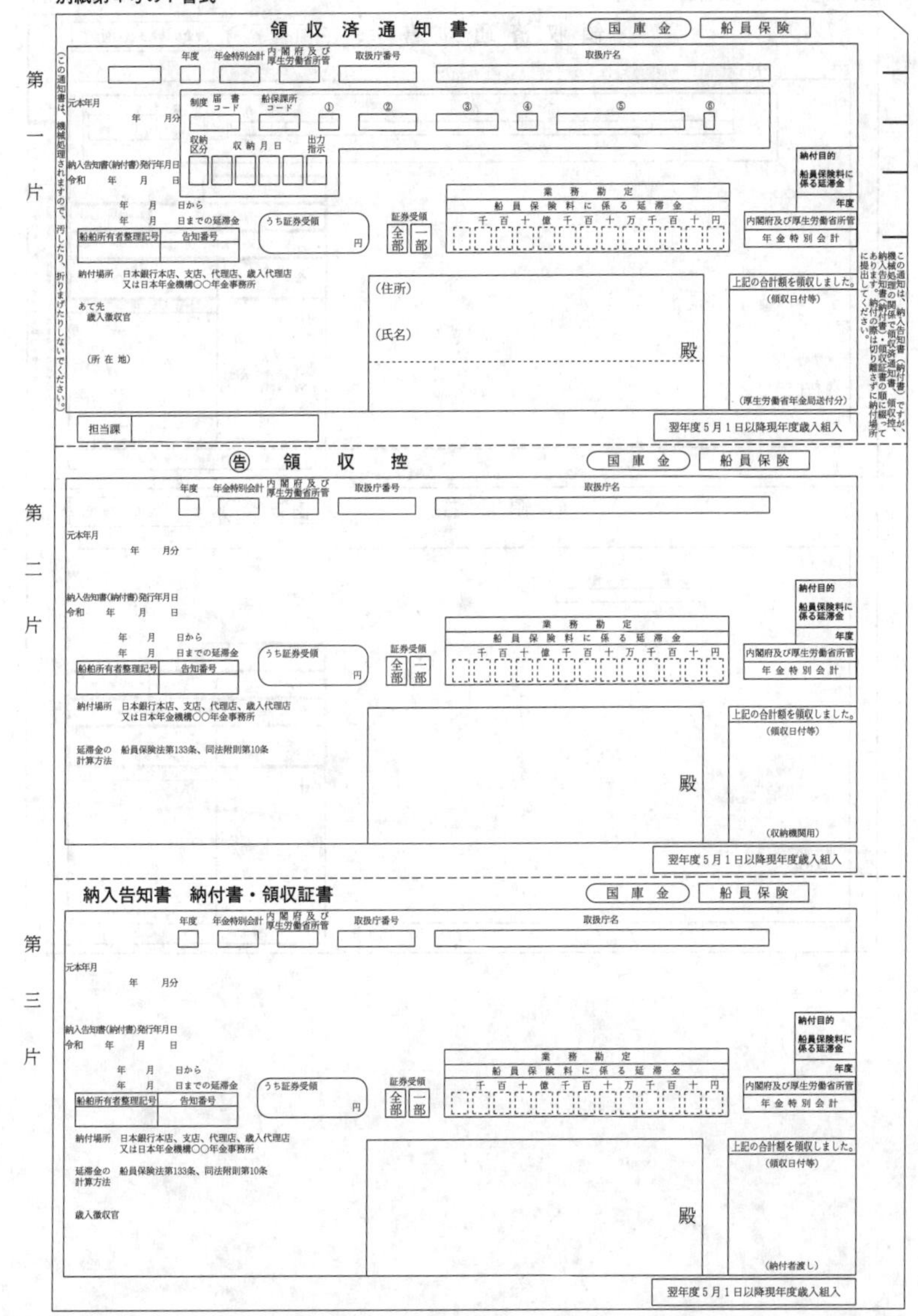

第一片

領収済通知書　　国庫金　　船員保険

（この通知書は、機械処理されますので、汚したり、折りまげたりしないでください。）

年度　年金特別会計　内閣府及び厚生労働省所管　取扱庁番号　取扱庁名

元本年月　年　月分

制度　届書コード　船保課所コード　①　②　③　④　⑤　⑥

収納区分　収納月日　出力指示

納入告知書(納付書)発行年月日　令和　年　月　日

年　月　日から
年　月　日までの延滞金

うち証券受領　円

証券受領　全部　一部

業務勘定
船員保険料に係る延滞金
千　百　十　億　千　百　十　万　千　百　十　円

納付目的
船員保険料に係る延滞金
年度
内閣府及び厚生労働省所管
年金特別会計

船舶所有者整理記号　告知番号

納付場所　日本銀行本店、支店、代理店、歳入代理店
又は日本年金機構〇〇年金事務所

あて先
歳入徴収官

（所在地）

（住所）

（氏名）

殿

上記の合計額を領収しました。
（領収日付等）

（厚生労働省年金局送付分）

担当課

翌年度５月１日以降現年度歳入組入

この通知書は、納入告知書（納付書）ですが、機械処理の関係で領収済通知書、領収控、納入告知書（納付書）・領収証書の順に綴ってあります。納付の際は切り離さずに納付場所に提出してください。

第二片

㊚　領収控　　国庫金　　船員保険

年度　年金特別会計　内閣府及び厚生労働省所管　取扱庁番号　取扱庁名

元本年月　年　月分

納入告知書(納付書)発行年月日　令和　年　月　日

年　月　日から
年　月　日までの延滞金

うち証券受領　円

証券受領　全部　一部

業務勘定
船員保険料に係る延滞金
千　百　十　億　千　百　十　万　千　百　十　円

納付目的
船員保険料に係る延滞金
年度
内閣府及び厚生労働省所管
年金特別会計

船舶所有者整理記号　告知番号

納付場所　日本銀行本店、支店、代理店、歳入代理店
又は日本年金機構〇〇年金事務所

延滞金の計算方法　船員保険法第133条、同法附則第10条

殿

上記の合計額を領収しました。
（領収日付等）

（収納機関用）

翌年度５月１日以降現年度歳入組入

第三片

納入告知書　納付書・領収証書　　国庫金　　船員保険

年度　年金特別会計　内閣府及び厚生労働省所管　取扱庁番号　取扱庁名

元本年月　年　月分

納入告知書(納付書)発行年月日　令和　年　月　日

年　月　日から
年　月　日までの延滞金

うち証券受領　円

証券受領　全部　一部

業務勘定
船員保険料に係る延滞金
千　百　十　億　千　百　十　万　千　百　十　円

納付目的
船員保険料に係る延滞金
年度
内閣府及び厚生労働省所管
年金特別会計

船舶所有者整理記号　告知番号

納付場所　日本銀行本店、支店、代理店、歳入代理店
又は日本年金機構〇〇年金事務所

延滞金の計算方法　船員保険法第133条、同法附則第10条

歳入徴収官

殿

上記の合計額を領収しました。
（領収日付等）

（納付者渡し）

翌年度５月１日以降現年度歳入組入

備考

別紙第４号の４書式の備考は本書式に準用する。この場合において、別紙第４号の４書式の備考３中「郡市区」とあるのは「整理コード」と、「事業所符号」とあるのは「整理番号」と、「納付目的年月分」とあるのは「生年月日」と、「調定種別」とあるのは「納付目的年月分」と読み替えるものとする。

別紙第４号の７の２書式

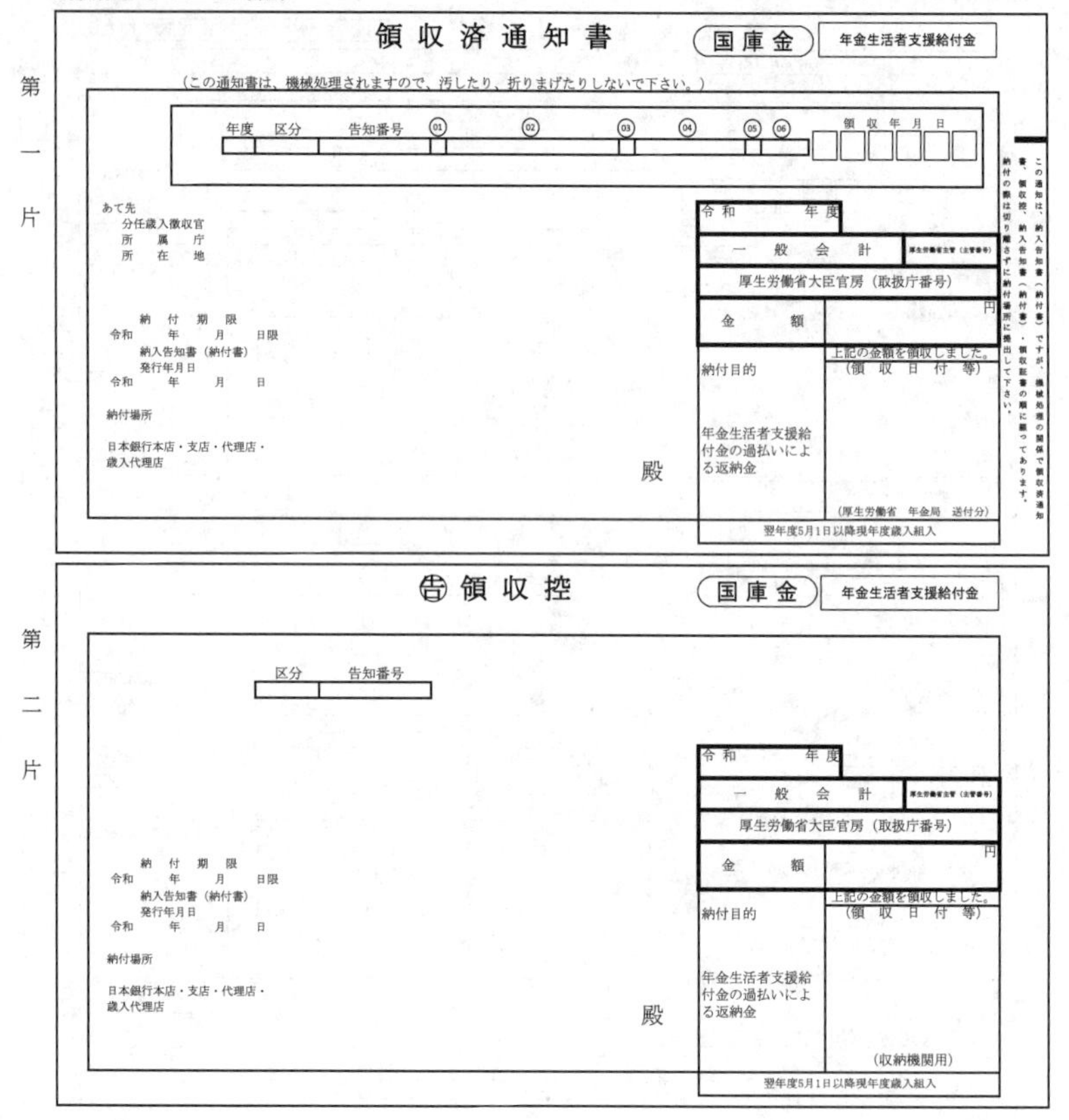

第一片

領収済通知書　国庫金　年金生活者支援給付金

（この通知書は、機械処理されますので、汚したり、折りまげたりしないで下さい。）

年度　区分　告知番号　01　02　03　04　05　06　領収年月日

あて先
分任歳入徴収官
所属庁
所在地

納付期限
令和　年　月　日限
納入告知書（納付書）
発行年月日
令和　年　月　日

納付場所

日本銀行本店・支店・代理店・
歳入代理店

殿

令和　年度
一般会計　厚生労働省主管（主管番号）
厚生労働省大臣官房（取扱庁番号）
金額　円
納付目的
年金生活者支援給付金の過払いによる返納金
上記の金額を領収しました。
（領収日付等）
（厚生労働省　年金局　送付分）
翌年度5月1日以降現年度歳入組入

この通知は、納入告知書（納付書）ですが、機械処理の関係で領収済通知書、領収控、納入告知書（納付書）・領収証書の順に綴ってあります。
納付の際は切り離さずに納付場所に提出して下さい。

第二片

㊔領収控　国庫金　年金生活者支援給付金

区分　告知番号

納付期限
令和　年　月　日限
納入告知書（納付書）
発行年月日
令和　年　月　日

納付場所

日本銀行本店・支店・代理店・
歳入代理店

殿

令和　年度
一般会計　厚生労働省主管（主管番号）
厚生労働省大臣官房（取扱庁番号）
金額　円
納付目的
年金生活者支援給付金の過払いによる返納金
上記の金額を領収しました。
（領収日付等）
（収納機関用）
翌年度5月1日以降現年度歳入組入

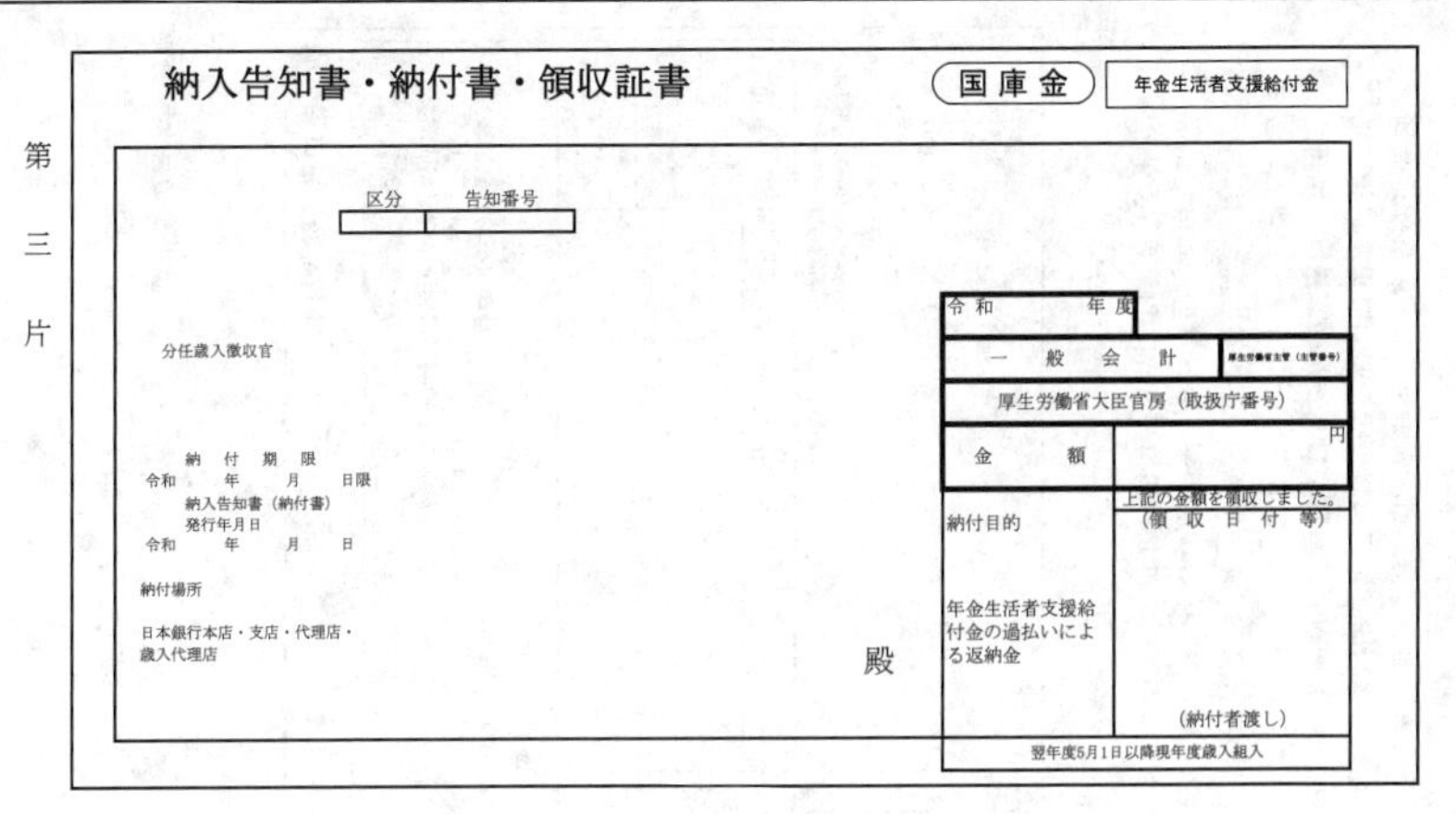
第三片

納入告知書・納付書・領収証書

国庫金

年金生活者支援給付金

区分 告知番号

分任歳入徴収官

納付期限
令和　年　月　日限
納入告知書（納付書）
発行年月日
令和　年　月　日

納付場所

日本銀行本店・支店・代理店・
歳入代理店

殿

令和　年度

一般会計 | 厚生労働省主管（主管番号）

厚生労働省大臣官房（取扱庁番号）

金額 | 円

納付目的

年金生活者支援給付金の過払いによる返納金

上記の金額を領収しました。
（領収日付等）

（納付者渡し）

翌年度5月1日以降現年度歳入組入

備考

1．用紙寸法は、各片ともおおむね縦11cm、横18.5cmとすること。

2．各片は左端をのり付けその他の方法により接続すること。

3．別紙第4号書式の備考4は本書式に準用する。この場合において、別紙第4号書式の備考4中「取扱庁名欄の番号」とあるのは「取扱庁番号」と読み替えるものとする。

4．第1片領収済通知書の中央上部欄の⓪1欄から⓪6欄には、光学式文字読取装置を使用して事務処理するために必要な項目として、「返納金額の読取りの際の確認に関する事項（⓪1欄、⓪3欄、⓪4欄及び⓪6欄）」、「基礎年金番号・年金コード（⓪2欄）」及び「勘定コード（⓪5欄）」をアラビア数字で記入すること。

5．納入告知書として使用するときは「納付書」の文字を、納付書として使用するときは「納入告知書」の文字を抹消すること。

6．必要があるときは、各欄の配置を著しく変更することなく所要の変更を加えることその他所要の調整を加えることができる。

別紙第4号の8書式

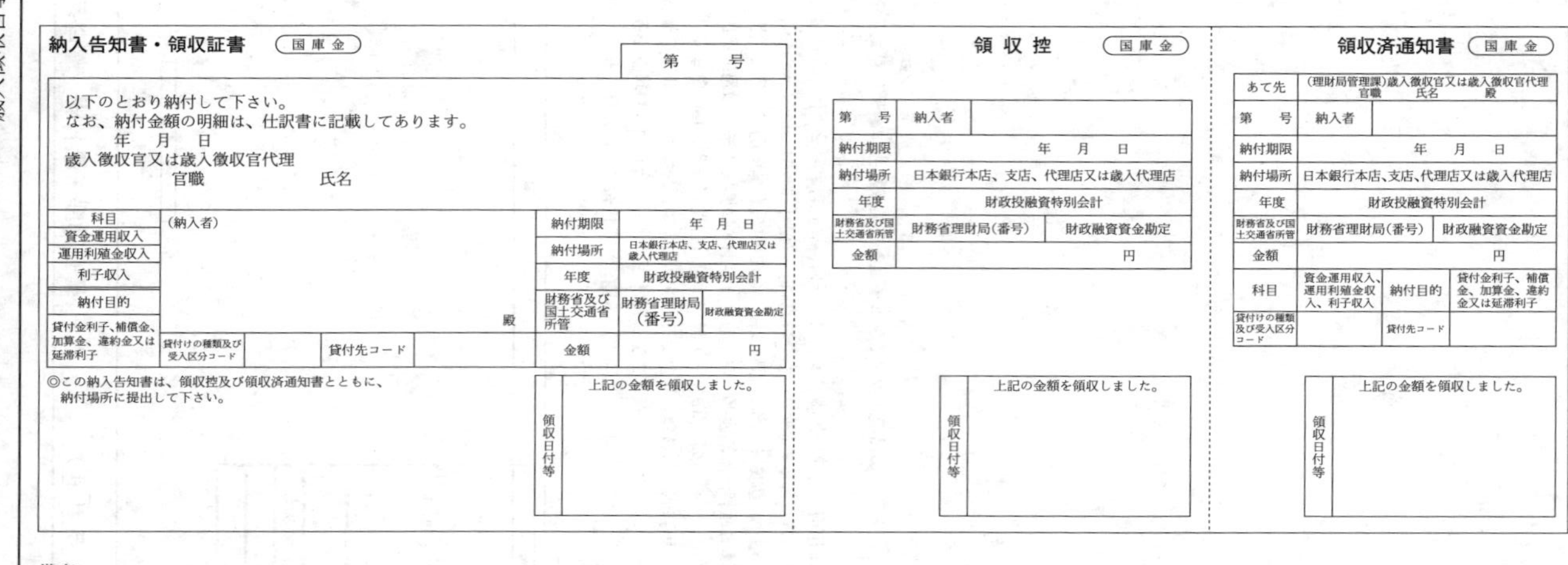

納入告知書・領収証書 （国庫金）

第　号

以下のとおり納付して下さい。
なお、納付金額の明細は、仕訳書に記載してあります。
年　月　日
歳入徴収官又は歳入徴収官代理
官職　氏名

科目	（納入者）	納付期限	年　月　日
資金運用収入		納付場所	日本銀行本店、支店、代理店又は歳入代理店
運用利殖金収入		年度	財政投融資特別会計
利子収入		財務省及び国土交通省所管	財務省理財局（番号）　財政融資資金勘定
納付目的	殿		
貸付金利子、補償金、加算金、違約金又は延滞利子	貸付けの種類及び受入区分コード　　貸付先コード	金額	円

◎この納入告知書は、領収控及び領収済通知書とともに、納付場所に提出して下さい。

上記の金額を領収しました。
領収日付等

領収控 （国庫金）

第　号	納入者	
納付期限	年　月　日	
納付場所	日本銀行本店、支店、代理店又は歳入代理店	
年度	財政投融資特別会計	
財務省及び国土交通省所管	財務省理財局（番号）	財政融資資金勘定
金額	円	

上記の金額を領収しました。
領収日付等

領収済通知書 （国庫金）

あて先	（理財局管理課）歳入徴収官又は歳入徴収官代理　官職　氏名　殿		
第　号	納入者		
納付期限	年　月　日		
納付場所	日本銀行本店、支店、代理店又は歳入代理店		
年度	財政投融資特別会計		
財務省及び国土交通省所管	財務省理財局（番号）	財政融資資金勘定	
金額	円		
科目	資金運用収入、運用利殖金収入、利子収入	納付目的	貸付金利子、補償金、加算金、違約金又は延滞利子
貸付けの種類及び受入区分コード		貸付先コード	

上記の金額を領収しました。
領収日付等

備考
1　用紙の大きさは、おおむね縦11cm、横30cmとする。
2　番号、年度、年月日及び金額等の数字は、アラビア数字で明確に記入するものとする。
3　「貸付けの種類及び受入区分コード」及び「貸付先コード」の欄は、財務省理財局長が定める「貸付けの種類及び受入区分コード」及び「貸付先コード」を記入するものとする。
4　別紙第4号書式の備考4は本書式に準用する。この場合において、別紙第4号書式の備考4中「取扱庁名欄の番号」とあるのは「番号」と読み替えるものとする。
5　納入者に本書式に係る納付情報により納付させようとするときは、当該納付に必要な事項を記載することとする。
6　必要があるときは、各欄の配置を著しく変更することなく所要の調整を加えることができる。

別紙第４号の９書式

納付書・領収証書　（国庫金）

第　　号

以下のとおり納付して下さい。
なお、納付金額の明細は、仕訳書に記載してあります。
　　年　月　日
歳入徴収官又は歳入徴収官代理
　　官職　　　　　氏名

科目	（納入者）			納付期限	年　月　日	
資金運用収入				納付場所	日本銀行本店、支店、代理店又は歳入代理店	
運用利殖金収入				年度	財政投融資特別会計	
利子収入				財務省及び国土交通省所管	財務省理財局（番号）	財政融資資金勘定
納付目的			殿			
貸付金利子、補償金、加算金、違約金又は延滞利子	貸付けの種類及び受入区分コード		貸付先コード	金額	円	

◎この納付書は、領収控及び領収済通知書とともに、
　納付場所に提出して下さい。

上記の金額を領収しました。

領収日付等

領収控　（国庫金）

第　号	納入者	
納付期限	年　月　日	
納付場所	日本銀行本店、支店、代理店又は歳入代理店	
年度	財政投融資特別会計	
財務省及び国土交通省所管	財務省理財局（番号）	財政融資資金勘定
金額	円	

上記の金額を領収しました。

領収日付等

領収済通知書　（国庫金）

あて先	（理財局管理課）歳入徴収官又は歳入徴収官代理 官職　氏名　殿		
第　号	納入者		
納付期限	年　月　日		
納付場所	日本銀行本店、支店、代理店又は歳入代理店		
年度	財政投融資特別会計		
財務省及び国土交通省所管	財務省理財局（番号）	財政融資資金勘定	
金額	円		
科目	資金運用収入、運用利殖金収入、利子収入	納付目的	貸付金利子、補償金、加算金、違約金又は延滞利子
貸付けの種類及び受入区分コード		貸付先コード	

上記の金額を領収しました。

領収日付等

備考　別紙第４号の８書式の備考は、本書式に準用する。

別紙第４号の10書式

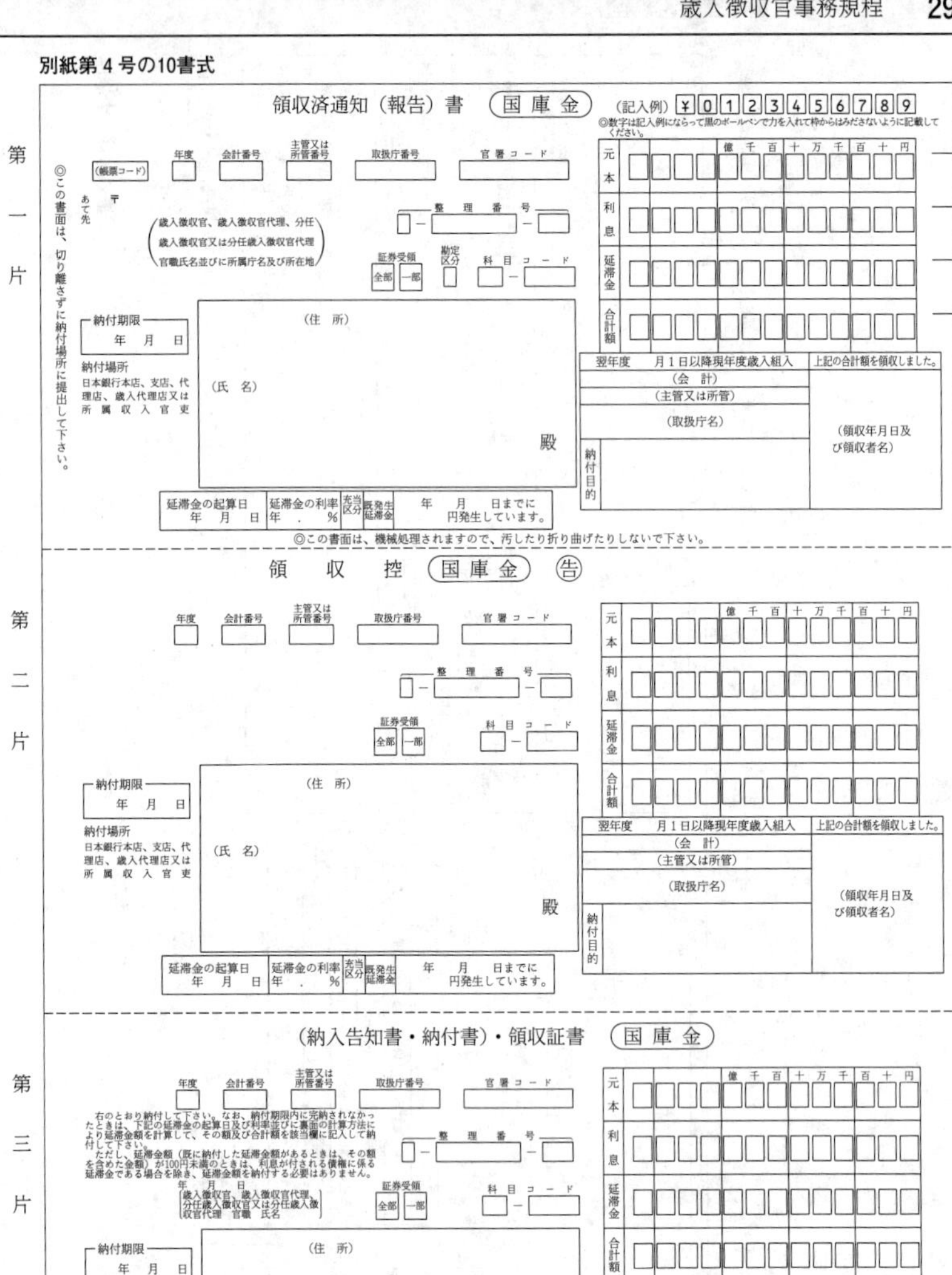

第一片

領収済通知（報告）書　国庫金

（記入例）¥0123456789

◎数字は記入例にならって黒のボールペンで力を入れて枠からはみださないように記載してください。

◎この書面は、切り離さずに納付場所に提出して下さい。

（帳票コード）　年度　会計番号　主管又は所管番号　取扱庁番号　官署コード

あて先　〒

歳入徴収官、歳入徴収官代理、分任歳入徴収官又は分任歳入徴収官代理官職氏名並びに所属庁名及び所在地

整理番号

証券受領　全部　一部　勘定区分　科目コード

	億	千	百	十	万	千	百	十	円
元本									
利息									
延滞金									
合計額									

納付期限　年　月　日

納付場所
日本銀行本店、支店、代理店、歳入代理店又は所属収入官吏

（住所）

（氏名）

殿

翌年度　月１日以降現年度歳入組入　上記の合計額を領収しました。

（会計）

（主管又は所管）

（取扱庁名）

（領収年月日及び領収者名）

納付目的

延滞金の起算日	延滞金の利率	充当区分	既発生延滞金	
年　月　日	年　.　%			年　月　日までに　円発生しています。

◎この書面は、機械処理されますので、汚したり折り曲げたりしないで下さい。

第二片

領収控　国庫金　告

年度　会計番号　主管又は所管番号　取扱庁番号　官署コード

整理番号

証券受領　全部　一部　科目コード

	億	千	百	十	万	千	百	十	円
元本									
利息									
延滞金									
合計額									

納付期限　年　月　日

納付場所
日本銀行本店、支店、代理店、歳入代理店又は所属収入官吏

（住所）

（氏名）

殿

翌年度　月１日以降現年度歳入組入　上記の合計額を領収しました。

（会計）

（主管又は所管）

（取扱庁名）

（領収年月日及び領収者名）

納付目的

延滞金の起算日	延滞金の利率	充当区分	既発生延滞金	
年　月　日	年　.　%			年　月　日までに　円発生しています。

第三片

（納入告知書・納付書）・領収証書　国庫金

年度　会計番号　主管又は所管番号　取扱庁番号　官署コード

右のとおり納付して下さい。なお、納付期限内に完納されなかったときは、下記の延滞金の起算日及び利率並びに裏面の計算方法により延滞金額を計算して、その額及び合計額を該当欄に記入して納付して下さい。
ただし、延滞金額（既に納付した延滞金額があるときは、その額を含めた金額）が100円未満のときは、利息が付される債権に係る延滞金である場合を除き、延滞金額を納付する必要はありません。

年　月　日

歳入徴収官、歳入徴収官代理、分任歳入徴収官又は分任歳入徴収官代理　官職　氏名

整理番号

証券受領　全部　一部　科目コード

	億	千	百	十	万	千	百	十	円
元本									
利息									
延滞金									
合計額									

納付期限　年　月　日

納付場所
日本銀行本店、支店、代理店、歳入代理店又は所属収入官吏

（住所）

（氏名）

殿

翌年度　月１日以降現年度歳入組入　上記の合計額を領収しました。

（会計）

（主管又は所管）

（取扱庁名）

（領収年月日及び領収者名）

納付目的

内 証券受領	延滞金の起算日	延滞金の利率	充当区分	既発生延滞金	
円	年　月　日	年　.　%			年　月　日までに　円発生しています。

第三片裏面

1　延滞金の計算方法

イ　元本金額×延滞金利率×（延滞金起算日から納付の日までの日数÷365）＝納付すべき延滞金額

ただし、既発生延滞金欄に延滞金額が記載されているときは、当該延滞金額との合計額が納付すべき延滞金額となります。

（注意）納付すべき延滞金額に１円未満の端数があるときは、その端数金額を切り捨てて下さい。

ロ　元本金額のほか、利息についても延滞金が付される場合（２の表の１に該当する場合）には、イの元本金額は、元本金額と利息との合計額となります。

（注意）延滞金利率は、日歩建てのものについても年利建てに換算して表示してあります。

2　充当順序

延滞金を支払わなければならない場合において、領収した金額が元本（利息）及び支払われるべき延滞金の合計額に不足するときは、その金額を表面の充当区分欄の数字に対応する次の表の充当順序により、順次充当します。

充当区分表

充当区分欄の数字	充当順序	延滞金が付される金額
1	延滞金、（利　息）、元本	元本及び利息
2	延滞金、（利　息）、元本	元　本
3	（利　息）、延滞金、元本	
4	元本、（利　息）、延滞金	
5	（利　息）、元本、延滞金	

（利息）は、延納利息又は貸付金利息を納付すべき場合に該当するときです。

備考

1　別紙第４号書式の備考１、４、７、10、14、15及び16は本書式に準用する。この場合において、別紙第４号書式の備考４中「取扱庁名欄の番号」とあるのは「取扱庁番号欄」と読み替えるものとする。

2　自ら送付する必要がある場合において電子情報処理組織によらないで作成するときは、複写式とすることができる。

3　納入告知書として使用するときは「納入告知書」の文字を、納付書として使用するときは「納付書」の文字を記載するものとする。

4　第21条の２の規定により作成する納付書にあっては、納付目的の欄に主たる債務者の住所及び氏名又は名称並びに納付の請求の理由を付記するものとする。

5　納付場所にあっては、不要文字を抹消するものとする。なお、納付場所を特定するときは、その内容を記載するものとする。

6　勘定のある特別会計にあっては、「(取扱庁名)」を「(取扱庁名)(勘定区分)」と読み替えるものとする。

7　手数料又は一定の期間に応じて付する加算金に係る収入で元本収入と同時に収納すべきものについては、手数料又は加算金の金額欄、加算金の計算方法、納付の請求の文言及び弁済の充当の文言を加えるものとする。

8　元本完納後、延滞金又は一定の期間に応じて付する加算金の未納額について納入の告知又は納付の請求をするときは、「納付目的」欄は、未納に係る延滞金又は加算金の計算期間を示し、直ちに納付すべき旨を記載するものとする。

9　電子情報処理組織を使用して作成するときは、会計名、主管又は所管名及び取扱庁名の欄には、略称をもって表示することができる。

10　納入者に本書式に係る納付情報により納付させようとするときは、当該納付に必要な事項を記載すること。

11　必要があるときは、各欄の配置を著しく変更することなく所要の調整を加えることができる。

別紙第４号の11書式

第一片

(注意) 延滞金を支払わなければならない場合において、領収しました金額が元本及び支払われるべき延滞金の合計額に不足するときは、領収しました金額を延滞金、元本(元本、延滞金)の順に充当します。

納付書・領収証書 (国　庫　金)　(番　号)

右のとおり納付して下さい。なお、納付期限内に完納されなかつたときは、右の延滞金の計算方法により延滞金額を計算して、その額及び合計額を該当欄に記入して納付して下さい。

年　月　日　(歳入徴収官、歳入徴収官代理、分任歳入徴収官又は分任歳入徴収官代理官職氏名)

納付期限

納付場所

(住　所)

(氏　名)

殿

納付目的

延滞金の計算方法

(年　度)

(会　計)　(主管又は所管)

(取　扱　庁　名　(番　号))

	百	十	万	千	百	十	円
元　本 (科目又は符号)							
延滞金 (科目又は符号)							
合計額							

下記の合計額を領収しました。

(領収年月日及び領収者名)

◎この納付書は、３枚１組の複写式となつていますから、３枚とも納付場所に提出して下さい。

翌年度　月１日以降現年度歳入組入

第二片

領　収　控　(国　庫　金)　(告)　(番　号)

納付期限

納付場所

(住　所)

(氏　名)

殿

納付目的

延滞金の計算方法

(年　度)

(会　計)　(主管又は所管)

(取　扱　庁　名　(番　号))

	百	十	万	千	百	十	円
元　本 (科目又は符号)							
延滞金 (科目又は符号)							
合計額							

下記の合計額を領収しました。

(領収年月日及び領収者名)

翌年度　月１日以降現年度歳入組入

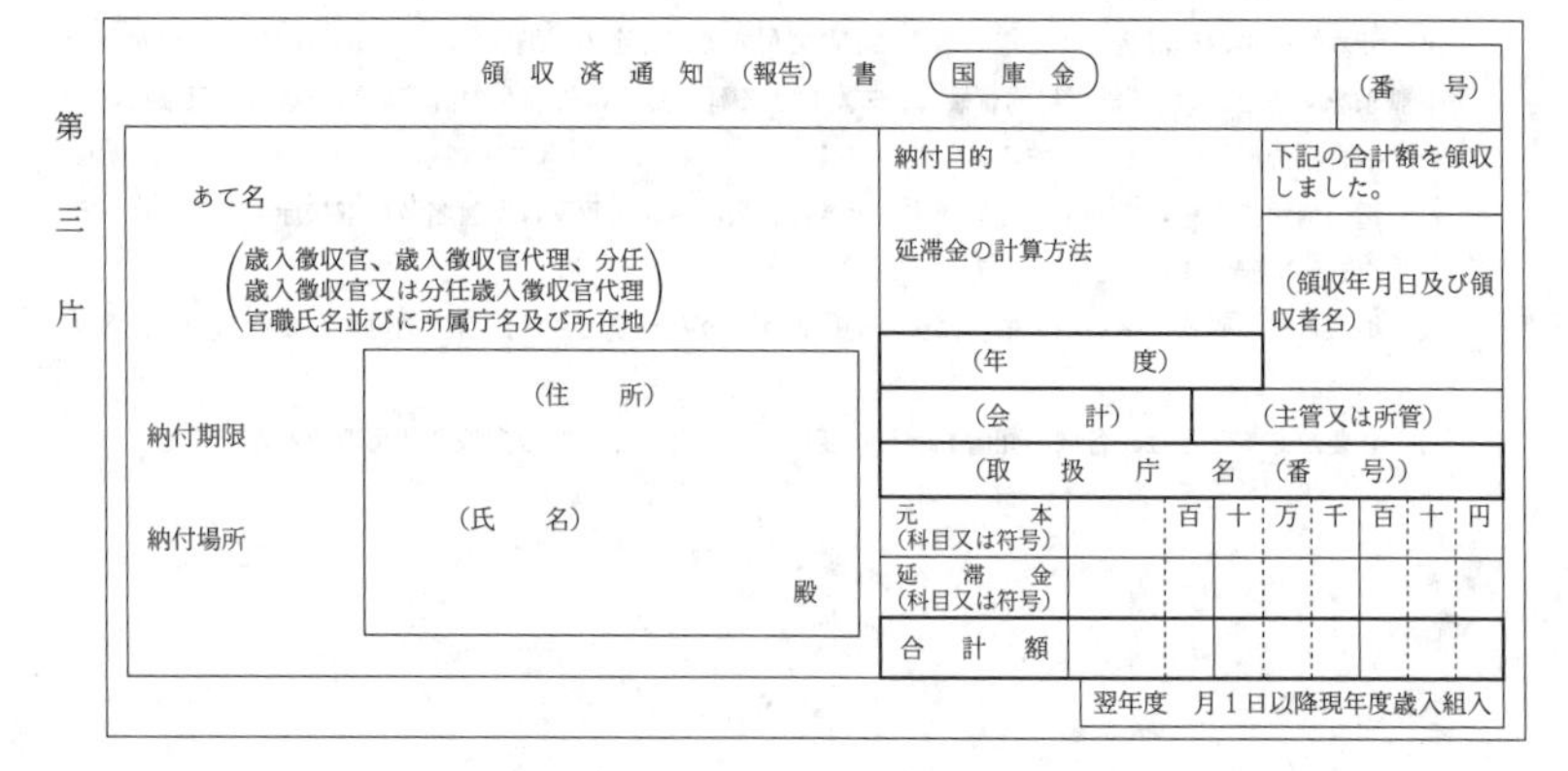

第三片

領　収　済　通　知　(報告)　書　(国　庫　金)　(番　号)

あて名

(歳入徴収官、歳入徴収官代理、分任歳入徴収官又は分任歳入徴収官代理官職氏名並びに所属庁名及び所在地)

納付期限

納付場所

(住　所)

(氏　名)

殿

納付目的

延滞金の計算方法

(年　度)

(会　計)　(主管又は所管)

(取　扱　庁　名　(番　号))

	百	十	万	千	百	十	円
元　本 (科目又は符号)							
延滞金 (科目又は符号)							
合計額							

下記の合計額を領収しました。

(領収年月日及び領収者名)

翌年度　月１日以降現年度歳入組入

備考

1　別紙第4号書式の備考は、本書式に準用する。この場合において、同書式備考中「納入告知書」とあるのは「納付書」と、「納入の告知」とあるのは「納付の請求」と読み替えるものとする。

2　第21条の2の規定により作成する納付書にあつては、納付目的の欄に主たる債務者の住所及び氏名又は名称並びに納付の請求の理由を付記するものとする。

別紙第4号の12書式

第一片

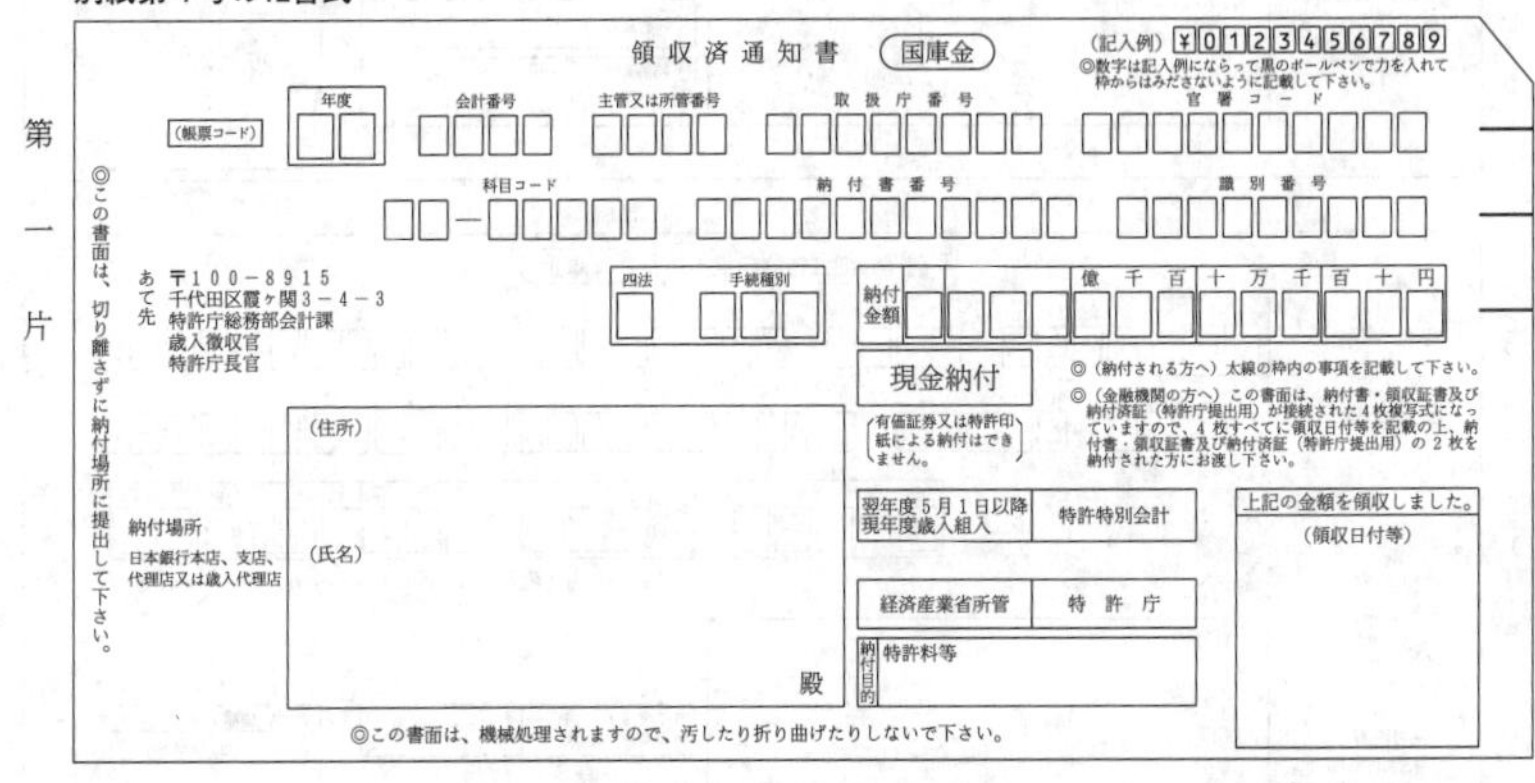

領収済通知書　（国庫金）

（記入例）¥0123456789
◎数字は記入例にならって黒のボールペンで力を入れて枠からはみださないように記載して下さい。

（帳票コード）　年度　会計番号　主管又は所管番号　取扱庁番号　官署コード

科目コード　納付書番号　識別番号

◎この書面は、切り離さずに納付場所に提出して下さい。

あて先　〒100－8915　千代田区霞ヶ関3－4－3　特許庁総務部会計課　歳入徴収官　特許庁長官

四法　手続種別

納付金額　億　千　百　十　万　千　百　十　円

現金納付

有価証券又は特許印紙による納付はできません。

◎（納付される方へ）太線の枠内の事項を記載して下さい。

◎（金融機関の方へ）この書面は、納付書・領収証書及び納付済証（特許庁提出用）が接続された4枚複写式になっていますので、4枚すべてに領収日付等を記載の上、納付書・領収証書及び納付済証（特許庁提出用）の2枚を納付された方にお渡し下さい。

（住所）

（氏名）

殿

納付場所　日本銀行本店、支店、代理店又は歳入代理店

翌年度5月1日以降現年度歳入組入　特許特別会計

経済産業省所管　特許庁

納付目的　特許料等

上記の金額を領収しました。（領収日付等）

◎この書面は、機械処理されますので、汚したり折り曲げたりしないで下さい。

第二片

領収控　（国庫金）

年度　会計番号　主管又は所管番号　取扱庁番号　官署コード

科目コード　納付書番号　識別番号

四法　手続種別

納付金額　億　千　百　十　万　千　百　十　円

（住所）

（氏名）

殿

納付場所　日本銀行本店、支店、代理店又は歳入代理店

翌年度5月1日以降現年度歳入組入　特許特別会計

経済産業省所管　特許庁

納付目的　特許料等

上記の金額を領収しました。（領収日付等）

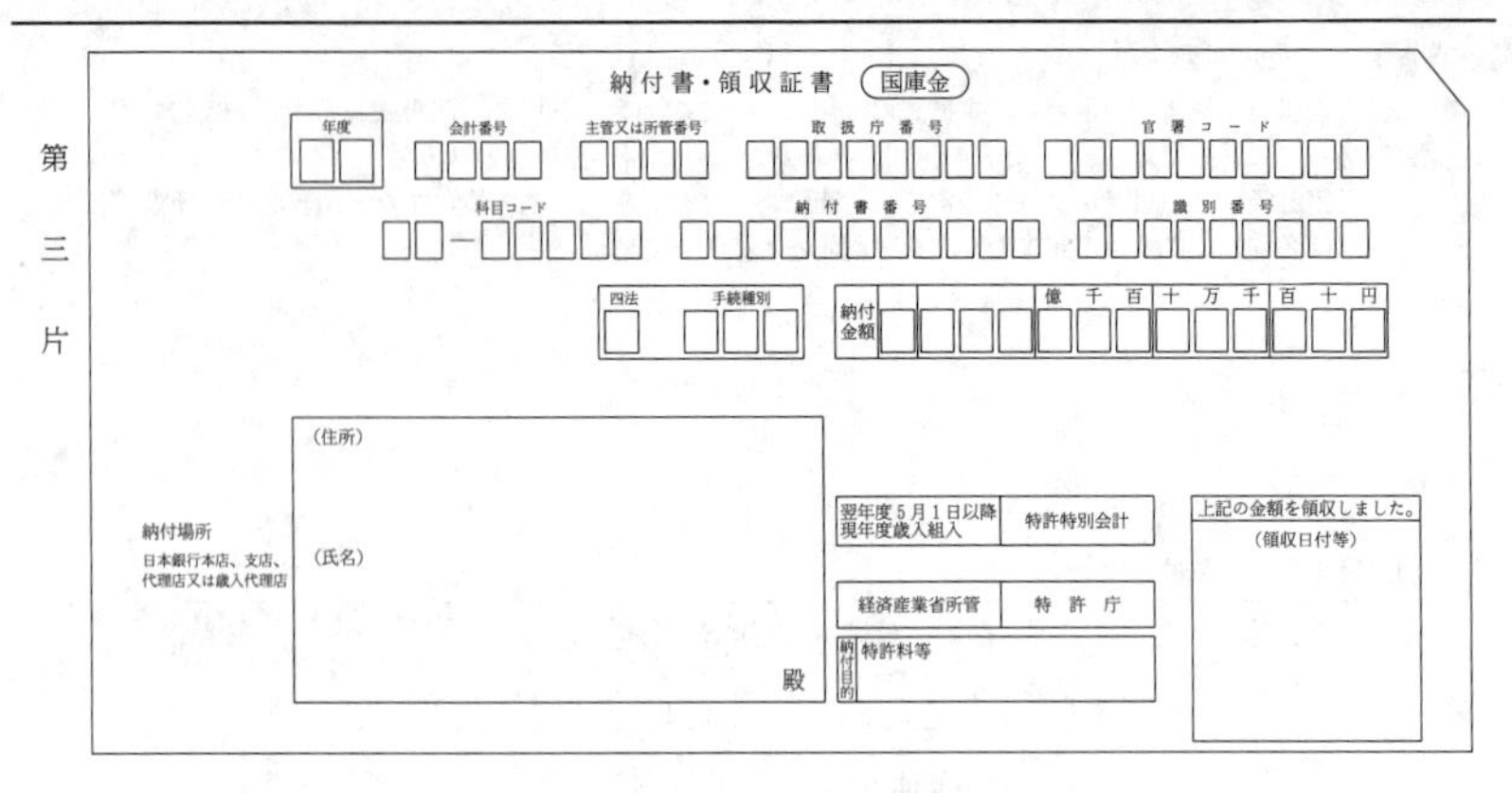

第三片

納付書・領収証書（国庫金）

年度　会計番号　主管又は所管番号　取扱庁番号　官署コード

科目コード　納付書番号　識別番号

四法　手続種別

納付金額　億　千　百　十　万　千　百　十　円

（住所）

納付場所
日本銀行本店、支店、代理店又は歳入代理店

（氏名）

殿

翌年度5月1日以降現年度歳入組入　特許特別会計

経済産業省所管　特許庁

納付目的　特許料等

上記の金額を領収しました。
（領収日付等）

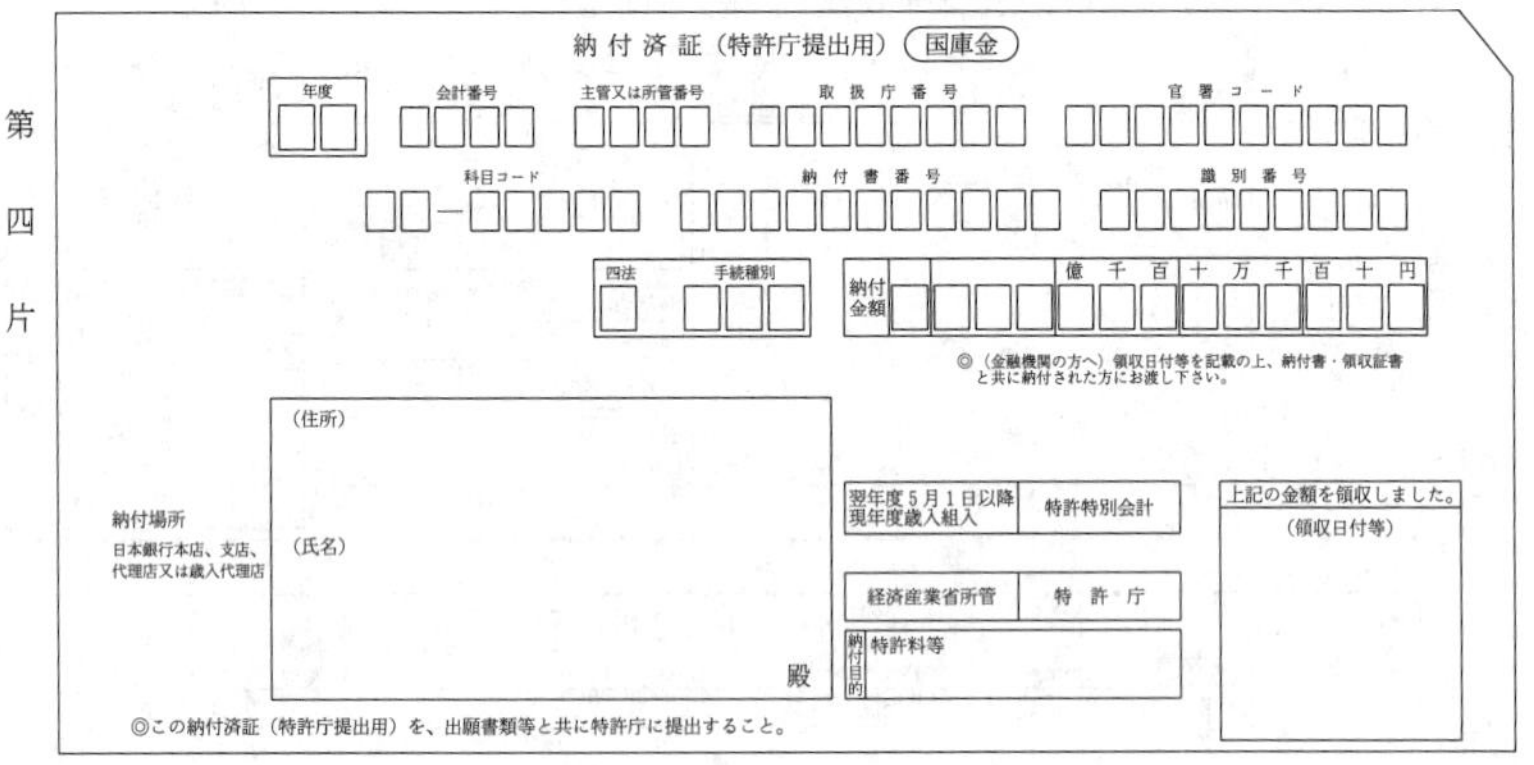

第四片

納付済証（特許庁提出用）（国庫金）

年度　会計番号　主管又は所管番号　取扱庁番号　官署コード

科目コード　納付書番号　識別番号

四法　手続種別

納付金額　億　千　百　十　万　千　百　十　円

◎（金融機関の方へ）領収日付等を記載の上、納付書・領収証書と共に納付された方にお渡し下さい。

（住所）

納付場所
日本銀行本店、支店、代理店又は歳入代理店

（氏名）

殿

翌年度5月1日以降現年度歳入組入　特許特別会計

経済産業省所管　特許庁

納付目的　特許料等

上記の金額を領収しました。
（領収日付等）

◎この納付済証（特許庁提出用）を、出願書類等と共に特許庁に提出すること。

第四片裏面

1.「四法」欄は、表1に従ってコードを記載してください。
工業所有権に関する手続等の特例に関する法律（平成2年法律第30号）第14条第1項の規定に基づいて予納を行う場合は、「5」を記載してください。

2.「手続種別」欄は、表2に従ってコードを記載してください。

○表1　四法コード

四法	コード
特許	1
実用新案	2
意匠	3
商標	4
共通	5

○表2　手続種別コード

手続名	コード
出願関係の手続	010
審査請求又は実用新案技術評価の請求	011
承継の届出	012
期間の延長又は期日の変更の請求	013
書類、ひな形若しくは見本の閲覧、謄写の請求又は秘密意匠を示すべきことの請求	021
証明の請求	022
工業所有権に関する手続等の特例に関する法律第2条第1項に規定する電子情報処理組織を使用して行う閲覧の請求又はファイルに記録されている事項を記載した書類の交付の請求	023
特許原簿、実用新案原簿、意匠原簿又は商標原簿のうち磁気テープをもって調製した部分に記録されている事項を記載した書類の交付の請求	024
書類の謄本又は抄本の交付の請求	025
特許証又は登録証の再交付の請求	026
特許協力条約に基づく国際出願等に関する法律又はこれに基づく命令関係の手続	030
審判又は再審の請求	040
異議の申立て	041
判定の請求、裁定の請求、裁定の取消しの請求、審判若しくは再審への参加申請、異議の申立てについての審理への参加申請又は明細書若しくは図面の訂正の請求	042
特許料又は登録料の納付（設定登録、更新登録又は更新登録申請時に納付するもの）	051
特許料、割増特許料、登録料又は割増登録料の納付（051以外のもの）	052
予納	060

備考

1　用紙寸法は、各片ともおおむね縦11cm、横21cmとする。

2　各片は左側をのり付けその他の方法により接続するものとする。

3　各片に共通する事項（あらかじめ印刷する事項を除く。）は、複写により記入するものとする。

4　取扱庁番号欄は、日本銀行国庫金取扱規程第86条の２又は歳入徴収官事務規程等の一部を改正する省令（昭和40年大蔵省令第67号）附則第４項の規定により日本銀行から通知を受けた歳入徴収官ごとの取扱庁番号を付するものとする。

5　年度、金額その他の数字（あらかじめ印刷するものは除く。）は、アラビア数字で明りょうに記入すること。

6　必要があるときは、各欄の配置を著しく変更することなく所要の調整を加えることができる。

別紙第４号の13書式

第一片

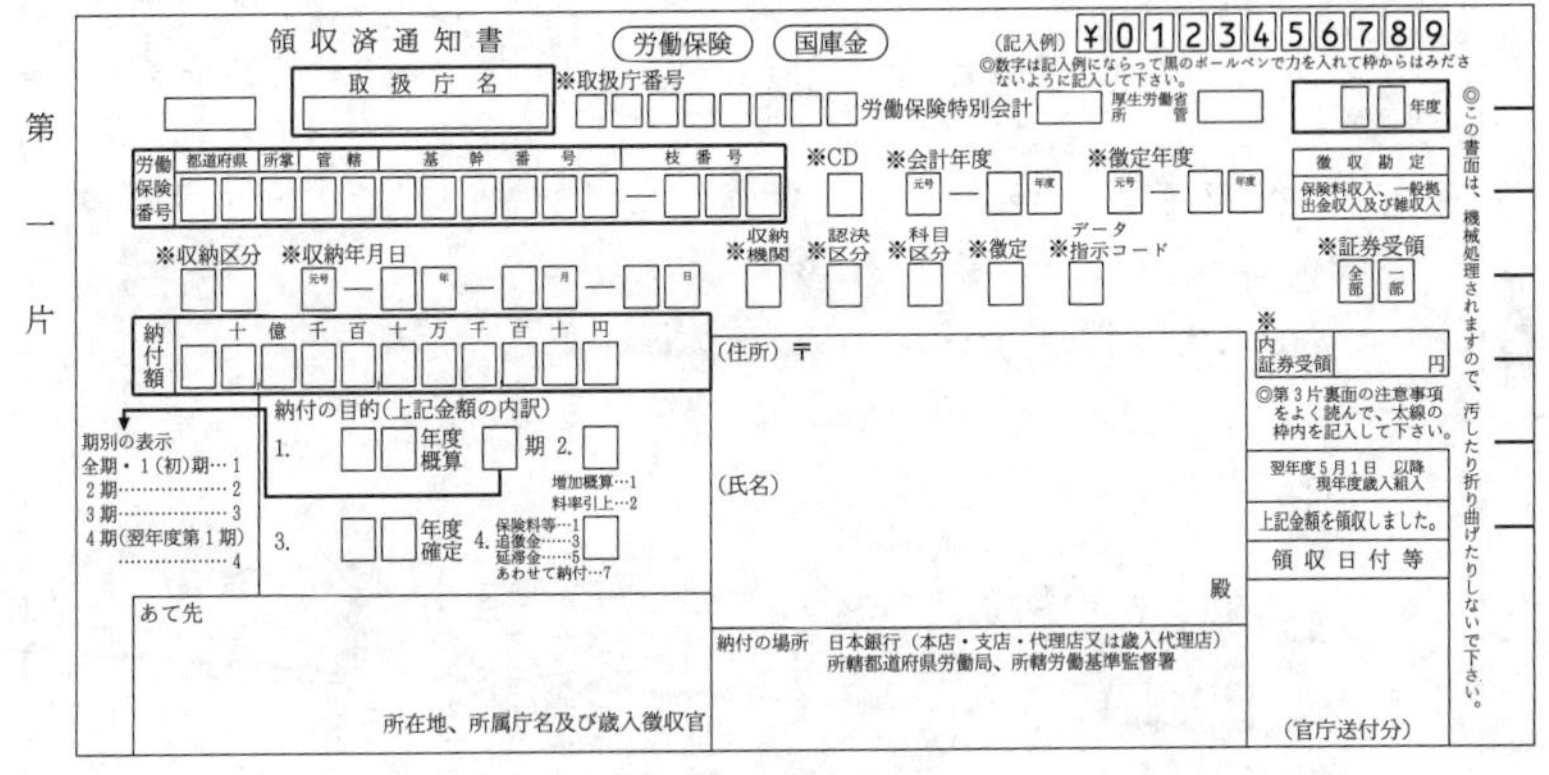

領収済通知書　（労働保険）（国庫金）　（記入例）¥0123456789

◎数字は記入例にならって黒のボールペンで力を入れて枠からはみださないように記入して下さい。

取扱庁名　※取扱庁番号　労働保険特別会計　厚生労働省所管　年度

労働保険番号（都道府県　所掌　管轄　基幹番号　枝番号）

※CD　※会計年度（元号　年度）　※徴定年度（元号　年度）

徴収勘定　保険料収入、一般拠出金収入及び雑収入

※収納区分　※収納年月日（元号　年　月　日）　※収納機関　※認決区分　※科目区分　※徴定　※データ指示コード　※証券受領（全部　一部）

納付額（十　億　千　百　十　万　千　百　十　円）

（住所）〒

※内証券受領　円

◎第３片裏面の注意事項をよく読んで、太線の枠内を記入して下さい。

納付の目的（上記金額の内訳）

1.　年度概算　期　2.

3.　年度確定　4.

増加概算…1　料率引上…2

保険料等…1　追徴金……3　延滞金……5　あわせて納付…7

期別の表示　全期・1（初）期…1　2期……2　3期……3　4期（翌年度第１期）……4

（氏名）

殿

翌年度５月１日　以降現年度歳入組入

上記金額を領収しました。

領収日付等

あて先

納付の場所　日本銀行（本店・支店・代理店又は歳入代理店）所轄都道府県労働局、所轄労働基準監督署

所在地、所属庁名及び歳入徴収官

（官庁送付分）

◎この書面は、機械処理されますので、汚したり折り曲げたりしないで下さい。

第二片

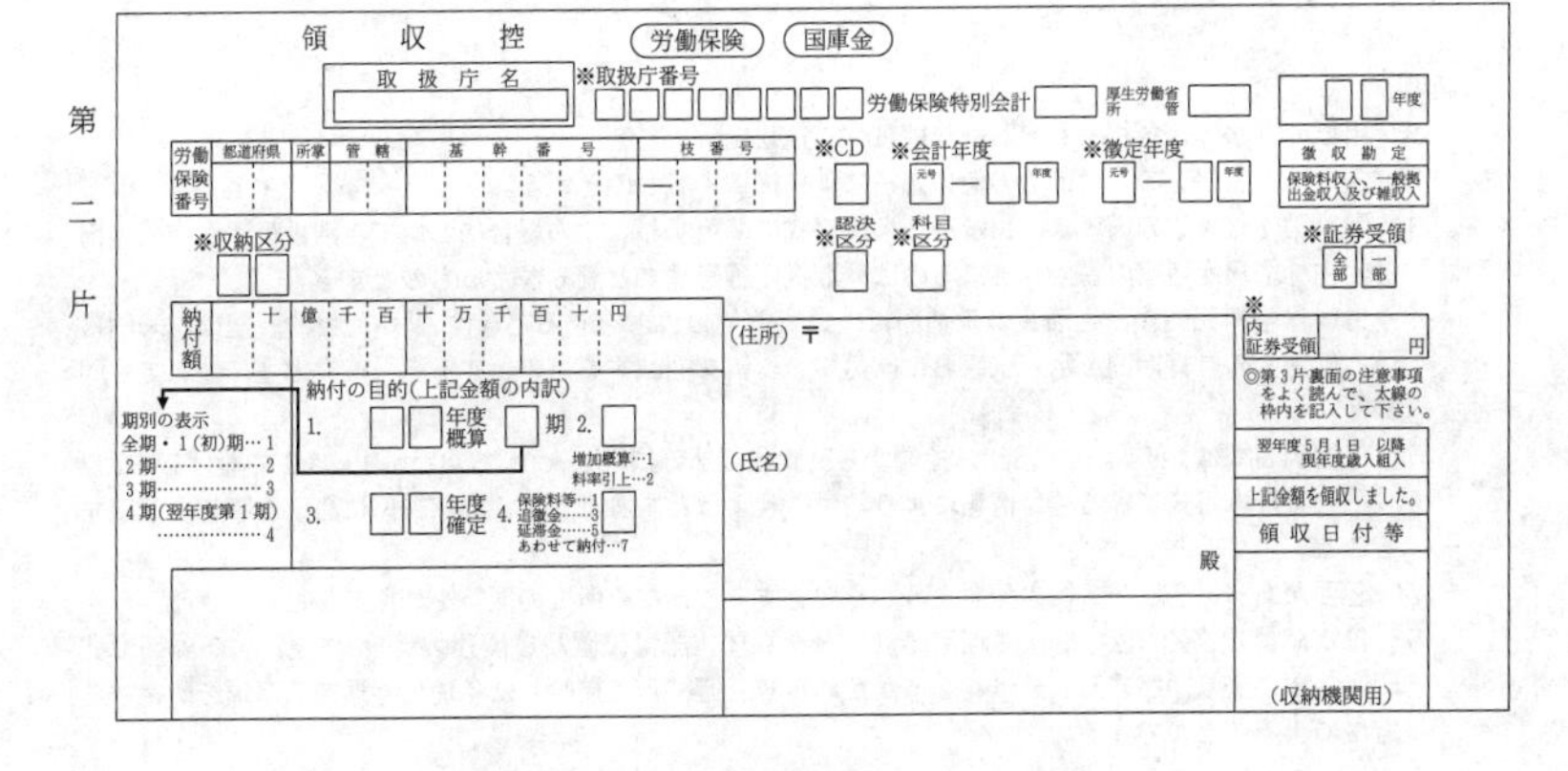

領収控　（労働保険）（国庫金）

取扱庁名　※取扱庁番号　労働保険特別会計　厚生労働省所管　年度

労働保険番号（都道府県　所掌　管轄　基幹番号　枝番号）

※CD　※会計年度（元号　年度）　※徴定年度（元号　年度）

徴収勘定　保険料収入、一般拠出金収入及び雑収入

※収納区分　※認決区分　※科目区分　※証券受領（全部　一部）

納付額（十　億　千　百　十　万　千　百　十　円）

（住所）〒

※内証券受領　円

◎第３片裏面の注意事項をよく読んで、太線の枠内を記入して下さい。

納付の目的（上記金額の内訳）

1.　年度概算　期　2.

3.　年度確定　4.

増加概算…1　料率引上…2

保険料等…1　追徴金……3　延滞金……5　あわせて納付…7

期別の表示　全期・1（初）期…1　2期……2　3期……3　4期（翌年度第１期）……4

（氏名）

殿

翌年度５月１日　以降現年度歳入組入

上記金額を領収しました。

領収日付等

（収納機関用）

第三片

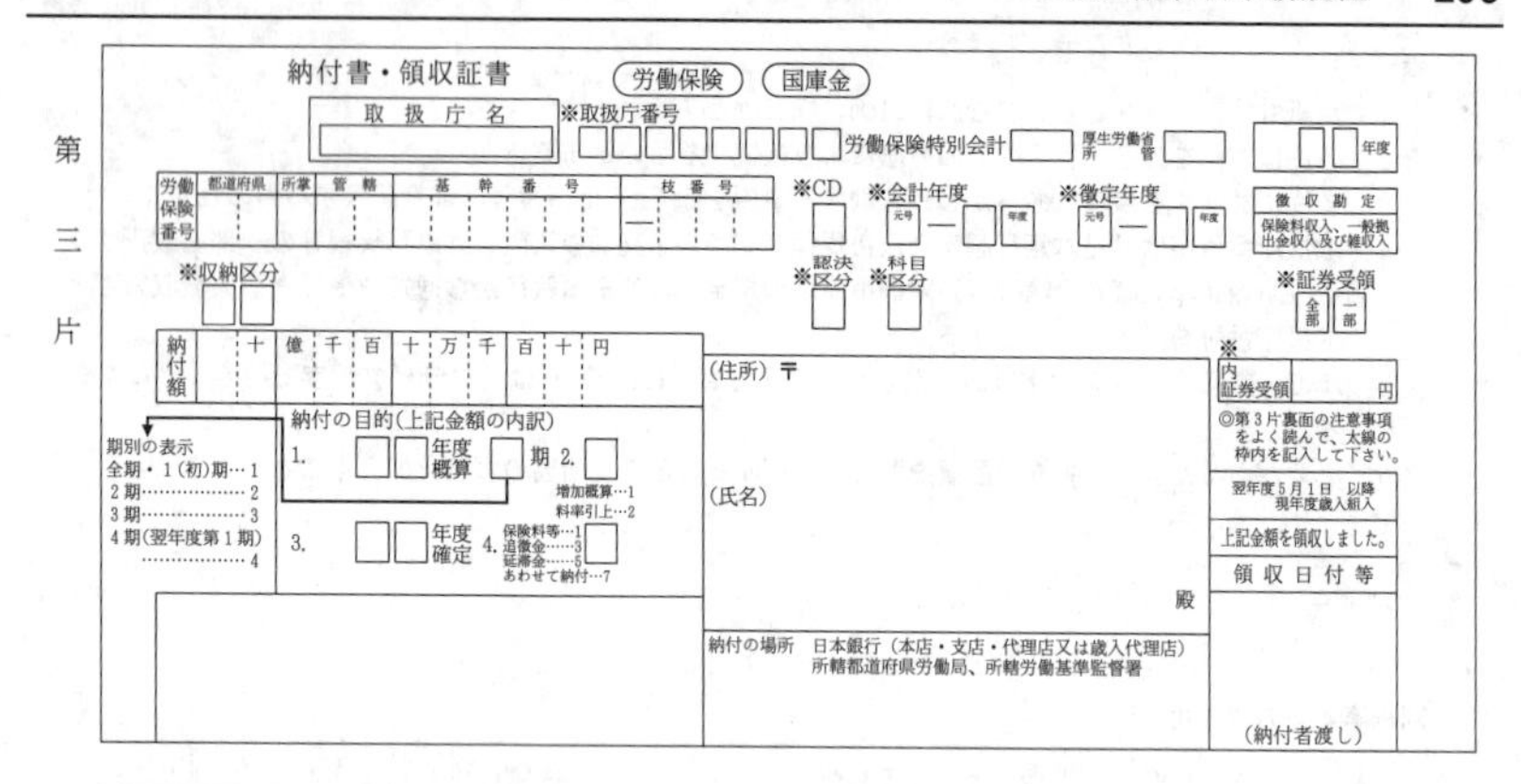
納付書・領収証書　（労働保険）（国庫金）

取扱庁名　※取扱庁番号　労働保険特別会計　厚生労働省所管　年度

労働保険番号　都道府県　所掌　管轄　基幹番号　枝番号

※CD　※会計年度　元号　年度　※徴定年度　元号　年度

徴収勘定　保険料収入、一般拠出金収入及び雑収入

※収納区分　認決※区分　科目※区分　※証券受領　全部　一部

納付額　十　億　千　百　十　万　千　百　十　円

（住所）〒

※内証券受領　円

◎第3片裏面の注意事項をよく読んで、太線の枠内を記入して下さい。

納付の目的（上記金額の内訳）

期別の表示
全期・1（初）期…1
2期……………2
3期……………3
4期（翌年度第1期）……………4

1.　年度概算　期　2.　増加概算…1　料率引上…2

3.　年度確定　4.　保険料等…1　追徴金……3　延滞金……5　あわせて納付…7

（氏名）

殿

翌年度5月1日以降現年度歳入組入

上記金額を領収しました。

領収日付等

納付の場所　日本銀行（本店・支店・代理店又は歳入代理店）所轄都道府県労働局、所轄労働基準監督署

（納付者渡し）

第三片裏面

注意事項

1　※印のついた欄は記載しないで下さい。

2　納付額を記入するときは、必ずその前に「¥」記号を付して下さい。

3　この納付書は、3枚1組となっていますから、3枚とも納付の場所に提出して下さい。

備考

1　用紙の寸法は、各片ともおおむね縦11cm、横21cmとする。

2　各片は、左端をのり付けその他の方法により接続するものとする。

3　別紙第4号書式の備考4、14及び15は本書式に準用する。この場合において、別紙第4号書式の備考4中「取扱庁名欄の番号」とあるのは「取扱庁番号欄」と読み替えるものとする。

4　労働保険料完納後、延滞金の未納額について納付の請求をするときは、「納付目的」欄は、未納に係る延滞金の計算期間を示し、直ちに納付すべき旨を記載するものとする。一般拠出金についても同様とする。

5　住所氏名欄は、左端から8.8cm、上端から5.1cmの部分に縦4.7cm、横8cmの大きさで設けること。

6　納入者に本書式に係る納付情報により納付させようとするときは、当該納付に必要な事項を記載すること。

7　必要があるときは、各欄の配置を著しく変更することなく所要の調整を加えることができる。

8　日本産業規格X0012（情報処理用語（データ媒体、記憶装置及び関連装置））に規定する非衝撃式印字装置により印字するときは、2にかかわらず、連続して接続した各片に共通する事項を印字する方法によることができる。

別紙第４号の14書式

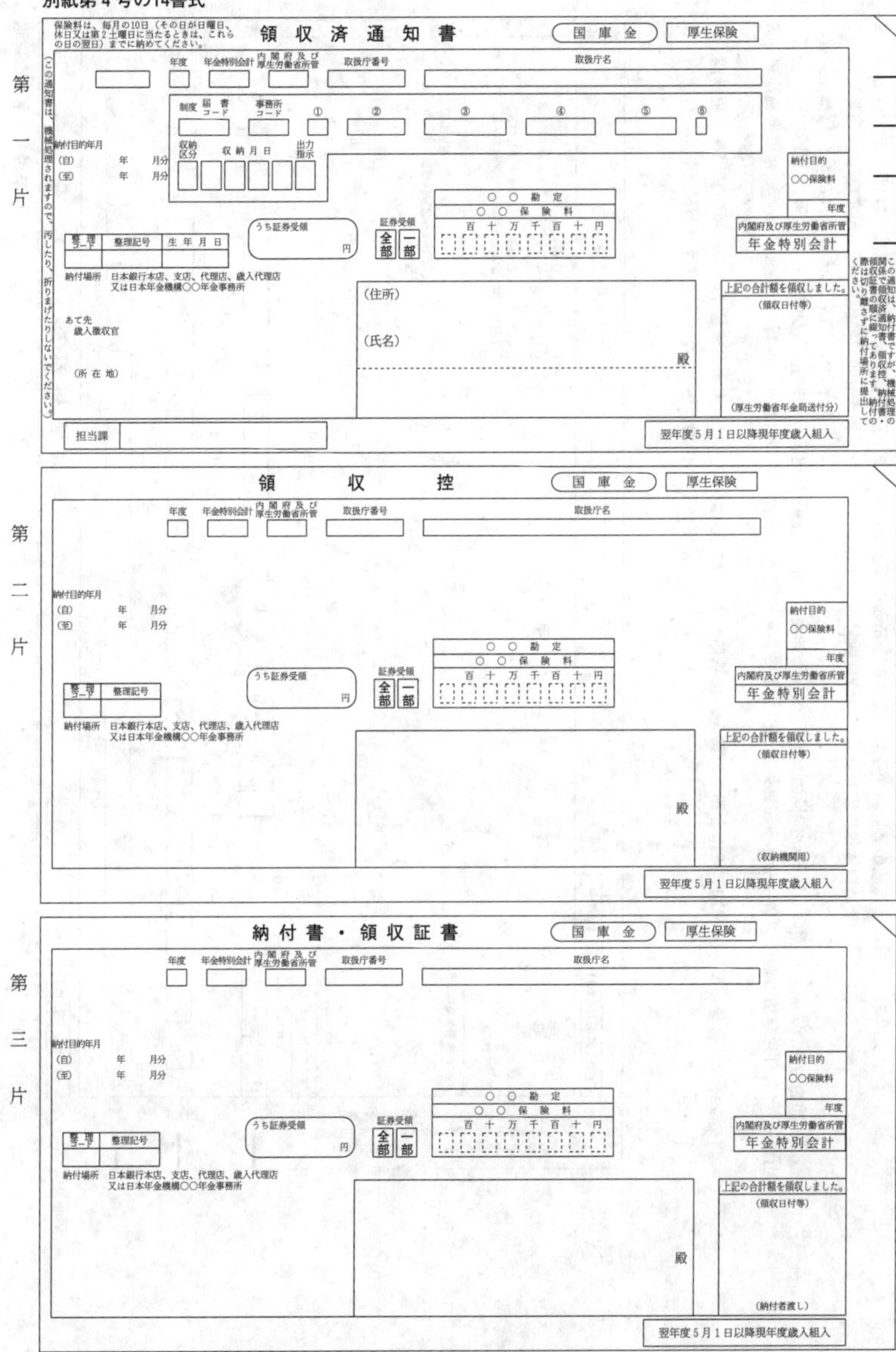

第一片

保険料は、毎月の10日（その日が日曜日、休日又は第２土曜日に当たるときは、これらの日の翌日）までに納めてください。

領収済通知書　（国庫金）　厚生保険

（この通知書は、機械処理されますので、汚したり、折りまげたりしないでください。）

年度　年金特別会計　内閣府及び厚生労働省所管　取扱庁番号　取扱庁名

制度　届書コード　事務所コード　①　②　③　④　⑤　⑥

収納区分　収納月日　出力指示

納付目的年月
（自）　年　月分
（至）　年　月分

納付目的　○○保険料　年度

○○勘定　○○保険料　百　十　万　千　百　十　円

内閣府及び厚生労働省所管　年金特別会計

うち証券受領　円

証券受領　全部　一部

整理コード　整理記号　生年月日

納付場所　日本銀行本店、支店、代理店、歳入代理店又は日本年金機構○○年金事務所

あて先　歳入徴収官

（所在地）

（住所）

（氏名）　殿

上記の合計額を領収しました。

（領収日付等）

（厚生労働省年金局送付分）

この通知は、納付書ですが、機械処理の関係で領収通知書、領収控、納付書・領収証書の順に綴ってありますので、切り離さずに納付場所に提出してください。

担当課

翌年度５月１日以降現年度歳入組入

第二片

領収控　（国庫金）　厚生保険

年度　年金特別会計　内閣府及び厚生労働省所管　取扱庁番号　取扱庁名

納付目的年月
（自）　年　月分
（至）　年　月分

納付目的　○○保険料　年度

○○勘定　○○保険料　百　十　万　千　百　十　円

内閣府及び厚生労働省所管　年金特別会計

うち証券受領　円

証券受領　全部　一部

整理コード　整理記号

納付場所　日本銀行本店、支店、代理店、歳入代理店又は日本年金機構○○年金事務所

殿

上記の合計額を領収しました。

（領収日付等）

（収納機関用）

翌年度５月１日以降現年度歳入組入

第三片

納付書・領収証書　（国庫金）　厚生保険

年度　年金特別会計　内閣府及び厚生労働省所管　取扱庁番号　取扱庁名

納付目的年月
（自）　年　月分
（至）　年　月分

納付目的　○○保険料　年度

○○勘定　○○保険料　百　十　万　千　百　十　円

内閣府及び厚生労働省所管　年金特別会計

うち証券受領　円

証券受領　全部　一部

整理コード　整理記号

納付場所　日本銀行本店、支店、代理店、歳入代理店又は日本年金機構○○年金事務所

殿

上記の合計額を領収しました。

（領収日付等）

（納付者渡し）

翌年度５月１日以降現年度歳入組入

備考

別紙第４号の４書式の備考１から７まで及び９は本書式に準用する。この場合において、別紙第４号の４書式の備考５中「事業所符号」とあるのは「被保険者証符号」と、「勘定別保険料額」とあるのは、「保険料額」と読み替えるものとする。

別紙第４号の15書式

領収済通知書

（国庫金）　国民年金

（この通知書は、機械処理されますので、汚したり、折りまげたりしないでください。）

年度　年金特別会計　内閣府及び厚生労働省所管　取扱庁番号　取扱庁名

納付目的
国民年金保険料
（　　　）

制度　届書コード　事務所コード　①　②　③　④　⑤　⑥

納付期間
年　月分
〜
年　月分

延滞金　督促手数料　合計額　収納区分　収納年月日

納付書発行年月日　年　月　日　　納期限　年　月　日

住所

あて先
〔歳入徴収官、歳入徴収官代理官職氏名並びに取扱庁名及び所在地〕

氏名　殿

年度　内閣府及び厚生労働省所管
年金特別会計（　　）
上記の合計額を領収しました。
（領収日付等）
（厚生労働省年金局送付分）

納付場所　日本銀行本店、支店、代理店、歳入代理店
又は日本年金機構の年金事務所

注意　延滞金は、督促を受けた場合に限り督促状に記載されているところによって納付してください。

翌年度５月１日以降現年度歳入組入

この通知は納付書ですが、機械処理の関係で領収済通知書、領収控、納付書・領収証書の順に綴ってあります。納付の際は切り離さずに納付場所に提出してください。

（切り取らないでください。）

備考

1　用紙の寸法は、各片ともおおむね縦11cm、横36cmとする。

2　別紙第４号書式の備考４は本書式に準用する。この場合において、別紙第４号書式の備考４中「取扱庁名欄の番号」とあるのは、「取扱庁番号欄」と読み替えるものとする。

3　領収済通知書の中央上部欄の①欄から⑥欄には、光学式文字読取装置を使用して事務処理をするために必要な項目として、「基礎年金番号（①欄）」、「生年月日（②欄）」、「保険料種別（③欄）」、「納付期間（④欄）」、「保険料額の読取りの際の確認に関する事項（⑤欄及び⑥欄）」をアラビア数字で記入すること。

4　納入者に本書式にかかる納付情報により納付させようとするときは、当該納付に必要な事項を記載すること。

5　必要があるときは、各欄の配置を著しく変更することなく所要の変更を加えることその他所要の調整を加えることができる。

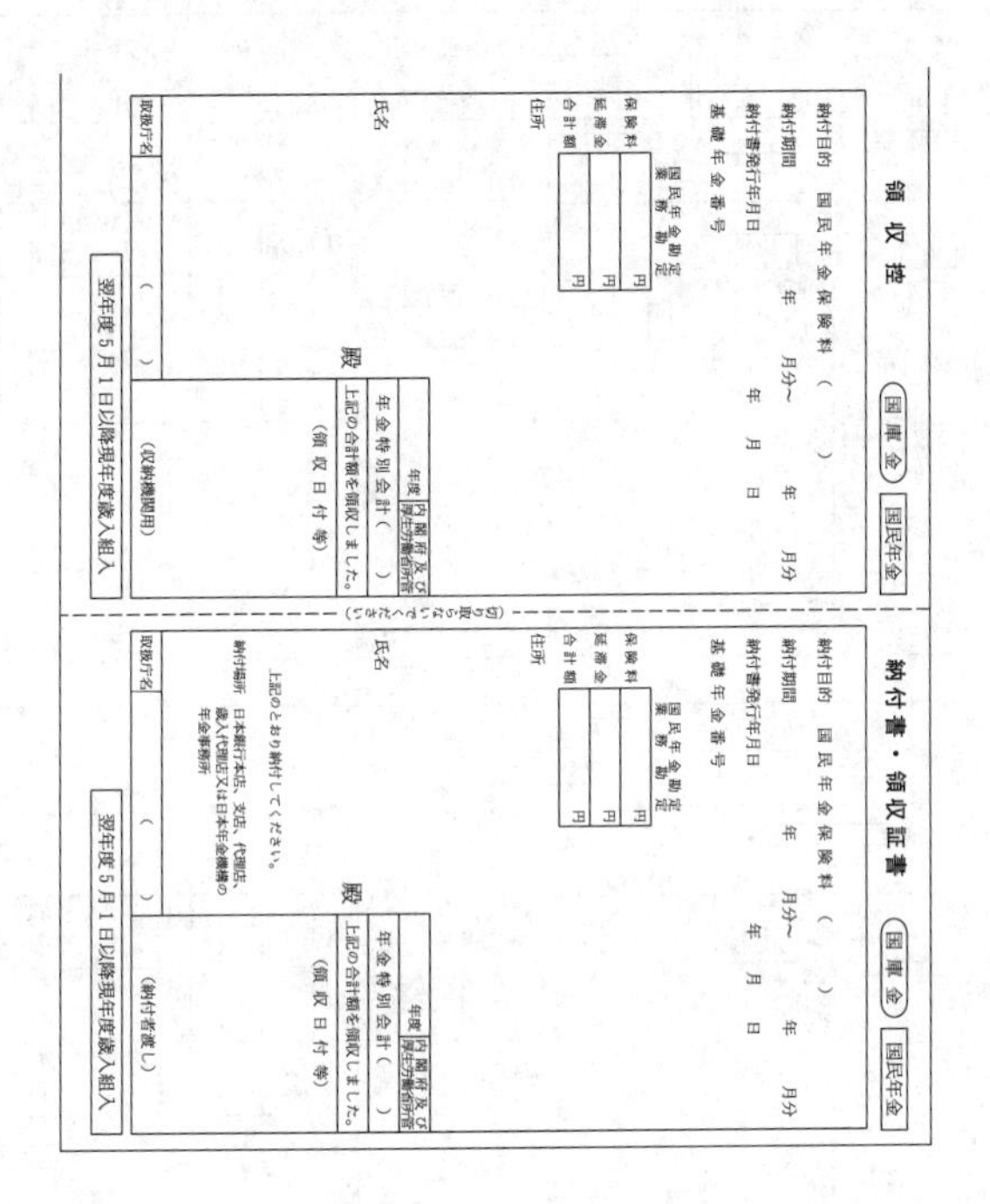

領収控 （国庫金） 国民年金

納付目的 国民年金保険料（ ） 年 月分～ 年 月分

納付期間 年 月 日

納付書発行年月日

基礎年金番号

	国民年金勘定 業務
保険料	円
延滞金	円
合計額	円

住所

氏名 殿

年金特別会計 年度 内閣府及び厚生労働省所管

上記の合計額を領収しました。（ ）

（領収日付等）

取扱庁名 （ ）

（収納機関用）

翌年度5月1日以降現年度歳入組入

（切り取らないでください）

納付書・領収証書 （国庫金） 国民年金

納付目的 国民年金保険料（ ） 年 月分～ 年 月分

納付期間 年 月 日

納付書発行年月日

基礎年金番号

	国民年金勘定 業務
保険料	円
延滞金	円
合計額	円

住所

氏名 殿

上記のとおり納付してください。

納付場所 日本銀行本店、支店、代理店、歳入代理店又は日本年金機構の年金事務所

年金特別会計 年度 内閣府及び厚生労働省所管

上記の合計額を領収しました。（ ）

（領収日付等）

取扱庁名 （ ）

（納付者渡し）

翌年度5月1日以降現年度歳入組入

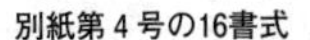

別紙第4号の16書式

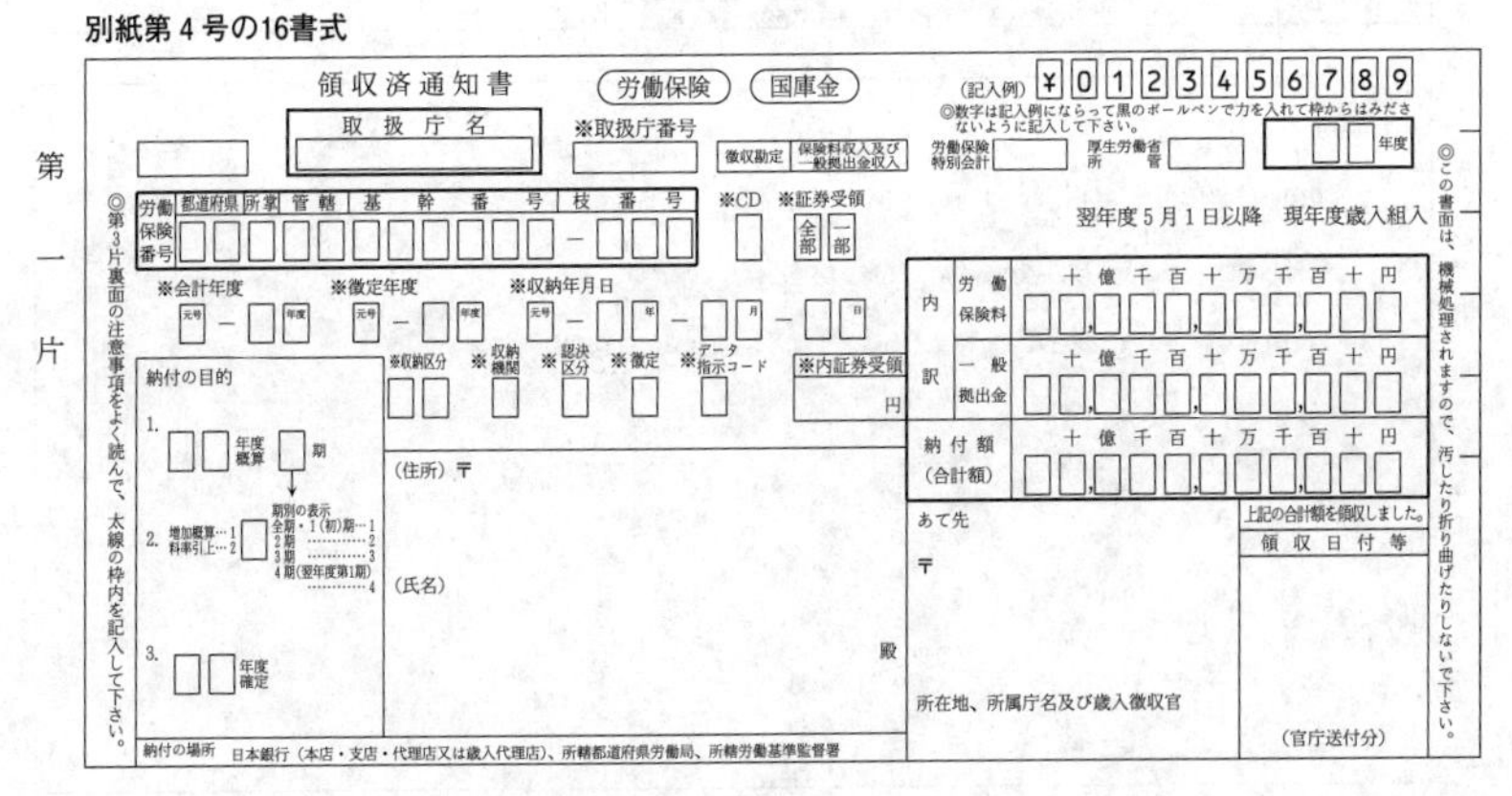

第一片

領収済通知書 （労働保険） （国庫金）

（記入例）¥0123456789

◎数字は記入例にならって黒のボールペンで力を入れて枠からはみださないように記入して下さい。

取扱庁名

※取扱庁番号

徴収勘定 保険料収入及び一般拠出金収入

労働保険特別会計 厚生労働省所管

年度

労働保険番号 都道府県 所掌 管轄 基幹番号 枝番号

※CD ※証券受領 全部 一部

翌年度5月1日以降 現年度歳入組入

※会計年度 元号 年度

※徴定年度 元号 年度

※収納年月日 元号 年 月 日

※収納区分 ※収納機関 ※認決区分 ※徴定 ※データ指示コード

※内証券受領 円

内訳		十	億	千	百	十	万	千	百	十	円
	労働保険料										
	一般拠出金										
納付額（合計額）											

納付の目的

1. 年度概算 期

2. 増加概算…1 料率引上…2

期別の表示 全期・1（初）期…1 2期…2 3期…3 4期（翌年度第1期）…4

3. 年度確定

（住所）〒

（氏名）

あて先 〒

殿

所在地、所属庁名及び歳入徴収官

上記の合計額を領収しました。

領収日付等

（官庁送付分）

納付の場所 日本銀行（本店・支店・代理店又は歳入代理店）、所轄都道府県労働局、所轄労働基準監督署

◎第3片裏面の注意事項をよく読んで、太線の枠内を記入して下さい。

◎この書面は、機械処理されますので、汚したり折り曲げたりしないで下さい。

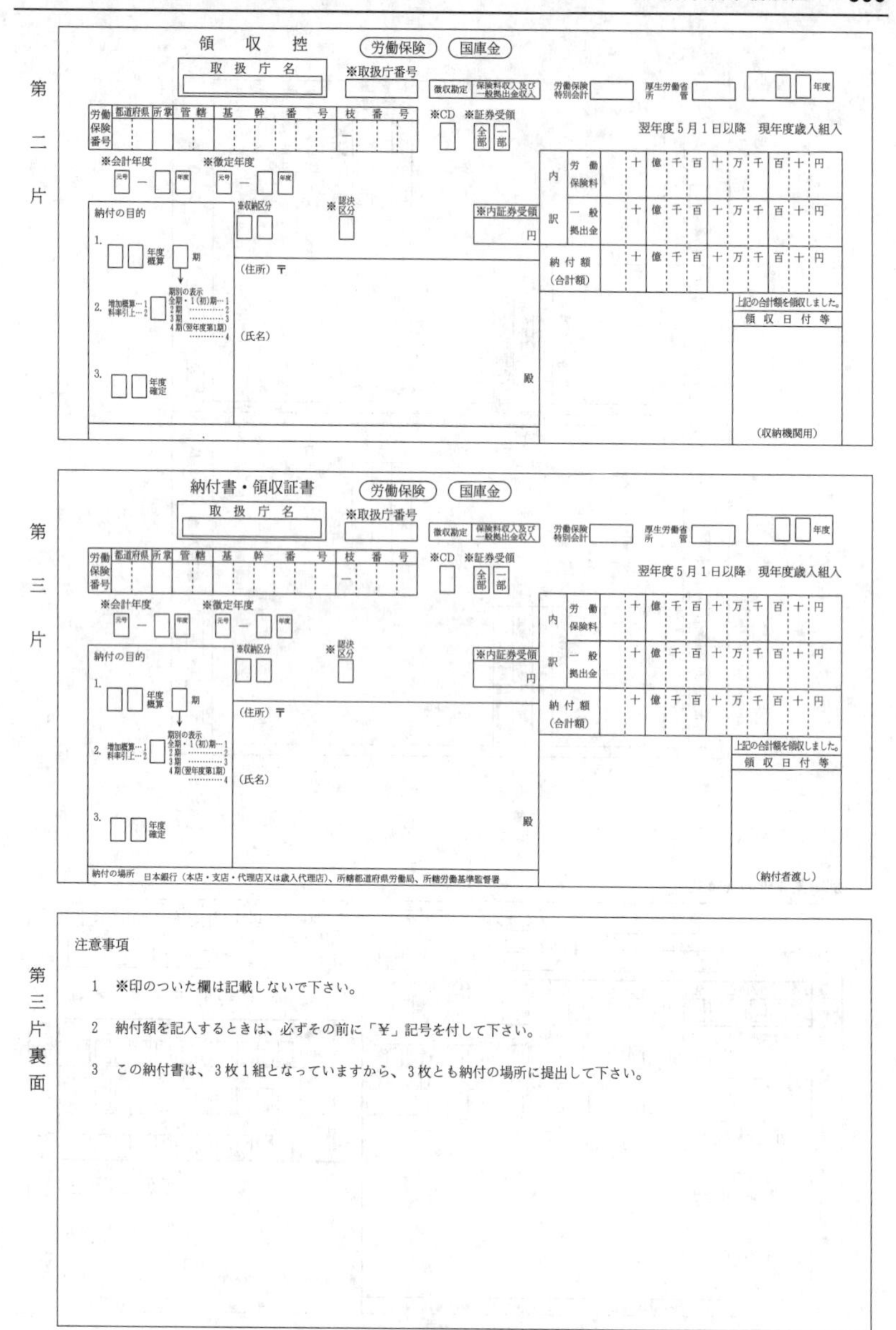

第二片

領　収　控　（労働保険）（国庫金）

取扱庁名　※取扱庁番号　徴収勘定　保険料収入及び一般拠出金収入　労働保険特別会計　厚生労働省所管　年度

労働保険番号：都道府県｜所掌｜管轄｜基幹番号｜枝番号　※CD　※証券受領　全部｜一部

翌年度5月1日以降　現年度歳入組入

※会計年度　元号 ― 年度　※徴定年度　元号 ― 年度

内訳		十	億	千	百	十	万	千	百	十	円
	労働保険料										
	一般拠出金										
納付額（合計額）											

納付の目的
1. 年度概算　期
2. 増加概算…1　料率引上…2　期別の表示　全期・1（初）期…1　2期…2　3期…3　4期（翌年度第1期）…4
3. 年度確定

※収納区分　※認決区分　※内証券受領　円

（住所）〒
（氏名）　殿

上記の合計額を領収しました。
領収日付等
（収納機関用）

第三片

納付書・領収証書　（労働保険）（国庫金）

取扱庁名　※取扱庁番号　徴収勘定　保険料収入及び一般拠出金収入　労働保険特別会計　厚生労働省所管　年度

労働保険番号：都道府県｜所掌｜管轄｜基幹番号｜枝番号　※CD　※証券受領　全部｜一部

翌年度5月1日以降　現年度歳入組入

※会計年度　元号 ― 年度　※徴定年度　元号 ― 年度

内訳		十	億	千	百	十	万	千	百	十	円
	労働保険料										
	一般拠出金										
納付額（合計額）											

納付の目的
1. 年度概算　期
2. 増加概算…1　料率引上…2　期別の表示　全期・1（初）期…1　2期…2　3期…3　4期（翌年度第1期）…4
3. 年度確定

※収納区分　※認決区分　※内証券受領　円

（住所）〒
（氏名）　殿

上記の合計額を領収しました。
領収日付等
（納付者渡し）

納付の場所　日本銀行（本店・支店・代理店又は歳入代理店）、所轄都道府県労働局、所轄労働基準監督署

第三片裏面

注意事項

1　※印のついた欄は記載しないで下さい。

2　納付額を記入するときは、必ずその前に「¥」記号を付して下さい。

3　この納付書は、3枚1組となっていますから、3枚とも納付の場所に提出して下さい。

備考

1　用紙の寸法は、各片ともおおむね縦11cm、横21cmとする。

2　各片は、左端をのり付けその他の方法により接続するものとする。

3　別紙第４号書式の備考４、14及び15は本書式に準用する。この場合において、別紙第４号書式の備考４中「取扱庁名欄の番号」とあるのは「取扱庁番号欄」と読み替えるものとする。

4　住所氏名欄は、左端から4.3cm、上端から6.0cmの部分に縦4.3cm、横８cmの大きさで設けること。

5　納入者に本書式に係る納付情報により納付させようとするときは、当該納付に必要な事項を記載すること。

6　必要があるときは、各欄の配置を著しく変更することなく所要の調整を加えることができる。

7　日本産業規格X0012（情報処理用語（データ媒体、記憶装置及び関連装置））に規定する非衝撃式印字装置により印字するときは、２にかかわらず、連続して接続した各片に共通する事項を印字する方法によることができる。

別紙第５号書式

過誤納額整理簿

決議年月日	所属年度	科目				金額	事由	納入者の住所及び氏名	処分のてん末
		部	款	項	目				
						円			

備考　用紙の大きさは、日本産業規格Ａ列４とする。

別紙第６号書式

不納欠損整理簿

決議年月日	所属年度	科目				金額	事由	納入者の住所及び氏名
		部	款	項	目			
						円		

備考　用紙の大きさは、日本産業規格Ａ列４とする。

別紙第７号書式

差額仕訳書

年度歳入　　　　会計名　　　　　　　　年　月　分

科目	差額		事由
	歳入金月計突合表の方超過	歳入金月計突合表の方不足	
	円	円	
計			

年　月　日

所属庁名

歳入徴収官（歳入徴収官代理）

官職氏名

備考

1　用紙の大きさは、日本産業規格Ａ列４とする。

2　科目欄は、前月まで発生差額本月処理済、本月新規発生差額及び前月まで発生差額本月処理未了別に区分すること。なお、科目により難い場合には、収入官吏又は日本銀行取扱別に区分すること。

別紙第８号書式

年度　　収納未済歳入額繰越計算書

主管又は所管　　　　会計名

科目				元年度	繰越額	収納済歳入額	不納欠損額	収納未済翌年度へ繰越	
部	款	項	目					金額	事由
					円	円	円	円	
				合計					

年　月　日

所属庁名
歳入徴収官（歳入徴収官代理）
官職氏名

備考
1　用紙の大きさは、日本産業規格Ａ列４とする。
2　当該年度の前々年度以前分は、元年度別に区分することなく、合計額をもつて計上することができる。

別紙第９号書式

徴　収　整　理　簿

（主管又は所管）　　　　（款）
（部局等）　　　　（項）
（目）

年月日	摘要	徴収決定済額	収納済歳入額	不納欠損額	収納未済歳入額
		円	円	円	円

備考
1　用紙の大きさは、日本産業規格Ａ列４とする。
2　各省各庁の長が特に必要と認めるときは、この書式に掲げる事項を備えた別の書式をもつて徴収整理簿とすることができる。この場合には、前号によらないことができる。

別紙第10号書式

調査決定報告書								
納入者 （住　所） （氏　　名）			第　　　号 （年　度　区　分） （会　計　名）					
（部）		（款）			（項）			
（目）	（主管又は所管名）			（取扱庁名）				
金		万	千	百	十	円	十	銭

納付目的
納付期限　　　年　　月　　日限
納付場所
　上記のとおり調査決定したので報告します。
　　年　月　日
（何庁歳入徴収官何某所属分任歳入
徴収官又は分任歳入徴収官代理
官職氏　　　名）

備考
1　用紙の大きさは、日本産業規格A列5とする。
2　相殺又は徴収決定外誤納により調査決定をしたものについては、納付目的の欄にその旨を付記すること。
3　特別会計においては、科目欄は適宜必要な科目区分（勘定別を含む。）によることができる。
4　各省各庁の長が特に必要と認めるときは、この書式に掲げる事項を備えた別の書式をもつて調査決定報告書とすることができる。この場合には、第1号によらないことができる。

別紙第11号書式

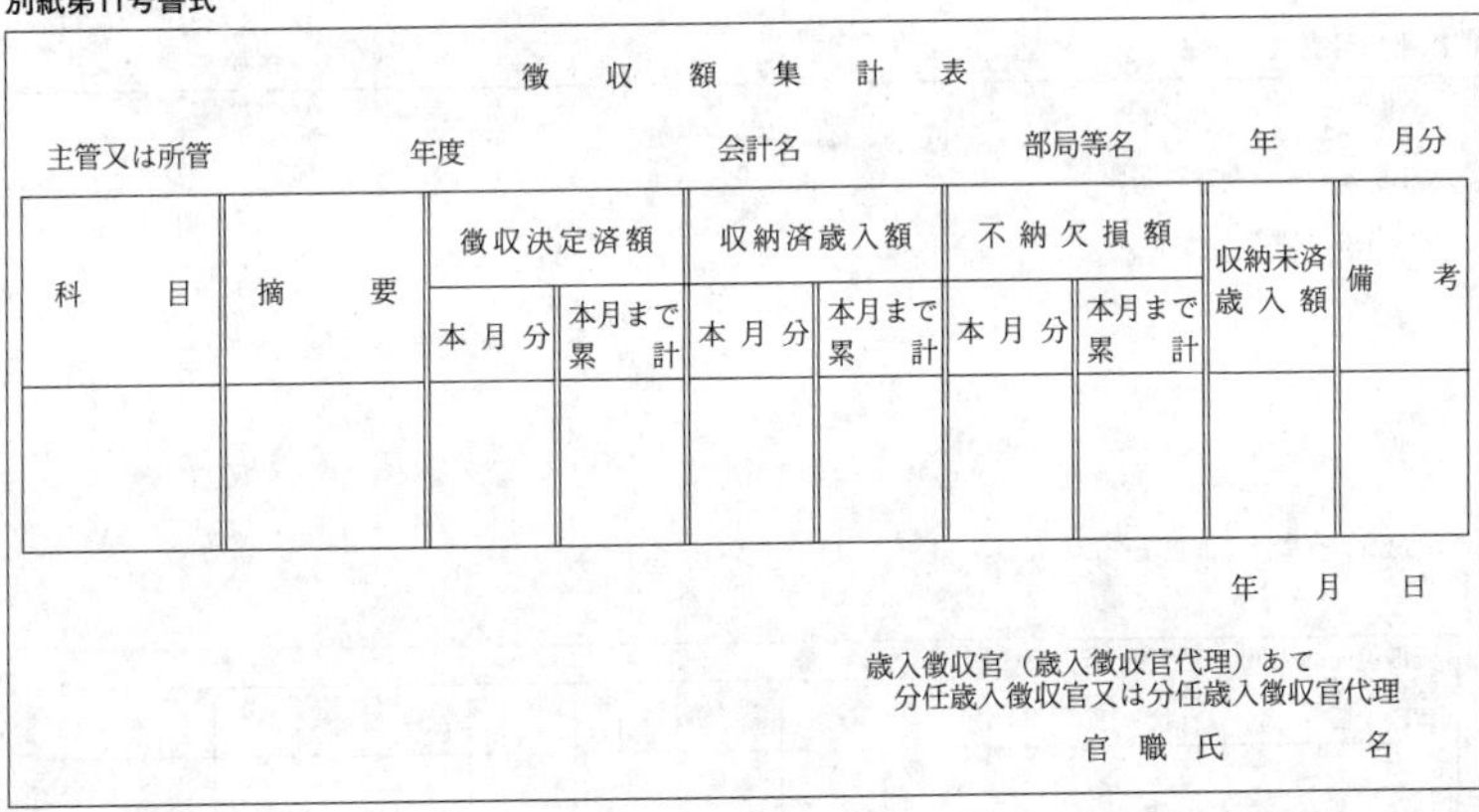

徴収額集計表

主管又は所管　　　年度　　　会計名　　　部局等名　　　年　月分

科目	摘要	徴収決定済額		収納済歳入額		不納欠損額		収納未済歳入額	備考
		本月分	本月まで累計	本月分	本月まで累計	本月分	本月まで累計		

年　月　日

歳入徴収官（歳入徴収官代理）あて
分任歳入徴収官又は分任歳入徴収官代理
官職氏　　名

備考
1　用紙の大きさは、日本産業規格A列4とする。
2　第46条の5第1項又は第3項の規定による誤びゆうの訂正については、摘要欄にその旨を付記して、それぞれ区分掲記すること。

別紙第12号書式

訂　正　請　求　書

（番　　号）
年　月　日

収入官吏
日本銀行取扱店 ｝あて

所属庁名
歳入徴収官（歳入徴収官代理）
官職氏　　　名

下記のとおり訂正されたい。

記

	年度	主(所)管名	会計名又は取扱庁名	備考									
				収入官吏又は日本銀行名	部	款	項	目及び納期別	納入告知書又は納付書の番号	収納年月日	納入者の住所及び氏名	金額	その他
元													
訂正													

備考
1　用紙の大きさは、日本産業規格Ａ列４とする。
2　日本銀行に送付する訂正請求書にあつては、部、款、項並びに目及び納期の記載を省略することができる。
3　第50条第２項の規定により訂正を請求する場合においては、本書式中「訂正請求書」とあるのは、「訂正請求書（　　年　月分）」と読み替えるものとし、かつ、収入官吏又は日本銀行名、納入告知書又は納付書の番号、収納年月日並びに納入者の住所及び氏名の記載を省略し、又はこれらの事項の欄及び前号に規定する事項の欄を省略することができる。

別紙第13号書式

歳入徴収官口座更正請求書

（番　　号）
年　月　日

日本銀行取扱店　あて

所属庁名
歳入徴収官（歳入徴収官代理）
官職氏　　　名
所属庁名
歳入徴収官（歳入徴収官代理）
官職氏　　　名

下記のように口座の更正をされたい。

記

元取扱庁歳入徴収官 官職氏名	更正取扱庁歳入徴収官 官職氏名	備考						
		年度	会計名	金額	収納年月日	納付場所	納入者の住所及び氏名	その他

備考　用紙の大きさは、日本産業規格Ａ列４とする。

別紙第14号書式

すえ置整理報告書

財務大臣あて

（番　　号）
年　月　日

所属庁名
歳入徴収官（歳入徴収官代理）
官職 氏　　名

下記については、出納期間{内に／経過後において}歳入の{年度／主管名（所管名）／会計名／歳入徴収官の口座名}の誤びゆう{の訂正を終わらなかつた／を発見した}のでそのまますえ置整理したから、報告します。

記

科　　目	歳入金月計突合表の方超過	歳入金月計突合表の方不足	事　　由
	円	円	
計			

備考　用紙の大きさは、日本産業規格Ａ列４とする。

別紙第15号書式

歳入徴収官（分任歳入徴収官）代理開始及び終止整理表

（年　度）（所　管）
（会計名）
（歳入徴収官又は分任歳入徴収官　官職　氏　名）
（歳入徴収官代理又は分任歳入徴収官代理　官職　氏　名）

1．代理開始　年　月　日
2．代理終止　年　月　日
3．事務の範囲

備考　用紙の大きさは、日本産業規格Ａ列４とする。

別紙第16号書式

歳入金領収済証明請求書

（番　　号）

収入官吏
日本銀行取扱店｝あて

所属庁名　　年　月　日
歳入徴収官（歳入徴収官代理、分任歳入徴収官、分任歳入徴収官代理）

下記のとおり領収済みのことを証明されたい。

官職　氏　　名

記

年度	主(所)管名	会計名	部	款	項	目	納入告知書又は納付書の番号	金額	納入者の住所及び氏名	収納年月日	納付場所	請求の事由
								円				

上記のとおり領収済みのことを証明する。

収入官吏　官職　氏　　名

日本銀行取扱店名

備考

1　用紙の大きさは、日本産業規格Ａ列４とし、必要により１件ごとに作成することができるものとする。
2　部、款、項の記載は、省略することができる。
3　収納年月日及び納付場所で調査不能のものは、収入官吏又は日本銀行に記入させることができる。

○国税通則法（抄）

昭三七・四・二
法　六　六

最終改正　令六・六・二四法五二

※令和五年三月三一日法律第三号の第八条で本法が一部改正されましたが、未施行となる部分については、本法の末尾に掲げました。

目次〔略〕

第一章　総則

第一節　通則

（目的）

第一条　この法律は、国税についての基本的な事項及び共通的な事項を定め、税法の体系的な構成を整備し、かつ、国税に関する法律関係を明確にするとともに、税務行政の公正な運営を図り、もつて国民の納税義務の適正かつ円滑な履行に資することを目的とする。

第三節　期間及び期限

（期間の計算及び期限の特例）

第十条　国税に関する法律において日、月又は年をもつて定める期間の計算は、次に定めるところによる。

一　期間の初日は、算入しない。ただし、その期間が午前零時から始まるとき、又は国税に関する法律に別段の定めがあるときは、この限りでない。

二　期間を定めるのに月又は年をもつてしたときは、暦に従う。

三　前号の場合において、月又は年の始めから期間を起算しないときは、その期間は、最後の月又は年においてその起算日に応当する日の前日に満了する。ただし、最後の月にその応当する日がないときは、その月の末日に満了する。

2　国税に関する法律に定める申告、申請、請求、届出その他書類の提出、通知、納付又は徴収に関する期限（時をもつて定める期限その他の政令で定める期限を除く。）が日曜日、国民の祝日に関する法律（昭和二十三年法律第百七十八号）に規定する休日その他一般の休日又は政令で定める日に当たるときは、これらの日の翌日をもつてその期限とみなす。

（災害等による期限の延長）

第十一条　国税庁長官、国税不服審判所長、国税局長、税務署長又は税関長は、災害その他やむを得ない理由により、国税に関する法律に基づく申告、申請、請求、届出その他書類の提出、納付又は徴収に関する期限までにこれらの行為をすることができないと認めるときは、政令で定めるところにより、その理由のやんだ日から二月以内に限り、当該期限を延長することができる。

第四節　送達

（書類の送達）

第十二条　国税に関する法律の規定に基づいて税務署長その他の行政機関の長又はその職員が発する書類は、郵便若しくは民間事業者による信書の送達に関する法律（平成十四年法律第九十九号）第二条第六項（定義）に規定する一般信書便事業者若しくは同条第九項に規定する特定信書便事業者による同条第二項に規定する信書便（以下「信書便」という。）による送達又は交付送達により、その送達を受けるべき者の住所又は居所（事務所及び事業所を含む。以下同じ。）に送達する。ただし、その送達を受けるべき者に納税管理人があるときは、その住所又は居所に送達する。

2　通常の取扱いによる郵便又は信書便によつて前項に規定する書類を発送した場合には、その郵便物又は民間事業者による信書の送達に関する法律第二条第三項（定義）に規定する信書便物（以下「信書便物」という。）は、通常到達すべきであつた時に送達があつたものと推定する。

3　税務署長その他の行政機関の長は、前項に規定する場合には、その書類の名称、その送達を受けるべき者（第一項ただし書の場合にあつては、納税管理人。以下この節において同じ。）の氏名（法人については、名称。第十四条第二項（公示送達）において同じ。）、あて先及び発送の年月日を確認するに足りる記録を作成して置かなければならない。

4　交付送達は、当該行政機関の職員が、第一項の規定により送達すべき場所において、その送達を受けるべき者に書類を交付して行なう。ただし、その者に異議がないときは、その他の場所において交付することができる。

5　次の各号の一に掲げる場合には、交付送達は、前項の規定による交付に代え、当該各号に掲げる行為により行なうことができる。

一　送達すべき場所において書類の送達を受けるべき者に出会わない場合　その使用人その他の従業者又は同居の者で書類の受領について相当のわきまえのあるものに書類を交付すること。

二　書類の送達を受けるべき者その他前号に規定する者が送達すべき場所にいない場合又はこれらの者が正当な理由がなく書類の受領を拒んだ場合　送達すべき場所に書類を差し置くこと。

（相続人に対する書類の送達の特例）

第十三条　相続があつた場合において、相続人が二人以上あるときは、これらの相続人は、国税に関する法律の規定に基づいて税務署長その他の行政機関の長（国税審判官を含む。）が発する書類（滞納処分（その例による処分を含む。）に関するものを除く。）で被相続人の国税に関するものを受領する代表者をその相続人のうちから指定することができる。この場合において、その指定に係る相続人は、その旨を当該税務署長その他の行政機関の長（国税審判官の発する書類については、国税不服審判所長）に届け出なければならない。

2　前項前段の場合において、相続人のうちにその氏名が明らかでないものがあり、かつ、相当の期間内に同項後段の届出がないときは、同項後段の税務署長その他の行政機関の長は、相続人の一人を指定し、その者を同項に規定する代表者とすることができる。この場合において、その指定をした税務署長その他の行政機関の長は、その旨をその指定に係る相続人に通知しなければならない。

3　前二項に定めるもののほか、第一項に規定する代表者の指定に関し必要な事項は、政令で定める。

4　被相続人の国税につき、その者の死亡後その死亡を知らないでその者の名義でした国税に関する法律に基づく処分で書類の送達を要するものは、その相続人の一人にその書類が送達された場合には、当該国税につきすべての相続人に対してされたものとみなす。

（公示送達）

第十四条　第十二条（書類の送達）の規定により送達すべき書類について、その送達を受けるべき者の住所及び居所が明らかでない場合又は外国においてすべき送達につき困難な事情があると認められる場合には、税務署長その他の行政機関の長は、その送達に代えて公示送達をすることができる。

2　公示送達は、送達すべき書類の名称、その送達を受けるべき者の氏名及び税務署長その他の行政機関の長がその書類をいつでも送達を受けるべき者に交付する旨を当該行政機関の掲示場に掲示して行なう。

3　前項の場合において、掲示を始めた日から起算して七日を経過したときは、書類の送達があつたものとみなす。

第三章　国税の納付及び徴収

第一節　国税の納付

（納付の手続）

第三十四条　国税を納付しようとする者は、その税額に相当する金銭に納付書（納税告知書の送達を受けた場合には、納税告知書）を添えて、これを日本銀行（国税の収納を行う代理店を含む。）又はその国税の収納を行う税務署の職員に納付しなければならない。ただし、証券をもつてする歳入納付に関する法律（大正五年法律第十号）の定めるところにより証券で納付すること又は財務省令で定めるところによりあらかじめ税務署長に届け出た場合に財務省令で定める方法（次項において「特定納付方法」という。）により納付すること（自動車重量税（自動車重量税法（昭和四十六年法律第八十九号）第十四条（税務署長による徴収）の規定により税務署長が徴収するものとされているものを除く。）又は登録免許税（登録免許税法（昭和四十二年法律第三十五号）第二十九条（税務署長による徴収）の規定により税務署長が徴収するものとされているものを除く。）の納付にあつては、自動車重量税法第十条の二（電子情報処理組織を使用する方法等による納付の特例）又は登録免許税法第二十四条の二（電子情報処理組織を使用する方法等による納付の特例）に規定する財務省令で定める方法により納付すること）を妨げない。

2　特定納付方法（電子情報処理組織を使用する方法として財務省令で定める方法に限る。）による国税（法定申告期限と同時に法定納期限が到来するもの（輸入品に係る申告消費税等を除く。）に限るものとし、源泉徴収等による国税を含む。）の納付の手続のうち財務省令で定めるものが法定納期限に行われた場合（その税額が財務省令で定める金額以下である場合に限る。）において、政令で定める日までにその納付がされたときは、その納付は法定納期限においてされたものとみなして、延納及び附帯税に関する規定を適用する。

3　印紙で納付すべきものとされている国税は、第一項の規定にかかわらず、国税に関する法律の定めるところにより、その税額に相当する印紙を貼ることにより納付するものとする。印紙で納付することができるものとされている国税を印紙で納付する場合も、同様とする。

4　物納の許可があつた国税は、第一項の規定にかかわらず、国税に関する法律の定めるところにより、物納をすることができる。

5　国税を納付しようとする者でこの法律の施行地外の地域に住所又は居所を有するもの（以下この項において「国外納付者」という。）は、第一項の規定にかかわらず、財務省令で定めるところにより、金融機関の営業所、事務所その他これらに類するもの（この法律の施行地外の地域にあるものに限る。以下この項において「国外営業所等」という。）を通じてその税額に相当する金銭をその国税の収納を行う税務署の職員の預金口座（国税の納付を受けるために開設されたものに限る。）に対して払込みをすることにより納付することができる。この場合において、その国税の納付は、当該国外納付者が当該金融機関の国外営業所等を通じて送金した日においてされたものとみなして、延納、物納及び附帯税に関する規定を適用する。

（口座振替納付に係る納付書の通知等）

第三十四条の二　税務署長は、預金又は貯金の払出しとその払い出した金銭による国税の納付をその預金口座又は貯金口座のある金融機関に委託して行おうとする納税者から、その納付に必要な事項の当該金融機関に対する通知で財務省令で定めるものの依頼があつた場合には、その納付が確実と認められ、かつ、その依頼を受けることが国税の徴収上有利と認められるときに限り、その依頼を受けることができる。

2　期限内申告書の提出により納付すべき税額の確定した国税でその提出期限と同時に納期限の到来するものが、前項の通知に基づき、政令で定める日までに納付された場合には、その納付の日が納期限後である場合においても、その納付は納期限においてされたものとみなして、延納及び延滞税に関する規定を適用する。

（納付受託者に対する納付の委託）

第三十四条の三　国税を納付しようとする者は、その税額が財務省令で定める金額以下である場合であつて、次の各号のいずれかに該当するときは、納付受託者（次条第一項に規定する納付受託者をいう。以下この条において同じ。）に納付を委託することができる。

一　第三十四条第一項（納付の手続）に規定する納付書で財務省令で定めるものに基づき納付しようとするとき。

二　電子情報処理組織を使用して行う納付受託者に対する通知で財務省令で定めるものに基づき納付しようとするとき。

2　次の各号に掲げるときは、当該各号に定める日に当該各号に規定する国税の納付があつたものとみなして、延納、物納及び附帯税に関する規定を適用する。

一　国税を納付しようとする者が、前項第一号の納付書を添えて、納付受託者に納付しようとする税額に相当する金銭の交付をしたとき　当該交付をした日

二　国税を納付しようとする者が前項第二号の通知に基づき当該国税を納付しようとする場合において、納付受託者が当該国税を納付しようとする者の委託を受けたとき　当該委託を受けた日

（納付受託者）

第三十四条の四　国税の納付に関する事務（以下この項及び第三十四条の六第一項（納付受託者の帳簿保存等の義務）において「納付事務」という。）を適正かつ確実に実施することができると認められる者であり、かつ、政令で定める要件に該当する者として国税庁長官が指定するもの（以下第三十四条の六までにおいて「納付受託者」という。）は、国税を納付しようとする者の委託を受けて、納付事務を行うことができる。

2　国税庁長官は、前項の規定による指定をしたときは、納付受託者の名称、住所又は事務所の所在地その他財務省令で定める事項を公示しなければならない。

3　納付受託者は、その名称、住所又は事務所の所在地を変更しようとするときは、あらかじめ、その旨を国税庁長官に届け出なければならない。

4　国税庁長官は、前項の規定による届出があつたときは、当該届出に係る事項を公示しなければならない。

（納付受託者の納付）

第三十四条の五　納付受託者は、次の各号のいずれかに該当するときは、政令で定める日までに当該各号に規定する委託を受けた国税を納付しなければならない。

一　第三十四条の三第一項（第一号に係る部分に限る。）（納付受託者に対する納付の委託）の規定により国税を納付しようとする者の委託に基づき当該国税の額に相当する金銭の交付を受けたとき。

二　第三十四条の三第一項（第二号に係る部分に限る。）の規定により国税を納付しようとする者の委託を受けたとき。

2　納付受託者は、次の各号のいずれかに該当するときは、遅滞なく、財務省令で定めるところにより、その旨及び第一号の場合にあつては交付、第二号の場合にあつては委託を受けた年月日を国税庁長官に報告しなければならない。

一　第三十四条の三第一項（第一号に係る部分に限る。）の規定により国税を納付しようとする者の委託に基づき当該国税の額に相当する金銭の交付を受けたとき。

二　第三十四条の三第一項（第二号に係る部分に限る。）の規定により国税を納付しようとする者の委託を受けたとき。

3　納付受託者が第一項の国税を同項に規定する政令で定める日までに完納しないときは、納付受託者の住所又は事務所の所在地を管轄する税務署長は、国税の保証人に関する徴収の例によりその国税を納付受託者から徴収する。

4　税務署長は、第一項の規定により納付受託者が納付すべき国税については、当該納付受託者に対して第四十条（滞納処分）の規定による処分をしてもなお徴収すべき残余がある場合でなければ、その残余の額について当該国税に係る納税者から徴収することができない。

（申告納税方式による国税等の納付）

第三十五条　期限内申告書を提出した者は、国税に関する法律に定めるところにより、当該申告書の提出により納付すべきものとしてこれに記載した税額に相当する国税をその法定納期限（延納に係る国税については、その延納に係る納期限）までに国に納付しなければならない。

2　次の各号に掲げる金額に相当する国税の納税者は、その国税を当該各号に定める日（延納に係る国税その他国税に関する法律に別段の納期限の定めがある国税については、当該法律に定める納期限）までに国に納付しなければならない。

一　期限後申告書の提出により納付すべきものとしてこれに記載した税額又は修正申告書に記載した第十九条第四項第二号（修正申告）に掲げる金額（その修正申告書の提出により納付すべき税額が新たにあることとなつた場合には、当該納付すべき税額）　その期限後申告書又は修正申告書を提出した日

二　更正通知書に記載された第二十八条第二項第三号イからハまで（更正又は決定の手続）に掲げる金額（その更正により納付すべき税額が新たにあることとなつた場合には、当該納付すべき税額）又は決定通知書に記載された納付すべき税額　その更正通知書又は決定通知書が発せられた日の翌日から起算して一月を経過する日

3　過少申告加算税、無申告加算税又は重加算税（第六十八条第一項、第二項又は第四項（同条第一項又は第二項の重加算税に係る部分に限る。）（重加算税）の重加算税に限る。以下この項において同じ。）に係る賦課決定通知書を受けた者は、当該通知書に記載された金額の過少申告加算税、無申告加算税又は重加算税を当該通知書が発せられた日の翌日から起算して一月を経過する日までに納付しなければならない。

第二節　国税の徴収

第一款　納税の請求

（納税の告知）

第三十六条　税務署長は、国税に関する法律の規定により次に掲げる国税（その滞納処分費を除く。次条において同じ。）を徴収しようとするときは、納税の告知をしなければならない。

一　賦課課税方式による国税（過少申告加算税、無申告加算税及び前条第三項に規定する重加算税を除く。）

二　源泉徴収等による国税でその法定納期限までに納付されなかつたもの

三　自動車重量税でその法定納期限までに納付されなかつたもの

四　登録免許税でその法定納期限までに納付されなかつたもの

2　前項の規定による納税の告知は、税務署長が、政令で定めるところにより、納付すべき税額、納期限及び納付場所を記載した納税告知書を送達して行う。ただし、担保として提供された金銭をもつて消費税等を納付させる場合その他政令で定める場合には、納税告知書の送達に代え、当該職員に口頭で当該告知をさせることができる。

（督促）

第三十七条　納税者がその国税を第三十五条（申告納税方式による国税の納付）又は前条第二項の納期限（予定納税に係る所得税については、所得税法第百四条第一項、第百七条第一項又は第百十五条（予定納税額の納付）（これらの規定を同法第百六十六条（非居住者に対する準用）において準用する場合を含む。）の納期限とし、延滞税及び利子税については、その計算の基礎となる国税のこれらの納期限とする。以下「納期限」という。）までに完納しない場合には、税務署長は、その国税が次に掲げる国税である場合を除き、その納税者に対し、督促状によりその納付を督促しなければならない。

一　次条第一項若しくは第三項又は国税徴収法第百五十九条（保全差押）の規定の適用を受けた国税

二　国税に関する法律の規定により一定の事実が生じた場合に直ちに徴収するものとされている国税

2　前項の督促状は、国税に関する法律に別段の定めがあるものを除き、その国税の納期限から五十日以内に発するものとする。

3　第一項の督促をする場合において、その督促に係る国税についての延滞税又は利子税があるときは、その延滞税又は利子税につき、あわせて督促しなければならない。

（繰上請求）

第三十八条　税務署長は、次の各号のいずれかに該当する場合において、納付すべき税額の確定した国税（第三号に該当する場合においては、その納める義務が信託財産責任負担債務であるものを除く。）でその納期限までに完納されないと認められるものがあるときは、その納期限を繰り上げ、その納付を請求することができる。

一　納税者の財産につき強制換価手続が開始されたとき（仮登記担保契約に関する法律（昭和五十三年法律第七十八号）第二条第一項（所有権移転の効力の制限等）（同法第二十条（土地等の所有権以外の権利を目的とする契約への準用）において準用する場合を含む。）の規定による通知がされたときを含む。）。

二　納税者が死亡した場合において、その相続人が限定承認をしたとき。

三　法人である納税者が解散したとき。

四　その納める義務が信託財産責任負担債務である国税に係る信託が終了したとき（信託法第百六十三条第五号（信託の終了事由）に掲げる事由によつて終了したときを除く。）。

五　納税者が納税管理人を定めないでこの法律の施行地に住所及び居所を有しないこととなるとき。

六　納税者が偽りその他不正の行為により国税を免れ、若しくは免れようとし、若しくは国税の還付を受け、若しくは受けようとしたと認められるとき、又は納税者が国税の滞納処分の執行を免れ、若しくは免れようとしたと認められるとき。

2　前項の規定による請求は、税務署長が、納付すべき税額、その繰上げに係る期限及び納付場所を記載した繰上請求書（源泉徴収等による国税で納税の告知がされていないものについて同項の規定による請求をする場合には、当該請求をする旨を付記した納税告知書）を送達して行う。

3　第一項各号のいずれかに該当する場合において、次に掲げる国税（納付すべき税額が確定したものを除く。）でその確定後においては当該国税の徴収を確保することができないと認められるものがあるときは、税務署長は、その国税の法定申告期限（課税標準申告書の提出期限を含む。）前に、その確定すると見込まれる国税の金額のうちその徴収を確保するため、あらかじめ、滞納処分を執行することを要すると認める金額を決定することができる。この場合においては、その税務署の当該職員は、その金額を限度として、直ちにその者の財産を差し押さえることができる。

一　納税義務の成立した国税（課税資産の譲渡等に係る消費税を除く。）

二　課税期間が経過した課税資産の譲渡等に係る消費税

三　納税義務の成立した消費税法第四十二条第一項、第四項又は第六項（課税資産の譲渡等及び特定課税仕入れについての中間申告）の規定による申告書に係る消費税

4　国税徴収法第百五十九条第二項から第十一項まで（保全差押え）の規定は、前項の決定があつた場合について準用する。この場合において、同条第五項中「一年」とあるのは、「十月」と読み替えるものとする。

第二款　滞納処分

（滞納処分）

第四十条　税務署長は、第三十七条（督促）の規定による督促に係る国税がその督促状を発した日から起算して十日を経過した日までに完納されない場合、第三十八条第一項（繰上請求）の規定による請求に係る国税がその請求に係る期限まで

に完納されない場合その他国税徴収法に定める場合には、同法その他の法律の規定により滞納処分を行なう。

第四章　納税の猶予及び担保

第一節　納税の猶予

（納税の猶予の要件等）

第四十六条　税務署長（第四十三条第一項ただし書、第三項若しくは第四項（国税の徴収の所轄庁）又は第四十四条第一項（更生手続等が開始した場合の徴収の所轄庁の特例）の規定により税関長又は国税局長が国税の徴収を行う場合には、その税関長又は国税局長。以下この章において「税務署長等」という。）は、震災、風水害、落雷、火災その他これらに類する災害により納税者がその財産につき相当な損失を受けた場合において、その者がその損失を受けた日以後一年以内に納付すべき国税で次に掲げるものがあるときは、政令で定めるところにより、その災害のやんだ日から二月以内にされたその者の申請に基づき、その納期限（納税の告知がされていない源泉徴収等による国税については、その法定納期限）から一年以内の期間（第三号に掲げる国税については、政令で定める期間）を限り、その国税の全部又は一部の納税を猶予することができる。

一　次に掲げる国税の区分に応じ、それぞれ次に定める日以前に納税義務の成立した国税（消費税及び政令で定めるものを除く。）で、納期限（納税の告知がされていない源泉徴収等による国税については、その法定納期限）がその損失を受けた日以後に到来するもののうち、その申請の日以前に納付すべき税額の確定したもの

イ　源泉徴収等による国税並びに申告納税方式による消費税等（保税地域からの引取りに係るものにあつては、石油石炭税法（昭和五十三年法律第二十五号）第十七条第三項（引取りに係る原油等についての石油石炭税の納付等）の規定により納付すべき石油石炭税に限る。）、航空機燃料税、電源開発促進税及び印紙税　その災害のやんだ日の属する月の末日

ロ　イに掲げる国税以外の国税　その災害のやんだ日

二　その災害のやんだ日以前に課税期間が経過した課税資産の譲渡等に係る消費税でその納期限がその損失を受けた日以後に到来するもののうちその申請の日以前に納付すべき税額の確定したもの

三　予定納税に係る所得税その他政令で定める国税でその納期限がその損失を受けた日以後に到来するもの

2　税務署長等は、次の各号のいずれかに該当する事実がある場合（前項の規定の適用を受ける場合を除く。）において、その該当する事実に基づき、納税者がその国税を一時に納付することができないと認められるときは、その納付することができないと認められる金額を限度として、納税者の申請に基づき、一年以内の期間を限り、その納税を猶予することができる。同項の規定による納税の猶予をした場合において、同項の災害を受けたことにより、その猶予期間内に猶予をした金額を納付することができないと認めるときも、同様とする。

一　納税者がその財産につき、震災、風水害、落雷、火災その他の災害を受け、又は盗難にかかつたこと。

二　納税者又はその者と生計を一にする親族が病気にかかり、又は負傷したこと。

三　納税者がその事業を廃止し、又は休止したこと。

四　納税者がその事業につき著しい損失を受けたこと。

五　前各号のいずれかに該当する事実に類する事実があつたこと。

3　税務署長等は、次の各号に掲げる国税（延納に係る国税を除く。）の納税者につき、当該各号に定める税額に相当する国税を一時に納付することができない理由があると認められる場合には、その納付することができないと認められる金額を限度として、その国税の納期限内にされたその者の申請（税務署長等においてやむを得ない理由があると認める場合には、その国税の納期限後にされた申請を含む。）に基づき、その納期限から一年以内の期間を限り、その納税を猶予することができる。

一　申告納税方式による国税（その附帯税を含む。）　その法定申告期限から一年を経過した日以後に納付すべき税額が確定した場合における当該確定した部分の税額

二　賦課課税方式による国税（その延滞税を含み、第六十九条（加算税の税目）に規定する加算税及び過怠税を除く。）　その課税標準申告書の提出期限（当該申告書の提出を要しない国税については、その納税義務の成立の日）から一年を経過した日以後に納付すべき税額が確定した場合における当該確定した部分の税額

三　源泉徴収等による国税（その附帯税を含む。）　その法定納期限から一年を経過した日以後に納税告知書の送達があつた場合における当該告知書に記載された納付すべき税額

4　税務署長等は、前二項の規定による納税の猶予をする場合には、その猶予に係る国税の納付については、その猶予をする期間内において、その猶予に係る金額をその者の財産の状況その他の事情からみて合理的かつ妥当なものに分割して納付させることができる。この場合においては、分割納付の各納付期限及び各納付期限ごとの納付金額を定めるものとする。

5　税務署長等は、第二項又は第三項の規定による納税の猶予をする場合には、その猶予に係る金額に相当する担保を徴さなければならない。ただし、その猶予に係る税額が百万円以下である場合、その猶予の期間が三月以内である場合又は担保を徴することができない特別の事情がある場合は、この限りでない。

6　税務署長等は、前項の規定により担保を徴する場合において、その猶予に係る国税につき滞納処分により差し押えた財

産（租税条約等（租税条約等の実施に伴う所得税法、法人税法及び地方税法の特例等に関する法律（昭和四十四年法律第四十六号）第二条第二号（定義）に規定する租税条約等をいう。以下この項、第六十三条第五項（納税の猶予等の場合の延滞税の免除）及び第七十一条第一項第四号（国税の更正、決定等の期間制限の特例）において同じ。）の規定に基づき当該租税条約等の相手国等（同法第二条第三号に規定する相手国等をいう。以下同じ。）に共助対象国税（同法第十一条の二第一項（国税の徴収の共助）に規定する共助対象国税をいう。以下この項及び第六十三条第五項において同じ。）の徴収の共助又は徴収のための財産の保全の共助を要請した場合における当該相手国等が当該共助対象国税について当該相手国等の法令に基づき差押えに相当する処分をした財産及び担保の提供を受けた財産を含む。）があるときは、その担保の額は、その猶予をする金額からその財産の価額を控除した額を限度とする。

7　税務署長等は、第二項又は第三項の規定により納税の猶予をした場合において、その猶予をした期間内にその猶予をした金額を納付することができないやむを得ない理由があると認めるときは、納税者の申請に基づき、その期間を延長することができる。ただし、その期間は、既にその者につきこれらの規定により納税の猶予をした期間とあわせて二年を超えることができない。

8　第四項の規定は、税務署長等が、前項の規定により第二項又は第三項の規定による納税の猶予をした期間を延長する場合について準用する。

9　税務署長等は、第四項（前項において準用する場合を含む。）の規定によりその猶予に係る金額を分割して納付させる場合において、納税者が第四十七条第一項（納税の猶予の通知等）の規定により通知された分割納付の各納付期限ごとの納付金額をその納付期限までに納付することができないことにつきやむを得ない理由があると認めるとき又は第四十九条第一項（納税の猶予の取消し）の規定により猶予期間を短縮したときは、その分割納付の各納付期限及び各納付期限ごとの納付金額を変更することができる。

（納税の猶予の申請手続等）

第四十六条の二　前条第一項の規定による納税の猶予の申請をしようとする者は、同項の災害によりその者がその財産につき相当な損失を受けたことの事実の詳細、当該猶予を受けようとする金額及びその期間その他の政令で定める事項を記載した申請書に、当該事実を証するに足りる書類を添付し、これを税務署長等に提出しなければならない。

2　前条第二項の規定による納税の猶予の申請をしようとする者は、同項各号のいずれかに該当する事実があること及びその該当する事実に基づきその国税を一時に納付することができない事情の詳細、当該猶予を受けようとする金額及びその期間、分割納付の方法により納付を行うかどうか（分割納付の方法により納付を行う場合にあつては、分割納付の各納付期限及び各納付期限ごとの納付金額を含む。）その他の政令で定める事項を記載した申請書に、当該該当する事実を証するに足りる書類、財産目録、担保の提供に関する書類その他の政令で定める書類を添付し、これを税務署長等に提出しなければならない。

3　前条第三項の規定による納税の猶予の申請をしようとする者は、同項各号に定める税額に相当する国税を一時に納付することができない事情の詳細、当該猶予を受けようとする金額及びその期間、分割納付の方法により納付を行うかどうか（分割納付の方法により納付を行う場合にあつては、分割納付の各納付期限及び各納付期限ごとの納付金額を含む。）その他の政令で定める事項を記載した申請書に、財産目録、担保の提供に関する書類その他の政令で定める書類を添付し、これを税務署長等に提出しなければならない。

4　前条第七項の規定による猶予の期間の延長を申請しようとする者は、猶予期間内にその猶予を受けた金額を納付することができないやむを得ない理由、猶予期間の延長を受けようとする期間、分割納付の方法により納付を行うかどうか（分割納付の方法により納付を行う場合にあつては、分割納付の各納付期限及び各納付期限ごとの納付金額を含む。）その他の政令で定める事項を記載した申請書に、財産目録、担保の提供に関する書類その他の政令で定める書類を添付し、これを税務署長等に提出しなければならない。

5　第一項、第二項又は前項の規定により添付すべき書類（政令で定める書類を除く。）については、これらの規定にかかわらず、前条第一項若しくは第二項（第一号、第二号又は第五号（同項第一号又は第二号に該当する事実に類する事実に係る部分に限る。）に係る部分に限る。）の規定による納税の猶予又はその猶予の期間の延長をする場合において、当該申請者が当該添付すべき書類を提出することが困難であると税務署長等が認めるときは、添付することを要しない。

6　税務署長等は、第一項から第四項までの規定による申請書の提出があつた場合には、当該申請に係る事項について調査を行い、前条の規定による納税の猶予若しくはその猶予の期間の延長をし、又はその納税の猶予若しくはその猶予の期間の延長を認めないものとする。

7　税務署長等は、第一項から第四項までの規定による申請書の提出があつた場合において、これらの申請書についてその記載に不備があるとき又はこれらの申請書に添付すべき書類についてその記載に不備があるとき若しくはその提出がないときは、当該申請者に対して当該申請書の訂正又は当該添付すべき書類の訂正若しくは提出を求めることができる。

8　税務署長等は、前項の規定により申請書の訂正又は添付すべき書類の訂正若しくは提出を求める場合においては、その旨及びその理由を記載した書面により、これを当該申請者に通知する。

9　第七項の規定により申請書の訂正又は添付すべき書類の訂正若しくは提出を求められた当該申請者は、前項の規定による通知を受けた日の翌日から起算して二十日以内に当該申請書の訂正若しくは当該添付すべき書類の訂正若しくは提出をしなければならない。この場合において、当該期間内に当該申請書の訂正又は当該添付すべき書類の訂正若しくは提出をしなかつたときは、当該申請者は、当該期間を経過した日において当該申請を取り下げたものとみなす。

10 税務署長等は、第一項から第四項までの規定による申請書の提出があつた場合において、当該申請者について前条第一項から第三項まで又は第七項の規定に該当していると認められるときであつても、次の各号のいずれかに該当するときは、同条の規定による納税の猶予又はその猶予の延長を認めないことができる。

一 第四十九条第一項第一号（納税の猶予の取消し）に掲げる場合に該当するとき。

二 当該申請者が、次項の規定による質問に対して答弁せず、若しくは偽りの答弁をし、同項の規定による検査を拒み、妨げ、若しくは忌避し、又は同項の規定による物件の提示若しくは提出の要求に対し、正当な理由がなくこれに応じず、若しくは偽りの記載若しくは記録をした帳簿書類その他の物件（その写しを含む。）を提示し、若しくは提出したとき。

三 不当な目的で前条の規定による納税の猶予又はその猶予の期間の延長の申請がされたとき、その他その申請が誠実にされたものでないとき。

11 税務署長等は、第六項の規定による調査をするため必要があると認めるときは、その必要な限度で、その職員に、当該申請者に質問させ、その者の帳簿書類その他の物件を検査させ、当該物件（その写しを含む。）の提示若しくは提出を求めさせ、又は当該調査において提出された物件を留め置かせることができる。

12 前項の規定により質問、検査又は提示若しくは提出の要求を行う職員は、その身分を示す証明書を携帯し、関係者の請求があつたときは、これを提示しなければならない。

13 第十一項に規定する権限は、犯罪捜査のために認められたものと解してはならない。

（納税の猶予の通知等）

第四十七条 税務署長等は、第四十六条（納税の猶予の要件等）の規定による納税の猶予（以下「納税の猶予」という。）をし、又はその猶予の期間を延長したとき（同条第九項の規定により分割納付の各納付期限及び各納付期限ごとの納付金額を変更したときを含む。）は、その旨、猶予に係る金額、猶予期間、分割して納付させる場合の当該分割納付の各納付期限及び各納付期限ごとの納付金額（同項の規定による変更をした場合には、その変更後の各納付期限及び各納付期限ごとの納付金額）その他必要な事項を納税者に通知しなければならない。

2 税務署長等は、前条第一項から第四項までの規定による申請書の提出があつた場合において、納税の猶予又はその猶予の延長を認めないときは、その旨を納税者に通知しなければならない。

（納税の猶予の効果）

第四十八条 税務署長等は、納税の猶予をしたときは、その猶予期間内は、その猶予に係る金額に相当する国税につき、新たに督促及び滞納処分（交付要求を除く。）をすることができない。

2 税務署長等は、納税の猶予をした場合において、その猶予に係る国税につき既に滞納処分により差し押さえた財産があるときは、その猶予を受けた者の申請に基づき、その差押えを解除することができる。

3 税務署長等は、納税の猶予をした場合において、その猶予に係る国税につき差し押さえた財産のうちに天然果実を生ずるもの又は有価証券、債権若しくは国税徴収法第七十二条第一項（特許権等の差押手続）に規定する無体財産権等があるときは、第一項の規定にかかわらず、その取得した天然果実又は同法第二十四条第五項第二号（譲渡担保権者の物的納税責任）に規定する第三債務者等から給付を受けた財産で金銭以外のものにつき滞納処分を執行し、その財産に係る同法第百二十九条第一項（配当の原則）に規定する換価代金等をその猶予に係る国税に充てることができる。

4 前項の場合において、同項の第三債務者等から給付を受けた財産のうちに金銭があるときは、第一項の規定にかかわらず、当該金銭をその猶予に係る国税に充てることができる。

（納税の猶予の取消し）

第四十九条 納税の猶予を受けた者が次の各号のいずれかに該当する場合には、税務署長等は、その猶予を取り消し、又は猶予期間を短縮することができる。

一 第三十八条第一項各号（繰上請求）のいずれかに該当する事実がある場合において、その者がその猶予に係る国税を猶予期間内に完納することができないと認められるとき。

二 第四十七条第一項（納税の猶予の通知等）の規定により通知された分割納付の各納付期限ごとの納付金額をその納付期限までに納付しないとき（税務署長等がやむを得ない理由があると認めるときを除く。）。

三 その猶予に係る国税につき提供された担保について税務署長等が第五十一条第一項（担保の変更等）の規定によつてした命令に応じないとき。

四 新たにその猶予に係る国税以外の国税を滞納したとき（税務署長等がやむを得ない理由があると認めるときを除く。）。

五 偽りその他不正な手段によりその猶予又はその猶予の期間の延長の申請がされ、その申請に基づきその猶予をし、又はその猶予期間の延長をしたことが判明したとき。

六 前各号に掲げる場合を除き、その者の財産の状況その他の事情の変化によりその猶予を継続することが適当でないと認められるとき。

2 税務署長等は、前項の規定により納税の猶予を取り消し、又は猶予期間を短縮する場合には、第三十八条第一項各号のいずれかに該当する事実があるときを除き、あらかじめ、その猶予を受けた者の弁明を聞かなければならない。ただし、その者が正当な理由がなくその弁明をしないときは、この限りでない。

3　税務署長等は、第一項の規定により納税の猶予を取り消し、又は猶予期間を短縮したときは、その旨を納税者に通知しなければならない。

第二節　担保

（担保の種類）

第五十条　国税に関する法律の規定により提供される担保の種類は、次に掲げるものとする。

一　国債及び地方債

二　社債（特別の法律により設立された法人が発行する債券を含む。）その他の有価証券で税務署長等（国税に関する法律の規定により国税庁長官又は国税局長が担保を徴するものとされている場合には、国税庁長官又は国税局長。以下この条及び次条において同じ。）が確実と認めるもの

三　土地

四　建物、立木及び登記される船舶並びに登録を受けた飛行機、回転翼航空機及び自動車並びに登記を受けた建設機械で、保険に附したもの

五　鉄道財団、工場財団、鉱業財団、軌道財団、運河財団、漁業財団、港湾運送事業財団、道路交通事業財団及び観光施設財団

六　税務署長等が確実と認める保証人の保証

七　金銭

（担保の変更等）

第五十一条　税務署長等は、国税につき担保の提供があつた場合において、その担保として提供された財産の価額又は保証人の資力の減少その他の理由によりその国税の納付を担保することができないと認めるときは、その担保を提供した者に対し、増担保の提供、保証人の変更その他の担保を確保するため必要な行為をすべきことを命ずることができる。

2　国税について担保を提供した者は、税務署長等の承認を受けて、その担保を変更することができる。

3　国税の担保として金銭を提供した者は、政令で定めるところにより、その金銭をもつてその国税の納付に充てることができる。

（担保の処分）

第五十二条　税務署長等は、担保の提供されている国税がその納期限（第三十八条第二項（繰上請求）に規定する繰上げに係る期限及び納税の猶予又は徴収若しくは滞納処分に関する猶予に係る期限を含む。以下次条及び第六十三条第二項（延滞税の免除）において同じ。）までに完納されないとき、又は担保の提供がされている国税についての延納、納税の猶予若しくは徴収若しくは滞納処分に関する猶予を取り消したときは、その担保として提供された金銭をその国税に充て、若しくはその提供された金銭以外の財産を滞納処分の例により処分してその国税及び当該財産の処分費に充て、又は保証人にその国税を納付させる。

2　税務署長等は、前項の規定により保証人に同項の国税を納付させる場合には、政令で定めるところにより、その者に対し、納付させる金額、納付の期限、納付場所その他必要な事項を記載した納付通知書による告知をしなければならない。この場合においては、その者の住所又は居所の所在地を所轄する税務署長に対し、その旨を通知しなければならない。

3　保証人がその国税を前項の納付の期限までに完納しない場合には、税務署長等は、第六項において準用する第三十八条第一項の規定により納付させる場合を除き、その者に対し、納付催告書によりその納付を督促しなければならない。この場合においては、その納付催告書は、国税に関する法律に別段の定めがあるものを除き、その納付の期限から五十日以内に発するものとする。

4　第一項の場合において、担保として提供された金銭又は担保として提供された財産の処分の代金を同項の国税及び処分費に充ててなお不足があると認めるときは、税務署長等は、当該担保を提供した者の他の財産について滞納処分を執行し、また、保証人がその納付すべき金額を完納せず、かつ、当該担保を提供した者に対して滞納処分を執行してもなお不足があると認めるときは、保証人に対して滞納処分を執行する。

5　前項の規定により保証人に対して滞納処分を執行する場合には、税務署長等は、同項の担保を提供した者の財産を換価に付した後でなければ、その保証人の財産を換価に付することができない。

6　第三十八条第一項及び第二項、前節並びに第五十五条（納付委託）の規定は、保証人に第一項の国税を納付させる場合について準用する。

（国税庁長官等が徴した担保の処分）

第五十三条　国税庁長官又は国税局長は、国税に関する法律の規定により担保を徴した場合（第四十三条第三項又は第四十四条第一項（徴収の引継ぎ）の規定により徴収の引継ぎを受けた国税局長がその引継ぎに係る国税につき担保を徴した場合を除く。）において、その担保の提供されている国税がその納期限までに完納されないときは、政令で定める税務署長にその担保として提供された財産の処分その他前条に規定する処分を行なわせるものとする。

（担保の提供等に関する細目）

第五十四条　この法律に定めるもののほか、担保の提供の手続その他担保に関し必要な手続については、政令で定める。

（納付委託）

第五十五条　納税者が次に掲げる国税を納付するため、国税の納付に使用することができる証券以外の有価証券を提供して、その証券の取立てとその取り立てた金銭による当該国税の納付を委託しようとする場合には、税務署（第四十三条第一項ただし書、第三項若しくは第四項又は第四十四条第一項（国

税の徴収の所轄庁）の規定により税関長又は国税局長が国税の徴収を行う場合には、その税関又は国税局。以下この条において同じ。）の当該職員は、その証券が最近において確実に取り立てることができるものであると認められるときに限り、その委託を受けることができる。この場合において、その証券の取立てにつき費用を要するときは、その委託をしようとする者は、その費用の額に相当する金額をあわせて提供しなければならない。

一　納税の猶予又は滞納処分に関する猶予に係る国税

二　納付の委託をしようとする有価証券の支払期日以後に納期限の到来する国税

三　前二号に掲げる国税のほか、滞納に係る国税で、その納付につき納税者が誠実な意思を有し、かつ、その納付の委託を受けることが国税の徴収上有利と認められるもの

2　税務署の当該職員は、前項の委託を受けたときは、納付受託証書を交付しなければならない。

3　第一項の委託があつた場合において、必要があるときは、税務署の当該職員は、確実と認める金融機関にその取立て及び納付の再委託をすることができる。

4　第一項の委託があつた場合において、その委託に係る有価証券の提供により同項第一号に掲げる国税につき国税に関する法律の規定による担保の提供の必要がないと認められるに至つたときは、その認められる限度において当該担保の提供があつたものとすることができる。

第五章　国税の還付及び還付加算金

（還付）

第五十六条　国税局長、税務署長又は税関長は、還付金又は国税に係る過誤納金（以下「還付金等」という。）があるときは、遅滞なく、金銭で還付しなければならない。

2　国税局長は、必要があると認めるときは、その管轄区域内の地域を所轄する税務署長からその還付すべき還付金等について還付の引継ぎを受けることができる。

（充当）

第五十七条　国税局長、税務署長又は税関長は、還付金等がある場合において、その還付を受けるべき者につき納付すべきこととなつている国税（その納める義務が信託財産責任負担債務である国税に係る還付金等である場合にはその納める義務が当該信託財産責任負担債務である国税に限るものとし、その納める義務が信託財産限定責任負担債務である国税に係る還付金等でない場合にはその納める義務が信託財産限定責任負担債務である国税以外の国税に限る。）があるときは、前条第一項の規定による還付に代えて、還付金等をその国税に充当しなければならない。この場合において、その国税のうちに延滞税又は利子税があるときは、その還付金等は、まず延滞税又は利子税の計算の基礎となる国税に充当しなければならない。

2　前項の規定による充当があつた場合には、政令で定める充当をするのに適することとなつた時に、その充当をした還付金等に相当する額の国税の納付があつたものとみなす。

3　国税局長、税務署長又は税関長は、第一項の規定による充当をしたときは、その旨をその充当に係る国税を納付すべき者に通知しなければならない。

（還付加算金）

第五十八条　国税局長、税務署長又は税関長は、還付金等を還付し、又は充当する場合には、次の各号に掲げる還付金等の区分に従い当該各号に定める日の翌日からその還付のための支払決定の日又はその充当の日（同日前に充当をするのに適することとなつた日がある場合には、その適することとなつた日）までの期間（他の国税に関する法律に別段の定めがある場合には、その定める期間）の日数に応じ、その金額に年七・三パーセントの割合を乗じて計算した金額（以下「還付加算金」という。）をその還付し、又は充当すべき金額に加算しなければならない。

一　還付金及び次に掲げる過納金　当該還付金又は過納金に係る国税の納付があつた日（その日が当該国税の法定納期限前である場合には、当該法定納期限）

イ　更正若しくは第二十五条（決定）の規定による決定又は賦課決定（以下「更正決定等」という。）により納付すべき税額が確定した国税（当該国税に係る延滞税及び利子税を含む。）に係る過納金（次号に掲げるものを除く。）

ロ　納税義務の成立と同時に特別の手続を要しないで納付すべき税額が確定する国税で納税の告知があつたもの（当該国税に係る延滞税を含む。）に係る過納金

ハ　イ又はロに掲げる過納金に類する国税に係る過納金として政令で定めるもの

二　更正の請求に基づく更正（当該請求に対する処分に係る不服申立て又は訴えについての決定若しくは裁決又は判決を含む。）により納付すべき税額が減少した国税（当該国税に係る延滞税及び利子税を含む。）に係る過納金　その更正の請求があつた日の翌日から起算して三月を経過する日と当該更正があつた日の翌日から起算して一月を経過する日とのいずれか早い日（その日が当該国税の法定納期限前である場合には、当該法定納期限）

三　前二号に掲げる過納金以外の国税に係る過誤納金　その過誤納となつた日として政令で定める日の翌日から起算して一月を経過する日

2　前項の場合において、次の各号のいずれかに該当するときは、当該各号に定める期間を同項に規定する期間から控除する。

一　還付金等の請求権につき民事執行法（昭和五十四年法律第四号）の規定による差押命令又は差押処分が発せられたとき。その差押命令の送達を受けた日の翌日から七日を経過した日までの期間

二　還付金等の請求権につき仮差押えがされたとき。　その仮差押えがされている期間

3　二回以上の分割納付に係る国税につき過誤納が生じた場合には、その過誤納金については、その過誤納の金額に達するまで、納付の日の順序に従い最後に納付された金額から順次遡つて求めた金額の過誤納からなるものとみなして、第一項の規定を適用する。

4　適法に納付された国税が、その適法な納付に影響を及ぼすことなくその納付すべき額を変更する法律の規定に基づき過納となつたときは、その過納金については、これを第一項第三号に掲げる過誤納金と、その過納となつた日を同号に掲げる日とそれぞれみなして、同項の規定を適用する。

5　申告納税方式による国税の納付があつた場合において、その課税標準の計算の基礎となつた事実のうちに含まれていた無効な行為により生じた経済的成果がその行為の無効であることに基因して失われたこと、当該事実のうちに含まれていた取り消しうべき行為が取り消されたことその他これらに準ずる政令で定める理由に基づきその国税について更正（更正の請求に基づく更正を除く。）が行なわれたときは、その更正により過納となつた金額に相当する国税（その附帯税で当該更正に伴い過納となつたものを含む。）については、その更正があつた日の翌日から起算して一月を経過する日を第一項各号に掲げる日とみなして、同項の規定を適用する。

（国税の予納額の還付の特例）

第五十九条　納税者は、次に掲げる国税として納付する旨を税務署長に申し出て納付した金額があるときは、その還付を請求することができない。

一　納付すべき税額の確定した国税で、その納期が到来していないもの

二　最近において納付すべき税額の確定することが確実であると認められる国税

2　前項の規定に該当する納付があつた場合において、その納付に係る国税の全部又は一部につき国税に関する法律の改正その他の理由によりその納付の必要がないこととなつたときは、その時に国税に係る過誤納があつたものとみなして、前三条の規定を適用する。

第七章　国税の更正、決定、徴収、還付等の期間制限

第一節　国税の更正、決定等の期間制限

（国税の更正、決定等の期間制限）

第七十条　次の各号に掲げる更正決定等は、当該各号に定める期限又は日から五年（第二号に規定する課税標準申告書の提出を要する国税で当該申告書の提出があつたものに係る賦課決定（納付すべき税額を減少させるものを除く。）については、三年）を経過した日以後においては、することができない。

一　更正又は決定　その更正又は決定に係る国税の法定申告期限（還付請求申告書に係る更正については当該申告書を提出した日とし、還付請求申告書の提出がない場合にする第二十五条（決定）の規定による決定又はその決定後にする更正については政令で定める日とする。）

二　課税標準申告書の提出を要する国税に係る賦課決定　当該申告書の提出期限

三　課税標準申告書の提出を要しない賦課課税方式による国税に係る賦課決定　その納税義務の成立の日

2　法人税に係る純損失等の金額で当該課税期間において生じたものを増加させ、若しくは減少させる更正又は当該金額があるものとする更正は、前項の規定にかかわらず、同項第一号に定める期限から十年を経過する日まで、することができる。

3　前二項の規定により更正をすることができないこととなる日前六月以内にされた更正の請求に係る更正又は当該更正に伴つて行われることとなる加算税についてする賦課決定は、前二項の規定にかかわらず、当該更正の請求があつた日から六月を経過する日まで、することができる。

4　第一項の規定により賦課決定をすることができないこととなる日前三月以内にされた納税申告書の提出（源泉徴収等による国税の納付を含む。以下この項において同じ。）に伴つて行われることとなる無申告加算税（第六十六条第八項（無申告加算税）の規定の適用があるものに限る。）又は不納付加算税（第六十七条第二項（不納付加算税）の規定の適用があるものに限る。）についてする賦課決定は、第一項の規定にかかわらず、当該納税申告書の提出があつた日から三月を経過する日まで、することができる。

5　次の各号に掲げる更正決定等は、第一項又は前二項の規定にかかわらず、第一項各号に掲げる更正決定等の区分に応じ、同項各号に定める期限又は日から七年を経過する日まで、することができる。

一　偽りその他不正の行為によりその全部若しくは一部の税額を免れ、又はその全部若しくは一部の税額の還付を受けた国税（当該国税に係る加算税及び過怠税を含む。）についての更正決定等

二　偽りその他不正の行為により当該課税期間において生じた純損失等の金額が過大にあるものとする納税申告書を提出していた場合における当該申告書に記載された当該純損失等の金額（当該金額に関し更正があつた場合には、当該更正後の金額）についての更正（第二項又は第三項の規定の適用を受ける法人税に係る純損失等の金額に係るものを除く。）

三　所得税法第六十条の二第一項から第三項まで（国外転出をする場合の譲渡所得等の特例）又は第六十条の三第一項から第三項まで（贈与等により非居住者に資産が移転した場合の譲渡所得等の特例）の規定の適用がある場合（第百十七条第二項（納税管理人）の規定による納税管理人の届

出及び税理士法（昭和二十六年法律第二百三十七号）第三十条（税務代理の権限の明示）（同法第四十八条の十六（税理士の権利及び義務等に関する規定の準用）において準用する場合を含む。）の規定による書面の提出がある場合その他の政令で定める場合を除く。）の所得税（当該所得税に係る加算税を含む。第七十三条第三項（時効の完成猶予及び更新）において「国外転出等特例の適用がある場合の所得税」という。）についての更正決定等

（国税の更正、決定等の期間制限の特例）

第七十一条　更正決定等で次の各号に掲げるものは、当該各号に定める期間の満了する日が前条の規定により更正決定等をすることができる期間の満了する日後に到来する場合には、同条の規定にかかわらず、当該各号に定める期間においても、することができる。

一　更正決定等に係る不服申立て若しくは訴えについての裁決、決定若しくは判決（以下この号において「裁決等」という。）による原処分の異動又は更正の請求に基づく更正に伴つて課税標準等又は税額等に異動を生ずべき国税（当該裁決等又は更正に係る国税の属する税目に属するものに限る。）で当該裁決等又は更正を受けた者に係るものについての更正決定等　当該裁決等又は更正があつた日から六月間

二　申告納税方式による国税につき、その課税標準の計算の基礎となつた事実のうちに含まれていた無効な行為により生じた経済的成果がその行為の無効であることに基因して失われたこと、当該事実のうちに含まれていた取り消しうべき行為が取り消されたことその他これらに準ずる政令で定める理由に基づいてする更正（納付すべき税額を減少させる更正又は純損失等の金額で当該課税期間において生じたもの若しくは還付金の額を増加させる更正若しくはこれらの金額があるものとする更正に限る。）又は当該更正に伴い当該国税に係る加算税についてする賦課決定　当該理由が生じた日から三年間

三　更正の請求をすることができる期限について第十条第二項（期間の計算及び期限の特例）又は第十一条（災害等による期限の延長）の規定の適用がある場合における当該更正の請求に係る更正又は当該更正に伴つて行われることとなる加算税についてする賦課決定　当該更正の請求があつた日から六日間

四　イに掲げる事由が生じた場合において、ロに掲げる事由に基づいてする更正決定等　ロの租税条約等の相手国等に対しロの要請に係る書面が発せられた日から三年間

イ　国税庁、国税局又は税務署の当該職員が納税者にその国税に係る国外取引（非居住者（所得税法第二条第一項第五号（定義）に規定する非居住者をいう。イにおいて同じ。）若しくは外国法人（法人税法第二条第四号（定義）に規定する外国法人をいう。イにおいて同じ。）との間で行う資産の販売、資産の購入、役務の提供その他の取引又は非居住者若しくは外国法人が提供する場を利用して行われる資産の販売、資産の購入、役務の提供その他の取引をいう。）又は国外財産（相続税法第二十条の二（在外財産に対する相続税額の控除）に規定する財産をいう。）に関する書類（その作成又は保存に代えて電磁的記録の作成又は保存がされている場合における当該電磁的記録を含む。）又はその写しの提示又は提出を求めた場合において、その提示又は提出を求めた日から六十日を超えない範囲内においてその準備に通常要する日数を勘案して当該職員が指定する日までにその提示又は提出がなかつたこと（当該納税者の責めに帰すべき事由がない場合を除く。）。

ロ　国税庁長官（その委任を受けた者を含む。）が租税条約等の規定に基づき当該租税条約等の相手国等にイの国外取引又は国外財産に関する情報の提供の要請をした場合（当該要請が前条の規定により更正決定等をすることができないこととなる日の六月前の日以後にされた場合を除くものとし、当該要請をした旨のイの納税者への通知が当該要請をした日から三月以内にされた場合に限る。）において、その国税に係る課税標準等又は税額等に関し、当該相手国等から提供があつた情報に照らし非違があると認められること。

2　前項第一号に規定する当該裁決等又は更正を受けた者には、当該受けた者が分割等（分割、現物出資、法人税法第二条第十二号の五の二に規定する現物分配又は同法第六十一条の十一第一項（完全支配関係がある法人の間の取引の損益）の規定の適用を受ける同項に規定する譲渡損益調整資産の譲渡をいう。以下この項において同じ。）に係る分割法人等（同法第二条第十二号の二に規定する分割法人、同条第十二号の四に規定する現物出資法人、同条第十二号の五の二に規定する現物分配法人又は同法第六十一条の十一第一項に規定する譲渡損益調整資産を譲渡した法人をいう。以下この項において同じ。）である場合には当該分割等に係る分割承継法人等（同法第二条第十二号の三に規定する分割承継法人、同条第十二号の五に規定する被現物出資法人、同条第十二号の五の三に規定する被現物分配法人又は同法第六十一条の十一第一項に規定する譲受法人をいう。以下この項において同じ。）を含むものとし、当該受けた者が分割等に係る分割承継法人等である場合には当該分割等に係る分割法人等を含むものとし、当該受けた者が同法第二条第十二号の七の二に規定する通算法人（以下この項及び第七十四条の二第四項（当該職員の所得税等に関する調査に係る質問検査権）において「通算法人」という。）である場合には他の通算法人を含むものとする。

第二節　国税の徴収権の消滅時効

（国税の徴収権の消滅時効）

第七十二条　国税の徴収を目的とする国の権利（以下この節において「国税の徴収権」という。）は、その国税の法定納期

限（第七十条第三項（国税の更正、決定等の期間制限）の規定による更正若しくは賦課決定、同条第四項の規定による賦課決定、前条第一項第一号の規定による更正決定等、同項第三号の規定による更正若しくは賦課決定又は同項第四号の規定による更正決定等により納付すべきものについては、第七十条第三項若しくは前条第一項第一号若しくは第三号に規定する更正、第七十条第四項に規定する賦課決定、前条第一項第一号に規定する裁決等又は同項第四号に規定する更正決定等があつた日とし、還付請求申告書に係る還付金の額に相当する税額が過大であることにより納付すべきもの及び国税の滞納処分費については、これらにつき徴収権を行使することができる日とし、過怠税については、その納税義務の成立の日とする。次条第三項において同じ。）から五年間行使しないことによつて、時効により消滅する。

2 国税の徴収権の時効については、その援用を要せず、また、その利益を放棄することができないものとする。

3 国税の徴収権の時効については、この節に別段の定めがあるものを除き、民法の規定を準用する。

（時効の完成猶予及び更新）

第七十三条 国税の徴収権の時効は、次の各号に掲げる処分に係る部分の国税については、当該各号に定める期間は完成せず、その期間を経過した時から新たにその進行を始める。

一 更正又は決定 その更正又は決定により納付すべき国税の第三十五条第二項第二号（申告納税方式による国税等の納付）の規定による納期限までの期間

二 過少申告加算税、無申告加算税又は重加算税（第六十八条第一項、第二項又は第四項（同条第一項又は第二項の重加算税に係る部分に限る。）（重加算税）の重加算税に限る。）に係る賦課決定 その賦課決定により納付すべきこれらの国税の第三十五条第三項の規定による納期限までの期間

三 納税に関する告知 その告知に指定された納付に関する期限までの期間

四 督促 督促状又は督促のための納付催告書を発した日から起算して十日を経過した日（同日前に国税徴収法第四十七条第二項（差押えの要件）の規定により差押えがされた場合には、そのされた日）までの期間

五 交付要求 その交付要求がされている期間（国税徴収法第八十二条第二項（交付要求の手続）の通知がされていない期間があるときは、その期間を除く。）

2 前項第五号の交付要求に係る強制換価手続が取り消された場合においても、同項の規定による時効の完成猶予及び更新は、その効力を妨げられない。

3 国税の徴収権で、偽りその他不正の行為によりその全部若しくは一部の税額を免れ、若しくはその全部若しくは一部の税額の還付を受けた国税又は国外転出等特例の適用がある場合の所得税に係るものの時効は、当該国税の法定納期限から二年間は、進行しない。ただし、当該法定納期限の翌日から同日以後二年を経過する日までの期間内に次の各号に掲げる行為又は処分があつた場合においては当該各号に掲げる行為又は処分の区分に応じ当該行為又は処分に係る部分の国税ごとに当該各号に定める日の翌日から、当該法定納期限までに当該行為又は処分があつた場合においては当該行為又は処分に係る部分の国税ごとに当該法定納期限の翌日から進行する。

一 納税申告書の提出 当該申告書が提出された日

二 更正決定等（加算税に係る賦課決定を除く。） 当該更正決定等に係る更正通知書若しくは決定通知書又は賦課決定通知書が発せられた日（当該更正決定等に係る賦課決定通知書の送達に代え、口頭で賦課決定の通知がされた場合には、当該賦課決定の通知がされた日）

三 納税に関する告知（賦課決定通知書が発せられた国税に係るもの（賦課決定通知書の送達に代え、口頭で賦課決定の通知がされた国税に係るものを含む。）を除く。） 当該告知に係る納税告知書が発せられた日（当該告知が当該告知書の送達に代え、口頭でされた場合には、当該告知がされた日）

四 納税の告知を受けることなくされた源泉徴収等による国税の納付 当該納付の日

4 国税の徴収権の時効は、延納、納税の猶予又は徴収若しくは滞納処分に関する猶予に係る部分の国税（当該部分の国税に併せて納付すべき延滞税及び利子税を含む。）につき、その延納又は猶予がされている期間内は、進行しない。

5 国税（附帯税、過怠税及び国税の滞納処分費を除く。）についての国税の徴収権の時効が完成せず、又は新たにその進行を始めるときは、その完成せず、又は新たにその進行を始める部分の国税に係る延滞税又は利子税についての国税の徴収権の時効は、完成せず、又は新たにその進行を始める。

6 国税（附帯税、過怠税及び国税の滞納処分費を除く。）が納付されたときは、その納付された部分の国税に係る延滞税又は利子税についての国税の徴収権の時効は、その納付の時から新たにその進行を始める。

第三節 還付金等の消滅時効

（還付金等の消滅時効）

第七十四条 還付金等に係る国に対する請求権は、その請求をすることができる日から五年間行使しないことによつて、時効により消滅する。

2 第七十二条第二項及び第三項（国税の徴収権の消滅時効の絶対的効力等）の規定は、前項の場合について準用する。

第九章 雑則

（国税の課税標準の端数計算等）

第百十八条 国税（印紙税及び附帯税を除く。以下この条において同じ。）の課税標準（その税率の適用上課税標準から控除する金額があるときは、これを控除した金額。以下この条において同じ。）を計算する場合において、その額に千円未満の端数があるとき、又はその全額が千円未満であるときは、

その端数金額又はその全額を切り捨てる。

2　政令で定める国税の課税標準については、前項の規定にかかわらず、その課税標準に一円未満の端数があるとき、又はその全額が一円未満であるときは、その端数金額又はその全額を切り捨てる。

3　附帯税の額を計算する場合において、その計算の基礎となる税額に一万円未満の端数があるとき、又はその税額の全額が一万円未満であるときは、その端数金額又はその全額を切り捨てる。

（国税の確定金額の端数計算等）

第百十九条　国税（自動車重量税、印紙税及び附帯税を除く。以下この条において同じ。）の確定金額に百円未満の端数があるとき、又はその全額が百円未満であるときは、その端数金額又はその全額を切り捨てる。

2　政令で定める国税の確定金額については、前項の規定にかかわらず、その確定金額に一円未満の端数があるとき、又はその全額が一円未満であるときは、その端数金額又はその全額を切り捨てる。

3　国税の確定金額を、二以上の納付の期限を定め、一定の金額に分割して納付することとされている場合において、その納付の期限ごとの分割金額に千円未満（前項に規定する国税に係るものについては、一円未満）の端数があるときは、その端数金額は、すべて最初の納付の期限に係る分割金額に合算するものとする。

4　附帯税の確定金額に百円未満の端数があるとき、又はその全額が千円未満（加算税に係るものについては、五千円未満）であるときは、その端数金額又はその全額を切り捨てる。

（還付金等の端数計算等）

第百二十条　還付金等の額に一円未満の端数があるときは、その端数金額を切り捨てる。

2　還付金等の額が一円未満であるときは、その額を一円として計算する。

3　還付加算金の確定金額に百円未満の端数があるとき、又はその全額が千円未満であるときは、その端数金額又はその全額を切り捨てる。

4　還付加算金の額を計算する場合において、その計算の基礎となる還付金等の額に一万円未満の端数があるとき、又はその還付金等の額の全額が一万円未満であるときは、その端数金額又はその全額を切り捨てる。

（供託）

第百二十一条　民法第四百九十四条（供託）並びに第四百九十五条第一項及び第三項（供託の方法）の規定は、国税に関する法律の規定により納税者その他の者に金銭その他の物件を交付し、又は引き渡すべき場合について準用する。

（国税に関する相殺）

第百二十二条　国税と国に対する債権で金銭の給付を目的とするものとは、法律の別段の規定によらなければ、相殺することができない。還付金等に係る債権と国に対する債務で金銭の給付を目的とするものについても、また同様とする。

（納税証明書の交付等）

第百二十三条　国税局長、税務署長又は税関長は、国税に関する事項のうち納付すべき税額その他政令で定めるものについての証明書の交付を請求する者があるときは、その者に関するものに限り、政令で定めるところにより、これを交付しなければならない。

2　前項の証明書の交付を請求する者は、政令で定めるところにより、証明書の枚数を基準として定められる手数料を納付しなければならない。

（書類提出者の氏名、住所及び番号の記載）

第百二十四条　国税に関する法律に基づき税務署長その他の行政機関の長又はその職員に申告書、申請書、届出書、調書その他の書類（以下この条において「税務書類」という。）を提出する者は、当該税務書類にその氏名（法人については、名称。以下この条において同じ。）、住所又は居所及び番号（番号を有しない者にあつては、その氏名及び住所又は居所とし、税務書類のうち個人番号の記載を要しない書類（納税申告書及び調書を除く。）として財務省令で定める書類については、当該書類を提出する者の氏名及び住所又は居所とする。）を記載しなければならない。この場合において、その者が法人であるとき、納税管理人若しくは代理人（代理の権限を有することを書面で証明した者に限る。以下この条において同じ。）によつて当該税務書類を提出するとき、又は不服申立人が総代を通じて当該税務書類を提出するときは、その代表者（人格のない社団等の管理人を含む。）、納税管理人若しくは代理人又は総代の氏名及び住所又は居所をあわせて記載しなければならない。

（政令への委任）

第百二十五条　この法律に定めるもののほか、この法律の規定による通知に係る事項及び納税の猶予に関する申請の手続その他のこの法律の実施のための手続その他その執行に関し必要な事項は、政令で定める。

附　則（平二九・六・二法四五）（抄）

この法律は、民法改正法の施行の日（平三二（令二）・四・一）から施行する。［ただし書略］

○民法の一部を改正する法律の施行に伴う関係法律の整備等に関する法律（抄）

平二九・六・二
法　四　五

（国税通則法の一部改正に伴う経過措置）

第百三十六条　［略］

2・3　［略］

4　施行日前に旧国税通則法第七十三条第一項又は第五項に規定する時効の中断の事由が生じた場合におけるその事由の効力については、なお従前の例による。

附　則（令二・三・三一法八）（抄）

（施行期日）

第一条　この法律は、令和二年四月一日から施行する。ただし、次の各号に掲げる規定は、当該各号に定める日から施行する。

一～四　〔略〕

五　次に掲げる規定　令和四年四月一日

イ～ホ　〔略〕

ヘ　第十三条の規定（同条中国税通則法第四十六条第六項の改正規定、同法第七十条の改正規定、同法第七十一条第一項の改正規定、同条第二項の改正規定（「（定義）」を削る部分に限る。）、同法第七十二条第一項の改正規定及び同法第七十四条の十一第一項の改正規定を除く。）

ト～ナ　〔略〕

六～十二　〔略〕

（国税通則法の一部改正に伴う経過措置）

第五十二条　第十三条の規定による改正後の国税通則法（以下この条において「新国税通則法」という。）第七十条第四項の規定は、施行日以後に同条第一項第三号に定める日が到来する国税について適用する。

2　新国税通則法第七十一条第一項（第四号に係る部分に限る。）の規定は、施行日以後に新国税通則法第七十条第一項各号に定める期限又は日が到来する国税について適用する。

3　新国税通則法第七十二条第一項の規定は、施行日以後に新国税通則法第七十条第一項各号に定める期限又は日が到来する国税について適用し、施行日前に第十三条の規定による改正前の国税通則法第七十条第一項各号に定める期限又は日が到来した国税については、なお従前の例による。

附　則（令三・三・三一法一一）（抄）

（施行期日）

第一条　この法律は、令和三年四月一日から施行する。ただし、次の各号に掲げる規定は、当該各号に定める日から施行する。

一～五　〔略〕

六　第五条中国税通則法第三十四条の改正規定　令和四年一月四日

七～十八　〔略〕

附　則（令四・三・三一法四）（抄）

（施行期日）

第一条　この法律は、令和四年四月一日から施行する。ただし、次の各号に掲げる規定は、当該各号に定める日から施行する。

一　〔略〕

二　次に掲げる規定　令和四年十二月三十一日

イ・ロ　〔略〕

ハ　第九条中国税通則法第十九条第四項の改正規定、同法第二十三条第三項の改正規定及び同法第三十五条第二項の改正規定並びに附則第二十条第一項の規定

ニ　〔略〕

三～五　〔略〕

六　次に掲げる規定　令和六年一月一日

イ・ロ　〔略〕

ハ　第九条中国税通則法〔中略〕第七十条の改正規定〔後略〕

ニ～ヘ　〔略〕

七～十一　〔略〕

（国税通則法の一部改正に伴う経過措置）

第二十条　第九条の規定による改正後の国税通則法（以下この条において「新国税通則法」という。）第十九条第四項及び第二十三条第三項の規定は、令和四年十二月三十一日以後に課税期間が終了する国税（課税期間のない国税については、同日後にその納税義務が成立する当該国税）に係る新国税通則法第十九条第三項に規定する修正申告書又は新国税通則法第二十三条第三項に規定する更正請求書について適用し、同日前に課税期間が終了した国税（課税期間のない国税については、同日以前にその納税義務が成立した当該国税）に係る第九条の規定による改正前の国税通則法（以下この項において「旧国税通則法」という。）第十九条第三項に規定する修正申告書又は旧国税通則法第二十三条第三項に規定する更正請求書については、なお従前の例による。

2　〔略〕

附　則（令五・三・三一法三）（抄）

（施行期日）

第一条　この法律は、令和五年四月一日から施行する。ただし、次の各号に掲げる規定は、当該各号に定める日から施行する。

一・二　〔略〕

三　次に掲げる規定　令和六年一月一日

イ　〔略〕

ロ　第八条中国税通則法第四十六条の二の改正規定、同法第六十五条の改正規定、同法第六十六条の改正規定、同法第六十八条の改正規定及び同法第七十条第四項の改正規定並びに附則第二十三条第二項〔中略〕の規定

ハ～ト　〔略〕

四　次に掲げる規定　令和六年四月一日

イ・ロ　〔略〕

ハ　第八条中国税通則法〔中略〕第三十四条の改正規定

ニ～チ　〔略〕

五～十三　〔略〕

（国税通則法の一部改正に伴う経過措置）

第二十三条　〔略〕

2　新国税通則法第四十六条の二の規定は、令和六年一月一日以後に申請される国税通則法第四十六条第一項から第三項までの規定による納税の猶予（以下この項において「納税の猶予」という。）について適用し、同日前に申請された納税の猶予については、なお従前の例による。

3　〔略〕

附　則（令六・三・三〇法八）（抄）

（施行期日）

第一条　この法律は、令和六年四月一日から施行する。ただし、

次の各号に掲げる規定は、当該各号に定める日から施行する。
一～三 〔略〕
四 次に掲げる規定 令和七年一月一日
イ 〔略〕
ロ 第十一条中国税通則法第三十八条第四項の改正規定〔中略〕並びに附則第十九条の規定
ハ～ホ 〔略〕
五～十六 〔略〕

（国税通則法の一部改正に伴う経過措置）
第十九条 第十一条の規定による改正後の国税通則法第六十八条の規定は、令和七年一月一日以後に法定申告期限（国税に関する法律の規定により当該法定申告期限とみなされる期限を含み、国税通則法第六十一条第一項第二号に規定する還付請求申告書については、当該申告書を提出した日とする。以下この条において同じ。）が到来する国税について適用し、同年一月一日前に法定申告期限が到来した国税については、なお従前の例による。

※所得税法等の一部を改正する法律（令五・三・三一法三）の第八条で本法が一部改正されましたが、未施行となる部分については、ここに別に掲げました。

（国税通則法の一部改正）

第八条 国税通則法（昭和三十七年法律第六十六号）の一部を次のように改正する。

第十四条第二項中「の名称」を「を特定するために必要な情報」に、「を当該行政機関の掲示場に掲示して行なう」を「（以下この項において「公示事項」という。）を財務省令で定める方法により不特定多数の者が閲覧することができる状態に置く措置をとるとともに、公示事項が記載された書面を当該行政機関の掲示場に掲示し、又は公示事項を当該行政機関に設置した電子計算機の映像面に表示したものの閲覧をすることができる状態に置く措置をとることによつてする」に改め、同条第三項中「掲示を始めた」を「同項の規定による措置を開始した」に改める。

附 則（抄）

（施行期日）
第一条 この法律は、令和五年四月一日から施行する。ただし、次の各号に掲げる規定は、当該各号に定める日から施行する。
一～六 〔略〕
七 第八条中国税通則法第十四条の改正規定及び附則第二十三条第一項の規定 公布の日から起算して三年三月を超えない範囲内において政令で定める日
八～十三 〔略〕

（国税通則法の一部改正に伴う経過措置）
第二十三条 第八条の規定による改正後の国税通則法（次項及び第三項において「新国税通則法」という。）第十四条の規定は、附則第一条第七号に定める日以後にする公示送達について適用し、同日前にした公示送達については、なお従前の例による。
2・3 〔略〕

○国税徴収法（抄）

昭三四・四・二〇
法　一　四　七

最終改正　令六・六・一四法五二

※令和五年六月一四日法律第五三号の第五七条及び令和六年六月一四日法律第五二号の附則第三八条で本法が一部改正されましたが、未施行のため、及び令和六年三月三〇日法律第八号の第一二条で本法が一部改正されましたが、未施行となる部分については、本法の末尾に掲げました。

目次〔略〕

第一章　総則

（目的）

第一条　この法律は、国税の滞納処分その他の徴収に関する手続の執行について必要な事項を定め、私法秩序との調整を図りつつ、国民の納税義務の適正な実現を通じて国税収入を確保することを目的とする。

第二章　国税と他の債権との調整

第一節　一般的優先の原則

（国税優先の原則）

第八条　国税は、納税者の総財産について、この章に別段の定めがある場合を除き、すべての公課その他の債権に先だつて徴収する。

（強制換価手続の費用の優先）

第九条　納税者の財産につき強制換価手続が行われた場合において、国税の交付要求をしたときは、その国税は、その手続により配当すべき金銭（以下この章において「換価代金」という。）につき、その手続に係る費用に次いで徴収する。

（直接の滞納処分費の優先）

第十条　納税者の財産を国税の滞納処分により換価したときは、その滞納処分に係る滞納処分費は、次条、第十四条から第十七条まで（担保を徴した国税の優先等）、第十九条から第二十一条まで（先取特権等の優先）及び第二十三条（法定納期限等以前にされた仮登記により担保される債権の優先等）の規定にかかわらず、その換価代金につき、他の国税、地方税その他の債権に先立つて徴収する。

（強制換価の場合の消費税等の優先）

第十一条　国税通則法第三十九条（強制換価の場合の消費税等の徴収の特例）又は輸入品に対する内国消費税の徴収等に関する法律（昭和三十年法律第三十七号）第八条第一項第三号若しくは第七号（公売又は売却等の場合における内国消費税の徴収）の規定により徴収する消費税等（その滞納処分費を含む。）は、次条から第十七条まで（差押先着手による国税の優先等）及び第十九条から第二十一条まで（先取特権等の優先）の規定にかかわらず、その徴収の基因となつた移出又は公売若しくは売却に係る物品の換価代金につき、他の国税、地方税その他の債権に先だつて徴収する。

第二節　国税及び地方税の調整

（差押先着手による国税の優先）

第十二条　納税者の財産につき国税の滞納処分による差押をした場合において、他の国税又は地方税の交付要求があつたときは、その差押に係る国税は、その換価代金につき、その交付要求に係る他の国税又は地方税に先だつて徴収する。

2　納税者の財産につき国税又は地方税の滞納処分による差押があつた場合において、国税の交付要求をしたときは、その交付要求に係る国税は、その換価代金につき、その差押に係る国税又は地方税（第九条（強制換価手続の費用の優先）の規定の適用を受ける費用を除く。）に次いで徴収する。

（交付要求先着手による国税の優先）

第十三条　納税者の財産につき強制換価手続（破産手続を除く。）が行われた場合において、国税及び地方税の交付要求があつたときは、その換価代金につき、先にされた交付要求に係る国税は、後にされた交付要求に係る国税又は地方税に先だつて徴収し、後にされた交付要求に係る国税は、先にされた交付要求に係る国税又は地方税に次いで徴収する。

（担保を徴した国税の優先）

第十四条　国税につき徴した担保財産があるときは、前二条の規定にかかわらず、その国税は、その換価代金につき他の国税及び地方税に先だつて徴収する。

第三節　国税と被担保債権との調整

（法定納期限等以前に設定された質権の優先）

第十五条　納税者がその財産上に質権を設定している場合において、その質権が国税の法定納期限（次の各号に掲げる国税については、当該各号に定める日とし、当該国税に係る附帯税及び滞納処分費については、その徴収の基因となつた国税に係る当該各号に定める日とする。以下「法定納期限等」という。）以前に設定されているものであるときは、その国税は、その換価代金につき、その質権により担保される債権に次いで徴収する。

一　法定納期限後にその納付すべき額が確定した国税（過怠税を含む。）　その更正通知書若しくは決定通知書又は納税告知書を発した日（申告納税方式による国税で申告により確定したものについては、その申告があつた日）

二　法定納期限前に国税通則法第三十八条第一項（繰上請求）の規定による請求（以下「繰上請求」という。）がされた国税　当該請求に係る期限

三　第二期分の所得税（所得税法第百四条第一項（予定納税額の納付）（同法第百六十六条（申告、納付及び還付）において準用する場合を含む。以下この号において同じ。）

の規定により同項に規定する第二期において納付すべき所得税をいい、同法第百十五条（出国をする場合の予定納税額の納期限の特例）（同法第百六十六条において準用する場合を含む。）の規定により納付すべき所得税で同法第百四条第一項に規定する第一期において納付すべき所得税の納期限後に納付すべきものを含む。）　当該第一期において納付すべき所得税の納期限

四　相続税法第三十五条第二項（更正及び決定の特則）の規定による更正又は決定により納付すべき税額が確定した相続税又は贈与税　その更正通知書又は決定通知書を発した日

四の二　地価税（国税通則法第二条第七号（定義）に規定する法定申告期限（以下この号において「法定申告期限」という。）までに納付するもの及び第一号に掲げるものを除く。）　その更正通知書又は決定通知書を発した日（申告により確定したものについては、その申告があつた日（その日が当該地価税の法定申告期限前である場合には、当該法定申告期限））

五　再評価税で確定した税額を二以上の納期において納付するもののうち最初の納期後の納期において納付する再評価税　その再評価税の最初の納期限

五の二　国税通則法第十五条第三項第二号から第四号まで及び第六号（納税義務の成立及びその納付すべき税額の確定）に掲げる国税（法定納期限以前に納付されたものを除く。）　その納税告知書を発した日（納税の告知を受けることなく法定納期限後に納付された国税については、その納付があつた日）

六　第二十四条第二項（譲渡担保権者の物的納税責任）又は第百五十九条第三項（保全差押え）（国税通則法第三十八条第四項において準用する場合を含む。）の規定により告知し、又は通知した金額の国税　これらの規定による告知書又は通知書を発した日

七　相続人（包括受遺者を含む。以下同じ。）の固有の財産から徴収する被相続人（包括遺贈者を含む。以下同じ。）の国税及び相続財産から徴収する相続人の固有の国税（相続（包括遺贈を含む。以下同じ。）があつた日前にその納付すべき税額が確定したもの（国税通則法第十五条第三項第二号から第四号まで及び第六号に掲げる国税については、その日前に納税告知書を発したもの。以下この項において同じ。）に限る。）　その相続があつた日

八　合併により消滅した法人（以下「被合併法人」という。）に属していた財産から徴収する合併後存続する法人又は当該合併に係る他の被合併法人の固有の国税及び合併後存続する法人の固有の財産から徴収する被合併法人の国税（合併のあつた日前にその納付すべき税額が確定したものに限る。）　その合併のあつた日

九　分割を無効とする判決の確定により当該分割をした法人（以下この号において「分割法人」という。）に属することとなつた財産から徴収する分割法人の固有の国税及び分割法人の固有の財産から徴収する分割法人の国税通則法第九条の二（法人の合併等の無効判決に係る連帯納付義務）に規定する連帯して納付する義務に係る国税（当該判決が確定した日前にその納付すべき税額が確定したものに限る。）　当該判決が確定した日

十　分割により事業を承継した法人（以下この号において「分割承継法人」という。）の当該分割をした法人から承継した財産（以下この号において「承継財産」という。）から徴収する分割承継法人の固有の国税、分割承継法人の固有の財産から徴収する分割承継法人の国税通則法第九条の三（法人の分割に係る連帯納付の責任）に規定する連帯納付の責任（以下この号において「連帯納付責任」という。）に係る国税及び分割承継法人の承継財産から徴収する分割承継法人の連帯納付責任に係る当該分割に係る他の分割をした法人の国税（分割のあつた日前にその納付すべき税額が確定したものに限る。）　その分割のあつた日

十一　第二次納税義務者又は保証人として納付すべき国税　第三十二条第一項（第二次納税義務の通則）又は国税通則法第五十二条第二項（担保の処分）の納付通知書を発した日

2　前項の規定は、登記（登録及び電子記録債権法（平成十九年法律第百二号）第二条第一項（定義）に規定する電子記録を含む。以下同じ。）をすることができる質権以外の質権については、その質権者が、強制換価手続において、その執行機関に対し、その設定の事実を証明した場合に限り適用する。この場合において、有価証券を目的とする質権以外の質権については、その証明は、次に掲げる書類によつてしなければならない。

一　公正証書

二　登記所又は公証人役場において日付のある印章が押されている私署証書

三　郵便法（昭和二十二年法律第百六十五号）第四十八条第一項（内容証明）の規定により内容証明を受けた証書

四　民法施行法（明治三十一年法律第十一号）第七条第一項（公証人法の規定の準用）において準用する公証人法（明治四十一年法律第五十三号）第六十二条ノ七第四項（書面の交付による情報の提供）の規定により交付を受けた書面

3　前項各号の規定により証明された質権は、第一項の規定の適用については、民法施行法第五条（確定日付がある証書）の規定により確定日付があるものとされた日に設定されたものとみなす。

4　第一項の質権を有する者は、第二項の証明をしなかつたため国税におくれる金額の範囲内においては、第一項の規定により国税に優先する後順位の質権者に対して優先権を行うことができない。

（法定納期限等以前に設定された抵当権の優先）

第十六条　納税者が国税の法定納期限等以前にその財産上に抵

当権を設定しているときは、その国税は、その換価代金につき、その抵当権により担保される債権に次いで徴収する。

（譲受前に設定された質権又は抵当権の優先）

第十七条　納税者が質権又は抵当権の設定されている財産を譲り受けたときは、国税は、その換価代金につき、その質権又は抵当権により担保される債権に次いで徴収する。

2　前項の規定は、登記をすることができる質権以外の質権については、その質権者が、強制換価手続において、その執行機関に対し、同項の譲受前にその質権が設定されている事実を証明した場合に限り適用する。この場合においては、第十五条第二項後段及び第三項（優先質権の証明）の規定を準用する。

（質権及び抵当権の優先額の限度等）

第十八条　前三条の規定に基き国税に先だつ質権又は抵当権により担保される債権の元本の金額は、その質権者又は抵当権者がその国税に係る差押又は交付要求の通知を受けた時における債権額を限度とする。ただし、その国税に優先する他の債権を有する者の権利を害することとなるときは、この限りでない。

2　質権又は抵当権により担保される債権額又は極度額を増加する登記がされた場合には、その登記がされた時において、その増加した債権額又は極度額につき新たに質権又は抵当権が設定されたものとみなして、前三条の規定を適用する。

（不動産保存の先取特権等の優先）

第十九条　次に掲げる先取特権が納税者の財産上にあるときは、国税は、その換価代金につき、その先取特権により担保される債権に次いで徴収する。

一　不動産保存の先取特権

二　不動産工事の先取特権

三　立木の先取特権に関する法律（明治四十三年法律第五十六号）第一項（立木の先取特権）の先取特権

四　商法（明治三十二年法律第四十八号）第八百二条（積荷等についての先取特権）若しくは第八百四十二条（船舶先取特権）、船舶の所有者等の責任の制限に関する法律（昭和五十年法律第九十四号）第九十五条第一項（船舶先取特権）又は船舶油濁等損害賠償保障法（昭和五十年法律第九十五号）第五十五条第一項（船舶先取特権）の先取特権

五　国税に優先する債権のため又は国税のために動産を保存した者の先取特権

2　前項第三号から第五号まで（同項第三号に掲げる先取特権で登記をしたものを除く。）の規定は、その先取特権者が、強制換価手続において、その執行機関に対しその先取特権がある事実を証明した場合に限り適用する。

（法定納期限等以前にある不動産賃貸の先取特権等の優先）

第二十条　次に掲げる先取特権が納税者の財産上に国税の法定納期限等以前からあるとき、又は納税者がその先取特権のある財産を譲り受けたときは、その国税は、その換価代金につき、その先取特権により担保される債権に次いで徴収する。

一　不動産賃貸の先取特権その他質権と同一の順位又はこれらに優先する順位の動産に関する特別の先取特権（前条第一項第三号から第五号までに掲げる先取特権を除く。）

二　不動産売買の先取特権

三　借地借家法（平成三年法律第九十号）第十二条（借地権設定者の先取特権）又は接収不動産に関する借地借家臨時処理法（昭和三十一年法律第百三十八号）第七条（賃貸人等の先取特権）に規定する先取特権

四　登記をした一般の先取特権

2　前条第二項の規定は、前項第一号に掲げる先取特権について準用する。

（留置権の優先）

第二十一条　留置権が納税者の財産上にある場合において、その財産を滞納処分により換価したときは、その国税は、その換価代金につき、その留置権により担保されていた債権に次いで徴収する。この場合において、その債権は、質権、抵当権、先取特権又は第二十三条第一項（法定納期限等以前にされた仮登記により担保される債権の優先）に規定する担保のための仮登記により担保される債権に先立つて配当するものとする。

2　前項の規定は、その留置権者が、滞納処分の手続において、その行政機関等に対し、その留置権がある事実を証明した場合に限り適用する。

（担保権付財産が譲渡された場合の国税の徴収）

第二十二条　納税者が他に国税に充てるべき十分な財産がない場合において、その者がその国税の法定納期限等後に登記した質権又は抵当権を設定した財産を譲渡したときは、納税者の財産につき滞納処分を執行してもなおその国税に不足すると認められるときに限り、その国税は、その質権者又は抵当権者から、これらの者がその譲渡に係る財産の強制換価手続において、その質権又は抵当権によつて担保される債権につき配当を受けるべき金額のうちから徴収することができる。

2　前項の規定により徴収することができる金額は、第一号に掲げる金額から第二号に掲げる金額を控除した額をこえることができない。

一　前項の譲渡に係る財産の換価代金から同項に規定する債権が配当を受けるべき金額

二　前号の財産を納税者の財産とみなし、その財産の換価代金につき前項の国税の交付要求があつたものとした場合に同項の債権が配当を受けるべき金額

3　税務署長は、第一項の規定により国税を徴収するため、同項の質権者又は抵当権者に代位してその質権又は抵当権を実行することができる。

4　税務署長は、第一項の規定により国税を徴収しようとするときは、その旨を質権者又は抵当権者に通知しなければならない。

5　税務署長は、第一項の譲渡に係る財産につき強制換価手続が行われた場合には、同項の規定により徴収することができ

る金額の国税につき、執行機関に対し、交付要求をすることができる。

第五節　国税及び地方税等と私債権との競合の調整

（国税及び地方税等と私債権との競合の調整）

第二十六条　強制換価手続において国税が他の国税、地方税又は公課（以下この条において「地方税等」という。）及びその他の債権（以下この条において「私債権」という。）と競合する場合において、この章又は地方税法その他の法律の規定により、国税が地方税等に先だち、私債権がその地方税等におくれ、かつ、当該国税に先だつとき、又は国税が地方税等におくれ、私債権がその地方税等に先だち、かつ、当該国税におくれるときは、換価代金の配当については、次に定めるところによる。

一　第九条（強制換価手続の費用の優先）若しくは第十条（直接の滞納処分費の優先）に規定する費用若しくは滞納処分費、第十一条（強制換価の場合の消費税等の優先）に規定する国税（地方税法の規定によりこれに相当する優先権を有する地方税を含む。）、第二十一条（留置権の優先）の規定の適用を受ける債権、第五十九条第三項若しくは第四項（前払賃料の優先）（第七十一条第四項（自動車等についての準用規定）において準用する場合を含む。）の規定の適用を受ける債権又は第十九条（不動産保存の先取特権等の優先）の規定の適用を受ける債権があるときは、これらの順序に従い、それぞれこれらに充てる。

二　国税及び地方税等並びに私債権（前号の規定の適用を受けるものを除く。）につき、法定納期限等（地方税又は公課のこれに相当する納期限等を含む。）又は設定、登記、譲渡若しくは成立の時期の古いものからそれぞれ順次にこの章又は地方税法その他の法律の規定を適用して国税及び地方税等並びに私債権に充てるべき金額の総額をそれぞれ定める。

三　前号の規定により定めた国税及び地方税等に充てるべき金額の総額を第八条（国税優先の原則）若しくは第十二条から第十四条まで（差押先着手による国税の優先等）の規定又は地方税法その他の法律のこれらに相当する規定により、順次国税及び地方税等に充てる。

四　第二号の規定により定めた私債権に充てるべき金額の総額を民法（明治二十九年法律第八十九号）その他の法律の規定により順次私債権に充てる。

第五章　滞納処分

第一節　財産の差押

第一款　通則

（差押の要件）

第四十七条　次の各号の一に該当するときは、徴収職員は、滞納者の国税につきその財産を差し押えなければならない。

一　滞納者が督促を受け、その督促に係る国税をその督促状を発した日から起算して十日を経過した日までに完納しないとき。

二　納税者が国税通則法第三十七条第一項各号（督促）に掲げる国税をその納期限（繰上請求がされた国税については、当該請求に係る期限）までに完納しないとき。

2　国税の納期限後前項第一号に規定する十日を経過した日までに、督促を受けた滞納者につき国税通則法第三十八条第一項各号（繰上請求）の一に該当する事実が生じたときは、徴収職員は、直ちにその財産を差し押えることができる。

3　第二次納税義務者又は保証人について第一項の規定を適用する場合には、同項中「督促状」とあるのは、「納付催告書」とする。

（超過差押及び無益な差押の禁止）

第四十八条　国税を徴収するために必要な財産以外の財産は、差し押えることができない。

2　差し押えることができる財産の価額がその差押に係る滞納処分費及び徴収すべき国税に先だつ他の国税、地方税その他の債権の金額の合計額をこえる見込がないときは、その財産は、差し押えることができない。

（差押財産の選択に当つての第三者の権利の尊重）

第四十九条　徴収職員は、滞納者（譲渡担保権者を含む。第七十五条、第七十六条及び第七十八条（差押禁止財産）を除き、以下同じ。）の財産を差し押えるに当つては、滞納処分の執行に支障がない限り、その財産につき第三者が有する権利を害さないように努めなければならない。

（第三者の権利の目的となつている財産の差押換）

第五十条　質権、抵当権、先取特権（第十九条第一項各号（不動産保存の先取特権等）又は第二十条第一項各号（不動産賃貸の先取特権等）に掲げる先取特権に限る。この項を除き、以下同じ。）、留置権、賃借権その他第三者の権利（これらの先取特権以外の先取特権を除く。以下同じ。）の目的となつている財産が差し押えられた場合には、その第三者は、税務署長に対し、滞納者が他に換価の容易な財産で他の第三者の権利の目的となつていないものを有し、かつ、その財産によりその滞納者の国税の全額を徴収することができることを理由として、その財産の公売公告の日（随意契約による売却をする場合には、その売却の日）までに、その差押換を請求することができる。

2　税務署長は、前項の請求があつた場合において、その請求を相当と認めるときは、その差押換をしなければならないものとし、その請求を相当と認めないときは、その旨をその第三者に通知しなければならない。

3　前項の通知があつた場合において、その通知を受けた第三者が、その通知を受けた日から起算して七日を経過した日までに、第一項の規定により差し押えるべきことを請求した財産の換価をすべきことを申し立てたときは、その財産が換価の著しく困難なものであり、又は他の第三者の権利の目的となつているものであるときを除き、これを差し押え、かつ、換価に付した後でなければ、同項に規定する第三者の権利の目的となつている財産を換価することができない。

4　税務署長は、前項の場合において、同項の申立があつた日から二月以内にその申立に係る財産を差し押え、かつ、換価に付さないときは、第一項に規定する第三者の権利の目的となつている財産の差押を解除しなければならない。ただし、国税に関する法律の規定で換価をすることができないこととするものの適用があるときは、この限りでない。

5　第二項又は前項の差押は、国税に関する法律の規定で新たに滞納処分の執行をすることができないこととするものにかかわらず、することができる。

（相続があつた場合の差押）

第五十一条　徴収職員は、被相続人の国税につきその相続人の財産を差し押える場合には、滞納処分の執行に支障がない限り、まず相続財産を差し押えるように努めなければならない。

2　被相続人の国税につき相続人の固有財産が差し押えられた場合には、その相続人は、税務署長に対し、他に換価が容易な相続財産で第三者の権利の目的となつていないものを有しており、かつ、その財産により当該国税の全額を徴収することができることを理由として、その差押換を請求することができる。

3　税務署長は、前項の請求があつた場合において、その請求を相当と認めるときは、その差押換をしなければならないものとし、その請求を相当と認めないときは、その旨を当該相続人に通知しなければならない。この場合においては、前条第五項の規定を準用する。

（果実に対する差押の効力）

第五十二条　差押の効力は、差し押えた財産（以下「差押財産」という。）から生ずる天然果実に及ぶ。ただし、滞納者又は第三者が差押財産の使用又は収益をすることができる場合には、その財産から生ずる天然果実（その財産の換価による権利の移転の時までに収取されない天然果実を除く。）については、この限りでない。

2　差押の効力は、差押財産から生ずる法定果実に及ばない。ただし、債権を差し押えた場合における差押後の利息については、この限りでない。

（担保のための仮登記がある財産に対する差押えの効力）

第五十二条の二　仮登記担保契約に関する法律第十五条（強制競売等の場合の担保仮登記）（同法第二十条（土地等の所有権以外の権利を目的とする契約への準用）において準用する場合を含む。）の規定は、担保のための仮登記がある財産が差し押えられた場合について準用する。この場合において、同法第十五条中「その決定」とあるのは「その差押え」と、「申立てに基づく」とあるのは「ものである」と読み替えるものとする。

（保険に付されている財産に対する差押えの効力）

第五十三条　差押財産が損害保険に付され、又は中小企業等協同組合法（昭和二十四年法律第百八十一号）第九条の七の二第一項（火災共済事業）の規定による共済その他法律の規定による共済でこれに類するものの目的となつているときは、その差押えの効力は、保険金又は共済金の支払を受ける権利に及ぶ。ただし、財産を差し押さえた旨を保険者又は共済事業者に通知しなければ、その差押えをもつてこれらの者に対抗することができない。

2　徴収職員が差押に係る前項の保険金又は共済金の支払を受けた場合において、その財産がその保険又は共済に係る事故が生じた時に先取特権、質権又は抵当権の目的となつていたときは、その先取特権者、質権者又は抵当権者は、民法第三百四条第一項ただし書（先取特権の物上代位）その他これらの権利の行使のためその保険金又は共済金の支払を受ける権利をその支払前に差し押えることを必要とする規定の適用については、その支払前にその差押をしたものとみなす。

（差押調書）

第五十四条　徴収職員は、滞納者の財産を差し押さえたときは、差押調書を作成し、その財産が次に掲げる財産であるときは、その謄本を滞納者に交付しなければならない。

一　動産又は有価証券

二　債権（電話加入権、賃借権、第七十三条の二（振替社債等の差押え）の規定の適用を受ける財産その他取り立てることができない債権を除く。以下この章において同じ。）

三　第七十三条（電話加入権等の差押え）又は第七十三条の二（振替社債等の差押え）の規定の適用を受ける財産

（質権者等に対する差押えの通知）

第五十五条　次の各号に掲げる財産を差し押さえたときは、税務署長は、当該各号に掲げる者のうち知れている者に対し、その旨その他必要な事項を通知しなければならない。

一　質権、抵当権、先取特権、留置権、賃借権その他の第三者の権利（担保のための仮登記に係る権利を除く。）の目的となつている財産　これらの権利を有する者

二　仮登記がある財産　仮登記の権利者

三　仮差押え又は仮処分がされている財産　仮差押え又は仮処分をした保全執行裁判所又は執行官

第二款　動産又は有価証券の差押

（差押の手続及び効力発生時期等）

第五十六条　動産又は有価証券の差押は、徴収職員がその財産を占有して行う。

2　前項の差押の効力は、徴収職員がその財産を占有した時に生ずる。

3　徴収職員が金銭を差し押えたときは、その限度において、滞納者から差押に係る国税を徴収したものとみなす。

（有価証券に係る債権の取立）

第五十七条　有価証券を差し押えたときは、徴収職員は、その有価証券に係る金銭債権の取立をすることができる。

2　徴収職員が前項の規定により金銭を取り立てたときは、その限度において、滞納者から差押に係る国税を徴収したもの

とみなす。

（第三者が占有する動産等の差押手続）

第五十八条　滞納者の動産又は有価証券でその親族その他の特殊関係者以外の第三者が占有しているものは、その第三者が引渡を拒むときは、差し押えることができない。

2　前項の動産又は有価証券がある場合において、同項の第三者がその引渡を拒むときは、滞納者が他に換価が容易であり、かつ、その滞納に係る国税の全額を徴収することができる財産を有しないと認められるときに限り、税務署長は、同項の第三者に対し、期限を指定して、当該動産又は有価証券を徴収職員に引き渡すべきことを書面により命ずることができる。この場合において、その命令をした税務署長は、その旨を滞納者に通知しなければならない。

3　前項の命令に係る動産若しくは有価証券が徴収職員に引き渡されたとき、又は同項の命令を受けた第三者が指定された期限までに徴収職員にその引渡をしないときは、徴収職員は、第一項の規定にかかわらず、その動産又は有価証券を差し押えることができる。

（引渡命令を受けた第三者等の権利の保護）

第五十九条　前条第二項の規定により動産の引渡を命ぜられた第三者が、滞納者との契約による賃借権、使用貸借権その他動産の使用又は収益をする権利に基きその命令に係る動産を占有している場合において、その引渡をすることにより占有の目的を達することができなくなるときは、その第三者は、その占有の基礎となつている契約を解除することができる。この場合において、その第三者は、当該契約の解除により滞納者に対して取得する損害賠償請求権については、その動産の売却代金の残余のうちから配当を受けることができる。

2　徴収職員は、前条第二項の規定により動産の引渡を命ぜられた第三者の請求がある場合には、その第三者が前項前段の規定により契約を解除したときを除き、その動産の占有の基礎となつている契約の期間内（その期限がその動産を差し押えた日から三月を経過した日より遅いときは、その日まで）は、その第三者にその使用又は収益をさせなければならない。

3　前条第二項の規定により動産の引渡を命ぜられた第三者が賃貸借契約に基きこれを占有している場合において、第一項前段の規定によりその契約を解除し、かつ、前条第二項の命令があつた時前にその後の期間分の借賃を支払つているときは、その第三者は、税務署長に対し、その動産の売却代金のうちから、その借賃に相当する金額で同条第三項の規定による差押の日後の期間に係るもの（その金額が三月分に相当する金額をこえるときは、当該金額）の配当を請求することができる。この場合において、その請求があつた金額は、第八条（国税優先の原則）の規定にかかわらず、その滞納処分に係る滞納処分費に次ぎ、かつ、その動産上の留置権により担保されていた債権に次ぐものとして、配当することができる。

4　前三項の規定は、前条第一項に規定する動産の引渡を拒まなかつた同項に規定する第三者について準用する。

（差し押えた動産等の保管）

第六十条　徴収職員は、必要があると認めるときは、差し押えた動産又は有価証券を滞納者又はその財産を占有する第三者に保管させることができる。ただし、その第三者に保管させる場合には、その運搬が困難であるときを除き、その者の同意を受けなければならない。

2　前項の規定により滞納者又は第三者に保管させたときは、第五十六条第二項（動産等の差押の効力発生時期）の規定にかかわらず、封印、公示書その他差押を明白にする方法により差し押えた旨を表示した時に、差押の効力が生ずる。

（差し押えた動産の使用収益）

第六十一条　徴収職員は、前条第一項の規定により滞納者に差し押えた動産を保管させる場合において、国税の徴収上支障がないと認めるときは、その使用又は収益を許可することができる。

2　前項の規定は、差し押えた動産につき使用又は収益をする権利を有する第三者にその動産を保管させる場合について準用する。

第三款　債権の差押

（差押えの手続及び効力発生時期）

第六十二条　債権（電子記録債権法第二条第一項（定義）に規定する電子記録債権（次条において「電子記録債権」という。）を除く。以下この条において同じ。）の差押えは、第三債務者に対する債権差押通知書の送達により行う。

2　徴収職員は、債権を差し押えるときは、債務者に対しその履行を、滞納者に対し債権の取立その他の処分を禁じなければならない。

3　第一項の差押の効力は、債権差押通知書が第三債務者に送達された時に生ずる。

4　税務署長は、債権でその移転につき登録を要するものを差し押えたときは、差押の登録を関係機関に嘱託しなければならない。

（電子記録債権の差押えの手続及び効力発生時期）

第六十二条の二　電子記録債権の差押えは、第三債務者及び当該電子記録債権の電子記録をしている電子債権記録機関（電子記録債権法第二条第二項（定義）に規定する電子債権記録機関をいう。以下この条において同じ。）に対する債権差押通知書の送達により行う。

2　徴収職員は、電子記録債権を差し押さえるときは、第三債務者に対しその履行を、電子債権記録機関に対し電子記録債権に係る電子記録を、滞納者に対し電子記録債権の取立てその他の処分又は電子記録の請求を禁じなければならない。

3　第一項の差押えの効力は、債権差押通知書が電子債権記録機関に送達された時に生ずる。ただし、第三債務者に対する同項の差押えの効力は、債権差押通知書が第三債務者に送達された時に生ずる。

（差し押える債権の範囲）

第六十三条　徴収職員は、債権を差し押えるときは、その全額を差し押えなければならない。ただし、その全額を差し押える必要がないと認めるときは、その一部を差し押えることができる。

（抵当権等により担保される債権の差押）

第六十四条　抵当権又は登記することができる質権若しくは先取特権によつて担保される債権を差し押えたときは、税務署長は、その債権の差押の登記を関係機関に嘱託することができる。この場合において、その嘱託をした税務署長は、その抵当権若しくは質権が設定されている財産又は先取特権がある財産の権利者（第三債務者を除く。）に差し押えた旨を通知しなければならない。

（債権証書の取上げ）

第六十五条　徴収職員は、債権の差押のため必要があるときは、その債権に関する証書を取り上げることができる。この場合においては、第五十六条第一項（動産等の差押手続）及び第五十八条（第三者が占有する動産等の差押手続）の規定を準用する。

（継続的な収入に対する差押の効力）

第六十六条　給料若しくは年金又はこれらに類する継続収入の債権の差押の効力は、徴収すべき国税の額を限度として、差押後に収入すべき金額に及ぶ。

（差し押えた債権の取立）

第六十七条　徴収職員は、差し押えた債権の取立をすることができる。

２　徴収職員は、前項の規定により取り立てたものが金銭以外のものであるときは、これを差し押えなければならない。

３　徴収職員が第一項の規定により金銭を取り立てたときは、その限度において、滞納者から差押に係る国税を徴収したものとみなす。

４　国税通則法第五十五条第一項から第三項まで（納付委託）の規定は、第一項の取立をする場合において、第三債務者が徴収職員に対し、その債権の弁済の委託をしようとするときに準用する。ただし、その証券の取り立てるべき期限が差し押えた債権の弁済期後となるときは、第三債務者は、滞納者の承認を受けなければならない。

第四款　不動産等の差押

（不動産の差押の手続及び効力発生時期）

第六十八条　不動産（地上権その他不動産を目的とする物権（所有権を除く。）、工場財団、鉱業権その他不動産とみなされ、又は不動産に関する規定の準用がある財産並びに鉄道財団、軌道財団及び運河財団を含む。以下同じ。）の差押は、滞納者に対する差押書の送達により行う。

２　前項の差押の効力は、その差押書が滞納者に送達された時に生ずる。

３　税務署長は、不動産を差し押えたときは、差押の登記を関係機関に嘱託しなければならない。

４　前項の差押の登記が差押書の送達前にされた場合には、第二項の規定にかかわらず、その差押の登記がされた時に差押の効力が生ずる。

５　鉱業権の差押の効力は、第二項及び前項の規定にかかわらず、差押の登録がされた時に生ずる。

（差押不動産の使用収益）

第六十九条　滞納者は、差し押えられた不動産につき、通常の用法に従い、使用又は収益をすることができる。ただし、税務署長は、不動産の価値が著しく減耗する行為がされると認められるときに限り、その使用又は収益を制限することができる。

２　前項の規定は、差し押えられた不動産につき使用又は収益をする権利を有する第三者について準用する。

（船舶又は航空機の差押え）

第七十条　登記される船舶（以下「船舶」という。）又は航空法（昭和二十七年法律第二百三十一号）の規定により登録を受けた飛行機若しくは回転翼航空機（以下「航空機」という。）の差押えについては、第六十八条第一項から第四項まで（不動産の差押えの手続及び効力発生時期）の規定を準用する。

２　税務署長は、滞納処分のため必要があるときは、船舶又は航空機を一時停泊させることができる。ただし、航行中の船舶又は航空機については、この限りでない。

３　徴収職員は、滞納処分のため必要があるときは、船舶又は航空機の監守及び保存のため必要な処分をすることができる。

４　前項の処分が差押書の送達前にされた場合には、第一項において準用する第六十八条第二項の規定にかかわらず、その処分をした時に差押えの効力が生ずる。

５　税務署長は、停泊中の船舶若しくは航空機を差し押さえた場合又は第二項の規定により船舶若しくは航空機を停泊させた場合において、営業上の必要その他相当の理由があるときは、滞納者並びにこれらにつき交付要求をした者及び抵当権その他の権利を有する者の申立てにより、航行を許可することができる。

（自動車、建設機械又は小型船舶の差押え）

第七十一条　道路運送車両法（昭和二十六年法律第百八十五号）の規定により登録を受けた自動車（以下「自動車」という。）、建設機械抵当法（昭和二十九年法律第九十七号）の規定により登記を受けた建設機械（以下「建設機械」という。）又は小型船舶の登録等に関する法律（平成十三年法律第百二号）の規定により登録を受けた小型船舶（以下「小型船舶」という。）の差押えについては、第六十八条第一項から第四項まで（不動産の差押えの手続及び効力発生時期）の規定を準用する。

２　前条第三項及び第四項の規定は、自動車、建設機械又は小型船舶の差押えについて準用する。

３　税務署長は、自動車、建設機械又は小型船舶を差し押さえた場合には、滞納者に対し、これらの引渡しを命じ、徴収職員にこれらの占有をさせることができる。

４　第五十六条第一項（動産等の差押手続）、第五十八条（第

三者が占有する動産等の差押手続）及び第五十九条（引渡命令を受けた第三者等の権利の保護）の規定は、前項の規定により徴収職員に自動車、建設機械又は小型船舶を占有させる場合について準用する。

5 徴収職員は、第三項の規定により占有する自動車、建設機械又は小型船舶を滞納者又はこれらを占有する第三者に保管させることができる。この場合においては、封印その他の公示方法によりその自動車、建設機械又は小型船舶が徴収職員の占有に係る旨を明らかにしなければならないものとし、また、次項の規定により自動車の運行、建設機械の使用又は小型船舶の航行を許可する場合を除き、これらの運行、使用又は航行をさせないための適当な措置を講じなければならない。

6 徴収職員は、第三項又は前項の規定により占有し、又は保管させた自動車、建設機械又は小型船舶につき営業上の必要その他相当の理由があるときは、滞納者並びにこれらにつき交付要求をした者及び抵当権その他の権利を有する者の申立てにより、その運行、使用又は航行を許可することができる。

第五款 無体財産権等の差押

（特許権等の差押えの手続及び効力発生時期）

第七十二条 前三款の規定の適用を受けない財産（以下「無体財産権等」という。）のうち特許権、著作権その他第三債務者等がない財産の差押えは、滞納者に対する差押書の送達により行う。

2 前項の差押えの効力は、その差押書が滞納者に送達された時に生ずる。

3 税務署長は、無体財産権等でその権利の移転につき登記を要するものを差し押さえたときは、差押えの登記を関係機関に嘱託しなければならない。

4 前項の差押えの登記が差押書の送達前にされた場合には、第二項の規定にかかわらず、その差押えの登記がされた時に差押えの効力が生ずる。

5 特許権、実用新案権その他の権利でその処分の制限につき登記をしなければ効力が生じないものとされているものの差押えの効力は、第二項及び前項の規定にかかわらず、差押えの登記がされた時に生ずる。

（電話加入権等の差押えの手続及び効力発生時期）

第七十三条 無体財産権等のうち電話加入権、合名会社の社員の持分その他第三債務者等がある財産（社債、株式等の振替に関する法律（平成十三年法律第七十五号）第二条第一項（定義）に規定する社債等のうちその権利の帰属が振替口座簿の記載又は記録により定まるものとされるもの（次条において「振替社債等」という。）を除く。）の差押えは、第三債務者等に対する差押通知書の送達により行う。

2 前項の差押の効力は、その差押通知書が第三債務者等に送達された時に生ずる。

3 前条第三項及び第四項の規定は、第一項に規定する財産でその権利の移転につき登記を要するもの（次項に規定するものを除く。）の差押について準用する。この場合において、同条第四項中「差押書」とあるのは、「差押通知書」と読み替えるものとする。

4 前条第五項の規定は、特許権についての専用実施権その他の権利でその処分の制限につき登記をしなければ効力が生じないものとされているものの差押えについて準用する。

5 第六十五条（債権証書の取上げ）及び第六十七条（差し押えた債権の取立）の規定は、第一項に規定する財産について準用する。

（振替社債等の差押えの手続及び効力発生時期）

第七十三条の二 振替社債等の差押えは、振替社債等の発行者（以下この項及び次項において「発行者」という。）及び滞納者がその口座の開設を受けている社債、株式等の振替に関する法律第二条第五項（定義）に規定する振替機関等（滞納者が次の各号に掲げる請求をし、当該各号に定める買取口座に当該請求に係る振替社債等についての記載又は記録がされている場合であつて、当該請求に係る振替社債等を差し押さえるときは、発行者が当該買取口座の開設を受けている当該振替機関等。以下この条において「振替機関等」という。）に対する差押通知書の送達により行う。

一 社債、株式等の振替に関する法律第百五十五条第一項（株式買取請求に関する会社法の特例）（社債、株式等の振替に関する法律第二百二十八条第一項（投資口に関する株式に係る規定の準用）及び第二百三十九条第一項（優先出資に関する株式に係る規定の準用）において読み替えて準用する場合を含む。以下この号において同じ。）に規定する株式買取請求、投資口買取請求又は優先出資買取請求　同法第百五十五条第一項に規定する買取口座

二 社債、株式等の振替に関する法律第百八十三条第一項（新株予約権買取請求に関する会社法の特例）（社債、株式等の振替に関する法律第二百四十七条の三第一項（新投資口予約権に関する新株予約権に係る規定の準用）において読み替えて準用する場合を含む。以下この号において同じ。）に規定する新株予約権買取請求又は新投資口予約権買取請求　同法第百八十三条第一項に規定する買取口座

三 社債、株式等の振替に関する法律第二百十五条第一項（新株予約権付社債買取請求に関する会社法の特例）に規定する新株予約権付社債買取請求　同項に規定する買取口座

四 社債、株式等の振替に関する法律第二百五十九条第一項（金融機関の合併における株式買取請求に関する合併転換法の特例等）に規定する株式買取請求　同項に規定する買取口座

五 社債、株式等の振替に関する法律第二百六十条第一項（金融機関の合併における新株予約権買取請求に関する合併転換法の特例等）に規定する新株予約権買取請求　同項に規定する買取口座

六 社債、株式等の振替に関する法律第二百六十六条第一項（保険会社の合併における株式買取請求に関する保険業法

の特例等）に規定する株式買取請求　同項に規定する買取口座

七　社債、株式等の振替に関する法律第二百六十七条第一項（保険会社の合併における新株予約権買取請求に関する保険業法の特例等）に規定する新株予約権買取請求　同項に規定する買取口座

八　社債、株式等の振替に関する法律第二百七十三条第一項（金融商品取引所の合併における株式買取請求に関する金融商品取引法の特例等）に規定する株式買取請求　同項に規定する買取口座

九　社債、株式等の振替に関する法律第二百七十四条第一項（金融商品取引所の合併における新株予約権買取請求に関する金融商品取引法の特例等）に規定する新株予約権買取請求　同項に規定する買取口座

2　徴収職員は、振替社債等を差し押さえるときは、発行者に対しその履行を、振替機関等に対し振替社債等の振替又は抹消を、滞納者に対し振替社債等の取立てその他の処分又は振替若しくは抹消の申請を禁じなければならない。

3　第一項の差押えの効力は、その差押通知書が振替機関等に送達された時に生ずる。

4　第六十七条（差し押さえた債権の取立て）の規定は、振替社債等について準用する。

（差し押さえた持分の払戻しの請求）

第七十四条　税務署長は、中小企業等協同組合法に基づく企業組合、信用金庫その他の法人で組合員、会員その他の持分を有する構成員が任意に（脱退につき予告その他一定の手続を要する場合には、これをした後任意に）脱退することができるもの（合名会社、合資会社及び合同会社を除く。以下この条において「組合等」という。）の組合員、会員その他の構成員である滞納者の持分を差し押さえた場合において、当該持分につき次に掲げる理由があり、かつ、その持分以外の財産につき滞納処分を執行してもなお徴収すべき国税に不足すると認められるときは、その組合等に対し、その持分の一部の払戻し（組合等による譲受けが認められている持分については、譲受け）を請求することができる。

一　その持分を再度換価に付してもなお買受人がないこと。

二　その持分の譲渡につき法律又は定款に制限があるため、譲渡することができないこと。

2　前項に規定する請求は、三十日（組合等からの脱退につき、法律又は定款の定めにより、これと異なる一定期間前に組合等に予告することを必要とするものにあつては、その期間）前に組合等にその予告をした後でなければ、行うことができない。

第六款　差押禁止財産

（一般の差押禁止財産）

第七十五条　次に掲げる財産は、差し押えることができない。

一　滞納者及びその者と生計を一にする配偶者（届出をしていないが、事実上婚姻関係にある者を含む。）その他の親族（以下「生計を一にする親族」という。）の生活に欠くことができない衣服、寝具、家具、台所用具、畳及び建具

二　滞納者及びその者と生計を一にする親族の生活に必要な三月間の食料及び燃料

三　主として自己の労力により農業を営む者の農業に欠くことができない器具、肥料、労役の用に供する家畜及びその飼料並びに次の収穫まで農業を続行するために欠くことができない種子その他これに類する農産物

四　主として自己の労力により漁業を営む者の水産物の採捕又は養殖に欠くことができない漁網その他の漁具、えさ及び稚魚その他これに類する水産物

五　技術者、職人、労務者その他の主として自己の知的又は肉体的な労働により職業又は営業に従事する者（前二号に規定する者を除く。）のその業務に欠くことができない器具その他の物（商品を除く。）

六　実印その他の印で職業又は生活に欠くことができないもの

七　仏像、位牌その他礼拝又は祭祀に直接供するため欠くことができない物

八　滞納者に必要な系譜、日記及びこれに類する書類

九　滞納者又はその親族が受けた勲章その他名誉の章票

十　滞納者又はその者と生計を一にする親族の学習に必要な書籍及び器具

十一　発明又は著作に係るもので、まだ公表していないもの

十二　滞納者又はその者と生計を一にする親族に必要な義手、義足その他の身体の補足に供する物

十三　建物その他の工作物について、災害の防止又は保安のため法令の規定により設備しなければならない消防用の機械又は器具、避難器具その他の備品

2　前項第一号（畳及び建具に係る部分に限る。）及び第十三号の規定は、これらの規定に規定する財産をその建物その他の工作物とともに差し押えるときは、適用しない。

（給与の差押禁止）

第七十六条　給料、賃金、俸給、歳費、退職年金及びこれらの性質を有する給与に係る債権（以下「給料等」という。）については、次に掲げる金額の合計額に達するまでの部分の金額は、差し押えることができない。この場合において、滞納者が同一の期間につき二以上の給料等の支払を受けるときは、その合計額につき、第四号又は第五号に掲げる金額に係る限度を計算するものとする。

一　所得税法第百八十三条（給与所得に係る源泉徴収義務）、第百九十条（年末調整）、第百九十二条（年末調整に係る不足額の徴収）又は第二百十二条（非居住者等の所得に係る源泉徴収義務）の規定によりその給料等につき徴収される所得税に相当する金額

二　地方税法第三百二十一条の三（個人の市町村民税の特別徴収）その他の法令の規定によりその給料等につき特別徴収の方法によつて徴収される道府県民税及び市町村民税並

びに森林環境税に相当する金額

三　健康保険法（大正十一年法律第七十号）第百六十七条第一項（報酬からの保険料の控除）その他の法令の規定によりその給料等から控除される社会保険料（所得税法第七十四条第二項（社会保険料控除）に規定する社会保険料をいう。）に相当する金額

四　滞納者（その者と生計を一にする親族を含む。）に対し、これらの者が所得を有しないものとして、生活保護法（昭和二十五年法律第百四十四号）第十二条（生活扶助）に規定する生活扶助の給付を行うこととした場合におけるその扶助の基準となる金額で給料等の支給の基礎となつた期間に応ずるものを勘案して政令で定める金額

五　その給料等の金額から前各号に掲げる金額の合計額を控除した金額の百分の二十に相当する金額（その金額が前号に掲げる金額の二倍に相当する金額をこえるときは、当該金額）

2　給料等に基き支払を受けた金銭は、前項第四号及び第五号に掲げる金額の合計額に、その給料等の支給の基礎となつた期間の日数のうちに差押の日から次の支払日までの日数の占める割合を乗じて計算した金額を限度として、差し押えることができない。

3　賞与及びその性質を有する給与に係る債権については、その支払を受けるべき時における給料等とみなして、第一項の規定を適用する。この場合において、同項第四号又は第五号に掲げる金額に係る限度の計算については、その支給の基礎となつた期間が一月であるものとみなす。

4　退職手当及びその性質を有する給与に係る債権（以下「退職手当等」という。）については、次に掲げる金額の合計額に達するまでの部分の金額は、差し押えることができない。

一　所得税法第百九十九条（退職所得に係る源泉徴収義務）又は第二百十二条の規定によりその退職手当等につき徴収される所得税に相当する金額

二　第一項第二号及び第三号中「給料等」とあるのを「退職手当等」として、これらの規定を適用して算定した金額

三　第一項第四号に掲げる金額で同号に規定する期間を一月として算定したものの三倍に相当する金額

四　退職手当等の支給の基礎となつた期間が五年をこえる場合には、そのこえる年数一年につき前号に掲げる金額の百分の二十に相当する金額

5　第一項、第二項及び前項の規定は、滞納者の承諾があるときは適用しない。

（社会保険制度に基づく給付の差押禁止）

第七十七条　社会保険制度に基づき支給される退職年金、老齢年金、普通恩給、休業手当金及びこれらの性質を有する給付（確定拠出年金法（平成十三年法律第八十八号）第三十五条第一項（老齢給付金の支給方法）（同法第七十三条（企業型年金に係る規定の準用）において準用する場合を含む。）の規定に基づいて支給される年金及びその他政令で定める退職年金を含む。）に係る債権は給料等と、退職一時金、一時恩給及びこれらの性質を有する給付（確定拠出年金法第三十五条第二項（同法第七十三条において準用する場合を含む。）の規定に基づいて支給される一時金及びその他政令で定める退職一時金を含む。）に係る債権は退職手当等とそれぞれみなして、前条の規定を適用する。

2　前項に規定する社会保険制度とは、次に掲げる法律に基づく保険、共済又は恩給に関する制度その他政令で定めるこれらに類する制度をいう。

一　厚生年金保険法（昭和二十九年法律第百十五号）

二　船員保険法（昭和十四年法律第七十三号）

三　国民年金法（昭和三十四年法律第百四十一号）

四　恩給法（大正十二年法律第四十八号）（他の法律において準用する場合を含む。）

五　国家公務員共済組合法（昭和三十三年法律第百二十八号）

六　地方公務員等共済組合法（昭和三十七年法律第百五十二号）

七　私立学校教職員共済法（昭和二十八年法律第二百四十五号）

（条件付差押禁止財産）

第七十八条　次に掲げる財産（第七十五条第一項第三号から第五号まで（農業等に欠くことができない財産）に掲げる財産を除く。）は、滞納者がその国税の全額を徴収することができる財産で、換価が困難でなく、かつ、第三者の権利の目的となつていないものを提供したときは、その選択により、差押をしないものとする。

一　農業に必要な機械、器具、家畜類、飼料、種子その他の農産物、肥料、農地及び採草放牧地

二　漁業に必要な漁網その他の漁具、えさ、稚魚その他の水産物及び漁船

三　職業又は事業（前二号に規定する事業を除く。）の継続に必要な機械、器具その他の備品及び原材料その他たな卸をすべき資産

第七款　差押の解除

（差押えの解除の要件）

第七十九条　徴収職員は、次の各号のいずれかに該当するときは、差押えを解除しなければならない。

一　納付、充当、更正の取消その他の理由により差押えに係る国税の全額が消滅したとき。

二　差押財産の価額がその差押えに係る滞納処分費及び差押えに係る国税に先立つ他の国税、地方税その他の債権の合計額を超える見込みがなくなつたとき。

2　徴収職員は、次の各号のいずれかに該当するときは、差押財産の全部又は一部について、その差押えを解除することができる。

一　差押えに係る国税の一部の納付、充当、更正の一部の取消、差押財産の値上りその他の理由により、その価額が差

押えに係る国税及びこれに先立つ他の国税、地方税その他の債権の合計額を著しく超過すると認められるに至つたとき。

二　滞納者が他に差し押さえることができる適当な財産を提供した場合において、その財産を差し押さえたとき。

三　差押財産について、三回公売に付しても入札又は競り売りに係る買受けの申込み（以下「入札等」という。）がなかつた場合において、その差押財産の形状、用途、法令による利用の規制その他の事情を考慮して、更に公売に付しても買受人がないと認められ、かつ、随意契約による売却の見込みがないと認められるとき。

（差押えの解除の手続）

第八十条　差押の解除は、その旨を滞納者に通知することによつて行う。ただし、債権及び第三債務者等のある無体財産権等の差押の解除は、その旨を第三債務者等に通知することによつて行う。

2　徴収職員は、次の各号に掲げる財産の差押を解除したときは、当該各号に掲げる手続をしなければならない。ただし、第一号に規定する除去は、滞納者又はその財産を占有する第三者に行わせることができる。

一　動産又は有価証券　その引渡及び封印、公示書その他差押を明白にするために用いた物の除去

二　債権又は第三債務者等がある無体財産権等　滞納者への通知

3　税務署長は、不動産その他差押の登記をした財産の差押を解除したときは、その登記のまつ消を関係機関に嘱託しなければならない。

4　第二項第一号の動産又は有価証券の引渡は、滞納者に対し、次の各号に掲げる場合の区分に応じ、当該各号に掲げる場所において行わなければならない。ただし、差押の時に滞納者以外の第三者が占有していたものについては、滞納者に対し引渡をすべき旨の第三者の申出がない限り、その第三者に引き渡さなければならない。

一　前条第一項各号又は同条第二項第一号の規定に該当する場合のうち、更正の取消その他国の責に帰すべき理由による場合　差押の時に存在した場所

二　その他の場合　差押を解除した時に存在する場所

5　第二項第一号及び前項の規定は、債権又は自動車、建設機械若しくは小型船舶の差押えを解除した場合において、第六十五条（債権証書の取上げ）（第七十三条第五項（権利証書の取上げ）の規定により準用する場合を含む。）の規定により取り上げた証書又は第七十一条第三項（差し押さえた自動車等の占有）の規定により徴収職員が占有した自動車、建設機械若しくは小型船舶があるときについて準用する。

（質権者等への差押解除の通知）

第八十一条　税務署長は、差押を解除した場合において、第五十五条各号（質権者等に対する差押の通知）に掲げる者のうち知れている者及び交付要求をしている者があるときは、これらの者にその旨その他必要な事項を通知しなければならない。

第二節　交付要求

（交付要求の手続）

第八十二条　滞納者の財産につき強制換価手続が行われた場合には、税務署長は、執行機関（破産法（平成十六年法律第七十五号）第百十四条第一号（租税等の請求権の届出）に掲げる請求権に係る国税の交付要求を行う場合には、その交付要求に係る破産事件を取り扱う裁判所。第八十四条第二項（交付要求の解除）において同じ。）に対し、滞納に係る国税につき、交付要求書により交付要求をしなければならない。

2　税務署長は、交付要求をしたときは、その旨を滞納者に通知しなければならない。

3　第五十五条（質権者等に対する差押の通知）の規定は、交付要求をした場合について準用する。

（交付要求の制限）

第八十三条　税務署長は、滞納者が他に換価の容易な財産で第三者の権利の目的となつていないものを有しており、かつ、その財産によりその国税の全額を徴収することができると認められるときは、交付要求をしないものとする。

（交付要求の解除）

第八十四条　税務署長は、納付、充当、更正の取消その他の理由により交付要求に係る国税が消滅したときは、その交付要求を解除しなければならない。

2　交付要求の解除は、その旨をその交付要求に係る執行機関に通知することによつて行う。

3　第五十五条（質権者等に対する差押の通知）及び第八十二条第二項（交付要求の通知）の規定は、交付要求を解除した場合について準用する。

（交付要求の解除の請求）

第八十五条　強制換価手続により配当を受けることができる債権者は、交付要求があつたときは、税務署長に対し、次の各号のいずれにも該当することを理由として、その交付要求を解除すべきことを請求することができる。

一　その交付要求により自己の債権の全部又は一部の弁済を受けることができないこと。

二　滞納者が他に換価の容易な財産で第三者の権利の目的となつていないものを有しており、かつ、その財産によりその交付要求に係る国税の全額を徴収することができること。

2　税務署長は、前項の請求があつた場合において、その請求を相当と認めるときは、交付要求を解除しなければならないものとし、その請求を相当と認めないときは、その旨をその請求をした者に通知しなければならない。

（参加差押えの手続）

第八十六条　税務署長は、第四十七条（差押えの要件）の規定により差押えをすることができる場合において、滞納者の財産で次に掲げるものにつき既に滞納処分による差押えがされているときは、当該財産についての交付要求は、第八十二条

第一項（交付要求の手続）の交付要求書に代えて参加差押書を滞納処分をした行政機関等に交付してすることができる。
一　動産及び有価証券
二　不動産、船舶、航空機、自動車、建設機械及び小型船舶
三　電話加入権
2　税務署長は、前項の交付要求（以下「参加差押え」という。）をしたときは、参加差押通知書により滞納者に通知しなければならない。この場合において、参加差押えをした財産が電話加入権であるときは、あわせて第三債務者にその旨を通知しなければならない。
3　税務署長は、第一項第二号に掲げる財産につき参加差押えをしたときは、参加差押えの登記を関係機関に嘱託しなければならない。
4　第五十五条（質権者等に対する差押えの通知）の規定は、参加差押えをした場合について準用する。

（参加差押えの効力）
第八十七条　参加差押えをした場合において、その参加差押えに係る財産につきされていた滞納処分による差押えが解除されたときは、その参加差押え（前条第一項第二号に掲げる財産について二以上の参加差押えがあるときは、そのうち最も先に登記されたものとし、その他の財産について二以上の参加差押えがあるときは、そのうち最も先にされたものとする。）は、次の各号に掲げる財産の区分に応じ、当該各号に定める時に遡つて差押えの効力を生ずる。
一　動産及び有価証券　参加差押書が滞納処分による差押えをした行政機関等に交付された時
二　不動産（次号に掲げる財産を除く。）、船舶、航空機、自動車、建設機械及び小型船舶　参加差押通知書が滞納者に送達された時（参加差押えの登記がその送達前にされた場合には、その登記がされた時）
三　鉱業権　参加差押えの登録がされた時
四　電話加入権　参加差押通知書が第三債務者に送達された時
2　税務署長は、差し押さえた動産又は有価証券につき参加差押書の交付を受けた場合において、その動産又は有価証券の差押えを解除すべきときは、その動産又は有価証券を前項の規定により差押えの効力を生ずべき参加差押えをした行政機関等に引き渡さなければならない。差し押さえた自動車、建設機械又は小型船舶で第七十一条第三項（自動車、建設機械又は小型船舶の差押え）の規定により徴収職員が占有しているものについても、同様とする。
3　参加差押えをした税務署長は、その参加差押えに係る滞納処分による差押財産が相当期間内に換価に付されないときは、速やかにその換価をすべきことをその滞納処分をした行政機関等に催告することができる。

（参加差押えの制限、解除等）
第八十八条　第八十三条から第八十五条まで（交付要求の制限、解除等）の規定は、参加差押えについて準用する。
2　税務署長は、参加差押えの登記をした財産の参加差押えを解除したときは、その登記の抹消を関係機関に嘱託しなければならない。
3　税務署長は、電話加入権の参加差押えを解除したときは、その旨を第三債務者に通知しなければならない。
4　前二条及び前三項に定めるもののほか、参加差押えに関する手続について必要な事項は、政令で定める。

第三節　財産の換価

第一款　通則

（換価する財産の範囲等）
第八十九条　差押財産（金銭、債権及び第五十七条（有価証券に係る債権の取立て）の規定により債権の取立てをする有価証券を除く。）又は次条第四項に規定する特定参加差押不動産（以下この節において「差押財産等」という。）は、この節の定めるところにより換価しなければならない。
2　差し押さえた債権のうち、その全部又は一部の弁済期限が取立てをしようとする時から六月以内に到来しないもの及び取立てをすることが著しく困難であると認められるものは、この節の定めるところにより換価することができる。
3　税務署長は、相互の利用上差押財産等を他の差押財産等（滞納者を異にするものを含む。）と一括して同一の買受人に買い受けさせることが相当であると認めるときは、これらの差押財産等を一括して公売に付し、又は随意契約により売却することができる。

（参加差押えをした税務署長による換価）
第八十九条の二　参加差押えをした税務署長は、その参加差押えに係る不動産（以下「参加差押不動産」という。）が第八十七条第三項（参加差押えの効力）の規定による催告をしてもなお換価に付されないときは、同項の滞納処分をした行政機関等の同意を得て、参加差押不動産につき換価の執行をする旨の決定（以下「換価執行決定」という。）をすることができる。ただし、参加差押不動産につき強制執行若しくは担保権の実行としての競売が開始されているとき、又は国税に関する法律の規定で換価をすることができないこととするものの適用があるときは、この限りでない。
2　前項の滞納処分をした行政機関等は、同項の参加差押えをした税務署長による換価の執行に係る同意の求めがあつた場合において、その換価の執行を相当と認めるときは、これに同意するものとする。ただし、同項の滞納処分による差押えに係る不動産につき既に他の参加差押えをした行政機関等による換価の執行に係る同意をしているときは、この限りでない。
3　換価執行決定は、第一項の参加差押えをした税務署長による換価の執行に係る同意をした行政機関等（以下「換価同意行政機関等」という。）に告知することによつてその効力を生ずる。
4　換価執行決定をした税務署長（次条において「換価執行税務署長」という。）は、速やかに、その旨を滞納者及び参加

差押不動産（換価執行決定をしたものに限る。以下「特定参加差押不動産」という。）につき交付要求をした者に通知しなければならない。

（換価の制限）

第九十条　果実は成熟した後、蚕は繭となつた後でなければ、換価をすることができない。

2　前項の規定は、生産工程中における仕掛品（栽培品その他これらに類するものを含む。）で、完成品となり、又は一定の生産過程に達するのでなければ、その価額が著しく低くて通常の取引に適しないものについて準用する。

3　第二次納税義務者が第三十二条第一項（第二次納税義務の通則）の告知、同条第二項の督促又はこれらに係る国税に関する滞納処分につき訴えを提起したときは、その訴訟の係属する間は、当該国税につき滞納処分による財産の換価をすることができない。保証人が国税通則法第五十二条第二項（担保の処分）の告知、同条第三項の督促若しくはこれらに係る国税に関する滞納処分につき訴えを提起したとき、又は第五十五条第二号（仮登記の権利者に対する差押えの通知）の通知（担保のための仮登記に係るものに限る。）に係る差押えにつき訴えの提起があつたときにおいても、また同様とする。

（自動車等の換価前の占有）

第九十一条　自動車、建設機械又は小型船舶の換価は、徴収職員が第七十一条第三項（差し押さえた自動車等の占有）の規定によりこれらを占有した後に行うものとする。ただし、換価に支障がないと認められるときは、この限りでない。

（買受人の制限）

第九十二条　滞納者は、換価の目的となつた自己の財産（第二十四条第三項（譲渡担保財産に対する執行）の規定の適用を受ける譲渡担保財産を除く。）を、直接であると間接であるとを問わず、買い受けることができない。国税庁、国税局、税務署又は税関に所属する職員で国税に関する事務に従事する職員は、換価の目的となつた財産について、また同様とする。

（修理等の処分）

第九十三条　税務署長は、差押財産等を換価する場合において、必要があると認めるときは、滞納者の同意を得て、その財産につき修理その他その価額を増加する処分をすることができる。

第二款　公売

（公売）

第九十四条　税務署長は、差押財産等を換価するときは、これを公売に付さなければならない。

2　公売は、入札又は競り売りの方法により行わなければならない。

（公売公告）

第九十五条　税務署長は、差押財産等を公売に付するときは、公売の日の少なくとも十日前までに、次に掲げる事項を公告しなければならない。ただし、公売に付する財産（以下「公売財産」という。）が不相応の保存費を要し、又はその価額を著しく減少するおそれがあると認めるときは、この期間を短縮することができる。

一　公売財産の名称、数量、性質及び所在
二　公売の方法
三　公売の日時及び場所
四　売却決定の日時及び場所
五　公売保証金を提供させるときは、その金額
六　買受代金の納付の期限
七　公売財産の買受人について一定の資格その他の要件を必要とするときは、その旨
八　公売財産上に質権、抵当権、先取特権、留置権その他その財産の売却代金から配当を受けることができる権利を有する者は、売却決定の日の前日までにその内容を申し出るべき旨
九　前各号に掲げる事項のほか、公売に関し重要と認められる事項

2　前項の公告は、税務署の掲示場その他税務署内の公衆の見やすい場所に掲示して行う。ただし、他の適当な場所に掲示する方法、官報又は時事に関する事項を掲載する日刊新聞紙に掲げる方法その他の方法を併せて用いることを妨げない。

（公売の通知）

第九十六条　税務署長は、前条の公告をしたときは、同条第一項各号（第八号を除く。）に掲げる事項及び公売に係る国税の額を滞納者及び次に掲げる者のうち知れている者に通知しなければならない。

一　公売財産につき交付要求をした者
二　公売財産上に質権、抵当権、先取特権、留置権、地上権、賃借権その他の権利を有する者
三　換価同意行政機関等

2　税務署長は、前項の通知をするときは、公売財産の売却代金から配当を受けることができる者のうち知れている者に対し、その配当を受けることができる国税、地方税その他の債権につき第百三十条第一項（債権額の確認方法）に規定する債権現在額申立書をその財産の売却決定をする日の前日までに提出すべき旨の催告をあわせてしなければならない。

（公売の場所）

第九十七条　公売は、公売財産の所在する市町村（特別区を含む。）において行うものとする。ただし、税務署長が必要と認めるときは、他の場所で行うことができる。

（見積価額の決定）

第九十八条　税務署長は、近傍類似又は同種の財産の取引価格、公売財産から生ずべき収益、公売財産の原価その他の公売財産の価格形成上の事情を適切に勘案して、公売財産の見積価額を決定しなければならない。この場合において、税務署長は、差押財産等を公売するための見積価額の決定であることを考慮しなければならない。

2　税務署長は、前項の規定により見積価額を決定する場合に

おいて、必要と認めるときは、鑑定人にその評価を委託し、その評価額を参考とすることができる。

（見積価額の公告等）

第九十九条　税務署長は、公売財産のうち次の各号に掲げる財産を公売に付するときは、当該各号に掲げる日までに見積価額を公告しなければならない。

一　不動産、船舶及び航空機　公売の日から三日前の日

二　せり売の方法又は第百五条第一項（複数落札入札制）に規定する方法により公売する財産（前号に掲げる財産を除く。）　公売の日の前日（当該財産につき第九十五条第一項ただし書（公売公告）に該当する事実があると認めるときは、公売の日）

三　その他の財産で税務署長が公告を必要と認めるもの　公売の日の前日

２　税務署長は、見積価額を公告しない財産を公売するときは、その見積価額を記載した書面を封筒に入れ、封をして、公売をする場所に置かなければならない。

３　第九十五条第二項の規定は、第一項の公告について準用する。ただし、税務署長は、公売財産が動産であるときに限り、その財産に見積価額を記載した用紙をはりつけて、この公告に代えることができる。

４　税務署長は、第一項の場合において、公売財産上に賃借権（不動産又は船舶に係るものに限る。）又は地上権があるときは、あわせてその存続期限、借賃又は地代その他これらの権利の内容を公告しなければならない。

（暴力団員等に該当しないこと等の陳述）

第九十九条の二　公売財産（不動産に限る。以下この条、第百六条の二（調査の嘱託）及び第百八条第五項（公売実施の適正化のための措置）において「公売不動産」という。）の入札等をしようとする者（その者が法人である場合には、その代表者）は、税務署長に対し、次のいずれにも該当しない旨を財務省令で定めるところにより陳述しなければ、入札等をすることができない。

一　公売不動産の入札等をしようとする者（その者が法人である場合には、その役員）が暴力団員（暴力団員による不当な行為の防止等に関する法律（平成三年法律第七十七号）第二条第六号（定義）に規定する暴力団員をいう。以下この号において同じ。）又は暴力団員でなくなつた日から五年を経過しない者（次号、第百六条の二及び第百八条第五項において「暴力団員等」という。）であること。

二　自己の計算において当該公売不動産の入札等をさせようとする者（その者が法人である場合には、その役員）が暴力団員等であること。

（公売保証金）

第百条　公売財産の入札等をしようとする者（以下「入札者等」という。）は、税務署長が公売財産の見積価額の百分の十以上の額により定める公売保証金を次の各号に掲げるいずれかの方法により提供しなければならない。ただし、税務署長は、公売財産の見積価額が政令で定める金額以下である場合又は買受代金を売却決定の日に納付させるときは、公売保証金の提供を要しないものとすることができる。

一　現金（国税の納付に使用することができる小切手のうち銀行の振出しに係るもの及びその支払保証のあるものを含む。次号、第四項及び第百十五条第三項（買受代金の納付の期限等）において同じ。）で納付する方法

二　入札者等と保証銀行等（銀行その他税務署長が相当と認める者をいう。以下この号及び第四項において同じ。）との間において、当該入札者等に係る公売保証金に相当する現金を税務署長の催告により当該保証銀行等が納付する旨の契約（財務省令で定める要件を満たすものに限る。）が締結されたことを証する書面を税務署長に提出する方法

２　入札者等は、前項ただし書の規定の適用を受ける場合を除き、公売保証金を提供した後でなければ、入札等をすることができない。

３　公売財産の買受人は、第一項第一号に掲げる方法により提供した公売保証金がある場合には、当該公売保証金を買受代金に充てることができる。ただし、第百十五条第四項の規定により売却決定が取り消されたときは、当該公売保証金をその公売に係る国税に充て、なお残余があるときは、これを滞納者に交付しなければならない。

４　税務署長は、第一項第二号に掲げる方法により公売保証金を提供した入札者等に対して第百十五条第四項の規定による処分をした場合には、当該入札者等に係る保証銀行等に当該公売保証金に相当する現金を納付させるものとする。この場合において、当該保証銀行等が納付した現金は、当該処分を受けた者が第一項第一号に掲げる方法により提供した公売保証金とみなして、前項ただし書の規定を適用する。

５　前項の規定は、税務署長が、第百八条第二項（公売実施の適正化のための措置）の規定による処分をした場合について準用する。この場合において、前項中「第百十五条第四項」とあるのは「第百八条第二項（公売実施の適正化のための措置）」と、「前項ただし書」とあるのは「同条第三項」と読み替えるものとする。

６　税務署長は、次の各号に掲げる場合には、遅滞なく、当該各号に規定する公売保証金をその提供した者に返還しなければならない。

一　第百四条から第百五条まで（最高価申込者等の決定）の規定により最高価申込者及び次順位買受申込者（以下「最高価申込者等」という。）を定めた場合において、他の入札者等の提供した公売保証金があるとき。

二　入札等の価額の全部が見積価額に達しないことその他の理由により最高価申込者を定めることができなかつた場合において、入札者等の提供した公売保証金があるとき。

三　第百十四条の規定により最高価申込者等又は買受人がその入札等又は買受けを取り消した場合において、その者の提供した公売保証金があるとき。

四　第百十五条第三項の規定により最高価申込者が買受代金を納付した場合において、最高価申込者が提供した公売保証金で第三項本文の規定により買受代金に充てたもの以外のもの又は次順位買受申込者が提供した公売保証金があるとき。

五　第百十七条（国税等の完納による売却決定の取消し）の規定により売却決定が取り消された場合において、買受人の提供した公売保証金があるとき。

（入札及び開札）

第百一条　入札をしようとする者は、その住所又は居所、氏名（法人にあつては、名称。以下同じ。）、公売財産の名称、入札価額その他必要な事項を記載した入札書に封をして、これを徴収職員に差し出さなければならない。この場合において、情報通信技術を活用した行政の推進等に関する法律（平成十四年法律第百五十一号）第六条第一項（電子情報処理組織による申請等）の規定により同項に規定する電子情報処理組織を使用して入札がされる場合には、入札書に封をすることに相当する措置であつて財務省令で定めるものをもつて当該封をすることに代えるものとする。

2　入札者は、その提出した入札書の引換、変更又は取消をすることができない。

3　開札をするときは、徴収職員は、入札者を開札に立ち会わせなければならない。ただし、入札者が立ち会わないときは、税務署所属の他の職員を開札に立ち会わせなければならない。

（再度入札）

第百二条　税務署長は、入札の方法により差押財産等を公売する場合において、入札者がないとき、又は入札価額が見積価額に達しないときは、直ちに再度入札をすることができる。この場合においては、見積価額を変更することができない。

（競り売り）

第百三条　競り売りの方法により差押財産等を公売するときは、徴収職員は、その財産を指定して、買受けの申込みを催告しなければならない。

2　徴収職員は、競り売り人を選び、差押財産等の競り売りを取り扱わせることができる。

3　前条の規定は、差押財産等の競り売りについて準用する。

（最高価申込者の決定）

第百四条　徴収職員は、見積価額以上の入札者等のうち最高の価額による入札者等を最高価申込者として定めなければならない。

2　前項の場合において、最高の価額の入札者等が二人以上あるときは、更に入札等をさせて定め、なおその入札等の価額が同じときは、くじで定める。

（次順位買受申込者の決定）

第百四条の二　徴収職員は、入札の方法により不動産、船舶、航空機、自動車、建設機械、小型船舶、債権又は電話加入権以外の無体財産権等（以下「不動産等」という。）の公売をした場合において、最高価申込者の入札価額（以下この条において「最高入札価額」という。）に次ぐ高い価額（見積価額以上で、かつ、最高入札価額から公売保証金の額を控除した金額以上であるものに限る。第三項において同じ。）による入札者（前条第二項の規定によりくじで最高価申込者を定めた場合には、当該最高価申込者以外の最高の価額の入札者とする。第三項において同じ。）から次順位による買受けの申込みがあるときは、その者を次順位買受申込者として定めなければならない。

2　前項の次順位による買受けの申込みは、最高価申込者の決定後直ちにしなければならない。

3　第一項の場合において、最高入札価額に次ぐ高い価額による入札者が二人以上あるときは、くじで定める。

（複数落札入札制による最高価申込者の決定）

第百五条　税務署長は、種類及び価額が同じ財産を一時に多量に入札の方法により公売する場合において、必要があると認めるときは、その財産の数量の範囲内において入札をしようとする者の希望する数量及び単価を入札させ、見積価額以上の単価の入札者のうち、入札価額の高い入札者から順次その財産の数量に達するまでの入札者を最高価申込者とする方法（以下「複数落札入札制」という。）によることができる。この場合において、最高価申込者となるべき最後の順位の入札者が二人以上あるときは、入札数量の多いものを先順位の入札者とし、入札数量が同じときは、くじで先順位の入札者を定める。

2　複数落札入札制による場合において、最高価申込者のうち最後の順位の入札者の入札数量が他の最高価申込者の入札数量とあわせて公売財産の数量をこえるときは、そのこえる入札数量については、入札がなかつたものとする。

3　税務署長は、複数落札入札制による最高価申込者に対して売却決定をした場合において、買受人のうちに買受代金をその納付の期限までに納付しない者があるときは、開札に引き続き売却決定を行い、かつ、直ちに代金を納付させるときに限り、その者に売却決定をした数量の範囲内において、まず、前項の規定により入札がなかつたものとされた入札数量（買受代金を納付しない買受人の同項の規定により入札がなかつたものとされた入札数量を除く。）につき入札があつたものとし、次に、第一項後段の規定により最高価申込者とならなかつた者を最高価申込者とすることができる。この場合においては、同項後段及び前項の規定を準用する。

（入札又は競り売りの終了の告知等）

第百六条　徴収職員は、最高価申込者等を定めたときは、直ちにその氏名及び価額（複数落札入札制による場合には、数量及び単価。次項において同じ。）を告げた後、入札又は競り売りの終了を告知しなければならない。

2　前項の場合において、公売した財産が不動産等であるときは、税務署長は、最高価申込者等の氏名、その価額並びに売却決定をする日時及び場所を滞納者及び第九十六条第一項各号（公売の通知）に掲げる者（以下「利害関係人」という。）

のうち知れている者に通知するとともに、これらの事項を公告しなければならない。

3　第九十五条第二項（公売公告の方法）の規定は、前項の公告について準用する。

（調査の嘱託）

第百六条の二　税務署長は、公売不動産の最高価申込者等（その者が法人である場合には、その役員。以下この項において同じ。）が暴力団員等に該当するか否かについて、必要な調査をその税務署の所在地を管轄する都道府県警察に嘱託しなければならない。ただし、公売不動産の最高価申込者等が暴力団員等に該当しないと認めるべき事情があるものとして財務省令で定める場合は、この限りでない。

2　税務署長は、自己の計算において最高価申込者等に公売不動産の入札等をさせた者があると認める場合には、当該公売不動産の入札等をさせた者（その者が法人である場合には、その役員。以下この項において同じ。）が暴力団員等に該当するか否かについて、必要な調査をその税務署の所在地を管轄する都道府県警察に嘱託しなければならない。ただし、公売不動産の入札等をさせた者が暴力団員等に該当しないと認めるべき事情があるものとして財務省令で定める場合は、この限りでない。

（再公売）

第百七条　税務署長は、公売に付しても入札者等がないとき、入札等の価額が見積価額に達しないとき、又は次順位買受申込者が定められていない場合において次条第二項若しくは第五項若しくは第百十五条第四項（買受代金の納付の期限等）の規定により売却決定を取り消したときは、更に公売に付するものとする。

2　税務署長は、前項の規定により公売に付する場合において、必要があると認めるときは、公売財産の見積価額の変更、第九十五条第一項本文（公売公告）の期間の短縮その他公売条件の変更をすることができる。

3　第九十六条（公売の通知）の規定は、第一項の規定による公売が直前の公売期日から十日以内に行われるときは、適用しない。

4　第一項の規定により公売に付する場合における第九十九条第一項第一号（見積価額の公告等）の規定の適用については、同号中「公売の日から三日前の日」とあるのは、「公売の日の前日」とする。

（公売実施の適正化のための措置）

第百八条　税務署長は、次に掲げる者に該当すると認められる事実がある者については、その事実があつた後二年間、公売の場所に入ることを制限し、若しくはその場所から退場させ、又は入札等をさせないことができる。その事実があつた後二年を経過しない者を使用人その他の従業者として使用する者及びこれらの者を入札等の代理人とする者についても、また同様とする。

一　入札等をしようとする者の公売への参加若しくは入札等、最高価申込者等の決定又は買受人の買受代金の納付を妨げた者

二　公売に際して不当に価額を引き下げる目的をもつて連合した者

三　偽りの名義で買受申込みをした者

四　正当な理由がなく、買受代金の納付の期限までにその代金を納付しない買受人

五　故意に公売財産を損傷し、その価額を減少させた者

六　前各号に掲げる者のほか、公売又は随意契約による売却の実施を妨げる行為をした者

2　前項の規定に該当する者の入札等又はその者を最高価申込者等とする決定については、税務署長は、その入札等がなかつたものとし、又はその決定を取り消すことができるものとする。

3　前項の場合において、同項の処分を受けた者の納付した公売保証金があるときは、その公売保証金は、国庫に帰属する。

この場合において、第百条第六項（公売保証金）の規定は、適用しない。

4　税務署長は、第一項の規定の適用に関し必要があると認めるときは、入札者等の身分に関する証明を求めることができる。

5　税務署長は、公売不動産の最高価申込者等又は自己の計算において最高価申込者等に公売不動産の入札等をさせた者が次のいずれかに該当すると認める場合には、これらの最高価申込者等を最高価申込者等とする決定を取り消すことができるものとする。

一　暴力団員等（公売不動産の入札等がされた時に暴力団員等であつた者を含む。）

二　法人でその役員のうちに暴力団員等に該当する者があるもの（公売不動産の入札等がされた時にその役員のうちに暴力団員等に該当する者があつたものを含む。）

第三款　随意契約による売却

（随意契約による売却）

第百九条　次の各号のいずれかに該当するときは、税務署長は、差押財産等を、公売に代えて、随意契約により売却することができる。

一　法令の規定により、公売財産を買い受けることができる者が一人であるとき、その財産の最高価額が定められている場合において、その価額により売却するとき、その他公売に付することが公益上適当でないと認められるとき。

二　取引所の相場がある財産をその日の相場で売却するとき。

三　公売に付しても入札者等がないとき、入札等の価額が見積価額に達しないとき、又は第百十五条第四項（買受代金の納付の期限等）の規定により売却決定を取り消したとき。

2　第九十八条（見積価額の決定）の規定は、前項第一号又は第三号の規定により売却する場合について準用する。この場合において、同号の規定により売却するときは、その見積価額は、その直前の公売における見積価額を下つてはならない。

3　税務署長は、第一項第三号の規定により売却する差押財産等が動産であるときは、あらかじめ公告した価額により売却することができる。

4　第九十六条（公売の通知）、第九十九条の二（暴力団員等に該当しないこと等の陳述）、第百六条の二（調査の嘱託）及び第百七条第三項（再公売）の規定は差押財産等を随意契約により売却する場合について、第百六条第二項及び第三項（入札又は競り売りの終了の告知等）の規定は随意契約により買受人となるべき者を決定した場合について、それぞれ準用する。この場合において、第九十六条第一項中「前条の公告をしたときは」とあるのは「随意契約により売却をする日の七日前までに」と、「通知し」とあるのは「通知書を発し」と、第九十九条の二中「」の入札等をしようとする者」とあるのは「」を随意契約により買い受けようとする者」と、「入札等をすることができない」とあるのは「買い受けることができない」と、同条第一号中「の入札等をしようとする者」とあるのは「を随意契約により買い受けようとする者」と、同条第二号中「の入札等をさせようとする者」とあるのは「を随意契約により買い受けさせようとする者」と、第百六条の二第二項中「の入札等をさせた者」とあるのは「を随意契約により買い受けさせようとした者」と読み替えるものとする。

（国による買入れ）

第百十条　国は、前条第一項第三号の規定に該当する場合において、必要があるときは、同条第二項の規定による見積価額でその財産を買い入れることができる。

第四款　売却決定

（動産等の売却決定）

第百十一条　税務署長は、動産、有価証券又は電話加入権を換価に付するときは、公売をする日（随意契約により売却する場合には、その売却する日。以下「公売期日等」という。）において、最高価申込者（随意契約により売却する場合における買受人となるべき者を含む。以下同じ。）に対して売却決定を行う。

（動産等の売却決定の取消）

第百十二条　換価をした動産又は有価証券に係る売却決定の取消は、これをもつて買受代金を納付した善意の買受人に対抗することができない。

2　前項の規定により買受人に対抗することができないことにより損害が生じた者がある場合には、その生じたことについてその者に故意又は過失があるときを除き、国は、その通常生ずべき損失の額を賠償する責に任ずる。この場合において、他に損害の原因について責に任ずべき者があるときは、その者に対する求償権の行使を妨げない。

（不動産等の売却決定）

第百十三条　税務署長は、不動産等を換価に付するときは、公売期日等から起算して七日を経過した日（不動産を換価に付するときは、第百六条の二（調査の嘱託）（第百九条第四項（随意契約による売却）において準用する場合を含む。）の規定による調査に通常要する日数を勘案して財務省令で定める日。以下「売却決定期日」という。）において最高価申込者に対して売却決定を行う。

2　次順位買受申込者を定めている場合において、次の各号に掲げる場合のいずれかに該当するときは、税務署長は、当該各号に定める日において次順位買受申込者に対して売却決定を行う。

一　税務署長が第百八条第二項又は第五項（公売実施の適正化のための措置）の規定により最高価申込者に係る決定の取消しをした場合　当該最高価申込者に係る売却決定期日

二　最高価申込者が次条の規定により入札の取消しをした場合　当該入札に係る売却決定期日

三　最高価申込者である買受人が次条の規定により買受けの取消しをした場合　当該取消しをした日

四　税務署長が第百十五条第四項（買受代金の納付の期限等）の規定により最高価申込者である買受人に係る売却決定の取消しをした場合　当該取消しをした日

（買受申込み等の取消し）

第百十四条　換価に付した財産（以下「換価財産」という。）について最高価申込者等の決定又は売却決定をした場合において、国税通則法第百五条第一項ただし書（不服申立てがあつた場合の処分の制限）その他の法律の規定に基づき滞納処分の続行の停止があつたときは、その停止している間は、その最高価申込者等又は買受人は、その入札等又は買受けを取り消すことができる。

第五款　代金納付及び権利移転

（買受代金の納付の期限等）

第百十五条　換価財産の買受代金の納付の期限は、売却決定の日（買受人が次順位買受申込者である場合にあつては、同日から起算して七日を経過した日）とする。

2　税務署長は、必要があると認めるときは、前項の期限を延長することができる。ただし、その期間は、三十日を超えることができない。

3　買受人は、買受代金を第一項の期限までに現金で納付しなければならない。

4　税務署長は、買受人が買受代金を第一項の期限までに納付しないときは、その売却決定を取り消すことができる。

（買受代金の納付の効果）

第百十六条　買受人は、買受代金を納付した時に換価財産を取得する。

2　徴収職員が買受代金を受領したときは、その限度において、滞納者から換価に係る国税を徴収したものとみなす。

（国税等の完納による売却決定の取消し）

第百十七条　税務署長は、換価財産に係る国税（特定参加差押不動産を換価する場合にあつては、換価財産に係る国税又は換価同意行政機関等の滞納処分による差押えに係る国税、地方税若しくは公課）の完納の事実が買受人の買受代金の納付前に証明されたときは、その売却決定を取り消さなければならない。

（売却決定通知書の交付）

第百十八条　税務署長は、換価財産（有価証券を除く。）の買受人がその買受代金を納付したときは、売却決定通知書を買受人に交付しなければならない。ただし、動産については、その交付をしないことができる。

（動産等の引渡し）

第百十九条　税務署長は、換価した動産、有価証券又は自動車、建設機械若しくは小型船舶（徴収職員が占有したものに限る。）の買受人が買受代金を納付したときは、その財産を買受人に引き渡さなければならない。

2　税務署長は、前項の場合において、その財産を滞納者又は第三者に保管させているときは、売却決定通知書を買受人に交付する方法によりその財産の引渡をすることができる。この場合において、その引渡をした税務署長は、その旨を滞納者又は第三者に通知しなければならない。

（有価証券の裏書等）

第百二十条　税務署長は、換価した有価証券を買受人に引き渡す場合において、その証券に係る権利の移転につき滞納者に裏書、名義変更又は流通回復の手続をさせる必要があるときは、期限を指定して、これらの手続をさせなければならない。

2　税務署長は、前項の場合において、滞納者がその期限までに同項の手続をしないときは、滞納者に代つてその手続をすることができる。

（権利移転の登記の嘱託）

第百二十一条　税務署長は、換価財産で権利の移転につき登記を要するものについては、不動産登記法（平成十六年法律第百二十三号）その他の法令に別段の定めがある場合を除き、その買受代金を納付した買受人の請求により、その権利の移転の登記を関係機関に嘱託しなければならない。

（債権等の権利移転の手続）

第百二十二条　税務署長は、換価した債権又は第七十三条第一項（電話加入権等の差押手続）若しくは第七十三条の二第一項（振替社債等の差押手続）に規定する財産の買受人がその買受代金を納付したときは、売却決定通知書を第三債務者等に交付しなければならない。

2　前項の場合において、第六十五条（債権証書の取上げ）（第七十三条第五項（権利証書の取上げ）において準用する場合を含む。）の規定により取り上げた証書があるときは、これを買受人に引き渡さなければならない。

（権利移転に伴う費用の負担）

第百二十三条　第百二十条第二項（有価証券の裏書等の代位）の規定による手続に関する費用及び第百二十一条（権利移転の登記の嘱託）の規定による嘱託に係る登録の登録免許税その他の費用は、買受人の負担とする。

（担保権の消滅又は引受け）

第百二十四条　換価財産上の質権、抵当権、先取特権、留置権、担保のための仮登記に係る権利及び担保のための仮登記に基づく本登記（本登録を含む。）でその財産の差押え後にされたものに係る権利は、その買受人が買受代金を納付した時に消滅する。第二十四条（譲渡担保権者の物的納税責任）の規定により譲渡担保財産に対し滞納処分を執行した場合において、滞納者がした再売買の予約の仮登記があるときは、その仮登記により保全される請求権についても、同様とする。

2　税務署長は、不動産、船舶、航空機、自動車又は建設機械を換価する場合において、次の各号のいずれにも該当するときは、その財産上の質権、抵当権又は先取特権（登記がされているものに限る。以下この条において同じ。）に関する負担を買受人に引き受けさせることができる。この場合において、その引受けがあつた質権、抵当権又は先取特権については、前項の規定は、適用しない。

一　差押えに係る国税（特定参加差押不動産を換価する場合にあつては、換価同意行政機関等の滞納処分による差押えに係る地方税又は公課を含む。）がその質権、抵当権又は先取特権により担保される債権に次いで徴収するものであるとき。

二　その質権、抵当権又は先取特権により担保される債権の弁済期限がその財産の売却決定期日から六月以内に到来しないとき。

三　その質権、抵当権又は先取特権を有する者から申出があつたとき。

（換価に伴い消滅する権利の登記のまつ消の嘱託）

第百二十五条　税務署長は、第百二十一条（権利移転の登記の嘱託）の規定により権利の移転の登記を嘱託する場合において、換価に伴い消滅する権利に係る登記があるときは、あわせてそのまつ消を関係機関に嘱託しなければならない。

（担保責任等）

第百二十六条　民法第五百六十八条（競売における担保責任等）の規定は、差押財産等の換価の場合について準用する。

（法定地上権等の設定）

第百二十七条　土地及びその上にある建物又は立木（以下この条において「建物等」という。）が滞納者の所有に属する場合において、その土地又は建物等の差押があり、その換価によりこれらの所有者を異にするに至つたときは、その建物等につき、地上権が設定されたものとみなす。

2　前項の規定は、地上権及びその目的となる土地の上にある建物等が滞納者に属する場合について準用する。この場合において、同項中「地上権が設定された」とあるのは、「地上権の存続期間内において土地の賃貸借をした」と読み替えるものとする。

3　前二項の場合において、その権利の存続期間及び地代は、当事者の請求により裁判所が定める。

第四節　換価代金等の配当

（配当すべき金銭）

第百二十八条　税務署長は、次に掲げる金銭をこの節の定めるところにより配当しなければならない。
一　差押財産又は特定参加差押不動産（次条第一項第三号及び第百三十六条（滞納処分費の範囲）において「差押財産等」という。）の売却代金
二　有価証券、債権又は無体財産権等の差押えにより第三債務者等から給付を受けた金銭
三　差し押さえた金銭
四　交付要求により交付を受けた金銭
2　第八十九条第三項（換価する財産の範囲等）の規定により差押財産等（同条第一項に規定する差押財産等をいう。以下この項において同じ。）が一括して公売に付され、又は随意契約により売却された場合において、各差押財産等ごとに前項第一号に掲げる売却代金の額を定める必要があるときは、その額は、売却代金の総額を各差押財産等の見積価額に応じて按分して得た額とする。各差押財産等ごとの滞納処分費の負担についても、同様とする。

（配当の原則）
第百二十九条　前条第一項第一号又は第二号に掲げる金銭（以下「換価代金等」という。）は、次に掲げる国税その他の債権に配当する。
一　差押えに係る国税（特定参加差押不動産の売却代金を配当する場合にあつては、特定参加差押えに係る国税）
二　交付要求を受けた国税、地方税及び公課（特定参加差押不動産の売却代金を配当する場合にあつては、差押えに係る国税、地方税及び公課を含む。）
三　差押財産等に係る質権、抵当権、先取特権、留置権又は担保のための仮登記により担保される債権
四　第五十九条第一項後段、第三項又は第四項（引渡命令を受けた第三者等の権利の保護）（これらの規定を第七十一条第四項（自動車、建設機械又は小型船舶の差押え）において準用する場合を含む。）の規定の適用を受ける損害賠償請求権又は借賃に係る債権
2　前条第一項第三号又は第四号に掲げる金銭は、それぞれ差押え又は交付要求に係る国税に充てる。
3　前二項の規定により配当した金銭に残余があるときは、その残余の金銭は、滞納者に交付する。
4　換価財産上に担保のための仮登記がある場合における当該仮登記により担保される債権に対する配当については、仮登記担保契約に関する法律第十三条（優先弁済請求権）（同法第二十条（土地等の所有権以外の権利を目的とする契約への準用）において準用する場合を含む。）の規定を準用する。
5　換価代金等が第一項各号に掲げる国税その他の債権の総額に不足するときは、税務署長は、第二章（国税と他の債権との調整）、第五十九条第一項後段、第三項及び第四項（これらの規定を第七十一条第四項において準用する場合を含む。）、前項並びに民法その他の法律の規定により配当すべき順位及び金額を定めて配当しなければならない。
6　第一項又は第二項の規定により国税に配当された金銭を国税（附帯税を除く。以下この項において同じ。）及びその延滞税又は利子税に充てるべきときは、その金銭は、まずその国税に充てなければならない。

（債権額の確認方法）
第百三十条　前条第一項第二号に掲げる国税、地方税又は公課を徴収する者及び同項第三号又は第四号に掲げる債権を有する者は、売却決定の日の前日までに債権現在額申立書を税務署長に提出しなければならない。
2　税務署長は、前項の債権現在額申立書を調査して前条第一項各号に掲げる国税その他の債権を確認するものとする。この場合において、次に掲げる債権を有する者が債権現在額申立書を提出しないときは、税務署長の調査によりその額を確認するものとする。
一　登記がされた質権、抵当権若しくは先取特権により担保される債権又は担保のための仮登記により担保される債権
二　登記することができない質権若しくは先取特権又は留置権により担保される債権で知れているもの
三　前条第一項第四号に掲げる債権で知れているもの
3　前条第一項第三号に掲げる債権のうち前項第一号及び第二号に掲げる債権以外の債権を有する者が売却決定の時までに債権現在額申立書を提出しないときは、その者は、配当を受けることができない。

（配当計算書）
第百三十一条　税務署長は、第百二十九条（配当の原則）の規定により配当しようとするときは、政令で定めるところにより、配当を受ける債権、前条第二項の規定により税務署長が確認した金額その他必要な事項を記載した配当計算書を作成し、換価財産の買受代金の納付の日から三日以内に、次に掲げる者に対する交付のため、その謄本を発送しなければならない。
一　債権現在額申立書を提出した者
二　前条第二項後段の規定により金額を確認した債権を有する者
三　滞納者

（換価代金等の交付期日）
第百三十二条　税務署長は、前条の規定により配当計算書の謄本を交付するときは、その謄本に換価代金等の交付期日を附記して告知しなければならない。
2　前項の換価代金等の交付期日は、配当計算書の謄本を交付のため発送した日から起算して七日を経過した日としなければならない。ただし、第百二十九条第一項第三号又は第四号（配当を受ける債権）に掲げる債権を有する者で前条第一号又は第二号に掲げる者に該当するものがない場合には、その期間は、短縮することができる。

（換価代金等の交付）
第百三十三条　税務署長は、換価代金等の交付期日に配当計算書に従つて換価代金等を交付するものとする。
2　換価代金等の交付期日までに配当計算書に関する異議の申

出があつた場合における前項の換価代金等の交付は、次に定めるところによる。
一　その異議が配当計算書に記載された国税、地方税又は公課の配当金額に対するものであるときは、その行政機関等からの通知に従い、配当計算書を更正し、又は直ちに交付するものとする。
二　その異議が配当計算書に記載された国税、地方税又は公課の配当金額を変更させないものである場合において、その異議に関係を有する者及び滞納者がその異議を正当と認めたとき、又はその他の方法で合意したときは、配当計算書を更正して交付するものとする。
三　その異議が配当計算書に記載された国税、地方税又は公課の配当金額を変更させるその他の債権の配当金額に関するものである場合において、その異議に関係を有する者及び滞納者がその異議を正当と認めたとき、又はその他の方法で合意したときは、配当計算書を更正して交付するものとし、その合意がなかつたときは、その異議を参酌して配当計算書を更正して交付し、又は異議につき相当の理由がないと認めるときは、直ちに国税、地方税又は公課の金額を交付するものとする。
3　前項の規定により換価代金等を交付することができない場合、換価代金等を配当すべき債権が停止条件付である場合又は換価代金等を配当すべき債権が仮登記（民事保全法（平成元年法律第九十一号）第五十三条第二項（不動産の登記請求権を保全するための処分禁止の仮処分の執行）（同法第五十四条（不動産に関する権利以外の権利についての登記又は登録請求権を保全するための処分禁止の仮処分の執行）において準用する場合を含む。）の規定による仮処分による仮登記を含む。）がされた質権、抵当権若しくは先取特権により担保される債権である場合における換価代金等の交付については、政令で定めるところによる。

（換価代金等の供託）
第百三十四条　換価代金等を配当すべき債権の弁済期が到来していないときは、その債権者に交付すべき金額は、供託しなければならない。
2　税務署長は、前項の規定により供託したときは、その旨を同項の債権者に通知しなければならない。

（売却決定の取消に伴う措置）
第百三十五条　税務署長は、売却決定を取り消したときは、次に掲げる手続をしなければならない。ただし、第百十二条第一項（動産等の売却決定の取消）の規定により、その取消をもつて買受人に対抗することができないときは、この限りでない。
一　徴収職員が受領した換価代金等の買受人への返還
二　第百二十一条（権利移転の登記の嘱託）その他の法令の規定により嘱託した換価に係る権利の移転の登記のまつ消の嘱託
三　第百二十五条（換価に伴い消滅する権利の登記のまつ消の嘱託）その他の法令の規定による嘱託で換価に係るものによりまつ消された質権、抵当権その他の権利の登記の回復の登記の嘱託
2　前項第三号の規定により嘱託した回復の登記に係る質権者、抵当権者又は先取特権者に対し換価代金等から配当した金額がある場合において、これらの者がその金額を返還しないときは、税務署長は、その金額を限度として、これらの者に代位することができる。この場合において、配当した金額がその質権、抵当権又は先取特権により担保される債権の一部であるときは、税務署長は、その代位に係る権利を行使し、かつ、その債権者に優先して弁済を受けることができる。

第五節　滞納処分費

（滞納処分費の範囲）
第百三十六条　滞納処分費は、国税の滞納処分による財産の差押え、交付要求、差押財産等の保管、運搬、換価及び第九十三条（修理等の処分）の規定による処分、差し押さえた有価証券、債権及び無体財産権等の取立て並びに配当に関する費用（通知書その他の書類の送達に要する費用を除く。）とする。

（滞納処分費の配当等の順位）
第百三十七条　滞納処分費については、その徴収の基因となつた国税に先だつて配当し、又は充当する。

（滞納処分費の納入の告知）
第百三十八条　国税が完納された場合において、滞納処分費につき滞納者の財産を差し押えようとするときは、税務署長は、政令で定めるところにより、滞納者に対し、納入の告知をしなければならない。

第六節　雑則

第一款　滞納処分の効力

（相続等があつた場合の滞納処分の効力）
第百三十九条　滞納者の財産について滞納処分を執行した後、滞納者が死亡し、又は滞納者である法人が合併により消滅したときは、その財産につき滞納処分を続行することができる。
2　滞納者の死亡後その国税につき滞納者の名義の財産に対してした差押えは、当該国税につきその財産を有する相続人に対してされたものとみなす。ただし、徴収職員がその死亡を知つていたときは、この限りでない。
3　信託の受託者の任務が終了した場合において、新たな受託者が就任するに至るまでの間に信託財産に属する財産について滞納処分を執行した後、新たな受託者が就任したときは、その財産につき滞納処分を続行することができる。
4　信託の受託者である法人の信託財産に属する財産について滞納処分を執行した後、当該受託者である法人としての権利義務を承継する分割が行われたときは、その財産につき滞納処分を続行することができる。

（仮差押等がされた財産に対する滞納処分の効力）
第百四十条　滞納処分は、仮差押又は仮処分によりその執行を妨げられない。

第二款　財産の調査

（徴収職員の滞納処分に関する調査に係る質問検査権）

第百四十一条　徴収職員は、滞納処分のため滞納者の財産を調査する必要があるときは、その必要と認められる範囲内において、次に掲げる者に質問し、その者の財産に関する帳簿書類（その作成又は保存に代えて電磁的記録（電子的方式、磁気的方式その他人の知覚によつては認識することができない方式で作られる記録であつて、電子計算機による情報処理の用に供されるものをいう。）の作成又は保存がされている場合における当該電磁的記録を含む。第百四十六条の二（事業者等への協力要請）及び第百八十八条第三号（罰則）において同じ。）その他の物件を検査し、又は当該物件（その写しを含む。）の提示若しくは提出を求めることができる。

一　滞納者

二　滞納者の財産を占有する第三者及びこれを占有していると認めるに足りる相当の理由がある第三者

三　滞納者に対し債権若しくは債務があつた、若しくはあると認めるに足りる相当の理由がある者又は滞納者から財産を取得したと認めるに足りる相当の理由がある者

四　滞納者が株主又は出資者である法人

（提出物件の留置き）

第百四十一条の二　徴収職員は、滞納処分に関する調査について必要があるときは、当該調査において提出された物件を留め置くことができる。

（捜索の権限及び方法）

第百四十二条　徴収職員は、滞納処分のため必要があるときは、滞納者の物又は住居その他の場所につき捜索することができる。

2　徴収職員は、滞納処分のため必要がある場合には、次の各号の一に該当するときに限り、第三者の物又は住居その他の場所につき捜索することができる。

一　滞納者の財産を所持する第三者がその引渡をしないとき。

二　滞納者の親族その他の特殊関係者が滞納者の財産を所持すると認めるに足りる相当の理由がある場合において、その引渡をしないとき。

3　徴収職員は、前二項の捜索に際し必要があるときは、滞納者若しくは第三者に戸若しくは金庫その他の容器の類を開かせ、又は自らこれらを開くため必要な処分をすることができる。

（捜索の時間制限）

第百四十三条　捜索は、日没後から日出前まではすることができない。ただし、日没前に着手した捜索は、日没後まで継続することができる。

2　旅館、飲食店その他夜間でも公衆が出入することができる場所については、滞納処分の執行のためやむを得ない必要があると認めるに足りる相当の理由があるときは、前項本文の規定にかかわらず、日没後でも、公開した時間内は、捜索することができる。

（捜索の立会人）

第百四十四条　徴収職員は、捜索をするときは、その捜索を受ける滞納者若しくは第三者又はその同居の親族若しくは使用人その他の従業者で相当のわきまえのあるものを立ち会わせなければならない。この場合において、これらの者が不在であるとき、又は立会いに応じないときは、成年に達した者二人以上又は地方公共団体の職員若しくは警察官を立ち会わせなければならない。

（出入禁止）

第百四十五条　徴収職員は、捜索、差押又は差押財産の搬出をする場合において、これらの処分の執行のため支障があると認められるときは、これらの処分をする間は、次に掲げる者を除き、その場所に出入することを禁止することができる。

一　滞納者

二　差押に係る財産を保管する第三者及び第百四十二条第二項（第三者に対する捜索）の規定により捜索を受けた第三者

三　前二号に掲げる者の同居の親族

四　滞納者の国税に関する申告、申請その他の事項につき滞納者を代理する権限を有する者

（捜索調書の作成）

第百四十六条　徴収職員は、捜索したときは、捜索調書を作成しなければならない。

2　徴収職員は、捜索調書を作成した場合には、その謄本を捜索を受けた滞納者又は第三者及びこれらの者以外の立会人があるときはその立会人に交付しなければならない。

3　前二項の規定は、第五十四条（差押調書）の規定により差押調書を作成する場合には、適用しない。この場合においては、差押調書の謄本を前項の第三者及び立会人に交付しなければならない。

（事業者等への協力要請）

第百四十六条の二　徴収職員は、滞納処分に関する調査について必要があるときは、事業者（特別の法律により設立された法人を含む。）又は官公署に、当該調査に関し参考となるべき帳簿書類その他の物件の閲覧又は提供その他の協力を求めることができる。

（身分証明書の提示等）

第百四十七条　徴収職員は、この款の規定により質問、検査、提示若しくは提出の要求若しくは捜索をする場合又は前条の職務を執行する場合には、その身分を示す証明書を携帯し、関係者の請求があつたときは、これを提示しなければならない。

2　この款の規定による質問、検査、提示若しくは提出の要求、物件の留置き又は捜索の権限は、犯罪捜査のために認められたものと解してはならない。

第六章　滞納処分に関する猶予及び停止等

第一節　換価の猶予

第百四十八条から第百五十条まで　削除

（換価の猶予の要件等）

第百五十一条　税務署長は、滞納者が次の各号のいずれかに該当すると認められる場合において、その者が納税について誠実な意思を有すると認められるときは、その納付すべき国税（国税通則法第四十六条第一項から第三項まで（納税の猶予の要件等）又は次条第一項の規定の適用を受けているものを除く。）につき滞納処分による財産の換価を猶予することができる。ただし、その猶予の期間は、一年を超えることができない。

一　その財産の換価を直ちにすることによりその事業の継続又はその生活の維持を困難にするおそれがあるとき。

二　その財産の換価を猶予することが、直ちにその換価をすることに比して、滞納に係る国税及び最近において納付すべきこととなる国税の徴収上有利であるとき。

2　税務署長は、前項の規定による換価の猶予又は第百五十二条第三項（換価の猶予に係る分割納付、通知等）において読み替えて準用する国税通則法第四十六条第七項の規定による換価の猶予の期間の延長をする場合において、必要があると認めるときは、滞納者に対し、財産目録、担保の提供に関する書類その他の政令で定める書類又は第百五十二条第一項の規定により分割して納付させるために必要となる書類の提出を求めることができる。

第百五十一条の二　税務署長は、前条の規定によるほか、滞納者がその国税を一時に納付することによりその事業の継続又はその生活の維持を困難にするおそれがあると認められる場合において、その者が納税について誠実な意思を有すると認められるときは、その国税の納期限（延納又は物納の許可の取消しがあつた場合には、その取消しに係る書面が発せられた日）から六月以内にされたその者の申請に基づき、一年以内の期間を限り、その納付すべき国税（国税通則法第四十六条第一項から第三項まで（納税の猶予の要件等）の規定の適用を受けているものを除く。）につき滞納処分による財産の換価を猶予することができる。

2　前項の規定は、当該申請に係る国税以外の国税（次の各号に掲げる国税を除く。）の滞納がある場合には、適用しない。

一　国税通則法第四十六条第一項から第三項までの規定による納税の猶予（次号において「納税の猶予」という。）又は前項の規定による換価の猶予の申請中の国税

二　国税通則法第四十六条第一項から第三項まで又は前条第一項若しくは前項の規定の適用を受けている国税（同法第四十九条第一項第四号（納税の猶予の取消し）（次条第三項又は第四項において準用する場合を含む。）に該当し、納税の猶予又は前条第一項若しくは前項の規定による換価の猶予が取り消されることとなる場合の当該国税を除く。）

3　第一項の規定による換価の猶予の申請をしようとする者は、同項の国税を一時に納付することによりその事業の継続又はその生活の維持が困難となる事情の詳細、その納付を困難とする金額、当該猶予を受けようとする期間、その猶予に係る金額を分割して納付する場合の各納付期限及び各納付期限ごとの納付金額その他の政令で定める事項を記載した申請書に、財産目録、担保の提供に関する書類その他の政令で定める書類を添付し、これを税務署長に提出しなければならない。

（換価の猶予に係る分割納付、通知等）

第百五十二条　税務署長は、第百五十一条第一項（換価の猶予の要件等）若しくは前条第一項の規定による換価の猶予又は第三項において読み替えて準用する国税通則法第四十六条第七項（納税の猶予の要件等）若しくは第四項において準用する同条第七項の規定による換価の猶予の期間の延長をする場合には、その猶予に係る金額（その納付を困難とする金額として政令で定める額を限度とする。）をその猶予をする期間内の各月（税務署長がやむを得ない事情があると認めるときは、その期間内の税務署長が指定する月。以下この項において同じ。）に分割して納付させるものとする。この場合においては、滞納者の財産の状況その他の事情からみて、その猶予をする期間内の各月に納付させる金額が、それぞれの月において合理的かつ妥当なものとなるようにしなければならない。

2　税務署長は、第百五十一条第一項又は前条第一項の規定による換価の猶予をする場合において、必要があると認めるときは、差押えにより滞納者の事業の継続又は生活の維持を困難にするおそれがある財産の差押えを猶予し、又は解除することができる。

3　国税通則法第四十六条第五項から第七項まで及び第九項、第四十七条第一項（納税の猶予の通知等）、第四十八条第三項及び第四項（果実等による徴収）並びに第四十九条第一項（第五号に係る部分を除く。）及び第三項（納税の猶予の取消し）の規定は、第百五十一条第一項の規定による換価の猶予について準用する。この場合において、同法第四十六条第七項中「納税者の申請に基づき、その期間」とあるのは「その期間」と、同条第九項中「第四項（前項において準用する場合を含む。）」とあるのは「国税徴収法第百五十二条第一項（換価の猶予に係る分割納付、通知等）」と、それぞれ読み替えるものとする。

4　国税通則法第四十六条第五項から第七項まで及び第九項、第四十六条の二第四項及び第六項から第十項まで（納税の猶予の申請手続等）、第四十七条、第四十八条第三項及び第四項並びに第四十九条第一項及び第三項の規定は、前条第一項の規定による換価の猶予について準用する。この場合において、同法第四十六条第九項中「第四項（前項において準用する場合を含む。）」とあるのは「国税徴収法第百五十二条第一項（換価の猶予に係る分割納付、通知等）」と、同法第四十六条の二第四項中「分割納付の方法により納付を行うかどうか（分割納付の方法により納付を行う場合にあつては、分割納付の各納付期限及び各納付期限ごとの納付金額を含む。）」とあるのは「その猶予に係る金額を分割して納付する場合の各納付期限及び各納付期限ごとの納付金額」と、同条第六項

中「第一項から第四項まで」とあるのは「国税徴収法第百五十一条の二第三項（換価の猶予の要件等）又は同法第百五十二条第四項（換価の猶予に係る分割納付、通知等）において読み替えて準用する第四項」と、同条第七項中「第一項から第四項まで」とあるのは「国税徴収法第百五十一条の二第三項又は同法第百五十二条第四項において読み替えて準用する第四項」と、同条第十項中「第一項から第四項まで」とあるのは「国税徴収法第百五十一条の二第三項又は同法第百五十二条第四項において読み替えて準用する第四項」と、「前条第一項から第三項まで又は第七項」とあるのは「同法第百五十一条の二第一項又は同法第百五十二条第四項において準用する前条第七項」と、同項第二号中「次項」とあるのは「国税徴収法第百四十一条（徴収職員の滞納処分に関する調査に係る質問検査権）」と、「同項」とあるのは「同条」と、同法第四十七条第二項中「前条第一項から第四項まで」とあるのは「国税徴収法第百五十一条の二第三項（換価の猶予の要件等）又は同法第百五十二条第四項（換価の猶予に係る分割納付、通知等）において読み替えて準用する前条第四項」と、それぞれ読み替えるものとする。

第二節　滞納処分の停止

（滞納処分の停止の要件等）

第百五十三条　税務署長は、滞納者につき次の各号のいずれかに該当する事実があると認めるときは、滞納処分の執行を停止することができる。

一　滞納処分の執行及び租税条約等の相手国等に対する共助対象国税の徴収の共助の要請による徴収（以下この項において「滞納処分の執行等」という。）をすることができる財産がないとき。

二　滞納処分の執行等をすることによつてその生活を著しく窮迫させるおそれがあるとき。

三　その所在及び滞納処分の執行等をすることができる財産がともに不明であるとき。

2　税務署長は、前項の規定により滞納処分の執行を停止したときは、その旨を滞納者に通知しなければならない。

3　税務署長は、第一項第二号の規定により滞納処分の執行を停止した場合において、その停止に係る国税について差し押さえた財産があるときは、その差押えを解除しなければならない。

4　第一項の規定により滞納処分の執行を停止した国税を納付する義務は、その執行の停止が三年間継続したときは、消滅する。

5　第一項第一号の規定により滞納処分の執行を停止した場合において、その国税が限定承認に係るものであるとき、その他その国税を徴収することができないことが明らかであるときは、税務署長は、前項の規定にかかわらず、その国税を納付する義務を直ちに消滅させることができる。

（滞納処分の停止の取消）

第百五十四条　税務署長は、前条第一項各号の規定により滞納処分の執行を停止した後三年以内に、その停止に係る滞納者につき同項各号に該当する事実がないと認めるときは、その執行の停止を取り消さなければならない。

2　税務署長は、前項の規定により滞納処分の執行の停止を取り消したときは、その旨を滞納者に通知しなければならない。

第百五十五条から第百五十七条まで　削除

第三節　保全担保及び保全差押

（保全担保）

第百五十八条　納税者が消費税等（消費税を除く。）を滞納した場合において、その後その者に課すべきその国税の徴収を確保することができないと認められるときは、税務署長は、その国税の担保として、金額及び期限を指定して、その者に国税通則法第五十条各号（担保の種類）に掲げるものの提供を命ずることができる。

2　前項の規定により指定する金額は、その提供を命ずる月の前月分の当該国税の額の三倍に相当する金額（その金額が前年におけるその提供を命ずる月に対応する月分及びその後二月分の当該国税の金額に満たないときは、その額）を限度とする。

3　税務署長は、第一項の規定により当該国税（酒税を除く。）の担保の提供を命じた場合において、納税者がその指定された期限までにその命ぜられた担保を提供しないときは、当該国税に関し、その者の財産で抵当権の目的となるものにつき、同項の規定により指定した金額を限度として抵当権を設定することを書面で納税者に通知することができる。

4　前項の通知があつたときは、その通知を受けた納税者は、同項の抵当権を設定したものとみなす。この場合において、税務署長は、抵当権の設定の登記を関係機関に嘱託しなければならない。

5　前項後段の場合（次項に規定する場合を除く。）においては、その嘱託に係る書面には、第三項の書面が同項の納税者に到達したことを証する書面を添付しなければならない。

6　第四項後段の場合において、不動産登記法第十六条第二項（嘱託による登記）（他の法令において準用する場合を含む。）において準用する同法第十八条（登記の申請方法）の規定による嘱託をするときは、その嘱託情報と併せて第三項の書面が同項の納税者に到達したことを証する情報を提供しなければならない。この場合においては、同法第百十六条第一項（官庁の嘱託による登記）の規定にかかわらず、登記義務者の承諾を得ることを要しない。

7　税務署長は、第一項の規定による担保の提供又は第四項の規定による抵当権の設定（以下「担保の提供等」という。）があつた場合において、第一項の命令に係る国税の滞納がない期間が継続して三月に達したときは、その担保を解除しなければならない。

8　税務署長は、担保の提供等があつた納税者の資力その他の事情の変化により担保の提供等の必要がなくなつたと認めるときは、前項の規定にかかわらず、直ちにその解除をすることができる。

（保全差押え）

第百五十九条　納税義務があると認められる者が不正に国税を免れ、又は国税の還付を受けたことの嫌疑に基づき、国税通則法第十一章（犯則事件の調査及び処分）の規定による差押え、記録命令付差押え若しくは領置又は刑事訴訟法（昭和二十三年法律第百三十一号）の規定による押収、領置若しくは逮捕を受けた場合において、その処分に係る国税の納付すべき額の確定（申告、更正又は決定による確定をいい、国税通則法第二条第二号（定義）に規定する源泉徴収等による国税についての納税の告知を含む。以下この条において同じ。）後においては当該国税の徴収を確保することができないと認められるときは、税務署長は、当該国税の納付すべき額の確定前に、その確定をすると見込まれる国税の金額のうちその徴収を確保するためあらかじめ滞納処分を執行することを要すると認める金額（以下この条において「保全差押金額」という。）を決定することができる。この場合においては、徴収職員は、その金額を限度として、その者の財産を直ちに差し押さえることができる。

2　税務署長は、前項の規定による決定をしようとするときは、あらかじめ、その所属する国税局長の承認を受けなければならない。

3　税務署長は、第一項の規定により保全差押金額を決定するときは、当該保全差押金額を同項に規定する納税義務があると認められる者に書面で通知しなければならない。

4　前項の通知をした場合において、その納税義務があると認められる者がその通知に係る保全差押金額に相当する担保として国税通則法第五十条各号（担保の種類）に掲げるものを提供してその差押えをしないことを求めたときは、徴収職員は、その差押えをすることができない。

5　徴収職員は、第一号又は第二号に該当するときは第一項の規定による差押えを、第三号に該当するときは同号に規定する担保をそれぞれ解除しなければならない。

一　第一項の規定による差押えを受けた者が前項に規定する担保を提供して、その差押えの解除を請求したとき。

二　第三項の通知をした日から一年を経過した日までに、その差押えに係る国税につき納付すべき額の確定がないとき。

三　第三項の通知をした日から一年を経過した日までに、保全差押金額について提供されている担保に係る国税につき納付すべき額の確定がないとき。

6　徴収職員は、第一項の規定による差押えを受けた者又は第四項若しくは前項第一号の担保を提供した者につき、その資力その他の事情の変化により、その差押え又は担保の徴取の必要がなくなつたと認められることとなつたときは、その差押え又は担保を解除することができる。

7　第一項の規定による差押え又は第四項若しくは第五項第一号の担保の提供があつた場合において、その差押え又は担保の提供に係る国税につき納付すべき額の確定があつたときは、その差押え又は担保の提供は、その国税を徴収するためにされたものとみなす。

8　第一項の規定により差し押さえた財産は、その差押えに係る国税につき納付すべき額の確定があつた後でなければ、換価することができない。

9　第一項の場合において、差し押さえるべき財産に不足があると認められるときは、税務署長は、差押えに代えて交付要求をすることができる。この場合においては、その交付要求であることを明らかにしなければならない。

10　税務署長は、第一項の規定により差し押さえた金銭（有価証券、債権又は無体財産権等の差押えにより第三債務者等から給付を受けた金銭を含む。）がある場合において、その差押えに係る国税につき納付すべき額の確定がされていないときは、これを供託しなければならない。

11　第一項に規定する国税の納付すべき額として確定をした金額が保全差押金額に満たない場合において、その差押えを受けた者がその差押えにより損害を受けたときは、国は、その損害を賠償する責めに任ずる。この場合において、その額は、その差押えにより通常生ずべき損失の額とする。

※民事関係手続等における情報通信技術の活用等の推進を図るための関係法律の整備に関する法律（令五・六・一四法五三）の第五七条で本法が一部改正されましたが、未施行のため、ここに別に掲げました。

（国税徴収法の一部改正）

第五十七条　国税徴収法（昭和三十四年法律第百四十七号）の一部を次のように改正する。

第十五条第二項第四号中「第六十二条ノ七第四項（書面の交付による情報の提供）」を「第六十条第四項（認証を受けた電磁的記録に記録された情報の同一性を確認するに足りる情報の保存等）」に改める。

附　則（抄）

この法律は、公布の日から起算して五年を超えない範囲内において政令で定める日から施行する。ただし、次の各号に掲げる規定は、当該各号に定める日から施行する。

一　〔略〕

二　〔前略〕第四章の規定〔中略〕　公布の日から起算して二年六月を超えない範囲内において政令で定める日

三　〔略〕

※所得税法等の一部を改正する法律（令六・三・三〇法八）の第一二条で本法が一部改正されましたが、未施行となる部分については、ここに別に掲げました。

（国税徴収法の一部改正）

第十二条　国税徴収法（昭和三十四年法律第百四十七号）の一部を次のように改正する。

第百三十三条第三項中「前項」を「税務署長は、前項」に、「における換価代金等の交付については、政令で定めるところによる」を「には、換価代金等を供託しなければならない。この場合（前項の規定により換価代金等を交付することができない場合に限る。）において、税務署長は、その旨を異議に関係を有する者に通知しなければならない」に改め、同条に次の七項を加える。

4　前項の場合において、確定判決、異議に関係を有する者の全員の同意その他の理由により換価代金等の交付を受けるべき者及び金額が明らかになつたときは、これに従つて配当しなければならない。この場合において、税務署長は、その配当を受けるべき者に配当額支払証を交付するとともに、同項の規定により供託した供託所に支払委託書を送付しなければならない。

5　前項の規定による配当を受けるべき者に対する供託所の支払は、同項の支払委託書に基づき行うものとする。

6　第三項の規定による供託がされた場合における当該供託に係る債権者は、その供託の事由が消滅したときは、直ちに、その旨を税務署長に届け出なければならない。

7　税務署長は、第三項の規定による供託がされた場合において、その供託がされた日（この項の規定による催告によりその供託に係る供託の事由が消滅していない旨の届出をした場合にあつては、最後に当該届出をした日）から前項の規定による届出がされることなく二年を経過したときは、当該供託に係る債権者に対し、その供託に係る供託の事由が消滅しているときは同項の規定による届出をし、又はその供託に係る供託の事由が消滅していないときはその旨の届出をすべき旨を催告しなければならない。

8　前項の規定による催告を受けた当該供託に係る債権者が、催告を受けた日から十四日以内に第六項の規定による届出又は前項の供託の事由が消滅していない旨の届出をしないときは、税務署長は、当該供託に係る債権者を除外して第四項の規定により供託金について換価代金等の配当を実施する旨の決定をすることができる。

9　前項の決定は、当該供託に係る債権者が当該決定の告知を受けた日から七日を経過した日にその効力を生ずる。ただし、当該供託に係る債権者が当該七日の期間が経過するまでに第六項の規定による届出又は第七項の供託の事由が消滅していない旨の届出をしたときは、この限りでない。

10　当該供託に係る債権者が第七項に規定する期間を経過する前に税務署長にその供託に係る供託の事由が消滅していない旨の届出をしたときは、同項の規定の適用については、同項の供託の事由が消滅していない旨の届出があつたものとみなす。

附　則（抄）

（施行期日）

第一条　この法律は、令和六年四月一日から施行する。ただし、次の各号に掲げる規定は、当該各号に定める日から施行する。

一～十　〔略〕

十一　第十二条中国税徴収法第百三十三条の改正規定　民事関係手続等における情報通信技術の活用等の推進を図るための関係法律の整備に関する法律（令和五年法律第五十三号）附則第三号に掲げる規定の施行の日〔令四・五・二五から起算して四年を超えない範囲内において政令で定める日〕

十二～十六　〔略〕

※事業性融資の推進等に関する法律（令六・六・一四法五二）の附則第三八条で本法が一部改正されましたが、未施行のため、ここに別に掲げました。

（国税徴収法の一部改正）

第三十八条　国税徴収法の一部を次のように改正する。

第十条中「国税の優先等）」の下に「、第十八条の二第一項（法定納期限等以前に設定された企業価値担保権の優先等）」を加える。

第十一条中「優先等）」の下に「、第十八条の二第一項

（法定納期限等以前に設定された企業価値担保権の優先等）」を加え、「先だつて」を「先立つて」に改める。

第十八条の次に次の一条を加える。

（法定納期限等以前に設定された企業価値担保権の優先等）

第十八条の二　納税者が国税の法定納期限等以前にその財産上に企業価値担保権を設定しているときは、その国税は、その換価代金につき、その企業価値担保権により担保される債権に次いで徴収する。

2　前項の規定に基づき国税に先立つ企業価値担保権により担保される事業性融資の推進等に関する法律（令和六年法律第五十二号）第六条第四項（定義）に規定する特定被担保債権の元本の金額は、その企業価値担保権者がその国税に係る差押え又は交付要求の通知を受けた時における債権額を限度とする。ただし、その国税に優先する他の債権を有する者の権利を害することとなるときは、この限りでない。

附　則（抄）

（施行期日）

第一条　この法律は、公布の日から起算して二年六月を超えない範囲内において政令で定める日から施行する。〔ただし書略〕

○国税徴収法施行令

昭三四・一〇・三一
政令三二九

最終改正　令六・三・三〇政令一五〇

※令和六年三月三〇日政令第一五〇号で本政令が一部改正されましたが、未施行となる部分については、本政令の末尾に掲げました。

目次〔略〕

第一章　総則

（定義）

第一条　この政令において、「国税」、「地方税」、「公課」、「納税者」、「第二次納税義務者」、「保証人」、「滞納者」、「法定納期限」、「徴収職員」、「強制換価手続」、「執行機関」又は「行政機関等」とは、それぞれ国税徴収法（以下「法」という。）第二条第一号、第二号又は第五号から第十三号まで（定義）に規定する国税、地方税、公課、納税者、第二次納税義務者、保証人、滞納者、法定納期限、徴収職員、強制換価手続、執行機関又は行政機関等をいう。

第二条及び第三条　削除

第二章　国税と他の債権との調整

（優先質権等の証明手続）

第四条　法第十五条第二項前段（優先質権の証明）、法第十七条第二項前段（譲受前に設定された質権の証明）、法第十九条第二項（船舶債権者の先取特権等の証明）（法第二十条第二項（不動産賃貸の先取特権等についての準用規定）において準用する場合を含む。）又は法第二十一条第二項（留置権の証明）の証明をしようとするときは、滞納処分にあつては、これらの規定に規定する事実を証する書面又はその事実を証するに足りる事項を記載した書面を税務署長に提出するものとする。

2　法第十五条第二項後段（法第十七条第二項後段において準用する場合を含む。）の証明は、滞納処分にあつては、税務署長に対し、法第十五条第二項各号に掲げる書類を提出すること又はこれを呈示するとともにその写を提出することによつてしなければならない。

3　滞納処分における前二項の証明は、売却決定の日の前日（金銭による取立の方法により換価する場合には、配当計算書の作成の日の前日）までにしなければならない。

（不動産工事の先取特権に関する増価額の評価）

第五条　法第十九条第一項第二号（不動産工事の先取特権の優先）に掲げる先取特権がある財産を滞納処分により換価するときは、当該先取特権に係る工事によつて生じた不動産の増価額は、税務署長が評価するものとする。この場合において、税務署長は、必要があると認めるときは、鑑定人にその評価を委託し、その評価額を参考とすることができる。

（担保権付財産が譲渡された場合の国税の徴収手続等）

第六条　法第二十二条第四項（担保権付財産が譲渡された場合の国税の徴収）の規定による通知は、次の事項を記載した書面でしなければならない。

一　納税者の氏名（法人にあつては、名称。以下同じ。）及び住所又は居所（事務所及び事業所を含む。以下同じ。）

二　滞納に係る国税（その滞納処分費を含む。以下同じ。）の年度、税目、納期限及び金額

三　法第二十二条第一項に規定する譲渡に係る財産の名称、数量、性質及び所在

四　第二号の金額のうち法第二十二条第一項の規定により徴収しようとする金額

2　法第二十二条第五項の規定による交付要求は、同条第一項に規定する質権者又は抵当権者の氏名及び住所又は居所並びに同条第五項の規定により交付要求をする旨を第三十六条第一項（交付要求書の記載事項）の交付要求書に記載してしなければならない。

3　前二項の規定は、法第二十三条第三項（法定納期限等以前にされた仮登記により担保される債権の優先等）において準用する法第二十二条第四項又は第五項の規定による通知又は交付要求をする場合について準用する。この場合において、前項中「同条第一項に規定する質権者又は抵当権者」とあるのは「法第二十三条第一項に規定する担保のための仮登記の権利者」と、「同条第五項」とあるのは「同条第三項において準用する法第二十二条第五項」と読み替えるものとする。

第七条　削除

（譲渡担保権者の物的納税責任に関する告知等）

第八条　法第二十四条第二項前段（譲渡担保権者の物的納税責任）の告知に係る書面には、次の事項を記載しなければならない。

一　納税者の氏名及び住所又は居所

二　滞納に係る国税の年度、税目、納期限及び金額

三　法第二十四条第一項に規定する譲渡担保財産（以下「譲渡担保財産」という。）の名称、数量、性質及び所在

四　第二号の金額のうち法第二十四条第一項の規定により徴収しようとする金額

2　法第二十四条第二項後段の規定による通知は、次の事項を記載した書面でしなければならない。

一　前項各号に掲げる事項

二　前項の書面により告知した譲渡担保財産の権利者（以下「譲渡担保権者」という。）の氏名及び住所又は居所並びに当該書面を発した年月日

3　法第二十四条第五項及び第六項の規定による通知は、次の事項を記載した書面でしなければならない。

一　前項各号に掲げる事項

二　法第二十四条第一項の納税者の財産として差押えをした年月日（差押えのため債権差押通知書又は差押通知書の送達を要する場合には、これらの発送年月日）

4　第四条第一項及び第二項（優先質権等の証明手続）の規定は、法第二十四条第八項の規定による証明について準用する。この場合において、譲渡担保財産が金銭による取立ての方法により換価するものであるときは、当該証明は、その取立ての日の前日までに行われたものによる。

（譲渡担保財産から徴収する国税及び地方税の調整の特例）

第九条　法第二十四条第一項（譲渡担保権者の物的納税責任）の規定により譲渡担保財産から徴収する国税（以下この条において「設定者の国税」という。）が譲渡担保権者が納付すべき国税又は地方税（同項又は地方税法（昭和二十五年法律第二百二十六号）第十四条の十八第一項（譲渡担保権者の物的納税責任）の規定により徴収する国税及び地方税を除く。以下この条において「担保権者の国税等」という。）と競合する場合において、その財産が担保権者の国税等につき差し押えられているときは、法第十二条（差押先着手による国税の優先）の規定の適用については、その差押がなかつたものとみなし、設定者の国税（その国税の交付要求が二以上あるときは、最も先に交付要求をした国税）につきその財産が差し押えられたものとみなす。この場合においては、その担保権者の国税等につき交付要求（他の担保権者の国税等の交付要求があるときは、これよりも先にされた交付要求）があつたものとみなす。

2　前項の場合において、担保権者の国税等の交付要求（前項の規定によりあつたものとみなされる担保権者の国税等の交付要求を含む。以下この項において同じ。）の後にされた設定者の国税の交付要求（前項の規定の適用を受ける設定者の国税の交付要求を除く。以下この項において同じ。）があるときは、法第十三条（交付要求先着手による国税の優先）の規定の適用については、その設定者の国税の交付要求は、担保権者の国税等の交付要求よりも先にされたものとみなす。この場合において、設定者の国税の交付要求が二以上あるときは、これらの交付要求の先後の順位に変更がないものとする。

第三章　第二次納税義務

第十条　削除

（第二次納税義務者に対する納付通知書等の記載事項）

第十一条　法第三十二条第一項（第二次納税義務の通則）に規定する納付通知書には、次の事項を記載しなければならない。

一　納税者の氏名及び住所又は居所

二　滞納に係る国税の年度、税目、納期限及び金額

三　前号の金額のうち第二次納税義務者から徴収しようとする金額並びにその納付の期限及び場所

四　その者につき適用すべき第二次納税義務に関する規定

2　法第三十二条第一項後段の規定による通知は、次の事項を記載した書面でしなければならない。

一　前項各号に掲げる事項

二　第二次納税義務者の氏名及び住所又は居所並びに前項の納付通知書を発した日

3　法第三十二条第二項に規定する納付催告書には、第一項第一号に掲げる事項及び同項第三号に規定する金額を記載しなければならない。

4　第一項第三号に規定する納付の期限は、同項に規定する納付通知書を発する日の翌日から起算して一月を経過する日とする。

（実質課税額等の第二次納税義務を負わせる国税の計算）

第十二条　滞納者の国税のうちに法第三十六条各号（実質課税額等の第二次納税義務）に掲げる国税（以下この条において「実質課税に係る部分の国税」という。）が含まれている場合

には、実質課税に係る部分の国税の額は、当該滞納者の国税の課税標準額（消費税については、消費税法（昭和六十三年法律第百八号）第四十五条第一項第四号（課税資産の譲渡等及び特定課税仕入れについての確定申告）に掲げる消費税額とする。以下この項において同じ。）から実質課税に係る部分の国税がないものとした場合の課税標準額を控除した額が当該滞納者の国税の課税標準額のうちに占める割合を当該滞納者の国税の額に乗じて得た金額とする。

2　前項の場合において、滞納者の国税の一部につき納付、充当又は免除があつたときは、まず、その国税の金額のうち同項に定める金額以外の部分の金額につき納付、充当又は免除があつたものとする。

3　前二項の規定は、法第三十七条（共同的な事業者の第二次納税義務）及び法第三十八条（事業を譲り受けた特殊関係者の第二次納税義務）に規定する事業に係る国税について準用する。

（納税者の特殊関係者の範囲）

第十三条　法第三十八条本文（事業を譲り受けた特殊関係者の第二次納税義務）に規定する生計を一にする親族その他納税者と特殊な関係のある個人又は被支配会社で政令で定めるものは、次に掲げる者とする。

一　納税者の配偶者（婚姻の届出をしていないが、事実上婚姻関係と同様の事情にある者を含む。次条第二項第一号において同じ。）その他の親族で、納税者と生計を一にし、又は納税者から受ける金銭その他の財産により生計を維持しているもの

二　前号に掲げる者以外の納税者の使用人その他の個人で、納税者から受ける特別の金銭その他の財産により生計を維持しているもの

三　納税者に特別の金銭その他の財産を提供してその生計を維持させている個人（第一号に掲げる者を除く。）

四　納税者が法人税法（昭和四十年法律第三十四号）第六十七条第二項（特定同族会社の特別税率）に規定する会社に該当する会社（以下この項において「被支配会社」という。）である場合には、その判定の基礎となつた株主又は社員である個人及びその者と前三号のいずれかに該当する関係がある個人

五　納税者を判定の基礎として被支配会社に該当する会社

六　納税者が被支配会社である場合において、その判定の基礎となつた株主又は社員（これらの者と第一号から第三号までに該当する関係がある個人及びこれらの者を判定の基礎として被支配会社に該当する他の会社を含む。）の全部又は一部を判定の基礎として被支配会社に該当する他の会社

2　法第三十八条の規定を適用する場合において、前項各号に掲げる者であるかどうかの判定は、納税者がその事業を譲渡した時の現況による。

（無償又は著しい低額の譲渡の範囲等）

第十四条　法第三十九条（無償又は著しい低額の譲受人等の第二次納税義務）に規定する政令で定める処分は、国及び法人税法第二条第五号（定義）に規定する法人以外の者に対する処分で無償又は著しく低い額の対価によるものとする。

2　法第三十九条に規定する滞納者の親族その他滞納者と特殊な関係のある個人又は同族会社で政令で定めるものは、次に掲げる者とする。

一　滞納者の配偶者、直系血族及び兄弟姉妹

二　前号に掲げる者以外の滞納者の親族で、滞納者と生計を一にし、又は滞納者から受ける金銭その他の財産により生計を維持しているもの

三　前二号に掲げる者以外の滞納者の使用人その他の個人で、滞納者から受ける特別の金銭その他の財産により生計を維持しているもの

四　滞納者に特別の金銭その他の財産を提供してその生計を維持させている個人（第一号及び第二号に掲げる者を除く。）

五　滞納者が法人税法第二条第十号に規定する会社に該当する会社（以下この項において「同族会社」という。）である場合には、その判定の基礎となつた株主又は社員である個人及びその者と前各号のいずれかに該当する関係がある個人

六　滞納者を判定の基礎として同族会社に該当する会社

七　滞納者が同族会社である場合において、その判定の基礎となつた株主又は社員（これらの者と第一号から第四号までに該当する関係がある個人及びこれらの者を判定の基礎として同族会社に該当する他の会社を含む。）の全部又は一部を判定の基礎として同族会社に該当する他の会社

（株式会社等の取引の範囲）

第十四条の二　法第四十条（偽りその他不正の行為により国税を免れた株式会社の役員等の第二次納税義務）に規定する政令で定める取引は、次に掲げる取引とする。

一　各事業年度の収益に係る売上原価、完成工事原価その他これらに準ずる原価の額の基因となる取引

二　各事業年度の販売費又は一般管理費の額の基因となる取引

三　前二号に掲げるもののほか、法第四十条の株式会社、合資会社又は合同会社の事業の状況その他の事情を勘案して、その事業を遂行するために通常必要と認められる取引

第四章　削除

第十五条から第十八条まで　削除

第五章　滞納処分

第一節　財産の差押

（第三者の権利の目的となつている財産の差押換えの請求等の手続）

第十九条　法第五十条第一項（第三者の権利の目的となつている財産の差押換え）の規定による差押換えの請求は、次の事項を記載した書面でしなければならない。
一　滞納者の氏名及び住所又は居所
二　差押えに係る国税の年度、税目、納期限及び金額
三　差し押さえた財産（以下「差押財産」という。）の名称、数量、性質及び所在
四　前号の財産につき差押換えを請求する者が有する権利の内容
五　差押えを請求する財産の名称、数量、性質、所在及び価額
2　法第五十条第三項の換価の申立は、次の事項を記載した書面でしなければならない。
一　換価を申し立てる財産の名称、数量、性質、所在及び価額
二　差押換を相当と認めない旨の法第五十条第二項の規定による通知を受けた年月日

（相続人の固有財産の差押換の請求の手続）
第二十条　法第五十一条第二項（相続人の固有財産の差押換）の規定による差押換の請求は、相続人（包括受遺者を含む。以下同じ。）の固有財産で差し押えられたものの公売公告の日（随意契約による売却をする場合には、その売却の日）までに、次の事項を記載した書面でしなければならない。
一　被相続人（包括遺贈者を含む。）の氏名及び死亡時の住所又は居所
二　差押に係る国税の年度、税目、納期限及び金額
三　相続人の固有財産で差し押えられたものの名称、数量、性質及び所在
四　差押を請求する相続財産の名称、数量、性質、所在及び価額

（差押調書の記載事項）
第二十一条　差押調書には、徴収職員が次の事項を記載して署名押印（記名押印を含む。以下同じ。）をしなければならない。
一　滞納者の氏名及び住所又は居所
二　差押えに係る国税の年度、税目、納期限及び金額
三　差押財産の名称、数量、性質及び所在
四　作成年月日
2　法第百四十六条第三項（捜索調書の作成）の規定の適用がある場合には、徴収職員は、差押調書に法第百四十二条（捜索の権限及び方法）の規定により捜索した旨並びにその日時及び場所を記載し、法第百四十四条（捜索の立会人）の立会人の署名（記名を含む。以下この項及び第五十二条第二項（捜索調書の記載事項）において同じ。）を求めなければならない。この場合において、立会人が署名をしないときは、その理由を付記しなければならない。
3　次の各号に掲げる財産を差し押さえた場合には、それぞれ当該各号に定める旨を差押調書の謄本に付記しなければならない。
一　法第六十二条第一項（差押えの手続及び効力発生時期）に規定する債権　同条第二項の規定によりその債権の取立てその他の処分を禁ずる旨
二　法第六十二条の二第一項に規定する電子記録債権（以下この号及び第二十七条第二項（債権差押通知書の記載事項）において「電子記録債権」という。）　法第六十二条の二第二項（電子記録債権の差押えの手続及び効力発生時期）の規定によりその電子記録債権の取立てその他の処分又は電子記録（電子記録債権法（平成十九年法律第百二号）第二条第一項（定義）に規定する電子記録をいう。第二十七条第二項第四号及び第四十六条（権利移転の登録等の嘱託の手続）において同じ。）の請求を禁ずる旨
三　法第七十三条第一項（電話加入権等の差押えの手続及び効力発生時期）に規定する振替社債等（以下この号及び第三十条第三項（不動産の差押書等の記載事項）において「振替社債等」という。）　法第七十三条の二第二項（振替社債等の差押えの手続及び効力発生時期）の規定によりその振替社債等の取立てその他の処分又は振替若しくは抹消の申請を禁ずる旨

（質権者等に対する差押通知書）
第二十二条　法第五十五条（質権者等に対する差押えの通知）の規定による通知は、次に掲げる事項（第三号に規定する担保のための仮登記の権利者以外の者に対する通知にあつては、同号に掲げる事項を除く。）を記載した書面でしなければならない。ただし、法第二十四条第五項第一号（譲渡担保権者の物的納税責任）に掲げる動産（以下「動産」という。）又は有価証券でその通知を受けるべき者が占有するものを差し押さえた場合には、その者に差押調書の謄本を交付してすることができる。
一　前条第一項第一号から第三号までに掲げる事項
二　差押年月日（差押えのため差押書その他の書類の送達を要する場合には、これらの発送年月日。以下同じ。）
三　仮登記（仮登録を含む。以下同じ。）がある財産を差し押さえた場合において、当該仮登記が担保のための仮登記（法第二十三条第一項（法定納期限等以前にされた仮登記により担保される債権の優先等）に規定する担保のための仮登記をいう。以下同じ。）であると認められるときは、その旨
2　前項の通知は、法第百四十六条第三項（捜索調書の作成）の規定により差押調書の謄本の交付を受けた者に対しては、することを要しない。

（差押動産等の管理）
第二十三条　税務署長は、差し押えた動産及び有価証券（法第六十条第一項（差し押えた動産等の保管）の規定により滞納者又は第三者に保管させているものを除く。）を善良な管理者の注意をもつて管理しなければならない。
2　税務署長は、帳簿を備え、これに前項の動産及び有価証券

の出納を記載しなければならない。

（第三者が占有する動産の引渡命令書の記載事項等）

第二十四条　法第五十八条第二項（第三者が占有する動産等の差押手続）に規定する書面には、次の事項を記載しなければならない。

一　滞納者の氏名及び住所又は居所

二　滞納に係る国税の年度、税目、納期限及び金額

三　引渡しを命ずる動産又は有価証券の名称、数量、性質及び所在

四　引き渡すべき期限及び場所

2　法第五十八条第二項後段の規定による通知は、次の事項を記載した書面でしなければならない。

一　滞納に係る国税の年度、税目、納期限及び金額

二　引渡しを命じた第三者の氏名及び住所又は居所

三　引渡しを命じた動産又は有価証券の名称、数量、性質及び所在

四　引き渡すべき期限及び場所

3　第一項第四号に規定する期限は、同項の書面を発する日から起算して七日を経過した日以後の日としなければならない。ただし、当該書面により引渡しを命ずる第三者につき国税通則法（昭和三十七年法律第六十六号）第三十八条第一項第一号（繰上請求）の規定に該当する事実が生じたとき、その他特にやむを得ない必要があると認められるときは、この期限を繰り上げることができる。

4　法第二十四条第三項（譲渡担保権者の物的納税責任）の規定により、納税者又はその者と第十四条第二項各号（無償又は著しい低額の譲渡の範囲等）に掲げる特殊な関係を有する者が占有する譲渡担保財産につき滞納処分を執行する場合における法第五十八条及び法第五十九条（引渡命令を受けた第三者等の権利の保護）の規定の適用については、その譲渡担保財産は、法第五十八条第一項に規定する第三者が占有している財産でないものとみなす。

5　前項の規定は、第二次納税義務者又は保証人として納付すべき国税につき、その納付義務の基因となつた納税者又はその者と第十四条第二項各号に掲げる特殊な関係を有する者が占有する財産を差し押さえる場合について準用する。

6　第一項から第三項までの規定は、法第六十五条（債権証書の取上げ）（法第七十三条第五項（電話加入権等の差押えの手続及び効力発生時期）において準用する場合を含む。）に規定する証書で法第五十八条第一項に規定する第三者が占有するものの引渡しに関する手続について、前二項の規定は、当該証書でこれらの規定に規定する財産に係るものについて、それぞれ準用する。

（動産の引渡命令を受けた第三者の通知又は請求）

第二十五条　法第五十八条第二項（第三者が占有する動産等の引渡命令）の規定により動産の引渡を命ぜられた第三者は、その動産の差押の時までに、その動産の引渡を命じた税務署長に対し、法第五十九条第一項（引渡命令を受けた第三者の権利の保護）の規定による契約の解除をした旨の通知又は同条第二項の請求を書面でしなければならない。

2　前項の期限までに同項の通知又は請求がないときは、法第五十九条第二項の請求があつたものとみなす。この場合においては、その第三者は、同条第一項及び第三項の規定による配当を受けることができない。

3　前項の規定は、第一項の期限後に同項の通知があつた場合において、相当の理由があると認められるときは、適用しない。

（差押動産等の表示）

第二十六条　法第六十条第二項（差押動産等の表示）の表示には、その財産を差し押えた旨、差押年月日及びその差押をした徴収職員の所属する税務署の名称を明らかにしなければならない。

（差押財産搬出の手続）

第二十六条の二　徴収職員は、差押財産の搬出をする場合には、その財産の名称、数量及び性質を記載した書面を作成し、これに署名押印をするとともに、滞納者又はその財産を占有する第三者にその謄本を交付しなければならない。

2　前項の場合において、差押調書又は捜索調書を作成するときは、これらの調書に差押財産を搬出した旨を附記して同項の手続に代えることができる。

（債権差押通知書の記載事項）

第二十七条　法第六十二条第一項（債権の差押えの手続）に規定する債権差押通知書には、次の事項を記載しなければならない。

一　滞納者の氏名及び住所又は居所

二　差押えに係る国税の年度、税目、納期限及び金額

三　差し押さえる債権の種類及び額

四　前号の債権につき滞納者に対する債務の履行を禁ずる旨及び徴収職員に対しその履行をすべき旨

2　法第六十二条の二第一項（電子記録債権の差押えの手続及び効力発生時期）に規定する債権差押通知書には、次の事項を記載しなければならない。

一　前項第一号及び第二号に掲げる事項

二　差し押さえる電子記録債権の種類及び額

三　第三債務者に送達する債権差押通知書にあつては、前号の電子記録債権につき滞納者に対する債務の履行を禁ずる旨及び徴収職員に対しその履行をすべき旨

四　法第六十二条の二第一項に規定する電子債権記録機関に送達する債権差押通知書にあつては、第二号の電子記録債権につき電子記録を禁ずる旨

（債権証書等を取り上げた場合の調書）

第二十八条　徴収職員は、法第六十五条（債権証書の取上げ）（法第七十三条第五項（電話加入権等の差押についての準用規定）において準用する場合を含む。）の規定により証書を取り上げた場合には、次の事項を記載した調書を作成し、これに署名押印をするとともに、滞納者その他その処分を受け

た者にその謄本を交付しなければならない。

一　滞納者の氏名及び住所又は居所

二　取り上げた証書の名称その他必要な事項

2　前項の場合において、同項の証書の取上げに際し、差押調書又は捜索調書を作成するときは、これらの調書に同項第二号に掲げる事項を附記して同項の調書の作成に代えることができる。

（差し押えた債権の弁済の委託に関する手続）

第二十九条　法第六十七条第四項ただし書（差し押えた債権の弁済の委託）の規定による滞納者の承認を受けた第三債務者は、その承認を受けたことを証する書面を徴収職員に提出しなければならない。

（不動産の差押書等の記載事項）

第三十条　法第六十八条第一項（不動産の差押手続）（法第七十条第一項（船舶又は航空機の差押手続）において準用する場合を含む。）又は法第七十二条第一項（特許権等の差押手続）に規定する差押書には、次の事項を記載しなければならない。

一　差押に係る国税の年度、税目、納期限及び金額

二　差押財産の名称、数量、性質及び所在

2　法第七十三条第一項（電話加入権等の差押手続）に規定する差押通知書には、前項各号に掲げる事項並びに滞納者の氏名及び住所又は居所を記載しなければならない。

3　法第七十三条の二第一項（振替社債等の差押えの手続及び効力発生時期）に規定する差押通知書には、次の事項を記載しなければならない。

一　滞納者の氏名及び住所又は居所

二　第一項第一号に掲げる事項

三　差し押さえる振替社債等の種類及び額又は数

四　振替社債等の発行者に送達する差押通知書にあつては、前号の振替社債等につき滞納者に対する債務の履行を禁ずる旨及び徴収職員に対しその履行をすべき旨

五　法第七十三条の二第一項に規定する振替機関等に送達する差押通知書にあつては、第三号の振替社債等につき振替社債等の振替又は抹消を禁ずる旨

（船舶等の航行許可申立書の記載事項）

第三十一条　法第七十条第五項（差押に係る停泊中の船舶又は航空機の航行の許可）の規定による航行の許可の申立は、滞納者並びに交付要求をした者及び抵当権その他の権利を有する者が次の事項を記載して連署した書面でしなければならない。

一　申立に係る船舶又は航空機の名称、数量、性質及び所在並びに差押年月日

二　航行を必要とする理由

（自動車、建設機械又は小型船舶の差押えに関する手続）

第三十二条　第三十条（不動産の差押書等の記載事項）の規定は、法第七十一条第一項（自動車、建設機械又は小型船舶の差押え）の規定による自動車、建設機械又は小型船舶（同項に規定する自動車、建設機械又は小型船舶をいう。以下同じ。）の差押えについて、第二十三条から第二十六条の二まで（差押動産等の管理・第三者が占有する動産の引渡命令書の記載事項等）の規定は、法第七十一条第三項の規定による自動車、建設機械又は小型船舶の占有について、前条の規定は、法第七十一条第六項の規定による自動車、建設機械又は小型船舶の運行、使用又は航行の許可の申立てについてそれぞれ準用する。

（差し押さえた持分の払戻請求の手続）

第三十三条　法第七十四条第一項（差し押さえた持分の払戻しの請求）の規定による請求は、次の事項を記載した書面でしなければならない。

一　滞納者の氏名及び住所又は居所

二　差押えに係る国税の年度、税目、納期限及び金額

三　払戻し（法第七十四条第一項に規定する譲受けを含む。以下次項において同じ。）を請求する持分の種類及び口数

四　次項の書面を発した年月日

2　法第七十四条第二項の予告は、次の事項を記載した書面でしなければならない。

一　前項第一号から第三号までに掲げる事項

二　持分の払戻しの請求をしようとする旨

（給料等の差押禁止の基礎となる金額）

第三十四条　法第七十六条第一項第四号（給料等の差押禁止の基礎となる金額）に規定する政令で定める金額は、滞納者の給料、賃金、俸給、歳費、退職年金及びこれらの性質を有する給与に係る債権の支給の基礎となつた期間一月ごとに十万円（滞納者と生計を一にする配偶者（婚姻の届出をしていないが、事実上婚姻関係と同様の事情にある者を含む。）その他の親族があるときは、これらの者一人につき四万五千円を加算した金額）とする。

（社会保険制度に基づく給付等の差押禁止）

第三十五条　法第七十七条第一項（社会保険制度に基づく給付の差押禁止）に規定する政令で定める退職年金は、法人税法附則第二十条第三項（退職年金等積立金に対する法人税の特例）に規定する適格退職年金契約（次項及び第四項において「適格退職年金契約」という。）に基づいて支給される退職年金とする。

2　法第七十七条第一項に規定する政令で定める退職一時金は、適格退職年金契約に基づいて支給される退職一時金とする。

3　法第七十七条第二項に規定する政令で定める制度は、次に掲げる制度とする。

一　厚生年金保険法（昭和二十九年法律第百十五号）附則第二十八条（指定共済組合の組合員）に規定する共済組合が行う退職金共済に関する制度

二　旧令による共済組合等からの年金受給者のための特別措置法（昭和二十五年法律第二百五十六号）第三条第一項若しくは第二項（旧陸軍共済組合及び共済協会の権利義務の承継）、第四条第一項（外地関係共済組合に係る年金の支

給）又は第七条の二第一項（旧共済組合員に対する年金の支給）の規定に基づく年金又は一時金の支給に関する制度

三　中小企業退職金共済法（昭和三十四年法律第百六十号）に規定する独立行政法人勤労者退職金共済機構が行う退職金共済に関する制度

四　独立行政法人中小企業基盤整備機構が行う小規模企業共済法（昭和四十年法律第百二号）第二条第二項（定義）に規定する共済契約（小規模企業共済法及び中小企業事業団法の一部を改正する法律（平成七年法律第四十四号）附則第五条第一項（旧第二種共済契約に係る小規模企業共済法の規定の適用についての読替規定）の規定により読み替えられた小規模企業共済法第九条第一項各号（共済金）に掲げる事由により共済金が支給されることとなるものを除く。）に関する制度

五　社会福祉施設職員等退職手当共済法（昭和三十六年法律第百五十五号）に規定する独立行政法人福祉医療機構が行う退職金共済に関する制度

六　石炭鉱業年金基金法（昭和四十二年法律第百三十五号）に規定する石炭鉱業年金基金が行う年金の支給又は脱退を支給理由とする一時金の支給に関する制度

七　独立行政法人農業者年金基金法（平成十四年法律第百二十七号）に規定する独立行政法人農業者年金基金が行う年金又は脱退一時金の支給に関する制度

八　厚生年金保険制度及び農林漁業団体職員共済組合制度の統合を図るための農林漁業団体職員共済組合法等を廃止する等の法律（平成十三年法律第百一号。以下この号において「平成十三年統合法」という。）附則第二十五条第三項（存続組合の業務等）に規定する存続組合が行う平成十三年統合法附則第三十条第一項（特例一時金の支給）に規定する特例一時金（同項第一号に掲げる者に支給される厚生年金保険制度及び農林漁業団体職員共済組合制度の統合を図るための農林漁業団体職員共済組合法等を廃止する等の法律の一部を改正する法律（平成三十年法律第三十一号）による改正前の平成十三年統合法（以下この号において「平成三十年改正前平成十三年統合法」という。）附則第三十一条第一項若しくは第三十二条第一項若しくは第二項（特例退職共済年金の支給）に規定する特例退職共済年金、平成三十年改正前平成十三年統合法附則第三十八条第一項（特例退職年金の支給）に規定する特例退職年金、平成三十年改正前平成十三年統合法附則第三十九条第一項若しくは第五項（特例減額退職年金の支給）に規定する特例減額退職年金、平成三十年改正前平成十三年統合法附則第四十条第一項（特例通算退職年金の支給）に規定する特例通算退職年金又は平成三十年改正前平成十三年統合法附則第四十四条第一項若しくは第六項（特例老齢農林年金の支給）に規定する特例老齢農林年金に係るものに限る。）の支給に関する制度

九　公的年金制度の健全性及び信頼性の確保のための厚生年金保険法等の一部を改正する法律（平成二十五年法律第六十三号。以下この号及び次項第二号において「平成二十五年厚生年金等改正法」という。）附則第三条第十三号（定義）に規定する存続連合会が行う存続連合会老齢給付金の支給に関する制度及び同条第十五号に規定する連合会が行う平成二十五年厚生年金等改正法附則第七十五条第二項（解散存続連合会の残余財産の連合会への交付）の規定に基づく年金又は一時金の支給に関する制度

十　国家公務員共済組合連合会が行う被用者年金制度の一元化等を図るための厚生年金保険法等の一部を改正する法律（平成二十四年法律第六十三号）附則第四十一条第一項（追加費用対象期間を有する者の特例等）の規定に基づく退職共済年金の支給に関する制度及び同法附則第五十六条第二項（障害一時金の支給）に規定する組合が行う同法附則第六十五条第一項（追加費用対象期間を有する者の特例等）の規定に基づく退職共済年金の支給に関する制度

十一　外国の法令に基づく保険、共済又は恩給に関する制度で法第七十七条第二項各号に掲げる法律に基づく保険、共済又は恩給に関する制度に類するもの

十二　所得税法施行令（昭和四十年政令第九十六号）第七十三条第一項（特定退職金共済団体の要件）に規定する特定退職金共済団体（次項において「特定退職金共済団体」という。）が行う退職金共済に関する制度

4　次に掲げる給付に係る債権は、法第七十七条第一項に規定する債権に含まれないものとする。

一　所得税法施行令第七十六条第一項各号又は第二項各号（退職金共済制度等に基づく一時金で退職手当等とみなさないもの）に掲げる給付

二　平成二十五年厚生年金等改正法第一条（厚生年金保険法の一部改正）の規定による改正前の厚生年金保険法第九章（厚生年金基金及び企業年金連合会）の規定に基づく一時金で所得税法施行令第七十二条第二項（退職手当等とみなす一時金）に規定する一時金以外のもの

三　確定給付企業年金法（平成十三年法律第五十号）の規定に基づいて支給される一時金で所得税法（昭和四十年法律第三十三号）第三十一条第三号（退職手当等とみなす一時金）に規定する加入者又は所得税法施行令第七十二条第三項第五号に規定する企業型年金加入者の退職により支払われる一時金（同号イからハまでに掲げる規定に基づいて支給される一時金で同号に規定する加入員、加入者又は企業型年金加入者の退職により支払われる一時金を含む。）以外のもの

四　適格退職年金契約に基づいて支給される一時金で所得税法施行令第七十二条第三項第四号に規定する勤務をした者の退職により支払われる一時金以外のもの

五　中小企業退職金共済法第十六条第一項（解約手当金等）に規定する解約手当金又は特定退職金共済団体が行うこれに類する給付

六　小規模企業共済法第十二条第一項（解約手当金）に規定する解約手当金で所得税法施行令第七十二条第三項第三号ロ及びハに掲げる解約手当金以外のもの

第二節　交付要求

（交付要求書の記載事項等）

第三十六条　交付要求書には、次の事項を記載しなければならない。

一　滞納者の氏名及び住所又は居所

二　交付要求に係る国税の年度、税目、納期限及び金額

三　交付要求に係る強制換価手続の開始されている財産の名称、数量、性質及び所在（その手続が滞納処分以外の手続である場合には、その手続に係る事件の表示並びに当該財産がその手続に係る財産の一部であるときは、その名称、数量、性質及び所在）

2　法第八十二条第二項（交付要求）の規定による通知は、次の事項を記載した書面でしなければならない。

一　執行機関（破産法（平成十六年法律第七十五号）第百十四条第一号（租税等の請求権の届出）に掲げる請求権に係る国税の交付要求を行う場合には、その交付要求に係る破産事件を取り扱う裁判所。次条第二号において同じ。）の名称

二　前項第二号及び第三号に掲げる事項

三　交付要求の年月日

3　法第八十二条第三項において準用する法第五十五条（質権者等に対する差押の通知）の通知は、前項各号に掲げる事項並びに滞納者の氏名及び住所又は居所を記載した書面でしなければならない。

4　前項に規定する通知及び法第八十四条第三項（交付要求の解除の通知）において準用する法第五十五条の規定による通知は、交付要求に係る強制換価手続が企業担保権の実行手続又は破産手続であるときは、することを要しない。

（交付要求の解除の請求手続）

第三十七条　法第八十五条第一項（交付要求の解除の請求）の規定による請求は、次の事項を記載した書面でしなければならない。

一　滞納者の氏名及び住所又は居所

二　請求に係る交付要求の年月日及び交付要求を受けている執行機関の名称

三　法第八十五条第一項各号の規定に該当する事実

四　法第八十五条第一項第二号に規定する財産の名称、数量、性質、所在及び価額

（参加差押書及び参加差押通知書）

第三十八条　第三十六条第一項（交付要求書の記載事項等）の規定は参加差押書について、同条第二項の規定は法第八十六条第二項前段（参加差押えの手続）の規定による通知について、第三十六条第三項の規定は法第八十六条第二項後段又は第四項において準用する法第五十五条（質権者等に対する差押えの通知）の規定による通知について、それぞれ準用する。この場合において、その参加差押え（法第八十六条第二項に規定する参加差押えをいう。以下同じ。）に係る財産につき仮登記がされており、かつ、当該仮登記が担保のための仮登記であると認められるときは、法第八十六条第四項において準用する法第五十五条の規定による当該担保のための仮登記の権利者に対する通知にその旨を付記しなければならない。

（参加差押えに係る動産等の引渡しの通知等）

第三十九条　法第八十七条第二項（参加差押えに係る財産の差押えの解除時の措置）の規定により動産、有価証券又は自動車、建設機械若しくは小型船舶（以下「動産等」という。）を、参加差押えをした行政機関等に引き渡すべきときは、税務署長は、速やかに、次の事項をその行政機関等に書面で通知しなければならない。

一　滞納者の氏名及び住所又は居所

二　動産等の名称、数量、性質及び所在

三　法第八十七条第二項の規定により引渡しをする旨及び引渡しの場所

2　税務署長は、前項の場合において、徴収職員以外の者で動産等の保管をしているものに直接同項の行政機関等への動産等の引渡をさせようとするときは、同項の書面にその旨を附記するとともに、その動産等の保管をしている者にあてたその行政機関等への動産等の引渡をすべき旨の書面を添附しなければならない。

3　税務署長は、法第八十七条第二項の規定により動産等を引き渡した場合において、法第八十一条（質権者等への差押解除の通知）の通知をするときは、その引渡をした旨をあわせて通知しなければならない。

（参加差押えに係る動産等の引渡しを受けた場合の措置）

第四十条　徴収職員は、前条第一項の通知を受けたときは、遅滞なく、その通知に係る動産等を受け取らなければならない。この場合において、同条第二項に規定する徴収職員以外の者でその動産等の保管をしているものから受け取るときは、その者に同項に規定する引渡しをすべき旨の書面を交付するものとする。

2　徴収職員は、必要があると認めるときは、前項の規定により引渡しを受けた動産等を滞納者又はその財産を占有する第三者に保管させることができる。ただし、その第三者に保管させる場合には、その運搬が困難であるときを除き、その者の同意を受けなければならない。

3　前項の規定により動産等を滞納者又は第三者に保管させた場合には、徴収職員は、封印、公示書その他の方法により当該動産等が差押財産であることを明白に表示しなければならない。この場合においては、第二十六条（差押動産等の表示）の規定を準用する。

4　徴収職員は、第一項の規定により動産等の引渡しを受けたときは、速やかに、その旨を引渡しをした税務署長に通知しなければならない。

5　前条第一項の通知があつた日の翌日以後の動産等の保管に

関する費用は、その動産等の引渡しを受けた行政機関等に係る滞納処分費とする。

（参加差押えがある場合の差押解除時の措置）

第四十一条　税務署長は、差押財産（換価執行決定（法第八十九条の二第一項（参加差押えをした税務署長による換価）に規定する換価執行決定をいう。以下同じ。）がされたものを除く。）につき二以上の参加差押書の交付を受けている場合において、その差押えを解除するときは、その参加差押書（当該解除により差押えの効力を生ずべき参加差押えに係る参加差押書を除くものとし、参加差押書を引き渡すことができないときは、その写しとする。次項において同じ。）及びその差押えに関し法又はこの政令の規定により提出されたその他の書類のうち滞納処分に関し必要なものを、当該解除により差押えの効力を生ずべき参加差押えをした行政機関等に引き渡さなければならない。

2　前項の規定による引渡しがあつた場合には、その引き渡された参加差押書に係る参加差押えをした行政機関等は、その参加差押えをした時に、同項に規定する行政機関等に対し参加差押えをしたものとみなし、その引き渡されたその他の書類は、当該行政機関等に提出されたものとみなす。

3　法第八十七条第二項（参加差押えの効力）の規定により税務署長が動産（法第五十八条第一項（第三者が占有する動産等の差押手続）に規定する動産で差し押さえたものに限る。）を参加差押えをした行政機関等に引き渡した場合には、当該動産に関し法第五十九条第一項又は第三項（引渡命令を受けた第三者の権利の保護）（同条第四項において準用する場合を含む。）の規定により配当を受けることができる権利は、当該行政機関等に対して行使することができる。

4　前項の規定は、法第七十一条第四項（自動車、建設機械又は小型船舶の差押え）において準用する法第五十八条及び第五十九条の規定の適用を受ける自動車、建設機械又は小型船舶について準用する。

（参加差押えの解除の請求手続）

第四十二条　第三十七条（交付要求の解除の請求手続）の規定は、法第八十八条第一項（参加差押えの制限、解除等）において準用する法第八十五条第一項（交付要求の解除の請求）の規定による請求について準用する。

第三節　財産の換価

（換価執行決定に関する手続等）

第四十二条の二　換価同意行政機関等（法第八十九条の二第三項（参加差押えをした税務署長による換価）に規定する換価同意行政機関等をいう。以下同じ。）は、同項の規定による告知を受けた場合において、差し押さえた不動産（換価執行決定がされたものに限る。第三項において同じ。）につき当該換価執行決定前に交付要求書又は二以上の参加差押書の交付を受けているときは、これらの書類（これらの書類を引き渡すことができないときは、その写しとする。次項において「交付要求書等」という。）及びその差押えに関し法又はこの政令の規定により提出されたその他の書類のうち滞納処分に関し必要なもの（次項において「滞納処分関係書類」という。）を、換価執行税務署長（同条第四項に規定する換価執行税務署長をいう。以下同じ。）に引き渡さなければならない。

2　前項の規定による引渡しがあつた場合には、その引き渡された交付要求書等に係る交付要求をした行政機関等は、その交付要求をした時に、換価執行税務署長に対し交付要求をしたものとみなし、その引き渡された滞納処分関係書類は、当該換価執行税務署長に提出されたものとみなす。

3　換価同意行政機関等は、差し押さえた不動産につき強制執行、仮差押えの執行若しくは担保権の実行としての競売（以下この項において「強制執行等」という。）が開始されたとき、又は強制執行等の申立てが取り下げられたとき、若しくは強制執行等の手続が取り消されたときは、速やかに、その旨の換価執行税務署長に対する通知その他強制執行等の実施に伴い必要な事務を行わなければならない。

4　滞納者の不動産（換価執行決定がされたものに限る。）につき滞納処分が行われた場合における法第八十二条（交付要求の手続）、第八十四条（交付要求の解除）及び第八十六条（参加差押えの手続）の規定の適用については、法第八十二条第一項中「執行機関（破産法（平成十六年法律第七十五号）第百十四条第一号（租税等の請求権の届出）に掲げる請求権に係る国税の交付要求を行う場合には、その交付要求に係る破産事件を取り扱う裁判所。第八十四条第二項（交付要求の解除」とあるのは「換価執行行政機関等（第八十九条の二第一項（参加差押えをした税務署長による換価）に規定する換価執行決定をした行政機関等をいう。第八十四条第二項（交付要求の解除）及び第八十六条第一項（参加差押えの手続」と、法第八十四条第二項中「執行機関」とあり、及び法第八十六条第一項中「滞納処分をした行政機関等」とあるのは「換価執行行政機関等」とする。

5　前項の規定の適用がある場合における第三十六条（交付要求書の記載事項等）及び第三十七条（交付要求の解除の請求手続）の規定の適用については、第三十六条第二項第一号中「執行機関（破産法（平成十六年法律第七十五号）第百十四条第一号（租税等の請求権の届出）に掲げる請求権に係る国税の交付要求を行う場合には、その交付要求に係る破産事件を取り扱う裁判所」とあるのは「換価執行行政機関等（法第八十九条の二第一項（参加差押えをした税務署長による換価）に規定する換価執行決定をした行政機関等をいう」と、第三十七条第二号中「執行機関」とあるのは「換価執行行政機関等」とする。

6　差し押さえた不動産につき換価執行決定がされた場合における法第百二十八条（配当すべき金銭）及び第百二十九条（配当の原則）の規定の適用については、法第百二十八条第一項第四号中「金銭」とあるのは「金銭又は差し押さえた不動産（換価執行決定がされたものに限る。）の売却代金につき交付を受けた金銭」と、法第百二十九条第二項中「交付要求」とあるのは「交付要求若しくは差押え」とする。

（換価執行決定の取消しに関する手続等）

第四十二条の三　法第八十九条の三第一項第二号（換価執行決定の取消し）に規定する政令で定めるものは、換価同意行政機関等の滞納処分による差押え（以下この項において「旧差押え」という。）が解除された場合において、当該換価同意行政機関等による参加差押えにつき法第八十七条第一項（参加差押えの効力）の規定により差押え（第一号及び第三号において「新差押え」という。）の効力が生ずるとき（次に掲げる場合を除く。）における当該旧差押えとする。

一　新差押えに係る不動産につき強制執行又は担保権の実行としての競売が開始されている場合

二　当該参加差押えよりも先にされた交付要求がある場合

三　旧差押えが解除される前に当該旧差押えに係る不動産を換価したとすれば消滅する権利で、新差押えに係る不動産の換価に伴い消滅しないものがある場合

2　法第八十九条の三第一項第四号に規定する政令で定めるときは、特定参加差押え（同項第一号に規定する特定参加差押えをいう。以下同じ。）に係る滞納者につき換価の執行をすることによつてその生活を著しく窮迫させるおそれがあると認めるときとする。

3　法第八十九条の三第二項第四号に規定する政令で定めるときは、特定参加差押えに係る国税につき国税通則法第四十六条第一項から第三項まで（納税の猶予の要件等）の規定による納税の猶予又は法第百五十一条第一項若しくは第百五十一条の二第一項（換価の猶予の要件等）の規定による換価の猶予をしたとき、その他これらに類するものとして換価執行税務署長が換価執行決定の取消しを相当と認める事由があるときとする。

4　換価執行税務署長は、法第八十九条の三第一項又は第二項の規定により換価執行決定を取り消す場合において、特定参加差押不動産（法第八十九条の二第四項（参加差押えをした税務署長による換価）に規定する特定参加差押不動産をいう。以下同じ。）につき当該換価執行決定の取消し前に交付要求書又は参加差押書（以下この項及び次条において「交付要求書等」という。）の交付を受けているとき（法第八十九条の四（換価執行決定の取消しをした税務署長による換価の続行）の規定により換価を続行する場合を除く。）は、次の表の各号の上欄に掲げる場合の区分に応じ、当該各号の中欄に掲げる書類を、当該各号の下欄に掲げる行政機関等に引き渡さなければならない。

一　法第八十九条の三第一項又は第二項の規定により換価執行決定を取り消す場合（次号の上欄に掲げる場合を除く。）	その交付要求書等（交付要求書等を引き渡すことができないときは、その写しとする。）及び差押関係書類（その換価執行決定に係る差押え及び特定参加差押えに関し法又はこの政令の規定により提出されたその他の書類のうち滞納処分に関し必要なものをいう。次号において同じ。）	換価同意行政機関等
二　法第八十九条の三第一項（第二号に係る部分に限る。）の規定により換価執行決定を取り消す場合	その参加差押書（その特定差押え（同号に規定する特定差押えをいう。以下この号において同じ。）の解除により差押えの効力を生ずべき参加差押えに係る参加差押書を除くものとし、参加差押書を引き渡すことができないときは、その写しとする。）及び差押関係書類	その特定差押えの解除により差押えの効力を生ずべき参加差押えをした行政機関等

5　前項の規定による引渡しがあつた場合には、その引き渡された同項の表の第一号の中欄に規定する交付要求書等又は同表の第二号の中欄に規定する参加差押書に係る交付要求をした行政機関等は、その交付要求をした時に、同表の各号の下欄に掲げる行政機関等に対し交付要求をしたものとみなし、その引き渡された同表の各号の中欄に掲げる書類は、当該行政機関等に提出されたものとみなす。

（換価の続行に関する手続等）

第四十二条の四　法第八十九条の四（換価執行決定の取消しをした税務署長による換価の続行）の規定による換価の続行があつた場合には、同条に規定する税務署長が特定参加差押不動産につき換価執行決定の取消し前に交付を受けた交付要求書等に係る交付要求をした行政機関等は、その交付要求をした時に、当該税務署長に対し交付要求をしたものとみなす。この場合において、当該税務署長は、その旨を法第八十九条の三第三項（換価執行決定の取消し）の規定による通知に係る書面に付記しなければならない。

（公売保証金を徴しないで公売することができる財産の見積価額）

第四十二条の五　法第百条第一項（公売保証金）に規定する政令で定める金額は、五十万円とする。

（買受代金の納付の手続）

第四十二条の六　換価財産（法第百十四条（買受申込み等の取消し）に規定する換価財産をいう。以下同じ。）の買受人は、買受代金に次の事項を記載した書面を添えて、徴収職員に納付しなければならない。

一　買受けに係る財産の名称、数量、性質及び所在

二　買受代金の額

（売却決定の取消しのための国税等の完納の証明）

第四十三条　納税者又は第三者による法第百十七条（国税等の完納による売却決定の取消し）の証明は、税務署長に対し国税（特定参加差押不動産を換価する場合にあつては、特定参加差押えに係る国税又は換価同意行政機関等の滞納処分による差押えに係る国税、地方税若しくは公課）の領収証書その他その完納の事実を証する書面を提示することによるものとする。

2　特定参加差押不動産を換価する場合において、換価執行税務署長による参加差押えが二以上あるときは、そのうち最も先にされた参加差押えに係る国税を前項に規定する特定参加差押えに係る国税として、同項の規定を適用する。

（売却決定通知書）

第四十四条　売却決定通知書には、次の事項を記載しなければならない。

一　買受人の氏名及び住所又は居所
二　滞納者の氏名及び住所又は居所
三　売却した財産の名称、数量、性質及び所在
四　買受代金の額及びこれを納付した年月日

（換価した動産等の保管者からの引渡の手続等）

第四十五条　税務署長は、法第百十九条第二項前段（売却決定通知書を買受人に交付する方法による動産等の引渡）の規定による引渡をするため交付する売却決定通知書には、その引渡をする旨並びにその引渡に係る動産等を保管する者の氏名及び住所又は居所を附記しなければならない。

2　法第百十九条第二項後段の規定による通知は、次の事項を記載した書面でしなければならない。

一　前条第一号から第三号までに掲げる事項
二　買受代金を納付した年月日
三　買受人に売却した動産等を引き渡した旨

（権利移転の登録等の嘱託の手続）

第四十六条　税務署長は、法第百二十一条（権利移転の登記の嘱託）の規定により権利移転の登録若しくは電子記録を嘱託し、又は法第百二十五条（換価に伴い消滅する権利の登記の抹消の嘱託）の規定により権利の登録若しくは電子記録の抹消を嘱託するときは、嘱託書に買受人から提出があつた売却決定通知書若しくはその謄本又は配当計算書の謄本を添付しなければならない。

（担保権の引受けによる換価の申出）

第四十七条　法第百二十四条第二項第三号（担保権の消滅又は引受け）に規定する申出は、公売公告の日（随意契約による売却をする場合には、その売却の日）の前日までに、次の事項を記載した書面を税務署長に提出してするものとする。

一　滞納者の氏名及び住所又は居所
二　差押財産又は特定参加差押不動産の名称、数量、性質及び所在
三　買受人に引き受けさせようとする質権、抵当権又は先取特権の内容及び滞納者以外の者が債務者であるときは、その氏名及び住所又は居所
四　法第百二十四条第二項第一号及び第二号の規定に該当する事実

第四節　換価代金等の配当

（債権現在額申立書の記載事項等）

第四十八条　債権現在額申立書には、債権の元本及び利息その他の附帯債権の現在額、弁済期限その他の内容を記載し、これらの事項を証明する書類を添附しなければならない。ただし、その添附をすることができないときは、税務署長に対し、その書類を呈示するとともに、その写を提出しなければならない。

2　換価に付すべき財産が金銭による取立の方法により換価するものであるときは、その取立の日までに法第百三十条第一項（債権額の確認方法）に規定する債権現在額申立書の提出をしなければならない。この場合において、同条第三項に規定する者がその取立の時までに債権現在額申立書を提出しないときは、配当を受けることができない。

（配当計算書の記載事項等）

第四十九条　配当計算書には、次の事項を記載しなければならない。

一　滞納者の氏名及び住所又は居所
二　配当すべき換価代金等（法第百二十九条第一項（配当の原則）に規定する換価代金等をいう。以下同じ。）の総額
三　差押えに係る国税（特定参加差押不動産の売却代金を配当する場合にあつては、特定参加差押えに係る国税）の金額、配当の順位及び金額その他必要な事項
四　債権現在額申立書を提出した債権者及び法第百三十条第二項後段（債権額の確認方法）の規定により確認した債権者の氏名及び住所又は居所、債権金額、配当の順位及び金額その他必要な事項
五　換価代金等の交付の日時

2　法第百三十一条（配当計算書）の規定による配当計算書の謄本の発送は、その配当計算書に係る換価財産が金銭による取立ての方法により換価したものであるときは、その取立ての日から三日以内にしなければならない。

（異議に係る換価代金等の供託）

第五十条　法第百三十三条第二項（異議の申出があつた場合の換価代金等の交付）の規定により換価代金等を交付することができない場合には、換価代金等は、供託しなければならない。この場合において、その供託した税務署長は、その旨を異議に関係を有する者に通知しなければならない。

2　前項の場合において、確定判決、異議に関係を有する者の全員の同意その他の理由により換価代金等の交付を受けるべき者及び金額が明らかになつたときは、これに従つて配当しなければならない。この場合において、税務署長は、その配当を受けるべき者に配当額支払証を交付するとともに、第一項の規定により供託した供託所に支払委託書を送付しなければならない。

3　前項の規定による配当を受けるべき者に対する供託所の支

払は、同項の支払委託書に基き行うものとする。

4　前三項の規定は、換価代金等を配当すべき債権が停止条件付である場合又は仮登記（民事保全法（平成元年法律第九十一号）第五十三条第二項（不動産の登記請求権を保全するための処分禁止の仮処分の執行）（同法第五十四条（不動産に関する権利以外の権利についての登記又は登録請求権を保全するための処分禁止の仮処分の執行）において準用する場合を含む。）の規定による仮処分による仮登記を含む。）がされた質権、抵当権若しくは先取特権により担保される債権である場合における換価代金等の交付について準用する。

第五節　滞納処分費

（滞納処分費の納入の告知の手続）

第五十一条　法第百三十八条（滞納処分費の納入の告知）の規定による納入の告知は、次の事項を記載した納入告知書でしなければならない。ただし、滞納処分費につき直ちに滞納処分をしなければならないときは、徴収職員に口頭で行わせることができる。

一　滞納処分費の徴収の基因となつた国税の年度及び税目

二　納付すべき金額

三　納期限

四　納付場所

（提出物件の留置き、返還等）

第五十一条の二　国税通則法施行令（昭和三十七年政令第百三十五号）第三十条の三（提出物件の留置き、返還等）の規定は、法第百四十一条の二（提出物件の留置き）の規定により物件を留め置く場合について準用する。

第六節　財産の調査

（捜索調書の記載事項）

第五十二条　捜索調書には、徴収職員が次の事項を記載して署名押印をしなければならない。ただし、第二号に掲げる事項は、捜索に係る国税につき差押調書の謄本、差押書又は参加差押通知書がその捜索を受けた滞納者又は第三者に既に交付されている場合には、記載を省略することができる。

一　滞納者の氏名及び住所又は居所

二　滞納に係る国税の年度、税目、納期限及び金額

三　法第百四十二条第二項（捜索の権限及び方法）の規定により第三者の物又は住居その他の場所につき捜索した場合には、その者の氏名及び住所又は居所

四　捜索した日時

五　捜索した物又は住居その他の場所の名称又は所在その他必要な事項

2　徴収職員は、捜索調書に法第百四十四条（捜索の立会人）の立会人の署名を求めなければならない。この場合において、立会人が署名をしないときは、その理由を捜索調書に付記しなければならない。

第六章　滞納処分に関する猶予等

第一節　換価の猶予

（換価の猶予の申請手続等）

第五十三条　法第百五十一条第二項及び第百五十一条の二第三項（換価の猶予の要件等）並びに法第百五十二条第四項（換価の猶予に係る分割納付、通知等）において読み替えて準用する国税通則法第四十六条の二第四項（納税の猶予の申請手続等）に規定する政令で定める書類は、次に掲げる書類とする。

一　財産目録その他の資産及び負債の状況を明らかにする書類

二　猶予を受けようとする日前一年間の収入及び支出の実績並びに同日以後の収入及び支出の見込みを明らかにする書類

三　猶予を受けようとする金額が百万円を超え、かつ、猶予期間が三月を超える場合には、担保の提供に関し必要となる書類として国税通則法施行令第十六条（担保の提供手続）の規定により提出すべき書類

2　法第百五十一条の二第三項に規定する政令で定める事項は、次に掲げる事項とする。

一　法第百五十一条の二第一項の国税を一時に納付することにより事業の継続又は生活の維持が困難となる事情の詳細

二　納付すべき国税の年度、税目、納期限及び金額

三　前号の金額のうちその納付を困難とする金額

四　当該猶予を受けようとする期間

五　猶予に係る金額を分割して納付する場合の各納付期限及び各納付期限ごとの納付金額

六　猶予を受けようとする金額が百万円を超え、かつ、猶予期間が三月を超える場合には、提供しようとする国税通則法第五十条各号（担保の種類）に掲げる担保の種類、数量、価額及び所在（その担保が保証人の保証であるときは、保証人の氏名及び住所又は居所）その他担保に関し参考となるべき事項（担保を提供することができない特別の事情があるときは、その事情）

3　法第百五十二条第一項に規定する政令で定める額は、第一号に掲げる額から第二号に掲げる額を控除した残額とする。

一　納付すべき国税の金額

二　税務署長が法第百五十一条第一項又は第百五十一条の二第一項の規定による換価の猶予をしようとする日の前日において滞納者が有する現金、預貯金その他換価の容易な財産の価額に相当する金額からその者の次に掲げる区分に応じ、それぞれ次に定める額を控除した残額

イ　法人　その事業の継続のために当面必要な運転資金の額

ロ　個人　その者及びその者と生計を一にする配偶者その他の親族（その者と婚姻の届出をしていないが事実上婚姻関係と同様の事情にある者及び当該事情にある者の親族を含む。）の生活の維持のために通常必要とされる費用に相当する金額（その者が負担すべきものに限る。）

並びにその者の事業の継続のために当面必要な運転資金の額

4　法第百五十二条第四項において読み替えて準用する国税通則法第四十六条の二第四項に規定する政令で定める事項は、次に掲げる事項とする。

一　猶予期間の延長を受けようとする国税の年度、税目、納期限及び金額

二　猶予期間内にその猶予を受けた金額を納付することができないやむを得ない理由及びその猶予期間の延長を受けようとする期間

三　第二項第五号及び第六号に掲げる事項

第五十四条　削除

第二節　保全担保及び保全差押え

（保全担保の提供命令の手続）

第五十五条　法第百五十八条第一項（保全担保の提供命令）の規定による命令は、次の事項を記載した書面でしなければならない。

一　担保されるべき国税の税目及び金額

二　提供すべき担保の種類

三　担保を提供すべき期限

2　前項第三号に掲げる期限は、同項の書面を発する日から起算して七日を経過した日以後の日としなければならない。ただし、納税者につき国税通則法第三十八条第一項各号（繰上請求）の一に該当する事実が生じたときは、この期限を繰り上げることができる。

（保全差押に関する手続）

第五十六条　法第百五十九条第三項（保全差押）の書面には、次の事項を記載しなければならない。

一　法第百五十九条第一項の規定により決定した金額

二　前号の金額の決定の基因となつた国税の年度及び税目

第五十七条　削除

第七章及び第八章　削除

第五十八条から第六十五条まで　削除

第九章　雑則

第六十六条から第六十八条まで　削除

（国税局長又は税関長が徴収する場合の読替規定）

第六十九条　国税局長が国税通則法第四十三条第三項若しくは第四十四条第一項（徴収の引継ぎ）又は法第百八十二条第二項若しくは第三項若しくは第百八十三条第三項（滞納処分の引継ぎ）の規定により、徴収の引継ぎ又は滞納処分の引継ぎを受けた場合におけるこの政令の規定の適用については、「税務署長」又は「税務署」とあるのは、「国税局長」又は「国税局」とする。

2　税関長が国税通則法第四十三条第一項ただし書（税関長による徴収）の規定により徴収する場合又は同条第四項若しくは同法第四十四条第一項若しくは法第百八十三条第二項若しくは第四項の規定により徴収の引継ぎ若しくは滞納処分の引継ぎを受けた場合におけるこの政令の規定の適用については、「税務署長」又は「税務署」とあるのは、「税関長」又は「税関」とする。

（財務省令への委任）

第七十条　この政令に定めるもののほか、法及びこの政令の実施のための手続その他これらの執行に関し必要な細則は、財務省令で定める。

附　則（抄）

1　この政令は、法の施行の日（昭和三十五年一月一日）から施行する。

※国税徴収法施行令の一部を改正する政令（令六・三・三〇政令一五〇）で本政令が一部改正されましたが、未施行となる部分については、ここに別に掲げました。

国税徴収法施行令（昭和三十四年政令第三百二十九号）の一部を次のように改正する。

第四十九条第一項第二号中「以下」を「第五号において」に改める。

第五十条を削る。

第五章第五節中第五十一条を第五十条とし、同章第六節中第五十一条の二を第五十一条とする。

附　則（抄）

（施行期日）

第一条　この政令は、令和七年一月一日から施行する。ただし、〔中略〕第四十九条第一項第二号の改正規定、第五十条を削る改正規定及び第五章第五節中第五十一条を第五十条とし、同章第六節中第五十一条の二を第五十一条とする改正規定〔中略〕は、民事関係手続等における情報通信技術の活用等の推進を図るための関係法律の整備に関する法律（令和五年法律第五十三号）附則第三号に掲げる規定の施行の日〔令四・五・二五から起算して四年を超えない範囲内において政令で定める日〕から施行する。

○証券ヲ以テスル歳入納付ニ関スル法律

大五・三・七
法　一〇

最終改正　平一四・七・三一法九八

第一条　租税及政府ノ歳入ハ政令ノ定ムル所ニ依リ証券ヲ以テ之ヲ納付スルコトヲ得但シ印紙ヲ以テ納付スヘキモノニ付テハ此ノ限ニ在ラス

第二条　前条ノ規定ニ依リ納付シタル証券ニ付支払ナカリシトキハ政令ヲ以テ定メタル場合ニ限リ初ヨリ納付ナカリシモノト看做ス此ノ場合ニ於ケル証券ノ処分ニ付テハ政令ヲ以テ之ヲ定ム

第三条　本法ニ依リ証券ヲ受領シタル市町村ハ証券ニ属スル権利ヲ行使シ現金ヲ国庫ニ送付スル責任アルモノトス但シ政令ノ定ムル所ニ依リ証券ヲ国庫ニ送付スルコトヲ得

②　市町村其ノ責ニ帰スヘカラサル事由ニ因リ証券金額ノ支払又ハ償還ヲ受クルコトヲ得サルトキハ其ノ事実ヲ具シ政府ニ責任ノ免除ヲ請フコトヲ得

③　前項ノ申出アリタルトキハ政府ハ事実ヲ審査シ市町村ノ責任ヲ免除スルコトヲ得

第四条　本法中市町村ニ関スル規定ハ法令ニ依リ租税及政府ノ歳入ヲ徴収シ其ノ徴収金ヲ国庫ニ送付スヘキ責任アル者ニ之ヲ準用ス

附　則

本法施行ノ期日ハ勅令ヲ以テ之ヲ定ム

註　大正六年一月一日から施行

○歳入納付ニ使用スル証券ニ関スル件

大五・一二・二一
勅令　二五六

最終改正　平一九・八・三政令二三五

第一条　大正五年法律第十号ニ依リ租税及歳入ノ納付ニ使用スルコトヲ得ル証券ハ次ニ掲クルモノニシテ其ノ金額ノ納付金額ヲ超過セサルモノニ限ル但シ第二号ノ場合ニ於テ利子支払ノ際課税セラルル租税ノ額ニ相当スル金額ニ付テハ此ノ限ニ在ラス

一　小切手ニシテ持参人払式又ハ記名式持参人払ノモノ

二　国債証券ノ利札（記名式ノモノヲ除ク）ニシテ支払期ノ到達シタルモノ

②　前項ノ証券ニシテ提示期間ノ満了ニ近ツキタルモノ又ハ支払不確実ナリト認ムルモノハ出納官吏、日本銀行又ハ市町村其ノ受領ヲ拒絶スルコトヲ得

③　証券ノ支払場所カ受領者ノ所在地ニ在ラサルモノニ付亦前項ニ同シ但シ支払場所カ受領者ノ払込又ハ送付ヲ為ス日本銀行ノ本店、支店又ハ代理店ノ所在地ニ在ルモノハ此ノ限ニ在ラス

第二条　証券ヲ提示期間内ニ提示シ支払ヲ請求シタル場合ニ於テ支払ノ拒絶アリタルトキハ租税又ハ歳入ハ初ヨリ納付ナカリシモノト看做ス

第三条　前条ノ場合ニ於テハ出納官吏、日本銀行又ハ市町村ハ納人ニ対シ遅滞ナク書面ヲ以テ証券ノ支払ナカリシ旨及其ノ証券ノ還付ヲ請求スヘキ旨ヲ通知スヘシ

②　前項ノ通知書ヲ受クヘキ者其ノ受取ヲ拒ミタルトキ又ハ住所、居所不明ナルトキハ通知書記載ノ要旨ヲ公告スヘシ

③　第一項ノ通知書ヲ発シタル日又ハ第二項ノ公告ヲ為シタル日ヨリ一年ヲ経過シタルトキハ納人ハ証券ノ還付ヲ請求スルコトヲ得ス

第四条　出納官吏、日本銀行又ハ市町村ノ受領シタル証券ノ取扱ニ関シテハ大蔵大臣ノ定ムル所ニ依ル

第五条　証券ヲ以テ納付シ得ル租税及歳入ノ種目ハ主管大臣之ヲ定ム

第六条　大蔵大臣ハ証券ノ金額、種類又ハ納付場所ニ依リ其ノ納付ニ関シ制限ヲ加フルコトヲ得

②　主管大臣ハ前項ノ規定ニ依リ大蔵大臣ノ定メタルモノノ外主管歳入ノ納付ニ付更ニ制限ヲ加フルノ必要アリト認ムルトキハ大蔵大臣ト協議シテ之ヲ定ムルコトヲ得

第七条　市町村ニ於テ大正五年法律第十号第三条第二項ノ規定ニ依リ責任ノ免除ヲ請ハムトスルトキハ地方長官ヲ経由シテ主管大臣ニ申請書ヲ提出スヘシ

②　地方長官前項ノ申請書ヲ受ケタルトキハ事実ヲ調査シ意見ヲ具シテ主管大臣ニ送付スヘシ

第八条　本令中市町村ニ関スル規定ハ法令ニ依リ租税及歳入ヲ徴収シ其ノ徴収金ヲ国庫ニ送付スヘキ責任アル者ニ之ヲ準用ス

附　則

①　本令ハ大正六年一月一日ヨリ之ヲ施行ス

②　明治三十八年勅令第三十四号ハ之ヲ廃止ス

○証券ノ納付ニ関スル制限

大五・一二・二一
大蔵令三〇

最終改正　平一六・六・三〇財務令四八

第一条　政府若ハ地方公共団体ノ振出シタル小切手又ハ日本銀行の公庫預託金取扱規程（昭和二十五年大蔵省令第三十一号）第一条の二ニ規定スル公庫ノ振出シタル小切手ニシテ同規程第三条ノ適用ヲ受クルモノハ其ノ振出日付ヨリ一年ヲ経過セサルモノニシテ且指図禁止ノ旨ノ記載ナキモノナルコトヲ要ス

② 前項ニ規定スル小切手以外ノ小切手ハ手形交換所ニ加入シタル金融機関又ハ当該金融機関ニ手形交換ヲ委託シタル金融機関ニ宛テタルモノニシテ其ノ呈示期間内ニ支払ノタメ呈示スルコトヲ得ルモノナルコトヲ要ス

第二条　第一条第二項ノ規定ニ依ル小切手ハ左記各号ノ一ニ該当スル場合ヲ除クノ外其ノ一通ノ金額又ハ一口ノ納入ニ使用スル其ノ合計金額三百万円以上ナルトキハ支払金融機関ノ支払保証アルモノナルコトヲ要ス

一　日本銀行本店、支店又ハ国庫金出納事務ノ取扱ニ付日本銀行ノ代理店若ハ歳入代理店タル金融機関ニ宛テタル小切手（其ノ金融機関振出ノモノヲ除ク）ニシテ之ヲ当該日本銀行本店、支店、代理店若ハ歳入代理店又ハ出納官吏ニ納付スルトキ

二　第一条第二項ノ金融機関ニ宛テタル其ノ金融機関振出ノ小切手タルトキ

三　納入ノ告知ヲ為ス官署ニ於テ支払保証アルコトヲ要セサル旨ノ承認ヲ与ヘタルトキ

② 納入ノ告知ヲ為ス官署ハ保証人又ハ担保物アル租税及歳入ニシテ其ノ告知額ヲ納付スルモ直ニ保証証書又ハ担保物ノ返還ヲ要セサルモノニ限リ前項第三号ノ承認ヲ与フルコトヲ得

③ 出納官吏ニ於テ第一項第一号ニ依リ証券ヲ受領シタルトキハ遅滞ナク其ノ支払人ニ呈示シ其ノ支払ヲ受ケタル後之ヲ日本銀行ニ払込ムベシ

第三条　国債証券ノ利札（記名式ノモノヲ除ク）ニシテ法令ノ規定ニ依リ租税ヲ課セラレサルモノハ日本銀行其ノ他ノ利子支払場所ニ租税及歳入ヲ納付スル場合ノ外之ヲ使用スルコトヲ得ス

附　則

本令ハ大正六年一月一日ヨリ之ヲ施行ス

○財務省主管ノ歳入ハ証券ヲ以テ納付スルコトヲ得ルノ件

大五・一二・二一
大蔵令三一

最終改正　平一九・九・二八財務令五七

第一条　財務省主管ノ租税及歳入ハ別段ノ規定アルモノヲ除クノ外総テ証券ヲ以テ之ヲ納付スルコトヲ得

第一条ノ二　関税法（昭和二十九年法律第六十一号）第七十七条第三項ノ規定ニ依リ納付セラルル郵便物ノ関税及輸入品に対する内国消費税の徴収等に関する法律（昭和三十年法律第三十七号）第七条第三項ノ規定ニ依リ納付セラルル郵便物ノ内国消費税ヲ郵便法（昭和二十二年法律第百六十五号）第七十五条ノ三ノ規定ニ依リ総務大臣ノ認可ヲ受ケタ国際郵便約款第五十九条ノ表ノ第一項ノ上欄ニ規定スル郵便物ノ交付ノ際ニ納付スル場合ハ証券ヲ以テ之ヲ納付スルコトヲ得ズ

第二条　削除

附　則

本令ハ大正六年一月一日ヨリ之ヲ施行ス

○証券ヲ以テスル歳入納付ニ関スル法律施行細則

大五・一二・二一
大蔵令三二

最終改正　令二・一二・四財務令七三

第一条　証券ヲ以テ租税又ハ歳入金ヲ納付セムトスル者ハ其ノ証券ノ裏面ニ記名捺印シ指定ノ場所ニ之ヲ納付スヘシ納税告知書、納入告知書、納付書又ハ払込通知書ノ交付ヲ受ケタル者ニ在リテハ之ヲ添附スルコトヲ要ス

第一条ノ二　国債証券ノ利札（記名式ノモノヲ除ク）ハ当該利札ニ対スル利子支払ノ際課税セラルル租税ノ額ニ相当スル金額ヲ控除シタルモノヲ以テ納付金額ト為スヘシ但シ法令ノ規定ニ依リ租税ヲ課セラレサルモノニ付テハ此ノ限ニ在ラス

第二条　出納官吏（出納員ヲ含ム以下同シ）、日本銀行又ハ市町村ニ於テ証券ヲ受領シタルトキハ歳入金又ハ租税ノ受入金ノ領収証書、歳入徴収官又ハ国税収納命令官ニ対スル領収済報告書又ハ領収済通知書ニ「証券受領」ト記載シ歳入金又ハ租税ノ受入金ノ一部分ヲ証券ヲ以テ受領シタル場合ニ於テハ其ノ証券金額ヲ附記スルコトヲ要ス但シ第三項乃至第六項ノ規定ニ依ル場合ヲ除ク

② 前項ノ場合ニ於テ其ノ受領シタル証券中前条ノ規定ニ依リ利子支払ノ際課税セラルル租税ノ額ニ相当スル金額ヲ控除シタルモノヲ以テ納付金額ト為シタル国債証券ノ利札（記名式ノモノヲ除ク）アルトキハ「国債利札」ト記載シ其ノ納付金額ヲ附記スルコトヲ要ス

③ 日本銀行（本店、支店、代理店又ハ歳入代理店（郵便貯金銀行（郵政民営化法（平成十七年法律第九十七号）第九十四条ニ規定スル郵便貯金銀行ヲ謂フ以下同ジ）ノ営業所、郵便局（簡易郵便局法（昭和二十四年法律第二百十三号）第二条ニ規定スル郵便窓口業務ヲ行フ日本郵便株式会社ノ営業所デ郵便貯金銀行ヲ所属銀行トスル銀行代理業（銀行法（昭和五十六年法律第五十九号）第二条第十四項ニ規定スル銀行代理業ヲ謂フ以下此ノ項ニ於テ同ジ）ノ業務ヲ行フモノヲ謂フ以下同ジ）及ビ簡易郵便局（簡易郵便局法第七条第一項ニ規定スル施設デ郵便貯金銀行ヲ所属銀行トスル銀行代理業ノ業務ヲ行フモノヲ謂フ第四項及ビ第五項ニ於テ同ジ）ヲ除ク））ニ於テ納人ヨリ歳入徴収官事務規程（昭和二十七年大蔵省令第百四十一号以下「歳入規程」ト称ス）第二十一条の六第一項第一号乃至第六号及ビ第九号ニ掲グル納入告知書又ハ納付書並ニ同条第二項第二号及ビ第三号ニ掲グル納付書ヲ添ヘ証券ヲ以テ納付ヲ受ケタル場合ニ於テ納人ニ交付スベキ領収証書及ビ日本銀行国庫金取扱規程（昭和二十二年大蔵省令第九十三号以下「国庫金規程」ト称ス）第十四条の二第一項本文若ハ日本銀行の歳入金等の受入に関する特別取扱手続（昭和二十四年大蔵省令第百号以下「特別手続」ト称ス）第三条第二項本文ノ規定ニ依リ日本銀行統轄店ニ送付スベキ領収済通知書又ハ国庫金規程第十四条の二第一項但書若ハ特別手続第三条第二項但書ノ規定ニ依リ代行機関ニ送信スベキ領収済通知情報ニ納付スベキ金額ノ全部又ハ一部ヲ証券ヲ以テ受領シタル旨ノ記載又ハ記録ヲ為スベシ

④ 日本銀行代理店又ハ歳入代理店（郵便貯金銀行ノ営業所、郵便局及ビ簡易郵便局ヲ除ク）ニ於テ納人ヨリ歳入規程第二十一条の六第二項第四号ニ掲グル納付書ヲ添ヘ証券ヲ以テ納付ヲ受ケタル場合ニ於テ領収済通知書ノ記載事項ニ付電気通信回線ニ依リ送信シ得ルトキハ納人ニ交付スベキ領収証書及ビ国庫金規程第十四条の三若ハ特別手続第三条第七項ノ規定ニ依リ代行機関ニ送信スル領収済通知情報ニ納付スベキ金額ノ全部又ハ一部ヲ証券ヲ以テ受領シタル旨ノ記載又ハ記録ヲ為スベシ

⑤ 歳入代理店（郵便貯金銀行ノ営業所、郵便局及ビ簡易郵便局ニ限ル）ニ於テ納人ヨリ歳入規程第二十一条の六第一項第一号乃至第六号及ビ第九号ニ掲グル納入告知書又ハ納付書並ニ同条第二項第二号乃至第四号ニ掲グル納付書ヲ添ヘ証券ヲ以テ納付ヲ受ケタル場合ニ於テ納人ニ交付スベキ領収証書及ビ特別手続第三条第三項本文ノ規定ニ依リ指定代理店ニ送付スベキ領収済通知書又ハ同項但書ノ規定ニ依リ代行機関ニ送信スル領収済通知情報ニ納付スベキ金額ノ全部又ハ一部ヲ証券ヲ以テ受領シタル旨ノ記載又ハ記録ヲ為スベシ

⑥ 前三項ノ場合ニ於テ納付ヲ受ケタル証券金額ガ納入告知書又ハ納付書ニ記載セラルル納付スベキ金額ノ一部分ナルトキハ領収証書ニ領収金額ヲ付記スベシ

第三条　受領シタル証券ハ遅滞ナク其ノ支払人ニ提示シ支払ノ請求ヲ為スヘシ但シ出納官吏又ハ市町村ノ受領シタル証券ニシテ次ノ各号ノ要件ヲ具フルモノハ別紙様式ノ仕訳書ヲ添付シテ之ヲ日本銀行ニ払込又ハ送付スルコトヲ得

一　証券ノ支払場所カ日本銀行本店、支店又ハ代理店若ハ歳入代理店（郵便貯金銀行ノ営業所及ビ郵便局ヲ除ク）所在地ニ在ルモノ

二　日本銀行ニ到達後提示期間ノ満了迄ニ三日以上ノ余裕アルモノ

② 出納官吏又ハ市町村支払保証ヲ要セサル旨ノ承認ヲ得タル納人ヨリ支払保証ナキ小切手ヲ受領シタル場合ニ於テ之ヲ日本銀行ニ払込又ハ送付セムトスルトキハ其ノ裏面ニ「無保証承認」ト記載スヘシ

第四条　出納官吏ノ払込又ハ市町村ノ送付ニ係ル証券中前条第二項ニ規定スル記載セサルモノアルトキハ日本銀行ハ之カ受領ヲ拒絶スヘシ

第五条　大正五年勅令第二百五十六号第二条ノ規定ニ該当スル場合ニ於テハ出納官吏、日本銀行又ハ市町村ハ直ニ其ノ支払ナカリシ金額ニ相当スル領収済額ヲ取消スヘシ領収済額ヲ取消シタル出納官吏又ハ日本銀行ハ遅滞ナク其ノ旨ヲ歳入徴収

官又ハ国税収納命令官（各分掌官経由）ニ報告スルコトヲ要ス

② 出納官吏ノ払込又ハ市町村ノ送付ニ係ルモノニ付領収済額ヲ取消シタルトキハ日本銀行ハ直ニ其ノ旨ヲ出納官吏又ハ市町村ニ通知シ該証券ヲ返付スヘシ

③ 出納官吏又ハ市町村前項ニ依リ証券ノ返付ヲ受ケタルトキハ直ニ其ノ受領証書ヲ日本銀行ニ送付スヘシ

第六条　市町村領収済額ヲ取消シタルトキハ納人ニ対シ前ニ発付又ハ交付シタルモノト同一納期日ノ納入通知書又ハ之ニ準ズベキモノヲ送付スベシ

第七条　大正五年勅令第二百五十六号第三条ノ通知書ハ納人ヨリ証券ヲ受領シタル出納官吏、日本銀行又ハ市町村之ヲ発スヘシ

② 前項通知書ノ送達ヲ為スコト能ハサル場合ニ於ケル公告ハ官報ニ掲載シテ之ヲ為スヘシ但シ出納官吏在勤官署、日本銀行又ハ市町村ノ掲示場ニ七日間掲示シテ之ニ代フルコトヲ得

第八条　支払ナカリシ証券ノ還付ヲ受ケムトスル納人ハ其ノ証券ヲ納付シタル官署、日本銀行又ハ市町村役場ニ就キ之カ請求ヲ為スヘシ

② 出納官吏、日本銀行又ハ市町村ハ領収証書ヲ徴シ之ト引換ニ証券ヲ還付スヘシ

第九条　郵便若ハ民間事業者による信書の送達に関する法律（平成十四年法律第九十九号）第二条第六項ニ規定スル一般信書便事業者若ハ同条第九項ニ規定スル特定信書便事業者ニ依ル同条第二項ニ規定スル信書便ニ依リ納付シタル証券ニシテ受領スヘカラサルモノ又ハ受領シタル証券ニシテ偽造、変造若ハ違式ナルモノニ付テハ第五条乃至第八条ノ規定ヲ準用ス

第十条　証券ノ提示期間ヲ経過シタルカ為支払ヲ受クルコトヲ得サルトキ又ハ証券ヲ亡失シタルトキハ出納官吏在勤官署、日本銀行又ハ市町村ハ証券ノ種類ニ従ヒ直ニ当該法規ノ定ムル所ニ依リ必要ナル手続ヲ為シ支払又ハ償還ノ請求ヲ為スヘシ

② 前項ノ場合ニ於テ裁判上ノ行為ヲ必要トスルトキハ出納官吏在勤官署ニ在リテハ民事訴訟ニ付国ヲ代表スル所属官庁ニ、日本銀行ニ在リテハ財務大臣ニ遅滞ナク其ノ事由ヲ具シテ之カ処理ヲ申請スヘシ

③ 市町村ハ第一項ニ依リ支払又ハ償還ヲ受クルニ先タチ之ニ相当スル金額ヲ日本銀行ニ送付スルコトヲ得

第十一条　亡失シタル証券又ハ提示期間ヲ経過シタル証券ニシテ支払又ハ償還ヲ受クルコトヲ得サリシモノノ金額ニ付テハ出納官吏、日本銀行又ハ市町村ハ避クヘカラサル事由ヲ証明スルニアラサレハ其ノ責任ヲ免カルルコトヲ得ス

第十二条　出納官吏、日本銀行又ハ市町村ニ於テ証券ヲ受領シタルトキハ現金ニ準シテ之ヲ取扱フヘシ

② 市町村ハ受領証券仕訳簿ヲ備ヘ納人別ニ之カ整理ヲ為スヘシ

第十三条　本令中市町村ニ関スル規定ハ法令ニ依リ租税及歳入ヲ徴収シ其ノ徴収金ヲ国庫ニ送付スベキ責任アル者ニ之ヲ準用ス

様式〔略〕

○印紙をもつてする歳入金納付に関する法律

昭二三・七・一二
法　一　四　二

最終改正　令元・五・二四法一四

第一条　国に納付する手数料、罰金、科料、過料、刑事追徴金、訴訟費用、非訟事件の費用及び少年法（昭和二十三年法律第百六十八号）第三十一条第一項の規定により徴収する費用は、印紙をもつて、これを納付せしめることができる。但し、印紙をもつて納付せしめることのできる手数料の種目は、各省各庁の長（財政法（昭和二十二年法律第三十四号）第二十条第二項に規定する各省各庁の長をいう。）が、これを定める。

第二条　前条又は他の法令の規定により印紙をもつて租税及び国の歳入金を納付するときは、収入印紙を用いなければならない。ただし、次に掲げる場合は、この限りでない。

一　労働保険の保険料の徴収等に関する法律（昭和四十四年法律第八十四号）第二十三条第一項の規定により印紙保険料を納付するとき。

二　道路運送車両法（昭和二十六年法律第百八十五号）第百二条第一項（第五号、第六号及び第九号を除く。）及び第四項の規定により手数料を納付するとき。

三　健康保険法（大正十一年法律第七十号）第百六十九条第二項の規定により保険料を納付するとき。

四　自動車重量税法（昭和四十六年法律第八十九号）第八条、第九条又は第十二条第二項の規定により自動車重量税を納付するとき。

五　特許法（昭和三十四年法律第百二十一号）第百七条第一項の規定により特許料を、同法第百十二条第二項の規定により割増特許料を、同法第百九十五条第一項から第三項までの規定により手数料を、実用新案法（昭和三十四年法律第百二十三号）第三十一条第一項の規定により登録料を、同法第三十三条第二項の規定により割増登録料を、同法第五十四条第一項若しくは第二項の規定により手数料を、意匠法（昭和三十四年法律第百二十五号）第四十二条第一項の規定により登録料を、同法第四十四条第二項の規定により割増登録料を、同法第六十七条第一項若しくは第二項の規定により手数料を、商標法（昭和三十四年法律第百二十七号）第四十条第一項若しくは第二項、第四十一条の二第一項若しくは第七項若しくは第六十五条の七第一項若しくは第二項の規定により登録料を、同法第四十三条第一項から第三項までの規定により割増登録料を、同法第七十六条第一項若しくは第二項の規定により手数料を、特許協力条約に基づく国際出願等に関する法律（昭和五十三年法律第三十号）第八条第四項、第十二条第三項若しくは第十八条第一項若しくは第二項の規定により手数料を、工業所有権に関する手続等の特例に関する法律（平成二年法律第三十号）第四十条第一項の規定により手数料を又はその他工業所有権に関する事務に係る手数料を納付するとき。

2　前項に規定する収入印紙、労働保険の保険料の徴収等に関する法律第二十三条第二項に規定する雇用保険印紙、道路運送車両法第百二条第五項に規定する自動車検査登録印紙、健康保険法第百六十九条第三項に規定する健康保険印紙、自動車重量税法に規定する自動車重量税印紙並びに特許法、実用新案法、意匠法、商標法及び工業所有権に関する手続等の特例に関する法律に規定する特許印紙の形式は、財務大臣が定める。

第三条　次の各号に掲げる印紙は、その売りさばきに関する事務を日本郵便株式会社（以下「会社」という。）に委託し、それぞれ、当該各号に定める所において売り渡すものとする。

一　収入印紙　会社の営業所（郵便の業務を行うものに限る。以下この項において同じ。）のうち、総務大臣が財務大臣に協議して指定するもの、郵便切手類販売所（郵便切手類販売所等に関する法律（昭和二十四年法律第九十一号）第三条に規定する郵便切手類販売所をいう。以下同じ。）又は印紙売りさばき所（同条に規定する印紙売りさばき所をいう。以下同じ。）

二　雇用保険印紙　会社の営業所のうち、総務大臣が厚生労働大臣に協議して指定するもの

三　健康保険印紙　会社の営業所のうち、総務大臣が厚生労働大臣に協議して指定するもの

四　自動車重量税印紙　会社の営業所、郵便切手類販売所又は印紙売りさばき所のうち、総務大臣が財務大臣に協議して指定するもの

五　特許印紙　会社の営業所、郵便切手類販売所又は印紙売りさばき所のうち、総務大臣が経済産業大臣に協議して指定するもの

2　前項の印紙を売り渡す者は、定価で公平にこれを売り渡さなければならない。

3　第一項の印紙の売りさばきの管理及び手続に関する事項は総務大臣が、同項第一号の印紙にあつては財務大臣に、同項第二号及び第三号の印紙にあつては厚生労働大臣に、同項第四号の印紙にあつては財務大臣に、同項第五号の印紙にあつては経済産業大臣に、それぞれ協議してこれを定める。

4 会社は、前項の規定により総務大臣が定めた印紙の売りさばきの管理及び手続に関する事項を守らなければならない。

5 会社は、第一項の規定により印紙を売りさばいた金額から印紙の売りさばきに関する事務の取扱いに要する経費を控除した金額に相当する金額を、同項第一号の印紙に係るものは一般会計に、同項第二号の印紙に係るものは労働保険特別会計の徴収勘定に、同項第三号の印紙に係るものは年金特別会計の健康勘定に、同項第四号の印紙に係るものは国税収納金整理資金に、同項第五号の印紙に係るものは特許特別会計に、それぞれ納付しなければならない。

6 第一項第一号及び第四号の印紙で汚染し、又は損傷されていないものについては、総務大臣が財務大臣に協議して定めるところにより、これをその印紙に表された金額によりそれぞれ当該各号の印紙と交換することができる。この場合において、会社に交換を申し出る者は、総務大臣の定める額の手数料を会社に納付しなければならない。

7 前項の規定により会社に納められた手数料は、会社の収入とする。

第四条 自動車検査登録印紙は、地方運輸局、運輸監理部、運輸支局若しくは地方運輸局、運輸監理部若しくは運輸支局の事務所又は国土交通大臣が委託する者が設ける自動車検査登録印紙売りさばき所において売り渡すものとする。

2 前項に規定する自動車検査登録印紙売りさばき所において自動車検査登録印紙を売り渡す者は、定価で公平にこれを売り渡さなければならない。

3 自動車検査登録印紙の売りさばきの管理及び手続に関する事項は、国土交通大臣が定める。

4 第二項に規定する者は、前項の規定により国土交通大臣が定めた自動車検査登録印紙の売りさばきの管理及び手続に関する事項を守らなければならない。

第五条 第三条第二項の規定に違反して同条第一項の印紙をその定価と異なる金額で売り渡し、又は前条第二項の規定に違反して同条第一項の自動車検査登録印紙をその定価と異なる金額で売り渡した者は、三十万円以下の罰金に処する。

2 法人の代表者又は法人若しくは人の代理人、使用人その他の従業者が、その法人又は人の業務に関し、前項の違反行為をしたときは、行為者を罰するほか、その法人又は人に対しても同項の刑を科する。

附 則(抄)

1 この法律は、公布の日から、これを施行する。

2 第二条第一項の規定にかかわらず、当分の間収入印紙に代えて、取引高税印紙をもつて政令で定める租税その他の国の歳入金を納付することができる。

3 前項に規定する取引高税印紙の形式は、大蔵大臣が、これを定める。

4 取引高税印紙は、郵便局、郵便切手類売りさばき所又は印紙売さばき所において、これを売さばくものとする。

5 前項の規定による取引高税印紙の売さばきの管理及び手続に関する事項は、逓信大臣が、これを定める。

6 印紙をもつてする歳入金納付に関する勅令(大正九年勅令第百九十号)は、これを廃止する。

7 この法律施行前印紙をもつてする歳入金納付に関する勅令第一条但書の規定により主務大臣の定めた手数料の種目、同令第二条第二項の規定により大蔵大臣の定めた収入印紙の形式及び同令第三条の規定により逓信大臣の定めた収入印紙の売さばきに関する規程は、それぞれ、この法律施行の際、第一条但書、第二条第二項及び第三条第二項の規定により定めたものとみなす。

○情報通信技術を利用する方法による国の歳入等の納付に関する法律

令四・五・九
法 三九

目次〔略〕

第一章 総則

(目的)

第一条 この法律は、情報通信技術を利用する方法による国の歳入(歳入歳出外現金を含み、各省各庁の事務に係るものに限る。以下「歳入等」という。)の納付(納付の委託を含む。以下この条において同じ。)を行うために必要となる事項を定めることにより、国の歳入等の納付の方法について定めた他の法令の規定にかかわらず、情報通信技術を利用する方法による国の歳入等の納付を可能とし、もって当該納付に係る関係者の利便性の向上を図ることを目的とする。

(定義)

第二条 この法律において「法令」とは、法律、法律に基づく命令及び最高裁判所規則をいう。

2 この法律において「各省各庁」とは、裁判所、会計検査院、内閣(内閣府及びデジタル庁を除く。)、内閣府、デジタル庁及び各省をいう。

第二章　情報通信技術を利用して自ら納付する方法による納付

第三条　各省各庁は、歳入等の納付のうち、当該歳入等の納付に関する他の法令の規定において収入印紙をもってすることその他の当該歳入等の納付の方法が規定されているもので主務省令（裁判所の事務に係る歳入等にあっては、最高裁判所規則。以下この章から第四章までにおいて同じ。）で定めるものについては、当該法令の規定にかかわらず、当該歳入等を納付しようとする者が自ら納付する方法であって、電子情報処理組織を使用するものその他の情報通信技術を利用するもので主務省令で定めるものにより当該歳入等の納付を行わせることができる。

2　前項の規定は、情報通信技術を活用した行政の推進等に関する法律（平成十四年法律第百五十一号）第六条第五項に規定する場合については、適用しない。

第三章　情報通信技術を利用して指定納付受託者に委託して納付する方法による納付

（指定納付受託者に委託して納付する方法による納付の実施）

第四条　各省各庁は、歳入等の納付で主務省令で定めるものについては、次条の規定により指定納付受託者（第八条第一項に規定する指定納付受託者をいう。以下この章において同じ。）に当該歳入等の納付を委託して納付する方法により当該歳入等の納付を行わせることができる。この場合において、当該歳入等の納付に関する他の法令の規定において収入印紙をもってすることその他の当該歳入等の納付の方法が規定されているものについては、当該他の法令の規定は、適用しない。

（指定納付受託者に対する納付の委託）

第五条　各省各庁が前条前段に規定する方法により歳入等の納付を行わせる場合において、当該方法により歳入等を納付しようとする者は、次の各号のいずれかに該当する方法により、当該歳入等の納付を指定納付受託者に委託しなければならない。

一　電子情報処理組織を使用する方法その他の情報通信技術を利用する方法により次に掲げる事項を指定納付受託者に通知する方法（当該歳入等の徴収又は収納を行う各省各庁を通じて通知する方法を含む。）

イ　当該納付に係る歳入等を特定するものとして主務省令で定める事項

ロ　当該納付をしようとする者に付与された番号、記号その他の符号その他の指定納付受託者が当該歳入等の納付の委託を受けるために必要な事項であって主務省令で定めるもの

ハ　その他主務省令で定める事項

二　歳入等の納付に係る書面（前号イに掲げる事項及びバーコードその他の情報通信技術を利用するための符号が記載されたものに限る。）で主務省令で定めるものを指定納付受託者に提示する方法

（指定納付受託者による歳入等の納付）

第六条　指定納付受託者は、前条の規定により歳入等を納付しようとする者の委託（以下この条において「委託」という。）を受けたときは、主務省令で定めるところにより、その旨を当該歳入等を納付しようとする者に通知しなければならない。

2　指定納付受託者は、前条の規定により委託を受けたときは、当該歳入等の徴収又は収納を行う各省各庁の長（当該各省各庁が裁判所である場合にあっては、最高裁判所長官。以下同じ。）の定める期間ごとに、遅滞なく、次に掲げる事項を当該各省各庁の長に報告しなければならない。

一　報告の対象となった期間並びに当該期間において前条の規定により委託を受けた件数及び歳入等の金額の合計額

二　前号に規定する期間において受けた委託に係る次に掲げる事項

イ　前条第一号イに掲げる事項

ロ　当該委託を受けた年月日

三　その他主務省令で定める事項

3　指定納付受託者は、前条の規定により委託を受けたときは、当該歳入等の額に相当する金銭を受領したかどうかにかかわらず、主務省令で定める日までに当該委託を受けた歳入等を納付しなければならない。

4　前項の場合において、当該指定納付受託者が同項の主務省令で定める日までに当該歳入等を納付したときは、当該委託を受けた日に当該歳入等の納付がされたものとみなす。ただし、当該歳入等に係る延滞金その他の歳入等の納付の遅滞に係る徴収金に関する他の法令の規定の適用については、指定納付受託者が同項の主務省令で定める日までに当該歳入等を納付したかどうかにかかわらず、当該委託を受けた日に当該歳入等の納付がされたものとみなす。

（指定納付受託者からの歳入等の徴収等）

第七条　指定納付受託者が前条第三項に規定する歳入等を同項の主務省令で定める日までに納付しないときは、各省各庁の長は、国税の保証人に関する徴収の例によりその歳入等を当該指定納付受託者から徴収するものとする。

2　各省各庁の長は、前条第三項の規定により指定納付受託者が納付すべき歳入等については、当該指定納付受託者に対して前項の規定により国税の保証人に関する徴収の例による滞納処分をしてもなお徴収すべき残余がある場合でなければ、その残余の額について当該歳入等に係る第五条の規定による委託をした者から徴収することができない。

第四章　指定納付受託者

（指定納付受託者の指定等）

第八条　各省各庁の長は、歳入等を納付しようとする者の委託を受けて国に当該歳入等を納付する事務（第五項、次条及び第十一条第一項第三号において「納付事務」という。）を適切かつ確実に実施することができる者として政令で定める者を、その申請により、主務省令で定めるところにより、指定納付受託者として指定することができる。

2　各省各庁の長は、前項の規定による指定をしたときは、直ちに、指定納付受託者の名称、住所又は事務所の所在地、納付を委託することができる歳入等の種類その他主務省令で定める事項を公示しなければならない。

3　指定納付受託者は、その名称、住所又は事務所の所在地を変更するときは、主務省令で定めるところにより、あらかじめ、その旨を各省各庁の長に届け出なければならない。

4　各省各庁の長は、前項の規定による届出があったときは、速やかに、当該届出に係る事項を公示しなければならない。

5　指定納付受託者は、納付事務の一部を、納付事務を適切かつ確実に実施することができる者として政令で定める者に委託することができる。

（指定納付受託者の帳簿保存等の義務）

第九条　指定納付受託者は、主務省令で定めるところにより、帳簿を備え付け、これに納付事務に関する事項を記載し、及びこれを保存しなければならない。

（報告の徴収等）

第十条　各省各庁の長は、第六条から前条までの規定を施行するため必要があると認めるときは、その必要な限度で、主務省令で定めるところにより、指定納付受託者に対し、報告をさせることができる。

2　各省各庁の長は、第六条から前条までの規定を施行するため必要があると認めるときは、その必要な限度で、その職員に、指定納付受託者の事務所に立ち入り、指定納付受託者の帳簿書類（その作成又は保存に代えて電磁的記録（電子的方式、磁気的方式その他人の知覚によっては認識することができない方式で作られる記録であって、電子計算機による情報処理の用に供されるものをいう。）の作成又は保存がされている場合における当該電磁的記録を含む。）その他必要な物件を検査させ、又は関係者に質問させることができる。

3　前項の規定により立入検査を行う職員は、その身分を示す証明書を携帯し、かつ、関係者の請求があるときは、これを提示しなければならない。

4　第二項に規定する権限は、犯罪捜査のために認められたものと解してはならない。

（指定納付受託者の指定の取消し）

第十一条　各省各庁の長は、指定納付受託者が次の各号のいずれかに該当するときは、主務省令で定めるところにより、第八条第一項の規定による指定を取り消すことができる。

一　第六条第二項又は前条第一項の規定による報告をせず、又は虚偽の報告をしたとき。

二　第八条第一項に規定する政令で定める者に該当しなくなったとき。

三　第八条第五項の政令で定める者以外の者に納付事務を委託したとき。

四　第九条の規定に違反して、帳簿を備え付けず、帳簿に記載せず、若しくは帳簿に虚偽の記載をし、又は帳簿を保存しなかったとき。

五　前条第二項の規定による立入り若しくは検査を拒み、妨げ、若しくは忌避し、又は同項の規定による質問に対して陳述をせず、若しくは虚偽の陳述をしたとき。

2　各省各庁の長は、前項の規定により指定を取り消したときは、直ちに、その旨を公示しなければならない。

第五章　雑則

（情報通信技術を利用する方法により納付を行うことができる歳入等の公表）

第十二条　各省各庁は、第三条第一項に規定する情報通信技術を利用して自ら納付する方法及び第四条前段に規定する指定納付受託者に納付を委託して納付する方法により納付を行うことができる当該各省各庁の事務に係る歳入等を、インターネットの利用その他の方法により公表するものとする。

（権限又は事務の委任）

第十三条　前二章に規定する各省各庁の長の権限又は事務は、政令で定めるところにより、当該各省各庁の機関に委任することができる。

（主務省令）

第十四条　この法律における主務省令は、歳入等の納付に関する他の法令（会計検査院規則、人事院規則、公正取引委員会規則、国家公安委員会規則、個人情報保護委員会規則、カジノ管理委員会規則、公害等調整委員会規則、公安審査委員会規則、中央労働委員会規則、運輸安全委員会規則及び原子力規制委員会規則を除く。）を所管する内閣官房、内閣府、デジタル庁又は各省の内閣官房令、内閣府令、デジタル庁令又は省令とする。ただし、会計検査院、人事院、公正取引委員会、国家公安委員会、個人情報保護委員会、カジノ管理委員会、公害等調整委員会、公安審査委員会、中央労働委員会、運輸安全委員会又は原子力規制委員会の所管に係る歳入等の納付については、それぞれ会計検査院規則、人事院規則、公正取引委員会規則、国家公安委員会規則、個人情報保護委員会規則、カジノ管理委員会規則、公害等調整委員会規則、公安審査委員会規則、中央労働委員会規則、運輸安全委員会規則又は原子力規制委員会規則とする。

（政令への委任）

第十五条　この法律に定めるもののほか、この法律の実施のために必要な事項は、政令で定める。

附　則（抄）

（施行期日）

第一条　この法律は、公布の日から起算して六月を超えない範囲内において政令で定める日〔令四・一一・一〕から施行する。〔ただし書略〕

支出負担行為及び支出

○支出負担行為等取扱規則

昭二七・三・三一
大蔵令一八

最終改正　令六・三・二九財務令一〇

（支出負担行為実施計画表の作製）

第一条　予算決算及び会計令（昭和二十二年勅令第百六十五号。以下「令」という。）第十八条の三に規定する支出負担行為実施計画表は、歳出予算に基くものと継続費に基くものと国庫債務負担行為に基くものとを各別に作製しなければならない。

（収入予定総表の作製及び送付）

第二条　各省各庁の長（財政法（昭和二十二年法律第三十四号）第二十条第二項に規定する各省各庁の長をいう。以下同じ。）は、令第十八条の十の規定により支払計画表を財務大臣に送付する場合において、当該計画表が特別会計に係るものであるときは、その審査の資料として、財政法第三十一条第一項の規定により配賦を受けた歳入予算に基づき、別紙第一号書式による収入予定総表を作製し、当該支払計画表に添附しなければならない。

（支払計画予定総表等の作成及び送付）

第三条　各省各庁の長は、令第十八条の十の規定により支払計画表を財務大臣に送付するときは、その審査の資料として、財政法第三十一条第一項の規定により配賦を受けた歳出予算に基づき、別紙第二号書式による支払計画予定総表を作成するとともに、支払計画表と同一の区分により、別紙第二号の二書式による支払計画合計表を作成し、当該支払計画表に添付しなければならない。

（支払計画表の送付期限）

第四条　令第十八条の十第一項に規定する支払計画表の財務大臣への送付の期限は、別に定める場合の外、当該支払計画期間の開始前十五日までとする。

（支出負担行為実施計画の変更）

第五条　各省各庁の長は、令第十八条の五第一項の規定により支出負担行為の実施計画の変更について財務大臣の承認を求めようとするときは、変更を要する部分について、その変更を要する事由その他変更の適否を審査するに必要な事項を明らかにした支出負担行為実施計画表を作製し、すみやかに財務大臣に送付しなければならない。

（支払計画の変更）

第六条　各省各庁の長は、令第十八条の十二第一項の規定により支払計画の変更について財務大臣の承認を求めようとするときは、変更を要する部分について、その額及び変更を要する事由を明らかにした支払計画表を作成するとともに、これと同一の区分により、別紙第二号の二書式による支払計画合計表を作成し、当該支払計画表に添付して、速やかに財務大臣に送付しなければならない。

（日本銀行に対する支払計画の承認の通知の省略）

第六条の二　財政法第三十四条第三項に規定する財務大臣が定める場合は、官署支出官（令第一条第二号に規定する官署支出官をいう。以下同じ。）及びセンター支出官（同条第三号に規定するセンター支出官をいう。）により支出に関する事務の取扱いが行われている場合とする。

（支出負担行為実施計画及び支払計画の承認の通知）

第七条　財務大臣は、財政法第三十四条の二第二項の規定により支出負担行為の実施計画の承認の通知をし、又は令第十八条の七の規定により支出負担行為の実施計画の変更の承認の通知をするには、それぞれ各省各庁の長から送付を受けた支出負担行為実施計画表の写に所要の補正を加え、又は所要の事項を記入した上、記名して行うものとする。

2　前項の規定は、財務大臣が各省各庁の長に対し、財政法第三十四条第三項の規定により支払計画の承認の通知をし、又は令第十八条の十四の規定により支払計画の変更の承認の通知をする場合について準用する。

（支出負担行為実施計画及び支払計画の承認の取消の通知）

第八条　財務大臣は、令第十八条の七の規定により支出負担行為の実施計画の承認の取消又は支出負担行為の実施計画の変更の承認の取消の通知をするには、当該支出負担行為の実施計画の承認又は当該支出負担行為の実施計画の変更の承認の年月日、承認番号及び取消の事由を明らかにした文書をもつて行うものとする。

2　前項の規定は、令第十八条の十四の規定により支払計画の承認の取消し又は支払計画の変更の承認の取消しの通知をする場合について準用する。この場合において、「支出負担行為の実施計画」とあるのは「支払計画」と、「承認番号及び取消の事由」とあるのは、「承認番号、官署支出官名及び取消しの事由」と読み替えるものとする。

（支出負担行為計画及び支出負担行為計画の変更の示達）

第九条　各省各庁の長は、令第三十九条第二項又は第三項の規定により支出負担行為の計画又は支出負担行為の計画の変更の示達をするには、別紙第三号書式により支出負担行為計画示達表を作製し、これに記名して行うものとする。

2　前項の支出負担行為計画示達表は、支出負担行為担当官（支出負担行為担当官代理を含む。以下同じ。）ごとの支出負担行為の所要額について、歳出予算に基くものと継続費に基くものと国庫債務負担行為に基くものとを各別に作製するものとし、歳出予算に基く支出負担行為の計画に関するものは、歳出予算に定める部局等並びに項及び目の区分を、継続費に基く支出負担行為の計画に関するものは、継続費に定める部局等、項及び目の区分並びに当該支出負担行為に基く支出年割額を、国庫債務負担行為に基く支出負担行為の計画に関するものは、国庫債務負担行為に定める部局等及び事項の区分を明らかにしなければならない。

（支出負担行為限度額等又は支出負担行為限度額等の変更の示達）

第九条の二 支出負担行為担当官は、令第三十九条第五項又は第六項の規定により所属の分任支出負担行為担当官（分任支出負担行為担当官代理を含む。以下同じ。）に支出負担行為の限度額及びその内訳（以下「支出負担行為限度額等」という。）又は支出負担行為限度額等の変更の示達をするには、分任支出負担行為担当官ごとに別紙第三号の二書式による支出負担行為限度額示達表を作製し、これに記名して行うものとする。

2 前条第二項の規定は、前項の支出負担行為限度額示達表について準用する。この場合において、前条第二項中「支出負担行為担当官（支出負担行為担当官代理を含む。以下同じ。）」とあるのは「分任支出負担行為担当官（分任支出負担行為担当官代理を含む。）」と、「支出負担行為の計画」とあるのは「支出負担行為限度額等」と、「明らかにしなければならない。」とあるのは「明らかにし、且つ、それぞれの区分による支出負担行為限度額の内訳を明らかにしなければならない。」と読み替えるものとする。

（支払計画及び支払計画の変更の示達及び通知）

第十条 各省各庁の長は、令第四十一条第二項又は第三項の規定により支払計画又は支払計画の変更の示達をするには、財務大臣の承認を経た支払計画の定める金額の範囲内において支払計画表を作成し、これに記名して行うものとする。

2 前項の場合における令第四十一条第四項の規定による通知は、前項の規定により作成した支払計画表について、これと同一の区分により支払計画合計表を作成し、これに記名し、当該支払計画表の写しを添付してしなければならない。

（支出負担行為計画及び支払計画等の取消しの示達等）

第十一条 各省各庁の長は、令第三十九条第三項の規定により支出負担行為の計画の取消又は支出負担行為の計画の変更の取消の示達をするには、当該支出負担行為の計画又は当該支出負担行為の計画の変更の示達年月日、示達番号及び取消の事由を明らかにした文書をもつて行うものとする。

2 前項の規定は、支出負担行為担当官又は各省各庁の長が令第三十九条第六項又は令第四十一条第三項及び第四項の規定により支出負担行為限度額等若しくは支払計画の取消し又は支出負担行為限度額等若しくは支払計画の変更の取消しの示達及び通知をする場合について準用する。

（示達等の特例）

第十二条 各省各庁の長は、支出負担行為担当官又は官署支出官（支出官代理（官署支出官の事務を代理する職員に限る。）を含む。以下同じ。）に、第九条、第十条第一項又は前条の規定による支出負担行為担当官又は官署支出官に対する示達をする場合においては、宮内庁長官又は外局の長を経て行うことができる。

（支出負担行為の内容等を示す書類）

第十三条 支出負担行為担当官は、支出負担行為をし又は所属の分任支出負担行為担当官に支出負担行為限度額等を示達しようとするときは、支出負担行為の内容又は支出負担行為限度額等を示す書類によつて、その支出負担行為をし又は支出負担行為限度額等を示達しようとする旨を明らかにしなければならない。

2 前項の規定は、分任支出負担行為担当官が支出負担行為をしようとする場合について準用する。

（支出負担行為等の整理区分）

第十四条 支出負担行為担当官の行う支出負担行為について、支出負担行為として整理する時期、支出負担行為の確認又は認証を受ける時期、支出負担行為の範囲及び支出負担行為に必要な主な書類は、別表甲号に定める区分によるものとする。

2 前項の別表甲号に定める経費に係る支出負担行為であつても、別表乙号に定める経費に係る支出負担行為に該当するものについては、前項の規定にかかわらず、別表乙号に定める区分によるものとする。

3 支出負担行為担当官の行う支出負担行為限度額等の示達について、支出負担行為限度額等の確認を受ける時期、支出負担行為限度額等の示達の整理をする時期、支出負担行為限度額等の示達の範囲及び支出負担行為限度額等の示達に必要な主な書類は、別表丙号に定めるところによるものとする。

4 分任支出負担行為担当官の行う支出負担行為について、支出負担行為として整理する時期、支出負担行為の範囲及び支出負担行為に必要な主な書類は、第一項又は第二項に規定するところによるものとする。

（確認を受けるための送付書類）

第十五条 支出負担行為担当官が令第三十九条の三の規定により官署支出官の確認を受けるために送付する同条各号に掲げる書類は、第十三条第一項に規定する書類によるものとする。

（認証を受けるための送付書類）

第十六条 支出負担行為担当官が令第三十九条の三の規定により支出負担行為認証官の認証を受けるために送付する同条第一号から第三号までに掲げる書類は、第十三条第一項並びに第十四条第一項及び第二項に規定する書類によるものとする。

２　各省各庁の長は、令第三十九条の四第四項の規定により、同条第三項の審査の基準と異る基準を定める場合においては、財務大臣に協議して、前項の書類の一部を省略することができる。

（支出負担行為の内容を示す書類の審査）

第十七条　官署支出官は、令第三十九条の四第一項の規定による審査をするには、その支出負担行為について令第三十九条第四項の規定により通知を受けた支出負担行為の計画に定める所属年度及び歳出科目に誤りがないかどうかを審査しなければならない。

（確認又は認証の表示）

第十八条　官署支出官又は支出負担行為認証官は、令第三十九条の四第一項又は第三項の規定により確認又は認証の表示をするには、第十三条第一項の支出負担行為の内容又は支出負担行為限度額等を示す書類に確認又は認証する旨、確認済又は認証済年月日及び支出負担行為差引簿登記済年月日を記載して行うものとする。

（分任支出負担行為担当官の支出負担行為に基づく支払）

第十八条の二　官署支出官又は会計法（昭和二十二年法律第三十五号。以下「法」という。）第十七条の規定により資金の前渡を受ける職員は、分任支出負担行為担当官の行つた支出負担行為に基づいて支出の決定（令第四十条第一項第一号に規定する支出の決定をいう。以下同じ。）又は支払をしようとする場合においては、その支出負担行為について、当該官署支出官又は資金の前渡を受ける職員が支出の決定又は支払をなすべき支出負担行為限度額等の示達済額を超過しないことを確かめた後でなければ、その支出の決定又は支払をすることができない。

（支出負担行為担当官の官署支出官への通知）

第十九条　支出負担行為担当官は、支出負担行為をしたとき、支出負担行為の変更若しくは取消しをしたとき又は支出負担行為の相手方の反対給付があつたときその他支出負担行為に関する支出に関係のある事実が発生したときは、その都度、証拠書類及び関係書類を遅滞なく官署支出官に送付しなければならない。

２　支出負担行為担当官は、支出負担行為限度額等の示達をしたとき又は支出負担行為限度額等の変更若しくは取消しの示達をしたときは、その都度、その旨を官署支出官に通知しなければならない。

３　支出負担行為担当官は、前二項の規定によるほか、支出の見込みの参考となる事項については、速やかに官署支出官に通知しなければならない。

４　前三項の規定は、支出負担行為担当官が官署支出官を兼ねている場合においては、適用しない。

（分任支出負担行為担当官の官署支出官等への通知）

第十九条の二　前条第一項又は第三項の規定は、分任支出負担行為担当官が支出負担行為をしたとき、支出負担行為の変更若しくは取消しをしたとき若しくは当該支出負担行為に関する支払に関係のある事実が発生したときにおける証拠書類及び関係書類の送付又は分任支出負担行為担当官の行う支出負担行為に関する支払の見込みの参考となる事項の通知について準用する。この場合において、同条第一項中「官署支出官に送付しなければならない。」とあるのは「関係の官署支出官又は法第十七条の規定により資金の前渡を受ける職員に送付するとともに、その旨を各省各庁の長の定めるところにより、支出負担行為担当官に通知しなければならない。」と、同条第三項中「官署支出官に」とあるのは「関係の官署支出官又は法第十七条の規定により資金の前渡を受ける職員に」と読み替えるものとする。

２　前項の場合において、支出負担行為担当官が分任支出負担行為担当官の行う支出負担行為に基づいて支出の決定を行うべき官署支出官を兼ねているときは、同項の規定による支出負担行為担当官への通知は要しないものとし、また、分任支出負担行為担当官が法第十七条の規定により資金の前渡を受ける職員を兼ねているときは、同項の規定による当該資金の前渡を受ける職員への書類の送付又は通知は要しないものとする。

（支出負担行為差引簿への登記）

第二十条　令第百三十四条の二の規定による支出負担行為差引簿への登記は、必要な事項を電子情報処理組織（支出官事務規程第十一条第二項第五号に規定する電子情報処理組織をいう。次項において同じ。）に記録する方法により行わなければならない。

２　前項の場合において、必要な事項が既に電子情報処理組織に記録されているときは、当該事項を重ねて記録することを要しない。

（支出負担行為担当官及び分任支出負担行為担当官の支出負担行為の特例）

第二十一条　支出負担行為担当官及び分任支出負担行為担当官の支出負担行為で、特別の事情によりこの省令により難いものについては、特例を設けることができる。

（実地監査）

第二十二条　法第四十六条の規定による財務大臣又は財務大臣の委任を受けた各省各庁の長の実地監査は、別に定める監査要領に従つて行わなければならない。

２　前項の実地監査を行うことを命ぜられた職員は、その実地監査をする場合には、別紙第四号書式の監査証票を携帯し、関係者の請求があつたときは、提示しなければならない。

附　則

1　この省令は、昭和二十七年四月一日から施行する。
2　この省令中支出負担行為の実施計画、支出負担行為の計画及び支払計画に関する規定は、昭和二十七年度分の予算から適用する。
3　支出負担行為計画認証等取扱規則（昭和二十六年大蔵省令第十九号）及び終戦処理事業費等に関する支出負担行為計画認証等取扱規則の特例（昭和二十五年大蔵省令第二十七号）は、廃止する。
4　旧支出負担行為計画認証等取扱規則第八条から第十七条までの規定は、昭和二十六年度分の予算については、なおその効力を有する。
5　平成二十二年度等における子ども手当の支給に関する法律（平成二十二年法律第十九号）第十六条第一項の規定により同法第七条第一項の規定を読み替えて適用する場合におけるこの省令の適用については、別表甲号備考1俸給手当の類の項中「児童手当」とあるのは、「児童手当・子ども手当」とする。
6　平成二十三年度における子ども手当の支給等に関する特別措置法（平成二十三年法律第百七号）第十六条第一項の規定により同法第七条第一項の規定を読み替えて適用する場合におけるこの省令の適用については、別表甲号備考1俸給手当の類の項中「児童手当」とあるのは、「子ども手当」とする。

別表甲号

支出負担行為の整理区分表

区分	支出負担行為として整理する時期	支出負担行為の確認又は認証を受ける時期	支出負担行為の範囲	支出負担行為に必要な主な書類	備考
1 俸給手当の類	支出決定のとき	支出を決定しようとするとき	当該給与期間分	基準給与簿 支給調書	
2 その他手当の類	支出決定のとき	支出を決定しようとするとき	支出しようとする額	支給調書 戸籍謄本又は戸籍抄本 死亡届書 失業証明書	
3 公務災害補償費の類	支出決定のとき	支出を決定しようとするとき	支出しようとする額	本人の請求書 病院等の請求書、受領書又は証明書 戸籍謄本又は戸籍抄本 死亡届書	
4 作業賞与金諸謝金の類	支出決定のとき	支出を決定しようとするとき	支出しようとする額	支給調書	
5 報償費	交付決定のとき	交付を決定しようとするとき	交付を要する額		
6 旅費	支出決定のとき	支出を決定しようとするとき	支出しようとする額	請求書	
7 物品費の類	購入契約を締結するとき（請求のあつたとき）	購入契約を締結しようとするとき（請求のあつたとき）	購入契約金額（請求のあつた額）	契約書 請書 見積書 （請求書）	文具費、燃料費、消耗器材費、飼料費又は新聞、雑誌その他の定期刊行物の購入費であつて単価契約によるものは、括弧書によることができる。
8 賃金	雇入のとき	雇入れようとするとき	標準賃金と雇入人員との積算額	雇入決議書 支給調書	

9	印刷製本費 送料 修繕料 その他雑役務費の類	契約を締結するとき（請求のあったとき）	契約を締結しようとするとき（請求のあったとき）	契約金額（請求のあった額）	契約書 請書 見積書 仕様書 （請求書）	後納契約若しくは単価契約によるもの又は修繕料で三十万円を超えないものは、括弧書によることができる。
10	光熱及び水料 電話料	請求のあったとき及び電話の加入申込を承認する旨の通知があったとき	請求のあったとき及び電話の加入申込をしようとするとき	請求のあった額及び加入料	請求書 検針表 単価契約書 請書内訳書 申込書の写	
11	運搬料 保管料	契約を締結するとき（請求のあったとき）	契約を締結しようとするとき（請求のあったとき）	契約金額（請求のあった額）	契約書 請書 受領書 数量調書 （請求書）	運賃先払による運搬料、到着荷物の保管料、後納契約又は単価契約によるものは、括弧書によることができる。
12	借料及び損料	契約を締結するとき（請求のあったとき）	契約を締結しようとするとき（請求のあったとき）	契約金額（請求のあった額）	契約書 請書 見積書 支給調書 （請求書）	後納契約又は単価契約によるものは、括弧書によることができる。
13	保険料の類	契約を締結するとき又は払込通知を受けたとき	契約を締結しようとするとき又は払込通知を受けたとき	払込指定金額	契約書 払込通知書	
14	消費税	申告を行うとき	申告を行おうとするとき	申告を要する額	申告書の写	
15	捜査費	請求のあったとき	請求のあったとき	請求のあった額	請求書	警察捜査費に限る。
16	食糧費 会議費	契約を締結するとき（請求のあったとき）	契約を締結しようとするとき（請求のあったとき）	契約金額（請求のあった額）	契約書 見積書 請書 仕様書 （請求書）	単価契約によるものは、括弧書によることができる。

区分					
17 委託費	契約を締結するとき（請求のあつたとき）	契約を締結しようとするとき（請求のあつたとき）	契約金額（請求のあつた額）	契約書 請書 見積書 （請求書）	検察、警察等の委託費にして捜査関係のものは、括弧書によることができる。
18 施設費	契約を締結するとき	契約を締結しようとするとき	契約金額	契約書 請書 見積書 仕様書	
19 補助金、負担金、交付金、補給金	指令をするとき（請求のあつたとき）	指令をしようとするとき（請求のあつたとき）	指令金額（請求のあつた額）	指令書の写 内訳書の写 （請求書）	指令を要しないものは、括弧書によることができる。
20 交際費	交付決定のとき又は契約を締結するとき	交付しようとするとき又は契約を締結しようとするとき	交付を要する額又は契約金額	請求書 契約書	
21 賠償償還及び払いもどし金の類	支出決定のとき	支出を決定しようとするとき	支出しようとする額	判決書謄本 請求書	
22 保証金	納付決定のとき	納付を要するとき	納付を要する額		
23 利子及び割引料	支払期日及び支出決定のとき	支払期日及び支出を決定しようとするとき	支出を要する額	借入に関する書類の写	
24 年金及び恩給	支出決定のとき	支出を決定しようとするとき	支出しようとする額	請求書	
25 保険金の類	支出決定のとき	支出を決定しようとするとき	支出しようとする額	本人の請求書 病院等の請求書、受領書又は証明書 戸籍謄本又は戸籍抄本 死亡届書	
26 繰入金	繰入決定のとき	繰入を決定しようとするとき	繰入を要する額	繰入要求書	

27 貸付金	貸付決定のとき	貸付を決定しようとするとき	貸付を要する額	契約書 確約書 申請書
28 出資金、払込金	出資又は払込決定のとき	出資又は払込を決定しようとするとき	出資又は払込を要する額	申請書

備考　本表区分の主な内訳を示せば、次の通りである。

区分	内訳
1 俸給手当の類	議員歳費・議員秘書手当・職員俸給・扶養手当・地域手当・管理職手当・初任給調整手当・通勤手当・特殊勤務手当・特地勤務手当・宿日直手当・期末手当・勤勉手当・寒冷地手当・住居手当・単身赴任手当・管理職員特別勤務手当・広域異動手当・専門スタッフ職調整手当・本府省業務調整手当・在宅勤務等手当・超過勤務手当・委員手当・非常勤職員手当・休職者給与・児童手当
2 その他手当の類	議員秘書退職手当・退職手当・政府職員等失業者退職手当・旧外地職員給与費・南西諸島関係職員未払諸給与費
3 公務災害補償費の類	公務上の又は通勤による災害に基づく療養補償の診察料・同治療代・入院料・食料・看護料・移送費・傷害手当・予後手当・傷病手当・遺族手当・葬祭料・傷害・殉職及び遺族一時金・同年金・救助料・収容者死傷手当・船員扶助費・協力援助者災害給付金
4 作業賞与金諸謝金の類	作業賞与金・収容者作業賞与金・諸謝金・議会雑費・国宝重要文化財出陳給与金
7 物品費の類	庁用器具費・事業用器具費・自動車購入費・船舶用諸品費・動物購入費・文具費・燃料費・消耗器材費・被服費・飼料費・商品費・製造物品の原材料費・施設費関係の材料費

9　印刷製本費、送料、修繕料その他雑役務費の類	印刷製本費・送料・電話料・修繕料・広告料・手数料・筆耕料・翻訳料・印紙費・その他雑役務費・ただし倉庫料及び保管料を除く。
13　保険料の類	厚生年金保険法、健康保険法、船員保険法、労働保険の保険料の徴収等に関する法律、自動車損害賠償保障法又は子ども・子育て支援法に基づく保険料又は拠出金
18　施設費	請負費・不動産購入費・機械購入費・車両購入費・船舶購入費・無体財産権購入費
21　賠償償還及び払いもどし金の類	賠償金・弁償金・諸払いもどし金・小切手支払未済金償還金・一時恩給返還金還付金・特殊債務償還金・亡失金補てん金等欠損補てん金・国債償還・政府短期証券償還・借入金返済・土地復旧補償金・罹災補償金等補償金
23　利子及び割引料	国債利子・借入金利子・財務省証券割引差額・食糧証券割引差額・石油証券割引差額・原子力損害賠償支援証券割引差額・預金利子
25　保険金の類	厚生年金保険法、健康保険法、船員保険法、労働者災害補償保険法、雇用保険法又は自動車損害賠償保障法に基づく保険給付費、失業等給付費、育児休業給付費又は再保険金

別表乙号

支出負担行為等の整理区分表

区分	支出負担行為として整理する時期	支出負担行為の確認又は認証を受ける時期	支出負担行為の範囲	支出負担行為に必要な主な書類	備考
1 資金前渡（分任支出負担行為担当官の行う支出負担行為に基づき前渡するもの及び令第五十一条の規定により前渡するもの（同条第十三号に掲げる経費に充てるものに限る。）を除く。）	資金の前渡をするとき	資金の前渡をしようとするとき	資金の前渡を要する額	資金前渡内訳書	
2 繰替払	現金払命令又は繰替払命令を発するとき	現金払命令又は繰替払命令を発しようとするとき	現金払命令又は繰替払命令を発しようとする額	内訳書	
3 過年度支出	過年度支出を行うとき	過年度支出を要するとき	過年度支出を要する額	内訳書	支出負担行為の内容を示す書類には、過年度支出である旨の表示をするものとする。
4 繰越	当該繰越分を含む支出負担行為の計画の示達のあつた後	当該繰越分を含む支出負担行為の計画の示達のあつた後	繰越をした金額の範囲内の額	契約書	支出負担行為の内容を示す書類には、繰越である旨の表示をするものとする。
5 返納金のれい入	現金のれい入の通知のあつたとき（現金のれい入のあつたとき）	現金のれい入の通知のあつたとき（現金のれい入のあつたとき）	れい入を要する額	内訳書	翌年度の四月三十日以前に現金のれい入があり、その通知が五月一日以後にあつた場合は、括弧書によること。
6 国庫債務負担行為	国庫債務負担行為を行うとき	国庫債務負担行為を行おうとするとき	国庫債務負担行為の額	関係書類	

備考

１　別表甲号及び乙号に記載していない経費については、その性質により類似のものの例により整理するものとする。

２　支出決定のとき、請求のあつたとき又は交付決定のときをもつて整理時期とする支出負担行為で、これに基いて出納整理期間中に支出等をすべき経費に係るものについては、当該支出等の出納整理期間中において当該支出等に先立つて別表甲号及び乙号により整理することができるものとする。

３　継続費又は国庫債務負担行為に基く支出負担行為済のものの歳出予算に基く支出負担行為として整理する時期は、当該経費の支出決定のときとし、確認又は認証を受ける時期は、支出を決定しようとするときとする。なお、その際当該支出負担行為の内容を示す書類には、継続費又は国庫債務負担行為に基く支出負担行為済である旨の表示をなすものとする。

別表丙号

支出負担行為限度額等の示達の整理区分表

区分	支出負担行為限度額等の示達の整理をする時期	支出負担行為限度額等の確認を受ける時期	支出負担行為限度額等の示達の範囲	支出負担行為限度額等の示達に必要な主な書類	備考
支出負担行為限度額等の示達	支出負担行為限度額等を示達するとき	支出負担行為限度額等を示達しようとするとき	支出負担行為限度額等の示達を要する額	関係書類	支出負担行為限度額等を示す書類には、支出負担行為限度額等である旨の表示をするものとする。

備考

支出負担行為限度額等に基づく支出の決定又は支払が官署支出官又は法第十七条の規定により資金の前渡を受ける職員により行われる場合においては、官署支出官が支出の決定をすべき支出負担行為限度額等の範囲及び資金の前渡を受ける職員が支払うべき支出負担行為限度額等の範囲を支出負担行為限度額等を示す書類において区分して明示しなければならない。

第一号書式

<table>
<tr><td colspan="2" rowspan="1">何　　所管</td><td colspan="8">収　入　予　定　総　表
某　年　度　何　特　別　会　計</td></tr>
<tr><td rowspan="2">科　　目</td><td rowspan="2">歳入予
算　額</td><td colspan="6">収　入　期　別　予　定　額</td><td rowspan="2">歳入予算額対収入予定額比較増△減額</td><td rowspan="2">摘　要</td></tr>
<tr><td>第一・四
半期分</td><td>第二・四
半期分</td><td>第三・四
半期分</td><td>第四・四
半期分</td><td>出納整理
期間分</td><td>計</td></tr>
<tr><td>(款)
(項)
(目)</td><td>円</td><td>円</td><td>円</td><td>円</td><td>円</td><td>円</td><td>円</td><td>円</td><td></td></tr>
<tr><td colspan="10">年　　月　　日
財務大臣あて
各省各庁の長</td></tr>
</table>

備　考　(1)　用紙の寸法は、日本産業規格Ａ列４とすること。
(2)　最終頁に合計を附し、歳入歳出外現金の収入予定額をそれぞれ当該欄に記載すること。
(3)　記載事項が二葉以上にわたる場合には、各葉の右上方に頁数を附すること。

第二号書式

<table>
<tr><td colspan="2">何　　所管</td><td colspan="9">支払計画予定総表
某年度一般会計(何特別会計)</td></tr>
<tr><td rowspan="2">部局等
及び科目</td><td rowspan="2">歳出予
算現額</td><td colspan="7">支　払　計　画　期　別　予　定　額</td><td rowspan="2">支払計
画未計
画額</td><td rowspan="2">摘　要</td></tr>
<tr><td>第一・四
半期分</td><td>第二・四
半期分</td><td>第三・四
半期分</td><td>第四・四
半期分</td><td>出納整理
期間分</td><td>翌年度へ
繰　越</td><td>計</td></tr>
<tr><td>(部局等)
(事項)
(項)
(目)
計</td><td>円</td><td>円</td><td>円</td><td>円</td><td>円</td><td>円</td><td>円</td><td>円</td><td>円</td><td></td></tr>
<tr><td colspan="11">年　　月　　日
財務大臣あて
各省各庁の長</td></tr>
</table>

備　考　(1)　用紙の寸法は、日本産業規格Ａ列４とすること。
(2)　部局等別に計を附し、最終頁に所管合計を附すること。
(3)　記載事項が二葉以上にわたる場合には、各葉の右上方に頁数を附すること。

第二号の二書式

<table>
<tr><td colspan="5">支払計画合計表
（所管）　（年度）　（会計名）　第　期分　支払計画表番号第　号－第　号　枚
（センター支出官　官　職　氏名）　日本銀行（何店）</td></tr>
<tr><td rowspan="2">部局等</td><td rowspan="2">項</td><td colspan="2">計画額</td><td rowspan="2">摘　要</td></tr>
<tr><td>増</td><td>減</td></tr>
<tr><td></td><td></td><td></td><td></td><td></td></tr>
<tr><td colspan="5">上記金額について、別添のとおり支払計画を示達したから通知する。
センター支出官　あて
年　月　日　各省各庁の長</td></tr>
</table>

備　考

1　紙の寸法は、日本産業規格A列4とする。

2　変更の計画の場合には、変更による増加額又は減少額を記載し、標題の右側に「変更の分」と記載する。

3　変更の計画の場合には、摘要欄に既に承認済みとなつた計画表の番号、計画額、計画の変更の適否を審査するために必要な事項を記載する。

4　記載事項が二葉以上にわたる場合には、各葉の右上方にページ数を付する。

5　本書式は、複数の所管大臣の管理に係る特別会計にあつては、当該所管大臣のそれぞれの所掌区分ごとに作成するものとする。この場合において、（所管）欄には、当該特別会計の所管名及び当該所掌区分に係る所管名を併せて記載するものとする。

第三号書式

<table>
<tr><td colspan="6">支出負担行為計画示達表
何　所管
支出負担行為担当官職氏名　某年度一般会計（何特別会計）　第　号</td></tr>
<tr><td rowspan="2">部局等及び科目</td><td rowspan="2">前回までの示達済額</td><td colspan="2">今回示達額</td><td rowspan="2">示達額合計</td><td rowspan="2">摘　要</td></tr>
<tr><td>増</td><td>減</td></tr>
<tr><td>（部局等）
（項）
（目）</td><td>円</td><td>円</td><td>円</td><td>円</td><td></td></tr>
<tr><td colspan="6">上記計画を示達する。　年　月　日
（上記のとおり示達したから通知する。）
支出負担行為担当官（支出官、支出負担行為認証官）あて　各省各庁の長</td></tr>
</table>

備　考

⑴　用紙の寸法は、日本産業規格A列4とすること。

⑵　継続費に係るものは、摘要欄にその旨表示するとともに、当該支出負担行為に基く支出年割額を記載すること。

⑶　国庫債務負担行為に係るものは、科目欄に事項を記載すること。

⑷　変更の計画の場合には、変更による増加額又は減少額を記載し、標題の右側に「(変更の分)」と記載すること。

⑸　必要に応じ目の細分について記載しても差支えない。

⑹　部局等別に計を附し、最終頁に合計を附すること。

⑺　記載事項が二葉以上に亘る場合には、各葉の右上方に頁数を附すること。

第三号の二書式

支　出　負　担　行　為　限　度　額　示　達　表

何所管　某年度一般会計　　（何特別会計）　第　号

支出負担行為限度額の区分	前回までの示達済額	今回示達額		示達額合計	摘　要
		増	減		
(部局等) (項) (目) (内訳)	円	円	円	円	

上記支出負担行為限度額及びその内訳を示達する。
（上記のとおり示達したから通知する。）
分任支出負担行為担当官（法第17条の規定により
資金の前渡を受ける職員）あて

年　月　日
支出負担行為担当官官職氏名

備　考

(1)　第三号書式備考（(5)を除く。）は、本書式に準用する。

(2)　支出負担行為限度額の内訳は、必要に応じ目の細分別又は事項別に記載するものとする。

(3)　支出負担行為限度額の内訳は、必要に応じ本示達表の添附書類として前回までの示達済額、今回示達額（増加額又は減少額）その他必要な区分を明らかにして別紙に記載することができる。この場合においては、本書式中「及びその内訳を示達する。」とあるのは「及び別紙記載による支出負担行為限度額の内訳を示達する。」と、「上記のとおり示達」とあるのは「上記及び別紙記載のとおり示達」と読み替えるものとする。

(4)　本示達表に記載した支出負担行為限度額等に基く支払が支出官及び法第17条の規定により資金の前渡を受ける職員により行われる場合においては、支出官が支払うべき支出負担行為限度額等の範囲及び資金の前渡を受ける職員が支払うべき支出負担行為限度額等の範囲を本示達表又はその添附書類において区分して明示しなければならない。

第四号書式

表　面

<table><tr><td>
第　　号

年　　月　　日発行

官職氏名

会計法（昭和22年法律第35号）
第46条の規定に基づく監査証票

財務大臣
財務局長
又は福岡財務支局長
</td></tr></table>

裏　面

<table><tr><td>
会計法（抄）
第46条　財務大臣は、予算の執行の適正を期するため、各省各庁に対して、収支の実績若しくは見込について報告を徴し、予算の執行状況について実地監査を行い、又は必要に応じ、閣議の決定を経て、予算の執行について必要な指示をなすことができる。
　財務大臣は、予算の執行の適正を期するため、自ら又は各省各庁の長に委任して、工事の請負契約者、物品の納入者、補助金の交付を受けた者（補助金の終局の受領者を含む。）又は調査、試験、研究等の委託を受けた者に対して、その状況を監査し又は報告を徴することができる。
<hr>
この監査証票の有効期限は、発行の日の属する会計年度の終了する日までとする。
</td></tr></table>

備　考

(1)　用紙は厚質青紙とし、寸法は日本産業規格Ｂ列８とする。

(2)　この監査証票は、財務本省所属の職員に係るものにあつては財務大臣が、財務局所属の職員に係るものにあつては財務局長が、福岡財務支局所属の職員に係るものにあつては福岡財務支局長が、それぞれ発行するものとする。

○支出官事務規程

昭二二・九・二七
大蔵令九四

最終改正　令六・六・一二財務令四四

目次〔略〕

第一章　総則

第一条　支出官及び支出官代理の事務の取扱に関しては、他の法令に定めるものの外、この省令の定めるところによる。

第二条　各省各庁の長（財政法（昭和二十二年法律第三十四号）第二十条第二項に規定する各省各庁の長をいう。以下同じ。）は、支出官代理を置く場合においては、あらかじめ、支出官代理が支出官にいかなる事故（官職の指定により支出官が設置されている場合においては、その欠けた場合を含む。）があるときに代理を行うべきかを定めておくものとする。ただし、時宜により、代理させる都度定めることを妨げない。

② 支出官代理は、前項の規定により各省各庁の長の定める場合において、支出官の事務を代理するものとする。

③ 支出官及び支出官代理は、支出官代理が前項の規定により支出官の事務を代理するときは、代理開始及び終止の年月日並びに支出官代理が取り扱つた支出に関する事務の範囲を別紙第一号書式の支出官代理開始及び終止整理表において明らかにしておかなければならない。

④ 前項の規定は、支出官代理が支出官の事務を代理している間に当該支出官代理に異動があつたときについて準用する。

第三条　予算決算及び会計令（昭和二十二年勅令第百六十五号。以下「令」という。）第五十一条の規定による同条第十三号に掲げる経費に充てるための資金の前渡は、官署支出官（令第一条第二号に規定する官署支出官をいう。以下同じ。官署支出官代理（官署支出官の事務を行う支出官代理をいう。）を含む。第二十六条を除き、以下同じ。）と同一の官署に置かれた資金前渡官吏に対し、支払を必要とする金額について行うものとする。

第四条　支出官の事務取扱で、特別の事情によりこの省令により難いものについては、特例を設けることができる。

第二章　官署支出官の事務取扱

第五条　官署支出官は、支出の決定（令第四十条第一項第一号に規定する支出の決定をいう。以下同じ。）をしようとするときは、その内容を明らかにした書類を作成しなければならない。

第六条　官署支出官は、次の各号に掲げる規定による控除に係る報酬、賃金、給与その他の経費について、支出の決定をする場合においては、当該経費の金額を当該控除の金額とその他の金額とに区分してしなければならない。ただし、会計法（昭和二十二年法律第三十五号）第十七条の規定により当該経費について資金前渡官吏（分任資金前渡官吏を含む。第十五条第一項を除き、以下同じ。）に必要な資金を前渡する場合は、この限りでない。

一　健康保険法（大正十一年法律第七十号）第百六十七条第一項若しくは第二項又は第百六十九条第六項の規定

二　船員保険法（昭和十四年法律第七十三号）第百三十条第一項又は第二項の規定

三　国家公務員宿舎法（昭和二十四年法律第百十七号）第十五条第三項の規定

四　国家公務員災害補償法（昭和二十六年法律第百九十一号）第三十二条の二第二項の規定

五　防衛省の職員の給与等に関する法律施行令（昭和二十七年政令第三百六十八号）第十五条第二項又は第十七条の二第二項（同条第四項において準用する場合を含む。）の規定

六　厚生年金保険法（昭和二十九年法律第百十五号）第八十四条第一項又は第二項（公的年金制度の健全性及び信頼性の確保のための厚生年金保険法等の一部を改正する法律（平成二十五年法律第六十三号）附則第五条第一項の規定によりなおその効力を有するものとされた同法第一条の規定による改正前の厚生年金保険法第百四十一条において準用する場合を含む。）の規定

七　国家公務員共済組合法（昭和三十三年法律第百二十八号）第百一条第一項又は第二項の規定

八　地方公務員等共済組合法（昭和三十七年法律第百五十二号）第百十五条第一項又は第二項の規定

九　労働保険の保険料の徴収等に関する法律（昭和四十四年法律第八十四号）第三十二条第一項の規定

十　勤労者財産形成促進法（昭和四十六年法律第九十二号）第十五条第一項の規定（当該規定に相当する労働基準法（昭和二十二年法律第四十九号）第二十四条第一項又は勤労者財産形成促進法第十六条第二項の規定により読み替えられた船員法（昭和二十二年法律第百号）第五十三条第一項に規定する書面による協定の規定を含む。）

十一　中国残留邦人等の円滑な帰国の促進並びに永住帰国した中国残留邦人等及び特定配偶者の自立の支援に関する法律（平成六年法律第三十号）第十三条第四項の規定

十二　介護保険法（平成九年法律第百二十三号）第百三十

七条第一項（同法第百四十条第三項（国民健康保険法（昭和三十三年法律第百九十二号）第七十六条の四及び高齢者の医療の確保に関する法律（昭和五十七年法律第八十号）第百十条において準用する場合を含む。）において準用する場合を含む。）の規定

十三　確定拠出年金法（平成十三年法律第八十八号）第七十一条第一項の規定

②　前項の規定は、地方税法（昭和二十五年法律第二百二十六号）第四十一条第一項、第三百二十一条の五第一項若しくは第二項、第三百二十一条の七の六（同法第三百二十一条の七の八第三項において準用する場合を含む。）若しくは第三百二十八条の五第二項の規定による道府県民税及び市町村民税若しくは同法第七百十八条の四（同法第七百十八条の六、第七百十八条の七第三項及び第七百十八条の八第三項並びに健康保険法等の一部を改正する法律（平成十八年法律第八十三号）附則第四十五条第三項において準用する場合を含む。）の規定による国民健康保険税の特別徴収に係る給与、退職手当等若しくは老齢等年金給付の経費又は所得税法（昭和四十年法律第三十三号）第百八十三条第一項、第百九十条、第百九十二条、第百九十九条、第二百三条の二、第二百四条第一項若しくは第二百十二条第一項から第三項までの規定による所得税の源泉徴収に係る給与等、退職手当等、報酬その他の経費について支出の決定をする場合について準用する。この場合において、前項中「当該控除の金額」とあるのは、「特別徴収税額又は源泉徴収税額」と読み替えるものとする。

第七条　官署支出官は、国の債権の管理等に関する法律（昭和三十一年法律第百十四号。以下この項及び次条第一項において「債権管理法」という。）第二十二条第二項の規定により相殺をしたとき又はその所掌に属する債務について法令の規定により相殺が行われたことを知つたときは、相手方に、当該相殺に係る国の債権について歳入徴収官等（債権管理法第二条第四項に規定する歳入徴収官等をいう。以下同じ。）が発した納入告知書又は納付書を提出させなければならない。

②　前項の場合において、官署支出官は、当該納入告知書又は納付書を提出させることが困難であると認めるときは、同項の規定にかかわらず、当該歳入徴収官等に納付書の交付を請求し、これを受けるものとする。

③　歳入徴収官事務規程（昭和二十七年大蔵省令第百四十一号）第十二条第一項（同令第四十七条において準用する場合を含む。）の規定により納入告知書を送付された場合における第一項の規定の適用については、「相手方に、当該相殺」とあるのは「当該相殺」と、「が発した納入告知書又は納付書を提出させなければならない。」とあるのは「から納入告知書の送付を受けるものとする。」とする。

④　前三項の場合においては、官署支出官は、当該相殺に係る国の債務の金額について、支出の決定をしなければならない。

⑤　前項の規定による支出の決定は、当該債務の金額が当該相殺に係る国の債権の金額を超えるときは、当該債務の金額を相殺額とその他の金額とに区分してしなければならない。

⑥　第一項から第四項までの場合において、官署支出官は、第一項の相殺に係る国の債務の金額が当該相殺に係る国の債権の金額に満たないときは、その差額及び当該相殺の相手方の氏名又は名称を、当該債権を所掌する歳入徴収官等（次条第一項の規定により書面の送付を受けたものを除く。）に通知しなければならない。

第八条　官署支出官は、その所掌に属する支払金に係る債務について、債権管理法第二十二条第二項の規定により相殺又は充当をしたときは、直ちに、相手方の住所及び氏名又は名称、国の支払うべき金額、相手方の納付すべき金額、相殺額又は充当額、相殺又は充当をした日付、相殺又は充当をした国の債権に係る歳入徴収官（分任歳入徴収官を含む。以下同じ。）、官署支出官又は出納官吏（分任出納官吏を含む。以下同じ。）の官職及び氏名その他必要な事項を明らかにした書面を歳入徴収官等に送付しなければならない。

②　官署支出官は、前項の場合において、相殺をする国の債権が歳出その他の支払金の返納金に係るものであり、かつ、当該返納金に利息、延滞金又は一定の期間に応じて付する加算金が付されているときは、まず返納金について相殺をし、次いで利息、延滞金又は加算金について相殺をするものとする。

第九条　官署支出官は、次の各号に掲げる場合には、国庫内の移換のための支出の決定をしなければならない。

一　他の会計、勘定又は資金に資金を繰り入れるため、支出の決定をするとき

二　歳入徴収官又は国税収納命令官（分任国税収納命令官を含む。第十一条第六項第二号において同じ。）が発した納入告知書、納税告知書又は納付書（それぞれ日本銀行（本店、支店又は代理店をいう。以下同じ。）を納付場所とするものに限る。以下同じ。）に基づいて歳入に納付し、又は国税収納金整理資金に払い込むため、支出の決定をするとき

三　貨幣回収準備資金取扱担当官（貨幣回収準備資金事務取扱規則（平成十五年財務省令第四十六号）第三条第二項に規定する貨幣回収準備資金取扱担当官をいう。第十一条第六項第三号において同じ。）が発した納入告知書

に基づいて貨幣回収準備資金に払い込むため、支出の決定をするとき
四　他の官署支出官又は日本銀行に預託金を有する出納官吏が発した納入告知書又は納付書に基づいて歳出の金額に戻し入れ、又は預託金に払い込むため、支出の決定をするとき
五　第六条第一項第一号から第六号まで、第九号及び第十一号の規定による控除の金額を歳入に納付するため、支出の決定をするとき
六　国債整理基金特別会計において、国債の引受けを行う者から国がその者に支払うべき国債の発行に係る手数料の金額を控除した残額に相当する金額の国債の発行に係る収入金の払込みを受けた場合に、当該手数料を日本銀行本店に納付するため、支出の決定をするとき
七　国債整理基金特別会計において、国債整理基金の運用として保有する国債の売払いの委託を受けた者から、国がその者に支払うべき当該国債の売払いに係る手数料の金額を控除した残額に相当する金額の売払代金の払込みを受けた場合に、当該手数料を日本銀行本店に納付するため、支出の決定をするとき
八　第六条第二項において読み替えて準用する同条第一項に規定する源泉徴収税額を国税収納金整理資金に払い込むため、支出の決定をするとき
九　労働保険の保険料の徴収等に関する法律の規定により労働保険料を労働保険特別会計の徴収勘定の歳入に納付するため、支出の決定をするとき（第二号に該当する場合を除く。）
十　会計法第十七条又は第二十条第二項の規定により日本銀行に預託金を有する出納官吏に資金を交付するため、支出の決定をするとき
十一　会計法第二十条第二項の規定により、出納官吏が繰替使用した供託金を補てんする資金を当該出納官吏に交付するため、支出の決定をするとき
十二　沖縄振興開発金融公庫に対して、出資し、資金を貸し付け、又は補給金を交付するため、支出の決定をするとき
十三　会計法第十九条の規定により国債、借入金又は一時借入金の元金償還のための資金を日本銀行に交付するため、支出の決定をするとき
十四　会計法第十九条の規定により国債、借入金又は一時借入金の利子支払のための資金を日本銀行に交付するため、支出の決定をするとき
十五　特別会計に関する法律（平成十九年法律第二十三号。以下この項において「特別会計法」という。）第八十四条第二項の規定により外国為替資金の運営に要する経費の支払に必要な資金を日本銀行に交付するため、支出の決定をするとき
十六　特別会計法第六十九条第二項の規定により財政融資資金預託金の利子の支払に必要な資金を日本銀行に交付するため、支出の決定をするとき
十七　国債整理基金特別会計において在外公館等借入金の返済の実施に関する法律（昭和二十七年法律第四十四号）第六条第二項の規定により資金を日本銀行に交付するため、支出の決定をするとき
十八　削除
十九　国債整理基金特別会計において財政融資資金から借り入れた借入金又は一時借入金の元金を償還するため、支出の決定をするとき
二十　国債整理基金特別会計において財政融資資金から借り入れた借入金又は一時借入金の利子の支払をするため、支出の決定をするとき
二十一　国債整理基金特別会計において財政投融資特別会計の投資勘定から借り入れた借入金若しくは一時借入金の元金を償還し、又はその利子の支払をするため、支出の決定をするとき
二十二　国債整理基金特別会計において財務省証券、食糧証券、石油証券、原子力損害賠償支援証券又は融通証券（政府資金調達事務取扱規則（平成十一年大蔵省令第六号）第二条第三号から第四号までに規定する融通証券を除く。）の割引差額の支払をするため、支出の決定をするとき
二十三　特別会計法第七十八条第一項の規定により外国為替等の売買に伴つて生じた損失金を補てんするため、支出の決定をするとき
二十四　財政融資資金法（昭和二十六年法律第百号）第五条若しくは第六条第一項又は他の法律若しくは政令の規定により預託された財政融資資金預託金（国及び沖縄振興開発金融公庫の預託金に限る。第十一条第六項第二十四号において同じ。）に同法第七条第三項若しくは第四項又は附則第十二項の規定により付された利子を支払うため、財政融資資金の運用上生じた損失金を補てんするため、又は特別会計法第六十七条第二項ただし書の規定により繰替金を返還するため、支出の決定をするとき
二十五　特別会計法第四十五条第一項の規定により国債整理基金の運用上生じた損失金を補てんするため、支出の決定をするとき
二十六　第七条第一項の相殺の相殺額を歳入に納付し、歳出の金額に戻し入れ、又は預託金に払い込むため、支出の決定をするとき
二十七　保管金（各省各庁の長の保管に係る現金となるべ

き金銭をいう。以下この条、第十一条第六項及び第四十条第三項において同じ。）の提出をするため、支出の決定をするとき（民事訴訟法（平成八年法律第百九号）第二百五十九条第三項の定めるところにより宣言された仮執行を免れるための担保又は同法第四百三条第一項の定めるところにより命ぜられた強制執行を停止するための担保となる保管金その他訴訟手続に関する保管金の提出であつて、緊急を要する場合を除く。）

② 官署支出官は、前項第四号又は第二十六号の場合において、納入告知書又は納付書に「電信れい入」の記載があるときは、電信による国庫内の移換のための支出の決定をしなければならない。

第十条 官署支出官は、日本銀行が指定した銀行その他の金融機関へ職員に支給する給与（以下この条、第十六条及び第十九条において「職員給与」という。）を振り込むための支出の決定をする場合には、当該職員給与の支給日の二営業日前の日までに支出の決定をしなければならない。

② 前項及び第五十一条第二項において「営業日」とは、日本銀行の休日でない日をいう。

第十一条 令第四十二条の二の規定による支出の決定をした旨の通知は、電子情報処理組織を使用してしなければならない。ただし、次に掲げる給付（以下「年金等」といい、第十一号から第十五号までに掲げる年金等にあつては、それぞれ定められた各支給期月ごとに、振込み（会計法第二十一条の規定による資金の交付を受けて日本銀行が行う令第四十八条の二第一項第二号及び第三号に規定する債権者又は同条第二項に規定する出納官吏の預金又は貯金への振込みをいう。以下同じ。）（当該年金等の受取人の郵便貯金銀行（郵政民営化法（平成十七年法律第九十七号）第九十四条に規定する郵便貯金銀行をいう。以下同じ。）の預金への振込みに限る。）及び送金（会計法第二十一条の規定による資金の交付を受けて日本銀行が行う令第四十八条の二第一項第一号に規定する隔地の債権者、同項第二号の債権者又は同条第二項に規定する出納官吏に対し支払をするための送金をいう。以下同じ。）をする年金等に限る。）に係る支出の決定をした旨の通知については、次項から第五項までに掲げる事項を収録した電磁的記録媒体（電子的方式、磁気的方式その他人の知覚によつては認識することができない方式で作られる記録であつて電子計算機による情報処理の用に供されるものに係る記録媒体をいう。以下同じ。）を送付することにより行うことができる。

一 国民年金法（昭和三十四年法律第百四十一号）による年金たる給付

二 国民年金法等の一部を改正する法律（昭和六十年法律第三十四号。以下この号、第四号及び第五号において「昭和六十年国民年金等改正法」という。）附則第三十二条第一項に規定する年金たる給付（昭和六十年国民年金等改正法第一条の規定による改正前の国民年金法第七十九条の二の規定により支給する老齢福祉年金（第十六条第一項及び第三項並びに第三十七条第二項において「老齢福祉年金」という。）を除く。）

三 厚生年金保険法による年金たる保険給付（厚生労働大臣が支給するものに限る。）

四 昭和六十年国民年金等改正法附則第七十八条第一項に規定する年金たる保険給付

五 昭和六十年国民年金等改正法附則第八十七条第一項に規定する年金たる保険給付

六 厚生年金保険法等の一部を改正する法律（平成八年法律第八十二号）附則第十六条第三項又は第七項の規定により厚生年金保険の実施者たる政府が支給するものとされた年金たる給付

七 厚生年金保険制度及び農林漁業団体職員共済組合制度の統合を図るための農林漁業団体職員共済組合法等を廃止する等の法律（平成十三年法律第百一号）附則第十六条第三項の規定により厚生年金保険の実施者たる政府が支給するものとされた年金たる給付

八 厚生年金保険の保険給付及び国民年金の給付の支払の遅延に係る加算金の支給に関する法律（平成二十一年法律第三十七号）に基づく保険給付遅延特別加算金及び給付遅延特別加算金

八の二 年金生活者支援給付金の支給に関する法律（平成二十四年法律第百二号）に基づく老齢年金生活者支援給付金及び補足的老齢年金生活者支援給付金、障害年金生活者支援給付金並びに遺族年金生活者支援給付金

九 労働者災害補償保険法（昭和二十二年法律第五十号）に基づく年金たる保険給付、社会復帰促進等事業として行われる年金たる特別支給金及び労災就学等援護費

十 石綿による健康被害の救済に関する法律（平成十八年法律第四号）に基づく特別遺族年金

十一 恩給法（大正十二年法律第四十八号。他の法律において準用するものを含む。）による年金たる給付

十二 国会議員互助年金法を廃止する法律（平成十八年法律第一号）又は同法附則第二条第一項の規定によりなお効力を有することとされる旧国会議員互助年金法（昭和三十三年法律第七十号）による年金たる給付

十三 執行官法の一部を改正する法律（平成十九年法律第十八号）附則第三条第一項の規定によりなお従前の例により支給されることとされる同法による改正前の執行官法（昭和四十一年法律第百十一号）附則第十三条の規定による年金たる給付

十四　戦傷病者戦没者遺族等援護法（昭和二十七年法律第百二十七号）による年金たる給付
十五　特別児童扶養手当等の支給に関する法律（昭和三十九年法律第百三十四号）に基づく特別児童扶養手当
② 前項の通知には、次の各号に掲げる事項を明らかにしなければならない。
一　小切手（日本銀行その他の財務大臣が指定する者（次号及び第十三条において「指定受取人」という。）を受取人とする小切手をいう。次号及び第十三条において同じ。）の振出し、振込み、送金又は国庫内の移換のための支出の決定の別
二　小切手の振出しのための支出の決定をしたときは、指定受取人の住所及び氏名又は名称
三　振込み又は送金のための支出の決定をしたときは、その受取人となる債権者又は出納官吏の住所（ただし、支出の決定が年金等（前項第十一号から第十五号までに掲げる年金等にあつては、それぞれ定められた各支給期月ごとに、振込み（当該年金等の受取人の郵便貯金銀行の預金への振込みに限る。）及び送金をする年金等に限る。）に係るものであるときは、省略することができる。）及び氏名又は名称
四　支出の決定の金額（外国送金の場合において、当該金額が外国貨幣を基礎とするものであるときは、別に定める外国貨幣換算率により換算した邦貨額とする。）並びに当該金額に係る歳出年度、所管、会計名、部局等（勘定区分のある特別会計にあつては勘定。以下同じ。）があるときは部局等、項及び目
五　小切手の振出し又は支払指図書若しくは国庫金振替書の交付若しくは送信（書面等の情報を電子情報処理組織（支出官が支出に関する事務を処理するため、財務省に設置される各省各庁の利用に係る電子計算機と官署支出官の所在する官署に設置される入出力装置とを電気通信回線で接続した電子情報処理組織をいう。以下同じ。）を使用して電気通信回線を通じて転送することをいう。以下同じ。）の年月日
六　電信による送金又は国庫内の移換を要するときはその旨
③ 前二項の場合において、振込みのための支出の決定をしたときは、前項各号に掲げる事項のほか、振込先の金融機関（日本銀行が指定した銀行（日本銀行を含む。次項において同じ。）その他の金融機関をいう。）及びその店舗、預金又は貯金の種別及び口座番号並びに必要があるときは当該支出の決定の事由を明らかにしなければならない。
④ 第一項及び第二項の場合において、送金（外国送金を除く。次条において同じ。）のための支出の決定をしたときは、第二項各号に掲げる事項のほか、支払場所となる金融機関（日本銀行が指定した銀行その他の金融機関をいう。次条及び第五十二条第一項において同じ。）及びその店舗又は郵便局（簡易郵便局法（昭和二十四年法律第二百十三号）第二条に規定する郵便窓口業務を行う日本郵便株式会社の営業所であつて郵便貯金銀行を所属銀行とする銀行代理業（銀行法（昭和五十六年法律第五十九号）第二条第十四項に規定する銀行代理業をいう。）の業務を行うものをいう。次条及び第五十二条第一項において同じ。）並びに必要があるときは当該支出の決定の事由を明らかにしなければならない。
⑤ 第一項及び第二項の場合において、外国送金のための支出の決定をしたときは、第二項各号に掲げる事項のほか、当該支出の決定の金額が外国貨幣を基礎とするものであるときは当該外国貨幣の金額を、当該支出の決定の金額が邦貨を基礎とするものであるときは送金すべき貨幣の名称を、それぞれ明らかにしなければならない。
⑥ 第一項及び第二項の場合において、国庫内の移換のための支出の決定をしたときは、第二項各号に掲げる事項のほか、次の各号に掲げる場合の区分に応じ、当該各号に掲げる事項のうち必要な事項を明らかにしなければならない。
一　第九条第一項第一号の支出の決定をした場合　振替先として当該資金の繰入れを受ける取扱庁名並びに受入科目として年度並びに所管（一般会計にあつては主管）、会計名及び勘定名又は資金名
二　第九条第一項第二号の支出の決定をした場合　歳入徴収官が発した納入告知書又は納付書に基づいて歳入に納付するため支出の決定をしたときは、振替先として当該歳入の取扱庁名（当該納入告知書又は納付書が分任歳入徴収官の発したものであるときは、当該取扱庁名及び当該分任歳入徴収官の所属庁名）、受入科目として歳入年度、主管（特別会計にあつては所管）、会計名及び勘定名並びにその他の事項として納入告知書又は納付書に記載された番号、国税収納命令官が発した納入告知書、納税告知書又は納付書に基づいて国税収納金整理資金に払い込むため支出の決定をしたときは、振替先として受入金の取扱庁名（当該納入告知書、納税告知書又は納付書が分任国税収納命令官の発したものであるときは、当該取扱庁名及び当該分任国税収納命令官の所属庁名）、受入科目として年度及び国税収納金整理資金である旨並びにその他の事項として納入告知書、納税告知書又は納付書に記載された受入科目、番号及び納付目的
三　第九条第一項第三号の支出の決定をした場合　振替先として貨幣回収準備資金取扱担当官名、受入科目として貨幣回収準備資金及びその他の事項として貨幣回収準備

資金取扱担当官から交付を受けた納入告知書に記載された番号
四　第九条第一項第四号の支出の決定をした場合　他の官署支出官が発した納入告知書又は納付書に基づいて歳出の金額に戻し入れるため支出の決定をしたときは、振替先としてセンター支出官名（「センター支出官」とは、令第一条第三号に規定するセンター支出官をいう。以下同じ。）、受入科目として歳出年度、所管、会計名、部局等があるときは部局等及び項並びにその他の事項として日本銀行本店、納入告知書又は納付書に記載された番号、関係の官署支出官の所属庁名及び返納金戻入れである旨、日本銀行に預託金を有する出納官吏が発した納入告知書又は納付書に基づいて預託金に払い込むため支出の決定をしたときは、振替先として当該払込みを受ける出納官吏名、受入科目として預託金並びにその他の事項として当該出納官吏の預託金を取り扱う日本銀行及び納入告知書又は納付書に記載された番号
五　第九条第一項第五号の支出の決定をした場合　振替先として取扱庁名、受入科目として歳入年度、所管（一般会計にあつては主管）、会計名及び勘定名並びにその他の事項として保険の種類及び被保険者の負担すべき保険料、国家公務員有料宿舎使用料、一部負担金、防衛省職員食事代、防衛省職員被服弁償金又は防衛省職員被服代払込金である旨
六　第九条第一項第六号の支出の決定をした場合　割引短期国庫債券（政府短期証券及び割引短期国庫債券の取扱いに関する省令（平成十四年財務省令第六十七号）第一条に規定する割引短期国庫債券をいう。以下この号において同じ。）以外の国債の発行に係る手数料を納付するため支出の決定をしたときは、振替先として財務省、受入科目として公債発行収入金、割引短期国庫債券の発行に係る手数料を納付するため支出の決定をしたときは、振替先として財務省、受入科目として政府短期証券発行高
七　第九条第一項第七号の支出の決定をした場合　振替先として日本銀行、受入科目として国債運用資金・何貨債運用資金
八　第九条第一項第八号の支出の決定をした場合　振替先として受入金の取扱庁名、受入科目として年度及び国税収納金整理資金である旨並びにその他の事項として所得税である旨
九　第九条第一項第九号の支出の決定をした場合　振替先として歳入の取扱庁名、受入科目として歳入年度及び厚生労働省所管労働保険特別会計の徴収勘定である旨並びにその他の事項として労働保険番号、納付目的及び労働保険料である旨
十　第九条第一項第十号の支出の決定をした場合　振替先として資金の交付を受ける出納官吏名、受入科目として預託金及びその他の事項として当該出納官吏の預託金を取り扱う日本銀行
十一　第九条第一項第十一号の支出の決定をした場合　振替先として資金の交付を受ける出納官吏名及び当該供託金の取扱官庁名、受入科目として供託金及びその他の事項として当該出納官吏の供託金を取り扱う日本銀行
十二　第九条第一項第十二号の支出の決定をした場合　振替先として沖縄振興開発金融公庫の取扱所名及び出納役名、受入科目として沖縄振興開発金融公庫預託金並びにその他の事項として当該出納役の沖縄振興開発金融公庫預託金を取り扱う日本銀行
十三　第九条第一項第十三号の支出の決定をした場合　振替先として日本銀行、受入科目として国債、借入金又は一時借入金の元金償還の場合は、公債償還資金（外貨債の償還資金にあつては外債元利払資金）、政府短期証券償還資金、借入金償還資金又は一時借入金償還資金
十四　第九条第一項第十四号の支出の決定をした場合　振替先として日本銀行、受入科目として公債利子支払資金（外貨債の利子支払資金にあつては外債元利払資金）又は借入金及び一時借入金利子支払資金
十五　第九条第一項第十五号の支出の決定をした場合　振替先として日本銀行、受入科目として外国為替運営資金
十六　第九条第一項第十六号の支出の決定をした場合　振替先として日本銀行、受入科目として財政融資資金利子支払資金
十七　第九条第一項第十七号の支出の決定をした場合　振替先として日本銀行、受入科目として在外公館借入金返済資金
十八　削除
十九　第九条第一項第十九号の支出の決定をした場合　振替先として財務省理財局長、受入科目として財政融資資金・財政融資資金貸付金
二十　第九条第一項第二十号の支出の決定をした場合　振替先として、その歳入の取扱庁名、受入科目として何年度、財務省及び国土交通省所管、財政投融資特別会計財政融資資金勘定、歳入
二十一　第九条第一項第二十一号の支出の決定をした場合　振替先として、その歳入の取扱庁名、受入科目として何年度、財務省及び国土交通省所管、財政投融資特別会計投資勘定、歳入
二十二　第九条第一項第二十二号の支出の決定をした場合　振替先として財務省、受入科目として財務省証券発行

高、食糧証券発行高、石油証券発行高、原子力損害賠償支援証券発行高又は融通証券発行高

二十三　第九条第一項第二十三号の支出の決定をした場合

　振替先として当該補てんを受ける取扱庁名、受入科目として外国為替運営資金

二十四　第九条第一項第二十四号の支出の決定をした場合

　財政融資資金預託金に付された利子を支払うため支出の決定をしたときは、振替先として当該利子の支払を受ける取扱庁名又は財政融資資金預託金の担当者名、受入科目として当該利子の支払を受ける会計名及び勘定名又は資金名、財政融資資金の運用上生じた損失金を補てんするため支出の決定をしたときは、振替先として当該損失金の補てんを受ける取扱庁名、受入科目として財政融資資金・財政融資資金損失金、繰替金を返還するため支出の決定をしたときは、振替先として当該償還を受ける取扱庁名、受入科目として財政融資資金・繰替

二十五　第九条第一項第二十五号の支出の決定をした場合

　振替先として日本銀行、受入科目として国債運用資金・何貨債運用資金

二十六　第九条第一項第二十六号の支出の決定をした場合

　相殺額を歳入に納付するため支出の決定をしたときは、振替先として当該歳入の取扱庁名（分任歳入徴収官が当該歳入を取り扱うときは当該取扱庁名及び当該分任歳入徴収官の所属庁名）、受入科目として歳入年度、主管（特別会計にあつては所管）、会計名及び勘定名並びにその他の事項として納入告知書又は納付書に記載された番号及び相殺額である旨、相殺額を歳出の金額に戻し入れるため支出の決定をしたときは、振替先としてセンター支出官名、受入科目として歳出年度、所管、会計名、部局等があるときは部局等及び項並びにその他の事項として日本銀行本店、納入告知書又は納付書に記載された番号、関係の官署支出官の所属庁名並びに相殺額及び返納金戻入れである旨、相殺額を預託金に払い込むため支出の決定をしたときは、振替先として当該払込みを受ける出納官吏名、受入科目として預託金並びにその他の事項として当該出納官吏の預託金を取り扱う日本銀行、納入告知書又は納付書に記載された番号及び相殺額である旨

二十七　第九条第一項第二十七号の支出の決定をした場合

　振替先として保管金の提出を受ける出納官吏名及び提出された保管金の取扱官庁名、受入科目として保管金又は供託金並びにその他の事項として当該出納官吏の保管金を取り扱う日本銀行及び供託番号又は事件番号

第十二条　前条第四項に規定する支払場所となる金融機関及びその店舗又は郵便局は、官署支出官が受取人にとつて最も便利であると認めるものでなければならない。

第十三条　官署支出官は、小切手の振出しのための支出の決定をしたときは、第十一条の通知と同時に、照合のため、指定受取人の印鑑をセンター支出官に送付しなければならない。

第十四条　官署支出官は、第九条第一項第八号の支出の決定をしたときは、第十一条の通知と同時に、国税通則法（昭和三十七年法律第六十六号）第三十四条第一項に規定する納付書及び所得税法第二百二十条に規定する計算書を電子情報処理組織を使用して作成し、これをセンター支出官に交付し、又は当該納付書及び計算書の内容を送信しなければならない。

第十五条　官署支出官は、令第五十一条の規定により資金前渡官吏に同条第十三号に掲げる経費に充てるための資金を前渡するため支出の決定をし、その旨をセンター支出官に通知したときは、直ちに、別紙第二号書式（その一）による支払請求書に第五条の書類を添え、これを当該資金前渡官吏に交付して、支払の請求をしなければならない。

②　前項の場合において、当該支払の請求を受ける資金前渡官吏が、出納官吏事務規程（昭和二十二年大蔵省令第九十五号）第三十一条の規定により国庫金振替書を発しなければならないときは、国庫内の移換のための支払の請求をしなければならない。

第十六条　官署支出官は、官署支出官と同一の官署に勤務する職員に対する旅費及び児童手当、年金等、国庫の支弁に属する恩給の給与金並びに老齢福祉年金の振込みのための支出の決定、外国送金のための支出の決定（職員給与に係る外国送金のための支出の決定を除く。）、官署支出官と同一の官署に置かれた出納官吏に資金を交付するための支出の決定又は電信による支出の決定（第九条第一項第十号の国庫内の移換のための支出の決定に限る。）をし、その旨をセンター支出官に通知したときは、その旨を受取人又は振替先に適宜の方法により通知しなければならない。

②　官署支出官は、前項に規定する場合のほか、振込みのための支出の決定（道府県民税及び市町村民税の特別徴収税額の振込みのための支出の決定を除く。）又は職員給与に係る外国送金のための支出の決定をし、その旨をセンター支出官に通知したときは、センター支出官に振込みの通知をさせる必要がある場合を除き、その旨を受取人に適宜の方法により通知し、又は当該職員給与の支給日に適宜の書面を債権者に交付しなければならない。

③　官署支出官は、年金等、国庫の支弁に属する恩給の給与金及び老齢福祉年金に係る送金のための支出の決定をし、その旨をセンター支出官に通知したときは、次の各号に掲げる区分に応じ、当該各号に定める書式による国庫金送金通知書を当該送金の受取人に送付しなければならない。

一　第十一条第一項第一号から第八号の二までに掲げる年金等　別紙第四号書式
二　第十一条第一項第九号及び第十号に掲げる年金等　別紙第三号書式
三　第十一条第一項第十一号から第十三号までに掲げる年金等及び国庫の支弁に属する恩給の給与金　別紙第四号の二書式
四　第十一条第一項第十四号に掲げる年金等　別紙第四号の三書式
五　第十一条第一項第十五号に掲げる年金等　別紙第四号の四書式
六　老齢福祉年金　国庫金振替書その他国庫金の払出しに関する書類の様式を定める省令（昭和四十三年大蔵省令第五十一号）別紙第四号書式

④　官署支出官は、道府県民税及び市町村民税の特別徴収税額の振込みのための支出の決定をし、その旨をセンター支出官に通知したときは、遅滞なく、道府県民税及び市町村民税の月割額にあつては別紙第九号書式による道府県民税及び市町村民税月割額支出決定済通知書を、道府県民税及び市町村民税の退職手当等に係る所得割にあつては別紙第九号の二書式による道府県民税及び市町村民税退職手当等所得割（納入申告及び）支出決定済通知書を関係の市町村に通知しなければならない。

第十七条　官署支出官は、第十一条の通知をした後、次に掲げる事項に誤びゆうがあることを発見したときは、第一号又は第三号に掲げる事項の誤びゆうにあつては、直ちに、第二号、第四号又は第五号に掲げる事項の誤びゆうにあつては、第四十三条の規定によりセンター支出官が日本銀行本店にその訂正を請求することができる期限までに、それぞれ、センター支出官に電子情報処理組織を使用して、その訂正の請求をしなければならない。ただし、年金等（第十一条第一項第十一号から第十五号までに掲げる年金等にあつては、それぞれ定められた各支給期月ごとに、振込み（当該年金等の受取人の郵便貯金銀行の預金への振込みに限る。）及び送金をする年金等に限る。）について同項ただし書の規定による通知をした後、第一号又は第三号に掲げる事項に誤びゆうがあることを発見したときは、別紙第五号書式（その一）又は別紙第六号書式（その一）による国庫金振込又は送金訂正手続請求書（訂正に関する事項を収録した電磁的記録媒体を含む。以下同じ。）を送付し、センター支出官にその訂正の請求をしなければならない。
一　第十一条第二項の規定により明らかにした同項第三号に掲げる事項
二　第十一条第二項の規定により明らかにした事項のうち、同項第四号に規定する支出の決定の金額に係る歳出年度、所管、会計名、部局等があるときは部局等又は項
三　第十一条第三項又は第四項の規定により明らかにした事項
四　第十一条第六項の規定により振替先又は受入科目として明らかにした事項
五　第十一条第六項の規定によりその他の事項として明らかにした事項のうち、同項第四号若しくは第二十六号に規定する日本銀行本店若しくは出納官吏の預託金を取り扱う日本銀行、同項第十号に規定する出納官吏の預託金を取り扱う日本銀行又は同項第十二号に規定する出納役の沖縄振興開発金融公庫預託金を取り扱う日本銀行

②　官署支出官は、前項の規定によりセンター支出官に同項第一号及び第三号から第五号までに掲げる事項の誤びゆうの訂正の請求をする場合において、センター支出官が受取人又は振替先に送付した国庫金振替送金通知書、国庫金振込通知書又は国庫金送金通知書があるときは、当該受取人又は振替先にこれを提出させ、センター支出官に送付しなければならない。ただし、国庫金振替送金通知書にあつては、当該振替先からその誤びゆうの訂正の要求があつたときに限る。

③　官署支出官は、道府県民税及び市町村民税の特別徴収税額について、第一項の規定によりセンター支出官に同項第一号及び第三号から第五号までに掲げる事項の誤びゆうの訂正の請求をする場合において、第十六条第四項の規定により道府県民税及び市町村民税月割額支出決定済通知書又は道府県民税及び市町村民税退職手当等所得割（納入申告及び）支出決定済通知書を関係の市町村に通知している場合には、当該市町村から当該通知書を提出させ、これを訂正し、その事由を記入し、これを当該市町村に返付しなければならない。

第十八条　官署支出官は、振込み又は送金のための支出の決定をし、その旨をセンター支出官に通知した後、当該振込み又は送金の必要がなくなつたときは、支払未済の場合に限り、センター支出官に別紙第七号書式（その一）による国庫金振込又は送金取消手続請求書（当該振込み又は送金が年金等（第十一条第一項第十一号から第十五号までに掲げる年金等にあつては、それぞれ定められた各支給期月ごとに、振込み（当該年金等の受取人の郵便貯金銀行の預金への振込みに限る。）及び送金をする年金等に限る。）である場合にあつては、別紙第八号書式（その一）による国庫金振込又は送金取消手続請求書（取消しに関する事項を収録した電磁的記録媒体を含む。以下同じ。））を送付し、その取消しの請求をしなければならない。

②　官署支出官は、前項の規定により送付した国庫金振込又は送金取消手続請求書の記載事項に誤びゆうがあることを

発見したときは、センター支出官に訂正の請求をしなければならない。

第十九条　官署支出官は、第四十一条の規定によりセンター支出官から支出済みの通知を受けたときは、直ちにその内容が第十一条の規定により通知した内容と相違ないかどうかを確認しなければならない。

② 官署支出官は、職員給与の支給において第六条第一項第一号から第六号までの規定による控除の金額について、前項の確認をしたときは、遅滞なく、次の各号に掲げる区分に応じ、当該各号に定める書式による金額表を作成し、これを関係の歳入徴収官に送付しなければならない。

一　第六条第一項第一号　別紙第九号の三書式による健康保険料被保険者負担金額表

二　第六条第一項第二号　別紙第九号の四書式による船員保険料被保険者負担金額表

三　第六条第一項第三号　別紙第九号の五書式による国家公務員有料宿舎使用料金額表

四　第六条第一項第四号　別紙第九号の六書式による国家公務員通勤災害一部負担金額表

五　第六条第一項第五号　別紙第九号の七書式による防衛省職員食事代金額表、別紙第九号の八書式による防衛省職員被服弁償金額表又は別紙第九号の九書式による防衛省職員被服代払込金額表

六　第六条第一項第六号　別紙第九号の十書式による厚生年金保険料被保険者負担金額表

③ 官署支出官は、職員給与の支給において第七条第一項の相殺の相殺額について、第一項の確認をしたときは、遅滞なく、別紙第九号の十一書式による相殺額表を作成し、これを関係の歳入徴収官に送付しなければならない。

第二十条　官署支出官は、令第三十四条ただし書の規定により返納をさせるときは、当該返納をすべき職員に債権管理事務取扱規則（昭和三十一年大蔵省令第八十六号）別紙第一号書式による納入告知書を送付しなければならない。

② 前項の場合において、官署支出官は、当該職員に対し、直ちに日本銀行支店又は代理店に当該返納のための払込みをさせる必要があるときは、当該納入告知書の表面余白に「電信れい入」と朱書しなければならない。

第二十一条　官署支出官は、前条第一項の返納をすべき職員から納入告知書又は納付書を亡失し、又は著しく汚損した旨の申出を受けたときは、直ちに、当該納入告知書又は納付書に記載されていた事項を債権管理事務取扱規則別紙第一号書式による納付書に記載し、これを当該職員に送付しなければならない。

② 前条第二項の規定は、前項の場合について準用する。この場合において、同条第二項中「当該納入告知書」とあるのは、「当該納付書」と読み替えるものとする。

③ 債権管理事務取扱規則第三十九条の二第一項の規定は、官署支出官が前条又は前二項の規定により発した納入告知書又は納付書に記載された年度、所管、会計名、部局等があるときは部局等又は項に誤びゅうがあることを発見した場合について準用する。

第二十二条　官署支出官は、第十六条第三項の規定により送付し、又は第三十七条第二項の規定により送付された国庫金送金通知書が、受取人の受領前に亡失したと認められるときは、その旨をセンター支出官に通知しなければならない。

② 官署支出官は、第十六条第三項の規定により送付した国庫金送金通知書について、センター支出官から第四十六条第一項第一号の規定による通知を受けたときは、再度国庫金送金通知書を作成し、表面余白に「再発行」と記載し又は記録し、これを受取人に送付するとともに、その旨を日本銀行に通知しなければならない。

③ 官署支出官は、第四十六条第二項の規定によりセンター支出官から、受取人の受領前に亡失した国庫金送金通知書により既に支払が行われた旨の通知を受けたときは、その事情を詳細に記載した書面を所管の各省各庁の長を経由して財務大臣に送付しなければならない。

④ 前項の場合において、官署支出官は、財務大臣から支払を行うべき旨の通知を受けたときは、当該支払のための必要な手続をとらなければならない。

⑤ 前二項の規定は、官署支出官が、第四十六条第三項において準用する同条第二項の規定によりセンター支出官から、受取人の亡失した国庫金送金通知書により既に支払を受けた者がある旨の通知を受けた場合及び受取人の亡失した国庫金送金通知書により既に支払を受けた者があることを知つた場合について準用する。

第二十三条　官署支出官は、送金（電信による送金を除く。）の受取人から国庫金送金通知書を添え、支払場所の変更の請求を受けた場合において、相当の事由があると認めるときは、センター支出官に当該国庫金送金通知書を送付し、その変更を求めなければならない。

② 官署支出官は、電信による送金の受取人から支払場所の変更の請求を受けた場合において、相当の事由があると認めるときは、センター支出官にその変更を求めなければならない。

③ 官署支出官は、年金等に係る送金の受取人から国庫金送金通知書を添え、支払場所の変更を求められた場合において、相当の事由があると認められるときは、第一項及び第四十七条第一項の規定にかかわらず、国庫金送金通知書に記載された支払場所を訂正し、受取人に送付するとともに、

その旨を日本銀行に通知しなければならない。

④ 官署支出官は、前項の規定により国庫金送金通知書に記載された支払場所を訂正し、受取人に送付したときは、その旨をセンター支出官に通知しなければならない。

第二十四条 官署支出官は、出納官吏事務規程第四十六条又は第八十四条の規定により資金前渡官吏から支払の請求を受けたときは、これを調査し、支払をすべきものと認めるときは、当該支払のための必要な手続をとり、その旨を当該資金前渡官吏に通知しなければならない。

第二十五条 令第百三十二条、第百三十四条及び特別会計に関する法律施行令（平成十九年政令第百二十四号）の規定による支出決定簿、支出負担行為差引簿及び支払元受高差引簿への登記は、必要な事項を電子情報処理組織に記録する方法により行わなければならない。

② 前項の場合において、必要な事項が既に電子情報処理組織に記録されているときは、当該事項を重ねて記録することを要しない。

第二十六条 官署支出官が交替するときは、前任の官署支出官（官署支出官代理がその事務を代理しているときは、官署支出官代理。以下この条において同じ。）は、交替の日の前日現在における支出決定簿及び支出負担行為差引簿（特別会計にあつては、支出決定簿、支出負担行為差引簿及び支払元受高差引簿。次項において同じ。）の金額により別紙第十号書式による支出官引継書を作成し、これに引継ぎの年月日を記入し、後任の官署支出官とともに記名し、関係書類を後任の官署支出官に引き継ぐものとする。

② 各省各庁の長は、官署支出官が廃止される場合において当該官署支出官の残務を処理させる必要があるときは、当該残務を引き継ぐべき官署支出官を定め、その旨を廃止される官署支出官及び引継ぎを受ける官署支出官に通知しなければならない。

③ 官署支出官が廃止されるときは、当該官署支出官は、廃止される日の前日現在における支出決定簿及び支出負担行為差引簿の金額により別紙第十号書式による支出官引継書を作成し、これに引継ぎの年月日を記入し、残務の引継ぎを受ける官署支出官とともに記名し、関係書類を当該官署支出官に引き継ぐものとする。

④ 前任の官署支出官又は廃止される官署支出官が第一項又は前項の規定による引継ぎを行うことができない場合においては、それぞれ後任の官署支出官又は残務の引継ぎを受ける官署支出官が第一項又は前項に規定する支出官引継書を作成し、これに引継ぎの年月日を記入し、記名することをもつて足りる。

第三章　センター支出官の事務取扱

第二十七条 センター支出官（センター支出官代理（センター支出官の事務を行う支出官代理をいう。）を含む。次条第三項ただし書及び第五十条を除き、以下同じ。）は、令第四十一条第四項の規定により通知を受けた支払計画に記載された日本銀行を振り出す小切手の支払店又は交付し、若しくは送信する国庫金振替書若しくは支払指図書の取扱店（以下「取引店」という。）としなければならない。

第二十八条 センター支出官の異動があつたとき又はセンター支出官が新設されたときは、当該新設されたセンター支出官又は後任のセンター支出官は、直ちに別紙第十一号書式の取引関係通知書を作成し、これを取引店に送付しなければならない。

② センター支出官の取引店の変更があつたときは、当該センター支出官は、直ちに取引関係通知書を作成し、これを変更前及び変更後の取引店にそれぞれ送付しなければならない。

③ 前二項の規定により取引関係通知書を送付した後にこれらの項に規定する場合のほか、当該通知書の記載事項に変更を生じたときは、センター支出官は、直ちにその旨を取引店に通知しなければならない。ただし、その変更に係る事由がセンター支出官及びセンター支出官代理の取引関係通知書の双方に関係するものであるときは、センター支出官（センター支出官代理がその事務を代理しているときは、センター支出官代理）がその旨を併せて通知するものとする。

第二十九条 センター支出官は、照合のためその印鑑を日本銀行本店に送付しなければならない。

② センター支出官は、取引店から小切手用紙の交付を受けなければならない。

第三十条 センター支出官は、官署支出官から第十一条の通知を受け、これに基づいて小切手の振出し又は支払指図書若しくは国庫金振替書の交付若しくは送信をしようとするときは、その内容を明らかにした書類を作成しなければならない。

第三十一条 センター支出官は、小切手の振出し前、その経費について第十一条の通知を受けているかどうか、当該経費は、支出負担行為等取扱規則（昭和二十七年大蔵省令第十八号）第十条第二項の通知に係る支払計画の金額を超過することがないかどうかを調査しなければならない。

第三十二条 センター支出官は、その振り出す小切手に金額、支払店、受取人の氏名又は名称、その小切手の持参人が支払を受けられること、振出しの年月日、振出地及び支払地を記載し、これに記名し、印を押すほか、年度、所管、会計名、部局等があるときは部局等及び項並びに番号を付記しなければならない。

② センター支出官は、令第四十五条第二項に規定する小切手を振り出す場合において、当該小切手に、別紙第十二号書式による小切手払出科目明細書を添付するときは、前項の規定にかかわらず、所管、会計名、部局等があるときは部局等及び項の付記を省略することができる。

③ センター支出官は、振り出す小切手に線引きをしなければならない。

第三十三条 センター支出官は、日本銀行に預託金を有しない出納官吏を受取人として小切手を振り出そうとするときは、あらかじめ、照合のため、当該受取人となる出納官吏の印鑑並びにその資格及び官職氏名を明示した書面を日本銀行本店に送付しておかなければならない。

第三十四条 センター支出官は、受取人に小切手を交付し、支払を終わつたときは、領収証書を徴さなければならない。

第三十五条 センター支出官は、小切手を振り出したときは、その都度、別紙第十三号書式の小切手振出済通知書を日本銀行本店に送付しなければならない。

第三十六条 第三十一条の規定は、センター支出官が支払指図書を交付し、又は送信する場合について準用する。

第三十七条 センター支出官は、日本銀行に振込み又は送金による支払をさせるときは、別紙第十四号書式による支払指図書を作成し、これを日本銀行本店に交付し、又は送信しなければならない。

② センター支出官は、前項の規定により支払指図書を交付し、又は送信したときは、官署支出官と同一の官署に勤務する職員に対する旅費及び児童手当、年金等、国庫の支弁に属する恩給の給与金、老齢福祉年金、道府県民税及び市町村民税の特別徴収税額の月割額並びに退職手当等に係る所得割の特別徴収税額の振込み並びに外国送金の場合並びに第十六条第二項の規定により官署支出官が適宜の方法により受取人に振込みをした旨の通知をする場合を除き、その旨を適宜の方法により当該振込みの受取人に通知し、又は同条第三項の規定により官署支出官が国庫金送金通知書を受取人に送付する場合を除き、別紙第十五号書式による国庫金送金通知書を当該送金の受取人に送付しなければならない。ただし、電信による送金の場合においては、電信でその旨を通知しなければならない。

第三十八条 第三十一条の規定は、センター支出官が国庫金振替書を交付し、又は送信する場合について準用する。

第三十九条 センター支出官は、国庫内の移換のための支払をするときは、別紙第十六号書式による国庫金振替書を作成し、これを日本銀行本店に交付し、又は送信しなければならない。

② センター支出官は、前項の国庫金振替書に払出科目として歳出年度、所管、会計名、部局等があるときは部局等及び項並びに項ごとの金額、第十一条第六項の規定により振替先、受入科目及びその他の事項として明らかにされた事項並びに電信による国庫内の移換を要するときは、その旨を記載し、又は記録しなければならない。

③ 前項の場合において、第十一条第六項の規定によりその他の事項として明らかにされた事項のうち、同項第四号に規定する返納金戻入れである旨については「返納金れい入」と、同項第五号に規定する保険の種類及び被保険者の負担すべき保険料である旨については「健康保険料被保険者負担金」、「船員保険料被保険者負担金」、「厚生年金保険料被保険者負担金」又は「労働保険料被保険者負担金」と、同号に規定する国家公務員有料宿舎使用料である旨については「国家公務員有料宿舎使用料」と、同号に規定する一部負担金である旨については「国家公務員通勤災害一部負担金」と、同号に規定する防衛省職員食事代である旨については「防衛省職員食事代」と、同号に規定する防衛省職員被服弁償金である旨については「防衛省職員被服弁償金」と、同号に規定する防衛省職員被服代払込金である旨については「防衛省職員被服代払込金」と、同項第八号に規定する所得税である旨については「所得税」と、同項第九号に規定する労働保険料である旨については「労働保険料」と、同項第二十六号に規定する相殺額である旨については「相殺額」と、同号に規定する相殺額及び返納金戻入れである旨については「相殺額・返納金れい入」とそれぞれ記載し、又は記録するものとする。

第四十条 センター支出官は、第九条第一項第八号の源泉徴収税額を国税収納金整理資金に払い込むため国庫金振替書を交付し、又は送信するときは、第十四条の規定により官署支出官から交付又は送信を受けた納付書及び計算書を添付しなければならない。

② センター支出官は、会計法第十七条又は第二十条第二項の規定により日本銀行に預託金を有する出納官吏に資金を交付するため国庫金振替書を交付し、又は送信したときは、官署支出官と同一の官署に置かれた出納官吏に資金を交付する場合及び電信により資金を交付する場合を除き、別紙第十七号書式による国庫金振替送金通知書を振替先である当該出納官吏に送付しなければならない。

③ センター支出官は、第九条第一項第二十七号の保管金を提出するため国庫金振替書を交付し、又は送信したときは、官署支出官と同一の官署に置かれた出納官吏に保管金を提出する場合を除き、別紙第十七号書式による国庫金振替送金通知書を振替先の出納官吏に送付しなければならない。

第四十一条 センター支出官は、小切手を振り出し、又は支払指図書若しくは国庫金振替書を交付し、若しくは送信し、受取人又は日本銀行本店から領収証書の交付又は支払済書若しくは振替済書の交付若しくは送信を受けたときは、官署支出官に電子情報処理組織を使用して、支出済みの通知をしなければならない。

第四十二条　センター支出官は、日本銀行本店から日本銀行国庫金取扱規程（昭和二十二年大蔵省令第九十三号）第二十五条第三項に規定する返納金領収済通知情報若しくは同令第二十五条の二に規定する返納金領収済通知情報、日本銀行代理店から同令第二十五条の三第一項に規定する返納金領収済通知情報又は日本銀行歳入代理店（日本銀行の歳入金等の受入に関する特別取扱手続（昭和二十四年大蔵省令第百号。以下この項において「特別手続」という。）第一条に規定する日本銀行歳入代理店をいう。）から特別手続第三条の四第二項に規定する返納金領収済通知情報の送信を受けたときは、歳入徴収官等又は官署支出官に電子情報処理組織を使用して、その旨を通知しなければならない。

②　前項の規定は、日本銀行本店から日本銀行国庫金取扱規程第八十七条第二項に規定する納入告知書等記載事項訂正済通知情報の送信を受けた場合について準用する。

第四十三条　センター支出官は、官署支出官から第十七条第一項の規定により次の表の第二欄に掲げる事項について誤びゅうの訂正の請求をされたときは、直ちに、当該事項の同表の第二欄に掲げる区分に応じ、同表の第三欄に掲げる書式による同表の第四欄に掲げる書面を日本銀行本店に送付し、又は送信し、その訂正を請求しなければならない。

項	事項	書式	書面
一	第十七条第一項第二号に掲げる事項	別紙第十八号書式（その一）	科目等訂正請求書
二	第十七条第一項第四号又は第五号に掲げる事項	別紙第十九号書式（その一）	国庫金振替訂正請求書
三	第十七条第一項第一号又は第三号に掲げる事項	別紙第二十号書式（その一）ただし、第十七条第一項ただし書の規定による誤びゅうの訂正の請求をされたときは、別紙第五号書式（その二）又は別紙第六号書式（その二）	国庫金振込又は送金訂正請求書

②　前項の表の一の項及び二の項に掲げる事項の誤びゅうの訂正の請求は、日本銀行において当該年度所属の歳出金を支払うことができる期限（同表の二の項に掲げる事項が、国の歳入への納付に係るものであるときは、当該年度の歳入金を受け入れることができる期限）までにしなければならない。

③　センター支出官は、第一項の請求をした場合において、第十七条第二項の規定により送付を受けた国庫金振替送金通知書又は国庫金送金通知書があるときは、その誤びゅうの訂正をし、これを受取人又は振替先に送付しなければならない。

④　センター支出官は、第一項の請求をした後、日本銀行本店から日本銀行国庫金取扱規程第八十七条第二項又は第八十八条第二項の規定により訂正済みの通知の送付又は送信を受けたときは、関係の官署支出官に電子情報処理組織を使用して、その旨を通知しなければならない。

第四十四条　前条に規定する場合のほか、センター支出官は、その振り出した小切手又はその交付し、若しくは送信した支払指図書若しくは国庫金振替書の記載若しくは記録事項のうち金額以外のものに誤びゅうがあることを発見したときは、その内容の区分に応じ、適宜前条第一項の表の第三欄に掲げる書式による同表の第四欄に掲げる書面を日本銀行本店に送付し、又は送信し、その訂正を請求しなければならない。この場合においては、前条第二項の規定を準用する。

第四十五条　センター支出官は、振込み又は送金のため支払指図書を交付し、又は送信した後、第十八条第一項の規定により官署支出官から国庫金振込又は送金取消手続請求書の送付を受けたときは、支払未済の場合に限り、直ちに、日本銀行本店に別紙第七号書式（その二）による国庫金振込又は送金取消請求書（振込み又は送金が年金等（第十一条第一項第十一号から第十五号までに掲げる年金等にあっては、それぞれ定められた各支給期月ごとに、振込み（当該年金等の受取人の郵便貯金銀行の預金への振込みに限る。）及び送金をする年金等に限る。）である場合にあっては、別紙第八号書式（その二）による国庫金振込又は送金取消請求書）を送付し、当該振込み又は送金の取消しを請求しなければならない。

②　センター支出官は、第十八条第二項の規定により国庫金

振込又は送金取消手続請求書の記載事項について誤びゅうの訂正を請求されたときは、直ちに、その訂正をするとともに、日本銀行本店に、前項の規定により送付した国庫金振込又は送金取消請求書の記載事項について誤びゅうの訂正を請求しなければならない。

第四十六条　センター支出官は、官署支出官から第二十二条第一項の通知を受けた場合その他国庫金送金通知書が受取人の受領前に亡失したと認められる場合において、支払未済であることを確認し、日本銀行本店にその支払の停止の手続を請求した後、支払停止済みの通知を受けたときは、次の各号に掲げる区分に応じ、当該各号に掲げる手続をとらなければならない。

一　亡失した国庫金送金通知書が、第十六条第三項の規定により官署支出官が送付したものであるとき　支払停止済みである旨を当該官署支出官に通知

二　亡失した国庫金送金通知書が、第三十七条第二項の規定によりセンター支出官が送付したものであるとき　再度国庫金送金通知書を作成し、表面余白に「再発行」と記載し又は記録し、これを受取人に送付するとともに、その旨を官署支出官及び日本銀行本店に通知

②　センター支出官は、前項の場合において、既に支払が行われたことを確認したときは、その旨を官署支出官に通知しなければならない。

③　前項の規定は、センター支出官が、受取人の亡失した国庫金送金通知書により既に支払を受けた者があることを知つた場合について準用する。

第四十七条　センター支出官は、第二十三条第一項の規定により、支払場所の変更を求められたときは、国庫金送金通知書に記載された支払場所を訂正し、これを受取人に送付するとともに、その旨を当該官署支出官及び日本銀行本店に通知し、又は送信しなければならない。

②　センター支出官は、第二十三条第二項の規定により、支払場所の変更を求められたときは、支払未済であることを確認した上で、支払場所を変更し、受取人に電信でその旨を通知するとともに、その旨を当該官署支出官及び日本銀行本店に通知しなければならない。

第四十八条　令第百三十三条の規定による支出簿への登記は、必要な事項を電子情報処理組織に記録する方法により行わなければならない。

②　前項の場合において、必要な事項が既に電子情報処理組織に記録されているときは、当該事項を重ねて記録することを要しない。

第四十九条　センター支出官は、交付した資金について、令第六十二条第一項の規定により日本銀行が納付する歳入を所掌すべき歳入徴収官を、あらかじめ、日本銀行本店に通知しなければならない。

第五十条　センター支出官が交替するときは、前任のセンター支出官（センター支出官代理がその事務を代理しているときは、センター支出官代理。以下この条において同じ。）は、交替の日の前日現在における支出簿の金額により別紙第十号書式による支出官引継書を作成し、引継ぎの年月日を記入して後任のセンター支出官とともに記名し、関係書類を後任のセンター支出官に引き継ぐものとする。

②　前任のセンター支出官が前項の規定による引継ぎを行うことができない場合においては、後任のセンター支出官が前項に規定する支出官引継書を作成し、引継ぎの年月日を記入し、記名することをもつて足りる。

第五十一条　センター支出官は、日本銀行から歳出金月計突合表の送信又は歳出支払未済繰越金月計突合表の送付を受けたときは、これを調査し、適正であると認めたときは、当該歳出金月計突合表が適正である旨を電子情報処理組織に記録し、又は当該歳出支払未済繰越金月計突合表に記名しなければならない。ただし、相違のある点については、その事由を付記するものとする。

②　センター支出官は、前項の規定により送信を受けた歳出金月計突合表又は送付を受けた歳出支払未済繰越金月計突合表に誤びゅうがあることを発見したときは、当該歳出金月計突合表の送信又は歳出支払未済繰越金月計突合表の送付を受けた月の第十二営業日までにその旨を日本銀行に通知しなければならない。

③　第一項の規定は、センター支出官が前項の通知をした後、日本銀行から再度歳出金月計突合表の送信又は歳出支払未済繰越金月計突合表の送付を受けた場合について準用する。

第四章　雑則

第五十二条　受取人は、支出官より送付された国庫金送金通知書を亡失したときは、直ちに支払場所となる金融機関の店舗又は郵便局に支払停止を請求するとともに、支払未済のときは、次の各号に掲げる区分に応じ、支払場所となる当該金融機関の店舗又は郵便貯金銀行を所属銀行とする銀行代理業を営む郵便局を経由して当該各号に定める支出官に届け出なければならない。

一　第十六条第三項の規定により官署支出官が送付したものであるとき　当該官署支出官

二　第三十七条第二項の規定によりセンター支出官が送付したものであるとき　センター支出官

②　前項の届書には、国庫金送金通知書に記載してある金額、番号、発行日付、発行庁及び支払場所を記載しなければならない。

③　前二項の規定は、国庫金送金通知書をき損した場合について準用する。

第五十三条　支出官は、前条の届書を受けたときは、これを調査し、支払を要するものと認めたときは、次の各号に掲げる区分に応じ、当該各号に定める規定に準じて、その支払に必要な手続をとらなければならない。

一　第十六条第三項の規定により官署支出官が送付した国庫金送金通知書に係る届書　第二十二条第一項から第三項まで及び第四十六条第一項第一号

二　第三十七条第二項の規定によりセンター支出官が送付した国庫金送金通知書に係る届書　第四十六条第一項第二号

第五十四条　第二十六条第一項、第三項及び第四項の規定は、支出負担行為認証官が交替し、又は廃止される場合について準用する。この場合において、同条第一項中「支出決定簿及び支出負担行為差引簿（特別会計にあつては、支出決定簿、支出負担行為差引簿及び支払元受高差引簿。次項において同じ。）」とあるのは「支出負担行為差引簿」と、「別紙第十号書式による支出官引継書」とあるのは「別紙第二十一号書式による支出負担行為認証官引継書」と、同条第三項中「支出決定簿及び支出負担行為差引簿」とあるのは「支出負担行為差引簿」と、「別紙第十号書式による支出官引継書」とあるのは「別紙第二十一号書式による支出負担行為認証官引継書」と、「残務の引継ぎを受ける官署支出官」とあるのは「残務の引継ぎを受ける支出負担行為認証官又は官署支出官」と、「関係書類を当該官署支出官」とあるのは「関係書類を当該支出負担行為認証官又は官署支出官」と、同条第四項中「残務の引継ぎを受ける官署支出官」とあるのは「残務の引継ぎを受ける支出負担行為認証官又は官署支出官」と、「支出官引継書」とあるのは「支出負担行為認証官引継書」と読み替えるものとする。

第五十五条　第二条第三項及び第四項の規定は、支出負担行為認証官代理が支出負担行為の認証に関する事務を代理する場合について準用する。この場合において、同条第三項中「支出官及び支出官代理」とあるのは「支出負担行為認証官及び支出負担行為認証官代理」と、「支出官代理」とあるのは「支出負担行為認証官代理」と、「前項の規定により支出官」とあるのは「支出負担行為認証官」と、「支出」とあるのは「支出負担行為の認証」と、「別紙第一号書式の支出官代理開始及び終止整理表」とあるのは「別紙第二十二号書式の支出負担行為認証官代理開始及び終止整理表」と、同条第四項中「支出官代理」とあるのは「支出負担行為認証官代理」と、「支出官」とあるのは「支出負担行為認証官」と、「当該支出官代理」とあるのは「当該支出負担行為認証官代理」と読み替えるものとする。

第五十六条　電子情報処理組織に障害が発生したことにより、又は電子情報処理組織の運転時間が経過したことにより、この省令の規定による電子情報処理組織への記録又は電子情報処理組織による処理が不能となつた場合において、緊急やむを得ない事由により障害が回復するまでの間又は電子情報処理組織の運転が再開されるまでの間において、歳出金の支出に関する事務を行わなければ事務に支障を及ぼすおそれがあるときは、別に定めるところにより、この省令の規定と異なる取扱いをすることができる。

②　前項の規定により、この省令の規定と異なる取扱いをした場合において、当該障害が回復し、又は電子情報処理組織の運転が再開されたことにより、電子情報処理組織への記録が可能となつたときは、別に定めるところにより、当該取扱いをした歳出金の支出に関する事務について必要な事項を電子情報処理組織に記録しなければならない。

第五十七条　官署支出官及びセンター支出官が電子情報処理組織に記録しなければならない事項及び当該記録の方法その他電子情報処理組織の使用に関する手続の細目については、別に定めるところによる。

附　則

第一条　この省令は、昭和二十二年十一月一日から、これを施行する。但し、従前の支出官事務規程第七条の改正に関する部分は、国有林野事業特別会計及び労働者災害補償保険特別会計については、昭和二十二年度から、これを適用する。

第二条　この省令施行前に発した歳出金支払通知書で未だ支払を終らないものの支払については、なお従前の例による。

第三条　支出官は、第二号書式の国庫金送金請求書、第三号書式の国庫金銀行振込請求書、第四号書式の国庫金送金通知書、第五号書式の国庫金銀行振込通知書、第八号書式の国庫金振替送金通知書及び第九号書式の返納告知書に代え、当分の間夫々従前の書式による金額氏名表、歳出金銀行振込書、歳出金支払通知書、歳出金銀行振込通知書及び返納告知書を使用することができる。但し、第八号書式の国庫金振替送金通知書に代え使用する従前の歳出金銀行振込通知書には、国庫金振替書による振替送金の旨を明記するものとする。

第四条　官署支出官は、第十一条第一項第十一号から第十五号までに掲げる年金等（それぞれ定められた各支給期月ごとに送金をする年金等に限る。）に係る第十六条第三項の規定により送付する国庫金送金通知書については、同項の規定にかかわらず、当分の間、当該年金等に係る送金のための支出の決定をする前であつても、当該年金等の支給開始日までに到達するように、当該年金等の受取人に送付することができる。この場合において、当該国庫金送金通知書には、当該支給開始日以後でなければ支払を受けることができない旨を記載するものとする。

第五条 平成二十二年度等における子ども手当の支給に関する法律（平成二十二年法律第十九号）第十六条第一項の規定により同法第七条第一項の規定を読み替えて適用する場合におけるこの省令の適用については、第十六条第一項及び第三十七条第二項中「及び児童手当」とあるのは、「並びに児童手当及び子ども手当」とする。

② 平成二十三年度における子ども手当の支給等に関する特別措置法（平成二十三年法律第百七号）第十六条第一項の規定により同法第七条第一項の規定を読み替えて適用する場合におけるこの省令の適用については、第十六条第一項及び第三十七条第二項中「児童手当」とあるのは、「子ども手当」とする。

別紙第１号書式

支出官代理開始及び終止整理表

（年　度）　（所　管）

（会計名）

（支出官　　官職　氏　　　名）

（支出官代理　官職　氏　　　名）

1．代理開始　　　　年　月　日

2．代理終止　　　　年　月　日

3．事務の範囲

備考　用紙の大きさは、日本産業規格A列４とする。

別紙第２号書式
（その１）

支　払　請　求　書

第　　号
年　月　日

（資金前渡官吏　あて）

（官署支出官　官職　氏　　　名）

年　月　日付前渡資金の交付のため、センター支出官に対し支出の決定をした旨の通知をしたので、関係書類を添え、下記のとおり支払を請求します。

支出決定決議書	
整理番号	発議年月日
第　　号	年　月　日

年度	
所　管	
会計名	
部局等	
項	
目	

受取人	氏名又は名称	
	住　所	

支払方法	1小切手払　2国庫内移換	金額	円

国庫内移換（受入科目等）	年度　主・所管　会計名
備　考	

（その２）

支　払　済　通　知　書

年　月　日

（官署支出官　あて）

（資金前渡官吏　官職　氏　　　名）

年　月　日付第　号により支払の請求があった件については、下記のとおり支払をしたので、関係書類を添え通知します。

支出決定決議書	
整理番号	発議年月日
第　号	年　月　日

年度	
所管	
会計名	
部局等	
項	
目	

受取人	氏名又は名称	
	住所	

支払方法	1小切手払　2国庫内移換	金額	円

国庫内移換（受入科目等）	年度　主・所管　会計名
備考	

支払年月日	年　月　日	小切手等番号	第　号

備考　1　用紙の大きさは、日本産業規格Ａ列４とする。
2　（その１）には、年度ごとに連続番号を付するものとする。
3　（その１）の備考欄に、支出日を記載するものとする。
4　必要があるときは、各欄の配置に所要の変更を加えることその他所要の調整を加えることができる。

別紙第3号書式

表面

<table>
<tr><td>
労災保険年金等送金通知書
あなたの年金・労災就学等援護費・労災援護給付金は下記のとおり支払います。
支払開始日　　　　年　月　日
年金証書の番号
<table>
<tr><td>労災保険年金</td><td>円</td></tr>
<tr><td>労災就学等援護費</td><td>円</td></tr>
<tr><td>労災援護給付金</td><td>円</td></tr>
<tr><td>合計支払額</td><td>円</td></tr>
</table>
支払店〔「　銀行　店」又は「　郵便局」〕
</td><td rowspan="2">
（受給権者
住所
氏名　　　　　　様）
（官署支出官　厚生労働省労働基準局長）
</td></tr>
<tr><td>
受領証
上記の金額を受領しました。
年　月　日
氏　名
（裏面の注意事項をよく読んでください。）
</td></tr>
</table>

裏面

<table>
<tr><td>
（注意事項）
1　この通知書の受領後、盗難等のためこの通知書により第三者がその支払を受けたときは、通常の場合、国は貴殿に対しお支払できないことになりますので、支払を受けるまでは大切に保管してください。
2　支払を受けるときは、表面の「受領証」欄に氏名を書き、年金証書と一緒に表面の支払店に差し出してください。
なお、住所の変更などにより表面の支払店から支払を受けることが困難な場合には、この通知書を持参のうえ、最寄りの労働基準監督署に届け出てください。ご希望の支払店から支払を受けることができます。この場合、届け出てからご希望の支払店から支払を受けるまでに20日程度かかります。
3　この通知書を亡失したときは、直ちに、表面の支払店に支払の停止を請求してください。
この場合、支払がまだなされていないときは、表面の支払店を経由して下記連絡先に届け出てください。
4　表面の支払開始日から1年を過ぎると、この通知書による支払店での支払はできませんので注意してください。
5　この通知書を拾われた方は、最寄りの労働基準監督署まで届け出てください。
連絡先
厚生労働省労働基準局労災補償部労災保険業務課
（所在地）
（電話番号）
</td><td>
委任欄
表記の金額を受け取ることを下記の者に委任します。
（代理人）
住所
氏名
（受給者）
氏名
</td></tr>
</table>

備考　1　用紙の大きさは、はがきの大きさとする。

2　石綿による健康被害の救済に関する法律（平成18年法律第4号）に基づく年金たる特別遺族年金の送金に係る通知をする場合にあつては、「労災保険年金等送金通知書」とあるのは「特別遺族年金送金通知書」と、「年金・労災就学等援護費・労災援護給付金」とあるのは「特別遺族年金」と

「
労災保険年金	円
労災就学等援護費	円
労災援護給付金	円
合計支払額	円

」とあるのは「

特別遺族年金	円

」とする。

3　「（注意事項）」については、上記の他、必要な事項を記述することができる。

別紙第４号書式

（表面）

第　一　片	第　二　片	第　三　片
（受取人、住所、氏名）	○○年金送金通知書 あなたの年金は、下記のとおり支払います。 氏　名 支払開始日　令和　年　月　日 年金の種類 年金証書の基礎年金番号・年金コード 〔金　額　　円〕 支払店　銀行　店 郵便局 領　収　証 上記の金額を受領しました。 令和　年　月　日 氏　名 官署支出官　厚生労働省年金局 事業企画課長	左の金額を左面記載の支払店でお受け取りください。 （注意事項） 1　この通知書の受領後、盗難等のためこの通知書により第三者がその支払を受けたときは、通常の場合、国はあなたに対しお支払できないことになりますので、払渡しを受けるまでは大切に保管してください。 2　この通知書を亡失したときは、直ちに左面記載の支払店に支払の停止を請求して下さい。 この場合、その支払がまだなされていないときは、左面記載支払店を経由して発行官署へ届け出てください。 3　受取人は、領収証欄に日付及び氏名を記入し、年金証書と一緒に支払店に差出してください。 4　左面記載の支払開始日から１年を過ぎますと表記の支払店では支払を受けられません（その場合は左面記載の取扱官署にお申出ください）。

（裏面）

第　一　片	第　二　片	第　三　片
	委　任　状 標記の金額の受領を下記の者に委任しました。 令和　年　月　日 （代理人） 住所 氏名 （受給者） 住所 氏名	

備考　1　用紙の各片の大きさは、はがきの大きさとし、三面圧着式又は一面はがきの形式とする。
2　金額欄は、上記内容のほか、必要な金額を記述することができる。
3　注意事項は、上記内容のほか、必要な事項を記述することができる。
4　書面には当該送金にかかる年金の種類を記載することができる。
5　厚生年金保険の保険給付及び国民年金の給付の支払の遅延に係る加算金の支給に関する法律（平成21年法律第37号）に基づく保険給付遅延特別加算金及び給付遅延特別加算金の送金に係る通知をする場合にあっては、「○○年金送金通知書」とあるのは「○○加算金送金通知書」と、「あなたの年金は」とあるのは「あなたの加算金は」と、「年金の種類」とあるのは「加算金の種類」とする。
6　年金生活者支援給付金の支給に関する法律（平成24年法律第102号）に基づく老齢年金生活者支援給付金及び補足的老齢年金生活者支援給付金、障害年金生活者支援給付金並びに遺族年金生活者支援給付金の送金に係る通知をする場合にあっては、「○○年金送金通知書」とあるのは「年金生活者支援給付金送金通知書」と、「あなたの年金は」とあるのは「あなたの給付金は」と、「年金の種類」とあるのは「給付金の種類」と、「厚生労働省年金局事業企画課長」とあるのは「厚生労働省大臣官房会計課長」とする。

別紙第４号の２書式

（表面）

年金恩給等送金通知書

（恩給種別）　第　　　号 受給者氏名		
給与金種別		住所
〔「支払開始日」又は「発行日」〕	年　月　日	
支給額	円	氏名
所得税額	円	
調整額	円	
支払額	円	
支払店	銀行　　店 郵便局	

上記のとおり支払います。

〔受領証〕上記の金額を受領しました。
受領年月日　　令和　年　月　日

受領者氏名

官署支出官

総務省政策統括官
（統計制度・恩給担当）

（裏面）

［お知らせ］

1　この通知書の受領後、盗難等のためこの通知書により第三者がその支払を受けたときは、通常の場合、国はあなたに対しお支払できないことになりますので、支払を受けるまでは大切に保管してください。
2　この通知書を亡失したときは、直ちに、表面記載の支払店に支払の停止を請求してください。
　この場合、支払がまだなされていないときは、表面記載の支払店を経由して、下記連絡先に届け出てください。
3　支払を受けるときは、表面の「受領証」欄に年月日、署名し、身分証明書又は預貯金通帳等正当な受取人又は代理人であることを証する書面を持参し、証書、裁定通知書又は失権時給与金支給決定通知書とともに支払店に提示してください。
4　表面に記載されている年月日から１年を過ぎますと表面記載の支払店では支払を受けられません（その場合は、下記連絡先にお申し出ください。）。
5　表面に記載されている年月日の前に年金恩給等を受ける権利を失ったときは、支払を受けることができません。また、年金恩給等を受けている方が亡くなられたときは、電話でご相談ください。

（連絡先）

（所在地）

委任欄

表面記載の支払額を受けることを次の代理受領者に委任します。
令和　年　月　日

（代理受領者）
住所

氏名

（受給者）
氏名

備考　1　用紙の大きさは、はがきの大きさとする。
　　　2　「お知らせ」については、上記のほか、必要な事項を記述することができる。

別紙第４号の３書式

〔「整理番号」又は「送金等番号」〕

援護年金送金通知書

下記のとおり、援護年金が支払われるので通知します。

官署支出官　厚生労働省大臣官房会計課長

根拠法	戦傷病者戦没者遺族等援護法			
記号番号				
受給者				
〔「支払開始日」又は「発行日」〕	支給額（円）	調整額（円）	支払額（円）	備考
支払店	〔「　　銀行　　店」又は「　　郵便局」〕			
領収証	上記の金額を受領しました。　年　月　日 住　所 受給者氏名			

委任状	委任者	本通知書により支払いを受けることを下欄の者に委任しました。　年　月　日 住　所 受給者氏名
	代理人	氏名 住所

（注意事項）

1　この通知書の受領後、盗難等のためこの通知書により第三者がその支払を受けたときは、通常の場合、国は貴殿に対しお支払できないことになりますので、支払を受けるまでは大切に保管してください。

2　この通知書を亡失したときは、直ちに支払店に支払の停止を請求してください。この場合、その支払がまだなされていないときは、支払店を経由して問い合わせ先へ届け出てください。

3　受取人は、領収証欄に日付、住所及び氏名を記入して、年金証書及び印鑑証明書、身分証明書又は預貯金通帳等正当な受取人又はその代理人であることを証する書面を持参するようにしてください。

4　記載されている年月日から１年を過ぎますと支払店では支払を受けられません（その場合は問い合わせ先にお申し出ください。）。

5　年金を受けることについて、ご不明な点があるときは、問い合わせ先へお問い合わせください。

（受取人、住所、氏名）

（問い合わせ先）

（所　在　地）

備考　1　用紙の大きさは、日本産業規格Ａ列４とする。

2　（注意事項）については、上記のほか、必要な事項を記述することができる。

別紙第４号の４書式

(表面)

<table>
<tr><td>
特別児童扶養手当送金通知書

下記のとおり、特別児童扶養手当が支払われるので通知します。
〔「支払開始日」又は「発行日」〕　　　年　月　日

<table>
<tr><td>受給者記号・番号</td><td></td></tr>
<tr><td>支　給　額</td><td>円</td></tr>
<tr><td>〔「整理番号」又は
「送金等番号」〕</td><td></td></tr>
<tr><td>支　払　店</td><td>銀行　　店
郵便局</td></tr>
</table>
</td>
<td rowspan="2">
(受給権者

住所

氏名　　　　　　　　　様)

(官署支出官　厚生労働省大臣官房会計課長)
</td></tr>
<tr><td>
受　領　証
上記の金額を受領しました。
年　月　日
氏　名
(裏面の注意事項をよく読んでください。)
</td></tr>
</table>

(裏面)

<table>
<tr><td>
〔注意事項〕

1　この通知書の受領後、盗難等のためこの通知書により第三者がその支払を受けたときは、通常の場合、国は貴殿に対しお支払できないことになりますので、支払を受けるまでは大切に保管してください。
2　この通知書を亡失したときは、直ちに、表面記載の支払店に支払の停止を請求してください。
　この場合、支払がまだなされていないときは、表面記載の支払店を経由して下記連絡先に届け出てください。
3　支払を受けるときは、表面の「受領証」欄に年月日、署名し、印鑑証明書又は身分証明書等正当な受取人又はその代理人であることを証する書面を持参し、特別児童扶養手当受給証明書とともに表面記載の支払店に提示してください。
4　表面に記載されている年月日から１年を過ぎますと表面記載の支払店では支払を受けられません　(その場合は下記連絡先にお申し出ください。)。
5　手当を受けることについて、ご不明な点がございましたら、お住まいの市町村の窓口へお問い合わせください。

(連絡先)
(所在地)
</td>
<td>
委　任　欄

表面記載の支払額を受けることを次の代理受領者に委任します。
令和　　年　月　日

(代理受領者)
住所

氏名

(受給者)
氏名
</td></tr>
</table>

備考　1　用紙の大きさは、はがきの大きさとする。
　　　2　「注意事項」については、上記のほか、必要な事項を記述することができる。

別紙第５号書式

（その１）

国庫金振込又は送金訂正手続請求書

第　　号
年　月　日

下記のとおり訂正の手続きを請求します。

振込又は送金の別	１　振込	２　送金
振込又は送金の請求年月日	年　月　日	
年金証書番号又は振込若しくは送金番号		
	元	訂正
受取人氏名		
振込先又は払渡金融機関店舗名		
預貯金種別及び口座番号		
金額		
取扱官署	総務省又は厚生労働省	

（センター支出官あて）

（官署支出官　官職　氏　名）

（その２）

国庫金振込又は送金訂正請求書

第　　号
年　月　日

下記のとおり訂正して下さい。

振込又は送金の別	１　振込	２　送金
振込又は送金の請求年月日	年　月　日	
年金証書番号又は振込若しくは送金番号		
	元	訂正
受取人氏名		
振込先又は払渡金融機関店舗名		
預貯金種別及び口座番号		
金額		
取扱官署	総務省又は厚生労働省	

日本銀行（何店あて）

（センター支出官　官職　氏　名　印）

備考　１　用紙の大きさは、日本産業規格Ａ列５とする。
２　振込の訂正を請求する場合には「１　振込」の文字を、送金の訂正を請求する場合には「２　送金」の文字を、それぞれ○で囲むものとする。
３　年度ごとに連続番号を付するものとする。
４　余白に年金等の区分を記入する。
５　必要があるときは、各欄の配置を著しく変更することなく所要の変更を加えることその他所要の調整を加えることができる。

別紙第６号書式

（その１）

国庫金振込又は送金訂正手続請求書

第　　号
年　月　日

下記のとおり訂正の手続きを請求します。

１　振込

振込又は送金の請求年月日	年　月　日	
明細内訳	別添の電磁的記録媒体（電磁的記録媒体番号　番から番）収録内容のとおり。	
件数及び金額		
取扱官署	厚生労働省大臣官房会計課又は年金局事業企画課	

２　送金

振込又は送金の請求年月日	年　月　日	
年金証書番号又は振込若しくは送金番号		
金額		
	元	訂正
受取人氏名		
払渡金融機関店舗名		
取扱官署	厚生労働省大臣官房会計課又は年金局事業企画課	

（センター支出官あて）

（官署支出官　官職　氏　名）

（その２）

国庫金振込又は送金訂正請求書

第　　号
年　月　日

下記のとおり訂正して下さい。

１　振込

振込又は送金の請求年月日	年　月　日	
明細内訳	別添の電磁的記録媒体（電磁的記録媒体番号　番から番）収録内容のとおり。	
件数及び金額		
取扱官署	厚生労働省大臣官房会計課又は年金局事業企画課	

２　送金

振込又は送金の請求年月日	年　月　日	
年金証書番号又は振込若しくは送金番号		
金額		
	元	訂正
受取人氏名		
払渡金融機関店舗名		
取扱官署	厚生労働省大臣官房会計課又は年金局事業企画課	

日本銀行（何店あて）

（センター支出官　官職　氏　名　印）

備考　1　用紙の大きさは、日本産業規格A列５とする。
2　振込の訂正を請求する場合には「１　振込」の文字を、送金の訂正を請求する場合には「２　送金」の文字を、それぞれ○で囲むものとする。
3　年度ごとに連続番号を付するものとする。
4　余白に年金等の区分を記入する。
5　必要があるときは、各欄の配置を著しく変更することなく所要の変更を加えることその他所要の調整を加えることができる。

別紙第７号書式

（その１）

国庫金振込又は送金取消手続請求書

第　　　号
年　月　日

下記の金額の振込み又は送金について取消しの手続を請求します。

振込又は送金の別	１　振込　　２　送金		
振込又は送金のための支出年月日	年　月　日	振込又は送金番号	第　　号
フリガナ			
受取人の氏名又は名称			
金額	円		
振込先又は払渡金融機関店舗名			
（年度歳出）　（所管）（会計名）（部局等）　（項）			
取扱官署			

（センター支出官　あて）

（官署支出官　官職　氏　　　名）

（その２）

国庫金振込又は送金取消請求書

第　　　号
年　月　日

下記の金額の振込み又は送金を取り消して下さい。

振込又は送金の別	１　振込　　２　送金		
振込又は送金の請求年月日	年　月　日	振込又は送金番号	第　　号
フリガナ			
受取人の氏名又は名称			
金額	円		
振込先又は払渡金融機関店舗名			
（年度歳出）　（所管）（会計名）（部局等）　（項）			
取扱官署			

日本銀行（何店　あて）

（センター支出官　官職　氏　　　名㊞）

備考　1　用紙の大きさは、日本産業規格A列５とする。
2　（その１）と（その２）とに共通する事項は、複写により記入するものとする。
3　（その１）には各官署支出官において年度ごとに連続番号を、（その２）にはセンター支出官において年度ごとに連続番号を付するものとする。
4　２以上の払出科目がある振込の取消を請求する場合には、払出科目記載欄にすべての払出科目及び当該払出科目ごとの振込金額を記載する。

別紙第８号書式

（その１）

国庫金振込又は送金取消手続請求書

第　　号
年　月　日

下記の金額の振込み又は送金について取消しの手続を請求します。

振込又は送金の別	1　振込　　2　送金	
振込又は送金のための支出年月日	年　月　日	
年金証書番号又は振込若しくは送金番号		
受取人氏名		
振込先又は払渡金融機関店舗名		
金額		
（年度歳出）（所管）（会計名）（部局等）（項）		
取扱官署		

（センター支出官あて）

（官署支出官　官職　氏　名）

付表

国庫金振込又は送金取消明細書

第　　号
年　月　日

振込又は送金のための支出年月日	年　月　日	
年金証書番号		
受取人氏名		
振込先又は払渡金融機関店舗名		
金額		
取扱官署		

（その２）

国庫金振込又は送金取消請求書

第　　号
年　月　日

下記の金額の振込み又は送金を取り消してください。

振込又は送金の別	1　振込　　2　送金	
振込又は送金の請求年月日	年　月　日	
年金証書番号又は振込若しくは送金番号		
受取人氏名		
振込先又は払渡金融機関店舗名		
金額		
（年度歳出）（所管）（会計名）（部局等）（項）		
取扱官署		

日本銀行（何店あて）

（センター支出官　官職　氏　名　印）

付表

国庫金振込又は送金取消明細書

第　　号
年　月　日

振込又は送金のための請求年月日	年　月　日	
年金証書番号		
受取人氏名		
振込先又は払渡金融機関店舗名		
金額		
取扱官署		

備考
1　用紙の大きさは、日本産業規格A列５とする。
2　（その１）と（その２）とに共通する事項は、複写により記入するものとする。
3　振込の取消を請求する場合には「１　振込」の文字を、送金の取消を請求する場合には「２　送金」の文字を、それぞれ○で囲むものとする。
4　付表（付表の記載事項を記録した電磁的記録媒体を含む。）を添付する場合には、請求書中「年金証書番号又は振込若しくは送金番号」欄、「受取人氏名」欄、「振込先又は払渡金融機関店舗名」欄には、「別添の明細書（第　号から第　号まで）のとおり。」（ただし、電磁的記録媒体を添付する場合にあっては「別添の電磁的記録媒体（電磁的記録媒体番号　番から　番まで）のとおり。」）と記入し、「金額」欄には、付表の合計金額および合計枚数（ただし、電磁的記録媒体を添付する場合にあっては、収録した件数）を記入する。
5　余白に年金等の区分を記入する。
6　（その１）には、取扱官署において年度ごとに連続番号を、（その２）にはセンター支出官において年度ごとに連続番号を付するものとする。
7　必要があるときは、各欄の配置を著しく変更することなく所要の変更を加えることその他所要の調整を加えることができる。

別紙第9号書式

道府県民税及び市町村民税月割額支出決定済通知書

都道府県コード	都道府県名	市区町村コード	市区町村	官署支出官名	特別徴収義務者名(官署名)	官署の所在地	特別徴収義務者名指定番号	連絡先電話番号	内線	振込年月日	振込先金融機関名	金額	異動者

別紙第９号の２書式

（表　面）

年　月　日払込

指定金融機関	
年　月分　退職手当等所得割	
給与所得者の異動（有・無）	

（納入先　市町村）

長殿

金　額	円

（特別徴収義務者指定番号　第　　号）

（裏　面）

道府県民税及び市町村民税退職手当等所得割（納入申告及び）支出決定済通知書

地方税法第50条の５及び第328条の５第２項の規定により、下記のとおり分離課税に係る所得割について納入の申告をし、表記のとおり振込・送金の方法により支出決定したので通知します。

人員　人	支払金額	円
特別徴収税額	市町村民税	円
	道府県民税	円

年　月　日

（官署の所在地及び官署名）
（官署支出官　官職　氏　名）

備　考　用紙の大きさは、郵便はがきの大きさとする。

別紙第９号の３書式

「何」会計　　健康保険料被保険者負担金額表　　収入取扱庁

主管（又は所管）	年度	国庫金振替書	健康保険被保険者氏名	報酬額	保険料負担金	備考
				円	円	

上記の健康保険料被保険者負担金を払い込みました。
令和「何」年「何」月「何」日
「歳入徴収官　官　氏　名」殿　　「官署支出官　官　氏　名」

備考　用紙寸法は、日本産業規格Ａ列５とすること。

別紙第９号の４書式

「何」会計　　船員保険料被保険者負担金額表　　収入取扱庁

主管（又は所管）	年度	国庫金振替書	船員保険料被保険者氏名	報酬額	保険料負担金	備考
				円	円	

上記の船員保険料被保険者負担金を払い込みました。
令和「何」年「何」月「何」日
「歳入徴収官　官　氏　名」殿　　「官署支出官　官　氏　名」

備考　用紙寸法は、日本産業規格Ａ列５とすること。

別紙第９号の５書式

「何」会計　　国家公務員有料宿舎使用料金額表　　収入取扱庁

主　管（又は所管）	年　度	国庫金振替書	国家公務員有料宿舎使用者氏名	使用料	備　考
				円	

上記の国家公務員有料宿舎使用料を払い込みました。

令和「何」年「何」月「何」日

「歳入徴収官　官　氏　　名」殿　　「官署支出官　官　氏　　名」

備考　用紙寸法は、日本産業規格Ａ列５（国家公務員宿舎法（昭和24年法律第117号）第５条に規定する合同宿舎の使用料金額に係るものにあつては、同規格Ａ列４）とすること。

別紙第９号の６書式

「何」会計　　国家公務員通勤災害一部負担金額表　　収入取扱庁

主　管（又は所管）	年　度	国庫金振替書	被災職員氏名	一部負担金払込額	備　考
				円	

上記の国家公務員通勤災害一部負担金を払い込みました。

令和「何」年「何」月「何」日

「歳入徴収官　官　氏　　名」殿　　「官署支出官　官　氏　　名」

備考　用紙寸法は、日本産業規格Ａ列５とすること。

別紙第９号の７書式

「何」会計　　防衛省職員食事代金額表　　収入取扱庁

主　管（又は所管）	年　度	国庫金振替書	防衛省職員氏　名		備　考
				円	

上記の防衛省職員食事代を払い込みました。

令和「何」年「何」月「何」日

「歳入徴収官　官　氏　　名」殿　　「官署支出官　官　氏　　名」

備考　用紙寸法は、日本産業規格Ａ列５とすること。

別紙第９号の８書式

「何」会計　　防衛省職員被服弁償金額表　　収入取扱庁

主　管	年　度	国庫金振替書	防衛省職員氏　名	弁償金払込額	備　考
				円	

上記の防衛省職員被服弁償金を払い込みました。

令和「何」年「何」月「何」日

「歳入徴収官　官　氏　　名」殿　　「官署支出官　官　氏　　名」

備考　用紙寸法は、日本産業規格Ａ列５とすること。

別紙第９号の９書式

「何」会計　　防衛省職員被服代払込金額表　　収入取扱庁

主管	年度	国庫金振替書	防衛省職員氏名	被服代払込金額	備考
				円	

上記の防衛省職員被服代払込金額を払い込みました。

令和「何」年「何」月「何」日

「官署支出官　官　氏　名」

「歳入徴収官　官　氏　名」殿

備考　用紙寸法は、日本産業規格Ａ列５とすること。

別紙第９号の10書式

「何」会計　　厚生年金保険料被保険者負担金額表　　収入取扱庁

主管（又は所管）	年度	国庫金振替書	厚生保険被保険者氏名	報酬額	保険料負担金	備考
				円	円	

上記の厚生年金保険料被保険者負担金を払い込みました。

令和「何」年「何」月「何」日

「官署支出官　官　氏　名」

「歳入徴収官　官　氏　名」殿

備考　用紙寸法は、日本産業規格Ａ列５とすること。

別紙第９号の11書式

「何」会計　　相殺額表　　収入取扱庁

主管（又は所管）	年度	国庫金振替書	相殺相手方氏名	相殺金額	備考
				円	

上記の相殺金額を払い込みました。

令和「何」年「何」月「何」日

「官署支出官　官　氏　名」

「歳入徴収官　官　氏　名」殿

備考　用紙寸法は、日本産業規格Ａ列５とすること。

別紙第10号書式

支　出　官　引　継　書

（年度）　　　　　　　　　（所管）

（会計名）

帳簿の名称	当該年度の交替日の前日までの期間
	年　月　日～　年　月　日

上記帳簿の交替の日の前日現在における金額は、別紙のとおりである。

以上のとおり、引継ぎを完了した。

年　月　日
前任者（支出官　官職　氏　　名）
後任者（支出官　官職　氏　　名）

備考　1　用紙の大きさは、日本産業規格A列4とする。
2　支出決定簿、支出負担行為差引簿及び支出簿については、支出官引継書に添付する別紙において、科目別の金額を明らかにするものとする。
3　官署支出官が廃止される場合には、本書式中「交替の日」とあるのは「廃止の日」と、「前任者」とあるのは「廃止される者」と、「後任者」とあるのは「残務を引き継ぐ者」とする。

別紙第11号書式

番　　号
年　月　日

日本銀行「何」店あて

（会計　所管　センター支出官／センター支出官代理　官職　氏　名　印）

取　引　関　係　通　知　書

（官職氏名）は、本日付けをもつて、貴店との間に支出に関する取引を開始するので通知します。

（理由　　　　　　　　　）

（付記）

日本銀行「何」店受付
年　月　日

備考
1　用紙の大きさは、日本産業規格A列4とする。
2　第28条第1項の規定によりセンター支出官又はセンター支出官代理の異動があつた場合において作成する通知書には、前任のセンター支出官又はセンター支出官代理の官職及び氏名を付記するものとする。
3　第28条第2項の規定により作成する通知書には、センター支出官代理（センター支出官代理が作成するときは、センター支出官）の官職及び氏名を付記するものとする。

別紙第12号書式

小 切 手 払 出 科 目 明 細 書

年度歳出　　年　　月　　日

小切手番号第　　号

所管、会計名、部局等及び項	金　　額
(所管) (会計名) (部局等) (項)	円
合　　　　計	

備考
1　用紙の大きさは、日本産業規格A列４とする。
2　小切手番号欄には、この明細書を添付する小切手の番号を記載するものとする。
3　勘定の区分がある特別会計にあつては、「(部局等)」とあるのは、「(勘定)」とする。
4　記載事項が二葉以上にわたる場合には、各葉の右上方に頁数を付するものとする。
5　この明細書は、電子情報処理組織を使用して作成するものとする。
6　必要があるときは、各欄を区分することその他所要の調整を加えることができる。

別紙第13号書式

(記番号)　　　　　　　　(番　　号)

小 切 手 振 出 済 通 知 書

日本銀行（何店　あて）

(何　　某) 渡

金　額	

年　　月　　日

(年度)
(所管)
(会計及び勘定)
(部局等)　　　（センター支出官　官職　氏　　名　印）
(項)

別紙第14号書式

第一片

支 払 指 図 書 原 符

年　月　日	年度歳出	番号
	金額	円

上記の金額を政府預金から払出しの上、振込み又は送金して下さい。
払出科目、振込又は送金先及びその他の事項
別添の支払指図書払出科目明細書並びに国庫金振込又は送金明細書、国庫金振込明細票、国庫金送金明細票及び外国送金明細票のとおり

第二片

支　払　指　図　書

年　月　日	年度歳出	番号
	金　額	円

上記の金額を政府預金から払出しの上、振込み又は送金して下さい。
払出科目、振込又は送金先及びその他の事項
別添の支払指図書払出科目明細書並びに国庫金振込又は送金明細書、国庫金振込明細票、国庫金送金明細票及び外国送金明細票のとおり

指図者
（センター支出官　官職　氏名　㊞）

日本銀行（何店　あて）

付表（その１）

支 払 指 図 書 払 出 科 目 明 細 書

年度歳出　　年　　月　　日

支払指図書番号第　　号

所管、会計名、部局等及び項	金　　額
(所管) (会計名) (部局等) (項)	円
合　　　計	

付表（その２）

国庫金振込又は送金明細書

年　月　日
支払指図書番号第　　号
年度歳出

金　　額	円

区　分	件　数	金　　額
振　込	件	円
送　金		
外国送金		
計		

付表（その3）

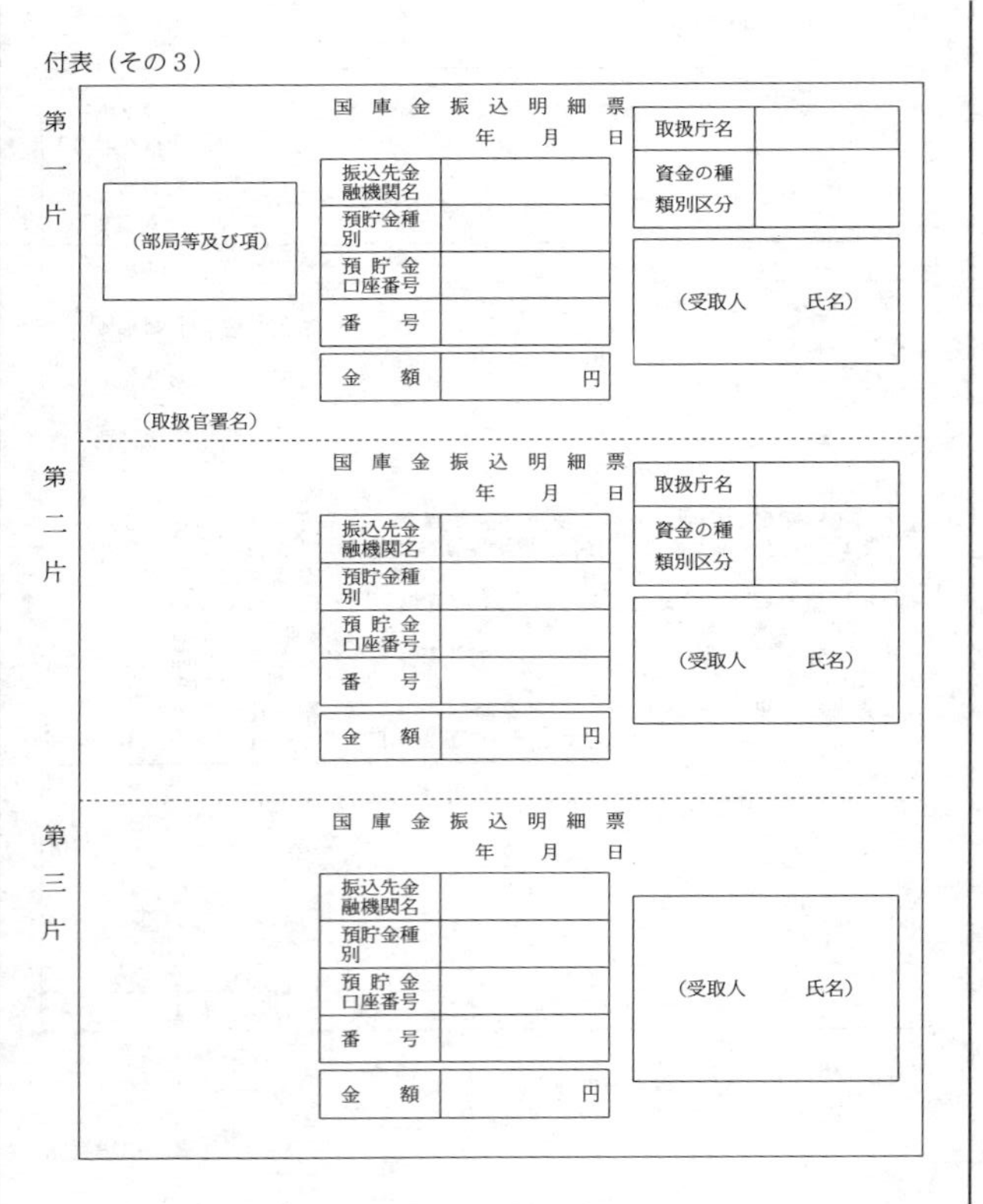

第一片

（部局等及び項）

（取扱官署名）

国庫金振込明細票

年　月　日

振込先金融機関名	
預貯金種別	
預貯金口座番号	
番号	
金額	円

取扱庁名	
資金の種類別区分	

（受取人　氏名）

第二片

国庫金振込明細票

年　月　日

振込先金融機関名	
預貯金種別	
預貯金口座番号	
番号	
金額	円

取扱庁名	
資金の種類別区分	

（受取人　氏名）

第三片

国庫金振込明細票

年　月　日

振込先金融機関名	
預貯金種別	
預貯金口座番号	
番号	
金額	円

（受取人　氏名）

付表（その4）

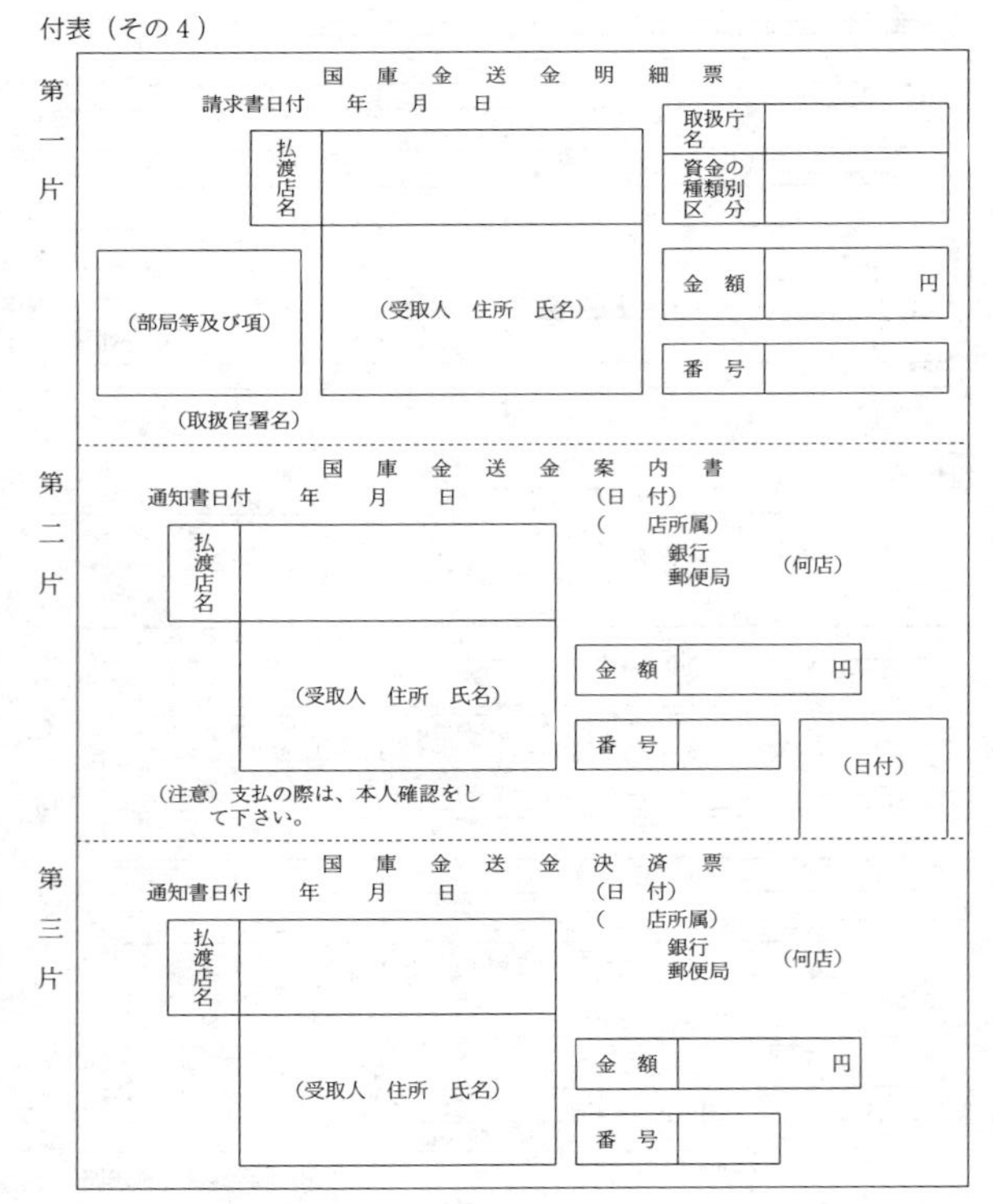

第一片

国庫金送金明細票

請求書日付　年　月　日

（部局等及び項）

（取扱官署名）

払渡店名	

（受取人　住所　氏名）

取扱庁名	
資金の種類別区分	

金額	円

番号	

第二片

国庫金送金案内書

通知書日付　年　月　日

（日付）

（　店所属）銀行 郵便局　（何店）

払渡店名	

（受取人　住所　氏名）

金額	円

番号	

（日付）

（注意）支払の際は、本人確認をして下さい。

第三片

国庫金送金決済票

通知書日付　年　月　日

（日付）

（　店所属）銀行 郵便局　（何店）

払渡店名	

（受取人　住所　氏名）

金額	円

番号	

付表（その5）

第一片

外国送金明細票

取扱庁名	
資金の種類別区分	

年　月　日

番号	受取人 住所	受取人 氏名	金額		通貨名
			邦貨額	円	
			外貨額		
備考			送金事由		

（部局等及び項）

（取扱官署名）

第二片

外国送金明細票

取扱庁名	
資金の種類別区分	

年　月　日

番号	受取人 住所	受取人 氏名	金額		通貨名
			邦貨額	円	
			外貨額		
備考			送金事由		

備考

1　用紙の大きさは、支払指図書の各片についてはおおむね縦11cm、横14cmとし、付表（その1）、付表（その2）及び付表（その5）については、日本産業規格A列4とし、付表（その3）及び付表（その4）の各片についてはおおむね縦11cm、横21cmとする。

2　付表（その1）及び付表（その2）の支払指図書番号欄には、これを添付する支払指図書の番号を記載するものとする。

3　勘定の区分のある特別会計にあつては、付表（その1）の所管、会計名、部局等及び項の欄中「（部局等）」とあるのは「（勘定）」とする。

4　付表（その1）の記載事項が、二葉以上にわたるときは、各葉の右上方に頁数を付するものとする。

5　必要があるときは、付表（その1）の各欄を区分することその他所要の調整を加えることができる。

6　付表（その2）の記載に当たり、年金等に係る支払があるときは、その金額を内書き付記するものとする。

7　付表の取扱庁名欄には支出官の所属庁名を、資金の種類別区分の欄には「○年度○所管○会計歳出」と、部局等及び項の欄には当該資金に係る部局等（勘定のある特別会計にあつては勘定名）及び項を、取扱官署名欄には官署支出官の所属庁名を、番号欄には振込み又は送金の番号を記載するものとする。

8　付表（その3）の預貯金種別欄は、「普通」、「当座」、「通知」又は「別段」のうち該当する種別を記載するものとする。

9　送金が都道府県民税及び市町村民税の月割額又は退職手当等に係る所得割の納入に係るものであるときは、付表（その4）のあて先に当該市町村の担当係名を付記するものとする。

10　付表（その5）に記載する外国人の氏名及び外国の地名は、なるべく原語で表示するものとする。

11　邦貨を基礎とする場合においては、付表（その5）の通貨名欄に送金すべき通貨を表示するものとする。

12　付表（その1）、付表（その3）、付表（その4）及び付表（その5）は、電子情報処理組織を使用して作成するものとする。

別紙第15号書式

（表　面）

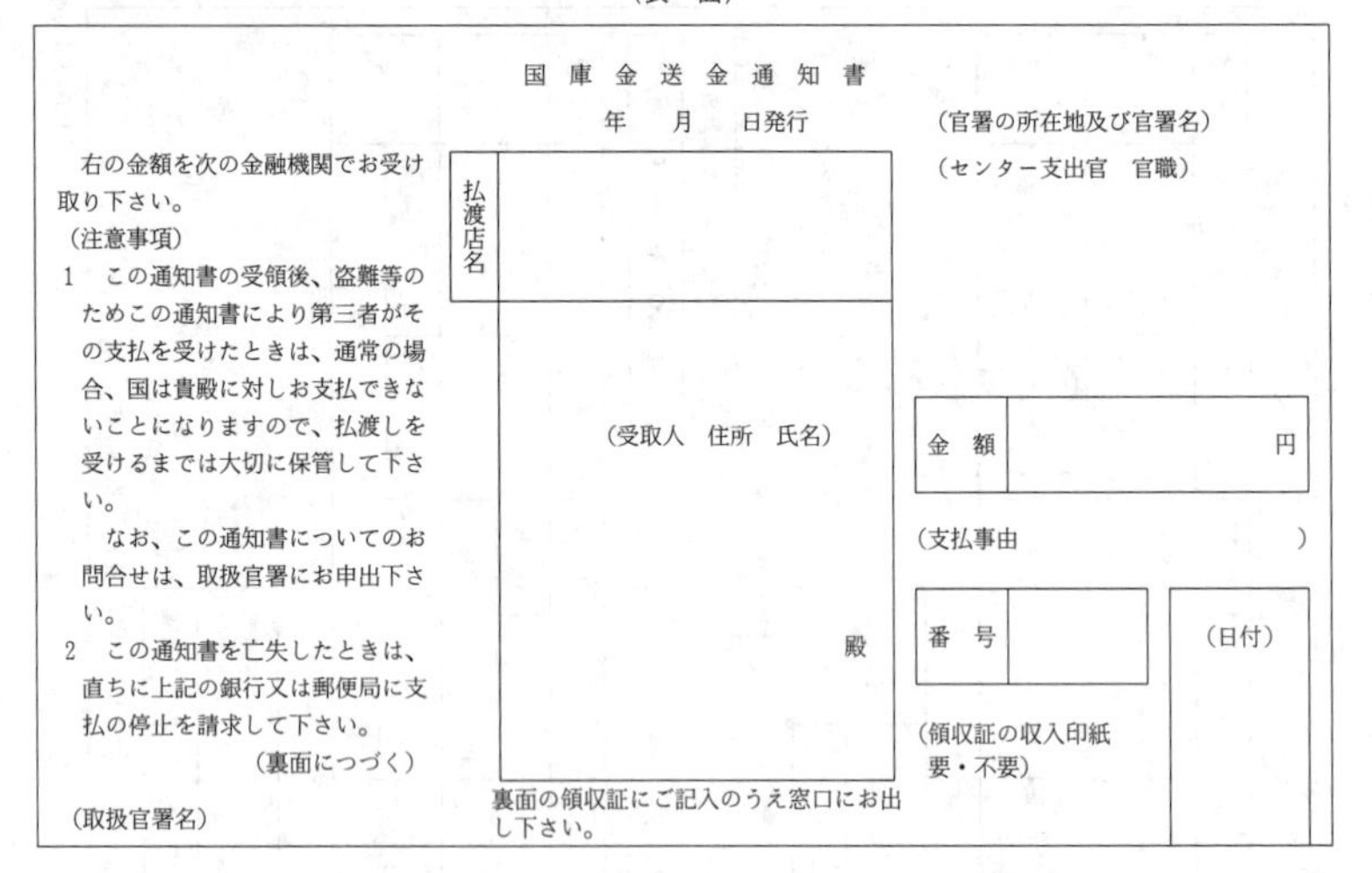

国　庫　金　送　金　通　知　書

年　　月　　日発行

（官署の所在地及び官署名）

（センター支出官　官職）

右の金額を次の金融機関でお受け取り下さい。

（注意事項）

1　この通知書の受領後、盗難等のためこの通知書により第三者がその支払を受けたときは、通常の場合、国は貴殿に対しお支払できないことになりますので、払渡しを受けるまでは大切に保管して下さい。

なお、この通知書についてのお問合せは、取扱官署にお申出下さい。

2　この通知書を亡失したときは、直ちに上記の銀行又は郵便局に支払の停止を請求して下さい。

（裏面につづく）

（取扱官署名）

払渡店名

（受取人　住所　氏名）

殿

裏面の領収証にご記入のうえ窓口にお出し下さい。

金　額	円

（支払事由　　　　　　　　）

番　号	

（日付）

（領収証の収入印紙　要・不要）

（裏　面）

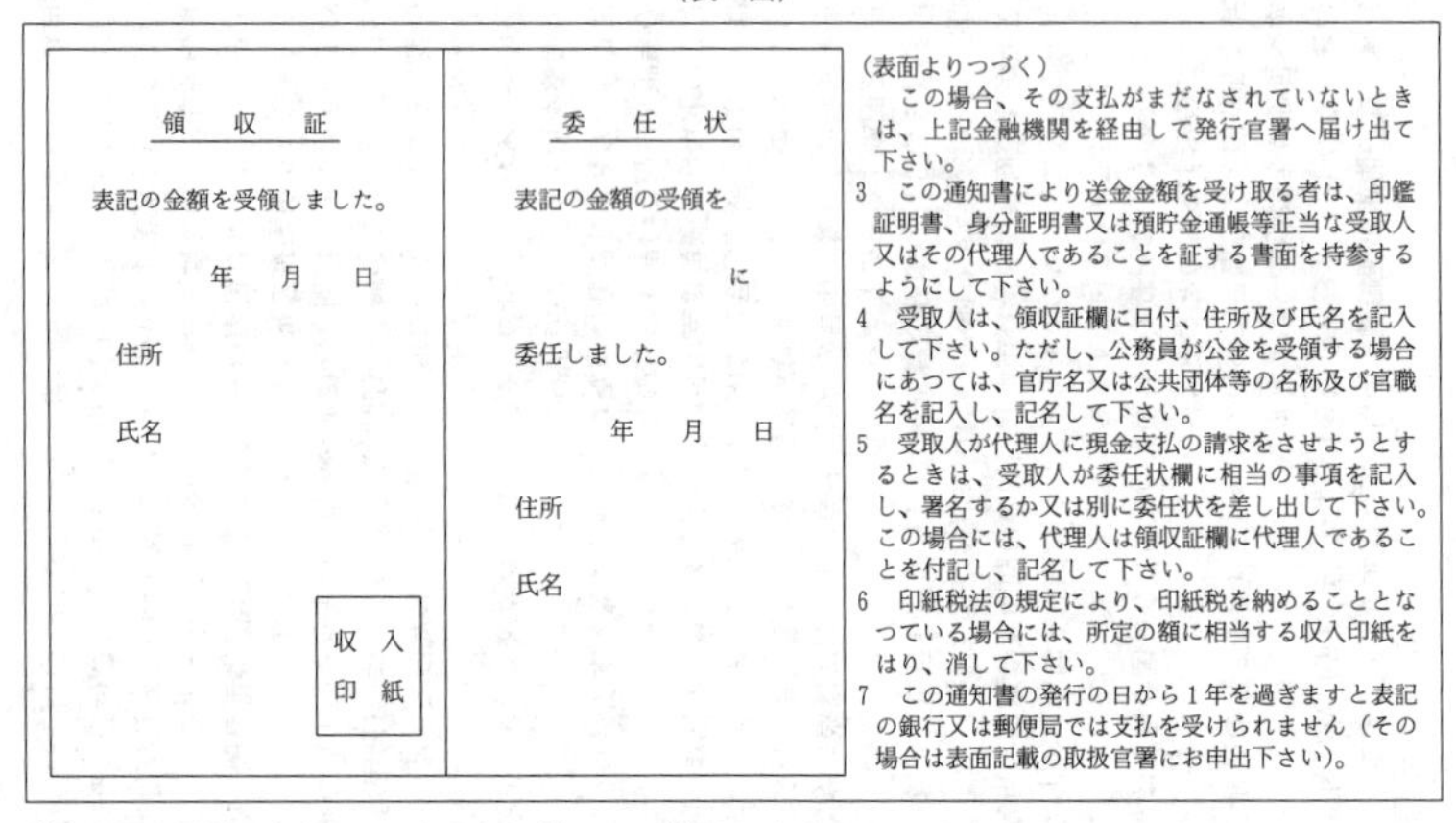

領　収　証

表記の金額を受領しました。

年　　月　　日

住所

氏名

収　入
印　紙

委　任　状

表記の金額の受領を

に

委任しました。

年　　月　　日

住所

氏名

（表面よりつづく）

この場合、その支払がまだなされていないときは、上記金融機関を経由して発行官署へ届け出て下さい。

3　この通知書により送金金額を受け取る者は、印鑑証明書、身分証明書又は預貯金通帳等正当な受取人又はその代理人であることを証する書面を持参するようにして下さい。

4　受取人は、領収証欄に日付、住所及び氏名を記入して下さい。ただし、公務員が公金を受領する場合にあつては、官庁名又は公共団体等の名称及び官職名を記入し、記名して下さい。

5　受取人が代理人に現金支払の請求をさせようとするときは、受取人が委任状欄に相当の事項を記入し、署名するか又は別に委任状を差し出して下さい。この場合には、代理人は領収証欄に代理人であることを付記し、記名して下さい。

6　印紙税法の規定により、印紙税を納めることとなつている場合には、所定の額に相当する収入印紙をはり、消して下さい。

7　この通知書の発行の日から1年を過ぎますと表記の銀行又は郵便局では支払を受けられません（その場合は表面記載の取扱官署にお申出下さい）。

備考　1　用紙の大きさは、おおむね縦11cm、横21cmとする。

2　表面の領収証の収入印紙欄は、要・不要いずれかの不要文字を抹消するものとする。

3　この通知書は、電子情報処理組織を使用して作成するものとする。

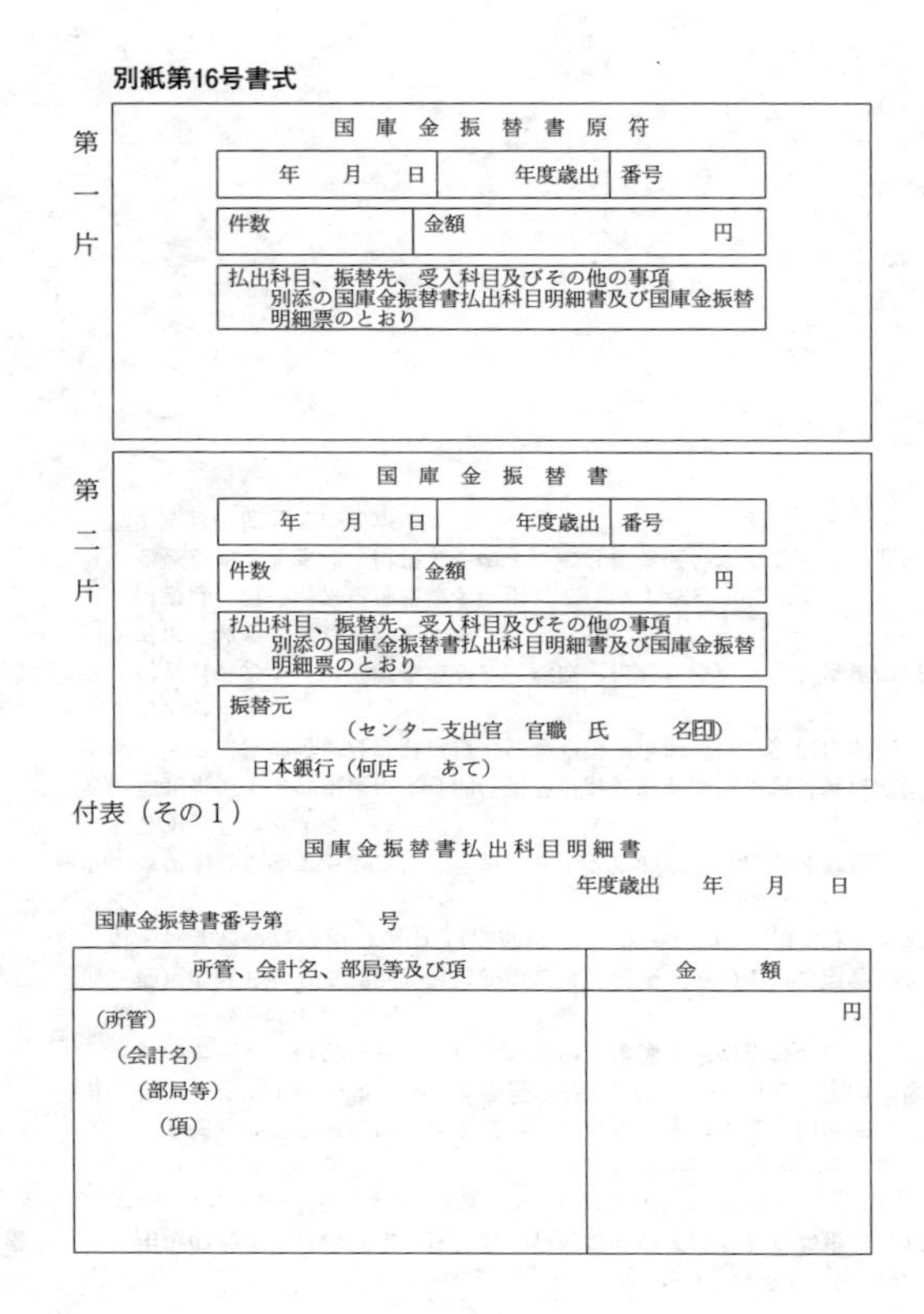

別紙第16号書式

第一片

国庫金振替書原符

年 月 日	年度歳出	番号
件数	金額 円	
払出科目、振替先、受入科目及びその他の事項 別添の国庫金振替書払出科目明細書及び国庫金振替明細票のとおり		

第二片

国庫金振替書

年 月 日	年度歳出	番号
件数	金額 円	
払出科目、振替先、受入科目及びその他の事項 別添の国庫金振替書払出科目明細書及び国庫金振替明細票のとおり		
振替元 （センター支出官 官職 氏 名印）		

日本銀行（何店 あて）

付表（その1）

国庫金振替書払出科目明細書

年度歳出 年 月 日

国庫金振替書番号第 号

所管、会計名、部局等及び項	金 額
(所管) (会計名) (部局等) (項)	円

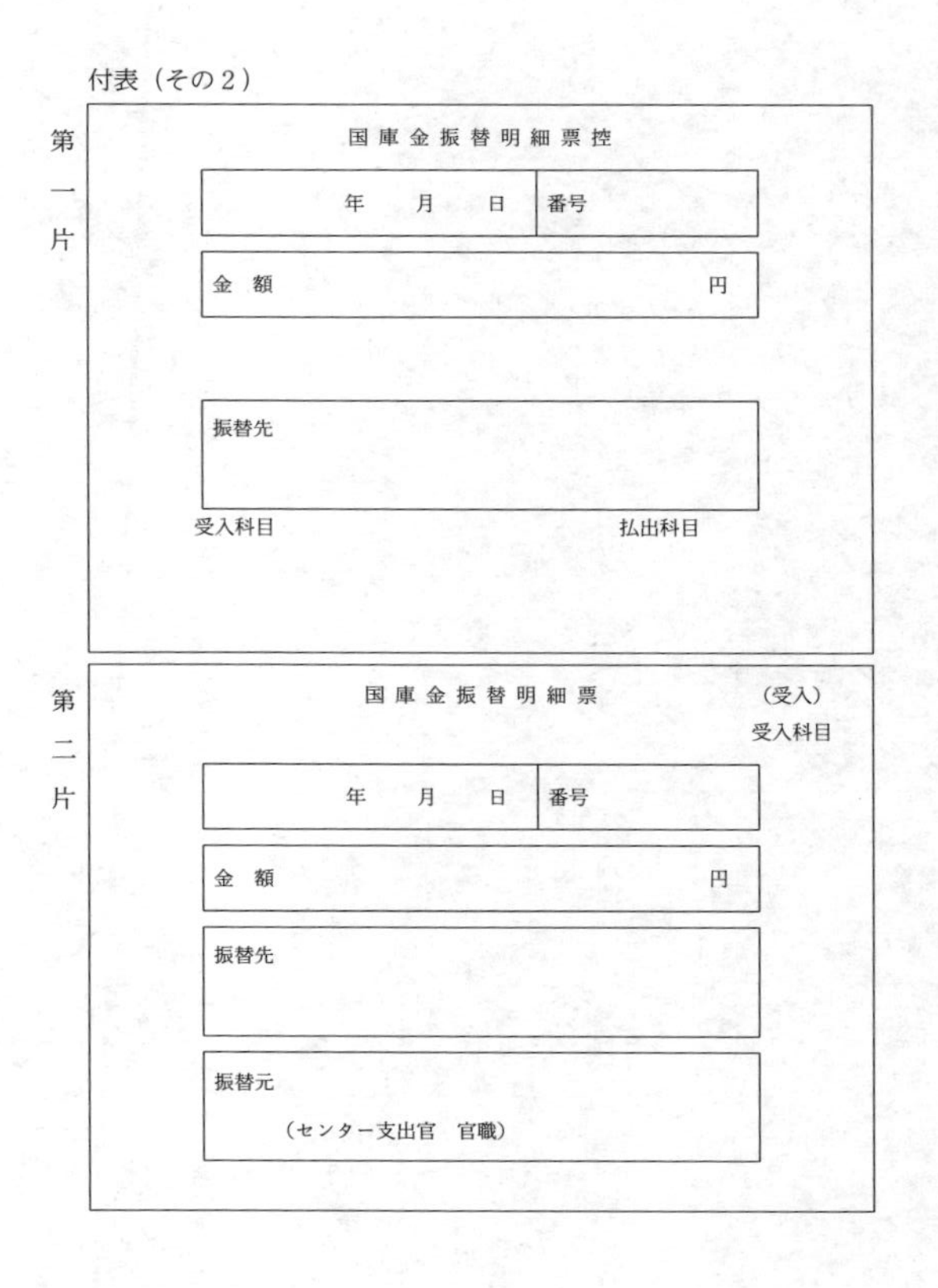

付表（その2）

第一片

国庫金振替明細票控

年 月 日	番号
金 額 円	
振替先	

受入科目　払出科目

第二片

国庫金振替明細票　（受入）

受入科目

年 月 日	番号
金 額 円	
振替先	
振替元 （センター支出官 官職）	

備考

1　用紙の大きさは、国庫金振替書の各片についてはおおむね縦11cm、横14cmとし、付表（その１）については日本産業規格A列４とし、付表（その２）の各片についてはおおむね縦11cm、横21cmとする。

2　この国庫金振替書には、年度ごとに連続番号を付するものとする。

3　付表（その１）の国庫金振替書番号欄にはこれを添付する国庫金振替書の番号を、付表（その２）の番号欄には国庫内の振替の番号を記載するものとする。

4　勘定の区分がある特別会計にあつては、付表（その１）の所管、会計名、部局等及び項の欄中「(部局等)」とあるのは、「(勘定)」とする。

5　電信振替を要するときは、付表（その２）の右上部に「要電信」と記載するものとする。

6　第40条第１項の規定により納付書及び計算書を国庫金振替書に添付するときは、納付書及び計算書の係数を国庫金振替書の余白に記載するものとする。

7　付表（その１）の記載事項が、二葉以上にわたるときは、各葉の右上方に頁数を付するものとする。

8　付表は、電子情報処理組織を使用して作成するものとする。

9　必要があるときは、付表（その１）の各欄を区分することその他所要の調整を加えることができる。

別紙第17号書式

国 庫 金 振 替 送 金 通 知 書

国庫金振替書をあてた日本銀行名	日本銀行　　本店
振替先日本銀行名	日本銀行　（何店）

国庫金振替番号	金　額（円）	支　払　事　由

上記の金額を振替先日本銀行の貴官の預託金・保管金・供託金に振替送金したので通知する。

年　　月　　日

（センター支出官　官職）

（出納官吏　　あて）

備考
1　用紙の大きさは、日本産業規格A列4とする。
2　国庫金振替番号欄には、国庫内の振替の番号を記載するものとする。
3　第40条第3項の規定により送付するときは、支払事由欄に供託番号又は事件番号を記載するものとする。
4　通知文の預託金・保管金・供託金は、いずれかの不要文字を抹消するものとする。
5　この通知書は、電子情報処理組織を使用して作成するものとする。

別紙第18号書式

（その１）

（番号）

科目等訂正請求書

年　月　日

下記のとおり訂正して下さい。

		元	訂　正
小切手 国庫金振替書	番　号		
	年 月 日		
年　度			
所　管			
会計名			
部局等			
項			
金　額		円	

日本銀行（何店　あて）

（センター支出官　官職　氏　名 印）

（その２）

科目等訂正済通知書

年　月　日

下記のとおり訂正しましたので、通知します。

		元	訂　正
小切手 国庫金振替書	番　号		
	年 月 日		
年　度			
所　管			
会計名			
部局等			
項			
金　額		円	

（センター支出官　あて）

日本銀行（何店　）

備考　1　用紙の大きさは、各片とも日本産業規格A列4とする。

2　当該訂正が小切手に係るものであるときは「小切手」の文字を、当該訂正が国庫金振替書に係るものであるときは「国庫金振替書」の文字を○で囲むものとする。

別紙第19号書式

（その１）

（番号）

国庫金振替訂正請求書

年　月　日

下記のとおり訂正して下さい。

		元	訂　正
国庫金振替	番　号		
	年月日		
受入	年　度		
	科　目		
	振替先		
	日本銀行名		
金　額		円	

日本銀行（何店　あて）

（センター支出官　官職　氏　名 印）

（その２）

国庫金振替訂正済通知書

年　月　日

下記のとおり訂正しましたので、通知します。

		元	訂　正
国庫金振替	番　号		
	年月日		
受入	年　度		
	科　目		
	振替先		
	日本銀行名		
金　額		円	

（センター支出官　あて）

日本銀行（何店　）

備考　別紙第18号書式の備考1は、本書式に準用する。

別紙第20号書式

（その1）

（番号）

国庫金振込又は送金訂正請求書

年　月　日

下記のとおり訂正して下さい。

		元	訂　正
振込・送金	番号		
	年月日		
受取人	住所		
	氏名又は名称		
金融機関店舗名			
預貯金種別及び口座番号			
金額		円	

日本銀行（何店　あて）

（センター支出官　官職　氏　名　印）

（その2）

国庫金振込又は送金訂正済通知書

年　月　日

下記のとおり訂正しましたので、通知します。

		元	訂　正
振込・送金	番号		
	年月日		
受取人	住所		
	氏名又は名称		
金融機関店舗名			
預貯金種別及び口座番号			
金額		円	

（センター支出官　あて）

日本銀行（何店　）

備考

1　別紙第18号書式の備考1は、本書式に準用する。

2　当該訂正が振込みに係るものであるときは「振込」の文字を、当該訂正が送金に係るものであるときは「送金」の文字を○で囲むものとする。

別紙第21号書式

支出負担行為認証官引継書

（年　度）　（所　管）

（会計名）

帳簿の名称	当該年度の交替日の前日までの期間
支出負担行為差引簿	年　月　日～　年　月　日

上記帳簿の交替の日の前日現在における金額は、別紙のとおりである。

以上のとおり、引継ぎを完了した。

年　月　日

前任者（支出負担行為認証官　官職　氏　名）

後任者（支出負担行為認証官又は支出官　官職　氏　名）

備考　1　用紙の大きさは、日本産業規格A列4とする。

2　別紙において、科目別の金額を明らかにするものとする。

3　支出負担行為認証官が廃止される場合には、本書式中「交替の日」とあるのは「廃止の日」と、「前任者」とあるのは「廃止される者」と、「後任者」とあるのは「残務を引き継ぐ者」とする。

○小切手振出等事務取扱規程

昭二六・三・三一
大蔵令二〇

最終改正　平一七・三・三〇財務令二二

（この省令の趣旨）

第一条　法令の規定により、国に属する現金の支払若しくは払出しのため又は国の保管する現金の払戻しのため小切手の振出しに関する事務を行う者（以下「センター支出官等」という。）及びセンター支出官（予算決算及び会計令第一条第三号に規定するセンター支出官をいう。以下同じ。支出官代理（センター支出官の事務を代理する職員に限る。）を含む。以下同じ。）、国税資金支払命令官（国税資金支払命令官代理を含む。以下同じ。）又は資金会計官（分任資金会計官を含む。以下同じ。）若しくは資金出納命令官（その者の事務を代理する職員を含む。以下同じ。）からその補助者としてその事務の一部を処理することを命ぜられた者（予算執行職員等の責任に関する法律（昭和二十五年法律第百七十二号）第二条第一項第十二号、国税収納金整理資金に関する法律（昭和二十九年法律第三十六号）第十七条第四号又は特別調達資金設置令（昭和二十六年政令第二百五号）第八条に規定する職員に該当する者をいう。以下「補助者」という。）は、他の法令の規定によるほか、この省令の定めるところにより、その事務を行わなければならない。

（印鑑の保管及び押印の事務）

第二条　センター支出官等は、その印鑑の保管及び小切手の押印を自らしなければならない。ただし、センター支出官、国税資金支払命令官、資金会計官又は資金出納命令官にあっては、各省各庁の長（財政法（昭和二十二年法律第三十四号）第二十条第二項に規定する各省各庁の長をいう。以下同じ。）が特に必要があると認めたときは、当該センター支出官、国税資金支払命令官、資金会計官又は資金出納命令官の指定する補助者に行わせることができる。

2　前項但書の規定による指定は、第三条の規定による補助者以外のものについて行わなければならない。

（小切手帳の保管及び小切手の作成の事務）

第三条　センター支出官は、小切手の作成（押印を除く。以下この条において同じ。）を、国税資金支払命令官、資金会計官又は資金出納命令官は、小切手帳の保管及び小切手の作成をその指定する補助者（前条第二項の規定により指定する者を除く。）に行わせるものとする。

（印鑑及び小切手帳の保管）

第四条　センター支出官等の印鑑及び小切手帳は、不正に使用されることがないように、それぞれ別の容器に厳重に保管しなければならない。

（使用小切手帳の数）

第五条　センター支出官等の使用する小切手帳は、常時一冊とする。ただし、出納整理期間を有する会計のセンター支出官にあっては、出納整理期間中は、当該年度及び翌年度分の小切手帳をそれぞれ使用することができる。

（小切手の振出し）

第六条　小切手は、支出官事務規程（昭和二十二年大蔵省令第九十四号）第三十条に規定する書類又はこれに準ずる支払の決議書、払出しの決議書若しくは払戻しの決議書に基づいて振り出さなければならない。

（小切手の記載）

第七条　小切手の記載及びなつ印は、正確明りょうにしなければならない。

2　小切手の券面金額は、所定の金額記載欄に、印影を刻み込むことができる印字機を用い、アラビア数字により表示しなければならない。

（小切手の番号）

第八条　センター支出官等は、新たに小切手帳を使用するときは、一年度間（出納整理期間を有する会計については、出納整理期間を含む。）又は一年度を超える一定の期間を通ずる連続番号を付さなければならない。

2　書損等により廃きした小切手に附した番号は、使用してはならない。

（振出年月日の記載及びなつ印の時期）

第九条　小切手の振出年月日の記載及びなつ印は、当該小切手を受取人に交付するときにしなければならない。

（小切手の交付及び交付後の検査）

第十条　小切手の交付は、センター支出官等が自らしなければならない。ただし、センター支出官、国税資金支払命令官、資金会計官又は資金出納命令官にあっては、その指定する補助者に行わせることができる。

2　小切手は、当該小切手の受取人が正当な受取権限のある者であることを確認した上でなければ交付してはならない。

3　小切手は、受取人に交付するときでなければ、小切手帳から切り離してはならない。

4　センター支出官等は、毎日、その振り出した小切手の原符と当該小切手の受取人の提出した領収証書とを照合し、それらの金額及び受取人について相違がないかどうかを検査しなければならない。

（記載事項の訂正）

第十一条　小切手の券面金額は、訂正してはならない。

2　小切手の券面金額以外の記載事項を訂正するには、その訂正を要する部分に二線を引き、その上部又は右側に正書し、かつ、当該訂正箇所の上方の余白に訂正をした旨及び訂正した文字の数を記載してセンター支出官等の印を押さなければならない。

（書損小切手）

第十二条　書損等による小切手を廃きするには、当該小切手に斜線を朱書した上「廃き」と記載し、そのまま小切手帳に残しておかなければならない。

（小切手用紙の検査）

第十三条　センター支出官等は、小切手の振出しに関する帳簿を備え、毎日、小切手帳の用紙枚数、小切手の振出枚数、小切手の廃棄枚数及び残存用紙の枚数その他必要な事項を記載し、記載内容とこれに該当する事実とに相違がないかどうかを検査しなければならない。

（不用小切手用紙及び原符の整理）

第十四条　センター支出官等は、使用小切手帳が不用となつたときは、当該小切手帳の未使用用紙は、速やかにその取引店に返戻して領収証書を受け取り、当該小切手帳から振り出した小切手の原符とともに保存しておかなければならない。

2　振出済小切手の原符及び前項の領収証書は、各省各庁の長（センター支出官の振出済小切手の原符及び同項の領収証書にあつては、財務大臣）の定めるところにより、証拠書類として保管して置かなければならない。

（国庫金振替書及び支払指図書に対する準用）

第十五条　この省令の規定は、センター支出官等が国庫金振替書及び支払指図書（会計法（昭和二十二年法律第三十五号）第十五条に規定する国庫金振替書及び支払指図書をいう。）の発行に関する事務を行う場合について準用する。ただし、センター支出官が行う国庫金振替書及び支払指図書の発行に関する事務については、第四条、第五条、第八条、第十条第三項、第十二条、第十三条及び第十四条第一項の規定は、準用しない。

附　則

この省令は、昭和二十六年四月一日から施行する。

○国庫金振替書その他国庫金の払出しに関する書類の様式を定める省令

昭四三・一〇・七
大蔵令五一

最終改正　令三・四・一財務令三九

法令の規定により、支出官、出納官吏その他国庫金の払出しに関する事務を行う職員が発行する次の各号に掲げる書類の様式は、当該各号に定める書式による。

一　国庫金振替書　別紙第一号書式
二　国庫金送金請求書　別紙第二号書式
三　国庫金振込請求書　別紙第三号書式
　別紙第三号の二書式
四　国庫金送金通知書　別紙第四号書式
五　削除
六　道府県民税及び市町村民税月割額又は退職手当等所得割（納入申告及び）納入通知書　別紙第六号書式

附　則

この省令は、昭和四十四年四月一日から施行する。

第１号書式

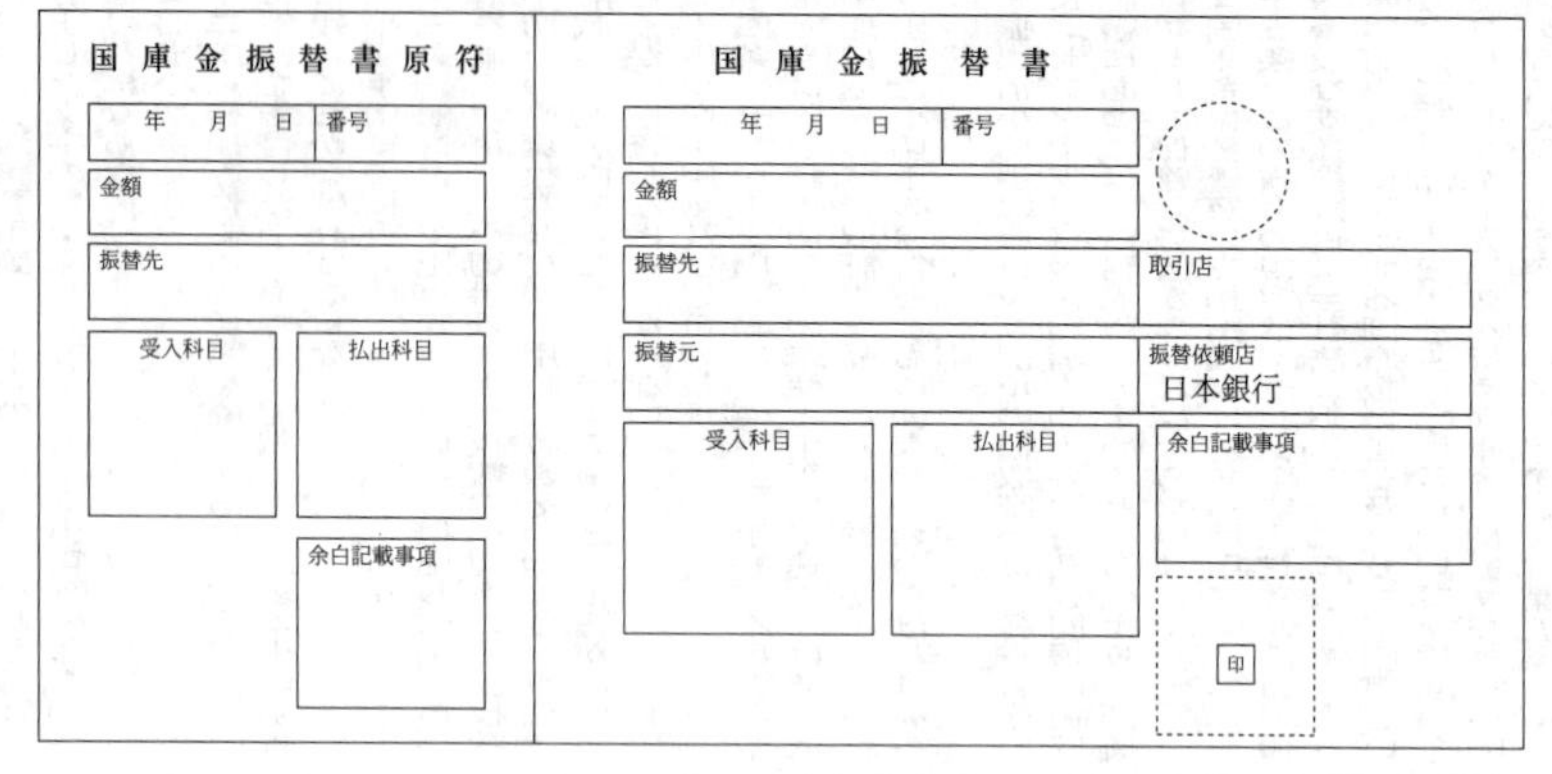
国庫金振替書原符

年　月　日	番号
金額	
振替先	
受入科目	払出科目
	余白記載事項

国庫金振替書

年　月　日	番号	
金額		
振替先	取引店	
振替元	振替依頼店 日本銀行	
受入科目	払出科目	余白記載事項
		印

付　表

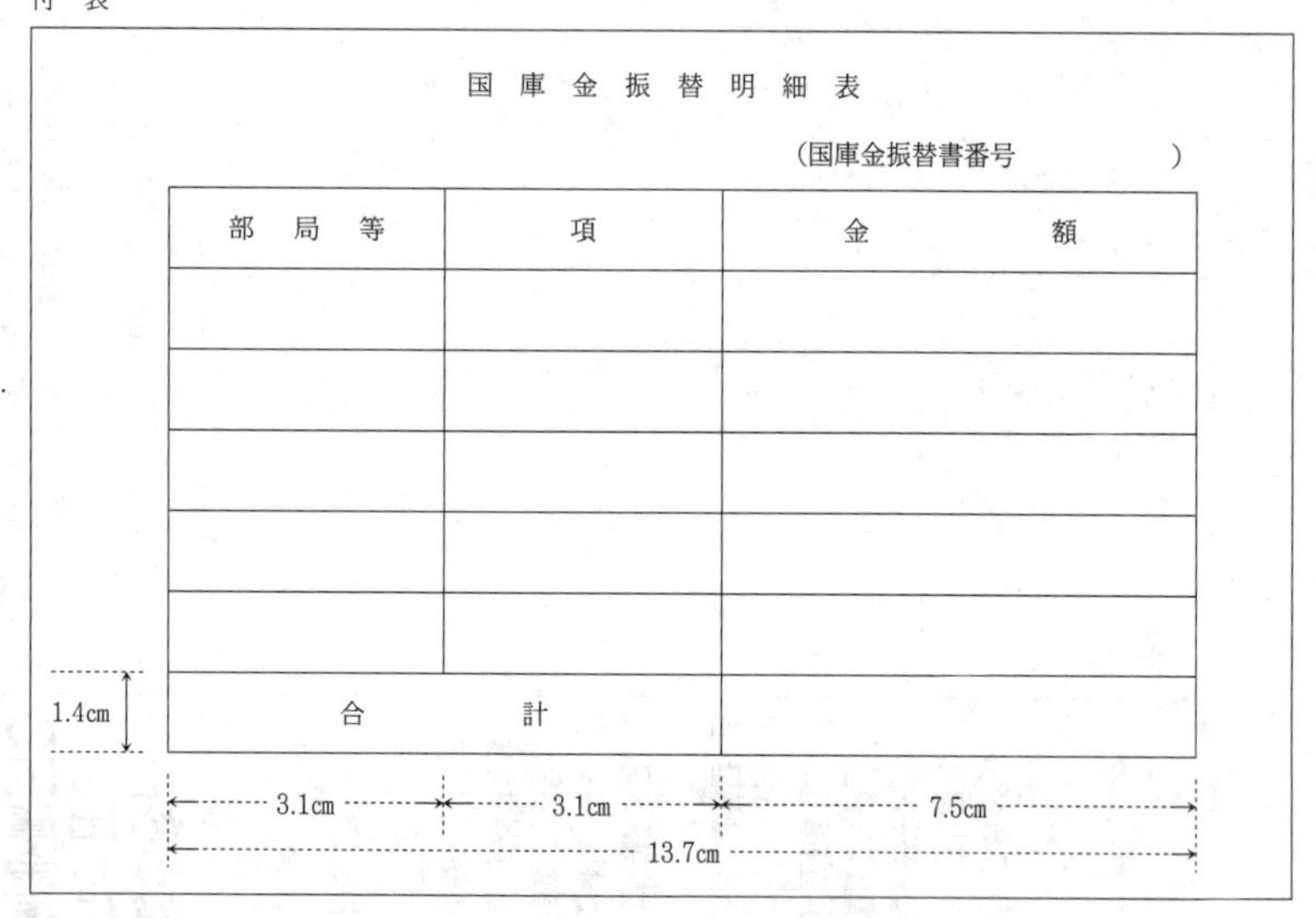
国庫金振替明細表

（国庫金振替書番号　　　　　）

部局等	項	金額
合計		

備考

1　用紙の大きさは、国庫金振替書についてはおおむね縦14.8cm、横31.5cmとし、付表についてはおおむね縦11.0cm、横15.2cmとする。

2　国庫金振替書を発するときは、振替元欄に記名して印をおし、その他所要事項を記入した上、その取引店に交付するものとする。ただし、歳入歳出外の国庫内移換に関する規則（昭和30年大蔵省令第14号）第４条第２号、第５号又は第11号に規定する償還をさせる場合において発する国庫金振替書にあつては、振替先欄に記名して印をおすものとする。

3　分任歳入徴収官の取り扱う歳入に振り替え払い込むために発行する国庫金振替書にあつては、振替先欄の余白に（振替済通知書送付先）の表示をし、分任歳入徴収官官職氏名並びに所属庁名及び所在地を記入するものとする。

4　電信振替を要するときには、振替先欄の記載事項にふりがなを付するものとする。

5　国庫金振替書を発する場合において、受入科目が同一であるときは、払出科目の部局等、項及び金額については付表に記載することができる。この場合において、払出科目に「内訳別紙明細表のとおり」と記載し、金額欄には付表の合計金額を記載するものとする。

第２号書式

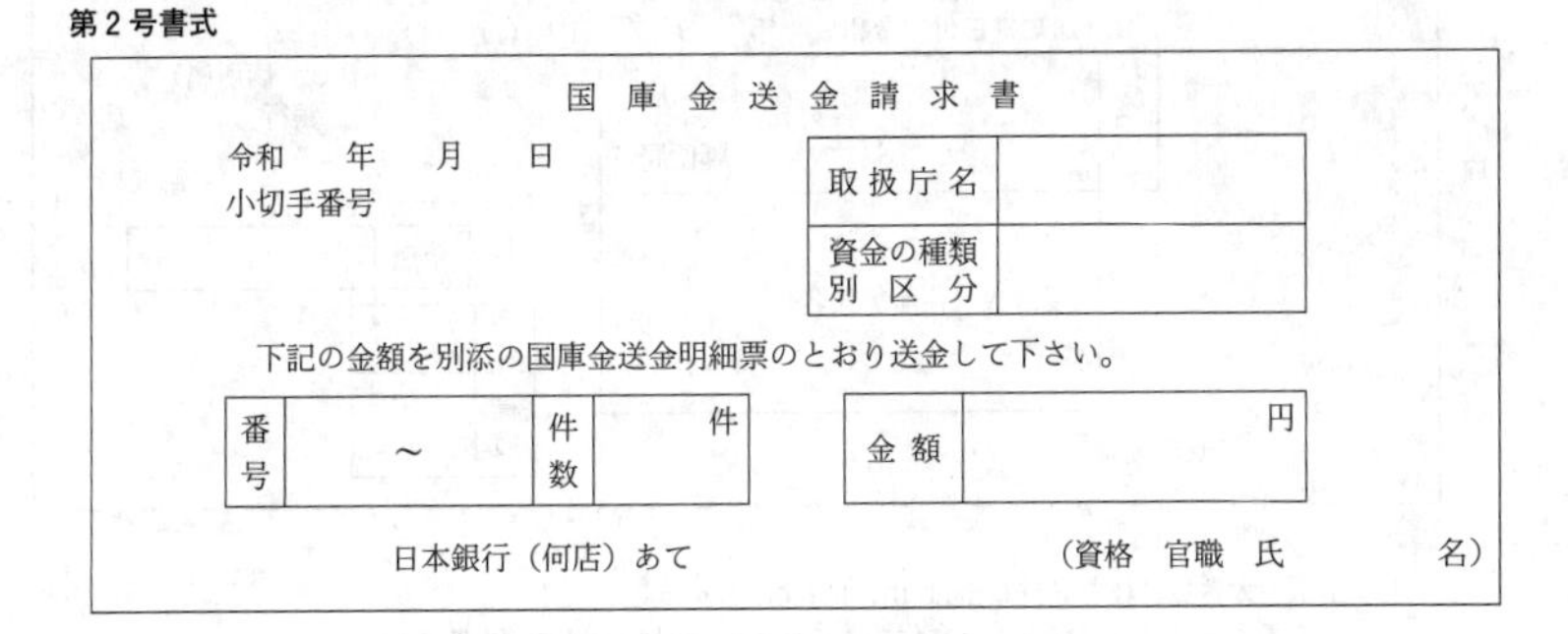

国庫金送金請求書

令和　年　月　日
小切手番号

取扱庁名	
資金の種類別区分	

下記の金額を別添の国庫金送金明細票のとおり送金して下さい。

番号	～	件数	件

金額	円

日本銀行（何店）あて

（資格　官職　氏　名）

付　表

第一片

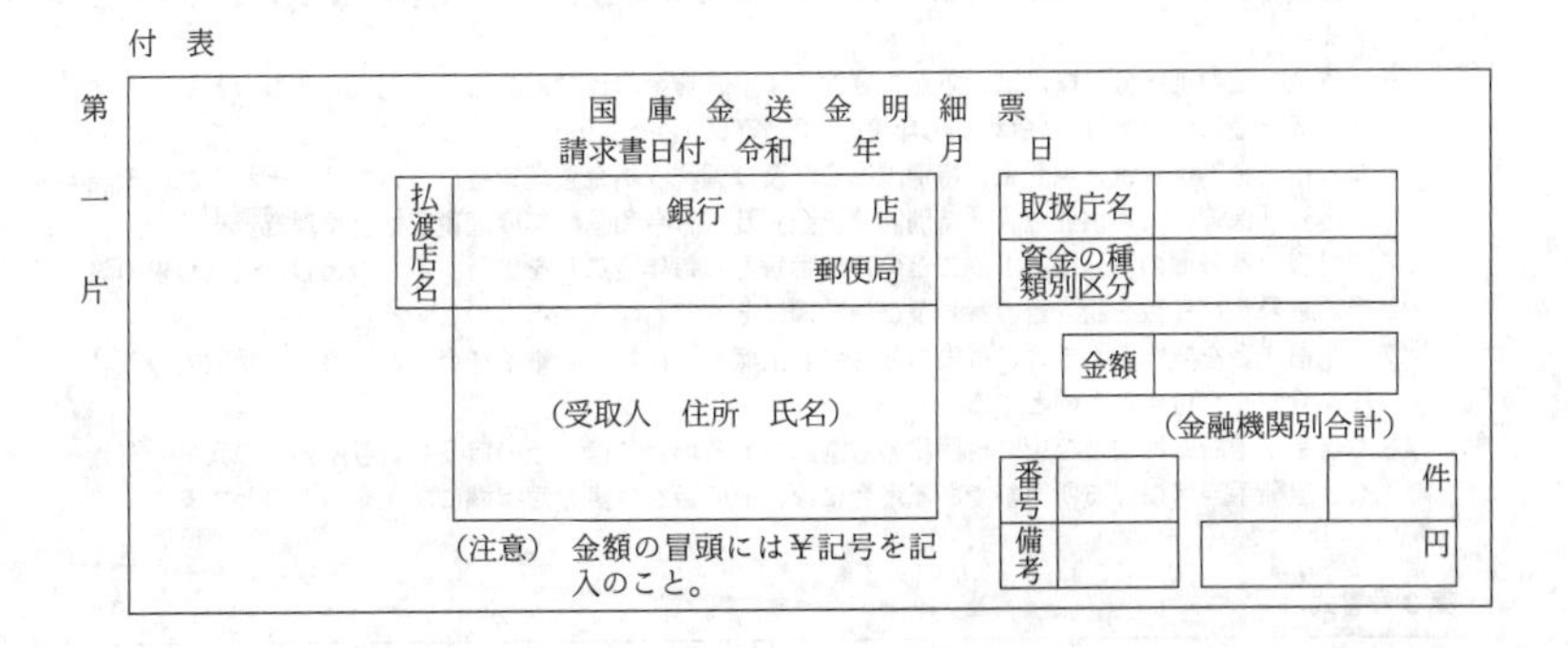

国庫金送金明細票

請求書日付　令和　年　月　日

払渡店名	銀行　店 郵便局
	（受取人　住所　氏名）

取扱庁名	
資金の種類別区分	

金額	

（金融機関別合計）

番号		件
備考		円

（注意）金額の冒頭には￥記号を記入のこと。

第二片

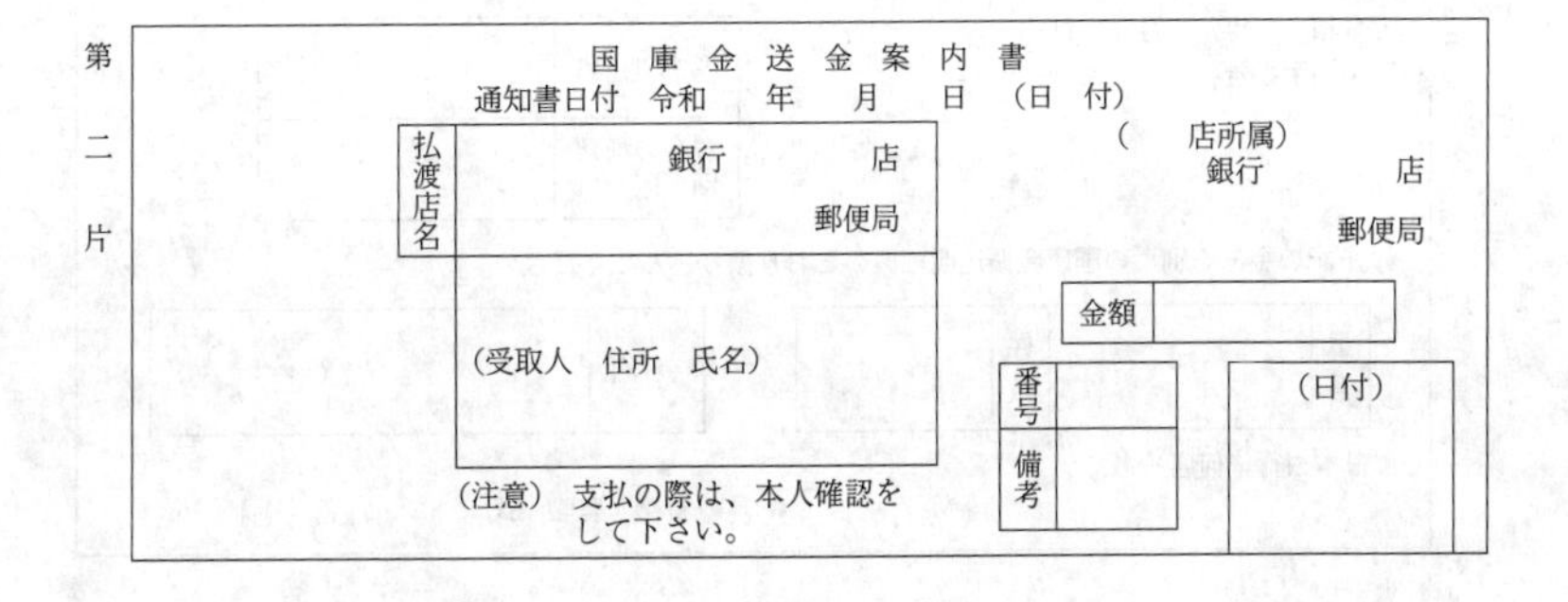

国庫金送金案内書

通知書日付　令和　年　月　日（日　付）

払渡店名	銀行　店 郵便局
	（受取人　住所　氏名）

（　店所属）
銀行　店
郵便局

金額	

番号		（日付）
備考		

（注意）支払の際は、本人確認をして下さい。

第三片

国庫金送金案内書

通知書日付 令和 年 月 日 (日付)

払渡店名	銀行 店 郵便局
	(受取人 住所 氏名)

(店所属)
銀行 店
郵便局

金額	

番号	
備考	

備考

1 用紙の大きさは、おおむね縦11cm、横21cmとする。

2 この請求書には、受取人ごとに作成する付表を添付しなければならない。

3 付表の各片は、左端をのりづけその他の方法により接続するものとする。

4 付表の各片に共通する事項（あらかじめ印刷する事項を除く。）は、複写により記入するものとする。

5 資金の種類別区分の欄には、下記の要領により、資金の種類別の名称を記入するものとする。

イ 歳出金については、「令和○○年度○○所管○○会計歳出」

ロ 預託金、保管金、供託金、特別調達資金及び国税収納金整理資金については、それぞれ「預託金」、「保管金」、「供託金」、「特別調達資金」及び「令和○○年度国税収納金整理資金支払金」

6 付表の番号欄の番号は、１件ごとの連続番号とし毎年度これを更新するものとし、送金請求の際、当該番号及び件数を請求書の番号及び件数欄にそれぞれ記入するものとする。

7 電信送金を要するときは、付表の各片の右上欄の余白に「要電信送金」と朱書し、受取人の氏名にふりがなを付するものとする。

8 送金が道府県民税及び市町村民税の月割額である場合には、その旨及び給与所得者の異動の有無を、退職手当等に係る所得割である場合には、その旨を付表の備考欄に記入するものとする。

第３号書式

国庫金振込請求書

令和 年 月 日
小切手番号

取扱庁名	
資金の種類別区分	

下記の金額を別添の国庫金振込明細票のとおり振り込んでください。

番号	～	件数	件

金額	円

日本銀行（何店）あて

（資格 官職 氏 名 印）

付　表（その1）

第一片

国　庫　金　振　込　明　細　票
令和　　年　　月　　日

取扱庁名	
資金の種類別区分	

振込先金融機関名	銀行 金庫 店		
預貯金種別	普通・当座・通知・別段		
預貯金口座番号			
番号		備考	

フリガナ
（受取人　氏名）

（注意）金額の冒頭には￥記号を記入のこと。

金額	

（金融機関別合計）	件
	円

第二片

国　庫　金　振　込　明　細　票
令和　　年　　月　　日

取扱庁名	
資金の種類別区分	

振込先金融機関名	銀行 金庫 店		
預貯金種別	普通・当座・通知・別段		
預貯金口座番号			
番号		備考	

フリガナ
（受取人　氏名）

金額	

第三片

国　庫　金　振　込　明　細　票
令和　　年　　月　　日

振込先金融機関名	銀行 金庫 店		
預貯金種別	普通・当座・通知・別段		
預貯金口座番号			
番号		備考	

フリガナ
（受取人　氏名）

金額	

付　表（その2）

令和　　年　　月　　日

ページ

国庫金振込明細表

（取扱機関名）

（振込先金融機関名）

番号	振込先		預貯金種別	口座番号	（フリガナ） 氏名	金額 円	備考
	金融機関名	本・支店名					
			普当 通別				
			普当 通別				
			普当 通別				
			普当 通別				
			普当 通別				
			普当 通別				
			普当 通別				
			普当 通別				
			普当 通別				
			普当 通別				
			普当 通別				
			普当 通別				
			普当 通別				
			普当 通別				
			普当 通別				

小計	件		
合計	件		

付 表（その3）

第一片

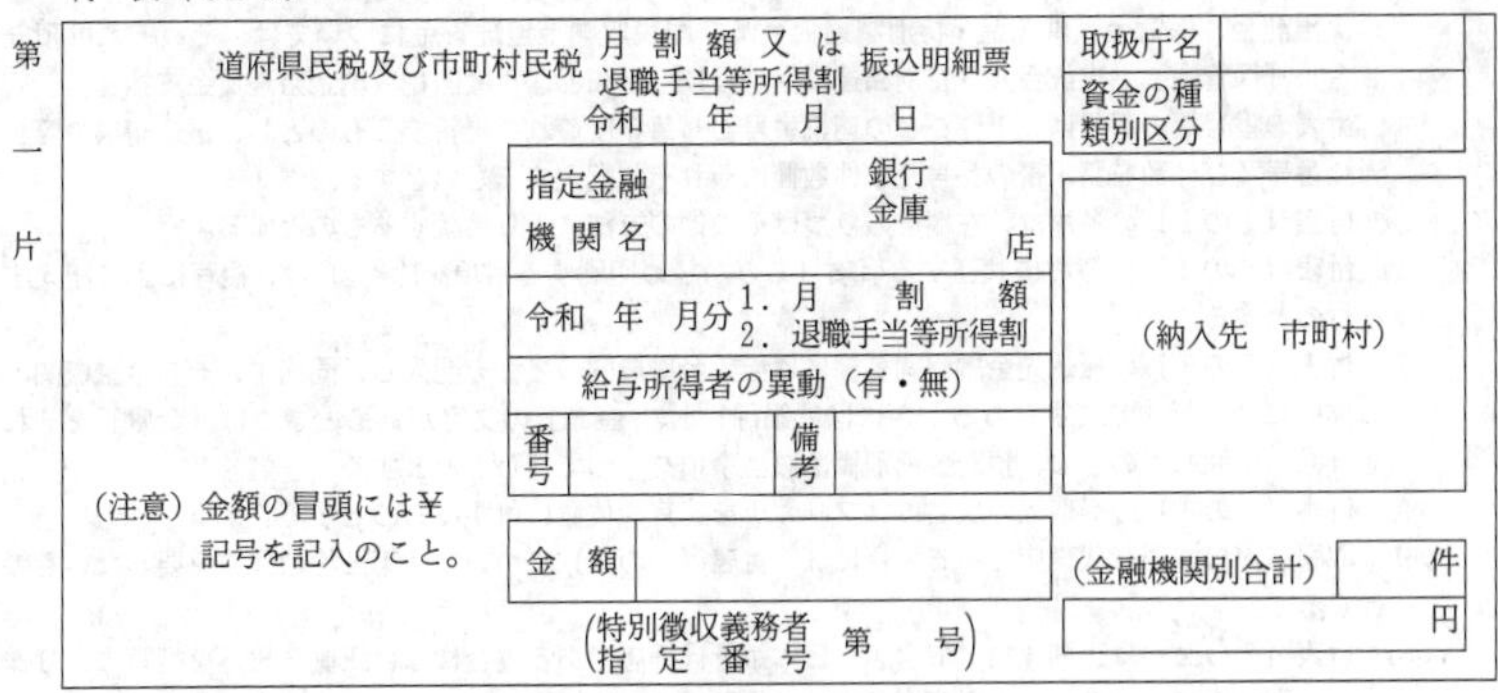

道府県民税及び市町村民税 月割額又は退職手当等所得割 振込明細票

令和 年 月 日

取扱庁名	
資金の種類別区分	

指定金融機関名	銀行 金庫 店	
令和 年 月分	1. 月割額 2. 退職手当等所得割	
給与所得者の異動（有・無）		
番号		備考

（納入先 市町村）

（注意）金額の冒頭には¥記号を記入のこと。

金額	

（特別徴収義務者指定番号 第 号）

（金融機関別合計）	件
	円

第二片

道府県民税及び市町村民税 月割額又は退職手当等所得割 振込明細票

令和 年 月 日

取扱庁名	
資金の種類別区分	

指定金融機関名	銀行 金庫 店	
令和 年 月分	1. 月割額 2. 退職手当等所得割	
給与所得者の異動（有・無）		
番号		備考

（納入先 市町村）

金額	

（特別徴収義務者指定番号 第 号）

第三片

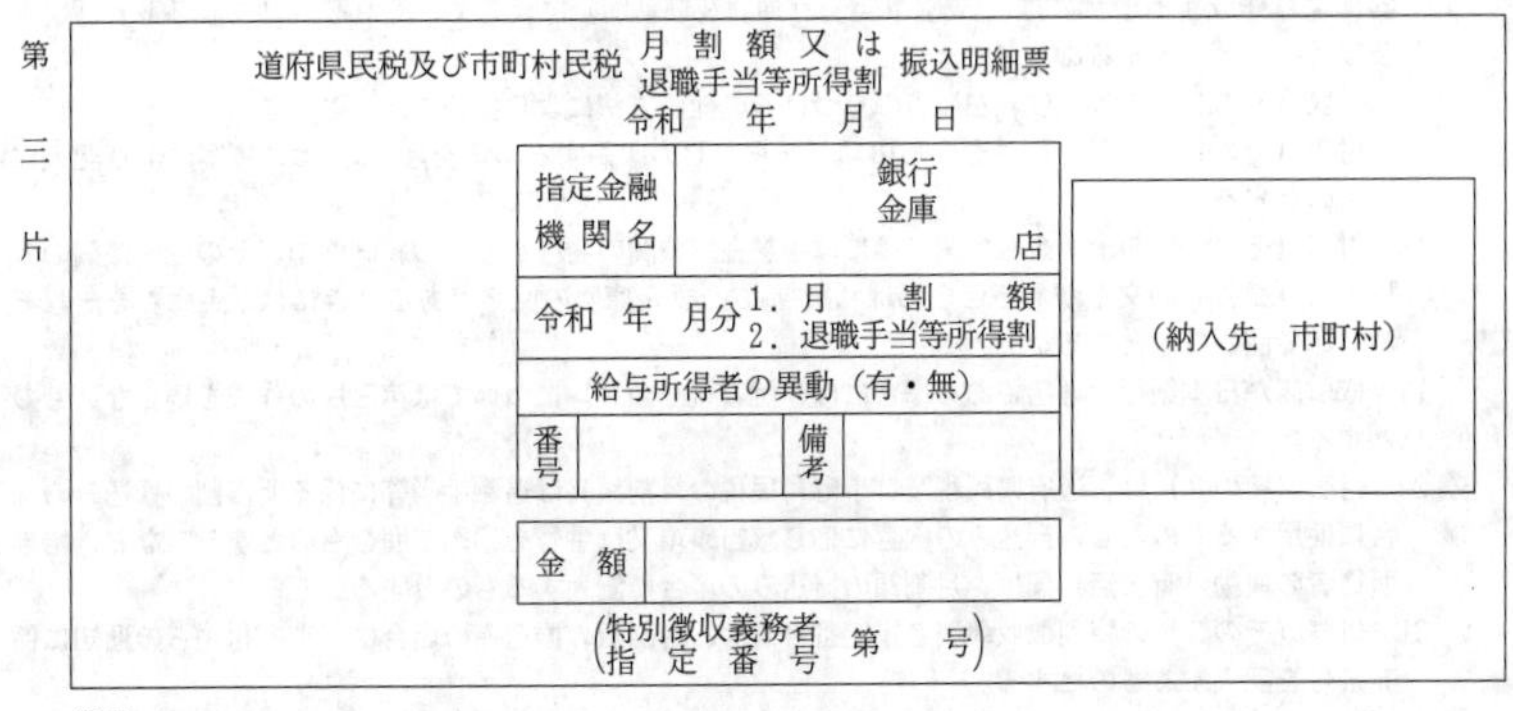

道府県民税及び市町村民税 月割額又は退職手当等所得割 振込明細票

令和 年 月 日

指定金融機関名	銀行 金庫 店	
令和 年 月分	1. 月割額 2. 退職手当等所得割	
給与所得者の異動（有・無）		
番号		備考

（納入先 市町村）

金額	

（特別徴収義務者指定番号 第 号）

備考

1 用紙の大きさは、請求書並びに付表（その1）及び付表（その3）についてはおおむね縦11cm、横21cmとし、付表（その2）については日本産業規格A列4とする。

2 この請求書には、いずれかの付表を添付しなければならない。

3 請求書及び付表の資金の種類別区分の欄には、下記の要領により、資金の種類別の名称を記入するものとする。ただし、請求書と付表の資金の種類別区分が同一である場合には、付表の資金の種類別区分については記載を省略することができる。

イ　歳出金については、「令和○○年度○○所管○○会計歳出」
ロ　預託金、保管金、供託金、特別調達資金及び国税収納金整理資金については、それぞれ「預託金」、「保管金」、「供託金」、「特別調達資金」及び「令和○○年度国税収納金整理資金支払金」

4　付表の番号欄の番号は、1件ごとの連続番号とし毎年度これを更新するものとし、振込請求の際、当該番号及び件数を請求書の番号及び件数欄にそれぞれ記入するものとする。

5　付表（その1）の各片は、左端をのりづけその他の方法により接続するものとする。

6　付表（その1）の各片に共通する事項（あらかじめ印刷する事項を除く。）は、複写により記入するものとする。

7　付表（その1）の振込先金融機関名欄には当該金融機関の名称を記入し、同欄中、その金融機関の名称中に「銀行」の文字があるときには「銀行」を、「金庫」の文字があるときには「金庫」をそれぞれ○印で囲むものとし、預貯金種別欄は該当事項を○印で囲むものとする。

8　付表（その1）の受取人の氏名にはフリガナを適宜の位置に付するものとする。

9　取引店が日本銀行代理店である場合には、付表（その1）については第三片の作成を要しないものとする。

10　付表（その2）は正副4枚（取引店が日本銀行代理店である場合には、正副3枚）を複写により作成し、取引店に正副3枚（取引店が日本銀行代理店である場合には、正副2枚）を交付するものとする。

11　付表（その2）は、振込先金融機関ごとに作成するものとする。ただし、振込先金融機関ごとの区分以外の区分（振込先金融機関の店舗（本店又は支店をいう。以下同じ。）ごとその他の区分）により作成することが適当であると認められる場合には、請求書の作成機関とその取引店及び取引店の統轄店が協議して、振込先金融機関ごとの区分以外の区分により作成することができる。

12　付表（その2）の振込先金融機関名欄には、振込先金融機関の店舗ごとに作成する場合には当該店舗名を記入するものとし、振込先金融機関又は振込先金融機関の店舗ごとの区分以外の区分により作成する場合には記入を要しないものとする。

13　付表（その2）を振込先金融機関ごとに作成する場合には振込先欄の金融機関名の記入を、振込先金融機関の店舗ごとに作成する場合には同欄の金融機関名及び本・支店名の記入を要しないものとする。

14　付表（その2）を機器により作成する場合において必要があるときは、振込先欄の金融機関名及び本・支店名を上下二段に記入することができる。

15　付表（その2）の預貯金種別欄は、該当文字を○印で囲むものとする。なお、付表（その2）を機器により作成する場合には、「普」、「当」、「通」及び「別」に代えて、それぞれ「フ」、「ト」、「ツ」及び「ベ」と記入することができる。

16　付表（その3）の各片は、左端をのりづけその他の方法により接続するものとする。

17　付表（その3）の各片に共通する事項（あらかじめ印刷する事項を除く。）は、複写により記入するものとする。

18　付表（その3）の指定金融機関名欄には当該金融機関の名称を記入し、同欄中、その金融機関の名称中に「銀行」の文字があるときには「銀行」を、「金庫」の文字があるときには「金庫」をそれぞれ○印で囲むものとする。

19　取引店が日本銀行代理店である場合には、付表（その3）については第三片の作成を要しないものとする。

20　付表（その3）は、道府県民税及び市町村民税の月割額又は退職手当等に係る所得割の振込みの場合に使用するものとし、振込みの内容に応じ該当事項又は番号を○印で囲むものとする。なお、給与所得者の異動（有・無）欄は、月割額の振込みの場合に記入するものとする。

21　付表（その3）の特別徴収義務者指定番号欄は、月割額の振込みの場合に、市町村からの通知に係る番号を記入するものとする。

第3号の2書式

国　庫　金　振　込　請　求　書　　　㊎　番号＿＿＿＿

令和　　年　　月　　日

小切手振出日　　令和　　年　　月　　日

振込指定日　　令和　　年　　月　　日

取扱機関名	
資金の種類別区分	

下記の金額を、振込指定日に、別添の国家公務員給与振込明細表の通り振込んで下さい。ただし、この振込に係る資金は小切手振出日に交付します。

件　　数	件
金　　額	円

日本銀行（何店）あて

（資格　官職　氏　　　名 印）

（日本銀行記入欄）

小切手受領日　令和　　年　　月　　日

小切手番号　第　　　　号

受　　領　　証　　書

上記請求書を受領しました。なお、別添国家公務員給与振込明細表の金額は、指定の通り、振込指定日に振込まれます。

令和　　年　　月　　日　　　　　　　　日本銀行（何店　　　　　）

付表

国家公務員給与振込明細表

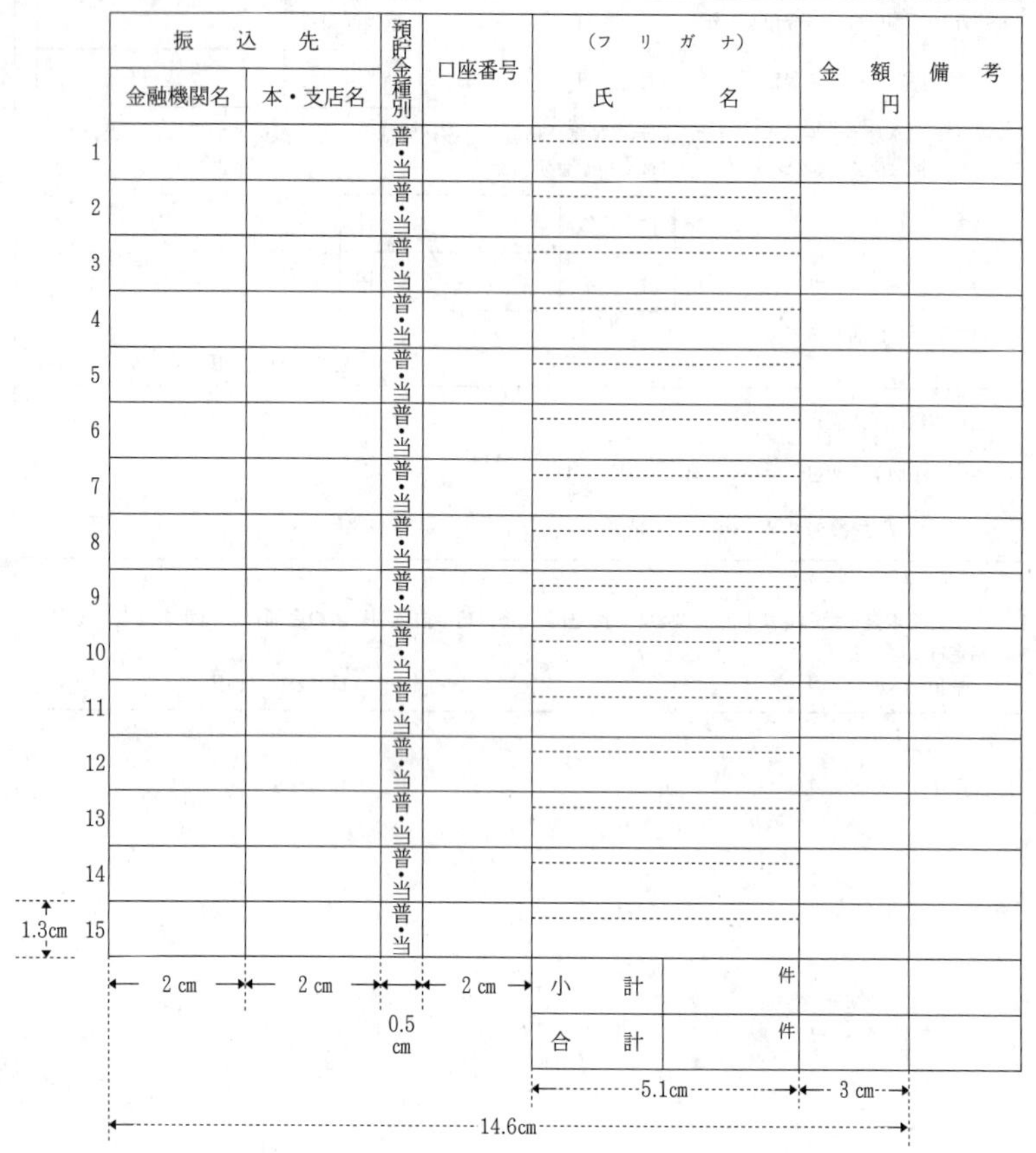

ページ

振込指定日	令和　年　月　日

（取扱機関名）　　　（振込先金融機関名）

	振込先		預貯金種別	口座番号	（フリガナ）氏名	金額 円	備考
	金融機関名	本・支店名					
1			普・当				
2			普・当				
3			普・当				
4			普・当				
5			普・当				
6			普・当				
7			普・当				
8			普・当				
9			普・当				
10			普・当				
11			普・当				
12			普・当				
13			普・当				
14			普・当				
15			普・当				
					小計　件		
					合計　件		

備考

1　用紙の大きさは、日本産業規格A列4とする。

2　請求書は正副2枚、付表は正副5枚（取引店が日本銀行代理店である場合には、正副4枚）を複写により作成し、請求書については正副2枚を、付表については正副4枚（取引店が日本銀行代理店である場合には、正副3枚）を取引店に交付するものとする。

3　電子計算機その他の機器（以下「機器」という。）により、請求書又は付表を作成する場合には、カナ文字を使用することができる。

4　請求書の番号欄には年度間を通ずる一連番号を、小切手振出日欄には小切手の交付日を、振込指定日欄には給与の支給日を、件数欄には振込件数をそれぞれ記入するものとする。

5　第2号書式の備考5は、本請求書の作成について準用する。

6　付表は、振込先金融機関ごとに作成するものとする。ただし、振込先金融機関ごとの区分以外の区分

（振込先金融機関の店舗（本店又は支店をいう。以下同じ。）ごとその他の区分）により作成することが適当であると認められる場合には、請求書の作成機関とその取引店及び取引店の統轄店が協議して、振込先金融機関ごとの区分以外の区分により作成することができる。

7　付表の振込先金融機関名欄には、振込先金融機関の店舗ごとに作成する場合には当該店舗名を記入するものとし、振込先金融機関又は振込先金融機関の店舗ごとの区分以外の区分により作成する場合には記入を要しないものとする。

8　付表を振込先金融機関ごとに作成する場合には振込先欄の金融機関名の記入を、振込先金融機関の店舗ごとに作成する場合には同欄の金融機関名及び本・支店名の記入を要しないものとする。

9　付表を機器により作成する場合において必要があるときは、振込先欄の金融機関名及び本・支店名を上下二段に記入することができる。

10　付表の預貯金種別欄は、該当文字を○印で囲むものとする。なお、付表を機器により作成する場合には、「普」及び「当」に代えて、それぞれ「フ」及び「ト」と記入することができる。

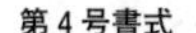
第4号書式

（表　　面）

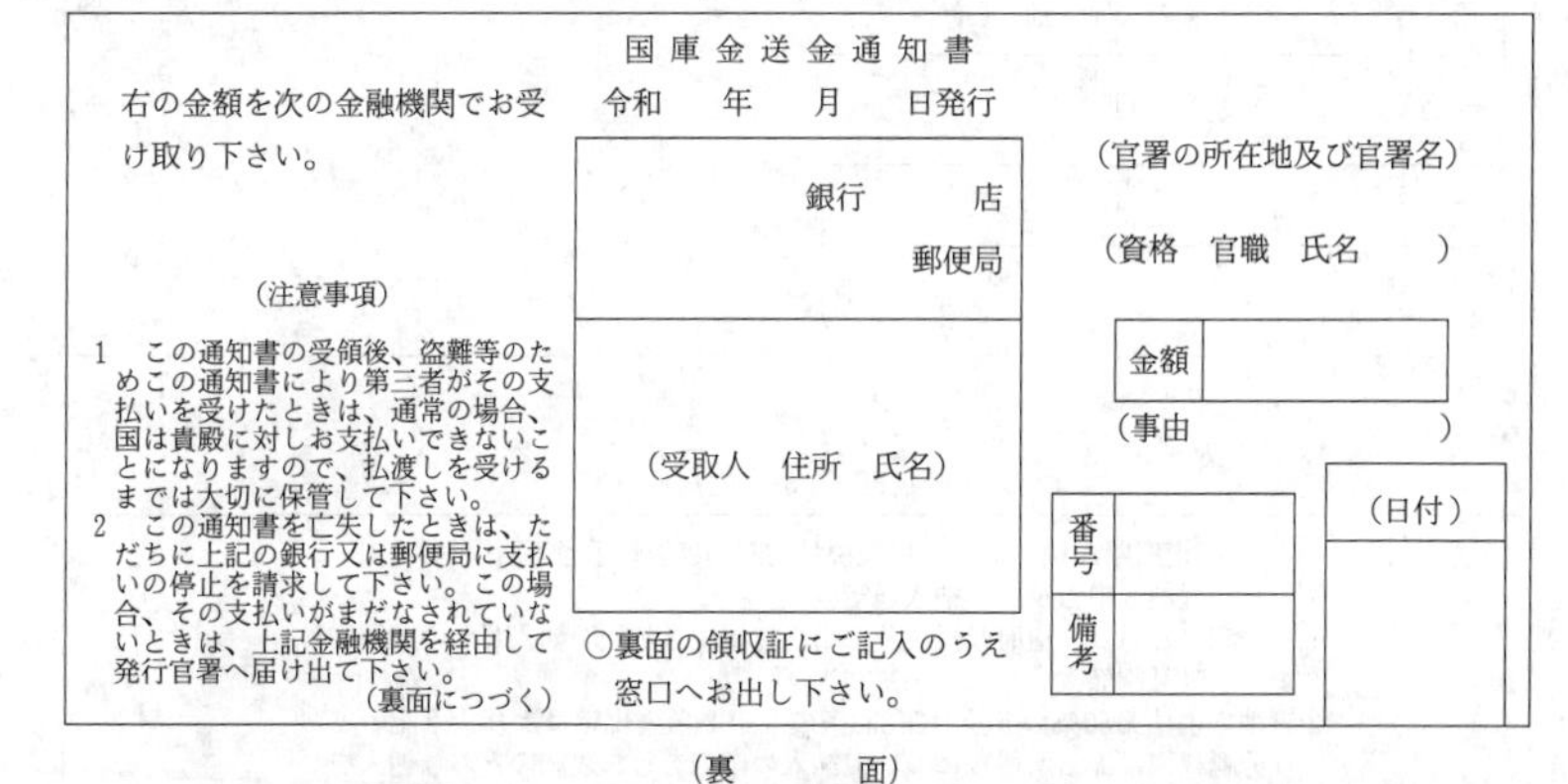
国庫金送金通知書

右の金額を次の金融機関でお受け取り下さい。

令和　　年　　月　　日発行

銀行　　店
郵便局

（受取人　住所　氏名）

（官署の所在地及び官署名）

（資格　官職　氏名　　）

金額	

（事由　　　　　）

番号	
備考	

（日付）

（注意事項）

1　この通知書の受領後、盗難等のためこの通知書により第三者がその支払いを受けたときは、通常の場合、国は貴殿に対しお支払いできないことになりますので、払渡しを受けるまでは大切に保管して下さい。

2　この通知書を亡失したときは、ただちに上記の銀行又は郵便局に支払いの停止を請求して下さい。この場合、その支払いがまだなされていないときは、上記金融機関を経由して発行官署へ届け出て下さい。

（裏面につづく）

○裏面の領収証にご記入のうえ窓口へお出し下さい。

（裏　　面）

領　収　証	委　任　状
表記の金額を受領しました。 令和　　年　　月　　日 住　所 氏　名 収入印紙　要・不要	表記の金額の受領方を　　　　に委任しました。 令和　　年　　月　　日 住　所 氏　名

（表面よりつづく）

3　この通知書により送金金額を受け取る者は、印鑑証明書、身分証明書又は預貯金通帳等正当な受取人又はその代理人であることを証する書面を持参するようにして下さい。

4　受取人は、領収証欄に日付、住所及び氏名を記入して下さい。ただし、公務員が公金を受領する場合にあつては、官庁名又は公共団体等の名称及び官職名を記入し、記名して下さい。

5　受取人が代理人に現金支払いの請求をさせようとするときは、受取人が委任状欄に相当の事項を記入し、署名するか又は別に委任状を差し出して下さい。この場合には、代理人は領収証欄に代理人であることを付記し、記名して下さい。

6　印紙税法の規定により、印紙税を納めることとなつている場合には、所定の額に相当する収入印紙をはり、消して下さい。

7　この通知書の発行の日から1年を過ぎますと表記の銀行又は郵便局では支払いを受けられません（その場合は発行官署にお申し出下さい。）。

8　この通知書の発行の日から支払いの準備が整うまで、土、日曜日及び祝祭日を除き4・5日程度要することがありますのであらかじめご了承下さい。

備考

1　用紙の大きさは、おおむね縦11cm、横21cmとする。

2　第2号書式の付表と共通する事項（あらかじめ印刷する事項を除く。）は、当該付表と複写により記入するものとする。

3　裏面の収入印紙欄の「要・不要」のいずれかを○印で囲むものとする。

第５号書式　削除

第６号書式（その１）　　　　（表　　面）

令和　　年　　月　　日払込

指定金融機関名	銀行 金庫 店		
令和　　年　　月分	1　月　割　額 2　退職手当等所得割		
給与所得者の異動（有・無）			
番号		備考	

金額	

（特別徴収義務者指定番号　第　　　　号）

（納入先　市町村）

長殿

（裏　　面）

道府県民税及び市町村民税月割額又は退職手当等所得割
（納入申告及び）納入通知書

1　表記のとおり、道府県民税及び市町村民税月割額を納入したので通知します。（月割額　　　　円）

2　地方税法第50条の５及び第328条の５第２項の規定により、下記のとおり分離課税に係る所得割について納入の申告をし、表記のとおり納入をしたので通知します。

人員　　人	支払金額	円
特別徴収税額	市町村民税	円
	道府県民税	円

令和　　年　　月　　日

（官署の所在地及び官署名）
（資格　官職　氏　　名）

備　考

1　用紙の大きさは、郵便はがきの大きさとする。

2　第３号書式の付表（その３）と共通する事項（あらかじめ印刷する事項を除く。）は、当該付表と複写により記入するものとする。

3　納入通知の内容に応じ、裏面の該当事項の項番号を○印で囲むものとし、月割額欄は、退職手当等に係る所得割の納入通知と合わせて行なう場合に記入するものとする。

4　発行者の公印は、月割額の納入通知の場合には省略することができる。

第６号書式（その２）　（表　面）

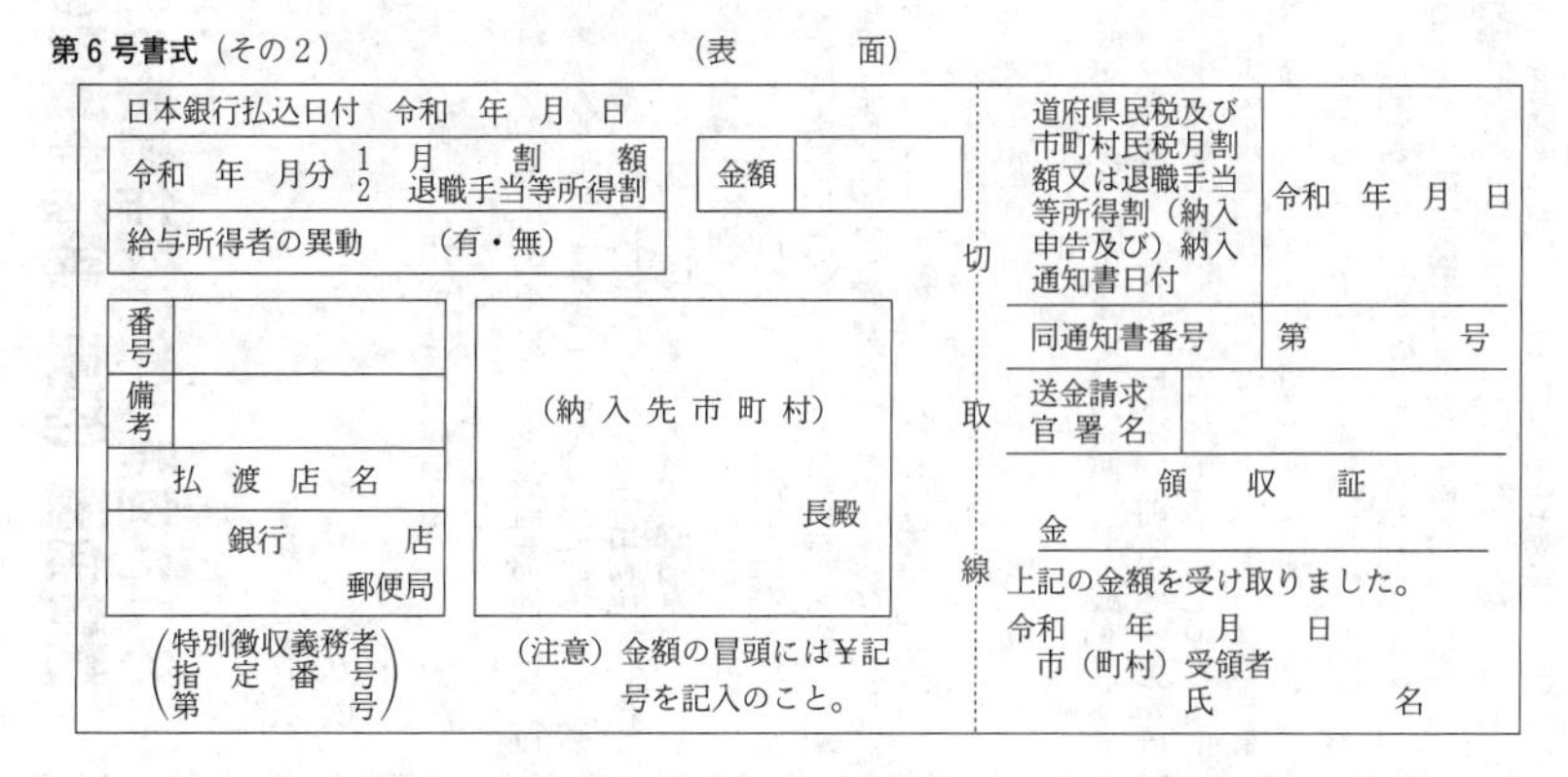

日本銀行払込日付　令和　年　月　日

令和　年　月分　１ 月割額　２ 退職手当等所得割	金額	
給与所得者の異動　（有・無）		

番号	
備考	
払渡店名	
銀行　店 郵便局	

（納入先市町村）

長殿

（特別徴収義務者指定番号　第　号）

（注意）金額の冒頭には￥記号を記入のこと。

切取線

道府県民税及び市町村民税月割額又は退職手当等所得割（納入申告及び）納入通知書日付	令和　年　月　日
同通知書番号	第　号
送金請求官署名	

領　収　証

金

上記の金額を受け取りました。

令和　年　月　日

市（町村）受領者

氏　名

（裏　面）

道府県民税及び市町村民税月割額又は退職手当等所得割（納入申告及び）納入通知書

1　表記のとおり、道府県民税及び市町村民税月割額を納入したので払渡しを受けて下さい。

（月割額　円）

2　地方税法第50条の５及び第328条の５第２項の規定により、下記のとおり分離課税に係る所得割について納入の申告をし、表記のとおり納入をしたので払渡しを受けて下さい。

人員　人	支払金額	円
特別徴収税額	市町村民税	円
	道府県民税	円

令和　年　月　日

（官署の所在地及び官署名）

（資格　官職　氏　名）

備　考

1　用紙の大きさは、おおむね縦11cm、横21cmとする。

2　納入通知の内容に応じ、該当事項又は番号を○印で囲むものとし、給与所得者の異動（有・無）欄は月割額の納入通知の場合に、裏面１の月割額欄は退職手当等に係る所得割の納入通知と合わせて行なう場合に記入するものとする。

3　番号欄には、第２号書式の付表の番号と同一の番号を記入するものとする。

4　特別徴収義務者指定番号欄は、月割額の納入通知の場合に、市町村からの通知に係る番号を記入するものとする。

○国庫金送金（振込）関係書類の機械作成に伴う特例について

昭五九・一二・一四
蔵 計 二 六 八 四

最終改正　平一三・一・五蔵計二七八一

会計事務の合理化を図るため、電子計算機その他の機器（以下「機械」という。）を使用して国庫金送金（振込）関係書類を作成する場合の取扱いについては、支出官事務規程（昭和二十二年大蔵省令第九十四号）第六条の規定に基づき下記のとおり特例を設けたので通知する。

なお、各省各庁の長が、その所属の出納官吏の国庫金送金（振込）関係事務について、下記に準じた取扱いを出納官吏事務規程（昭和二十二年大蔵省令第九十五号）第十条の規定に基づき定めるときは、同条の規定に基づく財務大臣との協議が整ったものとして処理して差し支えない。

おって、別紙の通達は、廃止する。

記

国庫送金（振込）関係書類を機械を使用して作成する場合において、支出官があらかじめ、日本銀行取引店にその旨を届け出たときは、支出官事務規程第十五条第一項、第二項及び第十七条に規定する書類の用紙の調達は、支出官事務規程第五条第二項の規定にかかわらず、自ら調達するものとする。

この場合において、支出官は、国庫金振替書その他国庫金の払出しに関する書類の様式を定める省令（昭和四十三年大蔵省令第五十一号）第一号書式付表、第二号書式、第三号書式、第四号書式及び第六号書式（その一）に記載された事項を著しく変更しない限度において、日本銀行取引店と調整し、所要の修正を加えることができる。

なお、この場合においては、カナ文字を使用することができる。

おって、別紙の通達に基づき国庫金送金（振込）関係書類を機械を使用して作成している場合においては、日本銀行取引店への届出を要せず、また日本銀行取引店との調整が整ったものとして処理して差し支えない。

別　紙

1　国庫金送金関係書類の機械作成に伴う特例について（昭和四十五年三月二十五日付蔵計第七三九号、大蔵大臣から農林大臣あて通達）

2　国庫金送金関係書類の機械作成に伴う特例設定方について（昭和四十五年三月二十五日付蔵計第七四〇号、大蔵大臣から外務大臣あて通達）

3　国庫金送金関係書類の機械作成に伴う特例について（昭和四十九年六月二十一日付蔵計第二二〇八号、大蔵大臣から文部大臣あて通達）

4　国庫金送金関係書類の機械作成に伴う特例について（昭和五十三年三月二十三日付蔵計第七三三号、大蔵大臣から建設大臣あて通達）。ただし、出納官吏事務規程第十条の規定に基づく協議にかかる部分を除く。

5　国庫金送金関係書類の電子情報処理組織による作成に伴う特例について（昭和五十四年三月二十八日付蔵計第五一六号、大蔵大臣から大蔵大臣あて通達）

6　国庫金送金関係書類の機械作成に伴う特例の設定について（昭和五十六年三月三十日付蔵計第六一九号、大蔵大臣から文部大臣あて通達）

7　国庫金振込関係書類の機械作成に伴う特例の設定方について（昭和五十七年四月六日付蔵計第八七三号、大蔵大臣から通商産業大臣あて通達）。ただし、出納官吏事務規程第十条の規定に基づく協議にかかる部分を除く。

8　国庫金振込関係書類の機械作成に伴う特例設定方について（昭和五十九年四月二十五日付蔵計第一〇五四号、大蔵大臣から通商産業大臣あて通達）

○支出官等が隔地者に支払をする場合等における隔地の範囲を定める省令

昭三〇・四・二〇
大 蔵 令 一 五

最終改正　平二七・一二・一〇財務令八四

法令の規定により、支出官その他の国の小切手の振出に関する事務を行う者が隔地の債権者に支払をし、又は隔地の出納官吏若しくは出納員に資金を交付する場合における隔地の範囲は、当該事務を行う者が振り出す小切手の支払店である日本銀行（本店、支店又は代理店をいう。）の所在する市町村（地方自治法（昭和二十二年法律第六十七号）第二百五十二条の十九の指定都市にあつては、同法第二百五十二条の二十第一項の区又は同法第二百五十二条の二十の二第一項の総合区とする。）又は特別区の区域（財務大臣が特別の事情があると認めてこれと異なる区域を定めたときは、その区域とする。）以外の地域とする。

附　則（抄）

1　この省令は、公布の日から施行する。

○支出官等が隔地者に支払をする場合等における隔地の範囲を定める省令の規定により財務大臣が特別の事情があると認めて定める区域として指定する件

昭三三・四・五
大蔵省告示五八

最終改正　平一二・一一・二七大蔵省告示三三二

支出官等が隔地者に支払をする場合等における隔地の範囲を定める省令（昭和三十年大蔵省令第十五号）の規定により、財務大臣が特別の事情があると認めて定める区域として、次の区域を指定する。

北海道

1　札幌市のうち旧札幌郡琴似町、豊平町、手稲町、白石村及び篠路村の区域を除いた区域
2　函館市のうち旧亀田郡銭亀沢村の区域を除いた区域
3　旭川市のうち旧上川郡江丹別村の区域を除いた区域
4　小樽市のうち旧忍路郡塩谷村の区域を除いた区域
5　釧路市のうち大楽毛の区域を除いた区域
6　夕張市のうち鹿島、南部、真谷地、紅葉山、楓、登川及び滝の上の区域を除いた区域
7　網走市のうち浦士別、栄、清浦、音根内、実豊、丸万、北浜、山里、稲富、藻琴、昭和、豊郷、中園、東網走、呼人、嘉多山、越年、平和、卯原内及び能取の区域を除いた区域
8　稚内市のうち旧宗谷郡声問村及び宗谷村の区域を除いた区域
9　紋別市のうち旧紋別郡上渚滑村及び渚滑村の区域を除いた区域
10　名寄市のうち旧中川郡智恵文村の区域を除いた区域
11　檜山郡江差町のうち旧檜山郡泊村の区域を除いた区域

岩手県

1　盛岡市のうち旧岩手郡雫石町、簗川村及び太田村の区域を除いた区域
2　宮古市のうち旧下閉伊郡津軽石村、花輪村及び重茂村の区域を除いた区域
3　花巻市のうち旧稗貫郡湯口村の区域を除いた区域
4　久慈市のうち旧九戸郡宇部村及び山根村の区域を除いた区域
5　一関市のうち旧西磐井郡厳美村の区域を除いた区域
6　釜石市のうち旧上閉伊郡甲子村、鵜住居村及び栗橋村並びに旧気仙郡唐丹村の区域を除いた区域
7　二戸市のうち旧二戸郡金田一村、斗米村及び御返地村の区域を除いた区域

宮城県

石巻市のうち旧牡鹿郡荻浜村の区域を除いた区域

秋田県

1　秋田市のうち旧由利郡下浜村の区域を除いた区域
2　能代市のうち旧山本郡鶴形村の区域を除いた区域

山形県

山形市のうち旧東村山郡高瀬村、大郷村及び山寺村並びに旧南村山郡蔵王村の区域を除いた区域

福島県

1　福島市のうち旧信夫郡飯坂町、吾妻町、松川町、大笹生村、荒井村、土湯村、佐倉村及び信夫村並びに旧伊達郡立子山村の区域を除いた区域
2　会津若松市のうち旧北会津郡湊村、大戸村及び東山村の区域を除いた区域
3　郡山市のうち旧安積郡熱海町、三穂田村、逢瀬村、片平村、喜久田村及び湖南村並びに旧田村郡田村町、西田村及び中田村の区域を除いた区域
4　いわき市のうち旧磐城市、旧勿来市、旧常磐市、旧石城郡四倉町、遠野町、小川町、三和村、田人村及び川前村並びに旧双葉郡久之浜町及び大久村の区域（支払店（支出官その他国の小切手の振出しに関する事務を行なう者が振り出す小切手の支払店である日本銀行の代理店をいう。以下岡山県の表1及び4において同じ。）が旧磐城市に所在する場合にあつては旧平市、旧勿来市、旧常磐市、旧内郷市、旧石城郡四倉町、遠野町、小川町、好間村、三和村、田人村及び川前村並びに旧双葉郡久之浜町及び大久村の区域とする。）を除いた区域

栃木県

宇都宮市のうち旧河内郡篠井村及び旧芳賀郡清原村の区域を除いた区域

群馬県

前橋市のうち旧勢多郡城南村の区域を除いた区域

埼玉県

1 浦和市のうち旧北足立郡美園村の区域を除いた区域
2 秩父市のうち旧秩父郡浦山村の区域を除いた区域

千葉県

1 千葉市のうち旧千葉郡泉町及び誉田村並びに旧山武郡土気町の区域を除いた区域
2 木更津市のうち旧君津郡富来田町の区域を除いた区域

東京都

立川市のうち中里、宮沢及び殿ガ谷の区域を除いた区域

新潟県

1 新潟市のうち旧北蒲原郡松ケ崎浜村、南浜村及び濁川村の区域を除いた区域
2 長岡市のうち旧三島郡深才村、日越村及び王寺川村並びに旧古志郡山本村、福戸村、下川西村及び六日市村の区域を除いた区域
3 上越市のうち、旧直江津市並びに旧高田市のうち旧中頸城郡高士村、諏訪村、津有村及び三郷村の区域（支払店が旧直江津市に所在する場合にあつては旧直江津市以外の区域とする。）を除いた区域
4 柏崎市のうち旧中頸城郡上米山村及び旧刈羽郡田尻村の区域を除いた区域
5 新発田市のうち旧北蒲原郡松浦村、米倉村、赤谷村、川東村及び菅谷村の区域を除いた区域
6 新津市のうち旧中蒲原郡金津村及び小合村の区域を除いた区域
7 小千谷市のうち旧中魚沼郡岩沢村及び真人村並びに旧北魚沼郡川井村の区域を除いた区域
8 十日町市のうち旧中魚沼郡吉田村及び下条村の区域を除いた区域
9 糸魚川市のうち旧西頸城郡根知村及び小滝村の区域を除いた区域
10 西蒲原郡巻町のうち旧西蒲原郡峰岡村、浦浜村及び角田村の区域を除いた区域
11 佐渡郡相川町のうち旧佐渡郡金泉村及び二見村の区域を除いた区域

富山県

富山市のうち旧中新川郡水橋町の区域を除いた区域

石川県

1 金沢市のうち旧石川郡犀川村、内川村、湯涌谷村、安原村及び額村並びに旧河北郡森本町及び浅川村の区域を除いた区域
2 七尾市のうち旧鹿島郡北大呑村、崎山村及び南大呑村の区域を除いた区域
3 小松市のうち旧江沼郡矢田野村、那谷村及び月津村並びに旧能美郡中海村、西尾村、新丸村及び大杉谷村並びに荒屋、佐美、浜佐美、木場、津波倉、馬場、粟津、西原、牧口、西荒谷、日用、白山田、小山田及び井口の区域を除いた区域

福井県

1 福井市のうち旧足羽郡足羽町、旧坂井郡川西町並びに旧丹生郡国見村及び殿下村の区域を除いた区域
2 武生市のうち旧丹生郡白山村及び旧南条郡坂口村の区域を除いた区域

長野県

長野市のうち旧篠ノ井市、旧更級郡信更村、旧埴科郡松代町、旧上高井郡若穂町及び旧上水内郡七二会村の区域を除いた区域

静岡県

1 静岡市のうち旧安倍郡大河内村、梅ケ島村、玉川村、井川村、清沢村及び大川村の区域を除いた区域
2 清水市のうち旧庵原郡小島村及び両河内村の区域を除いた区域

愛知県

1 名古屋市昭和区のうち旧愛知郡天白村の区域を除いた区域
2 名古屋市千種区のうち旧愛知郡猪高村の区域を除いた区域
3 豊橋市のうち旧渥美郡高豊村、老津村及び杉山村並びに旧八名郡加茂村の区域を除いた区域
4 岡崎市のうち旧額田郡本宿村、河合村及び常盤村の区域を除いた区域

三重県

1　津市のうち旧河芸郡一身田町の区域を除いた区域
2　松阪市のうち旧一志郡宇気郷村及び旧飯南郡大河内村の区域を除いた区域
3　尾鷲市のうち旧北牟婁郡須加利村及び九鬼村並びに旧南牟婁郡北輪内村及び南輪内村の区域を除いた区域
4　熊野市のうち旧南牟婁郡五郷村の区域を除いた区域

滋賀県

大津市のうち旧滋賀郡堅田町の区域を除いた区域

京都府

1　福知山市のうち旧天田郡三岳村、金山村及び雲原村の区域を除いた区域
2　舞鶴市のうち成生、田井、野原、小橋、三浜、大山、平、瀬崎及び大丹生の区域を除いた区域
3　宮津市のうち旧与謝郡養老村及び日ケ谷村の区域を除いた区域

兵庫県

1　姫路市のうち旧揖保郡林田町の区域を除いた区域
2　豊岡市のうち旧城崎郡港村の区域を除いた区域

奈良県

奈良市のうち旧添上郡五ケ谷村、田原村、柳生村、大柳生村、東里村及び狭川村並びに旧生駒郡富雄町の区域を除いた区域

和歌山県

田辺市のうち旧西牟婁郡牟婁町の区域を除いた区域

鳥取県

鳥取市のうち旧気高郡吉岡村の区域を除いた区域

島根県

1　松江市のうち旧八束郡本庄村、大野村及び秋鹿村の区域を除いた区域
2　浜田市のうち旧那賀郡国府町、美川村及び大麻村の区域を除いた区域

岡山県

1　岡山市のうち旧西大寺市、旧御津郡一宮町、津高町、牧石村、白石村及び牧山村、旧赤磐郡高月村、旧上道郡上道町、三蟠村及び沖田村、旧児島郡興除村、甲浦村、小串村及び藤田村、旧都窪郡吉備町、妹尾町及び福田村並びに旧吉備郡高松町及び足守町の区域（支払店が旧西大寺市に所在する場合にあつては旧西大寺市以外の区域とする。）を除いた区域
2　玉野市のうち旧児島郡東児町及び荘内村の区域を除いた区域
3　笠岡市のうち旧小田郡神島内村及び神島外村の区域を除いた区域
4　倉敷市のうち旧玉島市、旧児島市及び旧都窪郡庄村の区域（支払店が旧玉島市に所在する場合にあつては旧玉島市以外の区域とし、支払店が旧児島市に所在する場合にあつては旧児島市以外の区域とする。）を除いた区域
5　後月郡芳井町のうち旧後月郡共和村の区域を除いた区域
6　川上郡成羽町のうち旧川上郡吹屋町の区域を除いた区域

広島県

1　広島市のうち旧安芸郡安芸町、瀬野川町及び熊野跡村、旧安佐郡安古市町、佐東町、沼田町、安佐町、可部町及び高陽町並びに旧高田郡白木町の区域を除いた区域
2　福山市のうち旧松永市、旧沼隈郡鞆町、旧深安郡加茂町並びに旧芦品郡芦田町及び駅家町の区域を除いた区域

山口県

1　宇部市のうち旧吉敷郡東岐波村の区域を除いた区域
2　山口市のうち旧吉敷郡佐山村、小鯖村及び仁保村の区域を除いた区域
3　萩市のうち旧阿武郡見島村の区域を除いた区域
4　岩国市のうち柱島の区域を除いた区域

徳島県

1　徳島市のうち旧名西郡入田村及び旧勝浦郡多家良村の区域を除いた区域
2　鳴門市のうち旧板野郡大麻町の区域を除いた区域

香川県

高松市のうち旧木田郡山田町、前田村及び三谷村並びに旧香川郡仏生山町、一宮村、川岡村、円座村、檀紙村、下笠居村及び雌雄島村の区域を除いた区域

愛媛県

宇和島市のうち旧北宇和郡宇和海村の区域を除いた区域

高知県

1 高知市のうち長浜、浦戸、種崎、御畳瀬、仁井田及び池並びに旧長岡郡大津村及び介良村の区域を除いた区域
2 宿毛市のうち旧幡多郡沖ノ島村、山奈村、橋上村及び小筑紫村の区域を除いた区域
3 中村市のうち旧幡多郡富山村、蕨岡村、大川筋村及び中筋村の区域を除いた区域
4 安芸市のうち旧安芸郡東川村、畑山村及び赤野村の区域を除いた区域
5 須崎市のうち旧高岡郡浦ノ内村の区域を除いた区域
6 高岡郡窪川町のうち旧高岡郡興津村の区域を除いた区域

福岡県

1 福岡市のうち旧早良郡金武村、旧糟屋郡香椎町、和白町及び志賀町並びに旧糸島郡今宿村、今津村、周船寺村、元岡村及び北崎村の区域を除いた区域
2 久留米市のうち旧三井郡善導寺町の区域を除いた区域
3 甘木市のうち旧朝倉郡秋月町、上秋月村、三奈木村及び高木村の区域を除いた区域
4 北九州市小倉区のうち旧企救郡曾根町、中谷村、西谷村及び東谷村の区域を除いた区域

佐賀県

1 佐賀市のうち旧佐賀郡金立村及び久保泉村並びに旧神埼郡蓮池町の区域を除いた区域
2 唐津市のうち旧東松浦郡久里村、湊村及び北波多村の区域を除いた区域
3 伊万里市のうち旧西松浦郡黒川村、波多津村、南波多村及び松浦村の区域を除いた区域
4 武雄市のうち旧杵島郡橘村、武内村及び西川登村の区域を除いた区域

長崎県

1 長崎市のうち旧西彼杵郡三重村及び式見村の区域を除いた区域
2 佐世保市のうち旧北松浦郡黒島村の区域を除いた区域
3 下県郡厳原町のうち浅藻の区域を除いた区域

熊本県

熊本市のうち旧飽託郡川尻町及び城山村の区域を除いた区域

大分県

大分市のうち旧鶴崎市、旧大分郡大南町及び大分町並びに旧北海部郡坂ノ市町及び大在村の区域を除いた区域

宮崎県

1 都城市のうち旧北諸県郡西嶽村の区域を除いた区域
2 延岡市のうち旧東臼杵郡南浦村の区域を除いた区域

鹿児島県

1 川内市のうち旧薩摩郡高城町の区域を除いた区域
2 鹿児島市のうち旧谷山市の区域を除いた区域

沖縄県

1 平良市のうち池間及び前里の区域を除いた区域
2 石垣市のうち宮良、白保、桃里、伊原間、野底、平久保、川平、桴海及び崎枝の区域を除いた区域
3 名護市のうち旧国頭郡屋我地村及び久志村の区域を除いた区域

契　約

○契約事務取扱規則

昭三七・八・二〇
大蔵令五二

最終改正 令二・一二・四財務令七三

（通則）

第一条 契約担当官等の契約事務の取扱いその他契約に関する事務の取扱いについては、他の法令で定めるもののほか、この省令の定めるところによる。

（定義）

第二条 この省令において、「各省各庁の長」とは、財政法（昭和二十二年法律第三十四号）第二十条第二項に規定する各省各庁の長を、「契約担当官」とは、会計法（昭和二十二年法律第三十五号。以下「法」という。）第二十九条の二第三項に規定する契約担当官を、「契約担当官等」とは、法第二十九条の三第一項に規定する契約担当官等を、「一般競争」とは、同条同項の競争を、「入札保証金」とは、法第二十九条の四第一項の保証金を、「資金前渡官吏」とは、出納官吏事務規程（昭和二十二年大蔵省令第九十五号）第一条第四項に規定する資金前渡官吏を、「歳入歳出外現金出納官吏」とは、同条第五項に規定する歳入歳出外現金出納官吏をいう。

（資金前渡官吏の支払の原因となる契約の制限）

第三条 資金前渡官吏の支払の原因となる契約を行なう契約担当官は、当該資金前渡官吏が交付を受けた資金をもつて支払をすることができる限度において契約を締結しなければならない。

（競争参加者の資格の審査の結果の通知）

第四条 各省各庁の長又はその委任を受けた職員は、予算決算及び会計令（昭和二十二年勅令第百六十五号。以下「令」という。）第七十二条第二項（令第九十五条第二項において準用する場合を含む。）の規定により、一般競争又は指名競争に参加する者の資格を審査したときは、令第七十二条第一項又は第九十五条第一項の資格を有すると認めた者又は資格がないと認めた者にそれぞれ、必要な通知をしなければならない。

（財務大臣の定める入札保証金に代わる担保）

第五条 令第七十八条第一項第四号に規定する財務大臣の定める担保は、次に掲げるものとする。

一 令第七十八条第一項第一号の規定に該当するものを除くほか、日本国有鉄道改革法（昭和六十一年法律第八十七号）附則第二項の規定による廃止前の日本国有鉄道法（昭和二十三年法律第二百五十六号）第一条の規定により設立された日本国有鉄道及び日本電信電話株式会社等に関する法律（昭和五十九年法律第八十五号）附則第四条第一項の規定による解散前の日本電信電話公社が発行した債券（以下「公社債」という。）

二 地方債

三 契約担当官等が確実と認める社債

四 契約担当官等が確実と認める金融機関（出資の受入れ、預り金及び金利等の取締りに関する法律（昭和二十九年法律第百九十五号）第三条に規定する金融機関をいう。以下同じ。）が振り出し又は支払保証をした小切手

五 銀行又は契約担当官等が確実と認める金融機関が引き受け又は保証若しくは裏書をした手形

六 銀行又は契約担当官等が確実と認める金融機関に対する定期預金債権

七 銀行又は契約担当官等が確実と認める金融機関の保証

2 契約担当官等は、前項第六号の定期預金債権を入札保証金に代わる担保として提供させるときは、当該債権に質権を設定させ、当該債権に係る証書及び当該債権に係る債務者である銀行又は確実と認める金融機関の承諾を証する確定日付のある書面を提出させなければならない。

3 契約担当官等は、第一項第七号の銀行又は確実と認める金融機関の保証を入札保証金に代わる担保として提供させるときは、当該保証を証する書面を提出させ、その提出を受けたときは、遅滞なく、当該保証をした銀行又は確実と認める金融機関との間に保証契約を締結しなければならない。

（入札保証金の払込み方法の通知等）

第六条 契約担当官等は、一般競争又は指名競争に付そうとする場合において入札保証金を納めさせ又はその納付に代えて国債その他の担保を提供させるときは、公告又は通知において、入札保証金にあつてはこれを払い込ませようとする歳入歳出外現金出納官吏又は保管金の取扱店たる日本銀行（本店、支店又は代理店をいう。以下同じ。）、国債その他の担保にあつてはこれを提出させようとする取扱官庁又は保管有価証券の取扱店たる日本銀行を指定しなければならない。

（入札保証保険証券の提出）

第七条 契約担当官等は、一般競争又は指名競争に参加しようとする者が国を被保険者とする入札保証保険契約を結んだことにより、令第七十七条（令第九十八条において準用する場合を含む。）の規定により、入札保証金を納めさせないときは、当該入札保証保険契約に係る保険証券を提出させなければならない。

（小切手の現金化等）

第八条 契約担当官等は、一般競争又は指名競争に参加しようとする者が入札保証金の納付に代えて小切手を担保とし

て提供した場合において、契約締結前に当該小切手の呈示期間が経過することとなるときは、関係の歳入歳出外現金出納官吏に連絡し、当該歳入歳出外現金出納官吏をしてその取立て及び当該取立てに係る現金の保管をさせ、又は当該小切手に代わる入札保証金の納付若しくは入札保証金の納付に代える担保の提供を求めなければならない。

2　前項の規定は、入札保証金の納付に代えて提供された手形が満期になつた場合に準用する。

（担保の価値）

第九条　令第七十八条第一項各号に掲げる担保の価値は、次の各号に掲げる担保について当該各号に掲げるところによる。

一　政府の保証のある債券、金融債、公社債及び契約担当官等が確実と認める社債　額面金額又は登録金額（発行価額が額面金額又は登録金額と異なるときは、発行価額）の八割に相当する金額

二　地方債　政府ニ納ムヘキ保証金其ノ他ノ担保ニ充用スル国債ノ価格ニ関スル件（明治四十一年勅令第二百八十七号）の例による金額

三　銀行又は契約担当官等が確実と認める金融機関が振り出し又は支払保証をした小切手　小切手金額

四　銀行又は契約担当官等が確実と認める金融機関が引き受け又は保証若しくは裏書をした手形　手形金額（その手形の満期の日が当該手形を提供した日の一月後であるときは、提供した日の翌日から満期の日までの期間に応じ当該手形金額を一般の金融市場における手形の割引率によつて割り引いた金額）

五　銀行又は契約担当官等が確実と認める金融機関に対する定期預金債権　当該債権証書に記載された債権金額

六　銀行又は契約担当官等が確実と認める金融機関の保証　その保証する金額

（最低の価格をもつて申込みをした者を落札者としないこととする必要がある場合の手続）

第十条　契約担当官等は、法第二十九条の六第一項ただし書の規定により、最低の価格をもつて申込みをした者を直ちに落札者とせず、令第八十六条から第八十九条までの規定により落札者を定める必要があると認めるときは、遅滞なく、これらの規定による手続を経て落札者を定めなければならない。

2　前項の規定により落札者を定めたときは、直ちに、次の各号に掲げる場合に応じ当該各号に定めるところにより通知をするものとする。

一　最低の価格をもつて申込みをした者以外の者を落札者とした場合　次に掲げる者の区分に応じそれぞれ次に定める通知

イ　当該落札者　必要な事項の通知

ロ　最低の価格をもつて申込みをした者で落札者とならなかつた者　落札者とならなかつた理由その他必要な事項の通知

ハ　その他の入札者　適宜の方法による落札の決定があつた旨の通知

二　最低の価格をもつて申込みをした者を落札者とした場合　次に掲げる者の区分に応じそれぞれ次に定める通知

イ　当該落札者　必要な事項の通知

ロ　その他の入札者　適宜の方法による落札の決定があつた旨の通知

3　前項の規定による通知をしたときは、併せて適宜の方法により落札の決定があつた旨を公表するものとする。

（契約書の作成等）

第十一条　契約担当官等は、一般競争若しくは指名競争に付そうとする場合における公告若しくは通知又は随意契約の相手方の決定に当たつては、当該契約の締結につき、契約書の作成を要するものであるかどうかを明らかにしなければならない。

第十二条　財務大臣は、契約担当官等が作成する契約書に関し、必要があるときは、その標準となるべき書式を別に定める。

2　契約担当官等は、前項の書式が定められたときは、当該書式に準拠して、契約書を作成するものとする。

第十三条　契約担当官等は、監督又は検査の円滑な実施を図るため、当該契約の相手方をして監督又は検査に協力させるために必要な事項を約定しなければならない。

第十四条　契約担当官等は、契約の相手方を決定したときは、遅滞なく、契約書を作成しなければならない。

2　契約担当官等が前項の契約書を作成する場合において、必要があると認めるときは、まず、当該契約の相手方に契約書の案を送付して記名押印させ、さらに、当該契約書の案の送付を受けてこれに記名押印するものとする。

3　前項の場合において、契約担当官等が記名押印をしたときは、当該契約書の一通を当該契約の相手方に送付するものとする。

（請書等の徴取）

第十五条　契約担当官等は、法第二十九条の八第一項ただし書の規定により、契約書の作成を省略する場合においても、特に軽微な契約を除き、契約の適正な履行を確保するため請書その他これに準ずる書面を徴するものとする。

（財務大臣の定める契約保証金に代わる担保等）

第十六条　令第百条の四において準用する令第七十八条第一項第四号に規定する財務大臣の定める担保は、次に掲げるものとする。

一　第五条第一項各号に掲げるもの

二　公共工事の前払金保証事業に関する法律（昭和二十七年法律第百八十四号）第二条第四項に規定する保証事業会社（以下次条において「保証事業会社」という。）の保証

第十七条　保証事業会社の保証を契約保証金に代わる担保とする場合における当該担保の価値は、その保証する金額とする。

2　第五条第二項及び第三項並びに第六条から第九条までの規定は、契約保証金について準用する。この場合において、第五条第三項中「金融機関の保証」とあるのは「金融機関の保証若しくは保証事業会社の保証」と、「金融機関との間」とあるのは「金融機関若しくは保証事業会社との間」と、第七条中「一般競争又は指名競争に参加しようとする者」とあるのは「契約の相手方」と、「入札保証保険契約」とあるのは「履行保証保険契約」と、「令第七十七条（令第九十八条において準用する場合を含む。）」とあるのは「令第百条の三」と、第八条中「一般競争又は指名競争に参加しようとする者」とあるのは「契約の相手方」と、「契約締結前」とあるのは「契約上の義務履行前」と、第九条中「第七十八条第一項各号」とあるのは「令第百条の四において準用する令第七十八条第一項各号」と、それぞれ読み替えるものとする。

（監督職員の一般的職務）

第十八条　契約担当官等、契約担当官等から監督を命ぜられた補助者又は各省各庁の長若しくはその委任を受けた職員から監督を命ぜられた職員（以下「監督職員」という。）は、必要があるときは、工事製造その他についての請負契約（以下「請負契約」という。）に係る仕様書及び設計書に基づき当該契約の履行に必要な細部設計図、原寸図等を作成し、又は契約の相手方が作成したこれらの書類を審査して承認をしなければならない。

2　監督職員は、必要があるときは、請負契約の履行について、立会い、工程の管理、履行途中における工事製造等に使用する材料の試験若しくは検査等の方法により監督をし、契約の相手方に必要な指示をするものとする。

3　監督職員は、監督の実施に当たつては、契約の相手方の業務を不当に妨げることのないようにするとともに、監督において特に知ることができたその者の業務上の秘密に属する事項は、これを他に漏らしてはならない。

（監督職員の報告）

第十九条　監督職員は、関係の契約担当官等と緊密に連絡するとともに、当該契約担当官等の要求に基づき又は随時に、監督の実施についての報告をしなければならない。

（検査職員の一般的職務）

第二十条　契約担当官等、契約担当官等から検査を命ぜられた補助者又は各省各庁の長若しくはその委任を受けた職員から検査を命ぜられた職員（以下「検査職員」という。）は、請負契約についての給付の完了の確認につき、契約書、仕様書及び設計書その他の関係書類に基づき、かつ、必要に応じ当該契約に係る監督職員の立会いを求め、当該給付の内容について検査を行なわなければならない。

2　検査職員は、請負契約以外の契約についての給付の完了の確認につき、契約書その他の関係書類に基づき、当該給付の内容及び数量について検査を行なわなければならない。

3　前二項の場合において必要があるときは、破壊若しくは分解又は試験して検査を行なうものとする。

4　検査職員は、前三項の検査を行なつた結果、その給付が当該契約の内容に適合しないものであるときは、その旨及びその措置についての意見を検査調書に記載して関係の契約担当官等に提出するものとする。

（監督及び検査の実施についての細目）

第二十一条　各省各庁の長又はその委任を受けた職員は、必要があるときは、この省令に定めるもののほか、監督及び検査の実施についての細目を定めるものとする。

（検査の一部を省略することができるもの）

第二十二条　令第百一条の五に規定する財務大臣の定める物件の買入れに係る契約は、買入れに係る単価が二十万円に満たないものとする。

（監督又は検査を委託して行なつた場合の確認）

第二十三条　契約担当官等は、令第百一条の八の規定により、国の職員以外の者に委託して監督又は検査を行なわせた場合においては、当該監督又は検査の結果を確認し、当該確認の結果を記載した書面を作成しなければならない。

2　前項の検査に係る契約の代金は、同項の書面に基づかなければ支払をすることができない。

（検査調書の作成を省略することができる場合）

第二十四条　令第百一条の九第一項に規定する財務大臣の定める場合は、請負契約又は物件の買入れその他の契約に係る給付の完了の確認（給付の完了前に代価の一部を支払う必要がある場合において行うものを除く。）のための検査であつて、当該契約金額が二百万円を超えない契約に係るものである場合とする。ただし、検査を行つた結果、その給付が当該契約の内容に適合しないものであるときは、この限りでない。

（競争に参加させないことができる者についての報告）

第二十五条　令第百二条第一項の規定による各省各庁の長に対する契約担当官等の報告は、契約金額が六十万円をこえないものについては、これを省略することができる。

第二十六条　令第百二条第一項の規定による各省各庁の長に

対する契約担当官等の報告は、次に掲げる事項を記載した書面によつてするものとする。
一　庁名、契約担当官等の官職及び氏名
二　令第七十一条第一項各号の一に該当すると認められる者の住所、氏名（法人にあつては、法人名及び代表者名）、業種、経営の規模及び経営の状況並びに当該庁における契約の実績
三　令第七十一条第一項各号の該当条項及びその事実の詳細
2　契約担当官等は、前項の報告に係る事項について当該報告に係る者の説明があつたときは、当該説明を記載した書面を同項の書面に添附するものとする。

（長期継続契約の適用を除外するもの）
第二十七条　令第百二条の二第四号に規定する財務大臣の定める電気通信役務は、次に掲げるものとする。
一　電気通信事業法（昭和五十九年法律第八十六号）第二条第五号に規定する電気通信事業者がその設置する電気通信設備を専用させて提供する電気通信役務のうちテレビジョン放送中継に係るもの
二　電気通信事業法附則第五条第二項の規定により電気通信役務とみなされた電報の取扱いの役務

（電磁的記録により作成する書類等の指定）
第二十八条　次の各号に掲げる書類等の作成については、次項に規定する方法による法第四十九条の二第一項に規定する財務大臣が定める当該書類等に記載すべき事項を記録した電磁的記録により作成することができる。
一　契約書
二　請書その他これに準ずる書面
三　検査調書
四　第二十三条第一項に規定する書面
五　見積書
2　前項各号に掲げる書類等の作成に代わる電磁的記録の作成は、各省各庁の使用に係る電子計算機（入出力装置を含む。以下同じ。）と契約の相手方の使用に係る電子計算機とを電気通信回線で接続した電子情報処理組織を使用して当該書類等に記載すべき事項を記録する方法により作成するものとする。
3　第一項第一号の規定により契約書が電磁的記録で作成されている場合の記名押印に代わるものであつて法第四十九条の二第二項に規定する財務大臣が定める措置は、電子署名（電子署名及び認証業務に関する法律（平成十二年法律第百二号）第二条第一項の電子署名をいう。）とする。

（電磁的方法による請書等又は見積書の提出）
第二十九条　法第四十九条の三第一項の規定により契約の相手方が請書その他これに準ずる書面又は見積書を電磁的方法により提出できる場合は、前条第二項の規定により作成された電磁的記録を同項に規定する電子情報処理組織を使用して行う場合とする。

附　則

1　この省令は、公布の日から施行する。
2　次に掲げる命令は、廃止する。
一　会計規則第九十六条ノ規定ニ依リ一般競争ニ加ラムトスル者ニ必要ナル資格ニ関スル件（大正十一年大蔵省令第三十三号）
二　鉄筋混凝土函製造及沈置用仮桟橋其他ノ物件ノ貸下競争ニ加ハラントスル者ノ資格ニ関スル件（大正四年大蔵省令第十七号）

○国の物品等又は特定役務の調達手続の特例を定める政令

昭五五・一一・一八
政令三〇〇

最終改正　令五・六・三〇政令二二九

（趣旨）
第一条　この政令は、二千十二年三月三十日ジュネーブで作成された政府調達に関する協定を改正する議定書によつて改正された千九百九十四年四月十五日マラケシュで作成された政府調達に関する協定（以下「改正協定」という。）その他の国際約束を実施するため、国の締結する契約のうち国際約束の適用を受けるものに関する事務の取扱いに関し、予算決算及び会計令（昭和二十二年勅令第百六十五号。以下「予決令」という。）及び予算決算及び会計令臨時特例（昭和二十一年勅令第五百五十八号。以下「予決令臨時特例」という。）の特例を設けるとともに必要な事項を定めるものとする。

（定義）
第二条　この政令において、次の各号に掲げる用語の意義は、当該各号に定めるところによる。
一　各省各庁の長　財政法（昭和二十二年法律第三十四号）第二十条第二項に規定する各省各庁の長をいう。
二　契約担当官等　会計法第二十九条の三第一項に規定する契約担当官等をいう。
三　一般競争　会計法第二十九条の三第一項の競争をいう。
四　物品等　動産（現金及び有価証券を除く。）及び著作権法（昭和四十五年法律第四十八号）第二条第一項第十

号の二に規定するプログラムをいう。

五　特定役務　改正協定の附属書Ｉ日本国の付表５に掲げるサービス若しくは同附属書Ｉ日本国の付表６に掲げる建設サービス（次号及び第十二条第一項第四号において「建設工事」という。）又は経済上の連携に関する日本国と欧州連合との間の協定の附属書十第二編第Ｂ節５(a)に掲げるサービスに係る役務をいう。

六　調達契約　物品等又は特定役務の調達のため締結される契約（当該物品等又は当該特定役務以外の物品等又は役務の調達が付随するものを含み、民間資金等の活用による公共施設等の整備等の促進に関する法律（平成十一年法律第百十七号）第二条第二項に規定する特定事業（建設工事を除く。）にあつては、民間資金等の活用による公共施設等の整備等の促進に関する法律の一部を改正する法律（平成二十三年法律第五十七号）による改正前の同項に規定する特定事業を実施するため締結される契約に限る。）をいう。

七　一連の調達契約　特定の需要に係る一の物品等若しくは特定役務又は同一の種類の二以上の物品等若しくは特定役務の調達のため締結される二以上の調達契約をいう。

（適用範囲）

第三条　この政令は、国の締結する調達契約であつて、当該調達契約に係る予定価格（物品等の借入れに係る調達契約又は一定期間継続して提供を受ける特定役務の調達契約にあつては、借入期間又は提供を受ける期間の定めが十二月以下の場合は当該期間における予定賃借料の総額又は特定役務の予定価格の総額とし、その他の場合は財務大臣の定めるところにより算定した額とする。）が財務大臣の定める区分に応じ財務大臣の定める額以上の額であるものに関する事務について適用する。ただし、次に掲げる調達契約に関する事務については、この限りでない。

一　有償で譲渡（加工又は修理を加えた上でする譲渡を含む。）をする目的で取得する物品等若しくは当該物品等の譲渡（加工又は修理を加えた上でする譲渡を含む。）をするために直接に必要な特定役務（当該物品等の加工又は修理をするために直接に必要な特定役務を含む。）又は有償で譲渡をする製品の原材料として使用する目的で取得する物品等若しくは当該製品の生産をするために直接に必要な特定役務の調達契約

二　防衛省に関する経費による物品等の調達契約（改正協定の附属書Ｉ日本国の付表４の２に掲げる物品等の調達契約にあつては、当該調達契約に係る国の行為を秘密にする必要があるものに限る。）

三　物品等の調達契約（防衛省に関する経費によるものを除く。）又は特定役務の調達契約であつて、当該調達契約に係る国の行為を秘密にする必要があるもの

2　前項の予定価格は、調達契約に関し予決令第八十条第一項ただし書の規定により単価についてその予定価格が定められる場合にあつては当該予定価格に当該調達契約により調達をすべき数量を乗じた額とし、一連の調達契約が締結される場合にあつては当該一連の調達契約により調達をすべき物品等又は特定役務の予定価格の合計額とする。

（競争参加者の資格に関する審査等）

第四条　各省各庁の長又はその委任を受けた職員は、その事務につきこの政令の規定が適用される調達契約（以下「特定調達契約」という。）の締結が見込まれるときは、予決令第七十二条第二項の規定による審査については、随時に、しなければならない。

2　各省各庁の長又はその委任を受けた職員は、特定調達契約の締結が見込まれるときは、予決令第七十二条第四項の規定による公示については、当該特定調達契約の締結が見込まれる年度ごとに、官報によりしなければならない。

3　各省各庁の長又はその委任を受けた職員は、予決令第九十五条第一項の規定により指名競争に参加する者に必要な資格が定められている場合において、特定調達契約の締結が見込まれるときは、随時に、指名競争に参加しようとする者の申請をまつて、その者が当該資格を有するかどうかを審査しなければならない。

4　各省各庁の長又はその委任を受けた職員は、予決令第九十五条第一項の規定により指名競争に参加する者に必要な資格が定められている場合において、特定調達契約の締結が見込まれるときは、当該特定調達契約の締結が見込まれる年度ごとに、当該資格の基本となるべき事項並びに同条第二項において準用する予決令第七十二条第二項に規定する申請の時期及び方法等について、官報により公示をしなければならない。

5　予決令第九十五条第四項の規定は、特定調達契約に関する事務については、適用しない。

（一般競争の公告）

第五条　契約担当官等が特定調達契約につき一般競争に付する場合における予決令第七十四条の規定の適用については、同条中「十日前」とあるのは「四十日前（一連の調達契約のうち最初の契約以外の契約に係る一般競争については、二十四日前）」と、「官報、新聞紙、掲示その他の方法」とあるのは「官報」と、「五日」とあるのは「十日」と読み替えるものとする。

2　予決令第九十二条の規定は、特定調達契約に関する事務については、適用しない。

（一般競争について公告をする事項）

第六条　前条第一項の規定により読み替えられた予決令第七

十四条の規定による公告は、予決令第七十五条各号に掲げる事項及び予決令第七十六条の規定により明らかにしなければならない事項のほか、次に掲げる事項についても、するものとする。

一　一連の調達契約にあつては、当該一連の調達契約のうちの一の契約による調達後において調達が予定される物品等又は特定役務の名称、数量及びその入札の公告の予定時期並びに当該一連の調達契約のうちの最初の契約に係る入札の公告の日付

二　予決令第七十二条第二項の規定による申請の時期及び場所

三　第九条に規定する文書の交付に関する事項

四　落札者の決定の方法

（指名競争の公示等）

第七条　契約担当官等は、特定調達契約につき指名競争に付そうとするときは、第五条第一項の規定により読み替えられた予決令第七十四条の規定の例により、公示をしなければならない。

2　前項の規定による公示は、前条の規定により一般競争について公告をするものとされている事項のほか、予決令第九十六条第一項の規定による基準に基づく指名競争において指名されるために必要な要件（次条第二項において「指名されるために必要な要件」という。）についても、するものとする。

3　予決令第九十七条第二項の規定による通知は、第一項の規定による公示の日においてするものとする。

4　前項の場合においては、予決令第九十七条第二項の規定により通知しなければならない事項のほか、次に掲げる事項を通知しなければならない。

一　一連の調達契約にあつては、前条第一号に掲げる事項

二　契約の手続において使用する言語

（公告又は公示に係る一般競争又は指名競争に参加しようとする者の取扱い）

第八条　各省各庁の長又はその委任を受けた職員は、契約担当官等が特定調達契約につき一般競争に付そうとする場合において公告をし又は指名競争に付そうとする場合において前条第一項の規定による公示をした後、当該公告又は公示に係る一般競争又は指名競争に参加しようとする者から予決令第七十二条第二項（予決令第九十五条第二項において準用する場合を含む。）の規定による申請（第三項において「一般競争又は指名競争に係る資格審査の申請」という。）があつたときは、速やかに、その者が予決令第七十二条第一項又は第九十五条第一項に規定する資格を有するかどうかについて審査を開始しなければならない。

2　契約担当官等は、特定調達契約に係る指名競争の場合においては、前項の規定による審査の結果予決令第九十五条第一項に規定する資格を有すると認められた者のうちから、指名されるために必要な要件を満たしていると認められる者を指名するとともに、その指名する者に対し、予決令第九十七条第二項に規定する事項及び前条第四項各号に掲げる事項を通知しなければならない。

3　契約担当官等は、特定調達契約につき一般競争又は指名競争に係る資格審査の申請を行つた者から入札書が第一項の規定による審査の終了前に提出された場合においては、その者が開札の時において、一般競争の場合にあつては予決令第七十五条第二号に規定する競争に参加する者に必要な資格を有すると認められることを、指名競争の場合にあつては前項の規定により指名されていることを条件として、当該入札書を受理するものとする。

（入札説明書の交付）

第九条　契約担当官等は、特定調達契約につき一般競争又は指名競争に付そうとするときは、これらの競争に参加しようとする者に対し、その者の申請により、入札を行うため必要な事項として大蔵省令で定める事項について説明する文書を交付するものとする。

（複数落札入札制度による物品等又は特定役務の調達）

第十条　契約担当官等は、特定調達契約につき一般競争又は指名競争に付する場合（予決令臨時特例第四条の二第一項に規定する場合を除く。）において、その需要数量が多いときは、その需要数量の範囲内でこれらの競争に参加する者の落札を希望する数量及びその単価を入札させ、予定価格を超えない単価の入札者のうち、低価の入札者から順次需要数量に達するまでの入札者をもつて落札者とすることができる。

2　予決令臨時特例第四条の二第二項及び第四条の三から第四条の九までの規定は、前項の場合について準用する。この場合において、予決令臨時特例第四条の四中「入札者に対する通知」とあるのは「国の物品等又は特定役務の調達手続の特例を定める政令（昭和五十五年政令第三百号。以下この条において「特例政令」という。）第七条第一項の規定による公示」と、「令第七十五条各号に掲げる事項」とあるのは「特例政令第六条の規定により公告をするものとされている事項又は特例政令第七条第二項の規定により公示をするものとされている事項」と読み替えるものとする。

（随意契約によることができる場合）

第十一条　特定調達契約につき会計法第二十九条の三第五項の規定により随意契約によることができる場合は、予決令第九十九条第十六号の二に掲げる場合（同号に規定する物件の買入れ又は借入れの場合にあつては、当該物件を同号

に規定する救済施設が生産する場合に限る。）及び同条第十八号に掲げる場合並びに予決令第九十九条の二及び第九十九条の三並びに予決令臨時特例第四条の八（前条第二項において準用する場合を含む。）の規定により随意契約によることができるものとされる場合に限るものとする。

２　予決令第九十九条の四の規定は、特定調達契約に関する事務については、適用しない。

（随意契約によろうとする場合の財務大臣への協議）

第十二条　各省各庁の長は、契約担当官等が特定調達契約につき随意契約によろうとする場合においては、あらかじめ、財務大臣に協議しなければならない。ただし、次に掲げる場合において随意契約によろうとするときは、この限りでない。

一　他の物品等をもつて代替させることができない芸術品又は特許権等の排他的権利に係る物品等若しくは特定役務の調達をする場合において、当該調達の相手方が特定されているとき。

二　既に調達をした物品等（以下この号において「既調達物品等」という。）の交換部品その他既調達物品等に連接して使用する物品等の調達をする場合であつて、既調達物品等の調達の相手方以外の者から調達をしたならば既調達物品等の使用に著しい支障が生ずるおそれがあるとき。

三　国の委託に基づく試験研究の結果製造された試作品等の調達をする場合

四　既に契約を締結した建設工事（以下この号において「既契約工事」という。）についてその施工上予見し難い事由が生じたことにより既契約工事を完成するために施工しなければならなくなつた追加の建設工事（以下この号において「追加工事」という。）で当該追加工事の契約に係る予定価格に相当する金額（この号に掲げる場合に該当し、かつ、随意契約の方法により契約を締結した既契約工事に係る追加工事がある場合には、当該追加工事の契約金額（当該追加工事が二以上ある場合には、それぞれの契約金額を合算した金額）を加えた額とする。）が既契約工事の契約金額の百分の五十以下であるものの調達をする場合であつて、既契約工事の調達の相手方以外の者から調達をしたならば既契約工事の完成を確保する上で著しい支障が生ずるおそれがあるとき。

五　緊急の必要により競争に付することができない場合

六　前条第一項の規定により随意契約によることができる場合

２　契約担当官等が特定調達契約につき随意契約によろうとする場合においては、予決令第百二条の四の規定は、適用しない。

（落札者等の公示）

第十三条　契約担当官等は、特定調達契約につき、一般競争又は指名競争により落札者を決定したとき、又は随意契約の相手方を決定したときは、財務省令で定めるところによりその日の翌日から起算して七十二日以内に、官報により公示をしなければならない。

（予決令臨時特例の読替え）

第十四条　契約担当官等が特定調達契約につき予決令臨時特例第四条の二第一項の規定により同項の規定による競争に付する場合における予決令臨時特例第四条の四の規定の適用については、同条中「入札者に対する通知」とあるのは「国の物品等又は特定役務の調達手続の特例を定める政令（昭和五十五年政令第三百号。以下この条において「特例政令」という。）第七条第一項の規定による公示」と、「令第七十五条各号に掲げる事項」とあるのは「特例政令第六条の規定により公告をするものとされている事項又は特例政令第七条第二項の規定により公示をするものとされている事項」とする。

（財務大臣の権限）

第十五条　この政令に定めるもののほか、特定調達契約に関する事務について必要な事項は、財務大臣が定める。

附　則（抄）

１　この政令は、協定が日本国について効力を生ずる日（昭和五十六年一月一日）から施行する。

○国の物品等又は特定役務の調達手続の特例を定める省令

昭五五・一一・一八
大蔵令四五

最終改正　令四・二・九財務令一

（適用範囲）
第一条　この省令は、国の物品等又は特定役務の調達手続の特例を定める政令（以下「特例政令」という。）の規定が適用される調達契約（特例政令第二条第六号に規定する調達契約をいう。）に関する事務について適用する。

（定義）
第二条　この省令において「各省各庁の長」、「契約担当官等」、「一般競争」、「物品等」、「特定役務」又は「特定調達契約」とは、それぞれ特例政令第二条又は第四条第一項に規定する各省各庁の長、契約担当官等、一般競争、物品等、特定役務又は特定調達契約をいう。

（競争参加者の資格について公示をする事項）
第三条　各省各庁の長又はその委任を受けた職員は、特例政令第四条第二項又は第四項の規定による公示において、次に掲げる事項を明らかにしなければならない。
一　調達をする物品等又は特定役務の種類
二　予算決算及び会計令（昭和二十二年勅令第百六十五号。以下「予決令」という。）第七十二条第一項又は第九十五条第一項に規定する資格の有効期間及び当該期間の更新手続

（一般競争又は指名競争について公告又は公示をする事項）
第四条　契約担当官等は、特例政令第五条第一項の規定により読み替えられた予決令第七十四条の規定による公告又は特例政令第七条第一項の規定による公示において、契約担当官等の氏名及びその所属する部局の名称並びに契約の手続において使用する言語を明らかにするほか、次に掲げる事項を、英語、フランス語又はスペイン語により、記載するものとする。
一　調達をする物品等又は特定役務の名称及び数量
二　入札期日又は予決令第七十二条第二項（予決令第九十五条第二項において準用する場合を含む。）の規定による申請の時期
三　契約担当官等の氏名及びその所属する部局の名称

（公告又は公示に係る一般競争又は指名競争に参加しようとする者への通知）
第五条　各省各庁の長又はその委任を受けた職員は、特例政令第八条第一項に規定する一般競争又は指名競争に係る資格審査の申請があつた場合において、開札の日時までに同項の規定による審査を終了することができないおそれがあると認められるときは、あらかじめ、その旨を当該申請を行つた者に通知しなければならない。

（入札説明書の記載事項）
第六条　特例政令第九条に規定する財務省令で定める事項は、次に掲げるものとする。
一　特例政令第六条又は第七条第二項の規定により公告又は公示をするものとされている事項（特例政令第六条第三号に掲げる事項を除く。）
二　調達をする物品等又は特定役務の仕様その他の明細
三　開札に立ち会う者に関する事項
四　契約担当官等の氏名並びにその所属する部局の名称及び所在地
五　契約の手続において使用する言語
六　契約の手続において契約事務取扱規則（昭和三十七年大蔵省令第五十二号）第二十八条第二項に規定する電子情報処理組織を使用する場合には、当該電子情報処理組織の使用に関する事項
七　その他必要な事項

（落札者の決定に関する通知等）
第七条　契約担当官等は、特定調達契約につき一般競争又は指名競争に付した場合において、落札者を決定したときは、その日の翌日から起算して七日以内に、落札者を決定したこと、落札者の氏名及び住所並びに落札金額を、落札者とされなかつた入札者に書面により通知するものとする。この場合において、落札者とされなかつた入札者から請求があるときは、当該請求を行つた入札者の入札が落札者とされなかつた理由（当該請求を行つた入札者の入札が無効とされた場合にあつては、無効とされた理由）を、当該請求を行つた入札者に通知するものとする。

第七条の二　契約担当官等は、財務大臣の定めるところにより、特例政令第十三条の規定による公示において、次に掲げる事項を記載するものとする。
一　落札又は随意契約に係る物品等又は特定役務の名称及び数量
二　契約担当官等の氏名並びにその所属する部局の名称及び所在地
三　落札者又は随意契約の相手方を決定した日
四　落札者又は随意契約の相手方の氏名及び住所
五　落札金額又は随意契約に係る契約金額
六　契約の相手方を決定した手続
七　一般競争又は指名競争によることとした場合には、特例政令第五条第一項の規定により読み替えられた予決令第七十四条の規定による公告又は特例政令第七条第一項

の規定による公示を行つた日
八　随意契約による場合にはその理由
九　その他必要な事項
（一般競争又は指名競争に関する記録）
第八条　契約担当官等は、特定調達契約につき一般競争又は指名競争に付した場合において、落札者を決定したときは、次に掲げる事項について、記録を作成し、保管するものとする。
一　入札者及び開札に立ち会つた者の氏名
二　入札者の申込みに係る価格
三　落札者の氏名、落札金額及び落札者の決定の理由
四　無効とされた入札がある場合には、当該入札の内容及び無効とされた理由
五　第五条の規定により通知した場合には、当該通知に関する事項
六　その他必要な事項
（随意契約に関する記録）
第九条　契約担当官等は、特定調達契約につき随意契約によつた場合には、当該随意契約の内容及び随意契約によることとした理由について、記録を作成し、保管するものとする。
（苦情の処理）
第十条　各省各庁の長又はその委任を受けた職員は、特定調達契約につき落札者とされなかつた入札者からの苦情その他特定調達契約に係る苦情の処理に当たる職員を指定するものとする。
（特定調達契約に関する統計）
第十一条　各省各庁の長は、財務大臣の定めるところにより、特定調達契約に関する統計を作成し、財務大臣に送付するものとする。

附　則（抄）
1　この省令は、特例政令の施行の日（昭和五十六年一月一日）から施行する。

○国の物品等又は特定役務の調達手続の特例を定める政令第三条第一項に規定する「財務大臣の定めるところにより算定した額」について

平二六・三・一九財計八一五
財務大臣から各省各庁の長あて

標記のことについては、当分の間、下記によることとしたので、通知する。
なお、国の物品等又は特定役務の調達手続の特例を定める政令の一部を改正する政令（平成二十六年政令第五十七号）施行の日（平成二十六年四月十六日）前において行われた公告その他の契約の申込みの誘因に係る契約で同日以後に締結されるものについては、適用しない。
国の物品等又は特定役務の調達手続の特例を定める政令第三条第一項に規定する「財務大臣の定めるところにより算定した額」について（平成七年十一月八日付蔵計第二八三一号）は、平成二十六年四月十五日限り廃止する。

記

借入期間又は提供を受ける期間の定めがある場合は、予定賃借料の総額に見積残存価額（借り入れた物品等をその借入れの終了の時に買い入れるとした場合の買入価格（予算決算及び会計令（昭和二十二年勅令第百六十五号）第八十条の規定に準じて定めるものとする。）を加えて得た額又は特定役務の予定価格の総額とし、その他の場合は、一月当たりの予定賃借料又は一月当たりの特定役務の予定価格に四十八を乗じて得た額とする。

〇国の物品等又は特定役務の調達手続の特例を定める政令第三条第一項に規定する財務大臣の定める区分及び財務大臣の定める額を定める件

令六・一・二五
財務告二四

国の物品等又は特定役務の調達手続の特例を定める政令（昭和五十五年政令第三百号）第三条第一項に規定する財務大臣の定める区分は、次の表の上欄に掲げる区分とし、同項に規定する財務大臣の定める額は、当該区分に応じ同表の下欄に定める額とし、令和六年四月一日から令和八年三月三十一日までの間に締結される調達契約について適用する。

区分	額
物品等の調達契約	千八百万円
特定役務のうち建設工事の調達契約	八億千万円
特定役務のうち建築のためのサービス、エンジニアリング・サービスその他の技術的サービスの調達契約	八千百万円
特定役務のうち右記以外の調達契約	千八百万円

〇国の物品等の調達手続の特例を定める政令の施行について

昭五五・一二・二七蔵計三〇九六
大蔵大臣から各省各庁の長あて

国の物品等の調達手続の特例を定める政令（昭和五十五年政令第三百号。以下「特例政令」という。）は、政府調達に関する協定（以下「協定」という。）を実施するため、国の締結する契約のうち協定の適用を受けるものに関する事務の取扱いに関し、予算決算及び会計令（昭和二十二年勅令第百六十五号。記の三及び六において「予決令」という。）及び予算決算及び会計令臨時特例（昭和二十一年勅令第五百五十八号。記の三において「予決令臨時特例」という。）の特例を設けるとともに必要な事項を定めるものであり、国の物品等の調達手続の特例を定める省令（昭和五十五年大蔵省令第四十五号。記の四において「特例省令」という。）とともに、昭和五十五年十一月十八日に公布され、協定が我が国について効力を生ずる昭和五十六年一月一日から施行することとされている。

我が国における国の物品等の調達手続は、かねてより国内供給者と外国供給者とを同等に取り扱う制度となつているところであるが、特例政令第三条第一項に規定する特定調達契約に関する事務を行うに当たつては、内外無差別の原則の一層の強化等を目的としている協定の趣旨を十分理解の上、下記事項に留意し、遺憾なきを期せられたい。

なお、貴省庁関係部局にも周知徹底願いたい。

記

一　一般競争又は指名競争に付する場合はもとより随意契約による場合においても、内外無差別の原則に沿つて、契約の相手方の適正な選定を行うこと。

二　資格審査に係る事務をできる限り一元的に行う等、一般競争又は指名競争に参加しようとする者の利便について配慮すること。

三　協定において、商標等を特定して一般競争又は指名競争に付することを禁止しており、また、随意契約によることができる場合が予決令及び予決令臨時特例等の規定に比べ制限されていることにかんがみ、必要に応じて技術審査を伴う入札手続を採用する等、入札手続の適切な運用に努めること。

四　特例政令第七条第一項に規定する一般競争又は指名競争に係る資格審査の申請があつた場合には、速やかに当該資格審査を終了するように努めるとともに、開札の日時までに当該資格審査を終了することができないおそれがあると認められるときは、特例省令第五条の規定により、あらかじめ、その旨を当該申請を行つた者に通知することにより、苦情が生じないように努めること。

なお、開札の日時までに資格審査を終了することができなかつた場合においても、じ後において、速やかに当該資格審査を終了するように努めること。

五　協定が随意契約によることができる場合の要件について厳格に規定している趣旨にかんがみ、随意契約によることの可否については、特に慎重に判断すること。

六　予決令第九十九条の三の規定により随意契約によろうとする場合には、当該随意契約の相手方の選定に当たり、予定価格の制限の範囲内の価格をもつて申込みをした次順位者等から予決令第九十九条の六の見積書を徴すること等により、次順位者等の立場について配慮すること。

○国の物品等の調達手続の特例を定める政令の一部を改正する政令等の施行について

昭六二・一二・二五蔵計三〇一五
各省各庁会計課長あて

今般、「政府調達に関する協定」を改正するため、「政府調達に関する協定を改正する議定書（以下「改正協定」という。）」が昭和六十三年二月十四日に効力を生ずることとなったことに伴い、これを実施するため「国の物品等の調達手続の特例を定める政令の一部を改正する政令（昭和六十二年政令第四百五号）」等が昭和六十二年十二月二十二日に公布され、昭和六十三年二月十四日から施行することとされたところである。

ついては、改正後の国の物品等の調達手続の特例を定める政令第三条第一項に規定する特定調達契約に関する事務を行うに当たっては、改正協定の趣旨を十分理解のうえ、下記事項に留意し、遺憾なきを期せられたい。

なお、貴省庁関係部局にも周知徹底願いたい。

記

1　一般競争に付する場合はもとより指名競争に付する場合又は随意契約による場合においても、契約の相手方の適正な選定を行い、いやしくも特定の供給者が有利となるような方法によって市場調査を行い、又は調達に関する情報の提供を行ってはならないこと。

2　競争参加者の資格審査に係る基準及び格付を統一化するとともに、当該審査に当たっては、国内供給者と外国供給者とを同等に取り扱うほか、当該供給者の取扱産品の原産地によっても差別を設けることなく同等に取り扱うこと。

3　調達に当たっての納入期日の設定は、広く競争参加者を確保し、供給者の参加機会の増大を図るため改正協定の趣旨に沿って供給者からの苦情が生じないよう、より慎重に対処すること。

4　特定調達契約については、需要数量の多い調達にあっては、複数落札入札制によることとし、予算決算及び会計令（昭和二十二年勅令第百六十五号）第九十九条の四の規定を適用しないこととしたところであるが、複数落札入札制は落札方式の特例であることから、その適正な運用に努めること。

○国の物品等の調達手続の特例を定める政令の施行について

平七・一二・八蔵計二八三二
各省各庁会計課長あて

今般、千九百九十四年四月十五日マラケシュで作成された政府調達に関する協定（以下「協定」という。）を実施するため、「国の物品等の調達手続の特例を定める政令の一部を改正する政令（平成七年政令第三百六十八号）」が平成七年十一月一日に公布され、協定が日本国について効力を生ずる日から施行することとされたところであるが、この協定が日本国について効力を生ずる日については、平成七年十二月八日付外務省告示第六百六十五号により、平成八年一月一日から生ずることとなったので了知されたい。

また、改正後の国の物品等又は特定役務の調達手続の特例を定める政令第四条第一項に規定する特定調達契約の対象となる調達には、特定役務の調達が追加されたところであるが、当該特定役務の調達に関する事務を行うに当たっては、既に特定調達契約の対象とされている物品等の調達に係る「国の物品等の調達手続の特例を定める政令の施行について（昭和五十五年十二月二十七日付蔵計第三〇九六号）」及び「国の物品等の調達手続の特例を定める政令の一部を改正する政令等の施行について（昭和六十二年十二月二十五日付蔵計第三〇一五号）」の通達における留意事項に準じて対処することとし、遺憾なきを期せられたい。

さらに、協定において特定調達契約に関する文書を三年間保管することとされていることにかんがみ、関係する文書の管理についても適正を期せられたい。

なお、貴省庁関係部局にも周知徹底願いたい。

〇国の物品等又は特定役務の調達手続の特例を定める政令の一部を改正する政令の施行について

平二六・三・一九財計八一六
財務省主計局長から各省各庁会計課長あて

今般、二千十二年三月三十日ジュネーブで作成された政府調達に関する協定を改正する議定書によって改正された千九百九十四年四月十五日マラケシュで作成された政府調達に関する協定（以下「改正協定」という。）を実施するため、「国の物品等又は特定役務の調達手続の特例を定める政令の一部を改正する政令（平成二十六年政令第五十七号）」が平成二十六年三月十二日に公布され、改正協定が日本国について効力を生ずる日から施行することとされたところであるが、改正協定が日本国について効力を生ずる日については、平成二十六年三月十九日付外務省告示第七十四号により、平成二十六年四月十六日から生ずることとなったので了知されたい。

また、改正後の国の物品等又は特定役務の調達手続の特例を定める政令（昭和五十五年政令第三百号。以下「特例政令」という。）第四条第一項に規定する特定調達契約に関する事務を行うに当たっては、「国の物品等の調達手続の特例を定める政令の施行について（昭和五十五年十二月二十七日付蔵計第三千九十六号）」、「国の物品等の調達手続の特例を定める政令の一部を改正する政令等の施行について（昭和六十二年十二月二十五日付蔵計第三千十五号）」及び「国の物品等の調達手続の特例を定める政令の一部を改正する政令の施行について（平成七年十二月八日付蔵計第二千八百三十二号）」のほか、下記事項に留意し、遺憾なきを期せられたい。

なお、貴省庁関係部局にも周知徹底願いたい。

記

一　一般競争における公告又は指名競争における公示において、競争に参加する者に必要な資格に関する事項については、一覧にするとともに簡潔な説明の記載に努めること。

二　予算決算及び会計令（昭和二十二年勅令第百六十五号。以下「令」という。）第七十二条第二項（令第九十五条第二項において準用する場合を含む。）の規定により、一般競争又は指名競争に参加する者の資格を審査した場合において、令第七十二条第一項又は第九十五条第一項の資格がないと認めた者から請求があるときは、当該資格がないと認めた理由を、当該資格がないと認めた者に書面により通知すること。

三　一般競争に付そうとする場合において公告をし又は指名競争に付そうとする場合において公示をした後、当該公告又は公示を変更しようとする場合においては、特例政令第五条の規定により読み替えられた予決令第七十四条の規定の例により、公告又は公示をすること。この場合において、当初の公告に係る一般競争又は公示に係る指名競争に参加しようとする全ての者が判明しているときは、当該公告又は公示の変更に係る事項を、当該参加しようとする者に書面により通知すること。

四　一連の調達契約のうち最初の契約以外の契約に係る一般競争の公告又は指名競争の公示の期間を二十四日までに短縮する場合においては、最初の契約に係る公告又は公示において、特例政令第六条第一号に掲げる事項を記載するほか、当分の間、最初の契約以外の契約に係る一般競争の公告又は指名競争の公示の期間を短縮する旨を明らかにすること。

五　改正協定において、電子的手段による対象調達の実施に関する履歴を適切に確認するためのデータを三年間保持することとされていることにかんがみ、契約の手続において電子情報処理組織を使用する場合は、関係する情報の管理についても適正を期すること。

〇国の物品等又は特定役務の調達手続の特例を定める政令の一部を改正する政令の施行について

平三一・一・二五財計一〇八
財務省主計局長から各省各庁会計課長あて

今般、経済上の連携に関する日本国と欧州連合との間の協定（以下「日EU協定」という。）を実施するため、平成三十年十二月十九日に公布された「関税法施行令等の一部を改正する政令（平成三十年政令第三百四十号）」により「国の物品等又は特定役務の調達手続の特例を定める政令（昭和五十五年政令第三百号。以下「特例政令」という。）」が改正され、日EU協定の効力発生の日から施行することとされたところであるが、日EU協定が日本国について効力を生ずる日については、平成三十年十二月二十七日付外務省告示第四百十四号により、平成三十一年二月一日から生ずることとなったので了知されたい。

また、改正後の特例政令第二条第五号に規定する特定役務に新たなサービスが追加されたところであるが、当該特定役務の調達に関する事務を行うに当たっては、「国の物品等の調達手続の特例を定める政令の施行について（昭和五十五年十二月二十七日付蔵計第三千九十六号）」、「国の物品等の調達手続の特例を定める政令の一部を改正する政令等の施行について（昭和六十二年十二月二十五日付蔵計第三千十五号）」、「国の物品等の調達手続の特例を定める政令の一部を改正する政令の施行について（平成七年十二月八日付蔵計第二千八百三十二号）」及び「国の物品等又は特定役務の調達手続の特例を定める政令の一部を改正する政令の施行について（平成二十六年三月十九日付財計第八百十六号）」のほか、下記事項に留意し、遺憾なきを期せられたい。
なお、貴省庁関係部局にも周知徹底願いたい。

記

1　日EU協定による特定役務の対象となるものは、二千十二年三月三十日ジュネーブで作成された政府調達に関する協定を改正する議定書によって改正された協定の附属書I日本国の付表五に掲げるサービス若しくは同附属書I日本国の付表六に掲げる建設サービスに加え、日EU協定の附属書十第二編第B節五(a)に掲げる次のサービスに係る役務をいう。

【千九百九十一年の国際連合の暫定的な中央生産物分類（CPC）】

七五四　電気通信に関連するサービス
八一二　保険（再保険を含む。）及び年金基金サービス（強制加入の社会保障サービスを除く。）
八七二〇一　管理職あっせんサービス
八七二〇二　事務補助従事者その他の労働者あっせんサービス
八七二〇四　家事手伝い提供サービス
八七二〇五　その他の商業又は工業労働者提供サービス
八七二〇六　看護師提供サービス
八七二〇九　その他の人材提供サービス
八七五〇一　肖像写真サービス
八七五〇二　広告及び関連する写真サービス
八七五〇三　行事の写真サービス
八七五〇五　写真加工サービス
八七五〇六　映像加工サービス（映画及びテレビ産業に関連しないもの）
八七五〇七　写真の修復、複写及び修正サービス
八七五〇九　その他の写真サービス
八七九〇一　信用調査サービス
八七九〇二　回収代行サービス
八七九〇三　電話対応サービス
八七九〇五　翻訳及び通訳サービス
八七九〇六　郵送リスト作成及び郵送サービス
八七九〇七　専門デザイン・サービス

2　上記に掲げる日EU協定による特定役務の調達に関する事務を行うに当たっては、欧州連合（EU）加盟国以外の国の者が調達手続に参加することを妨げない。

○契約事務の適正な執行について

昭五三・四・一
蔵計八七五

契約事務の執行にあたつては、かねてより会計法令に従い、その適正な事務処理に努められているところであるが、現下の経済情勢にかんがみ、昭和五十三年一月十三日「政府等の調達に関する運用の改善について」が閣議決定（別紙参照）されたところであり、この際、契約事務の執行にあたつては、下記事項に留意し、なお一層の適正化に努められたい。
なお、貴省庁関係部局にも周知徹底願いたい。

記

一、競争契約方式の活用

(1)　国の締結する契約の相手方の選定については、一般競争契約によることを原則とし、契約の性質、目的等に照らし一般競争契約によることが不可能な場合または不適当である場合等一定の場合に指名競争契約または随意契約によることとされ、予定価格が少額である場合等特別な場合には指名競争契約または随意契約によることができることとされている。

(2)　一般競争契約が原則とされている理由は、機会の均等および公正性の保持の原則に最も適合するばかりでなく、広く多数の参加者による競争を通じて国にとつて最も有利な条件の申込者を選定できるため、予算の効率的使用の面から最もすぐれていると認められるからである。

(3)　このような契約制度の趣旨、予算の適正執行の確保及び最近の政府契約をとりまく情勢等にかんがみ、具体的な契約にあたつては、法令上随意契約によることができる場合でも、安易に随意契約によることなく、契約の種類、金額

等に応じて、可能な限り、広く外国供給者を含めた多数の参加者による競争契約方式の活用を図ること。

二、競争契約上の運用の改善

(1) 競争参加資格申請及び一般競争入札については、広く多数の参加を求めるため、公告することになつているが、その公告方法として掲示のみによる例が多く見受けられるところである。

競争契約の効果をさらに高めるため、できるだけ多数の資格申請又は応札が実現されるよう、現在掲示のみで公告している契約であつても、その種類、金額等に応じて、適宜、新聞、官報等を活用すること等により、さらに広報性を高める方向でその改善を図ること。

また、掲示についても、その場所等について、広報性の見地から十分配慮すること。

(2) 公告記載事項についても、新規参加希望者にも十分理解できるようその内容はできるだけ具体的かつ詳細に記載すること。

(3) 一般競争契約の場合、入札公告は入札期日の前日の少くとも十日前に行うこととなつているが、契約金額が多額の契約、広く多数の参加が期待できる契約等については、遠隔者（外国供給者を含む。）も参加でき、かつ参加希望者が十分準備できるよう応札期間の可能な限りの長期化を図ること。

なお、指名競争契約については、会計法令上、期間の定めはないが上記に準じて配慮すること。

(4) その他新規供給者も競争契約に参加できるように、競争参加資格申請を随時受け付けるようにし、また、遠隔者の入札への競争参加機会の確保を図るため、契約の種類に応じて郵便入札の活用をする等競争契約の効果を高めるための運用の改善を図ること。

(別紙)

政府等の調達に関する運用の改善について

昭五三・一・一三
閣議決定

我が国の政府調達については、外国供給者と国内供給者とを同等に取り扱う制度となつているところであるが、現下の経済情勢にかんがみ、内外無差別の趣旨の一層の徹底を期するため、下記の方針にしたがい、運用面でのより一層の改善に努めるものとする。

なお、この趣旨にそつて政府関係機関にも指導を行うものとする。

記

一、競争契約方式の拡大に努めること。
二、政府調達に関する情報提供方法等について改善を図ること。
三、競争参加機会の拡大のため応札期間について配慮すること。
四、その他入札の手続に関する運用の改善に努めること。

○大規模調達における契約手続の厳正な執行について

昭五四・一〇・一九
蔵計二四一八

契約手続の執行については、かねてより会計法令に従い、その厳正な事務処理に努められているところであるが、昭和五十四年九月五日、「航空機疑惑問題等防止対策に関する協議会」において、航空機疑惑問題等の再発防止のための対策の一環として「大規模調達における手続の厳正な執行の確保を図る」こと等が提言されたことにかんがみ、この際、下記事項に留意し、大規模調達における契約手続の一層厳正な執行に努められたい。

記

一　競争契約方式の活用

国の契約については、機会の均等を図り、公正性を保持するとともに、経済性を確保するため、一般競争契約を原則とする等の制度が設けられているところであるが、大規模調達に係る契約にあたつては、特にこのことに留意し、可能な限り競争契約方式の活用を図ること。

二　指名競争契約の適正な運用

指名競争契約にあつては、競争参加者の指名を厳正に行うことが、適正な競争の確保を図るうえで極めて重要であることにかんがみ、指名が特定の者に偏することを極力避ける等、指名競争契約の適正な運用に努めること。

三　随意契約の適正な運用

随意契約によらざるを得ない場合にあつても、契約事務の公正性を保持し、経済性の確保を図るべきことは当然であり、会計法令に従い、一層厳正な手続の執行に努めること。

また、大規模調達を随意契約により行う場合にあつては、対象となる物件等の必要性、随意契約によらざるを得ない事由及び相手方の選定の理由等を明確に整理し、特に入念な検討を行い、一層の厳正を期すること。

四　予定価格の適正の確保
予定価格の決定にあたつては、十分な調査を行うとともに的確な原価計算を行う等により適正な価格とするよう一層努力すること。

○消費税導入後の政府調達に係る入札について

平元・二・一〇
蔵計一九六

標記のことについては、平成元年一月十日に開催された新税制実施円滑化推進本部第一回会合において、「消費税の円滑な実施のための対策」がとりまとめられ、当該対策4(2)において、「政府調達（公共工事等）の入札については、消費税抜き価格相当額で競争し、入札書に記載された金額に三％相当額を上乗せする等の方法で実施」することとされたところである。

ついては、原則として全ての政府調達に係る入札について上記方法を採用することが望ましいと考えられるが、上記方法により入札を行うに際しては、下記のことに留意の上遺憾なきよう願います。

また、貴省庁関係の機関に対しても周知徹底方お取り計らい願います。

記

1　予定価格は、予算決算及び会計令第八十条第二項の規定に従い、消費税分を考慮して適正に算定すること。

2　入札公告又は指名通知において、その都度、上記方法により入札を行う旨を明示すること。

○消費税導入後の政府調達に係る入札について

平元・二・一〇
大蔵省主計局法規課

消費税導入後の政府調達に係る入札については、消費税込みの総額で入札する方法では「消費税分がめり込んでしまい、転嫁が十分に行われないのではないか」という不安を持つ業界が多く、政府に対し、「消費税抜きの価格を入札書に記載し、契約金額は入札書に記載された価格の三％増しとする方法」を採るよう各界からの強い要望が寄せられてきた。このため、このような要望を受け、平成元年一月十日に開催された新税制実施円滑化推進本部第一回会合において、別添のとおり「消費税の円滑な実施のための対策」がとりまとめられ、当該対策4.(2)において、「消費税抜き価格相当額で競争し、入札書に記載された金額に三％相当額を上乗せする等の方法」により入札を実施することとされたところである。

以上の状況にかんがみ、標記のことについては下記のことを御了知の上、その実施につき遺憾なきよう願います。また、貴省庁関係の地方支分部局等の機関に対しても、周知徹底方お取り計らい願います。

記

1　入札方法について
契約の申込の誘引である入札公告又は指名通知において、「落札決定に当たつては、入札書に記載された金額に当該金額の三パーセントに相当する額を加算した金額をもって落札価格とするので、入札者は、消費税に係る課税事業者であるか免税事業者であるかを問わず、見積もった契約金額の一〇三分の一〇〇に相当する金額を入札書に記載すること。」の旨の文言を付すことにより、入札書には各入札者の見積もった契約金額の一〇〇／一〇三に相当する金額を記載させることとし、契約金額は入札書に記載される書面上の金額にその三％に相当する金額を上乗せしたものとする。

（注1）入札書に記載される書面上の金額は、法律上の入札価格の一〇〇／一〇三に相当する額となるが、これは、課税事業者の場合には消費税抜きに相当する額となり、免税事業者の場合には、単に課税事業者と同一の間尺で比較できるようにするために用いる計算上算出される額となる。したがって、入札書の書面上の金額に上乗せされる三％相当額は、免税事業者の場合には、消費税分ではない。（別添の（参考）を参照されたい。）

（注2）この方法による入札は実務上実施するものであり、会計法令の改正を伴うものではない。

2　上記入札方法の適用範囲について

上記入札方法は、混乱を避けるため、原則として全ての政府調達について適用することが適当であるが、次のような契約は、この方法により難いか、又はこの方法を採る理由に乏しいと考えられる。なお、上記入札方法は、政府調達に係る入札について適用しようとするものであって、国の収入原因契約についてはこの限りでない。

(1) 商品券等の物品切手の買入契約その他非課税取引に係る契約

(2) 入札書に記載される書面上の金額が消費税法に規定する消費税の課税標準と一致しないこととなる契約

[例]　①　交換契約その他国の支出原因契約と収入原因契約が混在する契約

②　土地と建物の一括買入契約その他非課税取引と課税取引が混在する契約

(3) 消費税法附則第十一条第一項及び第二項の規定により消費税の税率が六／一〇〇とされる普通乗用自動車の買入に係る契約

（注）この場合には、上記入札方法を一部変更し、入札書には各入札者が見積もる契約金額の一〇〇／一〇六に相当する金額を記載させ、契約金額は入札書に記載された金額にその六％に相当する金額を上乗せしたものとすることになる。

3　予定価格の算定について

予定価格は、予算決算及び会計令第八十条第二項の規定により適正に定めなければならないこととされているので、上記入札方法を採る場合でも、当該入札に課税事業者が参加しないことが事前に明らかであるという特別な事情がある場合を除き、当該入札に係る取引に課される消費税分を考慮して適正に算定する必要がある。なお、課税事業者が参加しないことが事前に明らかであるという特別の事情がある場合においても、仕入れに係る消費税分を考慮して適正に予定価格を算定する必要がある。

4　端数処理について

法律上の入札価格は、入札書に記載された書面上の金額の一〇三／一〇〇に相当する額となる。しかし、契約金額を総額で定める契約（いわゆる総価契約）の場合には、当該相当額に通貨の単位である円に満たない端数が生ずることがあり得るので、あらかじめその端数についての処理方法を入札公告又は指名通知において定めておくことが適当である。この場合の文言としては、「入札書に記載された金額の一〇〇分の一〇三に相当する金額に一円未満の端数があるときは、その端数金額を切り捨てるものとし、当該端数金額を切り捨てた後に得られる金額をもって、申込みがあったものとする。」等の例が考えられる。

（注）単価契約の場合には、端数処理を行わず、原則どおり入札書に記載された書面上の金額の一〇三／一〇〇に相当する額をもって申込みがあったものとすることが適当であると考えられる。

5　なお、課税事業者に係る契約書の作成については、入札による契約であるか随意契約であるかを問わず、原則として、契約金額のほか、当該契約に係る取引に課される消費税額を付記することが望ましいと考えられる。

（記載例）　第〇条　売買代金は、金〇〇〇〇〇円（うち消費税額〇〇〇円）とする。

2　前項の消費税額は、消費税法第二十八条第一項及び第二十九条の規定に基づき、売買代金に一〇三分の三を乗じて得た額である。

○政府調達に係る入札にあたっての消費税及び地方消費税の取扱いについて

平八・八・三〇
各省各庁会計課長あて

政府調達に係る入札にあたっての消費税の取扱いについては、「消費税導入後の政府調達に係る入札について（平成元年二月十日付蔵計第百九十六号）」をもって通知されているところであります。

ところで、平成六年に公布された所得税法及び消費税法の一部を改正する法律（平成六年法律第百九号）及び地方税法等の一部を改正する法律（平成六年法律第百十一号）の規定により、平成九年四月一日以後に行われる課税資産の譲渡等については、消費税の税率が地方消費税と合わせ五％となりますので、政府調達に係る入札にあたっては、留意されるよう念のためお知らせします。

なお、平成八年九月三十日までに締結される工事に係る請負契約等に基づいて、その引渡し等が平成九年四月一日以後に行われるものについては、改正前の消費税率（三％）を適用することとする経過措置が講じられていますので、あわせて留意されるようお知らせします。

○政府調達に係る入札にあたっての消費税及び地方消費税の取扱いについて

平三一・三・二五
各省各庁会計課長あて

政府調達に係る入札にあたっての消費税及び地方消費税の取扱いについては、「消費税導入後の政府調達に係る入札について（平成元年二月十日付蔵計第百九十六号）」、「政府調達に係る入札にあたっての消費税及び地方消費税の取扱いについて（平成八年八月三十日付大蔵省主計局法規課長事務連絡）」及び「政府調達に係る入札にあたっての消費税及び地方消費税の取扱いについて（平成二十五年十月二日付財務省主計局法規課長事務連絡）」をもって通知されているところであります。

ところで、平成二十四年に公布された社会保障の安定財源の確保等を図る税制の抜本的な改革を行うための消費税法の一部を改正する等の法律（平成二十四年法律第六十八号）及び社会保障の安定財源の確保等を図る税制の抜本的な改革を行うための地方税法及び地方交付税法の一部を改正する法律（平成二十四年法律第六十九号）並びに平成二十八年に公布された所得税法等の一部を改正する法律（平成二十八年法律第十五号）の規定により、平成三十一年十月一日以後に行われる課税資産の譲渡等については、消費税及び地方消費税の税率が合わせて十％（飲食料品の譲渡及び定期購読契約に基づく一定の新聞の譲渡については、八％の軽減税率）となりますので、政府調達に係る入札にあたっては、留意されるよう念のためお知らせします。

また、平成三十一年三月三十一日までに締結された工事に係る請負契約等に基づいて、その引渡し等が平成三十一年十月一日以後に行われるものについては、改正前の消費税及び地方消費税の税率（八％）を適用することとする経過措置が講じられていますので、あわせて留意されるようお知らせします。

なお、一の契約において、標準税率（十％）と軽減税率（八％）の適用対象が混在する入札の落札決定にあたっては、現行の電子調達システムが使用できない見込みであり、入札書に記載された金額に適用税率ごとに算出した消費税及び地方消費税に相当する額を加算した金額をもって落札価格とする必要があるので、入札書に入札金額に加え、適用税率ごとの金額の内訳を記載させることにより、適切に対応されるよう留意願います。

○国の契約に係る予定価格の事後公表について

平一〇・三・三一
蔵計八七七

標記のことについては、平成九年十二月十二日に行政改革委員会から内閣総理大臣に対し提出された規制緩和の推進に関する最終意見の中で、「当面は、予定価格の事後公表を積極的に推進していくべきである」との提言がなされた。

また、政府は平成九年十二月二十日に「行政改革委員会最終意見」を最大限尊重する旨の閣議決定等を行ったところである。

ついては、今後、国の契約の予定価格を当該契約の締結後に公表するに当たっては、閣議決定の趣旨を踏まえ、下記に留意しつつ、対処願いたい。

記

1　国の物品等又は特定役務の調達手続の特例を定める政令第四条に定める特定調達契約のうち、当該契約の予定価格を公表したとしても他の契約の予定価格を類推させるおそれがないと認められるものについての予定価格の公表は、同令第十四条に基づく落札者等の公示と併せて行うこと。

2　1を除く国の契約のうち、当該契約の予定価格を公表したとしても国の事務又は事業に支障を生ずるおそれがないと認められるものについての予定価格の公表は、適宜の方法で行うこと。

○国の所有に属する物品の売払代金の納付に関する法律

昭二四・六・一
法一七六

最終改正　平一一・一二・二二法一六〇

（原則）

第一条　国の所有に属する動産（国有財産法（昭和二十三年法律第七十三号）の適用を受けるものを除く。以下「物品」という。）の売払代金は、この法律又は他の法律に規定する場合の外は、当該物品の引渡のときまでに納付させなければならない。

（売払代金の延納）

第一条の二　各省各庁の長（財政法（昭和二十二年法律第三十四号）第二十条第二項に規定する各省各庁の長をいう。以下同じ。）は、国が販売する目的で取得し、生産し、又は製造した物品（取得した物品に加工又は修理を加えたものを含む。）を売り払う場合において、取引上の慣行その他売払代金納付前に物品の引渡を行うことを必要とするやむを得ない事由があると認めるときは、国債その他確実な担保を提供させ、利息を附して、半年（国有の林野から産出する樹木の売払代金にあつては、一年）以内の延納の特約をすることができる。

第二条　各省各庁の長は、前条の場合を除くほか、次に掲げる場合において、買受人が売払代金を一時に納付することが困難であると認めるときは、国債その他確実な担保を提供させ、利息を付して、一年以内の延納の特約をすることができる。

一　各省各庁（財政法第二十一条に規定する各省各庁をいう。）の内部又は相互の間で物品を売り払うとき。

二　地方公共団体、法令による公団その他の公法人及び公益事業を営む法人に物品を売り払うとき。

三　災害救助に必要な物又は感染症予防に必要な薬品等急速に売り払う必要がある物品を売り払うとき。

2　各省各庁の長は、前条の場合を除く外、物品の管理上の都合により、これを急速に売り払う必要がある場合には、同条の規定に準じて延納の特約をすることができる。

（担保の提供免除等）

第三条　前条第一項第一号に規定する場合には、同条第一項の規定にかかわらず、担保を提供させ、及び利息を附することを要しない。

2　各省各庁の長は、前項の場合を除く外、前二条に規定する場合において、特に担保を提供させることが必要でないと認めるとき、又は利息を附することが適当でないと認めるときは、これらの規定にかかわらず、担保の提供を免除し、又は利息を附さないことができる。

（延納等の協議）

第四条　各省各庁の長は、第一条の二又は第二条の規定により延納の特約をしようとするときは、延納期限、担保及び利率について、あらかじめ財務大臣に協議しなければならない。

2　前項の規定は、前条第二項の規定により担保の提供を免除し、又は利息を附さないこととしようとする場合に準用する。

（公団に対する準用）

第五条　前各条の規定は、法令による公団がその所有に属する動産を売り払う場合における当該動産の売払代金の納付及びその延納の特約に準用する。この場合において、第二条第一項第一号中「各省各庁（財政法第二十一条に規定する各省各庁をいう。）の内部又は相互の間で」とあるのは「国に」と、前条第一項中「財務大臣に協議しなければならない。」とあるのは「当該公団を所轄する各省各庁の長の承認を受けなければならない。この場合において、各省各庁の長は、承認しようとするときは、財務大臣に協議しなければならない。」と読み替えるものとする。

附 則（抄）

1 この法律は、公布の日から施行する。但し、附則第四項の規定は、昭和二十四年六月一日から施行する。

2 政府が物件を売り払う場合の代金の延納に関する勅令（大正十年勅令第三百七十四号）は、廃止する。

3 この法律施行前、前項の勅令に基いてした延納の特約は、なお効力を有する。

○政府契約の支払遅延防止等に関する法律

昭二四・一二・一二
法 二 五 六

最終改正 令元・五・三一法一六

（目的）

第一条 この法律は、政府契約の支払遅延防止等その公正化をはかるとともに、国の会計経理事務処理の能率化を促進し、もつて国民経済の健全な運行に資することを目的とする。

（定義）

第二条 この法律において「政府契約」とは、国を当事者の一方とする契約で、国以外の者のなす工事の完成若しくは作業その他の役務の給付又は物件の納入に対し国が対価の支払をなすべきものをいう。

（政府契約の原則）

第三条 政府契約の当事者は、各々の対等な立場における合意に基いて公正な契約を締結し、信義に従つて誠実にこれを履行しなければならない。

（政府契約の必要的内容事項）

第四条 政府契約の当事者は、前条の趣旨に従い、その契約の締結に際しては、給付の内容、対価の額、給付の完了の時期その他必要な事項のほか、次に掲げる事項を書面（電磁的記録（電子的方式、磁気的方式その他人の知覚によつては認識することができない方式で作られる記録であつて、電子計算機による情報処理の用に供されるものをいう。以下この条において同じ。）（財務省令で定めるものに限る。）を含む。第十条において同じ。）により明らかにしなければならない。ただし、他の法令により契約書（その作成に代えて電磁的記録の作成がされている場合における当該電磁的記録を含む。）の作成を省略することができるものについては、この限りでない。

一 契約の目的たる給付の完了の確認又は検査の時期

二 対価の支払の時期

三 各当事者の履行の遅滞その他債務の不履行の場合における遅延利息、違約金その他の損害金

四 契約に関する紛争の解決方法

（給付の完了の確認又は検査の時期）

第五条 前条第一号の時期は、国が相手方から給付を終了した旨の通知を受けた日から工事については十四日、その他の給付については十日以内の日としなければならない。

2 国が相手方のなした給付を検査しその給付の内容の全部又は一部が契約に違反し又は不当であることを発見したときは、国は、その是正又は改善を求めることができる。この場合においては、前項の時期は、国が相手方から是正又は改善した給付を終了した旨の通知を受けた日から前項の規定により約定した期間以内の日とする。

（支払の時期）

第六条 第四条第二号の時期は、国が給付の完了の確認又は検査を終了した後相手方から適法な支払請求を受けた日から工事代金については四十日、その他の給付に対する対価については三十日（以下この規定又は第七条の規定により約定した期間を「約定期間」という。）以内の日としなければならない。

2 国が相手方の支払請求を受けた後、その請求の内容の全部又は一部が不当であることを発見したときは、国は、その事由を明示してその請求を拒否する旨を相手方に通知す

るものとする。この場合において、その請求の内容の不当が軽微な過失によるときにあつては、当該請求の拒否を通知した日から国が相手方の不当な内容を改めた支払請求を受けた日までの期間は、約定期間に算入しないものとし、その請求の内容の不当が相手方の故意又は重大な過失によるときにあつては、適法な支払請求があつたものとしないものとする。

（時期の定の特例）

第七条　契約の性質上前二条の規定によることが著しく困難な特殊の内容を有するものについては、当事者の合意により特別の期間の定をすることができる。但し、その期間は、前二条の最長期間に一・五を乗じた日数以内の日としなければならない。

（支払遅延に対する遅延利息の額）

第八条　国が約定の支払時期までに対価を支払わない場合の遅延利息の額は、約定の支払時期到来の日の翌日から支払をする日までの日数に応じ、当該未支払金額に対し財務大臣が銀行の一般貸付利率を勘案して決定する率を乗じて計算した金額を下るものであつてはならない。但し、その約定の支払時期までに支払をしないことが天災地変等やむを得ない事由に因る場合は、特に定めない限り、当該事由の継続する期間は、約定期間に算入せず、又は遅延利息を支払う日数に計算しないものとする。

2　前項の規定により計算した遅延利息の額が百円未満であるときは、遅延利息を支払うことを要せず、その額に百円未満の端数があるときは、その端数を切り捨てるものとする。

（完了の確認又は検査の遅延）

第九条　国が約定の時期までに給付の完了の確認又は検査をしないときは、その時期を経過した日から完了の確認又は検査をした日までの期間の日数は、約定期間の日数から差し引くものとし、又当該遅延期間が約定期間の日数を越える場合には、約定期間は満了したものとみなし、国は、その越える日数に応じ前条の計算の例に準じ支払遅延に関し約定した利率をもつて計算した金額を相手方に対し支払わなければならない。

（定をしなかつた場合）

第十条　政府契約の当事者が第四条ただし書の規定により、同条第一号から第三号までに掲げる事項を書面により明らかにしないときは、同条第一号の時期は、相手方が給付を終了し国がその旨の通知を受けた日から十日以内の日、同条第二号の時期は、相手方が支払請求をした日から十五日以内の日と定めたものとみなし、同条第三号中国が支払時期までに対価を支払わない場合の遅延利息の額は、第八条の計算の例に準じ同条第一項の財務大臣の決定する率をもつて計算した金額と定めたものとみなす。政府契約の当事者が第四条ただし書の場合を除き同条第一号から第三号までに掲げる事項を書面により明らかにしないときも同様とする。

（国の過払額に対する利息の加算）

第十一条　国が前金払又は概算払をなした場合においてその支払済金額が支払確定金額を超過し当該契約の相手方がその超過額を返納告知のあつた期限までに返納しないときは、その相手方は、その期限の翌日からこれを国に返納する日までの期間に応じ、当該未返納金額に対し第八条第一項に定める率と同じ率を乗じて計算した金額を加算して国に返納しなければならない。

（電磁的方法による手続）

第十一条の二　第五条、第六条及び第十条の規定に基づき相手方が行う通知又は請求が電磁的方法（電子情報処理組織を使用する方法その他の情報通信の技術を利用する方法であつて財務省令で定めるものをいう。次項において同じ。）により行われたときは、国の使用に係る電子計算機に備えられたファイルへの記録がされた時に国に到達したものとみなす。

2　第六条第二項の規定に基づき国が行う通知が電磁的方法により行われたときは、相手方の使用に係る電子計算機に備えられたファイルへの記録がされた時に当該相手方に到達したものとみなす。

（財務大臣の監督）

第十二条　財務大臣は、この法律の適正な実施を確保し政府契約に基く支払の遅延を防止するため、各省各庁（財政法（昭和二十二年法律第三十四号）第二十一条に規定する各省各庁をいう。）及び公団に対し支払の状況について報告を徴し、実地監査を行い、又は必要に応じ、閣議の決定を経て支払について必要な指示をすることができる。

2　財務大臣は、前項の目的をもつて政府契約の相手方に対して支払の状況について報告させ、又は必要に応じ実地調査をすることができる。

（懲戒処分）

第十三条　国の会計事務を処理する職員が故意又は過失により国の支払を著しく遅延させたと認めるときは、その職員の任命権者は、その職員に対し懲戒処分をしなければならない。

2　会計検査院は、検査の結果国の会計事務を処理する職員が故意又は過失により国の支払を著しく遅延させたと認める事件でその職員の任命権者がその職員を前項の規定により処分していないものを発見したときは、その任命権者に当該職員の懲戒処分を要求しなければならない。

（この法律の準用）

第十四条　この法律（第十二条及び前条第二項を除く。）の規定は、地方公共団体のなす契約に準用する。

附　則（抄）

1　この法律は、公布の日から施行する。

2　政府契約でこの法律施行前において国が相手方から給付を終了した旨の通知を受け、なお完了の確認又は検査をしないものがあるとき、又は相手方から適法な支払請求書を受理し、なお支払をしないものがあるときは、第四条第一号及び第二号に掲げる時期は、この法律施行の日からそれぞれ第五条及び第六条の最長期間以内の日と定めたものとみなし、支払遅延に対する遅延利息の率について第八条第一項の率を下るものがあるときは、その率と定めたものとみなす。但し、第七条の規定により、その制限内で特別の期間の定をすることを妨げない。

3　国が支払確定金額を超過する支払をなしたものでこの法律施行前に返納告知に指定した期限が経過し、なお相手方が返納しないものがあるときは、その相手方は、この法律施行の日から第十一条の規定により計算した金額を加算して国に返納しなければならない。

○政府契約の支払遅延防止等に関する法律に規定する情報通信の技術の利用に関する省令

平二六・一〇・二九
財務令八三

最終改正　令二・一二・四財務令七三

（電磁的記録）

第一条　政府契約の支払遅延防止等に関する法律（以下「法」という。）第四条に規定する電磁的記録は、各省各庁の使用に係る電子計算機（入出力装置を含む。以下同じ。）及び相手方の使用に係る電子計算機とを電気通信回線で接続した電子情報処理組織を使用して記録したものとする。

（電磁的方法）

第二条　法第十一条の二第一項に規定する電磁的方法は、前条に規定する電子情報処理組織により作成された電磁的記録及び当該電子情報処理組織を使用する方法とする。

附　則

この省令は、公布の日から施行する。

○政府契約の支払遅延防止等に関する法律の運用方針

昭二五・四・七理国一四〇
大蔵省理財局長発

最終改正　平一二・一二・二八蔵理四六四二

第一　法律の解釈の統一について

政府契約の支払遅延防止等に関する法律（昭和二十四年法律第二百五十六号。以下単に法又は法律という。）について国の事務取扱上の解釈を統一して、その運用の円滑を期するため財務省（理財局）が、その連絡調整の衝に当るものとする。なお、この解釈は、司法上の解釈を拘束するものではない。また、この法律の施行につき訴訟のあつた場合の国の取扱は、国の利害に関係ある訴訟についての法務総裁の権限等に関する法律（昭和二十二年法律第百九十四号）によることは勿論である。

第二　この法律運用の基本方針

この法律は、国の会計経理事務処理の能率化を図り政府契約の支払を促進するとともに、従来兎角官尊民卑的傾向に陥り、ややもすれば片務性を有することが当然であるかのごとき先入観の存する虞のあつた政府契約をして、私法上の契約の本質たる当事者対等の立場において公正に締結せしめ信義則の命ずるところにより相互の円滑適正な履行を確保せんとするものである。従つて、合意の名のもとに契約の本質にもとるが如きことをなさないことはもとより、単に遅延利息の支払をもつて、支払遅延の責を免れ得るとの安易感を抱くことなく約定期間内の支払を励行するよう厳に留意すべきである。なお、この法律の適確円滑なる施行を期する反面、相手方の履行をも厳格に励行せしめるよう措置することが必要である。

第三　この法律の適用範囲について

この法律において「政府契約」とは、国を当事者の一方とする契約で「国以外の者のなす工事の完成若しくは作業その他の役務の給付又は物件の納入に対し国が対価の支払をなすべきもの」であつて

一　国とは

(イ)　立法府

(ロ)　司法府

(ハ)　行政府としての内閣並びに人事院及び国家行政組織法の規定に基き設置せられた各行政機関(従つて公団を含む。)

(ニ)　その他の独立機関たる会計検査院等総べての国の機関を指すものである。

従つて、行政機関的性格を有するも国家行政組織法に基いて設置された機関でないもの、例えば閉鎖機関整理委員会、船舶運営会等の如きは、法第二条に規定する国の範囲には属さない。

(ホ)　日本国有鉄道は、日本国有鉄道法第六十三条の規定により、法律に別段の定をしない限り、国とみなされることとなつているが、法第十四条においては、これを国有鉄道に準用して、法第二条に規定する国と区分し、また日本専売公社は、日本専売公社法第四十九条の規定により政令で特に定める法令に限り国の行政機関とみなされるが、法第十四条においては、これを公社に準用しており国有鉄道とともに法第二条に規定する国には属さないものとする。

二　「国以外の者」とは、一による国以外の者一切をいう。従つて

(イ)　国の機関相互間における契約については、この法律の適用がない。

(ロ)　国と日本専売公社、日本国有鉄道又は地方公共団体との間においては国が、これらのものに対価の支払をなすべき場合に限り、この法律の適用がある。

三　「工事の完成若しくは作業その他の役務の給付又は物件の納入に対し国が対価の支払をなすべきもの」とは相手方の積極的給付に対し国が対価の支払をなすべき私法上の有償双務契約をいうのである。従つて

(イ)　消極的給付（不作為給付）に対する対価

(ロ)　公法上の契約に基き支出せられるもの例えば、補助金、助成金、負担金、交付金、公務出張旅費、歳費

(ハ)　支出の根拠が契約であつても、相手方の給付と、これに対する国の反対給付が対価的関係におかれていないもの例えば

(1)　違約金

(2)　弁償金、賠償金、損失補償金。但し、(ホ)に掲げる如き性質を有するものを除く。

(3)　還付金又は返還金

(4)　政府が管掌する保険の保険給付

(5)　借入金又は国債の返還金又は償還金

(6)　保管金、供託金の返還金

(7)　立替金及びその返還金

(ニ)　支払の根拠が契約でないもの例えば

(1)　出資金、貸付金

(2)　恩給法による恩給

(3)　謝礼金、賞賜金、報奨金(但し、これらの名目によるものであつても、契約により相手方において対価としての請求権を有している場合は、この限りでない。)

(4)　災害による療養費、扶助金、弔慰金、見舞金

(5)　賞与その他の恩恵的性質を有する給与

(6)　公務員以外の者に命じた出頭その他の旅行に対し支給せられる旅費（日当、宿泊料を含む。）

等の如きはこの法律の適用から除外される。

(ホ)　国の管理統制又はその他公益の必要等により相手方の履行が強制せられるものでも本質が契約事項であるもの（但し、相手方の給付と、これに対する国の反対給付たる支払が対価的関係にあり、且つ、相手方の給付の原因が違法でないものに限る。）は、法第二条に規定する政府契約として取扱われる。従つて、例えば

(1)　食糧管理法の規定に基き、政府が米麦等の生産者から買上げた米麦等の対価

(2)　自作農創設特別措置法の規定に基き、政府が買収した農地、農地及び牧野以外の土地、立木又は建物その他の工作物並びに権利等の対価

(3)　臨時物資需給調整法に基く遊休物資活用手続要領並びに過剰物資等在庫活用規則の規定により、不正保有物資等特別措置特別会計の管理庁（その取扱をなす公団を含む。）が譲り渡しを受けた過剰物資の対価

(4)　アルコール専売法の規定に基き、政府が収納したアルコールの賠償金

(5)　土地収用法の規定に基き、国が収用または使用した土地、土地の定着物件、土地に属する土石、砂礫及び収用した土地に在る物件の移転に対する補償金。但し、収用残地の減価補償金の如き消極的損失補償を除く。

(6)　昭和二十年勅令第五百四十二号「ポツダム」宣言の受諾に伴い発する命令に関する件に基く工場事業場等の管理に関する件（昭和二十年文部商工ポ省令第一号）の規定に基き、賠償指定施設管理者に対し支払われる管理費

等は、政府契約に基く対価として、この法律の適用を受けるが国が米麦等の不法所持者から買上げた米麦等の対価及び不正保有物資の所有者から譲り渡しを受けた不正保有物資の対価（以上は何れも例示的列挙とする。）の如きは、相手方の給付の原因が違法であるものとして、この法律の適用を受けない。

四　予算決算及び会計令第七十五条第二項（同令第七十七条において準用する場合を含む。）〔現行第百一条の十〕の規

定による部分払契約については、物件の買入及び性質上可分の工事又は製造並びに工事又は製造以外の請負契約で当該既済（納）部分の代価の全額までを支払い得る場合に限り、法所定の取扱をすべきものである。

五　この法律は、国際私法の準拠法として、日本国内における外国人又は外国におけるこの法律の適用については、それぞれ事実関係を基礎として、法例（明治三十一年法律第十号）の定めるところにより決定すべきである。

第四　契約書の必要的記載事項について

契約書の必要的記載事項については法第四条において規定するところであるが

一　他の法令（例えば予算決算及び会計令第六十八条〔現行第百条〕、建設業法第十九条）において、これらの事項以外に記載すべき事項を規定している場合は、当然これらの事項をも記載しなければならない。

二　同条但書の規定により

(イ)　予算決算及び会計令第七十条〔現行第百条の二〕の規定に該当する場合

(ロ)　その他の法令の規定により契約書の作製を省略し得る場合において契約書の作製を省略したときは、同条第一号ないし第三号に掲げる事項は、法第十条に規定する法定の約定があつたものとみなされる。

三　「この限りでない」とは、「書面により明かにしなくても差し支えない」との意であつて、書面により定めることを否定するものではない。従つて、契約書の作製を省略し得る場合であつても、これらの事項を書面により明かにするならば、完了の確認又は支払の時期については、法第五条ないし第七条の規定により定をすることができるのであり、この定をしなかつたときにおいては、当事者に利益、不利益にかかわらず法第十条に規定する法定の約定があつたものとみなされるのである。

四　同条第一号ないし第三号に掲げる事項が、法第五条ないし第八条の規定による制限に反して定められたときは、その反する部分は無効とし、それぞれ法第五条ないし第八条（但し、契約書の作成を省略し、又はこれらの事項を定めなかつたときは法第十条）に規定する内容の約定があつたものとみなされる。

五　同条第四号に規定する紛争の解決方法については、なんら具体的の定めがないが、法の意図するところは第三者の斡旋により解決し、なるべく訴訟によることを避けんとしているのであり、相手方の給付が建設業法第二条に規定する建設工事に該当し、しかも、契約に関する紛争解決の方法として建設審議会に紛争解決の斡旋を依頼する旨の約定がある場合においては、同法第二十四条の規定に基いて建設審議会に紛争解決の斡旋を依頼することができるが、その他の場合は適当な第三者を選定することが困難な場合もあるので、相手方と合意の上、本法実施の監督的立場にある財務省（その地方機関を含む。）が紛争の解決を斡旋することも一方法である（尤も契約当事者の一方が財務省である場合には別途の方法を選ぶ必要がある。）。なお別に適当な方法がある場合は勿論その方法によるべきであるが、その解決を訴訟によつて解決することとした場合或は現実に訴訟上の紛争を生じたときは、国の利害に関係ある訴訟についての法務総裁の権限に関する法律によつて処理しなければならない。

第五　給付の完了の確認又は検査の時期について

給付の完了の確認又は検査（以下単に検収という）の時期は、法第五条において規定するところであるが

一　「通知を受けた日」とは、通知が国の支配圏内に到達した日であり、所定の執務時間内である限り一日として算入される。民法の規定によれば、期間の計算については、法令、裁判上の命令又は法律行為に別段の定めある場合の外、その時期が午前零時より始まる場合を除いては、暦法的計算により初日を算入しないのであるが、この法律の規定においては、この条項（第五条）における場合と、他の条項における場合（第八条における「支払時期到来の日の翌日」又は第十一条における「その期限の翌日」）とにおいて、その用法を区分しておるので、法令に別段の定のある場合として、通知を受けた日は、計算上一日に算入されるものである。

二　相手方のなす給付の完了の通知を、この法律上の義務とする明文はないが、相手方が、その通知をしないときは、国における検収期間は開始されない。但し、賃貸借契約及びその他の役務の給付を内容とする契約において、特に約定によつて相手方の通知及び国の検収を省略する場合は、この限りでない。

三　「その他の給付」とは、法第二条に規定する工事の完成を除く「作業その他の役務の給付又は物件の納入」をいい、「工事」と「その他の給付」の区分については、信義則及び社会通念に従い契約により決定すべきである。

四　「以内の日とする」とは「以内の日に完了」すべきものとする。

五　国は、検収を完了したことを相手方に通知すべきことは、特に規定されていないが、相手方の支払請求は、国の検収を前提とするものであるから、国の検収が給付者の了知し得ない状況の下に行われたときは、その完了後遅滞なく相手方に通知すべきである。特に定めのない限りその通知は要式行為たるを要しないことは勿論である。

六　契約による相手方の履行の時期と国の検収の時期については

(イ)　相手方の履行の時期を特定（例えば一月十日）とした場合において、当該特定時期以前において相手方が履行を完了したときは、期限の利益を放棄したものとし、当該特定時期の到来までは、検収期間は進行しないものである。なお、相手方の履行の完了が当該特定の時期の到来以前であつても、当該特定の時期の到来以後において

完了の通知のあつたときは、完了の通知のあつた日から検収期間が進行することは当然である。

(ロ) 相手方の履行の時期を特定せず又は、一定の時期まで(例えば一月十日まで)とした場合においては、相手方から履行完了の通知のあつたときから検収期間は進行するものである。

七 予算決算及び会計令(第七十五条第一項及び第七十七条)においては、代価が三十万円を超える工事若しくは製造又は物件の買入及びその他の請負契約について、その完了(納)後、監督又は検査した官吏又は技術者をして、その調書を作成すべきことを規定しているが[現行これに相当する規定は予決令第百一条の九]、代価が三十万円未満[現行六十万円以下]のこれら契約並びにこれら以外の契約についても、その給付を検収すべきことは当然であつて、予算決算及び会計令第七十条[現行第百条の二]の規定に該当し、契約書の作成を省略した場合の給付とともに、その検収については、当然本条の適用があるものである。

八 賃貸借契約又はその他の役務の給付を内容とする契約で、相手方の完了の通知又は国の検収の必要がないと認められるもの及び連合国軍の要求に基く給付の検収については、左により処理することは差し支えない。

(イ) 賃貸借契約にあつては、当該給付の完了について逐一相手方をして通知させることは事実に即せず、また、履行完了については、契約当事者たる国の自ら確認するところであるので、契約によつて、それぞれ支払の根拠となる当該期間満了の時をもつて相手方の通知及び国の検収があつたものとして処理することができる。なお、賃貸借契約以外の役務の給付を内容とする契約についても、契約によつて賃貸借契約と同様の取扱をすることができる。

(ロ) 連合国軍の調達要求に基き、政府との契約により提供せられる給付にあつては、連合国軍の調達受領書の発給せられたことを政府が確認したときをもつて、当該給付の完了の通知及び国の検収があつたものとして処理することができる。なお、この取扱によろうとするときは、その旨を予め約定しておくことが適当である。

九 これらの時期は、給付の内容に応じて、当事者の合意に基き、法律の規定の制限内で適正に決定せらるべきであるが、特に最長期限より短い時期を定めた場合においても、事情の変更が客観的に妥当であると認められる場合においては、相手方の給付の完了前に限り合意の上、法所定の最長期間まで延長することができる。なお、法第七条の規定による時期の特約をなし得るのは、相手方の給付の完了前に限ることは勿論である。

十 これらの期間の末日が休日であるときは、その翌日(その翌日が休日であるときは順延して)が末日となることは当然である。

第六 対価の支払の時期について

相手方の給付に対する対価の支払時期については、法第六条に規定するところであるが

一 「適法な支払請求書」とは、法令、契約、又は慣習により添附すべき書類を添附したものであることを要するが、それは、受理のときにおいて形式的に整備されておれば足りるのである。

二 「受理」とは、単なる到達を指すものではなく相手方の支払請求書が到達し国において、これを処理し得る状態におくことをいうのであるが、この到達が所定の執務時間内であれば当然受理すべきであり、その日は、計算上一日に算入される。(第五ノ一参照)なお、支払請求書受理の日時は、将来事故発生の場合の紛争点となり、これが立証を要することも予想せられるにつき予め請求書送付箇所を約定するとともに、当該機関における請求書受理者を定め、受理簿を設け又は受理請求書に受理日附印を押捺する等請求書受理後の経過を明瞭ならしめるよう措置すべきである。

三 形式的に適法な支払請求書を受理した後は、約定期間は、進行することとなるのであるが、受理後であつても、その内容が不当であり且つ、その不当が相手方の故意又は重大な過失によるものであるときは、適法な支払請求書の提出があつたとみなされず、更に適法な支払請求書の提出があつたときから約定期間は進行することとなる。従つて支払請求書を受理した後は、その内容の不当が相手方の故意又は重大な過失によるものでない限り、これを受理した日から約定期間は進行し、故意又は重大な過失に基かない不当な箇所の修正のための返付期間中その進行が中断されるに過ぎず、手元にある期間の累積によつて、約定期間が満了することもあり得るから、支払請求書受理後の処理は、迅速的確なることが要請される。

四 連合国軍調達要求に基く給付にあつては、PD、PRを添附すべきことは、契約に際し予め明示されており、その添附がないときは、故意又は重大な過失による不当な支払請求書とみなされる。

五 「返付した日」とは、返付のための発信をした日であり、返付した当日を含むものである。

六 「是正した支払請求書を受理した日まで」とは、再受理の当日を含み約定期間に算入しないものである。

七 政府の契約の特例に関する法律第一条に規定する特定契約で政府の支払金額の確定していないものに係る給付の対価の支払時期について、その起算点を「支払金額の確定した日又は政府が確定支払金額を指定(指定金額に対し改訂申請があつたときはその決定した日、その決定を不服として裁判所に出訴したときは、裁判の確定)した日」と定められたのであるが、この場合において、その起算点は

(イ) 支払金額の確定した日とは、支払金額の確定につき両者の合意のあつた日とする。

(ロ) 政府が確定支払金額を指定した日とは、政府の指定金額の通知を相手方に発した日とする。この場合において、

相手方における改訂申請の期限は、指定金額の通知を受けた日の翌日から一箇月以内（昭和二十二年勅令第十一号第三条の二参照）であり、一方、法第六条の規定によれば、工事代金以外の対価の支払時期が法第七条の規定による特約のない限り指定金額の通知を相手方に発した日から三十日以内であるため、相手方の改訂申請の意思を最終的に確認して後に支払をしようとするときは、この法律による支払遅延に陥ることもあり得るので、相手方の改訂申請の如何に拘らず遅滞なく支払事務を処理し、改訂申請に基く支払金額の変更のあつた場合においては、更に(ハ)により処理すべきである。

(ハ) 指定金額に対し改訂申請があつたときはその決定をした日であり、この場合においても、相手方の出訴期間が、その決定の通知を受けた日から三箇月以内（政府の契約の特例に関する法律第三条参照）となつているのに鑑み、(ロ)と同様の問題を生ずるもので、同様出訴に拘りなく支払事務を処理し、約定期間に対する遅延の生ぜざるよう留意すべきである。

(ニ) 相手方の出訴により、支払金額が最終的に確定したときは、確定した日から（当日を含め）約定期間は開始する。

八 所定の最長日数以内において特に短期の支払時期の約定がなされた場合における約定期間の改定については、第五の（九）と同様の処理がなされる。

第七 給付の完了の確認又は検査の時期及び支払の時期の特例について

契約の性質上、検収の時期及び支払の時期が法第五条及び第六条に規定する時期によることが著しく困難な特殊の内容を有するものであるときは、当事者の合意により、それぞれ法第五条及び第六条の最長期間の日数に一・五を乗じた日数以内の日まで延長することができる。この場合において

一 何が、著しく困難な特殊の内容を有するものであるかは、個々の具体的事情に応じ決せられるべきであるが、その内容が客観的に特殊なものに限られ、単に、この特例によつて約定期間を延長し、実質上の支払遅延を生ずるが如きことは許されない。

二 この特例は契約締結の時において約定すべきものであつて契約締結後においては原則としてできないものとする。但し、その後における事情の変更が客観的に妥当なものであると認められるときは、相手方の給付の完了前に限り合意の上これをなすことができる。

三 如何なる事由がある場合においても（契約によつても）これをこえてこれらの期間の延長をなすことはできないのであつて、これをこえて約定がなされた場合においては、当該のこえる部分については、これを無効とし、これら無効の期間に検収及び支払がなされたときは、検収及び支払の遅延があつたものとして取扱われる。

第八 支払の遅延に対する遅延利息について

国が約定期間内に代価の支払をしないときは、支払時期到来の日の翌日から支払をする日までの日数に応じ、当該未支払金額に対し、財務大臣が銀行の一般貸付率を勘案して決定する率により計算した金額を下らない遅延利息を支払わなければならないのであるが、この場合において

一 「支払」とは、弁済の提供が、債務の本旨に従つて現実になされること、即ち、現実に相手方に対し支払がなされることをいうものである。

右の弁済の提供は、国の債務を取立債務となすか持参債務となすかにより、その程度を異にすることとなるので、第四条に掲げる必要的内容事項の外、履行の場所についても契約により明らかにすることが必要である。

(イ) 支払の場所を支出官又は出納官吏の勤務場所とした場合（取立債務）にあつては、国は、支払の準備をなしたことを相手方に通知し、且つ、その受領を催告することを以て足りることとなる。

(ロ) 支払の場所を相手方の営業所若しくは住所又は特定の第三地とした場合にあつてはこれらの場所、支払の場所を定めない場合にあつては相手方の営業所又は住所において、現実に支払がなされなければならない。（但し、これらの場所において支払の準備を完了して相手方の受領を催告せるも、相手方の責に帰すべき事由によつて履行をなし得ない場合は、その翌日以後においては、国は、この法律による支払遅延の責に任じない。）

二 「する日まで」とは、右の催告の意思表示を相手方に発した日まで（当日を含む。）である。従つて、この翌日以後においては、国は、この法律による支払遅延の責に任じない。

相手方に対する右の通知（受領の催告）は、会計法規上の要請に基くものではないが、この法律による支払の遅延を生ぜしめないための必然的手段としてなされるものであつて、要式行為たるを要しないことは勿論である。

隔地払について支出官が予算決算及び会計令第四十九条の規定による送金の通知を債権者に発した日がこの法律による「支払をする日」であり、その翌日後においては、この法律による支払の遅延は生じないものである。

三 未支払金額とは、相手方の給付に対する対価の総額から前金払額又は概算払額等を差引いた未支払残額である。従つて、前払金又は概算払金については、この法律による支払遅延は生じないものである。

四 財務大臣が、銀行の一般貸付利率を勘案して決定する支払遅延利息算定の率は、昭和二十四年十二月十二日附大蔵省告示第九百九十一号で日歩二銭七厘と決定されたが、この率は、銀行における一般貸付利率の変動に応じて改正せられるので常時その改正について留意する必要がある。

五 遅延利息は

(イ) 法所定の率により計算した金額を下るものであつてはならない。従つて、法所定の率を下つて約定せられた率

は、法所定の率を以て約定したものとみなされる。

(ロ)　契約による損害賠償の予定であり、従つて、本来の債務に附従する性質を有し、特に契約において明示しない限り、なるべく本来の債務とともに履行できるよう処理すべきである。また、特に相手方において積極的にこの債権を放棄する意思表示のない限りは、当然支払の義務を負い、その請求を俟たずして履行をなすべきである。なお、本来の債務に附従する性質よりして、本来の債務が取立債務であれば遅延利息も取立債務としての履行があれば足りる。(第八ノ一参照)

(ハ)　その履行期は、本来の債務の履行をなすときに到来するものと解せられるが、損害賠償たる性質に鑑み、更に、その支払遅延に対する遅延利息は、当然には生じないものである。

(ニ)　特に定めない限り、その百円未満の額は、支払うことを要せず、また、百円未満の端数は切り捨てられるが、特に已むを得ない事情のない限り、この支払をなすべき特約は行わないものとする。

(ホ)　その性質に鑑み本来の債務と同一消滅時効に罹り消滅する。従つて、本来の債務のみが単独に弁済されて、遅延利息の弁済が残された場合においても、また、同様に取り扱われるべきものである。

(ヘ)　その支払は、本来の債務とは別個になすべきである。なお、国におけるその支出科目は、一般会計にあつては、賠償及び償還金(目)賠償金(節)によることが適当であり、特別会計にあつては、所管大臣が財務大臣に協議して決定すべきである。

六　約定の時期までに支払をしないことが、天災地変等やむを得ない事由に因る場合は、当該事由の継続する期間は約定期間に算入されず、又は遅延利息を支払う日数に計算されないが、これは、約定の時期までにおける天災地変等の不可抗力に因つて支払をなし得ない場合に限られ、約定の時期以後に生じたこれらの事由による場合においては、支払遅延の責は国において負わなければならないのである。

第九　完了の確認又は検査の遅延について

国が約定の時期までに検収を終了しないときは、その遅延日数は、約定期間から差引かれる。従つて、支払請求書を受理した日から支払時期までの期間が短縮される。また、その遅延日数が約定期間を超える場合は、約定期間は満了したものとみなされ、検収を終了する日までのその超える日数については、遅延利息を支払わなければならない。これらの場合国は、事由の如何に拘らず常に約定期間から検収遅延日数を差引かれ又は、遅延利息を支払わなければならないのではなく、検収遅延の理由が国の責に帰すべき事由による場合にのみ約定期間が短縮され又は遅延利息を支払わなければならないのである。但し、この場合においても、第五条第二項の規定の適用があり、また、遅延日数が約定期間を超える場合において、国が検収を終了し、相手方から適法な請求書を受理した後は、第六条第二項の規定に該当する場合を除いては、不可抗力による場合であつても遅延利息を支払わなければならないのである。

第十　国の過払額に対する利息の加算について

国が、前金払又は概算払をした場合における支払済額が国の支払確定金額を超過し、相手方が、その超過額を返納告知の期限までに返納しないときは、相手方は、返納告知の期限の翌日から返納する日までの期間に応じ、当該超過払額に対して、第八条第一項により財務大臣の決定する率と同率により計算した金額を、当該超過払額に別途加算して返納しなければならない。その取扱は、左によるものとする。

一　当該超過払額が、現年度において支出済となつた歳出の返納金であるときは、当該歳出の定額に戻入し、出納の完結した年度に属するものであるときは、歳入に組入れるものとする。

二　超過払額に対する利息に対しては、超過払額とは別箇に納入告知書を発行し、すべて歳入に組入れるものとする。

三　遅延利息を加算して返納せしめることができるのは、前金払又は概算払の過払額に限り、誤払によるものには適用されない。

四　国の支払う遅延利息とは異り百円未満の額及び百円未満の端数についての切捨は行われない。

五　返納金及び加算金の科目区分は

(イ)　一般会計にあつては

科目区分	部	款	項	目	備考
特別収入とすべきもの以外のもの	雑収入	雑収入	弁償及返納金	返納金	返納金の場合
				延滞金及期満後収入	加算金〃
終戦処理等に伴う特別収入として収入すべきもの	特別収入	終戦処理収入	終戦処理収入	返納金	返納金〃
				雑入	加算金〃
		賠償施設処理収入	賠償施設処理収入	返納金	返納金〃
				雑入	加算金〃
		特殊財産処理収入	特殊財産処理収入	返納金	返納金〃
				雑入	加算金〃
		解除物件処理収入	解除物件処理収入	返納金	返納金〃
				雑入	加算金〃

により

(ロ)　特別会計にあつては、所管大臣が財務大臣に協議すべきである。

第十一　国の会計事務を処理する職員に対する懲戒処分について

法第十三条においては、国の著しき支払遅延が、その会計事務を処理する職員の故意又は過失によるものであるときは、その職員に対し懲戒処分をなすべきことを規定しているのであるが

一　「過失」とは、抽象的軽過失即ち善良なる管理者の注意義務を欠くことをいう。

二　「著しき遅延」とは、遅延利息を生ずるような支払がなされることをいう。

三　「任命権者」とは、雇傭上の任命権者を指すものであり、会計法第四十八条の規定によつて都道府県又は特別市の吏員に歳出の事務を取り扱わしめるような場合にあつては、当該都道府県又は特別市の長である。

四　法第十四条によれば、法第十三条第二項の規定は、地方公共団体に準用することになつていないが、これは、地方公共団体固有の支払事務に関する部面について準用されないのであつて、国の事務を取り扱う部面についての準用を妨げるものではない。

第十二　この法律の運用上確認しておくべき期日について

この法律の実施に当つては、給付の完了に関する相手方の通知受領の日、国における給付の完了の確認又は検査の日、相手方よりの支払請求書受理の日、支払請求書返付の日、是正した支払請求書再受理の日、相手方に対し受領の催告をなした日、現実の支払を終了した日等権利義務の発生消滅に関する確実なる記録を存しておく必要があるので、これらに関する整理簿を設け、この法律の円滑なる運用を期するものとする。

第十三　法律の施行に伴う経過的措置について

この法律施行の日（昭和二十四年十二月十二日）において

一　相手方から給付を完了した旨の通知を受け、国において完了の確認又は検査をしていないものは、法第七条の規定による特別の定をしない限りこの法律施行の日から

(イ)　工事については十四日

(ロ)　その他の給付については十日

以内に検収を終了せしめなければ、その遅延が国の責に帰すべき事由によるものであるときは法第九条の規定による検収の遅延があるものとせられる。但し、この場合であつても法第五条第二項の規定の適用があることは当然である。

二　国が検収を終了して、相手方から適法な支払請求書を受理し、その対価の未支払のものについては、法第七条の規定による特別の定をしない限り、この法律施行の日から

(イ)　工事代金については四十日

(ロ)　その他の給付に対する対価については三十日

を経過した後は不可抗力を以てしても法第八条の規定による支払の遅延があるものとせられる。

但し、この場合であつても、法第六条第二項の規定の適用があることは当然である。

三　相手方が給付を完了し、国が検収をしていないもの及びその対価の未支払のものはこれらの時期の定めのない場合であつても、法第十条の規定に拘らず㈠㈡の取扱によるものとし、これらの時期及び利率の定があるものについては、これらの時期及び利率が

(イ)　法所定の時期を超えるものは、法所定の時期、遅延利息の率が法所定の率を下るものは、法所定の率に修正されたものとみなし、

(ロ)　法所定の時期以内のもの及び法所定の率を超えているものは、約定のとおり

それぞれ履行しなければならない。但し、相手方の給付の完了していないものについては、第七の取扱要領により完了の確認又は検査及び支払の時期の特約をなすことは差し支えない。

四　相手方の給付が完了していないものは、相手方の給付の完了の日までに法第四条に掲げる事項を書面により明らかにすべきであるが、これらの事項を書面により明らかにしないときは、法第十条の規定が適用せられることとなる。

五　この法律施行前に「国が支払確定金額を超過する支払をなしたもの」で、返納告知に指定した期限がすでに経過せるも、なお相手方が返納しないものは、その相手方は、法第十一条の規定により計算した金額を加算して（本来の返納額と遅延加算金の取扱区分については、第十の㈠㈡参照）国に返納しなければならないのであるが、この場合における、「国が支払確定金額を超過する支払をなしたもの」とは、広く過誤払を指すものではなく、法第十一条に規定する前金払額又は概算払額が国の確定支払金額を超過しているものに限られ、また、その加算金の額が百円未満であるとき又はその額に百円未満の端数があるときは、これら未満の額又は、その端数は切捨を行わないものである。

第十四　この法律の準用について

この法律の規定は、日本専売公社、日本国有鉄道及び地方公共団体のなす契約に準用せられる。但し、地方公共団体に対する準用については、法第十二条及び第十三条第二項の規定が除かれる。この場合において

一　日本専売公社、日本国有鉄道及び地方公共団体それぞれ相互間の契約については、この法律による取扱をせられる。

二　地方公共団体とは、地方自治法に規定する地方公共団体であつて、公共組合を含まない。

〇政府契約の支払遅延防止等に関する法律の運用について

昭二九・六・一蔵理八七八八
大蔵省理財局長発

標記法律の運用状況について、最近全国的に実地監査を実施したところ、なおその趣旨の徹底を欠く向きもあるようにみうけられるので、一層これが周知徹底方お取り計らい願いたい。
なお、その運用に当つては、特に下記の点に留意されたい。

記

1　法第四条に規定する必要的内容事項を書面で明らかにすること。
2　契約にさいし前項の事項を明定しないときは法第十条の適用のあることを留意すること。
3　支払請求書の年月日等は相手方に記入させること。
4　支払請求書受理簿のような支払請求書受理と支払期の関係を明らかにする帳簿の整備を図ること。

〇公共工事の入札及び契約の適正化の促進に関する法律

平一二・一一・二七
法　一　二　七

最終改正　令六・六・一九法五四

※令和六年六月一四日法律第四九号の第二条で本法が一部改正されましたが、未施行となる部分については、本法の末尾に掲げました。

目次〔略〕

第一章　総則

（目的）
第一条　この法律は、国、特殊法人等及び地方公共団体が行う公共工事の入札及び契約について、その適正化の基本となるべき事項を定めるとともに、情報の公表、不正行為等に対する措置、適正な金額での契約の締結等のための措置及び施工体制の適正化の措置を講じ、併せて適正化指針の策定等の制度を整備すること等により、公共工事に対する国民の信頼の確保とこれを請け負う建設業の健全な発達を図ることを目的とする。

（定義）
第二条　この法律において「特殊法人等」とは、法律により直接に設立された法人若しくは特別の法律により特別の設立行為をもって設立された法人（総務省設置法（平成十一年法律第九十一号）第四条第一項第八号の規定の適用を受けない法人を除く。）、特別の法律により設立され、かつ、その設立に関し行政官庁の認可を要する法人又は独立行政法人（独立行政法人通則法（平成十一年法律第百三号）第二条第一項に規定する独立行政法人をいう。第六条において同じ。）のうち、次の各号に掲げる要件のいずれにも該当する法人であって政令で定めるものをいう。
一　資本金の二分の一以上が国からの出資による法人又はその事業の運営のために必要な経費の主たる財源を国からの交付金若しくは補助金によって得ている法人であること。
二　その設立の目的を実現し、又はその主たる業務を遂行するため、計画的かつ継続的に建設工事（建設業法（昭和二十四年法律第百号）第二条第一項に規定する建設工事をいう。次項において同じ。）の発注を行う法人であること。
2　この法律において「公共工事」とは、国、特殊法人等又は地方公共団体が発注する建設工事をいう。
3　この法律において「建設業」とは、建設業法第二条第二項に規定する建設業をいう。
4　この法律において「各省各庁の長」とは、財政法（昭和二十二年法律第三十四号）第二十条第二項に規定する各省各庁の長をいう。

（公共工事の入札及び契約の適正化の基本となるべき事項）
第三条　公共工事の入札及び契約については、次に掲げるところにより、その適正化が図られなければならない。
一　入札及び契約の過程並びに契約の内容の透明性が確保されること。
二　入札に参加しようとし、又は契約の相手方になろうとする者の間の公正な競争が促進されること。
三　入札及び契約からの談合その他の不正行為の排除が徹底されること。
四　その請負代金の額によっては公共工事の適正な施工が通常見込まれない契約の締結が防止されること。
五　契約された公共工事の適正な施工が確保されること。

第二章　情報の公表

（国による情報の公表）

第四条　各省各庁の長は、政令で定めるところにより、毎年度、当該年度の公共工事の発注の見通しに関する事項で政令で定めるものを公表しなければならない。

2　各省各庁の長は、前項の見通しに関する事項を変更したときは、政令で定めるところにより、変更後の当該事項を公表しなければならない。

第五条　各省各庁の長は、政令で定めるところにより、次に掲げる事項を公表しなければならない。

一　入札者の商号又は名称及び入札金額、落札者の商号又は名称及び落札金額、入札の参加者の資格を定めた場合における当該資格、指名競争入札における指名した者の商号又は名称その他の政令で定める公共工事の入札及び契約の過程に関する事項

二　契約の相手方の商号又は名称、契約金額その他の政令で定める公共工事の契約の内容に関する事項

（特殊法人等による情報の公表）

第六条　特殊法人等の代表者（当該特殊法人等が独立行政法人である場合にあっては、その長。以下同じ。）は、前二条の規定に準じて、公共工事の入札及び契約に関する情報を公表するため必要な措置を講じなければならない。

（地方公共団体による情報の公表）

第七条　地方公共団体の長は、政令で定めるところにより、毎年度、当該年度の公共工事の発注の見通しに関する事項で政令で定めるものを公表しなければならない。

2　地方公共団体の長は、前項の見通しに関する事項を変更したときは、政令で定めるところにより、変更後の当該事項を公表しなければならない。

第八条　地方公共団体の長は、政令で定めるところにより、次に掲げる事項を公表しなければならない。

一　入札者の商号又は名称及び入札金額、落札者の商号又は名称及び落札金額、入札の参加者の資格を定めた場合における当該資格、指名競争入札における指名した者の商号又は名称その他の政令で定める公共工事の入札及び契約の過程に関する事項

二　契約の相手方の商号又は名称、契約金額その他の政令で定める公共工事の契約の内容に関する事項

第九条　前二条の規定は、地方公共団体が、前二条に規定する事項以外の公共工事の入札及び契約に関する情報の公表に関し、条例で必要な規定を定めることを妨げるものではない。

第三章　不正行為等に対する措置

（公正取引委員会への通知）

第十条　各省各庁の長、特殊法人等の代表者又は地方公共団体の長（以下「各省各庁の長等」という。）は、それぞれ国、特殊法人等又は地方公共団体（以下「国等」という。）が発注する公共工事の入札及び契約に関し、私的独占の禁止及び公正取引の確保に関する法律（昭和二十二年法律第五十四号）第三条又は第八条第一号の規定に違反する行為があると疑うに足りる事実があるときは、公正取引委員会に対し、その事実を通知しなければならない。

（国土交通大臣又は都道府県知事への通知）

第十一条　各省各庁の長等は、それぞれ国等が発注する公共工事の入札及び契約に関し、当該公共工事の受注者である建設業者（建設業法第二条第三項に規定する建設業者をいう。次条において同じ。）に次の各号のいずれかに該当すると疑うに足りる事実があるときは、当該建設業者が建設業の許可を受けた国土交通大臣又は都道府県知事及び当該事実に係る営業が行われる区域を管轄する都道府県知事に対し、その事実を通知しなければならない。

一　建設業法第八条第九号、第十一号（同条第九号に係る部分に限る。）、第十三号（同条第九号に係る部分に限る。）若しくは第十二号（同条第九号に係る部分に限る。）、第十三号（これらの規定を同法第十七条において準用する場合を含む。）又は第二十八条第一項第三号、第四号（同法第二十二条第一項に係る部分に限る。）若しくは第六号から第八号までのいずれかに該当すること。

二　第十五条第二項若しくは第三項、同条第一項の規定により読み替えて適用される建設業法第二十四条の八第一項、第二項若しくは第四項又は同法第十九条の五、第二十六条第一項から第三項まで、第二十六条の二若しくは第二十六条の三第七項の規定に違反したこと。

第四章　適正な金額での契約の締結等のための措置

（入札金額の内訳の提出）

第十二条　建設業者は、公共工事の入札に係る申込みの際に、入札金額の内訳を記載した書類を提出しなければならない。

（各省各庁の長等の責務）

第十三条　各省各庁の長等は、その請負代金の額によっては公共工事の適正な施工が通常見込まれない契約の締結を防止し、及び不正行為を排除するため、前条の規定により提出された書類の内容の確認その他の必要な措置を講じなければならない。

2　各省各庁の長等は、公共工事について、主要な資材の供給の著しい減少、資材の価格の高騰その他の工期又は請負代金の額に影響を及ぼすものとして国土交通省令で定める事象が発生した場合において、公共工事の受注者が請負契約の内容の変更について協議を申し出たときは、誠実に当該協議に応じなければならない。

第五章　施工体制の適正化

（一括下請負の禁止）

第十四条　公共工事については、建設業法第二十二条第三項の規定は、適用しない。

（施工体制台帳の作成及び提出等）

第十五条　公共工事についての建設業法第二十四条の八第一項、第二項及び第四項の規定の適用については、これらの規定中「特定建設業者」とあるのは「建設業者」と、同条第一項中「締結した下請契約の請負代金の額（当該下請契約が二以上あるときは、それらの請負代金の額の総額）が政令で定める金額以上になる」とあるのは「下請契約を締結した」と、同条第四項中「見やすい場所」とあるのは「工事関係者が見やすい場所及び公衆が見やすい場所」とする。

2　公共工事の受注者（前項の規定により読み替えて適用される建設業法第二十四条の八第一項の規定により同項に規定する施工体制台帳（以下「施工体制台帳」という。）を作成しなければならないこととされているものに限る。）は、当該公共工事に関する工事現場の施工体制を発注者が情報通信技術を利用する方法により確認することができる措置として国土交通省令で定めるものを講じている場合を除き、作成した施工体制台帳（同項の規定により記載すべきものとされた事項に変更が生じたことに伴い新たに作成されたものを含む。）の写しを発注者に提出しなければならない。この場合においては、同条第三項の規定は、適用しない。

3　前項の公共工事の受注者は、発注者から、公共工事の施工の技術上の管理をつかさどる者（第十七条第一項において「施工技術者」という。）の設置の状況その他の工事現場の施工体制が施工体制台帳の記載に合致しているかどうかの点検を求められたときは、これを受けることを拒んではならない。

（各省各庁の長等の責務）

（公共工事の適正な施工の確保のために必要な措置）

第十六条　公共工事についての建設業法第二十五条の二十八の規定の適用については、同条第一項及び第二項中「特定建設業者」とあるのは、「建設業者」とする。

第十七条　公共工事を発注した国等に係る各省各庁の長等は、施工技術者の設置の状況その他の工事現場の施工体制を適正なものとするため、当該工事現場の施工体制が施工体制台帳の記載に合致しているかどうかの点検その他の必要な措置を講じなければならない。

2　前項に規定するもののほか、同項の各省各庁の長等は、前条の規定により読み替えて適用する建設業法第二十五条の二十八第一項及び第二項に規定する措置が適確に講じられるよう、これらの規定に規定する建設業者に対し、必要な助言、指導その他の援助を行うよう努めなければならない。

第六章　適正化指針

（適正化指針の策定等）

第十八条　国は、各省各庁の長等による公共工事の入札及び契約の適正化を図るための措置（第二章、第三章、第十三条及び前条に規定するものを除く。）に関する指針（以下「適正化指針」という。）を定めなければならない。

2　適正化指針には、第三条各号に掲げるところに従って、次に掲げる事項を定めるものとする。

一　入札及び契約の過程並びに契約の内容に関する情報（各省各庁の長又は特殊法人等の代表者による措置にあっては第四条及び第五条、地方公共団体の長による措置にあっては第七条及び第八条に規定するものを除く。）の公表に関すること。

二　入札及び契約の過程並びに契約の内容について学識経験を有する者等の第三者の意見を適切に反映する方策に関すること。

三　入札及び契約の過程に関する苦情を適切に処理する方策に関すること。

四　公正な競争を促進し、及びその請負代金の額によっては公共工事の適正な施工が通常見込まれない契約の締結を防止するための入札及び契約の方法の改善に関すること。

五　公共工事の施工に必要な工期の確保及び地域における公共工事の施工の時期の平準化を図るための方策に関すること。

六　将来におけるより適切な入札及び契約のための公共工事の施工状況の評価の方策に関すること。

七　前項に規定する措置に関する事務を適切に行うために必要な体制の整備に関すること。

八　前各号に掲げるもののほか、入札及び契約の適正化を図るため必要な措置に関すること。

3　適正化指針の策定に当たっては、特殊法人等及び地方公共団体の自主性に配慮しなければならない。

4　国土交通大臣、総務大臣及び財務大臣は、あらかじめ各省各庁の長及び特殊法人等を所管する大臣に協議した上、適正化指針の案を作成し、閣議の決定を求めなければならない。

5　国土交通大臣は、適正化指針の案の作成に先立って、中央建設業審議会の意見を聴かなければならない。

6　国土交通大臣、総務大臣及び財務大臣は、第四項の規定による閣議の決定があったときは、遅滞なく、適正化指針を公表しなければならない。

7　第三項から前項までの規定は、適正化指針の変更について準用する。

（適正化指針に基づく責務）

第十九条　各省各庁の長等は、適正化指針に定めるところに従い、公共工事の入札及び契約の適正化を図るため必要な措置を講ずるよう努めなければならない。

（措置の状況の公表）

第二十条　国土交通大臣及び財務大臣は、各省各庁の長又は特殊法人等を所管する大臣に対し、当該各省各庁の長又は当該大臣が所管する特殊法人等が適正化指針に従って講じた措置の状況について報告を求めることができる。

2　国土交通大臣及び総務大臣は、地方公共団体に対し、適正化指針に従って講じた措置の状況について報告を求めることができる。

3　国土交通大臣、総務大臣及び財務大臣は、毎年度、前二項の報告を取りまとめ、その概要を公表するものとする。

（要請等）

第二十一条　国土交通大臣及び財務大臣は、各省各庁の長又は特殊法人等を所管する大臣に対し、公共工事の入札及び契約の適正化を促進するため適正化指針に照らして特に必要があると認められる措置を講ずべきことを要請することができる。

2　国土交通大臣及び総務大臣は、地方公共団体に対し、公共工事の入札及び契約の適正化を促進するため適正化指針に照らして特に必要があると認められる措置を講ずべきことを要請することができる。

3　第一項の規定による要請をした場合において、国土交通大臣及び財務大臣は、前条第一項の規定による報告を踏まえ、適正化指針に照らして特に必要があると認められる措置の的確な実施のために必要があると認めるときは、各省各庁の長又は特殊法人等を所管する大臣に対し、必要な勧告をすることができる。

4　第二項の規定による要請をした場合において、国土交通大臣及び総務大臣は、前条第二項の規定による報告を踏まえ、適正化指針に照らして特に必要があると認められる措置の的確な実施のために必要があると認めるときは、地方公共団体に対し、必要な勧告、助言又は援助をすることができる。

第七章　国による情報の収集、整理及び提供等

（国による情報の収集、整理及び提供）

第二十二条　国土交通大臣、総務大臣及び財務大臣は、第二章の規定により公表された情報その他の普及が公共工事の入札及び契約の適正化の促進に資することとなる情報の収集、整理及び提供に努めなければならない。

（関係法令等に関する知識の習得等）

第二十三条　国、特殊法人等及び地方公共団体は、それぞれその職員に対し、公共工事の入札及び契約が適正に行われるよう、関係法令及び所管分野における公共工事の施工技術に関する知識を習得させるための教育及び研修その他必要な措置を講ずるよう努めなければならない。

2　国土交通大臣及び都道府県知事は、建設業を営む者に対し、公共工事の入札及び契約が適正に行われるよう、関係法令に関する知識の普及その他必要な措置を講ずるよう努めなければならない。

附　則（抄）

（施行期日）

第一条　この法律は、公布の日から起算して三月を超えない範囲内において政令で定める日〔平一三・二・一六〕から施行する。ただし、第二章から第四章まで並びに第十六条、第十七条第一項及び第二項、第十八条〔中略〕の規定は平成十三年四月一日から、第十七条第三項の規定は平成十四年四月一日から施行する。

※建設業法及び公共工事の入札及び契約の適正化の促進に関する法律の一部を改正する法律（令六・六・一四法四九）の第二条で本法が一部改正されましたが、未施行となる部分については、ここに別に掲げました。

（公共工事の入札及び契約の適正化の促進に関する法律の一部改正）

第二条　公共工事の入札及び契約の適正化の促進に関する法律（平成十二年法律第百二十七号）の一部を次のように改正する。

第十一条第二号中「第十九条の五」を「第十九条の三第二項、第十九条の五、第二十条第二項若しくは第六項」に改める。

第十二条中「内訳」の下に「（材料費、労務費及び当該公共工事に従事する労働者による適正な施工を確保するために不可欠な経費として国土交通省令で定めるものその他当該公共工事の施工のために必要な経費の内訳をいう。）」を加える。

附　則（抄）

（施行期日）

第一条　この法律は、公布の日から起算して一年六月を超えない範囲内において政令で定める日から施行する。〔ただし書略〕

○公共工事の入札及び契約の適正化の促進に関する法律施行令

平一三・二・一五
政令三四

最終改正　平二八・一二・二六政令三九六

(特殊法人等の範囲)

第一条　公共工事の入札及び契約の適正化の促進に関する法律(以下「法」という。)第二条第一項の政令で定める法人は、次のとおりとする。

一　首都高速道路株式会社、新関西国際空港株式会社、中間貯蔵・環境安全事業株式会社、中日本高速道路株式会社、成田国際空港株式会社、西日本高速道路株式会社、阪神高速道路株式会社、東日本高速道路株式会社、本州四国連絡高速道路株式会社、沖縄科学技術大学院大学学園及び日本中央競馬会

二　削除

三　国立研究開発法人宇宙航空研究開発機構、国立研究開発法人科学技術振興機構、国立研究開発法人情報通信研究機構、国立研究開発法人森林研究・整備機構、国立研究開発法人日本原子力研究開発機構、独立行政法人空港周辺整備機構、独立行政法人高齢・障害・求職者雇用支援機構、独立行政法人国際協力機構、独立行政法人国立科学博物館、独立行政法人国立高等専門学校機構、独立行政法人国立女性教育会館、独立行政法人国立青少年教育振興機構、独立行政法人国立美術館、独立行政法人国立文化財機構、独立行政法人自動車事故対策機構、独立行政法人中小企業基盤整備機構、独立行政法人鉄道建設・運輸施設整備支援機構、独立行政法人都市再生機構、独立行政法人日本学生支援機構、独立行政法人日本芸術文化振興会、独立行政法人日本高速道路保有・債務返済機構、独立行政法人日本スポーツ振興センター、独立行政法人水資源機構及び独立行政法人労働者健康安全機構

(国による発注の見通しに関する事項の公表)

第二条　各省各庁の長は、毎年度、四月一日(当該日において当該年度の予算が成立していない場合にあっては、予算の成立の日)以後遅滞なく、当該年度に発注することが見込まれる公共工事(国の行為を秘密にする必要があるもの及び予定価格が二百五十万円を超えないと見込まれるものを除く。)に係る次に掲げるものの見通しに関する事項を公表しなければならない。

一　公共工事の名称、場所、期間、種別及び概要

二　入札及び契約の方法

三　入札を行う時期(随意契約を行う場合にあっては、契約を締結する時期)

2　前項の規定による公表は、次のいずれかの方法で行わなければならない。

一　官報又は時事に関する事項を掲載する日刊新聞紙に掲載する方法

二　公衆の見やすい場所に掲示し、又は公衆の閲覧に供する方法

3　前項第二号の規定による公衆の閲覧は、閲覧所を設け、又はインターネットを利用して閲覧に供する方法によらなければならない。この場合においては、各省各庁の長は、あらかじめ、当該閲覧に供する方法を告示しなければならない。

4　第二項第二号に掲げる方法で公表した場合においては、当該年度の三月三十一日まで掲示し、又は閲覧に供しなければならない。

5　各省各庁の長は、少なくとも毎年度一回、十月一日を目途として、第一項の規定により公表した発注の見通しに関する事項を見直し、当該事項に変更がある場合には、変更後の当該事項を公表しなければならない。

第三条　前条第二項から第四項までの規定は、変更後の発注の見通しに関する事項の公表の方法について準用する。

(国による入札及び契約の過程並びに契約の内容に関する事項の公表)

第四条　各省各庁の長は、次に掲げる事項を定め、又は作成したときは、遅滞なく、当該事項を公表しなければならない。これを変更したときも、同様とする。

一　予算決算及び会計令(昭和二十二年勅令第百六十五号。以下「予決令」という。)第七十二条第一項に規定する一般競争に参加する者に必要な資格及び同条第三項に規定する当該資格を有する者の名簿

二　予決令第九十五条第一項に規定する指名競争に参加する者に必要な資格及び同条第二項において準用する予決令第七十二条第三項に規定する当該資格を有する者の名簿

三　予決令第九十六条第一項に規定する競争に参加する者を指名する場合の基準

四　予決令第八十五条(予決令第九十八条において準用する場合を含む。)に規定する契約の相手方となるべき者の申込みに係る価格によってはその者により当該契約の内容に適合した履行がされないこととなるおそれがあると認められる場合の基準

2　各省各庁の長は、公共工事(国の行為を秘密にする必要があるもの及び予定価格が二百五十万円を超えないものを除く。)の契約を締結したときは、当該公共工事ごとに、遅滞なく、次に掲げる事項を公表しなければならない。ただし、第一号から第八号までに掲げる事項にあっては、契約の締結前に公表することを妨げない。

一　予決令第七十三条の規定により一般競争に参加する者に必要な資格をさらに定め、その資格を有する者により当該競争を行わせた場合における当該資格

二　一般競争入札を行った場合における当該競争に参加しよ

うとした者の商号又は名称並びにこれらのうち当該競争に参加させなかった者の商号又は名称及びその者を参加させなかった理由
三 指名競争入札を行った場合における指名した者の商号又は名称及びその者を指名した理由
四 入札者の商号又は名称及び入札金額（随意契約を行った場合を除く。）
五 落札者の商号又は名称及び落札金額（随意契約を行った場合を除く。）
六 予決令第八十六条第一項（予決令第九十八条において準用する場合を含む。）の規定により契約の相手方となるべき者により当該契約の内容に適合した履行がされないおそれがあるかどうかについて調査した場合における当該調査から落札者の決定までの経緯
七 予決令第八十九条（予決令第九十八条において準用する場合を含む。）の規定により次順位者を落札者とした場合における入札から落札者の決定までの経緯
八 予決令第九十一条第二項（予決令第九十八条において準用する場合を含む。）の規定により価格その他の条件が国にとって最も有利なものをもって申込みをした者を落札者とした場合におけるその者を落札者とした理由
九 次に掲げる契約の内容
イ 契約の相手方の商号又は名称及び住所
ロ 公共工事の名称、場所、種別及び概要
ハ 工事着手の時期及び工事完成の時期
ニ 契約金額
十 随意契約を行った場合における契約の相手方を選定した理由
3 各省各庁の長は、前項の公共工事について契約金額の変更を伴う契約の変更をしたときは、遅滞なく、変更後の契約に係る同項第九号ロからニまでに掲げる事項及び変更の理由を公表しなければならない。
4 前三項の規定による公表は、公衆の見やすい場所に掲示し、又は公衆の閲覧に供する方法で行わなければならない。
5 第二条第三項の規定は、前項の規定による公衆の閲覧について準用する。
6 第二項又は第三項の規定により公表した事項については、少なくとも、公表した日（第二項第一号から第八号までに掲げる事項のうち契約の締結前に公表した事項については、契約を締結した日）の翌日から起算して一年間が経過する日まで掲示し、又は閲覧に供しなければならない。

（地方公共団体による発注の見通しに関する事項の公表）
第五条 地方公共団体の長は、毎年度、四月一日（当該日において当該年度の予算が成立していない場合にあっては、予算の成立の日）以後遅滞なく、当該年度に発注することが見込まれる公共工事（予定価格が二百五十万円を超えないと見込まれるもの及び公共の安全と秩序の維持に密接に関連する公共工事であって当該地方公共団体の行為を秘密にする必要があるものを除く。）に係る次に掲げるものの見通しに関する事項を公表しなければならない。
一 公共工事の名称、場所、期間、種別及び概要
二 入札及び契約の方法
三 入札を行う時期（随意契約を行う場合にあっては、契約を締結する時期）
2 前項の規定による公表は、次のいずれかの方法で行わなければならない。
一 公報又は時事に関する事項を掲載する日刊新聞紙に掲載する方法
二 公衆の見やすい場所に掲示し、又は公衆の閲覧に供する方法
3 前項第二号の規定による公衆の閲覧は、閲覧所を設け、又はインターネットを利用して閲覧に供する方法によらなければならない。この場合においては、地方公共団体の長は、あらかじめ、当該閲覧に供する方法を告示しなければならない。
4 第二項第二号に掲げる方法で公表した場合においては、当該年度の三月三十一日まで掲示し、又は閲覧に供しなければならない。
5 地方公共団体の長は、少なくとも毎年度一回、十月一日を目途として、第一項の規定により公表した発注の見通しに関する事項を見直し、当該事項に変更がある場合には、変更後の当該事項を公表しなければならない。

第六条 前条第二項から第四項までの規定は、変更後の発注の見通しに関する事項の公表の方法について準用する。

（地方公共団体による入札及び契約の過程並びに契約の内容に関する事項の公表）
第七条 地方公共団体の長は、次に掲げる事項を定め、又は作成したときは、遅滞なく、当該事項を公表しなければならない。これを変更したときも、同様とする。
一 地方自治法施行令（昭和二十二年政令第十六号。以下「自治令」という。）第百六十七条の五第一項に規定する一般競争入札に参加する者に必要な資格及び当該資格を有する者の名簿
二 自治令第百六十七条の十一第二項に規定する指名競争入札に参加する者に必要な資格及び当該資格を有する者の名簿
三 指名競争入札に参加する者を指名する場合の基準
2 地方公共団体の長は、公共工事（予定価格が二百五十万円を超えないもの及び公共の安全と秩序の維持に密接に関連する公共工事であって当該地方公共団体の行為を秘密にする必要があるものを除く。）の契約を締結したときは、当該公共工事ごとに、遅滞なく、次に掲げる事項を公表しなければならない。ただし、第一号から第八号までに掲げる事項にあっては、契約の締結前に公表することを妨げない。
一 自治令第百六十七条の五の二の規定により一般競争入札に参加する者に必要な資格を更に定め、その資格を有する者により当該入札を行わせた場合における当該資格

二　一般競争入札を行った場合における当該入札に参加しようとした者の商号又は名称並びにこれらの者のうち当該入札に参加させなかった者の商号又は名称及びその者を参加させなかった理由
三　指名競争入札を行った場合における指名した者の商号又は名称及びその者を指名した理由
四　入札者の商号又は名称及び入札金額（随意契約を行った場合を除く。）
五　落札者の商号又は名称及び落札金額（随意契約を行った場合を除く。）
六　自治令第百六十七条の十第一項（自治令第百六十七条の十三において準用する場合を含む。）の規定により最低の価格をもって申込みをした者を落札者とせず他の者のうち最低の価格をもって申込みをした者を落札者とした場合におけるその者を落札者とした理由
七　自治令第百六十七条の十第二項（自治令第百六十七条の十三において準用する場合を含む。）の規定により最低制限価格を設け最低の価格をもって申込みをした者を落札者とせず最低制限価格以上の価格をもって申込みをした者のうち最低の価格をもって申込みをした者を落札者とした場合における最低制限価格未満の価格をもって申込みをした者の商号又は名称
八　自治令第百六十七条の十の二第一項若しくは第二項の規定により落札者を決定する一般競争入札（以下「総合評価一般競争入札」という。）又は自治令第百六十七条の十三において準用する自治令第百六十七条の十の二第一項若しくは第二項の規定により落札者を決定する指名競争入札（以下「総合評価指名競争入札」という。）を行った場合における次に掲げる事項
イ　当該総合評価一般競争入札又は当該総合評価指名競争入札を行った理由
ロ　自治令第百六十七条の十の二第三項（自治令第百六十七条の十三において準用する場合を含む。）に規定する落札者決定基準
ハ　自治令第百六十七条の十の二第一項（自治令第百六十七条の十三において準用する場合を含む。）の規定により価格その他の条件が当該地方公共団体にとって最も有利なものをもって申込みをした者を落札者とした場合におけるその者を落札者とした理由
ニ　自治令第百六十七条の十の二第二項（自治令第百六十七条の十三において準用する場合を含む。）の規定により落札者となるべき者を落札者とせず他の者のうち価格その他の条件が当該地方公共団体にとって最も有利なものをもって申込みをした者を落札者とした場合におけるその者を落札者とした理由
九　次に掲げる契約の内容
イ　契約の相手方の商号又は名称及び住所
ロ　公共工事の名称、場所、種別及び概要
ハ　工事着手の時期及び工事完成の時期
ニ　契約金額
十　随意契約を行った場合における契約の相手方を選定した理由
3　地方公共団体の長は、前項の公共工事について契約金額の変更を伴う契約の変更をしたときは、遅滞なく、変更後の契約に係る同項第九号ロからニまでに掲げる事項及び変更の理由を公表しなければならない。
4　前三項の規定による公表は、公衆の見やすい場所に掲示し、又は公衆の閲覧に供する方法で行わなければならない。
5　第五条第三項の規定は、前項の規定による公衆の閲覧について準用する。
6　第二項又は第三項の規定により公表した事項については、少なくとも、公表した日（第二項第一号から第八号までに掲げる事項のうち契約の締結前に公表した事項については、契約を締結した日）の翌日から起算して一年間が経過する日まで掲示し、又は閲覧に供しなければならない。

附　則（抄）

（施行期日）
第一条　この政令は、法の施行の日（平成十三年二月十六日）から施行する。ただし、第二条から第七条までの規定は、平成十三年四月一日から施行する。

○公共工事の入札及び契約の適正化を図るための措置に関する指針

平一三・三・九閣議決定

最終改正　令四・五・二〇閣議決定

国は、公共工事に対する国民の信頼の確保とこれを請け負う建設業の健全な発達を図るため、公共工事の入札及び契約の適正化を図るための措置に関する指針（以下「適正化指針」という。）を次のように定め、これに従い、公共工事の入札及び契約の適正化の促進に関する法律（平成十二年法律第百二十七号。以下「法」という。）に規定する各省各庁の長、特殊法人等の代表者又は地方公共団体の長（以下「各省各庁の長等」という。）は、公共工事の入札及び契約の適正化を図るための措置を講ずるよう努めるものとする。

なお、法第二条第一項に規定する特殊法人等（以下「特殊法人等」という。）は、その主たる業務を遂行するため建設工事を発注することが業務規定から見て明らかであり、かつ、当該主たる業務に係る建設工事の発注を近年実際に行っているものとして公共工事の入札及び契約の適正化の促進に関する法律施行令（平成十三年政令第三十四号。以下「令」という。）第一条に定められているものであるが、適正化指針に定める措置が的確に講じられるよう、所管する大臣は当該特殊法人等を適切に監督するとともに、特殊法人等以外の法人が発注する建設工事についても入札及び契約の適正化を図る観点から、当該法人を所管する大臣又は地方公共団体の長は、法の趣旨を踏まえ、法及び適正化指針の内容に沿った取組を要請するものとする。

第1　適正化指針の基本的考え方

公共工事は、その多くが経済活動や国民生活の基盤となる社会資本の整備を行うものであり、その入札及び契約に関していやしくも国民の疑惑を招くことのないようにするとともに、適正な施工を確保し、良質な社会資本の整備が効率的に推進されるようにすることが求められる。公共工事の受注者の選定や工事の施工に関して不正行為が行われれば、公共工事に対する国民の信頼が大きく揺らぐとともに、不良・不適格業者が介在し、公共工事を請け負う建設業の健全な発達にも悪影響を与えかねない。

公共工事に対する国民の信頼は、公共工事の入札及び契約の適正化が各省各庁の長等を通じて統一的、整合的に行われることによって初めて確保しうるものである。また、公共工事の発注は、国、特殊法人等及び地方公共団体といった様々な主体によって行われているが、その受注者はいずれも建設業者（建設業を営む者を含む。以下同じ。）であって、公共工事に係る不正行為の防止に関する建設業者の意識の確立と建設業の健全な発達を図る上では、各発注者が統一的、整合的に入札及び契約の適正化を図っていくことが不可欠である。

適正化指針は、こうした考え方の下に、法第十七条第一項の規定に基づき、各省各庁の長等が統一的、整合的に公共工事の入札及び契約の適正化を図るため取り組むべきガイドラインとして定められるものである。

各省各庁の長等は、公共工事の目的物である社会資本等が確実に効用を発揮するよう公共工事の品質を将来にわたって確保すること、限られた財源を効率的に活用し適正な価格で公共工事を実施すること、公共工事に従事する者の労働時間その他の労働条件が適正に確保されるよう必要な工期の確保及び施工の時期の平準化を図ること、受注者の選定等適正な手続により公共工事を実施することを責務として負っており、こうした責務を的確に果たしていくためには、価格と品質で総合的に優れた調達が公正・透明で競争性の高い方式により実現されるよう、各省各庁の長等が一体となって入札及び契約の適正化に取り組むことが不可欠である。

法第三条各号に掲げる、①入札及び契約の過程並びに契約の内容の透明性の確保、②入札に参加しようとし、又は契約の相手方になろうとする者の間の公正な競争の促進、③入札及び契約からの談合その他の不正行為の排除の徹底、④その請負代金の額によっては公共工事の適正な施工が通常見込まれない契約の締結（以下「ダンピング受注」という。）の防止、⑤契約された公共工事の適正な施工の確保は、いずれも、各省各庁の長等がこれらの責務を踏まえた上で一体となって取り組むべき入札及び契約の適正化の基本原則を明らかにしたものであり、法第十七条に定めるとおり、適正化指針は、この基本原則に従って定められるものである。

第2　入札及び契約の適正化を図るための措置

1　主として入札及び契約の過程並びに契約の内容の透明性の確保に関する事項

(1)　入札及び契約の過程並びに契約の内容に関する情報の公表に関すること

入札及び契約に関する透明性の確保は、公共工事の入札及び契約に関し不正行為の防止を図るとともに、国民に対してそれが適正に行われていることを明らかにする上で不可欠であることから、入札及び契約に係る情報については、公表することを基本とし、法第二章に定めるもののほか、次に掲げるものに該当するものがある場合（ロに掲げるものにあっては、事後の契約において予定価格を類推させるおそれがないと認められる場合又は各省各庁の長等の事務若しくは事業に支障を生じるおそれがないと認められる場合に限る。）においては、それについて公表することとする。この場合、各省各庁の長等において、法第二章に定める情報の公表に準じた方法で行うものとする。なお、公表の時期については、令第四条第二項及び第七条第二項において個別の入札及び契約に関する事項は、契約を締結した後に遅滞なく公表することを原則としつつ、令第四条第二項ただし書及び第七条第二項ただし書に掲げるものにあっては契約締結前の公表を妨げないとしていることを踏まえ、適切に行うこととする。

イ　競争参加者の経営状況及び施工能力に関する評点並びに工事成績その他の各発注者による評点並びにこれらの合計点数並びに当該合計点数に応じた競争参加者の順位並びに各発注者が等級区分を定めた場合における区分の基準

ロ　予定価格及びその積算内訳

ハ　低入札価格調査の基準価格及び最低制限価格を定めた場合における当該価格

ニ　低入札価格調査の要領及び結果の概要

ホ　公募型指名競争入札を行った場合における当該競争に参加しようとした者の商号又は名称並びに当該競争入札で指名されなかった者の商号又は名称及びその者を指名しなかった理由

ヘ　入札及び契約の過程並びに契約の内容について意見の具申等を行う第三者からなる機関に係る任務、委員構成、運営方法その他の当該機関の設置及び運営に関すること並びに当該機関において行った審議に係る議事の概要

ト　入札及び契約に関する苦情の申出の窓口及び申し出られた苦情の処理手続その他の苦情処理の方策に関すること並びに苦情を申し出た者の名称、苦情の内容及びその処理の結果

チ　指名停止（一般競争入札において一定期間入札参加を認めない措置を含む。以下同じ。）を受けた者の商号又は名称並びに指名停止の期間及び理由

リ　工事の監督・検査に関する基準

ヌ　工事の技術検査に関する要領

ル　工事の成績の評定要領

ヲ　談合情報を得た場合等の取扱要領

ワ　施工体制の把握のための要領

(2)　入札及び契約の過程並びに契約の内容について学識経験を有する者等の第三者の意見を適切に反映する方策に関すること

入札及び契約の過程並びに契約の内容の透明性を確保するためには、第三者の監視を受けることが有効であることから、各省各庁の長等は、競争参加資格の設定・確認、指名及び落札者決定の経緯等について定期的に報告を徴収し、その内容の審査及び意見の具申等ができる入札監視委員会等の第三者機関の活用その他の学識経験者等の第三者の意見を適切に反映する方策を講ずるものとする。

第三者機関の構成員については、その趣旨を勘案し、中立・公正の立場で客観的に入札及び契約についての審査その他の事務を適切に行うことができる学識経験等を有する者とするものとする。

第三者機関においては、各々の各省各庁の長等が発注した公共工事に関し、次に掲げる事務を行うものとする。

イ　入札及び契約手続の運用状況等について報告を受けること。

ロ　当該第三者機関又はその構成員が抽出し、又は指定した公共工事に関し、一般競争参加資格の設定の経緯、指名競争入札に係る指名及び落札者決定の経緯等について審議を行うこと。

ハ　イ及びロの事務に関し、報告の内容又は審議した公共工事の入札及び契約の理由、指名及び落札者決定の経緯等に不適切な点又は改善すべき点があると認めた場合において、必要な範囲で、各省各庁の長等に対して意見の具申を行うこと。

各省各庁の長等は、第三者機関が公共工事の入札及び契約に関し意見の具申を行ったときは、これを尊重し、その趣旨に沿って入札及び契約の適正化のため必要な措置を講ずるよう努めるものとする。

第三者機関の設置又は運営については、あらかじめ各省各庁の長等において明確に定め、これを公表するものとする。また、第三者機関の活動状況については、審議に係る議事の概要その他必要な資料を公表することにより透明性を確保するものとする。

第三者機関については、各省各庁の長等が各々設けることを基本とするが、それが必ずしも効率的とは認められない場合もあるので、状況に応じて、規模の小さい市町村や特殊法人等においては第三者機関を共同で設置すること、地方公共団体においては地方自治法（昭和二十二年法律第六十七号）第百九十五条に規定する監査委員を活用するなど既存の組織を活用すること等により、適切に方策を講ずるものとする。

この場合においては、既存の組織が公共工事の入札及び契約についての審査その他の事務を適切に行えるよう、必要に応じ組織・運営の見直しを行うものとする。

2　主として入札に参加しようとし、又は契約の相手方になろうとする者の間の公正な競争の促進に関する事項

(1)　公正な競争を促進するための入札及び契約の方法の改善に関すること

公共工事の入札及び契約は、その目的物である社会資本等の整備を的確に行うことのできる施工能力を有する受注者を確実に選定するための手続であり、各省各庁の長等は、公正な競争環境のもとで、良質な社会資本の整備が効率的に行われるよう、公共工事の品質確保の促進に関する法律（平成十七年法律第十八号。以下「公共工事品質確保法」という。）等に基づき、工事の性格、地域の実情等を踏まえた適切な入札及び契約の方法の選択と、必要な条件整備を行うものとする。

①一般競争入札の適切な活用

一般競争入札は、手続の客観性が高く発注者の裁量の余地が少ないこと、手続の透明性が高く第三者によ

る監視が容易であること、入札に参加する可能性のある潜在的な競争参加者の数が多く競争性が高いことから、公共工事の入札及び契約において不正が起きにくいなどの特徴を有している。

一般競争入札は、これらの点で大きなメリットを有しているが、一方で、その運用次第では、個別の入札における競争参加資格の確認に係る事務量が大きいこと、不良・不適格業者の排除が困難であり、施工能力に欠ける者が落札し、公共工事の質の低下をもたらすおそれがあること、建設投資の減少と相まって、受注競争を過度に激化させ、ダンピング受注を招いてきたこと等の側面もある。これまで、一般競争入札は、主として一定規模以上の工事を中心に広く拡大してきたところである。各省各庁の長等においては、こうした一般競争入札の性格及び一般競争入札が原則とされていることを踏まえ、対象工事の見直し等により一般競争入札の適切な活用を図るものとする。

また、指名競争入札については、信頼できる受注者を選定できること、一般競争入札に比して手続が簡易であり早期に契約できること、監督に係る事務を簡素化できること等の利点を有する一方、競争参加者が限定されること、指名が恣意的に行われた場合の弊害も大きいこと等から、指名に係る手続の透明性を高め、公正な競争を促進することが要請される。このため、各省各庁の長等は、引き続き指名競争入札を実施する場合には、公正な競争の促進を図る観点から、指名基準を策定し、及び公表した上で、これに従い適切に指名を行うものとするが、この場合であっても、公共工事ごとに入札参加意欲を確認し、当該公共工事の施工に係る技術的特性等を把握するための簡便な技術資料の提出を求めた上で指名を行う、いわゆる公募型指名競争入札等を積極的に活用するものとする。また、指名業者名の公表時期については、入札前に指名業者名が明らかになると入札参加者間での談合を助長しやすいとの指摘があることを踏まえ、各省各庁の長等は、指名業者名の事後公表の拡大に努めるものとする。

②総合評価落札方式の適切な活用等

総合評価落札方式は、公共工事品質確保法に基づき、価格に加え価格以外の要素も総合的に評価して落札者を決定するものであり、価格と品質が総合的に優れた公共調達を行うことができる落札者決定方式である。一方で、総合評価落札方式の実施に当たっては、発注者による競争参加者の施工能力及び技術提案の審査及び評価における透明性及び公正性の確保が特に求められ、さらには発注者及び競争参加者双方の事務量の軽減を図ることも必要である。各省各庁の長等はこうした総合評価落札方式の性格を踏まえ、工事の性格等に応じた適切な活用を図るものとする。

その際には、評価基準や実施要領の整備、総合評価の結果の公表及び具体的な評価内容の通知を行うほか、落札者決定基準等について、小規模な市町村等においては都道府県が委嘱した第三者の共同活用も図りつつ、効率よく学識経験者等の第三者の意見を反映させるための方策を講ずるものとする。また、公共工事品質確保法第十六条に基づく段階的選抜方式を活用すること等により、技術提案やその審査及び評価に必要な発注者及び競争参加者双方の事務量の軽減を図るなど、総合評価落札方式の円滑な実施に必要な措置を適切に講じるものとする。

総合評価の評価項目としては、当該工事の施工計画や当該工事に係る技術提案等の評価項目のほか、過去の同種・類似工事の実績及び成績、配置予定技術者の資格及び経験などの競争参加者の施工能力、災害時の迅速な対応等の地域及び工事の特性に応じた評価項目など、当該工事の施工に関係するものであって評価項目として採用することが合理的なものについて、必要に応じて設定することとする。

公共工事を受注する建設業者の技術開発を促進し、併せて公正な競争の確保を図るため、民間の技術力の活用により、品質の確保、コスト縮減等を図ることが可能な場合においては、各省各庁の長等は、入札段階で施工方法等の技術提案を受け付ける入札時ＶＥ（バリュー・エンジニアリング）方式、施工段階で施工方法等の技術提案を受け付ける契約後ＶＥ方式、入札時に設計案等の技術提案を受け付け、設計と施工を一括して発注する設計・施工一括発注方式等民間の技術提案を受け付ける入札及び契約の方式の活用に努めるものとする。

③地域維持型契約方式

建設投資の大幅な減少等に伴い、社会資本等の維持管理のために必要な工事のうち、災害応急対策、除雪、修繕、パトロールなどの地域維持事業を担ってきた地域の建設業者の減少・小規模化が進んでおり、このままでは、事業の円滑かつ的確な実施に必要な体制の確保が困難となり、地域における最低限の維持管理までもが困難となる地域が生じかねない。地域の維持管理は、将来にわたって効率的かつ持続的に行われる必要があり、入札及び契約の方式においても担い手確保に資する工夫が必要である。

このため、地域維持業務に係る経費の積算において、事業の実施に実際に要する経費を適切に費用計上するとともに、地域維持事業の担い手の安定的な確保を図る必要がある場合には、人員や機械等の効率的運用と必要な施工体制の安定的な確保を図る観点から、地域の実情を踏まえつつ、公共工事品質確保法第二十条に基づき次のような契約方式を活用するものとする。

1）複数の種類や工区の地域維持事業をまとめた契約単位や、複数年の契約単位とするなど、従来よりも包括的に一の契約の対象とする。

2）実施主体は、迅速かつ確実に現場へアクセスすることが可能な体制を備えた地域精通度の高い建設業者とし、必要に応じ、地域の維持管理に不可欠な事業につき、地域の建設業者が継続的な協業関係を確保することによりその実施体制を安定確保するために結成される建設共同企業体（地域維持型建設共同企業体）や事業協同組合等とする。

④災害復旧等における入札及び契約の方法

災害発生後の復旧に当たっては、早期かつ確実な施工が可能な者を短期間で選定し、復旧作業に着手することが求められる。

このため、災害応急対策又は災害復旧に関する工事においては、公共工事品質確保法第七条第一項第三号に基づき、手続の透明性及び公正性の確保に留意しつつ、次のように会計法（昭和二十二年法律第三十五号）や地方自治法施行令（昭和二十二年政令第十六号）等に規定される随意契約や指名競争入札を活用するなど、緊急性に応じて適切な入札及び契約の方法を選択するものとする。

1）災害応急対策又は緊急性が高い災害復旧に関する工事のうち、被害の最小化や至急の原状復旧の観点から、緊急の必要により競争に付することができないものにあっては、随意契約（会計法第二十九条の三第四項又は地方自治法施行令第百六十七条の二）を活用する。

2）災害復旧に関する工事のうち、随意契約によらないものであって、一定の期日までに復旧を完了させる必要があるなど、契約の性質又は目的により競争に加わるべき者が少数で一般競争入札に付する必要がないものにあっては、指名競争入札（会計法第二十九条の三第三項又は地方自治法施行令第百六十七条）を活用する。

また、公共工事品質確保法第七条第四項も踏まえ、発注の時期、箇所、工程等について適宜調整を図るため、他の発注者と情報交換を行うこと等により連携を図るよう努めるものとする。

⑤一般競争入札及び総合評価落札方式の活用に必要な条件整備

公共工事の入札及び契約の方法、とりわけ一般競争入札の活用に伴う諸問題に対応し、公正かつ適切な競争が行われるようにするため、必要な条件整備を行うものとする。

1）適切な競争参加資格の設定等

競争参加資格の設定は、対象工事について施工能力を有する者を適切に選別し、適正な施工の確保を図るとともに、ペーパーカンパニーや暴力団関係企業等の不良・不適格業者を排除するために行うものとする。

具体的には、いたずらに競争性を低下させることがないように十分配慮しつつ、必要に応じ、工事実績、工事成績、工事経歴書等の企業情報を適切に活用するとともに、競争参加資格審査において一定の資格等級区分に認定されている者であることを求めるものとする。

また、工事の性質等、建設労働者の確保、建設資材の調達等を考慮して地域の建設業者を活用することにより円滑かつ効率的な施工が期待できる工事については、災害応急対策や除雪等を含め、地域の社会資本の維持管理や整備を担う中小・中堅建設業者の育成や経営の安定化、品質の確保、将来における維持・管理を適切に行う観点から、過度に競争性を低下させないように留意しつつ、近隣地域内における工事実績や事業所の所在等を競争参加資格や指名基準とする、いわゆる地域要件の適切な活用を図るなど、必要な競争参加資格を適切に設定するものとする。この際、恣意性を排除した整合的な運用を確保する観点から、あらかじめ運用方針を定めるものとする。なお、総合評価落札方式において、競争参加者に加え、下請業者の地域への精通度、貢献度等についても適切な評価を図るものとする。

このほか、暴力団員が実質的に経営を支配している等の建設業者、指名停止措置等を受けている建設業者、工事に係る設計業務等の受託者と関連のある建設業者等について、これらの者が競争に参加することとならないように競争参加資格を設けるものとする。

さらに、公平で健全な競争環境を構築する観点からは、社会保険等（健康保険、厚生年金保険及び雇用保険をいう。以下同じ。）に加入し、健康保険法（大正十一年法律第七十号）等の定めるところにより事業主が納付義務を負う保険料（以下「法定福利費」という。）を適切に負担する建設業者を確実に契約の相手方とすることが重要である。このため、法令に違反して社会保険等に加入していない建設業者（以下「社会保険等未加入業者」という。）について、公共工事の元請業者から排除するため、定期の競争参加資格審査等で、必要な措置を講ずるものとする。

以上のような競争参加資格の設定に当たっては、政府調達に関する協定（平成七年条約第二十三号）の対象となる公共工事に係る入札については、供給者が当該入札に係る契約を履行する能力を有していることを確保する上で不可欠な競争参加条件に限定されなければならないこと、及び事業所の所在地に関する要件は設けることはできないことに留意するものとする。なお、官公需についての中小企業者の受注の確保に関する法律（昭和四十一年法律第九十七号）等に基づき、中小・中堅建設業者の受注機会の確保を図るものとする。

２）入札ボンドの活用その他の条件整備

　市場機能の活用により、契約履行能力が著しく劣る建設業者の排除やダンピング受注の抑制等を図るため、入札ボンドの積極的な活用と対象工事の拡大を図るものとする。また、資格審査及び監督・検査の適正化並びにこれらに係る体制の充実、事務量の軽減等を図るものとする。

⑥共同企業体について

　共同企業体については、大規模かつ高難度の工事の安定的施工の確保、優良な中小・中堅建設業者の振興など図る上で有効なものであるが、受注機会の配分との誤解を招きかねない場合があること、構成員の規模の格差が大きい場合には施工の効率性を阻害しかねないこと、予備指名制度により談合が誘発されかねないこと等の問題もあることから、各省各庁の長等においては、共同企業体運用基準の策定及び公表を行い、これに基づいて共同企業体を適切に活用するものとする。

　共同企業体運用基準においては、共同企業体運用準則（共同企業体の在り方について（昭和六十二年中建審発第十二号）別添第二）に従い、大規模かつ技術的難度の高い工事に係る特定建設工事共同企業体、中小・中堅建設業者の継続的協業関係を確保する経常建設共同企業体、地域維持事業の継続的な担い手となる地域維持型建設共同企業体、大規模災害からの復旧・復興工事の担い手となる復旧・復興建設工事共同企業体について適切に定めるものとする。

　その際、特定建設工事共同企業体については、大規模かつ技術的難度の高い工事を単独で確実かつ円滑に施工できる有資格業者があるとき等にあっては、適正な競争のための環境整備等の観点から、当該単独の有資格業者も含めて競争が行われることとなるよう努めるものとする。経常建設共同企業体については、継続的協業関係を確保する観点から、一の発注機関における単体企業と当該企業を構成員とする経常建設共同企業体との同時登録は行わないこととするとともに、真に企業合併等に寄与するものを除き経常建設共同企業体への客観点数及び主観点数の加点調整措置は行わないこととする。地域維持型建設共同企業体については、地域の維持管理に不可欠な事業につき、継続的な協業関係を確保することによりその実施体制の安定確保を図る場合に活用することとするとともに、一の発注機関における単体企業と当該企業を構成員とする地域維持型建設共同企業体との同時登録及び同一の構成員を含む経常建設共同企業体又は復旧・復興建設工事共同企業体と地域維持型建設共同企業体との同時登録は行うことができるものとする。復旧・復興建設工事共同企業体については、大規模災害の被災地域における施工体制の確保を図る場合に活用することとするとともに、一の発注機関における単体企業と当該企業を構成員とする復旧・復興建設工事共同企業体との同時登録及び同一の構成員を含む経常建設共同企業体又は地域維持型建設共同企業体と復旧・復興建設工事共同企業体との同時登録は行うことができるものとする。

⑦その他

　設備工事等に係る分離発注については、発注者の意向が直接反映され施工の責任や工事に係るコストの明確化が図られる等当該分離発注が合理的と認められる場合において、工事の性質又は種別、発注者の体制、全体の工事のコスト等を考慮し、専門工事業者の育成に資することも踏まえつつ、その活用に努めるものとする。

　履行保証については、各省各庁の長等において、談合を助長するおそれ等の問題のある工事完成保証人制度を廃止するとともに、契約保証金、金銭保証人、履行保証保険等の金銭的保証措置と付保割合の高い履行ボンドによる役務的保証措置を適切に選択するものとする。

(2) 入札及び契約の過程に関する苦情を適切に処理する方策に関すること

　入札及び契約に関し、透明性を高めるとともに公正な競争を確保するため、各省各庁の長等は、入札及び契約の過程についての苦情に対し適切に説明するとともに、さらに不服のある場合には、その苦情を受け付け、中立・公正に処理する仕組みを整備するものとする。

　入札及び契約の過程に関する苦情の処理については、まず各省各庁の長等において行うものとする。具体的には、個別の公共工事に係る一般競争入札の競争参加資格の確認の結果、当該競争参加資格を認められなかった者が、公表された資格を認めなかった理由等を踏まえ、競争参加資格があるとの申出をした場合においては、当該申出の内容を検討し、回答することとする。

　指名競争入札において、指名されなかった者が、公表された指名理由等を踏まえ、指名されなかった理由の説明を求めた場合は、その理由を適切に説明するとともに、その者が指名されることが適切であるとの申出をした場合においては、当該申出の内容を検討し、回答することとする。

　総合評価落札方式において、落札者とならなかった者が、公表された落札理由等を踏まえ、落札者としなかった理由の説明を求めた場合は、その理由を適切に説明するとともに、その者が落札者となることが適切であるとの申出をした場合においては、当該申出の内容を検討し、回答することとする。

発注者による指名停止措置について、指名停止を受けた者が、公表された指名停止の理由等を踏まえ、当該指名停止措置について不服があるとの申出をした場合においては、当該申出の内容を検討し、回答することとする。

加えて、手続の透明性を一層高めるため、これらの説明等に不服のある場合にさらに苦情を処理できることとすべきであり、必要に応じて各省各庁の長等において第三者機関の活用等中立・公正に苦情処理を行う仕組みを整備するものとする。この場合においては、入札及び契約について審査等を行う入札監視委員会等の第三者機関を活用することが適切である。

苦情処理の対象となる公共工事の範囲については、できる限り幅広くすることが適切であるが、不良・不適格業者による苦情の申出の濫用を排除するため、苦情処理の仕組みの整備の趣旨を踏まえた上で、いたずらに苦情申出の道を狭めることとならないよう配慮しつつ、苦情処理の対象となる工事について限定し、又は手続を簡略化する等の措置を講じても差し支えないものとする。

苦情の申出の窓口、申出ができる者、対象の工事その他苦情の処理手続、体制等については、各省各庁の長等においてあらかじめ明確に定め、これを公表するものとする。

なお、政府調達に関する協定の対象となる公共工事については、別途、苦情処理手続が定められているので、それによるものとする。

3　主として入札及び契約からの談合その他の不正行為の排除の徹底に関する事項

(1)　談合情報等への適切な対応に関すること

法第十条は、各省各庁の長等に対し、入札及び契約に関し、私的独占の禁止及び公正取引の確保に関する法律（昭和二十二年法律第五十四号。以下「独占禁止法」という。）第三条又は第八条第一号の規定に違反する行為があると疑うに足りる事実があるときは、公正取引委員会に通知しなければならないこととしている。これは、不正行為の疑いがある場合に発注者がこれを見過ごすことなく毅然とした対応を行うことによって、発生した不正行為に対する処分の実施を促すとともに、再発の防止を図ろうとするものである。各省各庁の長等は、その職員に対し、法の趣旨の徹底を図り、適切な対応に努めるものとする。その際、例えば、法第十三条に基づく入札金額の内訳の確認を行うとともに、入札結果の事後的・統計的分析を活用するなど入札執行時及び入札後の審査内容の充実・改善に努めるものとする。

各省各庁の長等は、法第十条の規定に基づく公正取引委員会への通知義務の適切な実施のために、談合情報を得た場合等の前記違反行為があると疑うに足りる事実があるときの取扱いについてあらかじめ要領を策定し、職員に周知徹底するとともに、これを公表するものとする。要領においては、談合情報を得た場合等の前記違反行為があると疑うに足りる事実があるときにおける内部での連絡・報告手順、公正取引委員会への通知の手順並びに通知の事実及びその内容の開示のあり方、事実関係が確認された場合の入札手続の取扱い（談合情報対応マニュアル）等について定めるものとする。なお、これらの手順を定めるに当たっては、公正取引委員会が行う審査の妨げとならないよう留意するものとする。

(2)　一括下請負等建設業法違反への適切な対応に関すること

法第十一条は、各省各庁の長等に対し、入札及び契約に関し、同条第一号又は第二号に該当すると疑うに足りる事実があるときは、建設業許可行政庁等に通知しなければならないこととしている。これは、不正行為の疑いがある場合に発注者がこれを見過ごすことなく毅然とした対応を行うことによって、発生した不正行為に対する処分の実施を促すとともに、再発の防止を図ろうとするものである。建設業許可行政庁等において、建設業法に基づく処分やその公表等を厳正に実施するとともに、各省各庁の長等において、その職員に対し、法の趣旨の徹底を図り、適切な対応に努めるものとする。

各省各庁の長等は、法第十一条の規定に基づく建設業許可行政庁等への通知義務の適切な実施のために、現場の施工体制の把握のための要領を策定し、公表するとともに、それに従って点検等を行うほか、一括下請負等建設業法（昭和二十四年法律第百号）違反の防止の観点から、建設業許可行政庁との情報交換等の連携を図るものとする。

(3)　不正行為の排除のための捜査機関等との連携に関すること

入札及び契約に関する不正行為に関しては、法第十条及び第十一条に定めるもののほか、各省各庁の長等は、その内容に応じて警察本部その他の機関に通知するなどの連携を確保するものとする。

(4)　不正行為が起きた場合の厳正な対応に関すること

公共工事の入札及び契約に関する談合や贈収賄、一括下請負といった不正行為については、刑法（明治四十年法律第四十五号）、独占禁止法、建設業法等において、罰則や行政処分が定められている。建設業許可行政庁等において、建設業法に基づく処分やその公表等を厳正に実施することと併せて、各省各庁の長等による指名停止についても、公共工事の適正な執行を確保するとともに、不正行為に対する発注者の毅然とした姿勢を明確にし、再発防止を図る観点から厳正に運用するものとする。

特に、大規模・組織的な談合であって悪質性が際立っている場合において、その態様に応じた厳格な指名停止措置を講ずるものとする。また、独占禁止法違反行為に対する指名停止に当たり、課徴金減免制度の適用があるときは、これを考慮した措置に努めるものとする。

　指名停止については、その恣意性を排除し客観的な実施を担保するため、各省各庁の長等は、あらかじめ、指名停止基準を策定し、これを公表するものとする。また、当該基準については、原因事由の悪質さの程度や情状、結果の重大性などに応じて適切な期間が設定されるよう、必要に応じ、適宜見直すものとする。指名停止を行った場合においては、当該指名停止を受けた者の商号又は名称、指名停止の期間及び理由等の必要な事項を公表するものとする。なお、未だ指名停止措置要件には該当していないにもかかわらず、指名停止措置要件に該当する疑いがあるという判断のみをもって事実上の指名回避を行わないようにするものとする。また、予算決算及び会計令（昭和二十二年勅令第百六十五号）に基づき、競争参加資格を取り消し、一定の期間これを付与しないことについても、談合等の不正行為の再発防止を徹底する観点から、できる限り行うよう努めるものとする。

　入札談合については、談合の再発防止を図る観点から、各省各庁の長等は、談合があった場合における請負者の賠償金支払い義務を請負契約締結時に併せて特約すること（違約金特約条項）等により、その不正行為の結果として被った損害額の賠償の請求に努めるものとする。なお、この違約金特約条項の設定に当たっては、裁判例等を基準として、合理的な根拠に基づく適切な金額を定めなければならないことに留意する。

(5)　談合に対する発注者の関与の防止に関すること

　公共工事は、国民の税金を原資として行われるものであることから、とりわけ公共工事の入札及び契約の事務に携わる職員が談合に関与することはあってはならないことであり、各省各庁の長等は、入札談合等関与行為の排除及び防止並びに職員による入札等の公正を害すべき行為の処罰に関する法律（平成十四年法律第百一号）を踏まえ、発注者が関与する談合の排除及び防止に取り組むものとする。

　併せて、各省各庁の長等は、法及び適正化指針に基づく入札及び契約の手続の透明性を向上させることや、情報管理を徹底すること、予定価格の作成時期を入札書の提出後とするなど外部から入札関係職員に対する不当な働きかけ又は口利き行為が発生しにくい入札契約手続や、これらの行為があった場合の記録・報告・公表の制度を導入すること等により不正行為の発生しにくい環境の整備を進めるものとする。併せて、その職員に対し、公共工事の入札及び契約に関する法令等に関する知識を習得させるための教育、研修等を適切に行うものとする。

　また、刑法又は独占禁止法に違反する行為については、発注する側も共犯として処罰され得るものであることから、各省各庁の長等は、警察本部、公正取引委員会等との連携の下に、不正行為の発生に際しては、厳正に対処するものとする。

4　主としてその請負代金の額によっては公共工事の適正な施工が通常見込まれない契約の締結の防止に関する事項

(1)　適正な予定価格の設定に関すること

　ダンピング受注は、工事の手抜き、下請業者へのしわ寄せ、公共工事に従事する者の賃金その他の労働条件の悪化、安全対策の不徹底等につながりやすく、公共工事の品質確保に支障を来すおそれがあるとともに、公共工事を実施する者が適正な利潤を確保できず、ひいては建設業の若年入職者の減少の原因となるなど、建設工事の担い手の育成及び確保を困難とし、建設業の健全な発達を阻害するものであることから、これを防止するとともに、適正な金額で契約を締結することが必要である。そのためには、まず、予定価格が適正に設定される必要がある。このため、予定価格の設定に当たっては、適切に作成された仕様書及び設計書に基づき、経済社会情勢の変化を勘案し、市場における労務及び資材等の最新の実勢価格を適切に反映させつつ、建設発生土等の建設副産物の運搬・処分等に要する費用や、法定福利費、公共工事に従事する者の業務上の負傷等に対する補償に必要な金額を担保するための保険契約の保険料等、実際の施工に要する通常妥当な経費について適正な積算を行うものとする。また、予定価格に起因した入札不調・不落により再入札に付するときや入札に付そうとする工事と同種、類似の工事で入札不調・不落が生じているとき、災害により通常の積算の方法によっては適正な予定価格の算定が困難と認めるときその他必要があると認めるときは、入札に参加する者から当該入札に係る工事の全部又は一部の見積書を徴することその他の方法により積算を行うことにより、適正な予定価格を定め、できる限り速やかに契約を締結するよう努めるものとする。加えて、当該請負契約において適正に計上されるよう、公共工事標準請負契約約款（昭和二十五年二月二十一日中央建設業審議会決定・勧告）に沿った契約約款に基づき、受注者に対し法定福利費を内訳明示した請負代金の内訳書を提出させ、当該積算と比較し、法定福利費に相当する額が適切に計上されていることを確認するよう努めるものとする。なお、この適正な積算に基づく設計書金額の一部を控除するいわゆる歩切りについては、公共工事品質確保法第七条第一項第一号の規定に違反すること、予定価格が予算決算及び会計令や財務規則等により取引の実例価格等を考慮して定められるべきものとされていること、公共工事の品質や工事の安全の確保に支障を来すとともに、建設業の健全な発達を阻害するおそれがあることから、これを行わないものとする。

(2) 入札金額の内訳書の提出に関すること

公共工事の入札に際しては、見積能力のないような不良・不適格業者の参入を排除し、併せて談合等の不正行為やダンピング受注の防止を図る観点から、各省各庁の長等は、法第十二条に基づき、入札に参加しようとする者に対して、対象となる工事に係る入札金額と併せてその内訳を提出させるものとする。

また、各省各庁の長等は、談合等の不正行為やダンピング受注が疑われる場合には、法第十三条に基づき、入札金額の内訳を適切に確認するものとする。

(3) 低入札価格調査制度及び最低制限価格制度の活用に関すること

各省各庁の長等においては、低入札価格調査制度又は最低制限価格制度を導入し、低入札価格調査基準又は最低制限価格を適切な水準で設定するなど制度の適切な活用を徹底することにより、ダンピング受注の排除を図るものとする。この場合、政府調達に関する協定の対象工事における入札及び総合評価落札方式による入札については最低制限価格制度は活用できないこととされていることに留意するものとする。

低入札価格調査制度は、入札の結果、契約の相手方となるべき者の申込みの価格によっては、その者により契約の内容に適合した履行がされないこととなるおそれがあると認められる場合において、そのおそれがあるかどうかについて調査を行うものである。その実施に当たっては、入札参加者の企業努力によるより低い価格での落札の促進と公共工事の品質の確保の徹底の観点から、当該調査に加え、受注者として不可避な費用をもとに、落札率（予定価格に対する契約価格の割合）と工事成績との関係についての調査実績等も踏まえて、適宜、調査基準価格を見直すとともに、あらかじめ設定した調査基準価格を下回った金額で入札した者に対して、法第十二条に基づき提出された内訳書を活用しながら、次に掲げる事項等の調査を適切に行うこと、一定の価格を下回る入札を失格とする価格による失格基準を積極的に導入・活用するとともに、その価格水準を低入札価格調査の基準価格に近づけ、これによって適正な施工への懸念がある建設業者を適切に排除することなどにより、制度の実効を確保するものとする。

イ 当該入札価格で入札した理由は何か

ロ 当該入札価格で対象となる公共工事の適切な施工が可能か

ハ 設計図書で定めている仕様及び数量となっていること、契約内容に適合した履行の確保の観点から、資材単価、労務単価、下請代金の設定が不適切なものでないこと、安全対策が十分であること等見積書又は内訳書の内容に問題はないか

ニ 手持工事の状況等からみて技術者が適正に配置されることとなるか

ホ 手持資材の状況、手持機械の状況等は適切か

ヘ 労働者の確保計画及び配置予定は適切か

ト 建設副産物の搬出予定は適切か

チ 過去に施工した公共工事は適切に行われたか、特に、過去にも低入札価格調査基準価格を下回る価格で受注した工事がある場合、当該工事が適切に施工されたか

リ 経営状況、信用状況に問題はないか

また、各省各庁の長等は、低入札価格調査の基準価格を下回る価格により落札した者と契約を締結したときは、重点的な監督・検査等により適正な施工の確保を図るとともに、下請業者へのしわ寄せ、労働条件の悪化、工事の安全性の低下等の防止の観点から建設業許可行政庁が行う下請企業を含めた建設業者への立入調査との連携を図るものとする。さらに、適正な施工への懸念が認められる場合等には、配置技術者の増員の義務付け、履行保証割合の引き上げ等の措置を積極的に進めるものとする。

これらの低入札価格調査制度については、調査基準価格の設定、調査の内容、監督及び検査の強化等の手続の流れやその具体的内容についての要領をあらかじめ作成し、これを公表するとともに、低入札価格調査を実施した工事に係る調査結果の概要を原則として公表するなど、透明性、公正性の確保に努めるものとする。

(4) 入札契約手続における発注者・受注者間の対等性の確保に関すること

不採算工事の受注強制などは建設業法第十九条の三に違反するおそれがあり、行ってはならない行為であり、入札辞退の自由の確保等受注者との対等な関係の確立に努めるものとする。

(5) 低入札価格調査の基準価格等の公表時期に関すること

低入札価格調査の基準価格及び最低制限価格を定めた場合における当該価格については、これを入札前に公表すると、当該価格近傍へ入札が誘導されるとともに、入札価格が同額の入札者間のくじ引きによる落札等が増加する結果、適切な積算を行わずに入札を行った建設業者が受注する事態が生じるなど、建設業者の真の技術力・経営力による競争を損ねる弊害が生じうることから、入札の前には公表しないものとする。

予定価格については、入札前に公表すると、予定価格が目安となって競争が制限され、落札価格が高止まりになること、建設業者の見積努力を損なわせること、入札談合が容易に行われる可能性があること、低入札価格調査の基準価格又は最低制限価格を強く類推させ、これらを入札前に公表した場合と同様の弊害が生じかねないこと等の問題があることから、入札の前には公表しないものとする。なお、地方公共団体においては、予定価格の事前公表を禁止する法令の規定はないが、事前公表の実

施の適否について十分検討した上で、上記弊害が生じることがないよう取り扱うものとし、弊害が生じた場合には、速やかに事前公表の取りやめを含む適切な対応を行うものとする。

なお、入札前に入札関係職員から予定価格、低入札価格調査の基準価格又は最低制限価格を聞き出して入札の公正を害そうとする不正行為を抑止するため、談合等に対する発注者の関与の排除措置を徹底するものとする。

5 主として契約された公共工事の適正な施工の確保に関する事項

(1) 公共工事の施工に必要な工期の確保を図るための方策に関すること

工事の施工に当たっては、用地取得や建築確認等の準備段階から、施工段階、工事の完成検査や仮設工作物の撤去といった後片付け段階まで各工程ごとに考慮されるべき事項があり、根拠なく短い工期が設定されると、無理な工程管理や長時間労働を強いられることから、公共工事に従事する者の疲弊や手抜き工事の発生等につながることとなり、ひいては担い手の確保にも支障が生じることが懸念される。

公共工事の施工に必要な工期の確保が図られることは、長時間労働の是正や週休二日の推進などにつながるのみならず、建設産業が魅力的な産業として将来にわたってその担い手を確保していくことに寄与し、最終的には国民の利益にもつながるものである。

また、公共工事品質確保法第七条第一項第六号においても、公共工事に従事する者の労働時間その他の労働条件が適正に確保されるよう、公共工事に従事する者の休日、工事の実施に必要な準備期間、天候その他のやむを得ない事由により工事の実施が困難であると見込まれる日数等を考慮し、適正な工期を設定することが発注者の責務とされているところである。

そのため、工期の設定に当たっては、工事の規模及び難易度、地域の実情、自然条件、工事内容、施工条件のほか、次に掲げる事項等を適切に考慮するものとする。

イ 公共工事に従事する者の休日（週休二日に加え、祝日、年末年始及び夏季休暇）

ロ 建設業者が施工に先立って行う、労務・資機材の調達、現地調査等、現場事務所の設置等の準備期間

ハ 工事完成後の自主検査、清掃等を含む後片付け期間

ニ 降雨日、降雪・出水期等の作業不能日数

ホ 用地取得や建築確認、道路管理者との調整等、工事着手前に発注者が対応すべき事項がある場合には、その手続に要する期間

ヘ 過去の同種類似工事において当初の見込みよりも長い工期を要した実績が多いと認められる場合には、当該工期の実績

(2) 地域における公共工事の施工の時期の平準化を図るための方策に関すること

公共工事については、年度初めに工事量が少なくなる一方、年度末には工事量が多くなる傾向にある。工事量の偏りが生じることで、工事の閑散期には、仕事が不足し、公共工事に従事する者の収入が減る可能性が懸念される一方、繁忙期には、仕事量が集中することになり、公共工事に従事する者において長時間労働や休日の取得しにくさ等につながることが懸念される。また、資材、機材等についても、閑散期には余剰が生じ、繁忙期には需要が高くなることによって円滑な調達が困難となる等の弊害が見受けられるところである。

公共工事の施工の時期の平準化が図られることは、年間を通じた工事量が安定することで公共工事に従事する者の処遇改善や、人材、資材、機材等の効率的な活用促進による建設業者の経営の健全化等に寄与し、ひいては公共工事の品質確保につながるものである。

このため、計画的に発注を行うとともに、他の発注者との連携による中長期的な公共工事の発注の見通しの作成及び公表のほか、工期が一年以上の公共工事のみならず工期が一年に満たない公共工事についての繰越明許費や債務負担行為の活用による翌年度にわたる工期設定など次に掲げる措置その他の必要な措置を講ずることにより、施工の時期の平準化を図るものとする。

①債務負担行為の活用

出水期その他の事由により年度当初に施工する必要がある工事のみならず、工期が一年に満たない工事についても、債務負担行為を積極的に活用し、翌年度にわたる工期の設定を行う。

②柔軟な工期の設定（余裕期間制度の活用）

発注者が指定する一定期間内で受注者が工事開始日を選択できる任意着手型の余裕期間制度等を活用し、工期の設定や施工の時期の選択を柔軟にする。

③速やかな繰越手続（繰越明許費の活用）

用地取得等により工期の遅れが生じた場合、工事を実施する中で設計図書に示された施工条件と実際の工事現場の状態が一致しない場合などにおいて設計図書の変更の必要が生じた結果、年度内に工事が終わらないと見込まれるときは、その段階で速やかに繰越明許費を活用する手続を開始し、翌年度にわたる工期の設定を行う。

④積算の前倒し

債務負担行為を活用しない工事であって、年度当初に発注手続を行うものについては、速やかに発注手続を開始できるよう、発注年度の前年度のうちに設計及び積算を完了させる。

⑤早期執行のための目標設定

四月から六月までにおける工事稼働件数や工事稼働金額等の目標を設定し、早期発注など計画的な発注を

実施する。

(3) 将来におけるより適切な入札及び契約のための公共工事の施工状況の評価の方策に関すること

各省各庁の長等は、契約の適正な履行の確保、給付の完了の確認に加えて、受注者の適正な選定の確保を図るため、その発注に係る公共工事について、原則として技術検査や工事の施工状況の評価（工事成績評定）を行うものとする。技術検査に当たっては、工事の施工状況の確認を充実させ、施工の節目において適切に実施し、技術検査の結果を工事成績評定に反映させるものとする。工事成績評定に当たっては、公共工事の品質を確保する観点から、施工段階での手抜きや粗雑工事に対して厳正に対応するとともに、受注者がその技術力をいかして施工を効率的に行った場合等については積極的な評価を行うものとする。また、公共工事の検査並びに施工状況の確認及び評価に当たっては、情報通信技術の活用を通じて生産性の向上を図るとともに、必要に応じて、発注者及び受注者以外の者であって専門的な知識又は技術を有するものによる、工事が適正に実施されているかどうかの確認の結果の活用を図るよう努めるものとする。

工事成績評定が、評価を行う者によって大きな差を生じることがないよう、各省各庁の長等は、あらかじめ工事成績評定について要領を定め、評価を行う者に徹底するとともに、これを公表するものとする。また、工事成績評定の結果については、工事を行った受注者に対して通知するとともに、原則として公表するものとする。さらに、工事成績評定の結果を発注者間において相互利用できるようにするため、可能な限り発注者間で工事成績評定の標準化に努めるものとする。

工事成績評定に対して苦情の申出があったときは、各省各庁の長等は、苦情の申出を行った者に対して適切な説明をするとともに、さらに不服のある者については、第三者機関に対してさらに苦情申出ができることとする等他の入札及び契約の過程に関するものと同様の苦情処理の仕組みを整備することとする。

なお、工事成績評定を行う公共工事の範囲については、評定の必要性と評定に伴う事務負担等を勘案しつつ、できる限りその対象を拡げるものとする。

(4) 適正な施工を確保するための発注者・受注者間の対等性の確保に関すること

公共工事の適正な施工を確保するためには、発注者と受注者が対等な関係に立ち、責任関係を明確化していくことが重要であることから、現場の問題発生に対する迅速な対応を図るとともに、地盤の状況に関する情報、建設発生土の搬出先に関する情報その他の工事に必要な情報について、設計図書において明示することなどにより、発注者、設計者及び施工者等の関係者間での把握・共有等の取組を推進するものとする。

また、設計図書に示された施工条件と実際の工事現場の状態が一致しない場合、用地取得等、工事着手前に発注者が対応すべき事項に要する手続の期間が超過するなど設計図書に示されていない施工条件について予期することができない特別な状態が生じた場合、災害の発生などやむを得ない事由が生じた場合その他の場合において必要があると認められるときは、適切に設計図書の変更を行うものとする。さらに、工事内容の変更が必要となり工事費用や工期に変動が生じた場合や、労務及び資材等の価格の著しい変動、資材等の納期遅れ等により工事費用や工期の変更が必要となった場合等には、施工に必要な費用や工期が適切に確保されるよう、公共工事標準請負契約約款に沿った契約約款に基づき、必要な変更契約を適切に締結するものとし、この場合において、工期が翌年度にわたることとなったときは、繰越明許費の活用その他の必要な措置を適切に講ずるものとする。

なお、追加工事又は変更工事が発生したにもかかわらず書面による変更契約を行わないことや、受注者に帰責事由がないにもかかわらず追加工事等に要する費用を受注者に一方的に負担させることは、建設業法第十九条第二項又は第十九条の三に違反するおそれがあるため、これを行わないものとする。

契約変更手続の透明・公正性の向上及び迅速化のため、関係者が一堂に会して契約変更の妥当性等の審議を行う場（設計変更審査会等）の設置・活用を図るとともに、設計変更が可能となる場合やその手続等に関する指針（設計変更ガイドライン）の策定・公表及びこれに基づいた適正な手続の実施に努めるものとする。

(5) 施工体制の把握の徹底等に関すること

公共工事の品質を確保し、目的物の整備が的確に行われるようにするためには、工事の施工段階において契約の適正な履行を確保するための監督及び検査を確実に行うことが重要である。特に、監督業務については、監理技術者の専任制等の把握の徹底を図るほか、現場の施工体制が不適切な事案に対しては統一的な対応を行い、その発生を防止し、適正な施工体制の確保が図られるようにすることが重要である。

このため、各省各庁の長等は、監督及び検査についての基準を策定し、公表するとともに、現場の施工体制の把握を徹底するため、次に掲げる事項等を内容とする要領の策定等により統一的な監督の実施に努めるものとする。

イ 現場施工に着手するまでの期間や工事の完成後、検査が終了し、事務手続、後片付け等のみが残っている期間など監理技術者を専任で置く必要がない期間を除き、監理技術者の専任制を徹底するため、工事施工前における監理技術者資格者証の確認及び監理技術者の本人確認並びに工事施工中における監理技術者が専任で置かれていることの点検を行うこと。

ロ　現場の施工体制の把握のため、工事施工中における法第十五条第二項の規定により提出された施工体制台帳及び同条第一項の規定により掲示される施工体系図に基づき点検を行うこと。

ハ　その他元請業者の適切な施工体制の確保のため、工事着手前における工事実績を記入した工事カルテの登録の確認、工事施工中の建設業許可を示す標識の掲示、労災保険関係成立票の掲示、建設業退職金共済制度の適用を受ける事業主に係る工事現場であることを示す標識の掲示等の確認を行うこと。

公共工事の適正な施工を確保するためには、元請業者だけではなく、下請業者についても適正な施工体制が確保されていることが重要である。このため、各省各庁の長等においては、施工体制台帳に基づく点検等により、元請下請を含めた全体の施工体制を把握し、必要に応じ元請業者に対して適切な指導を行うものとする。なお、施工体制台帳は、建設工事の適正な施工を確保するために作成されるものであり、公共工事については、法第十五条第一項及び第二項により、下請契約を締結する全ての工事について、その作成及び発注者への写しの提出が義務付けられたところである。各省各庁の長等は、施工体制台帳の作成及び提出を求めるとともに、粗雑工事の誘発を生ずるおそれがある場合等工事の適正な施工を確保するために必要な場合にこれを適切に活用するものとする。

(6)　適正な施工の確保のための技能労働者の育成及び確保に関すること

公共工事の品質が確保されるよう公共工事の適正な施工を確保するためには、公共工事に従事する技能労働者がその能力や経験に応じた処遇を受けられるよう、公共工事に従事する技能労働者の育成及び確保に資する労働環境の整備が図られることが重要である。技能労働者の有する資格や現場の就業履歴等を登録・蓄積する建設キャリアアップシステム（ＣＣＵＳ）の活用は、公共工事に従事する技能労働者がその能力や経験に応じた適切な処遇を受けられる労働環境の整備に資するものであることから、公共工事の適正な施工を確保するために、国は、その利用環境の充実・向上や利用者からの理解の増進に向けた必要な措置を講ずるとともに、各省各庁の長等は、公共工事の施工に当たって広く一般にその利用が進められるよう、現場利用に対する工事成績評定における加点措置など、地域の建設企業における利用の状況等に応じて必要な条件整備を講ずるものとする。

6　その他入札及び契約の適正化に関し配慮すべき事項

(1)　不良・不適格業者の排除に関すること

不良・不適格業者とは、一般的に、技術力、施工能力を全く有しないいわゆるペーパーカンパニー、経営を暴力団が支配している企業、対象工事の規模や必要とされる技術力からみて適切な施工が行い得ない企業、過大受注により適切な施工が行えない企業、建設業法その他工事に関する諸法令（社会保険等に関する法令を含む。）を遵守しない企業等を指すものであるが、このような不良・不適格業者を放置することは、適正かつ公正な競争を妨げ、公共工事の品質確保、適正な費用による施工等の支障になるだけでなく、技術力・経営力を向上させようとする優良な建設業者の意欲を削ぎ、ひいては建設業の健全な発達を阻害することとなる。

また、建設業許可や経営事項審査の申請に係る虚偽記載を始めとする公共工事の入札及び契約に関する様々な不正行為は、主としてこうした不良・不適格業者によるものである。

このため、建設業許可行政庁等においては、建設業法に基づく処分やその公表等を厳正に実施し、また、各省各庁の長等においては、それらの排除の徹底を図るため、公共工事の入札及び契約に当たり、次に掲げる措置等を講ずるとともに、建設業許可行政庁等に対して処分の実施等の厳正な対応を求めるものとする。

イ　一般競争入札や公募型指名競争入札等における入札参加者の選定及び落札者の決定に当たって、発注者支援データベースの活用等により、入札参加者又は落札者が配置を予定している監理技術者が現場で専任できるかどうかを確認すること。なお、監理技術者の職務を補佐する者として、建設業法施行令（昭和三十一年政令第二百七十三号）で定める者を専任で置いた場合には、監理技術者の兼務が認められることに留意すること。また、営業所に専任で配置されている技術者と監理技術者が兼務をしていないことも確認すること。

ロ　工事の施工に当たって、発注者支援データベースの活用のほか、法第十五条第二項の規定に基づく施工体制台帳の提出、同条第一項の規定に基づく施工体系図の掲示を確実に行わせるとともに、工事着手前に監理技術者資格者証の確認を行うこと。

ハ　工事現場への立入点検により、監理技術者の専任の状況や施工体制台帳、施工体系図が工事現場の実際の施工体制に合致しているかどうか等の点検を行うこと。

ニ　検査に当たって、監理技術者の配置等に疑義が生じた場合は、適正な施工が行われたかどうかの確認をより一層徹底すること。

ホ　経営を暴力団が支配している企業等の暴力団関係企業が公共工事から的確に排除されるよう、各省各庁の長等は、警察本部との緊密な連携の下に十分な情報交換等を行うよう努めるものとする。

また、暴力団員等による公共工事への不当介入があった場合における警察本部及び発注者への通報・報告等を徹底するとともに、公共工事標準請負契約約款に沿った暴力団排除条項の整備・活用により、その排除の徹底を図るものとする。

ヘ　社会保険等未加入業者については、前述のとおり、定期の競争参加資格審査等により元請業者から排除するほか、元請業者に対し社会保険等未加入業者との契約締結を禁止することや、社会保険等未加入業者を確認した際に建設業許可行政庁又は社会保険等担当部局へ通報すること等の措置を講ずることにより、下請業者も含めてその排除を図るものとする。

(2)　入札及び契約のＩＴ化の推進等に関すること

電子化、通信ネットワークを利用した情報の共有化、電子入札システム等の導入により、各種情報が効率的に交換できるようになり、また、ペーパーレス化が進むことから、事務の簡素化や入札に係る費用の縮減が期待される。さらに、インターネット上で、一元的に発注の見通しに係る情報、入札公告、入札説明書等の情報を取得できるようにすることにより、競争参加資格を有する者が公共工事の入札に参加しやすくなり、競争性が高まることも期待される。また、これらに加え、電子入札システムの導入は、入札参加者が一堂に会する機会を減少させることから、談合等の不正行為の防止にも一定の効果が期待される。

このため、各省各庁の長等においては、政府調達に関する協定との整合を図りつつ、必要なシステムの整備等に取り組み、その具体化を推進するものとする。なお、入札及び契約に関する情報の公表の際には、入札及び契約に係る透明性の向上を図る観点から、インターネットの活用を積極的に図るものとする。

ＩＴ化の推進と併せ、各省各庁の長等は、事務の簡素合理化を図るとともに、入札に参加しようとする者の負担を軽減し、競争性を高める観点から、できるだけ、入札及び契約に関する書類、図面等の簡素化・統一化を図るとともに、競争参加者の資格審査などの入札及び契約の手続の統一化に努めるものとする。

(3)　各省各庁の長等相互の連絡、協調体制の強化に関すること

公共工事の受注者の選定に当たっては、当該企業の過去の工事実績に関する情報や保有する技術者に関する情報、施工状況の評価に関する情報等各発注者が保有する具体的な情報を相互に交換することにより、不良・不適格業者を排除し、より適切な受注者の選定が可能となる。また、現場における適正な施工体制の確保の観点から行う点検や指名停止等の措置を行うに際しては、発注者相互が協調してこれらの措置を実施することにより、より高い効果が期待できる。さらに、最新の施工技術に関する情報等について、発注者間で相互に情報交換を行うことにより、技術力によるより公正な競争の促進と併せ適正な施工の確保が期待できる。したがって、各省各庁の長等は、入札及び契約の適正化を図る観点から、相互の連絡、協調体制の一層の強化に努めるものとする。

(4)　企業選定のための情報サービスの活用に関すること

発注者支援データベースは、技術と経営に優れた企業を選定するとともに、専任技術者の設置や一括下請負の禁止等に係る違反行為を抑止し、不良・不適格業者の排除を徹底するため効果の高い手段としてその重要性が増していることから、各省各庁の長等は、積極的にその活用を進めるものとする。

また、建設業許可行政庁の保有する工事経歴書や処分履歴等の企業情報の活用も、工事の施工に適した企業の選定や不良・不適格業者の排除のための方策となりうることから、建設業許可行政庁は、その利用環境の向上を図り、各省各庁の長等は、必要に応じ適切に活用するものとする。

第3　適正化指針の具体化に当たっての留意事項

1　特殊法人等及び地方公共団体の自主性の配慮

法第十七条第三項は、適正化指針の策定に当たっては、特殊法人等及び地方公共団体の自主性に配慮しなければならないものとしている。これは、国、特殊法人等及び地方公共団体といった公共工事の発注者には、発注する公共工事の量及び内容、発注者の体制等に大きな差があり、また、従来からそれぞれの発注者の判断により多様な発注形態がとられてきたことに鑑み、適正化指針においても、こうした発注者の多様性に配慮するよう求めたものである。

一方、公共工事の入札及び契約の適正化は、各省各庁の長等を通じて統一的、整合的に行われることによって初めて公共工事に対する国民の信頼を確保するとともに建設業の健全な発達を図るという効果を上げ得るものであることから、できる限り足並みをそろえた取組が行われることが重要であり、各省各庁の長等ごとに、その置かれている状況等に応じた取組の差異が残ることはあっても、全体としては着実に適正化指針に従った措置が講じられる必要がある。

2　業務執行体制の整備

法及び適正化指針に従って公共工事の入札及び契約の適正化を促進するためには、発注に係る業務執行体制の整備が重要である。このため、各省各庁の長等においては、発注関係事務を適切に実施するため、その実施に必要な知識又は技術を有する職員の育成及び確保が必要である。また、入札及び契約の手続の簡素化・合理化に努めるとともに、必要に応じ、ＣＭ（コンストラクション・マネジメント）方式の活用・拡大等によって業務執行体制の見直し、充実等を行う必要がある。特に、小規模な市町村等においては、技術者が不足していることも少なくなく、発注関係事務を適切に実施できるようにこれを補完・支援する体制の整備が必要である。このため、国及び都道府県の協力・支援も

得ながら技術者の養成に積極的に取り組むとともに、事業団等の受託制度や外部機関の活用等を積極的に進めることが必要である。また、国及び都道府県は、このような市町村等の取組が進むよう協力・支援を積極的に行うよう努めるものとする。

○公共工事の入札及び契約の適正化の推進について

平二六・一〇・二二国土入企一三財計二六二一
国土交通大臣
財務大臣　から　各省各庁の長
法人所管大臣　あて

最終改正　令四・六・一財計二五七七国不入企一六

公共工事の入札及び契約については、公共工事の入札及び契約の適正化の促進に関する法律（平成十二年法律第百二十七号。以下「入札契約適正化法」という。）及び公共工事の品質確保の促進に関する法律（平成十七年法律第十八号。以下「公共工事品質確保法」という。）等を踏まえ、不断の見直しを行い、改善をしていくことが求められています。

特に、各発注者は、公共工事の入札及び契約について、入札及び契約の過程並びに契約の内容の透明性の確保、公正な競争の促進、談合その他の不正行為の排除の徹底、その請負代金の額によっては公共工事の適正な施工が通常見込まれない契約の締結の防止、公共工事の適正な施工の確保により、その適正化を図るため、入札契約適正化法第四条及び第五条（入札契約適正化法第二条第一項に規定する特殊法人等（以下「特殊法人等」という。）にあっては入札契約適正化法第六条で準用する入札契約適正化法第四条及び第五条。以下同じ。）の規定による情報の公表を適切に行い、また、入札契約適正化法第十八条に基づいて、公共工事の入札及び契約の適正化を図るための措置に関する指針（平成十三年三月九日閣議決定。以下「指針」という。）に従って必要な措置を講ずるよう努めなければなりません。

激甚化・頻発化する災害への対応力の強化が急務であること、資材等の価格高騰への対応のため公共工事の受発注者間の価格転嫁を適切に行う必要があること、公共工事の円滑な施工の確保や担い手の中長期的な育成・確保、処遇改善のため、ダンピング対策等の取組を一層徹底する必要があることなど、入札及び契約を巡る最近の状況を踏まえ、去る五月二十日、別添のとおり、指針の一部改正が閣議決定されたところであり、各発注者は、改正後の新たな指針に従って公共工事の入札及び契約の適正化に努めることが求められています。

このため、各発注者におかれては、入札契約適正化法による義務付け事項のうち未実施のものについて、速やかに措置を講ずるとともに、入札契約適正化法及び改正後の指針の趣旨を踏まえ、全体として着実に入札及び契約の適正化が進むよう、入札契約適正化法第二十条第一項に基づき、以下の措置を速やかに講ずるよう要請します。

特殊法人等を所管する大臣におかれては、入札及び契約の一層の適正化が進むよう、所管法人に対しても入札契約適正化法の遵守並びに改正後の指針及び本要請に沿った取組の徹底をお願いします。

Ⅰ．指針の改正も踏まえ緊急に措置に努めるべき事項

次の事項は、入札契約適正化法第十八条に基づいて措置を講ずるよう努めなければならない事項の中でも、今回の指針の改正も踏まえて特に緊急に措置に努めるべき事項であり、各発注者は、公共工事の入札及び契約の適正化が各発注者を通じて統一的、整合的に行われることによって、初めて公共工事に対する国民の信頼が確保しうるものであることを踏まえて、速やかにそれぞれの措置を講ずるようお願いします。

1．災害復旧等における入札及び契約の方法

災害発生後の復旧に当たっては、早期かつ確実な施工が可能な者を短期間で選定し、復旧作業に着手することが求められることから、災害応急対策又は災害復旧に関する工事においては、公共工事品質確保法第七条第一項第三号や指針に基

づき、手続の透明性及び公正性の確保に留意しつつ、随意契約や指名競争入札を活用するなど、緊急性に応じて適切な入札及び契約の方法を選択すること。

また、公共工事品質確保法第七条第四項も踏まえ、発注の時期、箇所、工程等について適宜調整を図るため、他の発注者と情報交換を行うこと等により連携を図るよう努めること。

2．適正な予定価格の設定

入札契約適正化法においては、適正な金額での契約の締結を法の目的として明確化しており（入札契約適正化法第一条）、そのためには、まず、予定価格が適正に設定される必要がある。また、公共工事品質確保法においては、公共工事の品質確保の担い手が中長期的に育成・確保されるための適正な利潤が確保されるよう、市場実態等を的確に反映した積算による予定価格の適正な設定を発注者の責務として位置づけているところである（公共工事品質確保法第七条第一項第一号）。

このため、予定価格の設定に当たっては、適切に作成された仕様書及び設計書に基づき、経済社会情勢の変化を勘案し、市場における労務及び資材等の最新の実勢価格を適切に反映させつつ、建設発生土等の建設副産物の運搬・処分等に要する費用や、法定福利費、公共工事に従事する者の業務上の負傷等に対する補償に必要な金額を担保するための保険契約の保険料等、実際の施工に要する通常妥当な経費について適正な積算を行うこと。

また、予定価格に起因した入札不調・不落により再入札に付するときや入札に付そうとする工事と同種、類似の工事で入札不調・不落が生じているとき、災害により通常の積算の方法によっては適正な予定価格の算定が困難と認めるときその他必要があると認めるときは、入札に参加する者から当該入札に係る工事の全部又は一部の見積書を徴することその他の方法により積算を行うことにより、適正な予定価格を定め、できる限り速やかに契約を締結するよう努めること。加えて、当該積算において適切に反映した法定福利費に相当する額が請負契約において適正に計上されるよう、公共工事標準請負契約約款（昭和二十五年二月二十一日中央建設業審議会決定・勧告）に沿った契約約款に基づき、受注者に対し法定福利費を内訳明示した請負代金の内訳書を提出させ、当該積算と比較し、法定福利費に相当する額が適切に計上されていることを確認するよう努めること。

特に、適正な積算に基づく設計書金額の一部を控除するいわゆる歩切りについては、公共工事品質確保法第七条第一項第一号の規定に違反すること、予定価格が予算決算及び会計令（昭和二十二年勅令第百六十五号）や財務規則等により取引の実例価格等を考慮して定められるべきものとされていること、公共工事の品質や工事の安全の確保に支障を来たすとともに、建設業の健全な発達を阻害するおそれがあることから、厳に行わないこと。

これらを踏まえ、各発注者は、予定価格の設定について、必要に応じた見直しを直ちに行うこと。

なお、今後も、歩切りについては、その実態を適時調査する予定であり、その結果、歩切りを行っていると疑わしい発注者に対しては、個別に聴取を行い、必要に応じ個別発注者名を公表すること等により改善を促進することとしているので、承知おかれたい。

3．ダンピング対策の強化

ダンピング受注は、工事の手抜き、下請業者へのしわ寄せ、公共工事に従事する者の賃金その他の労働条件の悪化、安全対策の不徹底等につながりやすく、公共工事の品質確保に支障を来すおそれがあるとともに、公共工事を実施する者が適正な利潤を確保できず、ひいては建設業者の若年入職者の減少の原因となるなど、建設工事の担い手の育成及び確保を困難とし、建設業の健全な発達を阻害するおそれがある。

また、入札契約適正化法においては、建設業者に、入札の際に入札金額の内訳書の提出を義務付けるとともに、発注者は、当該内訳書の内容の確認その他の必要な措置を講じなければならないとされている（入札契約適正化法第十二条及び第十三条）。これは見積能力のないような不良・不適格業者の参入を排除し、併せて談合等の不正行為やダンピング受注の防止を図る観点から、入札に参加しようとする者に対して、対象となる工事に係る入札金額と併せてその内訳を提出させるものであり、各発注者は、談合等の不正行為やダンピング受注が疑われる場合には、入札金額の内訳を適切に確認すること。

また、各発注者においては、低入札価格調査基準を適切な水準で設定するなど低入札価格調査制度の適切な活用を徹底することにより、ダンピング受注の排除を図ること。

4．適切な施工条件の明示・契約変更の実施等

公共工事の適正な施工を確保するためには、発注者と受注者が対等な関係に立ち、責任関係を明確化していくことが重要であることから、現場の問題発生に対する迅速な対応を図るとともに、地盤の状況に関する情報、建設発生土の搬出先に関する情報その他の工事に必要な情報について、設計図書において明示することなどにより、発注者、設計者及び施工者等の関係者間での把握・共有等の取組を推進すること。

設計図書に示された施工条件と実際の工事現場の状態が一致しない場合、用地取得等、工事着手前に発注者が対応すべき事項に要する手続の期間が超過するなど設計図書に示されていない施工条件について予期することができない特別な状態が生じた場合、災害の発生などやむを得ない事由が生じた場合その他の場合において必要があると認められるときは、適切に設計図書の変更を行うこと。さらに、工事内容の変更等が必要となり、工事費用や工期に変動が生じた場合や、労務及び資材等の価格の著しい変動、資材等の納期遅れ等により工事費用や工期の変更が必要となった場合等には、施工に必要な費用や工期が適切に確保されるよう、必要な変更契約を適切に締結するものとし、この場合において、工期が翌年

度にわたることとなったときは、繰越明許費の活用その他の必要な措置を適切に講ずること。

また、契約変更手続の透明・公正性の向上及び迅速化のため、関係者が一堂に会して契約変更の妥当性等の審議を行う場（設計変更審査会等）の設置・活用を図るとともに、設計変更が可能となる場合やその手続等に関する指針（設計変更ガイドライン）の策定・公表及びこれに基づいた適正な手続の実施に努めること。

なお、追加工事又は変更工事が発生したにもかかわらず書面による変更契約を行わないことや、受注者に帰責事由がないにもかかわらず追加工事等に要する費用を受注者に一方的に負担させることは、建設業法第十九条第二項又は第十九条の三に違反するおそれがあるため、これを行わないこと。

5．適正な施工の確保のための技能労働者の育成及び確保に関すること

現場の技能労働者の高齢化や若年入職者の減少が顕著になっている中、公共工事の品質が確保されるよう公共工事の適正な施工を確保するためには、公共工事の担い手の育成及び確保に資する環境の整備を図ることが重要である。

建設キャリアアップシステムは、技能労働者の有する資格や現場の就業履歴などの登録・蓄積を通じて、公共工事に従事する技能労働者がその能力や経験に応じた適切な処遇を受けられる労働環境を整備するとともに、適正な施工体制の継続的な確保や社会保険未加入者の排除の徹底に加え、書類作成の効率化や現場管理の高度化など、建設企業の生産性の向上にも資することが期待される。国土交通省においては、技能労働者の能力評価制度の普及拡大や専門工事業者の施工能力等の見える化を通じて、建設キャリアアップシステムの利用環境の充実・向上を図り、利用者からの理解の増進に向けた必要な措置を講ずるとともに、システムの活用を通じて技能労働者の処遇改善が図られるよう必要な施策の実施に積極的に取り組むこととしており、各省各庁の長及び特殊法人等にあっては、その発注する公共工事の施工に当たって広く一般に受注者等による建設キャリアアップシステムの利用が進められるよう、現場利用に対する工事成績評定における加点措置など、地域の建設企業における利用の状況等に応じて必要な条件整備を講ずること。

II．継続的に措置に努めるべき事項

次の事項は、I．に掲げる事項のほか、入札契約適正化法第十八条に基づいて措置を講ずるよう努めなければならない事項であり、それぞれの趣旨を踏まえて、速やかに措置を講ずるようお願いします。

1．施工に必要な工期の確保

公共工事の施工に必要な工期の確保が図られることは、長時間労働の是正や週休二日の推進など、建設産業が魅力的な産業として将来にわたってその担い手を確保していくことに寄与し、良質な社会資本等の整備を通じて最終的には国民の利益にもつながるものである。

このため、工期の設定に当たっては、「工期に関する基準」（令和二年七月中央建設業審議会作成・勧告）等に基づき、工事の規模及び難易度、地域の実情、自然条件、工事内容、施工条件のほか、公共工事に従事する者の休日、準備期間、後片付け期間、降雨日等の作業不能日数等を適切に考慮し、適正な工期での発注に努めること。

なお、公共工事の発注者が著しく短い期間を工期とする請負契約を締結したと認められる場合、国土交通大臣又は都道府県知事による勧告の対象となることに留意すること。

併せて、入札契約適正化法第十一条において、公共工事を受注した元請負人が著しく短い期間を工期とする下請契約を締結していると疑うに足りる事実があるときは、当該公共工事の発注者は、当該元請負人の許可行政庁等にその事実を通知しなければならないこととされている点に留意すること。

2．施行時期の平準化

公共工事については、年度初めに工事量が少なくなる一方、年度末には工事量が集中する傾向にある。工事量の偏りが生じることで、工事の閑散期には、仕事が不足し、公共工事に従事する者の収入が減る可能性が懸念される一方、繁忙期には、仕事量が集中することになり、公共工事に従事する者において長時間労働や休日の取得しにくさ等につながることが懸念される。また、資材、機材等についても、閑散期には余剰が生じ、繁忙期には需要が高くなることによって円滑な調達が困難となる等の弊害が見受けられるところである。

公共工事の施工時期の平準化が図られることは、年間を通じて工事量が安定することで公共工事に従事する者の処遇改善や、人材、資材、機材等の効率的な活用による建設業者の経営の健全化等に寄与し、ひいては公共工事の品質確保につながるものである。

このため、指針に定めるところに従い、計画的な発注、他の発注者との連携による中長期的な公共工事の発注の見通しの作成及び公表のほか、柔軟な工期の設定、積算の前倒し、工期が一年以上の公共工事のみならず工期が一年に満たない公共工事についての繰越明許費や債務負担行為の活用による翌年度にわたる工期設定などの必要な措置を講ずることにより、施工時期の平準化を図ること。

3．情報通信技術の活用

工事の監督・検査及び施工状況の確認・評価に当たっては、映像などの情報通信技術や三次元データの活用、新技術の導入等の推進を通じて生産性の向上を図るとともに、必要に応じて、第三者による品質証明制度やＩＳＯ９００１認証を活用した品質管理に係る専門的な知識や技術を有する第三者による工事が適正に実施されているかどうかの確認の結果の活用を図るよう努めること。

4．社会保険等未加入業者の排除

公平で健全な競争環境を構築する観点からは、社会保険等に加入し、法定福利費を適切に負担する建設業者を確実に契

約の相手方とすることが重要である。このため、法令に違反して社会保険等に加入していない建設業者（以下「社会保険等未加入業者」という。）について、公共工事の元請業者から排除するため、定期の競争参加資格審査等で、社会保険等未加入業者を有資格者名簿に登録しない等、必要な措置を講ずること。

　また、社会保険等未加入業者については、元請業者に対し社会保険等未加入業者との契約締結を禁止することや、社会保険等未加入業者を確認した際に建設業許可行政庁又は社会保険等担当部局へ通報すること等の措置を講ずることにより、下請業者も含めてその排除を図ること。

5．施工体制の把握の徹底

　公共工事の適正な施工を確保するためには、元請業者だけではなく、下請業者についても適正な施工体制が確保されていることが重要である。このため、各発注者においては、施工体制台帳に基づく点検等により、元請下請を含めた全体の施工体制を把握し、必要に応じ元請業者に対して適切な指導を行うこと。また、各発注者は、施工体制台帳の作成及び提出を求めるとともに、粗雑工事の誘発を生ずるおそれがある場合等工事の適正な施工を確保するために必要な場合にこれを適切に活用すること。

6．一般競争入札の適切な活用

　一般競争入札の適用範囲を適切に設定すること。また、一般競争入札の活用に当たっては、競争条件の整備を適切に行うこととし、公共工事の入札及び契約の方法、とりわけ一般競争入札の活用に伴う諸問題に対応するため、定期の競争参加資格審査において、工事成績や地域貢献を重視した発注者別評価点の導入を図るとともに、不良・不適格業者を競争参加資格審査の対象から除外すること。また、個別工事の発注に当たっては、一定の資格等級区分内の者による競争を確保するとともに、官公需についての中小企業者の受注の確保に関する法律（昭和四十一年法律第九十七号）に基づく中小企業者に関する国等の契約の方針の趣旨も踏まえ、適切な競争参加条件（過去の工事実績及び成績、地域要件等）を設定するなど、必要な条件整備を適切に講じること。地域要件の活用については、恣意性を排除した整合的な運用を確保する観点から、各発注者が予め運用方針を定めること。

　入札ボンドについて、市場機能の活用により、契約履行能力が著しく劣る建設業者の排除やダンピング受注の抑制等を図るため、その積極的な活用と対象工事の拡大を図ること。また、資格審査及び監督・検査の適正化並びにこれらに係る体制の充実、事務量の軽減等を図ること。

7．総合評価落札方針の適切な活用

　総合評価落札方式の導入を図るとともに、対象工事の考え方を設定することによりその適切な活用を図ること。

　総合評価落札方式で入札を行う工事のうち、競争参加者が特に多いため入札段階における発注者及び競争参加者双方の事務量が増大しているものについては、公共工事品質確保法第十六条に基づく段階的選抜方式を活用すること等により、技術提案やその審査及び評価に必要な発注者及び競争参加者双方の事務量の軽減と技術提案の審査精度の向上を図るなど、手続の合理化を図ること。

　総合評価落札方式は、発注者による技術提案の審査・評価に透明性・公正性の確保が特に求められることから、評価項目等を適切に設定するとともに、技術提案の評価結果について、その点数及び内訳の公表に加えて、具体的な評価内容を当該提案企業に対して通知するなどの措置を講ずること。

　また、建設企業の技術開発を促進し、併せて公正な競争の確保を図るため、民間の技術力の活用により、品質の確保、コスト縮減等を図ることが可能な場合においては、工事の規模・態様に応じ、例えば、設計・施工一括発注方式又は詳細設計付発注方式などの発注方式の活用や、VE方式等を通じた民間の技術提案の積極的な活用を検討すること。

8．地域維持型契約方式

　地域の建設業者は、社会資本等の維持管理のために必要な工事のうち、災害応急対策、除雪、修繕、パトロールなどの事業（以下「地域維持事業」という。）を行っており、地域社会の維持に不可欠な役割を担っているが、建設投資の大幅な減少等に伴い、地域維持事業を担ってきた地域の建設業者の減少・小規模化が進んでおり、このままでは、事業の円滑かつ的確な実施に必要な体制の確保が困難となり、地域における最低限の維持管理までもが困難となる地域が生じかねない。地域の維持管理は将来にわたって効率的かつ持続的に行われる必要があり、入札及び契約の方式においても担い手確保に資する工夫が必要である。

　このため、担い手確保のための入札及び契約の方法における工夫の必要性を把握する観点から、地域維持事業の担い手の実情を調査するとともに、地域維持事業に係る経費の積算において、事業の実施に要する経費を適切に費用計上すること。

　また、地域維持事業の担い手の安定的な確保を図る必要がある場合には、公共工事品質確保法第二十条に基づき、地域の実情に応じ、適正な予算執行に留意しつつ、複数の種類や工区の地域維持事業をまとめた契約単位や、複数年の契約単位など、一の契約の対象を従来よりも包括的に発注するとともに、実施主体は、迅速かつ確実に現場へアクセスすることが可能な体制を備えた地域精通度の高い建設業者とし、必要に応じ、地域の維持管理に不可欠な事業につき、地域の建設業者が継続的な協業関係を確保することによりその実施体制を安定確保するために結成される建設共同企業体や事業協同組合等とする契約方式（地域維持型契約方式）を、適切に活用すること。

9．低入札価格調査の基準価格等の公表時期の見直し

　特殊法人等にあっては、予定価格及び低入札価格調査基準価格について、事前公表により弊害が生じうること、地域の建設業の経営を巡る環境が極めて厳しい状況にあることにか

んがみ、引き続き、事前公表は取りやめ、落札決定以後の公表とすること。

この際、入札前に入札関係職員から予定価格又は低入札価格調査基準価格を聞き出して入札の公正を害そうとする不正行為を抑止するため、予定価格の作成時期を入札書の提出後とするなど、外部から入札関係職員に対する不当な働きかけ又は口利き行為が発生しにくい入札契約手続や、これらの行為があった場合の記録・報告・公表の制度を導入すること等により、談合等に対する発注者の関与の排除措置を徹底すること。

10. 談合等の不正行為に対する発注者の関与の防止の徹底

入札談合等関与行為の排除及び防止並びに職員による入札等の公正を害すべき行為の処罰に関する法律（平成十四年法律第百一号）の趣旨及び近年の動向を踏まえ、各般の措置を総合的に講ずることにより、公正な競争の促進を図ることはもとより、不正行為に対する発注者の関与の防止の徹底に全力を尽くすとともに、不正行為に対しては厳正に対処すること。

このような観点から、職員に対する教育、研修等を適切に行うとともに、入札及び契約の過程並びに契約の内容について審査及び意見の具申等を行う入札監視委員会等の第三者機関の設置をはじめ、必要な対策の実施に積極的に取り組むこと。

また、談合情報を得た場合の取扱要領（談合情報対応マニュアル）の策定・充実及び公表を推進することと併せて、談合情報対応のための内部における連絡・報告体制等を整備すること。

11. 指名停止措置等の適正な運用の徹底

談合等不正行為を行った者に対しては、入札参加資格停止措置の適切な運用により厳正に対処すること。指名停止措置については、客観的な実施を担保するため、あらかじめ指名停止基準を策定し公表するとともに、その適切な運用を図ること。また、当該基準については、指名停止の原因事由の悪質さの程度や情状、結果の重大性などに応じて適切な期間が設定されるよう、「工事請負契約に係る指名停止等の措置要領中央公共工事契約制度運用連絡協議会モデル」及び「工事請負契約に係る指名停止等の措置要領中央公共工事契約制度運用連絡協議会モデルの運用申し合わせ」に沿って、あらかじめ指名停止基準を策定し公表するとともに、その適切な運用を図ること。

また、談合等不正行為の抑止を図る観点から、談合等不正行為があった場合における受注者の賠償金支払い義務を請負契約締結時に併せて特約する違約金特約条項を適切に付すること。違約金の額は、裁判例等を基準とした合理的な根拠に基づく金額とすること。

12. 入札及び契約の過程並びに契約内容の透明性の確保

入札契約適正化法第四条及び第五条の規定により、情報の公表を行わなければならない事項に加え、競争参加者の経営状況及び施工能力に関する評点又は当該点数と工事成績その他の各発注者による評点の合計点数、等級区分を定めている場合の区分の基準を公表すること。

入札監視委員会等の第三者機関の設置・運営について明確に定め、これを公表するとともに、その活動状況に関する必要な資料を公表するなど透明性の確保を図ること。また、入札及び契約に係る苦情を中立・公正に処理する仕組みを整備すること。

指名行為に係る発注者の恣意性を排除し、不正行為を未然に防止するため、指名競争入札における指名基準を策定・公表すること。なお、指名業者名については、談合を助長することのないよう、入札前には公表しないこと。

入札及び契約に関する情報の公表の際には、透明性の向上を図る観点から、インターネットの活用を積極的に図ること。

13. 不良・不適格業者の排除

建設業法その他工事に関する諸法令（社会保険等に関する法令を含む。）を遵守しない企業やペーパーカンパニー、適切な施工が行い得ない企業などの不良・不適格業者については、建設業許可行政庁等と相互に連携し、公共工事からの排除に向けた取組の徹底を図ること。

暴力団員による不当な行為の防止等に関する法律（平成三年法律第七十七号）第三十二条第一項において、国は指定暴力団員等をその行う売買等の契約に係る入札に参加させないための措置を講ずることとされていること等を踏まえ、暴力団員が実質的に経営を支配している企業やこれに準ずる企業（暴力団等と社会的に非難されるべき関係を有している企業など）が公共工事から的確に排除されるよう、警察本部と協定を締結し、これに基づき相互通報体制の確立や定期会議の開催などを通じて、緊密な連携の下に十分な情報交換等を行うとともに、公共工事標準請負契約約款に沿った暴力団排除条項の整備・活用を図ること。また、受注者に対し、暴力団員等による公共工事への不当介入があった場合における警察本部及び発注者への通報・報告等を徹底すること。また各発注者は、不良・不適格業者の排除のため、一般競争入札や公募型指名競争入札等における入札参加者の選定及び落札者の決定に当たって、発注者支援データベースの活用等により、入札参加者又は落札者が配置を予定している専任の監理技術者が他の工事や営業所に専任で配置されている技術者と兼務をしていないことも確認すること。

14. 電子入札の導入

電子入札システム等の導入について、談合等の不正行為の防止、事務の簡素化や入札に要する費用の縮減、競争に参加しようとする者の利便性の向上等の観点から、可能な限り速やかにその導入を図ること。

15. 発注者としての体制の補完

工事等の内容が高度であるために積算、監督・検査、技術提案の審査ができないなど発注関係事務を適切に実施することが困難である場合には、必要に応じてＣＭ（コンストラクション・マネジメント）方式等外部機関による支援の活用を積極的に進めることにより、発注者としての体制の補完を図ること。さらに、発注関係事務を適切に実施するため、その実施に必要な知識又は技術を有する職員の育成及び確保を図ること。

Ⅲ．情報の公表を行わなければならない事項

次の事項は、入札契約適正化法第四条及び第五条の規定により、情報の公表が義務付けられている事項であり、公表が行われていない場合は、速やかに必要事項を公表して下さい。

1．当該年度の公共工事の発注見通しに関する事項（変更後のものを含む。）（入札契約適正化法第四条）

2．入札及び契約の過程に関する事項（入札契約適正化法第五条第一号）

① 入札に参加した者の商号・名称、入札金額
② 落札者の商号・名称、落札金額
③ 入札参加者の資格を定めた場合における当該資格
④ 指名した者の商号・名称
⑤ その他公共工事の入札及び契約の適正化の促進に関する法律施行令（平成十三年政令第三十四号。以下「政令」という。）で定める入札及び契約の過程に関する事項

3．公共工事の契約内容（入札契約適正化法第五条第二号）

① 契約の相手方の商号・名称
② その他政令で定める公共工事の契約内容に関する事項

○公共工事の品質確保の促進に関する法律

平一七・三・三一
法　一八

最終改正　令六・六・一九法五四

目次〔略〕

第一章　総則

（目的）

第一条　この法律は、公共工事の品質確保が、良質な社会資本の整備を通じて、豊かな国民生活の実現及びその安全の確保、環境の保全（良好な環境の創出を含む。）、自立的で個性豊かな地域社会の形成等に寄与するものであるとともに、現在及び将来の世代にわたる国民の利益であることに鑑み、公共工事の品質確保に関する基本理念、国等の責務、基本方針の策定等その担い手の中長期的な育成及び確保の促進その他の公共工事の品質確保の促進に関する基本的事項を定めることにより、現在及び将来の公共工事の品質確保の促進を図り、もって国民の福祉の向上及び国民経済の健全な発展に寄与することを目的とする。

（定義）

第二条　この法律において「公共工事」とは、公共工事の入札及び契約の適正化の促進に関する法律（平成十二年法律第百二十七号）第二条第二項に規定する公共工事をいう。

2　この法律において「公共工事に関する調査等」とは、公共工事に関し、国、特殊法人等（公共工事の入札及び契約の適正化の促進に関する法律第二条第一項に規定する特殊法人等をいう。以下同じ。）又は地方公共団体が発注する測量、地質調査その他の調査（点検及び診断を含む。）及び設計（以下「調査等」という。）をいう。

（基本理念）

第三条　公共工事の品質は、公共工事が現在及び将来における国民生活及び経済活動の基盤となる社会資本を整備するものとして社会経済上重要な意義を有することに鑑み、国及び地方公共団体並びに公共工事等（公共工事及び公共工事に関する調査等をいう。以下同じ。）の発注者及び受注者がそれぞれの役割を果たすことにより、現在及び将来の国民のために確保されなければならない。

2　公共工事の品質は、建設工事が、目的物が使用されて初めてその品質を確認できること、その品質が工事等（工事及び調査等をいう。以下同じ。）の受注者の技術的能力に負うところが大きいこと、個別の工事により条件が異なること等の特性を有することに鑑み、経済性に配慮しつつ価格以外の多様な要素をも考慮し、価格及び品質が総合的に優れた内容の契約がなされることにより、確保されなければならない。

3　公共工事の品質は、施工技術及び調査等に関する技術の維持向上が図られ、並びにそれらを有する者等が公共工事の品質確保の担い手として中長期的に育成され、及び確保されることにより、将来にわたり確保されなければならない。

4　公共工事の品質は、公共工事等の発注者（以下単に「発注者」という。）の能力及び体制を考慮しつつ、工事等の性格、地域の実情等に応じて多様な入札及び契約の方法の中から適切な方法が選択されることにより、確保されなければならない。

5　公共工事の品質は、これを確保する上で工事等の効率性、安全性、環境への影響等が重要な意義を有することに鑑み、地盤の状況に関する情報その他の工事等に必要な情報が的確に把握され、より適切な技術又は工夫が活用されることにより、確保されなければならない。

6　公共工事の品質は、公共工事等に関する技術の研究開発並

びにその成果の普及及び実用化が適切に推進され、その技術が新たな技術として活用されることにより、将来にわたり確保されなければならない。

7　公共工事の品質は、完成後の適切な点検、診断、維持、修繕その他の維持管理により、将来にわたり確保されなければならない。

8　公共工事の品質は、地域において災害時における対応を含む社会資本の維持管理が適切に行われるよう、地域の実情を踏まえ地域における公共工事の品質確保の担い手が育成され及び確保されるとともに、災害応急対策又は災害復旧に関する工事等（以下「災害応急対策工事等」という。）が迅速かつ円滑に実施される体制が整備されることにより、将来にわたり確保されなければならない。

9　公共工事の品質は、これを確保する上で公共工事等の受注者のみならず下請負人及びこれらの者に使用される技術者、技能労働者等がそれぞれ重要な役割を果たすことに鑑み、公共工事等における請負契約（下請契約を含む。）の当事者が、各々の対等な立場における合意に基づいて、市場における労務の取引価格、健康保険法（大正十一年法律第七十号）等の定めるところにより事業主が納付義務を負う保険料（第八条第二項及び第二十七条第一項において単に「保険料」という。）等を的確に反映した適正な額の請負代金及び適正な工期又は調査等の履行期（以下「工期等」という。）を定める公正な契約を締結し、その請負代金をできる限り速やかに支払う等信義に従って誠実にこれを履行するとともに、公共工事等に従事する者の賃金、労働時間、休日その他の労働条件、安全衛生その他の労働環境の適正な整備について配慮がなされることにより、確保されなければならない。

10　公共工事の品質確保に当たっては、公共工事等の入札及び契約の過程並びに契約の内容の透明性並びに競争の公正性が確保されること、談合、入札談合等関与行為その他の不正行為の排除が徹底されること、その請負代金の額によっては公共工事等の適正な実施が通常見込まれない契約の締結が防止されること並びに契約された公共工事等の適正な実施が確保されることにより、公共工事等の受注者（以下単に「受注者」という。）としての適格性を有しない建設業者等が排除されること等の入札及び契約の適正化が図られるように配慮されなければならない。

11　公共工事の品質確保に当たっては、民間事業者の能力が適切に評価され、並びに公共工事等の入札及び契約に適切に反映されること、民間事業者の積極的な技術提案（公共工事等に関する技術又は工夫についての提案をいう。以下同じ。）及び創意工夫が活用されること等により民間事業者の能力が活用されるように配慮されなければならない。

12　公共工事の品質確保に当たっては、新たな技術を活用した資材、機械、工法等の採用が公共工事の品質の向上に及ぼす効果が適切に評価されること等により、新たな技術の活用が価格のみを理由として妨げられることのないように配慮されなければならない。

13　公共工事の品質確保に当たっては、調査等、施工及び維持管理の各段階における情報通信技術（デジタル社会形成基本法（令和三年法律第三十五号）第二条に規定する情報通信技術をいう。以下同じ。）の活用（当該各段階におけるデータ（電子的方式、磁気的方式その他人の知覚によっては認識することができない方式で作られる記録に記録された情報をいう。以下この項において同じ。）の適切な引継ぎ及び多様かつ大量のデータの適正かつ効果的な活用を含む。以下同じ。）等を通じて、その生産性の向上が図られるように配慮されなければならない。

14　公共工事の品質確保に当たっては、脱炭素化（脱炭素社会（地球温暖化対策の推進に関する法律（平成十年法律第百十七号）第二条の二に規定する脱炭素社会をいう。）の実現に寄与することを旨として、社会経済活動その他の活動に伴って発生する温室効果ガス（同法第二条第三項に規定する温室効果ガスをいう。）の排出の量の削減並びに吸収作用の保全及び強化を行うことをいう。第七条第一項第二号において同じ。）に向けた技術又は工夫が活用されるように配慮されなければならない。

15　公共工事の品質確保に当たっては、公共工事に関する調査等の業務の内容に応じて必要な知識又は技術を有する者の能力がその者の有する資格等により適切に評価され、及びそれらの者が十分に活用されなければならない。

（国の責務）

第四条　国は、前条の基本理念（以下「基本理念」という。）にのっとり、公共工事の品質確保の促進に関する施策を総合的に策定し、及び実施する責務を有する。

（地方公共団体の責務）

第五条　地方公共団体は、基本理念にのっとり、その地域の実情を踏まえ、公共工事の品質確保の促進に関する施策を策定し、及び実施する責務を有する。

（国及び地方公共団体の相互の連携及び協力）

第六条　国及び地方公共団体は、公共工事の品質確保の促進に関する施策の策定及び実施に当たっては、基本理念の実現を図るため、相互に緊密な連携を図りながら協力しなければならない。

（発注者等の責務）

第七条　発注者は、基本理念にのっとり、現在及び将来の公共工事の品質が確保されるよう、公共工事の品質確保の担い手の中長期的な育成及び確保に配慮しつつ、公共工事等の仕様書及び設計書の作成、予定価格の作成、入札及び契約の方法の選択、契約の相手方の決定、工事等の監督及び検査並びに工事等の実施中及び完了時の施工状況又は調査等の状況（以下「施工状況等」という。）の確認及び評価その他の事務（以下「発注関係事務」という。）を、次に定めるところによる等適切に実施しなければならない。

一　公共工事等を実施する者が、公共工事の品質確保の担い手が中長期的に育成され及び確保されるための適正な利潤を確保することができるよう、適切に作成された仕様書及び設計書に基づき、経済社会情勢の変化を勘案し、市場における労務及び資材等の取引価格、健康保険法等の定めるところにより事業主が納付義務を負う保険料、公共工事等に従事する者の業務上の負傷等に対する補償に必要な金額を担保するための保険契約の保険料、第五項の協定に基づき発注者がその実施を要請する災害応急対策工事等に係る次条第五項の保険契約の保険料、工期等、公共工事等の実施の実態等を的確に反映した積算を行うことにより、予定価格を適正に定めること。

二　価格に加え、工期、安全性、生産性、脱炭素化に対する寄与の程度その他の要素を考慮して総合的に価値の最も高い資材、機械、工法等（新たな技術を活用した資材、機械、工法等を含む。第六号において「総合的に価値の最も高い資材等」という。）を採用するに当たっては、これに必要な費用を適切に反映した積算を行うことにより、予定価格を適正に定めること。

三　入札に付しても定められた予定価格に起因して入札者又は落札者がなかったと認める場合において更に入札に付するとき、災害その他の特別な事情により通常の積算の方法によっては適正な予定価格の算定が困難と認めるときその他必要があると認めるときは、入札に参加する者から当該入札に係る工事等の全部又は一部の見積書を徴することその他の方法により積算を行うことにより、適正な予定価格を定め、できる限り速やかに契約を締結するよう努めること。

四　災害時においては、手続の透明性及び公正性の確保に留意しつつ、災害応急対策又は緊急性が高い災害復旧に関する工事等にあっては随意契約を、その他の災害復旧に関する工事等にあっては指名競争入札を活用する等緊急性に応じた適切な入札及び契約の方法を選択するよう努めること。

五　その請負代金の額によっては公共工事等の適正な実施が通常見込まれない契約の締結を防止するため、その入札金額によっては当該公共工事等の適正な実施が通常見込まれない契約となるおそれがあると認められる場合の基準又は最低制限価格の設定その他の必要な措置を講ずること。

六　公共工事等の発注に関し、経済性に配慮しつつ、総合的に価値の最も高い資材等を採用するよう努めること。

七　地域における公共工事の品質確保の担い手が中長期的に育成され及び確保されるよう、地域の実情を踏まえ、競争に参加する者に必要な資格、発注しようとする公共工事等の規模その他の入札に関する事項を適切に定めること。

八　地域における公共工事の品質確保の担い手がその地域で十分に普及していない技術を円滑に習得することができるよう、発注又は契約の相手方の選定に関し、必要に応じて、当該技術を有する民間事業者と当該地域の民間事業者との連携及び技術的な協力のために必要な措置を講ずること。

九　災害からの迅速な復旧復興に資するよう、発注又は契約の相手方の選定に関し、必要に応じて、災害からの迅速な復旧復興に資する事業のために必要な能力を有する民間事業者と地域の民間事業者との連携及び協力のために必要な措置を講ずること。

十　地域における公共工事等の実施の時期の平準化を図るため、計画的に発注を行うとともに、工期等が一年に満たない公共工事等についての繰越明許費（財政法（昭和二十二年法律第三十四号）第十四条の三第二項に規定する繰越明許費又は地方自治法（昭和二十二年法律第六十七号）第二百十三条第二項に規定する繰越明許費をいう。第十二号において同じ。）又は財政法第十五条に規定する国庫債務負担行為若しくは地方自治法第二百十四条に規定する債務負担行為の活用による翌年度にわたる工期等の設定、他の発注者との連携による中長期的な公共工事等の発注の見通しの作成及び公表その他の必要な措置を講ずること。

十一　公共工事等に従事する者の労働時間その他の労働条件が適正に確保されるよう、公共工事等に従事する者の休日、工事等の実施に必要な準備期間、天候その他のやむを得ない事由により工事等の実施が困難であると見込まれる日数等を考慮し、適正な工期等を設定すること。

十二　設計図書（仕様書、設計書及び図面をいう。以下この号において同じ。）に適切に施工条件又は調査等の実施の条件を明示するとともに、設計図書に示された施工条件と実際の工事現場の状態が一致しない場合、設計図書に示されていない施工条件又は調査等の実施の条件について予期することができない特別な状態が生じた場合その他の場合において必要があると認められるときは、適切に設計図書の変更及びこれに伴い必要となる請負代金の額又は工期等の変更を行うこと。この場合において、工期等が翌年度にわたることとなったときは、繰越明許費の活用その他の必要な措置を適切に講ずること。

十三　公共工事の契約において市場における労務及び資材等の取引価格の変動に基づく請負代金の額の変更及びその適切な算定方法に関する定めを設け、当該定めの適用に関する基準を策定するとともに、当該契約の締結後に当該変動が生じたときは、当該契約及び当該基準に基づき適切に請負代金の額の変更を行うこと。

十四　公共工事等の監督及び検査並びに施工状況等の確認及び評価に当たっては、積極的な情報通信技術の活用を図るとともに、必要に応じて、発注者及び受注者以外の者であって専門的な知識又は技術を有するものによる、工事等が適正に実施されているかどうかの確認の結果の活用を図るよう努めること。

十五　必要に応じて完成後の一定期間を経過した後において施工状況の確認及び評価を実施するよう努めること。

2　発注者は、公共工事等の施工状況等及びその評価に関する資料その他の資料が将来における自らの発注に、及び発注者間においてその発注に相互に、有効に活用されるよう、その評価の標準化のための措置並びにこれらの資料の保存のためのデータベースの整備及び更新その他の必要な措置を講じなければならない。

3　発注者は、発注関係事務を適切に実施するため、その実施に必要な知識又は技術を有する職員の育成及び確保、必要な職員の配置その他の体制の整備に努めるとともに、他の発注者と情報交換を行うこと等により連携を図るよう努めなければならない。

4　発注者は、発注者及び受注者の負担の軽減に資するよう、発注関係事務の実施に関し、情報通信技術の活用等に努めなければならない。

5　発注者は、災害応急対策工事等が迅速かつ円滑に実施されるよう、あらかじめ、建設業法（昭和二十四年法律第百号）第二十七条の三十七に規定する建設業者団体（第二十六条及び第三十一条において単に「建設業者団体」という。）その他の者との災害応急対策工事等の実施に関する協定の締結その他必要な措置を講ずるよう努めるとともに、他の発注者と連携を図るよう努めなければならない。

6　発注者は、災害応急対策工事等の迅速かつ円滑な実施に資するため、公共工事の目的物の被害状況の把握に関し、当該目的物の整備及び維持管理について必要な知識及び経験を有する者を活用するよう努めなければならない。

7　国、特殊法人等及び地方公共団体は、公共工事の目的物の維持管理を行うに際しては、当該目的物の備えるべき品質が将来にわたり確保されるよう、維持管理の担い手の中長期的な育成及び確保並びに生産性の向上に配慮しつつ、情報通信技術の活用等により、当該目的物について、適切に点検、診断、維持、修繕等を実施するよう努めなければならない。この場合において、当該目的物の維持管理を広域的又は包括的に行うときは、必要な連携体制の構築に努めなければならない。

（受注者等の責務）

第八条　受注者は、基本理念にのっとり、契約された公共工事等を適正に実施しなければならない。

2　公共工事等を実施する者は、下請契約を締結するときは、下請負人に使用される技術者、技能労働者等の賃金、労働時間、休日その他の労働条件、安全衛生その他の労働環境が適正に整備されるよう、市場における労務の取引価格、保険料等を的確に反映した適正な額の請負代金及び適正な工期等を定める下請契約を締結しなければならない。

3　公共工事等を実施する者（公共工事等を実施する者となろうとする者を含む。次項において同じ。）は、契約された又は将来実施することとなる公共工事等の適正な実施のために必要な技術的能力（新たな技術を活用した資材、機械、工法等を効果的に活用する能力を含む。）の向上、情報通信技術を活用した公共工事等の実施の効率化等による生産性の向上並びに技術者、技能労働者等の育成及び確保並びにこれらの者に係る賃金、労働時間、休日その他の労働条件、安全衛生その他の労働環境の改善に努めなければならない。

4　公共工事等を実施する者は、その使用する者の有する能力に応じた適切な処遇を確保するとともに、外国人等を含む多様な人材がその有する能力を有効に発揮できるよう、その従事する職業に適応することを容易にするための措置の実施その他の雇用管理の改善に努めなければならない。

5　前条第五項の協定に基づき災害応急対策工事等を実施する受注者は、当該災害応急対策工事等に従事する者の業務上の負傷等に対する補償及び当該災害応急対策工事等の実施について第三者に加えた損害の賠償に必要な金額を担保するため、当該災害応急対策工事等の実施に当たり、適切な保険契約を締結するよう努めなければならない。

第二章　基本方針等

（基本方針）

第九条　政府は、公共工事の品質確保の促進に関する施策を総合的に推進するための基本的な方針（以下「基本方針」という。）を定めなければならない。

2　基本方針は、次に掲げる事項について定めるものとする。

一　公共工事の品質確保の促進の意義に関する事項

二　公共工事の品質確保の促進のための施策に関する基本的な方針

3　基本方針の策定に当たっては、特殊法人等及び地方公共団体の自主性に配慮しなければならない。

4　政府は、基本方針を定めたときは、遅滞なく、これを公表しなければならない。

5　前二項の規定は、基本方針の変更について準用する。

（基本方針に基づく責務）

第十条　各省各庁の長（財政法第二十条第二項に規定する各省各庁の長をいう。）、特殊法人等の代表者（当該特殊法人等が独立行政法人（独立行政法人通則法（平成十一年法律第百三号）第二条第一項に規定する独立行政法人をいう。）である場合にあっては、その長）及び地方公共団体の長は、基本方針に定めるところに従い、公共工事の品質確保の促進を図るため必要な措置を講ずるよう努めなければならない。

（関係行政機関の協力体制）

第十一条　政府は、基本方針の策定及びこれに基づく施策の実施に関し、関係行政機関による協力体制の整備その他の必要な措置を講ずるものとする。

第三章　多様な入札及び契約の方法等

第一節　競争参加者の技術的能力の審査等

（競争参加者の技術的能力の審査）

第十二条　発注者は、その発注に係る公共工事等の契約につき競争に付するときは、競争に参加しようとする者について、工事等の経験、施工状況等の評価、当該公共工事等に配置が予定される技術者の経験又は有する資格その他競争に参加しようとする者の技術的能力に関する事項を審査しなければならない。

（競争参加者の中長期的な技術的能力の確保に関する審査等）

第十三条　発注者は、その発注に係る公共工事等の性格、地域の実情等に応じ、競争に付するときは、当該公共工事等の契約につき競争に参加する者（競争に参加しようとする者を含む。以下同じ。）について、若年の技術者、技能労働者等の育成及び確保の状況、建設機械の保有の状況、災害時における工事等の実施体制の確保の状況等に関する事項を適切に審査し、又は評価するよう努めなければならない。

第二節　多様な入札及び契約の方法

（多様な入札及び契約の方法の中からの適切な方法の選択）

第十四条　発注者は、入札及び契約の方法の決定に当たっては、その発注に係る公共工事等の性格、地域の実情等に応じ、この節に定める方式その他の多様な方法の中から適切な方法を選択し、又はこれらの組合せによることができる。

（競争参加者等の技術提案を求める方式）

第十五条　発注者は、競争に参加する者に対し、技術提案を求めるよう努めなければならない。ただし、発注者が、当該公共工事等の内容に照らし、その必要がないと認めるときは、この限りでない。

2　発注者は、前項の規定により技術提案を求めるに当たっては、競争に参加する者の技術提案に係る負担に配慮しなければならない。

3　発注者は、競争に付された公共工事等につき技術提案がされたときは、これを適切に審査し、及び評価しなければならない。この場合において、発注者は、中立かつ公正な審査及び評価が行われるようこれらに関する当事者からの苦情を適切に処理することその他の必要な措置を講ずるものとする。

4　発注者は、競争に付された公共工事等を技術提案の内容に従って確実に実施することができないと認めるときは、当該技術提案を採用しないことができる。

5　発注者は、競争に参加する者に対し技術提案を求めて落札者を決定する場合には、あらかじめその旨及びその評価の方法を公表するとともに、その評価の後にその結果を公表しなければならない。ただし、公共工事の入札及び契約の適正化の促進に関する法律第四条から第八条までに定める公共工事の入札及び契約に関する情報の公表がなされない公共工事についての技術提案の評価の結果については、この限りでない。

6　発注者は、その発注に係る公共工事に関する調査等の契約につき競争に付さないときは、受注者となろうとする者に対し、技術提案を求めるよう努めなければならない。ただし、発注者が、当該公共工事に関する調査等の内容に照らし、その必要がないと認めるときは、この限りでない。

7　第二項から第五項まで（同項ただし書を除く。）の規定は、前項に規定する場合において、技術提案がされたときについて準用する。この場合において、第二項中「前項」とあるのは「第六項」と、第三項及び第四項中「競争に付された公共工事等」とあるのは「競争に付されなかった公共工事に関する調査等」と、第五項中「落札者」とあるのは「受注者」と読み替えるものとする。

（段階的選抜方式）

第十六条　発注者は、競争に参加する者に対し技術提案を求める方式による場合において競争に参加する者の数が多数であると見込まれるときその他必要があると認めるときは、必要な施工技術又は調査等の技術を有する者が新規に競争に参加することが不当に阻害されることのないように配慮しつつ、当該公共工事等に係る技術的能力に関する事項を評価すること等により一定の技術水準に達した者を選抜した上で、これらの者の中から落札者を決定することができる。

（技術提案の改善）

第十七条　発注者は、技術提案をした者に対し、その審査において、当該技術提案についての改善を求め、又は改善を提案する機会を与えることができる。この場合において、発注者は、技術提案の改善に係る過程について、その概要を公表しなければならない。

2　第十五条第五項ただし書の規定は、技術提案の改善に係る過程の概要の公表について準用する。

（技術提案の審査及び価格等の交渉による方式）

第十八条　発注者は、当該公共工事等の性格等により当該工事等の仕様の確定が困難である場合において自らの発注の実績等を踏まえ必要があると認めるときは、技術提案を公募の上、その審査の結果を踏まえて選定した者と工法、価格等の交渉を行うことにより仕様を確定した上で契約することができる。この場合において、発注者は、技術提案の審査及び交渉の結果を踏まえ、予定価格を定めるものとする。

2　発注者は、前項の技術提案の審査に当たり、中立かつ公正な審査が行われるよう、中立の立場で公正な判断をすることができる学識経験者の意見を聴くとともに、当該審査に関する当事者からの苦情を適切に処理することその他の必要な措置を講ずるものとする。

3　発注者は、第一項の技術提案の審査の結果並びに審査及び交渉の過程の概要を公表しなければならない。この場合においては、第十五条第五項ただし書の規定を準用する。

（高度な技術等を含む技術提案を求めた場合の予定価格）

第十九条　発注者は、前条第一項の場合を除くほか、高度な技術又は優れた工夫を含む技術提案を求めたときは、当該技術提案の審査の結果を踏まえて、予定価格を定めることができる。この場合において、発注者は、当該技術提案の審査に当たり、中立の立場で公正な判断をすることができる学識経験者の意見を聴くものとする。

（地域における社会資本の維持管理に資する方式）

第二十条　発注者は、公共工事等の発注に当たり、地域における社会資本の維持管理の効率的かつ持続的な実施のために必要があると認めるときは、地域の実情に応じ、次に掲げる方式等を活用するものとする。

一　工期等が複数年度にわたる公共工事等を一の契約により発注する方式

二　複数の公共工事等を一の契約により発注する方式

三　複数の建設業者等により構成される組合その他の事業体が競争に参加することができることとする方式

（競争が存在しないことの確認による方式）

第二十一条　発注者は、その発注に係る公共工事等に必要な技術、設備又は体制等からみて、その地域において受注者となろうとする者が極めて限られており、当該地域において競争が存在しない状況が継続すると見込まれる公共工事等の契約について、当該技術、設備又は体制等及び受注者となることが見込まれる者が存在することを明示した上で公募を行い、競争が存在しないことを確認したときは、随意契約によることができる。

第三節　発注関係事務を適切に実施することができる者の活用及び発注者に対する支援等

（発注関係事務を適切に実施することができる者の活用等）

第二十二条　発注者は、その発注に係る公共工事等が専門的な知識又は技術を必要とすること、職員の不足その他の理由により自ら発注関係事務を適切に実施することが困難であると認めるときは、国、地方公共団体その他法令又は契約により発注関係事務の全部又は一部を行うことができる者の能力を活用するよう努めなければならない。この場合において、発注者は、発注関係事務を適正に行うことができる知識及び経験を有する職員が置かれていること、法令の遵守及び秘密の保持を確保できる体制が整備されていることその他発注関係事務を公正に行うことができる条件を備えた者を選定するものとする。

2　発注者は、前項の場合において、契約により発注関係事務の全部又は一部を行うことができる者を選定したときは、その者が行う発注関係事務の公正性を確保するために必要な措置を講ずるものとする。

3　第一項の規定により、契約により発注関係事務の全部又は一部を行う者は、基本理念にのっとり、発注関係事務を適切に実施しなければならない。

4　国及び都道府県は、発注者を支援するため、専門的な知識又は技術を必要とする発注関係事務を適切に実施することができる者の育成及びその活用の促進、発注関係事務を公正に行うことができる条件を備えた者の適切な評価及び選定に関する協力、発注関係事務に関し助言その他の援助を適切に行う能力を有する者の活用の促進、発注者間の連携体制の整備その他の必要な措置を講ずるよう努めなければならない。

5　国及び都道府県は、発注者が発注関係事務の適切な実施に必要な知識又は技術を有する職員を育成することを支援するため、講習会の開催、自らが実施する研修への発注者の職員の受入れ、民間団体による研修の活用の促進その他必要な措置を講ずるよう努めなければならない。

（発注関係事務の実施に関する助言等）

第二十三条　国は、発注者の発注関係事務の実施の実態を調査し、及びその結果を公表するよう努めるとともに、その結果を踏まえ、発注者が発注関係事務を適切に実施することができるよう、必要な助言を行わなければならない。

（発注関係事務の運用に関する指針）

第二十四条　国は、基本理念にのっとり、発注者を支援するため、地方公共団体、学識経験者、民間事業者その他の関係者の意見を聴いて、公共工事等の性格、地域の実情等に応じた入札及び契約の方法の選択その他の発注関係事務の適切な実施に係る制度の運用に関する指針を定めるものとする。

（国の援助）

第二十五条　国は、第二十二条第四項及び第五項並びに前二条に規定するもののほか、地方公共団体が講ずる公共工事の品質確保の担い手の中長期的な育成及び確保の促進その他の公共工事の品質確保の促進に関する施策に関し、必要な助言その他の援助を行うよう努めなければならない。

第四章　公共工事の品質確保のための基盤の整備等

（職業訓練実施者に対する支援等）

第二十六条　国及び地方公共団体は、公共工事の品質確保の担い手の中長期的な育成及び確保のため、工事等に関する専門的な知識又は技術を有する人材を育成するための職業訓練を実施する者に対する支援等、工事等に関する基礎的な知識及び技能を習得させるための教育を行う高等学校等と民間事業者及び建設業者団体等との間の連携の促進並びに外国人等を含む多様な人材の確保等に必要な環境の整備の促進について必要な措置を講ずるよう努めなければならない。

（労務費等に関する実態調査等）

第二十七条　国は、下請負人その他の公共工事を実施する者（以下この項及び次項において「下請負人等」という。）に対して市場における労務の取引価格、保険料等を的確に反映した適正な額の請負代金が支払われるとともに、下請負人等により公共工事に従事する者に対して適正な額の賃金が支払われるよう、公共工事の請負契約の締結の状況及び下請負人等が講じた公共工事に従事する者の能力等に即した評価に基づく賃金の支払その他の公共工事に従事する者の適切な処遇を確保するための措置に関する実態の調査を行うよう努めなければならない。

2　国は、下請負人等に使用される公共工事に従事する者に対して適切に休日が与えられるよう、その休日の付与の実態の調査を行うよう努めなければならない。

3　国は、前二項の規定による調査の結果を公表するとともに、その結果を踏まえ、公共工事に従事する者の適正な労働条件の確保のために必要な施策の策定及び実施に努めなければならない。

（民間事業者等による研究開発の促進）

第二十八条　国は、公共工事等に必要な高度な技術の研究開発に資するため、第十八条第一項の契約の方式の活用を通じた設計に携わる民間事業者と施工に携わる民間事業者との連携その他の民間事業者等相互間の連携を促進するよう努めなければならない。

2　国は、公共工事等に必要な高度な技術の研究開発を民間事業者等に委託し又は請け負わせる場合には、当該民間事業者等がその成果を有効に活用することができるようにするため、当該成果に係る知的財産権の取扱いについて適切に配慮するよう努めなければならない。

（研究開発の安定的な推進）

第二十九条　国は、公共工事等に関する技術に係る研究機関の機能の強化並びに当該技術の研究開発並びにその成果の普及及び実用化を中長期にわたって安定的に推進するため、必要な措置を講ずるよう努めなければならない。

（地方公共団体の関係部局の連携）

第三十条　地方公共団体は、公共工事等の実施の時期の平準化を図るための措置に関する施策その他の公共工事の品質確保の促進に関する施策の実施に当たっては、公共工事等の入札及び契約に関する業務を担当する部局、公共工事等の実施に関する業務を担当する部局、財政に関する業務を担当する部局その他の関係部局の相互の緊密な連携を確保するよう努めなければならない。

（国民の関心及び理解の増進）

第三十一条　国及び地方公共団体は、建設業者団体等と連携しつつ、公共工事の品質確保及びその担い手の活動（災害時における活動を含む。）の重要性に関する国民の関心と理解を深めるため、それらに関する広報活動及び啓発活動の充実その他の必要な施策を講ずるよう努めなければならない。

（公共工事に関する調査等に係る資格等に関する検討）

第三十二条　国は、公共工事に関する調査等に関し、その業務の内容に応じて必要な知識又は技術を有する者の能力がその者の有する資格等により適切に評価され、及びそれらの者が十分に活用されるようにするため、公共工事に関する調査等の担い手の中長期的な育成及び確保に留意して、これらに係る資格等の評価及び資格等に係る制度の運用の在り方等について検討を加え、その結果に基づいて必要な措置を講ずるものとする。

附　則（抄）

（施行期日）

1　この法律は、平成十七年四月一日から施行する。

○入札談合等関与行為の排除及び防止並びに職員による入札等の公正を害すべき行為の処罰に関する法律

平一四・七・三一
法　一　〇　一

※令和四年六月一七日法律第六八号の第九五条及び令和六年六月二六日法律第六五号の附則第一一条で本法が一部改正されましたが、未施行のため、本法の末尾に掲げました。

最終改正　令六・六・二六法六五

（趣旨）

第一条　この法律は、公正取引委員会による各省各庁の長等に対する入札談合等関与行為を排除するために必要な改善措置の要求、入札談合等関与行為を行った職員に対する損害賠償の請求、当該職員に係る懲戒事由の調査、関係行政機関の連携協力等入札談合等関与行為を排除し、及び防止するための措置について定めるとともに、職員による入札等の公正を害すべき行為についての罰則を定めるものとする。

（定義）

第二条　この法律において「各省各庁の長」とは、財政法（昭和二十二年法律第三十四号）第二十条第二項に規定する各省各庁の長をいう。

2　この法律において「特定法人」とは、次の各号のいずれかに該当するものをいう。

一　国又は地方公共団体が資本金の二分の一以上を出資して

いる法人

二　特別の法律により設立された法人のうち、国又は地方公共団体が法律により、常時、発行済株式の総数又は総株主の議決権の三分の一以上に当たる株式の保有を義務付けられている株式会社（前号に掲げるもの及び政令で定めるものを除く。）

3　この法律において「各省各庁の長等」とは、各省各庁の長、地方公共団体の長及び特定法人の代表者をいう。

4　この法律において「入札談合等」とは、国、地方公共団体又は特定法人（以下「国等」という。）が入札、競り売りその他競争により相手方を選定する方法（以下「入札等」という。）により行う売買、貸借、請負その他の契約の締結に関し、当該入札に参加しようとする事業者が他の事業者と共同して落札すべき者若しくは落札すべき価格を決定し、又は事業者団体が当該入札に参加しようとする事業者に当該行為を行わせること等により、私的独占の禁止及び公正取引の確保に関する法律（昭和二十二年法律第五十四号）第三条又は第八条第一号の規定に違反する行為をいう。

5　この法律において「入札談合等関与行為」とは、国若しくは地方公共団体の職員又は特定法人の役員若しくは職員（以下「職員」という。）が入札談合等に関与する行為であって、次の各号のいずれかに該当するものをいう。

一　事業者又は事業者団体に入札談合等を行わせること。

二　契約の相手方となるべき者をあらかじめ指名することその他特定の者を契約の相手方となるべき者として希望する旨の意向をあらかじめ教示し、又は示唆すること。

三　入札又は契約に関する情報のうち特定の事業者又は事業者団体が知ることによりこれらの者が入札談合等を行うことが容易となる情報であって秘密として管理されているものを、特定の者に対して教示し、又は示唆すること。

四　特定の入札談合等に関し、事業者、事業者団体その他の者の明示若しくは黙示の依頼を受け、又はこれらの者に自ら働きかけ、かつ、当該入札談合等を容易にする目的で、職務に反し、入札に参加する者として特定の者を指名し、又はその他の方法により、入札談合等を幇助すること。

（各省各庁の長等に対する改善措置の要求等）

第三条　公正取引委員会は、入札談合等の事件についての調査の結果、当該入札談合等につき入札談合等関与行為があると認めるときは、各省各庁の長等に対し、当該入札談合等関与行為を排除するために必要な入札及び契約に関する事務に係る改善措置（以下単に「改善措置」という。）を講ずべきことを求めることができる。

2　公正取引委員会は、入札談合等の事件についての調査の結果、当該入札談合等につき入札談合等関与行為があったと認めるときは、当該入札談合等関与行為が既になくなっている場合においても、特に必要があると認めるときは、各省各庁の長等に対し、当該入札談合等関与行為が排除されたことを確保するために必要な改善措置を講ずべきことを求めることができる。

3　公正取引委員会は、前二項の規定による求めをする場合には、当該求めの内容及び理由を記載した書面を交付しなければならない。

4　各省各庁の長等は、第一項又は第二項の規定による求めを受けたときは、必要な調査を行い、当該入札談合等関与行為があり、又は当該入札談合等関与行為があったことが明らかとなったときは、当該調査の結果に基づいて、当該入札談合等関与行為を排除し、又は当該入札談合等関与行為が排除されたことを確保するために必要と認める改善措置を講じなければならない。

5　各省各庁の長等は、前項の調査を行うため必要があると認めるときは、公正取引委員会に対し、資料の提供その他必要な協力を求めることができる。

6　各省各庁の長等は、第四項の調査の結果及び同項の規定により講じた改善措置の内容を公表するとともに、公正取引委員会に通知しなければならない。

7　公正取引委員会は、前項の通知を受けた場合において、特に必要があると認めるときは、各省各庁の長等に対し、意見を述べることができる。

（職員に対する損害賠償の請求等）

第四条　各省各庁の長等は、前条第一項又は第二項の規定による求めがあったときは、当該入札談合等関与行為による国等の損害の有無について必要な調査を行わなければならない。

2　各省各庁の長等は、前項の調査の結果、国等に損害が生じたと認めるときは、当該入札談合等関与行為を行った職員の賠償責任の有無及び国等に対する賠償額についても必要な調査を行わなければならない。

3　各省各庁の長等は、前二項の調査を行うため必要があると認めるときは、公正取引委員会に対し、資料の提供その他必要な協力を求めることができる。

4　各省各庁の長等は、第一項及び第二項の調査の結果を公表しなければならない。

5　各省各庁の長等は、第二項の調査の結果、当該入札談合等関与行為を行った職員が故意又は重大な過失により国等に損害を与えたと認めるときは、当該職員に対し、速やかにその賠償を求めなければならない。

6　入札談合等関与行為を行った職員が予算執行職員等の責任に関する法律（昭和二十五年法律第百七十二号）第三条第二項（同法第九条第二項において準用する場合を含む。）の規定により弁償の責めに任ずべき場合については、各省各庁の長又は公庫の長（同条第一項に規定する公庫の長をいう。）は、第二項、第三項（第二項の調査に係る部分に限る。）、第四項（第二項の調査の結果の公表に係る部分に限る。）及び前項の規定にかかわらず、速やかに、同法に定めるところにより、必要な措置をとらなければならない。この場合においては、同法第四条第四項（同法第九条第二項において準用する場合を含む。）中「遅滞なく」とあるのは、「速やかに、当該予算執行職員の入札談合等関与行為（入札談合等関与行為の排除及び防止並びに職員による入札等の公正を害すべき行為の処罰に関する法律（平成十四年法律第百一号）第二条第五項に規定する入札談合等関与行為をいう。）に係る同法第四条第一項の調査の結果を添えて」とする。

7　入札談合等関与行為を行った職員が地方自治法（昭和二十二年法律第六十七号）第二百四十三条の二の八第一項（地方公営企業法（昭和二十七年法律第二百九十二号）第三十四条において準用する場合を含む。）の規定により賠償の責めに任ずべき場合については、第二項、第三項（第二項の調査に係る部分に限る。）、第四項（第二項の調査の結果の公表に係る部分に限る。）及び第五項の規定は適用せず、地方自治法第二百四十三条の二の八第三項中「決定することを求め」とあるのは、「決定することを速やかに求め」と読み替えて、同条（地方公営企業法第三十四条において準用する場合を含む。）の規定を適用する。

（職員に係る懲戒事由の調査）

第五条　各省各庁の長等は、第三条第一項又は第二項の規定による求めがあったときは、当該入札談合等関与行為を行った職員に対して懲戒処分（特定法人（行政執行法人（独立行政法人通則法（平成十一年法律第百三号）第二条第四項に規定する行政執行法人をいう。以下この項において同じ。）及び特定地方独立行政法人（地方独立行政法人法（平成十五年法律第百十八号）第二条第二項に規定する特定地方独立行政法人をいう。以下この項において同じ。）を除く。）にあっては、免職、停職、減給又は戒告の処分その他の制裁）をすることができるか否かについて必要な調査を行わなければならない。ただし、当該求めを受けた各省各庁の長、地方公共団体の長、行政執行法人の長又は特定地方独立行政法人の理事長が、当該職員の任命権を有しない場合（当該職員の任命権を委任した場合を含む。）は、当該職員の任命権を有する者（当該職員の任命権の委任を受けた者を含む。以下「任命権者」という。）に対し、第三条第一項又は第二項の規定による求めがあった旨を通知すれば足りる。

2　前項ただし書の規定による通知を受けた任命権者は、当該入札談合等関与行為を行った職員に対して懲戒処分をすることができるか否かについて必要な調査を行わなければならない。

3　各省各庁の長等又は任命権者は、第一項本文又は前項の調査を行うため必要があると認めるときは、公正取引委員会に対し、資料の提供その他必要な協力を求めることができる。

4　各省各庁の長等又は任命権者は、それぞれ第一項本文又は第二項の調査の結果を公表しなければならない。

（指定職員による調査）

第六条　各省各庁の長等又は任命権者は、その指定する職員（以下この条において「指定職員」という。）に、第三条第四項、第四条第一項若しくは第二項又は前条第一項本文若しくは第二項の規定による調査（以下この条において「調査」という。）を実施させなければならない。この場合において、各省各庁の長等又は任命権者は、当該調査を適正に実施するに足りる能力、経験等を有する職員を指定する等当該調査の実効を確保するために必要な措置を講じなければならない。

2　指定職員は、調査に当たっては、公正かつ中立に実施しなければならない。

3　指定職員が調査を実施する場合においては、当該各省各庁（財政法第二十一条に規定する各省各庁をいう。以下同じ。）、地方公共団体又は特定法人の職員は、当該調査に協力しなければならない。

（関係行政機関の連携協力）

第七条　国の関係行政機関は、入札談合等関与行為の防止に関し、相互に連携を図りながら協力しなければならない。

（職員による入札等の妨害）

第八条　職員が、その所属する国等が入札等により行う売買、貸借、請負その他の契約の締結に関し、その職務に反し、事業者その他の者に談合を唆すこと、事業者その他の者に予定価格その他の入札等に関する秘密を教示すること又はその他の方法により、当該入札等の公正を害すべき行為を行ったときは、五年以下の懲役又は二百五十万円以下の罰金に処する。

（運用上の配慮）

第九条　この法律の運用に当たっては、入札及び契約に関する事務を適正に実施するための地方公共団体等の自主的な努力に十分配慮しなければならない。

（事務の委任）

第十条　各省各庁の長は、この法律に規定する事務を、当該各省各庁の外局（法律で国務大臣をもってその長に充てることとされているものに限る。）の長に委任することができる。

附　則

この法律は、公布の日から起算して六月を超えない範囲内において政令で定める日〔平一五・一・六〕から施行する。

※刑法等の一部を改正する法律の施行に伴う関係法律の整理等に関する法律（令四・六・一七法六八）の第九五条で本法が一部改正されましたが、未施行のため、ここに別に掲げました。

（入札談合等関与行為の排除及び防止並びに職員による入札等の公正を害すべき行為の処罰に関する法律の一部改正）

第九十五条　入札談合等関与行為の排除及び防止並びに職員による入札等の公正を害すべき行為の処罰に関する法律（平成十四年法律第百一号）の一部を次のように改正する。

第八条中「懲役」を「拘禁刑」に改める。

附　則（抄）

（施行期日）

1　この法律は、刑法等一部改正法施行日〔令七・六・一〕から施行する。〔ただし書略〕

※地方自治法の一部を改正する法律（令六・六・二六法六五）の附則第一一条で本法が一部改正されましたが、未施行のため、ここに別に掲げました。

（入札談合等関与行為の排除及び防止並びに職員による入札等の公正を害すべき行為の処罰に関する法律の一部改正）

第十一条　入札談合等関与行為の排除及び防止並びに職員による入札等の公正を害すべき行為の処罰に関する法律（平成十四年法律第百一号）の一部を次のように改正する。

第四条第七項中「第二百四十三条の二の八第一項」を「第二百四十三条の二の九第一項」に、「第二百四十三条の二の八第三項」を「第二百四十三条の二の九第三項」に改める。

附　則（抄）

（施行期日）

第一条　この法律は、公布の日から起算して三月を経過した日から施行する。ただし、次の各号に掲げる規定は、当該各号に定める日から施行する。

一・二　〔略〕

三　〔前略〕附則〔中略〕第十一条〔中略〕の規定　公布の日から起算して二年六月を超えない範囲内において政令で定める日

○政府調達に関する協定

平七・一二・八
条約二三

最終改正　令五・二・一〇外務告八六

前文

この協定の締約国（以下「締約国」という。）は、

国際貿易の一層の自由化及び拡大を図り、かつ、国際貿易を規律する枠組みを改善するため、政府調達に関する効果的な多角的枠組みの必要性を認め、

政府調達に係る措置は、国内の供給者、物品若しくはサービスに保護を与えるように、又は外国の供給者、物品若しくはサービスの間に差別を設けるように立案され、制定され、又は適用されるべきでないことを認め、

政府調達制度の信頼性及び予見可能性が、公的資金の効率的かつ効果的な管理、締約国の経済の良好な運営及び多角的貿易体制の機能にとって不可欠であることを認め、

この協定に基づく手続上の約束は、各締約国の個別の状況を考慮に入れるため十分に柔軟であるべきであることを認め、

開発途上国、特に後発開発途上国の開発上、資金上及び貿易上のニーズに留意する必要を認め、

政府調達に係る措置が透明性を有すること、透明性のある、かつ、公平な方法で調達を実施すること並びに腐敗の防止に関する国際連合条約等の適用のある国際文書に従って利益相反及び腐敗した慣行を回避することの重要性を認め、

この協定の適用を受ける調達のために電子的手段を使用すること及びその使用を奨励することの重要性を認め、

この協定の締約国でない世界貿易機関の加盟国によるこの協定の受諾及びこの協定への加入を奨励することを希望して、

ここに、次のとおり協定する。

第一条　定義

この協定の適用上、

(a)「商業上の物品又はサービス」とは、政府に係る目的以外の目的で、一般に商業市場において政府以外の買手に販売され、又は販売のために提供され、かつ、当該買手により通常購入される種類の物品又はサービスをいう。

(b)「委員会」とは、第二十一条1の規定によって設置される政府調達に関する委員会をいう。

(c)「建設サービス」とは、その手段のいかんを問わず、国際連合の暫定的な中央生産物分類第五一区分に基づく土木工事又は建築物の工事の実施を目的とするサービスをいう。

(d)「国」には、この協定の締約国である独立の関税地域を含む。この協定において「国」を含む表現（例えば、「内国民待遇」、「国内法令」）は、この協定の締約国である独立の関税地域については、別段の定めがある場合を除くほか、当該関税地域に係るものとして読むものとする。

(e)「日」とは、暦日をいう。

(f)「電子オークション」とは、供給者が新たな価格又は価格以外の入札の要素（数値化することができ、かつ、評価基準に関連するもの）に係る新たな数値のいずれか又は双方を提示するための電子的手段の使用を伴う反復的な手続であって、その結果により入札の順位を決定し、又は更新するものをいう。

(g)「書面」とは、文言又は数字による表記であって、読むことができ、複製することができ、かつ、後に伝達することができるものをいう。当該表記には、電子的に送付され、及び保存される情報を含めることができる。

(h)「限定入札」とは、調達機関が、自己が選択した供給者と折衝する調達方法をいう。

(i)「措置」とは、対象調達に関する法令、手続、行政指導若しくは行政上の慣行又は調達機関による行為をいう。

(j)「常設名簿」とは、供給者として調達に参加するための条件を満たしていると調達機関が判断した供給者の名簿で

あって、調達機関が複数回使用する意図を有するものをいう。

(k) 「調達計画の公示」とは、調達機関が関心を有する供給者に参加申請書、入札書又はその双方を提出することを招請するために行う公示をいう。

(l) 「調達の効果を減殺する措置」とは、国内の物品若しくは国内のサービスを組み入れること、技術の使用を許諾すること、投資を行うこと、見返貿易を行うこと又はこれらと同様の措置をとり、若しくは要求すること等、締約国内の開発を奨励し、又は締約国の国際収支を改善する条件又は約束をいう。

(m) 「公開入札」とは、関心を有する全ての供給者が入札を行うことのできる調達方法をいう。

(n) 「者」とは、自然人又は法人をいう。

(o) 「調達機関」とは、附属書Ⅰの締約国の付表1から付表3までに掲げる機関をいう。

(p) 「資格を有する供給者」とは、調達に参加するための条件を満たしていると調達機関が認める供給者をいう。

(q) 「選択入札」とは、資格を有する供給者のみが調達機関から入札を行うよう招請される調達方法をいう。

(r) 「サービス」には、別段の定めがある場合を除くほか、建設サービスを含む。

(s) 「任意規格」とは、物品若しくはサービス又は関連の生産工程若しくは生産方法についての規則、指針又は特性を一般的及び反復的な使用のために規定する、認められた機関が承認した文書であって遵守することが義務付けられていないものをいう。任意規格は、専門用語、記号、包装又は証票若しくはラベル等による表示に関する要件であって物品、サービス又は生産工程若しくは生産方法について適用されるものを含むことができ、また、これらの事項のうちいずれかのもののみでも作成することができる。

(t) 「供給者」とは、物品又はサービスを提供し、又は提供し得る者又は集団をいう。

(u) 「技術仕様」とは、次の事項について規定する入札の要件をいう。

(i) 調達される物品又はサービスの特性（品質、性能、安全及び寸法を含む。）又は生産若しくは提供の工程及び方法

(ii) 物品又はサービスについて専門用語、記号、包装又は証票若しくはラベル等による表示に関する要件が適用される場合には、当該要件

第二条　適用範囲

協定の適用

1 この協定は、対象調達（その全部又は一部が電子的手段により行われるか否かを問わない。）に係る措置について適用する。

2 この協定の適用上、「対象調達」とは、政府に係る目的のための調達であって次の(a)から(e)までの要件を満たすものをいう。

(a) 次の(i)及び(ii)の要件を満たす物品、サービス又はこれらの組合せの調達であること。

(i) 当該物品又は当該サービスが附属書Ⅰの締約国の付表に掲げられていること。

(ii) 当該調達が、商業的販売若しくは商業的再販売を目的として、又は商業的販売若しくは商業的再販売のための物品若しくはサービスの生産若しくは供給において用いるために行われるものでないこと。

(b) 購入、借入れ（購入を選択する権利の有無を問わない。）等の契約により行われること。

(c) 第七条の規定に従って公示を行う時点において、6から8までの規定により見積もられた価額が、附属書Ⅰの締約国の付表において特定する基準額と同額であるか、又はこれを超えること。

(d) 調達機関により行われること。

(e) 3の規定又は附属書Ⅰの締約国の付表の規定により適用範囲から除外されていないこと。

3 この協定は、附属書Ⅰの締約国の付表に別段の定めがある場合を除くほか、次のものについては適用しない。

(a) 土地、既存の建築物その他の不動産又はこれらについての権利の取得又は借入れ

(b) 契約上の取決め以外の取決め又は締約国が供与するあらゆる形態の援助（協力のための取決め、贈与、借款、出資、保証及び財政による奨励を含む。）

(c) 国庫に係る取引の代行又は預託のサービス、規制された金融機関の清算及び管理に係るサービス並びに公債（貸付け及び政府が発行する債券、利付証書その他の証券を含む。）の売却、償還及び分配に関連するサービスの調達又は取得

(d) 公共部門への雇用契約

(e) 次に掲げる調達

(i) 国際的な援助（開発援助を含む。）を供与することを明確な目的として行われる調達

(ii) 軍隊の駐留に関連する国際取極又は署名国による一の計画の共同での実施に関連する国際取極に定める特別の手続又は条件により行われる調達

(iii) 国際機関の特別の手続若しくは条件により行われる調達、又は国際的な贈与、借款その他の援助により供与された資金で行う調達であって適用される手続若しくは条件がこの協定に適合しないもの

4 各締約国は、附属書Ⅰの自国の付表において次に掲げる情報を特定する。

(a) 付表1においては、その調達がこの協定の適用を受ける中央政府の機関

(b) 付表2においては、その調達がこの協定の適用を受ける地方政府の機関

(c) 付表3においては、その調達がこの協定の適用を受けるその他の全ての機関

(d) 付表4においては、この協定の適用を受ける物品
(e) 付表5においては、この協定の適用を受けるサービス（建設サービスを除く。）
(f) 付表6においては、この協定の適用を受ける建設サービス
(g) 付表7においては、一般的注釈

5 調達機関が、附属書Ⅰの締約国の付表に掲げられていない者に対し、対象調達に関連して当該者が行う調達を特定の要件に従って行うよう求める場合には、当該要件について第四条の規定が準用される。

評価

6 調達機関は、調達が対象調達であるか否かを確認するために調達価額を見積もるに当たり、
(a) 調達をこの協定の適用の対象から全面的又は部分的に除外する意図の下に、当該調達を分割してはならず、また、調達価額を見積もるための特定の評価の方法を選択し、又は使用してはならない。
(b) 次に掲げるものを含む全ての形態の報酬を考慮の上、調達の全ての期間にわたる調達価額の最大限の見積総額によるものとする（契約を締結する供給者が一又は二以上のいずれであるかを問わない。）。
(i) 特別報酬、料金、手数料及び利子
(ii) 選択権を行使する可能性がある調達の場合には、当該選択権を行使したときの総額

7 一の調達のために、二以上の契約又は区分した契約（以下「一連の契約」という。）を締結する場合には、最大限の見積総額は、次の(a)又は(b)のいずれかに基づいて算定する。
(a) 当初の契約の締結前十二箇月の間又は当該契約が締結される調達機関の会計年度の前会計年度に締結された一連の契約であって、同種の物品又はサービスに係るものの価額（可能な場合には、当初の契約の締結後十二箇月の間に調達される物品又はサービスの数量又は価額の予想される変動を考慮に入れて調整した価額とする。）
(b) 当初の契約の締結後十二箇月の間又は当該契約が締結される調達機関の会計年度に締結される一連の契約であって、同種の物品又はサービスに係るものの見積価額

8 物品若しくはサービスの借入れによる調達の場合又は価格の総額が特定されない調達の場合における評価の基礎は、次のとおりとする。
(a) 期間の定めのある契約の場合には、
(i) その期間が十二箇月以下のときは当該期間における契約の最大限の見積総額
(ii) その期間が十二箇月を超えるときは見積残存価額を含む当該期間における契約の最大限の見積総額
(b) 期間の定めのない契約の場合には、一箇月当たりの支払見積額に四十八を乗じて得た額
(c) 期間の定めのある契約となるか否か確かでない場合には、(b)の規定を用いる。

第三条 安全保障のための例外及び一般的例外

1 この協定のいかなる規定も、締約国が自国の安全保障上の重大な利益の保護のために必要と認める措置又は情報であって、武器、弾薬若しくは軍需品の調達又は国家の安全保障のため若しくは国家の防衛上の目的のために不可欠の調達に関連するものにつき、その措置をとること又はその情報を公表しないことを妨げるものと解してはならない。

2 この協定のいかなる規定も、締約国が、次のいずれかの措置を講ずること又は実施することを妨げるものと解してはならない。ただし、それらの措置が、同じ条件の下にある締約国間において恣意的若しくは不当な差別の手段となるような態様で、又は国際貿易に対する偽装した制限となるような態様で適用されないことを条件とする。
(a) 公衆の道徳、公の秩序又は公共の安全の保護のために必要な措置
(b) 人、動物又は植物の生命又は健康の保護のために必要な措置
(c) 知的財産の保護のために必要な措置
(d) 障害者、慈善団体又は刑務所労働により生産される物品又は提供されるサービスに関する措置

第四条 一般原則

無差別待遇

1 各締約国（その調達機関を含む。）は、対象調達に関する措置について、他の締約国の物品及びサービスに対し並びに他の締約国の供給者であって締約国の物品及びサービスを提供するものに対し、即時にかつ無条件で、次の物品、サービス及び供給者に与える待遇よりも不利でない待遇を与える。
(a) 国内の物品、サービス及び供給者
(b) 当該他の締約国以外の締約国の物品、サービス及び供給者

2 締約国（その調達機関を含む。）は、対象調達に関する措置について、次のことを行ってはならない。
(a) 国内に設立された特定の供給者を、当該供給者が有している外国企業等との関係（所有関係を含む。）の程度に基づいて、国内に設立された他の供給者より不利に取り扱うこと。
(b) 国内に設立された供給者を、当該供給者が特定の調達のために提供する物品又はサービスが他の締約国の物品又はサービスであることに基づいて差別すること。

電子的手段の利用

3 対象調達を電子的手段により実施する場合には、調達機関は、次のことを行う。
(a) 当該対象調達が、一般に利用可能な情報技術システム及びソフトウェア（情報の認証及び暗号化に関するものを含む。）であって、他の一般に利用可能な情報技術システム及びソフトウェアと相互運用性のあるものを利用して行われることを確保すること。
(b) 参加申請及び入札の信頼性（受領の日時の確定及び不適

当なアクセスの防止を含む。）を確保する仕組みを維持すること。

調達の実施

4　調達機関は、対象調達を次の(a)から(c)までの要件を満たす透明性のある、かつ、公平な方法により実施する。

(a)　公開入札、選択入札、限定入札等を用いた、この協定に適合する方法であること。

(b)　利益相反を回避すること。

(c)　腐敗した慣行を防止すること。

原産地に関する規則

5　締約国は、対象調達のために他の締約国から輸入され、又は供給される物品又はサービスに関し、同一の時点における当該他の締約国からの同一の物品又はサービスの輸入又は供給であって通常の貿易として行われるものについて適用する原産地に関する規則と異なる規則を適用してはならない。

調達の効果を減殺する措置

6　締約国（その調達機関を含む。）は、対象調達について、調達の効果を減殺する措置を求め、考慮し、課し、又は強制してはならない。

調達に固有ではない措置

7　1及び2の規定は、輸入について又は輸入に関連して課される全ての種類の関税及び課徴金、これらの徴収の方法その他の輸入に関連する規則又は手続並びにサービスの貿易に影響を及ぼす措置（対象調達を規律する措置を除く。）については、適用しない。

第五条　開発途上国

1　締約国は、この協定への加入に関する交渉において並びにこの協定の実施及び運用に当たり、開発途上国及び後発開発途上国（以下、別に明示する場合を除くほか、「開発途上国」と総称する。）の開発上、資金上及び貿易上のニーズ及び事情について、それらが国ごとに著しく異なることがあることを認識しつつ、特別の考慮を払う。締約国は、この条の規定に従い、かつ、要請に応じ、次に掲げる国に対して特別のかつ異なる待遇を与える。

(a)　後発開発途上国

(b)　後発開発途上国以外の開発途上国。ただし、当該特別のかつ異なる待遇が当該開発途上国の開発上のニーズを満たす場合において、そのために必要な範囲内に限る。

2　締約国は、開発途上国のこの協定への加入に際し、この協定の下における適当な機会の均衡を維持するために当該締約国と当該開発途上国との間で交渉された条件に従い、当該開発途上国の物品、サービス及び供給者に対し、当該締約国が附属書Ｉの自国の付表に従って他の締約国について認めている最も有利な適用範囲を直ちに認める。

3　開発途上国は、その開発上のニーズに基づき及び他の締約国の同意を得て、経過期間中に、附属書Ｉの当該開発途上国の関連する付表に定める表に従い、他の締約国の間に差別を設けないような態様で適用される次の一又は二以上の経過措置を採用し、又は維持することができる。

(a)　価格に関する優遇措置に係る計画。ただし、次のことを条件とする。

(i)　当該計画が、当該優遇措置を適用する開発途上国を原産地とする物品若しくはサービス又は当該開発途上国が特恵的な取極に基づき内国民待遇を与える義務を負う他の開発途上国を原産地とする物品若しくはサービスを含む入札の部分に限り、当該優遇措置を提供するものであること。ただし、当該他の開発途上国がこの協定の締約国である場合には、この待遇が委員会の定める条件に従うことを条件とする。

(ii)　当該計画が透明性のあるものであり、かつ、当該優遇措置の内容及び当該優遇措置が調達において適用されることが調達計画の公示において明確に記述されること。

(b)　調達の効果を減殺する措置。ただし、調達計画の公示において、当該調達の効果を減殺する措置を課することに係る要件又は当該調達の効果を減殺する措置を課することが考慮されることが明確に示される場合に限る。

(c)　特定の機関又は分野の段階的な追加

(d)　当該開発途上国の通常の基準額よりも高い基準額

4　締約国は、この協定への加入に関する交渉において、加入する開発途上国によるこの協定（前条1(b)の規定を除く。）に基づく特定の義務の適用を、当該開発途上国が当該特定の義務を履行するまでの間、遅らせることについて合意することができる。当該特定の義務の履行のための期間は、次のとおりとする。

(a)　後発開発途上国については、この協定への加入の後五年

(b)　後発開発途上国以外の開発途上国については、当該特定の義務を履行するために必要な期間に限るものとし、三年を超えないものとする。

5　4の規定に基づき義務の履行のための期間について交渉した開発途上国は、合意された当該履行のための期間、当該履行のための期間の対象となる特定の義務及び自国が当該履行のための期間中に従うことに同意した暫定的な義務を附属書Ｉの自国の付表7に掲げる。

6　委員会は、開発途上国についてこの協定の効力が生じた後、当該開発途上国の要請に応じ、次のことを行うことができる。

(a)　3の規定に基づいて採用され、若しくは維持された措置に関する経過期間又は4の規定に基づいて交渉された履行のための期間を延長すること。

(b)　加入の過程において予見されなかった特別な状況において、3の規定に基づく新たな経過措置を採用することを承認すること。

7　3若しくは6の規定に基づく経過措置、4の規定に基づく履行のための期間又は6の規定に基づく延長につき交渉した開発途上国は、経過期間又は履行のための期間が終了する時点において自国がこの協定を遵守していることを確保するため、これらの期間中に必要な措置をとる。当該開発途上国は、

委員会に対しそれぞれの措置を速やかに通報する。

8　締約国は、開発途上国による技術協力及び能力の開発の要請であって、当該開発途上国のこの協定への加入又はこの協定の実施に関連するものに妥当な考慮を払う。

9　委員会は、この条の規定を実施するための手続を作成することができる。この手続には、6の規定に基づく要請についての決定に関する投票のための規定を含めることができる。

10　委員会は、この条の規定の運用及び実効性について五年ごとに検討する。

第六条　調達制度に関する情報

1　締約国は、次のことを行う。

(a)　法令、司法上の決定、一般に適用する行政上の決定、法令で義務付けられ、かつ、公示又は入札説明書において示されている標準契約条項及び手続であって対象調達に係るもの並びにそれらの修正を、公衆に広く周知され、その後も容易に閲覧することができる公式に指定された電子的媒体又は紙面により、速やかに公表すること。

(b)　要請に応じ、(a)に規定する事項について他の締約国に対して説明を行うこと。

2　締約国は、次のものを附属書に掲げる。

(a)　附属書Ⅱにおいて、1に規定する情報を公表するために用いる電子的媒体又は紙面

(b)　附属書Ⅲにおいて、次条、第九条7及び第十六条2の規定により必要とされる公示を行うために用いる電子的媒体又は紙面

(c)　附属書Ⅳにおいて、次の(i)又は(ii)を公表するために用いるウェブサイトのアドレス

(i)　調達に関する当該締約国の統計であって、第十六条5の規定に基づくもの

(ii)　締結された契約に関する当該締約国の公示であって、第十六条6の規定に基づくもの

3　締約国は、附属書Ⅱから附属書Ⅳまでに掲げる自国の情報についての修正を速やかに委員会に通報する。

第七条　公示

調達計画の公示

1　調達機関は、第十三条に規定する場合を除くほか、対象調達ごとに、附属書Ⅲに掲げる適当な紙面又は電子的媒体により調達計画の公示を行う。それらの媒体は、広く周知されるものとし、調達計画の公示は、少なくとも当該調達計画の公示に示された期間の満了の時まで、引き続き公衆が容易に閲覧することができるようにする。調達計画の公示は、

(a)　付表1に掲げる調達機関については、少なくとも附属書Ⅲに規定する最小限の期間においては、電子的手段により単一の窓口を通じて無償で閲覧することができるようにする。

(b)　付表2又は付表3に掲げる調達機関については、電子的手段により閲覧することができる場合には、少なくとも、無償で閲覧することができるゲートウェイ電子サイトのリンクを通じて提供されるようにする。

締約国（当該締約国の付表2又は付表3に掲げる調達機関を含む。）は、調達計画の公示を電子的手段により単一の窓口を通じて無償で行うことが奨励される。

2　この協定に別段の定めがある場合を除くほか、調達計画の公示には、次の事項に関する情報を含める。

(a)　調達機関の名称及び所在地その他調達機関に連絡し、公示された調達に関連する全ての文書を入手するために必要な情報、並びに当該文書が有償の場合にはその費用及び支払条件

(b)　公示された調達についての説明（調達されるべき物品又はサービスの特質及び数量（数量が不明な場合には、数量の見積り）を含む。）

(c)　一連の契約については、可能な場合には、次回以降の調達計画の公示の見込まれる時期

(d)　選択権についての説明

(e)　物品の納入若しくはサービスの提供の期間又は契約の期間

(f)　用いる調達方法及び交渉又は電子オークションを行う意図の有無

(g)　公示された調達について参加申請書の提出を求める場合には、その提出の場所及び最終期日

(h)　入札書の提出の場所及び最終期日

(i)　入札書又は参加申請書の作成に用いることができる言語（調達機関の属する締約国の公用語以外の言語で提出することが可能な場合に限る。）

(j)　供給者が参加するための条件の一覧表及び簡潔な説明（供給者が当該条件に関連して提出すべき特定の文書又は証明書についての要件を含む。ただし、当該調達計画の公示と同時に関心を有する全ての供給者による入手が可能とされる入札説明書に当該要件が含まれていない場合に限る。）

(k)　調達機関が第九条の規定に基づき限られた数の資格を有する供給者を入札に招請するために選択する意図を有する場合には、その選択に用いる基準及び入札を行うことが認められる供給者の数を制限するときはその制限

(l)　公示された調達にこの協定が適用される旨の記述

公示の概要

3　調達機関は、各調達計画について、調達計画の公示と同時に、世界貿易機関のいずれかの公用語で、公示の概要を容易に閲覧することができる方法で公表する。当該公示の概要には、少なくとも次の情報を含める。

(a)　調達の対象事項

(b)　入札書の提出の最終期日又は調達に係る参加申請書若しくは常設名簿への記載の申請書の提出を求める場合にはその提出の最終期日

(c)　調達に関する文書を入手することができる場所

調達予定の公示

4　調達機関は、各会計年度のできる限り早い時期に、附属書

Ⅲに掲げる適当な紙面又は電子的媒体により将来予定されている調達に関する公示（以下「調達予定の公示」という。）を行うことを奨励される。調達予定の公示には、調達の対象事項及び調達計画の公示の予定日を含めるべきである。

5　付表2又は付表3に掲げる調達機関は、調達予定の公示を調達計画の公示として使用することができる。ただし、当該調達予定の公示に、2に規定する情報のうち調達機関が入手することができる全てのもの及び関心を有する供給者が調達機関に対し予定されている調達への関心を表明すべきである旨の記述が含まれることを条件とする。

第八条　参加のための条件

1　調達機関は、調達への参加のためのいかなる条件も、供給者が当該調達を遂行するための法律上、資金上、商業上及び技術上の能力を有することを確保する上で不可欠なものに限定しなければならない。

2　調達機関は、参加のための条件を定めるに当たり、

(a)　供給者が以前に特定の締約国の調達機関と一又は二以上の契約を締結したことを当該供給者が調達に参加するための条件として課してはならない。

(b)　調達の要件を満たすために不可欠な場合には、関連する過去の経験を要求することができる。

3　調達機関は、供給者が参加のための条件を満たすか否かを評価するに当たり、次のことを行う。

(a)　調達機関が属する締約国の領域の内外双方における当該供給者の事業活動を基礎として当該供給者の資金上、商業上及び技術上の能力を評価すること。

(b)　公示又は入札説明書において事前に特定した条件に基づいて評価すること。

4　締約国（その調達機関を含む。）は、裏付けとなる証拠がある場合には、次のような理由により供給者を排除することができる。

(a)　破産

(b)　虚偽の申告

(c)　過去の契約における実体的な要件又は義務に係る著しい又は度重なる不備

(d)　重大な犯罪その他の重大な法令違反に関する確定判決

(e)　職業上の不当行為又は供給者の商業上の信頼性に悪影響を与える作為若しくは不作為

(f)　租税の不払い

第九条　供給者の資格の審査

登録制度及び資格の審査に係る手続

1　締約国（その調達機関を含む。）は、関心を有する供給者が登録し、一定の情報を提供することを要求する供給者登録制度を維持することができる。

2　締約国は、次のことを確保する。

(a)　自国の調達機関がその資格の審査に係る手続の相違を最小限にするための努力を払うこと。

(b)　自国の調達機関が登録制度を維持している場合には、当該調達機関がその登録制度の相違を最小限にするための努力を払うこと。

3　締約国（その調達機関を含む。）は、その調達への他の締約国の供給者の参加に対する不必要な障害をもたらすことを目的として又はもたらす結果となるように登録制度又は資格の審査に係る手続を採用し、又は適用してはならない。

選択入札

4　調達機関が選択入札を用いる意図を有する場合には、当該調達機関は、次のことを行う。

(a)　調達計画の公示に少なくとも第七条2(a)、(b)、(f)、(g)及び(j)から(l)までに規定する情報を含め、並びに供給者に参加申請書を提出するよう招請すること。

(b)　入札期間の開始までに、当該調達機関が第十一条3(b)の規定による通知を行った資格を有する供給者に対し、少なくとも第七条2(c)から(e)まで、(h)及び(i)に規定する情報を提供すること。

5　調達機関は、入札を行うことが認められる供給者の数の制限及びその制限された数の供給者を選択するための基準を調達計画の公示に明記した場合を除くほか、資格を有する供給者の全てが特定の調達に参加することを認める。

6　調達機関は、入札説明書が4に規定する調達計画の公示の日から公に入手可能とされない場合には、5の規定に従って選択された資格を有する供給者の全てが同時に当該入札説明書を入手することができるようにすることを確保する。

常設名簿

7　調達機関は、供給者の常設名簿を保持することができる。ただし、附属書Ⅲに掲げる適当な媒体により、関心を有する供給者に当該常設名簿への記載を申請するよう招請するための公示であって、次の要件を満たすものを行うことを条件とする。

(a)　毎年行われること。

(b)　電子的手段によって行われる場合には、常に閲覧に供されること。

8　7に規定する公示には、次の事項を含める。

(a)　調達について常設名簿が使用され得る物品若しくはサービス又は物品群若しくはサービス群についての説明

(b)　供給者が常設名簿に記載されるために満たすべき参加のための条件及び供給者が当該条件を満たしていることを審査するために調達機関が用いる方法

(c)　調達機関の名称及び所在地その他調達機関に連絡し、常設名簿に関連する全ての文書を入手するために必要な情報

(d)　常設名簿の有効期間及び当該常設名簿を更新し、若しくは失効させる方法、又は有効期間が定められていない場合には常設名簿の失効の公示を行う方法の記述

(e)　常設名簿がこの協定の適用を受ける調達について使用され得る旨の記述

9　7の規定にかかわらず、調達機関は、常設名簿の有効期間が三年以下である場合には、7に規定する公示について、次

のことを条件として、当該常設名簿の有効期間の開始に当たり一回のみ行うこととすることができる。

(a) 当該有効期間及び更に公示が行われない旨が明記されていること。

(b) 電子的手段によって行われ、かつ、当該有効期間中、常に閲覧に供されること。

10 調達機関は、供給者がいつでも常設名簿への記載を申請することを認め、資格を有する供給者の全てを適当な短期間内に当該常設名簿に記載する。

11 常設名簿に記載されていない供給者が第十一条2に規定する期間内に常設名簿に基づいて行われる調達に係る参加申請書及び全ての必要とされる書類を提出する場合には、調達機関は、当該参加申請書を審査する。調達機関は、当該調達が複雑であるため入札書を提出することが認められた期間内に当該参加申請書の審査を完了することができない例外的な場合を除くほか、当該参加申請書を審査するための十分な時間がないことを理由として当該調達において当該供給者を考慮から除外してはならない。

12 付表2及び付表3に掲げる機関

付表2又は付表3に掲げる調達機関は、次のことを条件として、供給者に常設名簿への記載を申請するよう招請するための公示を、調達計画の公示として使用することができる。

(a) 当該招請するための公示が7の規定に従って行われ、並びに8の規定により必要とされる情報、第七条2の規定により必要とされる情報のうち入手することができる全てのもの及び当該公示が調達計画の公示を構成する旨又は常設名簿に記載されている供給者に対してのみ当該常設名簿が使用される調達に関する更なる公示が行われる旨の記述を含むものであること。

(b) 当該調達機関が、特定の調達に関心を有することを当該調達機関に表明した供給者に対し、当該供給者が当該調達への関心を評価することのできるような十分な情報を速やかに提供すること。この情報には、入手可能な範囲で、第七条2の規定により必要とされる残余の全ての情報を含める。

13 付表2又は付表3に掲げる調達機関は、10の規定に従って常設名簿への記載を申請した供給者が参加のための条件を満たすか否かを審査するために十分な時間がある場合には、当該供給者が特定の調達において入札することを認めることができる。

調達機関の決定に関する情報

14 調達機関は、調達に係る参加申請書又は常設名簿への記載の申請書を提出した供給者に対し、これらの申請に関する自己の決定を速やかに通知する。

15 調達機関は、供給者の調達に係る参加申請若しくは常設名簿への記載の申請を拒否する場合、供給者を資格を有する供給者として認めることをやめる場合又は供給者を常設名簿から除外する場合には、当該供給者に速やかに通知し、及び要請に応じ当該供給者に対してその決定の理由の書面による説明を速やかに提供する。

第十条　技術仕様及び入札説明書

技術仕様

1 調達機関は、国際貿易に対する不必要な障害をもたらすことを目的として又はこれをもたらす効果を有するものとして、技術仕様を立案し、制定し、又は適用してはならず、また、適合性評価手続を定めてはならない。

2 調達機関は、調達される物品又はサービスの技術仕様を定めるに当たり、適当な場合には、次の要件に従う。

(a) 当該技術仕様をデザイン又は記述的に示された特性よりも性能及び機能的な要件に着目して定めること。

(b) 国際規格が存在するときは当該国際規格、国際規格が存在しないときは国内の強制規格、認められた国内の任意規格又は建築規準に基づいて当該技術仕様を定めること。

3 調達機関は、デザイン又は記述的に示された特性が技術仕様において用いられる場合において、適当なときは、入札説明書に「又はこれと同等のもの」というような文言を付することにより、調達の要件を満たすことが明らかな同等の物品又はサービスの入札を考慮することを示すべきである。

4 調達機関は、技術仕様を定めるに当たり、特定の商標若しくは商号、特許、著作権、デザイン、型式、産地、生産者又は供給者を要件としてはならず、また、これらに言及してはならない。ただし、これらを用いなければ調達の要件の説明を十分に明確な又は理解しやすい方法で行うことができない場合において、調達機関が入札説明書に「又はこれと同等のもの」というような文言を付するときは、この限りでない。

5 調達機関は、特定の調達のための技術仕様の立案又は制定に利用し得る助言を、競争を妨げる効果を有する方法により、当該調達に商業上の利害関係を有する可能性のある者に対し求めてはならず、また、当該者から受けてはならない。

6 締約国（その調達機関を含む。）は、この条の規定に従い、天然資源の保全を促進し、又は環境を保護するために、技術仕様を立案し、制定し、又は適用することができる。

入札説明書

7 調達機関は、供給者がその有効な入札書を準備し、かつ、提出するために必要な全ての情報を含む入札説明書を入手することができるようにする。入札説明書には、調達計画の公示に既に記載されている場合を除くほか、次の事項についての完全な説明を含める。

(a) 調達（調達されるべき物品又はサービスの特質及び数量（数量が不明な場合には、数量の見積り）並びに満たすべき要件（技術仕様、適合性評価の証明、設計図、図案又は解説資料を含む。）を含む。）

(b) 供給者が参加するための条件（供給者が当該条件に関連して提出することを要求される情報及び文書の一覧表を含む。）

(c) 落札に際して調達機関が適用する全ての評価基準、及び

価格が唯一の評価基準でない場合にはこれらの評価基準の相対的な重要性

(d) 調達機関が電子的手段により調達を実施する場合には、認証及び暗号化の要件その他の電子的手段による情報の提出に関する要件

(e) 調達機関が電子オークションを行う場合には、電子オークションの実施に関する規則（評価基準に関連する入札の要素の特定を含む。）

(f) 公開の開札が行われる場合には、開札の日時及び場所並びに適当なときは開札に立ち会うことを認められる者

(g) その他の条件（支払条件及び入札書を提出する手段の制限（紙面又は電子的手段のいずれによるか等）を含む。）

(h) 物品の納入又はサービスの提供の期日

8 調達機関は、調達される物品の納入又はサービスの提供の期日の設定に当たり、調達の複雑さ、予想される下請契約の範囲並びに製造、在庫の積出し及び供給地点からの物品の輸送又はサービスの提供に実際に要する時間等の要素を考慮する。

9 調達計画の公示又は入札説明書に定める評価基準には、特に、価格その他の費用に係る要素、品質、技術的価値、環境上の特徴及び納入に係る条件を含めることができる。

10 調達機関は、次のことを行う。

(a) 関心を有する供給者が有効な入札書を提出するために十分な時間を有することを確保するため、入札説明書を速やかに入手することができるようにすること。

(b) 関心を有する供給者に対し、要請に応じ、入札説明書を速やかに提供すること。

(c) 関心を有し、又は参加する供給者からの関連情報についての合理的な要請に速やかに応ずること。ただし、その情報は、他の供給者よりも当該供給者に有利となるものであってはならない。

変更

11 調達機関は、落札の前に、参加する供給者に提供した調達計画の公示若しくは入札説明書に定める基準若しくは要件を変更し、又は当該調達計画の公示若しくは入札説明書を修正し、若しくは再度提供する場合には、当該基準若しくは要件の変更又は修正され、若しくは再度提供される当該調達計画の公示若しくは入札説明書を、次の要件に従って書面により送付する。

(a) 当該基準若しくは要件の変更又は当該調達計画の公示若しくは入札説明書の修正若しくは再度の提供を行った時に参加していた全ての供給者が判明している場合には、当該全ての供給者に送付すること。その他の全ての場合には、当初の情報を提供したときと同様の方法で送付すること。

(b) 適当な場合には、(a)に規定する供給者が入札書を変更し、再提出することができるように十分早い時期に送付すること。

第十一条　期間

通則

1 調達機関は、合理的と認める自己の必要性に基づき、次のような要素を考慮して、供給者がその参加申請書及び有効な入札書を準備し、かつ、提出するために十分な期間を定める。そのような期間（延長される場合には、延長される期間を含む。）は、関心を有し、又は参加する全ての供給者について同一のものとする。

(a) 調達の性質及び複雑さ

(b) 予想される下請契約の範囲

(c) 入札書の送付に電子的手段が用いられない場合には、外国及び国内の地点から入札書を電子的手段以外の手段で送付するために必要な時間

期限

2 選択入札を用いる調達機関は、参加申請書の提出の最終期日を原則として調達計画の公示の日から二十五日目の日以後の日に定める。この提出期間は、調達機関が十分に実証する緊急事態により実際的でなくなる場合には、十日以上の期間に短縮することができる。

3 調達機関は、4、5、7及び8に規定する場合を除くほか、入札書の提出の最終期日を次のいずれかに規定する日から四十日目の日以後の日に定める。

(a) 公開入札の場合には、調達計画の公示を行う日

(b) 選択入札の場合には、常設名簿を使用するか否かを問わず、調達機関が供給者に入札書の提出を招請することを通知する日

4 調達機関は、次の場合には、3の規定に従って定める入札期間を十日以上の期間に短縮することができる。

(a) 調達機関が第七条4に規定する調達予定の公示を調達計画の公示の十二箇月前から四十日前までの期間に行い、かつ、当該調達予定の公示が次の事項を含む場合

(i) 調達の説明

(ii) 入札書又は参加申請書の提出の最終期日とすることが見込まれる日

(iii) 関心を有する供給者が調達機関に対し予定されている調達への関心を表明すべきである旨の記述

(iv) 調達に関する文書を入手することができる場所

(v) 第七条2の規定により調達計画の公示において必要とされる情報のうち、入手することができる全てのもの

(b) 調達機関が、一連の契約に関し、その最初の調達計画の公示において、その後の公示においてこの4の規定に基づく入札期間を定めることを示す場合

(c) 調達機関が十分に実証する緊急事態により3の規定に従って定める入札期間が実際的でなくなる場合

5 調達機関は、次の(a)から(c)までの条件の一又は二以上を満たす場合には、3の規定に従って定める入札期間を、当該調達機関が満たす当該条件の数に五を乗じて得た日数短縮することができる。

(a) 調達計画の公示を電子的手段により行うこと。

(b) 入札説明書の全体を調達計画の公示を行った日から電子的手段により入手することができるようにすること。

(c) 当該調達機関が入札書を電子的手段により受領すること。

6 4の規定と併せて5の規定を適用する場合には、いかなるときも、3の規定に従って定める入札期間を調達計画の公示を行った日から十日未満の期間に短縮することとなってはならない。

7 この条の他の規定にかかわらず、調達機関は、商業上の物品若しくはサービス又はその組合せを購入する場合には、調達計画の公示及び入札説明書を電子的手段により同時に公表することを条件として、3の規定に従って定める入札期間を十三日以上の期間に短縮することができる。さらに、当該調達機関は、商業上の物品又はサービスの入札書を電子的手段により受領する場合には、3の規定に従って定める入札期間を十日以上の期間に短縮することができる。

8 付表2又は付表3に掲げる調達機関が全ての又は限られた数の資格を有する供給者を選択する場合には、入札期間は、調達機関と全ての選択された供給者との間の相互の合意により定めることができる。そのような合意が存在しない場合には、当該入札期間は、十日未満であってはならない。

第十二条 交渉

1 締約国は、その調達機関が次のいずれかの場合に交渉を行うことを認めることができる。

(a) 第七条2の規定により必要とされる調達計画の公示において当該調達機関が交渉を行う意図を明示した場合

(b) 評価を行った結果、調達計画の公示又は入札説明書に定める特定の評価基準によりいずれかの入札が明白に最も有利であると認められない場合

2 調達機関は、次のことを行う。

(a) 交渉に参加する供給者の排除が調達計画の公示又は入札説明書に定める評価基準に従って行われることを確保すること。

(b) 交渉が終了した場合には、引き続き交渉に参加している供給者が新たな又は変更された入札書を提出するための共通の期限を定めること。

第十三条 限定入札

1 調達機関は、次のいずれかの場合に限り、限定入札を用いること並びに第七条から第九条まで、第十条7から11まで、第十一条、前条、次条及び第十五条を適用しないことを選択することができる。ただし、当該調達機関が、供給者間の競争を避けることを目的として又は他の締約国の供給者を差別し、若しくは国内の供給者を保護するように、この1の規定を適用しないことを条件とする。

(a) 次に掲げるいずれかの場合。ただし、入札説明書に定める要件が実質的に変更されないことを条件とする。

(i) 入札書が提出されなかった場合又は供給者が参加申請を行わなかった場合

(ii) 入札説明書に定める基本的要件に合致する入札書が提出されなかった場合

(iii) 参加のための条件を満たす供給者がいなかった場合

(iv) 行われた入札がなれ合いによるものであった場合

(b) 次のいずれかの理由により、物品又はサービスが特定の供給者によってのみ供給されることが可能であり、かつ、他に合理的に選択される物品若しくはサービス又は他の合理的な代替の物品若しくはサービスがない場合

(i) 必要とされるものが美術品であること。

(ii) 特許権、著作権その他の排他的権利が保護されていること。

(iii) 技術的な理由により競争が存在しないこと。

(c) 次のいずれかの理由により、当初の調達には含まれていない物品又はサービスの追加の納入又は提供を当初の供給者から受ける場合

(i) 当初の調達により購入された既存の機材、ソフトウェア、サービス又は設備との互換性又は相互運用性の要件その他の経済的又は技術的な理由により、追加の物品又はサービスについて供給者を変更することができないこと。

(ii) 追加の物品又はサービスについて供給者を変更する場合には、調達機関に著しい不都合が生じ、又は調達機関が実質的に二重に費用を負担することとなること。

(d) 調達機関の予見することができない事態によりもたらされた極めて緊急な理由のため、公開入札又は選択入札によっては必要な期間内に物品又はサービスを入手することができない場合において、真に必要なとき。

(e) 調達する物品が商品市場において購入される物品である場合

(f) 調査、実験、研究又は独自の開発に係る特定の契約の過程において、かつ、当該契約の対象として、調達機関の要請により開発された原型又は最初の物品若しくはサービスを当該調達機関が調達する場合。最初の物品又はサービスの独自の開発には、実用実験の結果を取り入れるために及び受入れ可能な品質基準に合致する物品又はサービスとして当該物品又はサービスを多量に生産し、又は供給することができることを証明するために限られた生産又は供給を行うことが含まれ得るが、商業的採算を確立し、又は研究開発の費用を回収するために多量に生産し、又は供給することは含まれない。

(g) 清算、管財人による管理、倒産等に起因する例外的な処分の際、極めて短い期間においてのみ生ずる例外的に有利な条件の下で購入される場合。ただし、通常の供給者からの日常の購入を含まない。

(h) 契約が設計コンテストの受賞者との間で締結される場合。ただし、次のことを条件とする。

(i) 当該設計コンテストがこの協定の原則(特に調達計画の公示に関する原則)に合致する方法で行われること。

(ii) 当該設計コンテストの参加者が、独立の審査員団に

よって、受賞者との間で設計契約を締結することを目的として審査されること。

2　調達機関は、1の規定による個々の契約の締結について報告書を作成する。この報告書には、調達を行った調達機関の名称、調達された物品又はサービスの価額及び種類並びに1に規定する状況及び条件のうち当該調達における限定入札の利用の根拠となったものを示す説明を含める。

第十四条　電子オークション

調達機関は、対象調達を電子オークションを用いて実施する意図を有する場合には、電子オークションを開始する前に各参加者に次の情報を提供する。

(a)　入札説明書に定める評価基準に基づく自動的な評価の方法（数式を含む。）であって、電子オークションにおける自動的な順位の決定又は更新に用いられるものに関する情報

(b)　当該対象調達が最も有利な入札を行ったことを根拠として落札者を決定するものである場合には、当該参加者の入札書に記載された事項の初期評価の結果に関する情報

(c)　電子オークションの実施に関連する他のあらゆる情報

第十五条　入札書の取扱い及び落札

入札書の取扱い

1　調達機関は、全ての入札書を、調達の過程の公正性及び公平性並びに入札書の秘密性を保証する手続に従って受領し、開札し、及び取り扱う。

2　調達機関は、入札書の受領のために指定した日時の後に入札書が到着した場合において、その遅延が専ら当該調達機関の取扱いの誤りによるものであるときは、当該入札書を提出した供給者を不利に取り扱ってはならない。

3　調達機関は、開札から落札までの間に故意でない様式の誤りを訂正する機会を一の供給者に与える場合には、参加する全ての供給者に対し同一の機会を与える。

落札

4　落札の対象とされるためには、入札書は、書面で提出されたものでなければならず、開札の時に公示及び入札説明書に定める基本的要件に適合したものでなければならず、かつ、参加のための条件を満たした供給者から提出されたものでなければならない。

5　調達機関は、契約を締結することが公共の利益にならないと決定する場合を除くほか、契約の条件を履行することができると当該調達機関が認めた供給者であって、公示及び入札説明書に定める評価基準のみに照らして次のいずれかの条件を満たす入札を行ったものを落札者とする。

(a)　最も有利であること。

(b)　価格が唯一の基準である場合には、最低価格を提示すること。

6　調達機関は、他の入札書に記載された価格よりも異常に低い価格を記載した入札書を受領した場合には、当該入札書を提出した供給者が参加のための条件を満たし、かつ、契約の条件を履行することができることについて、当該供給者に確認を求めることができる。

7　調達機関は、この協定に基づく義務を回避する目的で、選択権の利用、調達の取消し又は締結された契約の変更を行ってはならない。

第十六条　調達に関する情報の透明性

供給者に提供される情報

1　調達機関は、入札に参加した供給者に対し、当該調達機関の落札の決定を、供給者から要請があったときは書面により、速やかに通知する。調達機関は、次条2及び3の規定に従うことを条件として、要請に応じ、落札者とされなかった供給者に対し、当該調達機関がその供給者の入札を選択しなかった理由及び落札した供給者の入札の相対的な利点を説明する。

落札情報の公示

2　調達機関は、附属書Ⅲに掲げる適当な紙面又は電子的媒体により、この協定の適用を受ける落札の決定の後七十二日以内に公示を行う。当該調達機関が電子的媒体のみにより当該公示を行う場合には、その情報は、合理的な期間、引き続き容易に閲覧することができるようにする。当該公示には、少なくとも次の情報を含める。

(a)　調達された物品又はサービスについての説明

(b)　調達機関の名称及び所在地

(c)　落札した供給者の名称及び住所

(d)　落札価額又は落札の決定に当たり考慮された最高及び最低の入札価額

(e)　落札の日

(f)　用いられた調達方法及び第十三条の規定に従って限定入札を用いた場合にはその利用の根拠となった状況についての説明

文書、報告書及び電子的な履歴の保持

3　調達機関は、落札の日から少なくとも三年間、次のものを保持する。

(a)　対象調達に関連する入札の手続及び落札に関する文書及び報告書（第十三条の規定により必要とされる報告書を含む。）

(b)　電子的手段による対象調達の実施に関する履歴を適切に確認するためのデータ

統計の収集及び報告

4　締約国は、この協定の適用を受ける契約に関する統計をとり、委員会に報告する。各報告は、一年分を対象とし、及び報告期間の終了後二年以内に提出されるものとし、次の事項を含む。

(a)　付表1に掲げる調達機関に関しては、

(i)　当該調達機関全体について、この協定の適用を受ける全ての契約の件数及び総額

(ii)　当該調達機関のそれぞれについて、この協定の適用を受ける全ての締結された契約であって、国際的に認められた単一の分類制度に基づく物品群別及びサービス群別

に区分されたものの件数及び総額

(iii) 当該調達機関のそれぞれについて、この協定の適用を受ける契約であって、限定入札により締結された全てのものの件数及び総額

(b) 付表2及び付表3に掲げる調達機関に関しては、全ての当該調達機関によって締結されたこの協定の適用を受ける契約であって、付表別に区分されたものの件数及び総額

(c) (a)及び(b)の規定により必要とされるデータを提供することができない場合には、その概算及び用いた算定方式についての説明

5 締約国は、4に規定する要件に適合する方法で統計を公式ウェブサイトで公表する場合には、その統計を閲覧し、及び利用するために必要な説明を付して当該ウェブサイトのアドレスを委員会に通報することをもって、4の規定に基づくデータの提出に代えることができる。

6 締約国は、2の規定に基づく落札に関する公示を電子的に行うことを要求する場合において、当該公示がこの協定の適用を受ける契約について分析することのできる様式による単一のデータベースを通じて公衆の閲覧に供されているときは、そのデータを閲覧し、及び利用するために必要な説明を付して当該データベースに係るウェブサイトのアドレスを委員会に通報することをもって、4の規定に基づくデータの提出に代えることができる。

締約国への情報の提供

第十七条　情報の開示

1 締約国は、他の締約国の要請に応じ、調達が公正かつ公平に及びこの協定に従って行われたか否かを判断するために必要な情報（落札とされた入札の特色及び相対的な利点についての情報を含む。）を速やかに提供する。当該情報の公表が将来の入札における競争を害することとなる場合には、当該情報を受け取った締約国は、当該情報を提供した締約国と協議の上その同意を得た場合を除くほか、いずれの供給者に対しても当該情報を開示してはならない。

情報の不開示

2 この協定の他の規定にかかわらず、締約国（その調達機関を含む。）は、特定の供給者に対し供給者の間の公正な競争を害するおそれのある情報を提供してはならない。

3 この協定のいかなる規定も、秘密の情報の開示が次のいずれかの場合に該当するときは、締約国（その調達機関、当局及び審査機関を含む。）に対し当該秘密の情報の開示を求めるものと解してはならない。

(a) 法令の実施を妨げることとなる場合

(b) 供給者の間の公正な競争を害するおそれのある場合

(c) 特定の者の正当な商業上の利益（知的財産の保護を含む。）を害することとなる場合

(d) その他公共の利益に反することとなる場合

第十八条　国内の審査のための手続

1 締約国は、時宜を得た、効果的な、透明性のある、かつ、無差別な行政上又は司法上の審査のための手続であって、供給者が関心を有し、又は有していた対象調達に関する次の事項について苦情を申し立てることができるものを定める。全ての苦情申立ての手続に関する規則は、文書により定め、かつ、一般に入手可能なものとする。

(a) この協定の違反

(b) 当該供給者が締約国の国内法上この協定の違反を直接の対象とする苦情を申し立てる権利を有しない場合には、この協定の実施のための締約国による措置の不遵守

2 供給者が関心を有し、又は有していた対象調達について1に規定する違反又は不遵守があった旨の苦情を申し立てる場合には、当該対象調達を実施する調達機関が属する締約国は、当該調達機関及び当該供給者に対し協議により当該苦情を解決するよう奨励する。当該調達機関は、当該供給者の現在又は将来の調達への参加及び行政上又は司法上の審査のための手続の下で是正措置を求める権利を妨げないように、当該苦情について公平な、かつ、時宜を得た考慮を払う。

3 供給者は、苦情申立ての準備をし、これを行うための十分な期間を与えられるものとする。その期間は、苦情申立ての原因となった事実を供給者が知り、又は合理的に知り得た時から十日未満であってはならない。

4 締約国は、対象調達に関する供給者からの苦情申立てを受理し、審査するため、自国の調達機関から独立した少なくとも一の公平な行政当局又は司法当局を設置し、又は指定する。

5 4に規定する当局以外の機関が最初に苦情申立てを審査する場合には、締約国は、供給者が当該機関の原決定に対して当該苦情申立ての対象である調達に係る調達機関から独立した公平な行政当局又は司法当局に上訴することができることを確保する。

6 締約国は、審査機関（裁判所でないもの）について、その決定を司法上の審査の対象とすること又は次の手続を有することを確保する。

(a) 調達機関が苦情申立てに対して書面により回答し、及び当該審査機関に対して全ての関連文書を開示すること。

(b) 審査の手続への参加者（以下「参加者」という。）が苦情申立てについての当該審査機関による決定に先立ち意見を述べる権利を有すること。

(c) 参加者が代理人及び補佐人を出す権利を有すること。

(d) 参加者が全ての審査の手続に参加することができること。

(e) 参加者が審査の手続を公開で行うこと及び証人の出席が認められることを要求する権利を有すること。

(f) 当該審査機関がその決定又は勧告を適時に書面により行うこと及び当該決定又は勧告にその根拠に関する説明を含めること。

7 締約国は、次の事項を定める手続を採用し、又は維持する。

(a) 供給者が調達に参加する機会を維持するための迅速な暫定的措置に関すること。当該措置の結果として、調達の過程が停止されることがある。当該手続は、当該措置を適用

すべきか否かを決定するに当たり、公共の利益等関係者の利益に及ぼす著しい悪影響を考慮することができることを定めることができる。当該措置を適用すべきでないことを決定する場合には、その正当な理由を書面により提供する。

(b) 審査機関が1に規定する違反又は不遵守があった旨決定する場合における是正措置又は損失若しくは損害に対する賠償に関すること。当該賠償については、入札の準備に係る費用又は苦情申立てに係る費用のいずれか又は双方に限定することができる。

第十九条　適用範囲の修正及び訂正

修正の提案の通報

1　締約国は、附属書Iの自国の付表に関する訂正、一の付表から他の付表への機関の転記、機関の削除その他の修正（以下「修正」という。）の提案を委員会に通報する。修正を提案する締約国（以下「修正締約国」という。）は、次に掲げる事項を通報に含める。

(a) 機関の対象調達に対する政府による監督又は政府の影響が実効的に排除されたことを理由として、自国の権利の行使として附属書Iの自国の付表から当該機関を削除することを提案する場合には、当該監督又は影響が実効的に排除されたことの証拠

(b) その他の修正を提案する場合には、この協定に定める相互に合意された適用範囲が変更されることにより見込まれる影響に関する情報

通報に対する異議

2　1の規定に従って通報された修正の提案によりこの協定に基づく自国の権利が影響を受ける締約国は、当該修正の提案への異議を委員会に申し立てることができる。この異議は、締約国に対し通報が回章に付された日から四十五日以内に申し立てるものとし、その理由を明示するものとする。

協議

3　修正締約国及び異議を申し立てた締約国（以下「異議申立締約国」という。）は、当該異議に係る問題を協議によって解決するようあらゆる努力を払う。当該協議において、修正締約国及び異議申立締約国は、修正の提案について次の基準に従って検討する。

(a) 1(a)に規定する修正の提案の通報の場合には、機関の対象調達に対する政府による監督又は政府の影響が実効的に排除されたことを示す8(b)に規定する基準

(b) 1(b)に規定する修正の提案の通報の場合には、権利及び義務の均衡並びにこの協定に定める相互に合意された適用範囲につき当該通報の前の水準と同等の水準を維持するために当該修正に関連して提供されるべき補償的な調整の水準に関する8(c)に規定する基準

修正の変更

4　修正締約国及び異議申立締約国がその異議に係る問題を協議によって解決した場合において、当該修正締約国が当該協議の結果として自国の修正の提案を変更するときは、当該修正締約国は、1の規定に従い委員会に通報するものとし、変更された修正は、この条に定める要件を満たした後にのみ効力を生ずる。

修正の実施

5　提案された修正は、次のいずれかの場合にのみ効力を生ずる。

(a) いずれの締約国も1の規定に基づく修正の提案の通報が回章に付された日から四十五日以内に当該修正の提案に対する異議を書面により委員会に申し立てない場合

(b) 全ての異議申立締約国が修正の提案への異議を撤回する旨を委員会に通報した場合

(c) 1の規定に基づく修正の提案の通報が回章に付された日から百五十日が経過し、かつ、修正締約国が当該修正を実施する意図を書面により委員会に通報した場合

実質的に同等の適用範囲の撤回

6　5(c)の規定に基づいて修正が効力を生じた場合には、異議申立締約国は、実質的に同等の適用範囲を撤回することができる。第四条1(b)の規定にかかわらず、この6の規定に基づく撤回は、修正締約国との関係においてのみ実施することができる。異議申立締約国は、当該撤回が効力を生ずる日の少なくとも三十日前に、当該撤回について書面により委員会に通報する。この6の規定に基づく撤回は、8(c)の規定に基づき委員会が採択する補償的な調整の水準に関する基準に適合するものとする。

異議に係る問題の解決を促進するための仲裁手続

7　委員会が8の規定に基づき異議に係る問題の解決を促進するための仲裁手続を採択した場合には、修正締約国又は異議申立締約国は、修正の提案の通報が回章に付された日から百二十日以内に当該仲裁手続を援用することができる。

(a) その期間内にいずれの締約国も当該仲裁手続を援用しなかった場合においては、

(i) 5(c)の規定にかかわらず、1の規定に基づく修正の提案の通報が回章に付された日から百三十日が経過し、かつ、修正締約国が当該修正を実施する意図を書面により委員会に通報したときは、当該修正は、効力を生ずる。

(ii) いずれの異議申立締約国も、6の規定に基づいて適用範囲を撤回することができない。

(b) 修正締約国又は異議申立締約国が当該仲裁手続を援用した場合においては、

(i) 5(c)の規定にかかわらず、修正の提案は、当該仲裁手続が完了するまで効力を生じない。

(ii) 補償を受ける権利を行使する意図又は6の規定に基づいて実質的に同等の適用範囲を撤回する意図を有する異議申立締約国は、当該仲裁手続に参加する。

(iii) 修正締約国は、5(c)の規定に基づいて修正の効力を生じさせるに当たり、当該仲裁手続の結果に従うべきである。

(iv) 修正締約国が5(c)の規定に基づいて修正の効力を生じ

させるに当たり当該仲裁手続の結果に従わないときは、異議申立締約国は、6の規定に基づいて実質的に同等の適用範囲を撤回することができる。ただし、当該撤回が当該仲裁手続の結果と適合するものであることを条件とする。

委員会の責任

8　委員会は、次のものを採択する。

(a)　2の規定に基づく異議に係る問題の解決を促進するための仲裁手続

(b)　機関の対象調達に対する政府による監督又は政府の影響が実効的に排除されたことを示す基準

(c)　1(b)に規定する修正に関連して提供されるべき補償的な調整の水準及び6に規定する実質的に同等の適用範囲の水準を決定するための基準

第二十条　協議及び紛争解決

1　締約国は、この協定の運用に影響を及ぼす問題に関し他の締約国が行う申立てに好意的な考慮を払うものとし、その申立てに関する協議を行うための機会を十分に与える。

2　締約国は、次のことの結果として、この協定に基づき直接若しくは間接に自国に与えられた利益が無効にされ、若しくは侵害されており、又はこの協定の目的の達成が妨げられていると認める場合には、問題の相互に満足すべき解決を図るため、紛争解決に係る規則及び手続に関する了解（以下「紛争解決了解」という。）に規定する手続を利用することができる。

(a)　他の締約国がこの協定に基づく義務の履行を怠ったこと。

(b)　他の締約国がこの協定の規定に抵触するか否かを問わず何らかの措置を適用したこと。

3　紛争解決了解は、この協定に基づく協議及び紛争解決に適用される。ただし、紛争解決了解第二十二条3の規定にかかわらず、この協定以外の紛争解決了解附属書一に掲げる協定の下で生ずるいかなる紛争も、この協定に基づく譲許その他の義務を停止する理由としてはならないものとし、また、この協定の下で生ずるいかなる紛争も、紛争解決了解附属書一に掲げるその他の協定に基づく譲許その他の義務を停止する理由としてはならない。

第二十一条　この協定の機関

政府調達に関する委員会

1　各締約国の代表で構成する政府調達に関する委員会を設置する。委員会は、議長を選出するものとし、また、この協定の実施又はこの協定の目的の達成に関する事項について協議する機会を締約国に与えるため、及び締約国により与えられた他の任務を遂行するため、必要に応じ（少なくとも年一回）会合する。

2　委員会は、委員会が付与する任務を遂行する作業部会その他の補助機関を設けることができる。

3　委員会は、毎年次のことを行う。

(a)　この協定の実施及び運用について検討すること。

(b)　一般理事会に対し、世界貿易機関を設立するマラケシュ協定（以下「世界貿易機関設立協定」という。）第四条8の規定に基づく委員会の活動に関する通報並びにこの協定の実施及び運用に係る進展に関する通報を行うこと。

オブザーバー

4　この協定の締約国でない世界貿易機関の加盟国は、書面による通報を委員会に提出することにより、委員会にオブザーバーとして出席することが認められる。世界貿易機関のオブザーバーは、委員会にオブザーバーとして出席することについての書面による要請を委員会に提出することができ、委員会は、当該世界貿易機関のオブザーバーに委員会のオブザーバーとしての地位を与えることができる。

第二十二条　最終規定

受諾及び効力発生

1　この協定は、合意された適用範囲をこの協定の附属書Ⅰの付表に掲げる政府（注）であって、千九百九十四年四月十五日に署名によってこの協定を受諾したもの又は批准を条件として同日までにこの協定に署名し、その後千九百九十六年一月一日前にこの協定を批准したものについては、千九百九十六年一月一日に効力を生ずる。

注　この協定の適用上、「政府」には、欧州連合の権限のある当局を含むものとする。

加入

2　世界貿易機関の加盟国は、締約国との間で合意され、委員会の決定において確認される条件により、この協定に加入することができる。加入は、合意された条件を記載した加入書を世界貿易機関事務局長に寄託することによって行う。この協定は、加入する加盟国については、加入書を寄託した後三十日目の日に効力を生ずる。

留保

3　締約国は、この協定のいかなる規定についても、留保を付することができない。

国内法令

4　締約国は、この協定が自国について効力を生ずる日以前に、自国の法令及び行政上の手続並びに自国の調達機関によって適用される規則、手続及び慣行をこの協定に適合したものとすることを確保する。

5　締約国は、この協定に関連を有する自国の法令の変更及びその運用における変更につき、委員会に通報する。

6　締約国は、開放的な調達を阻害する差別的な措置の導入又は継続を避けるよう努める。

将来の交渉及び将来の作業計画

7　締約国は、二千十二年三月三十日に採択された政府調達に関する協定を改正する議定書の効力発生の日から三年以内に、その後は定期的に、開発途上国のニーズを考慮しつつ、相互主義に基づいてこの協定を改善し、差別的な措置を漸進的に削減し、及び撤廃し、並びに全ての締約国の間におけるこの協定の適用範囲の拡大を可能な限り達成するため、新たな交渉を行う。

8(a)　委員会は、次の事項に関する作業計画の採択を通じ、この協定の実施及び7に規定する交渉を促進するため、更なる作業を行う。

(i)　中小企業の取扱い
(ii)　統計資料の収集及び提供
(iii)　持続可能な調達の取扱い
(iv)　締約国の付表における適用除外及び制限
(v)　国際的な調達における安全基準

(b)　委員会は、

(i)　追加的な事項に関する作業計画の一覧表を内容とする決定を採択することができる。当該一覧表については、定期的に検討し、及び更新することができる。

(ii)　(a)に規定する個別の作業計画及び(b)(i)の規定に基づいて採択される作業計画に関して行われるべき作業を定める決定を採択する。

9　締約国は、世界貿易機関設立協定附属書一Aの原産地規則に関する協定に基づいて行われる物品に係る原産地規則の調和のための作業計画及びサービスの貿易に関する交渉の終了の後、第四条5の規定を適宜改正するに当たり、当該作業計画及び交渉の結果を考慮する。

10　委員会は、7に規定する政府調達に関する協定を改正する議定書の効力発生の日から五年以内に、第二十条2(b)の規定の妥当性を検討する。

改正

11　締約国は、この協定を改正することができる。改正を採択し、締約国による受諾のために提出する決定は、コンセンサス方式によって行う。

(a)　改正は、(b)に規定する場合を除くほか、締約国の三分の二が受諾した時に当該改正を受諾した締約国について効力を生じ、その後は、その他の各締約国について、それぞれによる受諾の時に効力を生ずる。

(b)　改正は、当該改正が締約国の権利及び義務を変更しない性質のものであると委員会がコンセンサス方式によって決定した場合には、締約国の三分の二が受諾した時に全ての締約国について効力を生ずる。

脱退

12　締約国は、この協定から脱退することができる。脱退は、世界貿易機関事務局長が書面による脱退の通告を受領した日から六十日を経過した時に、効力を生ずる。締約国は、脱退の通告がされた場合には、委員会の会合を直ちに開くことを要求することができる。

13　この協定の締約国は、世界貿易機関の加盟国でなくなった場合には、当該加盟国でなくなった日にこの協定の締約国でなくなる。

特定の締約国間におけるこの協定の不適用

14　いずれかの締約国がこの協定を受諾し、又はこの協定に加入した時に、当該いずれかの締約国又は他のいずれかの締約国が、これら二の締約国の間におけるこの協定の適用に同意しなかった場合には、この協定は、これら二の締約国の間においては適用されない。

附属書

15　この協定の附属書は、この協定の不可分の一部を成す。

事務局

16　この協定に必要な役務は、世界貿易機関事務局が提供する。

寄託

17　この協定は、世界貿易機関事務局長に寄託するものとし、同事務局長は、速やかに、締約国に対し、この協定の認証謄本、第十九条の規定に基づくこの協定の訂正又は修正の認証謄本、11の規定に基づくこの協定の改正の認証謄本、2の規定に基づくこの協定への加入の通告書及び12又は13の規定に基づくこの協定からの脱退の通告書を送付する。

登録

18　この協定は、国際連合憲章第百二条の規定により登録する。

附属書I　政府調達に関する協定の適用範囲に係る交渉において同協定の締約国が附属書Iについて最終的に提示した適用範囲（注）

注　原語によるもののみとする。

日本国

付表1　中央政府の機関

（英語のみを正文とする。）

基準額

物品	十万特別引出権
建設サービス	四百五十万特別引出権
この協定の適用を受ける建築のためのサービス、エンジニアリング・サービスその他の技術的サービス	四十五万特別引出権
その他のサービス	十万特別引出権

機関の表

会計法の適用を受ける全ての機関

1　衆議院
2　参議院
3　最高裁判所
4　会計検査院
5　内閣
6　人事院
7　内閣府
8　宮内庁
9　公正取引委員会
10　国家公安委員会（警察庁）
11　個人情報保護委員会
12　カジノ管理委員会
13　金融庁
14　消費者庁
15　こども家庭庁
16　デジタル庁

17 復興庁
18 総務省
19 法務省
20 外務省
21 財務省
22 文部科学省
23 厚生労働省
24 農林水産省
25 経済産業省
26 国土交通省
27 環境省
28 防衛省

付表1に関する注釈

1 会計法の適用を受ける機関には、国家行政組織法及び内閣府設置法に定める全ての内部部局、外局及び附属機関その他の機関並びに地方支分部局を含む。

2 この協定は、この協定が日本国について効力を生ずる時に有効な法令に従って協同組合又は連合会と締結する契約については、適用しない。

付表2 地方政府の機関

基準額

物品	二十万特別引出権
建設サービス	千五百万特別引出権
この協定の適用を受ける建築のためのサービス、エンジニアリング・サービスその他の技術的サービス	百五十万特別引出権
その他のサービス	二十万特別引出権

機関の表

地方自治法の適用を受ける全ての都道府県及び指定都市

1 北海道
2 青森県
3 岩手県
4 宮城県
5 秋田県
6 山形県
7 福島県
8 茨城県
9 栃木県
10 群馬県
11 埼玉県
12 千葉県
13 東京都
14 神奈川県
15 新潟県
16 富山県
17 石川県
18 福井県
19 山梨県
20 長野県
21 岐阜県
22 静岡県
23 愛知県
24 三重県
25 滋賀県
26 京都府
27 大阪府
28 兵庫県
29 奈良県
30 和歌山県
31 鳥取県
32 島根県
33 岡山県
34 広島県
35 山口県
36 徳島県
37 香川県
38 愛媛県
39 高知県
40 福岡県
41 佐賀県
42 長崎県
43 熊本県
44 大分県
45 宮崎県
46 鹿児島県
47 沖縄県
48 大阪市
49 名古屋市
50 京都市
51 横浜市
52 神戸市
53 北九州市
54 札幌市
55 川崎市
56 福岡市
57 広島市
58 仙台市
59 千葉市
60 さいたま市
61 静岡市
62 堺市
63 新潟市
64 浜松市
65 岡山市
66 相模原市

付表2に関する注釈

1　地方自治法の適用を受ける都道府県及び指定都市には、地方自治法に定めるこれらの全ての知事又は市長、委員会及びその他の機関の内部部局、附属機関並びに支庁、地方事務所、支所及び出張所を含む。

2　この協定は、この協定が日本国について効力を生ずる時に有効な法令に従って協同組合又は連合会と締結する契約については、適用しない。

3　この協定は、機関が市場における競争にさらされている日常の営利活動のために締結する契約については、適用しない。この３の規定は、この協定を回避する目的で利用してはならない。

4　運送における運転上の安全に関連する調達は、含まない。

5　発電、送電又は配電に関連する調達は、含まない。

付表３　その他の機関

基準額

物品　十三万特別引出権

Ａ群に掲げる日本郵政公社を承継した機関が調達する建設サービス　四百五十万特別引出権

Ａ群に掲げるその他の全ての機関が調達する建設サービス　千五百万特別引出権

Ｂ群に掲げる機関が調達する建設サービス　四百五十万特別引出権

この協定の適用を受ける建築のためのサービス、エンジニアリング・サービスその他の技術的サービス　四十五万特別引出権

その他のサービス　十三万特別引出権

機関の表

1　Ａ群

1.1　独立行政法人農畜産業振興機構
1.2　中日本高速道路株式会社
1.3　株式会社日本政策投資銀行
1.4　東日本高速道路株式会社
1.5　独立行政法人環境再生保全機構
1.6　独立行政法人農業者年金基金
1.7　独立行政法人奄美群島振興開発基金
1.8　年金積立金管理運用独立行政法人
1.9　阪神高速道路株式会社
1.10　社会保険診療報酬支払基金
1.11　北海道旅客鉄道株式会社（注釈３ａ及びｇ）
1.12　本州四国連絡高速道路株式会社
1.13　日本アルコール産業株式会社
1.14　独立行政法人日本芸術文化振興会
1.15　国立研究開発法人日本原子力研究開発機構（注釈３ｂ）
1.16　株式会社国際協力銀行
1.17　中間貯蔵・環境安全事業株式会社
1.18　独立行政法人日本高速道路保有・債務返済機構
1.19　独立行政法人日本貿易振興機構
1.20　株式会社日本政策金融公庫
1.21　地方公共団体金融機構
1.22　独立行政法人国際交流基金
1.23　日本貨物鉄道株式会社（注釈３ａ及びｇ）
1.24　独立行政法人住宅金融支援機構
1.25　独立行政法人労働政策研究・研修機構
1.26　独立行政法人国際協力機構
1.27　独立行政法人国際観光振興機構
1.28　独立行政法人石油天然ガス・金属鉱物資源機構（注釈３ｃ）
1.29　独立行政法人高齢・障害・求職者雇用支援機構
1.30　日本郵政公社を承継した機関
1.31　日本中央競馬会
1.32　独立行政法人鉄道建設・運輸施設整備支援機構（注釈３ａ、ｄ及びｅ）
1.33　国立研究開発法人科学技術振興機構
1.34　独立行政法人日本学術振興会
1.35　独立行政法人日本スポーツ振興センター
1.36　独立行政法人日本学生支援機構
1.37　日本たばこ産業株式会社（注釈３ｇ）
1.38　独立行政法人水資源機構
1.39　自転車競技法に従い競輪振興法人として指定された法人
1.40　首都高速道路株式会社
1.41　小型自動車競走法に従い小型自動車競走振興法人として指定された法人
1.42　農林漁業団体職員共済組合
1.43　消防団員等公務災害補償等共済基金
1.44　成田国際空港株式会社
1.45　地方競馬全国協会
1.46　独立行政法人国立重度知的障害者総合施設のぞみの園
1.47　独立行政法人国民生活センター
1.48　国立研究開発法人新エネルギー・産業技術総合開発機構
1.49　日本電信電話株式会社（注釈３ｆ及びｇ）
1.50　東日本電信電話株式会社（注釈３ｆ及びｇ）
1.51　西日本電信電話株式会社（注釈３ｆ及びｇ）
1.52　独立行政法人北方領土問題対策協会
1.53　沖縄振興開発金融公庫
1.54　放送大学学園
1.55　独立行政法人中小企業基盤整備機構
1.56　独立行政法人勤労者退職金共済機構
1.57　日本私立学校振興・共済事業団
1.58　国立研究開発法人理化学研究所（注釈３ｂ）
1.59　四国旅客鉄道株式会社（注釈３ａ及びｇ）
1.60　東京地下鉄株式会社（注釈３ａ）
1.61　独立行政法人都市再生機構
1.62　独立行政法人福祉医療機構
1.63　西日本高速道路株式会社

2　Ｂ群

2.1　国立研究開発法人建築研究所

2.2 独立行政法人航空大学校
2.3 独立行政法人農林水産消費安全技術センター
2.4 国立研究開発法人森林研究・整備機構
2.5 大学共同利用機関法人
2.6 独立行政法人海技教育機構
2.7 国立研究開発法人水産研究・教育機構
2.8 全国健康保険協会
2.9 国立研究開発法人国際農林水産業研究センター
2.10 独立行政法人造幣局
2.11 独立行政法人労働者健康安全機構
2.12 日本年金機構
2.13 独立行政法人駐留軍等労働者労務管理機構
2.14 独立行政法人自動車技術総合機構
2.15 国立研究開発法人農業・食品産業技術総合研究機構
2.16 独立行政法人国立公文書館
2.17 国立研究開発法人国立がん研究センター
2.18 国立研究開発法人国立成育医療研究センター
2.19 国立研究開発法人国立長寿医療研究センター
2.20 国立研究開発法人国立国際医療研究センター
2.21 独立行政法人工業所有権情報・研修館
2.22 独立行政法人大学入試センター
2.23 国立研究開発法人国立精神・神経医療研究センター
2.24 国立研究開発法人国立循環器病研究センター
2.25 独立行政法人国立病院機構
2.26 国立研究開発法人国立環境研究所
2.27 国立研究開発法人物質・材料研究機構
2.28 独立行政法人教職員支援機構
2.29 国立研究開発法人産業技術総合研究所
2.30 国立研究開発法人情報通信研究機構
2.31 国立研究開発法人海上・港湾・航空技術研究所
2.32 独立行政法人国立特別支援教育総合研究所
2.33 独立行政法人国立高等専門学校機構
2.34 独立行政法人製品評価技術基盤機構
2.35 独立行政法人国立文化財機構
2.36 国立研究開発法人量子科学技術研究開発機構
2.37 国立研究開発法人医薬基盤・健康・栄養研究所（注釈3h）
2.38 独立行政法人大学改革支援・学位授与機構
2.39 独立行政法人国立青少年教育振興機構
2.40 独立行政法人家畜改良センター
2.41 独立行政法人国立美術館
2.42 独立行政法人国立科学博物館
2.43 独立行政法人国立印刷局
2.44 国立研究開発法人防災科学技術研究所
2.45 独立行政法人酒類総合研究所
2.46 独立行政法人統計センター
2.47 国立大学法人
2.48 独立行政法人国立女性教育会館
2.49 株式会社日本貿易保険
2.50 国立研究開発法人土木研究所
2.51 独立行政法人経済産業研究所

付表3に関する注釈

1　この協定は、この協定が日本国について効力を生ずる時に有効な法令及び規則に従って協同組合又は連合会と締結する契約については、適用しない。

2　この協定は、A群に掲げる機関が市場における競争にさらされている日常の営利活動のために締結する契約については、適用しない。この2の規定は、この協定を回避する目的で利用してはならない。

3　特定の機関に関する注釈

a　運送における運転上の安全に関連する調達は、含まない。

b　核兵器の不拡散に関する条約の目的又は知的財産に関する国際的な合意に反する情報の開示がもたらされることのある調達は、含まない。放射性物質の利用及び管理又は原子力施設の緊急事態への対応を目的とする安全に関連する活動のための調達は、含まない。

c　地質調査及び地球物理学的調査に関連する調達は、含まない。

d　広告サービス、建設サービス及び不動産に係るサービスの調達は、含まない。

e　民間会社との共同所有となる船舶の調達は、含まない。

f　公衆電気通信設備の調達及び電気通信の業務上の安全に関連するサービスの調達は、含まない。

g　建設サービス以外の付表5に掲げるサービスの調達は、含まない。

h　国立健康・栄養研究所のために行う調達以外の調達は、含まない。

4　独立行政法人鉄道建設・運輸施設整備支援機構による調達に関しては、3に規定する注釈の規定を次のとおり適用する。

a　注釈3aは、鉄道建設に関連する活動についてのみ適用する。

b　注釈3dは、旧日本国有鉄道の清算に関連する活動についてのみ適用する。

c　注釈3eは、造船事業についてのみ適用する。

5　東日本旅客鉄道株式会社（注釈3a及びg）、東海旅客鉄道株式会社（注釈3a及びg）及び西日本旅客鉄道株式会社（注釈3a及びg）については、欧州連合がこれらの会社の削除への異議を撤回する時まで、この付表に規定する物品及びサービスに関し、A群に含まれるものとみなす。

　この5の規定は、欧州連合による当該異議の撤回の通告が委員会に対して行われたときは、直ちに効力を失う。

6　航空宇宙技術研究所については、欧州連合及びアメリカ合衆国がこの廃止された機関の削除への異議を撤回する時まで、この付表に規定する物品及びサービスに関し、B群に含まれるものとみなす。

　この6の規定は、アメリカ合衆国及び欧州連合による当該異議の撤回の通告が委員会に対して行われたときは、直ちに効力を失う。

付表4 物品

1 この協定は、この協定に別段の定めがない限り、付表1から付表3までに掲げる機関による全ての物品の調達について適用する。

2 防衛省に関しては、この協定は、日本国政府が第三条1の規定に基づいて別段の決定を行う場合を除くほか、次の連邦供給分類（FSC）に属する物品の調達について適用する。

FSC	品名
二二	鉄道用機器
二四	トラクター
三二	木工機器
三四	金属加工機器
三五	サービス提供機器及び販売機器
三六	特別の工業用機器
三七	農業用機器
三八	建設用、鉱山用、掘削用及び道路維持用の機器
三九	物資取扱用機器
四〇	ロープ、ケーブル、鎖及びこれらの取付具
四一	冷凍用機器、エアコンディショナー（その構成品を含む。）及び空気循環用機器
四三	ポンプ及び圧縮機
四五	配管用、加熱用及び衛生用の機器
四六	浄水用及び下水処理用の機器
四七	素管、管、ホース及びこれらの取付具
四八	弁
五一	手道具及び手工具
五二	計測工具
五五	用材、木工品、合板及びベニヤ板
六一	電線並びに発電用及び配電用の機器
六二	照明設備及び電球
六五	医療用及び獣医用の機器及び物品
六六三〇	化学分析用機器
六六三五	物理的材料試験機器
六六四〇	実験室用の機器及び物品
六六四五	時間測定用機器
六六五〇	光学機器
六六五五	地球物理学用及び天文学用の機器
六六六〇	気象観測機器
六六七〇	はかり
六六七五	製図機器、土地測量機器及び地図作成用機器
六六八〇	液体及び気体の流量計、液面計並びに機械的運動計測機器
六六八五	圧力、温度及び湿度の測定用及び調整用の機器
六六九五	組み合わせた機器及びその他の機器
六七	写真用機器
六八	化学工業生産品
七一	家具
七二	家庭用及び一般用の備品及び器具
七三	調理用及び配膳用の機器
七四	事務用機器及び可視記録装置
七五	事務用品
七六	書籍、地図その他の出版物
七七	楽器、蓄音機及び家庭用ラジオ
七九	清掃用器具及び清掃用品
八〇	ブラシ、ペイント、封止剤及び接着剤
八一一〇	ドラム及び缶
八一一五	箱、厚紙製の箱及びクレート
八一二五	瓶及びジャー
八一三〇	リール及びスプール
八一三五	包装用の材料
八五	化粧用品
八七	農業用品
九三	非金属加工品
九四	非金属原材料
九九	その他のもの

付表5 サービス

この協定は、千九百九十一年の国際連合の暫定的な中央生産物分類（電気通信サービスについては、文書MTN・GNS－W－一二〇）によって特定される次のサービスについて適用する。

（千九百九十一年の暫定的な中央生産物分類（CPC））	
六一一二	自動車の保守及び修理のサービス（注釈1）
六一二二	モーターサイクル（原動機付自転車を含む。）並びにカタピラ及びそりを有する軽自動車の保守及び修理のサービス（注釈1）
六三三	個人用品及び家庭用品の修理のサービス
六四一	食料提供サービス（注釈5）
六四三	飲料提供サービス（注釈5）
七一二	その他の陸上運送サービス（七一二三五（郵便の陸上運送）を除く。）
七二一三	運転者を伴う海上航行船舶の賃貸サービス
七二二三	海上航行船舶以外の船舶（運転者を伴うもの）の賃貸サービス
七三	航空運送サービス（七三二一〇（郵便の航空運送）を除く。）
七四八	貨物運送取扱いサービス
七五一二	クーリエ・サービス（注釈2）

電気通信サービス

MTN・GNS－W－一二	（対応するCPC）

○
2・C・h　七五二三　電子メール
2・C・i　七五二一　ボイスメール
2・C・j　七五二三　情報及びデータベースのオンラインでの検索
2・C・k　七五二三　電子データ交換（EDI）
2・C・l　七五二九　高度ファクシミリ・サービス
2・C・m　七五二三　コード及びプロトコルの変換
2・C・n　七五二三　情報及びデータのオンラインでの処理（トランザクション処理を含む。）

八三一〇六から八三一〇八まで　農業用機器（運転者を伴わないもの）の賃貸サービス（注釈5）
八三二〇三　家具その他家庭用の器具の賃貸サービス（注釈5）
八三二〇四　娯楽用品の賃貸サービス（注釈5）
八三二〇九　その他の個人用品又は家庭用品の賃貸サービス（注釈5）
八四　電子計算機サービス及び関連のサービス
八六四　市場調査及び世論調査のサービス
八六五　経営相談サービス（注釈5）
八六六　経営相談に関連するサービス（八六六〇二（仲裁及び調停のサービス）を除く。）（注釈5）
八六七　建築のためのサービス、エンジニアリング・サービスその他の技術的サービス（注釈3）
八七一　広告サービス
八七三〇四　装甲車による運送サービス
八七四　建築物の清掃サービス
八七六　こん包サービス（注釈5）
八八一四　林業及び木材伐出業に付随するサービス（森林経営を含む。）
八八四四二　出版及び印刷のサービス（注釈4）
八八六　金属製品、機械及び機器の修理のサービス
九二一　初等教育サービス
九二二　中等教育サービス
九二三　高等教育サービス
九二四　成人教育サービス
九四　汚水及び廃棄物の処理、衛生その他の環境保護のサービス
九六一一　映画及びビデオテープの制作及び配給のサービス（九六一一二（映画及びビデオテープの制作のサービス）を除く。）

付表5に関する注釈

1　特別に改良され、かつ、機関の規則に従って点検されている自動車、モーターサイクル（原動機付自転車を含む。）並びにカタピラ及びそりを有する軽自動車の保守及び修理のサービスは、含まない。

2　信書に係るクーリエ・サービスは、含まない。

3　建設サービスに関連する建築のためのサービス、エンジニアリング・サービスその他の技術的サービスに限る。ただし、独立して調達される場合の次のサービスを除く。

a　建築設計サービス（CPC八六七一二）の実施設計サービス

b　契約監理サービス（CPC八六七一三）

c　基礎及び建築構造物の建設のためのエンジニアリングデザイン・サービス（CPC八六七二二）、建築物の機械及び電気の設備のためのエンジニアリングデザイン・サービス（CPC八六七二三）又は土木建設工事のためのエンジニアリングデザイン・サービス（CPC八六七二四）のうちのいずれかの実施設計、仕様書の作成及び費用見積りの一又はこれらの組合せから成る設計サービス

d　建設及び設置工事段階におけるその他のエンジニアリング・サービス（CPC八六七二七）

4　秘密の情報を含む資料に係る出版及び印刷のサービスは、含まない。

5　これらのサービスに関しては、付表2及び付表3に掲げる機関による調達は、この協定の適用を受けない。

付表6　建設サービス

千九百九十一年の暫定的な中央生産物分類第五一区分に掲げるサービスであってこの協定の適用を受けるものの表

第五一区分に掲げる全てのサービス

付表6に関する注釈

二千十一年十一月三十日の時点の民間資金等の活用による公共施設等の整備等の促進に関する法律の適用範囲内の建設事業に係る調達について適用する。

付表7　一般的注釈

1　付表6をその注釈の規定に従って適用する場合を除くほか、二千十年十二月十日の時点の民間資金等の活用による公共施設等の整備等の促進に関する法律の適用範囲内の事業に係る調達について、この協定を適用する。

2　日本国の供給者又はサービス提供者が機関による落札に関し争うに当たり、締約国が当該供給者又はサービス提供者について第十八条の規定を適用しない場合には、日本国は、同

一の種類の機関による落札に関し、当該締約国の供給者又はサービス提供者について同条の規定を適用しないことができる。

附属書Ⅱ　法令、司法上の決定、一般に適用する行政上の決定、標準契約条項及び手続であってこの協定の適用を受ける政府調達に係るものを公表するために締約国が第六条の規定に従って用いる電子的媒体又は紙面

日本国

一　付表1に掲げる機関については、次のいずれか又は双方のもの
1　官報
2　法令全書

二　付表2に掲げる機関については、次の1から4までに掲げるいずれかのもの若しくは5に掲げるもの又はその双方のもの
1　県報
2　市報
3　県報又は市報に相当するもの
4　官報
5　法令全書

三　付表3に掲げる機関については、次の1及び2に掲げるいずれか若しくは双方のもの又は3に掲げるもの
1　官報
2　法令全書
3　http: //www. mofa. go. jp/mofaj/ecm/it/page24_000219. html

附属書Ⅲ　第七条、第九条7及び第十六条2の規定により必要とされる公示を行うために締約国が第六条の規定に従って用いる電子的媒体又は紙面

日本国

一　付表1に掲げる機関については、次のもの
1　官報（紙面及びhttp://kanpou.npb.go.jp（公示が行われた日から三十日間は、無償で閲覧可能）で入手可能）

二　付表2に掲げる機関については、次のいずれかのもの
1　県報
2　市報
3　県報又は市報に相当するもの

三　付表3に掲げる機関については、次のいずれかのもの
1　官報
2　http: //www. mofa. go. jp/mofaj/ecm/it/page24_000219. html

附属書Ⅳ　締約国が第十六条5の規定に従って調達に関する統計を公表するウェブサイト及び同条6の規定に従って落札に関する公示を行うウェブサイトのアドレス

日本国

この協定の適用を受ける契約に関する日本国の統計は、第十六条4の規定に従って委員会に報告される。したがって、日本国は、第十六条5又は6に規定するウェブサイトのアドレスを委員会に通報することをもって、同条4の規定に基づくデータの提出に代えることはしない。

（附属書中我が国の部分以外は省略）

（右条約の英文）〔省略〕

○公共調達の適正化について

平一八・八・二五財計二〇一七
財務大臣から各省各庁の長

公共調達については、競争性及び透明性を確保することが必要であり、いやしくも国民から不適切な調達を行っているのではないかとの疑念を抱かれるようなことはあってはならない。

しかしながら、昨今、公益法人等との契約に関する各省各庁の運用には、広範囲にわたり、安易に随意契約を行うなど、必ずしも適切とはいえない事例があるのではないかとの指摘が行われるなど、国民に対する説明責任を十全に果たしているとはいえない状況となっている。

こうした指摘を踏まえ、政府として随意契約の適正化について取組を進めた結果、先般、「公共調達の適正化に関する関係省庁連絡会議」において「公益法人等との随意契約の適正化について」が取りまとめられ、競争性のない随意契約の見直しについての考え方が示されるとともに、今後取り組むべき課題として随意契約及び競争入札に係る情報公開の一層の充実等が盛り込まれたところである。

このため、今般、入札及び契約に係る取扱い及び情報の公表等について、現在までに取り組んできた措置等も含め、改めて、下記のとおり定めたので、入札及び契約に係る手続きの一層厳格な取扱いを行うとともに、情報公開の充実に努められたい。

記

1　入札及び契約の適正化を図るための措置

(1)　競争入札に付する場合の留意事項

競争入札に付する場合は、次に掲げる事項について留意しなければならない。

①　競争参加資格の設定

イ　予算決算及び会計令（昭和二十二年勅令第百六十五

号。以下「予決令」という。）第七十三条に定める競争参加資格は、競争を適正かつ合理的に行うために必要な限度において設定されるものであること。

ロ　仕様書は、競争を事実上制限するような内容としてはならないこと。

②　総合評価方式の拡充

研究開発、調査研究又は広報等の技術的要素等の評価を行うことが重要であるものについては、価格以外の要素と価格とを総合的に評価して、落札者を決定する方式（以下「総合評価方式」という。）による一般競争入札を拡充することとし、評価基準や実施要領の作成等、円滑な実施に必要な措置を講じつつ、その導入に努めるものとする。

また、総合評価方式の実施に当たっては、発注者による提案の審査の透明性及び公正性の確保が重要であることから、総合評価の結果の公表を徹底するほか、評価方法の作成や落札者決定段階において、学識経験者等の第三者の意見を効率よく反映させるための方策を講じるよう努めるものとする。

③　予定価格の適正な設定

予定価格については、より一層適正な設定に努めるものとする。

また、不自然な入札結果について統計的な分析を行うことにより談合等の排除に努めるものとする。

(2)　随意契約による場合

①に掲げる区分に照らし、随意契約によらざるを得ない場合を除き、原則として一般競争入札（総合評価方式を含む。）による調達を行うものとする。

また、従来、競争性のない随意契約を行ってきたものについては、②に掲げる区分に照らし、一般競争入札（総合評価方式を含む。）又は企画競争若しくは公募を行うことにより、競争性及び透明性を担保するものとする。ただし、①又は②の例示に該当しないものであってその他これに準ずるものと認められるものについては、同様に取扱うものとする。

なお、予定価格については、競争入札に付する場合と同様一層適正な設定に努めるものとする。

（注一）「企画競争」とは、複数の者に企画書等の提出を求め、その内容について審査を行う方法をいう。

（注二）企画競争を行う場合には、特定の者が有利とならないよう

イ　参加者を公募すること、

ロ　業者選定に当たっては、業務担当部局だけはなく契約担当部局も関与する必要があること、

ハ　審査に当たって、あらかじめ具体的に定めた複数の採点項目により採点を行うこと、

等により、競争性及び透明性を担保するものとする。

（注三）「公募」とは、行政目的達成のため、どのような設備又は技術等が必要であるかをホームページ等で具体的に明らかにしたうえで、参加者を募ることをいう。

（注四）公募は、従来、研究開発等を委託する場合等に特殊な技術又は設備等が不可欠であるとして、発注者の判断により、特定の者と契約していたようなものについて、当該技術又は設備等を有している者が、他にいる場合がないとは言い切れないことから、必要な技術又は設備等を明示したうえで参加者を募るものである。

したがって、当初から複数の者による競争が存在することが考えられるようなものについては、原則として、一般競争入札（総合評価方式を含む。）を行うこととし、事務又は事業の性格等から、これにより難い場合には、企画競争を行うものとする。

（注五）公募期間は、予決令第七十四条により、急を要する場合を除き、入札期日の前日から起算して少なくとも十日前までに入札公告しなければならないとされていることに準じて、適切に定めなければならない。

①　競争性のない随意契約によらざるを得ない場合

イ　契約の相手方が法令等の規定により明確に特定されるもの

(イ)　法令の規定により、契約の相手方が一に定められているもの

(ロ)　条約等の国際的取決めにより、契約の相手方が一に定められているもの

(ハ)　閣議決定による国家的プロジェクトにおいて、当該閣議決定により、その実施者が明示されているもの

(ニ)　地方公共団体との取決めにより、契約の相手方が一に定められているもの

ロ　当該場所でなければ行政事務を行うことが不可能であることから場所が限定され、供給者が一に特定される賃貸借契約（当該契約に付随する契約を含む。）

ハ　官報、法律案、予算書又は決算書の印刷等

ニ　その他

(イ)　防衛装備品であって、かつ、日本企業が外国政府及び製造元である外国企業からライセンス生産を認められている場合における当該防衛装備品及び役務の調達等

(ロ)　電気、ガス若しくは水又は電話に係る役務について、供給又は提供を受けるもの（提供を行うことが可能な業者が一の場合に限る。）

(ハ)　郵便に関する料金（信書に係るものであって料金を後納するもの。）

(ニ)　再販売価格が維持されている場合及び供給元が一の場合における出版元等からの書籍の購入

(ホ)　美術館等における美術品及び工芸品等の購入
(ヘ)　行政目的を達成するために不可欠な特定の情報について当該情報を提供することが可能な者から提供を受けるもの

② 従来、競争性のない随意契約を行うこととしてきたものについては、次に掲げる区分に従い、一般競争入札(総合評価方式を含む。)又は企画競争若しくは公募を行うことにより、競争性及び透明性を担保するものとする。

イ　行政補助的な業務に係る役務等の契約

原則として、価格競争による一般競争入札によるものとする。

ただし、事務又は事業の性格等から、これにより難い場合には、総合評価方式による一般競争入札を行うものとする。なお、直ちに総合評価方式による一般競争入札によることが困難な場合は、準備が整うまでの間、企画競争を行うことができるものとする。

ロ　調査研究等に係る委託契約

原則として、総合評価による一般競争入札によるものとする。

ただし、事務又は事業の性格等から、これにより難い場合には、次に掲げる区分によるものとし、総合評価による一般競争入札に移行するための検討を引き続き行うものとする。

(イ)　審議会等により委託先が決定された者との委託契約

審議会等に事案を提示する前に公募を行うとともに、当該事案等を選択した理由等について、詳細に公表することにより、透明性を高めるよう努めるものとする。

(ロ)　調査研究等に必要な特定の設備又は特定の技術等を有する者が一しかないとしているもの

公募を行うものとする。なお、公募を行った結果、示した要件を満たす者が一しかないことが明らかとなった場合は、その者と契約することがやむを得ないが、当該要件を満たす者の応募が複数あった場合には、総合評価方式による一般競争入札又は企画競争を行うものとする。

(注)　いわゆる競争的資金については、当該事案等を選択した理由等について、詳細に公表することにより、透明性を高めるよう努めるものとする。

ハ　リース契約等

複数年度にわたる期間を前提にしている契約であるにもかかわらず、初年度に係る調達についてのみ一般競争入札又は企画競争を実施し、次年度以降については、随意契約を行っている場合は、国庫債務負担行為を活用することにより、一般競争入札(総合評価方式を含む。)又は企画競争を行い複数年度契約を締結するものとする。

ニ　設備、物品又は情報処理のためのシステム等の調達と不可分な関係にある保守点検業務及びこれに付随する業務に係る契約

当該保守点検業務等が不可分とならないよう見直しを行うものとする(特にシステムの開発及び運用に係るもの)。なお、当該設備等の調達を行う際に、保守点検業務等を含めた複数年度契約を行うことはできないか、保守点検業務等も評価する総合評価方式による一般競争入札に改めることができないか等について検討を行うものとする。

ホ　国家試験等の実施に係るもの

(イ)　試験又は講習の実施に係る会場の借上げについては、日時、場所及び収容人員等の諸条件を明らかしたうえで、公募を行うものとする。

(ロ)　試験問題の印刷については、独立行政法人国立印刷局の職員が法律により守秘義務を負っていることも踏まえつつ、一般競争入札等によることの適否について検討するものとする。

ヘ　一般競争入札によることができるものであるが、一の契約の相手方のみでは契約目的が達成できない国庫金の納付等に係る金融機関との口座振替等の契約

一定の要件を明示したうえで公募を行い、当該要件を満たす者から申込みがあった場合には、全ての者と契約するものとする。

③ その他

イ　会計法(昭和二十二年法律第三十五号)第二十九条の三第四項の「緊急の必要により競争に付することができない場合」については、単に国内部の事務の遅延により、競争に付する期間が確保できなくなったことのみをもって「緊急の必要」があるとしてはならない。

ロ　会計法第二十九条の三第四項の「競争に付することが不利と認められる場合」については、予決令第百二条の四第四号に列挙されている場合であっても、「競争に付することが不利」であることを、具体的に説明できる必要があることに留意しなければならない。

ハ　秘密の保持が必要とされているもの

予決令第九十九条第一号の「国の行為を秘密にする必要があるとき」として、随意契約を行うことができるのは、外交又は防衛の活動等において、その行為を公にすることによって重大な支障が生じ、公の秩序又は公共の安全の維持が困難となる場合に限られることに留意しなければならない。

ニ　予定価格が予決令第九十九条第二号、第三号、第四号又は第七号のそれぞれの金額を超えない随意契約(以下「少額の随意契約」という。)であっても、特に合理的な理由なく分割されているもの等については、これらを一括するなどして一般競争入札に付することとしなければならない。

2　再委託の適正化を図るための措置

随意契約により、試験、研究、調査又はシステムの開発及び運用等を委託（委託費によるもののほか庁費、調査費等庁費の類によるものを含み、予定価格が百万円を超えないものを除く。）する場合には、不適切な再委託により効率性が損なわれないよう、次に掲げる取扱いにより、その適正な履行を確保しなければならない。

なお、競争入札による委託契約についても、再委託を行う場合には承認を必要とするなどの措置を定め、その適正な履行を確保するものとする。

(1)　一括再委託の禁止

委託契約の相手方が契約を履行するに当たって、委託契約の全部を一括して第三者に委託することを禁止しなければならない。

(2)　再委託の承認

委託契約の相手方が再委託を行う場合には、あらかじめ再委託の相手方の商号又は名称及び住所並びに再委託を行う業務の範囲、再委託の必要性及び契約金額について記載した書面を契約の相手方に提出させ、次に掲げる事項について審査し、適当と認められる場合に承認を行うものとする。なお、再委託に関する書面に記載された事項について、変更がある場合には、委託契約の相手方に遅滞なく変更の届出を提出させ、同様に審査及び承認を行うものとする。

①　再委託を行う合理的理由

②　再委託の相手方が、再委託される業務を履行する能力

③　その他必要と認められる事項

なお、契約の相手方が特殊な技術又はノウハウ等を有することから「競争を許さない」として随意契約を締結したものについて、承認を行う場合には、随意契約によることとした理由と不整合とならないか特に留意しなければならない。

(3)　履行体制の把握及び報告徴収

①　再委託の相手方からさらに第三者に委託が行われる場合には、当該第三者の商号又は名称及び住所並びに委託を行う業務の範囲を記載した書面を委託契約の相手方に提出させることにより、委託契約に係る履行体制の把握に努めるものとする。

②　委託契約の適正な履行の確保のために必要があると認めるときは、委託契約の相手方に対し、報告を求める等必要な措置を講じるものとする。

3　契約に係る情報の公表

(1)　国の支出の原因となる契約（国の行為を秘密にする必要があるもの並びに予定価格が予決令第九十九条第二号、第三号、第四号又は第七号のそれぞれの金額を超えないもの及び「主要食糧の需給及び価格の安定に関する法律」（平成六年法律第百十三号）第三十一条の方式による米穀等及び麦等の買入れに係るものを除く。）を締結したときは、その日の翌日から起算して七十二日以内に、次に掲げる事項を公表しなければならない。ただし、各年度の四月一日から四月三十日までの間に締結した契約については、九十三日以内に公表することができる。

また、外国に所在する契約担当官及び支出負担行為担当官（以下「契約担当官等」という。）又は防衛庁設置法（昭和二十九年法律第百六十四号）第二十八条の部隊及び機関に所属する契約担当官等が締結した契約であって、七十二日以内に公表を行うことが困難な場合には、四半期毎にまとめて、当該四半期経過後、遅滞なく行うものとする。

①　公共工事（公共工事に係る調査及び設計業務等を含む。）の名称、場所、期間及び種別又は物品等若しくは役務の名称及び数量

②　契約担当官等の氏名並びにその所属する部局の名称及び所在地

③　契約を締結した日

④　契約の相手方の商号又は名称及び住所

⑤　一般競争入札又は指名競争入札の別及び総合評価方式によった場合は、その旨（随意契約を行った場合を除く。）

⑥　契約金額

⑦　予定価格（公表したとしても、他の契約の予定価格を類推されるおそれがないと認められるもの又は国の事務又は事業に支障を生じるおそれがないと認められるものに限る。）

⑧　落札率（契約金額を予定価格で除したものに百を乗じて得た率。予定価格を公表しない場合を除く。）

⑨　随意契約によることとした会計法令の根拠条文及び理由（理由は、具体的かつ詳細に記載すること。また、企画競争又は公募手続きを行った場合には、その旨を記載すること。）

⑩　所管する公益法人と随意契約を締結する場合に、当該法人に国の常勤職員であったものが役員として、契約を締結した日に在職していれば、その人数

⑪　その他必要と認められる事項

（注一）公表は、競争入札による契約と随意契約を別表にし、さらに公共工事（公共工事に係る調査及び設計業務等を含む。）と物品等又は役務をそれぞれ別表にする方法により行うものとする。

（注二）公表は、別紙様式1、別紙様式2、別紙様式3及び別紙様式4により行うものとする。ただし、一覧表形式による公表を行うためのシステム改修などの準備に期間を要する場合は、準備が整うまでの間、契約別の個表による公表を行うことができる。

(2)　公表は、本省庁のホームページにおいて、地方支分部局等で締結した契約をあわせて公表する方法によるほか、各地方支分部局等のホームページで公表する方法によることができる。

また、一定期間において締結した契約をまとめて公表することができる。

(3) 各地方支分部局等のホームページで公表する場合には、本省庁の公表ページに各地方支分部局等の公表ページへの直接のリンクを行うものとする。

(4) 公表した事項については、公表した日の翌日から起算して少なくとも一年が経過する日までホームページに掲載しなければならない。

4 公共調達に関する問合せの総合窓口の設置

(1) 本省庁に公共調達に関する問合せに対応するための総合的な窓口を設置し、ホームページで連絡先等を公表しなければならない。

(2) 総合的な窓口の設置は、職員を指定する方法等、各省各庁の実情にあわせて行うものとする。

5 内部監査の実施等

(1) 監査を行うに当たっての留意事項

内部監査を実施するに当たっては、「1 入札及び契約の適正化を図るための措置」及び「2 再委託の適正化を図るための措置」に留意して行うものとする。

(2) 随意契約の重点的監査

特に、随意契約については、監査計画等において、当分の間、重点的に監査を行うことを定めるとともに、次に掲げる事項にも留意して行うものとする。

① 「契約の性質又は目的が競争を許さない場合」として随意契約を行ったもの

イ 単に当該業務に精通していることのみをもって「契約の性質又は目的が競争を許さない場合」としているものは、仕様書及び作業マニュアルの作成等により競争が可能であり、随意契約によることとする理由としては、不適切である。

ロ 契約金額の相当部分が再委託先に支払われている場合や契約の目的となる事務又は事業の大半を再委託先が実施している場合など、随意契約の相手方の履行能力が十分でないと認められる場合には、「契約の性質又は目的が競争を許さない場合」として随意契約を行うことは不適切である。

ハ 外形上、再委託が行われていない場合であっても、契約の目的となる事務又は事業を実施するため、一時的に民間等から職員を出向させ、雇用することにより、形式的に再委託となることを回避しているような場合には、契約の相手方に履行能力があるとはいえず、「契約の性質又は目的が競争を許さない場合」として随意契約を行うことは不適切である。

② 少額の随意契約

イ 合理的な理由なく、意図的に契約を分割しているようなものは、不適切である。

ロ 予決令第九十九条の六に定める、なるべく二人以上の者から見積書を徴する等の手続を適正に行っていないものは不適切である。

(3) 監査結果を踏まえた検討

内部監査の結果を踏まえ、一般競争入札等によることができるものがないか等の検討を行うものとする。

(4) 監査マニュアル等の整備

監査要領又は監査マニュアル等において、監査方法等の記載を充実し、内部監査の質の向上を図るよう努めるものとする。

(5) 決算検査報告の活用

他省庁に係るものであるか否かにとらわれず、会計検査院の決算検査報告における指摘等を踏まえ、監査を行うものとする。

(6) 内部監査の実施状況

内部監査により見直した事例については、本省庁において一元的に管理し、データベース化を進めるなど情報の共有に努めるものとする。

(7) 決裁体制の強化

① 随意契約を行う場合には、契約権限が各部局等に委任されている場合であっても、必ず官房会計課等により、随意契約によることとした理由等の審査及び決裁を行うなど、各省各庁の実情に応じて決裁体制を強化し、内部牽制を有効に機能させるよう努めるものとする。

② 官房会計課等が契約を締結する場合にも、複数の者による審査及び決裁を行うなど、内部牽制が機能するよう配慮するものとする。また、地方支分部局等においても、それぞれの実情に応じて同様の措置を行うものとする。

6 契約に関する統計の作成

平成十八年度以降、財務大臣の定めるところにより、毎年度、次に掲げる統計を作成し、財務大臣に送付するものとする。

(1) 統計の対象期間

毎年度、四月一日から翌年の三月三十一日までの間とする。

(2) 統計の対象となる契約

国の支出の原因となる契約（予定価格が予決令第九十九条第二号、第三号、第四号又は第七号のそれぞれの金額を超えないもの及び「主要食糧の需給及び価格の安定に関する法律」（平成六年法律第百十三号）第三十一条の方式による米穀等及び麦等の買入れに係るものを除く。）

(3) 統計の種類

① 契約金額及び件数に関する統計

全体の統計（公共工事（公共工事に係る調査及び設計業務等を含む。）と物品等又は役務に区分し、一般競争入札、指名競争入札及び随意契約に区分して件数及び金額を記載するもの。）

② 随意契約に関する統計

随意契約の内訳についての統計（契約の相手先を所管公益法人、その他の公益法人、独立行政法人等、特殊法人等、特定民間法人及びその他の法人に区分し、それぞれについて、随意契約の根拠とした条文別に件数及び金額並びに企画競争又は公募を行った件数及び金額を記載するもの。）

（注一）「所管公益法人」とは、各省各庁が所管する民法（明治二十九年法律第八十九号）第三十四条の規定に基づき設立された法人をいう。

（注二）「その他の公益法人」とは、（注一）以外の民法第三十四条の規定に基づき設立された法人及び民法以外の特別の法律に基づいて設立された公益を目的とする法人（学校法人、社会福祉法人等）をいう。

（注三）「独立行政法人等」とは、「独立行政法人通則法」（平成十一年法律第百三号）第二条第一項に規定する独立行政法人及び「国立大学法人法」（平成十五年法律第百十二号）第二条第一項及び第三項に規定する法人をいう。

（注四）「特殊法人等」とは、法律により直接設立された法人、特別の法律により特別の設立行為をもって設立された法人（総務省設置法（平成十一年法律第九十一号）第四条第十五号の規定の適用を受けない法人を除く。）及び特別な法律に基づき設立され、かつ、その設立に関し行政官庁の認可を要する法人をいう。

（注五）「特定民間法人」とは、公務員制度改革大綱（平成十三年十二月二十五日閣議決定）により、毎年十二月に各府省が公表した退職した職員の「再就職状況の公表について」において掲げられている民間法人及び各省各庁が、国の常勤職員であったものが再就職していることを把握している法人その他必要と認める法人をいう。

7　その他

(1)　「3　契約に係る情報の公表」については、準備が整い次第速やかに実施するものとし、遅くとも平成十八年十月一日以降に締結する契約に係る公表から実施するものとする。

(2)　「6　契約に関する統計の作成」については、平成十八年度に係る統計から実施するものとする。

現金出納及び保管金

○出納官吏事務規程

昭二二・九・二七
大蔵令九五

最終改正　令三・六・一八財務令五一

目次〔略〕

第一章　総則

第一条　現金の出納保管をつかさどる出納官吏（以下「出納官吏」という。）の事務の取扱に関しては、他の法令に定めるものの外、この省令の定めるところによる。

②　前項の出納官吏は、これを収入官吏、資金前渡官吏及び歳入歳出外現金出納官吏の三種とする。

③　収入官吏とは、歳入金の収納をする出納官吏をいう。

④　資金前渡官吏とは、現金支払をするためセンター支出官（予算決算及び会計令（昭和二十二年勅令第百六十五号。以下「令」という。）第一条第三号に規定するセンター支出官をいう。以下同じ。）から前渡を受けた資金の出納保管をする出納官吏をいう。

⑤　歳入歳出外現金出納官吏とは、歳入歳出外現金の出納保管をする出納官吏をいう。

第二条　出納官吏（出納官吏代理、分任出納官吏及び分任出納官吏代理を含む。第八条、第七十条から第七十三条まで及び第七十五条から第七十五条の三までを除き、以下同じ。）は、法令の規定により現金に代え証券を受領したときは、現金に準じその取扱をしなければならない。

第三条　出納官吏がその手許に保管する現金は、これを堅固な容器の中に保管しなければならない。ただし、特別の事由のあるときは、自己の責任をもつてこれを確実な銀行に預け入れ（郵便貯金銀行（郵政民営化法（平成十七年法律第九十七号）第九十四条に規定する郵便貯金銀行をいう。第五十二条第一項において同じ。）に預け入れる場合にあつては、郵政民営化法施行令（平成十七年政令第三百四十二号）第二条第一項第一号に規定する預金に限る。）、又は資産信用のある者にその保管を託し、その他適当な方法によりこれを保管することができる。

第四条　出納官吏は、その取扱にかかる現金を、私金と混同してはならない。

第五条　出納官吏は、他の公金の出納保管を兼掌する場合においては、その現金を官金と区分し、同一の容器の中にこれを保管することができる。

第六条　出納官吏がこの省令の定めるところにより振り出す小切手は、別段の定めのある場合を除くのほか、これを記名式持参人払としなければならない。ただし、第七条第二項に規定する場合を除くほか、各省各庁の長（財政法（昭和二十二年法律第三十四号）第二十条第二項に規定する各省各庁の長をいう。以下同じ。）が必要があると認めるときは、記名式持参人払に代え、持参人払式とすることができる。

第七条　出納官吏は、第三十一条の規定により国庫金振替書を発することになつている場合は、小切手を振り出し又は現金で支払をしてはならない。

②　出納官吏は、官庁、出納官吏、出納員、日本銀行、地方公共団体又は金融機関を受取人として振り出す小切手には、線引きをしなければならない。

③　前項に規定するもののほか、出納官吏は、小切手の振出に関する事務の処理上必要があると認める場合において、金融機関と取引関係のある者を受取人として振り出す小切手には、線引きをすることができる。

第七条の二　出納官吏は、日本銀行に預託金を有しない出納官吏又は出納員を受取人として小切手を振り出そうとするときは、あらかじめ、照合のため、当該受取人となる出納官吏又は出納員の印鑑並びにその資格及び官職氏名を明示した書面を預託先日本銀行に送付しておかなければならない。

第八条　各省各庁の長又はその委任を受けた職員は、出納官吏代理又は分任出納官吏代理を置く場合においては、あらかじめ、出納官吏代理又は分任出納官吏代理が出納官吏又は分任出納官吏にいかなる事故（官職の指定により出納官吏又は分任出納官吏が設置されている場合においては、その欠けた場合を含む。）があるときに代理を行なうべきかを定めておくものとする。ただし、やむを得ない事情がある場合には、代理させるつど定めることを妨げない。

②　出納官吏代理又は分任出納官吏代理は、前項の規定により各省各庁の長又はその委任を受けた職員の定める場合において、出納官吏又は分任出納官吏の事務を代理するものとする。

③　出納官吏若しくは出納官吏代理又は分任出納官吏若しくは分任出納官吏代理は、出納官吏代理又は分任出納官吏代理が前項の規定により出納官吏又は分任出納官吏の事務を代理するときは、代理開始及び終止の年月日並びに出納官吏代理又は分任出納官吏代理が取り扱つた現金の出納保管に関する事務の範囲を関係の帳簿において明らかにしておかなければならない。

④　前項の規定は、出納官吏代理又は分任出納官吏代理が出納官吏又は分任出納官吏の事務を代理している間に当該出納官吏代理又は分任出納官吏代理に異動があつたときについて準用する。

第九条　外国における出納官吏の事務取扱上、この省令により難いものについては、特例を設けることができる。

第十条　各省各庁の長は、この省令に定めるものを除くの外、その所属の出納官吏の事務取扱について、財務大臣と協議し必要な事項を定めることができる。

第十一条　この省令は、第二十五条の二、第二十七条、第二十八条、第三十九条、第四十条、第四十二条から第四十二条の五まで及び第五十二条の二から第五十二条の四までに規定する場合その他別段の規定がある場合を除くほか、出納員の事務取扱について準用する。

第二章　収入官吏

第一節　収入金の領収

第十二条　収入官吏（収入官吏代理、分任収入官吏及び分任収入官吏代理を含む。第二十三条第二項及び第七十四条を除き、以下同じ。）は、納入者から納入告知書又は納付書を添え、現金の納付を受けたときは、これを収納し、領収証書を納入者に交付し、その都度報告書を歳入徴収官（当該納入告知書又は納付書が分任歳入徴収官の発したものであるときは、分任歳入徴収官とする。以下本条中同じ。）に送付しなければならない。

②　収入官吏は、納入者から納入告知書又は納付書に記載されてある納期前に、納付金額の一部について当該納入告知書又は納付書を添えて現金の納付を受けたときは、これを収納し、当該納入告知書又は納付書の余白に収納した年月日、金額及び収入官吏の官職氏名を記載して印をおし、これを納入者に返付し、その都度報告書を歳入徴収官に送付しなければならない。

③　収入官吏は、前項の場合において納付を受けた金額の合計額が納入告知書又は納付書に記載されている金額に達したときは、領収証書を納入者に交付し、その旨を記載した領収済通知書を歳入徴収官に送付しなければならない。

第十三条　収入官吏は、納入者から、納入告知書若しくは納付書を添えないで現金の納付を受けたとき又は歳入徴収官若しくは分任歳入徴収官の口頭の告知により現金の納付を受けたときは、これを収納し、領収証書を納入者に交付し、その都度報告書を歳入徴収官又は分任歳入徴収官に送付しなければならない。

第十三条の二　収入官吏は、道路交通法施行令（昭和三十五年政令第二百七十号）第五十二条第三項（同条第六項及び同令第五十二条の二第二項において準用する場合を含み、同令第五十二条第三項第一号に掲げる方法による場合を除く。）の規定に基づき、納入者から、収入官吏の預金又は貯金の口座（第三条ただし書の規定により現金を保管するための銀行への預入れ等に係る口座をいう。）への振込みの方法による現金の納付を受けたときは、これを収納し、その都度報告書を歳入徴収官又は分任歳入徴収官に送付しなければならない。

2　前項の場合において、収入官吏は、領収証書を納入者に交付することを要しない。

第十四条　収入官吏は、外国において納入者から邦貨を基礎とする収入金を外国貨幣で収納しようとするときは、別に定める外国貨幣換算率により換算した金額に相当する外国貨幣を収納しなければならない。

②　前項の場合においては、歳入徴収官に送付する報告書に記載する邦貨額の傍に外国貨幣額及び外国貨幣換算率を附記しなければならない。

第十五条　収入官吏は、外国において納入者から外国貨幣を基礎とする収入金を邦貨で収納しようとするときは、別に定める外国貨幣換算率により換算した金額に相当する邦貨を収納しなければならない。

②　前項の場合においては、歳入徴収官に送付する報告書に記載する邦貨額の傍に外国貨幣額及び外国貨幣換算率を附記しなければならない。

第十六条　収入官吏は、外国において納入者から外国貨幣を基礎とする収入金を外国貨幣で収納したときは、歳入徴収官に送付する報告書に別に定める外国貨幣換算率により換算した邦貨額を記載し、その傍にその収納した外国貨幣額を附記しなければならない。

第二節　収入金の払込

第十七条　収入官吏は、現金を領収したときは、次条第一項に規定する場合を除き、第一号書式の現金払込書を添え、現金領収の日又はその翌日（当該翌日が日曜日若しくは土曜日、国民の祝日に関する法律（昭和二十三年法律第百七十八号）に規定する休日又は一月二日、同月三日若しくは十二月三十一日に当たるときは、これらの日の翌日を当該翌日とみなす。）において日本銀行（本店、支店、代理店又は歳入代理店をいう。以下この条において同じ。）に払い込まなければならない。ただし、領収金額が二十万円に達するまでは、五日分までの金額を取りまとめて日本銀行に払い込むことができる。

第十八条　収入官吏は、外国において現金を領収したときは、毎一月分を取りまとめ、現金払込書を添え、日本銀行本店に払い込まなければならない。

②　前項の現金払込書には、邦貨額を記載し、その払込金を送付するために使用した為替（外国為替及び外国貿易法（昭和二十四年法律第二百二十八号）第六条第一項第八号に規定する対外支払手段をいう。）の金額を附記しなければならない。

第十九条　各省各庁の長は、収入官吏の現金払込みの事務の取扱いについて特別の事由により前二条の規定により難い場合においては、財務大臣と協議して、その特例を設けることができる。

第三節　現金払込報告

第二十条から第二十二条まで　削除

第二十三条　収入官吏は、現金出納簿により毎月第三号書式の現金払込仕訳書を作製し、翌月五日までにこれを歳入徴収官に送付しなければならない。

② 分任収入官吏（分任収入官吏代理を含む。以下この項において同じ。）の作製した現金払込仕訳書は、主任収入官吏（その収入官吏代理を含む。）においてこれをとりまとめ、歳入徴収官に送付するものとする。但し、歳入徴収官において必要と認めるときは、分任収入官吏をして直接これを送付させることができる。

第三章　資金前渡官吏

第一節　総則

第二十四条　資金前渡官吏、資金前渡官吏代理、分任資金前渡官吏又は分任資金前渡官吏代理（以下この項において「資金前渡官吏等」という。）が新設された場合又は資金前渡官吏等の異動があつた場合において当該資金前渡官吏等に係る資金が日本銀行（本店、支店又は代理店をいう。以下同じ。）に預託されるものであるときは、当該新設された資金前渡官吏等又は後任の資金前渡官吏等は、直ちに第十六号書式の取引関係通知書を作成し、これをその預託先日本銀行に送付しなければならない。

② 資金前渡官吏若しくは資金前渡官吏代理又は分任資金前渡官吏若しくは分任資金前渡官吏代理の預託先日本銀行を変更しようとするときは、当該資金前渡官吏又は分任資金前渡官吏（資金前渡官吏代理又は分任資金前渡官吏代理がその事務を代理しているときは、資金前渡官吏代理又は分任資金前渡官吏代理）は、取引関係通知書を作成し、これを旧預託先及び新預託先の日本銀行にそれぞれ送付しなければならない。

③ 資金前渡官吏又は分任資金前渡官吏を任命した者は、日本銀行に預託金を有する資金前渡官吏又は分任資金前渡官吏が廃止される場合において当該資金前渡官吏又は分任資金前渡官吏の残務を処理させる必要があるときは、当該残務を引き継ぐべき資金前渡官吏又は分任資金前渡官吏を定め、その旨を廃止される資金前渡官吏又は分任資金前渡官吏（資金前渡官吏代理又は分任資金前渡官吏代理がその事務を代理しているときは、資金前渡官吏代理又は分任資金前渡官吏代理とする。以下この項において同じ。）及び引継を受ける資金前渡官吏又は分任資金前渡官吏に通知しなければならない。

④ 資金前渡官吏若しくは資金前渡官吏代理又は分任資金前渡官吏若しくは分任資金前渡官吏代理が廃止されるときは、前項の引継を受ける資金前渡官吏若しくは分任資金前渡官吏（引継を受ける資金前渡官吏又は分任資金前渡官吏が定められないときは、廃止される資金前渡官吏又は分任資金前渡官吏）又は廃止される資金前渡官吏代理若しくは分任資金前渡官吏代理は、直ちに取引関係通知書を作成し、これを廃止される資金前渡官吏若しくは資金前渡官吏代理又は分任資金前渡官吏若しくは分任資金前渡官吏代理の預託先日本銀行に送付しなければならない。

⑤ 第一項、第二項又は前項の規定により取引関係通知書を送付した後にこれらの項に規定する場合のほか、当該通知書の記載事項に変更を生じたときは、資金前渡官吏若しくは資金前渡官吏代理又は分任資金前渡官吏若しくは分任資金前渡官吏代理は、直ちにその旨を預託先日本銀行に通知しなければならない。ただし、その変更に係る事由が資金前渡官吏及び資金前渡官吏代理又は分任資金前渡官吏及び分任資金前渡官吏代理のそれぞれの取引関係通知書の双方に関係するものであるときは、資金前渡官吏又は分任資金前渡官吏（資金前渡官吏代理又は分任資金前渡官吏代理がその事務を代理しているときは、資金前渡官吏代理又は分任資金前渡官吏代理）がその旨をあわせて通知するものとする。

第二十五条　資金前渡官吏（資金前渡官吏代理、分任資金前渡官吏及び分任資金前渡官吏代理を含む。以下同じ。）は、日本銀行に資金を預託しようとするときは、照合のため、その印鑑に資格及び官職氏名を記載し、これを預託先日本銀行に送付しなければならない。

第二十五条の二　資金前渡官吏は、令第五十一条の規定により前渡を受けた同条第十三号に掲げる経費に充てるための資金については、現金出納簿において、他の資金と区分して受払いを行うものとする。

第二十六条　本章の規定により資金前渡官吏の振り出す小切手又は発する国庫金振替書には、その表面余白に「預託金」と記載しなければならない。

第二節　前渡資金の受入、保管及び引出

第二十七条　日本銀行所在地に在勤する資金前渡官吏は、その保管に属する現金を、その地の日本銀行に預託しなければならない。但し、常時小口の現金支払を必要とする場合において、財務大臣の定める金額の範囲内については、この限りでない。

第二十八条　日本銀行所在地外に在勤する資金前渡官吏は、その在勤地又は出張地の最寄の日本銀行に、その保管に属

する現金を預託することができる。日本銀行所在地に在勤する資金前渡官吏が、在勤地外において現金を保管するときも亦同様とする。

第二十九条　資金前渡官吏は、センター支出官又は他の出納官吏から国庫金振替書により資金の交付又は送付を受けたときは、日本銀行から振替済通知書、小切手用紙、国庫金振替書用紙並びに第四十九条第一項及び第五十条第一項に規定する書類（第四十九条第三項、第五十条第三項及び第五十二条第四項後段に規定する書類を含む。）の用紙の交付を受けなければならない。

②　資金前渡官吏は、その保管に属する現金を日本銀行に預託しようとするときは、これに第三号書式の預託金払込書を添え、日本銀行に払い込み、預託金領収証書、小切手用紙、国庫金振替書用紙並びに第四十九条第一項及び第五十条第一項に規定する書類（第四十九条第三項、第五十条第三項及び第五十二条第四項後段に規定する書類を含む。）の用紙の交付を受けなければならない。

第三十条　資金前渡官吏は、日本銀行に預託した現金を引き出そうとするときは、自己を受取人とする小切手を振り出さなければならない。

第三節　国庫金振替書の発行

第三十一条　資金前渡官吏は、次に掲げる場合は、会計法（昭和二十二年法律第三十五号）第四十九条の規定により国庫内の移換のための国庫金振替書を発し、これを預託先日本銀行に交付しなければならない。

一　資金前渡官吏が、官署支出官（令第一条第二号に規定する官署支出官をいう。以下同じ。）又は歳入徴収官（分任歳入徴収官を含む。以下同じ。）若しくは国税収納命令官（分任国税収納命令官を含む。以下同じ。）から納入告知書、納税告知書又は納付書（日本銀行を納付場所とするものに限る。）の交付を受け、これに基づいて（第四十五条（第八十三条第四項において準用する場合を含む。次条第二項及び第三十四条第一項において同じ。）の規定により所属庁の歳入に組み入れる場合は、歳入徴収官の決定に基づいて）日本銀行に預託した金額の中から歳出の金額に返納し、又は歳入に納付し、若しくは国税収納金整理資金に払い込むとき

一の二　資金前渡官吏が、他の出納官吏から納入告知書の交付を受け、これに基づいて日本銀行に預託した金額の中から当該他の出納官吏の預託金に払い込むとき

二　資金前渡官吏が、第五十三条から第五十七条までの場合において、日本銀行に預託した金額の中から払込みをするとき

三　資金前渡官吏が、日本銀行に預託金を有する出納官吏に対し、日本銀行に預託した金額の中から、資金を送付するとき

四　削除

五　資金前渡官吏が、預託先日本銀行を変更するため、預託金の残高を新預託先の日本銀行に付け替えるとき

第三十二条　資金前渡官吏は、前条に規定する国庫内の移換のため支払をしようとするときは、国庫金振替書その他国庫金の払出しに関する書類の様式を定める省令（昭和四十三年大蔵省令第五十一号。以下「省令」という。）第一号書式の国庫金振替書を発し、これをその預託先日本銀行に交付し、国庫内の移換の手続をさせなければならない。

②　前項の場合において資金前渡官吏は、前条第一号の場合（第四十五条の規定により所属庁の歳入に組入れるときを除く。）又は第一号の二の場合において発する国庫金振替書には、納入告知書、納税告知書又は納付書を、前条第二号において規定する第五十四条の二の場合において発する国庫金振替書には、労働保険の保険料の徴収等に関する法律に基づく労働保険料等の納付手続の特例に関する省令（昭和四十七年大蔵省令第十七号）に定める納付書を、前条第二号において規定する第五十五条第二項及び第三項本文（第五十六条において適用する場合を含む。）の場合において発する国庫金振替書には、当該相殺額に対する納入告知書又は納付書を、前条第二号において規定する第五十七条の場合において発する国庫金振替書には、国税通則法（昭和三十七年法律第六十六号）第三十四条第一項に規定する納付書及び所得税法施行規則（昭和四十年大蔵省令第十一号）第八十条に規定する計算書を、それぞれ添えなければならない。

③　資金前渡官吏は、前条第二号において規定する第五十三条、第五十四条又は第五十五条第一項（第五十六条において適用する場合を含む。）の場合において国庫金振替書を発したときは、それぞれ第十一号書式から第十四号書式までに準じた健康保険料被保険者負担金額表、船員保険料被保険者負担金額表、厚生年金保険料被保険者負担金額表、国家公務員有料宿舎使用料金額表、防衛省職員食事代金額表、防衛省職員被服弁償金額表、防衛省職員被服代払込金額表、国家公務員通勤災害一部負担金額表、労働者災害補償保険通勤災害一部負担金額表又は相殺額表を作成し、これを当該歳入徴収官に送付しなければならない。

④　資金前渡官吏は、前条第三号の場合において国庫金振替書を発したときは、第五号書式の国庫金振替送金通知書をその出納官吏に送付しなければならない。ただし、電信振替の場合においては、国庫金振替送金通知書に代え、電信でその旨を通知しなければならない。

⑤　前項の国庫金振替送金通知書は、資金前渡官吏が、その預託先日本銀行所在地にいる出納官吏に国庫金振替書によ

り資金を送付する場合においては、これを省略し適宜の方法をもつて通知することが出来る。

第三十三条　資金前渡官吏は、前条第一項の規定により発する国庫金振替書には、払出科目として預託金と記載しなければならない。

第三十四条　資金前渡官吏は、歳入徴収官から納入告知書又は納付書の交付を受け、これに基いて日本銀行に払込をしようとするとき発する国庫金振替書には、振替先としてその歳入の取扱庁名を、その受入科目として歳入年度、主管（特別会計にあつては所管）及び会計名を記載しなければならない。第四十五条の規定により所属庁の歳入に組み入れるため、日本銀行に払込みをしようとするとき発する国庫金振替書についても、同様とする。この場合においては、その国庫金振替書の表面余白に「徴収決定済み」と記載しなければならない。

② 資金前渡官吏は、国税収納命令官から納入告知書、納税告知書又は納付書の交付を受け、これに基いて国税収納金整理資金に払込をしようとするとき発する国庫金振替書には、振替先としてその受入金の取扱庁名を、その受入科目として何年度国税収納金整理資金と記載しなければならない。

③ 資金前渡官吏は、官署支出官から納入告知書の交付を受け、これに基づいて歳出の金額に返納しようとするとき発する国庫金振替書には、振替先としてセンター支出官名を、その受入科目として歳出年度、所管、会計名、部局等及び項を記載するとともに返納金戻入れの旨を付記しなければならない。

④ 前項の場合において、資金前渡官吏は、官署支出官から「電信れい入」と朱書した納入告知書の交付を受けたとき又は電信振替を要するものと認めたときは、その国庫金振替書の表面余白に「要電信振替」と記載しなければならない。

第三十五条　資金前渡官吏は、第五十三条から第五十六条までの場合において、日本銀行に預託した金額の中から払込みをしようとするとき発する国庫金振替書には、振替先としてその歳入の取扱庁名又はその歳出その他の支払金の金額に返納を受けるセンター支出官若しくは出納官吏名を、その受入科目として歳入年度、主管（特別会計にあつては所管）及び会計名又は歳出年度、所管、会計名、部局等及び項を、又は預託金と記載し、かつ、表面余白に、第五十三条の場合には「健康保険料被保険者負担金」、第五十四条の場合には「船員保険料被保険者負担金」、「厚生年金保険料被保険者負担金」、「労働保険料被保険者負担金」、「国家公務員有料宿舎使用料」、「防衛省職員食事代」、「防衛省職員被服弁償金」、「防衛省職員被服代払込金」、「国家公務員通勤災害一部負担金」又は「労働者災害補償保険通勤災害一部負担金」、第五十四条の二の場合には「労働保険料」、第五十五条及び第五十六条の場合には「相殺額」（第五十五条第三項若しくは第五十六条第一項の規定により受ける納付書に「電信れい入」の記載がある場合又は電信振替を要するものと認められる場合においては、「相殺額、要電信振替」）と記載しなければならない。

② 資金前渡官吏は、第五十七条の場合において、日本銀行に預託した金額の中から払込みをしようとするとき発する国庫金振替書には、振替先としてその受入金の取扱庁名を、その受入科目として何年度国税収納金整理資金と記載し、かつ、表面余白に、「所得税」と記載しなければならない。

第三十六条　資金前渡官吏は、日本銀行に預託金を有する出納官吏から納入告知書の交付を受け、これに基いて当該預託金に払込をし、又は当該出納官吏に資金を送付しようとするとき発する国庫金振替書には、振替先としてその出納官吏名を、その受入科目として預託金と記載し、その出納官吏の預託先日本銀行名を附記しなければならない。

② 資金前渡官吏は、前項の場合において、電信振替を要すると認めたときは、国庫金振替書の表面余白に「要電信振替」と記載しなければならない。

第三十六条の二　削除

第三十六条の三　資金前渡官吏は、第三十一条第五号の規定により発する国庫金振替書には、振替先として当該出納官吏名を、その受入科目として預託金と記載し、新預託先の日本銀行名を付記しなければならない。

第三十七条　資金前渡官吏は、預託先日本銀行に国庫金振替書を交付し振替を終わつたときは、当該預託先日本銀行から振替済書を徴さなければならない。

第四節　支払等

第三十八条　資金前渡官吏は、債権者から支払の請求を受けたときは、その請求は正当であるか、資金交付を受けた目的に違うことがないかを調査し、その支払をし、領収証書を徴さなければならない。

第三十九条　資金前渡官吏は、支出官事務規程（昭和二十二年大蔵省令第九十四号）第十五条第一項の規定により官署支出官から支払の請求を受け、かつ、センター支出官から当該支払に必要な資金の前渡を受けたときは、当該支払の請求の内容に従い、遅滞なくその支払をし、領収証書を徴さなければならない。

② 資金前渡官吏は、前項の規定により支払をしたときは、直ちに、支出官事務規程別紙第二号書式（その二）による支払済通知書に官署支出官から交付を受けた当該支払に係る同令第五条の書類を添え、これを当該官署支出官に交付しなければならない。

第四十条　資金前渡官吏は、健康保険、船員保険、厚生年金保険若しくは雇用保険の被保険者又は国家公務員有料宿舎使用者に報酬の支払をしようとするときは、その報酬額から被保険者の負担すべき保険料又は国家公務員有料宿舎使用料を控除した残額の支払をし、その領収証書を徴さなければならない。

②　資金前渡官吏は、防衛省職員に俸給その他の給与の支払をしようとするときは、その給与の額から防衛省職員食事代、防衛省職員被服弁償金又は防衛省職員被服代払込金を控除（防衛省職員食事代については俸給額から、防衛省職員被服弁償金及び防衛省職員被服代払込金については俸給その他の給与の額から控除）した残額の支払をし、その領収証書を徴さなければならない。

第四十条の二　資金前渡官吏は、国家公務員災害補償法（昭和二十六年法律第百九十一号）第三十二条の二第一項に規定する通勤による負傷又は疾病に係る療養補償を受ける職員に同条第二項に規定する補償金又は給与の支払をしようとするときは、それぞれその補償金又は給与の額から同条第一項に規定する一部負担金に相当する金額を控除した残額の支払をし、その領収証書を徴さなければならない。

第四十条の三　資金前渡官吏は、労働者災害補償保険法（昭和二十二年法律第五十号）第三十一条第二項に規定する療養給付を受ける労働者に、同条第三項に規定する保険給付の支払をしようとするときは、その保険給付の額から同条第二項に規定する一部負担金に相当する金額を控除した残額の支払をし、その領収証書を徴さなければならない。

第四十一条　資金前渡官吏は、民法（明治二十九年法律第八十九号）の規定により、国の債務と私人の債務の相殺があつたときは、相殺額を控除した残額の支払をし、その領収証書を徴さなければならない。

第四十一条の二　資金前渡官吏は、その所掌に属する支払金に係る債務について、国の債権の管理等に関する法律（昭和三十一年法律第百十四号）第二十二条第二項の規定により相殺又は充当をしたときは、直ちに、相手方の住所及び氏名又は名称、国の支払うべき金額、相手方の納付すべき金額、相殺額又は充当額、相殺又は充当をした日付、相殺又は充当をした国の債権に係る歳入徴収官、官署支出官又は出納官吏の官職及び氏名その他必要な事項を明らかにした書面を歳入徴収官等（同法第二条第四項に規定する歳入徴収官等をいう。以下同じ。）に送付しなければならない。

②　資金前渡官吏は、前項の場合において、その相殺をする国の債権が歳出その他の支払金の返納金に係るものであり、かつ、当該返納金に利息、延滞金又は一定の期間に応じて附する加算金が附せられているときは、先ず返納金について相殺をし、次いで利息、延滞金又は加算金について相殺をするものとする。

第四十二条　資金前渡官吏が所得税法（昭和四十年法律第三十三号）第百八十三条第一項、第百九十条、第百九十二条、第百九十九条、第二百三条の二、第二百四条第一項若しくは第二百十二条第一項から第三項までの規定による所得税の源泉徴収又は地方税法（昭和二十五年法律第二百二十六号）第四十一条第一項、第三百二十一条の五第一項及び第二項若しくは第三百二十八条の五第二項の規定による道府県民税及び市町村民税の特別徴収を必要とする給与、報酬、料金等又は退職手当等の支払をしようとするときは、それぞれその給与、報酬、料金等又は退職手当等の額からこれらの規定により徴収すべき所得税額又は道府県民税及び市町村民税の特別徴収税額の月割額若しくは退職手当等に係る所得割の額を控除した残額の支払をし、その領収証書を徴さなければならない。

②　資金前渡官吏は、前項の場合において、道府県民税及び市町村民税の特別徴収税額の月割額又は退職手当等に係る所得割の額を控除したときは、第五十二条の規定により納入する場合を除き、当該控除に係る市町村ごとの月割額に相当する金額又は当該控除に係る市町村ごとの所得割の額の毎月分の合計額に相当する金額を、その控除した月の翌月十日までに、これを徴収すべき市町村又は市町村の指定した銀行その他の金融機関（以下「市町村指定金融機関」という。）に納入し、その領収証書を徴さなければならない。

③　資金前渡官吏は、前項の場合において、道府県民税及び市町村民税の退職手当等に係る所得割の納入をするときは、地方税法第五十条の五及び第三百二十八条の五第二項の納入申告書を、当該所得割を徴収する市町村長に提出しなければならない。

第四十二条の二　削除

第四十二条の三　資金前渡官吏は、国家公務員共済組合法（昭和三十三年法律第百二十八号）又は地方公務員等共済組合法（昭和三十七年法律第百五十二号）による組合の組合員（組合員であつた者を含む。）に俸給その他の給与（国家公務員等退職手当法（昭和二十八年法律第百八十二号）に基づく退職手当又はこれに相当する手当を含む。）の支払をしようとするときは、その給与の額から、国家公務員共済組合法第百一条第一項若しくは第二項又は地方公務員等共済組合法第百十五条第一項若しくは第二項の規定により控除すべき金額に相当する金額を控除した残額の支払をし、その領収証書を徴さなければならない。

②　資金前渡官吏は、前項の規定により控除した金額を共済組合に支払い、その領収証書を徴さなければならない。

第四十二条の四　資金前渡官吏は、勤労者財産形成促進法

（昭和四十六年法律第九十二号。以下この条及び第五十二条第三項において「促進法」という。）第六条第一項に規定する勤労者財産形成貯蓄契約、同条第二項に規定する勤労者財産形成年金貯蓄契約又は同条第四項に規定する勤労者財産形成住宅貯蓄契約（以下この条及び第五十二条第三項において「貯蓄契約」という。）を締結した職員に俸給その他の給与の支払をしようとするときは、その給与の額から同法第十五条第一項の規定又は労働基準法（昭和二十二年法律第四十九号）第二十四条第一項に規定する協定若しくは船員法（昭和二十二年法律第百号）第五十三条第一項に規定する労働協約により控除することとなる当該貯蓄契約に基づく促進法第六条第一項第一号の預入等に係る金銭、保険料、掛金又は共済掛金（以下第五十二条第三項において「預入金等」という。）の額に相当する金額を控除した残額の支払をし、その領収証書を徴さなければならない。

② 資金前渡官吏は、前項の規定により控除した金額を当該貯蓄契約に係る促進法第六条第一項第一号の金融機関等、同項第二号の生命保険会社等又は同項第二号の二の損害保険会社に支払い、その領収証書を徴さなければならない。

第四十二条の五 資金前渡官吏は、確定拠出年金法（平成十三年法律第八十八号）第六十二条第一項第二号の規定により個人型年金加入者（同法第二条第十項に規定する個人型年金加入者をいう。）となつた職員に俸給その他の給与の支払をしようとするときは、その給与の額から同法第七十一条第一項の規定により控除することとなる個人型年金加入者掛金（同法第五十五条第二項第四号に規定する個人型年金加入者掛金をいう。）に相当する金額を控除した残額の支払をし、その領収証書を徴さなければならない。

② 資金前渡官吏は、前項の規定により控除した金額を確定拠出年金法第二条第五項に規定する連合会に支払い、その領収証書を徴さなければならない。

第四十二条の六 第四十条、第四十条の二及び第四十二条から前条までの規定は、資金前渡官吏がこれらの条項に規定する俸給その他の給与、報酬若しくは料金等又は手当等の支払をするため出納員に資金を交付しようとする場合について準用する。この場合において、これらの規定中「残額の支払」とあるのは、「残額に相当する資金の交付」と読み替えるものとする。

第四十二条の七 第五十二条第五項の規定により、給与を振込みの方法により支払う場合における第四十条、第四十条の二、第四十二条第一項、第四十二条の三第一項、第四十二条の四第一項及び第四十二条の五第一項の規定の適用については、これらの規定中「その領収証書」とあるのは、「預託先日本銀行の領収証書」とする。

第四十三条 資金前渡官吏は、日本銀行に預託した金額の中から支払をしようとするときは、現金の交付に代え、その預託金に対する小切手を振り出さなければならない。但し、第三十一条の規定により国庫金振替書を発する場合、職員等に俸給その他の給与、賃金若しくはこれに準ずるものの支払をする場合又は受取人が特に現金の交付を求めた場合は、この限りでない。

② 資金前渡官吏は、日本銀行に預託した金額の中から日本銀行に預託金を有しない出納官吏又は出納員に資金を交付しようとするときは、現金の交付に代え、その預託金に対する小切手を振り出すことができる。

第四十四条 資金前渡官吏は、その振り出した小切手で、振出日付から一年を経過し預託先日本銀行においてまだ支払を終わらないものについては、その金額、年度、科目及び債権者氏名又は名称を、官署支出官を経由して歳入徴収官に報告しなければならない。

第四十五条 資金前渡官吏は、前条の金額につき歳入徴収官から納入告知書又は納付書の交付を受けたとき（所属庁の歳入に組み入れる場合は、歳入徴収官の決定に基づいて）は、第三十二条第一項及び第二項、第三十三条並びに第三十四条第一項の手続をしなければならない。

第四十六条 第四十三条の小切手がその振出日付から一年を経過し、預託先日本銀行において支払を拒絶されたため、その所持人から償還の請求があつたときは、資金前渡官吏は、これを調査し、償還すべきものと認めるときは、事由を詳らかにし証拠書類を添え、その支払を官署支出官に請求しなければならない。

第四十七条 前二条の場合において、資金前渡官吏が交替したとき又は廃止されたときは、後任の出納官吏又はその残務を引き継いだ出納官吏においてその手続をしなければならない。

第四十八条 資金前渡官吏は、隔地の出納官吏で資金を日本銀行に預託する出納官吏以外のもの又は隔地の出納員（次項に規定する振込の請求をした出納官吏又は出納員を除く。）に資金を送付する場合においては、預託先日本銀行にその送金を請求することができる。

② 資金前渡官吏は、出納官吏で資金を日本銀行に預託する出納官吏以外のもの又は出納員に資金を送付する必要がある場合において、当該出納官吏又は出納員から、日本銀行が指定した銀行その他の金融機関（以下「日本銀行指定金融機関」という。）の当該出納官吏又は出納員の預金又は貯金に振込の請求があつたときは、その預託先日本銀行に振込の請求をすることができる。

第四十九条 資金前渡官吏は、前条第一項の送金を請求しようとするときは、送金額を券面金額とし日本銀行を受取人とする小切手を振り出し、省令第二号書式の国庫金送金請求書を添え、これをその預託先日本銀行に交付し、領収証書を徴さなければならない。

② 前項の場合において数人の出納官吏又は出納員に対し送金を請求しようとするときは、その合計額を券面金額とする小切手を振り出すことができる。

③ 資金前渡官吏は、第一項の手続をしたときは、省令第四号書式の国庫金送金通知書を出納官吏又は出納員に送付しなければならない。ただし、その手続が、地方税法第四十二条、第三百二十一条の五第四項又は第三百二十八条の五第三項の規定により、道府県民税及び市町村民税の特別徴収税額の月割額又は退職手当等に係る毎月分の所得割の納入をするためのものであるときは、省令第六号書式（その二）の道府県民税及び市町村民税月割額又は退職手当等所得割（納入申告及び）納入通知書を関係の市町村に送付するものとする。

④ 支出官事務規程第十二条の規定は、第一項の規定により送金をする場合について準用する。

第五十条　資金前渡官吏は、第四十八条第二項の振込を請求しようとするときは、振込額を券面金額とし日本銀行を受取人とする小切手を振り出し、これに省令第三号書式の国庫金振込請求書を添え、これをその預託先日本銀行に交付し領収証書を徴さなければならない。

② 前条第二項の規定は、前項の場合に、これを準用する。

③ 第一項の場合においては、資金前渡官吏は、その旨を適宜の方法により出納官吏又は出納員に通知しなければならない。

第五十一条　資金前渡官吏は、第四十九条第三項の規定により国庫金送金通知書を送付した後、出納官吏又は出納員から当該国庫金送金通知書を添え支払店変更の請求を受けた場合において、相当の事由があると認めたときは、当該国庫金送金通知書に記載した支払店を訂正し、これを出納官吏又は出納員に返付し、直ちにその旨を預託先日本銀行に通知しなければならない。

第五十二条　資金前渡官吏は、隔地の債権者（次項に規定する振込みの請求をした債権者を除く。）に支払をする場合又は債権者（次項に規定する振込の請求をした債権者を除く。）に郵便貯金銀行の営業所及び郵便局（簡易郵便局法（昭和二十四年法律第二百十三号）第二条に規定する郵便窓口業務を行う日本郵便株式会社の営業所であつて郵便貯金銀行を所属銀行とする銀行代理業（銀行法（昭和五十六年法律第五十九号）第二条第十四項に規定する銀行代理業をいう。）の業務を行うものをいう。第八十二条の二第一項において同じ。）から支払をする場合においては、預託先日本銀行にその送金を請求することができる。

② 資金前渡官吏は、債権者に支払をする場合において、当該債権者から日本銀行指定金融機関の当該債権者の預金又は貯金に振込の請求があつたとき又は地方税法第四十二条、第三百二十一条の五第四項若しくは第三百二十八条の五第三項の規定により、日本銀行指定金融機関に該当する市町村指定金融機関に対し、道府県民税及び市町村民税の特別徴収税額の月割額若しくは退職手当等に係る毎月分の所得割の納入をするときは、その預託先日本銀行に振込の請求をすることができる。

③ 前項の規定は、資金前渡官吏が貯蓄契約に係る促進法第六条第一項第一号の金融機関等であつて日本銀行指定金融機関であるもの又は日本銀行指定金融機関に預金若しくは貯金を有する同項同号の金融機関等、同項第二号の生命保険会社等若しくは同項第二号の二の損害保険会社に預入金等を払込む場合に準用する。

④ 前三条の規定は、前三項の規定による送金又は振込について、これを準用する。この場合において、道府県民税及び市町村民税の特別徴収税額の月割額又は退職手当等に係る毎月分の所得割の納入をするため振込の手続をした場合における通知は、省令第六号書式（その一）道府県民税及び市町村民税月割額又は退職手当等所得割（納入申告及び）納入通知書を関係の市町村に送付することにより行うものとする。

⑤ 第二項の振込みが、日本銀行指定金融機関（職員に支給する給与（以下「職員給与」という。）の振込みができる日本銀行指定金融機関として日本銀行が指定したものに限る。）への職員給与の振込みである場合には、当該資金前渡官吏は、前項において準用する第五十条第一項の規定にかかわらず、省令第三号の二書式の国庫金振込請求書を当該職員給与の支給日（以下この項及び次項において「給与支給日」という。）の四営業日前の日までに当該預託先日本銀行に交付し、受領証書を徴するとともに、当該給与支給日の前営業日に振込請求金額（この項の規定による小切手の振出し前において第八十三条第二項の規定により振込みの取消しを請求した金額があるときは、当該金額を控除した金額）を券面金額とし、日本銀行を受取人とする小切手を振出し、これを当該預託先日本銀行に交付し、領収証書を徴さなければならない。

⑥ 資金前渡官吏は、前項の手続をしたときは、給与支給日に適宜の書面を債権者に交付しなければならない。

⑦ 第五項において「営業日」とは、預託先日本銀行の休日でない日をいう。

第五十二条の二　資金前渡官吏は、令第五十一条の規定により前渡を受けた同条第十三号に掲げる経費に充てるための資金について、外国にいる債権者に対し邦貨を基礎とする金額の支払をしようとするときは、預託先日本銀行を受取人とする小切手を振り出し、第十号書式の外国送金請求書を添え、これを預託先日本銀行に交付し、直ちにその旨を債権者に通知しなければならない。

第五十二条の三　資金前渡官吏は、令第五十一条の規定により前渡を受けた同条第十三号に掲げる経費に充てるための資金について、外国にいる債権者に対し外国貨幣を基礎とする金額の支払をしようとするときは、支出官事務規程第十一条第二項第四号の規定により定められた外国貨幣換算率により換算した邦貨額を券面金額とする小切手を振り出し、前条の規定に準じ、外国送金請求書を添え、これを預託先日本銀行に交付し、債権者に通知の手続をしなければならない。

第五十二条の四　第五十二条第五項の規定は、前二条の場合について準用する。

第五十二条の五　資金前渡官吏は、その所掌に属する支払金に係る返納金について、これを戻し入れることができる期間内に、返納者から納入告知書又は納付書を添えて当該返納金の納付を受けたときは、これを収納して領収証書を返納者に交付しなければならない。

②　前項の場合において、収納した返納金が国の債権（国の債権の管理等に関する法律第二条第一項に規定する国の債権で同法第三条第一項各号に掲げる債権を除いたものをいう。）に係るものであるときは、資金前渡官吏は、領収済通知書を歳入徴収官等に送付しなければならない。ただし、当該返納金が第五十五条第三項本文の規定により払込みを受けたものであるときは、この限りでない。

第五節　払込及び返納

第五十三条　資金前渡官吏は、第四十条（第四十二条の六において準用する場合を含む。）の手続をしたときは、被保険者の負担すべき保険料に相当する現金に第十一号書式の健康保険料被保険者負担金額表を添え、歳入徴収官の指定した収入官吏に払い込み、領収証書の交付を受けなければならない。

第五十四条　前条の規定は、資金前渡官吏が第四十条の二（第四十二条の六において準用する場合を含む。）又は第四十条の三の手続をした場合について準用する。この場合において、前条中「第十一号書式の健康保険料被保険者負担金額表」とあるのは、「第十二号書式の船員保険料被保険者負担金額表」、「第十三号書式の厚生年金保険料被保険者負担金額表」、「第十三号の三書式の国家公務員有料宿舎使用料金額表」、「第十三号の四書式の防衛省職員食事代金額表」、「第十三号の五書式の防衛省職員被服弁償金額表」、「第十三号の六書式の防衛省職員被服代払込金額表」、「第十三号の七書式の国家公務員通勤災害一部負担金額表」又は「第十三号の八書式の労働者災害補償保険通勤災害一部負担金額表」と読み替えるものとする。

第五十四条の二　資金前渡官吏は、労働保険の保険料の徴収等に関する法律（昭和四十四年法律第八十四号）の規定により、労働保険料を労働保険特別会計の徴収勘定の歳入に納付するとき（第五十八条に該当する場合を除く。）は、その納付すべき労働保険料に相当する現金に労働保険の保険料の徴収等に関する法律に基づく労働保険料等の納付手続の特例に関する省令に定める納付書を添えて払い込み、領収証書の交付を受けなければならない。

第五十五条　資金前渡官吏は、歳入に係る国の債権について第四十一条の手続をしたときは、相殺金額に相当する現金に第十四号書式の相殺額表を添え、歳入徴収官の指定した収入官吏に払い込み領収証書の交付を受けなければならない。

②　前項の場合において、国の債権者が、資金前渡官吏の所属庁以外の官庁に対する債務をもつて相殺したときは、その官庁の歳入徴収官から納入告知書又は納付書を受け、相殺金額に相当する現金に当該納入告知書又は納付書を添え、払込の手続をしなければならない。

③　資金前渡官吏は、歳出その他の支払金の返納金に係る国の債権について第四十一条の手続をしたときは、歳入徴収官等から納付書を受け、相殺金額に相当する現金に当該納付書を添え、払込の手続をしなければならない。ただし、当該資金前渡官吏の支払に係る返納金について同条の手続をしたときは、この限りでない。

第五十六条　国の収納し又は返納させるべき金額が、国の支払うべき金額と同額であるとき又はこれを超過する場合においては、資金前渡官吏は、相殺額について前条の手続をしなければならない。

②　前項の場合において、収納額又は返納額の相殺額を超過したものについては、資金前渡官吏は、第四十一条の二第一項に規定する手続をとつたものを除き、相殺額を超過した金額及び相殺の相手方の氏名を歳入徴収官に報告しなければならない。

第五十七条　資金前渡官吏は、第四十二条第一項（第四十二条の六において準用する場合を含む。）の規定による所得税額を控除した残額の支払をしたときは、所得税額に相当する現金に国税通則法第三十四条第一項に規定する納付書及び所得税法施行規則第八十条に規定する計算書を添え、日本銀行に払い込み領収証書の交付を受けなければならない。

第五十八条　資金前渡官吏は、官署支出官、歳入徴収官又は出納官吏から納入告知書又は納付書を受けたときは、現金に当該納入告知書又は納付書を添え、払込みの手続をしなければならない。

第六節　返納金の戻入

第五十八条の二　資金前渡官吏が支払つた金額に係る返納金は、これをその支払つた金額に戻し入れることができる。ただし、重大な過失により誤払過渡となつた金額に係る返納金又は当該資金前渡官吏が毎会計年度所属の歳出金を支払うことができる期限経過後収納された返納金（日本銀行国庫金取扱規程（昭和二十二年大蔵省令第九十三号）第三十九条第五項又は第六項に規定する手続をとつたものを除く。）については、この限りでない。

② 資金前渡官吏は、前項本文の規定によりその支払つた金額に戻し入れることができる返納金が国の内部における支払に基くものであるときは、債権管理事務取扱規則（昭和三十一年大蔵省令第八十六号）別紙第二号書式に準じ納入告知書を作成してその返納をすべき職員に送付しなければならない。

③ 資金前渡官吏は、前項の規定により納入告知書を発した返納金で毎会計年度所属の歳出金を支払うことができる期限までに収納済とならなかつたものについては、当該期限経過後直ちにその金額、年度、歳出科目、返納すべき職員の官職及び氏名を歳入徴収官に報告しなければならない。

第七節　調査等

第五十九条　資金前渡官吏は、日本銀行から預託金月計突合表の送付を受けたときは、これを調査し、適正であると認めたときは、当該突合表に記名しなければならない。ただし、相違のある点についてはその事由を付記するものとする。

2　資金前渡官吏は、前項の規定により送付を受けた預託金月計突合表に誤りがあることを発見したときは、当該突合表の送付を受けた月の第十二営業日（「営業日」とは、日本銀行の休日でない日をいう。）までにその旨を日本銀行に通知しなければならない。

3　第一項の規定は、資金前渡官吏が前項の通知をした後、日本銀行から再度預託金月計突合表の送付を受けた場合について準用する。

第四章　歳入歳出外現金出納官吏

第六十条　歳入歳出外現金出納官吏（歳入歳出外現金出納官吏代理、分任歳入歳出外現金出納官吏及び分任歳入歳出外現金出納官吏代理を含む。以下同じ。）は、現金を領収したときは、領収証書を交付し、その旨を取扱庁に報告しなければならない。

第六十一条　歳入歳出外現金出納官吏の領収した現金を、日本銀行に払込をする場合においては、保管金取扱規程（大正十一年大蔵省令第五号）及び保管金払込事務等取扱規程（昭和二十六年大蔵省令第三十号）の定めるところによらなければならない。

第六十二条　歳入歳出外現金出納官吏は、その保管にかかる現金を払い渡したときは、受取人から領収証書を徴し、その旨を取扱庁に報告しなければならない。

第五章　削除

第六十三条から第六十九条まで　削除

第六章　事務引継手続

第七十条　出納官吏が交替するときは、前任の出納官吏（出納官吏代理がその事務を代理しているときは、出納官吏代理。以下本条から第七十三条までにおいて同じ。）は、交替の日の前日をもつて、その月分の現金出納簿の締切をし、引継の年月日を記入し、後任の出納官吏とともに記名しなければならない。

第七十一条　日本銀行に預託金を有する前任の出納官吏は、前条の締切をした日における預託金現在高の証明を預託先日本銀行に対し請求しなければならない。

第七十二条　前任の出納官吏は、第十五号書式の現金現在高調書又は現金及び預託金現在高調書並びにその引継ぐべき帳簿、証拠その他の書類の目録各二通を作成し、後任の出納官吏の立会の上現物に対照し、受渡をした後、現在高調書及び目録に年月日及び受渡を終つた旨を記入し、両出納官吏において記名し各一通を保存しなければならない。

第七十三条　前条の手続を終つたときは、前任の出納官吏は、後任の出納官吏とともに記名した上第十五号の二書式の預託金現在高引継通知書を所属官庁に送付しなければならない。

② 前項の通知書には、前任の出納官吏の振り出した小切手で預託先日本銀行においてまだ支払を終らない金額を区分し記載しなければならない。

第七十四条　第二十三条の規定により作製すべき現金払込仕訳書は、後任の収入官吏又は分任収入官吏（収入官吏代理又は分任収入官吏代理がその事務を代理しているときは、当該収入官吏代理又は分任収入官吏代理）においてこれを作製しなければならない。

第七十五条　出納官吏が廃止されたときは、廃止される出納官吏（出納官吏代理がその事務を代理しているときは、出納官吏代理。以下本条及び次条において同じ。）は、第七十条から第七十三条までの規定に準じ、その残務を引き継ぐべき出納官吏に残務の引継の手続をしなければならない。

第七十五条の二　前任の出納官吏又は廃止される出納官吏が第七十条から第七十三条まで又は前条の規定による引継ぎの事務を行うことができないときは、令第百二十五条の規定により指定された職員がこれらの出納官吏に係る引継ぎの事務を行うものとする。

第七十五条の三　第七十条から第七十三条まで、第七十五条及び前条の規定は、分任出納官吏が交替するとき、又は廃止されたときにおける事務の引継をする場合について準用する。

第七章　雑則

第七十六条　出納官吏は、その保管にかかる現金を亡失したときは、遅滞なくその事由を記載して所属官庁に報告しなければならない。

第七十七条　出納官吏は、領収済報告書、現金払込書又は預託金払込書の記載事項の中で誤りのあることを発見したときは、日本銀行において当該年度所属の歳入金を受け入れることができる期限までに歳入徴収官又は日本銀行にその訂正を請求しなければならない。

②　出納官吏は、歳入徴収官から、当該出納官吏が収納した歳入金の所属年度、主管名、会計名又は取扱庁名について、誤びゆうの訂正の請求があつたときは、当該誤びゆうを訂正し、その旨を当該歳入徴収官に通知しなければならない。

第七十八条　出納官吏は、国庫金送金通知書、道府県民税及び市町村民税月割額又は退職手当等所得割（納入申告及び）納入通知書又は国庫金振替送金通知書の記載事項の中で、金額以外のものに誤りのあることを発見したときは、受取人をしてその通知書を提出させ、これを訂正し、その事由を記入し、これを受取人に返付しなければならない。

第七十九条　出納官吏は、国庫金振替書、国庫金送金請求書又は国庫金振込請求書の記載事項の中で、金額以外のものに誤りのあることを発見したときは、遅滞なく預託先日本銀行にその訂正を請求しなければならない。

第八十条　出納官吏は、現金の払込にかかる領収証書又は預託金領収証書を亡失又は毀損した場合には、日本銀行からその払込済の証明を受けなければならない。

第八十条の二　出納官吏は、歳入徴収官又は分任歳入徴収官から歳入金領収済証明請求書の送付があつた場合においては、これを調査し正当と認めたときは、その請求書の余白に領収済の旨を証明の上、これを歳入徴収官又は分任歳入徴収官に送付しなければならない。

②　出納官吏は、前項の手続をしたときは、その事由を証拠書類に記入しておかなければならない。

第八十一条　出納官吏は、第四十九条第三項本文（第五十二条第四項において準用する場合を含む。次条において同じ。）の規定により受取人に送付した国庫金送金通知書が、受取人の受領前に亡失し、支払未済であることを確認したときは、預託先日本銀行にその支払の停止の手続をさせ、更に国庫金送金通知書を作成し、表面余白に「再発行」と記載し、これを受取人に送付し、その旨を当該預託先日本銀行に通知しなければならない。

第八十二条　出納官吏は、第四十九条第三項本文の規定により受取人に送付した国庫金送金通知書が、受取人の受領前に亡失し、既に支払が行われたことを確認したときは、事情を詳細に記載した書面を所管の各省各庁の長を経由して財務大臣に送付しなければならない。

②　出納官吏は、財務大臣より支払を行うべき旨の通知を受けたときは、前条の規定に準じ、その支払に必要な手続をとらなければならない。

第八十二条の二　受取人は、出納官吏より送付された国庫金送金通知書を亡失したときは、直ちに支払場所となる銀行その他の金融機関の店舗又は郵便局に支払停止を請求し、かつ、支払未済のときは、当該支払場所となる銀行その他の金融機関の店舗又は郵便局を経由して当該出納官吏に届け出なければならない。

②　前項の届書には、国庫金送金通知書に記載してある金額、番号、発行日付、発行庁及び支払場所を記載しなければならない。

③　前二項の規定は、国庫金送金通知書をき損した場合について準用する。

第八十二条の三　出納官吏は、前条の届書を受けたときは、これを調査し、支払を要するものと認めたときは、第八十一条の規定に準じ、その支払に必要な手続をとらなければならない。

第八十二条の四　第八十二条の規定は、受取人の亡失した国庫金送金通知書により既に支払を受けた者がある場合について準用する。

第八十三条　出納官吏は、第四十八条又は第五十二条（次項に規定する場合を除く。）の規定により送金又は振込を請求した後、その必要がなくなつたときは、まだ支払の終らない場合に限り、預託先の日本銀行に対し第十九号書式の国庫金送金又は振込取消請求書を送付して、当該送金又は振込の取消しを請求しなければならない。

②　出納官吏は、第五十二条第五項の規定により振込の請求をした後、その必要がなくなつたとき又は預託先日本銀行から振込不能の通知があつたときは、当該預託先日本銀行に対し、第二十号書式（その一）の国庫金振込取消請求書を交付し、当該振込の取消しを請求しなければならない。ただし、当該振込の取消しの請求が同項の規定による小切

手の振出前になされる場合にあつては、第二十号書式（その二）の国庫金振込取消請求書を交付するものとする。

③　第四十七条の規定は、前二項の場合について準用する。

④　第七十九条の規定は、出納官吏が第一項の国庫金送金又は振込取消請求書又は第二項の国庫金振込取消請求書の記載事項について誤りのあることを発見したときについて準用する。

⑤　第四十四条、第四十五条及び第四十七条の規定は、日本銀行国庫金取扱規程第三十九条第五項の規定により預託金の受入済通知書の送付を受けた場合について準用する。

第八十四条　出納官吏は、第四十八条第一項又は第五十二条第一項の規定により送金した後、国庫金送金通知書の有効期間内に支払を受けなかつた出納官吏又は債権者から更に支払の請求を受けたときは、第四十六条及び第四十七条の規定に準じ処理しなければならない。

第八十五条　出納官吏は、第五十二条の規定により職員給与の振込を請求する場合には、あらかじめ、当該職員に係る次の各号に掲げる事項を記載した書面をその預託先日本銀行に交付するものとする。当該書面の記載事項に変更を生じたときも同様とする。

一　住所及び氏名
二　振込先の金融機関及び店舗の名称
三　預金又は貯金の種別及び口座番号
四　振込開始の時期

附　則（抄）

第一条　この省令は、昭和二十二年十一月一日から、これを施行する。

第二条　この省令施行前に発した預託金支払通知書で未だ支払を終らないものの支払については、なお従前の例による。

第一号書式

第一片

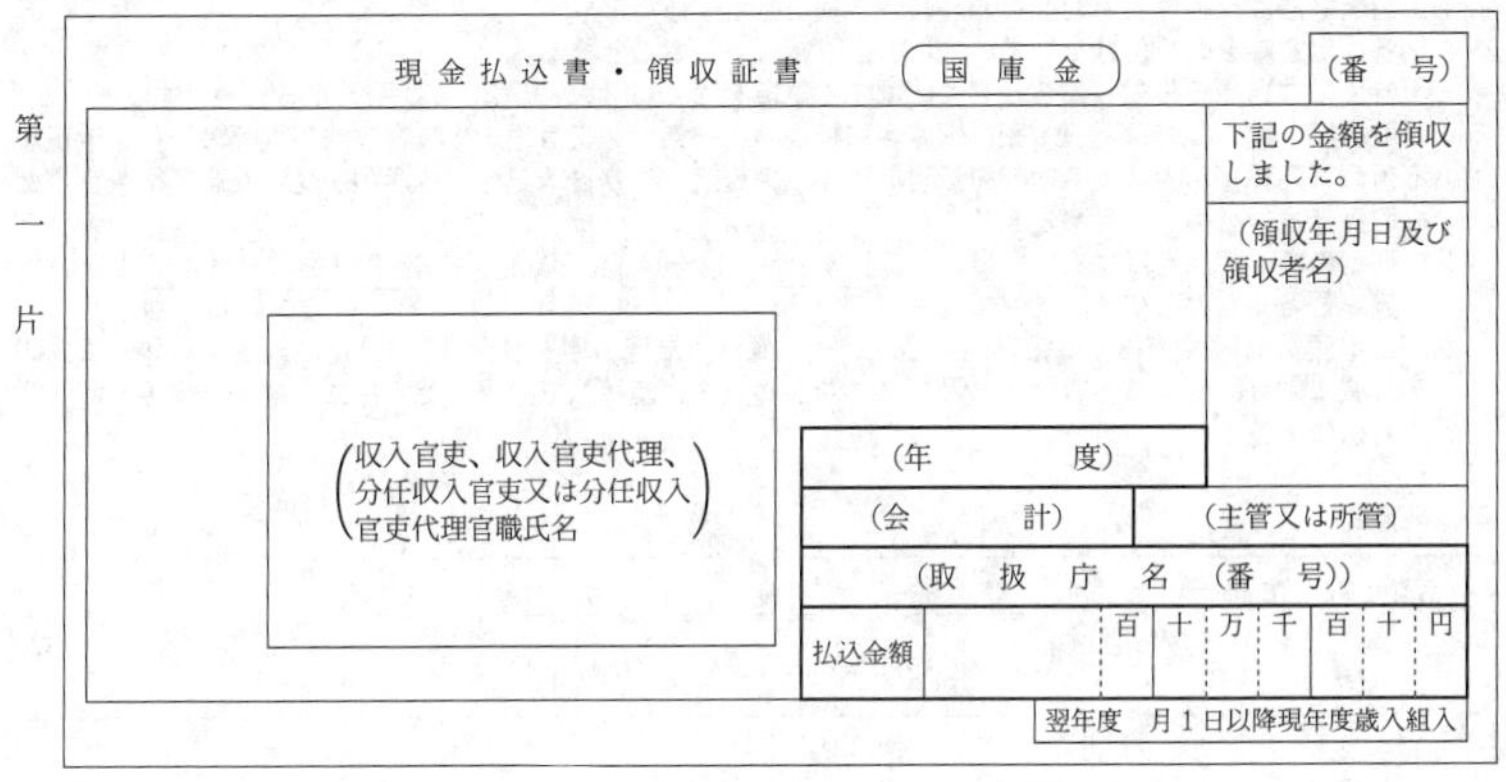

現金払込書・領収証書　（国庫金）　（番号）

下記の金額を領収しました。

（領収年月日及び領収者名）

（収入官吏、収入官吏代理、分任収入官吏又は分任収入官吏代理官職氏名）

（年度）

（会計）　（主管又は所管）

（取扱庁名（番号））

払込金額	百	十	万	千	百	十	円

翌年度　月1日以降現年度歳入組入

第二片

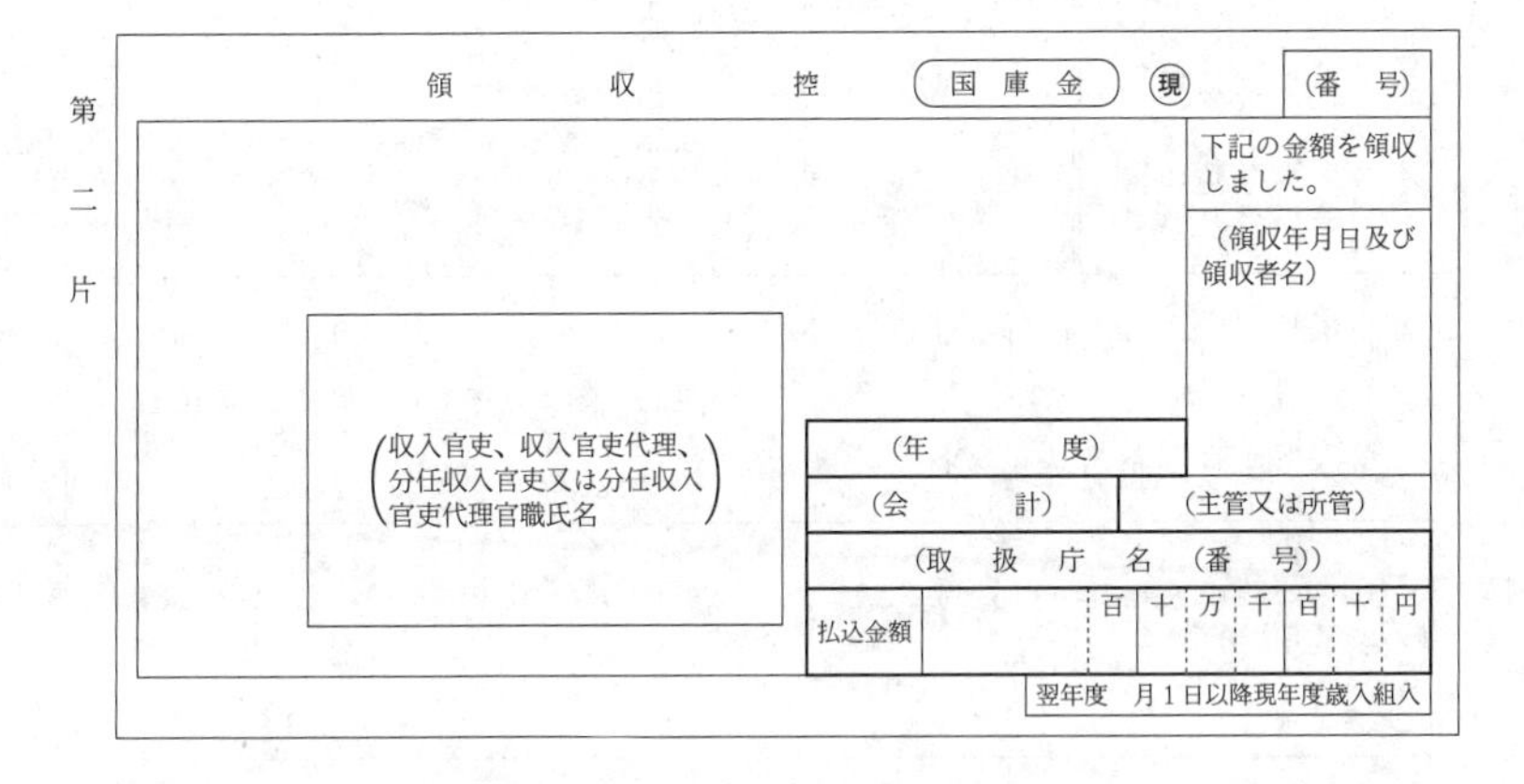

領収控　（国庫金）　㊊　（番号）

下記の金額を領収しました。

（領収年月日及び領収者名）

（収入官吏、収入官吏代理、分任収入官吏又は分任収入官吏代理官職氏名）

（年度）

（会計）　（主管又は所管）

（取扱庁名（番号））

払込金額	百	十	万	千	百	十	円

翌年度　月1日以降現年度歳入組入

第三片

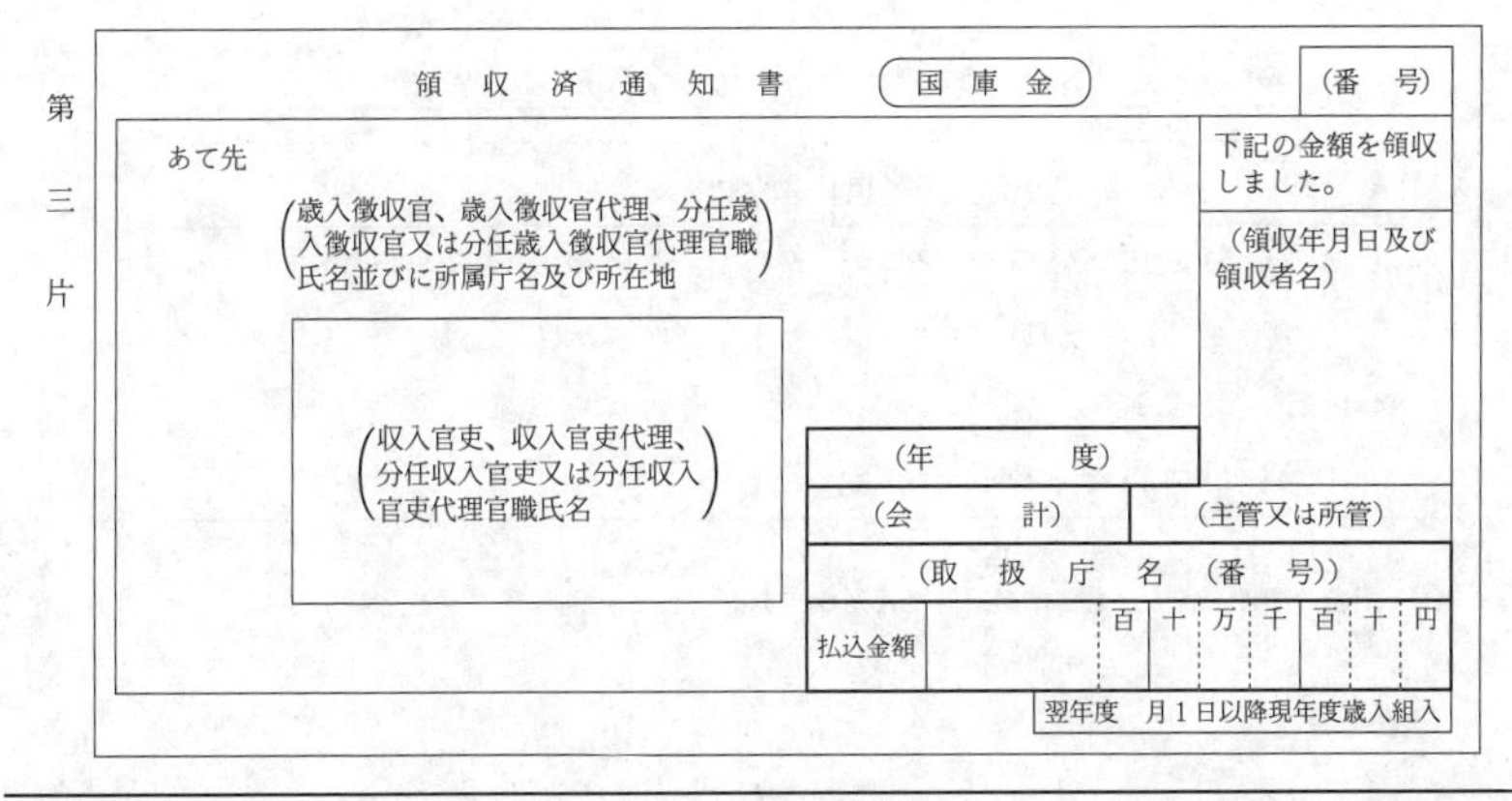

領収済通知書　（国庫金）　（番号）

あて先

（歳入徴収官、歳入徴収官代理、分任歳入徴収官又は分任歳入徴収官代理官職氏名並びに所属庁名及び所在地）

下記の金額を領収しました。

（領収年月日及び領収者名）

（収入官吏、収入官吏代理、分任収入官吏又は分任収入官吏代理官職氏名）

（年度）

（会計）　（主管又は所管）

（取扱庁名（番号））

払込金額	百	十	万	千	百	十	円

翌年度　月1日以降現年度歳入組入

備　考
1　用紙寸法は、各片ともおおむね縦11cm、横21cmとする。
2　各片は左端をのり付けその他の方法により接続するものとする。
3　各片に共通する事項（あらかじめ印刷する事項を除く。）は、複写により記入するものとする。
4　取扱庁名欄の番号は、日本銀行国庫金取扱規程第86条の２又は歳入徴収官事務規程等の一部を改正する省令（昭和40年大蔵省令第67号）附則第４項の規定により日本銀行から通知を受けた歳入徴収官ごとの取扱庁番号を付するものとする。
5　勘定のある特別会計にあつては、「（取扱庁名（番号））」を「（取扱庁名（番号））（勘定区分）」と読み替えるものとする。
6　日本産業規格Ｘ0012（情報処理用語（データ媒体、記憶装置及び関連装置））に規定する非衝撃式印字装置により印字するときは、２及び３にかかわらず、連続して接続した各片に共通する事項を印字する方法によることができる。

第二号書式

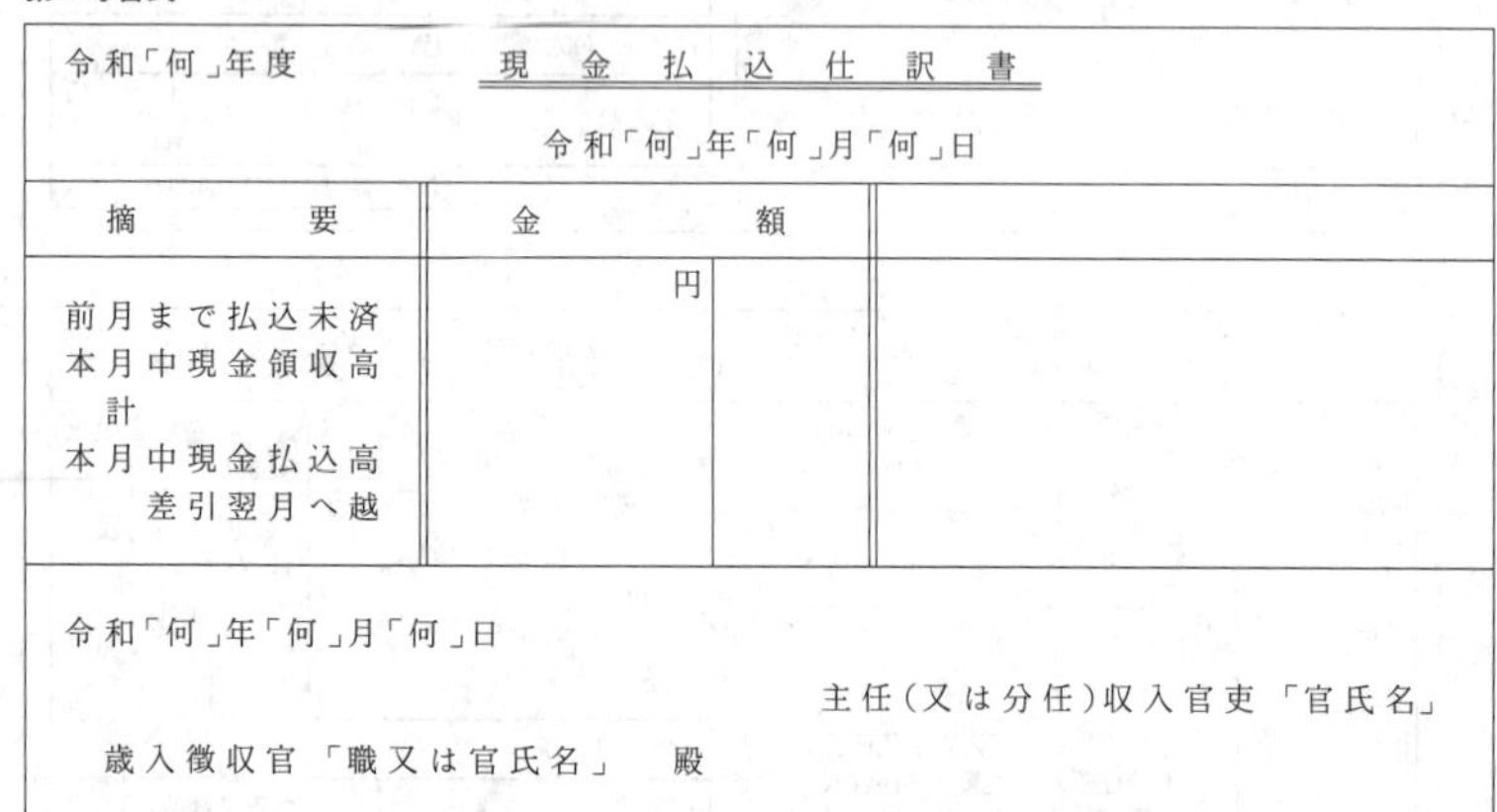

令和「何」年度　　現金払込仕訳書

令和「何」年「何」月「何」日

摘要	金額		
前月まで払込未済 本月中現金領収高 計 本月中現金払込高 差引翌月へ越	円		

令和「何」年「何」月「何」日

主任（又は分任）収入官吏「官氏名」

歳入徴収官「職又は官氏名」　殿

備　考
用紙寸法は、日本産業規格Ａ列６とすること。ただし、事務処理上、必要があるときは、日本工業規格Ａ列４とすることができる。

第三号書式

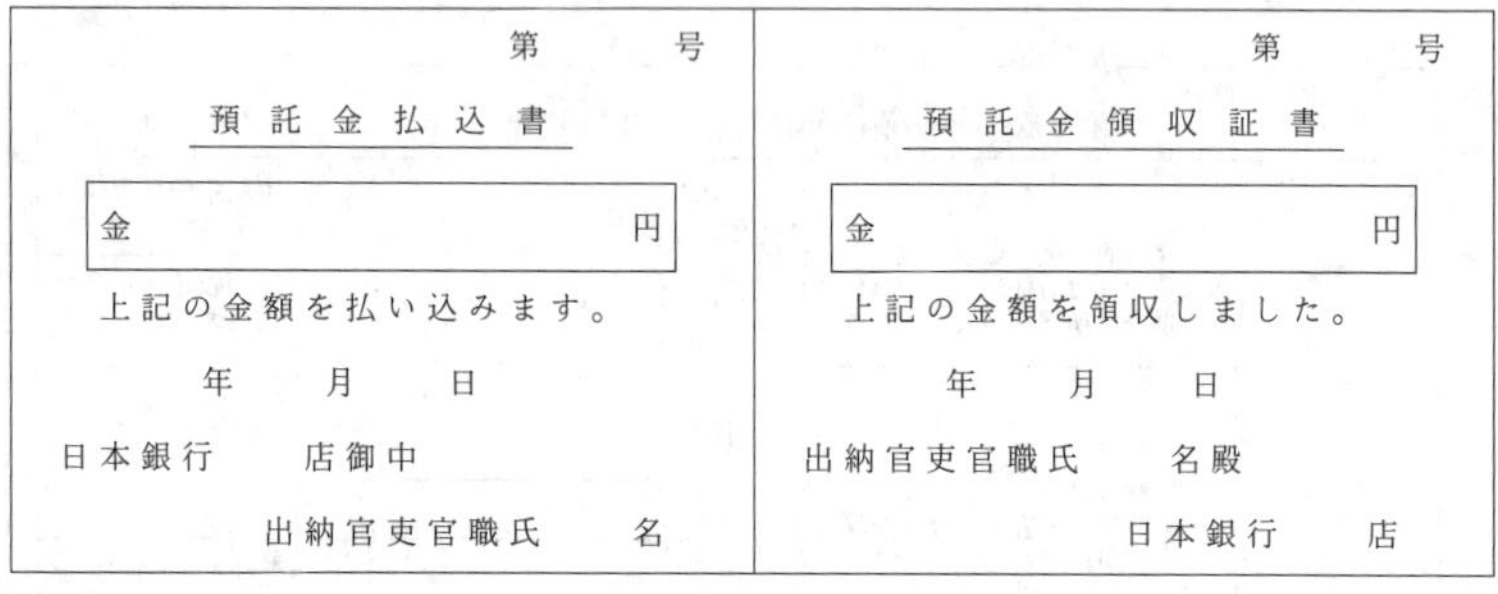

第　　号 預託金払込書 金　　　　円 上記の金額を払い込みます。 年　月　日 日本銀行　　店御中 出納官吏官職氏　　名	第　　号 預託金領収証書 金　　　　円 上記の金額を領収しました。 年　月　日 出納官吏官職氏　　名殿 日本銀行　　店

備　考
(1)　用紙寸法は、各片とも日本産業規格Ａ列６とすること。
(2)　原符は、適宜設けること。

第四号書式　削除

第五号書式

<table>
<tr><td colspan="4">国 庫 金 振 替 送 金 通 知 書</td></tr>
<tr><td>第　「何」　号</td><td>国庫金振替書を宛てた日本銀行名</td><td colspan="2">日 本 銀 行 「 何 」 店</td></tr>
<tr><td>国庫金振替書番号
第　「何」　号</td><td>振替先日本銀行名</td><td colspan="2">日 本 銀 行 「 何 」 店</td></tr>
<tr><td colspan="3">金　　円</td><td></td></tr>
<tr><td colspan="4">上記の金額を振替先日本銀行における貴官の預託金に振替送金済につき通知する。
令和「何」年「何」月「何」日
出納官吏「官　氏　名」
出納官吏「何　某」殿</td></tr>
</table>

備考

用紙寸法は、日本産業規格Ａ列６とすること。

第六号書式から第九号書式まで　削除

第十号書式

<table>
<tr><td colspan="7">外 国 送 金 請 求 書
令和「何」年「何」月「何」日　　資金前渡官吏
小切手番号　第「何」号、第「何」号、……　　「職又は　官　氏　名印」
令和「何」年度「何」所管
日本銀行「何店」あて　「何」会計歳出</td></tr>
<tr><td rowspan="2">番　号</td><td colspan="2">受　取　人</td><td rowspan="2" colspan="2">金　額</td><td rowspan="2">外 貨 額</td><td rowspan="2">備　考</td></tr>
<tr><td>住 所</td><td>氏 名</td></tr>
<tr><td></td><td></td><td></td><td>円</td><td></td><td></td><td></td></tr>
</table>

備考

(1)　用紙の大きさは、日本産業規格A列４とし、11行間隔とするものとする。ただし、特別の理由によりこれにより難い場合は、この限りでない。なお、２葉以上にわたるときは、追次計を付するものとする。
(2)　番号欄の番号は、一年度継続の連続番号とし、毎年度これを更新するものとする。
(3)　外国人の氏名及び外国の地名は、なるべくその原語で記入するものとする。
(4)　邦貨を基礎とする外国送金の場合は、送金すべき通貨を備考欄に表示するものとする。
(5)　資金前渡官吏名の上部の余白に「要電信送金」と朱書し、受取人の氏名にフリガナを付するものとする。

第十一号書式

「何」会計　　健康保険料被保険者負担金額表　　収入取扱庁

主管（又は所管）	年度	現金、小切手又は国庫金振替書	健康保険被保険者氏名	報酬額	保険料負担金	備考
				円	円	

上記の健康保険料被保険者負担金を払い込みました。
令和「何」年「何」月「何」日

「何庁資金前渡官吏　官　氏　名」

「何庁収入官吏　官　氏　名」殿

備考　用紙寸法は、日本産業規格Ａ列５とすること。

第十二号書式

「何」会計　　船員保険料被保険者負担金額表　　収入取扱庁

主管（又は所管）	年度	現金、小切手又は国庫金振替書	船員保険料被保険者氏名	報酬額	保険料負担金	備考
				円	円	

上記の船員保険料被保険者負担金を払い込みました。
令和「何」年「何」月「何」日

「何庁資金前渡官吏　官　氏　名」

「何庁収入官吏　官　氏　名」殿

備考　用紙寸法は、日本産業規格Ａ列５とすること。

第十三号書式

「何」会計　　厚生年金保険料被保険者負担金額表　　収入取扱庁

主管（又は所管）	年度	現金、小切手又は国庫金振替書	厚生保険被保険者氏名	報酬額	保険料負担金	備考
				円	円	

上記の厚生年金保険料被保険者負担金を払い込みました。
令和「何」年「何」月「何」日

「何庁資金前渡官吏　官　氏　名」

「何庁収入官吏　官　氏　名」殿

備考　用紙寸法は、日本産業規格Ａ列５とすること。

第十三号の二書式　削除

第十三号の三書式

「何」会計　　国家公務員有料宿舎使用料金額表　　収入取扱庁

主管（又は所管）	年度	現金、小切手又は国庫金振替書	国家公務員有料宿舎使用者氏名	使用料	備考
				円	

上記の国家公務員有料宿舎使用料を払い込みました。
令和「何」年「何」月「何」日

「何庁資金前渡官吏　官　氏　名」

「何庁収入官吏　官　氏　名」殿

備考　用紙寸法は、日本産業規格Ａ列５（国家公務員宿舎法（昭和24年法律第117号）第５条に規定する合同宿舎の使用料金額に係るものにあつては、同規格Ａ列４）とすること。

第十三号の四書式

「何」会計　　防衛省職員食事代金額表　　収入取扱庁

主管（又は所管）	年度	現金、小切手又は国庫金振替書	防衛省職員氏名	食事代	備考
				円	

上記の防衛省職員食事代を払い込みました。
令和「何」年「何」月「何」日

「何庁資金前渡官吏　官　氏　名」

「何庁収入官吏　官　氏　名」殿

備考　用紙寸法は、日本産業規格Ａ列５とすること。

第十三号の五書式

一般会計　防衛省職員被服弁償金額表　　収入取扱庁

主管	年度	現金、小切手又は国庫金振替書	防衛省職員氏名	弁償金払込額	備考
				円	

上記の防衛省職員被服弁償金を払い込みました。
令和「何」年「何」月「何」日

資金前渡官吏　官職　氏　名

収入官吏　官職　氏　名　殿

備考　用紙寸法は、日本産業規格Ａ列５とすること。

第十三号の六書式

一般会計防衛省職員被服代払込金額表

収入取扱庁

主管	年度	現金、小切手又は国庫金振替書	防衛省職員氏名	被服代払込金額	備考

上記の防衛省職員被服代払込金額を払い込みました。
令和「何」年「何」月「何」日

資金前渡官吏　官職　氏　名

収入官吏　官職　氏　名殿

備考　用紙寸法は、日本産業規格A列5とすること。

第十三号の七書式

「何」会計　国家公務員通勤災害一部負担金額表

収入取扱庁

主管（又は所管）	年度	現金、小切手又は国庫金振替書	被災職員氏名	一部負担金払込額	備考
				円	

上記の国家公務員通勤災害一部負担金を払込みました。
令和「何」年「何」月「何」日

「何庁資金前渡官吏　官　氏　名」

「何庁収入官吏　官　氏　名」殿

備考　用紙寸法は、日本産業規格A列5とすること。

第十三号の八書式

労働保険特別会計労働者災害補償保険通勤災害一部負担金額表

収入取扱庁

所管	年度	現金、小切手又は国庫金振替書	被災労働者氏名	一部負担金払込額	備考
				円	

上記の労働者災害補償保険通勤災害一部負担金を払込みました。
令和「何」年「何」月「何」日

「何庁資金前渡官吏　官　氏　名」

「何庁収入官吏　官　氏　名」殿

備考　用紙寸法は、日本産業規格A列5とすること。

第十四号書式

「何」会計　　　　相　殺　額　表

収入取扱庁

主　管（又は所管）	年　度	現金、小切手又は国庫金振替書	相殺相手方氏名	相殺金額	備　考
				円	

上記の相殺金額を払い込みました。
令和「何」年「何」月「何」日

「何庁資金前渡官吏　　官　氏　　　名」

「何庁収入官吏　　官　氏　　　名」殿

備考　用紙寸法は、日本産業規格A列5とすること。

第十五号書式甲

現　金　現　在　高　調　書

金　種　類	金　額	備　考
	円	

上記の通り引継を終りました。
令和「何」年「何」月「何」日

「前任出納官吏　　官　氏　　　名」

「後任出納官吏　　官　氏　　　名」

備考　用紙寸法は、日本産業規格A列5とすること。

第十五号書式乙

現金及び預託金現在高調書

現金在高	預託金現在高	計	振出済小切手支払未済高	備　考
円	円	円	円	

上記の通り引継を終りました。
令和「何」年「何」月「何」日

「前任出納官吏　　官　氏　　　名」

「後任出納官吏　　官　氏　　　名」

備　考
(1)　用紙寸法は、日本産業規格A列5とすること。
(2)　現金在高は、その金種類を備考欄に区分記入すること。

第十五号の二書式

預託金現在高引継通知書

預託金現在高	内振出小切手支払未済高	備考
円	円	

上記の通り引継を終つたから通知します。

年　月　日

「前任出納官吏　官　氏　名」

「後任出納官吏　官　氏　名」

「支出官（何某）殿」

備　考

1　用紙寸法は、日本産業規格A列5とすること。

2　預託金現在高欄には、預託先日本銀行における預託金現在高を記入すること。

第十六号書式

番　　号

年　月　日

日本銀行「何」店あて

（資金前渡官吏
資金前渡官吏代理
分任資金前渡官吏
分任資金前渡官吏代理）官職氏　名印

取　引　関　係　通　知　書

（官職氏名）は、本日付けをもつて、貴店との間に現金の預託に関する取引を開始
終止するので通知します。

（理　由　　　　　　　　　　　　　　　　　　）

（附　記）

日本銀行「何」店受付

年　月　日

備　考

(1) 用紙の大きさは、日本産業規格A列4とする。

(2) 通知書を作成するときは、不用の文字を抹消するものとする。

(3) 第24条第1項の規定により資金前渡官吏等の異動があつた場合において作成する通知書には、前任の資金前渡官吏等の官職及び氏名を附記するものとする。

(4) 第24条第2項の規定により作成する通知書には、資金前渡官吏代理又は分任資金前渡官吏代理（資金前渡官吏代理又は分任資金前渡官吏代理が作成するときは、資金前渡官吏又は分任資金前渡官吏）の官職及び氏名を附記するものとする。

(5) 第24条第4項の規定により残務を引き継ぐべき資金前渡官吏又は分任資金前渡官吏が定められた場合において作成する通知書には、廃止される資金前渡官吏又は分任資金前渡官吏の官職及び氏名並びに当該残務を引き継ぐべき資金前渡官吏又は分任資金前渡官吏の代理官（残務を引き継ぐべき資金前渡官吏又は分任資金前渡官吏の代理官が作成するときは、資金前渡官吏又は分任資金前渡官吏）の官職及び氏名を附記するものとする。

第十七号書式及び第十八号書式　削除

第十九号書式

国庫金送金又は振込取消請求書

（番　　号）

年　月　日

日本銀行（何店あて）

（出納官吏　官職　氏　　名㊞）

下記の金額の（送金又は振込）を取消し、当該金額を預託金に受入れられたい。

国庫金の送金又は振込の請求書の名称、日付及び番号	
受取人の氏名又は名称	
金額	
払渡又は振込先金融機関店舗名	
小切手の番号	

受　入　済　通　知　書

年　月　日

（出納官吏　あて）

日本銀行（何店　）

下記の金額の（送金又は振込）を取消し、　年　月　日に預託金に受入済につき通知します。

国庫金の送金又は振込の請求書の名称、日付及び番号	
受取人の氏名又は名称	
金額	
払渡又は振込先金融機関店舗名	
小切手の番号	

備考　用紙の大きさは、各片とも日本産業規格Ａ列５とする。

第二十号書式（その一）

国庫金振込取消請求書㊎

（番　　号）

年　月　日

日本銀行（何店あて）

（出納官吏　官職　氏　名　　印）

下記の金額の振込を取消し、当該金額を預託金に受入れられたい。

国庫金振込請求書の日付及び番号	
付表のページ及び行	
預貯金種別及び口座番号	
氏名	
金額	
振込先金融機関店舗名	
小切手番号	

受入済通知書㊎

年　月　日

（出納官吏あて）

日本銀行（何店　　）

下記の金額の振込を取消し、　年　月　日に預託金に受入済につき通知します。

国庫金振込請求書の日付及び番号	
付表のページ及び行	
預貯金種別及び口座番号	
氏名	
金額	
振込先金融機関店舗名	
小切手番号	

備考　用紙の大きさは、各片とも日本産業規格A列5とする。

第二十号書式（その二）

国庫金振込取消請求書㊎

（番　　号）

年　月　日

日本銀行（何店あて）

（出納官吏　官職　氏　名　印）

下記の金額の振込を取消されたい。

国庫金振込請求書の日付及び番号	
付表のページ及び行	
預貯金種別及び口座番号	
氏名	
金額	
振込先金融機関店舗名	

国庫金振込取消通知書㊎

年　月　日

（出納官吏あて）

日本銀行（何店　）

下記の金額の振込を取消しましたので通知します。

国庫金振込請求書の日付及び番号	
付表のページ及び行	
預貯金種別及び口座番号	
氏名	
金額	
振込先金融機関店舗名	

備考　用紙の大きさは、各片とも日本産業規格Ａ列５とする。

○職員給与の支払手続について

昭四九・一二・五蔵計三七三〇
主計局長から各省各庁会計課長等あて

標記のことについては、職員給与の振込による支払の実施に伴い、下記のとおり取扱方針を定めたので、御了知のうえ、この旨を貴部内の関係職員に御連絡願いたい。

なお、昭和二十九年九月四日付蔵計第二〇八〇号による「職員給与の現金による直接払の取扱について」は、廃止する。

記

1　職員給与の支払方法は、2及び3によるもののほか、すべて支出官から資金前渡官吏に給与支払資金を交付し、資金前渡官吏において給与額から国家公務員共済組合掛金、所得税額等を控除し、その残額（2により支払う金額を除く。以下この項において同じ。）を自ら又はその補助職員により個々の職員に支払うか又はその残額を出納員に交付し、出納員が自ら又はその補助職員により個々の職員に支払うものとする。この場合において

(1)　国家公務員共済組合掛金、所得税額等の控除は、個々の職員に対する給与の支払に最も近い段階における資金前渡官吏（すなわち、資金前渡官吏からさらに分任資金前渡官吏に給与支払資金が交付される場合には当該分任資金前渡官吏とし、日本銀行預託金口座の有無を問わない。）において行うものとする。

(2)　補助職員は、資金前渡官吏又は出納員の補助者であって受領代理人ではないから当該補助職員の事故については資金前渡官吏又は出納員においてその責に任ずるものとする。

(3)　日本銀行所在地における資金前渡官吏の下部機関としては、日本銀行預託金口座の増加を抑制する見地から分任資金前渡官吏とせず、なるべく出納員とするものとする。

(4)　資金前渡官吏が、日本銀行に預託した金額の中から分任資金前渡官吏又は出納員に資金を交付しようとするときは、現金の交付に代え、その預託金に対する小切手を振出すことができるものとする。

(5)　支出官が隔地の資金前渡官吏で日本銀行に預託金を有しないものに資金を交付するとき又は資金前渡官吏が隔地の分任資金前渡官吏で日本銀行に預託金口座を有しないもの又は隔地の出納員に資金を送付するときは、隔地送金又は振込の方法によるものとする。

2　職員給与を振込により支払う場合は、次によるものとする。

(1)　原則として、職員給与の振込による支払は、支出官から資金前渡官吏（資金前渡官吏からさらに分任資金前渡官吏に給与支払資金が交付される場合には、当該分任資金前渡官吏とする。）に給与支払資金を交付し、資金前渡官吏において給与額から国家公務員共済組合掛金、所得税額等を控除し、その残額（1により支払う金額を除く。）について行うものとする。

(2)　支出官が自ら職員給与の振込による支払を行い得る場合は、支出官の取引店と資金前渡官吏の預託先日本銀行とが同一店舗である場合など、支出官が取引店から振込不能の通知を受けたときに、すみやかに振込の取消しを行い、かつ、1の例により支出官から資金前渡官吏に給与支払資金を交付し、資金前渡官吏において手渡しにより支払うことができる場合に限るものとする。

3　やむを得ない事情により資金前渡官吏又は出納員を置かない官署に勤務する職員に給与を支払う場合には、個々の職員に隔地送金をすることができる。

○職員給与の振込による支払の実施に伴う国庫金振込関係の手続について

昭四九・一二・五蔵計三七三二
主計、理財両局長から各省各庁会計課長等あて

標記のことについては、その円滑化を図るため、下記のとおりその取扱方を定めたので、御了知のうえ、この旨を貴部内の関係職員に御連絡願いたい。

記

1　取引店（預託先日本銀行を含む。以下同じ。）に対する国庫金振込請求書及び小切手の交付は、関係省令に定める日（国庫金振込請求書については、当該官署における給与の支給日（以下「支給日」という。）の四営業日前の日、小切手については、支給日の前営業日）の午前中に行うものとする。

2　国家公務員給与振込明細表の作成方法については、必要に応じ、取引店及びその統轄店と十分協議するものとする。

3　取引店に対し国庫金振込請求書を交付した後、当該取引店から振込不能の通知があつたときは、すみやかに振込の取消しを行うとともに、職員に対し手渡しにより支払うための手続をとり、支給日に支払うことができないこととならないよう留意するものとする。

なお、取引店からの振込不能の通知は、支給日の午前中（支給日が土曜日の場合は午前十一時まで）になされる予定であり、取引店は支出官又は出納官吏から国庫金振込取消請求書等関係書類の交付を受けたときは、直ちに当該取消請求に係る資金の戻入を行い、支払に応ずることができることとしている。

4　支給日に職員に対し交付することとなる適宜の書面は、振込額を明らかにした給与支給明細書をもつて、これに代える

ものとする。

5　職員の住所及び氏名、振込先金融機関の名称、口座番号等振込ができることの確認のため、あらかじめ取引店に交付することとなる書面は、人事院規則九―七第一条の三の規定に基づき職員から各庁の長に提出される給与の口座振込（申出・変更申出）書又はこれに準ずる書面の写をもつて、これに代えるものとする。

6　振込先金融機関の範囲については、取引店から支出官又は出納官吏に対し通知することとされているが、職員給与の振込による支払を実施する官署は、あらかじめ取引店にその旨を連絡するものとする。

○保管金規則

明二三・一・七
法　　　　一

最終改正　昭四二・五・三一法二三

第一条　法律勅令又ハ従来ノ規則ニ依リ政府ニ於テ保管スル公有金私有金ハ左ノ計算法ニ従ヒ満五年ヲ過キテ払戻ノ請求ナキトキハ政府ノ所得トス但別ニ法律ヲ以テ失権ノ期限ヲ定メタルモノハ各其定ムル所ニ依ル

第一　保管義務解除ノ期アルモノハ其義務ヲ解除シタル翌日ヨリ起算ス

第二　保管義務解除ノ期ナキモノハ保管ノ翌日ヨリ起算ス

第三　訴訟事件ノ為ニ払戻ヲ請求スル能ハサル場合ニ於テハ裁判確定ノ翌日ヨリ起算ス

第二条　保管金ハ法律勅令又ハ従来ノ規則若クハ契約ニ依ルノ外利子ヲ付セス

第三条　保管金ノ証書ハ売買譲与又ハ書入質入スルコトヲ得ス

附　則（明三三・二・二六法一八）

本法ノ期間ハ本法施行前ノ保管金ニ関シテハ本法施行ノ日ヨリ起算ス

○保管金取扱規程

大一一・二・一
大　蔵　令　五

最終改正　令三・七・一六財務令五六

目次〔略〕

第一章　総則

第一条　政府ノ保管ニ係ル現金ハ別段ノ定アル場合ヲ除クノ外本令ノ定ムル所ニ依リ之カ受払保管ヲ為スヘシ

第二条　削除

第三条　取扱官庁ハ所在地日本銀行（本店、支店又ハ代理店ヲ謂フ以下同シ）ヲ以テ其ノ保管金取扱店ト為スヘシ但シ其ノ地ニ日本銀行ナキトキハ最寄ノ日本銀行ヲ以テ其ノ保管金取扱店ト為スコトヲ得

第四条　出納官吏事務規程（昭和二十二年大蔵省令第九十五号）第四十四条乃至第四十七条ノ規定ハ取扱官庁ノ振出シタル小切手ニシテ其ノ振出日附後一年ヲ経過シタル場合ニ之ヲ準用ス

第二章　保管金ノ提出

第五条　保管金ヲ提出スル者ハ保管金提出書ヲ添ヘ現金ヲ取扱官庁ニ提出スヘシ

②　保管金ヲ提出スル者カ保管金払込事務等取扱規程（昭和二十六年大蔵省令第三十号）第四条ノ規定ニ依リ保管金振込書ヲ添ヘ予メ現金ヲ取扱官庁ノ保管金取扱店ニ振込ミタルトキハ日本銀行ヨリ保管金領収証書ノ交付ヲ受ケ之ニ保管金提出書ヲ添ヘ取扱官庁ニ提出スヘシ

③　保管金ヲ提出スル者ガ保管金払込事務等取扱規程第五条ノ

規定ニ依ル払込ミヲセムトスルトキハ予メ保管金提出書ヲ取扱官庁ニ提出スベシ

④　取扱官庁前三項ノ提出書ノ必要ナシト認メタル場合ニ於テハ之ヲ省略セシムルコトヲ得

第六条　取扱官庁前条ノ規定ニ依リ保管金ノ提出ヲ受ケタルトキハ第一号書式ノ保管金受領証書ヲ提出者ニ交付スヘシ

第三章　保管金ノ払渡

第七条　保管金ノ払渡ヲ受クル権利ヲ有スル者ハ保管金払渡請求書又ハ前条ノ規定ニ依リ交付ヲ受ケタル保管金受領証書ヲ取扱官庁ニ提出シ其ノ払渡ヲ請求スヘシ但シ犯罪被害財産等による被害回復給付金の支給に関する法律（平成十八年法律第八十七号）第二条第三号ノ検察官ノ保管スル金銭（第九条第一項ニ於テ「給付資金」ト謂フ）ヨリ被害回復給付金ノ支給ヲ受クル権利ヲ有スル者又ハ特定複合観光施設区域整備法施行令（平成三十一年政令第七十二号）第四十二条第一項又ハ第二項ノカジノ管理委員会ノ保管スル現金ノ払込ミヲ受クル権利ヲ有スル者ニ付テハ此ノ限ニ在ラズ

②　取扱官庁前項ノ請求ヲ受ケタルトキハ請求書又ハ受領証書ニ領収ノ旨ヲ記載セシメ之カ支払ヲ為スヘシ

③　前項ノ場合ニ於テ受取人特ニ現金ノ交付ヲ求メタル場合ヲ除クノ外日本銀行ニ払込ヲ為シタル取扱官庁ハ現金ノ交付ニ代ヘ記名式持参人払ノ小切手ヲ振出スヘシ

第七条ノ二　取扱官庁不動産登記法（平成十六年法律第百二十三号）第百四十六条第五項其ノ他ノ法令ノ規定ニ依ル保管金ヨリ所得税法（昭和四十年法律第三十三号）第二百四条第一項ノ規定ニ依ル所得税ノ源泉徴収ヲ要スル報酬又ハ料金等ノ支払ヲ為サムトスルトキハ其ノ報酬又ハ料金等ノ額ヨリ同項及同法第二百五条ノ規定ニ依リ徴収ヲ為スベキ所得税額ヲ控除シタル残額ノ支払ヲ為スベシ

第八条　保管金ノ払渡ヲ受クル権利ヲ有スル隔地ノ者其ノ払渡ヲ請求セムトスルニ当リ日本銀行ノ指定シタル銀行（日本銀行ヲ含ム）其ノ他ノ金融機関ノ店舗ニ於テ送金ノ方法ニ依ル支払ヲ受ケムトスルトキハ第七条ノ請求書又ハ受領証書ニ其ノ旨ヲ附記スヘシ保管金ノ払渡ヲ受クル権利ヲ有スル者其ノ払渡ヲ請求セムトスルニ当リ日本銀行ノ指定シタル銀行其ノ他ノ金融機関ノ当該権利ヲ有スル者ノ預金又ハ貯金ニ振込ム方法ニ依ル支払ヲ受ケムトスルトキ亦同ジ

第九条　取扱官庁組織的な犯罪の処罰及び犯罪収益の規制等に関する法律（平成十一年法律第百三十六号）第六十四条の二第二項ノ規定ニ依リ検事正ノ保管スル執行財産等ノ譲与又ハ給付資金ヨリ被害回復給付金ノ支給ヲ為ストキハ検事正又ハ検察官ノ命令ニ依リ支払ヲ為スベシ

②　取扱官庁国際刑事裁判所に対する協力等に関する法律（平成十九年法律第三十七号）第四十条第一項ノ規定ニ依リ検事正ノ保管スル執行協力ノ実施ニ係ル財産ノ引渡ヲ為ストキハ検事正ノ命令ニ依リ支払ヲ為スベシ

③　取扱官庁租税条約等の実施に伴う所得税法、法人税法及び地方税法の特例等に関する法律（昭和四十四年法律第四十六号）第十一条第七項ノ規定ニ依リ国税局長又ハ税務署長ノ保管スル金銭ノ譲与ヲ為ストキハ国税局長又ハ税務署長ノ命令ニ依リ支払ヲ為スベシ

④　取扱官庁特定複合観光施設区域整備法施行令第四十二条第一項又ハ第二項ノ規定ニ依リカジノ管理委員会ノ保管スル現金ヨリ認定都道府県等入場料納入金又ハ認定都道府県等納付金ノ払込ミヲ為ストキハカジノ管理委員会事務局長ノ命令ニ依リ支払ヲ為スベシ

第四章　削除

第十条及第十一条　削除

第五章　保管金ノ保管替

第十二条　甲官庁ニ保管金ヲ提出シタル者乙官庁ニ保管替ヲ請求セムトスルトキハ第四号書式ノ保管金保管替請求書二通ヲ甲官庁ニ提出スヘシ

第十三条　甲官庁前条ノ請求ヲ受ケタル場合ニ於テ該保管金ニシテ予算決算及び会計令（昭和二十二年勅令第百六十五号）第百三条但書ノ規定ニ依リ保管スルモノナルトキハ其ノ請求ヲ拒絶シ日本銀行ニ払込ミ又ハ振込ミタルモノニシテ保管替ノ理由アリト認メタルトキハ保管金払込事務等取扱規程第七条ノ手続ヲ為シ保管金保管替請求書ノ一通ニ承認ノ旨ヲ記入シ尚有利子ノモノハ第五号書式ノ保管金利子参考表ヲ添附シ之ヲ乙官庁ニ送付スヘシ

第十四条　乙官庁前条ノ請求書及其ノ保管金取扱店ヨリ振替済通知書ノ送付ヲ受ケタルトキハ保管金受領証書ヲ保管替請求者ニ交付スヘシ

第十五条　前三条ノ規定ハ甲官庁保管金ヲ提出シタル者ノ請求ニ依ラスシテ保管金ヲ乙官庁ニ保管替ヲ為サムトスル場合ニ於ケル甲官庁及乙官庁ノ取扱手続ニ付之ヲ準用ス但シ此ノ場合ニ於テ甲官庁ハ第十三条ノ規定ニ依リ送付スル保管金保管替請求書ニ代ヘ保管金保管替通知書ヲ乙官庁ニ送付スルモノトス

第六章　政府ノ所得ニ帰シタル保管金

第十六条　保管金規則（明治二十三年法律第一号）其ノ他ノ法令ニ定メタル期間ノ経過ニ依リ政府ノ所得ニ帰シタル保管金アルトキハ取扱官庁ハ一年度分ヲ取纏メ第六号書式ノ保管金政府所得調書ヲ調製シ翌年度四月三十日迄ニ之ヲ所管大臣ノ指定スル主務官庁ニ送付スヘシ

第十七条　主務官庁前条ノ調書ヲ受ケタルトキハ之ヲ調査シ取扱官庁毎ニ所得総額ヲ記載金額トセル納入告知書ヲ取扱官庁ニ送付スヘシ但シ主務官庁ト取扱官庁カ同一テアルトキハ納入告知書ノ送付ヲ要シナイモノトスル

② 取扱官庁前項本文ノ納入告知書ヲ受ケタルトキ又ハ同項但書ノ場合ニ於テ主務官庁ノ決定カアリタルトキハ歳入所属ノ当該官庁ヲ振替先トスル国庫金振替書ヲ発シ其ノ払出科目ニ保管金其ノ受入科目ニ歳入年度、所管及会計名ヲ記載シ（当該決定ニ基キ発スル国庫金振替書ニアリテハ此等ノ事項ヲ記載スル外其ノ表面余白ニ「徴収決定済」ト記載シ）之ヲ日本銀行ニ交付シ振替払込ノ手続ヲ為サシメ振替済書ノ交付ヲ受クベシ

第十八条　第十六条ニ規定スルモノヲ除クノ外保管金ニシテ政府ノ所得ニ帰シタルモノアルトキハ取扱官庁ハ前条第二項ノ規定ニ準シ其ノ都度之ヲ歳入ニ納付スルノ手続ヲ為スヘシ但シ特殊ノ資金ニ組入ヲ要スルモノニ付テハ当該資金ニ組入ノ手続ヲ為スモノトス

第十八条ノ二　取扱官庁第七条ノ二ノ規定ニ依ル所得税額ヲ控除シタル残額ノ支払ヲ為シタルトキハ所得税額ニ相当スル現金ニ国税通則法（昭和三十七年法律第六十六号）第三十四条第一項ニ規定スル納付書及所得税法施行規則（昭和四十年大蔵省令第十一号）第八十条ニ規定スル計算書ヲ添ヘ日本銀行ニ払込ミ領収証書ノ交付ヲ受クベシ

第七章　雑則

第十九条　保管金ヲ提出シタル者其ノ交付ヲ受ケタル保管金受領証書ヲ亡失又ハ毀損シタルトキハ証明請求書ヲ取扱官庁ニ提出シ之カ証明ヲ請求スルコトヲ得

② 取扱官庁前項ノ請求ヲ受ケ其ノ理由アリト認メタルトキハ之カ証明ヲ為スヘシ

第二十条　出納官吏事務規程中国庫金送金通知書ヲ亡失又ハ毀損シタル場合ニ於ケル取扱手続ニ関スル規定ハ本令ニ依ル国庫金送金通知書ヲ亡失又ハ毀損シタル場合ニ之ヲ準用ス

附　則

第二十一条　本令ハ大正十一年四月一日ヨリ之ヲ施行ス

第二十二条　保管物取扱規程及明治三十六年大蔵省令第九号ハ之ヲ廃止ス

第二十三条　本令施行前保管物取扱規程ニ依リ金庫ニ寄託シタル保管金ハ本令ニ依リ大蔵省預金部ニ預入レタルモノト看做ス

② 前項ノ場合ニ於テ取扱官庁ハ当該金庫ノ国庫金出納ノ事務ヲ引継キタル日本銀行ヲ其ノ預金取扱店ト為スヘシ

第二十四条　前条ノ保管金ノ払渡、他店払、保管替、歳入納付、特殊資金ニ組入又ハ期満失効年月日ノ変更ニ関スル通知ノ手続ニ付テハ従前ノ規定ニ依ル但シ金庫ニ於テ領収証書ヲ発行シタル保管金ニ付テハ第七条、第八条、第十二条乃至第十五条及第十八条ノ手続ヲ為スモノトス

② 前項但書ノ場合ニ於テ取扱官庁ハ其ノ振出ス小切手ニ金庫ノ発行シタル領収証書ノ年月日及番号ヲ附記スヘシ

書式〔略〕

○保管金払込事務等取扱規程

昭二六・四・九
大蔵令三〇

最終改正　令二・一二・四財務令七三

（通則）

第一条　各省各庁の長（財政法（昭和二十二年法律第三十四号）第二十条第二項に規定する各省各庁の長をいう。）の保管する現金（以下「保管金」という。）の受払いについては、別に定める場合のほか、この省令の定めるところによる。

（日本銀行への取引関係通知書の送付等）

第二条　保管金の取扱官庁（以下「取扱官庁」という。）は、保管金を取り扱う歳入歳出外現金出納官吏（歳入歳出外現金出納官吏代理、分任歳入歳出外現金出納官吏及び分任歳入歳出外現金出納官吏代理を含む。本条第三項を除き、以下同じ。）が新設されたとき又は歳入歳出外現金出納官吏の異動があつたときは、直ちに第五号書式の取引関係通知書を作成し、これをその保管金を取り扱う日本銀行（本店、支店又は代理店をいう。以下同じ。）に送付しなければならない。

2　取扱官庁の保管金を取り扱う日本銀行を変更しようとするときは、取扱官庁は、第十三条第一項の手続をするとともに、取引関係通知書を作成し、これを旧保管金取扱店及び新保管金取扱店にそれぞれ送付しなければならない。

3　歳入歳出外現金出納官吏又は分任歳入歳出外現金出納官吏を任命した者は、歳入歳出外現金出納官吏又は分任歳入歳出外現金出納官吏が廃止される場合において当該歳入歳出外現金出納官吏又は分任歳入歳出外現金出納官吏の残務を処理させる必要があるときは、当該残務を引き継ぐべき歳入歳出外現金出納官吏又は分任歳入歳出外現金出納官吏を定め、その旨を廃止される歳入歳出外現金出納官吏又は分任歳入歳出外現金出納官吏（歳入歳出外現金出納官吏代理又は分任歳入歳

出外現金出納官吏代理がその事務を代理しているときは、歳入歳出外現金出納官吏代理又は分任歳入歳出外現金出納官吏代理とする。以下この項において同じ。）及び引継を受ける歳入歳出外現金出納官吏又は分任歳入歳出外現金出納官吏並びに廃止される歳入歳出外現金出納官吏又は分任歳入歳出外現金出納官吏に係る取扱官庁及び引継を受ける歳入歳出外現金出納官吏又は分任歳入歳出外現金出納官吏に係る取扱官庁に通知しなければならない。

4 歳入歳出外現金出納官吏が廃止されるときは、取扱官庁は、直ちに取引関係通知書を作成し、これをその保管金を取り扱う日本銀行に送付しなければならない。

5 第一項、第二項又は前項の規定により取引関係通知書を送付した後にこれらの項に規定する場合のほか、当該通知書の記載事項に変更を生じたときは、取扱官庁は、直ちにその旨をその保管金を取り扱う日本銀行に通知しなければならない。

（印鑑の照合）

第二条の二 保管金を取り扱う歳入歳出外現金出納官吏は、照合のため、その印鑑を当該歳入歳出外現金出納官吏に係る保管金を取り扱う日本銀行に送付しなければならない。

（保管金の払込）

第三条 取扱官庁は、日本銀行に保管金の払込をしようとするときは、第一号書式の保管金払込書を添えて現金を日本銀行に払い込み、保管金領収証書の交付を受けなければならない。この場合において、日本銀行の歳入金等の受入に関する特別取扱手続（昭和二十四年大蔵省令第百号）第二条の二の規定により日本銀行歳入代理店が取扱官庁に派出されているときは、第一号の二書式の保管金払込書により当該歳入代理店を経てその払込をすることができる。

2 前項の保管金払込書には、その表面余白に、供託金については「供託金」と、その他の保管金については「保管金」と記載しなければならない。

（保管金提出者の振込）

第四条 取扱官庁は、保管金（供託金を除く。）を提出すべき者をして、第二号書式の保管金振込書を添えて現金を当該取扱官庁の保管金を取り扱う日本銀行に振り込ませることができる。

2 前項の規定により振込をさせたときは、振込人をして日本銀行から保管金領収証書を受けさせなければならない。

（保管金提出者が国である場合の払込み）

第五条 取扱官庁は、保管金を提出すべき者が国である場合には、当該提出者が行う国庫内の移換の手続により保管金の払込みをさせることができる。

（小切手及び国庫金振替書）

第六条 取扱官庁は、日本銀行に払込みをした保管金の保管替え、払戻し又は国税収納金整理資金への払込みに使用する小切手用紙、国庫金振替書用紙及び第九条において準用する出納官吏事務規程（昭和二十二年大蔵省令第九十五号）第四十九条第一項及び第五十条第一項に規定する書類（第四十九条第三項及び第五十条第三項に規定する書類を含む。）の用紙の交付を受けなければならない。

2 この省令の規定により歳入歳出外現金出納官吏の振り出す小切手又はその発する国庫金振替書には、その表面余白に、供託金については「供託金」と、その他の保管金については「保管金」と記載しなければならない。

（保管金の保管替え）

第七条 取扱官庁は、保管金の保管替えをしようとするときは、国庫金振替書その他国庫金の払出しに関する書類の様式を定める省令（昭和四十三年大蔵省令第五十一号。第八条第二項において「様式省令」という。）第一号書式の国庫金振替書を発し、その振替先には保管替えを受ける官庁名を、その払出及び受入科目には「保管金」又は「供託金」と記載し、保管替えを受ける官庁の取扱店名を付記して日本銀行に交付しなければならない。

（保管金の払戻し等）

第八条 取扱官庁は、保管金の払戻しをしようとするときは、記名式持参人払の小切手を振り出さなければならない。

2 取扱官庁は、次に掲げる場合には、様式省令第一号書式の国庫金振替書を発し、これを日本銀行に交付して国庫内の移換の手続をさせなければならない。

一 官署支出官（予算決算及び会計令第一条第二号に規定する官署支出官をいう。）から納入告知書の交付を受けて保管金（裁判所において保管する保管金を除く。次号及び第三号において同じ。）の払戻しをする場合

二 歳入徴収官から納入告知書の交付を受けて保管金の払戻しをする場合

三 日本銀行に預託金を有する出納官吏から納入告知書の交付を受けて保管金の払戻しをする場合

四 国税収納命令官（分任国税収納命令官を含む。）から納入告知書、納税告知書又は納付書（日本銀行を納付場所とするものに限る。）の交付を受け、これに基づいて、日本銀行に払込みをした保管金から国税収納金整理資金に払い込む場合

五 保管金取扱規程（大正十一年大蔵省令第五号）第十八条ノ二に規定する所得税額を、日本銀行に払込みをした保管金から国税収納金整理資金に払い込む場合

3 取扱官庁は、官庁、出納官吏、日本銀行、地方公共団体又は金融機関を受取人として振り出す小切手には、線引きをしなければならない。

4 前項に規定するもののほか、取扱官庁は、小切手の振出に関する事務の処理上必要があると認める場合において、金融機関と取引関係のある者を受取人として振り出す小切手には、線引きをすることができる。

5 取扱官庁は、第二項第一号から第三号までのいずれかの規定による国庫金振替書には、納入告知書を、同項第四号による国庫金振替書には、納入告知書、納税告知書又は納付書を、同項第五号による国庫金振替書には、国税通則法（昭和三十

七年法律第六十六号）第三十四条第一項に規定する納付書及び所得税法施行規則（昭和四十年大蔵省令第十一号）第八十条に規定する計算書を、それぞれ添えなければならない。

（国庫金振替書の記載）

第八条の二　前条第二項の規定により発する国庫金振替書には、払出科目、振替先及び受入科目を次の各号の定めるところにより記載しなければならない。

一　前条第二項第一号による国庫金振替書には、払出科目として保管金又は供託金と、振替先としてセンター支出官名を、受入科目として歳出年度、所管、会計名、部局等及び項を記載しなければならない。

二　前条第二項第二号による国庫金振替書には、払出科目として保管金又は供託金と、振替先としてその歳入の取扱庁名を、受入科目として歳入年度、主管（特別会計にあつては所管）及び会計名を記載しなければならない。

三　前条第二項第三号による国庫金振替書には、払出科目として保管金又は供託金と、振替先としてその出納官吏名を、受入科目として預託金と記載しなければならない。

四　前条第二項第四号及び同項第五号による国庫金振替書には、払出科目として保管金と、振替先としてその受入金の取扱庁名を、受入科目として何年度国税収納金整理資金と記載しなければならない。

2　前項第一号に規定する国庫金振替書には、同号により記載するもののほか、返納金れい入の旨を付記しなければならない。

3　第一項第三号に規定する国庫金振替書には、同号により記載するもののほか、当該出納官吏の預託金を取り扱う日本銀行名を付記しなければならない。

4　第一項第四号に規定する国庫金振替書のうち前条第二項第五号による国庫金振替書には、第一項第四号により記載するもののほか、表面余白に、「所得税」と記載しなければならない。

第八条の三　取扱官庁は、日本銀行に国庫金振替書を交付し振替えを終わつたときは、当該日本銀行から振替済書を徴さなければならない。

（保管金の送金等）

第九条　出納官吏事務規程第四十八条から第五十二条の二まで、第七十九条及び第八十三条（第四項を除く。）の規定は、取扱官庁が保管金の保管替え又は払戻し若しくは払渡しをする場合について準用する。

（誤払過渡の供託金の返納）

第十条　取扱官庁は、その払い戻した供託金について誤払過渡があつた場合において、その取扱官庁が現金の取扱いをしないものであるときは、第三号書式の供託金返納請求書を返納人に交付してその保管金を取り扱う日本銀行に返納させなければならない。

第十一条　削除

（保管金月計突合表の調査等）

第十二条　取扱官庁は、日本銀行より保管金月計突合表の送付を受けたときは、これを調査し、適正であると認めたときは、当該突合表に記名しなければならない。ただし、相違がある点については、その事由を付記するものとする。

2　取扱官庁は、前項の規定により送付を受けた保管金月計突合表に誤りがあることを発見したときは、当該突合表の送付を受けた月の第十二営業日（「営業日」とは、日本銀行の休日でない日をいう。）までにその旨を日本銀行に通知しなければならない。

3　第一項の規定は、取扱官庁が前項の通知をした後、日本銀行から再度保管金月計突合表の送付を受けた場合について準用する。

（保管金取扱店の変更）

第十三条　日本銀行甲店を保管金取扱店とする取扱官庁が、日本銀行乙店をその保管金取扱店としようとするときは、第四号書式の保管金取扱店変更申込書を日本銀行甲店に提出し、保管金現在額証明書の交付を受けなければならない。

2　前項の保管金取扱店変更申込書及び保管金現在額証明書には、その表面余白に、供託金については、「供託金」と、その他の保管金については「保管金」と記載しなければならない。

3　取扱官庁は、第一項の保管金現在額証明書を日本銀行乙店に提出し、承認の旨の記入を受けなければならない。

（保管金領収証書の亡失又はき損の証明）

第十四条　取扱官庁若しくは第四条第二項の振込人は、保管金領収証書を亡失又はき損したときは、証明請求書を日本銀行に提出し、当該保管金領収証書発行済の旨の証明を請求することができる。

書式〔略〕

○電子情報処理組織を使用して処理する場合における保管金取扱規程等の特例に関する省令

平一七・二・二四
財務令五

最終改正 令三・一二・一〇財務令七八

目次〔略〕

第一章 総則

（通則）

第一条 国の保管金の保管に関する事務を電子情報処理組織を使用して処理することとする場合における歳入歳出外現金出納官吏及び歳入歳出外現金出納官吏代理（次条第二項において「歳入歳出外現金出納官吏等」という。）の事務及びこれに関連する会計に関する事務の取扱いに関しては、保管金取扱規程（大正十一年大蔵省令第五号。以下「保管金規程」という。）、保管金払込事務等取扱規程（昭和二十六年大蔵省令第三十号。以下「払込規程」という。）、出納官吏事務規程（昭和二十二年大蔵省令第九十五号。以下「出納官吏規程」という。）、日本銀行国庫金取扱規程（昭和二十二年大蔵省令第九十三号。以下「国庫金規程」という。）、日本銀行の歳入金等の受入に関する特別取扱手続（昭和二十四年大蔵省令第百号。以下「特別手続」という。）その他の会計に関する省令に定めるもののほか、この省令の定めるところによる。

（定義）

第二条 この省令において「保管金」とは、財務大臣が指定する各省各庁の長（財政法（昭和二十二年法律第三十四号）第二十条第二項に規定する各省各庁の長をいう。）が保管する現金をいう。

2 この省令において「電子情報処理組織」とは、歳入歳出外現金出納官吏等が保管金の保管に関する事務を処理するため、財務省に設置される各省各庁（財政法第二十一条に規定する各省各庁をいう。）の利用に係る電子計算機と保管金の取扱官庁（以下「取扱官庁」という。）に設置される入出力装置とを電気通信回線で接続した電子情報処理組織をいう。

3 この省令において「指定歳入歳出外現金出納官吏」とは、財務大臣が指定する歳入歳出外現金出納官吏（歳入歳出外現金出納官吏代理を含む。）をいう。

（現金出納簿の登記に必要な事項の電子情報処理組織への記録）

第三条 予算決算及び会計令第百三十五条の規定による現金出納簿への登記は、必要な事項を電子情報処理組織に記録する方法により行わなければならない。

2 前項の場合において、登記に必要な事項が既に電子情報処理組織に記録されているときは、当該事項を重ねて記録することを要しない。

第二章 保管金取扱規程の特例

（保管金の払渡しの手続）

第四条 保管金の払渡しを受ける権利を有する者は、取扱官庁の使用に係る電子計算機（入出力装置を含む。以下この項において同じ。）と保管金の払渡しを受ける権利を有する者の使用に係る電子計算機とを接続する電気通信回線を通じて保管金払渡請求書を送信（書面等の情報を電気通信回線を使用して転送することをいう。以下同じ。）することにより、保管金の払渡しを請求することができる。

2 保管金の払渡しの権利を有する者が保管金規程第七条第一項又は前項の規定により保管金の払渡しを請求した場合における同条第三項の規定の適用については、同項中「前項ノ場合」とあるのは「前項ノ場合又ハ取扱官庁電子情報処理組織を使用して処理する場合における保管金取扱規程等の特例に関する省令（平成十七年財務省令第五号以下本項、次条及第十八条ニ於テ「特例省令」ト謂フ）第四条第一項ノ規定ニ依リ保管金ノ払渡ノ請求ヲ受ケタル場合」と、「小切手ヲ振出スベシ」とあるのは「小切手ヲ振出シ又ハ特例省令第十一条第一項ノ手続ヲ為スベシ」とする。

第五条 保管金の払渡しを受ける権利を有する者が前条第一項の規定により保管金の払渡しを請求する場合における保管金規程第八条の規定の適用については、同条中「其ノ旨ヲ附記スベシ」とあるのは、「其ノ旨ヲ付記シ又ハ特例省令第四条第一項ノ規定ニ依リ送信（特例省令第四条第一項ニ規定スル送信ヲ謂フ）スル保管金払渡請求書ニ其ノ旨ヲ併セテ記録スベシ」とする。

（保管金の保管替えの手続）

第六条 甲取扱官庁は、日本銀行（本店、支店又は代理店をいう。第二十六条において同じ。）に払い込み、又は振り込まれた保管金を乙取扱官庁に保管替えをする必要がある場合（当該保管金の提出者からの請求による場合を除く。）には、第十三条第一項に規定する手続をし、乙取扱官庁に保管替通知書を送付しなければならない。当該保管金に利子を付するものであるときは、甲取扱官庁は、当該保管替通知書に保管金規程第五号書式の保管金利子参考表を添付して、乙取扱官庁に送付しなければならない。

（政府所得保管金の歳入納付のための国庫金振替書の送信方法等）

第七条 取扱官庁は、保管金規程第十七条第一項本文の規定により主務官庁から納入告知書の送付を受けたとき又は同項ただし書の場合において主務官庁の決定があったときは、別紙第一号書式による国庫金振替書を電子情報処理組織を使用して作成し、日本銀行本店に送信しなければならない。

2　前項の国庫金振替書には、振替先としてその歳入の取扱庁名を、払出科目として保管金である旨を、受入科目として歳入年度、主管（特別会計にあっては所管）、会計名及び勘定名を記録するほか、当該主務官庁の決定に基づいて送信する国庫金振替書である場合には、徴収決定済みである旨を併せて記録しなければならない。

第八条　歳入納付のための手続が前条の規定により行われる場合における保管金規程第十八条の規定の適用については、同条中「前条第二項」とあるのは、「特例省令第七条」とする。

（保管金規程の規定の適用除外）

第九条　保管金規程第十五条及び第十七条第二項の規定は、取扱官庁がこの章の規定により行う保管金の保管に関する事務の取扱いについては、適用しない。

第三章　保管金払込事務等取扱規程の特例

（保管金の払込み）

第十条　取扱官庁は、日本銀行（代理店又は歳入代理店（特別手続第一条に規定する歳入代理店をいう。第二十七条及び第二十七条の二において同じ。）に限る。第十条の二、第二十一条及び第二十一条の二において同じ。）に保管金（供託法（明治三十二年法律第十五号）第一条の規定により保管する供託金及び裁判所において保管する現金に限る。以下この条及び第二十一条において同じ。）の払込みをしようとするときは、保管金の払込みに関する手続において得られた納付情報により、現金を日本銀行に払い込むことができる。

（保管金提出者の振込み）

第十条の二　取扱官庁は、保管金を提出する者に対し、保管金の提出に関する手続において得られた納付情報により、現金を日本銀行に振り込ませることができる。

（送金又は振込みのための支払指図書の送信方法等）

第十一条　取扱官庁は、隔地の保管金の払渡しを受ける権利を有する者（振込みの請求をした者を除く。）に払渡しをする場合若しくは保管金の払渡しを受ける権利を有する者（振込みの請求をした者を除く。）に郵便貯金銀行（郵政民営化法（平成十七年法律第九十七号）第九十四条に規定する郵便貯金銀行をいう。以下この項において同じ。）の営業所及び郵便局（簡易郵便局法（昭和二十四年法律第二百十三号）第二条に規定する郵便窓口業務を行う日本郵便株式会社の営業所であって郵便貯金銀行を所属銀行とする銀行代理業（銀行法（昭和五十六年法律第五十九号）第二条第十四項に規定する銀行代理業をいう。）の業務を行うものをいう。次条において同じ。）から払渡しをする場合又は保管金の払渡しを受ける権利を有する者から日本銀行が指定した銀行（日本銀行を含む。次条において同じ。）その他の金融機関の当該保管金の払渡しを受ける権利を有する者の預金若しくは貯金への振込みの方法による払渡しの請求を受けた場合には、日本銀行に送金又は振込みによる払渡しのための別紙第二号書式による支払指図書を電子情報処理組織を使用して作成し、日本銀行本店に送信しなければならない。

2　取扱官庁は、前項の規定により送金による払渡しのための支払指図書を送信したときは、別紙第三号書式による国庫金送金通知書を当該送金の受取人に送付しなければならない。

（送金の支払場所）

第十二条　前条第一項の場合において、取扱官庁は、日本銀行が指定した銀行その他の金融機関の店舗又は郵便局で保管金の払渡しを受ける権利を有する者にとって最も便利であると認めるものを支払場所としなければならない。

（保管金の保管替えのための国庫金振替書の送信方法等）

第十三条　取扱官庁は、第六条前段に規定する保管金の保管替えをしようとするときは、別紙第一号書式による国庫金振替書を電子情報処理組織を使用して作成し、日本銀行本店に送信しなければならない。

2　前項の国庫金振替書には、振替先として保管替えを受ける官庁名を、払出及び受入科目として供託金である旨又はその他の保管金である旨を記録するほか、保管替えを受ける官庁の取扱店名を併せて記録しなければならない。

（保管金の払戻し等のための国庫金振替書の送信方法等）

第十四条　取扱官庁が電子情報処理組織を使用して保管金の払戻し又は国税収納金整理資金への払込みをする場合における払込規程第八条第二項及び第五項並びに第八条の二の規定の適用については、払込規程第八条第二項中「様式省令第一号書式の国庫金振替書を発し、これを日本銀行に交付して」とあるのは「電子情報処理組織を使用して処理する場合における保管金取扱規程等の特例に関する省令（平成十七年財務省令第五号。以下この項において「特例省令」という。）別紙第一号書式による国庫金振替書を電子情報処理組織（特例省令第二条第二項に規定する電子情報処理組織をいう。第五項において同じ。）を使用して作成し、日本銀行本店に送信（特例省令第四条第一項に規定する送信をいう。第八条の二第一項において同じ。）して」と、同条第五項中「第二項第一号から第三号まで」とあるのは「第二項第一号又は第二号」と、「納入告知書を」とあるのは「納入告知書に記載された番号を記録し」と、「納入告知書、納税告知書又は納付書を」とあるのは「納入告知書、納税告知書又は納付書に記載された受入科目、番号及び納付目的を併せて記録し」と、「計算書を、それぞれ」とあるのは「計算書を、電子情報処理組織を使用して作成し、」と、払込規程第八条の二第一項各号列記以外の部分中「発する国庫金振替書には」とあるのは「送信する国庫金振替書には、同条第五項の規定により記録するもののほか」と、「記載しなければ」とあるのは「記録しなければ」と、「振替先、受入科目及びその他の事項」とあるのは「振替先及び受入科目」と、同項第一号中「部局等及び項を記載しなければ」とあるのは「部局等及び項を、その他の事項として日本銀行本店及び関係の官署支出官の所属庁名を記録しなければ」と、同項第二号から第四号までの規定中「記載しなければ」とあるのは「記録しなければ」と、同条第二項中「同号により記載するもののほか」とあるのは「前条第五項及び前項第一号により記録するもののほか」と、「付記しなければ」とあるのは「併せて記録しなければ」と、同条第三項中「記載するもののほか」とあるのは「記録するもののほか」と、「付記しなければ」とあるのは「併せて記録しなければ」と、同条第四項中「記載するもののほか、表面余白に、「所得税」の印を押さなければ」とあるのは「記録するもののほか、所得税の旨を併せて記録しなければ」とする。

（出納官吏規程の準用）

第十五条 出納官吏規程第四十八条、第四十九条第一項、第五十条第一項及び第三項、第五十一条、第五十二条第一項から第四項まで、第七十九条並びに第八十三条（第二項ただし書及び第四項を除く。）の規定は、取扱官庁が第十一条第一項の規定により支払指図書を送信する場合並びに第七条第一項（第八条の規定により保管金規程第十八条を読み替えて適用する場合を含む。第十八条第一項及び第二十三条において同じ。）、第十三条第一項及び前条の規定により読み替えて適用する払込規程第八条第二項の規定により国庫金振替書を送信する場合について準用する。この場合において、次の表の上欄に掲げる出納官吏規程の規定中同表の中欄に掲げる字句は、それぞれ同表の下欄に掲げる字句に読み替えるものとする。

出納官吏規程の規定	読み替えられる字句	読み替える字句
第四十八条第一項	預託先日本銀行	日本銀行本店
第四十八条第二項	その預託先日本銀行	日本銀行本店
第四十九条第一項	送金額を券面金額とし日本銀行を受取人とする小切手を振り出し、省令第二号書式の国庫金送金請求書を添え、これをその預託先日本銀行に交付し、領収証書を徴さなければ	電子情報処理組織を使用して処理する場合における保管金取扱規程等の特例に関する省令（平成十七年財務省令第五号。以下「特例省令」という。）別紙第二号書式による支払指図書を電子情報処理組織（特例省令第二条第二項に規定する電子情報処理組織をいう。次条第一項及び第七十九条において同じ。）を使用して作成し、日本銀行本店に送信（特例省令第四条第一項に規定する送信をいう。次条第一項及び第七十九条において同じ。）しなければ
第五十条第一項	振込額を券面金額とし日本銀行を受取人とする小切手を振り出し、これに省令第三号書式の国庫金振込請求書を添え、これをその預託先日本銀行に交付し領収証書を徴さなければ	特例省令別紙第三号書式による支払指図書を電子情報処理組織を使用して作成し、日本銀行本店に送信しなければ
第五十二条第一項	預託先日本銀行	日本銀行本店
第五十二条第二項	その預託先日本銀行	日本銀行本店
第七十九条	国庫金振替書、国庫金送金請求書又は国庫金振込請求書の記載事項	国庫金振替書又は支払指図書の記録事項
	遅滞なく預託先日本銀行に	直ちに、国庫金振替書にあつては特例省令別紙第四号書式の国庫金振替訂正請求書を、送金による払渡しのための支払指図書にあつては特例省令別紙第五号書式の国庫金送金訂正請求書を取扱官庁の保管金を取り扱う日本銀行に送付して、又は振込みによる払渡しのための支払指図書にあつては特例省令別紙第六号書式（その一）による国庫金振込訂正請求書を電子情報処理組織を使用して作成し、日本銀行本店に送信して

第八十三条第一項	第十九号書式の国庫金送金又は振込取消請求書	特例省令別紙第七号書式の国庫金送金又は振込取消請求書

（払込規程の規定の適用除外）

第十六条　払込規程第三条、第四条、第六条、第八条の三及び第九条の規定は、取扱官庁がこの章の規定により行う保管金の保管に関する事務の取扱いについては、適用しない。

第四章　出納官吏事務規程の特例

（保管金の払渡しの報告）

第十七条　指定歳入歳出外現金出納官吏が第十一条第一項の規定により現金を払い渡した場合における出納官吏事務規程第六十二条の規定の適用については、同条中「受取人から領収証書を徴し、その旨を」とあるのは、「その旨を」とする。

第五章　日本銀行国庫金取扱規程の特例

（歳入納付のための国庫金振替書の送信を受けた場合の手続）

第十八条　日本銀行本店は、第七条第一項の規定により指定歳入歳出外現金出納官吏から国庫金振替書の送信を受けた場合には、振替済通知書（国庫金規程第十六条第一項に規定する振替済通知書をいう。次項、次条、第二十条及び第二十二条の二第二項において同じ。）に集計表（国庫金規程第一号書式の集計表をいう。次条、第二十条及び第二十二条の二第二項において同じ。）を添え、当該歳入を所掌する歳入徴収官（歳入徴収官代理を含む。次条及び第二十二条の二第二項において同じ。）又は歳入徴収官を経由して当該歳入を所掌する分任歳入徴収官（分任歳入徴収官代理を含む。次条及び第二十二条の二第二項において同じ。）に送付しなければならない。

2　前項の場合において、当該国庫金振替書に徴収決定済みである旨が記録されているときは、送付する振替済通知書の表面余白に「徴収決定済み」と記載するものとする。

（過年度返納金戻入れのための国庫金振替書の送信を受けた場合の手続）

第十九条　日本銀行本店は、毎年度所属歳出の返納金を戻し入れることができる期間経過後、指定歳入歳出外現金出納官吏から当該年度の歳出の金額に戻し入れるための国庫金振替書の送信を受けた場合には、振替済通知書に集計表を添え、当該歳入を所掌する歳入徴収官又は歳入徴収官を経由して当該歳入を所掌する分任歳入徴収官に送付しなければならない。

（歳入金に係る証拠書類の保存）

第二十条　日本銀行本店が前二条の規定により振替済通知書に集計表を添えた場合における国庫金規程第二十一条第二項の規定の適用については、同項中「第二十条まで」とあるのは、「第二十条まで並びに電子情報処理組織を使用して処理する場合における保管金取扱規程等の特例に関する省令（平成十七年財務省令第五号。以下「特例省令」という。）第十八条第一項及び第十九条」とする。

（国税収納金整理資金への払込みのため国庫金振替書の送信を受けた場合の手続）

第二十条の二　日本銀行本店が第十四条の規定により読み替えて適用する払込規程第八条第二項第四号の規定により指定歳入歳出外現金出納官吏から国税収納金整理資金に払い込むため国庫金振替書（第二項に規定する国庫金振替書を除く。）の送信を受けた場合における国庫金規程第三十五条の五第一項の規定の適用については、同項中「振替済書を出納官吏に交付」とあるのは「特例省令別紙第八号書式による振替済書の情報を指定歳入歳出外現金出納官吏に電気通信回線を使用して送信（特例省令第四条第一項に規定する送信をいう。以下同じ。）」と、「分任国税収納命令官」とあるのは「国税収納命令官を経由して分任国税収納命令官」とする。

2　日本銀行本店が第十四条の規定により読み替えて適用する払込規程第八条第二項第五号の規定により指定歳入歳出外現金出納官吏から国税収納金整理資金に払い込むため「所得税」と記録されている国庫金振替書の送信を受けた場合における国庫金規程第三十五条の五第一項の規定の適用については、同項中「振替済書を出納官吏に交付するとともに、振替済通知書に集計表を添えてこれを当該収納金を取り扱つた国税収納命令官又は分任国税収納命令官に送付」とあるのは「特例省令別紙第八号書式による振替済書の情報を指定歳入歳出外現金出納官吏に電気通信回線を使用して送信するとともに、第二号の二書式の振替済通知書の情報に特例省令第十四条の規定により読み替えて適用する払込規程第八条第五項の規定により当該国庫金振替書に添付された納付書及び計算書（以下この条において「納付書等」という。）の情報を添えて電子情報処理組織を使用して処理する場合における国税等の徴収関係事務等の取扱いの特例に関する省令（平成三年大蔵省令第五十四号）第四条に規定する代行機関を経由して当該国税等を取り扱う国税収納命令官又は分任国税収納命令官に送信」とする。

（取扱官庁から保管金の払込みを受けた場合の手続）

第二十一条　日本銀行は、第十条の規定により歳入歳出外現金出納官吏から現金の払込みを受けたときは、領収済通知情報については取扱官庁に、収納に係る記録については日本銀行本店に、それぞれ送信しなければならない。日本銀行本店は、収納に係る記録の送信を受けたときは、取扱官庁の保管金に受け入れるための手続をしなければならない。

（保管金提出者から保管金の振込みを受けた場合の手続）

第二十一条の二　日本銀行は、第十条の二の規定により保管金を提出する者から現金の振込みを受けたときは、領収済通知情報については取扱官庁に、収納に係る記録については日本銀行本店に、それぞれ送信しなければならない。日本銀行本店は、収納に係る記録の送信を受けたときは、取扱官庁の保管金に受け入れるための手続をしなければならない。

（保管金の保管替えの手続）

第二十二条 日本銀行本店が第十三条第一項の規定により甲取扱官庁の指定歳入歳出外現金出納官吏から乙取扱官庁の保管金に保管替えの請求を受けた場合における国庫金規程第四十二条の五第一項の規定の適用については、同項中「規程第七条の規定により甲取扱官庁の歳入歳出外現金出納官吏から国庫金振替書を添え」とあるのは「特例省令第十三条第一項の規定により甲取扱官庁の指定歳入歳出外現金出納官吏から送信された国庫金振替書により」と、「振替済書を甲取扱官庁の歳入歳出外現金出納官吏に交付するとともに」とあるのは「特例省令別紙第八号書式による振替済書の情報を甲取扱官庁の指定歳入歳出外現金出納官吏に電気通信回線を使用して送信するとともに」とする。

（保管金の払戻しのための国庫金振替書の送信を受けた場合の手続）

第二十二条の二 日本銀行本店が第十四条の規定により読み替えて適用する払込規程第八条第二項第一号の規定により指定歳入歳出外現金出納官吏から国庫金振替書の送信を受けた場合には、返納金額に相当する金額を返納金の戻入れとして記入の手続をし、その旨をセンター支出官（予算決算及び会計令第一条第三号に規定するセンター支出官をいう。以下同じ。）を経由して官署支出官（同条第二号に規定する官署支出官をいう。）に通知するため、次条の規定にかかわらず、返納金領収済通知情報をセンター支出官に送信しなければならない。

2 日本銀行本店が第十四条の規定により読み替えて適用する払込規程第八条第二項第二号の規定により指定歳入歳出外現金出納官吏から国庫金振替書の送信を受けた場合には、振替済通知書に集計表を添え、当該歳入を所掌する歳入徴収官に送付しなければならない。

（国庫金振替書の送信を受けた場合の手続）

第二十三条 国庫金規程第三十八条の規定は、日本銀行本店が第七条第一項、第十三条第一項及び第十四条の規定により読み替えて適用する払込規程第八条第二項の規定により指定歳入歳出外現金出納官吏から国庫金振替書の送信を受けた場合について準用する。この場合において、国庫金規程第三十八条中「出納官吏の預託金額」とあるのは「取扱官庁の保管金額」と、「振替済書を出納官吏に交付し」とあるのは「特例省令別紙第八号書式による振替済書の情報を指定歳入歳出外現金出納官吏に電気通信回線を使用して送信し」と読み替えるものとする。

（送金又は振込みのための支払指図書の送信を受けた場合の手続）

第二十四条 日本銀行本店が第十一条第一項の規定により指定歳入歳出外現金出納官吏から送金又は振込みのための支払指図書の送信を受けた場合における国庫金規程第四十二条の七の規定の適用については、同条第一項中「領収証書を歳入歳出外現金出納官吏に交付し」とあるのは「特例省令別紙第九号書式による支払済書の情報を指定歳入歳出外現金出納官吏に電気通信回線を使用して送信し」と、同条第二項中「同条第五項及び第六項中「預託金」とあるのは、「保管金」と」とあるのは「同条第五項中「小切手振出日付後」とあるのは「支払指図書（送金による払渡しのための支払指図書に限る。）の送信を受けた日付から」と、「出納官吏の預託金」とあるのは「取扱官庁の保管金」と、同条第六項中「出納官吏事務規程第八十三条第一項」とあるのは「特例省令第十五条の規定により読み替えられた出納官吏事務規程第八十三条第一項」と、「出納官吏の預託金」とあるのは「取扱官庁の保管金」と」とする。

（訂正請求を受けた場合の手続）

第二十五条 日本銀行本店は、指定歳入歳出外現金出納官吏から第十五条の規定により読み替えて準用する出納官吏事務規程第七十九条の規定により、指定歳入歳出外現金出納官吏が送信した振込みによる払渡しのための支払指図書の記録事項について、訂正請求書の送信を受けた場合には、日本銀行本店において受付をした日付によりその誤りの訂正の手続をし、その旨を指定歳入歳出外現金出納官吏に通知するため、別紙第六号書式（その二）による国庫金振込訂正済通知書を送信しなければならない。

（国庫金規程の規定の適用除外）

第二十六条 国庫金規程第四十二条の二、第四十二条の三及び第四十二条の六の規定は、日本銀行がこの章の規定により行う事務の取扱いについては、適用しない。

第六章 日本銀行の歳入金等の受入に関する特別取扱手続の特例

（歳入代理店の設置）

第二十七条 日本銀行歳入代理店が第十条の規定により現金の払込みを受ける場合の特別手続第一条第一項第三号の規定の適用については、同号中「受ける場合に限る」とあるのは、「受ける場合及び電子情報処理組織を使用して処理する場合における保管金取扱規程等の特例に関する省令（平成十七年財務省令第五号）第十条の規定により払込みを受ける場合に限る」とする。

第二十七条の二 日本銀行歳入代理店が第十条の二の規定により現金の振込みを受ける場合の特別手続第一条第一項第三号の規定の適用については、同号中「受ける場合に限る」とあるのは、「受ける場合及び電子情報処理組織を使用して処理する場合における保管金取扱規程等の特例に関する省令（平成十七年財務省令第五号）第十条の二の規定により振込みを受ける場合に限る」とする。

第七章　雑則

（帳簿の様式）

第二十八条　第三条第一項に規定する現金出納簿の様式は、別紙第十号書式によるものとする。

（電子情報処理組織の使用等の特例）

第二十九条　電子情報処理組織に障害が発生したことにより、又は電子情報処理組織の運転時間が経過したことにより、この省令の規定による電子情報処理組織への記録又は電子情報処理組織による処理が不能となった場合において、緊急やむを得ない事由により障害が回復するまでの間又は電子情報処理組織の運転が再開されるまでの間において、保管金の保管に関する事務を行わなければ事務に支障を及ぼすおそれがあるときは、別に定めるところにより、この省令の規定と異なる取扱いをすることができる。

2　前項の規定により、この省令の規定と異なる取扱いをした場合において、当該障害が回復し、又は電子情報処理組織の運転が再開されたことにより、電子情報処理組織への記録が可能となったときは、別に定めるところにより、当該取扱いをした保管金の保管に関する事務について必要な事項を電子情報処理組織に記録しなければならない。

（指定歳入歳出外現金出納官吏による電子情報処理組織への記録等の手続の細目）

第三十条　指定歳入歳出外現金出納官吏が電子情報処理組織に記録しなければならない事項及び当該記録の方法その他電子情報処理組織の使用に関する手続の細目については、別に定めるところによる。

附　則

（施行期日）

1　この省令は、平成十七年三月七日から施行する。

（適用除外）

2　各省各庁の長は、第二条第一項の規定により財務大臣が指定した保管金の保管に関する事務の取扱いについて、この省令の規定により難い特別の事情がある場合には、財務大臣と協議をして、当分の間、この省令の規定の一部を適用しないことができる。

別紙第１号書式

第一片

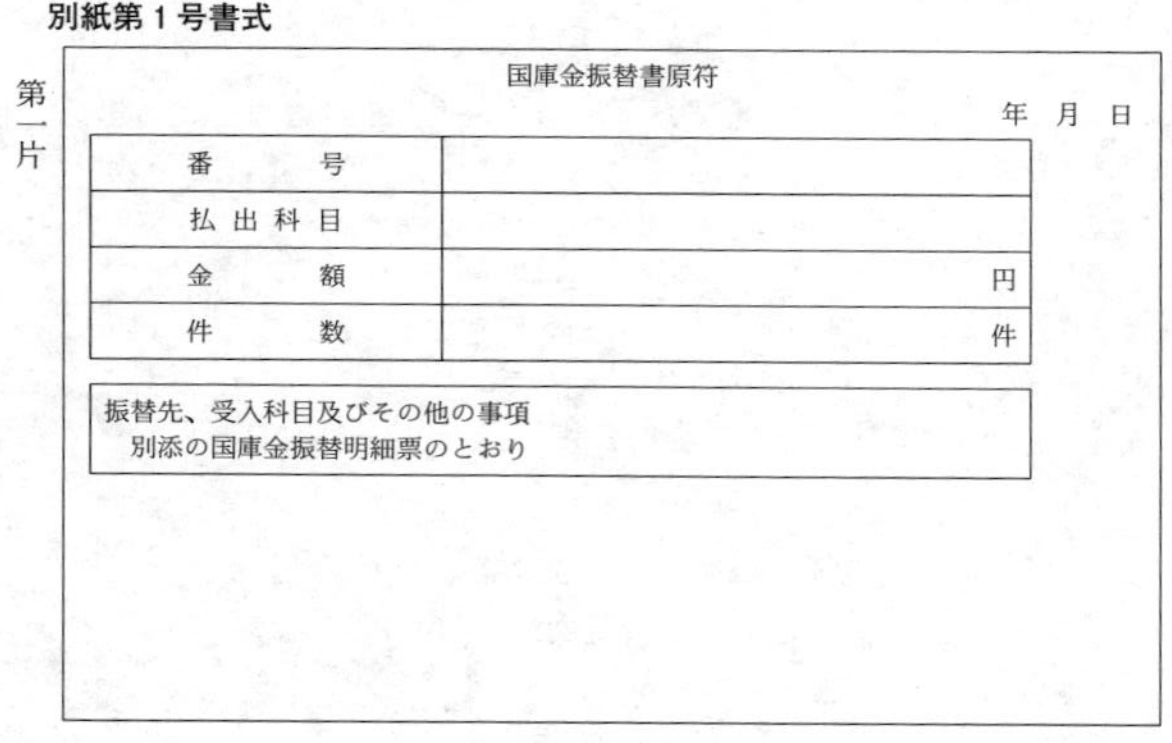

国庫金振替書原符

年　月　日

番　　号	
払 出 科 目	
金　　額	円
件　　数	件

振替先、受入科目及びその他の事項
別添の国庫金振替明細票のとおり

第二片

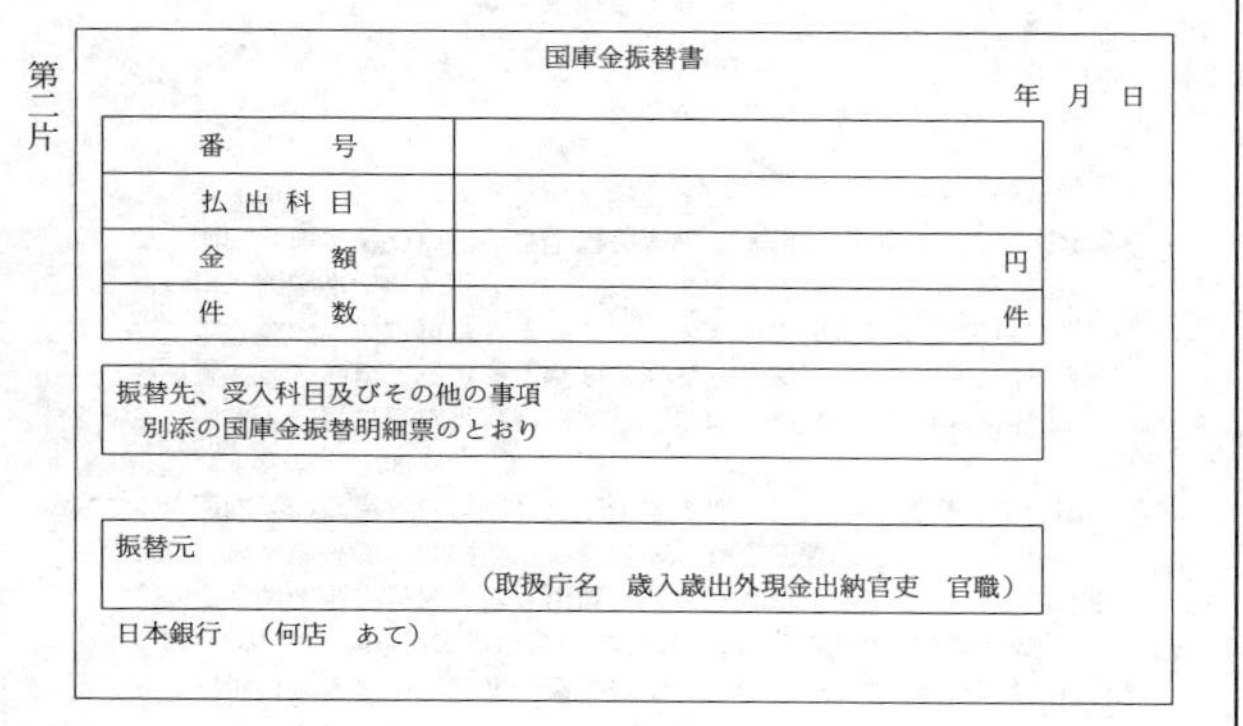

国庫金振替書

年　月　日

番　　号	
払 出 科 目	
金　　額	円
件　　数	件

振替先、受入科目及びその他の事項
別添の国庫金振替明細票のとおり

振替元
（取扱庁名　歳入歳出外現金出納官吏　官職）

日本銀行　（何店　あて）

付表

第一片

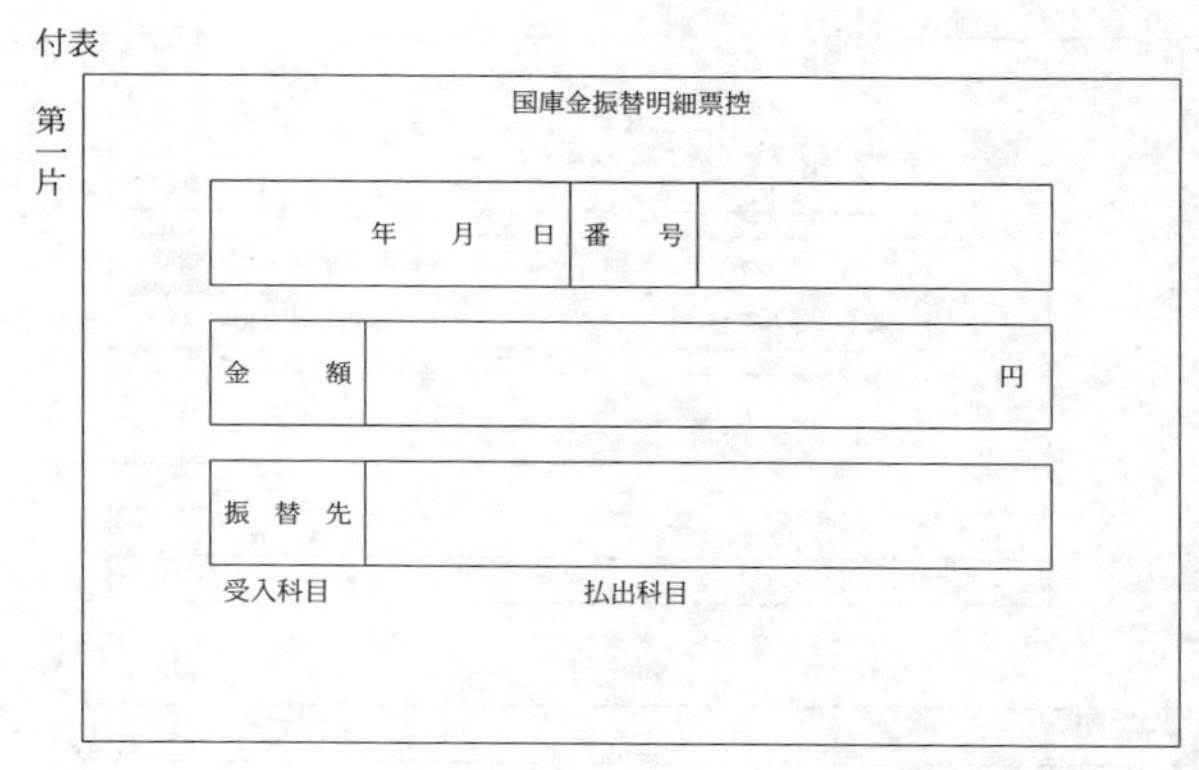

国庫金振替明細票控

年　月　日	番　号	
金　　額	円	
振 替 先		

受入科目　　払出科目

第二片

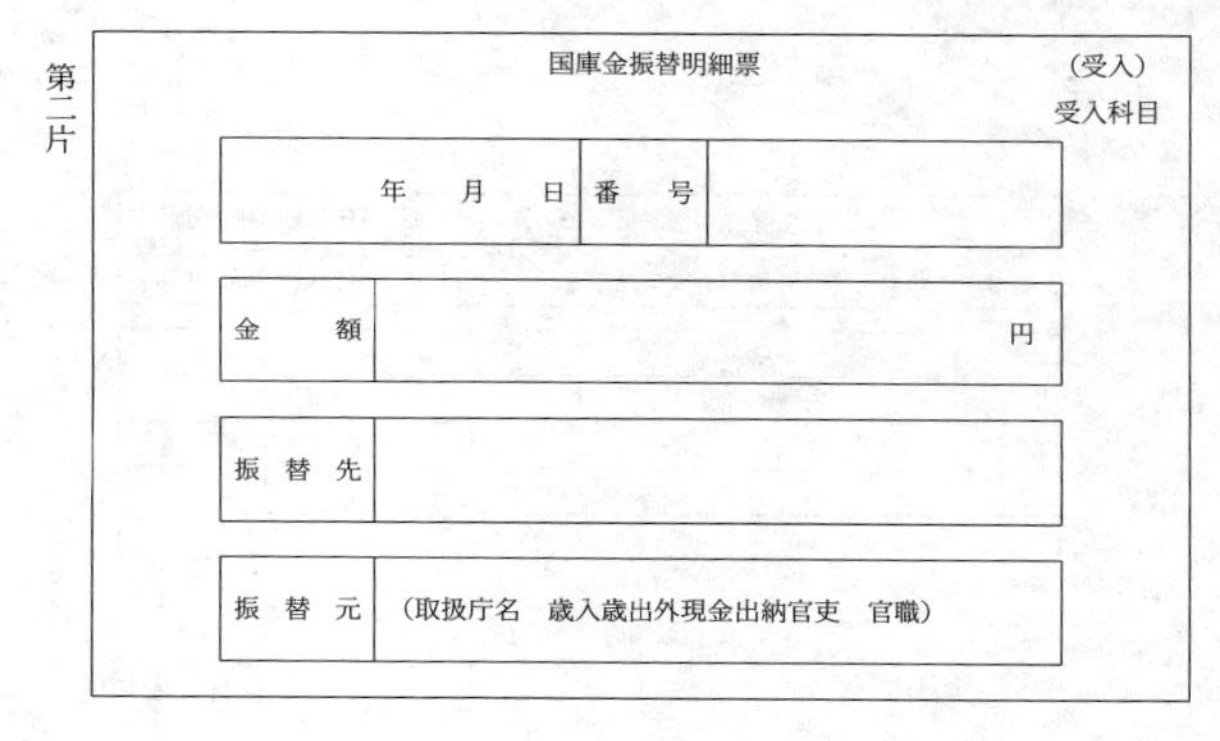

国庫金振替明細票　（受入）

受入科目

年　月　日	番　号	
金　　額	円	
振 替 先		
振 替 元	（取扱庁名　歳入歳出外現金出納官吏　官職）	

備考　1　用紙の大きさは、国庫金振替書の各片についてはおおむね縦11cm、横14cmとし、付表についてはおおむね縦11cm、横21cmとする。

2　この国庫金振替書には、年度ごとに連続番号を付するものとする。

3　付表の番号欄には国庫内の振替の番号を記載するものとする。

4　国庫金振替書及び付表の払出科目には「保管金」又は「供託金」を、記載するものとする。

5　国庫金振替書及び付表の振替元欄には、歳入歳出外現金出納官吏の所属庁名、資格、官職を記載するものとする。

6　第7条第2項に規定する徴収決定済みである旨については、付表の余白に記載するものとする。

7　国庫金振替書及び付表は、電子情報処理組織を使用して作成するものとする。

別紙第2号書式

第一片

支払指図書原符

年　月　日

番　　号	
払出科目	
金　　額	円
支払方法区分	振込・送金
件　　数	件

上記の金額を政府預金から払出しの上、振込み又は送金して下さい。
振込又は送金先及びその他の事項
　別添の国庫金振込明細票、国庫金送金明細票のとおり

第二片

支払指図書

年　月　日

番　　号	
払出科目	
金　　額	円
支払方法区分	振込・送金
件　　数	件

上記の金額を政府預金から払出しの上、振込み又は送金して下さい。
振込又は送金先及びその他の事項
　別添の国庫金振込明細票、国庫金送金明細票のとおり

指図者
（取扱庁名　歳入歳出外現金出納官吏　官職）

日本銀行　（何店　あて）

付表（その1）

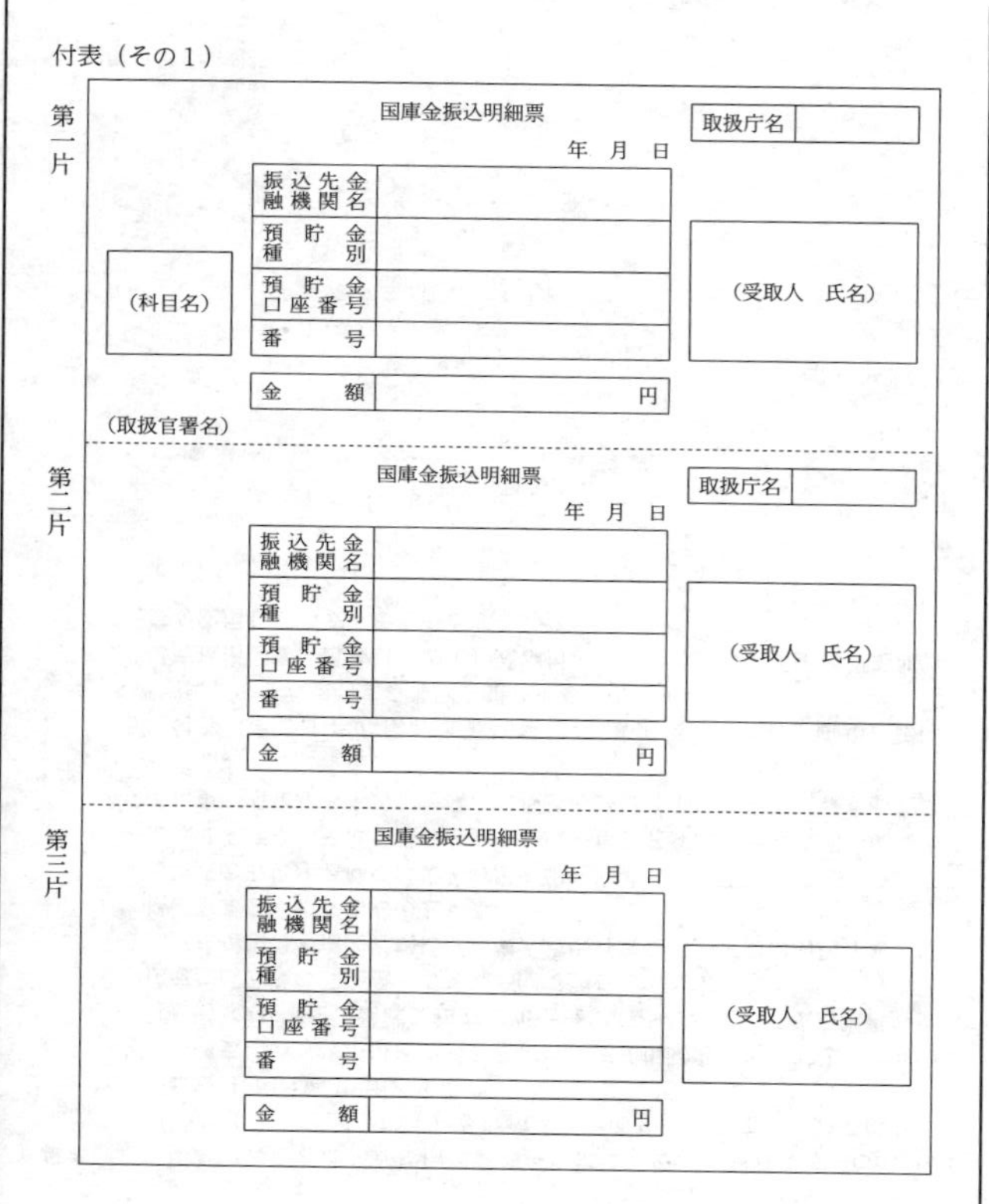

第一片

国庫金振込明細票　年　月　日

取扱庁名

（科目名）

振込先金融機関名	
預貯金種別	
預貯金口座番号	
番号	

金額　円

（受取人　氏名）

（取扱官署名）

第二片

国庫金振込明細票　年　月　日

取扱庁名

振込先金融機関名	
預貯金種別	
預貯金口座番号	
番号	

金額　円

（受取人　氏名）

第三片

国庫金振込明細票　年　月　日

振込先金融機関名	
預貯金種別	
預貯金口座番号	
番号	

金額　円

（受取人　氏名）

付表（その2）

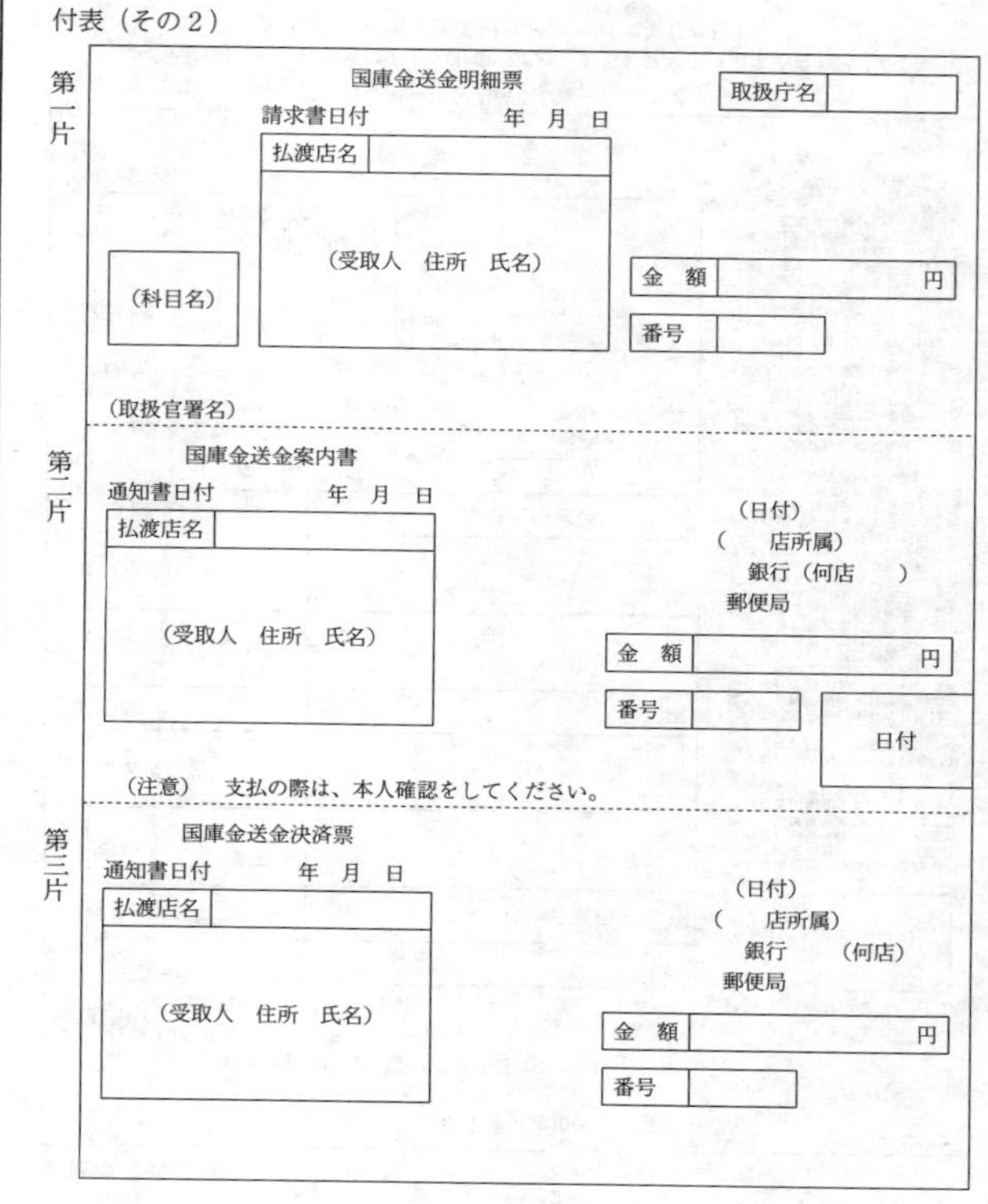

第一片

国庫金送金明細票

請求書日付　年　月　日

取扱庁名

払渡店名

（受取人　住所　氏名）

（科目名）

金額　円

番号

（取扱官署名）

第二片

国庫金送金案内書

通知書日付　年　月　日

払渡店名

（受取人　住所　氏名）

（日付）

（　店所属

銀行（何店　）

郵便局

金額　円

番号

日付

（注意）　支払の際は、本人確認をしてください。

第三片

国庫金送金決済票

通知書日付　年　月　日

払渡店名

（受取人　住所　氏名）

（日付）

（　店所属

銀行　（何店）

郵便局

金額　円

番号

備考　1　用紙の大きさは、支払指図書の各片についてはおおむね縦11cm、横14cmとし、付表（その1）及び付表（その2）の各片についてはおおむね縦11cm、横21cmとする。

2　当該支払い方法が振込であるときは、支払指図書の支払方法区分欄の「振込」の文字を、当該支払方法が送金であるときは、支払指図書の支払方法区分欄の「送金」の文字を○で囲むものとする。

3　支払指図書の指図者欄には、歳入歳出外現金出納官吏の所属庁名、資格、官職を記載するものとする。

4　付表の取扱庁名欄には歳入歳出外現金出納官吏の所属庁名を、科目名には「保管金」又は「供託金」を、取扱官署名欄には歳入歳出外現金出納官吏の所属庁名を、番号欄には振込み又は送金の番号を記載するものとする。

5　付表（その1）の預貯金種別欄は、「普通」、「当座」、「通知」又は「別段」のうち該当する種別を記載するものとする。

6　支払指図書、付表（その1）及び付表（その2）は、電子情報処理組織を使用して作成するものとする。

別紙第3号書式

国庫金送金通知書

年　月　日発行

下記の金額を次の金融機関でお受け取り下さい。
（官署の所在地、及び官署名）
（歳入歳出外現金出納官吏　官職　）

番号	
払渡店名	
受取人住所	
受取人氏名	
金額	円
領収証の収入印紙	要・不要
支払事由	

日付

○下記の領収証にご記入のうえ窓口にお出し下さい

領　収　証	委　任　状
上記の金額を受領しました 年　月　日 住所 氏名 収入印紙	上記の金額の受領を に 委任しました。 年　月　日 住所 氏名

（注意事項）
1　この通知書の受領後、盗難等のためこの通知書により、第三者がその支払を受けたときは、通常の場合、国は貴殿に対しお支払できないことになりますので、払渡しを受けるまでは大切に保管して下さい。
　なお、この通知書についてのお問合せは、取扱官署にお申出下さい。
2　この通知書を亡失したときは、直ちに上記の銀行又は郵便局に支払の停止を請求して下さい。この場合、その支払がまだなされていないときは、上記金融機関を経由して発行官署へ届け出て下さい。
3　この通知書により、送金金額を受け取る者は、印鑑証明書、身分証明書又は預貯金通帳等正当な受取人又はその代理人であることを証する書面を持参するようにして下さい。
4　受取人は、領収証欄に日付、住所及び氏名を記入して下さい。ただし、公務員が公金を受領する場合にあっては、官庁名又は公共団体等の名称及び官職名を記入し、記名して下さい。
5　受取人が代理人に現金支払の請求をさせようとするときは、受取人が委任状欄に相当の事項を記入し、署名するか又は別に委任状を差し出して下さい。この場合には、代理人は領収証欄に代理人であることを付記し、記名して下さい。
6　印紙税法の規定により、印紙税を納めることとなっている場合には、所定の額に相当する収入印紙を貼り、消して下さい。
7　この通知書の発行の日から1年を過ぎますと上記の銀行又は郵便局では支払を受けられません。(その場合は取扱官署にお申出下さい。
8　この通知書の発行の日から支払の準備が整うまで、土、日曜日及び祝祭日を除き4・5日程度要することがありますのであらかじめご了承下さい。

備考　1　用紙の大きさは、日本産業規格A列4とする。

2　領収証の収入印紙欄は、要・不要いずれかの不要文字を抹消するものとする。

3　この通知書は電子情報処理組織を使用して作成するものとする。

別紙第4号書式

（番号）

国庫金振替訂正請求書

年　月　日

下記のとおり訂正して下さい。

		元	訂正
国庫金振替	番号		
	年月日		
受入	年度		
	科目		
	振替先		
	日本銀行名		
金額			円

日本銀行（何店あて）

（何庁　歳入歳出外現金出納官吏　官職　氏名　印）

備考　1　用紙の大きさは日本産業規格A列4とする。
　　　2　必要があるときは、各欄の配置を著しく変更することなく所要の変更を加えることその他所要の調整を加えることができる。

別紙第5号書式

（番号）

国庫金送金訂正請求書

年　月　日

下記のとおり訂正して下さい。

		元	訂正
送金	番号		
	年月日		
受取人	住所		
	氏名又は名称		
金融機関店舗名			
金額			円

日本銀行（何店あて）

（何庁　歳入歳出外現金出納官吏　官職　氏名　印）

備考　1　用紙の大きさは日本産業規格A列4とする。
　　　2　必要があるときは、各欄の配置を著しく変更することなく所要の変更を加えることその他所要の調整を加えることができる。

別紙第6号書式　（その1）

（番号）

国庫金振込訂正請求書

年　月　日

下記のとおり訂正して下さい。

		元	訂正
振込	番号		
	年月日		
受取人氏名又は名称			
振込先金融機関店舗名			
預金種別及び口座番号			
金額			円

日本銀行（何店あて）

（何庁　歳入歳出外現金出納官吏　官職　氏名）

備考　1　用紙の大きさは日本産業規格A列4とする。
　　　2　年度ごとに連続番号を付するものとする。
　　　3　必要があるときは、各欄の配置を著しく変更することなく所要の変更を加えることその他所要の調整を加えることができる。

（その2）

国庫金振込訂正済通知書

年　月　日

下記のとおり訂正しましたので、通知します。

		元	訂正
振込	番号		
	年月日		
受取人氏名又は名称			
振込先金融機関店舗名			
預金種別及び口座番号			
金額			円

（何庁　歳入歳出外現金出納官吏　あて）

日本銀行（何店）

別紙第7号書式

国庫金送金又は振込取消請求書

（番　　号）

年　月　日

日本銀行（何店あて）

（何庁　歳入歳出外現金出納官吏　官職　　氏名　印）

下記の金額の送金又は振込みについて取消し、当該金額を（保管金又は供託金）に受け入れて下さい。

送金又は振込の別	1　送金　　2　振込
送金又は振込番号	
送金又は振込の請求年月日	
フリガナ	
受取人氏名又は名称	
金額	円
振込先又は払渡金融機関店舗名	

受入済通知書

年　月　日

（何庁　歳入歳出外現金出納官吏　あて）

日本銀行（何店　　）

下記の金額の送金又は振込みを取消し、　年　月　日に（保管金又は供託金）に受入済につき通知します。

送金又は振込の別	1　送金　　2　振込
送金又は振込番号	
送金又は振込の請求年月日	
フリガナ	
受取人氏名又は名称	
金額	円
振込先又は払渡金融機関店舗名	

備考　1　用紙の大きさは、各片とも日本産業規格Ａ列５とする。

2　振込の取消の場合は「振込」の文字を、送金の取消の場合は「送金」の文字を○で囲むものとする。

3　必要があるときは、各欄の配置を著しく変更することなく所要の変更を加えることその他所要の調整を加えることができる。

別紙第8号書式

振替済書

番号	
払出科目	
金額	円
件数	件

振替先、受入科目及びその他の事項
国庫金振替書に添付された国庫金振替明細票のとおり

（取扱庁名　歳入歳出外現金出納官吏　あて）

日付

備考　1　用紙の大きさは、おおむね縦11cm、横14cmとする。

2　番号欄には、国庫金振替書の番号を記入するものとする。

別紙第９号書式

支払済書

番　　号	
科　　目	
金　　額	円
支払方法区分	振込・送金
件　　数	件

支払指図書のとおり、上記の金額を政府預金から払出しの上、振込み又は送金の手続を行いました。
振込又は送金先及びその他の事項
　支払指図書に添付された国庫金振込明細票、国庫金送金明細票のとおり

（取扱庁名　歳入歳出外現金出納官吏　あて）

日付

備考　1　用紙の大きさは、おおむね縦11cm、横14cmとする。
　　　2　番号欄には、支払指図書の番号を記入するものとする。

別紙第10号書式

現　金　出　納　簿

（官署）
（科目）

年　月分

日付	整理番号	摘　要	小切手番号	受			払			残		
				現金（円）	預金（円）	計（円）	現金（円）	預金（円）	計（円）	現金（円）	預金（円）	計（円）

備考　1　用紙の大きさは、日本産業規格Ａ列４とする。
　　　2　国の会計帳簿及び書類の様式に関する省令第16号書式の備考⑵及び⑶については、本書式に準用する。
　　　3　（官署）欄には、歳入歳出外現金出納官吏の所属庁名を、（科目）欄には保管金又は供託金を記載する。
　　　4　記載事項が二葉以上にわたる場合には、各葉右上方に頁数を付するものとする。
　　　5　必要があるときは、各欄を区分することその他所要の調整を加えることができる。

○電子情報処理組織を使用して処理する場合における保管金取扱規程等の特例に関する省令第二条第一項及び第三項に基づき、同条第一項に規定する各省各庁の長が保管する現金及び同条第三項に規定する財務大臣が指定する歳入歳出外現金出納官吏を指定する件

平一七・三・七
財務告七三

最終改正　令六・二・二財務告三二

電子情報処理組織を使用して処理する場合における保管金取扱規程等の特例に関する省令第二条第一項に規定する財務大臣が指定する各省各庁の長が保管する現金は、次の表の上欄に掲げる各省各庁の長が保管する現金（政府担保振替国債取扱規則（平成二十三年財務省令第十五号）第五条第一項の規定により保管する償還金又は利息であって、同令第二条第二項及び保管金払込事務等取扱規程（昭和二十六年大蔵省令第三十号）第二条第一項の規定により日本銀行の本店又は支店及び代理店の双方との間に保管金に関する取引を開始している取扱官庁が、当該本店又は支店において保管するものを除く。以下同じ。）とし、同条第三項に規定する財務大臣が指定する歳入歳出外現金出納官吏は、当該上欄に掲げる各省各庁の長が保管する現金ごとに、その保管に関する事務を取り扱うものとして、それぞれ同表の下欄に掲げる歳入歳出外現金出納官吏とする。

各省各庁の長が保管する現金		歳入歳出外現金出納官吏
供託法（明治三十二年法律第十五号）第一条の規定により保管する供託金	法務省	法務局の歳入歳出外現金出納官吏 地方法務局の歳入歳出外現金出納官吏 法務局支局の歳入歳出外現金出納官吏 地方法務局支局の歳入歳出外現金出納官吏
公証人法（明治四十一年法律第五十三号）第十九条第一項に規定する身元保証金	法務省	法務局の歳入歳出外現金出納官吏 地方法務局の歳入歳出外現金出納官吏
会計法（昭和二十二年法律第三十五号）第二十九条の四第一項に規定する保証金及び第二十九条の九第一項に規定する契約保証金	内閣府	沖縄総合事務局総務部の歳入歳出外現金出納官吏 沖縄総合事務局財務部の歳入歳出外現金出納官吏 沖縄総合事務局財務出張所の歳入歳出外現金出納官吏 警察庁長官官房の歳入歳出外現金出納官吏 警察大学校の歳入歳出外現金出納官吏 科学警察研究所の歳入歳出外現金出納官吏 皇宮警察本部の歳入歳出外現金出納官吏 管区警察局の歳入歳出外現金出納官吏 警察支局の歳入歳出外現金出納官吏 管区警察学校の歳入歳出外現金出納官吏 東京都警察情報通信部及び北海道警察情報通信部の歳入歳出外現金出納官吏 警視庁及び道府県警察本部の歳入歳出外現金出納官吏 方面本部の歳入歳出外現金出納官吏
	財務省	財務省大臣官房の歳入歳出外現金出納官吏 財務局及び福岡財務支局の歳入歳出外現金出納官吏 財務事務所の歳入歳出外現金出納官吏 財務局出張所及び福岡財務支局出張所の歳入歳出外現金出納官吏 財務事務所出張所（水戸財務事務所筑波出張所を除く。）の歳入歳出外現

	金出納官吏
	税関及び沖縄地区税関の歳入歳出外現金出納官吏
文部科学省	文部科学省大臣官房の歳入歳出外現金出納官吏
	国立教育政策研究所の歳入歳出外現金出納官吏
厚生労働省	厚生労働省大臣官房の歳入歳出外現金出納官吏
	国立感染症研究所の歳入歳出外現金出納官吏
	都道府県労働局の歳入歳出外現金出納官吏
	厚生労働省年金局の歳入歳出外現金出納官吏
農林水産省	農林水産省大臣官房の歳入歳出外現金出納官吏
	農林水産省農産局の歳入歳出外現金出納官吏
	横浜植物防疫所の歳入歳出外現金出納官吏
	動物検疫所の歳入歳出外現金出納官吏
	林野庁林政部の歳入歳出外現金出納官吏
	森林管理局の歳入歳出外現金出納官吏
	水産庁の歳入歳出外現金出納官吏
防衛省	防衛省大臣官房の歳入歳出外現金出納官吏
	防衛大学校の歳入歳出外現金出納官吏
	防衛医科大学校の歳入歳出外現金出納官吏
	防衛装備庁の歳入歳出外現金出納官吏
	地方防衛局の歳入歳出外現金出納官吏
	東海防衛支局の歳入歳出外現金出納官吏
	熊本防衛支局の歳入歳出外現金出納官吏

私的独占の禁止及び公正取引の確保に関する法律（昭和二十二年法律第五十四号）第六十九条第四項の規定により保管する現金	内閣府	公正取引委員会の歳入歳出外現金出納官吏
教科書の発行に関する臨時措置法（昭和二十三年法律第百三十二号）第十二条に規定する保証金及び文部科学省著作教科書の出版権等に関する法律（昭和二十四年法律第百四十九号）第四条第一項に規定する保証金	文部科学省	文部科学省大臣官房の歳入歳出外現金出納官吏
関税法（昭和二十九年法律第六十一号）第八十五条第一項（同法第八十八条において準用する場合を含む。）の規定により保管する現金	財務省	税関及び沖縄地区税関の歳入歳出外現金出納官吏
国税徴収法（昭和三十四年法律第百四十七号）第六十七条第三項の規定により保管する現金	財務省	税関及び沖縄地区税関の歳入歳出外現金出納官吏
労働保険の保険料の徴収等に関する法律（昭和四十四年法律第八十四号）第二十七条第三項及び第三十条の規定により保管する現金	厚生労働省	都道府県労働局の歳入歳出外現金出納官吏
排他的経済水域における漁業等に関する主権的権利の行使等に関する法	農林水産省	水産庁の歳入歳出外現金出納官吏

律（平成八年法律第七十六号）第二十四条第一項に基づく担保金		
不動産登記法（平成十六年法律第百二十三号）第百四十六条第五項の規定により保管する現金	法務省	法務局の歳入歳出外現金出納官吏 地方法務局の歳入歳出外現金出納官吏
犯罪被害財産等による被害回復給付金の支給に関する法律（平成十八年法律第八十七号）第二条第三号に規定する給付資金	法務省	東京地方検察庁の歳入歳出外現金出納官吏
特定複合観光施設区域整備法施行令（平成三十一年政令第七十二号）第四十二条第一項及び第二項並びに第四十九条の規定により保管する現金	内閣府	カジノ管理委員会の歳入歳出外現金出納官吏
裁判所において保管する現金	裁判所	最高裁判所の歳入歳出外現金出納官吏 高等裁判所（知的財産高等裁判所を除く。）の歳入歳出外現金出納官吏 地方裁判所（支部を除く。）の歳入歳出外現金出納官吏 東京地方裁判所立川支部の歳入歳出外現金出納官吏 横浜地方裁判所川崎支部の歳入歳出外現金出納官吏 横浜地方裁判所相模原支部の歳入歳出外現金出納官吏 横浜地方裁判所横須賀支部の歳入歳出外現金出納官吏 横浜地方裁判所小田原支部の歳入歳出外現金出納官吏 さいたま地方裁判所越谷支部の歳入歳出外現金出納官吏 さいたま地方裁判所川越支部の歳入歳出外現金出納官吏 さいたま地方裁判所熊谷支部の歳入歳出外現金出納官吏 千葉地方裁判所松戸支部の歳入歳出外現金出納官吏 水戸地方裁判所土浦支部の歳入歳出外現金出納官吏 水戸地方裁判所龍ケ崎支部の歳入歳出外現金出納官吏 水戸地方裁判所下妻支部の歳入歳出外現金出納官吏 宇都宮地方裁判所栃木支部の歳入歳出外現金出納官吏 宇都宮地方裁判所大田原支部の歳入歳出外現金出納官吏 宇都宮地方裁判所足利支部の歳入歳出外現金出納官吏 前橋地方裁判所沼田支部の歳入歳出外現金出納官吏 前橋地方裁判所太田支部の歳入歳出外現金出納官吏 前橋地方裁判所桐生支部の歳入歳出外現金出納官吏 前橋地方裁判所高崎支部の歳入歳出外現金出納官吏 静岡地方裁判所沼津支部の歳入歳出外現金出納官

吏
静岡地方裁判所富士支部の歳入歳出外現金出納官吏
静岡地方裁判所浜松支部の歳入歳出外現金出納官吏
長野地方裁判所上田支部の歳入歳出外現金出納官吏
長野地方裁判所佐久支部の歳入歳出外現金出納官吏
長野地方裁判所松本支部の歳入歳出外現金出納官吏
長野地方裁判所諏訪支部の歳入歳出外現金出納官吏
長野地方裁判所飯田支部の歳入歳出外現金出納官吏
長野地方裁判所伊那支部の歳入歳出外現金出納官吏
新潟地方裁判所三条支部の歳入歳出外現金出納官吏
新潟地方裁判所長岡支部の歳入歳出外現金出納官吏
新潟地方裁判所高田支部の歳入歳出外現金出納官吏
新潟地方裁判所佐渡支部の歳入歳出外現金出納官吏
大阪地方裁判所堺支部の歳入歳出外現金出納官吏
大阪地方裁判所岸和田支部の歳入歳出外現金出納官吏
京都地方裁判所宮津支部の歳入歳出外現金出納官吏
京都地方裁判所舞鶴支部の歳入歳出外現金出納官吏
京都地方裁判所福知山支部の歳入歳出外現金出納官吏
神戸地方裁判所尼崎支部の歳入歳出外現金出納官吏
神戸地方裁判所姫路支部の歳入歳出外現金出納官吏
神戸地方裁判所豊岡支部の歳入歳出外現金出納官吏
奈良地方裁判所葛城支部の歳入歳出外現金出納官吏
大津地方裁判所彦根支部の歳入歳出外現金出納官吏
大津地方裁判所長浜支部の歳入歳出外現金出納官吏
和歌山地方裁判所田辺支部の歳入歳出外現金出納官吏
和歌山地方裁判所御坊支部の歳入歳出外現金出納官吏
和歌山地方裁判所新宮支部の歳入歳出外現金出納官吏
名古屋地方裁判所一宮支部の歳入歳出外現金出納官吏
名古屋地方裁判所岡崎支部の歳入歳出外現金出納官吏
名古屋地方裁判所豊橋支部の歳入歳出外現金出納官吏
津地方裁判所伊賀支部の歳入歳出外現金出納官吏
津地方裁判所四日市支部の歳入歳出外現金出納官吏
津地方裁判所伊勢支部の歳入歳出外現金出納官吏
岐阜地方裁判所多治見支部の歳入歳出外現金出納

官吏

岐阜地方裁判所御嵩支部の歳入歳出外現金出納官吏

岐阜地方裁判所高山支部の歳入歳出外現金出納官吏

福井地方裁判所敦賀支部の歳入歳出外現金出納官吏

金沢地方裁判所七尾支部の歳入歳出外現金出納官吏

富山地方裁判所高岡支部の歳入歳出外現金出納官吏

広島地方裁判所福山支部の歳入歳出外現金出納官吏

山口地方裁判所周南支部の歳入歳出外現金出納官吏

山口地方裁判所岩国支部の歳入歳出外現金出納官吏

山口地方裁判所下関支部の歳入歳出外現金出納官吏

岡山地方裁判所津山支部の歳入歳出外現金出納官吏

鳥取地方裁判所米子支部の歳入歳出外現金出納官吏

松江地方裁判所浜田支部の歳入歳出外現金出納官吏

福岡地方裁判所飯塚支部の歳入歳出外現金出納官吏

福岡地方裁判所直方支部の歳入歳出外現金出納官吏

福岡地方裁判所久留米支部の歳入歳出外現金出納官吏

福岡地方裁判所柳川支部の歳入歳出外現金出納官吏

福岡地方裁判所大牟田支部の歳入歳出外現金出納官吏

福岡地方裁判所八女支部の歳入歳出外現金出納官吏

福岡地方裁判所小倉支部の歳入歳出外現金出納官吏

福岡地方裁判所行橋支部の歳入歳出外現金出納官吏

福岡地方裁判所田川支部の歳入歳出外現金出納官吏

佐賀地方裁判所武雄支部の歳入歳出外現金出納官吏

佐賀地方裁判所唐津支部の歳入歳出外現金出納官吏

長崎地方裁判所大村支部の歳入歳出外現金出納官吏

長崎地方裁判所島原支部の歳入歳出外現金出納官吏

長崎地方裁判所佐世保支部の歳入歳出外現金出納官吏

長崎地方裁判所壱岐支部の歳入歳出外現金出納官吏

長崎地方裁判所五島支部の歳入歳出外現金出納官吏

長崎地方裁判所厳原支部の歳入歳出外現金出納官吏

大分地方裁判所杵築支部の歳入歳出外現金出納官吏

大分地方裁判所佐伯支部の歳入歳出外現金出納官吏

大分地方裁判所竹田支部の歳入歳出外現金出納官

吏
大分地方裁判所中津支部の歳入歳出外現金出納官吏
大分地方裁判所日田支部の歳入歳出外現金出納官吏
熊本地方裁判所八代支部の歳入歳出外現金出納官吏
熊本地方裁判所人吉支部の歳入歳出外現金出納官吏
鹿児島地方裁判所名瀬支部の歳入歳出外現金出納官吏
鹿児島地方裁判所鹿屋支部の歳入歳出外現金出納官吏
那覇地方裁判所沖縄支部の歳入歳出外現金出納官吏
那覇地方裁判所名護支部の歳入歳出外現金出納官吏
那覇地方裁判所平良支部の歳入歳出外現金出納官吏
那覇地方裁判所石垣支部の歳入歳出外現金出納官吏
福島地方裁判所相馬支部の歳入歳出外現金出納官吏
福島地方裁判所郡山支部の歳入歳出外現金出納官吏
福島地方裁判所会津若松支部の歳入歳出外現金出納官吏
福島地方裁判所いわき支部の歳入歳出外現金出納官吏
山形地方裁判所鶴岡支部の歳入歳出外現金出納官吏
山形地方裁判所酒田支部の歳入歳出外現金出納官吏
盛岡地方裁判所花巻支部の歳入歳出外現金出納官吏
盛岡地方裁判所宮古支部の歳入歳出外現金出納官吏
盛岡地方裁判所一関支部の歳入歳出外現金出納官吏
秋田地方裁判所能代支部の歳入歳出外現金出納官吏
秋田地方裁判所大館支部の歳入歳出外現金出納官吏
秋田地方裁判所横手支部の歳入歳出外現金出納官吏
秋田地方裁判所大曲支部の歳入歳出外現金出納官吏
青森地方裁判所弘前支部の歳入歳出外現金出納官吏
青森地方裁判所八戸支部の歳入歳出外現金出納官吏
札幌地方裁判所室蘭支部の歳入歳出外現金出納官吏
札幌地方裁判所小樽支部の歳入歳出外現金出納官吏
釧路地方裁判所帯広支部の歳入歳出外現金出納官吏
釧路地方裁判所北見支部の歳入歳出外現金出納官吏
東京家庭裁判所の歳入歳出外現金出納官吏
横浜家庭裁判所の歳入歳出外現金出納官吏
さいたま家庭裁判所の歳入歳出外現金出納官吏
千葉家庭裁判所の歳入歳出外現金出納官吏

宇都宮家庭裁判所の歳入歳出外現金出納官吏

前橋家庭裁判所の歳入歳出外現金出納官吏

静岡家庭裁判所の歳入歳出外現金出納官吏

新潟家庭裁判所の歳入歳出外現金出納官吏

大阪家庭裁判所の歳入歳出外現金出納官吏

京都家庭裁判所の歳入歳出外現金出納官吏

神戸家庭裁判所の歳入歳出外現金出納官吏

名古屋家庭裁判所の歳入歳出外現金出納官吏

広島家庭裁判所の歳入歳出外現金出納官吏

山口家庭裁判所の歳入歳出外現金出納官吏

長崎家庭裁判所の歳入歳出外現金出納官吏

熊本家庭裁判所の歳入歳出外現金出納官吏

那覇家庭裁判所の歳入歳出外現金出納官吏

仙台家庭裁判所の歳入歳出外現金出納官吏

福島家庭裁判所の歳入歳出外現金出納官吏

札幌家庭裁判所の歳入歳出外現金出納官吏

高松家庭裁判所の歳入歳出外現金出納官吏

松山家庭裁判所の歳入歳出外現金出納官吏

東京簡易裁判所の歳入歳出外現金出納官吏

大阪簡易裁判所の歳入歳出外現金出納官吏

○日本銀行国庫金取扱規程

昭二二・九・二七
大蔵令九三

最終改正 令四・一〇・一八財務令五一

目次〔略〕

第一章 総則

第一条 日本銀行は、この省令の定めるところにより国庫金の出納並びに政府預金に関する事務を取り扱わなければならない。

第二条 日本銀行は、その本店、支店及び代理店をして国庫金の出納を取り扱わしめなければならない。

② 前項の代理店は、日本銀行が、財務大臣の認可を経て、これを定めなければならない。

第二条の二 日本銀行は、その本店、支店及び代理店の店舗において国庫金の出納を取り扱わせる場合の外、その代理店を官公署に派出して当該官公署の取扱に係る国庫金の収納を取り扱わせることができる。

② 日本銀行は、前項の規定により国庫金の収納を取り扱わせようとするときは、あらかじめ、次の各号に掲げる事項を記載した書類を財務大臣に提出して、その承認を受けなければならない。

一 派出元店舗名
二 派出先官公署名
三 派出先において収納する国庫金の種別

第三条 日本銀行は、地方に統轄店を設け、その所属店における国庫金出納の事務を統轄しなければならない。

② 前項の統轄店及びその所属店は、日本銀行が、財務大臣の認可を経て、これを定めなければならない。

第四条 日本銀行は、左の区分により国庫金の現金又は振替による出納を取り扱わなければならない。

一 歳入金
二 歳出金
二の二 国税収納金整理資金
三 預託金
四 保管金
五 財政融資資金預託金
六 その他の国庫金

第五条 日本銀行は、その本店に当座預金勘定、別口預金勘定及び指定預金勘定をおいて、政府預金を区分整理しなければならない。

第六条 当座預金勘定は、日本銀行において取り扱う国庫金で現金による受払を整理すべき勘定とする。

第七条 別口預金勘定は、財務大臣の定める種別に属する現金の受入による預金の受払を整理すべき勘定とする。

第八条 指定預金勘定は、財務大臣において特別の条件を指定した預金の受払を整理すべき勘定とする。

第九条 前二条の預金の受払及びその預金相互間の組替は、別に定める場合を除くの外、すべて当座預金勘定を経由しなければならない。

第十条 指定預金勘定に属する預金には、財務大臣の指定する条件中に定める利子を附さなければならない。

第十一条 日本銀行は、国庫金の出納に関し臨時至急を要するときは、各庁の請求により営業時間外であつても、その取扱をしなければならない。

第十二条 日本銀行の取り扱う国庫金に関する各店間の振替並びに送金及び振込みの取扱手続については、この省令に定めるものを除くの外、日本銀行は、財務大臣の認可を経て、これを定めなければならない。

第十三条 日本銀行の事務取扱で、特別の事由によりこの省令により難いものについては、特例を設けることができる。

第二章 歳入金

第十四条 日本銀行（本店、支店又は代理店をいう。以下同じ。）は、納入者から納入告知書又は納付書を添え、現金の納付を受けたときは、これを領収し、領収証書を納入者に交付するとともに、領収済通知書に第一号書式の集計表を添えてこれを当該歳入を取り扱つた歳入徴収官又は分任歳入徴収官（歳入徴収官代理又は分任歳入徴収官代理を含む。以下同じ。）に送付しなければならない。ただし、次条及び第十四条の三の規定による納付を受けて領収した場合を除く。

第十四条の二 日本銀行は、納入者から、歳入徴収官事務規程（昭和二十七年大蔵省令第百四十一号。以下本章において「規程」という。）第二十一条の六第一項第一号から第六号及び第九号に掲げる納入告知書又は納付書並びに同条第二項第二号及び第三号に掲げる納付書を添えて現金の納付を受けたときはこれを領収して領収証書を、同条第二項第一号に掲げる納付書を添えて現金の納付を受けたときはこれを領収して領収証書及び納付済証（特許庁提出用）を、納入者に交付するとともに、領収済通知書を日本銀行統轄店に送付しなければならない。ただし、日本銀行代理店において領収済通知書の記載事項について送信（書面等の情報を電気通信回線を使用して転送することをいう。以下同じ。）できるときは、領収済通知書の送付に代えて、領収済通知情報については第一号代行機関（規程第二十一条の四第一号に規定する代行機関をいう。以下同じ。）又は第二号代行機関（規程第二十一条の四第二号に規定する代行機関をいう。以下同じ。）に、収納に係る記録については日本銀行本店に、送信しなければならない。

② 日本銀行統轄店は、前項又は日本銀行の歳入金等の受入に関する特別取扱手続（昭和二十四年大蔵省令第百号。以下「特別手続」という。）第三条第二項の規定により日本銀行又

は日本銀行歳入代理店（特別手続第一条に規定する歳入代理店をいう。以下同じ。）から領収済通知書の送付を受けたときは、当該領収済通知書に記載されている領収した歳入金に関する事項を光学読取式電子情報処理組織（日本銀行が歳入金の収納に関する事務を処理するため、日本銀行本店に設置される電子計算機と日本銀行統轄店に設置される光学文字読取装置、画像出力装置及び電子計算機とを電気通信回線で接続した電子情報処理組織をいう。第二十一条第一項を除き、以下同じ。）を使用して日本銀行本店に通知しなければならない。ただし、必要があると認められる場合においては、当該領収済通知書に記載されている住所、氏名その他の領収した歳入金に関する事項を記録した第一号の二書式、第一号の三書式又は第一号の四書式による領収済通知書を光学読取式電子情報処理組織を使用して作成し、当該歳入を取り扱つた歳入徴収官又は分任歳入徴収官に送付しなければならない。

③　日本銀行本店は、前項本文の規定により日本銀行統轄店から規程第二十一条の六第一項第九号及び同条第二項第一号に掲げる歳入金に係る通知を受けたときは、その旨を第一号代行機関を経由して当該歳入を取り扱つた歳入徴収官又は分任歳入徴収官に通知するため、光学読取式電子情報処理組織を使用して領収済通知情報を作成し、第一号代行機関に送信しなければならない。

④　日本銀行本店は、第二項本文の規定により日本銀行統轄店から規程第二十一条の六第一項第一号から第六号まで並びに同条第二項第二号及び第三号に掲げる歳入金に係る通知を受けたときは、その旨を第二号代行機関を経由して当該歳入を取り扱つた歳入徴収官又は分任歳入徴収官に通知するため、光学読取式電子情報処理組織を使用して第一号の五書式による領収済通知書（領収した歳入金に関する事項を収録した電磁的記録媒体（電磁的記録（電子的方式、磁気的方式その他人の知覚によつては認識することができない方式で作られる記録であつて電子計算機による情報処理の用に供されるものをいう。以下同じ。）に係る記録媒体をいう。以下同じ。）を含む。以下同じ。）を作成し、第二号代行機関に送付しなければならない。

第十四条の三　日本銀行代理店は、納入者から、規程第二十一条の六第二項第四号に掲げる納付書を添えて現金の納付を受けたときであつて、領収済通知書の記載事項について送信できるときは、これを領収して領収証書を納入者に交付するとともに、領収済通知情報については第二号代行機関に、収納に係る記録については日本銀行本店に、送信しなければならない。

第十四条の四　日本銀行代理店は、納入者から規程第二十一条の六第一項第一号から第六号まで及び第九号に掲げる納入告知書若しくは納付書並びに同条第二項第二号から第四号までに掲げる納付書に係る納付情報により現金の納付を受けたとき又は次の各号に掲げる納付情報により手数料等の納付を受けたときは、これを領収して、領収済通知情報については第一号代行機関又は第二号代行機関に、収納に係る記録については日本銀行本店に、送信しなければならない。

一　情報通信技術を活用した行政の推進等に関する法律（平成十四年法律第百五十一号）第六条第一項に規定する申請等を行つたことにより得られた納付情報

二　民事訴訟法（平成八年法律第百九号）第百三十二条の十第一項に規定する申立て等を行つたことにより得られた納付情報

三　工業所有権に関する手続等の特例に関する法律施行規則（平成二年通商産業省令第四十一号）第四十条の二第一項及び第四十一条の九に規定する納付情報

第十四条の五　日本銀行代理店は、納入者から規程第二十一条の六第一項第七号に掲げる納入告知書又は納付書に係る納付情報により現金の納付を受けたときは、これを領収して、領収済通知情報については歳入徴収官に、収納に係る記録については日本銀行本店に、送信しなければならない。

第十四条の六　削除

第十四条の七　日本銀行統轄店は、第十四条の二第二項ただし書若しくは同条第四項の規定により第一号の二書式、第一号の三書式、第一号の四書式若しくは第一号の五書式の領収済通知書が送付され又は同条第三項の規定により領収済通知情報が送信された後、当該領収済通知書の内容に誤りがあることを発見したときは、直ちに、歳入徴収官又は分任歳入徴収官にその旨を通知しなければならない。

第十四条の八　日本銀行代理店は、規程第三条第三項各号に掲げる歳入の納付を受けたときは、これを領収し、当該歳入を取り扱つた歳入徴収官に領収済の通知をするとともに、受入金の払込みに関し使用する書類で財務大臣の定めるものを日本銀行統轄店に送付しなければならない。

第十四条の九　第十四条の四、第十四条の五及び前条の場合において、日本銀行代理店は、領収証書を納入者に交付することを要しない。

第十五条　日本銀行は、出納官吏（出納官吏代理、分任出納官吏及び分任出納官吏代理を含む。以下同じ。）又は市町村その他の法令の規定により歳入金の収納の事務の委託を受けた者（以下「歳入金収納受託者」という。）から現金払込書又は送付書を添え、現金の払込を受けたときは、これを領収し、領収証書を払込者に交付するとともに、領収済通知書に集計表を添えてこれを当該歳入を取り扱つた歳入徴収官又は分任歳入徴収官に送付しなければならない。この場合において、当該歳入が在外公館の歳入徴収官の取扱に係るものであるときは、領収済通知書を外務省の本省の歳入徴収官に送付しなければならない。

第十五条の二　第十四条、第十四条の二第一項、前条、第十九条第一項、第十九条の三第一項及び第三十九条第四項の場合において、代理店が行う領収済通知書に添付する集計表の作成及び領収済通知書の歳入徴収官又は分任歳入徴収官への送付並びに領収済通知書の日本銀行統轄店への送付の事務については、日本銀行があらかじめ財務大臣の承認を受けた特定の日本銀行代理店又は歳入代理店において取りまとめて行うことができる。

第十六条　日本銀行は、国税資金支払命令官（国税資金支払命令官代理を含む。以下同じ。）又は出納官吏から歳入に納付するため国庫金振替書の交付を受けたときは、その国庫金振替書に指定の通り振替の手続をし、第二号書式の振替済書を国税資金支払命令官又は出納官吏に送付するとともに、第二号の二書式の振替済通知書に集計表を添えてこれを当該歳入を取り扱つた歳入徴収官又は分任歳入徴収官に送付しなければならない。

② 前項の場合において、その国庫金振替書が、出納官吏事務規程（昭和二十二年大蔵省令第九十五号）第三十一条第二号に規定する第五十三条、第五十四条、第五十五条又は第五十六条の場合において発せられたものであるときは、出納官吏に送付する振替済書及び歳入徴収官又は分任歳入徴収官に送付する振替済通知書には、その表面余白に、「健康保険料被保険者負担金」、「船員保険料被保険者負担金」、「厚生年金保険料被保険者負担金」、「労働保険料被保険者負担金」、「国家公務員有料宿舎使用料」、「防衛省職員食事代」、「防衛省職員被服弁償金」、「防衛省職員被服代払込金」、「労働者災害補償保険通勤災害一部負担金」、「国家公務員通勤災害一部負担金」又は「相殺額」と記載するものとする。

③ 第一項の場合において、その国庫金振替書が、出納官吏事務規程第三十二条中労働保険料の納付に関する部分の規定によるものであるときは、第一項の規定により歳入徴収官又は分任歳入徴収官に送付する振替済通知書に出納官吏の提出した納付書を添付しなければならない。

④ 第一項の場合において、その国庫金振替書が、出納官吏事務規程第四十五条若しくは第八十三条第四項の規定により所属庁の歳入に組み入れる場合又は保管金取扱規程（大正十一年大蔵省令第五号）第十七条第二項の規定により主務官庁の決定があつた場合において発せられるものであるときは、出納官吏に送付する振替済書又は歳入徴収官若しくは分任歳入徴収官に送付する振替済通知書には、その表面余白に、「徴収決定済み」と記載するものとする。

第十六条の二　日本銀行本店は、センター支出官（予算決算及び会計令（昭和二十二年勅令第百六十五号）第一条第三号に規定するセンター支出官をいい、センター支出官代理（センター支出官の事務を行う支出官代理をいう。）を含む。以下同じ。）から歳入に納付するため国庫金振替書の交付又は送信を受けた場合には、その国庫金振替書に指定の通り振替の手続をし、振替済通知書に集計表を添え、これを当該歳入を所掌する歳入徴収官又は歳入徴収官を経由して当該歳入を所掌する分任歳入徴収官に送付しなければならない。

② 前項の場合において、当該国庫金振替書に「健康保険料被保険者負担金」、「厚生年金保険料被保険者負担金」、「船員保険料被保険者負担金」、「労働保険料被保険者負担金」、「国家公務員有料宿舎使用料」、「国家公務員通勤災害一部負担金」、「防衛省職員食事代」、「防衛省職員被服弁償金」、「防衛省職員被服代払込金」、「議員国庫納金」、「労働保険料」又は「相殺額」と記載され、又は記録されているときは、これと同一の文言をその送付する振替済通知書の表面余白に記載するものとする。

第十七条　日本銀行は、毎年度所属歳入金の受入をなすことができる期間経過後、納入者から当該年度の記載のある納入告知書又は納付書を添え、現金の納付を受けたときは、現年度の歳入としてこれを領収し、第十四条の手続をしなければならない。

第十八条　日本銀行は、毎年度所属歳入金の受入をなすことができる期間経過後、出納官吏又は歳入金収納受託者から現金払込書又は送付書とともに現金の払込を受けたときは、現年度の歳入としてこれを領収し、第十五条の手続をしなければならない。

第十九条　日本銀行は、毎年度所属歳出金の返納金を戻し入れることができる期間経過後、返納者から歳入徴収官等（国の債権の管理等に関する法律（昭和三十一年法律第百十四号）第二条第四項に規定する歳入徴収官等をいう。以下同じ。）又は官署支出官（予算決算及び会計令第一条第二号に規定する官署支出官をいい、官署支出官代理（官署支出官の事務を行う支出官代理をいう。）を含む。以下同じ。）が発した当該年度の記載のある納入告知書又は納付書を添え、現金の納付を受けたときは、現年度の歳入としてこれを領収し、納入告知書又は納付書、領収控及び領収済通知書に現年度歳入と記載し、領収証書を納入者に交付するとともに、領収済通知書に集計表を添えてこれを当該歳入を取り扱う歳入徴収官に送付しなければならない。

② 前項の規定は、日本銀行が、毎年度所属歳出金の返納金を戻し入れることができる期間経過後、国税資金支払命令官又は出納官吏から当該年度の記載のある歳入徴収官等又は官署支出官が発した納入告知書又は納付書を添えて、国庫金振替書の交付を受け当該年度の歳出金に振替受入の請求を受けた場合に、これを準用する。

第十九条の二　日本銀行本店は、毎年度所属歳出金の返納金を戻し入れることができる期間経過後、センター支出官から当該年度の歳出の金額に戻し入れるため国庫金振替書の交付又は送信を受けたときは、その国庫金振替書に指定の通り振替の手続をし、振替済通知書に集計表を添え、これを当該歳入を所掌する歳入徴収官に送付しなければならない。

第十九条の三　日本銀行は、資金前渡官吏の支払金に係る返納金について、出納官吏事務規程第五十八条の二第一項の規定によりその支払つた金額に戻し入れることができる期限経過後、返納者から歳入徴収官等又は資金前渡官吏が発した納入告知書又は納付書を添えて現金の納付を受けたときは、当該納入告知書又は納付書に指定された取扱庁に係る現年度の歳入としてこれを領収し納入告知書又は納付書、領収控及び領収済通知書に現年度歳入と記載し、領収証書を納入者に交付するとともに、領収済通知書に集計表を添えてこれを当該歳入を取り扱う歳入徴収官又は分任歳入徴収官に送付しなければならない。

② 前項の規定は、日本銀行が出納官吏事務規程第五十八条の二第一項の規定により資金前渡官吏の支払つた金額に戻し入れることができる期限経過後、出納官吏から歳入徴収官等又は資金前渡官吏の発した納入告知書又は納付書を添えて国庫金振替書の交付を受け、振替受入の請求を受けた場合に準用する。

第十九条の四 日本銀行本店は、出納官吏事務規程第五十八条の二第一項の規定により資金前渡官吏の支払つた金額に戻し入れることができる期間経過後、センター支出官から資金前渡官吏の支払つた金額に係る返納金をその預託金に払い込むため国庫金振替書の交付又は送信を受けた場合には、その国庫金振替書に指定の通り振替の手続をし、振替済通知書に集計表を添え、これを当該歳入を所掌する歳入徴収官又は歳入徴収官を経由して当該歳入を所掌する分任歳入徴収官に送付しなければならない。

第十九条の五 日本銀行代理店は、毎年度所属歳出金の返納金を戻し入れることができる期間経過後、返納者から歳入徴収官等又は官署支出官が発した当該年度の記載のある納入告知書又は納付書に係る納付情報により現金の納付を受けたときは、これを領収し、領収済通知情報については第一号代行機関に、収納に係る記録については日本銀行本店に送信しなければならない。この場合において、日本銀行代理店は、領収証書を納入者に交付することを要しない。

② 前項の場合において、日本銀行本店は、日本銀行代理店から収納に係る記録の送信を受けたときは、これを現年度の歳入として取り扱わなければならない。

③ 前項の規定は、日本銀行本店が特別手続第三条の四第一項の規定により日本銀行歳入代理店から収納に係る記録の送信を受けた場合について準用する。この場合において、前項中「前項」とあるのは「特別手続第三条の四第一項」と、「日本銀行代理店」とあるのは「日本銀行歳入代理店」と読み替えるものとする。

第二十条 日本銀行は、第二十七条に規定する歳出支払未済繰越金の中で、振出日付から一年を経過した小切手の金額に相当するものを、毎月分ごとに取りまとめ、これを当該小切手の振出しに当たつて支出の決定をした官署支出官の所属庁の歳入徴収官の取扱いに係る歳入に組み入れ、翌月七日までに第三号書式の支払未済繰越金歳入組入報告書に集計表を添えてこれをその歳入徴収官に提出しなければならない。

第二十一条 日本銀行統轄店は、歳入金の収納に関する事務を第十四条の二第二項又は特別手続第三条第四項に規定する光学読取式電子情報処理組織を使用して処理する場合、並びに第十四条の二第一項ただし書及び第十四条の三から第十四条の五まで並びに特別手続第三条第二項ただし書、第三項ただし書及び第七項から第九項までに定める方法により処理する場合における規程第二十一条の六第一項第一号から第七号まで及び第九号並びに同条第二項第一号から第四号までに掲げる納入告知書又は納付書、並びに第十九条の五第一項及び特別手続第三条の四第一項に定める方法により処理する場合の納入告知書又は納付書を除き、自店及び所属店の取扱いに係る納入告知書、納付書、現金払込書又は送付書の領収控その他の証拠書類を年度、会計、所管庁、取扱庁別に区分し、一月分をとりまとめ合計書を作成しともに保存しなければならない。ただし、所属店がその取扱いに係る領収控の統轄店への送付に代え、受入金の払込みに関し使用する書類で財務大臣の定めるものを送付したときは、当該領収控は、当該所属店において毎日分をとりまとめて保存することができる。

② 前項本文の場合において、第十四条及び第十五条から第二十条までの規定により領収済通知書、振替済通知書又は支払未済繰越金歳入組入報告書に添えた集計表の控を年度、会計、所管庁、取扱庁別に区分したときは、当該証拠書類は毎日分をとりまとめて保存することができる。

第二十一条の二 日本銀行統轄店は、第十四条の二第一項及び特別手続第三条第二項の規定により送付された領収済通知書を毎日分とりまとめて保存しなければならない。

第二十一条の三 日本銀行本店は、第十四条の二第一項ただし書、第十四条の三から第十四条の五まで及び第十九条の五第一項並びに特別手続第三条第二項ただし書、第三項ただし書、第七項から第九項まで及び第三条の四第一項の規定による収納に係る記録を電磁的記録により保存しなければならない。

第二十一条の四 日本銀行代理店は、第十四条の八の規定による歳入の収納に係る記録を電磁的記録により保存しなければならない。

第三章　歳出金

第二十二条 削除

第二十三条 日本銀行は、センター支出官の振り出した小切手の提示を受けたときは、次の事項を調査し、その支払をしなければならない。

一 小切手は合式であるか

二 小切手はその振出日付から一年を経過したものでないか

三 小切手が日本銀行において毎年度所属歳出金の支払をすることができる期間経過後に提示されたものであるときは、その券面金額が第二十七条の規定により歳出支払未済繰越金として整理されたものであるか

② 前項の小切手が振出日付後一年を経過したものであるときは、その小切手の余白に支払期間経過の旨を記入し、これを提示した者に返付しなければならない。ただし、手形交換所において提示を受けた場合は、手形交換所の規則に従い、これを提示した者に返付しなければならない。

第二十三条の二 日本銀行本店は、支出官事務規程（昭和二十

二年大蔵省令第九十四号。以下本章において「規程」という。）第三十七条第一項の規定によりセンター支出官から支払指図書の交付又は送信を受けたときは、前条第一項に準じて調査しなければならない。

第二十四条　日本銀行本店は、センター支出官から国庫金振替書の交付又は送信を受けたときは、第二十三条第一項に準じて調査し、その国庫金振替書に指定の通り振替の手続をし、第三号の二書式による振替済書をセンター支出官に交付し又は送信し、振替済通知書はこれを振替を受ける者に送付しなければならない。

第二十五条　日本銀行は、毎年度所属歳出金の返納金を戻し入れることができる期間内に、返納者から歳入徴収官等又は官署支出官が発した納入告知書又は納付書を添え、現金の納付を受けたときは、これを領収し、領収証書を返納者に交付しなければならない。

②　日本銀行は、毎年度所属歳出金の返納金を戻し入れることができる期間内に、国税資金支払命令官又は出納官吏から歳入徴収官等又は官署支出官が発した納入告知書又は納付書を添えて、国庫金振替書の交付を受け、歳出金に戻入れの請求を受けたときは、振替払出の手続をし、振替済書をその国税資金支払命令官又は出納官吏に交付しなければならない。

③　日本銀行は、前二項の場合において、返納金額に相当する金額を返納金の戻入れとして記入の手続をし、その旨をセンター支出官を経由して歳入徴収官等又は官署支出官に通知するため、返納金領収済通知情報をセンター支出官に送信しなければならない。ただし、納入告知書、納付書又は国庫金振替書に電信による戻入れを要する旨の記載のあるときは、電信でその手続をするものとする。

④　前二項の場合において、その国庫金振替書が出納官吏事務規程第三十一条第二号に規定する第五十五条又は第五十六条の場合において発せられたものであるときは、出納官吏に交付する振替済書及び歳入徴収官等に送付する振替済通知書には、その表面余白に「相殺額」と記載するものとする。

第二十五条の二　日本銀行本店は、毎年度所属歳出金の返納金を戻し入れることができる期間内に、センター支出官から当該年度の歳出の金額に戻し入れるため国庫金振替書の交付又は送信を受けたときは、返納金額に相当する金額を返納金の戻入れとして記入の手続をし、その旨をセンター支出官を経由して歳入徴収官等又は官署支出官に通知するため、第二十四条の規定にかかわらず、返納金領収済通知情報をセンター支出官に送信しなければならない。

第二十五条の三　日本銀行代理店は、毎年度所属歳出金の返納金を戻し入れることができる期間内に、返納者から歳入徴収官等又は官署支出官が発した納入告知書又は納付書に係る納付情報により現金の納付を受けたときは、これを領収し、その旨をセンター支出官を経由して歳入徴収官等又は官署支出官に通知するため、返納金領収済通知情報についてはセンター支出官に、収納に係る記録については日本銀行本店に送信しなければならない。この場合において、日本銀行代理店は、領収証書を返納者に交付することを要しない。

②　前項の場合において、日本銀行本店は、日本銀行代理店から収納に係る記録の送信を受けたときは、返納金額に相当する金額を返納金の戻入れとして記入の手続きをしなければならない。

③　前項の規定は、日本銀行本店が特別手続第三条の四第二項の規定により日本銀行歳入代理店から収納に係る記録の送信を受けた場合について準用する。この場合において、前項中「前項」とあるのは「特別手続第三条の四第二項」と、「日本銀行代理店」とあるのは「日本銀行歳入代理店」と読み替えるものとする。

第二十六条　日本銀行本店は、センター支出官から規程第三十五条の規定により小切手振出済通知書の送付を受けたときは、小切手支払未済額の調査に利用しなければならない。

第二十七条　日本銀行本店は、センター支出官の振り出した小切手で、毎年度所属歳出金の支払をすることができる期間内に、支払を終らないものの金額を、小切手振出済通知書により算出し、その金額を翌年度へ繰越整理するため、前年度所属歳出金として払い出し、これを歳出支払未済繰越金として振替受入の整理をしなければならない。

第二十八条　日本銀行本店は、前条の手続をした後、前年度所属に係る小切手に対し支払をする場合においては、前条に規定する歳出支払未済繰越金から払い出さなければならない。

第二十九条　日本銀行本店は、第二十七条に規定する歳出支払未済繰越金で、第二十条の規定により歳入に組入れの手続をするものについては、小切手振出済通知書によりその払出しの手続をしなければならない。

第三十条　日本銀行本店は、規程第三十七条第一項の規定によりセンター支出官から支払指図書の交付又は送信を受けたときは、第三号の三書式による支払済書をセンター支出官に交付し又は送信し、その金額を歳出金として払い出し、その送金又は振込みの手続をしなければならない。ただし、電信送金を要する旨の記載があるときは、電信でその手続をしなければならない。

第三十一条　日本銀行本店は、前条の規定により外国に在る受取人に送金の手続をする場合において、その交付を受けた資金が送金額に不足を生ずるときは、不足額補てんのため資金の交付を受けこれを補てんし、その旨を財務大臣に通知し、送金額に過剰を生じたときは、第四号書式の現金払込書を添え現金を歳入に納付する手続をしなければならない。

第三十二条　日本銀行本店は、センター支出官から規程第四十条第二項の規定による国庫金振替書の交付又は送信を受け、第二十四条の手続をする場合において、他店がその出納官吏の預託金の取扱店である場合には、その出納官吏の預託金に振替受入の手続をするとともに、その旨をその取扱店に通知し、振替済書をセンター支出官に交付し又は送信しなければならない。ただし、国庫金振替書に電信振替を要する旨の記載のあるときは、電信でその通知をするものとする。

② 前項の通知を受けた日本銀行は、振替済通知書をその出納官吏に送付しなければならない。

第三十二条の二 前条の規定は、日本銀行本店が規程第九条第一項第十一号又は第二十七号に掲げる支出の決定に基づきセンター支出官から国庫金振替書の交付又は送信を受けた場合に準用する。この場合において前条中「預託金」とあるのは「保管金」と読み替えるものとする。

第三十三条 日本銀行本店は、第三十条の規定により送金のため交付又は送信を受けた支払指図書に係る資金の中で、交付又は送信を受けた日付から一年を経過しまだその支払を終らない金額に相当するものは、その送金を取り消し、現金払込書（払込みに関する事項を収録した電磁的記録媒体を含む。）を添え、これを規程第四十九条の規定により通知を受けた歳入徴収官の取扱いに係る歳入に納付する手続をしなければならない。

第三十四条 日本銀行本店は、規程第四十五条第一項の規定によりセンター支出官から国庫金振込又は送金取消請求書の送付を受けたときは、その支払を終らないものについて送金又は振込みを取り消し、その支払を終らない金額に相当する金額を歳入徴収官等又は歳入徴収官から送付を受けた納入告知書又は納付書により納付の手続をしなければならない。

第三十四条の二 日本銀行は、次条に定める場合を除き、その取扱いに係る支払済の小切手、国庫金振替書（歳出を支出しようとするとき発する国庫金振替書をいう。）その他の証拠書類を第二十八条の規定による支払及び第二十九条の規定による払出しをしたもの並びにその他のものとに区分し、年度別に毎日分をとりまとめ、会計及び所管庁別の合計書を作成しともに保存しなければならない。

第三十五条 日本銀行本店は、第二十五条の三第一項及び特別手続第三条の四第二項の規定による収納に係る記録を電磁的記録により保存しなければならない。

第三章の二　国税収納金整理資金

第三十五条の二 日本銀行において、毎会計年度所属の国税収納金整理資金（国税収納金整理資金に関する法律（昭和二十九年法律第三十六号。第三十五条の三及び第七十九条第三項第三号において「資金法」という。）第三条に規定する国税収納金整理資金をいう。以下同じ。）を受け入れるのは、翌年度の五月三十一日（同日が日曜日に当たるときは翌年度の六月一日とし、土曜日に当たるときは翌年度の六月二日とする。）限りとする。ただし、国税収納官吏（国税収納官吏代理、分任国税収納官吏及び分任国税収納官吏代理を含む。以下同じ。）から払込みを受け入れる場合は、翌年度の六月三十日までとする。

② 日本銀行において、毎会計年度所属の国税収納金整理資金を支払うのは、国税収納金整理資金事務取扱規則（昭和二十九年大蔵省令第三十九号。以下本章において「規則」という。）第七条の二第二項ただし書に規定する払込金及び第百四十四条第一項各号に規定する場合を除き、当該年度の三月三十一日限りとする。

第三十五条の三 日本銀行は、納入者から国税等（資金法第八条第一項に規定する国税等をいう。以下同じ。）に係る納税告知書、納入告知書又は納付書を添え、現金の納付を受けたときは、これを領収し、領収証書を納入者に交付するとともに、領収済通知書に集計表を添えてこれを当該収納金を取り扱つた国税収納命令官又は分任国税収納命令官（国税収納命令官代理又は分任国税収納命令官代理を含む。以下同じ。）に送付しなければならない。ただし、国税通則法（昭和三十七年法律第六十六号）第三十四条の二第一項に規定する方法による納付を受けたときは、領収証書を納入者に交付することを要しない。

② 日本銀行は、前項の場合において、当該納付が前条第一項に規定する期間経過後になされたものであるときは、現年度所属の国税収納金整理資金の受入金として領収しなければならない。

第三十五条の四 日本銀行は、国税収納官吏から国税収納金整理資金現金払込書を添え、又は徴収義務者から国税等に係る納付書及び計算書を添え、現金の払込又は納付を受けたときは、これを領収し、領収証書を払込者又は納入者に交付するとともに、領収済通知書に集計表及び徴収義務者の提出した計算書を添えてこれを当該収納金を取り扱つた国税収納命令官又は分任国税収納命令官に送付しなければならない。

② 日本銀行は、前項の場合において、当該納付又は払込が第三十五条の二第一項に規定する期間経過後になされたものであるときは、現年度所属の国税収納金整理資金の受入金として領収しなければならない。

第三十五条の四の二 前二条、第三十五条の十三、第三十五条の十四第一項及び第三十五条の十五第一項の場合において、代理店が行う領収済通知書及び国税収納金整理資金組入済通知書に添付する集計表の作成並びに領収済通知書、徴収義務者の提出した計算書及び国税収納金整理資金組入済通知書の国税収納命令官又は分任国税収納命令官への送付の事務については、第十五条の二に規定する特定の日本銀行代理店又は歳入代理店において取りまとめて行うことができる。

第三十五条の五 日本銀行は、出納官吏から国税収納金整理資金に振替の国庫金振替書の交付を受けたときは、振替受払の手続をし、振替済書を出納官吏に交付するとともに、振替済通知書に集計表を添えてこれを当該収納金を取り扱つた国税収納命令官又は分任国税収納命令官に送付しなければならない。

② 前項の場合において、その国庫金振替書が出納官吏事務規程第三十二条中所得税の納付に関する部分又は保管金払込事務等取扱規程（昭和二十六年大蔵省令第三十号）第八条第二項第五号の規定によるものであるときは、国税収納命令官又

は分任国税収納命令官に送付する振替済通知書に出納官吏の提出した計算書を添付しなければならない。

第三十五条の五の二　日本銀行本店は、センター支出官から国税収納金整理資金に払い込むため国庫金振替書（次条に規定する国庫金振替書を除く。）の交付又は送信を受けたときは、振替受払の手続をし、振替済書をセンター支出官に交付し又は送信するとともに、振替済通知書に集計表を添えてこれを当該収納金を取り扱つた国税収納命令官又は国税収納命令官を経由して分任国税収納命令官に送付しなければならない。

第三十五条の五の三　日本銀行本店は、センター支出官から国税収納金整理資金に払い込むため「所得税」と記載又は記録されている国庫金振替書の交付又は送信を受けたときは、振替受払の手続をし、振替済書をセンター支出官に交付し又は送信するとともに、当該国庫金振替書に「所得税」と記載されているときは、これと同一の文言をその送付する振替済通知書の表面余白に記載し、これに集計表及び支出官事務規程第四十条第一項の規定により当該国庫金振替書に添付された納付書及び計算書（以下この条において「納付書等」という。）を添えて当該国税等を取り扱う国税収納命令官又は国税収納命令官を経由して分任国税収納命令官に送付し、又は当該国庫金振替書に「所得税」と記録されているときは、第二号の二書式の振替済通知書と併せて納付書等の情報を電子情報処理組織を使用して処理する場合における国税等の徴収関係事務等の取扱いの特例に関する省令（平成三年大蔵省令第五十四号）第三条に規定する代行機関（以下本章において「代行機関」という。）を経由して当該国税等を取り扱う国税収納命令官又は分任国税収納命令官に送信しなければならない。

第三十五条の六　日本銀行は、国税資金支払命令官の振り出した小切手の呈示を受けたときは、左の事項を調査し、その支払をしなければならない。

一　小切手は合式であるか

二　小切手はその振出日付から一年を経過したものでないか

三　小切手が第三十五条の二第二項に規定する期間経過後に呈示されたものであるときは、その券面金額が第三十五条の九の規定により国税資金支払未済繰越金として整理されたものであるか

②　前項の小切手が振出日付後一年を経過したものであるときは、その小切手の余白に支払期間経過の旨を記入し、これを提示した者に返付しなければならない。ただし、手形交換所において提示を受けた場合は、手形交換所の規則に従い、これを提示した者に返付しなければならない。

第三十五条の七　日本銀行は、規則第八十一条第一項の規定により国税資金支払命令官から国庫金振替書の交付を受けたときは、その国庫金振替書に指定のとおり振替の手続をし、振替済書を国税資金支払命令官に交付し、振替済通知書をその振替を受ける者に送付しなければならない。

②　前項の規定は、日本銀行本店が規則第百四十四条の規定により財務大臣から国庫金振替書の交付を受けた場合に準用する。

③　日本銀行本店は、規則第八十一条第二項の規定によりセンター国税資金支払命令官等（規則第七十二条第四項に規定するセンター国税資金支払命令官等をいう。以下同じ。）から国庫金振替書の交付又は送信を受けたときは、その国庫金振替書に指定のとおり振替の手続をし、振替済書をセンター国税資金支払命令官等に交付し又は送信し、振替済通知書を代行機関を経由して国税収納命令官に送信しなければならない。

第三十五条の八　日本銀行は、規則第七十五条の二の規定により国税資金支払命令官から小切手振出済通知書の送付を受けたときは、これを小切手支払未済額の調査に利用しなければならない。

第三十五条の九　日本銀行は、国税資金支払命令官の振り出した小切手で、第三十五条の二第二項に規定する期間内に支払を終らないものの金額を、小切手振出済通知書により算出し、その金額を翌年度へ繰越整理するため、国税収納金整理資金から払い出し、これを国税資金支払未済繰越金として振替受入の整理をしなければならない。

第三十五条の十　日本銀行は、第三十五条の六第一項の場合において、当該小切手が前年度所属の国税収納金整理資金の支払金に係るものであるときは、前条に規定する国税資金支払未済繰越金から払出の整理をしなければならない。

第三十五条の十一　日本銀行は、第三十五条の九に規定する国税資金支払未済繰越金のうち、振出日付から一年を経過した小切手に相当する金額を、小切手振出済通知書により算出し、その金額を毎月その期間満了の日の属する年度に所属する国税収納金整理資金の受入金に組み入れ、翌月七日までに第四号の二書式の国税資金支払未済繰越金資金組入報告書に集計表を添えてこれを財務大臣に提出しなければならない。

第三十五条の十二　日本銀行は、規則第七十六条（第三項を除く。）又は第八十条の規定により国税資金支払命令官から国税収納金整理資金に係る国庫金送金請求書、国庫金振込請求書又は外国送金請求書を添え、小切手の交付を受けたときは、領収証書を国税資金支払命令官に交付し、その金額を国税収納金整理資金から払い出し、その送金又は振込みの手続をしなければならない。この場合において、これらの請求書に電信送金を要する旨の記載があるときは、電信でその手続をしなければならない。

②　日本銀行本店は、規則第七十六条第三項の規定によりセンター国税資金支払命令官等から支払指図書の交付又は送信を受けたときは、支払済書をセンター国税資金支払命令官等に交付し又は送信し、その送金又は振込みの手続をしなければならない。

第三十五条の十三　第三十一条の規定は、日本銀行が前条の規定により外国にある受取人に送金の手続をする場合について準用する。この場合において同条中「第四号書式の現金払込

書」とあるのは「第四号の三書式の国税収納金整理資金払込書」と、「歳入」とあるのは「国税収納金整理資金」と読み替えるものとする。

第三十五条の十四　日本銀行は、第三十五条の十二第一項の規定により送金のため交付を受けた資金又は同条第二項の規定により送金（外国にある受取人に送金の手続をする場合に限る。）のため交付を受けた資金の中で、交付を受けた日付から一年を経過しまだその支払を終らない金額に相当するものは、その送金を取り消し、国税収納金整理資金払込書を添え、国税収納金整理資金に納付の手続をしなければならない。

② 日本銀行本店は、第三十五条の十二第二項の規定により送金（外国にある受取人に送金の手続をする場合を除く。）のため交付を受けた資金の中で、交付を受けた日付から一年を経過しまだその支払を終らない金額に相当するものは、その送金を取り消し、国税収納金整理資金に納付の手続をし、第四号の三書式の国税収納金整理資金組入済通知書を代行機関を経由して国税収納命令官に送信しなければならない。

第三十五条の十五　日本銀行は、規則第百三条第一項の規定により国税資金支払命令官から国庫金送金又は振込取消請求書の送付を受けたときは、その支払を終わらないものについて送金又は振込みを取り消し、その支払を終わらない金額に相当する金額を国税収納命令官から送付を受けた納入告知書又は納付書により納付の手続をしなければならない。

② 日本銀行本店は、規則第百三条第二項の規定によりセンター国税資金支払命令官等から国庫金送金又は振込取消請求書の送付又は送信を受けたときは、その支払を終わらないものについて送金又は振込みを取り消し、その支払を終わらない金額に相当する金額を国税収納命令官から送付を受けた納入告知書又は送付若しくは送信を受けた納付書により納付の手続をしなければならない。

第三十五条の十六　日本銀行は、その取扱に係る国税収納金整理資金の支払に係る支払済小切手、国庫金振替書（払出科目に国税収納金整理資金と記載された国庫金振替書をいう。）その他の証拠書類を年度別に、かつ財務大臣及び国税資金支払命令官別に毎日分をとりまとめ合計書を作成しともに保存しなければならない。

② 日本銀行統轄店は、自店及び所属店の取扱に係る国税収納金整理資金の受入に係る納税告知書、納入告知書、納付書又は国税収納金整理資金の受入現金払込書の領収控その他の証拠書類を年度別に、かつ財務大臣及び取扱庁別に一月分をとりまとめ合計書を作成しともに保存しなければならない。ただし、所属店がその取扱に係る領収控の統轄店への送付に代え、受入金の払込みに関し使用する書類で財務大臣の定めるものを送付したときは、当該領収控は、当該所属店において毎日分をとりまとめて保存することができる。

③ 前項本文の場合において、第三十五条の三から第三十五条の五まで又は第三十五条の十一の規定により領収済通知書、振替済通知書又は国税資金支払未済繰越金資金組入報告書に添えた集計表の控を年度別に、かつ財務大臣及び取扱庁別に区分したときは、当該証拠書類は毎日分をとりまとめて保存することができる。

第四章　預託金

第三十六条　日本銀行は、出納官吏事務規程第二十九条第二項の規定により出納官吏から預託金払込書を添え現金の払込を受けたときは、預託金領収証書を出納官吏に交付しなければならない。

② 前項の規定は、日本銀行が出納官吏事務規程第二十九条第一項の規定により出納官吏の預託金に振替受入をした場合に、これを準用する。但し、前項中預託金領収証書とあるのは、振替済通知書とする。

第三十七条　日本銀行は、出納官吏の振り出した小切手の呈示を受けたときは、その出納官吏の預託金額を限度としてその支払をしなければならない。

② 前項の小切手でその振出日附から一年を経過したものに対しては、その支払をすることができない。

③ 第二十三条第二項の規定は、前項の期間経過後小切手の呈示を受けた場合に、これを準用する。

第三十八条　日本銀行は、出納官吏から国庫金振替書の交付を受けたときは、その出納官吏の預託金額を限度としてその国庫金振替書に指定の通り振替の手続をし、振替済書を出納官吏に交付し、振替済通知書を振替を受ける者に送付しなければならない。

第三十九条　日本銀行は、出納官吏事務規程第四十八条から第五十条まで（同規程第五十二条第四項において準用する場合を含む。）、第五十二条の二及び第五十二条の三の規定により、出納官吏から国庫金送金請求書、国庫金振込請求書又は外国送金請求書を添え小切手の交付を受けたときは、領収証書を出納官吏に交付し、その送金又は振込みの手続をしなければならない。ただし、電信送金を要する旨の記載があるときは、電信でその手続をしなければならない。

② 日本銀行は、出納官吏事務規程第五十二条第五項の規定により出納官吏から国庫金振込請求書の交付を受けたときは、受領証書を当該出納官吏に交付し、同項の規定により小切手の交付を受けたときは、領収証書を当該出納官吏に交付し、当該国庫金振込請求書の振込指定日にその金額が振り込まれるように振込みの手続をしなければならない。

③ 前項の規定は、出納官吏事務規程第五十二条の四の規定による送金の場合について準用する。

④ 日本銀行は、第一項及び前項の規定により外国に在る受取人に送金の手続をする場合において、その交付を受けた資金が送金額に不足を生ずるときは、不足額補てんのため資金の交付を受けこれを補てんし、その旨を財務大臣に通知し、送金額に過剰を生じたときは、第四号書式の現金払込書を添え現金を歳入に納付する手続をしなければならない。

⑤　日本銀行は、第一項及び第三項の規定により送金の手続をしたもののうち、小切手振出日付後一年を経過しなお支払を終らないものについては、その送金を取消し、第四号の四書式の払込書によりその支払を終らない金額に相当する金額を出納官吏の預託金に受け入れ、受入済通知書を出納官吏に送付しなければならない。

⑥　日本銀行は、出納官吏事務規程第八十三条第一項の規定により出納官吏から国庫金送金又は振込取消請求書の送付を受けたときは、その支払を終らないものについて送金又は振込みを取り消し、その支払を終らない金額に相当する金額を出納官吏の預託金に受け入れ、受入済通知書を出納官吏に送付しなければならない。

⑦　前項の規定は、日本銀行が出納官吏事務規程第八十三条第二項本文の規定により国庫金振込取消請求書の交付を受けた場合に準用する。この場合において前項中「送付しなければならない」とあるのは、「交付しなければならない」と読み替えるものとする。

⑧　日本銀行は、出納官吏事務規程第八十三条第二項ただし書の規定により国庫金振込取消請求書の交付を受けたときは、振込みを取り消し、国庫金振込取消通知書を出納官吏に交付しなければならない。

第三十九条の二　日本銀行は、預託金に係る返納金について出納官吏事務規程第五十八条の二第一項の規定により出納官吏の支払つた金額に戻し入れることができる期限内に返納者から歳入徴収官等又は出納官吏の発した納入告知書又は納付書を添え、現金の納付を受けたときは、これを領収し、領収証書を返納者に交付しなければならない。

②　日本銀行は、出納官吏から歳入徴収官等又は出納官吏の発した納入告知書又は納付書を添え、国庫金振替書の交付を受けたときは、振替受入の手続をし、振替済書をその出納官吏に交付しなければならない。

③　日本銀行は、前二項の場合において、自店が当該納入告知書又は納付書に基いて返納を受ける出納官吏の預託金の取扱店である場合には、返納金額に相当する金額を当該出納官吏の預託金に受け入れ、領収済通知書又は振替済通知書を歳入徴収官等又は出納官吏に送付し、他店が納入告知書又は納付書により返納を受ける出納官吏の預託金の取扱店である場合には、返納金額に相当する金額を当該出納官吏の預託金に受け入れ、その旨をその取扱店に通知しなければならない。ただし、告知書、納付書又は国庫金振替書に電信による戻入れを要する旨の記載のあるときは、電信でその通知をするものとする。

④　前項の通知をうけた日本銀行は、振替済通知書を歳入徴収官等又は出納官吏に送付しなければならない。

⑤　前三項の場合において、出納官吏に交付する振替済書及び歳入徴収官等又は出納官吏に送付する振替済通知書にはその表面余白に、その国庫金振替書が、出納官吏事務規程第三十一条第二号に規定する第五十五条若しくは第五十六条の場合において発せられたものであるときは「相殺額」と記載するものとする。

第三十九条の三　日本銀行本店は、出納官吏事務規程第五十八条の二第一項の規定により戻し入れることができる期間内に、センター支出官から資金前渡官吏の支払つた金額に係る返納金をその預託金に払い込むため国庫金振替書の交付又は送信を受けた場合において、自店が当該払込みを受ける資金前渡官吏の預託金の取扱店であるときは、払込金額に相当する金額を当該資金前渡官吏の預託金に受け入れ、振替済通知書を当該資金前渡官吏又は当該資金前渡官吏を経由して歳入徴収官等に送付し、他店が当該払込みを受ける資金前渡官吏の預託金の取扱店であるときは、払込金額に相当する金額を当該資金前渡官吏の預託金に受け入れ、その旨を当該店に通知しなければならない。ただし、当該国庫金振替書に電信による国庫内の移換を要する旨の記載又は記録があるときは、電信でその通知をするものとする。

②　前項の通知を受けた日本銀行は、振替済通知書を当該資金前渡官吏又は当該資金前渡官吏を経由して歳入徴収官等に送付しなければならない。

③　前二項の場合において、当該返納金が相殺額であるときは、これらの規定により送付する振替済通知書にはその表面余白に「相殺額」と記載するものとする。

第四十条　日本銀行は、出納官吏事務規程第七十一条の規定により出納官吏から預託金現在高証明の請求を受けたときは、その指定の日における預託金現在高を証明しなければならない。

②　前項の規定は、出納官吏を監督又は検査する官吏から預託金現在高証明の請求を受けた場合に、これを準用する。

第四十一条　削除

第四十二条　日本銀行は、その取扱に係る預託金払込書、支払済の小切手、国庫金振替書（払出科目に預託金と記載された国庫金振替書をいう。）その他の証拠書類を受払に区分し、出納官吏別に毎日分をとりまとめ合計書を作成しともに保存しなければならない。この場合において、その取扱に係る国庫金振替書は、これを払として区分するものとする。

第四章の二　保管金

第四十二条の二　日本銀行は、保管金払込事務等取扱規程（以下本章において「規程」という。）第三条第一項前段の規定により歳入歳出外現金出納官吏から保管金払込書を添え現金の払込みを受けたときは、これをその取扱官庁の保管金に受け入れ、保管金領収証書をその歳入歳出外現金出納官吏に交付しなければならない。

②　日本銀行は、規程第三条第一項後段の規定により歳入歳出外現金出納官吏から保管金の払込みを受けたときは、その金額をその取扱官庁の保管金に受け入れ、保管金受入済通知書をその歳入歳出外現金出納官吏に送付しなければならない。

③　第一項の場合において、日本銀行は、「供託金」と記載した保管金払込書を添え払込みを受ける際に供託書の提出を受けたときは、その供託書に受領の旨を記入し提出者に返付しなければならない。

第四十二条の三　日本銀行は、規程第四条第一項の規定により保管金を提出すべき者から保管金振込書を添え取扱官庁の保管金に振込を受けたときは、これを取扱官庁の保管金に受け入れ、保管金領収証書を振込人に交付しなければならない。

第四十二条の四　削除

第四十二条の五　日本銀行は、規程第七条の規定により甲取扱官庁の歳入歳出外現金出納官吏から国庫金振替書を添え乙取扱官庁の保管金に保管替の請求を受けたときは、保管替の手続をして振替済書を甲取扱官庁の歳入歳出外現金出納官吏に交付するとともに、自店が乙取扱官庁の取扱店である場合には振替済通知書を乙取扱官庁の歳入歳出外現金出納官吏に交付し、他店が乙取扱官庁の取扱店である場合にはその取扱店に対しその旨を通知しなければならない。

②　前項の通知を受けた日本銀行は、振替済通知書を乙取扱官庁の歳入歳出外現金出納官吏に交付しなければならない。

第四十二条の六　第三十七条及び第三十八条の規定は、日本銀行が歳入歳出外現金出納官吏の振り出した小切手の呈示を受けた場合及び歳入歳出外現金出納官吏の発した国庫金振替書の交付を受けた場合に、これを準用する。この場合において、「出納官吏の預託金額」とあるのは「取扱官庁の保管金額」と読み替えるものとする。

第四十二条の七　日本銀行は、規程第九条の規定により歳入歳出外現金出納官吏から送金又は振込みの請求を受けたときは、領収証書を歳入歳出外現金出納官吏に交付し、送金又は振込みの手続をしなければならない。

②　第三十九条第五項及び第六項の規定は、前項の規定により送金又は振込みの手続をしたものにつき、これを準用する。この場合において、同条第五項及び第六項中「預託金」とあるのは、「保管金」と読み替えるものとする。

③　日本銀行は、第一項の規定により外国に在る受取人に送金の手続をする場合において、その交付を受けた資金が送金額に過剰を生じたときは、第四号の四書式の払込書を添え現金を取扱官庁の保管金に受け入れ、受入済通知書をその歳入歳出外現金出納官吏に送付しなければならない。

第四十二条の八　日本銀行は、規程第十条の規定により供託金を返納すべき者から供託金返納請求書を添え現金の納付を受けたときは、これをその取扱官庁の供託金に受け入れ、領収証書を返納者に交付し、供託金返納済通知書を歳入歳出外現金出納官吏に送付しなければならない。

第四十二条の九　前条の規定は、日本銀行が供託金の繰替使用に関する事務取扱規程第四条の規定により供託金利子を返納すべき者から供託金利子返納請求書を添え現金の納付を受けた場合に準用する。この場合において「供託金返納済通知書」とあるのは「供託金利子返納済通知書」と読み替えるものとする。

第四十二条の十　日本銀行甲店は、規程第十三条第一項の規定により歳入歳出外現金出納官吏から保管金取扱店変更申込書の提出を受けたときは、その取扱店変更の手続をし、第七号書式の保管金現在額証明書の表面余白に「保管金」又は「供託金」の別を表示してその歳入歳出外現金出納官吏に交付し、日本銀行乙店にその旨を通知しなければならない。

②　前項の通知を受けた日本銀行は、規程第十三条第三項の規定によりその歳入歳出外現金出納官吏から保管金現在額証明書の提出を受けたときは、これに承認の旨を記入し、その歳入歳出外現金出納官吏に交付しなければならない。

第四十二条の十一　日本銀行は、歳入歳出外現金出納官吏又は同出納官吏を監督若しくは検査する者から保管金現在高証明の請求を受けたときは、その指定の日における保管金現在高を証明しなければならない。

第四十二条の十二　日本銀行は、その取扱に係る保管金払込書、供託金返納請求書、供託金利子返納請求書、支払済の小切手、振替済の国庫金振替書（払出科目に保管金又は供託金と記載された国庫金振替書をいう。）、保管金取扱店変更申込書その他の証拠書類を受払に区分し、所属庁歳入歳出外現金出納官吏別に毎日分をとりまとめ合計書を作成し、ともに保存しなければならない。この場合において、その取扱に係る国庫金振替書は、これを払として区分するものとする。

第五章　財政融資資金預託金

第四十三条　日本銀行は、財政融資資金預託金取扱規則（昭和二十六年大蔵省令第二十九号。以下本章において「規則」という。）第九条第一項の規定により出納役（代理出納役、分任出納役及び代理分任出納役を含む。以下同じ。）から財政融資資金預託金に振替払込のため国庫金振替書の交付を受けたときは、振替受入の手続をし、振替済書（日本銀行支店又は代理店が国庫金振替書の交付を受けた場合においては、預託金の種類、預託日、約定期限、約定期間及び利率並びに国庫金振替書に利子の支払日が付記されている場合はその支払日を記載した振替済書）をその出納役に交付し、第八号書式の振替済通知書（以下この条において「振替済通知書」という。）を財務省理財局長に送付又は送信しなければならない。この場合において、日本銀行支店又は代理店が国庫金振替書の交付を受けたときは、財務省理財局長あての振替済通知書の送付又は送信に替えて日本銀行本店にその旨及び預託金証書の作成に必要な事項を通知しなければならない。

②　日本銀行本店は、規則第五条、第六条又は第七条の規定により担当者（規則第二条第一項各号に規定する担当者をいう。以下同じ。）から財政融資資金預託金に振替払込のため国庫金振替書の交付を受けたときは、振替受入の手続をし、振替済書をその担当者に交付し、振替済通知書を財務省理財局長に送付又は送信しなければならない。

③　日本銀行本店は、財務省理財局長から預託金証書の発行の指示（規則第四条の三に規定する預託金証書の発行の指示をいう。以下同じ。）を受けているときであつて、前二項の振替受入の手続をしたとき又は日本銀行支店若しくは代理店から第一項の通知を受けたときは、預託金証書をその担当者に交付又は送付しなければならない。

第四十四条　日本銀行は、規則第八条の規定により担当者から財政融資資金預託金払込書を添え現金の払込みを受けたときは、これを領収して、領収証書をその担当者に交付し、第九号書式の財政融資資金預託金受入報告書（以下この条において「財政融資資金預託金受入報告書」という。）を財務省理財局長に送付又は送信しなければならない。この場合において、日本銀行支店又は代理店が現金の払込みを受けたときは、財務省理財局長あての財政融資資金預託金受入報告書の送付又は送信に替えて日本銀行本店にその旨及び預託金証書の作成に必要な事項を通知しなければならない。

②　日本銀行本店は、財務省理財局長から預託金証書の発行の指示を受けているときであつて、前項の規定により現金の払込みを受けたとき又は日本銀行支店若しくは代理店から同項の通知を受けたときは、預託金証書をその担当者に交付又は送付しなければならない。

第四十四条の二　日本銀行代理店は、規則第八条の二第三項の規定により担当者から現金の払込みを受けたときは、これを領収して、領収済通知情報については財務省理財局長に、収納に係る記録については日本銀行本店に、送信しなければならない。この場合において、日本銀行代理店は、領収証書を担当者に交付することを要しない。

②　日本銀行本店は、財務省理財局長から預託金証書の発行の指示を受けているときであつて、規則第八条の二第四項の規定により領収済通知情報を受領した旨及び預託金証書の作成に必要な事項の通知を受けたときは、その通知に指定のとおり預託金証書を作成して、その担当者に送付しなければならない。

第四十四条の三　日本銀行本店は、前三条並びに第四十七条及び第四十九条の規定により預託金証書を担当者に交付又は送付したときは、預託金証書を発行した旨を財務省理財局長に通知しなければならない。

第四十五条　日本銀行本店は、規則第十一条（規則第十七条の規定により準用される場合を含む。）の規定により財務省理財局長から財政融資資金預託金の払戻しのため国庫金振替書の交付又は送信を受けたときは、第二十三条第一項に準じて調査し、その国庫金振替書に指定の通り振替払出の手続をし、振替済書（日本銀行財政融資資金出納及び計算整理規則の規定に基づき財務大臣が定める書式（令和元年財務省告示第四十七号。次条において「日本銀行出納告示」という。）別紙第一号書式の振替済書をいう。以下この条において同じ。）を財務省理財局長に交付又は送信し、振替済通知書をその振替を受ける者に送付しなければならない。ただし、振替を受ける者の取引店が他店である場合には、振替済書を財務省理財局長に交付又は送信した上で、その旨を当該取引店に通知しなければならない。

②　前項の通知を受けた振替を受ける者の取引店は、振替済通知書をその振替を受ける者に送付しなければならない。

第四十六条　日本銀行本店は、規則第十二条（規則第十七条の規定により準用される場合を含む。）の規定により財務省理財局長から財政融資資金預託金の払戻しのため支払指図書の交付又は送信を受けたときは、第二十三条第一項に準じて調査し、その支払指図書に指定の通り振込みの手続をし、支払済書（日本銀行出納告示別紙第二号書式の支払済書をいう。）を財務省理財局長に交付又は送信しなければならない。

第四十七条　日本銀行本店は、財務省理財局長から預託金証書の発行の指示を受けているときであつて、規則第十五条第二項の規定により新たな預託金証書の作成に必要な事項の通知を受けたときは、その通知に指定の通り新たな預託金証書を作成して、その担当者に交付しなければならない。

②　日本銀行は、財務省理財局長から預託金証書の発行の指示を受けていないときであつて、歳入歳出外の国庫内移換に関する規則（昭和三十年大蔵省令第十四号）第六条の規定により同規則第二条第四号に係る振替済通知書を送付したときは、財務省理財局長にその旨を通知しなければならない。

第四十八条　削除

第四十九条　日本銀行本店は、財務省理財局長から預託金証書の発行の指示を受けているときであつて、規則第十八条第二項、第十九条第二項及び第二十条第三項の規定により更新、更新統合又は更新分割の別及び新たな預託金証書の作成に必要な事項の通知を受けたときは、その通知に指定の通り新たな預託金証書を作成して、その担当者に送付しなければならない。

第五十条　日本銀行本店は、規則第二十六条の規定により財務省理財局長から国庫金振替書の記載又は記録事項について国庫金振替訂正請求書の送付を受けたときは、日本銀行本店において受付をした日付によりその誤びゆうの訂正の手続をし、財務省理財局長にその旨を通知しなければならない。

②　日本銀行本店は、規則第二十六条の規定により財務省理財局長から支払指図書の記載又は記録事項について、国庫金振込訂正請求書の送付又は送信を受けた場合には、日本銀行本店において受付をした日付によりその誤びゆうの訂正の手続をし、財政融資資金出納及び計算整理規則の規定に基づき財務大臣が定める書式（令和元年財務省告示第四十六号）別紙第十号書式による国庫金振込訂正済通知書を財務省理財局長に送付又は送信しなければならない。

③　日本銀行本店は、規則第二十七条の規定により財務省理財局長から国庫金振込取消請求書の送付を受けたときは、その支払を終らないものについて振込みを取り消し、その支払を終らない金額に相当する金額を当該国庫金振込取消請求書に指示のあつた財務省理財局長の口座に受け入れ、受入済通知

書を財務省理財局長に送付しなければならない。

第五十一条　日本銀行は、その取扱いに係る財政融資資金預託金払込書、振替済の国庫金振替書（払出科目に財政融資資金預託金と記載された国庫金振替書をいう。）その他証拠書類を受払に区分し、毎日分をとりまとめ合計書を作成し、ともに保存しなければならない。この場合において、その取扱いに係る国庫金振替書は、これを払として区分するものとする。

第五十二条　日本銀行本店は、第四十四条の二第一項及び特別手続第三条の三の規定による収納に係る記録を電磁的記録により保存しなければならない。

第五十三条乃至第五十八条　削除

第六章　その他の国庫金

第五十九条　日本銀行は、借入金又は一時借入金の払込先から現金の払込みを受けたときは、財務大臣から送付を受けた政府資金調達事務取扱規則（平成十一年大蔵省令第六号。以下、本章において「規則」という。）第十一条第一項に規定する借入金等受入指図書によりこれを領収し、払込者に対し領収証書の交付又は現金を収納した旨の通知をし、借入金等領収済通知書を財務大臣に送付しなければならない。

第六十条　日本銀行は、規則第十三条第一項の規定により財務大臣から借入金等償還資金支払指図書の送付を受けたときは、当該借入金等償還資金支払指図書に基づき、支払先に借入金等償還金の支払をし、その金額をそれぞれ借入金償還資金又は一時借入金償還資金から払出の整理をし、借入金等償還金支払済報告書を財務大臣に送付しなければならない。

2　日本銀行は、規則第十三条第一項の規定により財務大臣から借入金等利子支払資金支払指図書の送付を受けたときは、当該借入金等利子支払資金支払指図書に基づき、支払先に借入金等にかかる利子の支払をし、その金額を借入金及び一時借入金利子支払資金から払出の整理をし、借入金等利子支払資金支払済報告書を財務大臣に送付しなければならない。

第六十一条　日本銀行は、前二条の規定により取り扱つた証拠書類を受払に区分し、各科目別に毎日分をとりまとめ合計書を作成しともに保存しなければならない。

第六十二条　日本銀行は、本章に定めるものを除くの外、財務大臣の特に指定する国庫金については、財務大臣の別に定めるところにより出納の手続をしなければならない。

第七章　帳簿

第六十三条　日本銀行は、予算決算及び会計令第百三十八条第一項第一号に規定する帳簿として次の帳簿を備えなければならない。

一　国庫金総括帳
二　削除
三　別口預金内訳帳
四　指定預金内訳帳
五　削除
六　削除
七　某年度一般会計受入金内訳帳（歳入の部）
八　某年度某特別会計受入金内訳帳（歳入の部）
九　某年度国税収納金整理資金受入金内訳帳
九の二　某年度一般会計受入金内訳帳（歳入外の部）
九の三　某年度某特別会計受入金内訳帳（歳入外の部）
十　財政融資資金内訳帳
十一　某年度一般会計支払金内訳帳
十二　某年度某特別会計支払金内訳帳
十三　歳出支払未済繰越金内訳帳
十四　某年度国税収納金整理資金支払金内訳帳
十五　国税資金支払未済繰越金内訳帳
十六　預託金内訳帳
十七　保管金内訳帳

②　前項の帳簿の中で、第一号から第九号まで及び第十号に掲げる帳簿は日本銀行本店に、第九号の二及び第九号の三に掲げる帳簿は日本銀行統轄店に、第十一号から第十七号までに掲げる帳簿は日本銀行各店に備えなければならない。

③　日本銀行は、第一項第七号から第十七号までに規定する帳簿を、電磁的記録をもつて作成することができる。

第六十四条　国庫金総括帳には、財務大臣の定める計算科目毎に口座を設け、国庫金の受払額を記入しなければならない。

第六十五条　別口預金内訳帳及び指定預金内訳帳には、財務大臣の定める口座を設け、各預金の受払額を記入しなければならない。

第六十六条　削除

第六十七条　削除

第六十八条　某年度一般会計受入金内訳帳（歳入の部）及び某年度某特別会計受入金内訳帳（歳入の部）には、主管庁（特別会計にあつては所管庁）及び取扱庁別の口座を設け、一般会計及び特別会計の受入額を記入しなければならない。

第六十八条の二　某年度一般会計受入金内訳帳（歳入外の部）及び某年度某特別会計受入金内訳帳（歳入外の部）には、財務大臣の定める口座を設け、一般会計及び特別会計の受入額を記入しなければならない。

第六十八条の三　某年度国税収納金整理資金受入金内訳帳には、財務大臣の口座及び取扱庁別の口座を設け、国税収納金整理資金の受入額を記入しなければならない。

第六十九条　財政融資資金内訳帳には、財務大臣の定める口座を設け、財政融資資金の受払額を記入しなければならない。

第六十九条の二　某年度一般会計支払金内訳帳及び某年度某特別会計支払金内訳帳は、これを歳出と歳出外とに区分し、歳出には所管庁及びセンター支出官の口座、歳出外には財務大臣の定める口座を設け、一般会計及び特別会計の払出額を記入しなければならない。

第六十九条の三　歳出支払未済繰越金内訳帳には、年度、会計、所管庁及びセンター支出官の口座を設け、第二十七条の規定により翌年度へ繰り越した歳出支払未済繰越金の受払額を記入しなければならない。

第六十九条の四　某年度国税収納金整理資金支払内訳帳には、左の各号に掲げる口座を設け、国税収納金整理資金の支払額を記入しなければならない。

一　日本銀行各店においては、国税資金支払命令官別の口座

二　日本銀行本店においては、前号に規定する口座の外、財務大臣の口座

第六十九条の五　国税資金支払未済繰越金内訳帳には、年度及び国税資金支払命令官別の口座を設け、第三十五条の九の規定により翌年度へ繰り越した国税資金支払未済繰越金の受払額を記入しなければならない。

第七十条　預託金内訳帳には、出納官吏別の口座を設け、預託金の受払額を記入しなければならない。

第七十条の二　保管金内訳帳には、保管金及び供託金の種別毎に取扱官庁及び歳入歳出外現金出納官吏別の口座を設け、保管金の受払額を記入しなければならない。

第七十一条　削除

第七十二条　削除

第七十三条　削除

第七十四条　削除

第七十五条及び第七十六条　削除

第八章　計算報告

第七十七条　日本銀行は、国庫金の出納に関し、次の計算報告表を作成しなければならない。

一　国庫金貸借対照表　第十二号書式

二　国庫金受払報告表　第十三号書式

三　削除

四　別口預金（指定預金）受払内訳表　第十五号書式

五　歳入金月計突合表　第十六号書式

五の二　収納済歳入額突合表　書式は、第十六号書式に準ずる

六　歳出金月計突合表　第十七号書式

七　歳出支払未済繰越金月計突合表　第十八号書式

七の二　国税収納金整理資金受入金月計突合表　第十八号の二書式

七の三　国税収納金整理資金支払金月計突合表　第十八号の三書式

七の四　国税資金支払未済繰越金月計突合表　第十八号の四書式

八　預託金月計突合表　第十九号書式

九　保管金月計突合表　第二十号書式

十及び十一　削除

十一の二　財政融資資金月計突合表　第二十二号の二書式

十二　某月出納計算書　書式は、第八十六条に規定する国庫金の出納計算書に準ずる

第七十八条　国庫金貸借対照表、国庫金受払報告表、別口預金受払内訳表及び指定預金受払内訳表は、日本銀行本店において毎日これを調製し、財務省に提出しなければならない。

第七十九条　歳入金月計突合表は、日本銀行において取り扱つた歳入金の収入額及びその累計額を掲げ日本銀行本店において毎月（歳入金の年度経過後整理期間末日の属する月以外で収入額及び更正払額のない月を除く。）これを作成し、統轄店別収入額の記録を添え、翌月の第七営業日（「営業日」とは、日本銀行の休日でない日をいう。以下同じ。）までに到達の日取りをもつて歳入徴収官に送信しなければならない。

② 日本銀行は、歳入徴収官から、当該歳入金月計突合表を送信した月の第十二営業日までに誤りがある旨の通知を受けたときは、その訂正の手続をし、再度歳入金月計突合表を作成し、直ちに当該歳入徴収官に送信しなければならない。

③ 日本銀行は、第一項の場合において、当該歳入金月計突合表が毎会計年度の翌年度の六月における歳入金の収入に係るもの（以下この条において「六月分月計突合表」という。）であるときは、これを翌年度の七月の第二営業日までに到達の日取りをもつて送信しなければならない。

④ 日本銀行は、第一項の場合において、当該歳入金月計突合表が毎会計年度の翌年度の七月における次の各号に掲げる歳入金の収入に係るもの（以下この条において「七月分月計突合表」という。）であるときは、当該各号に掲げる歳入金月計突合表の区分に応じ当該各号に掲げる日（第二号に掲げるものにあつては、同号に掲げる通知を受けた日）の翌営業日までに到達の日取りをもつて送信しなければならない。この場合においては、当該月の初日から当該各号に掲げる日までの間における歳入金月計突合表を作成するものとする。

一　決算調整資金に関する法律（昭和五十三年法律第四号。以下この号において「決算調整資金法」という。）第七条第一項の規定により決算調整資金（決算調整資金法第二条に規定する決算調整資金をいう。）に属する現金が一般会計の歳入に組み入れられた場合における一般会計の歳入金に係る歳入金月計突合表　同資金に属する現金が同会計の歳入に組み入れられた日

二　決算調整資金事務取扱規則（昭和五十三年大蔵省令第七号）第二条第二項の通知を受けた場合における一般会計の歳入金に係る歳入金月計突合表　国税収納金整理資金に関する法律施行令（昭和二十九年政令第五十一号。以下「資金令」という。）第二十二条第一項の規定により国税収納金整理資金に属する現金が一般会計の歳入に組み入れられた日

三　資金令第二十二条第一項の規定により国税収納金整理資金に属する現金が特別会計（資金法第六条第二項に規定する特別会計をいう。以下この号及び第八十一条の三第五項において同じ。）の歳入に組み入れられた場合における特

別会計の歳入金に係る歳入金月計突合表　同資金に属する現金が同会計の歳入に組み入れられた日

⑤　第二項の規定は、六月分月計突合表及び七月分月計突合表について歳入徴収官から誤りがある旨の通知を受けた場合について準用する。この場合において、同項中「当該歳入金月計突合表を送信した月の第十二営業日までに」とあるのは、六月分月計突合表については「当該歳入金月計突合表を送信した月の第七営業日までに」と、七月分月計突合表については「第四項各号に掲げる歳入金月計突合表の区分に応じた当該各号に掲げる日（第二号に掲げるものにあつては、同号に掲げる通知を受けた日）の翌々営業日までに」と読み替えるものとする。

⑥　第一項及び第二項に掲げる歳入金月計突合表が、在外公館の歳入徴収官が取り扱つた歳入に係るものである場合における第一項及び第二項の規定の適用については、第一項中「統轄店別収入額の記録」とあるのは「統轄店別収入額を記載した書類」と、「歳入徴収官」とあるのは「外務省の本省の歳入徴収官」と、「送信しなければ」とあるのは「送付しなければ」と、第二項中「歳入徴収官」とあるのは「外務省の本省の歳入徴収官」と、「送信した」とあるのは「送付した」と、「送信しなければ」とあるのは「送付しなければ」とする。

第七十九条の二　収納済歳入額突合表は、毎会計年度の翌年度の七月において、当該月の初日から資金令第二十二条第一項の規定により国税収納金整理資金に属する現金が一般会計の歳入に組み入れられた日までの間において日本銀行において取り扱つた一般会計の歳入金の収入額及び累計額を掲げ、日本銀行本店において作成し、直ちに当該歳入を取り扱つた歳入徴収官に送付しなければならない。

②　日本銀行は、歳入徴収官から、当該突合表を送付した日の翌営業日までに誤りがある旨の通知を受けたときは、その訂正の手続をし、再度収納済歳入額突合表を作成し、直ちに当該歳入徴収官に送付しなければならない。

第八十条　歳出金月計突合表は、日本銀行本店において、日本銀行の取り扱つた支払額、その累計額及び支払未済額を掲げ毎月（年度経過後整理期間末日の属する月以外で支払額、返納金の戻入れ額及び更正納額並びに支払未済額に異動のない月を除く。）これを作成し、翌月の第七営業日までに到達の日取りをもつてセンター支出官に送信しなければならない。

②　日本銀行本店は、センター支出官から、当該歳出金月計突合表を送信した月の第十二営業日までに誤りがある旨の通知を受けたときは、その訂正の手続をし、再度歳出金月計突合表を作成し、直ちにセンター支出官に送信しなければならない。

第八十一条　歳出支払未済繰越金月計突合表は、日本銀行本店において、その取り扱つた歳出支払未済繰越金の越高、受入額、支払額及び残額を掲げ毎月（歳出支払未済繰越金の受入額及び支払額のない月を除く。）これを作成し、翌月の第七営業日までに到達の日取りをもつてセンター支出官に送付しなければならない。

②　日本銀行本店は、センター支出官から、当該突合表を送付した月の第十二営業日までに誤りがある旨の通知を受けたときは、その訂正の手続をし、再度歳出支払未済繰越金月計突合表を作成し、直ちにセンター支出官に送付しなければならない。

第八十一条の二　国税収納金整理資金受入金月計突合表は、日本銀行において取り扱つた国税収納金整理資金の受入額及びその累計額を掲げ日本銀行本店において毎月（国税収納金整理資金の受入額及び更正払額のない月を除く。）これを作成し、統轄店別受入額を記載した書類を添え、翌月の第七営業日までに到達の日取りをもつて財務大臣又は国税収納命令官に送付しなければならない。

②　日本銀行は、財務大臣又は国税収納命令官から、当該突合表を送付した月の第十二営業日までに誤りがある旨の通知を受けたときは、その訂正の手続をし、再度国税収納金整理資金受入金月計突合表を作成し、直ちに当該財務大臣又は国税収納命令官に送付しなければならない。

③　日本銀行は、第一項の場合において、当該国税収納金整理資金受入金月計突合表が毎会計年度の翌年度の六月における国税収納金整理資金の受入れに係るものであるときは、これを翌年度の七月の第二営業日までに到達の日取りをもつて送付しなければならない。

第八十一条の三　国税収納金整理資金支払金月計突合表は、日本銀行において、その取り扱つた国税収納金整理資金の支払額、その累計額及び支払未済額を掲げ毎月（国税収納金整理資金の支払額及び支払未済額に異動のない月を除く。）これを作成し、翌月の第七営業日までに到達の日取りをもつて財務大臣又は国税資金支払命令官に送信しなければならない。

②　日本銀行は、財務大臣又は国税資金支払命令官から、当該突合表を送信した月の第十二営業日までに誤りがある旨の通知を受けたときは、その訂正の手続をし、再度国税収納金整理資金支払金月計突合表を作成し、直ちに当該財務大臣又は国税資金支払命令官に送信しなければならない。

③　前二項に掲げる国税収納金整理資金支払金月計突合表が財務大臣又は国税資金支払命令官（税関又は財務省大臣官房会計課の国税資金支払命令官に限る。）に送付すべきものである場合における前二項の規定の適用については、第一項中「財務大臣又は国税資金支払命令官」とあるのは「財務大臣又は国税資金支払命令官（税関又は財務省大臣官房会計課の国税資金支払命令官に限る。次項において同じ。）」と、「送信しなければ」とあるのは「送付しなければ」と、前項中「送信した」とあるのは「送付した」と、「送信しなければ」とあるのは「送付しなければ」とする。

④　日本銀行は、前項の規定により読み替えられた第一項に掲げる国税収納金整理資金支払金月計突合表が財務大臣に送付すべきものである場合において、当該国税収納金整理資金支

払金月計突合表が、毎会計年度の翌年度の六月における国税収納金整理資金の支払に係るもの（以下この条において「六月分資金支払金月計突合表」という。）であるときは、翌年度の七月の第二営業日までに到達の日取りをもつて、財務大臣に送付しなければならない。

⑤　日本銀行は、第三項の規定により読み替えられた第一項に掲げる国税収納金整理資金支払金月計突合表が財務大臣に送付すべきものである場合において、当該国税収納金整理資金支払金月計突合表が、毎会計年度の翌年度の七月における国税収納金整理資金の支払に係るもの（以下この条において「七月分資金支払金月計突合表」という。）であるときは、資金令第二十二条第一項の規定により同資金に属する現金が一般会計又は特別会計の歳入に組み入れられた日の翌営業日までに到達の日取りをもつて財務大臣に送付しなければならない。この場合においては、当該月の初日から当該歳入に組み入れられた日までの間における国税収納金整理資金支払金月計突合表を作成するものとする。

第八十一条の四　国税資金支払未済繰越金月計突合表は、日本銀行において、その取り扱つた国税資金支払未済繰越金の越高、受入額、支払額及び残額を掲げ毎月（国税資金支払未済繰越金の受入額及び支払額のない月を除く。）これを作成し、翌月の第七営業日までに到達の日取りをもつて国税資金支払命令官に送付しなければならない。

②　日本銀行は、国税資金支払命令官から、当該突合表を送付した月の第十二営業日までに誤りがある旨の通知を受けたときは、その訂正の手続をし、再度国税資金支払未済繰越金月計突合表を作成し、直ちに当該国税資金支払命令官に送付しなければならない。

第八十二条　預託金月計突合表は、日本銀行において、その取り扱つた預託金の越高、受払額及び残額を掲げ毎月（預託金の受払額のない月を除く。）これを作成し、翌月の第七営業日までに到達の日取りをもつて出納官吏に送付しなければならない。

②　日本銀行は、出納官吏から、当該突合表を送付した月の第十二営業日までに誤りがある旨の通知を受けたときは、その訂正の手続をし、再度預託金月計突合表を作成し、直ちに当該出納官吏に送付しなければならない。

第八十二条の二　保管金月計突合表は、日本銀行において、その取り扱つた保管金の越高、受払額及び残額を掲げ毎月（保管金の受払額のない月を除く。）これを作成し、保管金又は供託金の別を表示し、翌月の第七営業日までに到達の日取りをもつて歳入歳出外現金出納官吏に送付しなければならない。

②　日本銀行は、歳入歳出外現金出納官吏から、当該突合表を送付した月の第十二営業日までに誤りがある旨の通知を受けたときは、その訂正の手続をし、再度保管金月計突合表を作成し、直ちに当該歳入歳出外現金出納官吏に送付しなければならない。

第八十三条及び第八十四条　削除

（財政融資資金月計突合表）

第八十四条の二　財政融資資金月計突合表は、日本銀行本店において、日本銀行の取り扱つた財政融資資金の越高、受払額及び残額を掲げ、毎月（財政融資資金の受払額のない月を除く。）これを作成し、翌月の第七営業日までに到達の日取りをもつて財務省理財局長に送付しなければならない。

②　日本銀行本店は、財務省理財局長から、当該突合表を送付した月の第十二営業日までに誤りがある旨の通知を受けたときは、その訂正の手続をし、再度財政融資資金月計突合表を作成し、直ちに財務省理財局長に送付しなければならない。

第八十五条　某月出納計算書は、毎月日本銀行において二通を調製し、一通には一般会計歳入金の主管庁別内訳及び一般会計歳出金の所管庁別内訳を明らかにする書類を添え、財務大臣の定める期間内に財務省に提出し、一通は保存しなければならない。

第九章　出納証明

第八十六条　日本銀行は、会計検査院の検査を受けるため、会計検査院の定める国庫金の出納計算書を調製し、財務大臣の定める期限内にこれを財務省に提出しなければならない。

第十章　雑則

第八十六条の二　日本銀行本店は、歳入徴収官事務規程第五十五条の規定により各省各庁の長の指定する職員から歳入徴収官の新設の通知を受けたときは、ただちに当該歳入徴収官に係る同行の計算整理のための取扱庁番号を定めて、当該職員に通知するものとする。

第八十六条の三　日本銀行は、センター支出官、国税資金支払命令官、出納官吏、担当者その他小切手又は国庫金振替書を振り出し又は発する者から小切手用紙、国庫金振替書用紙又は国庫金送金請求書（国庫金送金通知書を含む。）若しくは国庫金振込請求書（道府県民税及び市町村民税月割額又は退職手当等所得割（納入申告及び）納入通知書（国庫金振替書その他国庫金の払出しに関する書類の様式を定める省令（昭和四十三年大蔵省令第五十一号）第六号書式（その一）の通知書に限る。）を含む。）の用紙の請求を受けたときは、これを交付しなければならない。

第八十七条　日本銀行は、歳入徴収官等、歳入徴収官、出納官吏又は歳入金収納受託者の送付に係る納入告知書、納付書、小切手、国庫金振替書、現金払込書又は送付書の記載事項の訂正請求書で、毎年度所属歳入金又は歳出金の受入れ又は支払をすることができる期間内に到達したものについては、当該店において受付をした日付によりその訂正の手続をし、歳入徴収官等の請求に係るものは歳入徴収官等に対し、歳入徴収官、出納官吏又は歳入金収納受託者の請求に係るものは歳入徴収官に対しその旨を通知しなければならない。

② 日本銀行本店は、センター支出官、歳入徴収官等又は官署支出官から支出官事務規程第四十三条第一項、第四十四条又は債権管理事務取扱規則（昭和三十一年大蔵省令第八十六号）第三十九条の二第一項（支出官事務規程第二十一条第三項において準用する場合を含む。）の規定により、センター支出官の振り出した小切手（当該小切手に添付された小切手払出科目明細書を含む。）若しくはその交付若しくは送信した支払指図書若しくは国庫金振替書又は歳入徴収官等若しくは官署支出官が返納をさせるため発した納入告知書若しくは納付書の記載事項について、訂正請求書の送付又は送信を受けた場合には、当該請求書が毎年度所属歳入金の受入れ又は歳出金の支払をすることができる期間内に到達したときに限り、当該店において受付をした日付によりその誤びゆうの訂正の手続をし、その旨をセンター支出官又はセンター支出官を経由して歳入徴収官等若しくは官署支出官に通知するため、支出官事務規程別紙第十八号書式（その二）による科目等訂正済通知書、同規程別紙第十九号書式（その二）による国庫金振替訂正済通知書又は納入告知書等記載事項訂正済通知情報をセンター支出官に送付又は送信しなければならない。

第八十八条　日本銀行は、国税収納金整理資金事務取扱規則第四十七条、第六十七条、第百条、第百一条若しくは第百三条第二項、出納官吏事務規程第七十九条若しくは第八十三条第四項又は保管金払込事務等取扱規程第九条の規定により訂正請求書の送付を受けたときは、当該店において受付をした日付によりその訂正の手続をしなければならない。

② 日本銀行本店は、センター支出官から支出官事務規程第四十三条第一項又は第四十四条の規定により支払指図書の記載又は記録事項について同規程別紙第二十号書式（その一）による国庫金振込又は送金訂正請求書の送付又は送信を受けたときは、当該店において受付をした日付によりその誤びゆうの訂正の手続をし、同規程別紙第二十号書式（その二）による国庫金振込又は送金訂正済通知書をセンター支出官に送付又は送信しなければならない。

③ 日本銀行本店は、センター支出官から支出官事務規程第四十三条第一項若しくは第四十四条の規定により同規程別紙第五号書式（その二）又は別紙第六号書式（その二）による国庫金振込又は送金訂正請求書の送付を受けたとき又は同規程第四十五条第二項の規定により国庫金振込又は送金取消請求書の記載事項について、誤びゆうの訂正の請求を受けたときは、当該店において受付をした日付によりその訂正の手続をしなければならない。

④ 日本銀行本店は、センター国税資金支払命令官等から国税収納金整理資金事務取扱規則第百二条の二第二項の規定により支払指図書の記載又は記録事項について国庫金振込又は送金の訂正に係る請求を受けたときは、当該店において受付をした日付によりその誤びゆうの訂正の手続をし、その旨をセンター国税資金支払命令官等に通知しなければならない。

第八十九条　日本銀行は、歳入徴収官等、歳入徴収官、センター支出官、国税収納命令官、国税資金支払命令官、出納官吏、歳入金収納受託者、国税収納官吏、保管金の振込人又は担当者から領収済通知書、領収証書、預託金領収証書、保管金領収証書、供託金返納済通知書、供託金利子返納済通知書、振替済書又は振替済通知書の記載事項の証明請求書の提出があつた場合においては、これを調査し、正当と認めたときはその請求書の余白に証明の上、これを歳入徴収官等、歳入徴収官、センター支出官、国税収納命令官、国税資金支払命令官、出納官吏、歳入金収納受託者、国税収納官吏、保管金の振込人又は担当者に交付しなければならない。この場合において、保管金の振込人に対し証明をしたときは、歳入歳出外現金出納官吏に対してその旨を通知するものとする。

② 前項の規定は、徴収義務者から納付済証明の請求があつた場合に、これを準用する。

③ 前二項の手続をしたときは、その事由を帳簿又は証拠書類に記入しておかなければならない。

第九十条　日本銀行は、出納官吏から出納官吏事務規程第八十五条に規定する書面の交付を受けたときは、当該書面を職員給与の振込先の金融機関に送付し、振込みができることの確認を受け、出納官吏に返付しなければならない。

第九十一条　日本銀行は、国庫金の出納に係る証拠書類及び帳簿の保存期間を定め財務大臣に届出なければならない。その変更についても同様とする。

第九十二条　電子情報処理組織（歳入徴収官事務規程第二十一条の三第一項、支出官事務規程第十一条第二項第五号、国税収納金整理資金事務取扱規則第七十二条第三項及び財政融資資金預託金取扱規則第一条の二第七号に規定する電子情報処理組織をいう。以下この条において同じ。）に障害が発生したことにより、又は電子情報処理組織の運転時間が経過したことにより、電子情報処理組織への記録又は電子情報処理組織による処理が不能となつた場合において、緊急やむを得ない事由により障害が回復するまでの間又は電子情報処理組織の運転が再開されるまでの間において、国庫金の出納に関する事務を行わなければ事務に支障を及ぼすおそれがあるときは、別に定めるところにより、この省令の規定と異なる取扱いをすることができる。

第九十三条　日本銀行が光学読取式電子情報処理組織により処理する事項及び当該処理の方法その他光学読取式電子情報処理組織の使用に関する手続並びに第十四条の二第一項ただし書、第十四条の三から第十四条の五まで及び第四十四条の二第一項の規定により納付又は払込みを受けるときの手続の細目については、別に定めるところによる。

附　則

第一条　この省令は、昭和二十二年十一月一日から、これを施行する。

第二条　日本銀行は、市町村又はこれに準ずべきものからその収納に係る国税金の払込を受けたときは、なお従前の例により手続をしなければならない。

第三条　この省令中「支払計画」とあるのは、財政法第三十四条の規定施行の日までは、これを「支払予算」と読み替えるものとする。

書式〔略〕

○歳入歳出外の国庫内移換に関する規則

昭三〇・四・一四
大蔵令一四

最終改正　令五・八・二財務令五〇

（総則）

第一条　各省各庁の長（財政法（昭和二十二年法律第三十四号）第二十条第二項に規定する各省各庁の長をいう。以下同じ。）又はその委任を受けた職員が会計法（昭和二十二年法律第三十五号）第四十九条の規定により歳出金の支出によらない国庫金の払出をする場合における国庫内の移換に関する事務の取扱については、別に定める場合を除くほか、この省令の定めるところによる。

（移換手続）

第二条　各省各庁の長又はその委任を受けた職員は、次に掲げる場合において国庫内の移換のため国庫金の払出しをしようとするときは、国庫金振替書（国庫金振替書その他国庫金の払出しに関する書類の様式を定める省令（昭和四十三年大蔵省令第五十一号）第一号書式又は財政融資資金出納及び計算整理規則の規定に基づき財務大臣が定める書式（令和元年財務省告示第四十六号）別紙第二号書式の国庫金振替書をいう。以下同じ。）を発し、これを日本銀行（本店、支店又は代理店をいう。以下同じ。）に交付し、又は送信（財政融資資金出納及び計算整理規則（昭和四十九年大蔵省令第二十二号）第二条第四号に規定する送信をいう。以下同じ。）しなければならない。

一　特別会計（勘定の区分のある特別会計にあつては、当該勘定とする。以下同じ。）の毎会計年度の歳入歳出の決算上の剰余金の全部又は一部を当該年度若しくは翌年度の一般会計若しくは特別会計の歳入又は資金（基金を含む。）に繰り入れるとき

二　削除

三　特別会計の余裕金に属する財政融資資金預託金（財政融資資金法（昭和二十六年法律第百号）第四条に規定する財政融資資金預託金をいう。以下同じ。）を翌年度の当該会計の余裕金に属する財政融資資金預託金に組み替えるとき

四　特別会計の余裕金に属する財政融資資金預託金を当該会計の積立金に属する財政融資資金預託金に組み替えるとき

五　法令の規定により、特別会計の歳入不足を補足し、又は歳出の財源に充てるため、当該会計の支払元受高に繰替使用している特別会計の積立金に属する現金を当該会計の歳入外又は歳入に組み入れるとき

五の二　貨幣回収準備資金に関する法律（平成十四年法律第四十二号）第七条第一項の規定により、貨幣回収準備資金を使用するため、一般会計の歳入に繰り入れるとき又は同法第十二条の規定により、同資金に属する現金を一般会計の歳入に繰り入れるとき

五の三　貨幣回収準備資金に属する現金の運用上生じた利益金の超過受入額を財政投融資特別会計の財務融資資金勘定の歳入に繰り入れ、又は歳出の金額に戻し入れるとき

五の四　特別会計に関する法律（平成十九年法律第二十三号。以下「法」という。）第六十四条第二項の規定により財政融資資金に属する現金を財政融資資金勘定の歳入に繰り入れるとき

五の五　法第五十八条第三項の規定により財政融資資金勘定の積立金に属する現金を同勘定の歳入に繰り入れるとき

六　法第四十五条の規定により国債整理基金を国債に運用するため、国債の買入れ又は引受けに必要な資金を日本銀行に交付し、又は財政融資資金に属する国債を買い入れるとき

六の二　前号の規定による運用金の額を翌年度における国債

整理基金特別会計の運用金として整理するとき

七　法第四十五条第一項の規定により、国債整理基金の運用上生じた利益金を国債整理基金特別会計の歳入に組み入れるとき

七の二　法第五十九条第二項の規定により投資財源資金を使用するため、同資金に属する現金を投資勘定の歳入に組み入れるとき

八　削除

九　法第百三条の二第五項の規定により、育児休業給付資金を使用するため、同資金に属する現金を雇用勘定の歳入に繰り入れるとき

十　法第百三条の二第四項の規定により、雇用勘定の歳入不足を補足するため、育児休業給付資金に属する現金を同勘定の歳入外に組み入れるとき

十一　法第百七条第四項の規定により、雇用勘定において育児休業給付資金に属する現金を繰替使用し、又は法第十五条第六項の規定により、これを返還するとき

十二　法第百四条第五項の規定により、雇用安定資金を使用するため、同資金に属する現金を雇用勘定の歳入に繰り入れるとき

十三　法第百四条第四項の規定により、雇用勘定の歳入不足を補足するため、雇用安定資金に属する現金を同勘定の歳入外に組み入れるとき

十四　法第百七条第四項の規定により、雇用勘定において雇用安定資金に属する現金を繰替使用し、又は法第十五条第六項の規定により、これを返還するとき

十五　削除

十六　決算調整資金に関する法律（昭和五十三年法律第四号）第七条第一項の規定により、決算調整資金に属する現金を一般会計の歳入に組み入れるとき

十七　我が国の防衛力の抜本的な強化等のために必要な財源の確保に関する特別措置法（令和五年法律第六十九号）第十一条の規定により、防衛力強化資金に属する現金を一般会計の歳入に繰り入れるとき

十八　法附則第三十四条第一項、第三十五条第二項及び同条第六項において準用する同条第二項の規定により、特別保健福祉事業資金に属する現金を業務勘定の歳入に繰り入れるとき

十九　法附則第三十七条第一項の規定により、業務勘定の歳入不足を補足するため、特別保健福祉事業資金に属する現金を同勘定の歳入外に組み入れるとき

二十から二十六まで　削除

二十七　法第百十六条第一項の規定により、厚生年金勘定の剰余金を同勘定の積立金に属する現金に組み替えるとき、又は法第百十九条の規定により、業務勘定の剰余金を厚生年金勘定の積立金に属する現金に組み替えるとき

二十八　法第百二十二条の規定により、厚生年金勘定の積立金を運用するため、同勘定の積立金に属する現金を厚生労働大臣の指定する出納官吏に交付し、又はこれを返還するとき

二十九　法第百二十三条第四項の規定により、厚生年金勘定の積立金に属する現金を同勘定の支払元受高に繰替使用し、又は法第十五条第六項の規定により、これを返還するとき

三十　法第百十六条第三項の規定により、厚生年金勘定の歳入不足を補足するため、同勘定の積立金に属する現金を同勘定の歳入外に組み入れるとき、又は同条第四項の規定により、同勘定の積立金に属する現金を同勘定の歳入に組み入れるとき

三十一　法第百十五条第一項の規定により、国民年金勘定の剰余金を同勘定の積立金に属する現金に組み替えるとき、又は法第百十九条の規定により、業務勘定の剰余金を国民年金勘定の積立金に属する現金に組み替えるとき

三十二　法第百二十二条の規定により、国民年金勘定の積立金を運用するため、同勘定の積立金に属する現金を厚生労働大臣の指定する出納官吏に交付し、又はこれを返還するとき

三十三　法第百二十三条第四項の規定により、国民年金勘定の積立金に属する現金を同勘定の支払元受高に繰替使用し、又は法第十五条第六項の規定により、これを返還するとき

三十四　法第百十五条第二項の規定により、国民年金勘定の歳入不足を補足するため、同勘定の積立金に属する現金を同勘定の歳入外に組み入れるとき、又は同条第三項の規定により、同勘定の積立金に属する現金を同勘定の歳入に組み入れるとき

三十五　法第九十二条第四項の規定により、電源開発促進勘定の歳入不足を補足するため、周辺地域整備資金に属する現金を同勘定の歳入外に組み入れるとき、又は同条第五項の規定により、同資金に属する現金を同勘定の歳入に繰り入れるとき

三十六　法第九十五条第五項の規定により、電源開発促進勘定において周辺地域整備資金に属する現金を繰替使用し、又は法第十五条第六項の規定により、これを返還するとき

三十七　法第二百二十一条の規定により自動車検査登録勘定において自動車事故対策勘定に属する現金を繰替使用し、又は法第十五条第六項の規定によりこれを返還するとき

三十八　法第百三十七条第六項の規定により、農業再保険勘定の積立金に属する現金を繰替使用し、又は法第十五条第六項の規定によりこれを返還するとき

イ　農業勘定　再保険金支払基金勘定に属する現金又は農業勘定の積立金に属する現金

ロ　家畜勘定　再保険金支払基金勘定に属する現金又は家畜勘定の積立金に属する現金

ハ　果樹勘定　再保険金支払基金勘定に属する現金又は果樹勘定の積立金に属する現金

ニ　園芸施設勘定　再保険金支払基金勘定に属する現金又は園芸施設勘定の積立金に属する現金

三十九　法第九十二条の二第三項の規定により、原子力損害賠償支援勘定において原子力損害賠償支援資金に属する現金を同勘定の歳入に繰り入れるとき

第三条　前条第一号から第二十七号まで（第五号の三中歳出の金額に戻し入れる場合及び第六号中資金を日本銀行に交付する場合を除く。）、第二十九号から第三十一号まで、第三十三号から第三十九号までに掲げる場合において発する国庫金振替書には、振替先としてその資金繰入れを受ける取扱庁名を記載し、又は記録し、かつ、次の区分により、その払出科目及び受入科目を記載し、又は記録しなければならない。

一　前条第一号に掲げる場合には、払出科目として「何年度、何会計（勘定の区分のある会計にあつては、「何会計何勘定」とする。以下同じ。）、歳出外、剰余金」、受入科目として「何年度、何省（内閣府にあつては、内閣府とする。以下同じ。）主管（特別会計にあつては、所管とする。以下同じ。）何会計、歳入」又は「何資金（基金にあつては、何基金とする。）」

二　削除

三　前条第三号に掲げる場合には、払出科目として「何年度、何会計、歳出外、運用」、受入科目として「何年度、何会計、歳入外、運用」

四　前条第四号に掲げる場合には、払出科目として「何年度、何会計、歳出外、剰余金」、受入科目として「何年度、何会計、歳入外、運用」

五　前条第五号に掲げる場合には、払出科目として「何年度、何会計、歳出外、繰替」、受入科目として「何年度、何会計、歳入外、損失補塡」又は「何年度、何省所管何会計、歳入」

五の二　前条第五号の二に掲げる場合には、払出科目として「貨幣回収準備資金」、受入科目として「何年度、財務省主管一般会計、歳入」

五の三　前条第五号の三に掲げる場合において、財政投融資特別会計の財政融資資金勘定の歳入に繰り入れるときには、払出科目として「貨幣回収準備資金」、受入科目として「何年度、財務省及び国土交通省所管財政投融資特別会計財政融資資金勘定、歳入」

五の四　前条第五号の四に掲げる場合には、払出科目として「財政融資資金・公債発行収入金又は借入金」、受入科目として「何年度、財務省及び国土交通省所管財政投融資特別会計財政融資資金勘定、歳入」

五の五　前条第五号の五に掲げる場合には、払出科目として「財政融資資金・財政投融資特別会計財政融資資金勘定積立金」、受入科目として「何年度、財務省及び国土交通省所管財政投融資特別会計財政融資資金勘定、歳入」

六　前条第六号に掲げる場合において、財政融資資金に属する国債を買い入れるときには、払出科目として「何年度、国債整理基金特別会計、歳出外、運用」、受入科目として「財政融資資金、財政融資資金未整理」

六の二　前条第六号の二に掲げる場合には、払出科目として「何年度、国債整理基金特別会計、歳出外、運用」、受入科目として「何年度、国債整理基金特別会計、歳入外、運用」

七　前条第七号に掲げる場合には、払出科目として「国債運用資金、何貨債運用資金」、受入科目として「何年度、財務省所管国債整理基金特別会計、歳入」

七の二　前条第七号の二に掲げる場合には、払出科目として「投資財源資金」、受入科目として「何年度、財務省及び国土交通省所管財政投融資特別会計投資勘定、歳入」

八　前条第九号に掲げる場合には、払出科目として「育児休業給付資金」、受入科目として「何年度、厚生労働省所管労働保険特別会計雇用勘定、歳入」

九　前条第十号に掲げる場合には、払出科目として「育児休業給付資金」（育児休業給付資金に属する現金を雇用勘定の支払元受高に繰替使用している場合にあつては、「何年度、労働保険特別会計雇用勘定、歳出外、繰替」とする。）、受入科目として「何年度、労働保険特別会計雇用勘定、歳入外、損失補塡」

十　前条第十一号に掲げる場合において、育児休業給付資金に属する現金を繰替使用するときには、払出科目として「育児休業給付資金」、受入科目として「何年度、労働保険特別会計雇用勘定、歳入外、繰替」、これを返還するときには、払出科目として「何年度、労働保険特別会計雇用勘定、歳出外、繰替」、受入科目として「育児休業給付資金」

十一　前条第十二号に掲げる場合には、払出科目として「雇用安定資金」、受入科目として「何年度、厚生労働省所管労働保険特別会計雇用勘定、歳入」

十二　前条第十三号に掲げる場合には、払出科目として「雇用安定資金」（雇用安定資金に属する現金を雇用勘定の支払元受高に繰替使用している場合にあつては、「何年度、労働保険特別会計雇用勘定、歳出外、繰替」とする。）、受入科目として「何年度、労働保険特別会計雇用勘定、歳入外、損失補塡」

十三　前条第十四号に掲げる場合において、雇用安定資金に属する現金を繰替使用するときには、払出科目として「雇用安定資金」、受入科目として「何年度、労働保険特別会計雇用勘定、歳入外、繰替」、これを返還するときには、払出科目として「何年度、労働保険特別会計雇用勘定、歳出外、繰替」、受入科目として「雇用安定資金」

十四　前条第十六号に掲げる場合には、その払出科目として「決算調整資金」、受入科目として「何年度、財務省主管一般会計、歳入」

十五　前条第十七号に掲げる場合には、払出科目として「防衛力強化資金」、受入科目として「何年度、財務省主管一般会計、歳入」

十六　前条第十八号に掲げる場合には、払出科目として「特別保健福祉事業資金」、受入科目として「何年度、内閣府及び厚生労働省所管年金特別会計業務勘定、歳入」

十七　前条第十九号に掲げる場合には、払出科目として「特別保健福祉事業資金」、受入科目として「何年度、年金特別会計業務勘定、歳入外、損失補填」

十八から二十四まで　削除

二十五　前条第二十七号に掲げる場合において、厚生年金勘定の剰余金を同勘定の積立金に属する現金に組み替えるときには、払出科目として「何年度、年金特別会計厚生年金勘定、歳出外、剰余金」、受入科目として「何年度、年金特別会計厚生年金勘定、歳入外、積立金」、業務勘定の剰余金を厚生年金勘定の積立金に属する現金に組み替えるときには、払出科目として「何年度、年金特別会計業務勘定、歳出外、剰余金」、受入科目として「何年度、年金特別会計厚生年金勘定、歳入外、積立金」

二十六　前条第二十九号に掲げる場合において、厚生年金勘定の積立金に属する現金を同勘定の支払元受高に繰替使用するときには、払出科目として「何年度、年金特別会計厚生年金勘定、歳出外、積立金」、受入科目として「何年度、年金特別会計厚生年金勘定、歳入外、繰替」、これを返還するときには、払出科目として「何年度、年金特別会計厚生年金勘定、歳出外、繰替」、受入科目として「何年度、年金特別会計厚生年金勘定、歳入外、積立金」

二十七　前条第三十号に掲げる場合において、厚生年金勘定の積立金に属する現金を同勘定の歳入外に組み入れるときには、払出科目として「何年度、年金特別会計厚生年金勘定、歳出外、積立金」（厚生年金勘定の積立金に属する現金を同勘定の支払元受高に繰替使用しているときには、「何年度、年金特別会計厚生年金勘定、歳出外、繰替」）、受入科目として「何年度、年金特別会計厚生年金勘定、歳入外、損失補填」、厚生年金勘定の積立金に属する現金を同勘定の歳入に組み入れるときには、払出科目として「何年度、年金特別会計厚生年金勘定、歳出外、積立金」、受入科目として「何年度、内閣府及び厚生労働省所管年金特別会計厚生年金勘定、歳入」

二十八　前条第三十一号に掲げる場合において、国民年金勘定の剰余金を同勘定の積立金に属する現金に組み替えるときには、払出科目として「何年度、年金特別会計国民年金勘定、歳出外、剰余金」、受入科目として「何年度、年金特別会計国民年金勘定、歳入外、積立金」、業務勘定の剰余金を国民年金勘定の積立金に属する現金に組み替えるときには、払出科目として「何年度、年金特別会計業務勘定、歳出外、剰余金」、受入科目として「何年度、年金特別会計国民年金勘定、歳入外、積立金」

二十九　前条第三十三号に掲げる場合において、国民年金勘定の積立金に属する現金を同勘定の支払元受高に繰替使用するときには、払出科目として「何年度、年金特別会計国民年金勘定、歳出外、積立金」、受入科目として「何年度、年金特別会計国民年金勘定、歳入外、繰替」、これを返還するときには、払出科目として「何年度、年金特別会計国民年金勘定、歳出外、繰替」、受入科目として「何年度、年金特別会計国民年金勘定、歳入外、積立金」

三十　前条第三十四号に掲げる場合において、国民年金勘定の積立金に属する現金を同勘定の歳入外に組み入れるときには、払出科目として「何年度、年金特別会計国民年金勘定、歳出外、積立金」（国民年金勘定の積立金に属する現金を同勘定の支払元受高に繰替使用しているときには、「何年度、年金特別会計国民年金勘定、歳出外、繰替」）、受入科目として「何年度、年金特別会計国民年金勘定、歳入外、損失補填」、国民年金勘定の積立金に属する現金を同勘定の歳入に組み入れるときには、払出科目として「何年度、年金特別会計国民年金勘定、歳出外、積立金」、受入科目として「何年度、内閣府及び厚生労働省所管年金特別会計国民年金勘定、歳入」

三十一　前条第三十五号に掲げる場合には、払出科目として「周辺地域整備資金」、受入科目として「何年度、文部科学省、経済産業省及び環境省所管エネルギー対策特別会計電源開発促進勘定、歳入」

三十二　前条第三十六号に掲げる場合において、周辺地域整備資金に属する現金を繰替使用するときには、払出科目として「周辺地域整備資金」、受入科目として「何年度、エネルギー対策特別会計電源開発促進勘定、歳入外、繰替」、これを返還するときには、払出科目として「何年度、エネルギー対策特別会計電源開発促進勘定、歳出外、繰替」、受入科目として「周辺地域整備資金」

三十三　前条第三十七号に掲げる場合において、自動車事故対策勘定に属する現金を繰替使用するときには、払出科目として「何年度、自動車安全特別会計自動車事故対策勘定、歳出外、繰替」、受入科目として「何年度、自動車安全特別会計自動車検査登録勘定、歳入外、繰替」、これを返還するときには、払出科目として「何年度、自動車安全特別会計自動車検査登録勘定、歳出外、繰替」、受入科目として「何年度、自動車安全特別会計自動車事故対策勘定、歳入外、繰替」

三十四　前条第三十八号に掲げる場合には、払出科目として「何年度、食料安定供給特別会計農業再保険勘定、歳出外、積立金」、受入科目として「何年度、食料安定供給特別会計農業再保険勘定、歳入外、繰替」、これを返還するときには、払出科目として「何年度、食料安定供給特別会計農業再保険勘定、歳出外、繰替」、受入科目として「何年度、食料安定供給特別会計農業再保険勘定、歳入外、積立金」

三十五　前条第三十九号に掲げる場合には、払出科目として「原子力損害賠償支援資金」、受入科目として「何年度、文部科学省、経済産業省及び環境省所管エネルギー対策特別会計原子力損害賠償支援勘定、歳入」

2　前条第五号の三に掲げる場合において、財政投融資特別会計の財政融資資金勘定の歳出の金額に戻し入れようとするとき発する国庫金振替書には、振替先としてセンター支出官名を記載し、かつ、その払出科目として「貨幣回収準備資金」と、その受入科目として「何年度、財務省及び国土交通省所管財政投融資特別会計財政融資資金勘定、諸支出金」と記載し、又は記録しなければならない。

3 前条第六号に掲げる場合において、国債の買入れ又は引受けに必要な資金を日本銀行に交付しようとするとき発する国庫金振替書には、振替先として日本銀行と、その払出科目として「何年度、国債整理基金特別会計、歳出外、運用」と、その受入科目として「国債運用資金、何貨債運用資金」と記載し、又は記録しなければならない。

4 前条第二十八号又は第三十二号に掲げる場合において発する国庫金振替書には、振替先としてその資金繰入れを受ける出納官吏名を記載するほか、当該出納官吏の預託金を取り扱う日本銀行名を付記し、かつ、その払出科目として「何年度、年金特別会計厚生年金勘定、歳出外、積立金」又は「何年度、年金特別会計国民年金勘定、歳出外、積立金」と、その受入科目として「預託金」と記入し、これを返還するため発する国庫金振替書には、その払出科目として「預託金」と、その受入科目として「何年度、年金特別会計厚生年金勘定、歳入外、積立金」又は「何年度、年金特別会計国民年金勘定、歳入外、積立金」と記入しなければならない。

第四条 第二条の規定は、財務大臣が次に掲げる国庫内の移換をする場合に準用する。

一 財政法第四十一条の規定により、一般会計の歳入歳出の決算上の剰余金を翌年度の歳入に繰り入れるとき

二 法令の規定により、特別会計又は資金の支払上現金に不足を生じた場合において、国庫余裕金を繰替使用させ、又はその償還をさせるとき

三 政府短期証券（政府資金調達事務取扱規則（平成十一年大蔵省令第六号）第二条に規定するものをいう。次号において同じ。）を発行した場合において、その収入金（その収入金が当該政府短期証券の発行額を超える場合にあつては、発行額）を財務省証券、食糧証券、石油証券、原子力損害賠償支援証券又は融通証券（同条第三号から第四号までに規定する融通証券を除く。以下同じ。）の発行高に相当する金額に繰り入れるとき

四 政府短期証券を発行した場合において、その収入金が当該政府短期証券の発行額を超える場合にあつては、財務省証券の発行額を超える部分の金額を一般会計の歳入に、又は食糧証券、石油証券、原子力損害賠償支援証券若しくは融通証券の発行額を超える部分の金額をそれぞれの負担会計の歳入に繰り入れるとき

五 法令の規定により、特別会計又は資金の支払上現金に不足を生じた場合において、食糧証券、石油証券、原子力損害賠償支援証券若しくは融通証券の発行高に相当する金額又は一時借入金の借入れによる収入金を当該会計の歳入外又は資金に資金繰入れをし、又はその償還をさせるとき

六 法令の規定により、公債、食糧証券、石油証券、原子力損害賠償支援証券若しくは融通証券を発行し、又は借入金若しくは一時借入金を借り入れた場合において、当該公債の発行による収入金、食糧証券、石油証券、原子力損害賠償支援証券若しくは融通証券の発行高に相当する金額又は借入金若しくは一時借入金の借入れによる収入金を当該公債、食糧証券、石油証券、原子力損害賠償支援証券、融通証券、借入金又は一時借入金の負担会計（法第四十六条第一項の規定により公債を発行した場合にあつては、国債整理基金特別会計。）の歳入に繰り入れるとき

六の二 法第四十七条第二項の規定により国債整理基金に編入した借換国債の発行収入金を同条第三項の規定により国債整理基金特別会計の歳入に組み入れるとき

七 法第四十六条第一項の規定により各年度内に償還すべき借換国債を発行した場合において、当該借換国債の発行による収入金を国債整理基金特別会計の歳入外に資金繰入れをし、又は当該借換国債の償還をするため、その償還に必要な資金を日本銀行に交付するとき

七の二 法第四十七条第一項の規定による借換国債の発行収入金を国債整理基金特別会計の歳入外に資金繰入れをするとき

八 法令の規定により公債を発行した場合において、受入経過利子（国債の発行等に関する省令（昭和五十七年大蔵省令第三十号）第八条第三項又は物価連動国債の取扱いに関する省令（平成十六年財務省令第七号）第五条第二項にいう金額をいう。）として受け入れた収入金を当該公債の負担会計（法第四十六条第一項及び第四十七条第一項の規定により公債を発行した場合にあつては、国債整理基金特別会計とする。）の歳入に繰り入れるとき

九 財政法第七条第一項に規定する財務省証券若しくは一時借入金又は第五号に規定する食糧証券、石油証券、原子力損害賠償支援証券、融通証券若しくは一時借入金（財政融資資金から借り入れたものを除く。）の償還をするため、その償還に必要な資金を日本銀行に交付するとき

十 国際通貨基金及び国際復興開発銀行への加盟に伴う措置に関する法律（昭和二十七年法律第百九十一号）第七条第二項若しくは第十条の三第三項の規定により発行する基金通貨代用証券の発行高に相当する金額を外国為替資金に資金繰入れをし、又は同法第五条第二項、第七条第二項、第十条の三第三項若しくは第十三条第五項の規定により発行した基金通貨代用証券を償還するため、その償還に必要な資金を日本銀行に交付するとき

十一 第五号に規定する一時借入金で財政融資資金から借り入れたものを償還しようとするとき

第五条 前条第一号、第二号及び第四号から第八号まで（第七号中資金を日本銀行に交付する場合を除く。）に掲げる場合において発する国庫金振替書には、振替先としてその資金繰入れを受ける取扱庁名（同条第二号及び第五号に規定する償還をさせる場合にあつては、振替元としてその償還をする取

扱庁名）を記載し、かつ、次の区分により、その払出科目及び受入科目を記載し、又は記録しなければならない。

一　前条第一号に掲げる場合には、払出科目として「何年度、一般会計、歳出外、剰余金」、受入科目として「何年度、財務省主管一般会計、歳入」

二　前条第二号に掲げる場合において、国庫余裕金を繰替使用させるときには、払出科目として「国庫余裕金繰替」、受入科目として「何年度、何会計、歳入外、繰替」又は「何資金」、その償還をさせるときには、払出科目として「何年度、何会計、歳出外、繰替」又は「何資金」、受入科目として「国庫余裕金繰替」

三　前条第四号に掲げる場合には、払出科目として「政府短期証券発行高」、受入科目として「何年度、何省主管何会計、歳入」

四　前条第五号に掲げる場合において、同号に規定する資金繰入れをするときには、払出科目として「特別会計補足繰入」、受入科目として「何年度、何会計、歳入外、元受補填」又は「何資金（財政融資資金にあつては財政融資資金・融通証券発行高又は一時借入金）」、その償還をさせるときには、払出科目として「何年度、何会計、歳出外、元受補填」又は「何資金（財政融資資金にあつては財政融資資金・融通証券発行高又は一時借入金）」、受入科目として「特別会計補足繰入」

五　前条第六号に掲げる場合には、払出科目として「公債発行収入金」、「政府短期証券発行高」、「食糧証券発行高」、「石油証券発行高」、「原子力損害賠償支援証券発行高」、「融通証券発行高」、「借入金」又は「一時借入金」、受入科目として「何年度、何省主管何会計、歳入」

五の二　前条第六号の二に掲げる場合には、払出科目として「何年度、国債整理基金特別会計、歳出外、組入」、受入科目として「何年度、国債整理基金特別会計、歳入」

六　前条第七号に掲げる場合において、同号に規定する資金繰入れをするときには、払出科目として「政府短期証券発行高」、受入科目として「何年度、国債整理基金特別会計、歳入外、繰入」

六の二　前条第七号の二に掲げる場合には、払出科目として「公債発行収入金」、受入科目として「何年度、国債整理基金特別会計、歳入外、繰入」

七　前条第八号に掲げる場合には、払出科目として「公債発行収入金」、受入科目として「何年度、何省主管何会計、歳入」

2　前条第三号に掲げる場合において発する国庫金振替書には、その払出科目として「政府短期証券発行高」、受入科目として「財務省証券発行高」、「食糧証券発行高」、「石油証券発行高」、「原子力損害賠償支援証券発行高」又は「融通証券発行高」と記載し、又は記録しなければならない。

3　前条第七号に掲げる場合において、同号に規定する償還に必要な資金を日本銀行に交付しようとするとき発する国庫金振替書には、振替先として日本銀行と、その払出科目として「何年度、国債整理基金特別会計、歳出外、繰入」と、その受入科目として「政府短期証券償還資金」と記載し、又は記録しなければならない。

4　前条第八号に掲げる場合に発する国庫金振替書には、表面余白に「経過利子収入金」と記載し、又は記録しなければならない。

5　前条第九号に掲げる場合において発する国庫金振替書には、振替先として日本銀行と、その払出科目として「財務省証券発行高」、「食糧証券発行高」、「石油証券発行高」、「原子力損害賠償支援証券発行高」、「融通証券発行高」又は「一時借入金」と、その受入科目として「政府短期証券償還資金」又は「一時借入金償還資金」と記載し、又は記録しなければならない。

6　前条第十号に掲げる場合において、基金通貨代用証券の発行高に相当する金額を外国為替資金に資金繰入れをしようとするとき発する国庫金振替書には、その払出科目として「基金通貨代用証券発行収入金」と、受入科目として「外国為替運営資金、外国為替資金」と記載し、当該証券の償還に必要な資金を日本銀行に交付しようとするとき発する国庫金振替書には、振替先として「日本銀行」と、その払出科目として「外国為替運営資金、外国為替資金」と、受入科目として「基金通貨代用証券償還資金」と記載し、又は記録しなければならない。

7　前条第十一号に掲げる場合において、財政融資資金から借り入れた一時借入金を償還しようとするとき発する国庫金振替書には、振替先として財務省理財局長と、その払出科目として「一時借入金」と、受入科目として「財政融資資金・財政融資資金貸付金」と記載し、又は記録しなければならない。

（日本銀行における取扱手続）

第六条　日本銀行は、第二条又は第四条の規定により、国庫金振替書の交付又は送信を受けたときは、当該会計又は資金（基金を含む。）その他の勘定から歳出外としてその金額を払い出し、その国庫金振替書に指定のとおり振替受入の手続をし、日本銀行国庫金取扱規程（昭和二十二年大蔵省令第九十三号）第十六条第一項及び第十六条の二の規定に準じ、国庫金振替書の振替元欄に記載された者に振替済書を、その振替先欄に記載された者に振替済通知書をそれぞれ送付しなければならない。

（事務の委任を受ける職員の官職の通知）

第七条　各省各庁の長は、第二条に規定する国庫内の移換のための国庫金振替書の発行に関する事務の委任を受ける職員の官職を日本銀行に通知しなければならない。

（月計突合表）

第八条　日本銀行統轄店は、一般会計又は某特別会計の歳入外に係る受入に関し、毎月（歳入外に係る受入額のない月を除く。）自店及びその所属店の取り扱つた歳入外の受入額及びその累計額を掲げた第二号書式の一般会計（又は某特別会計）歳入外月計突合表を作成し、翌月の第七営業日（「営業日」とは、日本銀行の休日でない日をいう。以下同じ。）までに到達の日取りをもつて当該会計を主管（特別会計にあつては所管）する各省各庁の長又はその委任を受けた職員に送付しなければならない。

２　日本銀行統轄店は、各省各庁の長又はその委任を受けた職員から当該突合表を送付した月の第十二営業日までに誤りがある旨の通知を受けたときは、その訂正の手続をし、再度一般会計（又は某特別会計）歳入外月計突合表を作成し、直ちに当該各省各庁の長又はその委任を受けた職員に送付しなければならない。

第九条　日本銀行は、一般会計又は某特別会計の歳出外に係る支払に関し、毎月（歳出外に係る支払額のない月を除く。）その取り扱つた歳出外の支払額及びその累計額を掲げた第三号書式の一般会計（又は某特別会計）歳出外月計突合表を作成し、翌月の第七営業日までに到達の日取りをもつて当該会計を所管する各省各庁の長又はその委任を受けた職員に送付しなければならない。

２　日本銀行は、各省各庁の長又はその委任を受けた職員から当該突合表を送付した月の第十二営業日までに誤りがある旨の通知を受けたときは、その訂正の手続をし、再度一般会計（又は某特別会計）歳出外月計突合表を作成し、直ちに当該各省各庁の長又はその委任を受けた職員に送付しなければならない。

第十条　日本銀行本店は、前二条の規定によるもののほか、歳入歳出外の受払に関し、毎月（その受払額のない月を除く。）その取り扱つた歳入歳出外の受入額及び払出額を掲げた第四号書式の次の各号に掲げる月計突合表を作成し、翌月の第七営業日までに到達の日取りをもつて当該各号に掲げる者に送付しなければならない。

一　国庫余裕金繰替月計突合表　財務大臣
二　特別会計補足繰入月計突合表　財務大臣
三　国庫余裕金運用月計突合表　財務大臣
四　政府短期証券発行高月計突合表　財務大臣
五　財務省証券発行高月計突合表　財務大臣
六　食糧証券発行高月計突合表　財務大臣
六の二　石油証券発行高月計突合表　財務大臣
六の三　原子力損害賠償支援証券発行高月計突合表　財務大臣
七　融通証券発行高月計突合表　財務大臣
八　借入金月計突合表　財務大臣
九　一時借入金月計突合表　財務大臣
十　決算調整資金月計突合表　財務大臣
十一　防衛力強化資金月計突合表　財務大臣
十二　特別保健福祉事業資金月計突合表　厚生労働大臣
十三　育児休業給付資金月計突合表　厚生労働大臣
十四　雇用安定資金月計突合表　厚生労働大臣
十五及び十六　削除
十七　周辺地域整備資金月計突合表　経済産業大臣
十八　削除
十九　投資財源資金月計突合表　財務省理財局長
二十　原子力損害賠償支援資金月計突合表　経済産業大臣

２　日本銀行本店は、前項各号に掲げる者から当該突合表を送付した月の第十二営業日までに誤りがある旨の通知を受けたときは、その訂正の手続をし、再度前項各号に掲げる月計突合表を作成し、直ちに前項各号に掲げる者に送付しなければならない。

（調査等）
第十一条　各省各庁の長又は第七条に規定するその委任を受けた職員は、日本銀行から前三条に規定する月計突合表の送付を受けたときは、これを調査し、適正であると認めたときは、当該突合表に記名しなければならない。ただし、相違のある点については、その事由を付記するものとする。

２　各省各庁の長又は第七条に規定するその委任を受けた職員は、前項の規定により送付を受けた月計突合表に誤りがあることを発見したときは、当該突合表の送付を受けた月の第十二営業日までにその旨を日本銀行に通知しなければならない。

３　第一項の規定は、各省各庁の長又は第七条に規定するその委任を受けた職員が前項の通知をした後、日本銀行から再度月計突合表の送付を受けた場合について準用する。

附　則

１　この省令は、公布の日から施行し、昭和三十年四月一日から適用する。

２　第二条の規定は、財務大臣又はその委任を受けた職員が、平成二十二年度における財政運営のための公債の発行の特例等に関する法律（平成二十二年法律第七号）第三条第二項の規定により、財政投融資特別会計財政融資資金勘定の積立金に属する現金を同勘定の歳入に繰り入れる場合に準用する。この場合において発する国庫金振替書には、振替先として「財務省大臣官房」と記載し、かつ、払出科目として「財政融資資金・財政投融資特別会計財政融資資金勘定積立金」、受入科目として「何年度、財務省及び国土交通省所管財政投融資特別会計財政融資資金勘定、歳入」と記載しなければならない。

３　第二条の規定は、財務大臣が、特別会計に関する法律等の一部を改正する等の法律（平成二十五年法律第七十六号）附則第十五条第二項の規定により、財政法第四十一条の規定による平成二十五年度の歳入歳出の決算上の剰余金から旧臨時軍事費特別会計（ポツダム宣言の受諾に伴い発する命令に関する件に基く大蔵省関係諸命令の措置に関する法律第九条の規定により廃止された臨時軍事費特別会計の終結に関する件（昭和二十一年勅令第百十号）第一条の規定により昭和二十一年二月二十八日においてその年度が終結された臨時軍事費特別会計をいう。以下この項において同じ。）の歳出の決算額と昭和二十一年度から平成二十五年度までの特別会計に関する法律等の一部を改正する等の法律第二条の規定による改正前のポツダム宣言の受諾に伴い発する命令に関する件に基く大蔵省関係諸命令の措置に関する法律第十条第一項の規定による歳出の整理金額との合計額が旧臨時軍事費特別会計の歳入の決算額と昭和二十一年度から平成二十五年度までの同項の規定による歳入の整理金額との合計額を上回る金額を控除した後の残余の額を翌年度の歳入に繰り入れる場合に準用する。この場合において発する国庫金振替書には、振替先として「財務省大臣官房」と記載し、かつ、払出科目として「何年度、一般会計、歳出外、剰余金」、受入科目として「何年度、財務省主管一般会計、歳入」と記載しなければならない。

4　第二条の規定は、財務大臣が、特別会計に関する法律等の一部を改正する等の法律（平成二十五年法律第七十六号）附則第十五条第二項の規定による剰余金に係る国庫内移換の手続後なお一般会計に残余する金額を翌年度の歳入に繰り入れる場合に準用する。この場合において発する国庫金振替書には、振替先として「財務省大臣官房」と記載し、かつ、払出科目として「何年度、一般会計、歳出外、剰余金」、受入科目として「何年度、財務省主管一般会計、歳入」と記載しなければならない。

5　第二条の規定は、外務大臣又はその委任を受けた職員が、旧外地特別会計（旧外地特別会計の昭和十九年度及び昭和二十年度の歳入歳出の決算上の剰余金の処理等に関する政令（平成二十七年政令第三百五十七号。以下この項において「政令」という。）第一条に規定する旧外地特別会計をいう。以下同じ。）において次の各号に掲げる国庫内の移換をする場合に準用する。

一　旧外地特別会計における昭和十九年度及び昭和二十年度の歳入歳出の決算上の剰余金の全部又は一部を昭和十九年度若しくは昭和二十年度の旧外地特別会計の歳入に繰り入れ、又は歳入外に組み入れるとき。この場合において発する国庫金振替書には、振替先として「外務大臣」と記載し、かつ、払出科目として「戦時未整理、何年度、何会計、歳出外、剰余金」、受入科目として「戦時未整理、何年度、何会計、歳入又は歳入外」と記載しなければならない。

二　旧外地特別会計における昭和十九年度及び昭和二十年度の歳入歳出の決算上の剰余金を当該会計の積立金に属する現金に組み替えるとき。この場合において発する国庫金振替書には、振替先として「外務大臣」と記載し、かつ、払出科目として「戦時未整理、何年度、何会計、歳出外、剰余金」、受入科目として「戦時未整理、何預金普通預金（勘定の区分のある預金にあつては、「何勘定何預金普通預金」とする。以下同じ。）、歳入外」と記載しなければならない。

三　旧外地特別会計の昭和十九年度の歳入歳出の決算上の不足を補足するため、旧外地特別会計の同年度の歳入歳出の決算上の剰余金を当該会計の歳入外に組み入れるとき。この場合において発する国庫金振替書には、振替先として「外務大臣」と記載し、かつ、払出科目として「戦時未整理、昭和十九年度、何会計、歳出外」、受入科目として「戦時未整理、昭和十九年度、何会計、歳入外」と記載しなければならない。

四　旧外地特別会計の昭和十九年度の歳入歳出の決算上の不足を補足するため、当該会計の積立金に属する現金を当該会計の歳入外に組み入れるとき。この場合において発する国庫金振替書には、振替先として「外務大臣」と記載し、かつ、払出科目として「戦時未整理、何預金普通預金、歳出外」、受入科目として「戦時未整理、昭和十九年度、何会計、歳入外」と記載しなければならない。

五　政令第一条の規定により、旧外地特別会計の昭和二十年度の歳入歳出の決算上の剰余金を一般会計の平成二十七年度の歳入に繰り入れるとき。この場合において発する国庫金振替書には、振替先として「外務省大臣官房」と記載し、かつ、払出科目として「戦時未整理、昭和二十年度、何会計、歳出外、剰余金」、受入科目として「平成二十七年度、外務省主管一般会計、歳入」と記載しなければならない。

六　政令第二条の規定により、旧外地特別会計に属する現金を一般会計の平成二十七年度の歳入に組み入れるとき。この場合において発する国庫金振替書には、振替先として「外務省大臣官房」と記載し、かつ、払出科目として「戦時未整理、何預金普通預金、歳出外」、受入科目として「平成二十七年度、外務省主管一般会計、歳入」と記載しなければならない。

別紙書式〔略〕

○東日本大震災に伴う救じゅつ又は学芸技術奨励の目的を有する寄附金等の保管出納に関する件に係る寄附金の保管金取扱規程等の臨時特例に関する省令

平二三・四・五
財務令一六

最終改正 令二・一二・四財務令七三

（趣旨）

第一条 東日本大震災による被災者（以下「被災者」という。）の救じゅつの目的を有する寄附金（以下「寄附金」という。）を各省各庁の長（財政法（昭和二十二年法律第三十四号）第二十条第二項に規定する各省各庁の長をいう。）が保管する場合の現金（以下「保管金」という。）の受払い等については、保管金取扱規程（大正十一年大蔵省令第五号）、保管金払込事務等取扱規程（昭和二十六年大蔵省令第三十号）及び出納官吏事務規程（昭和二十二年大蔵省令第九十五号）に定めるもののほか、この省令の定めるところによる。

（定義）

第二条 この省令において、次の各号に掲げる用語の意義は、当該各号に定めるところによる。

一 地方公共団体 保管金に係る配分基準を決定する機関（以下「配分基準決定機関」という。）の配分基準により、保管金の払渡しを受けることとされた地方公共団体をいう。

二 口座 出納官吏事務規程第三条に規定する現金の保管をするための預金又は貯金の口座をいう。

（保管金の受入れの手続）

第三条 取扱官庁は、保管金の受入れをしようとするときは、寄附金を寄附しようとする者に、取扱官庁へ現金の提出をさせ、又は取扱官庁の保管金を取り扱う口座への払込みをさせることにより行うものとする。

2 取扱官庁は、前項の規定により保管金を受け入れたときは、当該取扱官庁の口座において現金を保管するものとする。

3 取扱官庁は、保管金受領証明請求書の提出を受けた場合には、保管金を取扱官庁へ提出した者と当該保管金受領証明請求書の提出をした者が同一であると認められる場合に限り、第一号書式による保管金受領証書を当該者に交付しなければならない。

（保管金の払渡しの手続）

第四条 取扱官庁は、受け入れた保管金の配分基準が、配分基準決定機関により決定された場合には、地方公共団体の指定する払込みの方法により、当該地方公共団体に速やかに払い渡すものとする。

2 取扱官庁は、前項の規定により保管金を払い渡したときは、当該地方公共団体から、受領したことを証明する書面を徴するものとする。

（保管金の払戻しの手続）

第五条 取扱官庁は、保管金の払戻しを請求する者（以下「払戻請求者」という。）から保管金払戻請求書の提出を受けた場合には、保管金を取扱官庁へ提出した者と保管金払戻請求書の提出をした者が同一であると認められる場合に限り、当該払戻請求者の指定する払込みの方法により、保管金を払い戻すことができる。

2 取扱官庁は、前項の規定により保管金を払い戻したときは、払戻請求者から、当該保管金を受領したことを証明する書面を徴するものとする。

（保管金の保管替えの手続）

第六条 甲取扱官庁は、保管金を保管替えする場合には、乙取扱官庁に第二号書式による保管金保管替申請書を送付しなければならない。

2 乙取扱官庁は、前項の規定により保管替えをする理由があると認めた場合には、第三号書式による保管金保管替承諾書を甲取扱官庁に通知し、甲取扱官庁の保管金を乙取扱官庁の口座に払い込ませるものとする。

3 乙取扱官庁は、前項の規定により乙取扱官庁の口座に払込みがされたことを確認したときは、第四号書式による保管金受入済通知書を甲取扱官庁に交付しなければならない。

（保管金の領収の報告）

第七条 歳入歳出外現金出納官吏が第三条第一項の規定により保管金を受け入れた場合における出納官吏事務規程第六十条の規定の適用については、同条中「領収証書を交付し、その旨を」とあるのは、「その旨を」とする。

（保管金の払渡しの報告）

第八条 歳入歳出外現金出納官吏が第四条第一項の規定によりその保管にかかる現金を払い渡した場合における出納官吏事務規程第六十二条の規定の適用については、同条中「受取人から領収証書を徴し、その旨を」とあるのは、「その旨を」とする。

（在外公館の保管金の払渡しの特例）

第九条 在外公館における第四条第一項の規定の適用については、同項中「受け入れた保管金の配分基準が、配分基準決定機関により決定された場合には、地方公共団体」とあるのは「受け入れた保管金が、日本赤十字社を通じて被災者に寄附される場合には、日本赤十字社」と、「当該地方公共団体」とあるのは「日本赤十字社」とすることができる。

2 在外公館における第四条第二項の規定の適用については、同項中「当該地方公共団体」とあるのは、「日本赤十字社」とすることができる。

（保管金受領証書の亡失又はき損の証明）

第十条 取扱官庁は、第三条第三項の保管金を取扱官庁へ提出した者が保管金受領証書を亡失又はき損したことにより、証明請求書を取扱官庁に提出したことについて理由があると認められる場合に限り、当該証明請求書の余白に当該保管金受領証書発行済の旨を記載して、交付しなければならない。

（保管金取扱規程及び保管金払込事務等取扱規程の適用除外）

第十一条 この省令の規定による保管金の取扱いについては、保管金取扱規程第五章並びに保管金払込事務等取扱規程第二条及び第二条の二の規定は、適用しない。

附　則

この省令は、公布の日から施行する。

第一号書式（第3条第3項）

第　　号
年　月　日

保管金受領証書

氏　名　殿

（　受　領　金　額　）

東日本大震災による被災者の救援の目的を有する寄附金として、上記金額を受領しました。

「何庁」歳入歳出外現金出納官吏　氏　　名

備考　1　用紙の大きさは、日本産業規格A列4とする。
　　　2　本書式は、必要に応じて記載事項を修正することができる。

第二号書式（第6条第1項）

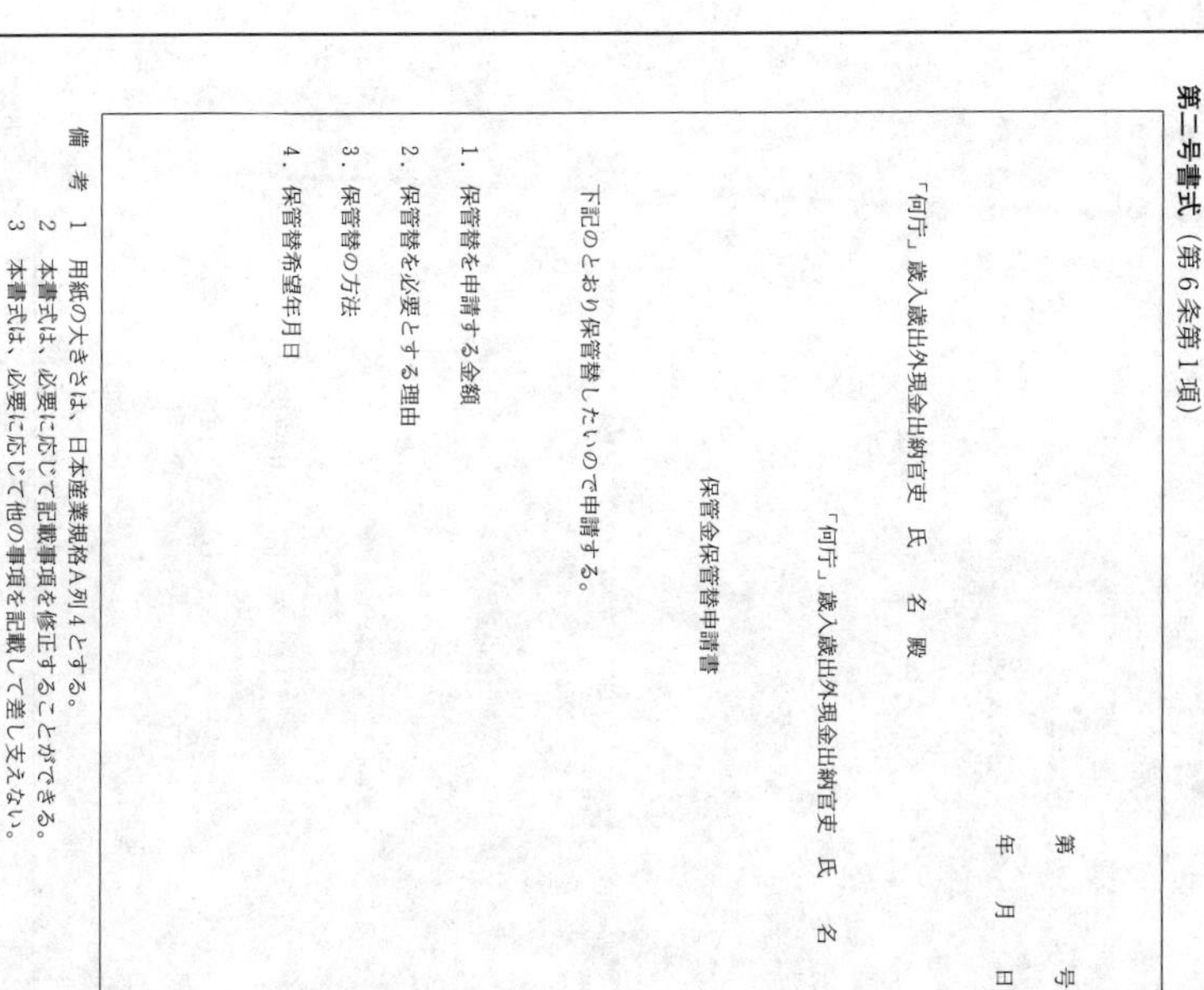

第　　号
年　月　日

「何庁」歳入歳出外現金出納官吏　氏　名　殿

「何庁」歳入歳出外現金出納官吏　氏　　名

保管金保管替申請書

下記のとおり保管替したいので申請する。

1. 保管替を申請する金額
2. 保管替を必要とする理由
3. 保管替の方法
4. 保管替希望年月日

備考　1　用紙の大きさは、日本産業規格A列4とする。
　　　2　本書式は、必要に応じて記載事項を修正することができる。
　　　3　本書式は、必要に応じて他の事項を記載して差し支えない。

第三号書式（第6条第2項）

第　　号
年　月　日

「何庁」歳入歳出外現金出納官吏　氏　名　殿

「何庁」歳入歳出外現金出納官吏　氏　名

保管金保管替承諾書

保管金の保管替申請のあった件については、下記のとおり承諾するので通知する。

1．保管替の金額
2．保管替の方法
3．保管替年月日

備　考　第二号書式備考は、この書式について準用する。

第四号書式（第6条第3項）

第　　号
年　月　日

「何庁」歳入歳出外現金出納官吏　氏　名　殿

「何庁」歳入歳出外現金出納官吏　氏　名

保管金受入済通知書

下記の金額について、保管金として受入れたので通知する。

1．受入済金額
2．受入年月日

備　考　第二号書式備考は、この書式について準用する。

○平成二十八年熊本地震に伴う救じゅつ又は学芸技術奨励の目的を有する寄附金等の保管出納に関する件に係る寄附金の保管金取扱規程等の臨時特例に関する省令

平二八・四・二〇
財務令四五

最終改正　令二・一二・二四財務令七三

（趣旨）

第一条　平成二十八年熊本地震による被災者（以下「被災者」という。）の救じゅつの目的を有する寄附金（以下「寄附金」という。）を各省各庁の長（財政法（昭和二十二年法律第三十四号）第二十条第二項に規定する各省各庁の長をいう。）が保管する場合の現金（以下「保管金」という。）の受払い等については、保管金取扱規程（大正十一年大蔵省令第五号）、保管金払込事務等取扱規程（昭和二十六年大蔵省令第三十号）及び出納官吏事務規程（昭和二十二年大蔵省令第九十五号）に定めるもののほか、この省令の定めるところによる。

（定義）

第二条　この省令において、次の各号に掲げる用語の意義は、当該各号に定めるところによる。

一　地方公共団体　保管金に係る配分基準を決定する機関（以下「配分基準決定機関」という。）の配分基準により、保管金の払渡しを受けることとされた地方公共団体をいう。

二　口座　出納官吏事務規程第三条に規定する現金の保管をするための預金又は貯金の口座をいう。

（保管金の受入れの手続）

第三条　取扱官庁は、保管金の受入れをしようとするときは、寄附金を寄附しようとする者に、取扱官庁へ現金の提出をさせ、又は取扱官庁の保管金を取り扱う口座への払込みをさせることにより行うものとする。

２　取扱官庁は、前項の規定により保管金を受け入れたときは、当該取扱官庁の口座において現金を保管するものとする。

３　取扱官庁は、保管金受領証明請求書の提出を受けた場合には、保管金を取扱官庁へ提出した者と当該保管金受領証明請求書の提出をした者が同一であると認められる場合に限り、第一号書式による保管金受領証書を当該者に交付しなければならない。

（保管金の払渡しの手続）

第四条　取扱官庁は、受け入れた保管金の配分基準が、配分基準決定機関により決定された場合には、地方公共団体の指定する払込みの方法により、当該地方公共団体に速やかに払い渡すものとする。

２　取扱官庁は、前項の規定により保管金を払い渡したときは、当該地方公共団体から、受領したことを証明する書面を徴するものとする。

（保管金の払戻しの手続）

第五条　取扱官庁は、保管金の払戻しを請求する者（以下「払戻請求者」という。）から保管金払戻請求書の提出を受けた場合には、保管金を取扱官庁へ提出した者と保管金払戻請求書の提出をした者が同一であると認められる場合に限り、当該払戻請求者の指定する払込みの方法により、保管金を払い戻すことができる。

２　取扱官庁は、前項の規定により保管金を払い戻したときは、払戻請求者から、当該保管金を受領したことを証明する書面を徴するものとする。

（保管金の保管替えの手続）

第六条　甲取扱官庁は、保管金を保管替えする場合には、乙取扱官庁に第二号書式による保管金保管替申請書を送付しなければならない。

２　乙取扱官庁は、前項の規定により保管替えをする理由があると認めた場合には、第三号書式による保管金保管替承諾書を甲取扱官庁に通知し、甲取扱官庁の保管金を乙取扱官庁の口座に払い込ませるものとする。

３　乙取扱官庁は、前項の規定により乙取扱官庁の口座に払込みがされたことを確認したときは、第四号書式による保管金受入済通知書を甲取扱官庁に交付しなければならない。

（保管金の領収の報告）

第七条　歳入歳出外現金出納官吏が第三条第一項の規定により保管金を受け入れた場合における出納官吏事務規程第六十条の規定の適用については、同条中「領収証書を交付し、その旨を」とあるのは、「その旨を」とする。

（保管金の払渡しの報告）

第八条　歳入歳出外現金出納官吏が第四条第一項の規定によりその保管にかかる現金を払い渡した場合における出納官吏事務規程第六十二条の規定の適用については、同条中「受取人から領収証書を徴し、その旨を」とあるのは、「その旨を」とする。

（在外公館の保管金の払渡しの特例）

第九条　在外公館における第四条第一項の規定の適用については、同項中「受け入れた保管金の配分基準が、配分基準決定機関により決定された場合には、地方公共団体」とあるのは「受け入れた保管金が、日本赤十字社を通じて被災者に寄附される場合には、日本赤十字社」と、「当該地方公共団体」とあるのは「日本赤十字社」とすることができる。

２　在外公館における第四条第二項の規定の適用については、同項中「当該地方公共団体」とあるのは、「日本赤十字社」とすることができる。

（保管金受領証書の亡失又はき損の証明）

第十条　取扱官庁は、第三条第三項の保管金を取扱官庁へ提出した者が保管金受領証書を亡失又はき損したことにより、証明請求書を取扱官庁に提出したことについて理由があると認められる場合に限り、当該証明請求書の余白に当該保管金受領証書発行済の旨を記載して、交付しなければならない。

（保管金取扱規程及び保管金払込事務等取扱規程の適用除外）

第十一条　この省令の規定による保管金の取扱いについては、保管金取扱規程第五章並びに保管金払込事務等取扱規程第二条及び第二条の二の規定は、適用しない。

附　則

この省令は、公布の日から施行する。

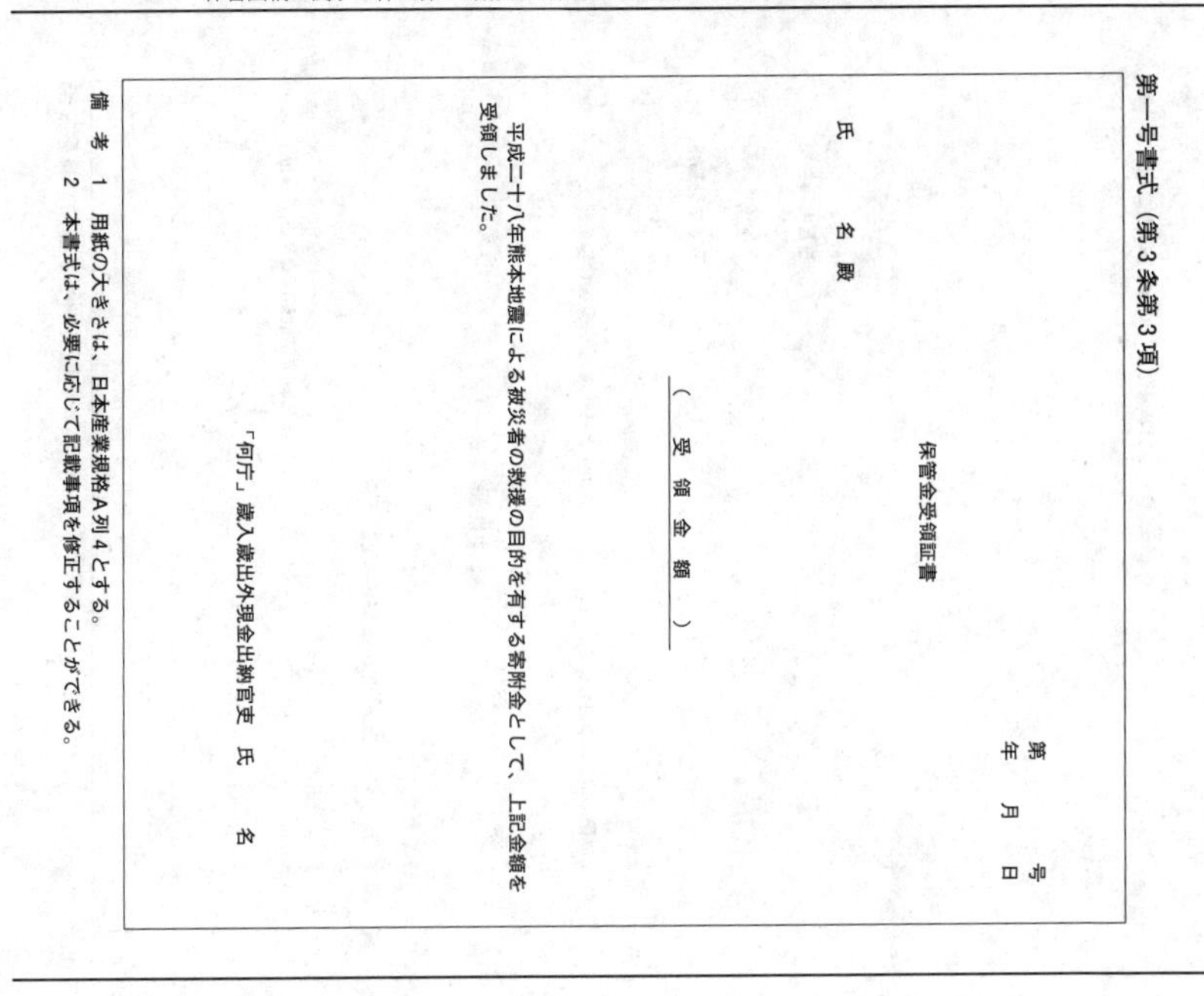

第一号書式（第3条第3項）

第　　号
年　月　日

保管金受領証書

氏　　名　殿

（受　領　金　額　）

平成二十八年熊本地震による被災者の救援の目的を有する寄附金として、上記金額を受領しました。

「何庁」歳入歳出外現金出納官吏　氏　　名

備考　1　用紙の大きさは、日本産業規格A列4とする。
　　　2　本書式は、必要に応じて記載事項を修正することができる。

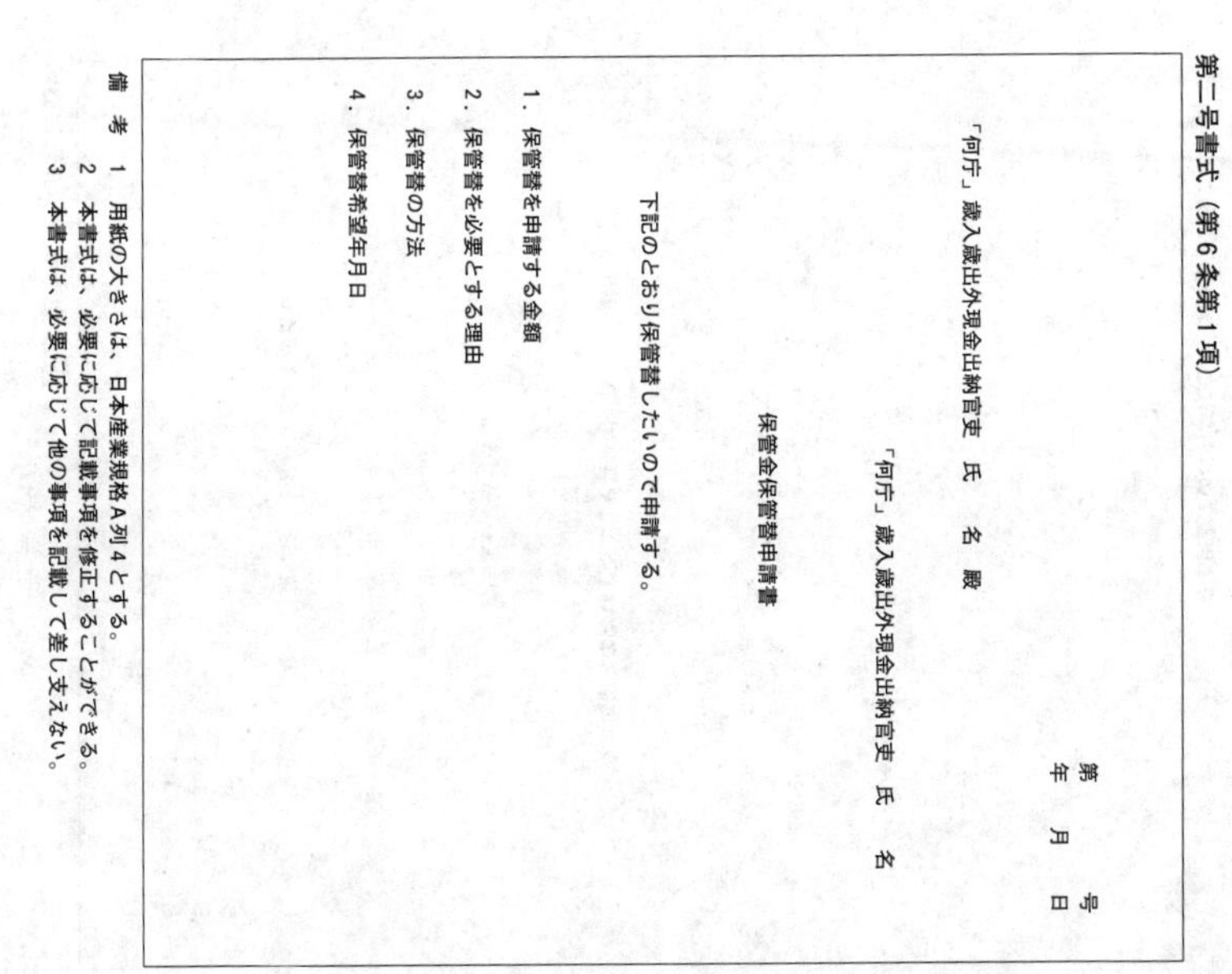

第二号書式（第6条第1項）

第　　号
年　月　日

「何庁」歳入歳出外現金出納官吏　氏　名　殿

「何庁」歳入歳出外現金出納官吏　氏　　名

保管金保管替申請書

下記のとおり保管替したいので申請する。

1．保管替を申請する金額
2．保管替を必要とする理由
3．保管替の方法
4．保管替希望年月日

備考　1　用紙の大きさは、日本産業規格A列4とする。
　　　2　本書式は、必要に応じて記載事項を修正することができる。
　　　3　本書式は、必要に応じて他の事項を記載して差し支えない。

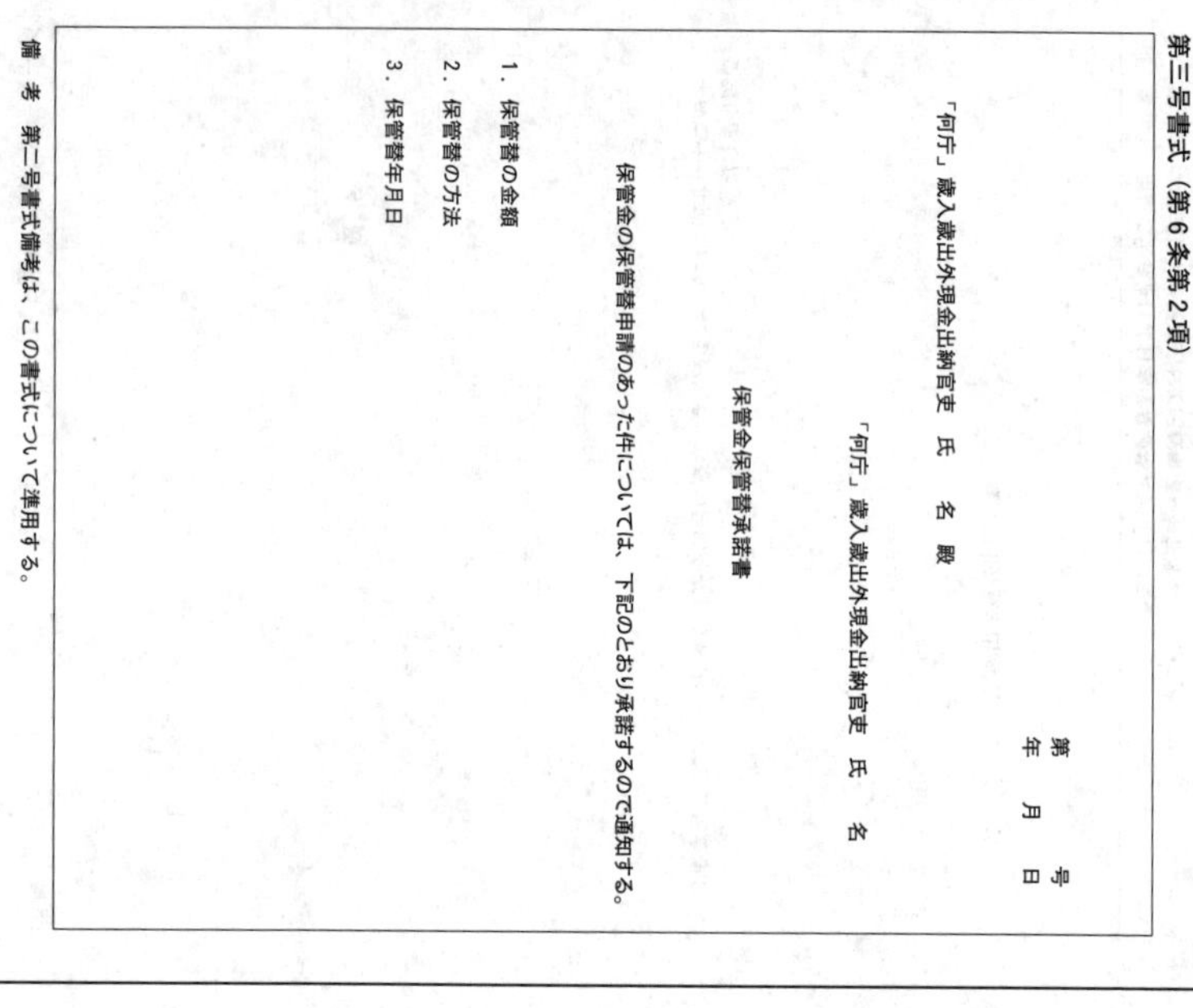

第三号書式（第6条第2項）

第　　号
年　月　日

「何庁」歳入歳出外現金出納官吏　氏　　名　殿

「何庁」歳入歳出外現金出納官吏　氏　　名

保管金保管替承諾書

保管金の保管替申請のあった件については、下記のとおり承諾するので通知する。

1. 保管替の金額
2. 保管替の方法
3. 保管替年月日

備　考　第二号書式備考は、この書式について準用する。

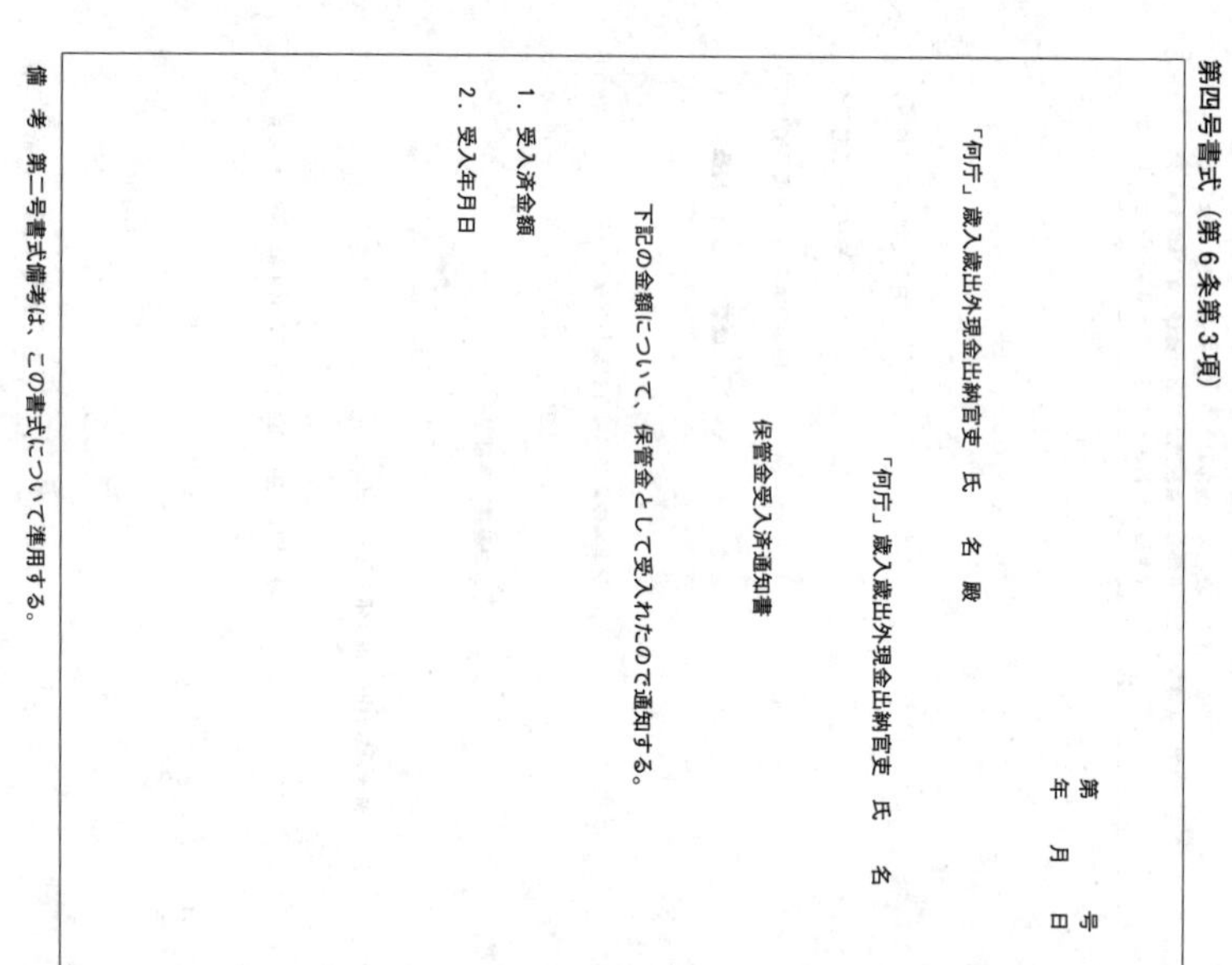

第四号書式（第6条第3項）

第　　号
年　月　日

「何庁」歳入歳出外現金出納官吏　氏　　名　殿

「何庁」歳入歳出外現金出納官吏　氏　　名

保管金受入済通知書

下記の金額について、保管金として受入れたので通知する。

1. 受入済金額
2. 受入年月日

備　考　第二号書式備考は、この書式について準用する。

資　金

○国税収納金整理資金に関する法律

昭二九・三・三一
法　　三　　六

最終改正　平三一・三・二九法四

（目的）

第一条　この法律は、国税収納金整理資金を設置し、国税収納金等をこの資金に受け入れ、過誤納金の還付金等は、この資金から支払い、その支払つた金額を除いた国税収納金等の額を国税収入その他の収入とすることによつて、国税収入に関する経理の合理化と過誤納金の還付金等の支払に関する事務処理の円滑化を図ることを目的とする。

（定義）

第二条　この法律において「国税収納金等」とは、現金（証券を以てする歳入納付に関する法律（大正五年法律第十号）により現金に代えて納付される証券を含む。）をもつて収納された国税（自動車重量税法（昭和四十六年法律第八十九号）に規定する自動車重量税印紙に係る収入金を含み、森林環境税及び森林環境譲与税に関する法律（平成三十一年法律第三号）に規定する森林環境税及び特別法人事業税及び特別法人事業譲与税に関する法律（平成三十一年法律第四号）に規定する特別法人事業税を除く。）、滞納処分費及び第三条の資金からする支払金の返納金をいう。

2　この法律において「過誤納金の還付金等」とは、過誤納に係る国税及び特定地方税の還付金その他これに類する国税及び特定地方税に関する支払金で政令で定めるもの並びに過誤納に係る滞納処分費の還付金並びに法令の規定によりこれらに加算すべき金額並びに地方税法第七十二条の百三第三項の規定による払込金をいう。

3　この法律において「償還金」とは、第十一条第一項に規定する国税資金支払命令官が振り出した小切手に係る償還金をいう。

（資金の設置）

第三条　この法律の目的を達成するため、国税収納金整理資金（以下「資金」という。）を設置する。

（資金の管理）

第四条　資金は、財務大臣が、法令で定めるところに従い、管理する。

（資金への受入）

第五条　国税収納金等は、その収納された時に、すべて資金に受け入れられるものとする。

（資金からの支払及び組入）

第六条　過誤納金の還付金等及び償還金は、この法律で定めるところにより、資金から支払うものとする。

2　資金に属する現金は、前項の規定により支払に充てるべき金額を除き、この法律で定めるところにより、一般会計又は交付税及び譲与税配付金特別会計若しくは東日本大震災復興特別会計（以下「特別会計」という。）の歳入に組み入れるものとする。

（資金の経理）

第七条　資金に属する現金の受入、支払及び組入は、歳入歳出外とする。

（国税収納命令官）

第八条　財務大臣は、国税収納金等となるべき国税（自動車重量税印紙に係る収入を含み、森林環境税及び森林環境譲与税に関する法律に規定する森林環境税及び特別法人事業税及び特別法人事業譲与税に関する法律に規定する特別法人事業税を除く。）、特定地方税、滞納処分費又は返納金（以下「国税等」という。）の徴収に関する事務を所属の職員に委任することができる。

2　財務大臣は、必要があるときは、所属の職員に国税収納命令官（前項の規定により委任された職員をいう。以下同じ。）の事務の一部を分掌させることができる。

3　前二項の場合において、財務大臣は、財務省に置かれた官職を指定することにより、その官職にある者に当該事務を委任し、又は分掌させることができる。

4　第二項の規定により国税収納命令官の事務の一部を分掌する職員は、分任国税収納命令官という。

（国税等の徴収及び収納）

第九条　国税等は、法令で定めるところにより、徴収し、又は収納するものとする。

2　会計法（昭和二十二年法律第三十五号）第五条から第八条までの規定は、国税等の徴収又は収納について準用する。この場合において、これらの規定中「歳入」とあるのは「国税等」と、同法第五条及び第六条中「歳入徴収官」とあるのは「国税収納命令官」と読み替えるものとする。

（国税資金支払命令官）

第十条　財務大臣は、資金からする支払のための小切手の振出又は国庫金振替書若しくは支払指図書の交付（以下「支払命令」という。）に関する事務を所属の職員に委任することができる。

2　第八条第三項の規定は、前項の場合について準用する。

（資金の支払計画等）

第十一条　財務大臣は、政令で定めるところにより、国税資金支払命令官（前条第一項の規定により委任された職員をいう。以下同じ。）ごとに、資金の支払計画を定め、これを国税資金支払命令官に示達しなければならない。

2　財務大臣は、政令で定めるところにより、前項の事務の一部を所属の職員に行わせることができる。

3　国税資金支払命令官は、第一項の規定により示達された資金の支払計画に定める金額をこえて支払命令をしてはならない。

4　会計法第十六条、第二十一条第一項、第二十六条及び第二

十八条の規定は、国税資金支払命令官がする支払命令について準用する。この場合において、同法第二十六条中「歳出の支出」とあるのは「支払命令」と、同法第二十八条中「支出官」とあるのは「国税資金支払命令官」と読み替えるものとする。

第十二条　削除

（事務の代理等）

第十三条　財務大臣は、国税収納命令官（分任国税収納命令官を含む。次項において同じ。）又は国税資金支払命令官に事故がある場合（これらの者が第八条第三項（第十条第二項において準用する場合を含む。）の規定により指定された官職にある者である場合には、その官職にある者が欠けたときを含む。）において必要があるときは、政令で定めるところにより、所属の職員にその事務を代理させることができる。

2　財務大臣は、必要があるときは、政令で定めるところにより、所属の職員に、国税収納命令官又は国税資金支払命令官（前項の規定によりこれらの者の事務を代理する職員を含む。）の事務の一部を処理させることができる。

（歳入への組入れ）

第十四条　財務大臣は、毎会計年度、政令で定めるところにより、当該年度の初日から翌年度の五月三十一日までの期間内において資金に受け入れた国税収納金等（国税に係る返納金で政令で定めるもの並びに特定地方税及びこれに係る返納金を除く。）で当該年度に所属するものの額から当該年度において支払の決定をした過誤納金の還付金等（特定地方税に係る過誤納金の還付金等を除く。第三項において同じ。）の額を控除した額を、当該年度の一般会計又は特別会計の歳入に組み入れるものとする。この場合において、当該期間の末日が日曜日その他政令で定める日に当たるときは、これらの日の翌日を当該期間の末日とみなす。

2　前項に規定する国税収納金等の所属する年度の区分については、政令で定める。

3　過誤納金の還付金等又は償還金（特定地方税に係る償還金を除く。）が、その支払の決定をした年度の翌年度以後において、時効の完成その他の事由により、その支払を要しなくなつたときは、その支払を要しなくなつた額に相当する金額は、政令で定めるところにより、資金から一般会計又は特別会計の歳入に組み入れるものとする。

（帳簿及び報告書等）

第十五条　国税収納命令官及び国税資金支払命令官は、政令で定めるところにより、帳簿を備え、かつ、報告書及び計算書を作成し、これを財務大臣又は会計検査院に送付しなければならない。

2　出納官吏、出納員及び日本銀行は、政令で定めるところにより、資金に属する現金でその出納したものについて、国税収納命令官又は国税資金支払命令官に報告しなければならない。

（国税収納金整理資金受払計算書）

第十六条　財務大臣は、毎会計年度、政令で定めるところにより、国税収納金整理資金受払計算書（当該国税収納金整理資金受払計算書に記載すべき事項を記録した電磁的記録（電子的方式、磁気的方式その他人の知覚によつては認識することができない方式で作られる記録であつて、電子計算機による情報処理の用に供されるものとして財務大臣が定めるものをいう。）を含む。以下この条において同じ。）を作成しなければならない。

2　内閣は、前項の国税収納金整理資金受払計算書を、翌年度の十一月三十日までに会計検査院に送付し、その検査を受けなければならない。

3　内閣は、前項の規定により会計検査院の検査を経た国税収納金整理資金受払計算書を、一般会計の歳入歳出決算とともに、国会に提出しなければならない。

（職員の責任）

第十七条　次に掲げる職員の責任については、これらの職員を予算執行職員等の責任に関する法律（昭和二十五年法律第百七十二号）に規定する予算執行職員とみなし、これらの職員がする支払命令に関する行為を同法に規定する支出等の行為とみなして、同法を適用する。

一　国税資金支払命令官

二　第十三条第一項の規定により前号に掲げる者の事務を代理する職員

三　第十三条第二項の規定により前二号に掲げる者の事務の一部を処理する職員

四　前各号に掲げる者から、政令で定めるところにより、補助者としてその事務の一部を処理することを命ぜられた職員

（政令への委任）

第十八条　この法律に定めるものの外、この法律の施行について必要な事項は、政令で定める。

附　則（抄）

1　この法律は、昭和二十九年四月一日から施行する。

2　国税収納金等、過誤納金の還付金等又は還付加算金で、この法律による改正前の会計法及びこれに基く命令の規定により昭和二十八年度所属の歳入金又は歳出金となるべきものについては、なお従前の例による。但し、昭和二十八年度の出納の完結の時までに収納され、又は支払われないものについては、この限りでない。

3　第二条の規定の適用については、当分の間、同条第一項中「第七十二条の百三第一項」とあるのは「第七十二条の百三第一項及び附則第九条の六第一項」と、「及び」とあるのは「並びに」と、同条第二項中「第七十二条の百三第三項」とあるのは「第七十二条の百三第三項及び附則第九条の六第三項」とする。

○国税収納金整理資金に関する法律施行令

昭二九・三・三一
政令五一

最終改正　令三・六・一八政令一七二

※平成三一年三月二九日政令第一〇〇号の第三条で本政令が一部改正されましたが、未施行となる部分については、本政令の末尾に掲げました。

目次〔略〕

第一章　総則

（定義）

第一条　この政令において「国税収納金等」、「特定地方税」、「返納金」、「過誤納金の還付金等」、「償還金」、「資金」、「特別会計」、「国税等」、「国税収納命令官」、「支払命令」又は「国税資金支払命令官」とは、国税収納金整理資金に関する法律（以下「法」という。）第二条、第三条、第六条第二項、第八条第一項若しくは第二項、第十条第一項又は第十一条第一項に規定する国税収納金等、特定地方税、返納金、過誤納金の還付金等、償還金、資金、特別会計、国税等、国税収納命令官、支払命令又は国税資金支払命令官をいう。

（支払金の指定）

第二条　法第二条第二項の政令で定める支払金は、次に掲げるものとする。

一　所得税法（昭和四十年法律第三十三号）第百三十八条第一項、第百三十九条第一項若しくは第二項若しくは第百四十二条第二項（これらの規定を同法第百六十六条において準用する場合を含む。）、第百五十九条第一項若しくは第百六十条第一項若しくは第二項（これらの規定を同法第百六十八条及び災害被害者に対する租税の減免、徴収猶予等に関する法律（昭和二十二年法律第百七十五号）第三条第七項において準用する場合を含む。）又は第百七十三条第二項の規定による還付金

二　法人税法（昭和四十年法律第三十四号）第七十八条第一項、第七十九条第一項若しくは第二項（同法第百四十四条の十二第二項において準用する場合を含む。）、第八十条第十項（同法第百四十四条の十三第十三項において準用する場合を含む。）、第百三十三条第一項、第百三十四条第一項から第三項まで（同項の規定を同法第百四十七条の四第三項において準用する場合を含む。）、第百三十五条第二項、第三項若しくは第七項、第百四十四条の十一第一項、第百四十四条の十二第一項、第百四十七条の三第一項又は第百四十七条の四第一項若しくは第二項の規定による還付金

三　相続税法（昭和二十五年法律第七十三号）第三十三条の二第一項、第五項又は第六項の規定による還付金

四　関税定率法（明治四十三年法律第五十四号）第七条第三十項、第八条第十一項若しくは第三十三項若しくは第九条第九項の規定による還付金又は同法第十条第二項、第十九条第一項、第十九条の二第二項、第十九条の三第一項若しくは第二十条第一項若しくは第二項の規定による払戻金

五　関税暫定措置法（昭和三十五年法律第三十六号）第七条の七第八項の規定による還付金

六　消費税法（昭和六十三年法律第百八号）第五十二条第一項、第五十三条第一項若しくは第二項、第五十四条第一項又は第五十五条第一項から第三項までの規定による還付金

七　災害被害者に対する租税の減免、徴収猶予等に関する法律第三条第二項若しくは第三項、第七条第四項又は第九条第一項の規定による還付金

八　酒税法（昭和二十八年法律第六号）第三十条第四項又は第五項の規定による還付金

九　たばこ税法（昭和五十九年法律第七十二号）第十五条第一項（同条第三項において準用する場合を含む。）又は第十六条第四項若しくは第五項の規定による還付金

十　輸入品に対する内国消費税の徴収等に関する法律（昭和三十年法律第三十七号）第十四条第一項、第十五条第二項、第十六条第四項、第十六条の三第一項又は第十七条第一項若しくは第二項の規定による還付金

十一　揮発油税法（昭和三十二年法律第五十五号）第十七条第三項又は第四項の規定による還付金及び地方揮発油税法（昭和三十年法律第百四号）第九条第一項（租税特別措置法（昭和三十二年法律第二十六号）第八十九条第十一項において準用する場合を含む。）の規定による還付金

十二　石油ガス税法（昭和四十年法律第百五十六号）第十五条第四項又は第五項の規定による還付金

十三　航空機燃料税法（昭和四十七年法律第七号）第十二条第二項の規定による還付金

十四　石油石炭税法（昭和五十三年法律第二十五号）第十二条第三項又は第四項の規定による還付金

十五　租税特別措置法第八十九条第七項、第九十条の三の四第一項、第九十条の五第一項、第九十条の六第一項、第九十条の六の二第一項、第九十条の六の三第一項若しくは第九十条の十五第一項若しくは第二項又は租税特別措置法施行令（昭和三十二年政令第四十三号）第二十五条の十の十一第十項（同令第二十五条の十の十三第十五項において準用する場合を含む。）若しくは第二十六条の十四第一項（外国居住者等の所得に対する相互主義による所得税等の非課税等に関する法律施行令（昭和三十七年政令第二百二十七号）第十七条第六項及び租税条約等の実施に伴う所得税法、法人税法及び地方税法の特例等に関する法律施行令（昭和六十二年政令第三百三十五号）第三条第八項において準用する場合を含む。）の規定による還付金

十六　租税条約等の実施に伴う所得税法、法人税法及び地方税法の特例等に関する法律（昭和四十四年法律第四十六号）第三条第二項又は第五条の二の二第五項の規定による還付金

十七　地方税法（昭和二十五年法律第二百二十六号）第七十二条の百四第一項の規定による還付金

十八　東日本大震災からの復興のための施策を実施するために必要な財源の確保に関する特別措置法（平成二十三年法律第百十七号）第十九条第一項、第三項、第四項若しくは第八項、第二十三条第一項、第三項若しくは第四項（災害被害者に対する租税の減免、徴収猶予等に関する法律第三条第七項において準用する場合を含む。）、第五十六条第一項又は第五十九条第一項の規定による還付金

十九　地方法人税法（平成二十六年法律第十一号）第二十二条第一項、第二十二条の二第一項若しくは第二項、第二十三条第一項、第二十七条の二第一項、第二十八条第一項から第三項まで又は第二十九条第二項、第三項若しくは第七項の規定による還付金

二十　外国居住者等の所得に対する相互主義による所得税等の非課税等に関する法律（昭和三十七年法律第百四十四号）第二十二条第二項（同法第二十五条において準用する場合を含む。）の規定による還付金又は同法第三十三条第一項に規定する特別過誤納金若しくは同条第二項に規定する延滞税過誤納相当額、不納付加算税過誤納相当額若しくは重加算税過誤納相当額

（年度の区分）

第三条　資金への受入金の会計年度所属は、次の区分によるものとする。

一　国税（第四号に該当するものを除く。以下この号において同じ。）の受入金は、イ又はロに掲げる国税の区分に応じそれぞれイ又はロに定める年度（法第十四条第一項に規定する期間の末日が翌年度の六月一日又は同月二日であるときは、当該末日に納付された国税の受入金のうち、その国税の国税通則法（昭和三十七年法律第六十六号）第二条第八号に規定する法定納期限が当該末日であるもの（同法第十条第二項の規定の適用を受けて当該法定納期限が当該末日とされるもののうち、同項の規定の適用を受けないものとした場合における当該法定納期限が翌年度の五月三十日又は同月三十一日であるものを除く。）は、その収納した日の属する年度）

イ　地価税以外の国税　当該国税の納税義務が成立した日（一定の期間内に納税義務が成立した国税を一括して申告し、又は納付すべきものとされている場合にあつては、その期間の末日）の属する年度

ロ　地価税　納税義務が成立した日の属する年度の翌年度

二　前号イ又はロに定める年度の初日前に納付された国税の受入金は、その収納した日の属する年度

三　特定地方税（次号に該当するものを除く。以下この号において同じ。）の受入金は、当該特定地方税と併せて収納された国税の属する年度と同一の年度

四　附帯税の受入金は、当該附帯税の額の計算の基礎となる国税及び特定地方税の属する年度と同一の年度

五　自動車重量税法（昭和四十六年法律第八十九号）に規定する自動車重量税印紙に係る収入金は、印紙をもつてする歳入金納付に関する法律（昭和二十三年法律第百四十二号）第三条第五項の規定による納付に係る日本郵便株式会社において当該収入金に係る現金を収納した日の属する年度と同一の年度

六　滞納処分費及び返納金に係る受入金は、納入告知書を発した日（納入告知書を発しない場合にあつては、収納した日）の属する年度

2　資金への受入金で、その整理期限（法第十四条第一項に規定する期間の末日をいう。第二十二条第一項において同じ。）までに収納済みとならなかつたものは、その収納した日の属する年度の受入金とする。

3　資金からする支払金又は歳入への組入金の会計年度所属は、その支払又は歳入への組入れをした日の属する年度の区分によるものとする。ただし、資金からする支払金のうち地方税法第七十二条の百三第三項の規定による払込金で翌年度の四月一日から五月三十一日までの間に払い込むものについてはその払込みに係る特定地方税の所属する毎会計年度の区分によるものとし、第二十二条第一項又は第二項の規定による歳入への組入金で翌年度の四月一日以後に組み入れるものについてはその組入れに係る国税収納金等の所属する毎会計年度の区分によるものとする。

（科目の区分）

第四条　資金への受入金又は資金からする支払金若しくは歳入への組入金は、その性質又は目的に従い、財務大臣が定める科目に区分するものとする。

（揮発油税及び地方揮発油税等の受払いの整理）

第四条の二　前条の規定により科目を区分する場合においては、資金への受入金又は資金からする支払金で次の各号に掲げる国税に係るものは、それぞれ一の税目の国税に係るものとみなして整理するものとする。

一　揮発油税及び地方揮発油税

二　とん税及び特別とん税

三　所得税（復興特別所得税と併せて納付し、若しくは徴収し、又は還付する所得税に限る。）及び復興特別所得税

2　前項第一号に掲げる国税に係る受入金又は支払金については、前項の規定によりこれらの国税に係る受入金又は支払金を一の科目の国税に係るものとみなして整理した金額の二百八十七分の二百四十三又は二百八十七分の四十四に相当する金額の受入金又は支払金を、それぞれ揮発油税又は地方揮発油税に係る受入金又は支払金とする。

3　前項の規定は、第一項第二号に掲げる国税に係る受入金又は

は支払金について第二十二条第一項又は第二十三条の規定を適用する場合について準用する。この場合において、前項中「二百八十七分の二百四十三又は二百八十七分の四十四」とあるのは「三十六分の十六又は三十六分の二十」と、「揮発油税又は地方揮発油税」とあるのは「とん税又は特別とん税」と読み替えるものとする。

4　第二項の規定は、第一項第三号に掲げる国税に係る受入金又は支払金について第二十二条第一項又は第二十三条の規定を適用する場合について準用する。この場合において、第二項中「二百八十七分の二百四十三又は二百八十七分の四十四」とあるのは「百二・一分の百又は百二・一分の二・一」と、「揮発油税又は地方揮発油税」とあるのは「所得税又は復興特別所得税」と読み替えるものとする。

5　石油ガス税に係る法第十四条の規定による組入金については、同条の規定により組み入れるべき金額のうち、その二分の一に相当する金額を交付税及び譲与税配付金特別会計に係る石油ガス税に係る組入金とし、その他の金額を一般会計に係る石油ガス税に係る組入金とする。

6　自動車重量税に係る法第十四条の規定による組入金については、同条の規定により組み入れるべき金額のうち、その千分の四百十六に相当する金額を交付税及び譲与税配付金特別会計に係る自動車重量税に係る組入金とし、その他の金額を一般会計に係る自動車重量税に係る組入金とする。

7　航空機燃料税に係る法第十四条の規定による組入金については、同条の規定により組み入れるべき金額のうち、その十三分の二に相当する金額を交付税及び譲与税配付金特別会計に係る航空機燃料税に係る組入金とし、その他の金額を一般会計に係る航空機燃料税に係る組入金とする。

第四条の三　前条第五項から第七項までに規定するもののほか、歳入への組入金のうち、地方法人税、地方揮発油税、特別とん税、復興特別所得税及び復興特別法人税以外の国税又は滞納処分費に係るものは一般会計に係るものとし、地方法人税、地方揮発油税又は特別とん税に係るものは交付税及び譲与税配付金特別会計に係るものとし、復興特別所得税又は復興特別法人税に係るものは東日本大震災復興特別会計に係るものとする。

（揮発油税及び地方揮発油税等に係る歳入への組入金の額の端数計算）

第四条の四　第四条の二第一項各号に掲げる国税に係る受入金又は支払金について第二十二条又は第二十三条の規定により一般会計、交付税及び譲与税配付金特別会計又は東日本大震災復興特別会計の歳入に組み入れる場合において、第四条の二第二項から第四項までの規定により計算した当該歳入に組み入れるべき金額に五十銭未満の端数があるとき、又はその全額が五十銭未満であるときは、その端数金額又は全額を切り捨て、当該歳入に組み入れるべき金額に五十銭以上一円未満の端数があるとき、又はその全額が五十銭以上一円未満であるときは、その端数金額又は全額を一円として計算するものとする。

（事務の代理等）

第四条の五　財務大臣は、法第十三条第一項の場合において、財務省に置かれた官職を指定することにより、その官職にある者に同項に規定する者の事務を代理させることができる。

2　法第十三条第一項の規定により同項に規定する者の事務を代理する職員は、その取り扱う事務の区分に応じて、それぞれ国税収納命令官代理若しくは分任国税収納命令官代理又は国税資金支払命令官代理という。

第四条の六　財務大臣は、法第十三条第二項の規定によりその所属の職員に同条第一項に規定する者（同項の規定によりこれらの者の事務を代理する職員を含む。以下この条において「国税資金会計機関」という。）の事務の一部を処理させる場合には、その処理させる事務の範囲を明らかにしなければならない。

2　前条第一項の規定は、法第十三条第二項の場合について準用する。

3　財務大臣は、法第十三条第二項の規定によりその所属の職員に国税資金会計機関の事務の一部を処理させる場合において、必要があるときは、同項の権限を、国税庁長官又は国税局長若しくは税関長に委任することができる。この場合において、財務大臣は、同項の規定により当該事務を処理させる職員（財務省に置かれた官職を指定することによりその官職にある者に当該事務を処理させる場合には、その官職）の範囲及びその処理させる事務の範囲を定めるものとする。

4　法第十三条第二項の規定により国税資金会計機関の事務の一部を処理する職員（次項において「代行機関」という。）は、当該国税資金会計機関に所属して、かつ、当該国税資金会計機関の名において、その事務を処理するものとする。

5　代行機関は、第一項又は第三項に規定する範囲内の事務であっても、その所属する国税資金会計機関において処理することが適当である旨の申出をし、かつ、当該国税資金会計機関がこれを相当と認めた事務及び国税資金会計機関が自ら処理する特別の必要があるものとして指定した事務については、その処理をしないものとする。

第二章　徴収及び収納

（国税等の徴収及び収納）

第五条　予算決算及び会計令（昭和二十二年勅令第百六十五号。以下「令」という。）第二十八条、第二十九条、第三十一条及び第三十二条の規定は、国税等の徴収又は収納について準用する。この場合において、これらの規定（令第二十九条及び第三十一条第一項を除く。）中「歳入徴収官」とあるのは「国税収納命令官」と、令第二十八条中「歳入を」とあるのは「国税等を」と、「歳入に」とあるのは「国税等に」と、同条及び令第二十九条中「歳入科目」とあるのは「科目」と、同条中「会計法」とあるのは「国税収納金整理資金に関する法律第九条第二項において準用する会計法」と、令第三十一条及び第三十二条中「歳入金」とあるのは「国税等」と読み替えるものとする。

2　法第九条第二項において準用する会計法第八条ただし書の規定により国税等の徴収の職務と現金出納の職務とを兼ねることができる場合は、国税等の徴収の職務を行なう税務署長、税関支署長、税関出張所長、税関支署出張所長若しくは税関支署監視署長（これらの者の代理をする職員を含む。）又は法第十三条第二項の規定により国税等の徴収の職務を行なう者の事務の一部を処理する職員が現金出納の職務を兼ねる場合とする。

第三章　支払

（資金の支払計画）

第六条　法第十一条第一項に規定する資金の支払計画は、毎会計年度の各四半期ごとに定めて示達するものとする。ただし、当該計画を変更し、又は取り消す必要があるときは、その示達した支払計画についての変更又は取消しの示達をするものとする。

（支払計画の示達）

第七条　国税庁長官は、毎会計年度、財務大臣の承認を経て、当該年度において国税庁及び国税局所属の国税資金支払命令官が支払命令をする金額の見積額を定めるものとする。

2　前項の見積額は、財務大臣の承認を経て、補正することができる。

3　国税庁長官は、第一項の見積額の範囲内において、国税庁及び各国税局ごとに、それぞれの所属の国税資金支払命令官が支払命令をする金額の見積額を定め、各国税局に係る見積額については、当該見積額をそれぞれの国税局長に通知するものとする。

4　国税庁長官又は国税局長は、法第十一条第二項の規定により、前項の規定により定められ又は通知された国税庁又は各国税局に係る見積額の範囲内において、それぞれの所属の国税資金支払命令官ごとに、前条に規定する支払計画を定めて示達するものとする。

（支払計画示達の効力）

第八条　各四半期について前条の規定により示達された支払計画のうち当該四半期において支払命令済みとならなかつた部分は、その属する年度の支払計画で次の四半期以後に係るものの一部分となるものとする。

（支払の調査決定）

第九条　国税資金支払命令官は、小切手を振り出す前に、その支払が、法令に違反することがないかを調査し、その支払をなすべき金額を算定し、且つ、当該金額が示達を受けた支払計画に定める金額を超過することがないか、及び科目を誤ることがないかを調査して支払の決定をしなければならない。

（小切手の記載事項）

第十条　国税資金支払命令官は、その振り出す小切手に受取人の氏名、金額及び番号その他必要な事項を記載するとともに、小切手の表面余白に「国税収納金整理資金」と表示をしなければならない。但し、受取人の氏名の記載は、財務大臣が特に定める場合を除く外、省略することができる。

（国庫金振替書又は支払指図書の準用）

第十一条　第九条及び前条本文の規定は、国税資金支払命令官が国庫金振替書又は支払指図書を発する場合について準用する。

（小切手の支払指図、隔地送金等）

第十二条　令第四十八条、令第四十八条の二第一項及び令第四十九条第一項の規定は、国税資金支払命令官がする支払命令について準用する。この場合において、令第四十八条中「センター支出官」とあるのは「国税資金支払命令官」と、「第四十五条第一項ただし書」とあるのは「国税収納金整理資金に関する法律施行令第十条ただし書」と、令第四十九条第一項中「支出官」とあるのは「国税資金支払命令官」と読み替えるものとする。

（小切手の支払等）

第十三条　日本銀行は、国税資金支払命令官が振り出した小切手の呈示があつたときは、その小切手が法令に違反することがないかを調査し、その支払をしなければならない。

2　前項の規定は、日本銀行が国税資金支払命令官の発した国庫金振替書又は支払指図書の交付を受けた場合について準用する。

（隔地送金資金の返納）

第十四条　第十二条において準用する令第四十九条第一項の規定により交付を受けた金額のうち、その交付の日から一年を経過してもまだ支払を終らない金額に相当するものは、日本銀行においてその送金を取り消し、これをその取り消した日の属する月の末日から一月以内に、財務大臣が定めるところにより、資金に返納しなければならない。

（小切手金額の償還）

第十五条　国税資金支払命令官が、小切手の所持人から償還の請求を受けた場合においては、これを調査し、償還すべきものと認めるときは、その償還をするものとする。

2　前項の規定は、法第十一条第四項において準用する会計法第二十八条第二項の場合において、その支払を受けない債権者から更に請求を受けたときについて準用する。この場合において、前項中「償還すべき」とあるのは「支払うべき」と、「その償還をする」とあるのは「再び支払命令をする」と読み替えるものとする。

（支払命令の職務と現金出納の職務とを兼ねることができる場合）

第十六条　法第十一条第四項において準用する会計法第二十六条ただし書の規定により支払命令の職務と現金出納の職務とを兼ねることができる場合は、法第十三条第二項の規定により支払命令の職務を行なう者の事務の一部を処理する職員が現金出納の職務を兼ねる場合とする。

第十七条及び第十八条　削除

第十九条及び第二十条　削除

第四章　歳入への組入等

（歳入に組み入れない返納金の指定）

第二十一条　法第十四条第一項の政令で定める返納金は、次に掲げるものとする。

一　第十四条の規定による返納金

二　前号に掲げるもののほか、償還金に係る返納金

（期間の末日の特例）

第二十一条の二　法第十四条第一項に規定する政令で定める日は、土曜日とする。

（歳入に組み入れる金額及び期限）

第二十二条　財務大臣は、毎会計年度所属の国税収納金等（第二十一条各号に掲げる返納金並びに特定地方税及びこれに係る返納金を除く。）でその整理期限までに収納済みとなつた金額（以下この条において「収納済額」という。）から当該年度において支払の決定をした過誤納金の還付金等（特定地方税に係る過誤納金の還付金等を除く。以下この項及び次条において同じ。）の額（以下この条において「支払決定済額」という。）を控除した金額を、次の区分により、翌年度の七月十五日までに一般会計又は特別会計の歳入に組み入れるものとする。

一　一般会計に係るもの又は特別会計に係るものの別に応じ、国税の収納済額及び当該国税に係る返納金（過誤納金の還付金等に係るものに限る。）の収納済額の合計額から当該国税に係る支払決定済額を控除した金額は、一般会計又は特別会計の当該国税の収入とする。

二　滞納処分費の収納済額及び滞納処分費に係る返納金（過誤納金の還付金等に係るものに限る。）の収納済額の合計額から滞納処分費に係る支払決定済額を控除した金額は、一般会計の雑収入とする。

2　財務大臣は、前項の規定により歳入に組み入れるべき金額の一部を、一般会計に係るものにあつては当該年度の六月から、特別会計に係るものにあつては当該年度の五月から、それぞれ翌年度の六月までの各月において、概算額で組み入れるものとする。ただし、国の予算の執行上特別の必要があるときは、財務大臣は、その組み入れる時期について別段の定めをすることができる。

3　前項の規定により概算額で組み入れるべき金額については、財務大臣が定める。

4　日本銀行において第一項又は第二項に規定する歳入への組入金を当該年度所属の歳入金として受け入れるのは、令第七条第一項の規定にかかわらず、翌年度の七月十五日限りとする。

（支払不要額の歳入への組入れ）

第二十三条　財務大臣は、過誤納金の還付金等又は償還（特定地方税に係る償還金を除く。）金でその支払の決定をした年度の翌年度以後において、時効の完成その他の事由によりその支払を要しなくなつたものがあるときは、一般会計に係るもの又は特別会計に係るものの別に応じ、その支払を要しなくなつた金額を、財務省令で定めるところにより、その支払を要しなくなつた日の属する月の末日から二月以内に、一般会計又は特別会計の雑収入として歳入に組み入れるものとする。

（毎年度の資金の受払の残余の整理等）

第二十三条の二　毎会計年度に所属する資金の受入金の総額から当該年度に所属する資金からの支払金及び歳入への組入金の総額を控除した残余に相当する金額は、翌年度に所属する資金の受入金として整理するものとする。

2　毎会計年度における小切手振出済金額のうち当該年度の三月三十一日（地方税法第七十二条の百三第三項の規定による払込金に係るものにあつては、翌年度の五月三十一日）までに支払を終わらない金額は、前項に規定する残余に相当する金額の計算上控除するものとし、当該支払を終わらない金額に相当する現金は、資金に属する他の現金と区分して整理しなければならない。

3　前項の規定により区分して整理した現金のうち小切手の振出日付から一年を経過してもまだ支払を終わらないものに相当する金額は、その期間満了の日の属する年度に所属する資金の受入金として整理するものとする。

第五章　帳簿及び報告等

（国税収納金整理資金徴収簿）

第二十四条　国税収納命令官は、国税収納金整理資金徴収簿を備え、徴収決定済額、収納済額、不納欠損額及び収納未済額を登記しなければならない。

（国税収納金整理資金徴収済額報告書）

第二十五条　国税収納命令官は、毎月、国税収納金整理資金徴収済額報告書を作製し、参照書類を添え、その翌月十五日までに、財務大臣に送付しなければならない。

（国税収納金整理資金徴収額計算書）

第二十六条　国税収納命令官は、会計検査院に証明のため、国税収納金整理資金徴収額計算書を作製し、証拠書類を添え、財務大臣に送付し、財務大臣は、これを会計検査院に送付しなければならない。

2　前項に規定する計算書は、財務大臣の委任を受けた職員をして、直ちに、これを会計検査院に送付させることができる。

（出納計算書）

第二十七条　資金に属する現金の収納をつかさどる職員は、会計検査院の検査を受けるため、出納計算書を作製し、証拠書類を添え、国税収納命令官を経由して、これを会計検査院に提出しなければならない。

（国税収納金整理資金支払簿）

第二十八条　国税資金支払命令官は、国税収納金整理資金支払簿を備え、支払計画示達額、支払決定済額、支払命令済額及び支払計画残額（支払計画示達額から支払命令済額を控除した残額をいう。）を登記しなければならない。

（国税収納金整理資金支払命令済額報告書）

第二十九条　国税資金支払命令官は、毎月、国税収納金整理資金支払命令済額報告書を作製し、参照書類を添え、その翌月十五日までに、財務大臣に送付しなければならない。

（国税収納金整理資金支払命令額計算書）

第三十条　国税資金支払命令官は、会計検査院に証明のため、国税収納金整理資金支払命令額計算書を作製し、証拠書類を添え、財務大臣に送付し、財務大臣は、これを会計検査院に送付しなければならない。

2　第二十六条第二項の規定は、前項に規定する計算書の送付について準用する。

第三十一条から第三十三条まで　削除

（財務省の帳簿）

第三十四条　財務省は、国税収納金整理資金受払総計簿、国税収納金整理資金日記簿、国税収納金整理資金原簿及び国税収納金整理資金補助簿を備え、国税収納金整理資金に関する受入及び支払その他一切の計算を登記しなければならない。

（国税収納金整理資金受払計算表）

第三十五条　財務大臣は、毎月、その取り扱つた資金の受入及び支払（歳入への組入を含む。以下同じ。）について、国税収納金整理資金受払表を作製しなければならない。

2　財務大臣は、毎月、第二十五条及び第二十九条の報告書並びに前項の国税収納金整理資金受払表に基いて国税収納金整理資金受払計算表を作製しなければならない。

（国税収納金整理資金受払計算書の作製）

第三十六条　法第十六条第一項に規定する国税収納金整理資金受払計算書は、翌年度の七月三十一日までに作製しなければならない。

（国税収納金整理資金受払計算書の内容）

第三十七条　前条の国税収納金整理資金受払計算書は、その年度に所属する資金の受払について、第四条に規定する科目ごとに、左の事項を明らかにしなければならない。

㈠　受入

一　徴収決定済額（徴収決定のない国税等については、収納後に徴収済として整理した額）

二　収納済額（収納以外の事由に因る受入額を含む。）

三　不納欠損額

四　収納未済額

㈡　支払

一　支払決定済額（当該年度支払決定済額及び過年度支払決定済額に区分するものとする。）

二　支払命令済額

三　支払命令未済額

四　歳入組入額（過誤納金の還付金等に係るものにあつては、法第十四条第一項の規定による歳入組入額及び同条第三項の規定による歳入組入額に区分するものとする。）

（計算証明書類の様式及び提出期限）

第三十八条　この政令により会計検査院に提出する計算証明書類の様式及び提出期限については、会計検査院の定めるところによらなければならない。

（帳簿の様式及び記入の方法等）

第三十九条　第二十四条、第二十八条及び第三十四条に規定する帳簿の様式及び記入の方法並びにこの政令に規定する書類（前条の計算証明書類を除く。）の様式は、財務大臣が定める。

（職員の責任）

第四十条　予算執行職員等の責任に関する法律施行令（昭和四十六年政令第三百五十六号）の規定は、法第十七条第四号に掲げる職員について準用する。

附　則（抄）

1　この政令は、昭和二十九年四月一日から施行する。

2　昭和五十一年分所得税の特別減税のための臨時措置法（昭和五十二年法律第三十四号）第五条第四項（同法第六条第三項及び第九条において準用する場合を含む。）若しくは同法第七条後段（同法第八条第一項及び第九条において準用する場合を含む。）の規定により読み替えられた所得税法の一部を改正する法律（昭和五十二年法律第十四号）による改正前の所得税法（以下この項において「旧所得税法」という。）第百三十八条第一項若しくは第百三十九条第一項若しくは第二項若しくは昭和五十一年分所得税の特別減税のための臨時措置法施行令（昭和五十二年政令第百三十六号）第五条第一項（同令第七条において準用する場合を含む。）の規定により読み替えられた旧所得税法第百五十九条第一項若しくは第百六十条第一項から第三項まで若しくは同令第十二条第一項若しくは第三項又は昭和五十二年分所得税の特別減税のための臨時措置法（昭和五十三年法律第四十五号）第五条第四項（同法第六条第三項及び第九条において準用する場合を含む。）若しくは同法第七条後段（同法第八条第一項及び第九条において準用する場合を含む。）の規定により読み替えられた所得税法第百三十八条第一項若しくは第百三十九条第一項若しくは第二項若しくは昭和五十二年分所得税の特別減税のための臨時措置法施行令（昭和五十三年政令第百六十八号）第五条第一項（同令第七条において準用する場合を含む。）の規定により読み替えられた所得税法第百五十九条第一項若しくは第二項若しくは第百六十条第一項から第三項まで若しくは同令第十二条第一項若しくは第三項の規定による還付金は、当分の間、法第二条第二項の政令で定める支払金に含まれるものとする。

3　当分の間、次の表の上欄に掲げる規定中同表の中欄に掲げる字句は、それぞれ同表の下欄に掲げる字句に読み替えるものとする。

第四条の二第一項	それぞれ一の税目の国税に係るもの	当該各号に掲げるものごとに一の税目の国税に係るもの
	一　揮発油税及び地方揮発油税	一　揮発油税及び地方揮発油税（次号及び第一号の三に掲げる揮発油税及び地方揮発油税を除く。） 一の二　租税特別措置法第八十八条の八第一項の規定の適用を受ける揮発油税及び地方揮発油税 一の三　租税特別措置法第八十九条第七項の規定及び同条第十一項において読み替えて準用する地方揮発油税法第九条第一項の規定又は租税特別措置法第八十九条第十八項の規定による揮発油税及び地方揮発油税
第四条の二第二項	前項第一号に掲げる国税	揮発油税及び地方揮発油税
	の二百八十七分の二百四十三又は二百八十七分の四十四	につき、前項第一号から第一号の三までに掲げるものごとに、それぞれ二百八十七分の二百四十三若しくは二百八十七分の四十四、五百三十八分の四百八十六若しくは五百三十八分の五十二又は二百五十一分の二百四十三若しくは二百五十一分の八の割合を乗じて計算した額
第四条の二第六項	千分の四百十六	千分の四百九十

4　昭和二十九年度に限り、第二十二条第二項中「六月、九月、十二月」とあるのは、「七月、十月、一月」と読み替えるものとする。

10　阪神・淡路大震災の被災者等に係る国税関係法律の臨時特例に関する法律（平成七年法律第十一号。以下この項において「震災特例法」という。）第二十三条第四項において準用する法人税法第八十一条第六項又は震災特例法第二十四条第二項の規定による還付金は、法第二条第二項の政令で定める支払金に含まれるものとする。

11　第二条第十七号、第三条第三項及び第二十三条の二第二項の規定の適用については、当分の間、同号中「第七十二条の百四第一項」とあるのは「第七十二条の百四第一項又は附則第九条の七」と、第三条第三項及び第二十三条の二第二項中「第七十二条の百三第三項」とあるのは「第七十二条の百三第三項及び附則第九条の六第三項」とする。

12　一般会計における債務の承継等に伴い必要な財源の確保に係る特別措置に関する法律（平成十年法律第百三十七号。附則第十五項において「特別措置法」という。）第十条第一項、第十一条第一項又は附則第三条第五項若しくは第六項の規定による還付金は、当分の間、法第二条第二項の政令で定める支払金に含まれるものとする。

13　第四条の規定により科目を区分する場合においては、国税収納金整理資金への受入金又は国税収納金整理資金からする支払金でたばこ税（たばこ特別税とあわせて納付し、若しくは徴収し、又は還付するたばこ税をいう。次項及び附則第十九項において同じ。）及びたばこ特別税に係るものは、当分の間、同一の税目の国税に係るものとみなして整理するものとする。

14　たばこ税及びたばこ特別税に係る受入金又は支払金については、第二十二条又は第二十三条の規定を適用する場合においては、前項の規定によりこれらの税に係る受入金又は支払金を同一の科目の国税に係るものとみなして整理した金額の千分の八百九十二又は千分の百八に相当する金額の受入金又は支払金を、それぞれたばこ税又はたばこ特別税に係る受入金又は支払金とする。

15　特別措置法附則第三条第一項の規定によりたばこ特別税が課される場合におけるたばこ特別税に係る受入金又は支払金（同条第五項及び第六項の規定による還付金に係る支払金を除く。）については、前項の規定にかかわらず、その全額をたばこ特別税に係る受入金又は支払金とする。

16　たばこ税法第十一条第二項の規定の適用を受ける製造たばこ（同法第三条に規定する製造たばこをいう。）について附則第十四項の規定を適用する場合においては、同項中「千分の八百九十二」とあるのは「千分の九百四十六」と、「千分の百八」とあるのは「千分の五十四」とする。

17　租税特別措置法第八十八条の二第一項の規定の適用を受ける同項に規定する紙巻たばこについて附則第十四項の規定を適用する場合においては、同項中「千分の八百九十二」とあるのは「千分の九百六十七」と、「千分の百八」とあるのは「千分の三十三」とする。

18　各年度におけるたばこ特別税に係る歳入への組入金は、第四条の三の規定にかかわらず、国債整理基金特別会計に係るものとする。

19　第四条の四の規定は、たばこ税及びたばこ特別税に係る受入金又は支払金について第二十二条又は第二十三条の規定により一般会計又は国債整理基金特別会計の歳入に組み入れる場合における附則第十四項（附則第十六項及び第十七項の規定により読み替えて適用する場合を含む。）の規定により計算した当該歳入に組み入れるべき金額に係る端数計算について準用する。

20　東日本大震災の被災者等に係る国税関係法律の臨時特例に関する法律（平成二十三年法律第二十九号）第四十五条第一項又は第二項の規定による還付金は、法第二条第二項の政令で定める支払金に含まれるものとする。

附　則（平三〇・三・三一政令一三七）（抄）

改正　令二・三・三一政令一二六

（施行期日）

第一条　この政令は、平成三十年十月一日から施行する。〔ただし書略〕

（国税収納金整理資金に関する法律施行令の一部改正に伴う経過措置）

第十条　平成三十年十月一日から令和三年九月三十日までの間における前条の規定による改正後の国税収納金整理資金に関する法律施行令（以下この条において「新令」という。）附則第十四項及び第十六項の規定の適用については、次の表の第一欄に掲げる期間の区分に応じ、同表の第二欄に掲げる新令の規定中同表の第三欄に掲げる字句は、それぞれ同表の第四欄に掲げる字句とする。

第一欄	第二欄	第三欄	第四欄
平成三十年十月一日から令和二年九月三十日まで	附則第十四項	千分の八百九十二	千分の八百七十六
		千分の百八	千分の百二十四
	附則第十六項	千分の八百九十二	千分の八百七十六
		千分の九百四十六	千分の九百三十八
		千分の百八	千分の百二十四
		千分の五十四	千分の六十二
令和二年十月一日から令和三年九月三十日まで	附則第十四項	千分の八百九十二	千分の八百八十五
		千分の百八	千分の百十五
	附則第十六項	千分の八百九十二	千分の八百八十五
		千分の九百四十六	千分の九百四十二
		千分の百八	千分の百十五
		千分の五十四	千分の五十八

2　前項の規定にかかわらず、平成三十年十月一日から令和元年九月三十日までの間における紙巻たばこ三級品に対する新令附則第十四項の規定の適用については、同項中「千分の八百九十二」とあるのは「千分の八百六十六」と、「千分の百八」とあるのは「千分の百三十四」とする。

附　則（平三一・三・二九政令八七）（抄）

改正　令元・六・二一政令三三

（施行期日）

第一条　この政令は、平成三十一年四月一日から施行する。〔ただし書略〕

（国税収納金整理資金に関する法律施行令の一部改正に伴う経過措置）

第十条　第五条の規定による改正後の国税収納金整理資金に関する法律施行令（次項において「新資金令」という。）第四条の二第六項及び附則第三項の規定は、令和元年度に所属する自動車重量税に係る歳入への組入金から適用し、平成三十年度に所属する自動車重量税に係る歳入への組入金については、なお従前の例による。

2　令和元年度から令和十六年度までの各年度に所属する自動車重量税に係る歳入への組入金に係る新資金令第四条の二第六項及び附則第三項の規定の適用については、次の表の第一欄に掲げる年度の区分に応じ、同表の第二欄に掲げる新資金令の規定中同表の第三欄に掲げる字句は、それぞれ同表の第四欄に掲げる字句とする。

第一欄	第二欄	第三欄	第四欄
令和元年度から令和三年度まで	第四条の二第六項	千分の四百十六	千分の三百四十八
	附則第三項の表第四条の二第六項の項	千分の四百十六	千分の三百四十八
		千分の四百九十	千分の四百二十二
令和四年度から令和十五年度まで	第四条の二第六項	千分の四百十六	千分の三百五十七
	附則第三項の表第四条の二第六項	千分の四百十六	千分の三百五十七
		千分の四百九十	千分の四百三十一

	の項		
令和十六年度	第四条の二第六項	千分の四百十六	千分の四百一
	附則第三項の表第四条の二第六項の項	千分の四百十六	千分の四百一
		千分の四百九十	千分の四百七十五

※地方揮発油税法施行令等の一部を改正する政令（平三一・三・二九政令一〇〇）の第三条で本政令が一部改正されましたが、未施行となる部分については、ここに別に掲げました。

改正　令元・六・二八政令四四

（国税収納金整理資金に関する法律施行令の一部改正）

第三条　国税収納金整理資金に関する法律施行令（昭和二十九年政令第五十一号）の一部を次のように改正する。

第四条の二第二項から第四項までの規定中「二百八十七分の二百四十三又は二百八十七分の四十四」を「二百八十七分の二百四十又は二百八十七分の四十七」に改める。

附則第三項の表第四条の二第二項の項中「二百八十七分の二百四十三」を「二百八十七分の二百四十」に、「二百八十七分の四十四」を「二百八十七分の四十七」に、〔中略〕「五百三十八分の四百八十六若しくは五百三十八分の五十二」を「五百三十八分の四百八十三若しくは五百三十八分の五十五」に改める。

附　則（抄）

（施行期日）

1　この政令は、令和十六年四月一日から施行する。〔ただし書略〕

○決算調整資金に関する法律

昭五三・二・一八
法　四

最終改正　平一四・一二・一三法一五二

（目的）

第一条　この法律は、決算調整資金を設置し、予見し難い租税収入の減少等により一般会計の歳入歳出の決算上不足が生ずることとなる場合において、この資金からその不足を補てんすることにより、一般会計における収支の均衡を図ることを目的とする。

（資金の設置）

第二条　この法律の目的を達成するため、決算調整資金（以下「資金」という。）を設置する。

（資金の所属及び管理）

第三条　資金は、一般会計の所属とし、財務大臣が、法令の定めるところに従い、管理する。

（資金への繰入れ）

第四条　政府は、各会計年度の一般会計において、財政法（昭和二十二年法律第三十四号）第六条第一項に規定する剰余金を生じた場合においては、当該剰余金の金額から同項の規定により公債又は借入金の償還財源に充てるべき金額を控除して得た金額を限り、当該年度の翌々年度までに、予算の定めるところにより、一般会計から資金に繰り入れることができる。

2　政府は、前項の規定による繰入れのほか、特別の必要がある場合には、予算の定めるところにより、一般会計から資金に繰り入れることができる。

（資金に充てる財源）

第五条　資金は、前条第一項又は第二項の規定による繰入金及び次条第一項の規定により預託した場合に生ずる利子をもつて充てる。

（資金の預託）

第六条　資金に属する現金は、財政融資資金に預託することができる。

2　前項の規定により預託した場合に生ずる利子は、資金に編入するものとする。

（資金からの歳入への組入れ）

第七条　資金に属する現金は、各会計年度の一般会計の歳入歳出の決算上不足を生ずることとなる場合に限り、当該年度の翌年度七月三十一日までに、当該不足を生ずることとなる額（以下「決算上不足額」という。）を補てんするため、その全部又は一部を当該不足を生ずることとなる会計年度の一般会計の歳入に組み入れるものとする。

2　前項の決算上不足額の計算については、政令で定める。

（資金の経理）

第八条　資金の受払いは、歳入歳出外とし、その経理に関し必要な事項は、政令で定める。

（資金からの歳入組入れに関する調書）

第九条　財務大臣は、第七条第一項の規定により資金に属する現金を歳入に組み入れたときは、その調書を作成しなければならない。

2　内閣は、前項の調書を次の常会において国会に提出して、その承諾を求めなければならない。

3　財務大臣は、前項の調書を会計検査院に送付しなければならない。

（資金に係る計算書）

第十条　財務大臣は、毎会計年度、政令で定めるところにより、資金に属する現金の増減及び現在額の計算書（当該計算書に記載すべき事項を記録した電磁的記録（電子的方式、磁気的方式その他人の知覚によつては認識することができない方式で作られる記録であつて、電子計算機による情報処理の用に供されるものとして財務大臣が定めるものをいう。）を含む。以下この条において同じ。）を作成しなければならない。

2　内閣は、財政法第三十九条の規定により歳入歳出決算を会計検査院に送付する場合においては、前項の計算書を添付しなければならない。

3　内閣は、財政法第四十条第一項の規定により歳入歳出決算を国会に提出する場合においては、第一項の計算書を添付しなければならない。

附　則（抄）

（施行期日）

第一条　この法律は、公布の日から施行する。

（国債整理基金からの繰入れ等）

第二条　第七条第一項の規定により資金に属する現金を一般会計の歳入に組み入れる場合において、資金に属する現金が決算上不足額に不足するときは、当分の間、当該不足する額を限り、国債整理基金（以下この条において「基金」という。）から基金に属する現金を資金に繰り入れることができる。

2　前項の繰入れについては、基金の状況、国債の償還見込みその他の事情を勘案し、国債の償還等基金の運営に支障を生じないようにしなければならない。

3　第一項の規定により基金に属する現金を資金に繰り入れた場合においては、当該繰り入れた日の属する年度の翌年度までに、予算の定めるところにより、当該繰入金に相当する金額を、一般会計から資金に繰り入れなければならない。

4　前項の規定により資金に繰り入れられた繰入金に相当する金額は、直ちに基金に繰り入れなければならない。

○決算調整資金に関する法律施行令

昭五三・三・二三
政令三九

最終改正　平一二・六・二三政令三六一

（決算上不足額の計算）

第一条　決算調整資金に関する法律（以下「法」という。）第七条第一項に規定する決算上不足額は、第一号に掲げる額が第二号に掲げる額に不足する場合における当該不足する額に相当する額とする。

一　法第七条第一項の規定の適用前における当該年度の一般会計の収納済歳入額

二　当該年度の一般会計において財政法（昭和二十二年法律第三十四号）第六条に規定する剰余金を全く生じないものとして算定した場合に得られるべき歳入の額に相当する額

（資金の受払い）

第二条　決算調整資金（以下「資金」という。）は、一般会計からの受入金及び資金に属する現金を財政融資資金に預託した場合に生ずる利子の受入金をもつて受けとし、一般会計への組入金をもつて払いとして経理する。

（資金の受払簿）

第三条　財務大臣は、決算調整資金受払簿を備え、前条に規定する資金の受払いを登記しなければならない。

（資金に係る計算書）

第四条　法第十条第一項に規定する資金に属する現金の増減及び現在額の計算書（以下「決算調整資金の増減及び現在額計算書」という。）は、毎会計年度、八月一日から当該年度の翌年度七月三十一日までの期間について作成し、当該期間における資金に属する現金の増減及び当該期間末における資金に属する現金の現在額を記載するものとする。

（受払簿等の様式）

第五条　決算調整資金受払簿及び決算調整資金の増減及び現在額計算書の様式は、財務大臣が定める。

（日本銀行における受入れ期限の特例）

第六条　法第七条第一項の規定により資金に属する現金を各会計年度の一般会計の歳入に組み入れる場合の当該組入金については、予算決算及び会計令（昭和二十二年勅令第百六十五号）第七条第一項本文の規定にかかわらず、日本銀行において当該年度所属の歳入金として翌年度の七月三十一日まで受け入れることができる。

（財務大臣の権限）

第七条　この政令に定めるもののほか、資金に係る会計経理に関し必要な規定は、財務大臣が定める。

附　則（抄）

1　この政令は、公布の日から施行する。

2　資金は、第二条に規定する受払いのほか、当分の間、法附則第二条第一項の規定による国債整理基金からの受入金を受けとし、同条第四項の規定による国債整理基金への繰入金を払いとして経理する。

3　昭和五十二年度の決算調整資金の増減及び現在額計算書については、第四条中「毎会計年度、八月一日から当該年度の翌年度七月三十一日」とあるのは、「昭和五十二年度の一般会計の歳出予算に基づいて同会計から資金に繰入れを行った日から昭和五十三年七月三十一日」とする。

○決算調整資金事務取扱規則

昭五三・三・二二
大　蔵　令　七

最終改正　令二・一二・四財務令七三

（毎会計年度の翌年度の七月における収納済歳入額計算書の作成及び送付）

第一条　国税収納金整理資金（国税収納金整理資金に関する法律（昭和二十九年法律第三十六号）第三条に規定する国税収納金整理資金をいう。以下同じ。）からの組入れに係る一般会計の歳入の徴収に関する事務を取り扱う歳入徴収官は、毎会計年度の翌年度の七月において、国税収納金整理資金に関する法律施行令（昭和二十九年政令第五十一号）第二十二条第一項の規定により同資金に属する現金が一般会計の歳入に組み入れられたときは、直ちに、当該月の初日から当該歳入に組み入れられた日までの間における一般会計の収納済歳入額及び当該年度の一般会計の収納済歳入額の累計額を記載した別紙第一号書式の収納済歳入額計算書を作成し、収納済歳入額突合表の写しを添え、当該歳入に関する事務を管理する財務大臣に送付しなければならない。

2　前項の歳入に関する事務を管理する財務大臣は、収納済歳入額計算書により、別紙第二号書式の収納済歳入額総計算書を作成し、収納済歳入額突合表の写しを添え、翌年度の七月十六日までに、財務大臣に送付しなければならない。

（決算上不足額の計算及び通知）

第二条　財務大臣は、収納済歳入額総計算書の送付を受けたときは、直ちに決算調整資金に関する法律施行令（昭和五十三年政令第三十九号。以下「施行令」という。）第一条に規定する決算上不足額の計算を行わなければならない。この場合において、決算調整資金（決算調整資金に関する法律（昭和五十三年法律第四号）第二条に規定する決算調整資金をいう。）から当該年度の一般会計の歳入への組入れが行われないこととなつたときは、直ちにその旨を前条第一項の歳入に関する事務を管理する財務大臣に通知しなければならない。

2　前項の歳入に関する事務を管理する財務大臣は、同項の通知を受けたときは、直ちにその旨を前条第一項の歳入徴収官及び日本銀行本店に通知しなければならない。

（決算調整資金受払簿）

第三条　施行令第三条に規定する決算調整資金受払簿の様式は、別紙第三号書式によるものとする。

（決算調整資金の増減及び現在額計算書）

第四条　施行令第四条に規定する決算調整資金の増減及び現在額計算書の様式は、別紙第四号書式によるものとする。

附　則（抄）

1　この省令は、公布の日から施行する。

別紙書式〔略〕

特別会計

○特別会計に関する法律

平一九・三・三一
法　二　三

最終改正　令六・六・一二法四七

※昭和五一年五月二九日法律第三八号の附則第二項、令和六年六月一二日法律第四七号の第一八条及び第一九条で本法が一部改正されましたが、未施行のため、及び令和六年五月一七日法律第二六号の第六条で本法が一部改正されましたが、未施行となる部分については、本法の末尾に掲げました。

目次〔略〕

第一章　総則

第一節　通則

（目的）

第一条　この法律は、一般会計と区分して経理を行うため、特別会計を設置するとともに、その目的、管理及び経理について定めることを目的とする。

（基本理念）

第一条の二　特別会計の設置、管理及び経理は、我が国の財政の効率化及び透明化の取組を不断に図るため、次に掲げる事項を基本理念として行われなければならない。

一　各特別会計において経理される事務及び事業は、国が自ら実施することが必要不可欠であるものを除き、独立行政法人その他の国以外の者に移管されるとともに、経済社会情勢の変化に的確に対応しつつ、最も効果的かつ効率的に実施されること。

二　各特別会計について一般会計と区分して経理する必要性につき不断の見直しが行われ、その結果、存続の必要性がないと認められる場合には、一般会計への統合が行われるとともに、租税収入が特別会計の歳出の財源とされる場合においても、当該租税収入が一般会計の歳入とされた上で当該特別会計が必要とする金額が一般会計から繰り入れられることにより、国全体の財政状況を一般会計において総覧することが可能とされること。

三　特別会計における区分経理が必要な場合においても、特別会計が細分化され、非効率な予算執行及び資産の保有が行われることがないよう、経理の区分の在り方につき不断の見直しが行われること。

四　各特別会計において事務及び事業を実施するために必要な金額を超える額の資産を保有することとならないよう、剰余金の適切な処理その他所要の措置が講じられること。

五　特別会計の資産及び負債に関する状況その他の特別会計の財務に関する状況を示す情報が広く国民に公開されること。

（設置）

第二条　次に掲げる特別会計を設置する。

一　交付税及び譲与税配付金特別会計
二　地震再保険特別会計
三　国債整理基金特別会計
四　財政投融資特別会計
五　外国為替資金特別会計
六　エネルギー対策特別会計
七　労働保険特別会計
八　年金特別会計
九　子ども・子育て支援特別会計
十　食料安定供給特別会計
十一から十四まで　削除
十五　特許特別会計
十六　削除
十七　自動車安全特別会計
十八　東日本大震災復興特別会計

2　前項各号に掲げる特別会計の目的、管理及び経理については、次章に定めるとおりとする。

第二節　予算

（歳入歳出予定計算書等の作成及び送付）

第三条　所管大臣（特別会計を管理する各省各庁の長（財政法（昭和二十二年法律第三十四号）第二十条第二項に規定する各省各庁の長をいう。）をいう。以下同じ。）は、毎会計年度、その管理する特別会計の歳入歳出予定計算書、繰越明許費要求書及び国庫債務負担行為要求書（以下「歳入歳出予定計算書等」という。）を作成し、財務大臣に送付しなければならない。

2　歳入歳出予定計算書等には、次に掲げる書類を添付しなければならない。

一　国庫債務負担行為で翌年度以降にわたるものについての前年度末までの支出額及び支出額の見込み並びに当該年度以降の支出予定額並びに数会計年度にわたる事業に伴うものについては当該事業の計画及び進行状況その他当該国庫債務負担行為の執行に関する調書
二　前々年度末における積立金明細表
三　前々年度の資金の増減に関する実績表
四　前年度及び当該年度の資金の増減に関する計画表
五　当該年度に借入れを予定する借入金についての借入れ及び償還の計画表
六　前各号に掲げる書類のほか、次章において歳入歳出予定計算書等に添付しなければならないとされている書類

（歳入歳出予算の区分）

第四条　各特別会計（勘定に区分する特別会計にあっては、勘定とする。次条第一項、第九条第一項並びに第十条第一項及び第三項を除き、以下この章において同じ。）の歳入歳出予算は、歳入にあってはその性質に従って款及び項に、歳出に

あってはその目的に従って項に、それぞれ区分するものとする。

（予算の作成及び提出）

第五条　内閣は、毎会計年度、各特別会計の予算を作成し、一般会計の予算とともに、国会に提出しなければならない。

２　各特別会計の予算には、歳入歳出予定計算書等及び第三条第二項各号に掲げる書類を添付しなければならない。

（一般会計からの繰入れ）

第六条　各特別会計において経理されている事務及び事業に係る経費のうち、一般会計からの繰入れの対象となるべき経費（以下「一般会計からの繰入対象経費」という。）が次章に定められている場合において、一般会計からの繰入対象経費の財源に充てるために必要があるときに限り、予算で定めるところにより、一般会計から当該特別会計に繰入れをすることができる。

（弾力条項）

第七条　各特別会計において、当該特別会計の目的に照らして予算で定める事由により経費を増額する必要がある場合であって、予算で定める事由により当該経費に充てるべき収入の増加を確保することができるときは、当該確保することができる金額を限度として、当該経費を増額することができる。

２　前項の規定による経費の増額については、財政法第三十五条第二項から第四項まで及び第三十六条の規定を準用する。この場合において、同法第三十五条第二項中「各省各庁の長は、「予備費の使用」とあるのは「所管大臣（特別会計を管理する各省各庁の長をいう。次条第一項において同じ。）は、特別会計に関する法律（平成十九年法律第二十三号）第七条第一項の規定による経費の増額」と、同条第三項中「予備費使用書」とあるのは「経費増額書」と、同条第四項中「予備費使用書」とあるのは「経費増額書」と、「当該使用書」とあるのは「当該増額書」と、同法第三十六条第一項中「予備費を以て支弁した金額」とあるのは「特別会計に関する法律第七条第一項の規定による経費の増額」と、「各省各庁の長」とあるのは「所管大臣」と、同条第二項中「予備費を以て支弁した金額」とあるのは「特別会計に関する法律第七条第一項の規定による経費の増額」と、同条第三項中「予備費を以て支弁した」とあるのは「前項の」と、「各省各庁」とあるのは「各特別会計」と読み替えるものとする。

第三節　決算

（剰余金の処理）

第八条　各特別会計における毎会計年度の歳入歳出の決算上剰余金を生じた場合において、当該剰余金から次章に定めるところにより当該特別会計の積立金として積み立てる金額及び資金に組み入れる金額を控除してなお残余があるときは、これを当該特別会計の翌年度の歳入に繰り入れるものとする。

２　前項の規定にかかわらず、同項の翌年度の歳入に繰り入れるものとされる金額の全部又は一部に相当する金額は、予算で定めるところにより、一般会計の歳入に繰り入れることができる。

（歳入歳出決定計算書の作成及び送付）

第九条　所管大臣は、毎会計年度、その管理する特別会計について、歳入歳出予定計算書と同一の区分による歳入歳出決定計算書を作成し、財務大臣に送付しなければならない。

２　歳入歳出決定計算書には、次に掲げる書類を添付しなければならない。

一　債務に関する計算書

二　当該年度末における積立金明細表

三　当該年度の資金の増減に関する実績表

四　前三号に掲げる書類のほか、次章において歳入歳出決定計算書に添付しなければならないとされている書類

（歳入歳出決算の作成及び提出）

第十条　内閣は、毎会計年度、歳入歳出決定計算書に基づいて、各特別会計の歳入歳出決算を作成し、一般会計の歳入歳出決算とともに、国会に提出しなければならない。

２　各特別会計の歳入歳出決算には、歳入歳出決定計算書及び前条第二項各号に掲げる書類を添付しなければならない。

３　各特別会計の歳入歳出決算についての財政法第三十八条第二項の規定の適用については、同項中「二　前年度繰越額」とあるのは、「二　前年度繰越額

二の二　特別会計に関する法律（平成十九年法律第二十三号）第七条第一項の規定による経費の増額の金額」とする。

第四節　余裕金等の預託

（余裕金の預託）

第十一条　各特別会計において、支払上現金に余裕がある場合には、これを財政融資資金に預託することができる。

（積立金及び資金の預託）

第十二条　各特別会計の積立金及び資金は、財政融資資金に預託して運用することができる。

第五節　借入金等

（借入金）

第十三条　各特別会計においては、借入金の対象となるべき経費（以下「借入金対象経費」という。）が次章に定められている場合において、借入金対象経費を支弁する必要があるときに限り、当該特別会計の負担において、借入金をすることができる。

２　各特別会計における借入金の限度額については、予算をもって、国会の議決を経なければならない。

（借入限度の繰越し）

第十四条　各特別会計において、借入金の限度額について国会の議決を経た金額のうち、当該年度において借入金の借入れをしなかった金額がある場合には、当該金額を限度として、かつ、歳出予算の繰越額（借入金対象経費に係るものに限る。）の財源として必要な金額の範囲内で、翌年度において、

前条第一項の規定により、借入金をすることができる。

（一時借入金等）

第十五条　各特別会計において、支払上現金に不足がある場合には、当該特別会計の負担において、一時借入金をし、融通証券を発行し、又は国庫余裕金を繰り替えて使用することができる。ただし、融通証券の発行は、次章に当該発行をすることができる旨の定めがある場合に限り、行うことができる。

2　前項の規定による一時借入金、融通証券及び繰替金の限度額については、予算をもって、国会の議決を経なければならない。

3　第一項の規定により、一時借入金をし、又は融通証券を発行している場合においては、国庫余裕金を繰り替えて使用して、支払期限の到来していない一時借入金又は融通証券を償還することができる。

4　第一項の規定による一時借入金、融通証券及び繰替金並びに前項の規定による繰替金は、当該年度の歳入をもって償還し、又は返還しなければならない。

5　第一項の規定によるほか、各特別会計において、支払上現金に不足がある場合には、次章に当該特別会計の積立金又は資金に属する現金その他の現金を繰り替えて使用することができる旨の定めがあるときに限り、当該現金を繰り替えて使用することができる。この場合において、所管大臣は、あらかじめ財務大臣の承認を経なければならない。

6　前項の規定による繰替金は、当該年度の出納の完結までに返還しなければならない。

（借入金等に関する事務）

第十六条　各特別会計の負担に属する借入金及び一時借入金の借入れ及び償還並びに融通証券の発行及び償還に関する事務は、財務大臣が行う。

（国債整理基金特別会計等への繰入れ）

第十七条　各特別会計の負担に属する借入金の償還金及び利子、一時借入金及び融通証券の利子並びに融通証券の発行及び償還に関する諸費の支出に必要な金額（事務取扱費の額に相当する金額を除く。）は、毎会計年度、当該特別会計から国債整理基金特別会計に繰り入れなければならない。

2　前項に規定する事務取扱費の額に相当する金額は、毎会計年度、各特別会計から一般会計に繰り入れなければならない。

第六節　繰越し

第十八条　各特別会計において、毎会計年度の歳出予算における支出残額又は支払義務の生じた歳出金で当該年度の出納の期限までに支出済みとならなかったものに係る歳出予算は、次章において翌年度以降に繰り越して使用することができる旨の定めがある場合に限り、繰り越して使用することができる。

2　所管大臣は、前項の繰越しをした場合には、財務大臣及び会計検査院に通知しなければならない。

3　所管大臣が第一項の繰越しをした場合には、当該繰越しに係る経費については、財政法第三十一条第一項の規定による予算の配賦があったものとみなす。この場合においては、同条第三項の規定による通知は、必要としない。

第七節　財務情報の開示

（企業会計の慣行を参考とした書類）

第十九条　所管大臣は、毎会計年度、その管理する特別会計について、資産及び負債の状況その他の決算に関する財務情報を開示するための書類を企業会計の慣行を参考として作成し、財務大臣に送付しなければならない。

2　内閣は、前項の書類を会計検査院の検査を経て国会に提出しなければならない。

3　第一項の書類の作成方法その他同項の書類に関し必要な事項は、政令で定める。

（財務情報の開示）

第二十条　所管大臣は、その管理する特別会計について、前条第一項の書類に記載された情報その他特別会計の財務に関する状況を適切に示す情報として政令で定めるものを、インターネットの利用その他適切な方法により開示しなければならない。

第二章　各特別会計の目的、管理及び経理

第一節　交付税及び譲与税配付金特別会計

（目的）

第二十一条　交付税及び譲与税配付金特別会計（以下この節において「交付税特別会計」という。）は、地方交付税及び地方譲与税の配付に関する経理を明確にすることを目的とする。

（管理）

第二十二条　交付税特別会計は、総務大臣及び財務大臣が、法令で定めるところに従い、管理する。

（歳入及び歳出）

第二十三条　交付税特別会計における歳入及び歳出は、次のとおりとする。

一　歳入

イ　地方法人税の収入

ロ　一般会計からの繰入金

ハ　東日本大震災復興特別会計からの繰入金

ニ　地方揮発油税、森林環境税、石油ガス譲与税に充てられる石油ガス税、特別法人事業税、自動車重量譲与税に充てられる自動車重量税、航空機燃料譲与税に充てられる航空機燃料税及び特別とん税の収入

ホ　一時借入金の借換えによる収入金

ヘ　附属雑収入

二　歳出

イ　地方交付税交付金（地方交付税法（昭和二十五年法律第二百十一号）による地方交付税の交付金をいう。以下同じ。）及び地方譲与税譲与金（地方揮発油譲与税法（昭和三十年法律第百十三号）による地方揮発油譲与税

の譲与金、森林環境税及び森林環境譲与税に関する法律（平成三十一年法律第三号）による森林環境譲与税の譲与金（以下「森林環境譲与税譲与金」という。）、石油ガス譲与税法（昭和四十年法律第百五十七号）による石油ガス譲与税の譲与金、特別法人事業税及び特別法人事業譲与税に関する法律（平成三十一年法律第四号）による特別法人事業譲与税の譲与金、自動車重量譲与税法（昭和四十六年法律第九十号）による自動車重量譲与税の譲与金、航空機燃料譲与税法（昭和四十七年法律第十三号）による航空機燃料譲与税の譲与金及び特別とん譲与税法（昭和三十二年法律第七十七号）による特別とん譲与税の譲与金をいう。）並びにこれらに関する諸費

ロ　一時借入金の利子

ハ　借り換えた一時借入金の償還金及び利子

ニ　附属諸費

（一般会計からの繰入れの特例）

第二十四条　第六条の規定にかかわらず、毎会計年度、予算で定めるところにより、当該年度における所得税及び法人税の収入見込額のそれぞれ百分の三十三・一、酒税の収入見込額の百分の五十並びに消費税の収入見込額の百分の十九・五に相当する金額の合算額に、当該年度の前年度以前の年度における地方交付税法による地方交付税に相当する金額でまだ交付税特別会計に繰り入れていない額を加算し、又は当該合算額から当該前年度以前の年度において当該地方交付税に相当する金額を超えて交付税特別会計に繰り入れた額を控除した額に相当する金額を、一般会計から交付税特別会計に繰り入れるものとする。

（剰余金の処理の特例）

第二十五条　交付税特別会計において、毎会計年度の歳入歳出の決算上剰余金を生じた場合には、第八条第二項の規定は、適用しない。

（一時借入金の借換え）

第二十六条　第十五条第四項の規定にかかわらず、交付税特別会計において、歳入不足のために一時借入金を償還することができない場合には、その償還することができない金額を限り、交付税特別会計の負担において、一時借入金の借換えをすることができる。

2　前項の規定により借換えをした一時借入金については、当該一時借入金を第十七条第一項に規定する借入金とみなして、同項の規定を適用する。

3　第一項の規定により借り換えた一時借入金は、その借換えをしたときから一年内に償還しなければならない。

（繰越し）

第二十七条　交付税特別会計において、毎会計年度の歳出予算における支出残額は、翌年度に繰り越して使用することができる。

第二節　地震再保険特別会計

（目的）

第二十八条　地震再保険特別会計は、地震保険に関する法律（昭和四十一年法律第七十三号）による地震再保険事業に関する経理を明確にすることを目的とする。

（管理）

第二十九条　地震再保険特別会計は、財務大臣が、法令で定めるところに従い、管理する。

（歳入及び歳出）

第三十条　地震再保険特別会計における歳入及び歳出は、次のとおりとする。

一　歳入

イ　地震保険に関する法律第三条の規定による再保険の再保険料（第三十六条第一項において「再保険料」という。）

ロ　積立金からの受入金

ハ　積立金から生ずる収入

ニ　借入金

ホ　一時借入金の借換えによる収入金

ヘ　一般会計からの繰入金

ト　附属雑収入

二　歳出

イ　地震保険に関する法律第三条の規定による再保険の再保険金（以下この節において「再保険金」という。）

ロ　事務取扱費

ハ　借入金の償還金及び利子

ニ　一時借入金の利子

ホ　借り換えた一時借入金の償還金及び利子

ヘ　一般会計への繰入金

ト　附属諸費

（歳入歳出予定計算書等の添付書類）

第三十一条　第三条第二項第一号から第五号までに掲げる書類のほか、地震再保険特別会計においては、歳入歳出予定計算書等に、前々年度の貸借対照表及び損益計算書並びに前年度及び当該年度の予定貸借対照表及び予定損益計算書を添付しなければならない。

（一般会計からの繰入対象経費）

第三十二条　地震再保険特別会計における一般会計からの繰入対象経費は、再保険金、借入金の償還金及び利子、一時借入金の利子、借り換えた一時借入金の償還金及び利子並びに事務取扱費に要する経費とする。

2　第六条及び前項の規定により一般会計から繰り入れられた繰入金（事務取扱費に係るものを除く。）については、後日、地震再保険特別会計からその繰入金に相当する金額に達するまでの金額を、予算で定めるところにより、一般会計に繰り入れなければならない。

（利益及び損失の処理）

第三十三条　地震再保険特別会計において、毎会計年度の利益の額が当該年度の損失及び第三項の規定により繰り越された損失の合計額を超える場合には、その超える額に相当する金額を、責任準備金として積み立てなければならない。

2　地震再保険特別会計において、毎会計年度の利益の額が当該年度の損失の額に不足する場合には、責任準備金をもって補足するものとする。

3　前項の規定により責任準備金をもって補足することができない損失の額は、翌年度に繰り越して整理するものとする。

（積立金）

第三十四条　地震再保険特別会計において、毎会計年度の歳入歳出の決算上剰余金を生じた場合には、当該剰余金のうち、再保険金並びに借入金の償還金及び利子に充てるために必要な金額を、積立金として積み立てるものとする。

2　前項の積立金は、地震再保険特別会計の歳出の財源に充てるために必要がある場合には、同会計の歳入に繰り入れることができる。

（歳入歳出決定計算書の添付書類）

第三十五条　第九条第二項第一号から第三号までに掲げる書類のほか、地震再保険特別会計においては、歳入歳出決定計算書に、当該年度の貸借対照表及び損益計算書を添付しなければならない。

（借入金対象経費）

第三十六条　地震再保険特別会計における借入金対象経費は、再保険金（借り換えた一時借入金で、その年度における再保険料、積立金からの受入金及び積立金から生ずる収入（次項において「再保険料等」という。）をもって当該年度における再保険金を支弁するのに不足するためその借換えが行われたものの償還金を含む。）を支弁するために必要な経費とする。

2　第十三条第一項及び前項の規定により借入金をすることができる金額は、その借入れをする年度における再保険料等をもって当該年度における再保険金を支弁するのに不足する金額を限度とする。この場合においては、同条第二項の規定は、適用しない。

（一時借入金の借換え等）

第三十七条　第十五条第四項の規定にかかわらず、地震再保険特別会計において、歳入不足のために一時借入金を償還することができない場合には、その償還することができない金額を限り、同会計の負担において、一時借入金の借換えをすることができる。

2　前項の規定により借換えをした一時借入金については、当該一時借入金を第十七条第一項に規定する借入金とみなして、同項の規定を適用する。

3　第一項の規定により借り換えた一時借入金は、その借換えをしたときから一年内に償還しなければならない。

4　地震再保険特別会計においては、同会計の積立金に属する現金を繰り替えて使用することができる。

第三節　国債整理基金特別会計

（目的）

第三十八条　国債整理基金特別会計は、国債の償還及び発行を円滑に行うための資金として国債整理基金を置き、その経理を明確にすることを目的とする。

2　この節において「国債」とは、公債、借入金、証券、一時借入金、融通証券その他政令で定めるものをいう。

（管理）

第三十九条　国債整理基金特別会計は、財務大臣が、法令で定めるところに従い、管理する。

（歳入及び歳出）

第四十条　国債整理基金特別会計における歳入及び歳出は、次のとおりとする。

一　歳入
イ　一般会計及び各特別会計からの繰入金
ロ　借換国債の発行収入金
ハ　第四十七条第三項の規定による組入金
ニ　この会計に所属する株式の処分による収入
ホ　この会計に所属する株式に係る配当金
ヘ　第四十九条第一項の規定による取引に基づく収入金
ト　国債整理基金から生ずる収入
チ　附属雑収入

二　歳出
イ　国債の償還金及び利子
ロ　国債の償還及び発行に関する諸費
ハ　第四十九条第一項の規定による取引に要する経費
ニ　この会計に所属する株式の管理及び処分に関する諸費
ホ　附属諸費

（歳入歳出予定計算書等の添付書類の特例）

第四十一条　第三条第二項第三号から第五号までの規定にかかわらず、国債整理基金特別会計においては、同項第三号から第五号までに掲げる書類を添付することを要しない。

2　第三条第二項第一号及び第二号に掲げる書類のほか、国債整理基金特別会計においては、歳入歳出予定計算書等に、前々年度、前年度及び当該年度末における国債整理基金の年度末基金残高表を添付しなければならない。

（一般会計からの繰入れの特例）

第四十二条　第六条の規定にかかわらず、国債整理基金に充てるため、毎会計年度、予算で定める金額を、一般会計から国債整理基金特別会計に繰り入れるものとする。

2　前項の場合において、国債（一般会計の負担に属する公債及び借入金（政令で定めるものを除く。）に限る。以下この項及び次項において同じ。）の償還に充てるために繰り入れるべき金額は、前年度期首における国債の総額の百分の一・六に相当する金額とする。

3　前項の国債の総額の計算に際し、割引の方法をもって発行された公債については、発行価格をもって額面金額とみなす。

4　前三項及び他の法律の規定による繰入れのほか、国債のうち割引の方法をもって発行された公債については、前年度期首における未償還分の発行価格差減額を発行の日から償還の日までの年数で除した額に相当する金額を、毎会計年度、予算で定めるところにより、一般会計から国債整理基金特別会計に繰り入れるものとする。

5　前各項及び他の法律の規定による繰入れのほか、国債の円滑かつ確実な償還を行うために必要があると認める場合には、予算で定める金額を、一般会計から国債整理基金特別会計に繰り入れるものとする。

（剰余金の処理の特例）

第四十三条　国債整理基金特別会計において、毎会計年度の歳入歳出の決算上剰余金を生じた場合には、第八条第二項の規定は、適用しない。

（歳入歳出決定計算書の添付書類の特例）

第四十四条　第九条第二項第三号の規定にかかわらず、国債整理基金特別会計においては、同号に掲げる書類を添付することを要しない。

2　第九条第二項第一号及び第二号に掲げる書類のほか、国債整理基金特別会計においては、歳入歳出決定計算書に、当該年度末における国債整理基金の年度末基金残高表を添付しなければならない。

（国債整理基金の運用）

第四十五条　第十二条の規定によるほか、国債整理基金は、国債に運用することができる。

2　財務大臣は、国債整理基金の運用に関する事務を、日本銀行に取り扱わせることができる。

（借換国債）

第四十六条　国債整理基金特別会計においては、各年度における国債の整理又は償還のために必要な金額を限度として、借換国債を発行することができる。

2　借換国債のうち当該年度内に償還すべき借換国債の発行収入金は、国債整理基金特別会計の歳入外として国債整理基金に編入するものとする。

3　前項に規定する当該年度内に償還すべき借換国債を償還するために国債整理基金を使用する場合には、国債整理基金特別会計の歳出外として経理するものとする。

第四十七条　国債整理基金特別会計においては、翌年度における国債の整理又は償還のため、予算をもって国会の議決を経た金額を限度として、借換国債を発行することができる。

2　前項の規定による借換国債の発行収入金は、国債整理基金特別会計の歳入外として国債整理基金に編入するものとする。

3　前項の規定により国債整理基金に編入した借換国債の発行収入金は、編入した日の属する年度の翌年度の四月一日（同日が、土曜日に当たるときはその翌々日とし、日曜日に当たるときはその翌日とする。）において、国債整理基金特別会計の歳入に組み入れるものとする。

（繰越し）

第四十八条　国債整理基金特別会計において、毎会計年度の歳出予算における支出残額は、翌年度以降において繰り越して使用することができる。

（国債の円滑な償還及び発行のための取引）

第四十九条　財務大臣は、国債の円滑な償還及び発行のため、スワップ取引その他政令で定める取引を行うことができる。

2　前項の「スワップ取引」とは、財務大臣とその取引の相手方として財務大臣が定める要件に該当する者（以下この項において「取引当事者」という。）が元本として定めた金額について取引当事者の一方が相手方と取り決めた利率又は約定した市場金利の期間における変化率（以下この項において「利率等」という。）に基づいて金銭を支払い、相手方が取引当事者の一方と取り決めた利率等に基づいて金銭を支払うことを相互に約する取引（これらの金銭の支払とあわせて当該元本として定めた金額に相当する金銭又は通貨を授受することを約するものを含む。）をいう。

3　財務大臣は、第一項の規定による取引に関する事務を、日本銀行に取り扱わせることができる。

第四節　財政投融資特別会計

（目的）

第五十条　財政投融資特別会計は、財政融資資金の運用並びに産業の開発及び貿易の振興のために国の財政資金をもって行う投資（出資及び貸付けをいう。第五十四条第三号及び第五十九条第一項において同じ。）に関する経理を明確にすることを目的とする。

（管理）

第五十一条　財政投融資特別会計は、財務大臣が、法令で定めるところに従い、管理する。

（勘定区分）

第五十二条　財政投融資特別会計は、財政融資資金勘定及び投資勘定に区分する。

（歳入及び歳出）

第五十三条　財政融資資金勘定における歳入及び歳出は、次のとおりとする。

一　歳入
　イ　財政融資資金の運用利殖金
　ロ　借入金及び公債の発行収入金
　ハ　財政融資資金からの受入金
　ニ　積立金からの受入金
　ホ　第六十五条第一項の規定による取引に基づく収入金
　ヘ　第六十六条第一項各号に係る措置に基づく収入金
　ト　繰替金（第六十七条第二項ただし書に規定する返還することができない金額に係るものに限る。）
　チ　附属雑収入

二　歳出
　イ　財政融資資金預託金の利子
　ロ　財政融資資金の運用損失金
　ハ　運用手数料
　ニ　事務取扱費
　ホ　財政融資資金法（昭和二十六年法律第百号）第九条第一項の規定による一時借入金及び融通証券の利子
　ヘ　第五十八条第三項の規定による国債整理基金特別会計への繰入金

ト　借入金及び公債の償還金及び利子
チ　財政融資資金への繰入金
リ　第六十五条第一項の規定による取引に要する経費
ヌ　第六十七条第二項ただし書の規定による繰替金の返還金
ル　公債及び融通証券の発行及び償還に関する諸費
ヲ　附属諸費

2　投資勘定における歳入及び歳出は、次のとおりとする。
一　歳入
イ　出資に対する配当金
ロ　出資の回収金
ハ　貸付金の償還金及び利子
ニ　この勘定に帰属する納付金
ホ　投資財源資金からの受入金
ヘ　一般会計からの繰入金
ト　外貨債（外貨公債の発行に関する法律（昭和三十八年法律第六十三号）第一条第一項に規定する公債をいう。以下この節において同じ。）の発行による収入金
チ　附属雑収入
二　歳出
イ　出資の払込金
ロ　貸付金
ハ　一般会計への繰入金
ニ　一時借入金の利子
ホ　外貨債の償還金及び利子
ヘ　外貨債の発行及び償還に関する諸費
ト　附属諸費

（歳入歳出予定計算書等の添付書類）
第五十四条　第三条第二項第一号から第五号までに掲げる書類のほか、財政投融資特別会計においては、歳入歳出予定計算書等に、次に掲げる書類（第三号及び第四号に掲げる書類については、投資勘定に係るものに限る。）を添付しなければならない。
一　前々年度の貸借対照表及び損益計算書
二　前年度及び当該年度の予定貸借対照表及び予定損益計算書
三　前年度及び当該年度の投資の計画表
四　外貨債の発行を予定する年度にあっては、その発行及び償還の計画表

（一般会計からの繰入対象経費）
第五十五条　投資勘定における一般会計からの繰入対象経費は、同勘定における出資の払込金、貸付金、一時借入金の利子、外貨債の償還金及び利子並びに外貨債の発行及び償還に関する諸費に要する経費とする。

（資本並びに利益及び損失の処理）
第五十六条　財政融資資金勘定において、毎会計年度の損益計算上生じた利益又は損失は、翌年度に繰り越して整理するものとする。
2　第五十八条第三項の規定による繰入金に相当する金額は、前項の繰越利益の額から減額して整理するものとする。

第五十七条　投資勘定においては、附則第六十七条第一項第二号の規定により設置する産業投資特別会計の廃止の際における同会計の資本の額に相当する金額をもって資本とする。
2　投資勘定においては、第五十九条第一項に規定する一般会計からの繰入金は、予算で定めるところにより、繰り入れるものとする。
3　第六条及び第五十五条の規定による一般会計からの繰入金並びに前項に規定する一般会計からの繰入金に相当する金額は、投資勘定の資本に組み入れて整理するものとする。
4　投資勘定において、毎会計年度の損益計算上利益を生じた場合には、利益積立金に組み入れて整理し、損失を生じた場合には、利益積立金を減額して整理するものとする。
5　投資勘定においては、予算で定めるところにより、一般会計に繰り入れることができる。
6　第八条第二項及び前項の規定による一般会計への繰入金に相当する金額は、第四項の利益積立金の額から減額して整理するものとする。

（積立金）
第五十八条　財政融資資金勘定において、毎会計年度の歳入歳出の決算上剰余金を生じた場合には、当該剰余金のうち、当該年度の歳入の収納済額（次項において「収納済額」という。）から当該年度の歳出の支出済額と第七十条の規定による歳出金の翌年度への繰越額のうち支払義務の生じた歳出金であって当該年度の出納の完結までに支出済みとならなかったものとの合計額（次項において「支出済額等」という。）を控除した金額に相当する金額を、積立金として積み立てるものとする。
2　財政融資資金勘定の毎会計年度の決算上収納済額が支出済額等に不足する場合には、前項の積立金から補足するものとする。
3　第一項の積立金が毎会計年度末において政令で定めるところにより算定した金額を超える場合には、予算で定めるところにより、その超える金額に相当する金額の範囲内で、同項の積立金から財政融資資金勘定の歳入に繰り入れ、当該繰り入れた金額を、同勘定から国債整理基金特別会計に繰り入れることができる。
4　財政融資資金勘定において、毎会計年度の歳入歳出の決算上剰余金を生じた場合には、第八条第二項の規定は、適用しない。

（投資財源資金）
第五十九条　投資勘定においては、投資の財源の一部を補足すべき原資の確保を図るために投資財源資金を置き、一般会計からの繰入金及び投資財源資金の運用による利益金をもってこれに充てる。
2　投資財源資金は、予算で定めるところにより、使用するものとする。

3　投資財源資金の受払いは、財務大臣の定めるところにより、投資勘定の歳入歳出外として経理するものとする。

4　投資勘定において第十二条の規定による運用により利益金を生じた場合には、当該利益金を、投資財源資金に編入するものとする。

（歳入歳出決定計算書の添付書類）

第六十条　第九条第二項第一号から第三号までに掲げる書類のほか、財政投融資特別会計においては、歳入歳出決定計算書に、当該年度の貸借対照表及び損益計算書並びに当該年度末における運用資産明細表（財政融資資金勘定に係るものに限る。）を添付しなければならない。

（借入金対象経費）

第六十一条　財政融資資金勘定における借入金対象経費は、財政融資資金の運用の財源に充てるために必要な経費とする。

（公債）

第六十二条　財政融資資金勘定において、財政融資資金の運用の財源に充てるために必要がある場合には、同勘定の負担において、公債を発行することができる。

2　前項の規定による公債の発行の限度額については、予算をもって、国会の議決を経なければならない。

3　第一項の規定により公債を発行する場合には、第三条第二項第一号から第五号まで並びに第五十四条第一号及び第二号に掲げる書類のほか、歳入歳出予定計算書等に、当該年度に発行を予定する公債の発行及び償還の計画表を添付しなければならない。

（借入金の借入限度及び公債の発行限度の繰越し）

第六十三条　第十四条の規定にかかわらず、財政融資資金勘定において、第十三条第二項又は前条第二項の規定により国会の議決を経た金額のうち、当該年度において借入金の借入れ又は公債の発行をしなかった金額がある場合には、当該金額を限度として、かつ、財政融資資金の長期運用に対する特別措置に関する法律（昭和四十八年法律第七号）第三条の規定によりその翌年度において運用することができる金額の範囲内で、当該翌年度において、第十三条第一項及び第六十一条の規定により借入金をし、又は前条第一項の規定により公債を発行することができる。

（財政融資資金への繰入れ等）

第六十四条　財政融資資金勘定において、借入金をし、又は公債を発行した場合には、当該借入金又は公債の発行収入金に相当する金額を、財政融資資金に繰り入れるものとする。

2　前項の借入金又は公債の償還金がある場合には、当該償還金に相当する金額を、財政融資資金から財政融資資金勘定の歳入に繰り入れるものとする。

（財政融資資金勘定の適切な管理のための金利スワップ取引）

第六十五条　財務大臣は、財政融資資金勘定の適切な管理のため、同勘定の負担において、金利スワップ取引を行うことができる。

2　前項の「金利スワップ取引」とは、財務大臣とその取引の相手方として財務大臣が定める要件に該当する者（以下この項において「取引当事者」という。）が元本として定めた金額について取引当事者の一方が相手方と取り決めた利率又は約定した市場金利の期間における変化率（以下この項において「利率等」という。）に基づいて金銭を支払い、相手方が取引当事者の一方と取り決めた利率等に基づいて金銭を支払うことを相互に約する取引をいう。

3　財務大臣は、第一項の規定による取引に関する事務を、日本銀行に取り扱わせることができる。

（財政融資資金の運用の財源に充てるための措置）

第六十六条　財務大臣は、財政融資資金において運用の財源に充てるために必要があるときは、財政融資資金の運用資産（以下この条において「運用資産」という。）を財政融資資金勘定に帰属させ、当該運用資産について、当該帰属させた年度内に、次に掲げる措置をとることができる。

一　信託会社又は金融機関の信託業務の兼営等に関する法律（昭和十八年法律第四十三号）第一条第一項の認可を受けた金融機関に信託し、当該信託受益権を譲渡すること。

二　資産対応証券（資産の流動化に関する法律（平成十年法律第百五号）第二条第十一項に規定する資産対応証券をいう。）を当該年度内に発行する特定目的会社（同条第三項に規定する特定目的会社をいう。）に譲渡すること。

2　前項の規定に基づき運用資産を財政融資資金勘定に帰属させた場合には、当該運用資産の元本に相当する額を、同勘定から財政融資資金に繰り入れるものとする。

3　財務大臣は、第一項各号に掲げる措置をとった場合には、同項第一号の規定により信託した運用資産又は同項第二号の規定により譲渡した運用資産に係る元利金の回収その他回収に関する業務を受託することができる。

（財政融資資金の繰替使用）

第六十七条　財政融資資金勘定においては、財政融資資金に属する現金を繰り替えて使用することができる。

2　前項の規定による繰替金を返還する場合には、当該年度の歳入（第五十八条第二項の規定による積立金からの補足を含む。以下この項において同じ。）をもって返還しなければならない。ただし、歳入不足のため返還することができない場合には、第十五条第六項の規定にかかわらず、その返還することができない金額を限り、繰替使用をしたときから一年内に返還することができる。

（財政投融資特別会計から国債整理基金特別会計等への繰入れ）

第六十八条　外貨債及び公債の償還金及び利子並びに発行及び償還に関する諸費の支出に必要な金額（事務取扱費の額に相当する金額を除く。）は、毎会計年度、財政投融資特別会計から国債整理基金特別会計に繰り入れなければならない。

2　財政融資資金勘定の借入金又は公債については、第四十六条第一項及び第四十七条第一項の規定は、適用しない。

3　第一項に規定する事務取扱費の額に相当する金額は、毎会計年度、財政投融資特別会計から一般会計に繰り入れなければならない。

（利子の支払事務の委託）

第六十九条　財務大臣は、財政融資資金預託金の利子の支払を、日本銀行に取り扱わせることができる。

２　財務大臣は、前項の規定により財政融資資金預託金の利子の支払をさせる場合には、その利子の支払に必要な資金を、日本銀行に交付することができる。

（繰越し）

第七十条　財政融資資金勘定において、毎会計年度の歳出予算における支出残額は、翌年度に繰り越して使用することができる。

第五節　外国為替資金特別会計

（目的）

第七十一条　外国為替資金特別会計は、政府の行う外国為替等の売買等を円滑にするために外国為替資金を置き、その運営に関する経理を明確にすることを目的とする。

２　この節において「外国為替等」とは、外国為替及び外国貿易法（昭和二十四年法律第二百二十八号）第六条第一項に規定する対外支払手段及び外貨証券並びに外貨債権（外国において又は外貨をもって支払を受けることができる債権（同項第十三号に規定する債権をいう。）をいう。以下この節において同じ。）並びに特別引出権（国際通貨基金協定第十五条に規定する特別引出権をいう。以下この節において同じ。）並びに対外支払の決済上必要な金銀地金をいう。

３　第一項の「売買等」とは、売買（国際通貨基金及び国際復興開発銀行への加盟に伴う措置に関する法律（昭和二十七年法律第百九十一号。以下この節において「加盟措置法」という。）第十七条の規定による取引を含む。以下この節において同じ。）及びこれに伴う取引（国際通貨基金とのその他の取引を含む。）をいう。

（管理）

第七十二条　外国為替資金特別会計は、財務大臣が、法令で定めるところに従い、管理する。

（歳入及び歳出）

第七十三条　外国為替資金特別会計における歳入及び歳出は、次のとおりとする。

一　歳入

イ　外国為替資金の運営に基づく収益金（外国通貨をもって表示されるもの又は特別引出権若しくは金地金によるものについてはその円貨代わり金とし、国際通貨基金協定第五条第九項の規定による報酬を含み、第七十八条第一項に規定する利益を除く。）

ロ　第七十八条第一項の規定による利益の組入金

ハ　一般会計からの繰入金

ニ　第八十二条第二項の規定による一時借入金の借換え及び融通証券の発行による収入金

ホ　附属雑収入

二　歳出

イ　外国為替資金の運営に要する経費（外国通貨をもって表示されるもの又は特別引出権若しくは金地金によるものについては、その円貨代わり金。以下この節において同じ。）

ロ　事務取扱費

ハ　事務委託費

ニ　第七十八条第一項の規定による損失の補てん金

ホ　一時借入金、融通証券及び基金通貨代用証券（加盟措置法第五条第一項に規定する基金通貨代用証券をいう。以下この節において同じ。）の利子

ヘ　第八十二条第二項の規定により借り換えた一時借入金及び発行した融通証券の償還金及び利子

ト　融通証券及び基金通貨代用証券の発行及び償還に関する諸費

チ　附属諸費

（歳入歳出予定計算書等の添付書類）

第七十四条　第三条第二項第一号から第五号までに掲げる書類のほか、外国為替資金特別会計においては、歳入歳出予定計算書等に、前々年度の貸借対照表及び損益計算書並びに前年度及び当該年度の予定貸借対照表及び予定損益計算書を添付しなければならない。

（一般会計からの繰入対象経費）

第七十五条　外国為替資金特別会計における一般会計からの繰入対象経費は、第七十三条第二号の経費とする。

２　第六条及び前項の規定により一般会計から繰入れをすることができる金額は、外国為替資金特別会計の歳入歳出の決算上不足を生ずると見込まれる場合における当該不足を生ずると見込まれる金額に相当する金額を限度とする。

（外国為替資金の運営）

第七十六条　外国為替資金は、外国為替等の売買に運用するものとする。

２　財務大臣は、外国為替等の売買及びこれに伴う取引上必要があると認める場合には、外国為替資金に属する外国為替等（特別引出権を除く。）を銀行等（外国為替及び外国貿易法第十六条の二に規定する銀行等をいう。）、外国にある外国銀行、金融商品取引法（昭和二十三年法律第二十五号）第二条第九項に規定する金融商品取引業者及び同法第五十八条に規定する外国証券業者（以下この節において「金融機関」という。）に対して預入し、若しくは貸し付け（貸越しの契約に基づく場合を含む。以下この項において同じ。）、又は外国為替資金に属する現金（本邦通貨たる現金をいう。以下この節において同じ。）を金融機関に預入し、若しくは貸し付けることができる。

３　財務大臣は、外国為替等の売買及びこれに伴う取引上必要があると認める場合には、外国為替資金特別会計の負担において、金融機関から外国為替等（特別引出権を除く。以下この項において同じ。）の預入を受け、若しくは外国為替等を

借り入れ（借越しの契約に基づく場合を含む。）、若しくは外国為替手形の引受け若しくは金融機関の外国為替等に係る債務の保証をし、又は同会計の負担において、金融機関から現金の預入を受け、若しくは借越しの契約に基づいて現金を借り入れることができる。

4　財務大臣は、外国為替等の売買及びこれに伴う取引上必要があると認める場合には、外国為替資金特別会計の負担において、金融機関から外国為替等（特別引出権を除く。以下この項において同じ。）の寄託を受け、又は金融機関に外国為替等を寄託することができる。

5　財務大臣は、外国為替等の売買及びこれに伴う取引上必要があると認める場合には、外国為替資金特別会計の負担において、外国為替及び外国貿易法第六条第一項第十四号に規定する金融指標等先物契約（外国において若しくは外貨をもって支払が行われるもの又は外国通貨の金融指標（金融商品取引法第二条第二十五項に規定する金融指標をいう。）に係るものに限る。）を締結することができる。

6　財務大臣は、外国為替資金に属する外国為替等（特別引出権を除く。）について、信託会社若しくは金融機関の信託業務の兼営等に関する法律第一条第一項の認可を受けた金融機関に信託し、又は金融商品取引法第二条第九項に規定する金融商品取引業者（同法第二十八条第四項に規定する投資運用業を行う者に限る。）と同法第二条第八項第十二号ロに規定する投資一任契約を締結することにより、前各項の規定による運用を、これらの者に行わせることができる。

7　外国為替資金に属する外国為替等及び現金は、加盟措置法第二条の規定による国際通貨基金に対する出資及び基金通貨代用証券の償還に充てることができる。

8　外国為替資金に属する現金は、加盟措置法第十一条第二項に規定する貸付けに充てることができる。

9　外国為替資金は、一般会計からの繰入金及び第八十条の規定による組入金をもってこれに充てる。

（外国為替資金の運営の事務の委託）

第七十七条　財務大臣は、前条の規定による外国為替資金の運営に関する事務を、日本銀行に取り扱わせることができる。

2　日本銀行は、財務大臣の指示するところに従い、前項の規定により財務大臣から取扱いを委任された事務の一部を、金融機関に取り扱わせることができる。

（外国為替等の売買に伴う損益の処理）

第七十八条　外国為替等の売買に伴って生じた利益は、外国為替資金特別会計の当該年度の歳入に繰り入れ、外国為替等の売買に伴って生じた損失は、同会計の当該年度の歳出をもって補てんする。ただし、補てんのための同会計の当該年度の歳出予算額が当該補てん額に対して不足する場合には、当該不足額は、翌年度において補てんするものとする。

2　前項の規定による利益及び損失の計算の方法並びに当該利益の繰入れ及び当該損失の補てんの時期は、政令で定める。

（外国為替等の価額の改定及びこれに伴う損益の処理）

第七十九条　外国為替資金に属する外国為替等（特別引出権並びに特別引出権をもって表示される外貨証券及び外貨債権を除く。以下この項及び次項において同じ。）の価額は、外国為替相場（外国為替等のうち金銀地金以外のものについては外国為替及び外国貿易法第七条第一項の規定により財務大臣が定める基準外国為替相場又は裁定外国為替相場をいい、金銀地金については財務大臣の指定する価額とする。以下この項及び次条において同じ。）に変更があった場合には、政令で定める場合を除き、変更後の外国為替相場により改定するものとする。

2　前項の規定による外国為替等の価額の改定に基づいて生ずる利益又は損失は、外国為替資金の評価益又は評価損として整理するものとする。

3　外国為替資金に属する特別引出権及び特別引出権以外の資産で特別引出権をもって表示されるものの価額並びに当該価額の改定及びこれに伴う損益の処理については、政令で定める。

（外国為替資金への組入れ）

第八十条　外国為替資金特別会計において、毎会計年度の歳入歳出の決算上剰余金を生じた場合には、当該剰余金のうち、外国為替相場の変動、市場金利の変動その他の要因を勘案し、同会計の健全な運営を確保するために必要な金額を、外国為替資金に組み入れるものとする。

（歳入歳出決定計算書の添付書類）

第八十一条　第九条第二項第一号から第三号までに掲げる書類のほか、外国為替資金特別会計においては、歳入歳出決定計算書に、当該年度の貸借対照表及び損益計算書を添付しなければならない。

（融通証券等）

第八十二条　外国為替資金特別会計においては、融通証券を発行することができる。

2　第十五条第四項又は第六項の規定にかかわらず、外国為替資金特別会計において、歳入不足のために一時借入金若しくは融通証券を償還し、又は繰替金を返還することができない場合には、その償還し、又は返還することができない金額を限り、同会計の負担において、一時借入金の借換えをし、又は融通証券を発行することができる。この場合における第十七条の規定の適用については、同条第一項中「借入金の」とあるのは、「第八十二条第二項の規定により借り換えた一時借入金及び発行した融通証券の」とする。

3　前項の規定により借り換えた一時借入金又は発行した融通証券は、当該借換え又は発行をしたときから一年内に償還しなければならない。

4　基金通貨代用証券については、これを融通証券とみなして、第十六条及び第十七条の規定を適用する。

5　外国為替資金特別会計においては、同会計の外国為替資金に属する現金を繰り替えて使用することができる。

（外国為替資金における一時借入金等）

第八十三条　外国為替資金に属する現金に不足がある場合には、外国為替資金特別会計の負担において、一時借入金をし、融通証券を発行し、又は国庫余裕金を繰り替えて使用することができる。

2　前項及び第四項の規定による一時借入金、融通証券及び繰替金の限度額については、予算をもって、国会の議決を経なければならない。

3　第一項の規定により、一時借入金をし、又は融通証券を発行している場合においては、国庫余裕金を繰り替えて使用して、支払期限の到来していない一時借入金又は融通証券を償還することができる。

4　第一項の規定によるほか、外国為替資金に属する現金に不足がある場合には、外国為替資金特別会計の余裕金を繰り替えて使用することができる。

5　第一項の規定による一時借入金、融通証券及び繰替金並びに第三項の規定による繰替金は、一年内に償還し、又は返還しなければならない。

6　第四項の規定による繰替金は、当該年度の出納の完結までに返還しなければならない。

（外国為替資金特別会計の運営に関する事務の委託）

第八十四条　財務大臣は、第七十七条第一項に規定する事務のほか、外国為替資金特別会計の運営に関する事務を、日本銀行に取り扱わせることができる。

2　前項の場合において、財務大臣は、外国為替資金の運営に要する経費の支払に必要な資金を、日本銀行に交付することができる。

第六節　エネルギー対策特別会計

（目的）

第八十五条　エネルギー対策特別会計は、燃料安定供給対策、エネルギー需給構造高度化対策、電源立地対策、電源利用対策、原子力安全規制対策及び原子力損害賠償支援対策の経理を明確にすることを目的とする。

2　この節において「燃料安定供給対策」とは、石油、可燃性天然ガス及び石炭の安定的かつ低廉な供給の確保を図ることが緊要であることに鑑み講じられる措置であって、次に掲げるものをいう。

一　石油の備蓄の増強のために経済産業大臣が行う措置であって、次に掲げるもの

イ　国家備蓄石油（石油の備蓄の確保等に関する法律（昭和五十年法律第九十六号。以下この項において「備蓄法」という。）第二条第十項に規定する国家備蓄石油をいう。以下この節において同じ。）の取得、管理及び譲渡し

ロ　国家備蓄施設（備蓄法第二十九条に規定する国家備蓄施設をいう。第八十八条第一項第二号イ及び第九十四条第一項において同じ。）の設置及び管理

二　石油、可燃性天然ガス及び石炭資源の開発の促進、石油の備蓄の増強並びに石油、可燃性天然ガス及び石炭の生産及び流通の合理化のためにとられる施策で経済産業大臣が行うものに関する財政上の措置であって、次に掲げるもの

イ　独立行政法人エネルギー・金属鉱物資源機構に対する出資金の出資又は交付金若しくは施設の整備のための補助金の交付

ロ　国立研究開発法人新エネルギー・産業技術総合開発機構に対する交付金の交付

ハ　石油及び可燃性天然ガスの探鉱及びこれに必要な地質構造の調査又は石油及び可燃性天然ガス資源の開発に係る技術の振興を図るために行う事業に係る補助（交付金、補給金、補償金その他の給付金の交付を含む。以下この号及び次項において同じ。）で政令で定めるもの

ニ　独立行政法人エネルギー・金属鉱物資源機構法（平成十四年法律第九十四号）第十一条第一項第五号の規定に基づき行う事業（石炭に係るものに限る。）及び同項第十二号の規定に基づき行う事業（石油の備蓄の増強に必要な資金の貸付けに限る。）に係る補助

ホ　備蓄法第四十二条第一項の規定に基づく株式会社日本政策投資銀行、沖縄振興開発金融公庫又は独立行政法人エネルギー・金属鉱物資源機構に対する補助

ヘ　石油貯蔵施設の設置の円滑化に資するために行う石油貯蔵施設の周辺の地域における公共用の施設の整備に係る経費に充てるための地方公共団体に対する補助で政令で定めるもの

ト　石油、可燃性天然ガス及び石炭の生産及び流通の合理化を図るために行う事業に係る補助で政令で定めるもの

三　前二号に掲げる措置に附帯し、又は密接に関連する措置で政令で定めるもの（第八十八条第一項において「燃料安定供給対策に係る附帯事務等に関する措置」という。）

3　この節において「エネルギー需給構造高度化対策」とは、内外の経済的社会的環境に応じた安定的かつ適切なエネルギーの需給構造の構築を図ることが緊要であることに鑑み講じられる措置であって、次に掲げるものをいう。

一　太陽光、風力その他の化石燃料以外のエネルギーであって政令で定めるもの（以下この号において「非化石エネルギー」という。）の開発及び利用の促進並びにエネルギーの利用の高度化の促進のためにとられる施策で経済産業大臣が行うもの並びに内外におけるエネルギー起源二酸化炭素（エネルギーの使用に伴って発生する二酸化炭素をいう。）の排出の抑制（非化石エネルギーの開発及び利用又はエネルギーの利用の高度化により行うものに限り、かつ、海外で行う場合にあっては、我が国のエネルギーの利用の制約の緩和に資するものに限る。）のためにとられる施策で経済産業大臣又は環境大臣が行うものに関する財政上の措置であって、次に掲げるもの

イ　国立研究開発法人新エネルギー・産業技術総合開発機構に対する出資金の出資（非化石エネルギーの開発及び利用の促進に関する業務で政令で定めるものに係る出資に限る。）又は交付金の交付

ロ　独立行政法人エネルギー・金属鉱物資源機構に対する出資金の出資又は交付金の交付
ハ　脱炭素成長型経済構造移行推進機構に対する出資金の出資
ニ　国立研究開発法人新エネルギー・産業技術総合開発機構法（平成十四年法律第百四十五号）第十五条第一号、第四号及び第五号並びに非化石エネルギーの開発及び導入の促進に関する法律（昭和五十五年法律第七十一号）第十一条第一号の規定に基づき行う事業に係る補助
ホ　独立行政法人エネルギー・金属鉱物資源機構法第十一条第一項第七号の規定に基づき行う事業（地熱に係るものに限る。）及び脱炭素成長型経済構造への円滑な移行のための低炭素水素等の供給及び利用の促進に関する法律（令和六年法律第三十七号）第十条第一号の規定に基づき行う事業に係る補助
ヘ　非化石エネルギーを利用する設備の設置又はエネルギーの利用の高度化に資する設備の設置若しくは建築材料の使用を促進するための事業及び非化石エネルギーの流通の合理化又はエネルギーの利用の高度化を図るための調査に係る補助で政令で定めるもの
ト　非化石エネルギーを製造し、若しくは発生させ、若しくは利用するための技術又はエネルギーの利用の高度化のための技術の開発でその円滑な実施が困難なもののために行う事業に係る補助で政令で定めるもの
二　前号に掲げる措置に附帯し、又は密接に関連する措置で政令で定めるもの（第八十八条第一項において「エネルギー需給構造高度化対策に係る附帯事務等に関する措置」という。）
4　この節において「電源立地対策」とは、発電用施設周辺地域整備法（昭和四十九年法律第七十八号）第七条（同法第十条第四項において準用する場合を含む。）の規定に基づく交付金（第九十二条第三項及び第五項において「周辺地域整備交付金」という。）の交付及び同法第二条に規定する発電用施設（次項において「発電用施設」という。）の周辺の地域における安全対策のための財政上の措置その他の発電の用に供する施設の設置及び運転の円滑化に資するための財政上の措置（第六項の措置に該当するもの並びに発電の用に供する施設の設置又は改造及び技術の開発を主たる目的とするものを除く。）で政令で定めるものをいう。
5　この節において「電源利用対策」とは、発電用施設（これと密接な関連を有する施設を含む。以下この項において同じ。）の利用の促進及び安全の確保並びに発電用施設による電気の供給の円滑化を図るための措置（前項及び次項の措置に該当するものを除く。）であって、次に掲げるものをいう。
一　次に掲げる財政上の措置
イ　国立研究開発法人新エネルギー・産業技術総合開発機構に対する交付金の交付
ロ　国立研究開発法人日本原子力研究開発機構に対する出資（高速増殖炉の開発、核燃料物質の再処理技術の開発その他の業務で政令で定めるものに係る出資に限る。）又は交付金の交付
ハ　脱炭素成長型経済構造移行推進機構に対する出資金の出資
ニ　発電用施設の設置又は改造に係る補助（交付金、委託費その他の給付金の交付を含む。ホにおいて同じ。）で政令で定めるもの
ホ　発電用施設の設置又は改造を促進するための技術の開発に係る補助で政令で定めるもの
二　発電用施設の安全を確保するために経済産業大臣が行う措置であって、政令で定めるもの
三　前二号に掲げる措置に附帯し、又は密接に関連する措置で政令で定めるもの（第八十八条第二項第二号チにおいて「電源利用対策に係る附帯事務等に関する措置」という。）
6　この節において「原子力安全規制対策」とは、発電用施設周辺地域整備法第二条に規定する発電用施設のうち原子力発電施設若しくは原子力発電に使用される核燃料物質の再処理施設その他の原子力発電と密接な関連を有する施設、核原料物質、核燃料物質及び原子炉の規制に関する法律（昭和三十二年法律第百六十六号）第十三条第二項第二号に規定する加工施設又は試験研究の用に供する原子炉若しくは同法第五十二条第二項第十号に規定する使用施設等であって、原子力災害対策特別措置法（平成十一年法律第百五十六号）第二条第四号に規定する原子力事業所に設置されるものに関する安全の確保を図るための措置で政令で定めるものをいう。
7　この条において「原子力損害賠償支援対策」とは、原子力損害賠償・廃炉等支援機構法（平成二十三年法律第九十四号。以下この節において「機構法」という。）の規定により行う原子力損害の賠償の迅速かつ適切な実施を確保するための財政上の措置に関する措置であって、次に掲げるものをいう。
一　第九十一条の四第一項の規定による国債整理基金特別会計への繰入れ
二　原子力損害賠償・廃炉等支援機構に対する出資

（管理）
第八十六条　エネルギー対策特別会計は、内閣総理大臣、文部科学大臣、経済産業大臣及び環境大臣が、法令で定めるところに従い、管理する。
2　エネルギー対策特別会計の管理に関する事務は、政令で定めるところにより、同会計全体の計算整理に関するものについては経済産業大臣が、その他のものについてはエネルギー需給勘定、電源開発促進勘定又は原子力損害賠償支援勘定及び所掌事務の区分に応じ所管大臣の全部又は一部が行うものとする。

（勘定区分）
第八十七条　エネルギー対策特別会計は、エネルギー需給勘定、電源開発促進勘定及び原子力損害賠償支援勘定に区分する。

（歳入及び歳出）

第八十八条　エネルギー需給勘定における歳入及び歳出は、次のとおりとする。
一　歳入
イ　一般会計からの繰入金
ロ　脱炭素成長型経済構造への円滑な移行の推進に関する法律（令和五年法律第三十二号）第二条第六項に規定する化石燃料賦課金
ハ　脱炭素成長型経済構造への円滑な移行の推進に関する法律第二条第六項に規定する特定事業者負担金
ニ　脱炭素成長型経済構造への円滑な移行の推進に関する法律第七条第一項の規定により発行する公債（以下「脱炭素成長型経済構造移行債」という。）の発行収入金
ホ　借入金
ヘ　証券の発行収入金
ト　一時借入金の借換えによる収入金
チ　国家備蓄石油の譲渡代金
リ　独立行政法人エネルギー・金属鉱物資源機構法第十三条第二項、国立研究開発法人新エネルギー・産業技術総合開発機構法第十九条第三項及び脱炭素成長型経済構造への円滑な移行の推進に関する法律第六十四条第四項の規定による納付金であって、この勘定に帰属するもの
ヌ　燃料安定供給対策に係る附帯事務等に関する措置に基づく収入金
ル　エネルギー需給構造高度化対策に係る附帯事務等に関する措置に基づく収入金
ヲ　附属雑収入
二　歳出
イ　国家備蓄石油の取得、管理及び譲渡し並びに国家備蓄施設の設置及び管理に要する費用
ロ　第八十五条第二項第二号イの出資金、交付金及び補助金
ハ　第八十五条第二項第二号ロの交付金
ニ　第八十五条第二項第二号ハからトまでの補助金（交付金、補給金、補償金その他の給付金を含む。チにおいて同じ。）
ホ　第八十五条第三項第一号イの出資金及び交付金
ヘ　第八十五条第三項第一号ロの出資金及び交付金
ト　第八十五条第三項第一号ハの出資金
チ　第八十五条第三項第一号ニからトまでの補助金
リ　第九十一条の三第一項の規定による電源開発促進勘定への繰入金
ヌ　燃料安定供給対策に係る附帯事務等に関する措置に要する費用
ル　エネルギー需給構造高度化対策に係る附帯事務等に関する措置に要する費用
ヲ　脱炭素成長型経済構造移行債及び当該脱炭素成長型経済構造移行債に係る借換国債（第四十六条第一項又は第四十七条第一項の規定により起債される借換国債をいい、当該借換国債につきこれらの規定により順次起債された借換国債を含む。以下この節において同じ。）の償還金及び利子
ワ　脱炭素成長型経済構造移行債及び当該脱炭素成長型経済構造移行債に係る借換国債の発行及び償還に関する諸費
カ　借入金の償還金及び利子
ヨ　証券の償還金及び利子
タ　一時借入金及び融通証券の利子
レ　証券及び融通証券の発行及び償還に関する諸費
ソ　借り換えた一時借入金の償還金及び利子
ツ　事務取扱費
ネ　附属諸費

2　電源開発促進勘定における歳入及び歳出は、次のとおりとする。
一　歳入
イ　一般会計からの繰入金
ロ　第九十一条の三第一項の規定によるエネルギー需給勘定からの繰入金
ハ　周辺地域整備資金からの受入金
ニ　周辺地域整備資金から生ずる収入
ホ　一時借入金の借換えによる収入金
ヘ　国立研究開発法人新エネルギー・産業技術総合開発機構法第十九条第三項、国立研究開発法人日本原子力研究開発機構法（平成十六年法律第百五十五号）第二十一条第二項及び脱炭素成長型経済構造への円滑な移行の推進に関する法律第六十四条第四項の規定による納付金であって、この勘定に帰属するもの
ト　附属雑収入
二　歳出
イ　第八十五条第四項の交付金及び財政上の措置に要する費用
ロ　第八十五条第五項第一号イ及びロの交付金
ハ　第八十五条第五項第一号ロの出資金
ニ　第八十五条第五項第一号ハの出資金
ホ　第八十五条第五項第一号ニ及びホの補助金（交付金、委託費その他の給付金を含む。）
ヘ　第八十五条第五項第二号の措置に要する費用
ト　第八十五条第六項の措置に要する費用
チ　電源利用対策に係る附帯事務等に関する措置に要する費用
リ　周辺地域整備資金への繰入金
ヌ　一時借入金の利子
ル　借り換えた一時借入金の償還金及び利子
ヲ　事務取扱費
ワ　附属諸費

3　原子力損害賠償支援勘定における歳入及び歳出は、次のとおりとする。

一　歳入
イ　原子力損害賠償支援資金からの受入金
ロ　原子力損害賠償支援資金から生ずる収入
ハ　一般会計からの繰入金
ニ　東日本大震災復興特別会計からの繰入金
ホ　借入金
ヘ　証券の発行収入金
ト　機構法第五十九条第四項の規定による納付金
チ　附属雑収入
二　歳出
イ　原子力損害賠償支援資金への繰入金
ロ　第九十一条の四第一項の規定による国債整理基金特別会計への繰入金
ハ　借入金の償還金及び利子
ニ　証券の償還金及び利子
ホ　一時借入金及び融通証券の利子
ヘ　証券及び融通証券の発行及び償還に関する諸費
ト　原子力損害賠償・廃炉等支援機構への出資金
チ　事務取扱費
リ　附属諸費

（電源開発促進勘定の歳入及び歳出等の整理）

第八十九条　電源開発促進勘定においては、歳入及び歳出並びに資産及び負債を、政令で定めるところにより、電源立地対策、電源利用対策及び原子力安全規制対策の区分に従って整理しなければならない。

（一般会計からエネルギー需給勘定への繰入れの特例）

第九十条　第六条の規定にかかわらず、燃料安定供給対策及びエネルギー需給構造高度化対策に要する費用の財源に充てるため、毎会計年度、当該年度の前年度以前の各年度の石油石炭税の収入額の予算額及び当該年度の前年度以前の各年度の石油石炭税（所得税法等の一部を改正する法律（平成十五年法律第八号）第九条の規定による改正前の石油税法（昭和五十三年法律第二十五号）の規定による石油税を含む。）の収入額の決算額（当該年度の前年度については、予算額。以下この条及び次条において同じ。）を合算した額から当該年度の前年度以前の各年度の一般会計からエネルギー需給勘定への繰入金（脱炭素成長型経済構造への円滑な移行の推進に関する法律附則第三条第二項又は第三項の規定による一般会計からエネルギー需給勘定への繰入金を除く。以下この条において同じ。）の決算額を合算した額を控除した額に相当する金額（以下この条において「繰入相当額」という。）を、予算で定めるところにより、一般会計から同勘定に繰り入れるものとする。ただし、当該年度における燃料安定供給対策及びエネルギー需給構造高度化対策に要する費用の額と予算を作成するときにおいて第八条第一項の規定により当該年度の歳入に繰り入れるものとされる額の見込額その他の歳入の見込額（当該年度の一般会計からの繰入金を除く。）との差額に照らして繰入相当額の一部につき繰り入れる必要がないと認められる場合には、当該年度においては、当該一部の金額につき繰り入れないことができる。

（一般会計から電源開発促進勘定への繰入れの特例）

第九十一条　第六条の規定にかかわらず、電源開発促進税の課税の目的を踏まえ、電源立地対策、電源利用対策及び原子力安全規制対策に要する費用の財源に充てるため、毎会計年度、当該年度の電源開発促進税の収入額の予算額及び当該年度の前年度以前で平成十九年度以降の各年度の電源開発促進税の収入額の決算額を合算した額から当該年度の前年度以前で平成十九年度以降の各年度の一般会計から電源開発促進勘定への繰入金の決算額を合算した額を控除した額に相当する金額（以下この項において「繰入相当額」という。）を、予算で定めるところにより、一般会計から同勘定に繰り入れるものとする。ただし、当該年度における電源立地対策、電源利用対策及び原子力安全規制対策に要する費用の額と予算を作成するときにおいて第八条第一項の規定により当該年度の歳入に繰り入れるものとされる額の見込額その他の歳入の見込額（当該年度の一般会計からの繰入金を除く。）との差額に照らして繰入相当額の一部につき繰り入れる必要がないと認められる場合には、当該年度においては、当該一部の金額につき繰り入れないことができる。

２　前項の規定による一般会計からの繰入金は、毎会計年度、電源立地対策、電源利用対策及び原子力安全規制対策に必要な費用を勘案して、予算で定めるところにより、それぞれの区分に従って繰り入れるものとする。

（一般会計から原子力損害賠償支援勘定への繰入対象経費）

第九十一条の二　原子力損害賠償支援勘定における一般会計からの繰入対象経費は、同勘定における借入金、証券、一時借入金及び融通証券の利子に要する経費、証券及び融通証券の発行及び償還に関する諸費に要する経費、原子力損害賠償・廃炉等支援機構への出資に要する経費並びに事務取扱費に要する経費とする。

（エネルギー需給勘定から電源開発促進勘定への繰入れ）

第九十一条の三　第八十五条第五項第一号及び第三号に掲げる措置に要する費用のうち脱炭素成長型経済構造への円滑な移行の推進に関する法律第七条第二項の規定により国会の議決を経た費用の財源に充てるため、予算で定める金額を限り、エネルギー需給勘定から電源開発促進勘定に繰り入れることができる。

２　前項の規定による繰入れが行われる年度における第九十条ただし書の規定の適用については、同条ただし書中「費用の額」とあるのは、「費用の額並びに第九十一条の三第一項の規定による電源開発促進勘定への繰入金に相当する金額」とする。

（原子力損害賠償支援勘定から国債整理基金特別会計等への繰入れ）

第九十一条の四　機構法第四十八条第二項の規定により交付された国債の償還金並びに当該国債の交付及び償還に関する諸

費の支出に必要な金額（事務取扱費の額に相当する金額を除く。）は、毎会計年度、原子力損害賠償支援勘定から国債整理基金特別会計に繰り入れなければならない。

２　原子力損害賠償支援勘定の借入金又は証券については、第四十六条第一項及び第四十七条第一項の規定は、適用しない。

３　第一項に規定する事務取扱費の額に相当する金額は、毎会計年度、原子力損害賠償支援勘定から一般会計に繰り入れなければならない。

（周辺地域整備資金）

第九十二条　電源開発促進勘定に周辺地域整備資金を置き、同勘定からの繰入金及び第三項の規定による組入金をもってこれに充てる。

２　前項の電源開発促進勘定からの繰入金は、予算で定めるところにより、繰り入れるものとする。

３　電源開発促進勘定において、毎会計年度の歳入歳出の決算上剰余金を生じた場合には、当該剰余金のうち、周辺地域整備交付金及び第八十五条第四項の財政上の措置に要する費用（政令で定めるものに限る。）に係る歳出予算における支出残額に相当する金額を限度として政令で定める金額を、周辺地域整備資金に組み入れるものとする。

４　電源開発促進勘定において、毎会計年度の歳入歳出の決算上電源立地対策に必要な費用に不足を生じた場合には、周辺地域整備資金から補足するものとする。

５　周辺地域整備資金は、周辺地域整備交付金及び第三項に規定する財政上の措置に要する費用を支弁するために必要がある場合には、予算で定める金額を限り、電源開発促進勘定の歳入に繰り入れることができる。

６　周辺地域整備資金の受払いは、財務大臣の定めるところにより、電源開発促進勘定の歳入歳出外として経理するものとする。

（原子力損害賠償支援資金）

第九十二条の二　原子力損害賠償支援勘定に原子力損害賠償支援資金を置き、同勘定からの繰入金をもってこれに充てる。

２　前項の原子力損害賠償支援勘定からの繰入金は、予算で定めるところにより、繰り入れるものとする。

３　原子力損害賠償支援資金は、第九十一条の四第一項の規定による国債整理基金特別会計への繰入れ（第九十四条において「国債整理基金特別会計繰入れ」という。）を円滑に実施するために要する費用を支弁するために必要がある場合には、予算で定める金額を限り、原子力損害賠償支援勘定の歳入に繰り入れることができる。

４　原子力損害賠償支援資金の受払いは、財務大臣の定めるところにより、原子力損害賠償支援勘定の歳入歳出外として経理するものとする。

（脱炭素成長型経済構造移行債の発行）

第九十二条の三　脱炭素成長型経済構造への円滑な移行の推進に関する法律第七条第一項の規定によりエネルギー対策特別会計の負担において行われる脱炭素成長型経済構造移行債の発行は、エネルギー需給勘定の負担において行うものとする。

（エネルギー需給勘定から国債整理基金特別会計等への繰入れ）

第九十二条の四　脱炭素成長型経済構造移行債及び当該脱炭素成長型経済構造移行債に係る借換国債の償還金（借換国債を発行した場合においては、当該借換国債の収入をもって充てられる部分を除く。）及び利子並びに発行及び償還に関する諸費の支出に必要な金額（事務取扱費の額に相当する金額を除く。）は、毎会計年度、エネルギー需給勘定から国債整理基金特別会計に繰り入れなければならない。

２　前項に規定する事務取扱費の額に相当する金額は、毎会計年度、エネルギー需給勘定から一般会計に繰り入れなければならない。

（剰余金の処理に係る整理）

第九十三条　電源開発促進勘定において、第八条第一項の規定により翌年度の歳入に繰り入れる金額は、電源立地対策、電源利用対策及び原子力安全規制対策に区分して整理するものとする。

（借入金対象経費等）

第九十四条　エネルギー需給勘定における借入金対象経費は、国家備蓄石油の購入及び国家備蓄施設の設置に要する費用とする。

２　エネルギー需給勘定において、国家備蓄石油の購入に要する費用の財源に充てるために必要がある場合には、同勘定の負担において、一年内に償還すべき証券を発行することができる。この場合における証券の限度額については、予算をもって、国会の議決を経なければならない。

３　原子力損害賠償支援勘定における借入金対象経費は、国債整理基金特別会計繰入れに要する費用とする。

４　原子力損害賠償支援勘定において、国債整理基金特別会計繰入れに要する費用の財源に充てるために必要がある場合には、同勘定の負担において、一年内に償還すべき証券を発行することができる。この場合における証券の限度額については、予算をもって、国会の議決を経なければならない。

５　原子力損害賠償支援勘定においては、翌年度における国債整理基金特別会計繰入れを円滑に実施するため、予算をもって国会の議決を経た金額を限度として、同勘定の負担において、借入金をし、又は一年内に償還すべき証券を発行することができる。

６　第二項及び前二項の規定により証券を発行する場合における第三条第二項第五号、第十六条及び第十七条の規定の適用については、第三条第二項第五号中「借入れ及び」とあるのは「借入れ及び償還並びに当該年度に発行を予定する証券の発行及び」と、第十六条中「融通証券」とあるのは「証券及び融通証券」と、第十七条第一項中「借入金の償還金及び利子、一時借入金及び融通証券の利子並びに融通証券」とあるのは「借入金及び証券の償還金及び利子、一時借入金及び融通証券の利子並びに証券及び融通証券」とする。

（融通証券等）

第九十五条　エネルギー需給勘定及び原子力損害賠償支援勘定においては、融通証券を発行することができる。

２　第十五条第四項の規定にかかわらず、エネルギー需給勘定及び電源開発促進勘定において、歳入不足のために一時借入金を償還することができない場合には、その償還することができない金額を限り、これらの勘定の負担において、一時借入金の借換えをすることができる。

３　前項の規定により借換えをした一時借入金については、当該一時借入金を第十七条第一項に規定する借入金とみなして、同項の規定を適用する。

４　第二項の規定により借り換えた一時借入金は、その借換えをしたときから一年内に償還しなければならない。

５　電源開発促進勘定においては、周辺地域整備資金に属する現金を繰り替えて使用することができる。

第七節　労働保険特別会計

（目的）

第九十六条　労働保険特別会計は、労働者災害補償保険法（昭和二十二年法律第五十号）による労働者災害補償保険事業（以下この節において「労災保険事業」という。）及び雇用保険法（昭和四十九年法律第百十六号）による雇用保険事業（育児休業等給付（同法第六十一条の六第一項に規定する育児休業等給付をいう。第百二十三条の二及び第百二十三条の五第二項第二号トにおいて同じ。）に係る事業を除く。以下この節において「雇用保険事業」という。）に関する政府の経理を明確にすることを目的とする。

（管理）

第九十七条　労働保険特別会計は、厚生労働大臣が、法令で定めるところに従い、管理する。

（勘定区分）

第九十八条　労働保険特別会計は、労災勘定、雇用勘定及び徴収勘定に区分する。

（歳入及び歳出）

第九十九条　労災勘定における歳入及び歳出は、次のとおりとする。

一　歳入
　イ　徴収勘定からの繰入金
　ロ　一般会計からの繰入金
　ハ　積立金からの受入金
　ニ　積立金から生ずる収入
　ホ　独立行政法人労働政策研究・研修機構法（平成十四年法律第百六十九号）第十四条第三項及び独立行政法人労働者健康安全機構法（平成十四年法律第百七十一号）第十三条第二項の規定による納付金
　ヘ　附属雑収入

二　歳出
　イ　労災保険事業の保険給付費及び社会復帰促進等事業費
　ロ　独立行政法人労働政策研究・研修機構及び独立行政法人労働者健康安全機構への出資金、交付金及び施設の整備のための補助金
　ハ　独立行政法人福祉医療機構への出資金及び交付金
　ニ　徴収勘定への繰入金
　ホ　年金特別会計の厚生年金勘定への繰入金
　ヘ　一時借入金の利子
　ト　労災保険事業の業務取扱費（第三項第二号ニに掲げる業務取扱費を除く。）
　チ　附属諸費

２　雇用勘定における歳入及び歳出は、次のとおりとする。

一　歳入
　イ　徴収勘定からの繰入金
　ロ　一般会計からの繰入金
　ハ　東日本大震災復興特別会計からの繰入金
　ニ　積立金からの受入金
　ホ　雇用安定資金からの受入金
　ヘ　積立金から生ずる収入
　ト　雇用安定資金から生ずる収入
　チ　一時借入金の借換えによる収入金
　リ　中小企業退職金共済法（昭和三十四年法律第百六十号）第七十五条第二項、独立行政法人高齢・障害・求職者雇用支援機構法（平成十四年法律第百六十五号）第十七条第二項及び独立行政法人労働政策研究・研修機構法第十四条第三項の規定による納付金
　ヌ　附属雑収入

二　歳出
　イ　雇用保険事業の失業等給付費、雇用安定事業費及び能力開発事業費
　ロ　独立行政法人勤労者退職金共済機構、独立行政法人高齢・障害・求職者雇用支援機構及び独立行政法人労働政策研究・研修機構への出資金、交付金及び施設の整備のための補助金
　ハ　徴収勘定への繰入金
　ニ　雇用安定資金への繰入金
　ホ　一時借入金の利子
　ヘ　借り換えた一時借入金の償還金及び利子
　ト　雇用保険事業の業務取扱費（次項第二号ホに掲げる業務取扱費を除く。）
　チ　附属諸費

３　徴収勘定における歳入及び歳出は、次のとおりとする。

一　歳入
　イ　労働保険の保険料の徴収等に関する法律（昭和四十四年法律第八十四号。以下この節において「徴収法」という。）第十条第二項の労働保険料（失業保険法及び労働者災害補償保険法の一部を改正する法律及び労働保険の保険料の徴収等に関する法律の施行に伴う関係法律の整備等に関する法律（昭和四十四年法律第八十五号）第十九条第一項の特別保険料（以下この節において「労災保

険の特別保険料」という。）を含む。以下この節において「労働保険料」という。）

ロ　印紙をもつてする歳入金納付に関する法律（昭和二十三年法律第百四十二号）第三条第五項の規定による納付金

ハ　労災勘定からの繰入金

ニ　雇用勘定からの繰入金

ホ　子ども・子育て支援特別会計の育児休業等給付勘定からの繰入金

ヘ　附属雑収入

二　歳出

イ　労災勘定への繰入金

ロ　雇用勘定への繰入金

ハ　子ども・子育て支援特別会計の育児休業等給付勘定への繰入金

ニ　労働保険料の返還金

ホ　労働保険料の徴収及び労働保険事務組合に関する事務に係る業務取扱費

ヘ　附属諸費

（歳入歳出予定計算書等の添付書類）

第百条　第三条第二項第一号から第五号までに掲げる書類のほか、労働保険特別会計においては、歳入歳出予定計算書等に、前々年度の貸借対照表及び損益計算書並びに前年度及び当該年度の予定貸借対照表及び予定損益計算書を添付しなければならない。

（一般会計からの繰入対象経費）

第百一条　労災勘定における一般会計からの繰入対象経費は、労働者災害補償保険法第三十二条に規定する労働者災害補償保険事業に要する費用で国庫が補助するものとする。

2　雇用勘定における一般会計からの繰入対象経費は、雇用保険法第六十六条及び第六十七条に規定する求職者給付、同法第六十六条に規定する雇用継続給付、同法第六十七条の二に規定する失業等給付並びに同法第六十四条に規定する事業（以下「就職支援法事業」という。）に要する費用並びに雇用保険事業の事務の執行に要する経費で国庫が負担するものとする。

（他の勘定への繰入れ）

第百二条　徴収法第十条第二項第一号の一般保険料（以下この節において「一般保険料」という。）の額のうち徴収法第十二条第二項の労災保険率に応ずる部分の額、徴収法第十条第二項第二号の第一種特別加入保険料の額、同項第三号の第二種特別加入保険料の額、同項第三号の二の第三種特別加入保険料の額及び労災保険の特別保険料の額並びに徴収勘定の附属雑収入の額のうち政令で定める額の合計額に相当する金額は、毎会計年度、徴収勘定から労災勘定に繰り入れるものとする。

2　一般保険料の額のうち徴収法第十二条第四項の雇用保険率に応ずる部分の額（以下この項及び第百二条の三において「一般保険料徴収額」という。）から当該一般保険料徴収額に徴収法第十二条第四項第二号に規定する育児休業給付費充当徴収保険率を同項に規定する雇用保険率で除して得た率（以下この項及び第百二条の三において「育児休業給付率」という。）を乗じて得た額を控除した額、徴収法第二十三条第三項及び第二十五条第一項の規定に基づく印紙保険料の額、徴収法第二十六条第一項の規定に基づく特例納付保険料の額から当該特例納付保険料額に育児休業給付率を乗じて得た額を控除した額、第九十九条第三項第一号ロの印紙をもつてする歳入金納付に関する法律第三条第五項の規定による納付金の額並びに徴収勘定の附属雑収入の額のうち政令で定める額から当該額に育児休業給付率を乗じて得た額を控除した額の合計額に相当する金額は、毎会計年度、徴収勘定から雇用勘定に繰り入れるものとする。

3　徴収勘定の歳出に係る労働保険料の返還金、業務取扱費及び附属諸費の額のうち労災保険事業又は雇用保険事業に係るものとして政令で定めるところにより算定した額に相当する金額は、毎会計年度、それぞれ労災勘定又は雇用勘定から徴収勘定に繰り入れるものとする。

（労災勘定から年金特別会計の厚生年金勘定への繰入れ）

第百二条の二　国民年金法等の一部を改正する法律（昭和六十年法律第三十四号）附則第八十九条に規定する労災保険事業の管掌者たる政府が負担する費用に相当する額は、労災勘定から年金特別会計の厚生年金勘定に繰り入れるものとする。

（徴収勘定から子ども・子育て支援特別会計の育児休業等給付勘定への繰入れ）

第百二条の三　一般保険料徴収額に育児休業給付率を乗じて得た額、徴収法第二十六条第一項の規定に基づく特例納付保険料に育児休業給付率を乗じて得た額及び徴収勘定の附属雑収入の額のうち政令で定める額に育児休業給付率を乗じて得た額の合計額に相当する金額は、毎会計年度、徴収勘定から子ども・子育て支援特別会計の育児休業等給付勘定に繰り入れるものとする。

（積立金）

第百三条　労災勘定において、毎会計年度の歳入歳出の決算上剰余金を生じた場合には、当該剰余金のうち、労災保険事業の保険給付費及び社会復帰促進等事業費（特別支給金に充てるためのものに限る。第五項において同じ。）に充てるために必要な金額を、積立金として積み立てるものとする。

2　労災勘定において、毎会計年度の歳入歳出の決算上不足を生じた場合その他政令で定める場合には、政令で定めるところにより、同勘定の積立金から補足するものとする。

3　雇用勘定において、毎会計年度の歳入額（雇用安定事業及び能力開発事業（雇用保険法第六十三条に規定するものに限る。以下この項において同じ。）に係る歳入額（次条第三項及び第四項において「二事業費充当歳入額」という。）の合計額を控除した残りの額とする。）から当該年度の歳出額（雇用安定事業及び能力開発事業に係る歳出額（同条第三項及び第四項において「二事業費充当歳出額」という。）の合計額を控除した残りの額とする。）を控除して残余がある場合には、当該残余のうち、雇用保険事業の失業等給付費（就職支援法事業に要する費用を含む。第五項において同じ。）に充てるために必要な金額を、積立金として積み立てるものとする。

4　雇用勘定において、毎会計年度の前項に規定する歳入額から当該年度の同項に規定する歳出額を控除して不足がある場合その他政令で定める場合には、政令で定めるところにより、同勘定の積立金から補足するものとする。

5　労災勘定又は雇用勘定の積立金は、労災保険事業の保険給付費及び社会復帰促進等事業費又は雇用保険事業の失業等給付費並びに第百二条第三項の規定による当該各勘定からの徴収勘定への繰入金（労働保険料の返還金の財源に充てるための額に相当する額の繰入金に限る。）を支弁するために必要がある場合には、予算で定める金額を限り、当該各勘定の歳入に繰り入れることができる。

（雇用安定資金）

第百四条　雇用勘定に雇用安定資金を置き、同勘定からの繰入金及び第三項の規定による組入金をもってこれに充てる。

2　前項の雇用勘定からの繰入金は、予算で定めるところにより、繰り入れるものとする。

3　雇用勘定において、毎会計年度の二事業費充当歳入額から当該年度の二事業費充当歳出額を控除して残余がある場合には、当該残余のうち、雇用安定事業費に充てるために必要な金額を、雇用安定資金に組み入れるものとする。

4　雇用勘定において、毎会計年度の二事業費充当歳入額から当該年度の二事業費充当歳出額を控除して不足がある場合その他政令で定める場合には、政令で定めるところにより、雇用安定資金から補足するものとする。

5　雇用安定資金は、雇用安定事業費及び第百二条第三項の規定による雇用勘定からの徴収勘定への繰入金（労働保険料の返還金の財源に充てるための額に相当する額の繰入金に限る。）を支弁するために必要がある場合には、予算で定めるところにより、使用することができる。

6　雇用安定資金の受払いは、財務大臣の定めるところにより、雇用勘定の歳入歳出外として経理するものとする。

（国庫負担金の過不足の調整）

第百五条　雇用勘定において、毎会計年度一般会計から受け入れた金額が、当該年度における雇用保険法第六十六条（第一項第四号及び第五項（育児休業給付の事務の執行に要する経費に係る部分に限る。）を除く。）、第六十七条及び第六十七条の二の規定による国庫負担金として一般会計から受け入れるべき金額に対して超過し、又は不足する場合には、当該超過額に相当する金額は、翌年度においてこれらの規定による国庫負担金として一般会計から受け入れる金額から減額し、なお残余があるときは翌々年度までに一般会計に返還し、当該不足額に相当する金額は、翌々年度までに一般会計から補塡するものとする。

（歳入歳出決定計算書の添付書類）

第百六条　第九条第二項第一号から第三号までに掲げる書類のほか、労働保険特別会計においては、歳入歳出決定計算書に、当該年度の貸借対照表及び損益計算書を添付しなければならない。

（一時借入金の借換え等）

第百七条　第十五条第四項の規定にかかわらず、雇用勘定において、歳入不足のために一時借入金を償還することができない場合には、その償還することができない金額を限り、同勘定の負担において、一時借入金の借換えをすることができる。

2　前項の規定により借換えをした一時借入金については、当該一時借入金を第十七条第一項に規定する借入金とみなして、同項の規定を適用する。

3　第一項の規定により借り換えた一時借入金は、その借換えをしたときから一年内に償還しなければならない。

4　労災勘定又は雇用勘定においては、当該各勘定の積立金又は雇用安定資金に属する現金をそれぞれ繰り替えて使用することができる。

第八節　年金特別会計

（目的）

第百八条　年金特別会計は、国民年金法（昭和三十四年法律第百四十一号）による国民年金事業（厚生年金保険の保険給付及び国民年金の給付の支払の遅延に係る加算金の支給に関する法律（平成二十一年法律第三十七号。以下「年金給付遅延加算金支給法」という。）による給付遅延特別加算金の支給を含む。以下この節において「国民年金事業」という。）、厚生年金保険法（昭和二十九年法律第百十五号）による厚生年金保険事業（国民年金法の規定による拠出金の負担及び年金給付遅延加算金支給法による保険給付遅延特別加算金の支給を含む。以下この節において「厚生年金保険事業」という。）並びに健康保険法（大正十一年法律第七十号）による健康保険及び船員保険法（昭和十四年法律第七十三号）による船員保険に関し政府が行う業務に関する政府の経理を明確にすることを目的とする。

（管理）

第百九条　年金特別会計は、厚生労働大臣が、法令で定めるところに従い、管理する。

（勘定区分）

第百十条　年金特別会計は、基礎年金勘定、国民年金勘定、厚生年金勘定、健康勘定及び業務勘定に区分する。

（歳入及び歳出）

第百十一条　基礎年金勘定における歳入及び歳出は、次のとおりとする。

一　歳入

イ　国民年金勘定及び厚生年金勘定からの繰入金

ロ　国民年金法第五条第九項に規定する年金保険者たる共済組合等（以下この節において「実施機関たる共済組合

等」という。）からの拠出金

ハ 一時借入金の借換えによる収入金

ニ 附属雑収入

二 歳出

イ 基礎年金給付費（年金給付遅延加算金支給法による給付遅延特別加算金（国民年金法による老齢基礎年金、障害基礎年金及び遺族基礎年金に係るものに限る。）の支給に要する費用を含む。次項第二号において同じ。）

ロ 国民年金勘定及び厚生年金勘定への繰入金

ハ 実施機関たる共済組合等への交付金

ニ 一時借入金の利子

ホ 借り換えた一時借入金の償還金及び利子

ヘ 附属諸費

2 国民年金勘定における歳入及び歳出は、次のとおりとする。

一 歳入

イ 国民年金事業の保険料

ロ 一般会計からの繰入金

ハ 基礎年金勘定からの繰入金

ニ 積立金からの受入金

ホ 積立金から生ずる収入

ヘ 年金積立金管理運用独立行政法人からの納付金

ト 附属雑収入

二 歳出

イ 国民年金事業の給付費（年金給付遅延加算金支給法による給付遅延特別加算金（国民年金法による老齢基礎年金、障害基礎年金及び遺族基礎年金に係るものを除く。）の支給に要する費用を含み、基礎年金給付費を除く。第百十五条において同じ。）

ロ 基礎年金勘定への繰入金

ハ 業務勘定への繰入金

ニ 附属諸費

3 厚生年金勘定における歳入及び歳出は、次のとおりとする。

一 歳入

イ 厚生年金保険の実施者たる政府に係る厚生年金保険事業の保険料

ロ 実施機関（厚生年金保険法第二条の五第一項に規定する実施機関をいい、厚生労働大臣を除く。以下この節において同じ。）からの拠出金

ハ 一般会計からの繰入金

ニ 基礎年金勘定からの繰入金

ホ 労働保険特別会計の労災勘定からの繰入金

ヘ 積立金からの受入金

ト 積立金から生ずる収入

チ 年金積立金管理運用独立行政法人からの納付金

リ 独立行政法人地域医療機能推進機構法（平成十七年法律第七十一号）第十六条第二項の規定による納付金

ヌ 附属雑収入

二 歳出

イ 厚生年金保険の実施者たる政府に係る厚生年金保険事業の保険給付費（年金給付遅延加算金支給法による保険給付遅延特別加算金の支給に要する費用を含む。）

ロ 実施機関への交付金

ハ 基礎年金勘定への繰入金

ニ 業務勘定への繰入金

ホ 附属諸費

4 健康勘定における歳入及び歳出は、次のとおりとする。

一 歳入

イ 健康保険法第百五十五条の規定による保険料（同法第三条第四項に規定する任意継続被保険者に係る保険料を除く。）

ロ 船員保険法第百十四条の規定による保険料（同法第二条第二項に規定する疾病任意継続被保険者に係る保険料を除く。）

ハ 印紙をもつてする歳入金納付に関する法律第三条第五項の規定による納付金

ニ 健康保険法の規定による拠出金

ホ 独立行政法人地域医療機能推進機構法第十六条第二項の規定による納付金

ヘ 附属雑収入

二 歳出

イ 全国健康保険協会への交付金

ロ 一時借入金の利子

ハ 業務勘定への繰入金

ニ 附属諸費

5 業務勘定における歳入及び歳出は、次のとおりとする。

一 歳入

イ 一般会計からの繰入金

ロ 国民年金勘定からの繰入金

ハ 厚生年金勘定からの繰入金

ニ 健康勘定からの繰入金

ホ 子ども・子育て支援法（平成二十四年法律第六十五号）第六十九条第一項第一号の事業主からの拠出金

ヘ 独立行政法人地域医療機能推進機構法第十六条第二項の規定による納付金

ト 子ども・子育て支援特別会計の子ども・子育て支援勘定からの繰入金

チ 附属雑収入

二 歳出

イ 国民年金事業、厚生年金保険の実施者たる政府に係る厚生年金保険事業並びに健康保険及び船員保険に関し政府が行う業務の業務取扱費並びに子ども・子育て支援法第六十九条第一項第一号の事業主からの拠出金の徴収に係る業務取扱費

ロ 国民年金法第七十四条第一項及び第二項の規定による措置並びに厚生年金保険法第七十九条第一項及び第二項の規定による措置に要する経費（実施機関及び日本年金

機構が行う措置に係るものを除く。）
ハ　日本年金機構への交付金
ニ　独立行政法人福祉医療機構への交付金
ホ　年金積立金管理運用独立行政法人への出資金
ヘ　子ども・子育て支援特別会計の子ども・子育て支援勘定への繰入金
ト　附属諸費

（歳入歳出予定計算書等の添付書類）
第百十二条　第三条第二項第一号から第五号までに掲げる書類のほか、年金特別会計においては、歳入歳出予定計算書等に、前々年度の貸借対照表及び損益計算書並びに前年度及び当該年度の予定貸借対照表及び予定損益計算書を添付しなければならない。

（一般会計からの繰入対象経費）
第百十三条　国民年金勘定における一般会計からの繰入対象経費は、国民年金法等の一部を改正する法律（昭和六十年法律第三十四号。以下この節において「昭和六十年国民年金等改正法」という。）附則第三十四条第二項及び第三項並びに国民年金法等の一部を改正する法律（平成十六年法律第百四号。以下この節において「平成十六年国民年金等改正法」という。）附則第十四条第一項において読み替えて適用する国民年金法第八十五条第一項（平成十六年国民年金等改正法附則第十四条第二項及び年金給付遅延加算金支給法第七条第一項において適用する場合を含む。）並びに昭和六十年国民年金等改正法附則第三十四条第一項（年金給付遅延加算金支給法第七条第一項において適用する場合を含む。第百二十条第二項第一号において同じ。）に規定する国民年金事業に要する費用で国庫が負担するものとする。
2　厚生年金勘定における一般会計からの繰入対象経費は、厚生年金保険法第八十条第一項（年金給付遅延加算金支給法第七条第一項において適用する場合を含む。第百二十条第二項第二号において同じ。）に規定する基礎年金拠出金及び昭和六十年国民年金等改正法附則第七十九条（年金給付遅延加算金支給法第七条第一項において適用する場合を含む。第百二十条第二項第二号において同じ。）に規定する厚生年金保険の実施者たる政府に係る厚生年金保険事業に要する費用で国庫が負担するものとする。
3　業務勘定における一般会計からの繰入対象経費は、国民年金法第八十五条第二項（年金給付遅延加算金支給法第七条第二項において適用する場合を含む。）に規定する国民年金事業の事務の執行に要する費用、厚生年金保険法第八十条第二項（年金給付遅延加算金支給法第七条第二項において適用する場合を含む。）に規定する厚生年金保険事業の事務の執行に要する費用、健康保険法第百五十一条に規定する健康保険事業の事務の執行に要する費用のうち健康保険に関し政府又は日本年金機構が行う業務に係るもの及び船員保険法第百十二条第二項に規定する船員保険事業の事務の執行に要する費用のうち船員保険に関し政府が行う業務に係るもので国庫が負担するものとする。

（他の勘定への繰入れ）
第百十四条　次に掲げる額の合計額に相当する金額は、国民年金勘定から基礎年金勘定に繰り入れるものとする。
一　昭和六十年国民年金等改正法附則第三十四条第二項において読み替えて適用する国民年金法第八十五条第一項第一号（年金給付遅延加算金支給法第七条第一項において適用する場合を含む。）に規定する保険料・拠出金算定対象額（次項において「保険料・拠出金算定対象額」という。）から当該額に厚生年金保険の実施者たる政府又は各実施機関たる共済組合等に係る国民年金法第九十四条の三第一項に規定する政令で定めるところにより算定した率を乗じて得た額を合算した額を控除した額
二　昭和六十年国民年金等改正法附則第三十四条第三項において読み替えて適用する国民年金法第八十五条第一項第二号（平成十六年国民年金等改正法附則第十四条第二項及び年金給付遅延加算金支給法第七条第一項において適用する場合を含む。）に掲げる額
三　昭和六十年国民年金等改正法附則第三十四条第三項において読み替えて適用する国民年金法第八十五条第一項第三号に掲げる額
四　昭和六十年国民年金等改正法附則第三十四条第一項各号（第一号、第六号及び第九号を除く。）（年金給付遅延加算金支給法第七条第一項において適用する場合を含む。）に掲げる額（同項第四号に規定する者に係る寡婦年金の給付に要する費用の額に同号イに掲げる数を同号ロに掲げる数で除して得た数を乗じて得た額の合計額及び同項第五号に規定する老齢年金の給付に要する費用に係る同号ハに規定する額の三分の一に相当する額を除く。）
2　保険料・拠出金算定対象額に厚生年金保険の実施者たる政府に係る国民年金法第九十四条の三第一項に規定する政令で定めるところにより算定した率を乗じて得た額に相当する金額は、厚生年金勘定から基礎年金勘定に繰り入れるものとする。
3　昭和六十年国民年金等改正法附則第三十五条第四項の規定により基礎年金の給付に要する費用とみなされる費用（当該費用に係る年金給付遅延加算金支給法による給付遅延特別加算金の支給に要する費用を含む。第百二十条第二項第三号において同じ。）に相当する金額は、基礎年金勘定から国民年金勘定に繰り入れるものとする。
4　昭和六十年国民年金等改正法附則第三十五条第一項の規定により国民年金の管掌者たる政府が負担する費用（当該費用に係る年金給付遅延加算金支給法による保険給付遅延特別加算金の支給に要する費用を含む。第百二十条第二項第四号において同じ。）に相当する金額は、基礎年金勘定から厚生年金勘定に繰り入れるものとする。
5　国民年金事業の業務取扱費、国民年金法第七十四条第一項及び第二項の規定による措置に要する経費、日本年金機構へ

の交付金、年金積立金管理運用独立行政法人への出資金又は独立行政法人福祉医療機構への交付金に充てるために必要な額に相当する金額は、国民年金勘定から業務勘定に繰り入れるものとする。

6　厚生年金保険の実施者たる政府に係る厚生年金保険事業の業務取扱費、厚生年金保険法第七十九条第一項及び第二項の規定による措置に要する経費、日本年金機構への交付金、年金積立金管理運用独立行政法人への出資金又は独立行政法人福祉医療機構への交付金に充てるために必要な額に相当する金額は、厚生年金勘定から業務勘定に繰り入れるものとする。

7　健康保険及び船員保険に関し政府が行う業務の業務取扱費又は日本年金機構への交付金に充てるために必要な額に相当する金額は、健康勘定から業務勘定に繰り入れるものとする。

（業務勘定から子ども・子育て支援特別会計の子ども・子育て支援勘定への繰入れ）

第百十四条の二　子ども・子育て支援法第六十九条第一項第一号の事業主からの拠出金及び当該拠出金に係る附属雑収入の合計額に相当する金額は、毎会計年度、業務勘定から子ども・子育て支援特別会計の子ども・子育て支援勘定に繰り入れるものとする。

（国民年金勘定の積立金）

第百十五条　国民年金勘定において、毎会計年度の歳入歳出の決算上剰余金を生じた場合には、当該剰余金のうち、国民年金事業の給付費及び基礎年金勘定への繰入金の財源に充てるために必要な金額を、積立金として積み立てるものとする。

2　国民年金勘定において、毎会計年度の歳入歳出の決算上不足を生じた場合その他政令で定める場合には、政令で定めるところにより、前項の積立金から補足するものとする。

3　第一項の積立金は、国民年金事業の給付費及び基礎年金勘定への繰入金の財源に充てるために必要がある場合には、予算で定める金額を限り、国民年金勘定の歳入に繰り入れることができる。

（厚生年金勘定の積立金）

第百十六条　厚生年金勘定において、毎会計年度の歳入歳出の決算上剰余金を生じた場合には、当該剰余金のうち、厚生年金保険の実施者たる政府に係る厚生年金保険事業の保険給付費及び基礎年金勘定への繰入金の財源に充てるために必要な金額を、積立金として積み立てるものとする。

2　厚生年金勘定において、毎会計年度の歳入歳出の決算上不足を生じた場合その他政令で定める場合には、政令で定めるところにより、前項の積立金から補足するものとする。

3　第一項の積立金は、厚生年金保険の実施者たる政府に係る厚生年金保険事業の保険給付費及び基礎年金勘定への繰入金の財源に充てるために必要がある場合には、予算で定める金額を限り、厚生年金勘定の歳入に繰り入れることができる。

第百十七条及び第百十八条　削除

（業務勘定における剰余金の処理）

第百十九条　業務勘定において、毎会計年度の歳入歳出の決算上剰余金を生じた場合における第八条第一項の規定の適用については、同項中「おいて、当該剰余金から次章に定めるところにより当該特別会計の積立金として積み立てる金額及び資金に組み入れる金額を控除してなお残余があるときは、これを当該特別会計」とあるのは、「は、政令で定めるところにより、国民年金勘定及び厚生年金勘定の積立金に組み入れ、又は健康勘定及び業務勘定」とする。

（受入金等の過不足の調整）

第百二十条　基礎年金勘定において、毎会計年度国民年金勘定、厚生年金勘定又は各実施機関たる共済組合等（以下この項において「国民年金勘定等」という。）から受け入れた金額が、それぞれ、当該年度における第百十四条第一項、国民年金法第九十四条の二第一項又は第二項（年金給付遅延加算金支給法第七条第一項において適用する場合を含む。以下この項において同じ。）の規定により国民年金勘定等から受け入れるべき金額に対して超過し、又は不足する場合には、次に定めるところによる。

一　当該超過額に相当する金額は、翌年度において第百十四条第一項、国民年金法第九十四条の二第一項又は第二項の規定により基礎年金勘定において国民年金勘定等から受け入れる金額から減額し、なお残余があるときは、翌々年度までに基礎年金勘定から国民年金勘定等に返還する。

二　当該不足額に相当する金額は、翌々年度までに国民年金勘定等から基礎年金勘定に繰り入れる。

2　前項の規定は、次に掲げる場合について準用する。

一　毎会計年度一般会計から国民年金勘定に繰り入れた金額が、当該年度における昭和六十年国民年金等改正法附則第三十四条第二項及び第三項並びに平成十六年国民年金等改正法附則第十四条第一項において読み替えて適用する国民年金法第八十五条第一項（平成十六年国民年金等改正法附則第十四条第二項及び年金給付遅延加算金支給法第七条第一項において適用する場合を含む。）並びに昭和六十年国民年金等改正法附則第三十四条第一項の規定による国庫負担金の額に対して超過し、又は不足する場合

二　毎会計年度一般会計から厚生年金勘定に繰り入れた金額が、当該年度における厚生年金保険法第八十条第一項及び昭和六十年国民年金等改正法附則第七十九条の規定による国庫負担金の額に対して超過し、又は不足する場合

三　第百十四条第三項の規定により毎会計年度基礎年金勘定から国民年金勘定に繰り入れた金額が、当該年度において昭和六十年国民年金等改正法附則第三十五条第四項の規定により基礎年金の給付に要する費用とみなされる費用に相当する金額に対して超過し、又は不足する場合

四　第百十四条第四項の規定により毎会計年度基礎年金勘定から厚生年金勘定に繰り入れた金額が、当該年度において昭和六十年国民年金等改正法附則第三十五条第一項の規定により国民年金の管掌者たる政府が負担する費用に相当する金額に対して超過し、又は不足する場合

五 毎会計年度実施機関から厚生年金勘定に受け入れた金額が、当該年度における厚生年金保険法第八十四条の五第一項の規定により実施機関から受け入れるべき金額に対して超過し、又は不足する場合

六 毎会計年度労働保険特別会計の労災勘定から厚生年金勘定に繰り入れた金額が、当該年度において昭和六十年国民年金等改正法附則第八十九条の規定により労災保険事業の管掌者たる政府が負担する費用に相当する金額に対して超過し、又は不足する場合

七 毎会計年度子ども・子育て支援特別会計の子ども・子育て支援勘定から業務勘定に繰り入れた金額が、子ども・子育て支援法第六十九条第一項第一号の事業主からの拠出金の徴収に係る業務取扱費、日本年金機構への交付金又は附属諸費に充てるために必要な額に相当する金額に対して超過し、又は不足する場合

（歳入歳出決定計算書の添付書類）

第百二十一条 第九条第二項第一号から第三号までに掲げる書類のほか、年金特別会計においては、歳入歳出決定計算書に、当該年度の貸借対照表及び損益計算書を添付しなければならない。

（積立金の預託の特例）

第百二十二条 第十二条の規定にかかわらず、国民年金勘定の積立金にあっては国民年金法第五章の規定の定めるところにより、厚生年金勘定の積立金にあっては厚生年金保険法第四章の二の規定の定めるところにより、それぞれ運用することができる。

（一時借入金の借換え等）

第百二十三条 第十五条第四項の規定にかかわらず、基礎年金勘定において、歳入不足のために一時借入金を償還することができない場合には、その償還することができない金額を限り、同勘定の負担において、一時借入金の借換えをすることができる。

2 前項の規定により借換えをした一時借入金については、当該一時借入金を第十七条第一項に規定する借入金とみなして、同項の規定を適用する。

3 第一項の規定により借り換えた一時借入金は、その借換えをしたときから一年内に償還しなければならない。

4 国民年金勘定又は厚生年金勘定においては、当該各勘定の積立金に属する現金をそれぞれ繰り替えて使用することができる。

第九節 子ども・子育て支援特別会計

（目的）

第百二十三条の二 子ども・子育て支援特別会計は、児童手当法（昭和四十六年法律第七十三号）による児童手当並びに子ども・子育て支援法による妊婦のための支援給付、子どものための教育・保育給付、子育てのための施設等利用給付、地域子ども・子育て支援事業及び仕事・子育て両立支援事業並びに雇用保険法による育児休業等給付に関する政府の経理を明確にすることを目的とする。

（管理）

第百二十三条の三 子ども・子育て支援特別会計は、内閣総理大臣及び厚生労働大臣が、法令で定めるところに従い、管理する。

2 子ども・子育て支援特別会計の管理に関する事務は、政令で定めるところにより、同会計全体の計算整理に関するものについては内閣総理大臣が、その他のものについてはその他のもののうち子ども・子育て支援勘定に係るものにあっては内閣総理大臣が、育児休業等給付勘定に係るものにあっては厚生労働大臣が行うものとする。

（勘定区分）

第百二十三条の四 子ども・子育て支援特別会計は、子ども・子育て支援勘定及び育児休業等給付勘定に区分する。

（歳入及び歳出）

第百二十三条の五 子ども・子育て支援勘定における歳入及び歳出は、次のとおりとする。

一 歳入

イ 子ども・子育て支援法第七十一条の三第一項に規定する子ども・子育て支援納付金

ロ 年金特別会計の業務勘定からの繰入金

ハ 子ども・子育て支援法第六十九条第一項第二号から第四号までに掲げる者からの拠出金

ニ 一般会計からの繰入金

ホ 積立金からの受入金

ヘ 子ども・子育て支援資金からの受入金

ト 積立金から生ずる収入

チ 子ども・子育て支援資金から生ずる収入

リ 子ども・子育て支援法第七十一条の二十六第一項の規定により発行する公債（以下「子ども・子育て支援特例公債」という。）の発行収入金

ヌ 一時借入金の借換えによる収入金

ル 附属雑収入

二 歳出

イ 児童手当交付金（児童手当法第十九条各項の規定による交付金をいう。第百二十三条の十第一項及び第三項並びに第百二十三条の十六第一項において同じ。）

ロ 妊婦のための支援給付交付金（子ども・子育て支援法第六十八条第一項の規定による交付金をいう。以下同じ。）及びこれに関する諸費

ハ 子どものための教育・保育給付交付金（子ども・子育て支援法第六十八条第二項の規定による交付金をいう。以下同じ。）及びこれに関する諸費並びに子育てのための施設等利用給付交付金（同条第三項の規定による交付金をいい、同法第六十六条の二の規定により国庫が支弁する費用を含む。第百二十三条の十六第一項において同じ。）

ニ 子ども・子育て支援交付金（子ども・子育て支援法第

六十八条の二の規定による交付金をいう。以下同じ。）及び仕事・子育て両立支援事業費（同法第五十九条の二第二項に規定する事業に係るものを除く。第百二十三条の十第一項及び第三項において同じ。）

ホ　育児休業等給付勘定への繰入金

ヘ　子ども・子育て支援資金への繰入金

ト　子ども・子育て支援特例公債及び子ども・子育て支援特例公債に係る借換国債（第四十六条第一項又は第四十七条第一項の規定により起債される借換国債をいい、当該借換国債につきこれらの規定により順次起債された借換国債を含む。以下この節において同じ。）の償還金及び利子

チ　子ども・子育て支援特例公債及び子ども・子育て支援特例公債に係る借換国債の発行及び償還に関する諸費

リ　一時借入金の利子

ヌ　借り換えた一時借入金の償還金及び利子

ル　業務取扱費

ヲ　年金特別会計の業務勘定への繰入金

ワ　附属諸費

2　育児休業等給付勘定における歳入及び歳出は、次のとおりとする。

一　歳入

イ　労働保険特別会計の徴収勘定からの繰入金

ロ　子ども・子育て支援勘定からの繰入金

ハ　一般会計からの繰入金

ニ　育児休業給付資金からの受入金

ホ　育児休業給付資金から生ずる収入

ヘ　一時借入金の借換えによる収入金

ト　附属雑収入

二　歳出

イ　育児休業給付費

ロ　出生後休業支援給付費及び育児時短就業給付費

ハ　労働保険特別会計の徴収勘定への繰入金

ニ　育児休業給付資金への繰入金

ホ　一時借入金及び融通証券の利子

ヘ　借り換えた一時借入金の償還金及び利子

ト　育児休業等給付の業務取扱費

チ　附属諸費

（歳入歳出予定計算書等の添付書類）

第百二十三条の六　第三条第二項第一号から第五号までに掲げる書類のほか、子ども・子育て支援特別会計においては、歳入歳出予定計算書等に、前々年度の貸借対照表及び損益計算書並びに前年度及び当該年度の予定貸借対照表及び予定損益計算書を添付しなければならない。

（一般会計からの繰入対象経費）

第百二十三条の七　子ども・子育て支援勘定における一般会計からの繰入対象経費は、児童手当法第十八条第二項及び第三項に規定する児童手当の支給に要する費用で同法第十九条第二項及び第三項の規定により国庫が負担するもの、妊婦のための支援給付交付金に関する諸費で国庫が負担するもの、子ども・子育て支援法第六十五条の規定により市町村が支弁する同条第二号に掲げる費用で同法第六十八条第二項の規定により国庫が負担するもの、子どものための教育・保育給付交付金に関する諸費で国庫が負担するもの、同法第六十五条の規定により市町村が支弁する同条第四号及び第五号に掲げる費用で同法第六十八条第三項の規定により国庫が負担するもの、同法第六十六条の二の規定により国庫が支弁する費用、同法第六十五条第六号に掲げる地域子ども・子育て支援事業に要する費用で同法第六十八条の二の規定により国庫が負担するもの並びに第百二十三条の五第一項第二号ルに掲げる業務取扱費で国庫が負担するものとする。

2　育児休業等給付勘定における一般会計からの繰入対象経費は、雇用保険法第六十六条第一項第四号に規定する育児休業給付に要する費用及び同条第五項に規定する経費（育児休業給付の事務の執行に要する経費に係る部分に限る。）で国庫が負担するものとする。

（子ども・子育て支援勘定から育児休業等給付勘定への繰入れ）

第百二十三条の八　雇用保険法第六十八条の二の規定により子ども・子育て支援納付金をもって充てるものとされている出生後休業支援給付及び育児時短就業給付に要する費用並びにこれらの給付の事務の執行に要する経費に相当する金額は、子ども・子育て支援勘定から育児休業等給付勘定に繰り入れるものとする。

（他の特別会計への繰入れ）

第百二十三条の九　子ども・子育て支援法第六十九条第一項第一号の事業主からの拠出金の徴収に係る業務取扱費、日本年金機構への交付金及び附属諸費に充てるために必要な額に相当する金額は、子ども・子育て支援勘定から年金特別会計の業務勘定に繰り入れるものとする。

2　労働保険特別会計の徴収勘定の歳出に係る労働保険料の返還金、業務取扱費及び附属諸費に充てるために必要な額（育児休業給付に係る部分に限る。）に相当する金額は、毎会計年度、育児休業等給付勘定から徴収勘定に繰り入れるものとする。

（積立金）

第百二十三条の十　子ども・子育て支援勘定において、第一号に掲げる額から第二号に掲げる額を控除して残余がある場合には、当該残余のうち、児童手当交付金、子どものための教育・保育給付交付金並びに子ども・子育て支援交付金及び仕事・子育て両立支援事業費の財源に充てるために必要な金額を、積立金として積み立てるものとする。

一　毎会計年度の歳入額から、支援納付金対象費用（子ども・子育て支援法第七十一条の三第一項に規定する支援納付金対象費用をいう。次号並びに次条第三項及び第四項において同じ。）に係る歳入額（同条第三項及び第四項にお

いて「支援納付金対象費用充当歳入額」という。）を控除した残りの額

二　当該年度の歳出額から、支援納付金対象費用に係る歳出額（次条第三項及び第四項において「支援納付金対象費用充当歳出額」という。）を控除した残りの額

2　子ども・子育て支援勘定において、毎会計年度の歳入歳出の決算上不足を生じた場合その他政令で定める場合には、政令で定めるところにより、前項の積立金から補足するものとする。

3　第一項の積立金は、政令で定めるところにより、児童手当交付金、子どものための教育・保育給付交付金並びに子ども・子育て支援交付金及び仕事・子育て両立支援事業費の財源に充てるために必要がある場合には、予算で定める金額を限り、子ども・子育て支援勘定の歳入に繰り入れることができる。

（子ども・子育て支援資金）

第百二十三条の十一　子ども・子育て支援勘定に子ども・子育て支援資金を置き、同勘定からの繰入金及び第三項の規定による組入金をもってこれに充てる。

2　前項の子ども・子育て支援勘定からの繰入金は、予算で定めるところにより、繰り入れるものとする。

3　子ども・子育て支援勘定において、毎会計年度の支援納付金対象費用充当歳入額から当該年度の支援納付金対象費用充当歳出額を控除して残余がある場合には、当該残余のうち、支援納付金対象費用に充てるために必要な金額を、子ども・子育て支援資金に組み入れるものとする。

4　子ども・子育て支援勘定及び育児休業等給付勘定において、毎会計年度の支援納付金対象費用充当歳入額から当該年度の支援納付金対象費用充当歳出額を控除して不足がある場合その他政令で定める場合には、政令で定めるところにより、子ども・子育て支援資金から補足するものとする。

5　子ども・子育て支援資金は、支援納付金対象費用を支弁するために必要がある場合には、予算で定めるところにより、使用することができる。

6　子ども・子育て支援資金の受払いは、財務大臣の定めるところにより、子ども・子育て支援勘定の歳入歳出外として経理するものとする。

（育児休業給付資金）

第百二十三条の十二　育児休業等給付勘定に育児休業給付資金を置き、同勘定からの繰入金及び第三項の規定による組入金をもってこれに充てる。

2　前項の育児休業等給付勘定からの繰入金は、予算で定めるところにより、繰り入れるものとする。

3　育児休業等給付勘定において、第一号に掲げる額から第二号に掲げる額を控除して残余がある場合には、当該残余のうち、育児休業給付費に充てるために必要な金額を、育児休業給付資金に組み入れるものとする。

一　毎会計年度の歳入額のうち、育児休業給付費に係る歳入額（次項において「育児休業給付費充当歳入額」という。）

二　当該年度の歳出額のうち、育児休業給付費に係る歳出額（次項において「育児休業給付費充当歳出額」という。）

4　育児休業等給付勘定において、毎会計年度の育児休業給付費充当歳入額から当該年度の育児休業給付費充当歳出額を控除して不足がある場合その他政令で定める場合には、政令で定めるところにより、育児休業給付資金から補足するものとする。

5　育児休業給付資金は、育児休業給付費及び第百二十三条の九第二項の規定による育児休業等給付勘定からの労働保険特別会計の徴収勘定への繰入金（労働保険料の返還金の財源に充てるための額に相当する額の繰入金に限る。）を支弁するために必要がある場合には、予算で定めるところにより、使用することができる。

6　育児休業給付資金の受払いは、財務大臣の定めるところにより、育児休業等給付勘定の歳入歳出外として経理するものとする。

（子ども・子育て支援特例公債の発行）

第百二十三条の十三　子ども・子育て支援特例公債の発行は、子ども・子育て支援勘定の負担において行うものとする。

（子ども・子育て支援勘定から国債整理基金特別会計等への繰入れ）

第百二十三条の十四　子ども・子育て支援特例公債及び子ども・子育て支援特例公債に係る借換国債の償還金（借換国債を発行した場合においては、当該借換国債の収入をもって充てられる部分を除く。）及び利子並びに発行及び償還に関する諸費の支出に必要な金額（事務取扱費の額に相当する金額を除く。）は、毎会計年度、子ども・子育て支援勘定から国債整理基金特別会計に繰り入れなければならない。

2　前項に規定する事務取扱費の額に相当する金額は、毎会計年度、子ども・子育て支援勘定から一般会計に繰り入れなければならない。

（育児休業等給付勘定における剰余金の処理）

第百二十三条の十五　育児休業等給付勘定において、毎会計年度の歳入歳出の決算上剰余金を生じた場合における第八条第一項の規定の適用については、同項中「次章に定めるところにより当該特別会計の積立金として積み立てる金額及び資金に組み入れる金額を控除してなお残余があるときは、これを当該特別会計の翌年度の歳入に繰り入れる」とあるのは、「第百二十三条の十二第三項の規定により育児休業等給付勘定の育児休業給付資金に組み入れる金額を控除してなお残余があるときは、子ども・子育て支援勘定の子ども・子育て支援資金に組み入れる」とする。

（繰入金の過不足の調整）

第百二十三条の十六　子ども・子育て支援勘定において、毎会計年度一般会計から繰り入れた金額（児童手当交付金の額、子どものための教育・保育給付交付金の額、子育てのための施設等利用給付交付金の額及び子ども・子育て支援交付金の

額を除く。）が、当該年度における妊婦のための支援給付交付金に関する諸費に係る国庫負担金の額、子どものための教育・保育給付交付金に関する諸費に係る国庫負担金の額及び第百二十三条の五第一項第二号ルに掲げる業務取扱費に係る国庫負担金の額の合計額に対して超過し、又は不足する場合には、当該超過額に相当する金額は、翌年度においてこれらの国庫負担金として一般会計から繰り入れる金額から減額し、なお残余があるときは翌々年度までに一般会計に返還し、当該不足額に相当する金額は、翌々年度までに一般会計から補塡するものとする。

2　前項の規定は、次に掲げる場合について準用する。

一　毎会計年度一般会計から育児休業等給付勘定に繰り入れた金額が、当該年度における雇用保険法第六十六条の規定による国庫負担金（育児休業給付に係るものに限る。）として一般会計から受け入れるべき金額に対して超過し、又は不足する場合

二　第百十四条の二の規定により毎会計年度年金特別会計の業務勘定から子ども・子育て支援勘定に繰り入れた金額が、当該年度における子ども・子育て支援法第六十九条第一項第一号の事業主からの拠出金及び当該拠出金に係る附属雑収入の合計額に対して超過し、又は不足する場合

（歳入歳出決定計算書の添付書類）

第百二十三条の十七　第九条第二項第一号から第三号までに掲げる書類のほか、子ども・子育て支援特別会計においては、歳入歳出決定計算書に、当該年度の貸借対照表及び損益計算書を添付しなければならない。

（融通証券等）

第百二十三条の十八　育児休業等給付勘定においては、融通証券を発行することができる。

2　第十五条第四項の規定にかかわらず、子ども・子育て支援勘定又は育児休業等給付勘定において、歳入不足のために一時借入金を償還することができない場合には、その償還することができない金額を限り、当該各勘定の負担において、一時借入金の借換えをすることができる。

3　前項の規定により借換えをした一時借入金については、当該一時借入金を第十七条第一項に規定する借入金とみなして、同項の規定を適用する。

4　第二項の規定により借り換えた一時借入金は、その借換えをしたときから一年内に償還しなければならない。

5　子ども・子育て支援勘定又は育児休業等給付勘定においては、当該各勘定の積立金、子ども・子育て支援資金又は育児休業給付資金に属する現金をそれぞれ繰り替えて使用することができる。

第十節　食料安定供給特別会計

（目的）

第百二十四条　食料安定供給特別会計は、農業経営安定事業、食糧の需給及び価格の安定のために行う事業、農業再保険事業等、漁船再保険事業及び漁業共済保険事業に関する政府の経理を明確にすることを目的とする。

2　この節において「農業経営安定事業」とは、農業の担い手に対する経営安定のための交付金の交付に関する法律（平成十八年法律第八十八号）第三条第一項及び第四条第一項の規定に基づく交付金の交付をいう。

3　この節において「食糧の需給及び価格の安定のために行う事業」とは、食糧の需給及び価格の安定のためにする事業であって次に掲げるものをいう。

一　主要食糧（主要食糧の需給及び価格の安定に関する法律（平成六年法律第百十三号）第三条第一項に規定する主要食糧をいう。以下この節において同じ。）及び輸入飼料（飼料需給安定法（昭和二十七年法律第三百五十六号）第三条に規定する飼料需給計画に基づき政府の買い入れる輸入飼料をいう。以下この節において同じ。）の買入れ、売渡し、交換、貸付け、交付、加工、製造及び貯蔵並びにこれらに関する事業

二　米穀等（主要食糧の需給及び価格の安定に関する法律第三十条第一項に規定する米穀等をいう。第百二十七条第二項第一号ロにおいて同じ。）及び麦等（同法第四十二条第一項に規定する麦等をいう。同号ロにおいて同じ。）の輸入に係る納付金の受入れ

4　この節において「農業再保険事業等」とは、農業保険法（昭和二十二年法律第百八十五号）第百九十二条及び第二百五条の規定による再保険事業並びに同法第二百一条の規定による保険事業をいう。

5　この節において「漁船再保険事業」とは、漁船損害等補償法（昭和二十七年法律第二十八号）第二条第二号に規定する漁船保険再保険事業等をいう。

6　この節において「漁業共済保険事業」とは、漁業災害補償法（昭和三十九年法律第百五十八号）第二条に規定する漁業共済保険事業をいう。

（管理）

第百二十五条　食料安定供給特別会計は、農林水産大臣が、法令で定めるところに従い、管理する。

（勘定区分）

第百二十六条　食料安定供給特別会計は、農業経営安定勘定、食糧管理勘定、農業再保険勘定、漁船再保険勘定、漁業共済保険勘定及び業務勘定に区分する。

（歳入及び歳出）

第百二十七条　農業経営安定勘定における歳入及び歳出は、次のとおりとする。

一　歳入

イ　食糧管理勘定からの繰入金

ロ　一般会計からの繰入金

ハ　独立行政法人農畜産業振興機構法（平成十四年法律第百二十六号）第十一条の規定による納付金

ニ　附属雑収入

二　歳出

イ　第百二十四条第二項に規定する交付金
ロ　業務勘定への繰入金
ハ　附属諸費

2　食糧管理勘定における歳入及び歳出は、次のとおりとする。
一　歳入
イ　主要食糧及び輸入飼料の売渡代金
ロ　米穀等及び麦等の輸入に係る納付金
ハ　主要食糧の需給及び価格の安定に関する法律第十七条第二項の規定による償還金
ニ　一般会計からの繰入金
ホ　証券の発行収入金
ヘ　一時借入金の借換えによる収入金
ト　附属雑収入
二　歳出
イ　主要食糧及び輸入飼料の買入代金
ロ　主要食糧及び輸入飼料の買入れ、売渡し、交換、貸付け、交付、加工、製造、貯蔵及び運搬に関する諸費
ハ　倉庫の運営に関する諸費
ニ　主要食糧の需給及び価格の安定に関する法律第十七条第一項の規定による米穀安定供給確保支援機構に対する貸付金
ホ　農業経営安定勘定への繰入金
ヘ　業務勘定への繰入金
ト　証券の償還金及び利子
チ　一時借入金及び融通証券の利子
リ　借り換えた一時借入金の償還金及び利子
ヌ　附属諸費

3　農業再保険勘定における歳入及び歳出は、次のとおりとする。
一　歳入
イ　農業再保険事業等の再保険料等（農業保険法第百九十三条及び第二百六条の再保険料並びに同法第二百二条の保険料をいう。以下この節において同じ。）
ロ　一般会計からの繰入金
ハ　積立金からの受入金
ニ　積立金から生ずる収入
ホ　借入金
ヘ　附属雑収入
二　歳出
イ　農業再保険事業等の再保険金等（農業保険法第百九十三条及び第二百六条の再保険金並びに同法第二百二条の保険金をいう。以下この節において同じ。）
ロ　農業保険法第十一条（同法第十七条において準用する場合を含む。）の規定による交付金
ハ　農業再保険事業等の再保険料等の還付金
ニ　借入金の償還金及び利子
ホ　一時借入金の利子
ヘ　業務勘定への繰入金
ト　附属諸費

4　漁船再保険勘定における歳入及び歳出は、次のとおりとする。
一　歳入
イ　漁船再保険事業の再保険料
ロ　一般会計からの繰入金
ハ　積立金からの受入金
ニ　積立金から生ずる収入
ホ　借入金
ヘ　附属雑収入
二　歳出
イ　漁船再保険事業の再保険金
ロ　漁船損害等補償法第百四十条の規定による交付金
ハ　漁船再保険事業の再保険料の還付金
ニ　借入金の償還金及び利子
ホ　一時借入金の利子
ヘ　業務勘定への繰入金
ト　附属諸費

5　漁業共済保険勘定における歳入及び歳出は、次のとおりとする。
一　歳入
イ　漁業共済保険事業の保険料
ロ　一般会計からの繰入金
ハ　積立金からの受入金
ニ　積立金から生ずる収入
ホ　借入金
ヘ　附属雑収入
二　歳出
イ　漁業共済保険事業の保険金
ロ　漁業災害補償法第百九十六条第二項の規定による交付金
ハ　漁業共済保険事業の保険料の還付金
ニ　借入金の償還金及び利子
ホ　一時借入金の利子
ヘ　業務勘定への繰入金
ト　附属諸費

6　業務勘定における歳入及び歳出は、次のとおりとする。
一　歳入
イ　農業経営安定勘定からの繰入金
ロ　食糧管理勘定からの繰入金
ハ　農業再保険勘定からの繰入金
ニ　漁船再保険勘定からの繰入金
ホ　漁業共済保険勘定からの繰入金
ヘ　附属雑収入
二　歳出
イ　農業経営安定事業、食糧の需給及び価格の安定のために行う事業、農業再保険事業等、漁船再保険事業及び漁業共済保険事業の事務取扱費

ロ　附属諸費

（歳入歳出予定計算書等の添付書類）

第百二十八条　第三条第二項第一号から第五号までに掲げる書類のほか、食料安定供給特別会計においては、歳入歳出予定計算書等に、次に掲げる書類（第三号及び第四号に掲げる書類については、農業経営安定勘定、食糧管理勘定及び業務勘定に係るものに限る。）を添付しなければならない。

一　前々年度の貸借対照表及び損益計算書

二　前年度及び当該年度の予定貸借対照表及び予定損益計算書

三　前々年度の財産目録

四　前年度及び当該年度の予定財産目録

（一般会計からの繰入対象経費）

第百二十九条　農業経営安定勘定における一般会計からの繰入対象経費は、農業経営安定事業に要する経費及び農業経営安定事業の事務取扱費とする。

2　食糧管理勘定における一般会計からの繰入対象経費は、調整資金に充てるために要する経費とする。

3　農業再保険勘定における一般会計からの繰入対象経費は、次に掲げる経費とする。

一　農業再保険事業等に関する費用で農業保険法第十条第一項若しくは第二項又は第十二条から第十六条までの規定により国庫が負担するもの

二　農業再保険事業等の事務取扱費で国庫が負担するもの

4　漁船再保険勘定における一般会計からの繰入対象経費は、次に掲げる経費とする。

一　漁船再保険事業に関する費用で漁船損害等補償法第百三十九条第一項から第三項まで及び第百三十九条の二第一項の規定により国庫が負担するもの

二　漁船再保険事業の事務取扱費で国庫が負担するもの

三　漁船損害等補償法第百四十一条第一項に規定する事務費交付金に要する費用で同項の規定により国が補助するもの

5　漁業共済保険勘定における一般会計からの繰入対象経費は、次に掲げる経費とする。

一　漁業共済保険事業に関する費用で漁業災害補償法第百九十五条第一項及び第百九十五条の二第一項の規定により国が補助するもの

二　漁業共済保険事業の事務取扱費で国庫が負担するもの

（他の勘定への繰入れ）

第百三十条　第百二十四条第二項に規定する交付金の財源に充てるため、予算で定める金額を、毎会計年度、食糧管理勘定から農業経営安定勘定に繰り入れるものとする。

2　業務勘定における経費の財源に充てるために必要な額に相当する金額は、毎会計年度、農業経営安定勘定、食糧管理勘定、農業再保険勘定、漁船再保険勘定及び漁業共済保険勘定から業務勘定に繰り入れるものとする。

第百三十一条　削除

（利益及び損失の処理）

第百三十二条　業務勘定において、毎会計年度の損益計算上生じた利益又は損失は、政令で定めるところにより、食糧管理勘定に移して整理しなければならない。

2　前項の規定による整理を行った後、食糧管理勘定に利益又は損失が生じた場合には、その利益の額を、調整資金に組み入れ、又はその損失の額を限度として、調整資金を減額して整理することができる。

（調整資金）

第百三十三条　食糧管理勘定に調整資金を置き、一般会計からの繰入金のうち調整資金に充てるために要する経費に相当する金額及び前条第二項の規定による組入金に相当する金額をもってこれに充てる。

（積立金）

第百三十四条　農業再保険勘定、漁船再保険勘定又は漁業共済保険勘定において、毎会計年度の歳入歳出の決算上剰余金を生じた場合には、次の各号に掲げる勘定の区分に応じ、当該各勘定における決算上剰余金のうち、当該各号に定めるものに充てるために必要な金額を、それぞれ積立金として積み立てるものとする。

一　農業再保険勘定　農業再保険事業等の再保険金等及び再保険料等の還付金並びに借入金の償還金及び利子

二　漁船再保険勘定　漁船再保険事業の再保険金及び再保険料の還付金並びに借入金の償還金及び利子

三　漁業共済保険勘定　漁業共済保険事業の保険金及び保険料の還付金並びに借入金の償還金及び利子

2　農業再保険勘定、漁船再保険勘定又は漁業共済保険勘定において、毎会計年度の歳入歳出の決算上不足を生じた場合その他政令で定める場合には、政令で定めるところにより、当該各勘定の積立金から補足するものとする。

3　第一項各号に掲げる勘定の積立金は、それぞれ当該各号に定めるものの財源に充てるために必要がある場合には、当該各勘定の歳入に繰り入れることができる。

（歳入歳出決定計算書の添付書類）

第百三十五条　第九条第二項第一号から第三号までに掲げる書類のほか、食料安定供給特別会計においては、歳入歳出決定計算書に、次に掲げる書類（第二号に掲げる書類については、農業経営安定勘定、食糧管理勘定及び業務勘定に係るものに限る。）を添付しなければならない。

一　当該年度の貸借対照表及び損益計算書

二　当該年度の財産目録

（証券等）

第百三十六条　食糧管理勘定において、主要食糧及び輸入飼料の買入代金の財源に充てるために必要がある場合には、同勘定の負担において、一年内に償還すべき証券を発行することができる。この場合における証券の限度額については、予算をもって、国会の議決を経なければならない。

2　前項の規定により証券を発行する場合における第三条第二項第五号、第十六条及び第十七条の規定の適用については、

第三条第二項第五号中「借入れ及び」とあるのは「借入れ及び償還並びに当該年度に発行を予定する証券の発行及び」と、第十六条中「融通証券」とあるのは「証券及び融通証券」と、第十七条第一項中「借入金の償還金及び利子、一時借入金及び融通証券の利子並びに融通証券」とあるのは「借入金及び証券の償還金及び利子、一時借入金及び融通証券の利子並びに証券及び融通証券」とする。

3　農業再保険勘定、漁船再保険勘定又は漁業共済保険勘定における借入金対象経費は、次の各号に掲げる勘定の区分に応じ、当該各号に定める経費とする。

一　農業再保険勘定　農業再保険事業等の再保険金等及び再保険料等の還付金に充てるために必要な経費

二　漁船再保険勘定　漁船再保険事業の再保険金及び再保険料の還付金に充てるために必要な経費

三　漁業共済保険勘定　漁業共済保険事業の保険金及び保険料の還付金に充てるために必要な経費

4　第十三条第一項及び前項の規定により借入金をすることができる金額は、次の各号に掲げる勘定の区分に応じ、当該各号に定める金額を限度とする。この場合においては、同条第二項の規定は、適用しない。

一　農業再保険勘定　農業再保険事業等の再保険料等をもって当該年度における農業再保険事業等の再保険金等及び再保険料等の還付金を支弁するのに不足する金額

二　漁船再保険勘定　漁船再保険事業の再保険料をもって当該年度における漁船再保険事業の再保険金及び再保険料の還付金を支弁するのに不足する金額

三　漁業共済保険勘定　漁業共済保険事業の保険料をもって当該年度における漁業共済保険事業の保険金及び保険料の還付金を支弁するのに不足する金額

（融通証券等）

第百三十七条　食糧管理勘定においては、融通証券を発行することができる。

2　第十五条第四項の規定にかかわらず、食糧管理勘定において、歳入不足のために一時借入金を償還することができない場合には、その償還することができない金額を限り、同勘定の負担において、一時借入金の借換えをすることができる。

3　前項の規定により借換えをした一時借入金については、当該一時借入金を第十七条第一項に規定する借入金とみなして、同項の規定を適用する。

4　第二項の規定により借換えをした一時借入金は、その借換えをしたときから一年内に償還しなければならない。

5　農業経営安定勘定、食糧管理勘定又は業務勘定においては、これらの勘定に属する現金を繰り替えて使用することができる。この場合において、第十五条第五項後段の規定にかかわらず、農林水産大臣は、財務大臣の承認を要しない。

6　農業再保険勘定、漁船再保険勘定又は漁業共済保険勘定においては、当該各勘定の積立金に属する現金をそれぞれ繰り替えて使用することができる。

第十一節から第十四節まで　削除

第百三十八条から第百九十二条まで　削除

第十五節　特許特別会計

（目的）

第百九十三条　特許特別会計は、工業所有権（特許権、実用新案権、意匠権及び商標権をいう。以下この節において同じ。）に関する事務に係る政府の経理を明確にすることを目的とする。

（管理）

第百九十四条　特許特別会計は、経済産業大臣が、法令で定めるところに従い、管理する。

（歳入及び歳出）

第百九十五条　特許特別会計における歳入及び歳出は、次のとおりとする。

一　歳入

イ　印紙をもつてする歳入金納付に関する法律第三条第五項の規定による納付金

ロ　現金をもって納付された次に掲げる料金

(1)　特許法（昭和三十四年法律第百二十一号）第百七条第一項の規定による特許料及び同法第百十二条第二項の規定による割増特許料

(2)　実用新案法（昭和三十四年法律第百二十三号）第三十一条第一項の規定による登録料その他工業所有権に関する登録料及び同法第三十三条第二項の規定による割増登録料その他工業所有権に関する割増登録料

(3)　特許法第百九十五条第一項から第三項までの規定による手数料その他工業所有権に関する事務に係る手数料

ハ　一般会計からの繰入金

ニ　一時借入金の借換えによる収入金

ホ　独立行政法人工業所有権情報・研修館法（平成十一年法律第二百一号）第十三条第三項の規定による納付金

ヘ　附属雑収入

二　歳出

イ　事務取扱費

ロ　施設費

ハ　独立行政法人工業所有権情報・研修館への交付金

ニ　一時借入金の利子

ホ　借り換えた一時借入金の償還金及び利子

ヘ　附属諸費

（一般会計からの繰入対象経費）

第百九十六条　特許特別会計における一般会計からの繰入対象経費は、工業所有権に関する事務並びに登録免許税の納付の確認並びに課税標準及び税額の認定の事務に要する経費とする。

（一時借入金の借換え）

第百九十七条　第十五条第四項の規定にかかわらず、特許特別会計において、歳入不足のために一時借入金を償還することができない場合には、その償還することができない金額を限り、同会計の負担において、一時借入金の借換えをすることができる。

2　前項の規定により借換えをした一時借入金については、当該一時借入金を第十七条第一項に規定する借入金とみなして、同項の規定を適用する。

3　第一項の規定により借り換えた一時借入金は、その借換えをしたときから一年内に償還しなければならない。

第十六節　削除

第百九十八条から第二百九条まで　削除

第十七節　自動車安全特別会計

（目的）

第二百十条　自動車安全特別会計は、自動車事故対策事業及び自動車検査登録等事務に関する政府の経理を明確にすることを目的とする。

2　この節において「自動車事故対策事業」とは、自動車損害賠償保障法（昭和三十年法律第九十七号。以下この節において「自賠法」という。）第七十一条に規定する自動車事故対策事業をいう。

3　この節において「自動車検査登録等事務」とは、道路運送車両法（昭和二十六年法律第百八十五号）の規定による自動車の検査及び登録並びに指定自動車整備事業の指定並びに自動車重量税法（昭和四十六年法律第八十九号）の規定による自動車重量税の納付の確認及び税額の認定の事務をいう。

（管理）

第二百十一条　自動車安全特別会計は、国土交通大臣が、法令で定めるところに従い、管理する。

（勘定区分）

第二百十二条　自動車安全特別会計は、自動車事故対策勘定及び自動車検査登録勘定に区分する。

（自動車事故対策勘定の基金）

第二百十二条の二　自動車事故対策勘定においては、自動車損害賠償保障法及び特別会計に関する法律の一部を改正する法律（令和四年法律第六十五号）附則第三条第四項の規定によりこの勘定に帰属した資産の価額から負債の価額を控除した額（同法第二条の規定による改正前の附則第五十五条第一項に規定する自動車事故対策計画に基づく交付等に係るものに限る。）に相当する金額をもって基金とする。

2　前項の基金の金額は、第二百十八条第二項又は第三項の規定による整理が行われることにより増減するものとする。

（歳入及び歳出）

第二百十三条　自動車事故対策勘定における歳入及び歳出は、次のとおりとする。

一　歳入

イ　自賠法第七十八条の規定による自動車事故対策事業賦課金及び自賠法第八十二条第一項の規定による自動車事故対策事業賦課金に相当するもの

ロ　積立金からの受入金

ハ　積立金から生ずる収入

ニ　自賠法第七十七条の四の規定による貸付金の償還金

ホ　独立行政法人自動車事故対策機構法（平成十四年法律第百八十三号）第十五条第二項の規定による納付金

ヘ　一般会計からの繰入金

ト　自賠法第七十六条の規定に基づく権利の行使による収入金

チ　自賠法第七十九条の規定による過怠金

リ　附属雑収入

二　歳出

イ　自賠法第七十七条の四の規定による交付金並びに出資金及び貸付金並びに補助金

ロ　自賠法第七十二条第一項各号の規定による支払金

ハ　自動車検査登録勘定への繰入金

ニ　一時借入金の利子

ホ　附属諸費

2　自動車検査登録勘定における歳入及び歳出は、次のとおりとする。

一　歳入

イ　自動車検査登録印紙売渡収入

ロ　道路運送車両法第百二条第一項第一号から第四号まで、第七号、第八号又は第十号から第十二号までに掲げる者の同項の手数料、同条第二項に規定する者の同項及び同条第三項の手数料並びに同条第四項各号に掲げる者の同項の手数料（独立行政法人自動車技術総合機構及び軽自動車検査協会に納めるものを除く。）のうち、同条第五項ただし書、情報通信技術を活用した行政の推進等に関する法律（平成十四年法律第百五十一号）第六条第五項並びに情報通信技術を利用する方法による国の歳入等の納付に関する法律（令和四年法律第三十九号）第三条第一項及び第四条の規定によるもの

ハ　一般会計からの繰入金

ニ　独立行政法人自動車技術総合機構法（平成十一年法律第二百十八号）第十六条第三項の規定による納付金

ホ　自動車事故対策勘定からの繰入金

ヘ　借入金

ト　附属雑収入

二　歳出

イ　自動車事故対策事業及び自動車検査登録等事務に係る業務取扱費

ロ　自動車検査登録等事務に係る施設費

ハ　独立行政法人自動車技術総合機構に対する出資金、交付金及び施設の整備のための補助金

ニ　一般会計への繰入金

ホ　借入金の償還金及び利子

ヘ　一時借入金の利子

ト　附属諸費

（歳入歳出予定計算書等の添付書類）

第二百十四条　第三条第二項第一号から第五号までに掲げる書類のほか、自動車事故対策勘定においては、歳入歳出予定計算書等に、前々年度の貸借対照表及び損益計算書並びに前年度及び当該年度の予定貸借対照表及び予定損益計算書を添付しなければならない。

（一般会計からの繰入対象経費）

第二百十五条　自動車事故対策勘定における一般会計からの繰入対象経費は、自賠法第八十二条第二項の規定に基づく自動車損害賠償保障事業の業務の執行に要する経費とする。

2　自動車検査登録勘定における一般会計からの繰入対象経費は、自動車重量税の納付の確認及び税額の認定の事務に要する経費とする。

（自動車事故対策勘定から自動車検査登録勘定への繰入れ）

第二百十六条　自動車事故対策事業に係る業務取扱費の財源に充てるため、当該業務取扱費に相当する金額は、毎会計年度、予算で定めるところにより、自動車事故対策勘定から自動車検査登録勘定に繰り入れるものとする。

（一般会計への繰入れ）

第二百十七条　自動車検査登録等事務で国が沖縄県において行うものに要する事務取扱費の財源に充てるため、当該事務取扱費に相当する金額は、毎会計年度、予算で定めるところにより、自動車検査登録勘定から一般会計に繰り入れるものとする。

（利益及び損失の処理）

第二百十八条　自動車事故対策勘定において、毎会計年度の損益計算上生じた利益又は損失は、翌年度に繰り越して整理するものとする。

2　前項の規定にかかわらず、自動車事故対策勘定において、毎会計年度の被害者保護増進等事業（自賠法第七十七条の二第一項に規定する被害者保護増進等事業をいう。以下この節において同じ。）に係る損益計算上の利益として政令で定めるところにより算定した金額がある場合には、同勘定の基金に組み入れて整理するものとする。

3　第一項の規定にかかわらず、自動車事故対策勘定において、毎会計年度の被害者保護増進等事業に係る損益計算上の損失として政令で定めるところにより算定した金額がある場合には、同勘定の基金を減額して整理するものとする。

（積立金）

第二百十八条の二　自動車事故対策勘定において、毎会計年度の歳入歳出の決算上剰余金を生じた場合には、当該剰余金のうち、被害者保護増進等計画（自賠法第七十七条の三第一項に規定する被害者保護増進等計画をいう。以下この節において同じ。）を安定的に実施するために必要な金額を、積立金として積み立てるものとする。

2　前項の積立金は、被害者保護増進等計画を実施するために必要がある場合には、予算で定める金額を限り、自動車事故対策勘定の歳入に繰り入れることができる。

（歳入歳出決定計算書の添付書類）

第二百十九条　第九条第二項第一号から第三号までに掲げる書類のほか、自動車事故対策勘定においては、歳入歳出決定計算書に、当該年度の貸借対照表及び損益計算書を添付しなければならない。

（借入金対象経費）

第二百二十条　自動車検査登録勘定における借入金対象経費は、自動車検査登録等事務のうち道路運送車両法第六条第二項の規定により国土交通大臣が管理する自動車登録ファイル及び電子情報処理組織の整備に要する経費とする。

（自動車事故対策勘定に属する現金の繰替使用）

第二百二十一条　自動車検査登録勘定においては、自動車事故対策勘定に属する現金を繰り替えて使用することができる。

第十八節　東日本大震災復興特別会計

（目的）

第二百二十二条　東日本大震災復興特別会計は、東日本大震災（平成二十三年三月十一日に発生した東北地方太平洋沖地震及びこれに伴う原子力発電所の事故による災害をいう。以下同じ。）からの復興に係る国の資金の流れの透明化を図るとともに復興債の償還を適切に管理するため、復興事業に関する経理を明確にすることを目的とする。

2　この節において「復興事業」とは、東日本大震災からの復興を図ることを目的として東日本大震災復興基本法（平成二十三年法律第七十六号）第二条に定める基本理念に基づき実施する施策（第二百二十七条において「復興施策」という。）に係る事業をいう。

（管理）

第二百二十三条　東日本大震災復興特別会計は、衆議院議長、参議院議長、最高裁判所長官、会計検査院長並びに内閣総理大臣及び各省大臣が、法令で定めるところに従い、管理する。

2　東日本大震災復興特別会計の管理に関する事務は、政令で定めるところにより、復興に関する事業を統括する復興庁の長である内閣総理大臣が同会計全体の計算整理に関するものを行い、その他のものについては所掌事務の区分に応じ所管大臣の全部又は一部が行うものとする。

3　内閣総理大臣は、政令で定めるところにより、前項の規定により行うものとされる東日本大震災復興特別会計全体の計算整理に関する事務を復興庁設置法（平成二十三年法律第百二十五号）第八条第一項の規定により置かれる復興大臣に行わせることができる。

（歳入及び歳出）

第二百二十四条　東日本大震災復興特別会計における歳入及び歳出は、次のとおりとする。

一　歳入

イ　復興特別所得税及び復興特別法人税の収入

ロ　一般会計からの繰入金

ハ　東日本大震災からの復興のための施策を実施するために必要な財源の確保に関する特別措置法（平成二十三年法律第百十七号。以下「復興財源確保法」という。）第

六十九条第四項の規定により発行する公債の発行収入金
ニ　一時借入金の借換えによる収入金
ホ　砂防法（明治三十年法律第二十九号）第十四条第二項（同法第三条ノ二において準用する場合を含む。）、第十六条若しくは第十七条、土地改良法（昭和二十四年法律第百九十五号）第九十条第一項、漁港及び漁場の整備等に関する法律（昭和二十五年法律第百三十七号）第二十条第一項若しくは第二項、港湾法（昭和二十五年法律第二百十八号）第四十三条の五第一項、同法第四十三条の九第二項において準用する同法第四十三条の二、第四十三条の三第一項若しくは第四十三条の四第一項、同法第四十三条の十において準用する企業合理化促進法（昭和二十七年法律第五号）第八条第二項、港湾法第五十二条第二項若しくは第五十五条の六、北海道開発のためにする港湾工事に関する法律（昭和二十六年法律第七十三号）第三条第二項において準用する同法第二条第一項、公共土木施設災害復旧事業費国庫負担法（昭和二十六年法律第九十七号）第五条、森林法（昭和二十六年法律第二百四十九号）第四十六条第一項、企業合理化促進法第八条第四項、道路法（昭和二十七年法律第百八十号）第三十一条第五項、第四十九条、第五十条第一項、第二項若しくは第六項、第五十一条第一項若しくは第二項、第五十四条の二第一項、第五十五条第一項、第五十八条第一項、第五十九条第一項若しくは第三項、第六十一条第一項若しくは第六十二条、都市公園法（昭和三十一年法律第七十九号）第十二条の三第一項若しくは第二項、海岸法（昭和三十一年法律第百一号）第二十六条第一項若しくは第二項、特定多目的ダム法（昭和三十二年法律第三十五号）第七条第一項、第九条第一項若しくは第三十三条、高速自動車国道法（昭和三十二年法律第七十九号）第二十条第一項、第二十条の二若しくは第二十一条第一項、地すべり等防止法（昭和三十三年法律第三十号）第二十八条第一項から第三項まで、道路整備事業に係る国の財政上の特別措置に関する法律（昭和三十三年法律第三十四号）第三条、特定港湾施設整備特別措置法（昭和三十四年法律第六十七号）第四条、共同溝の整備等に関する特別措置法（昭和三十八年法律第八十一号）第二十条第一項、第二十一条若しくは第二十二条第一項、河川法（昭和三十九年法律第百六十七号）第五十九条、第六十条第一項、第六十三条第一項、第六十六条から第六十八条まで、第七十条第一項若しくは第七十条の二第一項、交通安全施設等整備事業の推進に関する法律（昭和四十一年法律第四十五号）第六条第一項、公害防止事業費事業者負担法（昭和四十五年法律第百三十三号）第五条、水道原水水質保全事業の実施の促進に関する法律（平成六年法律第八号）第十四条第一項、電線共同溝の整備等に関する特別措置法（平成七年法律第三十九号）第七条第一項（同法第八条第三項において準用する場合を含む。）、第十三条第一項、第十九条若しくは第二十二条第一項若しくは第三項、独立行政法人水資源機構法（平成十四年法律第百八十二号）第二十一条第三項、第二十二条第三項若しくは第二十四条第二項、東日本大震災による被害を受けた公共土木施設の災害復旧事業等に係る工事の国等による代行に関する法律（平成二十三年法律第三十三号）第三条第五項、第四条第三項、第五条第二項、第六条第五項、第七条第五項、第八条第三項、第十条第五項若しくは第十一条第四項、東日本大震災により生じた災害廃棄物の処理に関する特別措置法（平成二十三年法律第九十九号）第五条第一項、東日本大震災復興特別区域法（平成二十三年法律第百二十二号）第五十六条第九項又は福島復興再生特別措置法（平成二十四年法律第二十五号）第九条第四項、第十条第四項、第十一条第三項、第十二条第四項、第十三条第四項、第十四条第四項、第十五条第四項若しくは第十六条第五項の規定による負担金で復興事業に係るもの
ヘ　附属雑収入
二　歳出
イ　復興事業に要する費用
ロ　各特別会計への繰入金
ハ　復興債（復興財源確保法第七十条に規定する復興債をいい、当該復興債に係る借換国債（第四十六条第一項又は第四十七条第一項の規定により起債される借換国債をいい、当該借換国債につきこれらの規定により順次起債された借換国債を含む。第二百二十九条第二項において同じ。）を含む。ニ及び同項において同じ。）の償還金及び利子
ニ　復興債の発行及び償還に関する諸費
ホ　一時借入金の利子
ヘ　借り換えた一時借入金の償還金及び利子
ト　事務取扱費
チ　附属諸費

（歳入歳出予定計算書等の添付書類の特例）
第二百二十五条　第三条第二項第二号から第五号までの規定にかかわらず、東日本大震災復興特別会計においては、これらの規定に掲げる書類を添付することを要しない。

（歳入歳出予算の区分の特例）
第二百二十六条　第四条の規定にかかわらず、東日本大震災復興特別会計の歳入歳出予算は、歳入にあってはその性質に従って款及び項に、歳出にあってはその支出に関係のある部局等の組織の別に区分し、その部局等内においては、その目的に従ってこれを項に区分しなければならない。

（一般会計からの繰入れの特例）
第二百二十七条　第六条の規定にかかわらず、復興施策に要する費用（第二百二十九条第一項において「復興費用」という。）及び復興財源確保法第七十二条第一項に規定する償還費用に充てるために必要がある場合には、復興財源確保法第

二条の規定により確保するものとされた財源の範囲内で、毎会計年度、予算で定める金額を限り、一般会計から東日本大震災復興特別会計に繰り入れることができる。

（復興債の発行）

第二百二十八条　復興財源確保法第六十九条第四項の規定により行う復興債の発行は、東日本大震災復興特別会計の負担において行うものとする。

（他の特別会計への繰入れ）

第二百二十九条　各特別会計における復興費用の支出に必要な金額は、毎会計年度、東日本大震災復興特別会計から各特別会計に繰り入れなければならない。

2　復興債の償還金（借換国債を発行した場合においては、当該借換国債の収入をもって充てられる部分を除く。）及び利子並びに発行及び償還に関する諸費の支出に必要な金額（事務取扱費の額に相当する金額を除く。）は、毎会計年度、東日本大震災復興特別会計から国債整理基金特別会計に繰り入れなければならない。

（剰余金の処理の特例）

第二百三十条　東日本大震災復興特別会計において、毎会計年度の歳入歳出の決算上剰余金を生じた場合には、第八条第二項の規定は、適用しない。

（東日本大震災復興特別会計からの繰入金の過不足の調整）

第二百三十一条　各特別会計において、毎会計年度東日本大震災復興特別会計から受け入れた金額が、当該年度における第二百二十九条第一項の規定による繰入金として同会計から受け入れるべき金額に対して超過し、又は不足する場合には、当該超過額に相当する金額は、翌年度において同項の規定による繰入金として受け入れる金額がある場合にあっては当該受け入れる金額から減額しなお残余があるときは翌々年度までに同会計に返還し、当該受け入れる金額がない場合にあっては翌々年度までに同会計に返還し、当該不足額に相当する金額は、翌々年度までに同会計から補塡するものとする。

（歳入歳出決定計算書の添付書類の特例）

第二百三十二条　第九条第二項第二号及び第三号の規定にかかわらず、東日本大震災復興特別会計においては、これらの規定に掲げる書類を添付することを要しない。

（一時借入金の借換え）

第二百三十三条　第十五条第四項の規定にかかわらず、東日本大震災復興特別会計において、歳入不足のために一時借入金を償還することができない場合には、その償還することができない金額を限り、同会計の負担において、一時借入金の借換えをすることができる。

2　前項の規定により借換えをした一時借入金については、当該一時借入金を第十七条第一項に規定する借入金とみなして、同項の規定を適用する。

3　第一項の規定により借換えをした一時借入金は、その借換えをしたときから、一年内に償還しなければならない。

第三章　雑則

（政令への委任）

第二百三十四条　この法律に定めるもののほか、この法律の実施のための手続その他この法律の施行に関し必要な事項は、政令で定める。

附　則（抄）

（施行期日）

第一条　この法律は、平成十九年四月一日から施行し、平成十九年度の予算から適用する。ただし、〔中略〕第二条第一項第四号、第十六号及び第十七号、第二章第四節、第十六節及び第十七節並びに附則第四十九条から第六十五条までの規定は、平成二十年度の予算から適用する。

（交付税特別会計における交通安全対策特別交付金の経理等）

第二条　道路交通法（昭和三十五年法律第百五号）附則第十六条第一項の規定による交通安全対策特別交付金の交付に関する経理は、当分の間、第二十一条の規定にかかわらず、交付税特別会計（同条に規定する交付税特別会計をいう。以下同じ。）において行うものとする。

2　前項の規定により交通安全対策特別交付金の交付に関する経理を交付税特別会計において行う場合においては、第二十二条の規定にかかわらず、交付税特別会計は、内閣総理大臣、総務大臣及び財務大臣が、法令で定めるところに従い、管理する。

3　前項の場合において、交付税特別会計の管理に関する事務は、政令で定めるところにより、交付税特別会計全体の計算整理に関するものについては総務大臣が、その他のものについては所掌事務の区分に応じ所管大臣の全部又は一部が行うものとする。

第三条　削除

（交付税特別会計における借入金の特例）

第四条　交付税特別会計において、令和六年度から令和三十五年度までの各年度において、地方交付税交付金を支弁するために必要がある場合には、第十三条第一項の規定にかかわらず、令和六年度にあっては二十八兆千百二十二億九千五百四十万八千円を、令和七年度から令和十年度までの各年度にあっては三十二兆四千百七十二億九千五百四十万八千円から次の表の上欄に掲げる当該年度までの各年度に応ずる同表の下欄に定める額を順次控除して得た金額を、令和十一年度から令和三十五年度までの各年度にあっては二十五兆千百二十二億九千五百四十万八千円から毎年度一兆円を順次控除して得た金額を限り、予算で定めるところにより、交付税特別会計の負担において、借入金をすることができる。

年度	控除額
令和七年度	六千億円
令和八年度	七千億円

令和九年度	八千億円
令和十年度	九千億円

2 前項の規定による借入金は、一年内に償還しなければならない。

3 第一項の規定による借入金の利子の支払に充てるために必要がある場合には、第六条の規定にかかわらず、予算で定める金額を限り、一般会計から交付税特別会計に繰り入れることができる。

（交付税特別会計における一時借入金の利子の繰入れの特例）

第五条 令和六年度に限り、第十五条第一項の規定による一時借入金（森林環境譲与税譲与金に係るものを除く。）の利子の支払に充てるために必要がある場合には、第六条の規定にかかわらず、予算で定める金額を限り、一般会計から交付税特別会計に繰り入れることができる。

第六条から第八条まで 削除

（交付税特別会計における一般会計からの繰入金の額の特例）

第九条 令和六年度における第二十四条の規定による一般会計からの繰入金の額は、同条の規定により算定した額に地方交付税法附則第四条第一項第二号に掲げる額を加算した額に二千五百億円を加算した額から同項第六号及び第七号に掲げる額の合算額を減額した額とする。

2 令和七年度以降の各年度における第二十四条の規定による一般会計からの繰入金の額は、当分の間、同条の規定により算定した額に百五十四億円を加算した額とする。

3 令和七年度から令和二十六年度までの各年度における第二十四条の規定による一般会計からの繰入金の額は、令和七年度及び令和八年度にあっては前項の規定により算定した額に第一号に掲げる額を加算した額から第二号に掲げる額を減額した額とし、令和九年度から令和十二年度までの各年度にあっては同項の規定により算定した額に第一号に掲げる額を加算した額から第三号に掲げる額を減額した額とし、令和十三年度及び令和十四年度にあっては同項の規定により算定した額に第一号に掲げる額を加算した額から第四号に掲げる額を減額した額とし、令和十五年度から令和二十六年度までの各年度にあっては同項の規定により算定した額から同号に掲げる額を減額した額とする。

一 次の表の上欄に掲げる当該各年度に応ずる同表の下欄に定める金額

年度	金額
令和七年度	七百七十五億円
令和八年度	五百三十五億円
令和九年度	五百四十八億円
令和十年度	五百九十九億円
令和十一年度	九百六十一億円
令和十二年度	九百六十一億円
令和十三年度	三億円
令和十四年度	三億円

二 地方交付税法附則第四条の二第四項の規定により令和七年度分及び令和八年度分の交付税の総額から減額する金額 二千四百六十億七千七百八万二千円

三 地方交付税法附則第四条の二第四項の規定により令和九年度から令和十二年度までの各年度分の交付税の総額から減額する金額 二千二百十九億千三百八十万二千円

四 地方交付税法附則第四条の二第四項の規定により令和十三年度から令和二十六年度までの各年度分の交付税の総額から減額する金額 五百八十五億七千三百二十二万円

（交付税特別会計における繰入れの特例）

第十条 第六条の規定にかかわらず、地方特例交付金等の地方財政の特別措置に関する法律（平成十一年法律第十七号）第二条第三項に規定する地方特例交付金の総額は、毎会計年度、一般会計から交付税特別会計に繰り入れるものとする。

2 第六条の規定にかかわらず、毎会計年度、予算で定めるところにより、当該年度における道路交通法第百二十八条第一項（同法第百三十条の二第三項において準用する場合を含む。）の規定により納付された反則金（同法第百二十九条第三項の規定により反則金の納付とみなされる同条第一項の規定による仮納付に係るものを含む。以下この項及び次条第一項において「反則金等」という。）の収入に相当する額（反則金等の収入見込額として当該年度の一般会計の歳入予算に計上された金額を限度とする。）に、当該年度の前年度以前の年度における同法附則第十六条第一項の規定による交通安全対策特別交付金に相当する金額、同法第百二十九条第四項の規定による返還金に相当する金額、同法第百二十七条第一項後段に規定する通告書の送付に要する費用に相当する額として都道府県に支出する支出金に相当する金額及び過誤納に係る反則金等の返還金に相当する金額で、まだ交付税特別会計に繰り入れていない額を加算した額に相当する金額を、一般会計から交付税特別会計に繰り入れるものとする。

3 令和六年度においては、地方公共団体金融機構法（平成十九年法律第六十四号）附則第十四条の規定に基づき公庫債権金利変動準備金の一部を財政投融資特別会計の投資勘定に帰属させるものとし、当該帰属させた額を、予算で定めるところにより、財政投融資特別会計の投資勘定から交付税特別会計に繰り入れるものとする。

4 前項に規定するもののほか、令和二年度から令和六年度までの各年度においては、地方公共団体金融機構法附則第十四条の規定に基づき公庫債権金利変動準備金の一部を財政投融資特別会計の投資勘定に帰属させるものとし、各年度における森林環境譲与税譲与金を支弁するため、当該帰属させた額を、予算で定めるところにより、財政投融資特別会計の投資勘定から交付税特別会計に繰り入れるものとする。

（交付税特別会計の歳入及び歳出の特例）

第十一条　第二十三条の規定によるほか、附則第四条第一項の規定による借入金又は同条第三項、附則第五条若しくは前条第一項若しくは第二項の規定による一般会計からの繰入金はそれぞれその借入れをした年度又はその繰入れをした年度における交付税特別会計の歳入とし、地方特例交付金等の地方財政の特別措置に関する法律による地方特例交付金、道路交通法附則第十六条第一項の規定による交通安全対策特別交付金、同法第百二十九条第四項の規定による返還金、同法第百二十七条第一項後段に規定する通告書の送付に要する費用に相当する額として都道府県に支出する支出金、過誤納に係る反則金等の返還金又は附則第四条第一項から第四項までの規定による借入金の償還金及び利子はその支出をした年度における交付税特別会計の歳出とする。

２　第二十三条の規定によるほか、前条第三項及び第四項の規定により財政投融資特別会計の投資勘定から交付税特別会計に繰り入れられた繰入金は、交付税特別会計の歳入とする。

（国債整理基金特別会計の歳出の特例）

第十二条　第四十条の規定によるほか、日本電信電話株式会社の株式の売払収入の活用による社会資本の整備の促進に関する特別措置法（昭和六十二年法律第八十六号。附則第二百三十一条及び第二百五十九条の五において「社会資本整備特別措置法」という。）第六条第一項の規定による国債整理基金特別会計から一般会計への繰入金は、その繰入れをした年度における国債整理基金特別会計の歳出とする。

（日本郵政株式会社の株式の国債整理基金特別会計への所属替）

第十二条の二　郵政民営化法（平成十七年法律第九十七号）第三十八条第五項の規定により政府に無償譲渡された日本郵政株式会社（次条において「会社」という。）の株式の総数の三分の二に当たる株式は、国債の償還に充てるべき資金の充実に資するため、一般会計から無償で国債整理基金特別会計に所属替をするものとする。

第十二条の三　一般会計に所属する会社の株式のうち、会社の発行済株式の総数の三分の一を超えて保有するために必要な数を上回る数に相当する数の株式は、国債の償還に充てるべき資金の充実に資するため、一般会計から無償で国債整理基金特別会計に所属替をするものとする。

（財政投融資特別会計の繰入れ並びに歳入及び歳出の特例）

第十二条の四　附則第十条第三項及び第四項に規定するもののほか、平成三十年度から令和五年度までの間においては、地方公共団体金融機構法附則第十四条の規定に基づき公庫債権金利変動準備金の一部を財政投融資特別会計の投資勘定に帰属させるものとし、民間資金等の活用による公共施設等の整備等の促進に関する法律（平成十一年法律第百十七号）附則第四条第一項に規定する繰上償還を行おうとする旨の申出がなかったとした場合に同会計の財政融資資金勘定において生じていたと見込まれる運用利殖金に相当する額を補填するため、当該帰属させた額を、予算で定めるところにより、同会計の投資勘定から財政融資資金勘定に繰り入れることができる。

２　第五十三条第一項の規定によるほか、前項の規定による財政投融資特別会計の投資勘定から財政融資資金勘定への繰入金は、同勘定の歳入とする。

３　第五十三条第二項の規定によるほか、附則第十条第三項及び第四項の規定による財政投融資特別会計の投資勘定から交付税特別会計への繰入金並びに第一項の規定による同勘定から財政融資資金勘定への繰入金は、財政投融資特別会計の投資勘定の歳出とする。

第十三条　削除

（エネルギー対策特別会計のエネルギー需給勘定の歳入及び歳出の特例等）

第十四条　石油公団法及び金属鉱業事業団法の廃止等に関する法律（平成十四年法律第九十三号。以下この条及び附則第十七条において「石油公団法等廃止法」という。）附則第十条第二項（石油公団法等廃止法附則第十二条第二項において読み替えて準用する場合を含む。）の規定により附則第六十六条第二十七号の規定による廃止前の石油及びエネルギー需給構造高度化対策特別会計法（昭和四十二年法律第十二号。附則第十八条において「旧石油特別会計法」という。）に基づく石油及びエネルギー需給構造高度化対策特別会計（附則第十七条において「旧石油特別会計」という。）において承継した債務であって、附則第二百五十一条第三項の規定によりエネルギー需給勘定に帰属するものの償還に関する政府の経理を同勘定で行う場合における第十六条、第十七条並びに第八十八条第一項第二号ヨ及びレの規定の適用については、第十六条中「並びに融通証券の発行及び償還」とあるのは「、融通証券の発行及び償還並びに石油公団法及び金属鉱業事業団法の廃止等に関する法律（平成十四年法律第九十三号）附則第十条第二項（同法附則第十二条第二項において読み替えて準用する場合を含む。）の規定により附則第六十六条第二十七号の規定による廃止前の石油及びエネルギー需給構造高度化対策特別会計法（昭和四十二年法律第十二号）に基づく石油及びエネルギー需給構造高度化対策特別会計において承継した債務であって、附則第二百五十一条第三項の規定によりエネルギー需給勘定に帰属するもの（以下「承継債務」という。）の償還」と、第十七条第一項中「借入金の」とあるのは「借入金及び承継債務の」と、「及び償還」とあるのは「及び償還並びに承継債務の償還」と、同号ヨ中「証券」とあるのは「証券及び承継債務」と、同号レ中「償還」とあるのは「償還並びに承継債務の償還」とする。

第十五条　独立行政法人エネルギー・金属鉱物資源機構法附則第六条第一項の規定により独立行政法人エネルギー・金属鉱物資源機構が石炭経過業務を行う間、第八十八条第一項の規定によるほか、同法附則第七条第一項の規定による納付金であってエネルギー需給勘定に帰属するものは、同勘定の歳入とする。

第十六条　独立行政法人中小企業基盤整備機構法（平成十四年法律第百四十七号）附則第六条第五項に規定する特別の勘定が廃止されるまでの間、第八十八条第一項の規定によるほか、同法附則第十四条において読み替えて適用する同法第十九条第二項及び同法附則第六条第六項の規定による納付金であってエネルギー需給勘定に帰属するものは、同勘定の歳入とする。

第十七条　当分の間、第八十八条第一項の規定によるほか、石油公団法等廃止法附則第二条第一項の規定により旧石油特別会計において承継した貸付金であって、附則第二百五十一条第三項の規定によりエネルギー需給勘定に帰属するものの償還金及び利子は、同勘定の歳入とする。

第十八条　電源開発促進対策特別会計法及び石炭及び石油対策特別会計法の一部を改正する法律（昭和五十五年法律第六十八号）による改正前の石炭及び石油対策特別会計法第四条の二の規定による石油勘定への繰入金、エネルギー需給構造高度化のための関係法律の整備に関する法律（平成五年法律第十七号）による改正前の石炭並びに石油及び石油代替エネルギー対策特別会計法第四条の二の規定による石油及び石油代替エネルギー勘定への繰入金及び旧石油特別会計法第四条の規定による石油及びエネルギー需給構造高度化勘定への繰入金は、第九十条の規定の適用については、同条の規定により一般会計からエネルギー需給勘定へ繰り入れた繰入金とみなす。

（エネルギー対策特別会計の繰入れ並びに歳入及び歳出の特例）

第十八条の二　当分の間、福島復興再生特別措置法（平成二十四年法律第二十五号）第二条に規定する基本理念にのっとって行われる同法第三条に規定する原子力災害からの福島の復興及び再生に関する施策に係る第八十五条第四項の財政上の措置に要する費用の財源に充てるために必要がある場合には、予算で定める金額を限り、エネルギー対策特別会計のエネルギー需給勘定から電源開発促進勘定に繰り入れることができる。

2　前項の規定による繰入れが行われる年度における第九十条ただし書の規定の適用については、同条ただし書中「費用の額」とあるのは、「費用の額並びに附則第十八条の二第一項の規定による電源開発促進勘定への繰入金に相当する金額」とする。

3　第一項の規定によりエネルギー対策特別会計のエネルギー需給勘定から電源開発促進勘定に繰り入れられた繰入金については、後日、同勘定からその繰入金に相当する金額に達するまでの金額を、予算で定めるところにより、エネルギー需給勘定に繰り入れなければならない。

4　前項の規定による繰入れが行われる年度における第九十一条第一項ただし書の規定の適用については、同項ただし書中「費用の額」とあるのは、「費用の額並びに附則第十八条の二第三項の規定によるエネルギー需給勘定への繰入金に相当する金額」とする。

5　第八十八条第一項の規定によるほか、第一項の規定によるエネルギー対策特別会計のエネルギー需給勘定から電源開発促進勘定への繰入金は、同会計のエネルギー需給勘定の歳出とし、第三項の規定による同会計の電源開発促進勘定からエネルギー需給勘定への繰入金は、同勘定の歳入とする。

6　第八十八条第二項の規定によるほか、第一項の規定によるエネルギー対策特別会計のエネルギー需給勘定から電源開発促進勘定への繰入金は、同勘定の歳入とし、第三項の規定による同勘定からエネルギー需給勘定への繰入金は、同会計の電源開発促進勘定の歳出とする。

第十八条の三　令和十六年度以前の各年度の第九十一条の三第一項の規定によるエネルギー需給勘定から電源開発促進勘定への繰入金の決算額を合算した額から令和十六年度以前の各年度の電源開発促進勘定における脱炭素成長型経済構造への円滑な移行の推進に関する施策に要する費用（脱炭素成長型経済構造への円滑な移行の推進に関する法律第七条第二項の国会の議決を経たものに限る。以下この項及び次項において同じ。）の決算額を合算した額を控除した額に令和十六年度以前の各年度の電源開発促進勘定における脱炭素成長型経済構造への円滑な移行の推進に関する施策に要する費用について国に返納された金額（返納の際に当該金額に延滞利息又は加算金が付されている場合には、これらの金額を含む。次項において同じ。）を合算した額を加算した額に相当する金額を、令和十八年度までに、予算で定めるところにより、電源開発促進勘定からエネルギー需給勘定に繰り入れるものとする。

2　令和十七年度以降の年度に電源開発促進勘定における脱炭素成長型経済構造への円滑な移行の推進に関する施策に要する費用について国に返納された金額がある場合には、当該国に返納された金額を、返納された金額があった年度の翌々年度までに、予算で定めるところにより、電源開発促進勘定からエネルギー需給勘定に繰り入れるものとする。

3　第一項の規定による繰入れが行われる年度における第九十一条第一項ただし書の規定の適用については、同項ただし書中「費用の額」とあるのは、「費用の額並びに附則第十八条の三第一項の規定によるエネルギー需給勘定への繰入金に相当する金額」とする。

4　第二項の規定による繰入れが行われる年度における第九十一条第一項ただし書の規定の適用については、同項ただし書中「費用の額」とあるのは、「費用の額並びに附則第十八条の三第二項の規定によるエネルギー需給勘定への繰入金に相当する金額」とする。

5　第八十八条第一項の規定によるほか、第一項及び第二項の規定による電源開発促進勘定からエネルギー需給勘定への繰入金は、同勘定の歳入とする。

6　第八十八条第二項の規定によるほか、第一項及び第二項の規定による電源開発促進勘定からエネルギー需給勘定への繰入金は、電源開発促進勘定の歳出とする。

（労働保険特別会計の雇用勘定の歳入の特例）

第十九条　独立行政法人高齢・障害・求職者雇用支援機構法附則第五条第四項又は第七項の規定による国庫への納付が行われる会計年度における第九十九条第二項第一号リの規定の適用については、同号リ中「第十七条第二項及び」とあるのは、「第十七条第二項並びに同法附則第五条第四項及び第七項並びに」とする。

（雇用勘定における雇用安定資金の使用に関する特例）

第二十条　政令で定める日までの間、第百四条第五項の規定によるほか、雇用保険事業（第九十六条に規定する雇用保険事業をいう。）の失業等給付費を支弁するために必要がある場合には、予算で定めるところにより、雇用安定資金を使用することができる。

2　前項の政令で定める日までの間は、雇用勘定において、毎会計年度の第百三条第三項に規定する歳入額から当該年度の同項に規定する歳出額を控除してなお不足がある場合であって、同条第四項の規定により同勘定の積立金からこれを補足してなお不足があるときは、雇用安定資金から当該不足分を補足することができる。

3　第一項の規定により使用した金額及び前項の規定により雇用安定資金から補足した金額については、後日、雇用勘定において、毎会計年度の第百三条第三項に規定する歳入額から当該年度の同項に規定する歳出額を控除して残余がある場合には、同項の規定にかかわらず、これらの金額に相当する金額に達するまでの金額を雇用安定資金に繰り入れなければならない。この場合における第百四条第一項の規定の適用については、同項中「及び第三項の規定による組入金」とあるのは、「、第三項の規定による組入金及び附則第二十条第三項の規定による繰入金」とする。

（雇用勘定における国庫負担金の過不足の調整の特例）

第二十条の二　雇用保険法附則第十三条第一項の規定が適用される会計年度における第百五条の規定の適用については、同条中「第一項第四号及び第五項（育児休業給付の事務の執行に要する経費に係る部分に限る。）」とあるのは「第一項第三号から第五号まで及び第五項」と、「第六十七条の二」とあるのは「第六十七条の二並びに附則第十三条第一項及び同条第二項の規定により読み替えて適用する同法第六十六条第五項（育児休業給付の事務の執行に要する経費に係る部分を除く。）」とする。

2　令和五年度から令和八年度までの各年度における第百五条の規定の適用については、前項の規定にかかわらず、同条中「第一項第四号及び第五項（育児休業給付の事務の執行に要する経費に係る部分に限る。）」とあるのは「第一項第三号から第五号まで及び第五項」と、「第六十七条の二」とあるのは「第六十七条の二並びに附則第十三条第一項（同法第六十六条第一項第五号の規定による国庫の負担額に係る部分に限る。）及び第十四条第一項並びに同条第二項の規定により読み替えて適用する同法第六十六条第五項（育児休業給付の事務の執行に要する経費に係る部分を除く。）」とする。

3　令和四年度における雇用保険法等の一部を改正する法律（令和六年法律第二十六号）附則第二十六条第一項の規定により読み替えられた前項の規定の適用については、同項中「令和四年度から令和八年度までの各年度」とあるのは「令和四年度」と、「改正前の雇用保険法」とあるのは「改正前の雇用保険法（以下この条において「旧雇用保険法」という。）」と、「限る。）及び」とあるのは「限る。）」と、「並びに同条第二項」とあるのは「及び第十四条の四第一項並びに雇用保険法等の一部を改正する法律附則第六条第二項の規定によりなお従前の例によることとされた旧雇用保険法附則第十四条の四第二項並びに旧雇用保険法附則第十四条の四第三項の規定により読み替えられた旧雇用保険法附則第十四条の三第二項」とする。

（雇用勘定の積立金の特例等）

第二十条の三　令和二年度から令和六年度までの各年度において、雇用勘定の積立金は、第百三条第五項の規定によるほか、育児休業給付費を支弁するために必要がある場合には、予算で定める金額を限り、同勘定の歳入に繰り入れることができる。

2　令和二年度から令和六年度までの各年度においては、雇用勘定において、各年度の第百三条第三項に規定する育児休業給付費充当歳入額から当該年度の同項に規定する育児休業給付費充当歳出額を控除して不足がある場合であって、第百三条の二第四項の規定により育児休業給付資金から補足してなお不足があるときは、同勘定の積立金から当該不足分を補足することができる。

3　第一項の規定により繰り入れた金額の総額及び前項の規定により補足した金額の総額については、後日、雇用勘定において、毎会計年度の第百三条第三項に規定する育児休業給付費充当歳入額から当該年度の同項に規定する育児休業給付費充当歳出額を控除して残余がある場合には、第百三条の二第三項の規定にかかわらず、当該繰り入れた金額の総額及び当該補足した金額の総額の合計額に相当する金額に達するまでの金額を同勘定の積立金に組み入れなければならない。この場合における第百三条第三項の規定の適用については、同項中「必要な金額」とあるのは、「必要な金額を、及び附則第二十条の三第三項の規定による組入金」とする。

4　令和二年度から令和六年度までの各年度において、雇用勘定の積立金は、第百三条第五項の規定によるほか、雇用安定事業費（雇用保険法第六十二条第一項第一号に掲げる事業及び新型コロナウイルス感染症等の影響に対応するための雇用保険法の臨時特例等に関する法律（令和二年法律第五十四号）第四条の規定による事業に要する費用に限る。）を支弁するために必要がある場合には、予算で定める金額を限り、同勘定の歳入に繰り入れることができる。

5　令和二年度から令和六年度までの各年度においては、雇用勘定において、各年度の第百三条第三項に規定する二事業費充当歳入額から当該年度の同項に規定する二事業費充当歳出額を控除して不足がある場合であって、第百四条第四項の規定により雇用安定資金から補足してなお不足があるときは、同勘定の積立金から当該不足分を補足することができる。

6　第四項の規定により繰り入れた金額の総額及び前項の規定により補足した金額の総額については、後日、雇用勘定において、毎会計年度の第百三条第三項に規定する二事業費充当歳入額から当該年度の同項に規定する二事業費充当歳出額を控除して残余がある場合には、第百四条第三項の規定にかかわらず、当該繰り入れた金額の総額及び当該補足した金額の総額の合計額に相当する金額に達するまでの金額を同勘定の積立金に組み入れなければならない。ただし、雇用安定事業費の財源に充てるために必要がある場合には、当該残余のうち二分の一を超えない範囲内で厚生労働大臣が財務大臣に協議して定める金額を雇用安定資金に組み入れ、当該残余から当該雇用安定資金への組入金を控除した額を同勘定の積立金に組み入れるものとすることができる。

7　前項の規定による組入れが行われる年度における第百三条第三項の規定の適用については、同項中「必要な金額」とあるのは、「必要な金額を、及び附則第二十条の三第六項の規定による積立金への組入金」とする。

8　第四項の規定により繰り入れた金額又は第五項の規定により補足した金額がある場合であって、第六項の規定による積立金への組入金の総額が、当該繰り入れた金額の総額及び当該補足した金額の総額の合計額に相当する金額に達していないときは、同項の規定にかかわらず、同項本文の規定により積立金に組み入れなければならないものとされる金額の総額から、雇用勘定の財政状況並びに雇用安定事業及び能力開発事業の実施の状況を勘案して厚生労働大臣が財務大臣に協議して定める金額を控除することができる。

（労働保険特別会計における石綿による健康被害の救済に関する法律第三十五条第一項の一般拠出金の徴収に関する経理）

第二十一条　石綿による健康被害の救済に関する法律（平成十八年法律第四号）第三十五条第一項の一般拠出金の徴収に関する政府の経理は、当分の間、第九十六条の規定にかかわらず、労働保険特別会計において行うものとする。この場合における第九十九条第三項の規定の適用については、同項第一号中「へ　附属雑収入」とあるのは

「へ　石綿による健康被害の救済に関する法律（平成十八年法律第四号）第三十四条の規定に基づく一般会計からの繰入金
ト　石綿による健康被害の救済に関する法律第三十五条第一項の一般拠出金（次号ニにおいて「一般拠出金」という。）
チ　附属雑収入」

と、同項第二号ホ中「労働保険料の徴収及び」とあるのは「一般拠出金の返還金、石綿による健康被害の救済に関する法律第三十六条の規定による独立行政法人環境再生保全機構への交付金、労働保険料及び一般拠出金の徴収並びに」とする。

（年金特別会計の基礎年金勘定の積立金の特例）

第二十二条　当分の間、基礎年金勘定において、毎会計年度の歳入歳出の決算上剰余金を生じた場合には、当該剰余金のうち、基礎年金給付費、国民年金勘定及び厚生年金勘定への繰入金並びに実施機関たる共済組合等（第百十一条第一項第一号ロに規定する実施機関たる共済組合等をいう。第三項において同じ。）への交付金の財源に充てるために必要な金額を、積立金として積み立てるものとする。

2　基礎年金勘定において、毎会計年度の歳入歳出の決算上不足を生じた場合その他政令で定める場合には、政令で定めるところにより、同勘定に所属する積立金から補足するものとする。

3　基礎年金勘定に所属する積立金は、基礎年金給付費、国民年金勘定及び厚生年金勘定への繰入金並びに実施機関たる共済組合等への交付金の財源に充てるために必要がある場合には、予算で定める金額を限り、基礎年金勘定の歳入に繰り入れることができる。

4　第百十一条第一項の規定によるほか、基礎年金勘定に所属する積立金からの受入金及び同勘定に所属する積立金から生ずる収入は、同勘定の歳入とする。

5　第十五条第五項の規定にかかわらず、基礎年金勘定において、支払上現金に不足がある場合には、同勘定に所属する積立金に属する現金を繰り替えて使用することができる。この場合において、厚生労働大臣は、あらかじめ財務大臣の承認を経なければならない。

6　前項の規定による繰替金は、当該年度の出納の完結までに返還しなければならない。

第二十三条　削除

（厚生年金勘定の歳入及び歳出の特例）

第二十四条　当分の間、第百十一条第三項の規定によるほか、厚生年金保険法等の一部を改正する法律（平成八年法律第八十二号。次項において「平成八年厚生年金等改正法」という。）附則第二十条の規定による納付金は、厚生年金勘定の歳入とする。

2　第百二十条第一項の規定は、毎会計年度平成八年厚生年金等改正法附則第二十条の規定により平成八年厚生年金等改正法附則第三十二条第二項に規定する存続組合から厚生年金勘定に受け入れた金額が、当該年度において平成八年厚生年金等改正法附則第二十条の規定による納付金の金額に対して超過し、又は不足する場合について準用する。

第二十五条　当分の間、第百十一条第三項の規定によるほか、私立学校教職員共済法（昭和二十八年法律第二百四十五号）附則第十七項の規定による年金特別会計の負担金は、厚生年金勘定の歳出とする。

（一般会計から厚生年金勘定への繰入れの特例）

第二十六条　第六条の規定にかかわらず、附則第六十六条第五号の規定による廃止前の厚生保険特別会計法（昭和十九年法律第十号。以下この条から附則第三十四条までにおいて「旧厚生保険特別会計法」という。）第十八条ノ十一第一項の措置により将来にわたる厚生年金保険事業（第百八条に規定する厚生年金保険事業をいう。次条及び附則第三十五条において同じ。）の財政の安定が損なわれることのないよう、国の財政状況を勘案しつつ、昭和六十一年度から昭和六十三年度までの間における各年度に係る昭和六十年国民年金等改正法（第百十三条第一項に規定する昭和六十年国民年金等改正法をいう。次条において同じ。）附則第七十九条の規定による国庫負担金の額と同項の規定による繰入金の額との差額に相当する額及び同項の規定による国庫負担金の繰入れの特例措置がとられなかったとした場合に旧厚生保険特別会計法に基づく厚生保険特別会計の年金勘定（次条において「旧年金勘定」という。）及び厚生年金勘定において生じていたと見込まれる運用収入に相当する額を、一般会計から同勘定に繰り入れなければならない。

第二十七条　第六条の規定にかかわらず、旧厚生保険特別会計法第十八条ノ十二第一項の措置により将来にわたる厚生年金保険事業の財政の安定が損なわれることのないよう、国の財政状況を勘案しつつ、平成元年度に係る昭和六十年国民年金等改正法附則第七十九条の規定による国庫負担金の額と同項の規定による繰入金の額との差額に相当する額及び同項の規定による国庫負担金の繰入れの特例措置がとられなかったとした場合に旧年金勘定及び厚生年金勘定において生じていたと見込まれる運用収入に相当する額を、一般会計から同勘定に繰り入れなければならない。

第二十八条　前二条の規定による繰入れがされた会計年度に一般会計から受け入れた金額に係る第百二十条第二項第二号の規定の適用については、同号中「金額」とあるのは、「金額（附則第二十六条又は第二十七条の規定により繰り入れた金額を除く。）」とする。

第二十八条の二　当分の間、第六条の規定にかかわらず、船員保険法の一部を改正する法律（昭和二十二年法律第百三号）附則第三条の規定によりなお従前の例によることとされる国庫の負担すべき費用に相当する額は、一般会計から厚生年金勘定に繰り入れるものとする。この場合における第百二十条第二項第二号の規定の適用については、同号中「及び昭和六十年国民年金等改正法」とあるのは「、昭和六十年国民年金等改正法」と、「の規定による」とあるのは「及び船員保険法の一部を改正する法律（昭和二十二年法律第百三号）附則第三条の規定による」とする。

（厚生年金保険法等の一部改正に伴う経過措置）

第二十八条の三　当分の間、第百十一条第三項の規定によるほか、公的年金制度の健全性及び信頼性の確保のための厚生年金保険法等の一部を改正する法律（平成二十五年法律第六十三号。以下この条において「平成二十五年厚生年金等改正法」という。）附則第五条第一項又は第三十八条第一項の規定によりなおその効力を有するものとされた平成二十五年厚生年金等改正法第一条の規定による改正前の厚生年金保険法第八十五条の三の規定による存続厚生年金基金（平成二十五年厚生年金等改正法附則第三条第十一号に規定する存続厚生年金基金をいう。第三項において同じ。）又は存続連合会（平成二十五年厚生年金等改正法附則第三条第十三号に規定する存続連合会をいう。第三項において同じ。）からの徴収金は、厚生年金勘定の歳入とする。

2　当分の間、第百十一条第三項の規定によるほか、平成二十五年厚生年金等改正法附則第五条第一項の規定によりなおその効力を有するものとされた平成二十五年厚生年金等改正法第二条の規定による改正前の確定給付企業年金法（平成十三年法律第五十号）第百十三条第一項の規定による同項に規定する解散厚生年金基金等からの徴収金は、厚生年金勘定の歳入とする。

3　当分の間、第百十一条第三項の規定によるほか、国民年金法等の一部を改正する法律（昭和六十年法律第三十四号）附則第八十四条第二項（同法附則第八十五条において準用する場合を含む。）並びに平成二十五年厚生年金等改正法附則第五条第一項の規定によりなおその効力を有するものとされた平成二十五年厚生年金等改正法第一条の規定による改正前の厚生年金保険法附則第三十条第一項及び平成二十五年厚生年金等改正法附則第三十八条第一項の規定によりなおその効力を有するものとされた平成二十五年厚生年金等改正法第一条の規定による改正前の厚生年金保険法附則第三十条第三項において準用する平成二十五年厚生年金等改正法第一条の規定による改正前の厚生年金保険法附則第三十条第一項の規定による存続厚生年金基金及び存続連合会への負担金は、厚生年金勘定の歳出とする。

4　当分の間、平成二十五年厚生年金等改正法附則第五条第一項の規定によりなおその効力を有するものとされた平成二十五年厚生年金等改正法第二条の規定による改正前の確定給付企業年金法第百十四条第五項に規定する有価証券の価額として算定した額は、政令で定めるところにより、厚生年金勘定の積立金として積み立てられたものとみなす。

（年金特別会計における特別障害給付金の支給に関する経理）

第二十九条　特定障害者に対する特別障害給付金の支給に関する法律（平成十六年法律第百六十六号）による特別障害給付金の支給に関する政府の経理は、当分の間、第百八条の規定にかかわらず、年金特別会計において行うものとする。この場合における第百十一条第二項第二号及び第五項第二号イ、第百十三条第一項及び第三項並びに第百二十条第二項第一号の規定の適用については、第百十一条第二項第二号中「ニ　附属諸費」とあるのは「ニ　特別障害給付金給付費　ホ　附属諸費」と、同条第五項第二号イ中「行う業務」とあるのは「行う業務及び特別障害給付金」と、第百十三条第一項中「費用」とあるのは「費用並びに特定障害者に対する特別障害給付金の支給に関する法律（平成十六年法律第百六十六号。第四項及び第百二十条第二項第一号において「特別障害給付金法」という。）第十九条第一項に規定する特別障害給付金の支給に要する費用」と、同条第三項中「及び船員保険法」とあるのは「、船員保険法」と、「船員保険に関し政府又は日本年金機構が行う業務に係るもの」とあるのは「船員保険に関し政府又は日本年金機構が行う業務に係るもの及び特別障害給付金法第十九条第二項の規定に基づく特別障害給付金に関する事務の執行に要する費用」と、第百二十条第二項第一号中「附則第三十四条第一項」とあるのは「附則第三十四条第一項又は特別障害給付金法第十九条第一項」とする。

（健康勘定における借入金の特例）

第三十条　当分の間、第十三条の規定にかかわらず、健康勘定においては、旧厚生保険特別会計法に基づく厚生保険特別会計の健康勘定（以下この項及び次条において「旧健康勘定」という。）の昭和四十八年度の末日における借入金、健康保険法等の一部を改正する法律（昭和五十九年法律第七十七号。以下この項において「昭和五十九年改正法」という。）附則第三十三条第五項の規定により旧健康勘定に帰属する昭和五十九年改正法附則第三十二条の規定による改正前の厚生保険特別会計法に基づく厚生保険特別会計の日雇健康勘定の昭和五十九年度の末日における借入金及び旧健康勘定において生ずる昭和五十九年改正法附則第十八条の規定による廃止前の日雇労働者健康保険法（昭和二十八年法律第二百七号。次条において「旧日雇労働者健康保険法」という。）に基づく日雇労働者健康保険事業に係る損失に相当する額として政令で定めるものに係る債務を弁済するために必要がある場合には、健康勘定の負担において、借入金をすることができる。

2　前項の規定により借入金をする場合には、第百十一条第四項の規定によるほか、借入金は、健康勘定の歳入とする。

3　健康勘定において、第一項の規定により借入金をする場合には、第三条第二項第五号に掲げる書類を添付することを要しない。

（一般会計から健康勘定への繰入れの特例）

第三十一条　当分の間、第六条の規定にかかわらず、昭和四十八年度以前に旧健康勘定において生じた損失の額及び旧日雇労働者健康保険法に基づく日雇労働者健康保険事業に係る損失に相当する額として政令で定めるものに対応する借入金の償還並びに当該借入金に係る経費として政令で定めるものの支払の財源に充てるため、予算で定める金額を限り、一般会計から健康勘定に繰り入れることができる。

2　前項の規定により一般会計から健康勘定に繰り入れる場合には、第百十一条第四項の規定によるほか、借入金の償還金及び利子は、同勘定の歳出とする。

（年金特別会計における特別保健福祉事業に関する経理）

第三十二条　特別保健福祉事業に関する経理は、当分の間、第百八条及び附則第二十九条の規定にかかわらず、年金特別会計において行うものとする。

2　前項の特別保健福祉事業（次項から附則第三十八条までにおいて「特別事業」という。）とは、国民保健の向上及び高齢者の福祉の増進を目的として国民の高齢期における健康の保持及び適切な医療の確保を図るため、特別保健福祉事業資金の運用による利益金を財源として行う次に掲げるものをいう。

一　社会保険診療報酬支払基金が行う高齢者の医療の確保に関する法律（昭和五十七年法律第八十号）第百三十九条第三項に規定する高齢者医療制度関係業務に対する補助で政令で定めるもの

二　前号に掲げるもののほか、健康保険法の規定による健康保険事業の保健事業、福祉事業その他の事業に係る財政上の措置であって政令で定めるもの

3　第一項の規定により特別事業に関する経理を年金特別会計において行う場合には、同会計の業務勘定（次項から附則第三十七条までにおいて「業務勘定」という。）に特別保健福祉事業資金を置き、次条第二項の規定による繰入金、特別保健福祉事業資金の運用による利益金及び附則第三十七条第一項の規定による組入金をもってこれに充てる。

4　第一項の規定により特別事業に関する経理を年金特別会計において行う場合には、第百十一条第五項の規定によるほか、特別保健福祉事業資金からの受入金及び特別事業に係る附属雑収入は業務勘定の歳入とし、特別保健福祉事業資金への繰入金、特別事業に要する経費及び一般会計への繰入金は業務勘定の歳出とする。

（一般会計から業務勘定への繰入れの特例）

第三十三条　特別保健福祉事業資金に充てるために必要がある場合には、第六条の規定にかかわらず、予算で定める金額を限り、一般会計から業務勘定に繰り入れることができる。

2　前項の規定による一般会計からの繰入金に相当する金額は、業務勘定から特別保健福祉事業資金に繰り入れなければならない。

（特別保健福祉事業資金から業務勘定への繰入れ）

第三十四条　特別事業に要する経費に充てるため、予算で定める金額を限り、特別保健福祉事業資金から業務勘定の歳入に繰り入れることができる。

2　前項の規定による繰入金の額は、旧厚生保険特別会計法第十九条第三項の規定により特別保健福祉事業資金を設置した年度（以下この項において「設置年度」という。）から当該繰入れをする年度までに生じた特別保健福祉事業資金の運用による利益金及び設置年度から当該繰入れをする年度の前年度までに附則第三十七条第一項又は旧厚生保険特別会計法第十九条ノ六第一項の規定により特別保健福祉事業資金へ組み入れた金額の合計額に相当する金額（設置年度から当該前年度までに前項若しくは旧厚生保険特別会計法第十九条ノ三第一項の規定により繰り入れた金額又は附則第三十七条第一項若しくは旧厚生保険特別会計法第十九条ノ六第一項の規定に

より組み入れた金額がある場合には、その合計額を控除した金額に相当する金額）を限度とする。

（業務勘定から厚生年金勘定への繰入れ）

第三十五条　厚生年金保険事業の長期的安定を確保するために必要がある場合には、特別事業の必要性を勘案しつつ、特別保健福祉事業資金の金額を限度として、予算で定める金額を限り、業務勘定から厚生年金勘定に繰り入れることができる。

2　前項の規定により繰入れをする場合には、当該繰入金に相当する金額を、特別保健福祉事業資金から業務勘定の歳入に繰り入れなければならない。

3　第一項の規定により繰入れをした場合には、当該繰入金額は、附則第二十六条又は第二十七条の規定により一般会計から厚生年金勘定に繰り入れられたものとみなす。

4　前項の規定の適用について必要な事項は、政令で定める。

5　附則第二十六条及び第二十七条の規定により一般会計から厚生年金勘定に繰り入れるべき金額の合計額に相当する金額が一般会計から同勘定に繰り入れられた場合（第三項の規定により繰り入れられたものとみなされる場合を含む。）において、特別保健福祉事業資金に残額があるときは、特別事業の必要性を勘案して、当該残額を限度として、予算で定める金額を限り、業務勘定から一般会計に繰り入れることができる。

6　前項の規定により繰入れをする場合には、第二項の規定を準用する。

（業務勘定における特別保健福祉事業資金の受払いの経理）

第三十六条　特別保健福祉事業資金の受払いは、財務大臣の定めるところにより、業務勘定の歳入歳出外として経理するものとする。

（業務勘定における剰余金の処理の特例）

第三十七条　業務勘定において、毎会計年度の特別事業に係る歳入額から当該年度の特別事業に係る歳出額を控除して残余がある場合には特別保健福祉事業資金に組み入れ、不足がある場合には特別保健福祉事業資金から補足するものとする。

2　附則第三十二条第一項の規定により特別事業に関する経理を年金特別会計において行う場合における第百十九条において読み替えて適用する第八条第一項の規定の適用については、同項中「歳入歳出の決算上剰余金を生じた」とあるのは、「歳入額（附則第三十二条第二項に規定する特別事業に係るものを除く。）から当該年度の歳出額（同項に規定する特別事業に係るものを除く。）を控除して残余がある」とする。

（子ども・子育て支援特別会計における児童手当に関する経理）

第三十八条　子ども・子育て支援法及び就学前の子どもに関する教育、保育等の総合的な提供の推進に関する法律の一部を改正する法律の施行に伴う関係法律の整備等に関する法律（平成二十四年法律第六十七号）第三十七条及び第三十八条の規定によりなお従前の例によることとされた同法第三十六条の規定による改正前の児童手当法による児童手当に関する政府の経理は、子ども・子育て支援特別会計において行うものとする。この場合における第百十一条第五項、第百十四条の二、第百二十条第二項、第百二十三条の二、第百二十三条の五第一項、第百二十三条の七第一項、第百二十三条の九第一項、第百二十三条の十第一項及び第三項並びに第百二十三条の十六の規定の適用については、第百十一条第五項第一号ホ中「拠出金」とあるのは「拠出金及び子ども・子育て支援法及び就学前の子どもに関する教育、保育等の総合的な提供の推進に関する法律の一部を改正する法律の施行に伴う関係法律の整備等に関する法律（平成二十四年法律第六十七号。以下「子ども・子育て整備法」という。）第三十八条の規定によりその徴収についてなお従前の例によることとされた子ども・子育て整備法第三十六条の規定による改正前の児童手当法（以下「整備法改正前児童手当法」という。）第二十条第一項第一号の事業主からの拠出金」と、同項第二号イ中「徴収」とあるのは「徴収及び子ども・子育て整備法第三十八条の規定によりなお従前の例によることとされた整備法改正前児童手当法第二十条第一項第一号の事業主からの拠出金の徴収」と、第百十四条の二中「当該」とあるのは「子ども・子育て整備法第三十八条の規定によりその徴収についてなお従前の例によることとされた整備法改正前児童手当法第二十条第一項第一号の事業主からの拠出金並びにこれらの」と、第百二十条第二項第七号中「徴収」とあるのは「徴収及び子ども・子育て整備法第三十八条の規定によりなお従前の例によることとされた整備法改正前児童手当法第二十条第一項第一号の事業主からの拠出金の徴収」と、第百二十三条の二中「児童手当並びに」とあるのは「児童手当（子ども・子育て整備法第三十七条及び第三十八条の規定によりなお従前の例によることとされた整備法改正前児童手当法による児童手当を含む。）並びに」と、第百二十三条の五第一項第一号ハ中「拠出金」とあるのは「拠出金及び子ども・子育て整備法第三十八条の規定によりその徴収についてなお従前の例によることとされた整備法改正前児童手当法第二十条第一項第二号から第四号までに掲げる者からの拠出金」と、同項第二号ル中「業務取扱費」とあるのは「業務取扱費及び児童育成事業費」と、第百二十三条の七第一項中「業務取扱費で国庫が負担するもの」とあるのは「業務取扱費で国庫が負担するもの並びに子ども・子育て整備法第三十七条の規定によりなお従前の例によることとされた整備法改正前児童手当法第十八条第一項から第三項までに規定する児童手当の支給に要する費用及び子ども・子育て整備法第三十七条の規定によりなお従前の例によることとされた整備法改正前児童手当法第十八条第五項に規定する児童手当に関する事務の執行に要する費用で国庫が負担するもの」と、第百二十三条の九第一項中「徴収」とあるのは「徴収及び子ども・子育て整備法第三十八条の規定によりなお従前の例によることとされた整備法改正前児童手当法第二十条第一項第一号の事業主からの拠出金の徴収」と、第百二十三条の十第一項及び第三項中「及び仕事・子育て両立支援事業費」とあるのは「、仕事・子育て両立支援事業費及び児童育成事業費」と、第百二十三条の十六第一項中「の合計額」とあるのは「並びに子ども・子育て整備法第三十七条の規定によりなお従前の例によることとされた整備法改正前児童手当法第十八条第一項から第三項まで及び第五項の規定による国庫負担金の額の合計額」と、同条第二項第二号中「及び当該」とあるのは「及び子ども・子育て整備法第三十八条の規定によりその徴収についてなお従前の例によることとされた整備法改正前児童手当法第二十条第一項第一号の事業主からの拠出金並びにこれらの」とする。

（子ども・子育て支援特別会計における子ども手当に関する経理）

第三十八条の二　平成二十二年度等における子ども手当の支給に関する法律（平成二十二年法律第十九号）による子ども手当に関する政府の経理は、子ども・子育て支援特別会計において行うものとする。この場合における第百十一条第五項、第百十四条の二、第百二十条第二項、第百二十三条の二、第百二十三条の五第一項、第百二十三条の七第一項、第百二十三条の九第一項、第百二十三条の十第一項及び第三項並びに第百二十三条の十六の規定の適用については、第百十一条第五項第一号ホ中「拠出金」とあるのは「拠出金及び平成二十二年度等における子ども手当の支給に関する法律（平成二十二年法律第十九号。以下「平成二十二年度子ども手当支給法」という。）第二十条第一項の規定により適用される児童手当法の一部を改正する法律（平成二十四年法律第二十四号）附則第十一条の規定によりなおその効力を有するものとされた同法第一条の規定による改正前の児童手当法（以下「平成二十四年改正前児童手当法」という。）第二十条第一項第一号の事業主からの拠出金」と、同項第二号イ中「徴収」とあるのは「徴収及び平成二十二年度子ども手当支給法第二十条第一項の規定により適用される児童手当法の一部を改正する法律附則第十一条の規定によりなおその効力を有するものとされた平成二十四年改正前児童手当法第二十条第一項第一号の事業主からの拠出金の徴収」と、第百十四条の二中「当該」とあるのは「平成二十二年度子ども手当支給法第二十条第一項の規定により適用される児童手当法の一部を改正する法律附則第十一条の規定によりなおその効力を有するものとされた平成二十四年改正前児童手当法第二十条第一項第一号の事業主からの拠出金並びにこれらの」と、第百二十条第二項第七号中「徴収」とあるのは「徴収及び平成二十二年度子ども手当支給法第二十条第一項の規定により適用される児童手当法の一部を改正する法律附則第十一条の規定によりなおその効力を有するものとされた平成二十四年改正前児童手当法第二十条第一項第一号の事業主からの拠出金の徴収」と、第百二十三条の二中「育児休業等給付」とあるのは「育児休業等給付並びに平成二十二年度子ども手当支給法による子ども手当」と、第百二十三条の五第一項第一号ハ中「拠出金」とあるのは「拠出金及び平成二十二年度子ども手当支給法第二十条第一項の規定により適用される児童手当法の一部を改正する法律附則第十一条の規定によりなおその効力を有するものとされた平成二十四年改正前児童手当法第二十条第一項第二号から第四号までに掲げる者からの拠出金」と、同項第二号イ中「同じ。）」とあるのは「同じ。）及び子ども手当交付金」と、同号ル中「業務取扱費」とあるのは「業務取扱費（子ども手当の業務取扱費を含む。）及び児童育成事業費」と、第百二十三条の七第一項中「業務取扱費で国庫が負担するもの」とあるのは「業務取扱費で国庫が負担するもの並びに平成二十二年度子ども手当支給法第十七条第一項に規定する子ども手当の支給に要する費用（平成二十二年度子ども手当支給法第二十条第一項又は第二項の規定により児童手当又は平成二十四年改正前児童手当法附則第七条第一項の給付とみなされる部分の支給に要する費用を含む。）及び平成二十二年度子ども手当支給法第十七条第三項に規定する子ども手当に関する事務の執行に要する費用で国庫が負担するもの」と、第百二十三条の九第一項中「徴収」とあるのは「徴収及び平成二十二年度子ども手当支給法第二十条第一項の規定により適用される児童手当法の一部を改正する法律附則第十一条の規定によりなおその効力を有するものとされた平成二十四年改正前児童手当法第二十条第一項第一号の事業主からの拠出金の徴収」と、第百二十三条の十第一項及び第三項中「児童手当交付金」とあるのは「児童手当交付金及び子ども手当交付金」と、「及び仕事・子育て両立支援事業費」とあるのは「、仕事・子育て両立支援事業費及び児童育成事業費」と、第百二十三条の十六第一項中「の合計額」とあるのは「並びに平成二十二年度子ども手当支給法第十七条第一項及び第三項並びに平成二十二年度子ども手当支給法第二十条第一項の規定により適用される児童手当法の一部を改正する法律附則第十一条の規定によりなおその効力を有するものとされた平成二十四年改正前児童手当法第十八条第一項及び第二項並びに平成二十二年度子ども手当支給法第二十条第二項の規定により適用される児童手当法の一部を改正する法律附則第十一条の規定によりなおその効力を有するものとされた平成二十四年改正前児童手当法附則第七条第五項において準用する平成二十四年改正前児童手当法第十八条第二項の規定による国庫負担金の額の合計額」と、同条第二項第二号中「及び当該」とあるのは「及び平成二十二年度子ども手当支給法第二十条第一項の規定により適用される児童手当法の一部を改正する法律附則第十一条の規定によりなおその効力を有するものとされた平成二十四年改正前児童手当法第二十条第一項第一号の事業主からの拠出金並びにこれらの」とする。

第三十八条の三　平成二十三年度における子ども手当の支給等に関する特別措置法（平成二十三年法律第百七号）による子ども手当に関する政府の経理は、子ども・子育て支援特別会計において行うものとする。この場合における第百十一条第五項、第百十四条の二、第百二十条第二項、第百二十三条の二、第百二十三条の五第一項、第百二十三条の七第一項、第百二十三条の九第一項、第百二十三条の十第一項及び第三項並びに第百二十三条の十六の規定の適用については、第百十一条第五項第一号ホ中「拠出金」とあるのは「拠出金並びに平成二十三年度における子ども手当の支給等に関する特別措置法（平成二十三年法律第百七号。以下「平成二十三年度子ども手当支給特別措置法」という。）第二十条第一項、第三項及び第五項の規定により適用される児童手当法の一部を改正する法律（平成二十四年法律第二十四号）附則第十二条の規定によりなおその効力を有するものとされた同法第一条の規定による改正前の児童手当法（以下「平成二十四年改正前児童手当法」という。）第二十条第一項第一号の事業主からの拠出金」と、同項第二号イ中「徴収」とあるのは「徴収並びに平成二十三年度子ども手当支給特別措置法第二十条第一項、第三項及び第五項の規定により適用される児童手当法の一部を改正する法律附則第十二条の規定によりなおその効力を有するものとされた平成二十四年改正前児童手当法第二十条第一項第一号の事業主からの拠出金の徴収」と、第百十四条の二中「及び当該」とあるのは「並びに平成二十三年度子ども手当支給特別措置法第二十条第一項、第三項及び第五項の規定により適用される児童手当法の一部を改正する法律附則第十二条の規定によりなおその効力を有するものとされた平成二十四年改正前児童手当法第二十条第一項第一号の事業主からの拠出金並びにこれらの」と、第百二十条第二項第七号中「徴収」とあるのは「徴収並びに平成二十三年度子ども手当支給特別措置法第二十条第一項、第三項及び第五項の規定により適用される児童手当法の一部を改正する法律附則第十二条の規定によりなおその効力を有するものとされた平成二十四年改正前児童手当法第二十条第一項第一号の事業主からの拠出金の徴収」と、第百二十三条の二中「育児休業等給付」とあるのは「育児休業等給付並びに平成二十三年度子ども手当支給特別措置法による子ども手当」と、第百二十三条の五第一項第一号ハ中「拠出金」とあるのは「拠出金並びに平成二十三年度子ども手当支給特別措置法第二十条第一項、第三項及び第五項の規定により適用される児童手当法の一部を改正する法律附則第十二条の規定によりなおその効力を有するものとされた平成二十四年改正前児童手当法第二十条第一項第二号から第四号までに掲げる者からの拠出金」と、同項第二号イ中「同じ。）」とあるのは「同じ。）及び子ども手当交付金」と、同号ル中「業務取扱費」とあるのは「業務取扱費（子ども手当の業務取扱費を含む。）及び児童育成事業費」と、第百二十三条の七第一項中「業務取扱費で国庫が負担するもの」とあるのは「業務取扱費で国庫が負担するもの並びに平成二十三年度子ども手当支給特別措置法第十七条第一項に規定する子ども手当の支給に要する費用（平成二十三年度子ども手当支給特別措置法第二十条第一項から第六項までの規定により児童手当又は平成二十四年改正前児童手当法附則第七条第一項の給付とみなされる部分の支給に要する費用を含む。）及び平成二十三年度子ども手当支給特別措置法第十七条第三項に規定する子ども手当に関する事務の執行に要する費用で国庫が負担するもの」と、第百二十三条の九第一項中「徴収」とあるのは「徴収並びに平成二十三年度子ども手当支給特別措置法第二十条第一項、第三項及び第五項の規定により適用される児童手当法の一部を改正する法律附則第十二条の規定によりなおその効力を有するものとされた平成二十四年改正前児童手当法第二十条第一項第一号の事業主からの拠出金の徴収」と、第百二十三条の十第一項及び第三項中「児童手当交付金」とあるのは「児童手当交付金及び子ども手当交付金」と、「及び仕事・子育て両立支援事業費」とあるのは「、仕事・子育て両立支援事業費及び児童育成事業費」と、第百二十三条の十六第一項中「の合計額」とあるのは「並びに平成二十三年度子ども手当支給特別措置法第十七条第一項及び第三項並びに平成二十三年度子ども手当支給特別措置法第二十条第一項、第三項及び第五項の規定により適用される児童手当法の一部を改正する法律附則第十二条の規定によりなおその効力を有するものとされた平成二十四年改正前児童手当法第十八条第一項及び第二項並びに平成二十三年度子ども手当支給特別措置法第二十条第二項、第四項及び第六項の規定により適用される児童手当法の一部を改正する法律附則第十二条の規定によりなおその効力を有するものとされた平成二十四年改正前児童手当法附則第七条第五項において準用する平成二十四年改正前児童手当法第十八条第二項の規定による国庫負担金の額の合計額」と、同条第二項第二号中「及び当該」とあるのは「並びに平成二十三年度子ども手当支給特別措置法第二十条第一項、第三項及び第五項の規定により適用される児童手当法の一部を改正する法律附則第十二条の規定によりなおその効力を有するものとされた平成二十四年改正前児童手当法第二十条第一項第一号の事業主からの拠出金並びにこれらの」とする。

（子ども・子育て支援勘定の歳出の特例）

第三十八条の四　当分の間、第百二十三条の五第一項の規定によるほか、子ども・子育て支援法附則第十四条第三項の規定による補助金は、子ども・子育て支援勘定の歳出とする。

（一般会計から子ども・子育て支援勘定への繰入れの特例）

第三十八条の五　当分の間、第六条の規定にかかわらず、毎会計年度、予算で定めるところにより、子ども・子育て支援法附則第十四条第三項に規定する保育充実事業に要する費用で国庫が補助するものに相当する額は、一般会計から子ども・子育て支援勘定に繰り入れるものとする。この場合における第百二十三条の十六第一項の規定の適用については、同項中「及び子ども・子育て支援交付金」とあるのは、「、子ども・子育て支援交付金の額及び子ども・子育て支援法附則第十四条第三項の規定による補助金」とする。

（食料安定供給特別会計と一般会計との間における国有財産の使用の特例）

第三十九条　次に掲げる場合には、当分の間、食料安定供給特別会計と一般会計との間において無償として整理することができる。
一　地方農政局の事務のために使用する場合において、食料安定供給特別会計に所属する国有財産を、政令で定めるところにより、一般会計において使用させるとき。
二　食料安定供給特別会計の業務のために使用する必要がある場合において、附則第二百九条第八項の規定により一般会計に所管換又は所属替をした国有財産を、政令で定めるところにより、食料安定供給特別会計において使用させるとき。

第四十条　削除

（食料安定供給特別会計の農業再保険勘定の歳出の特例）
第四十一条　当分の間、第百二十七条第三項の規定によるほか、農業保険法附則第三条第一項の交付金は、農業再保険勘定の歳出とする。

第四十二条から第四十七条まで　削除

（特許特別会計と一般会計との間における国有財産の所管換等の特例）
第四十八条　附則第六十六条第三十一号の規定による廃止前の特許特別会計法（昭和五十九年法律第二十四号）附則第二条第一項の規定により同法に基づく特許特別会計に帰属することとなった国有財産で特許特別会計において使用する必要がなくなったものについて、政令で定めるところにより、一般会計に所管換又は所属替をする場合には、当分の間、特許特別会計と一般会計との間において無償として整理することができる。

第四十九条から第五十四条まで　削除

（自動車安全特別会計における自動車損害賠償責任再保険事業等の経理）
第五十五条　自動車損害賠償保障法及び自動車損害賠償責任再保険特別会計法の一部を改正する法律（平成十三年法律第八十三号）附則第二条第一項の規定によりなおその効力を有することとされる同法第一条の規定による改正前の自動車損害賠償保障法の規定に基づく再保険関係及び保険関係に係る自動車損害賠償責任再保険事業及び自動車損害賠償責任共済保険事業に関する経理は、当分の間、第二百十条第一項の規定にかかわらず、自動車安全特別会計において行うものとする。

（自動車安全特別会計において前条の規定による経理を行う場合における歳入及び歳出の特例等）
第五十六条　前条の規定による経理を自動車安全特別会計で行う場合における第二百十二条の二、第二百十三条、第二百十五条、第二百十六条、第二百十八条及び第二百十八条の二の規定の適用については、第二百十二条の二第一項中「に係るもの」とあるのは「並びに自動車損害賠償保障法及び自動車損害賠償責任再保険特別会計法の一部を改正する法律（平成十三年法律第八十三号）附則第二条第一項の規定によりなおその効力を有することとされる同法第一条の規定による改正前の自動車損害賠償保障法（以下この節において「なお効力を有する旧自賠法」という。）の規定に基づく再保険関係及び保険関係に係る自動車損害賠償責任再保険事業及び自動車損害賠償責任共済保険事業（以下この節において「自動車損害賠償責任再保険事業等」という。）に係るもの」と、第二百十三条第一項第一号中「リ　附属雑収入」とあるのは
「リ　なお効力を有する旧自賠法第四十六条（なお効力を有する旧自賠法第五十条第一項において準用する場合を含む。）の規定による納付金
ヌ　附属雑収入」
と、同項第二号中「ニ　一時借入金の利子
ホ　附属諸費」
とあるのは
「ニ　なお効力を有する旧自賠法第四十条第一項の規定による再保険の再保険金及び同条第二項の規定による保険の保険金
ホ　なお効力を有する旧自賠法第四十五条第二項（なお効力を有する旧自賠法第五十条第一項において準用する場合を含む。）の規定による返還金
ヘ　一時借入金の利子
ト　附属諸費」
と、同条第二項第二号イ中「及び自動車検査登録等事務」とあるのは「、自動車検査登録等事務及び自動車損害賠償責任再保険事業等」と、第二百十五条第一項中「の業務の執行に要する経費」とあるのは「及びなお効力を有する旧自賠法第五十一条の規定に基づく自動車損害賠償責任再保険事業等の業務の執行に要する経費」と、第二百十六条中「自動車事故対策事業」とあるのは「自動車事故対策事業及び自動車損害賠償責任再保険事業等」と、第二百十八条第二項及び第三項中「に係る」とあるのは「及び自動車損害賠償責任再保険事業等に係る」と、第二百十八条の二第一項中「必要な金額」とあるのは「必要な金額並びに自動車検査登録勘定への繰入金（自動車損害賠償責任再保険事業等に係るものに限る。）、なお効力を有する旧自賠法第四十条第一項の規定による再保険の再保険金及び同条第二項の規定による保険の保険金（以下この節において「自動車損害賠償責任再保険金等」という。）、なお効力を有する旧自賠法第四十五条第二項（なお効力を有する旧自賠法第五十条第一項において準用する場合を含む。）の規定による返還金並びに一時借入金の利子に充てるために将来必要な金額」と、同条第二項中「被害者保護増進等計画を実施するために」とあるのは「被害者保護増進等計画を実施するため並びに自動車検査登録勘定への繰入金（自動車損害賠償責任再保険事業等に係るものに限る。）、自動車損害賠償責任再保険金等、なお効力を有する旧自賠法第四十五条第二項（なお効力を有する旧自賠法第五十条第一項において準

用する場合を含む。）の規定による返還金及び一時借入金の利子の財源に充てるために」とする。

第五十七条から第六十四条まで　削除

（東日本大震災復興特別会計の歳入の特例）

第六十五条　第二百二十四条の規定によるほか、附則第二百三十一条第十三項の規定による国営土地改良事業経過勘定から東日本大震災復興特別会計への繰入金は、同会計の歳入とする。

（法律の廃止）

第六十六条　次に掲げる法律は、廃止する。

一　国債整理基金特別会計法（明治三十九年法律第六号）
二　食糧管理特別会計法（大正十年法律第三十七号）
三　漁船再保険及漁業共済保険特別会計法（昭和十二年法律第二十四号）
四　森林保険特別会計法（昭和十二年法律第二十六号）
五　厚生保険特別会計法
六　農業共済再保険特別会計法（昭和十九年法律第十一号）
七　農業経営基盤強化措置特別会計法（昭和二十一年法律第四十四号）
八　国有林野事業特別会計法
九　船員保険特別会計法（昭和二十二年法律第二百三十六号）
十　国庫余裕金の繰替使用に関する法律（昭和二十四年法律第六十三号）
十一　国立高度専門医療センター特別会計法（昭和二十四年法律第百九十号）
十二　貿易再保険特別会計法
十三　外国為替資金特別会計法（昭和二十六年法律第五十六号）
十四　財政融資資金特別会計法（昭和二十六年法律第百一号）
十五　産業投資特別会計法（昭和二十八年法律第百二十二号）
十六　交付税及び譲与税配付金特別会計法（昭和二十九年法律第百三号）
十七　自動車損害賠償保障事業特別会計法（昭和三十年法律第百三十四号）
十八　国営土地改良事業特別会計法（昭和三十二年法律第七十一号）
十九　特定国有財産整備特別会計法（昭和三十二年法律第百十六号）
二十　道路整備特別会計法（昭和三十三年法律第三十五号）
二十一　治水特別会計法（昭和三十五年法律第四十号）
二十二　港湾整備特別会計法（昭和三十六年法律第二十五号）
二十三　国民年金特別会計法（昭和三十六年法律第六十三号）
二十四　自動車検査登録特別会計法（昭和三十九年法律第四十八号）
二十五　都市開発資金融通特別会計法（昭和四十一年法律第五十号）
二十六　地震再保険特別会計法（昭和四十一年法律第七十四号）
二十七　石油及びエネルギー需給構造高度化対策特別会計法
二十八　空港整備特別会計法（昭和四十五年法律第二十五号）
二十九　労働保険特別会計法（昭和四十七年法律第十八号）
三十　電源開発促進対策特別会計法（昭和四十九年法律第八十号）
三十一　特許特別会計法
三十二　登記特別会計法（昭和六十年法律第五十四号）

（暫定的に設置する特別会計）

第六十七条　次の各号に掲げる特別会計を、この法律の施行の日から当該各号に定める年度の末日（第十三号にあっては、同号に定める日）までの期間に限り、設置する。

一　財政融資資金特別会計　平成十九年度
二　産業投資特別会計　平成十九年度
三　都市開発資金融通特別会計　平成十九年度
四　治水特別会計　平成十九年度
五　道路整備特別会計　平成十九年度
六　港湾整備特別会計　平成十九年度
七　空港整備特別会計　平成十九年度
八　自動車損害賠償保障事業特別会計　平成十九年度
九　自動車検査登録特別会計　平成十九年度
十　国営土地改良事業特別会計　平成十九年度
十一　特定国有財産整備特別会計　平成二十一年度
十二　国立高度専門医療センター特別会計　平成二十一年度
十三　船員保険特別会計　日本年金機構法の施行の日の前日
十四　登記特別会計　平成二十二年度

２　前項各号に掲げる特別会計の目的、管理及び経理については、附則第六十八条から第二百六条までに定めるところとする。

３　第一項各号に掲げる特別会計（附則第二百三十一条第一項の規定による場合における食料安定供給特別会計及び附則第二百三十五条第一項の規定による場合における財政投融資特別会計を含む。）に対する第三条第二項第六号、第六条、第八条第一項、第九条第二項第四号、第十三条第一項、第十五条第一項ただし書及び第五項並びに第十八条第一項の規定の適用については、これらの規定中「次章」とあるのは、「附則第六十八条から第二百五十九条まで」とする。

第六十七条の二　国有林野事業債務管理特別会計を、国有林野の有する公益的機能の維持増進を図るための国有林野の管理経営に関する法律等の一部を改正する等の法律（平成二十四年法律第四十二号。附則第二百六条の二及び第二百六条の六において「管理経営法等改正法」という。）の施行の日から同会計の負担に属する借入金に係る債務の処理が終了する日の属する年度（附則第二百六条の二及び第二百五十九条の二において「債務処理終了年度」という。）の末日までの期間に限り、設置する。

２　国有林野事業債務管理特別会計の目的、管理及び経理については、附則第二百六条の二から第二百六条の七までに定めるところとする。

3　国有林野事業債務管理特別会計に対する第十三条第一項の規定の適用については、同項中「次章」とあるのは、「附則第二百六条の六」とする。

第六十八条　財政融資資金の運用に関する経理は、この法律の施行の日から平成十九年度の末日までの間、第五十条の規定にかかわらず、財政融資資金特別会計において行うものとする。

（財政融資資金特別会計の管理）

第六十九条　財政融資資金特別会計は、財務大臣が、法令で定めるところに従い、管理する。

（財政融資資金特別会計の歳入及び歳出）

第七十条　財政融資資金特別会計における歳入及び歳出は、次のとおりとする。

一　歳入
　イ　財政融資資金の運用利殖金
　ロ　借入金及び公債の発行収入金
　ハ　財政融資資金からの受入金
　ニ　積立金からの受入金
　ホ　附則第七十九条第一項の規定による取引に基づく収入金
　ヘ　附則第八十条第一項各号に係る措置に基づく収入金
　ト　繰替金（附則第八十一条第二項ただし書に規定する返還することができない金額に係るものに限る。）
　チ　附属雑収入

二　歳出
　イ　財政融資資金預託金の利子
　ロ　財政融資資金の運用損失金
　ハ　運用手数料
　ニ　事務取扱費
　ホ　財政融資資金法第九条第一項の規定による一時借入金及び融通証券の利子
　ヘ　附則第七十三条第三項の規定による国債整理基金特別会計への繰入金
　ト　借入金及び公債の償還金及び利子
　チ　財政融資資金への繰入金
　リ　附則第七十九条第一項の規定による取引に要する経費
　ヌ　附則第八十一条第二項ただし書の規定による繰替金の返還金
　ル　公債及び融通証券の発行及び償還に関する諸費
　ヲ　附属諸費

（財政融資資金特別会計の歳入歳出予定計算書等の添付書類）

第七十一条　第三条第二項第一号から第五号までに掲げる書類のほか、財政融資資金特別会計においては、歳入歳出予定計算書等に、前々年度の貸借対照表及び損益計算書並びに前年度及び当該年度の予定貸借対照表及び予定損益計算書を添付しなければならない。

（財政融資資金特別会計における利益及び損失の処理）

第七十二条　財政融資資金特別会計において、平成十九年度の損益計算上生じた利益又は損失は、翌年度に繰り越して整理するものとする。

2　次条第三項の規定による繰入金に相当する金額は、前項の繰越利益の額から減額して整理するものとする。

（財政融資資金特別会計の積立金）

第七十三条　財政融資資金特別会計において、平成十九年度の歳入歳出の決算上剰余金を生じた場合には、当該剰余金のうち、同年度の歳入の収納済額（次項において「収納済額」という。）から同年度の歳出の支出済額と附則第八十四条の規定による歳出金の翌年度への繰越額のうち支払義務の生じた歳出金であって平成十九年度の出納の完結までに支出済みとならなかったものとの合計額（次項において「支出済額等」という。）を控除した金額に相当する金額を、積立金として積み立てるものとする。

2　財政融資資金特別会計の平成十九年度の決算上収納済額が支出済額等に不足する場合には、前項の積立金から補足するものとする。

3　第一項の積立金が平成十九年度の末日において政令で定めるところにより算定した金額を超える場合には、予算で定めるところにより、その超える金額に相当する金額の範囲内で、同項の積立金から財政融資資金特別会計の歳入に繰り入れ、当該繰り入れた金額を、同会計から国債整理基金特別会計に繰り入れることができる。

4　財政融資資金特別会計において、平成十九年度の歳入歳出の決算上剰余金を生じた場合には、第八条第二項の規定は、適用しない。

（財政融資資金特別会計の歳入歳出決定計算書の添付書類）

第七十四条　第九条第二項第一号から第三号までに掲げる書類のほか、財政融資資金特別会計においては、歳入歳出決定計算書に、当該年度の貸借対照表及び損益計算書並びに当該年度末における運用資産明細表を添付しなければならない。

（財政融資資金特別会計における借入金対象経費）

第七十五条　財政融資資金特別会計における借入金対象経費は、財政融資資金の運用の財源に充てるために必要な経費とする。

（財政融資資金特別会計における公債）

第七十六条　財政融資資金特別会計において、財政融資資金の運用の財源に充てるために必要がある場合には、同会計の負担において、公債を発行することができる。

2　前項の規定による公債の発行の限度額については、予算をもって、国会の議決を経なければならない。

3　第一項の規定により公債を発行する場合には、第三条第二項第一号から第五号まで及び附則第七十一条に規定する書類のほか、歳入歳出予定計算書等に、当該年度に発行を予定する公債の発行及び償還の計画表を添付しなければならない。

（財政融資資金特別会計における借入金の借入限度及び公債の発行限度の繰越し）

第七十七条　第十四条の規定にかかわらず、財政融資資金特別会計において、第十三条第二項又は前条第二項の規定により国会の議決を経た金額のうち、当該年度において借入金の借入れ又は公債の発行をしなかった金額がある場合には、当該金額を限度として、かつ、財政融資資金の長期運用に対する特別措置に関する法律第三条の規定によりその翌年度において運用することができる金額の範囲内で、当該翌年度において、附則第六十七条第三項において読み替えて適用する第十三条第一項（以下「読替え後の第十三条第一項」という。）及び附則第七十五条の規定により借入金をし、又は前条第一項の規定により公債を発行することができる。

（財政融資資金特別会計における財政融資資金への繰入れ等）

第七十八条　財政融資資金特別会計において、借入金をし、又は公債を発行した場合には、当該借入金又は当該公債の発行収入金に相当する金額を、財政融資資金に繰り入れるものとする。

2　前項の借入金又は公債の償還金がある場合には、当該償還金に相当する金額を、財政融資資金から財政融資資金特別会計の歳入に繰り入れるものとする。

（財政融資資金特別会計の適切な管理のための金利スワップ取引）

第七十九条　財務大臣は、財政融資資金特別会計の適切な管理のため、同会計の負担において、金利スワップ取引（第六十五条第二項に規定する金利スワップ取引をいう。）を行うことができる。

2　財務大臣は、前項の規定による取引に関する事務を、日本銀行に取り扱わせることができる。

（財政融資資金特別会計における財政融資資金の運用の財源に充てるための措置）

第八十条　財務大臣は、財政融資資金において運用の財源に充てるために必要があるときは、運用資産（第六十六条第一項に規定する運用資産をいう。以下この条において同じ。）を財政融資資金特別会計に帰属させ、当該運用資産について、当該帰属させた年度内に、次に掲げる措置をとることができる。

一　信託会社又は金融機関の信託業務の兼営等に関する法律第一条第一項の認可を受けた金融機関に信託し、当該信託受益権を譲渡すること。

二　資産対応証券（資産の流動化に関する法律第二条第十一項に規定する資産対応証券をいう。）を当該年度内に発行する特定目的会社（同条第三項に規定する特定目的会社をいう。）に譲渡すること。

2　前項の規定に基づき運用資産を財政融資資金特別会計に帰属させた場合には、当該運用資産の元本に相当する額を、同会計から財政融資資金に繰り入れるものとする。

3　財務大臣は、第一項各号に掲げる措置をとった場合には、同項第一号の規定により信託した運用資産又は同項第二号の規定により譲渡した運用資産に係る元利金の回収その他回収に関する業務を受託することができる。

（財政融資資金特別会計における財政融資資金の繰替使用）

第八十一条　財政融資資金特別会計においては、財政融資資金に属する現金を繰り替えて使用することができる。

2　前項の規定による繰替金を返還する場合には、当該年度の歳入（附則第七十三条第二項の規定による積立金からの補足を含む。以下この項において同じ。）をもって返還しなければならない。ただし、歳入不足のため返還することができない場合には、第十五条第六項の規定にかかわらず、その返還することができない金額を限り、繰替使用をしたときから一年内に返還することができる。

（財政融資資金特別会計から国債整理基金特別会計への繰入れ）

第八十二条　平成十九年度の公債の償還金及び利子並びに発行及び償還に関する諸費の支出に必要な金額は、同年度において、財政融資資金特別会計から国債整理基金特別会計に繰り入れなければならない。

2　財政融資資金特別会計の借入金又は公債については、第四十六条第一項及び第四十七条の規定は、適用しない。

（財政融資資金特別会計における利子の支払事務の委託）

第八十三条　財務大臣は、財政融資資金預託金の利子の支払を、日本銀行に取り扱わせることができる。

2　財務大臣は、前項に規定する財政融資資金預託金の利子の支払をさせる場合には、その利子の支払に必要な資金を、日本銀行に交付することができる。

（財政融資資金特別会計における繰越し）

第八十四条　財政融資資金特別会計において、平成十九年度の歳出予算における支出残額は、翌年度に繰り越して使用することができる。

（産業投資特別会計の設置の目的）

第八十五条　産業の開発及び貿易の振興のために国の財政資金をもって行う投資（第五十条に規定する投資をいう。附則第八十八条第三号及び第九十一条第一項において同じ。）に関する経理は、この法律の施行の日から平成十九年度の末日までの間、第五十条の規定にかかわらず、産業投資特別会計において行うものとする。

（産業投資特別会計の管理）

第八十六条　産業投資特別会計は、財務大臣が、法令で定めるところに従い、管理する。

（産業投資特別会計の歳入及び歳出）

第八十七条　産業投資特別会計における歳入及び歳出は、次のとおりとする。

一　歳入

イ　出資に対する配当金

ロ　出資の回収金

ハ　貸付金の償還金及び利子

ニ　この会計に帰属する納付金

ホ　投資財源資金からの受入金

ヘ　一般会計からの繰入金

ト　外貨債（第五十三条第二項第一号トに規定する外貨債をいう。以下同じ。）の発行による収入金
チ　附属雑収入
二　歳出
イ　出資の払込金
ロ　貸付金
ハ　一般会計への繰入金
ニ　一時借入金の利子
ホ　外貨債の償還金及び利子
ヘ　外貨債の発行及び償還に関する諸費
ト　附属諸費

（産業投資特別会計の歳入歳出予定計算書等の添付書類）
第八十八条　第三条第二項第一号から第五号までに掲げる書類のほか、産業投資特別会計においては、歳入歳出予定計算書等に、次に掲げる書類を添付しなければならない。
一　前々年度の貸借対照表及び損益計算書
二　前年度及び当該年度の予定貸借対照表及び予定損益計算書
三　前年度及び当該年度の投資の計画表
四　外貨債の発行を予定する年度にあっては、その発行及び償還の計画表

（産業投資特別会計における一般会計からの繰入対象経費）
第八十九条　産業投資特別会計における一般会計からの繰入対象経費は、産業投資特別会計における出資の払込金、貸付金、一時借入金の利子、外貨債の償還金及び利子並びに外貨債の発行及び償還に関する諸費に要する経費とする。

（産業投資特別会計における資本並びに利益及び損失の処理）
第九十条　産業投資特別会計においては、附則第六十六条第十五号の規定による産業投資特別会計法の廃止の際における同法に基づく産業投資特別会計の資本の額に相当する金額をもって資本とする。
２　産業投資特別会計においては、次条第一項に規定する一般会計からの繰入金は、予算で定めるところにより、繰り入れるものとする。
３　第六条及び前条の規定による一般会計からの繰入金並びに前項に規定する一般会計からの繰入金に相当する金額は、産業投資特別会計の資本に組み入れて整理するものとする。
４　産業投資特別会計において、平成十九年度の損益計算上利益を生じた場合には、利益積立金に組み入れて整理し、損失を生じた場合には、利益積立金を減額して整理するものとする。
５　産業投資特別会計においては、予算で定めるところにより、一般会計に繰り入れることができる。
６　第八条第二項及び前項の規定による一般会計への繰入金に相当する金額は、第四項の利益積立金の額から減額して整理するものとする。

（産業投資特別会計の投資財源資金）
第九十一条　産業投資特別会計においては、投資の財源の一部を補足すべき原資の確保を図るために投資財源資金を置き、一般会計からの繰入金及び投資財源資金の運用による利益金をもってこれに充てる。
２　投資財源資金は、予算で定めるところにより、使用するものとする。
３　投資財源資金の受払いは、財務大臣の定めるところにより、産業投資特別会計の歳入歳出外として経理するものとする。
４　産業投資特別会計において第十二条の規定による運用により利益金を生じた場合には、当該利益金を、投資財源資金に編入するものとする。

（産業投資特別会計の歳入歳出決定計算書の添付書類）
第九十二条　第九条第二項第一号から第三号までに掲げる書類のほか、産業投資特別会計においては、歳入歳出決定計算書に、当該年度の貸借対照表及び損益計算書を添付しなければならない。

（産業投資特別会計から国債整理基金特別会計への繰入れ）
第九十三条　平成十九年度の外貨債の償還金及び利子並びに発行及び償還に関する諸費の支出に必要な金額は、同年度において、産業投資特別会計から国債整理基金特別会計に繰り入れなければならない。

（都市開発資金融通特別会計の設置の目的）
第九十四条　都市開発資金の貸付けに関する経理は、この法律の施行の日から平成十九年度の末日までの間、第百九十八条第一項並びに附則第五十四条第一項及び第五項の規定にかかわらず、都市開発資金融通特別会計において行うものとする。
２　この条から附則第百一条までにおいて「都市開発資金の貸付け」とは、都市開発資金の貸付けに関する法律第一条の規定による国の貸付けをいう。

（都市開発資金融通特別会計の管理）
第九十五条　都市開発資金融通特別会計は、国土交通大臣が、法令で定めるところに従い、管理する。

（都市開発資金融通特別会計の歳入及び歳出）
第九十六条　都市開発資金融通特別会計における歳入及び歳出は、次のとおりとする。
一　歳入
イ　都市開発資金の貸付けに係る貸付金の償還金及び利子
ロ　一般会計からの繰入金
ハ　借入金
ニ　附属雑収入
二　歳出
イ　都市開発資金の貸付けに係る貸付金
ロ　借入金の償還金及び利子
ハ　一時借入金の利子
ニ　事務取扱費
ホ　附属諸費

（都市開発資金融通特別会計の歳入歳出予定計算書等の添付書類）
第九十七条　第三条第二項第一号から第五号までに掲げる書類

のほか、都市開発資金融通特別会計においては、歳入歳出予定計算書等に、前々年度の貸借対照表及び損益計算書並びに前年度及び当該年度の予定貸借対照表及び予定損益計算書を添付しなければならない。

（都市開発資金融通特別会計における一般会計からの繰入対象経費）

第九十八条　都市開発資金融通特別会計における一般会計からの繰入対象経費は、都市開発資金の貸付けに要する費用とする。

（都市開発資金融通特別会計における利益及び損失の処理）

第九十九条　都市開発資金融通特別会計において、平成十九年度の損益計算上生じた利益又は損失は、翌年度に繰り越して整理するものとする。

（都市開発資金融通特別会計の歳入歳出決定計算書の添付書類）

第百条　第九条第二項第一号から第三号までに掲げる書類のほか、都市開発資金融通特別会計においては、歳入歳出決定計算書に、当該年度の貸借対照表及び損益計算書を添付しなければならない。

（都市開発資金融通特別会計における借入金対象経費）

第百一条　都市開発資金融通特別会計における借入金対象経費は、都市開発資金の貸付けに係る貸付金を支弁し、又は当該貸付金の償還金を再貸付けに充てたことにより一時的に不足する借入金の償還金を支弁するために要する費用とする。

（都市開発資金融通特別会計の歳入及び歳出の特例等）

第百二条　都市開発資金の貸付けに関する法律附則第二項、第三項又は第六項の規定による無利子の貸付けに関する経理は、この法律の施行の日から平成十九年度の末日までの間、第百九十八条第一項並びに附則第五十四条第一項及び第五項並びに第九十四条第一項の規定にかかわらず、都市開発資金融通特別会計において行うものとする。

2　前項の規定により同項に規定する経理を都市開発資金融通特別会計において行う場合における附則第九十六条及び第九十八条の規定の適用については、附則第九十六条第一号イ中「都市開発資金の貸付け」とあるのは「都市開発資金の貸付け及び都市開発資金の貸付けに関する法律附則第二項、第三項又は第六項の規定による無利子の貸付け」と、同号ロ中「一般会計からの繰入金」とあるのは「附則第九十八条の規定による一般会計からの繰入金及び社会資本整備特別措置法第七条第五項の規定による産業投資特別会計の社会資本整備勘定からの繰入金」と、同条第二号イ中「都市開発資金の貸付け」とあるのは「都市開発資金の貸付け及び都市開発資金の貸付けに関する法律附則第二項、第三項又は第六項の規定による無利子の貸付け」と、同号ロ中「借入金の償還金及び利子」とあるのは「借入金の償還金及び利子並びに附則第百二条第三項又は第四項の規定による産業投資特別会計の社会資本整備勘定への繰入金」と、附則第九十八条中「都市開発資金の貸付け」とあるのは「都市開発資金の貸付け及び都市開発資金の貸付けに関する法律附則第二項、第三項又は第六項の規定による無利子の貸付け」とする。

3　都市開発資金の貸付けに関する法律附則第二項又は第三項の規定による無利子の貸付金の償還を受けた場合においては、当該償還の日の属する年度に、当該貸付金の償還金に相当する金額を、都市開発資金融通特別会計から産業投資特別会計の社会資本整備勘定に繰り入れるものとする。

4　社会資本整備特別措置法第七条第五項の規定により産業投資特別会計の社会資本整備勘定から都市開発資金融通特別会計に繰り入れられた繰入金の額が、当該年度における都市開発資金の貸付けに関する法律附則第二項又は第三項の規定による無利子の貸付金の合計額を超過する場合においては、当該超過額に相当する金額は、翌年度において同条第五項の規定による産業投資特別会計の社会資本整備勘定からの繰入金額から減額し、なお残余があるときは、翌々年度までに都市開発資金融通特別会計から産業投資特別会計の社会資本整備勘定に繰り入れるものとする。

5　都市開発資金の貸付けに関する法律附則第四項の規定による無利子の貸付けに関する経理は、第百九十八条第一項並びに附則第五十四条第一項及び第五項、第九十四条第一項並びに第一項の規定にかかわらず、都市開発資金融通特別会計において行うものとする。

6　前項の規定により同項に規定する経理を都市開発資金融通特別会計において行う場合における附則第九十六条及び第九十八条の規定の適用については、これらの規定中「都市開発資金の貸付け」とあるのは、「都市開発資金の貸付け及び都市開発資金の貸付けに関する法律附則第四項の規定による無利子の貸付け」とする。

（治水特別会計の設置の目的）

第百三条　治水事業等に関する経理は、この法律の施行の日から平成十九年度の末日までの間、第百九十八条第一項及び附則第四十九条第一項の規定にかかわらず、治水特別会計において行うものとする。

2　この条から附則第百八条までにおいて「治水事業」とは、次に掲げる事業で国が施行するものをいう。ただし、治水関係災害復旧事業関係事業を除く。

一　河川法第三条第一項に規定する河川（同法第百条の規定により同法の二級河川に関する規定が準用される河川を含む。）に関する事業（第四号に該当するもの及び水資源開発等事業（第百九十八条第二項第一号に規定する水資源開発等事業をいう。以下この条において同じ。）に該当するものを除く。）

二　砂防法第一条に規定する砂防設備に関する事業

三　地すべり等防止法第五十一条第一項第一号若しくは第三号ロに規定する地すべり地域又はぼた山に関して同法第三条若しくは第四条の規定によって指定された地すべり防止区域又はぼた山崩壊防止区域における地すべり防止工事又はぼた山崩壊防止工事に関する事業

四　多目的ダム建設工事（第百九十八条第二項第四号に規定する多目的ダム建設工事をいう。以下同じ。）に関する事業

3　第一項の「治水事業等」とは、次に掲げる事務又は事業をいう。

一　治水事業

二　治水関係受託工事（第百九十八条第七項第一号に規定する治水関係受託工事をいう。以下同じ。）

三　前項第一号に規定する河川、同項第二号に規定する砂防設備（砂防法第三条ノ二の規定により砂防設備に関する規定が準用される天然の河岸を含む。）又は同項第三号に規定する地すべり防止区域内にある地すべり防止施設に係る治水関係災害復旧事業等（第百九十八条第七項第二号に規定する治水関係災害復旧事業等をいう。以下この号において同じ。）、海岸法第二条第一項に規定する海岸保全施設（港湾区域（第百九十八条第七項第二号に規定する港湾区域をいう。以下この号において同じ。）、港湾隣接地域（第百九十八条第七項第二号に規定する港湾隣接地域をいう。以下この号において同じ。）及び公告水域（第百九十八条第七項第二号に規定する公告水域をいう。以下この号において同じ。）に係る海岸保全区域（第百九十八条第七項第二号に規定する海岸保全区域をいう。以下この号において同じ。）内にあるものを除く。）に関する工事で国土交通大臣が施行するもの及びこれらの事業又は工事に密接な関連のある工事で国土交通大臣が委託に基づき施行するものの管理並びに河川法第九条第一項又は海岸法第三十七条の二の規定により国土交通大臣が行う一級河川又は海岸保全区域（港湾区域、港湾隣接地域及び公告水域に係る海岸保全区域を除く。）の管理（治水関係災害復旧事業等を除く。）に関する政令で定める事務

四　前項第一号から第三号までに掲げる事業（治水関係災害復旧事業関係事業を除く。）で都道府県知事が施行するものに係る負担金又は補助金の交付及び同項第一号に掲げる事業（治水関係災害復旧事業関係事業を除く。）で市町村長が施行するものに係る負担金又は補助金の交付

五　水資源開発等事業であって、独立行政法人水資源機構が施行するものに係る交付金の交付

六　治水関係事業（第百九十八条第七項第五号に規定する治水関係事業をいう。附則第百六条第一項第一号ト及び第二号ホにおいて同じ。）に係る民間資金等の活用による公共施設等の整備等の促進に関する法律第十三条第一項の規定による無利子の貸付け

七　前項第一号から第三号までに掲げる事業（治水関係災害復旧事業関係事業を除く。）の施行に必要な土木に係る建設技術に関する調査、試験、研究及び開発並びに指導及び成果の普及で独立行政法人土木研究所が実施するものに係る出資金の出資又は交付金若しくは施設の整備のための補助金の交付

（治水特別会計の管理）

第百四条　治水特別会計は、国土交通大臣が、法令で定めるところに従い、管理する。

（治水特別会計の勘定区分）

第百五条　治水特別会計は、治水勘定及び特定多目的ダム建設工事勘定に区分する。

（治水特別会計の歳入及び歳出）

第百六条　治水勘定における歳入及び歳出は、次のとおりとする。

一　歳入

イ　一般会計からの繰入金

ロ　特定多目的ダム建設工事勘定からの繰入金

ハ　河川法第五十九条、第六十条第一項若しくは第六十三条第一項、砂防法第十四条第二項（同法第三条ノ二において準用する場合を含む。）若しくは第十七条、特定多目的ダム法第三十三条、地すべり等防止法第二十八条又は沖縄振興特別措置法第百七条第五項（同条第九項において準用する場合を含む。）の規定による負担金で治水事業（多目的ダム建設工事に関するものを除く。）に係るもの

ニ　附則第百三条第三項第五号に規定する事業に係る独立行政法人水資源機構法第二十一条第三項又は第二十二条第三項の規定による負担金及び同法第二十四条第二項の規定による納付金

ホ　河川法第六十六条から第六十八条まで、第七十条第一項若しくは第七十条の二第一項、砂防法第十六条又は水道原水水質保全事業の実施の促進に関する法律第十四条第一項の規定による負担金及び附則第百三条第二項第一号から第三号までに掲げる事業（治水関係災害復旧事業関係事業を除く。）に係る公害防止事業費事業者負担法第五条の規定による負担金

ヘ　治水関係受託工事（多目的ダム建設工事に関するものを除く。）に係る納付金

ト　治水関係事業に係る民間資金等の活用による公共施設等の整備等の促進に関する法律第十三条第一項の規定による貸付金の償還金

チ　附則第百三条第三項第七号に規定する業務に係る独立行政法人土木研究所法（平成十一年法律第二百五号）第十四条第三項の規定による納付金

リ　附属雑収入

二　歳出

イ　治水事業（多目的ダム建設工事に関するものを除く。）及び治水関係受託工事（多目的ダム建設工事に関するものを除く。）に要する費用（国が北海道又は沖縄県で行うこれらの事業又は工事に関する事務費を除く。）

ロ　附則第百三条第三項第三号に掲げる事業若しくは工事又は管理並びに多目的ダム建設工事及び治水関係受託工事のうち多目的ダム建設工事に関するもの（以下「多目

的ダム関係受託工事」という。）に関する事務費（国が北海道又は沖縄県で行うこれらの事業若しくは工事又は管理に関する事務費を除く。）

ハ　附則第百三条第三項第四号に規定する事業に係る国の負担金及び補助金

ニ　附則第百三条第三項第五号に規定する事業に係る国の交付金

ホ　治水関係事業に係る民間資金等の活用による公共施設等の整備等の促進に関する法律第十三条第一項の規定による貸付金

ヘ　附則第百三条第三項第七号に規定する調査、試験、研究及び開発並びに指導及び成果の普及に係る国の出資金、交付金及び施設の整備のための補助金

ト　一般会計への繰入金

チ　附属諸費

2　特定多目的ダム建設工事勘定における歳入及び歳出は、次のとおりとする。

一　歳入

イ　一般会計からの繰入金

ロ　河川法第六十条第一項若しくは第六十三条第一項又は沖縄振興特別措置法第百七条第五項の規定による負担金で多目的ダム建設工事に係るもの

ハ　特定多目的ダム法第七条第一項又は第九条第一項の規定による負担金及び河川法第六十七条又は第六十八条の規定による負担金で多目的ダム建設工事に係るもの

ニ　多目的ダム関係受託工事に係る納付金

ホ　附属雑収入

二　歳出

イ　多目的ダム建設工事及び多目的ダム関係受託工事に要する費用（工事に関する事務費を除く。）

ロ　治水勘定への繰入金

ハ　一般会計への繰入金

ニ　特定多目的ダム法第十二条の規定による還付金

ホ　附属諸費

（治水特別会計の歳入歳出予定計算書等の添付書類）

第百七条　第三条第二項第一号から第五号までに掲げる書類のほか、治水特別会計においては、歳入歳出予定計算書等に、前々年度の事業実績表並びに前年度及び当該年度の事業計画表を添付しなければならない。

（治水特別会計における一般会計からの繰入対象経費）

第百八条　治水勘定における一般会計からの繰入対象経費は、治水事業（多目的ダム建設工事に関するものを除く。）に要する費用で国が負担するもの、附則第百三条第三項第三号に掲げる事業若しくは工事又は管理に要する事務費、同項第四号に掲げる事業に係る負担金及び補助金、同項第五号に掲げる事業に係る交付金で国が負担するもの並びに附則第百六条第一項第二号ホに規定する貸付金に要する費用とする。

2　特定多目的ダム建設工事勘定における一般会計からの繰入対象経費は、多目的ダム建設工事に要する費用で国が負担するものとする。

（特定多目的ダム建設工事勘定から治水勘定への繰入れ）

第百九条　平成十九年度の多目的ダム建設工事又は多目的ダム関係受託工事に関する事務費の額に相当する金額は、同年度において、予算で定めるところにより、特定多目的ダム建設工事勘定から治水勘定に繰り入れるものとする。

（治水特別会計から一般会計への繰入れ）

第百十条　治水関係受託工事に係る納付金のうち、当該工事について一般会計において支弁した政令で定める経費の額に相当する金額は、当該納付金を収納した年度内において、治水関係受託工事（多目的ダム建設工事に関するものを除く。）に係るものにあっては治水勘定から、多目的ダム関係受託工事に係るものにあっては特定多目的ダム建設工事勘定から、それぞれ一般会計に繰り入れるものとする。

（治水特別会計の歳入歳出決定計算書の添付書類）

第百十一条　第九条第二項第一号から第三号までに掲げる書類のほか、治水特別会計においては、歳入歳出決定計算書に、当該年度の事業実績表を添付しなければならない。

（特定多目的ダム建設工事勘定に係る整理）

第百十二条　特定多目的ダム建設工事勘定においては、歳入及び歳出並びに資産及び負債を多目的ダム建設工事等に係る工事別等の区分（第二百九条第一項に規定する多目的ダム建設工事等に係る工事別等の区分をいう。以下同じ。）に従って整理しなければならない。

2　第三条第二項第一号から第五号まで及び附則第百七条に規定する書類（当該年度の事業計画表を除く。）のうち特定多目的ダム建設工事勘定に係るものについては、多目的ダム建設工事等に係る工事別等の区分に従って作成するものとする。

3　附則第百八条第二項に規定する経費を一般会計から繰り入れる場合には、多目的ダム建設工事等に係る工事別等の区分に従って行うものとする。

4　附則第百九条の規定により特定多目的ダム建設工事勘定から治水勘定に繰り入れる場合には、多目的ダム建設工事等に係る工事別等の区分に従って行うものとする。

5　附則第百十条の規定により特定多目的ダム建設工事勘定から一般会計に繰り入れる場合には、多目的ダム建設工事等に係る工事別等の区分に従って行うものとする。

6　特定多目的ダム建設工事勘定の国庫債務負担行為は、多目的ダム建設工事等に係る工事別等の区分に従って行うものとする。

7　特定多目的ダム建設工事勘定の予算で、その項又は目が多目的ダム建設工事等に係る工事別等の区分によっていないものの配賦は、財政法第三十一条第二項の規定によるほか、多目的ダム建設工事等に係る工事別等の区分に従って行うものとする。

8　特定多目的ダム建設工事勘定の多目的ダム建設工事等に係る工事別等の区分に応ずる収入金は、当該区分に応ずる費用

の財源に充てるものとする。この場合において、その収入金のうち当該費用の財源に充てる必要がない剰余を生じたときにおける当該剰余の処理について必要な事項は、政令で定める。

9 特定多目的ダム建設工事勘定において、多目的ダム建設工事等に係る工事別等の区分による歳出予算の金額を支出するには、当該区分による歳入の収納済額（一時借入金をし、又は国庫余裕金を繰り替えて使用している場合には、当該一時借入金又は繰替金の額を加算した額）を超えてはならない。

10 附則第六十七条第三項において読み替えて適用する第八条第一項（以下「読替え後の第八条第一項」という。）の規定により剰余金の処理を行う場合には、特定多目的ダム建設工事勘定については、多目的ダム建設工事等に係る工事別等の区分に従って行うものとする。

11 第九条第一項の規定により歳入歳出決定計算書を作成する場合には、特定多目的ダム建設工事勘定については、多目的ダム建設工事等に係る工事別等の区分に従って行うものとする。

12 第二項の規定は、第九条第二項第一号から第三号まで及び前条に規定する書類のうち特定多目的ダム建設工事勘定に係るものについて準用する。

13 第十一条の規定により余裕金を財政融資資金に預託する場合には、特定多目的ダム建設工事勘定については、多目的ダム建設工事等に係る工事別等の区分に従って行うものとする。

14 第十五条第一項の規定により、一時借入金をし、又は国庫余裕金を繰り替えて使用する場合には、特定多目的ダム建設工事勘定については、多目的ダム建設工事等に係る工事別等の区分に従って行うものとする。

（治水特別会計の歳入及び歳出の特例等）

第百十三条 河川法附則第五項若しくは第六項、砂防法第五十二条第一項若しくは第二項、地すべり等防止法附則第八条第一項、旧水公団法附則第九条第一項若しくは第十条第一項、独立行政法人水資源機構法附則第五条第一項、土地区画整理法附則第二項又は民間都市開発の推進に関する特別措置法附則第十五条第一項の規定による無利子の貸付け（旧水公団法附則第九条第一項の規定による無利子の貸付けにあっては旧水公団法第十八条第一項第一号及び第二号に掲げる事業（治水関係災害復旧事業関係事業に該当するものを除く。）で旧水公団法第五十五条第二号に規定する施設に係るものに要する費用に係るものに、土地区画整理法附則第二項又は民間都市開発の推進に関する特別措置法附則第十五条第一項の規定による無利子の貸付けにあっては附則第百三条第二項第一号から第三号までに掲げる事業（治水関係災害復旧事業関係事業に該当するものを除く。）に要する費用に係るものに限る。以下この条において同じ。）に関する経理は、この法律の施行の日から平成十九年度の末日までの間、第百九十八条第一項並びに附則第四十九条第一項及び第百三条第一項の規定にかかわらず、治水特別会計において行うものとする。

2 前項の規定により同項に規定する経理を治水特別会計において行う場合又は社会資本整備特別措置法第七条第六項の規定により産業投資特別会計の社会資本整備勘定から治水特別会計に繰入れを行う場合における附則第百六条及び第百八条の規定の適用については、附則第百六条第一項第一号イ中「一般会計からの繰入金」とあるのは「附則第百八条第一項又は第百十三条第六項の規定による一般会計からの繰入金及び社会資本整備特別措置法第七条第五項又は第六項の規定による産業投資特別会計の社会資本整備勘定からの繰入金」と、同号ヘ中「納付金」とあるのは「納付金及び河川法附則第五項若しくは第六項、砂防法第五十二条第一項若しくは第二項、地すべり等防止法附則第八条第一項、旧水公団法附則第九条第一項若しくは第十条第一項、独立行政法人水資源機構法附則第五条第一項、土地区画整理法附則第二項又は民間都市開発の推進に関する特別措置法附則第十五条第一項の規定による貸付金の償還金」と、同項第二号ニ中「交付金」とあるのは「交付金及び河川法附則第五項若しくは第六項、砂防法第五十二条第一項若しくは第二項、地すべり等防止法附則第八条第一項、独立行政法人水資源機構法附則第五条第一項、土地区画整理法附則第二項又は民間都市開発の推進に関する特別措置法附則第十五条第一項の規定による貸付金」と、同号ト中「一般会計への繰入金」とあるのは「附則第百十条の規定による一般会計への繰入金及び附則第百十三条第三項から第五項まで又は第七項の規定による産業投資特別会計の社会資本整備勘定への繰入金」と、同条第二項第一号イ中「一般会計からの繰入金」とあるのは「附則第百八条第二項又は第百十三条第六項の規定による一般会計からの繰入金及び社会資本整備特別措置法第七条第六項の規定による産業投資特別会計の社会資本整備勘定からの繰入金」と、同項第二号ハ中「一般会計への繰入金」とあるのは「附則第百十条の規定による一般会計への繰入金及び附則第百十三条第五項又は第七項の規定による産業投資特別会計の社会資本整備勘定への繰入金」と、附則第百八条第一項中「）に要する費用」とあるのは「）に要する費用（社会資本整備特別措置法第七条第六項の規定により産業投資特別会計の社会資本整備勘定から治水勘定に繰り入れられる金額をもって充てるものを除く。）」と、「事務費、同項第四号」とあるのは「事務費（社会資本整備特別措置法第七条第六項の規定により産業投資特別会計の社会資本整備勘定から治水勘定に繰り入れられる金額をもって充てるものを除く。）、附則第百三条第三項第四号」と、同条第二項中「費用」とあるのは「費用（社会資本整備特別措置法第七条第六項の規定により産業投資特別会計の社会資本整備勘定から特定多目的ダム建設工事勘定に繰り入れられる金額をもって充てるものを除く。）」とする。

3 治水勘定において河川法附則第五項若しくは第六項、砂防法第五十二条第一項若しくは第二項、地すべり等防止法附則第八条第一項、旧水公団法附則第九条第一項若しくは第十条第一項、独立行政法人水資源機構法附則第五条第一項、土地区画整理法附則第二項又は民間都市開発の推進に関する特別措置法附則第十五条第一項の規定による無利子の貸付金の償還（返還を含む。以下この項において同じ。）を受けた場合においては、当該償還の日の属する年度に、当該貸付金の償還金（返還金を含む。）に相当する金額を、同勘定から産業投資特別会計の社会資本整備勘定に繰り入れるものとする。

4　社会資本整備特別措置法第七条第五項の規定により産業投資特別会計の社会資本整備勘定から治水勘定に繰り入れられた繰入金の額が、当該年度における河川法附則第五項若しくは第六項、砂防法第五十二条第一項若しくは第二項、地すべり等防止法附則第八条第一項、旧水公団法附則第十条第一項、独立行政法人水資源機構法附則第五条第一項、土地区画整理法附則第二項又は民間都市開発の推進に関する特別措置法附則第十五条第一項の規定による無利子の貸付金の合計額を超過する場合においては、当該超過額に相当する金額は、翌年度において社会資本整備特別措置法第七条第五項の規定による産業投資特別会計の社会資本整備勘定からの繰入金額から減額し、なお残余があるときは、翌々年度までに治水勘定から産業投資特別会計の社会資本整備勘定に繰り入れるものとする。

5　社会資本整備特別措置法第七条第六項の規定により産業投資特別会計の社会資本整備勘定から治水勘定又は特定多目的ダム建設工事勘定に繰入れを行った場合においては、当該繰入金を治水勘定又は特定多目的ダム建設工事勘定に繰り入れた会計年度及びこれに続く五箇年度以内に、当該繰入金に相当する金額（第七項の規定により繰入れを行った場合においては、当該繰入金に相当する金額を控除した金額）に達するまでの金額を、予算で定めるところにより、治水勘定又は特定多目的ダム建設工事勘定から産業投資特別会計の社会資本整備勘定に繰り入れるものとする。

6　附則第六十七条第三項において読み替えて適用する第六条（以下「読替え後の第六条」という。）の規定にかかわらず、前項の規定により繰入れを行う場合には、同項の繰入金に相当する金額を、一般会計から治水勘定又は特定多目的ダム建設工事勘定に繰り入れるものとする。

7　社会資本整備特別措置法第七条第六項の規定により産業投資特別会計の社会資本整備勘定から治水勘定又は特定多目的ダム建設工事勘定に繰り入れられた繰入金の額が、同項に規定する当該公共的建設事業であって治水勘定又は特定多目的ダム建設工事勘定において経理されるものの当該年度において要した費用（当該年度において国が負担した費用に限る。）を超過する場合においては、当該超過額に相当する金額は、翌年度において同項の規定による産業投資特別会計の社会資本整備勘定の繰入金額から減額し、なお残余があるときは、翌々年度までに治水勘定又は特定多目的ダム建設工事勘定から産業投資特別会計の社会資本整備勘定に繰り入れるものとする。

（道路整備特別会計の設置の目的）

第百十四条　道路整備事業等に関する経理は、この法律の施行の日から平成十九年度の末日までの間、第百九十八条第一項並びに附則第五十条第一項、第九項、第十一項及び第十三項の規定にかかわらず、道路整備特別会計において行うものとする。

2　この条から附則第百十九条までにおいて「道路整備事業」とは、道路整備費の財源等の特例に関する法律第三条第一項の規定により、揮発油税の収入額に相当する金額及び石油ガス税の収入額の二分の一に相当する金額をその実施に要する国が支弁する経費に充てることとされている道路の整備に関する事業で国が施行するもの並びに道路の整備に関する事業に要する費用についての国の負担金その他の経費の交付及び資金の貸付けをいう。

3　第一項の「道路整備事業等」とは、道路整備事業並びに道路の整備に関する事業で国が施行するものに密接な関連のあるものであって、道路法第三十八条第一項に規定する道路の占用に関する工事、同法第五十八条第一項に規定する道路に関する工事若しくは道路の維持又は同法第五十九条第一項に規定する他の工事に該当するもののうち国以外の者がその費用の全額を負担し、国が施行するもの（附則第百十六条第二号イ及び第百二十条において「道路関係附帯工事」という。）及び国が委託に基づき施行するもの（附則第百十六条及び第百二十条において「道路関係受託工事」という。）をいう。

（道路整備特別会計の管理）

第百十五条　道路整備特別会計は、国土交通大臣が、法令で定めるところに従い、管理する。

（道路整備特別会計の歳入及び歳出）

第百十六条　道路整備特別会計における歳入及び歳出は、次のとおりとする。

一　歳入

イ　附則第百十八条の規定により地方道路整備臨時交付金の交付に要する費用の財源に充てられる揮発油税の収入

ロ　一般会計からの繰入金

ハ　道路法第四十九条若しくは第五十条第一項、第二項本文若しくは第三項、道路の修繕に関する法律第二条第三項ただし書、高速自動車国道法第二十条第一項、共同溝の整備等に関する特別措置法第二十二条第一項、交通安全施設等整備事業の推進に関する法律第六条第一項、電線共同溝の整備等に関する特別措置法第二十二条第一項若しくは第三項又は沖縄振興特別措置法第百六条第五項の規定による負担金

ニ　道路法第三十一条第五項、第五十四条の二第一項、第五十五条第一項、第五十八条第一項、第五十九条第一項若しくは第三項若しくは第六十二条、高速自動車国道法第二十条の二若しくは第二十一条第一項、共同溝の整備等に関する特別措置法第二十一条第一項若しくは第二十一条又は電線共同溝の整備等に関する特別措置法第七条第一項（同法第八条第三項において準用する場合を含む。）、

第十三条第一項若しくは第十九条の規定による負担金
ホ　道路法第六十一条第一項の規定により国土交通大臣が徴収する受益者負担金
ヘ　道路関係受託工事に係る納付金
ト　道路整備特別措置法第二十条第一項、踏切道改良促進法第九条第一項又は幹線道路の沿道の整備に関する法律第十一条第一項若しくは第十三条の四第一項の規定による貸付金の償還金及び道路整備事業に係る民間都市開発の推進に関する特別措置法第五条第一項、民間資金等の活用による公共施設等の整備等の促進に関する法律第十三条第一項又は都市再生特別措置法第三十条第一項の規定による貸付金の償還金
チ　道路整備事業に係る独立行政法人土木研究所法第十四条第三項の規定による納付金
リ　道路整備事業に係る出資に対する配当金
ヌ　この会計に所属する株式の処分による収入
ル　附属雑収入
二　歳出
イ　道路整備事業、道路関係附帯工事及び道路関係受託工事に要する費用（国が北海道又は沖縄県で行うこれらの事業又は工事に関する事務費を除く。）
ロ　一般会計への繰入金
ハ　附属諸費

（道路整備特別会計の歳入歳出予定計算書等の添付書類）
第百十七条　第三条第二項第一号から第五号までに掲げる書類のほか、道路整備特別会計においては、歳入歳出予定計算書等に、前々年度の事業実績表並びに前年度及び当該年度の事業計画表を添付しなければならない。

（道路整備特別会計における揮発油税の収入の帰属）
第百十八条　揮発油税の収入のうち道路整備費の財源等の特例に関する法律第五条第二項に定める額に相当するものは、同項に規定する地方道路整備臨時交付金の交付に要する費用の財源に充てるため、平成十九年度において、道路整備特別会計の歳入に組み入れるものとする。

（道路整備特別会計における一般会計からの繰入れの特例）
第百十九条　読替え後の第六条の規定にかかわらず、平成十九年度において、予算で定めるところにより、道路整備事業（道路整備費の財源等の特例に関する法律第五条第二項に規定する地方道路整備臨時交付金の交付を除く。）に要する費用で国が負担するものの金額は、一般会計から道路整備特別会計に繰り入れるものとする。

（道路整備特別会計から一般会計への繰入れ）
第百二十条　道路関係附帯工事に係る国以外の者の負担金及び道路関係受託工事に係る納付金のうち、これらの工事について一般会計において支弁した政令で定める経費の額に相当する金額は、当該負担金又は納付金を収納した年度内において、道路整備特別会計から一般会計に繰り入れるものとする。

（道路整備特別会計の歳入歳出決定計算書の添付書類）
第百二十一条　第九条第二項第一号から第三号までに掲げる書類のほか、道路整備特別会計においては、歳入歳出決定計算書に、当該年度の事業実績表を添付しなければならない。

（道路整備特別会計の歳入及び歳出の特例等）
第百二十二条　道路法附則第四項若しくは第五項、道路の修繕に関する法律第三条第一項、土地区画整理法附則第二項若しくは第五項から第九項まで、道路整備特別措置法附則第七条第一項、積雪寒冷特別地域における道路交通の確保に関する特別措置法附則第三項、共同溝の整備等に関する特別措置法附則第二項、交通安全施設等整備事業の推進に関する法律附則第五項、民間都市開発の推進に関する特別措置法附則第十五条第一項、電線共同溝の整備等に関する特別措置法附則第二条第一項若しくは第二項又は沖縄振興特別措置法附則第六条第二項の規定による無利子の貸付け（土地区画整理法附則第二項若しくは第五項から第九項まで又は民間都市開発の推進に関する特別措置法附則第十五条第一項の規定による無利子の貸付けについては、道路の整備に関する事業に要する費用に係るものに限る。以下この条において同じ。）及び道路整備特別措置法附則第八条に規定する貸付金の貸付け並びに道路法附則第八項若しくは第九項、道路の修繕に関する法律第三条第四項、土地区画整理法附則第十三項から第十五項まで、積雪寒冷特別地域における道路交通の確保に関する特別措置法附則第六項、共同溝の整備等に関する特別措置法附則第五項、交通安全施設等整備事業の推進に関する法律附則第八項、電線共同溝の整備等に関する特別措置法附則第二条第五項若しくは第六項又は沖縄振興特別措置法附則第六条第八項の規定による国の補助又は負担（土地区画整理法附則第十三項から第十五項までの規定による国の補助又は負担については、道路の整備に関する事業に要する費用に係るものに限る。以下この条において同じ。）に関する経理は、この法律の施行の日から平成十九年度の末日までの間、第百九十八条第一項並びに附則第五十条第一項、第九項、第十一項及び第十三項並びに第百十四条第一項の規定にかかわらず、道路整備特別会計において行うものとする。
2　前項の規定により同項に規定する経理を道路整備特別会計において行う場合又は社会資本整備特別措置法第七条第六項の規定により産業投資特別会計の社会資本整備勘定から道路整備特別会計に繰入れを行う場合における附則第百十六条及び第百十九条の規定の適用については、附則第百十六条第一号ロ中「一般会計からの繰入金」とあるのは「附則第百十九条又は第百二十二条第四項若しくは第七項の規定による一般会計からの繰入金及び社会資本整備特別措置法第七条第五項又は第六項の規定による産業投資特別会計の社会資本整備勘定からの繰入金」と、同号ト中「道路整備特別措置法第二十条第一項」とあるのは「道路整備特別措置法第二十条第一項若しくは附則第七条第一項」と、「民間都市開発の推進に関する特別措置法第五条第一項」とあるのは「民間都市開発の推進に関する特別措置法第五条第一項若しくは附則第十五条

第一項」と、「又は都市再生特別措置法第三十条第一項」とあるのは「、都市再生特別措置法第三十条第一項、道路法附則第四項若しくは第五項、道路の修繕に関する法律第三条第一項、土地区画整理法附則第二項若しくは第五項から第九項まで、積雪寒冷特別地域における道路交通の確保に関する特別措置法附則第三項、共同溝の整備等に関する特別措置法附則第二項、交通安全施設等整備事業の推進に関する法律附則第五項、電線共同溝の整備等に関する特別措置法附則第二条第一項若しくは第二項又は沖縄振興特別措置法附則第六条第二項」と、同条第二号ロ中「一般会計への繰入金」とあるのは「附則第百二十条の規定による一般会計への繰入金及び附則第百二十二条第三項、第五項、第六項又は第八項の規定による産業投資特別会計の社会資本整備勘定への繰入金並びに道路法附則第八項若しくは第九項、道路の修繕に関する法律第三条第四項、土地区画整理法附則第十三項から第十五項まで、積雪寒冷特別地域における道路交通の確保に関する特別措置法附則第六項、共同溝の整備等に関する特別措置法附則第五項、交通安全施設等整備事業の推進に関する法律附則第八項、電線共同溝の整備等に関する特別措置法附則第二条第五項若しくは第六項又は沖縄振興特別措置法附則第六条第八項の規定による補助金又は負担金」と、附則第百十九条中「の交付」とあるのは「の交付、道路法附則第四項若しくは第五項、道路の修繕に関する法律第三条第一項、土地区画整理法附則第二項若しくは第五項から第九項まで、道路整備特別措置法附則第七条第一項、積雪寒冷特別地域における道路交通の確保に関する特別措置法附則第三項、共同溝の整備等に関する特別措置法附則第二項、交通安全施設等整備事業の推進に関する法律附則第五項、民間都市開発の推進に関する特別措置法附則第十五条第一項、電線共同溝の整備等に関する特別措置法附則第二条第一項若しくは第二項又は沖縄振興特別措置法附則第六条第二項の規定による貸付け及び道路整備特別措置法附則第八条に規定する貸付金の貸付け並びに社会資本整備特別措置法第七条第六項に規定する当該公共的建設事業で同項の規定により産業投資特別会計の社会資本整備勘定から道路整備特別会計に繰り入れられる金額をもってその費用に充てるもの」とする。

3　道路整備特別会計において道路法附則第四項若しくは第五項、道路の修繕に関する法律第三条第一項、土地区画整理法附則第二項若しくは第五項から第九項まで、道路整備特別措置法附則第七条第一項、積雪寒冷特別地域における道路交通の確保に関する特別措置法附則第三項、共同溝の整備等に関する特別措置法附則第二項、交通安全施設等整備事業の推進に関する法律附則第五項、民間都市開発の推進に関する特別措置法附則第十五条第一項、電線共同溝の整備等に関する特別措置法附則第二条第一項若しくは第二項又は沖縄振興特別措置法附則第六条第二項の規定による無利子の貸付金及び道路整備特別措置法附則第八条に規定する貸付金の償還（返還を含む。以下この項において同じ。）を受けた場合においては、当該償還の日の属する年度に、当該貸付金の償還金（返還金を含む。）に相当する金額を、同会計から産業投資特別会計の社会資本整備勘定に繰り入れるものとする。

4　読替え後の第六条の規定にかかわらず、道路法附則第八項若しくは第九項、道路の修繕に関する法律第三条第四項、土地区画整理法附則第十三項から第十五項まで、積雪寒冷特別地域における道路交通の確保に関する特別措置法附則第六項、共同溝の整備等に関する特別措置法附則第五項、交通安全施設等整備事業の推進に関する法律附則第八項、電線共同溝の整備等に関する特別措置法附則第二条第五項若しくは第六項又は沖縄振興特別措置法附則第六条第八項の規定による国の補助又は負担を行う場合には、当該国の補助又は負担を行う年度に、当該国の補助又は負担を行う金額に相当する金額を、一般会計から道路整備特別会計に繰り入れるものとする。

5　社会資本整備特別措置法第七条第五項の規定により産業投資特別会計の社会資本整備勘定から道路整備特別会計に繰り入れられた繰入金の額が、当該年度における道路法附則第四項若しくは第五項、道路の修繕に関する法律第三条第一項、土地区画整理法附則第二項若しくは第五項から第九項まで、道路整備特別措置法附則第七条第一項、積雪寒冷特別地域における道路交通の確保に関する特別措置法附則第三項、共同溝の整備等に関する特別措置法附則第二項、交通安全施設等整備事業の推進に関する法律附則第五項、民間都市開発の推進に関する特別措置法附則第十五条第一項、電線共同溝の整備等に関する特別措置法附則第二条第一項若しくは第二項又は沖縄振興特別措置法附則第六条第二項の規定による無利子の貸付金及び道路整備特別措置法附則第八条に規定する貸付金の合計額を超過する場合においては、当該超過額に相当する金額は、翌年度において社会資本整備特別措置法第七条第五項の規定による産業投資特別会計の社会資本整備勘定からの繰入金額から減額し、なお残余があるときは、翌々年度までに道路整備特別会計から産業投資特別会計の社会資本整備勘定に繰り入れるものとする。

6　社会資本整備特別措置法第七条第六項の規定により産業投資特別会計の社会資本整備勘定から道路整備特別会計に繰入れを行った場合においては、当該繰入金を同会計に繰り入れた会計年度及びこれに続く五箇年度以内に、当該繰入金に相当する金額（第八項の規定により繰入れを行った場合においては、当該繰入金に相当する金額を控除した金額）に達するまでの金額を、予算で定めるところにより、同会計から産業投資特別会計の社会資本整備勘定に繰り入れるものとする。

7　読替え後の第六条の規定にかかわらず、前項の規定により繰入れを行う場合には、同項の繰入金に相当する金額を、一般会計から道路整備特別会計に繰り入れるものとする。

8　社会資本整備特別措置法第七条第六項の規定により産業投資特別会計の社会資本整備勘定から道路整備特別会計に繰り入れられた繰入金の額が、同項に規定する当該公共的建設事業であって同会計において経理されるものの当該年度において要した費用（当該年度において国が負担した費用に限る。）を超過する場合においては、当該超過額に相当する金額は、翌年度において同項の規定による産業投資特別会計の社会資本整備勘定からの繰入金額から減額し、なお残余があるときは、翌々年度までに道路整備特別会計から産業投資特別会計の社会資本整備勘定に繰り入れるものとする。

9　日本道路公団等民営化関係法施行法第三十七条第四号の規定による廃止前の本州四国連絡橋公団法附則第十四条第一項の規定による無利子の貸付けに関する経理は、第百九十八条第一項並びに附則第五十条第一項、第九項、第十一項及び第十三項、第百十四条第一項並びに第一項の規定にかかわらず、道路整備特別会計において行うものとする。

10　前項の規定により同項に規定する経理を道路整備特別会計において行う場合における附則第百十六条第一号トの規定の適用については、同号ト中「踏切道改良促進法第九条第一項」とあるのは、「踏切道改良促進法第九条第一項、日本道路公団等民営化関係法施行法第三十七条第四号の規定による廃止前の本州四国連絡橋公団法附則第十四条第一項」とする。

11　民間都市開発の推進に関する特別措置法附則第十五条第二項の規定による無利子の貸付けに関する経理は、第百九十八条第一項並びに附則第五十条第一項、第九項、第十一項及び第十三項、第百十四条第一項並びに第一項及び第九項の規定にかかわらず、道路整備特別会計において行うものとする。

12　前項の規定により同項に規定する経理を道路整備特別会計において行う場合における附則第百十六条第一号トの規定の適用については、同号ト中「民間都市開発の推進に関する特別措置法第五条第一項」とあるのは、「民間都市開発の推進に関する特別措置法第五条第一項若しくは附則第十五条第二項」とする。

13　日本道路公団等民営化関係法施行法第五十六条の規定による改正前の東京湾横断道路の建設に関する特別措置法第三条第一項の規定による無利子の貸付けに関する経理は、第百九十八条第一項並びに附則第五十条第一項、第九項、第十一項及び第十三項、第百十四条第一項並びに第一項、第九項及び第十一項の規定にかかわらず、道路整備特別会計において行うものとする。

14　前項の規定により同項に規定する経理を道路整備特別会計において行う場合における附則第百十六条第一号トの規定の適用については、同号ト中「又は幹線道路の沿道の整備に関する法律第十一条第一項若しくは第十三条の四第一項」とあるのは、「、幹線道路の沿道の整備に関する法律第十一条第一項若しくは第十三条の四第一項又は日本道路公団等民営化関係法施行法第五十六条の規定による改正前の東京湾横断道路の建設に関する特別措置法第三条第一項」とする。

（港湾整備特別会計の設置の目的）

第百二十三条　港湾整備事業等に関する経理は、この法律の施行の日から平成十九年度の末日までの間、第百九十八条第一項及び附則第五十一条第二項の規定にかかわらず、港湾整備特別会計において行うものとする。

2　次項において「港湾整備事業」とは、次に掲げる事業をいう。

一　港湾施設の建設等（第百九十八条第四項第一号に規定する港湾施設の建設等をいう。以下同じ。）であって、国土交通大臣が施行するもの

二　港湾法第四十三条の六の規定により国土交通大臣が施行する開発保全航路の開発及び保全の事業

三　港湾法第五十条の二第一項の規定による電子情報処理組織の設置及び管理の事業

3　第一項の「港湾整備事業等」とは、次に掲げる事務又は事業をいう。

一　港湾整備事業

二　港湾整備関係受託工事（直轄港湾整備事業（港湾整備事業のうち第二百九条第三項第一号から第五号までに掲げる工事又は事業以外のものをいう。附則第百二十六条第一項及び第百二十八条第一項において同じ。）に密接な関連のある工事その他港湾の整備のために特に必要のある工事で国土交通大臣が委託に基づき施行するものをいう。附則第百二十六条第一項及び第百三十条において同じ。）

三　特定港湾施設関係受託工事（第二百九条第三項第六号に規定する工事をいう。以下同じ。）

四　一般会計所属港湾関係工事（第百九十八条第七項第八号に規定する一般会計所属港湾関係工事をいう。附則第百二十六条第一項第二号ロ及び第百二十八条第一項において同じ。）の管理

五　空港整備特別会計所属空港関係工事（空港整備法第二条第一項に規定する空港その他の飛行場で公共の用に供されるものの新設、改良又は災害復旧に関する工事で国土交通大臣が施行するもの及び当該工事に密接な関連のある工事で国土交通大臣が委託に基づき施行するもののうち政令で定めるものをいう。附則第百二十六条第一項第二号ロ及び第百三十九条において同じ。）の管理

六　港湾施設の建設等で港湾管理者が施行するものに係る負担金又は補助金の交付

七　広域臨海環境整備センター法第十九条第一号の規定により広域臨海環境整備センターが施行する廃棄物埋立護岸の建設又は改良の事業に係る補助金の交付

八　特定外貿埠頭の管理運営に関する法律第三条第一項の規定により国土交通大臣が指定した法人が施行する外貿埠頭の建設又は改良の事業に係る貸付け

九　港湾法第五十五条の七第一項の規定による特定用途港湾施設の建設又は改良の事業に係る国の貸付け

十　港湾法第五十五条の八第一項の規定による特定国際コンテナ埠頭を構成する港湾施設（第百九十八条第四項第一号に規定する港湾施設をいう。以下同じ。）の建設又は改良の事業に係る国の貸付け

十一　民間都市開発の推進に関する特別措置法第五条第一項

の規定による港湾施設の建設又は改良の事業に係る国の貸付け

十二　民間資金等の活用による公共施設等の整備等の促進に関する法律第十三条第一項の規定による港湾施設の建設又は改良の事業に係る国の貸付け

十三　都市再生特別措置法第三十条第一項の規定による港湾施設の建設又は改良の事業に係る国の貸付け

（港湾整備特別会計の管理）

第百二十四条　港湾整備特別会計は、国土交通大臣が、法令で定めるところに従い、管理する。

（港湾整備特別会計の勘定区分）

第百二十五条　港湾整備特別会計は、港湾整備勘定及び特定港湾施設工事勘定に区分する。

（港湾整備特別会計の歳入及び歳出）

第百二十六条　港湾整備勘定における歳入及び歳出は、次のとおりとする。

一　歳入

イ　一般会計からの繰入金

ロ　空港整備特別会計からの繰入金

ハ　特定港湾施設工事勘定からの繰入金

ニ　港湾法第四十三条の五第一項、同法第四十三条の九第二項において準用する同法第四十三条の二、第四十三条の三第一項若しくは第四十三条の四第一項、同法第五十二条第二項、北海道開発のためにする港湾工事に関する法律第三条第二項において準用する同法第二条第一項又は沖縄振興特別措置法第百八条第四項の規定による負担金で直轄港湾整備事業に係るもの

ホ　港湾整備関係受託工事に係る納付金

ヘ　港湾法第五十五条の七第一項若しくは第五十五条の八第一項又は特定外貿埠頭の管理運営に関する法律第六条第一項の規定による貸付金の償還金及び港湾施設の建設又は改良に係る民間都市開発の推進に関する特別措置法第五条第一項、民間資金等の活用による公共施設等の整備等の促進に関する法律第十三条第一項又は都市再生特別措置法第三十条第一項の規定による貸付金の償還金

ト　附属雑収入

二　歳出

イ　直轄港湾整備事業及び港湾整備関係受託工事に要する費用（国が北海道又は沖縄県で行うこれらの事業又は工事に関する事務費を除く。）

ロ　一般会計所属港湾関係工事、空港整備特別会計所属空港関係工事及び特定港湾施設工事等（第二百九条第三項に規定する特定港湾施設工事等をいう。以下同じ。）に関する事務費（国が北海道又は沖縄県で行うこれらの工事に関する事務費を除く。）

ハ　港湾施設の建設等で港湾管理者が施行するものに係る負担金及び補助金

ニ　広域臨海環境整備センター法第二十六条第一項の規定による補助金

ホ　港湾法第五十五条の七第一項若しくは第五十五条の八第一項又は特定外貿埠頭の管理運営に関する法律第六条第一項の規定による貸付金及び港湾施設の建設又は改良に係る民間都市開発の推進に関する特別措置法第五条第一項、民間資金等の活用による公共施設等の整備等の促進に関する法律第十三条第一項又は都市再生特別措置法第三十条第一項の規定による貸付金

ヘ　一般会計への繰入金

ト　附属諸費

２　特定港湾施設工事勘定における歳入及び歳出は、次のとおりとする。

一　歳入

イ　一般会計からの繰入金

ロ　港湾法第四十三条の九第二項において準用する同法第四十三条の二、第四十三条の三第一項若しくは第四十三条の四第一項、同法第四十三条の十において準用する企業合理化促進法第八条第二項、港湾法第五十二条第二項、同法第五十五条の六、北海道開発のためにする港湾工事に関する法律第三条第二項において準用する同法第二条第一項、沖縄振興特別措置法第百八条第四項、特定港湾施設整備特別措置法第四条、企業合理化促進法第八条第四項又は公害防止事業費事業者負担法の規定による負担金で特定港湾施設工事等に係るもの

ハ　特定港湾施設関係受託工事に係る納付金

ニ　附属雑収入

二　歳出

イ　特定港湾施設工事等に要する費用（これらの工事に関する事務費を除く。）

ロ　港湾整備勘定への繰入金

ハ　一般会計への繰入金

ニ　附属諸費

（港湾整備特別会計の歳入歳出予定計算書等の添付書類）

第百二十七条　第三条第二項第一号から第五号までに掲げる書類のほか、港湾整備特別会計においては、歳入歳出予定計算書等に、前々年度の事業実績表並びに前年度及び当該年度の事業計画表を添付しなければならない。

（港湾整備特別会計における一般会計からの繰入対象経費）

第百二十八条　港湾整備勘定における一般会計からの繰入対象経費は、直轄港湾整備事業に要する費用で国が負担するもの、一般会計所属港湾関係工事に要する事務費、港湾施設の建設等で港湾管理者が施行するものに係る負担金及び補助金、広域臨海環境整備センター法第二十六条第一項の規定による補助金、港湾法第五十五条の七第一項及び第五十五条の八第一項並びに特定外貿埠頭の管理運営に関する法律第六条第一項の規定による貸付けに要する費用並びに港湾施設の建設又は改良に係る民間都市開発の推進に関する特別措置法第五条第一項及び民間資金等の活用による公共施設等の整備等の促進

に関する法律第十三条第一項の規定による貸付けに要する費用とする。

2　特定港湾施設工事勘定における一般会計からの繰入対象経費は、特定港湾施設工事等（特定港湾施設関係受託工事を除く。）に要する費用で国が負担するものとする。

（特定港湾施設工事勘定から港湾整備勘定への繰入れ）

第百二十九条　平成十九年度の特定港湾施設工事等に関する事務費の額に相当する金額は、同年度において、予算で定めるところにより、特定港湾施設工事勘定から港湾整備勘定に繰り入れるものとする。

（港湾整備特別会計から一般会計への繰入れ）

第百三十条　港湾整備関係受託工事又は特定港湾施設関係受託工事に係る納付金のうち、当該工事について一般会計において支弁した政令で定める経費の額に相当する金額は、当該納付金を収納した年度内において、港湾整備関係受託工事に係るものにあっては港湾整備勘定から、特定港湾施設関係受託工事に係るものにあっては特定港湾施設工事勘定から、それぞれ一般会計に繰り入れるものとする。

（港湾整備特別会計の歳入歳出決定計算書の添付書類）

第百三十一条　第九条第二項第一号から第三号までに掲げる書類のほか、港湾整備特別会計においては、歳入歳出決定計算書に、当該年度の事業実績表を添付しなければならない。

（特定港湾施設工事勘定に係る整理）

第百三十二条　特定港湾施設工事勘定においては、歳入及び歳出並びに資産及び負債を特定港湾施設工事等に係る工事別等の区分（第二百九条第二項に規定する特定港湾施設工事等に係る工事別等の区分をいう。以下同じ。）に従って整理しなければならない。

2　第三条第二項第一号から第五号まで及び附則第百二十七条に規定する書類（当該年度の事業計画表を除く。）のうち特定港湾施設工事勘定に係るものについては、特定港湾施設工事等に係る工事別等の区分に従って作成するものとする。

3　附則第百二十八条第二項に規定する経費を一般会計から繰り入れる場合には、特定港湾施設工事等に係る工事別等の区分に従って行うものとする。

4　附則第百二十九条の規定により特定港湾施設工事勘定から港湾整備勘定に繰り入れる場合には、特定港湾施設工事等に係る工事別等の区分に従って行うものとする。

5　附則第百三十条の規定により特定港湾施設工事勘定から一般会計に繰り入れる場合には、特定港湾施設工事等に係る工事別等の区分に従って行うものとする。

6　特定港湾施設工事勘定の国庫債務負担行為は、特定港湾施設工事等に係る工事別等の区分に従って行うものとする。

7　特定港湾施設工事勘定の予算で、その項又は目が特定港湾施設工事等に係る工事別等の区分によっていないものの配賦は、財政法第三十一条第二項の規定によるほか、特定港湾施設工事等に係る工事別等の区分に従って行うものとする。

8　特定港湾施設工事勘定の特定港湾施設工事等に係る工事別等の区分に応ずる収入金は、当該区分に応ずる費用の財源に充てるものとする。この場合において、その収入金のうち当該費用の財源に充てる必要がない剰余を生じたときにおける当該剰余の処理について必要な事項は、政令で定める。

9　特定港湾施設工事勘定において、特定港湾施設工事等に係る工事別等の区分による歳出予算の金額を支出するには、当該区分による歳入の収納済額（一時借入金をし、又は国庫余裕金を繰り替えて使用している場合には、当該一時借入金又は繰替金の額を加算した額）を超えてはならない。

10　読替え後の第八条第一項の規定により剰余金の処理を行う場合には、特定港湾施設工事勘定については、特定港湾施設工事等に係る工事別等の区分に従って行うものとする。

11　第九条第一項の規定により歳入歳出決定計算書を作成する場合には、特定港湾施設工事勘定については、特定港湾施設工事等に係る工事別等の区分に従って行うものとする。

12　第二項の規定は、第九条第二項第一号から第三号まで及び前条に規定する書類のうち特定港湾施設工事勘定に係るものについて準用する。

13　第十一条の規定により余裕金を財政融資資金に預託する場合には、特定港湾施設工事勘定については、特定港湾施設工事等に係る工事別等の区分に従って行うものとする。

14　第十五条第一項の規定により、一時借入金をし、又は国庫余裕金を繰り替えて使用する場合には、特定港湾施設工事勘定については、特定港湾施設工事等に係る工事別等の区分に従って行うものとする。

（港湾整備特別会計の歳入及び歳出の特例等）

第百三十三条　附則第百二十六条第一項の規定によるほか、海上物流の基盤強化のための港湾法等の一部を改正する法律附則第五条に規定する貸付金の償還金は、港湾整備勘定の歳入とする。

2　港湾法附則第十五項から第十七項まで若しくは第二十七項、北海道開発のためにする港湾工事に関する法律附則第七項、奄美群島振興開発特別措置法附則第六条第一項の規定による無利子の貸付けに関する経理は、この法律の施行の日から平成十九年度の末日までの間、第百九十八条第一項並びに附則第五十一条第二項及び第百二十三条第一項の規定にかかわらず、港湾整備特別会計において行うものとする。

3　前項の規定により同項に規定する経理を港湾整備特別会計において行う場合又は社会資本整備特別会計の社会資本整備勘定から港湾整備特別会計に繰入れを行う場合における附則第百二十六条第一項及び第百二十八条第一項の規定の適用については、附則第百二十六条第一項第一号ロ中「空港整備特別会計からの繰入金」とあるのは「附則第百三十九条の規定による空港整備特別会計からの繰入金及び社会資本整備特別措置法第七条第五項又は第六項の規定による産業投資特別会計の社会資本整備勘定からの繰入金」と、同号へ及び同項第二号ホ中「第五十五条の八第一項」とあるのは「第五十五条の八第一項、附則第十五項から第十七項まで若しくは第二十七項、北海道開発のためにする港湾工事に関する法律附則第七項、奄美群島振興開発特別措置法附則第七項、沖縄振興特別措置法附則第六条第一項」と、同号へ中「一般会計への繰入金」とあるのは「附則第百三十条の規定による一般会計への繰入金及び附則第百三十三条第四項から第六項まで又は第八項の規定による産業投資特別会計の社会資本整備勘定への繰入金」と、附則第百二十八条第一項中「負担するもの」とあるのは「負担するもの（社会資本整備特別措置法第七条第六項の規定により産業投資特別会計の社会資本整備勘定から港湾整備勘定に繰り入れられる金額をもって充てるものを除く。）」と、「事務費」とあるのは「事務費（社会資本整備特別措置法第七条第六項の規定により産業投資特別会計の社会資本整備勘定から港湾整備勘定に繰り入れられる金額をもって充てるものを除く。）」とする。

4　港湾整備勘定において港湾法附則第十五項から第十七項まで若しくは第二十七項、北海道開発のためにする港湾工事に関する法律附則第七項、奄美群島振興開発特別措置法附則第七項又は沖縄振興特別措置法附則第六条第一項の規定による無利子の貸付金の償還（返還を含む。以下この項において同じ。）を受けた場合においては、当該償還の日の属する年度に、当該貸付金の償還金（返還金を含む。）に相当する金額を、同勘定から産業投資特別会計の社会資本整備勘定に繰り入れるものとする。

5　社会資本整備特別措置法第七条第五項の規定により産業投資特別会計の社会資本整備勘定から港湾整備勘定に繰り入れられた繰入金の額が、当該年度における港湾法附則第十五項から第十七項まで若しくは第二十七項、北海道開発のためにする港湾工事に関する法律附則第七項、奄美群島振興開発特別措置法附則第七項又は沖縄振興特別措置法附則第六条第一項の規定による無利子の貸付金の合計額を超過する場合においては、当該超過額に相当する金額は、翌年度において社会資本整備特別措置法第七条第五項の規定による産業投資特別会計の社会資本整備勘定からの繰入金額から減額し、なお残余があるときは、翌々年度までに港湾整備勘定から産業投資特別会計の社会資本整備勘定に繰り入れるものとする。

6　社会資本整備特別措置法第七条第六項の規定により産業投資特別会計の社会資本整備勘定から港湾整備勘定に繰入れを行った場合においては、当該繰入金を同勘定に繰り入れた会計年度及びこれに続く五箇年度以内に、当該繰入金に相当する金額（第八項の規定により繰入れを行った場合においては、当該繰入金に相当する金額を控除した金額）に達するまでの金額を、予算で定めるところにより、同勘定から産業投資特別会計の社会資本整備勘定に繰り入れるものとする。

7　読替え後の第六条の規定にかかわらず、前項の規定により繰入れを行う場合には、同項の繰入金に相当する金額を、一般会計から港湾整備勘定に繰り入れるものとする。

8　社会資本整備特別措置法第七条第六項の規定により産業投資特別会計の社会資本整備勘定から港湾整備勘定に繰り入れられた繰入金の額が、同項に規定する当該公共的建設事業であって同勘定において経理されるものの当該年度において要した費用（当該年度において国が負担した費用に限る。）を超過する場合においては、当該超過額に相当する金額は、翌年度において同項の規定による産業投資特別会計の社会資本整備勘定からの繰入金額から減額し、なお残余があるときは、翌々年度までに港湾整備勘定から産業投資特別会計の社会資本整備勘定に繰り入れるものとする。

（空港整備特別会計の設置の目的）

第百三十四条　空港整備事業等に関する経理は、この法律の施行の日から平成十九年度の末日までの間、第百九十八条第一項の規定にかかわらず、空港整備特別会計において行うものとする。

2　この条から附則第百四十二条までにおいて「空港整備事業」とは、空港の設置、改良及び災害復旧並びに維持その他の管理に関する事業並びに空港の周辺における航空機の騒音により生ずる障害の防止その他の措置に関する事業並びにこれらの事業に要する費用についての国の出資金、負担金その他の経費の交付及び資金の貸付けで国土交通大臣が行うものをいう。

3　第一項の「空港整備事業等」とは、空港整備事業及び次に掲げる事務又は事業をいう。

一　航空保安職員研修施設（第百九十八条第七項第十七号に規定する航空保安職員研修施設をいう。附則第百三十六条第二号ロにおいて同じ。）の管理及び運営

二　飛行検査業務等（第百九十八条第七項第十八号に規定する飛行検査業務等をいう。附則第百三十六条第二号ロにおいて同じ。）で国土交通大臣が行うもの

三　前二号に掲げるもののほか、空港整備事業に関する次に掲げるもの

イ　空港関係工事（第百九十八条第七項第十九号イに規定する空港関係工事をいう。附則第百三十六条第二号イにおいて同じ。）

ロ　空港関係受託工事（第百九十八条第七項第十九号ロに規定する空港関係受託工事をいう。附則第百三十六条及び第百四十条において同じ。）及び空港関係受託業務（第百九十八条第七項第十九号ロに規定する空港関係受託業務をいう。附則第百三十六条において同じ。）

ハ　地方航空局事務所所掌事務（第百九十八条第七項第十九号ハに規定する地方航空局事務所所掌事務をいう。附則第百三十六条第二号ロにおいて同じ。）

（空港整備特別会計の管理）

第百三十五条　空港整備特別会計は、国土交通大臣が、法令で定めるところに従い、管理する。

（空港整備特別会計の歳入及び歳出）

第百三十六条　空港整備特別会計における歳入及び歳出は、次

のとおりとする。

一　歳入

イ　国の空港（地方航空局の事務所（第百九十八条第七項第十九号ハに規定する地方航空局の事務所をいう。次号イにおいて同じ。）が設置されているものに限る。）の使用料収入

ロ　空港整備法第六条第一項若しくは第二項（同法第十条第二項（同法附則第四項において準用する場合を含む。）及び同法附則第四項において準用する場合を含む。）、第十条第一項（同法附則第四項において準用する場合を含む。）又は附則第二項の規定による負担金

ハ　一般会計からの繰入金

ニ　借入金

ホ　空港関係受託工事及び空港関係受託業務に係る納付金

ヘ　公共用飛行場周辺における航空機騒音による障害の防止等に関する法律第三十三条、関西国際空港株式会社法第七条の四第二項若しくは第十条、中部国際空港の設置及び管理に関する法律第九条又は成田国際空港株式会社法第八条若しくは附則第十二条第二項の規定による貸付金（この会計に所属するものに限る。）の償還金

ト　空港整備事業に係る出資に対する配当金

チ　この会計に所属する株式の処分による収入

リ　附属雑収入

二　歳出

イ　空港整備事業、空港関係工事及び空港関係受託工事に要する費用（国が北海道又は沖縄県で行うこれらに係る工事に関する事務費にあっては、地方航空局の事務所に係るものに限る。）

ロ　航空保安職員研修施設の管理及び運営、飛行検査業務等、空港関係受託業務並びに地方航空局事務所所掌事務に要する費用

ハ　借入金の償還金及び利子

ニ　一時借入金の利子

ホ　一般会計への繰入金

ヘ　港湾整備特別会計の港湾整備勘定への繰入金

ト　附属諸費

（空港整備特別会計の歳入歳出予定計算書等の添付書類）

第百三十七条　第三条第二項第一号から第五号までに掲げる書類のほか、空港整備特別会計においては、歳入歳出予定計算書等に、前々年度の事業実績表並びに前年度及び当該年度の事業計画表を添付しなければならない。

（空港整備特別会計における一般会計からの繰入対象経費）

第百三十八条　空港整備特別会計における一般会計からの繰入対象経費は、空港整備事業に要する費用とする。

（空港整備特別会計から港湾整備特別会計の港湾整備勘定への繰入れ）

第百三十九条　平成十九年度の港湾整備特別会計において行う空港整備特別会計所属空港関係工事の管理に要する事務費に相当する金額（政令で定める額に相当する金額を除く。）は、同年度において、空港整備特別会計から港湾整備特別会計の港湾整備勘定に繰り入れるものとする。

（空港整備特別会計から一般会計への繰入れ）

第百四十条　空港関係受託工事に係る納付金のうち、当該工事について一般会計において支弁した政令で定める経費の額に相当する金額は、当該納付金を収納した年度内において、空港整備特別会計から一般会計に繰り入れるものとする。

（空港整備特別会計の歳入歳出決定計算書の添付書類）

第百四十一条　第九条第二項第一号から第三号までに掲げる書類のほか、空港整備特別会計においては、歳入歳出決定計算書に、当該年度の事業実績表を添付しなければならない。

（空港整備特別会計における借入金対象経費）

第百四十二条　空港整備特別会計における借入金対象経費は、空港整備事業に係る施設の整備に要する費用とする。

（空港整備特別会計と一般会計との間における国有財産の所管換等の特例）

第百四十三条　空港整備特別会計に所属する国有財産で、空港における関税法その他の関税法規による関税の賦課徴収並びに輸出入貨物、航空機及び旅客の取締り並びに検疫法の規定による検疫のために使用する必要があるものその他政令で定めるものは、政令で定めるところにより、各省各庁の長の所管に属する国有財産とするため、一般会計に所管換又は所属替をするものとする。

2　次に掲げる場合には、空港整備特別会計と一般会計との間において無償として整理することができる。

一　前項の規定により所管換又は所属替をする場合

二　前項の規定により空港整備特別会計から一般会計に所管換又は所属替をした国有財産で一般会計において使用する必要がなくなったものその他一般会計に所属する国有財産のうち、空港整備特別会計の業務の用に供するため必要があるものについて、政令で定めるところにより、同会計に所管換又は所属替をする場合

三　前項に規定する事務のために使用する場合その他政令で定める場合において、空港整備特別会計に所属する国有財産を一般会計において使用させるとき。

四　空港整備特別会計の業務のために使用する必要がある場合において、一般会計に所属する国有財産を、政令で定めるところにより、空港整備特別会計において使用させるとき。

五　空港整備特別会計に所属する株式で同会計において保有する必要がなくなったものについて、政令で定めるところにより、一般会計に所管換をする場合

3　空港整備特別会計と一般会計との間において、第一項の規定により所管換又は所属替をする場合には、国有財産法第十二条本文及び第十四条本文の規定は、適用しない。

（空港整備特別会計の歳入及び歳出の特例等）

第百四十四条　読替え後の第六条の規定にかかわらず、空港の

緊急な整備等に資するため、次に掲げる額の合算額（平成十七年度の航空機燃料税の収入見込額の十三分の十一に相当する額として同年度の一般会計の歳入予算に計上された金額（以下この項において「航空機燃料税の収入額の予算額」という。）が、同年度の航空機燃料税の収入額の決算額の十三分の十一に相当する金額（第二号において「航空機燃料税の収入額の決算額」という。）を超える場合は、第一号に掲げる額から当該超える額を控除した額）に相当する金額を、予算で定めるところにより、一般会計から空港整備特別会計に繰り入れるものとする。

一　平成十九年度の航空機燃料税の収入額の予算額

二　平成十七年度の航空機燃料税の収入額の予算額が同年度の航空機燃料税の収入額の決算額に不足するときは、当該不足額

2　附則第百三十六条の規定によるほか、離島における空港の効率的な利用及び整備に資するため、国が当該離島への旅客の運送の用に供される飛行機（短い離着陸距離で発着することができる政令で定める特別の性能を有するものに限る。）の購入に要する費用の一部を補助する場合における当該補助金は、空港整備特別会計の歳出とする。

3　空港整備法附則第八項から第十一項まで若しくは中部国際空港の設置及び管理に関する法律附則第二条第一項の規定による無利子の貸付けに関する経理を空港整備特別会計において行う場合又は社会資本整備特別措置法第七条第六項の規定により産業投資特別会計の社会資本整備勘定から空港整備特別会計に繰入れを行う場合における附則第百三十六条及び第百三十八条の規定の適用については、附則第百三十六条第一号ハ中「一般会計からの繰入金」とあるのは「附則第百三十八条又は第百四十四条第一項若しくは第七項の規定による一般会計からの繰入金及び社会資本整備特別措置法第七条第五項又は第六項の規定による産業投資特別会計の社会資本整備勘定からの繰入金」と、同号ヘ中「公共用飛行場周辺における航空機騒音による障害の防止等に関する法律第三十三条、関西国際空港株式会社法第七条の四第二項若しくは第十条、中部国際空港の設置及び管理に関する法律第九条」とあるのは「空港整備法附則第八項から第十一項まで、公共用飛行場周辺における航空機騒音による障害の防止等に関する法律第三十三条、関西国際空港株式会社法第七条の四第二項若しくは第十条、中部国際空港の設置及び管理に関する法律第九条若しくは附則第二条第一項」と、同条第二号ホ中「一般会計への繰入金」とあるのは「附則第百四十条の規定による一般会計への繰入金及び附則第百四十四条第四項から第六項まで又は第八項の規定による産業投資特別会計の社会資本整備勘定への繰入金」と、附則第百三十八条中「費用」とあるのは「費用（社会資本整備特別措置法第七条第六項の規定により産業投資特別会計の社会資本整備勘定から空港整備特別会計に繰り入れられる金額をもって充てるものを除く。）」とする。

4　空港整備特別会計において空港整備法附則第八項から第十一項まで又は中部国際空港の設置及び管理に関する法律附則第二条第一項の規定による無利子の貸付金の償還（返還を含む。以下この項において同じ。）を受けた場合においては、当該償還の日の属する年度に、当該貸付金の償還金（返還金を含む。）に相当する金額を、同会計から産業投資特別会計の社会資本整備勘定に繰り入れるものとする。

5　社会資本整備特別措置法第七条第五項の規定により産業投資特別会計の社会資本整備勘定から空港整備特別会計に繰り入れられた繰入金の額が、当該年度における空港整備法附則第八項から第十一項まで又は中部国際空港の設置及び管理に関する法律附則第二条第一項の規定による無利子の貸付金の合計額を超過する場合においては、当該超過額に相当する金額は、翌年度において社会資本整備特別措置法第七条第五項の規定による産業投資特別会計の社会資本整備勘定からの繰入金額から減額し、なお残余があるときは、翌々年度までに空港整備特別会計から産業投資特別会計の社会資本整備勘定に繰り入れるものとする。

6　社会資本整備特別措置法第七条第六項の規定により産業投資特別会計の社会資本整備勘定から空港整備特別会計に繰入れを行った場合においては、当該繰入金を同会計に繰り入れた会計年度及びこれに続く五箇年度以内に、当該繰入金に相当する金額（第八項の規定により繰入れを行った場合においては、当該繰入金に相当する金額を控除した金額）に達するまでの金額を、予算で定めるところにより、同会計から産業投資特別会計の社会資本整備勘定に繰り入れるものとする。

7　読替え後の第六条の規定にかかわらず、前項の規定により繰入れを行う場合には、同項の繰入金に相当する金額を、一般会計から空港整備特別会計に繰り入れるものとする。

8　社会資本整備特別措置法第七条第六項の規定により産業投資特別会計の社会資本整備勘定から空港整備特別会計に繰り入れられた繰入金の額が、同項に規定する当該公共的建設事業であって同会計において経理されるものの当該年度において要した費用（当該年度において国が負担した費用に限る。）を超過する場合においては、当該超過額に相当する金額は、翌年度において同項の規定による産業投資特別会計の社会資本整備勘定からの繰入金額から減額し、なお残余があるときは、翌々年度までに空港整備特別会計から産業投資特別会計の社会資本整備勘定に繰り入れるものとする。

（自動車損害賠償保障事業特別会計の設置の目的）

第百四十五条　自動車損害賠償保障事業（第二百十条第二項に規定する自動車損害賠償保障事業をいう。以下同じ。）、自動車損害賠償責任再保険事業等、自動車事故対策計画に基づく交付等及び保険料等充当交付金の交付に関する経理は、この法律の施行の日から平成十九年度の末日までの間、同条第一項並びに附則第五十五条第一項及び第六十四条の規定にかかわらず、自動車損害賠償保障事業特別会計において行うものとする。

（自動車損害賠償保障事業特別会計の管理）

第百四十六条 自動車損害賠償保障事業特別会計は、国土交通大臣が、法令で定めるところに従い、管理する。

（自動車損害賠償保障事業特別会計の勘定区分）

第百四十七条 自動車損害賠償保障事業特別会計は、保障勘定、自動車事故対策勘定及び保険料等充当交付金勘定に区分する。

（自動車損害賠償保障事業特別会計の基金）

第百四十八条 自動車損害賠償保障事業特別会計の自動車事故対策勘定又は保険料等充当交付金勘定においては、附則第六十六条第十七号の規定による自動車損害賠償保障事業特別会計法の廃止の際における同法に基づく自動車損害賠償保障事業特別会計の自動車事故対策勘定又は保険料等充当交付金勘定の基金の額に相当する金額をもって、それぞれの基金とする。

2 前項の基金の金額は、附則第百五十三条第二項又は第三項の規定による整理が行われることにより増減するものとする。

（自動車損害賠償保障事業特別会計の歳入及び歳出）

第百四十九条 保障勘定における歳入及び歳出は、次のとおりとする。

一 歳入

イ 自賠法第七十八条の規定による自動車損害賠償保障事業賦課金及び自賠法第八十二条第一項の規定による自動車損害賠償保障事業賦課金に相当するもの

ロ 一般会計からの繰入金

ハ 自賠法第七十六条の規定に基づく権利の行使による収入金

ニ 自賠法第七十九条の規定による過怠金

ホ 自動車事故対策勘定及び保険料等充当交付金勘定からの繰入金

ヘ 附属雑収入

二 歳出

イ 自賠法第七十二条第一項及び第二項の規定による支払金（附則第百五十二条第二項において「保障金」という。）

ロ 自動車損害賠償保障事業、自動車損害賠償責任再保険事業等、自動車事故対策計画に基づく交付等及び保険料等充当交付金の交付に係る業務取扱費

ハ 一時借入金の利子

ニ 附属諸費

2 自動車事故対策勘定における歳入及び歳出は、次のとおりとする。

一 歳入

イ 積立金からの受入金

ロ 積立金から生ずる収入

ハ 自動車事故対策計画に基づく自賠法附則第五項の規定による貸付金の償還金

ニ 独立行政法人自動車事故対策機構法第十五条第三項の規定による納付金

ホ 附属雑収入

二 歳出

イ 自動車事故対策計画に基づく自賠法附則第五項の規定による交付金並びに出資金及び貸付金並びに補助金

ロ 保障勘定への繰入金

ハ 一時借入金の利子

ニ 附属諸費

3 保険料等充当交付金勘定における歳入及び歳出は、次のとおりとする。

一 歳入

イ 積立金からの受入金

ロ 積立金から生ずる収入

ハ なお効力を有する旧自賠法第四十条第一項の規定による再保険の再保険料及び同条第二項の規定による保険の保険料（附則第百五十二条第二項において「自動車損害賠償責任再保険料等」という。）

ニ なお効力を有する旧自賠法第四十六条（なお効力を有する旧自賠法第五十条第一項において準用する場合を含む。）の規定による納付金

ホ 一般会計からの繰入金

ヘ 附属雑収入

二 歳出

イ 保険料等充当交付金

ロ 自動車損害賠償責任再保険金等

ハ なお効力を有する旧自賠法第四十五条（なお効力を有する旧自賠法第五十条第一項において準用する場合を含む。）の規定による払戻金及び返還金

ニ 保障勘定への繰入金

ホ 一時借入金の利子

ヘ 附属諸費

（自動車損害賠償保障事業特別会計の歳入歳出予定計算書等の添付書類）

第百五十条 第三条第二項第一号から第五号までに掲げる書類のほか、自動車損害賠償保障事業特別会計においては、歳入歳出予定計算書等に、前々年度の貸借対照表及び損益計算書並びに前年度及び当該年度の予定貸借対照表及び予定損益計算書を添付しなければならない。

（自動車損害賠償保障事業特別会計における一般会計からの繰入対象経費）

第百五十一条 保障勘定における一般会計からの繰入対象経費は、自賠法第八十二条第二項の規定に基づく自動車損害賠償保障事業の業務の執行に要する経費とする。

2 保険料等充当交付金勘定における一般会計からの繰入対象経費は、なお効力を有する旧自賠法第五十一条の規定に基づく自動車損害賠償責任再保険事業等の業務の執行に要する経費とする。

（自動車損害賠償保障事業特別会計における他の勘定への繰入れ）

第百五十二条 平成十九年度の自動車事故対策計画に基づく交付等に係る業務取扱費の財源に充てるため、当該業務取扱費

に相当する金額は、同年度において、予算で定めるところにより、自動車事故対策勘定から保障勘定に繰り入れるものとする。

２　平成十九年度の保障勘定における保障金の支払財源に充てるため、自動車損害賠償責任再保険料等のうち政令で定める金額並びに自動車損害賠償責任再保険事業等及び保険料等充当交付金の交付に係る業務取扱費の財源に充てるため、当該業務取扱費に相当する金額は、同年度において、予算で定めるところにより、保険料等充当交付金勘定から保障勘定に繰り入れるものとする。

（自動車損害賠償保障事業特別会計における利益及び損失の処理）

第百五十三条　保障勘定において、平成十九年度の損益計算上生じた利益又は損失は、翌年度に繰り越して整理するものとする。

２　自動車事故対策勘定又は保険料等充当交付金勘定において、平成十九年度の損益計算上利益を生じた場合には、当該各勘定の基金に組み入れて整理するものとする。

３　自動車事故対策勘定又は保険料等充当交付金勘定において、平成十九年度の損益計算上損失を生じた場合には、当該各勘定の基金を減額して整理するものとする。

（自動車損害賠償保障事業特別会計の積立金）

第百五十四条　自動車事故対策勘定において、平成十九年度の歳入歳出の決算上剰余金を生じた場合には、当該剰余金のうち、自動車事故対策計画を安定的に実施するために必要な金額を、積立金として積み立てるものとする。

２　保険料等充当交付金勘定において、平成十九年度の歳入歳出の決算上剰余金を生じた場合には、当該剰余金のうち、保険料等充当交付金、自動車損害賠償責任再保険金等、なお効力を有する旧自賠法第四十五条第二項（なお効力を有する旧自賠法第五十条第一項において準用する場合を含む。）の規定による返還金、保障勘定への繰入金及び一時借入金の利子に充てるために必要な金額を、積立金として積み立てるものとする。

３　自動車事故対策勘定の積立金は、自動車事故対策計画を実施するために必要がある場合には、予算で定める金額を限り、同勘定の歳入に繰り入れることができる。

４　保険料等充当交付金勘定の積立金は、保険料等充当交付金、自動車損害賠償責任再保険金等、なお効力を有する旧自賠法第四十五条（なお効力を有する旧自賠法第五十条第一項において準用する場合を含む。）の規定による払戻金及び返還金、保障勘定への繰入金並びに一時借入金の利子の財源に充てるために必要がある場合には、予算で定める金額を限り、保険料等充当交付金勘定の歳入に繰り入れることができる。

（自動車損害賠償保障事業特別会計の歳入歳出決定計算書の添付書類）

第百五十五条　第九条第二項第一号から第三号までに掲げる書類のほか、自動車損害賠償保障事業特別会計においては、歳入歳出決定計算書に、当該年度の貸借対照表及び損益計算書を添付しなければならない。

（自動車検査登録特別会計の設置の目的）

第百五十六条　自動車検査登録等事務（第二百十条第三項に規定する自動車検査登録等事務をいう。以下同じ。）に関する政府の経理は、この法律の施行の日から平成十九年度の末日までの間、同条第一項の規定にかかわらず、自動車検査登録特別会計において行うものとする。

（自動車検査登録特別会計の管理）

第百五十七条　自動車検査登録特別会計は、国土交通大臣が、法令で定めるところに従い、管理する。

（自動車検査登録特別会計の歳入及び歳出）

第百五十八条　自動車検査登録特別会計における歳入及び歳出は、次のとおりとする。

一　歳入
　イ　自動車検査登録印紙売渡収入
　ロ　道路運送車両法第百二条第三項ただし書の規定による手数料
　ハ　一般会計からの繰入金
　ニ　独立行政法人交通安全環境研究所法第十六条第三項及び自動車検査独立行政法人法第十六条第三項の規定による納付金
　ホ　附属雑収入
二　歳出
　イ　事務取扱費
　ロ　自動車検査登録等事務に係る施設費
　ハ　独立行政法人交通安全環境研究所及び自動車検査独立行政法人に対する出資金、交付金及び施設の整備のための補助金
　ニ　一般会計への繰入金
　ホ　一時借入金の利子
　ヘ　附属諸費

（自動車検査登録特別会計における一般会計からの繰入対象経費）

第百五十九条　自動車検査登録特別会計における一般会計からの繰入対象経費は、自動車重量税の納付の確認及び税額の認定の事務に要する経費とする。

（自動車検査登録特別会計から一般会計への繰入れ）

第百六十条　平成十九年度の自動車検査登録等事務で国が沖縄県において行うものに要する事務取扱費の財源に充てるため、当該事務取扱費に相当する金額は、同年度において、予算で定めるところにより、自動車検査登録特別会計から一般会計に繰り入れるものとする。

（国営土地改良事業特別会計の設置の目的）

第百六十一条　土地改良工事等に関する経理は、この法律の施行の日から平成十九年度の末日までの間、国営土地改良事業特別会計において行うものとする。

２　前項及び附則第百七十二条の「土地改良工事等」とは、次

に掲げるものをいう。

一 土地改良工事（土地改良法により国が行う土地改良事業の工事（土地改良施設の管理を含む。附則第百六十三条から第百七十二条までにおいて同じ。）をいう。以下同じ。）

二 土地改良関係受託工事（土地改良工事の施行上密接な関連のある工事で国が委託に基づき施行するものをいう。以下同じ。）

三 土地改良関係直轄調査（土地改良法第二条第二項各号に掲げる事業に関する調査で国が行うものをいう。以下同じ。）

（国営土地改良事業特別会計の管理）

第百六十二条 国営土地改良事業特別会計は、農林水産大臣が、法令で定めるところに従い、管理する。

（国営土地改良事業特別会計の歳入及び歳出）

第百六十三条 国営土地改良事業特別会計における歳入及び歳出は、次のとおりとする。

一 歳入

イ 一般会計からの繰入金

ロ 土地改良工事に係る土地改良法第九十条の規定による負担金及びその利息

ハ 土地改良工事に係る土地改良法第九十条の二の規定による徴収金

ニ 土地改良関係受託工事に係る納付金

ホ 借入金

ヘ 土地改良法の規定に基づき国が施行する埋立て又は干拓の工事によって生じた用地の売払代金及び貸付料

ト 土地改良工事によって生じた土地改良施設に係る土地改良法第九十四条の四の二第二項の規定による共有持分の付与の対価

チ 附属雑収入

二 歳出

イ 土地改良工事に要する費用（北海道又は沖縄県で行う工事に係る職員の給与に要する費用その他の事務費を除く。）

ロ 土地改良関係受託工事及び土地改良関係直轄調査に要する費用（北海道又は沖縄県で行う工事又は調査に係る職員の給与に要する費用その他の事務費を除く。）

ハ 借入金の償還金及び利子

ニ 土地改良法の規定に基づき国が施行する埋立て又は干拓の工事によって生じた用地で売り払うものの同法第九十四条の規定による管理及び処分のために直接要する費用

ホ 土地改良工事によって生じた土地改良施設に係る土地改良法第九十四条の四の二第二項の規定による共有持分の付与に伴う同条第三項の規定による交付金

ヘ 一般会計への繰入金

ト 附属諸費

（国営土地改良事業特別会計の歳入歳出予定計算書等の添付書類の特例）

第百六十四条 第三条第二項第五号の規定にかかわらず、国営土地改良事業特別会計においては、同号に掲げる書類を添付することを要しない。

2 第三条第二項第一号から第四号までに掲げる書類のほか、国営土地改良事業特別会計においては、歳入歳出予定計算書等に、次に掲げる書類を添付しなければならない。

一 前々年度の事業実績表

二 前年度及び当該年度の事業計画表

三 前々年度の借入金の借入れ及び償還実績表

四 前年度及び当該年度の借入金の借入れ及び償還計画表

五 前々年度の受益者負担金に係る債権の発生及び回収実績表

六 前年度及び当該年度の受益者負担金に係る債権の発生予定及び回収計画表

（国営土地改良事業特別会計における一般会計からの繰入対象経費）

第百六十五条 国営土地改良事業特別会計における一般会計からの繰入対象経費は、土地改良工事に要する費用（土地改良関係直轄調査に要する費用を含む。）で国庫が負担するもの及び当該土地改良工事に要する費用のうち土地改良法第九十条の規定により都道府県に負担させる費用とする。

（国営土地改良事業特別会計から一般会計への繰入れ）

第百六十六条 土地改良工事に係る土地改良法第九十条の規定による負担金及びその利息の額のうち、附則第六十六条第十八号の規定による廃止前の国営土地改良事業特別会計法第五条第一項の規定により一般会計から同法に基づく国営土地改良事業特別会計に繰り入れた金額並びに読替え後の第六条及び前条の規定により一般会計から国営土地改良事業特別会計に繰り入れた金額に対応するものは、当該負担金及びその利息の収納後、遅滞なく、政令で定めるところにより、同会計から一般会計に繰り入れるものとする。

2 附則第百六十九条第一項第二号に規定する繰入金に相当する金額は、政令で定めるところにより、国営土地改良事業特別会計から一般会計に繰り入れるものとする。

3 土地改良関係受託工事に係る納付金の額のうち、土地改良関係受託工事について一般会計において支弁した経費の額のうち政令で定める額に相当する金額は、当該納付金の収納後、遅滞なく、国営土地改良事業特別会計から一般会計に繰り入れるものとする。

（国営土地改良事業特別会計の歳入歳出決定計算書の添付書類）

第百六十七条 第九条第二項第一号から第三号までに掲げる書類のほか、国営土地改良事業特別会計においては、歳入歳出決定計算書に、次に掲げる書類を添付しなければならない。

一 当該年度の事業実績表

二 当該年度の借入金の借入れ及び償還実績表

三 当該年度の受益者負担金に係る債権の発生及び回収実績表

（国営土地改良事業特別会計における特別徴収金の使途）

第百六十八条　国営土地改良事業特別会計において、土地改良工事に係る土地改良法第九十条の二の規定による徴収金は、土地改良工事に要する費用で国庫が負担するものの財源に充てるものとする。

（国営土地改良事業特別会計における土地の売払代金等の使途）

第百六十九条　国営土地改良事業特別会計において、埋立て又は干拓の工事によって生じた用地の売払代金及び貸付料は、次の各号の順序に従い、当該各号に掲げる費用の財源に充て、なお残余がある場合には、土地改良工事に要する費用で国庫が負担するものの財源に充てるものとする。

一　当該用地の管理及び処分のために直接要する費用（当該費用の財源に充てるための借入金がある場合には、当該借入金の償還金及び利子）

二　借入金の償還金及び利子並びに一般会計への繰入金で政令で定めるもの

2　国営土地改良事業特別会計において、土地改良工事によって生じた土地改良施設に係る土地改良法第九十四条の四の二第二項の規定による共有持分の付与の対価は、土地改良工事に要する費用で国庫が負担するもの及び当該共有持分の付与に伴う同条第三項の規定による交付金の財源に充てるものとする。

（国営土地改良事業特別会計における借入金対象経費）

第百七十条　国営土地改良事業特別会計における借入金対象経費は、土地改良工事に要する費用のうち土地改良法第九十条の規定により都道府県に負担させる費用で政令で定めるもの並びに埋立て又は干拓の工事によって生じた用地で売り払うべきものの管理及び処分のために直接必要な費用とする。

2　国営土地改良事業特別会計において、土地改良工事に係る土地改良法第九十条の規定による負担金及びその利息で借入金に対応するものは、当該借入金の償還金及び利子の財源に充てなければならない。

（国営土地改良事業特別会計における一時借入金等の特例）

第百七十一条　国営土地改良事業特別会計において、第十五条第一項の規定により、一時借入金をし、又は国庫余裕金を繰り替えて使用することができる金額は、借入金を借り入れることができる金額に相当する金額（既に借り入れている借入金の額に相当する金額を除く。）を限度とする。この場合においては、同条第二項の規定は、適用しない。

2　国営土地改良事業特別会計において、一時借入金の償還又は繰替金の返還の財源は、借入金をもって充てるものとする。

（国営土地改良事業特別会計における土地改良工事等に係る整理）

第百七十二条　国営土地改良事業特別会計においては、土地改良工事等に係る歳入及び歳出並びに資産及び負債を工事別（土地改良工事、土地改良関係受託工事その他の政令で定める区分の別をいう。以下この条、附則第二百三十条第七項及び第二百三十二条第五項において同じ。）の区分に従って整理しなければならない。

2　国営土地改良事業特別会計の第三条第二項第一号から第四号まで及び附則第百六十四条第二項各号に掲げる書類（当該年度に係るものを除く。）は、工事別の区分に従って作成するものとする。

3　国営土地改良事業特別会計において、附則第百六十五条に規定する費用を一般会計から繰り入れる場合には、工事別の区分に従って行うものとする。

4　国営土地改良事業特別会計の歳入歳出予算の配賦は、財政法第三十一条第二項の規定によるほか、工事別の区分に従って行うものとする。

5　国営土地改良事業特別会計の工事別の区分に応ずる収入金は、附則第百六十八条及び第百六十九条に定めるもののほか、当該区分に応ずる費用の財源に充てるものとする。この場合において、その収入金のうち当該費用の財源に充てる必要がない剰余を生じたときにおける当該剰余の処理について必要な事項は、政令で定める。

6　国営土地改良事業特別会計において、工事別の区分に従って歳出の金額を支出するには、当該区分による歳入の収納済額（一時借入金をし、又は国庫余裕金を繰り替えて使用している場合には、当該一時借入金又は繰替金の額を加算した額）を超えてはならない。

7　国営土地改良事業特別会計において、読替え後の第八条第一項の規定により剰余金の処理を行う場合には、工事別の区分に従って行うものとする。

8　第二項の規定は、国営土地改良事業特別会計の第九条第二項第一号から第三号まで及び附則第百六十七条各号に掲げる書類について準用する。

9　国営土地改良事業特別会計において、第十一条の規定により余裕金を財政融資資金に預託する場合には、工事別の区分に従って行うものとする。

10　国営土地改良事業特別会計において、読替え後の第十三条第一項及び附則第百七十条第一項の規定により借入金をする場合には、工事別の区分に従って行うものとする。

11　国営土地改良事業特別会計において、第十五条第一項の規定により、一時借入金をし、又は国庫余裕金を繰り替えて使用する場合には、工事別の区分に従って行うものとする。

12　借入金の償還金及び利子の額に相当する金額は、工事別の区分に従って、国営土地改良事業特別会計から国債整理基金特別会計に繰り入れるものとする。

（国営土地改良事業特別会計の歳入及び歳出の特例等）

第百七十三条　社会資本整備特別措置法第七条第六項の規定により産業投資特別会計の社会資本整備勘定から国営土地改良事業特別会計に繰入れを行う場合における附則第百六十三条、第百六十五条及び第百六十六条の規定の適用については、附則第百六十三条第一号イ中「一般会計からの繰入金」とあるのは「附則第百六十五条又は第百七十三条第三項の規定による一般会計からの繰入金及び社会資本整備特別措置法第七条第六項の規定による産業投資特別会計の社会資本整備勘定からの繰入金」と、同条第二号ヘ中「一般会計への繰入金」とあるのは「附則第百六十六条の規定による一般会計への繰入金及び附則第百七十三条第二項又は第四項の規定による産業投資特別会計の社会資本整備勘定への繰入金」と、附則第百六十五条中「費用と」とあるのは「費用（社会資本整備特別措置法第七条第六項の規定により産業投資特別会計の社会資本整備勘定から国営土地改良事業特別会計に繰り入れられる金額をもって充てるものを除く。）と」と、附則第百六十六条第一項中「繰り入れるものとする。」とあるのは「繰り入れるものとする。社会資本整備特別措置法第七条第六項の規定により産業投資特別会計の社会資本整備勘定から旧国営土地改良事業特別会計法に基づく国営土地改良事業特別会計及び附則第六十七条第一項第十号の規定により設置する国営土地改良事業特別会計に繰入れがあった場合の当該繰入れの金額に対応するものも、同様とする。」とする。

2 社会資本整備特別措置法第七条第六項の規定により産業投資特別会計の社会資本整備勘定から国営土地改良事業特別会計に繰入れを行った場合においては、当該繰入金を同会計に繰り入れた会計年度及びこれに続く五箇年度以内に、当該繰入金に相当する金額（第四項の規定により繰入れを行った場合においては、当該繰入金に相当する金額を控除した金額）に達するまでの金額を、予算で定めるところにより、同会計から産業投資特別会計の社会資本整備勘定に繰り入れるものとする。

3 読替え後の第六条の規定にかかわらず、前項の規定により繰入れを行う場合には、当該繰入金に相当する金額を、一般会計から国営土地改良事業特別会計に繰り入れるものとする。

4 社会資本整備特別措置法第七条第六項の規定により産業投資特別会計の社会資本整備勘定から国営土地改良事業特別会計に繰り入れられた繰入金の額が、同項に規定する当該公共的建設事業であって同会計において経理されるものの当該年度において要した費用（当該年度において国が負担した費用に限る。）を超過する場合においては、当該超過額に相当する金額は、翌年度において同項の規定による産業投資特別会計の社会資本整備勘定からの繰入金額から減額し、なお残余があるときは、翌々年度までに国営土地改良事業特別会計から産業投資特別会計の社会資本整備勘定に繰り入れるものとする。

（特定国有財産整備特別会計の設置の目的）

第百七十四条 国の庁舎等の使用調整等に関する特別措置法（昭和三十二年法律第百十五号）第五条に規定する特定国有財産整備計画（以下「特定国有財産整備計画」という。）の実施による特定の国有財産の取得及び処分に関する経理は、この法律の施行の日から平成二十一年度の末日までの間、特定国有財産整備特別会計において行うものとする。

（特定国有財産整備特別会計の管理）

第百七十五条 特定国有財産整備特別会計は、財務大臣及び国土交通大臣が、法令で定めるところに従い、管理する。

2 特定国有財産整備特別会計の管理に関する事務は、政令で定めるところにより、同会計全体の計算整理に関するものについては財務大臣が、その他のものについては、所掌事務の区分に応じ、所管大臣の全部又は一部が行うものとする。

（特定国有財産整備特別会計の歳入及び歳出）

第百七十六条 特定国有財産整備特別会計における歳入及び歳出は、次のとおりとする。

一 歳入

イ 特定国有財産整備計画の実施により処分（他の会計に対し有償で行う所管換、所属替その他の所属の移動を含む。以下同じ。）をすべき国有財産その他この会計に所属する資産の処分による収入金

ロ 借入金

ハ 一時借入金の借換えによる収入金

ニ 附属雑収入

二 歳出

イ 特定国有財産整備計画の実施により取得すべき庁舎その他の施設の用に供する国有財産の取得に要する費用

ロ 借入金の償還金及び利子

ハ 一般会計への繰入金

ニ 一時借入金の利子

ホ 借り換えた一時借入金の償還金及び利子

ヘ 事務取扱費

ト 附属諸費

2 前項の規定によるほか、国有財産の効率的な活用を推進するための国有財産法等の一部を改正する法律（平成十八年法律第三十五号）附則第三条の規定によりなお従前の例によることとされる一般会計からの繰入金は、特定国有財産整備特別会計の歳入とする。

（特定国有財産整備特別会計における借入金対象経費）

第百七十七条 特定国有財産整備特別会計における借入金対象経費は、特定国有財産整備計画による国有財産の取得に要する経費とする。

（特定国有財産整備特別会計における一時借入金の借換え）

第百七十八条 第十五条第四項の規定にかかわらず、特定国有財産整備特別会計において、歳入不足のために一時借入金を償還することができない場合には、その償還することができない金額を限り、同会計の負担において、一時借入金の借換えをすることができる。

2 前項の規定により借換えをした一時借入金については、当該一時借入金を第十七条第一項に規定する借入金とみなして、同項の規定を適用する。

3 第一項の規定により借り換えた一時借入金は、その借換えをしたときから一年内に償還しなければならない。

（特定国有財産整備特別会計と一般会計との間における国有財産の所管換等の特例）

第百七十九条 特定国有財産整備計画の実施により処分をすべき国有財産で一般会計に所属するものは、政令で定めるところにより、特定国有財産整備特別会計に所管換又は所属替をするものとする。

2 特定国有財産整備特別会計において、特定国有財産整備計画の実施により取得した国有財産のうち庁舎その他の施設の用に供すべきものは、各省各庁の長の所管に属する国有財産とするため、政令で定めるところにより、一般会計に所管換又は所属替をするものとする。

3 次に掲げる場合には、特定国有財産整備特別会計と一般会計との間において無償として整理するものとする。

一 前二項の規定により所管換又は所属替をする場合

二 第一項の規定により特定国有財産整備特別会計に所管換又は所属替をした国有財産（附則第六十六条第十九号の規定による廃止前の特定国有財産整備特別会計法第十六条第一項の規定により同法に基づく特定国有財産整備特別会計に所管換又は所属替をした国有財産で、附則第二百三十三条第三項の規定により特定国有財産整備特別会計に帰属したものを含む。）をその処分が行われるまで引き続き一般会計において使用させる場合

三 特定国有財産整備計画を実施するために必要がある場合において、一般会計に所属する国有財産を特定国有財産整備特別会計において使用させるとき。

四 特定国有財産整備計画の変更その他当該計画の実施に関し政令で定める事情が生じた場合において、特定国有財産整備特別会計又は一般会計に所属する国有財産につき、政令で定めるところにより、それぞれ一般会計又は特定国有財産整備特別会計に所管換若しくは所属替をし、又は使用をさせるとき。

4 一般会計と特定国有財産整備特別会計との間において所管換をする場合には、国有財産法第十二条本文の規定は、適用しない。

（国立高度専門医療センター特別会計の設置の目的）

第百八十条 国立高度専門医療センター（厚生労働省に置かれる国立高度専門医療センターをいう。以下同じ。）に関する経理は、この法律の施行の日から平成二十一年度の末日までの間、国立高度専門医療センター特別会計において行うものとする。

（国立高度専門医療センター特別会計の管理）

第百八十一条 国立高度専門医療センター特別会計は、厚生労働大臣が、法令で定めるところに従い、管理する。

（国立高度専門医療センター特別会計の基金）

第百八十二条 国立高度専門医療センター特別会計においては、附則第六十六条第十一号の規定による国立高度専門医療センター特別会計法の廃止の際における同法に基づく国立高度専門医療センター特別会計の基金の額に相当する金額をもって基金とする。

2 国立高度専門医療センター特別会計の基金の金額は、附則第百八十六条第一項又は第二項の規定による整理が行われることにより増減するものとする。

（国立高度専門医療センター特別会計の歳入及び歳出）

第百八十三条 国立高度専門医療センター特別会計における歳入及び歳出は、次のとおりとする。

一 歳入

イ 国立高度専門医療センターの病院収入

ロ 一般会計からの繰入金

ハ 積立金からの受入金

ニ 積立金から生ずる収入

ホ 借入金

ヘ 附属雑収入

二 歳出

イ 国立高度専門医療センターの経営費

ロ 国立高度専門医療センターの施設費

ハ 看護師養成費

ニ 借入金の償還金及び利子

ホ 一時借入金の利子

ヘ 附属諸費

（国立高度専門医療センター特別会計の歳入歳出予定計算書等の添付書類）

第百八十四条 第三条第二項第一号から第五号までに掲げる書類のほか、国立高度専門医療センター特別会計においては、歳入歳出予定計算書等に、次に掲げる書類を添付しなければならない。

一 前々年度の貸借対照表及び損益計算書

二 前年度及び当該年度の予定貸借対照表及び予定損益計算書

三 前々年度の財産目録

（国立高度専門医療センター特別会計における一般会計からの繰入対象経費）

第百八十五条 国立高度専門医療センター特別会計における一般会計からの繰入対象経費は、附則第百八十三条第二号の費用（借入金の償還金を除く。）とする。

（国立高度専門医療センター特別会計における利益及び損失の処理）

第百八十六条 国立高度専門医療センター特別会計において、毎会計年度の損益計算上利益を生じた場合には、同会計の基金に組み入れて整理するものとする。

2 国立高度専門医療センター特別会計において、毎会計年度の損益計算上損失を生じた場合には、同会計の基金を減額して整理するものとする。

（国立高度専門医療センター特別会計の積立金）

第百八十七条 国立高度専門医療センター特別会計において、毎会計年度の歳入歳出の決算上剰余金を生じた場合には、当該剰余金のうち、国立高度専門医療センターの経営費に充てるために必要な金額を、積立金として積み立てるものとする。

2 前項の積立金は、国立高度専門医療センターの経営費を支

弁するために必要がある場合には、予算で定める金額を限り、国立高度専門医療センター特別会計の歳入に繰り入れることができる。

（国立高度専門医療センター特別会計の歳入歳出決定計算書の添付書類）

第百八十八条　第九条第二項第一号から第三号までに掲げる書類のほか、国立高度専門医療センター特別会計においては、歳入歳出決定計算書に、当該年度の貸借対照表、損益計算書及び財産目録を添付しなければならない。

（国立高度専門医療センター特別会計における借入金対象経費）

第百八十九条　国立高度専門医療センター特別会計における借入金対象経費は、国立高度専門医療センターの施設費とする。

（国立高度専門医療センター特別会計における積立金の繰替使用）

第百九十条　国立高度専門医療センター特別会計においては、同会計の積立金に属する現金を繰り替えて使用することができる。

（船員保険特別会計の設置の目的）

第百九十一条　船員保険事業に関する政府の経理は、この法律の施行の日から日本年金機構法の施行の日の前日までの間、船員保険特別会計において行うものとする。

（船員保険特別会計の管理）

第百九十二条　船員保険特別会計は、厚生労働大臣が、法令で定めるところに従い、管理する。

（船員保険特別会計の歳入及び歳出）

第百九十三条　船員保険特別会計における歳入及び歳出は、次のとおりとする。

一　歳入
イ　船員保険事業の保険料
ロ　一般会計からの繰入金
ハ　積立金からの受入金
ニ　積立金から生ずる収入
ホ　独立行政法人福祉医療機構法第十六条第四項の規定による納付金
ヘ　附属雑収入

二　歳出
イ　船員保険事業の保険給付費
ロ　高齢者の医療の確保に関する法律の規定による前期高齢者納付金等及び後期高齢者支援金等
ハ　介護保険法の規定による納付金
ニ　年金特別会計の厚生年金勘定への繰入金
ホ　独立行政法人福祉医療機構への交付金
ヘ　一時借入金の利子
ト　業務取扱費
チ　船員保険事業の福祉事業費
リ　附属諸費

（船員保険特別会計の歳入歳出予定計算書等の添付書類）

第百九十四条　第三条第二項第一号から第五号までに掲げる書類のほか、船員保険特別会計においては、歳入歳出予定計算書等に、前々年度の貸借対照表及び損益計算書並びに前年度及び当該年度の予定貸借対照表及び予定損益計算書を添付しなければならない。

（船員保険特別会計における一般会計からの繰入対象経費）

第百九十五条　船員保険特別会計における一般会計からの繰入対象経費は、船員保険法第五十八条に規定する保険給付及び船員保険事業の事務の執行に要する費用で国庫が負担するもの、同法第五十八条ノ二に規定する船員保険事業の執行に要する費用で国庫が補助するもの並びに船員保険法の一部を改正する法律（昭和二十二年法律第百三号。附則第百九十八条において「昭和二十二年船員保険法改正法」という。）附則第三条の規定によりなお従前の例によることとされる国庫の負担すべき費用とする。

（船員保険特別会計から年金特別会計の厚生年金勘定への繰入れ）

第百九十六条　昭和六十年国民年金等改正法（第百十三条第一項に規定する昭和六十年国民年金等改正法をいう。）附則第八十九条の規定により船員保険の管掌者たる政府が負担する費用に相当する金額は、船員保険特別会計から年金特別会計の厚生年金勘定に繰り入れるものとする。

（船員保険特別会計の積立金）

第百九十七条　船員保険特別会計において、毎会計年度の歳入歳出の決算上剰余金を生じた場合には、当該剰余金のうち、船員保険事業の財源に充てるために必要な金額を、積立金として積み立てるものとする。

2　船員保険特別会計において、毎会計年度の歳入歳出の決算上不足を生じた場合その他政令で定める場合には、政令で定めるところにより、前項の積立金から補足するものとする。

3　第一項の積立金は、船員保険事業の財源に充てるために必要がある場合には、予算で定める金額を限り、船員保険特別会計の歳入に繰り入れることができる。

（船員保険特別会計の受入金の過不足の調整）

第百九十八条　船員保険特別会計において、毎会計年度一般会計から受け入れた金額（船員保険法第五十八条ノ二の規定による補助金として受け入れた金額を除く。）が、当該年度における同法第五十八条の規定による国庫負担金の額及び昭和二十二年船員保険法改正法附則第三条の規定によりなお従前の例によることとされる国庫の負担すべき費用の額の合計額に対して超過し、又は不足する場合には、当該超過額に相当する金額は、翌年度においてこれらの規定による国庫負担金又は国庫の負担すべき費用として一般会計から受け入れる金額から減額し、なお残余があるときは翌々年度までに一般会計に返還し、当該不足額に相当する金額は、翌々年度までに一般会計から補てんするものとする。

（船員保険特別会計の歳入歳出決定計算書の添付書類）

第百九十九条　第九条第二項第一号から第三号までに掲げる書

類のほか、船員保険特別会計においては、歳入歳出決定計算書に、当該年度の貸借対照表及び損益計算書を添付しなければならない。

（船員保険特別会計における積立金の繰替使用）

第二百条　船員保険特別会計においては、同会計の積立金に属する現金を繰り替えて使用することができる。

（船員保険特別会計における受入金の過不足の調整の特例）

第二百条の二　船員保険法附則第二十二項の規定が適用される会計年度における附則第百九十八条の規定の適用については、同条中「同法第五十八条の規定による国庫負担金の額及び」とあるのは、「同法附則第二十二項並びに同法附則第二十四項において読み替えて適用する同法第五十八条第三項及び第四項の規定による国庫負担金の額並びに」とする。

（船員保険特別会計における国民健康保険法の規定による拠出金に係る経過措置）

第二百条の三　国民健康保険法（昭和三十三年法律第百九十二号）附則第十条第一項の規定による拠出金を納付する間においては、附則第百九十三条第二号ロ中「後期高齢者支援金等」とあるのは、「後期高齢者支援金等並びに国民健康保険法の規定による拠出金」とする。

（船員保険特別会計における病床転換支援金等に係る経過措置）

第二百条の四　高齢者の医療の確保に関する法律附則第二条に規定する政令で定める日までの間においては、附則第百九十三条第二号ロ中「及び後期高齢者支援金等」とあるのは、「、後期高齢者支援金等及び病床転換支援金等」とする。

（登記特別会計の設置の目的）

第二百一条　登記に関する事務その他の登記所に係る事務の経理は、この法律の施行の日から平成二十二年度の末日までの間、登記特別会計において行うものとする。

（登記特別会計の管理）

第二百二条　登記特別会計は、法務大臣が、法令で定めるところに従い、管理する。

（登記特別会計の歳入及び歳出）

第二百三条　登記特別会計における歳入及び歳出は、次のとおりとする。

一　歳入

イ　印紙をもつてする歳入金納付に関する法律第三条第五項の規定による納付金

ロ　商業登記法（昭和三十八年法律第百二十五号）第十三条第二項ただし書及び不動産登記法（平成十六年法律第百二十三号）第百十九条第四項ただし書の規定（他の法令において準用する場合を含む。）並びに電子情報処理組織による登記事務処理の円滑化のための措置等に関する法律（昭和六十年法律第三十三号）第三条第四項ただし書、動産及び債権の譲渡の対抗要件に関する民法の特例等に関する法律（平成十年法律第百四号）第二十一条第二項ただし書、後見登記等に関する法律（平成十一年法律第百五十二号）第十一条第二項ただし書及び電気通信回線による登記情報の提供に関する法律（平成十一年法律第二百二十六号）第四条第三項の規定による手数料

ハ　一般会計からの繰入金

ニ　一時借入金の借換えによる収入金

ホ　附属雑収入

二　歳出

イ　事務取扱費

ロ　施設費

ハ　一時借入金の利子

ニ　借り換えた一時借入金の償還金及び利子

ホ　附属諸費

（登記特別会計における一般会計からの繰入対象経費）

第二百四条　登記特別会計における一般会計からの繰入対象経費は、登記所に係る事務のうち登記の審査に関する事務及び登記所の管理に関する事務に要する経費とする。

（登記特別会計における一時借入金の借換え）

第二百五条　第十五条第四項の規定にかかわらず、登記特別会計において、歳入不足のために一時借入金を償還することができない場合には、その償還することができない金額を限り、同会計の負担において、一時借入金の借換えをすることができる。

2　前項の規定により借換えをした一時借入金については、当該一時借入金を第十七条に規定する借入金とみなして、同条の規定を適用する。

3　第一項の規定により借り換えた一時借入金は、その借換えをしたときから一年内に償還しなければならない。

（登記特別会計と一般会計との間における国有財産の所管換等の特例）

第二百六条　次に掲げる場合には、登記特別会計と一般会計との間において無償として整理することができる。

一　附則第六十六条第三十二号の規定による廃止前の登記特別会計法附則第二条第一項の規定により同法に基づく登記特別会計に帰属することとなった国有財産で登記特別会計において使用する必要がなくなったものについて、政令で定めるところにより、一般会計に所管換又は所属替をする場合

二　法務局若しくは地方法務局若しくはこれらの支局又はこれらの出張所の事務（附則第二百一条に規定する事務を除く。）のために使用する場合その他政令で定める場合において、登記特別会計に所属する国有財産を一般会計において使用させるとき。

三　登記特別会計の事務のために使用する必要がある場合において、一般会計に所属する国有財産を、政令で定めるところにより、登記特別会計において使用させるとき。

（国有林野事業債務管理特別会計の設置の目的）

第二百六条の二　管理経営法等改正法附則第四条第一項に規定する旧国有林野事業特別会計の負担に属する借入金に係る債

務の処理に関する経理は、管理経営法等改正法の施行の日から債務処理終了年度の末日までの間、国有林野事業債務管理特別会計において行うものとする。

（国有林野事業債務管理特別会計の管理）

第二百六条の三　国有林野事業債務管理特別会計は、農林水産大臣が、法令で定めるところに従い、管理する。

（国有林野事業債務管理特別会計の歳入及び歳出）

第二百六条の四　国有林野事業債務管理特別会計における歳入及び歳出は、次のとおりとする。

一　歳入
　イ　一般会計からの繰入金
　ロ　借入金
　ハ　一時借入金の借換えによる収入金
　ニ　附属雑収入
二　歳出
　イ　借入金の償還金及び利子
　ロ　一時借入金の利子
　ハ　借り換えた一時借入金の償還金及び利子
　ニ　附属諸費

（一般会計から国有林野事業債務管理特別会計への繰入れ）

第二百六条の五　第六条の規定にかかわらず、借入金の償還金、一時借入金の利子並びに借り換えた一時借入金の償還金及び利子の財源に充てるため、毎会計年度、予算で定めるところにより、当該年度の国有林野（国有林野の管理経営に関する法律（昭和二十六年法律第二百四十六号）第二条第一項に規定する国有林野をいう。以下この項において同じ。）の産物及び製品の売払い並びに国有林野の管理又は処分による収入額並びに同法第八条の五第三項に規定する権利設定料及び同法第八条の十四第四項に規定する樹木料の収入額の合計額から、当該売払い及び管理又は処分のために要する費用並びに同法第八条の五第一項に規定する樹木採取権に関する事務の執行のために要する費用の額を控除した額に相当する金額（以下この項において「繰入相当額」という。）の予算額に、当該年度の前年度以前の年度における繰入相当額の決算額でまだ国有林野事業債務管理特別会計に繰り入れていない額を加算し、又は当該予算額から当該前年度以前の年度において当該決算額を超えて同会計に繰り入れた額を控除した額に相当する金額を、一般会計から国有林野事業債務管理特別会計に繰り入れるものとする。

２　前項の規定による繰入れのほか、毎会計年度、予算で定めるところにより、当該年度において支払うべき借入金の利子に充てるべき金額を、一般会計から国有林野事業債務管理特別会計に繰り入れるものとする。

（国有林野事業債務管理特別会計における借入金対象経費）

第二百六条の六　国有林野事業債務管理特別会計における借入金対象経費は、管理経営法等改正法附則第四条第五項ただし書の規定により同会計に帰属するものとされた借入金（当該借入金の償還に充てるため順次借り換えられたものを含む。）の償還金の財源に充てるために必要な経費とする。

（国有林野事業債務管理特別会計における一時借入金の借換え）

第二百六条の七　第十五条第四項の規定にかかわらず、国有林野事業債務管理特別会計において、歳入不足のために一時借入金を償還することができない場合には、その償還することができない金額を限り、同会計の負担において、一時借入金の借換えをすることができる。

２　前項の規定により借換えをした一時借入金については、当該一時借入金を第十七条第一項に規定する借入金とみなして、同項の規定を適用する。

３　第一項の規定により借換えをした一時借入金は、その借換えをしたときから一年内に償還しなければならない。

（各特別会計の廃止に伴う長期運用予定額の繰越し）

第二百七条　財政融資資金において財政融資資金の長期運用に対する特別措置に関する法律（次項において「長期運用法」という。）第二条の規定により国会の議決を受けた長期運用予定額のうち、平成十八年度において附則第六十六条各号の規定による廃止前の特別会計法に基づく特別会計（以下この項において「旧特別会計」という。）に貸付けをしなかったものがある場合には、当該貸付けをしなかった額に相当する金額を限度として、平成十九年度において、旧特別会計に相当する第二条第一項各号又は附則第六十七条第一項各号に掲げる特別会計に貸し付けることができる。

２　財政融資資金において長期運用法第二条の規定により国会の議決を受けた長期運用予定額のうち、平成十九年度以降において附則第六十七条第一項第一号から第九号までの規定により設置する各特別会計に貸付けをしなかったものがある場合には、当該貸付けをしなかった額に相当する金額を限度として、附則第六十七条第一項第一号から第九号までに定める年度の翌年度において、当該特別会計に相当する第二条第一項各号に掲げる特別会計に貸し付けることができる。

（国債整理基金特別会計法の廃止に伴う経過措置）

第二百八条　附則第六十六条第一号の規定による廃止前の国債整理基金特別会計法（次項において「旧国債整理基金特別会計法」という。）に基づく国債整理基金特別会計（以下この条において「旧国債整理基金特別会計」という。）の平成十八年度の収入及び支出並びに同年度以前の年度の決算に関しては、なお従前の例による。この場合において、旧国債整理基金特別会計の平成十九年度の歳入に繰り入れるべき金額があるときは、国債整理基金特別会計の歳入に繰り入れるものとする。

２　旧国債整理基金特別会計の平成十八年度の歳出予算の経費の金額のうち財政法第四十二条ただし書又は旧国債整理基金特別会計法第八条の規定による繰越しを必要とするものは、国債整理基金特別会計に繰り越して使用することができる。

３　旧国債整理基金特別会計の平成十八年度の出納の完結の際、旧国債整理基金特別会計に所属する国債整理基金は、国債整理基金特別会計に所属する国債整理基金として組み入れられたものとみなす。

4　この法律の施行の際、旧国債整理基金特別会計に所属する権利義務は、国債整理基金特別会計に帰属するものとする。

5　前項の規定により国債整理基金特別会計に帰属する権利義務に係る収入及び支出は、同会計の歳入及び歳出とする。

（食糧管理特別会計法の廃止に伴う経過措置）

第二百九条　附則第六十六条第二号の規定による廃止前の食糧管理特別会計法（次項において「旧食管特別会計法」という。）に基づく食糧管理特別会計（以下この条において「旧食管特別会計」という。）の平成十八年度の収入及び支出並びに同年度以前の年度の決算に関しては、なお従前の例による。この場合において、旧食管特別会計の国内米管理勘定、国内麦管理勘定、輸入食糧管理勘定、輸入飼料勘定、業務勘定又は調整勘定の平成十九年度の歳入に繰り入れるべき金額があるときは、政令で定めるところにより、食料安定供給特別会計の食糧管理勘定（米管理勘定及び麦管理勘定をいう。以下この条において同じ。）、業務勘定又は調整勘定の歳入に繰り入れるものとする。ただし、旧食管特別会計の輸入飼料勘定の平成十九年度の歳入に繰り入れるべき金額のうち、農林水産大臣が財務大臣に協議して定める金額は、一般会計の歳入に繰り入れるものとする。

2　旧食管特別会計の国内米管理勘定、国内麦管理勘定、輸入食糧管理勘定、輸入飼料勘定、業務勘定又は調整勘定の平成十八年度の歳出予算の経費の金額のうち財政法第十四条の三第一項若しくは第四十二条ただし書又は旧食管特別会計法第九条第一項の規定により繰越しを必要とするものは、政令で定めるところにより、食料安定供給特別会計の食糧管理勘定、業務勘定又は調整勘定に繰り越して使用することができる。

3　旧食管特別会計の平成十八年度の末日において、旧食管特別会計の輸入飼料勘定に所属する積立金又は調整勘定に所属する調整資金は、第百三十二条第二項の規定により、食料安定供給特別会計の調整勘定に所属する調整資金として組み入れられたものとみなす。

4　旧食管特別会計において、砂糖の価格調整に関する法律及び独立行政法人農畜産業振興機構法の一部を改正する等の法律（平成十八年法律第八十九号）附則第十三条第三項の規定により旧食管特別会計の調整資金に帰属する額に相当する金額は、食料安定供給特別会計の調整勘定に繰り入れられたものとみなす。

5　この法律の施行の際、旧食管特別会計の国内米管理勘定、国内麦管理勘定、輸入食糧管理勘定、輸入飼料勘定、業務勘定又は調整勘定に所属する権利義務は、政令で定めるところにより、食料安定供給特別会計の食糧管理勘定、業務勘定又は調整勘定に帰属するものとする。

6　前項の規定により食料安定供給特別会計の食糧管理勘定、業務勘定又は調整勘定に帰属する権利義務に係る収入及び支出は、当該各勘定の歳入及び歳出とする。

7　この法律の施行の際、一般会計に所属する権利義務で第百二十四条第三項に規定する農業経営安定事業に係るものは、政令で定めるところにより、食料安定供給特別会計に帰属するものとする。

8　この法律の施行の際、食料安定供給特別会計に帰属する国有財産のうち、旧食管特別会計に所属していたものについては、地方農政局又は地方農政事務所の事務のために使用する場合その他政令で定める場合において、政令で定めるところにより、各省各庁の長の所管に属する国有財産とするため、一般会計に所管換又は所属替をするものとする。

9　前項の規定により一般会計に所管換又は所属替をする場合には、食料安定供給特別会計と一般会計との間において無償として整理することができる。

（漁船再保険及漁業共済保険特別会計法の廃止に伴う経過措置）

第二百十条　附則第六十六条第三号の規定による廃止前の漁船再保険及漁業共済保険特別会計法（次項において「旧漁船再保険及漁業共済保険特別会計法」という。）に基づく漁船再保険及漁業共済保険特別会計（以下この条において「旧漁船再保険及漁業共済保険特別会計」という。）の平成十八年度の収入及び支出並びに同年度以前の年度の決算に関しては、なお従前の例による。この場合において、旧漁船再保険及漁業共済保険特別会計の漁船普通保険勘定、漁船特殊保険勘定、漁船乗組員給与保険勘定、漁業共済保険勘定又は業務勘定の平成十九年度の歳入に繰り入れるべき金額があるときは、それぞれ漁船再保険及び漁業共済保険特別会計の漁船普通保険勘定、漁船特殊保険勘定、漁船乗組員給与保険勘定、漁業共済保険勘定又は業務勘定の歳入に繰り入れるものとする。

2　旧漁船再保険及漁業共済保険特別会計の漁船普通保険勘定、漁船特殊保険勘定、漁船乗組員給与保険勘定又は漁業共済保険勘定の平成十八年度の歳出予算の経費の金額のうち財政法第四十二条ただし書又は旧漁船再保険及漁業共済保険特別会計法第九条（旧漁船再保険及漁業共済保険特別会計法附則第六項において準用する場合を含む。）の規定による繰越しを必要とするものは、それぞれ漁船再保険及び漁業共済保険特別会計の漁船普通保険勘定、漁船特殊保険勘定、漁船乗組員給与保険勘定又は漁業共済保険勘定に繰り越して使用することができる。

3　旧漁船再保険及漁業共済保険特別会計の平成十八年度の出納の完結の際、旧漁船再保険及漁業共済保険特別会計の漁船普通保険勘定、漁船特殊保険勘定、漁船乗組員給与保険勘定又は漁業共済保険勘定に所属する積立金は、第百七十八条第一項の規定により、それぞれ漁船再保険及び漁業共済保険特別会計の漁船普通保険勘定、漁船特殊保険勘定、漁船乗組員給与保険勘定又は漁業共済保険勘定に所属する積立金として積み立てられたものとみなす。

4　この法律の施行の際、旧漁船再保険及漁業共済保険特別会計の漁船普通保険勘定、漁船特殊保険勘定、漁船乗組員給与

保険勘定、漁業共済保険勘定又は業務勘定に所属する権利義務は、それぞれ漁船再保険及び漁業共済保険特別会計の漁船普通保険勘定、漁船特殊保険勘定、漁船乗組員給与保険勘定、漁業共済保険勘定又は業務勘定に帰属するものとする。

5 前項の規定により漁船再保険及び漁業共済保険特別会計の漁船普通保険勘定、漁船特殊保険勘定、漁船乗組員給与保険勘定、漁業共済保険勘定又は業務勘定に帰属する権利義務に係る収入及び支出は、当該各勘定の歳入及び歳出とする。

（森林保険特別会計法の廃止に伴う経過措置）

第二百十一条 附則第六十六条第四号の規定による廃止前の森林保険特別会計法（次項において「旧森林保険特別会計法」という。）に基づく森林保険特別会計（以下この条において「旧森林保険特別会計」という。）の平成十八年度の収入及び支出並びに同年度以前の年度の決算に関しては、なお従前の例による。この場合において、旧森林保険特別会計の平成十九年度の歳入に繰り入れるべき金額があるときは、森林保険特別会計の歳入に繰り入れるものとする。

2 旧森林保険特別会計の平成十八年度の歳出予算の経費の金額のうち財政法第四十二条ただし書又は旧森林保険特別会計法第九条の規定による繰越しを必要とするものは、森林保険特別会計に繰り越して使用することができる。

3 旧森林保険特別会計の平成十八年度の出納の完結の際、旧森林保険特別会計に所属する積立金は、第百五十四条第一項の規定により、森林保険特別会計に所属する積立金として積み立てられたものとみなす。

4 この法律の施行の際、旧森林保険特別会計に所属する権利義務は、森林保険特別会計に帰属するものとする。

5 前項の規定により森林保険特別会計に帰属する権利義務に係る収入及び支出は、同会計の歳入及び歳出とする。

（厚生保険特別会計法の廃止に伴う経過措置）

第二百十二条 附則第六十六条第五号の規定による廃止前の厚生保険特別会計法に基づく厚生保険特別会計（以下この条において「旧厚生保険特別会計」という。）の平成十八年度の収入及び支出並びに同年度以前の年度の決算に関しては、なお従前の例による。この場合において、旧厚生保険特別会計の年金勘定、健康勘定、児童手当勘定又は業務勘定の平成十九年度の歳入に繰り入れるべき金額があるときは、それぞれ年金特別会計の厚生年金勘定、健康勘定、児童手当勘定又は業務勘定の歳入に繰り入れるものとする。

2 旧厚生保険特別会計の年金勘定、健康勘定、児童手当勘定又は業務勘定の平成十八年度の歳出予算の経費の金額のうち財政法第十四条の三第一項又は第四十二条ただし書の規定による繰越しを必要とするものは、それぞれ年金特別会計の厚生年金勘定、健康勘定、児童手当勘定又は業務勘定に繰り越して使用することができる。

3 旧厚生保険特別会計の平成十八年度の出納の完結の際、旧厚生保険特別会計の年金勘定若しくは児童手当勘定に所属する積立金又は旧厚生保険特別会計の健康勘定に所属する事業運営安定資金若しくは業務勘定に所属する特別保健福祉事業資金は、第百十六条第一項、第百十八条第一項若しくは第百十七条第三項又は附則第三十七条第一項の規定により、それぞれ年金特別会計の厚生年金勘定若しくは児童手当勘定に所属する積立金として積み立て、又は同会計の健康勘定に所属する事業運営安定資金若しくは業務勘定に所属する特別保健福祉事業資金として組み入れられたものとみなす。

4 この法律の施行の際、旧厚生保険特別会計の年金勘定、健康勘定、児童手当勘定又は業務勘定に所属する権利義務は、それぞれ年金特別会計の厚生年金勘定、健康勘定、児童手当勘定又は業務勘定に帰属するものとする。

5 前項の規定により年金特別会計の厚生年金勘定、健康勘定、児童手当勘定又は業務勘定に帰属する権利義務に係る収入及び支出は、当該各勘定の歳入及び歳出とする。

（農業共済再保険特別会計法の廃止に伴う経過措置）

第二百十三条 附則第六十六条第六号の規定による廃止前の農業共済再保険特別会計法（次項において「旧農業共済再保険特別会計法」という。）に基づく農業共済再保険特別会計（以下この条において「旧農業共済再保険特別会計」という。）の平成十八年度の収入及び支出並びに同年度以前の年度の決算に関しては、なお従前の例による。この場合において、旧農業共済再保険特別会計の再保険金支払基金勘定、農業勘定、家畜勘定、果樹勘定、園芸施設勘定又は業務勘定の平成十九年度の歳入に繰り入れるべき金額があるときは、それぞれ農業共済再保険特別会計の再保険金支払基金勘定、農業勘定、家畜勘定、果樹勘定、園芸施設勘定又は業務勘定の歳入に繰り入れるものとする。

2 旧農業共済再保険特別会計の農業勘定、家畜勘定、果樹勘定又は園芸施設勘定の平成十八年度の歳出予算の経費の金額のうち財政法第四十二条ただし書又は旧農業共済再保険特別会計法第十二条の規定による繰越しを必要とするものは、それぞれ農業共済再保険特別会計の農業勘定、家畜勘定、果樹勘定又は園芸施設勘定に繰り越して使用することができる。

3 旧農業共済再保険特別会計の平成十八年度の出納の完結の際、旧農業共済再保険特別会計の農業勘定、家畜勘定、果樹勘定又は園芸施設勘定に所属する積立金は、第百四十六条第一項の規定により、それぞれ農業共済再保険特別会計の農業勘定、家畜勘定、果樹勘定又は園芸施設勘定に所属する積立金として積み立てられたものとみなす。

4 この法律の施行の際、旧農業共済再保険特別会計の再保険金支払基金勘定、農業勘定、家畜勘定、果樹勘定、園芸施設勘定又は業務勘定に所属する権利義務は、それぞれ農業共済再保険特別会計の再保険金支払基金勘定、農業勘定、家畜勘定、果樹勘定、園芸施設勘定又は業務勘定に帰属するものとする。

5 前項の規定により農業共済再保険特別会計の再保険金支払基金勘定、農業勘定、家畜勘定、果樹勘定、園芸施設勘定又は業務勘定に帰属する権利義務に係る収入及び支出は、当該各勘定の歳入及び歳出とする。

（農業経営基盤強化措置特別会計法の廃止に伴う経過措置）

第二百十四条　附則第六十六条第七号の規定による廃止前の農業経営基盤強化措置特別会計法（第六項において「旧基盤強化特別会計法」という。）に基づく農業経営基盤強化措置特別会計（以下この条において「旧基盤強化特別会計」という。）の平成十八年度の収入及び支出並びに同年度以前の年度の決算に関しては、なお従前の例による。この場合において、旧基盤強化特別会計の平成十九年度の歳入に繰り入れるべき金額があるときは、食料安定供給特別会計の調整勘定の歳入に繰り入れるものとする。

2　旧基盤強化特別会計の平成十八年度の歳出予算の経費の金額のうち財政法第四十二条ただし書の規定による繰越しを必要とするものは、食料安定供給特別会計の農業経営基盤強化勘定に繰り越して使用することができる。

3　旧基盤強化特別会計の平成十八年度の出納の完結の際、旧基盤強化特別会計に所属する積立金は、食料安定供給特別会計の調整勘定に所属する積立金として積み立てられたものとする。

4　この法律の施行の際、旧基盤強化特別会計に所属する権利義務は、政令で定めるところにより、食料安定供給特別会計の農業経営基盤強化勘定又は業務勘定に帰属するものとする。

5　前項の規定により食料安定供給特別会計の農業経営基盤強化勘定又は業務勘定に帰属する権利義務に係る収入及び支出は、当該各勘定の歳入及び歳出とする。

6　旧基盤強化特別会計の所属に移した農地等（旧基盤強化特別会計法第一条第二項第一号に掲げる農地等をいう。）は、農地法等の一部を改正する法律（平成二十一年法律第五十七号）附則第三十九条第二項の規定によりなおその効力を有することとされる同法附則第三十八条の規定による改正前の第百三十一条に規定する農業経営基盤強化勘定の所属に移した農地等とみなす。

（国有林野事業特別会計法の廃止に伴う経過措置）

第二百十五条　附則第六十六条第八号の規定による廃止前の国有林野事業特別会計法（次項において「旧国有林野事業特別会計法」という。）に基づく国有林野事業特別会計（以下この条において「旧国有林野事業特別会計」という。）の平成十八年度の収入及び支出並びに同年度以前の年度の決算に関しては、なお従前の例による。この場合において、旧国有林野事業特別会計の平成十九年度の歳入に繰り入れるべき金額があるときは、国有林野事業特別会計の歳入に繰り入れるものとする。

2　旧国有林野事業特別会計の平成十八年度の歳出予算の経費の金額のうち財政法第十四条の三第一項若しくは第四十二条ただし書又は旧国有林野事業特別会計法第十八条第一項の規定による繰越しを必要とするものは、国有林野事業特別会計に繰り越して使用することができる。

3　旧国有林野事業特別会計の平成十八年度の出納の完結の際、旧国有林野事業特別会計に所属する特別積立金引当資金は、第百六十六条第一項の規定により、国有林野事業特別会計に所属する特別積立金引当資金として組み入れられたものとみなす。

4　この法律の施行の際、旧国有林野事業特別会計に所属する権利義務は、国有林野事業特別会計に帰属するものとする。

5　前項の規定により国有林野事業特別会計に帰属する権利義務に係る収入及び支出は、同会計の歳入及び歳出とする。

（船員保険特別会計法の廃止に伴う経過措置）

第二百十六条　附則第六十六条第九号の規定による廃止前の船員保険特別会計法に基づく船員保険特別会計（以下この条において「旧船員保険特別会計」という。）の平成十八年度の収入及び支出並びに同年度以前の年度の決算に関しては、なお従前の例による。この場合において、旧船員保険特別会計の平成十九年度の歳入に繰り入れるべき金額があるときは、附則第六十七条第一項第十三号の規定により設置する船員保険特別会計（以下この条及び次条において「暫定船員保険特別会計」という。）の歳入に繰り入れるものとする。

2　旧船員保険特別会計の平成十八年度の歳出予算の経費の金額のうち財政法第十四条の三第一項又は第四十二条ただし書の規定による繰越しを必要とするものは、暫定船員保険特別会計に繰り越して使用することができる。

3　旧船員保険特別会計の平成十八年度の出納の完結の際、旧船員保険特別会計に所属する積立金は、附則第百九十七条第一項の規定により、暫定船員保険特別会計に所属する積立金として積み立てられたものとみなす。

4　この法律の施行の際、旧船員保険特別会計に所属する権利義務は、暫定船員保険特別会計に帰属するものとする。

5　前項の規定により暫定船員保険特別会計に帰属する権利義務に係る収入及び支出は、暫定船員保険特別会計の歳入及び歳出とする。

（暫定船員保険特別会計の廃止に伴う経過措置）

第二百十七条　暫定船員保険特別会計の廃止に関し必要な経過措置は、別に法律で定める。

（国立高度専門医療センター特別会計法の廃止に伴う経過措置）

第二百十八条　附則第六十六条第十一号の規定による廃止前の国立高度専門医療センター特別会計法に基づく国立高度専門医療センター特別会計（以下この条において「旧国立高度専門医療センター特別会計」という。）の平成十八年度の収入及び支出並びに同年度以前の年度の決算に関しては、なお従前の例による。この場合において、旧国立高度専門医療センター特別会計の平成十九年度の歳入に繰り入れるべき金額があるときは、附則第六十七条第一項第十二号の規定により設置する国立高度専門医療センター特別会計（以下この条及び次条において「暫定国立高度専門医療センター特別会計」という。）の歳入に繰り入れるものとする。

2　旧国立高度専門医療センター特別会計の平成十八年度の歳

出予算の経費の金額のうち財政法第十四条の三第一項又は第四十二条ただし書の規定による繰越しを必要とするものは、暫定国立高度専門医療センター特別会計に繰り越して使用することができる。

3　旧国立高度専門医療センター特別会計の平成十八年度の出納の完結の際、旧国立高度専門医療センター特別会計に所属する積立金は、附則第百八十七条第一項の規定により、暫定国立高度専門医療センター特別会計に所属する積立金として積み立てられたものとみなす。

4　この法律の施行の際、旧国立高度専門医療センター特別会計に所属する権利義務は、暫定国立高度専門医療センター特別会計に帰属するものとする。

5　前項の規定により暫定国立高度専門医療センター特別会計に帰属する権利義務に係る収入及び支出は、暫定国立高度専門医療センター特別会計の歳入及び歳出とする。

（暫定国立高度専門医療センター特別会計の廃止に伴う経過措置）

第二百十九条　暫定国立高度専門医療センター特別会計の廃止に関し必要な経過措置は、別に法律で定める。

（貿易再保険特別会計法の廃止に伴う経過措置）

第二百二十条　附則第六十六条第十二号の規定による廃止前の貿易再保険特別会計法（次項において「旧貿易再保険特別会計法」という。）に基づく貿易再保険特別会計（以下この条において「旧貿易再保険特別会計」という。）の平成十八年度の収入及び支出並びに同年度以前の年度の決算に関しては、なお従前の例による。この場合において、旧貿易再保険特別会計の平成十九年度の歳入に繰り入れるべき金額があるときは、貿易再保険特別会計の歳入に繰り入れるものとする。

2　旧貿易再保険特別会計の平成十八年度の歳出予算の経費の金額のうち財政法第四十二条ただし書又は旧貿易再保険特別会計法第十五条第一項の規定による繰越しを必要とするものは、貿易再保険特別会計に繰り越して使用することができる。

3　この法律の施行の際、旧貿易再保険特別会計に所属する権利義務は、貿易再保険特別会計に帰属するものとする。

4　前項の規定により貿易再保険特別会計に帰属する権利義務に係る収入及び支出は、同会計の歳入及び歳出とする。

（外国為替資金特別会計法の廃止に伴う経過措置）

第二百二十一条　附則第六十六条第十三号の規定による廃止前の外国為替資金特別会計法（次項において「旧外国為替資金特別会計法」という。）に基づく外国為替資金特別会計（以下この条において「旧外国為替資金特別会計」という。）の平成十八年度の収入及び支出並びに同年度以前の年度の決算に関しては、なお従前の例による。ただし、平成十八年度歳入歳出の決算上の剰余金の処理については、当該剰余金から、積立金に積み立てる金額を控除して、なお残余があるときは、これを翌年度の歳入に繰り入れるものとする。

2　旧外国為替資金特別会計の平成十八年度の歳出予算の経費の金額のうち財政法第四十二条ただし書又は旧外国為替資金特別会計法第二十二条第一項の規定による繰越しを必要とするものは、外国為替資金特別会計に繰り越して使用することができる。

3　旧外国為替資金特別会計の平成十八年度の出納の完結の際、旧外国為替資金特別会計に所属する外国為替資金又は積立金は、第七十六条第七項又は第八十条第一項の規定により、それぞれ外国為替資金特別会計に所属する外国為替資金として組み入れ、又は積立金として積み立てられたものとみなす。

4　この法律の施行の際、旧外国為替資金特別会計に所属する権利義務は、外国為替資金特別会計に帰属するものとする。

5　前項の規定により外国為替資金特別会計に帰属する権利義務に係る収入及び支出は、同会計の歳入及び歳出とする。

（財政融資資金特別会計法の廃止に伴う経過措置）

第二百二十二条　附則第六十六条第十四号の規定による廃止前の財政融資資金特別会計法（次項及び第六項において「旧財政融資資金特別会計法」という。）に基づく財政融資資金特別会計（以下この条において「旧財政融資資金特別会計」という。）の平成十八年度の収入及び支出並びに同年度以前の年度の決算に関しては、なお従前の例による。この場合において、旧財政融資資金特別会計の平成十九年度の歳入に繰り入れるべき金額があるときは、附則第六十七条第一項第一号の規定により設置する財政融資資金特別会計（以下この条及び次条において「暫定財政融資資金特別会計」という。）の歳入に繰り入れるものとする。

2　旧財政融資資金特別会計の平成十八年度の歳出予算の経費の金額のうち財政法第四十二条ただし書又は旧財政融資資金特別会計法第十八条第一項の規定による繰越しを必要とするものは、暫定財政融資資金特別会計に繰り越して使用することができる。

3　旧財政融資資金特別会計の平成十八年度の出納の完結の際、旧財政融資資金特別会計に所属する積立金は、附則第七十三条第一項の規定により、暫定財政融資資金特別会計に所属する積立金として積み立てられたものとみなす。

4　この法律の施行の際、旧財政融資資金特別会計に所属する権利義務は、暫定財政融資資金特別会計に帰属するものとする。

5　前項の規定により暫定財政融資資金特別会計に帰属する権利義務に係る収入及び支出は、暫定財政融資資金特別会計の歳入及び歳出とする。

6　旧財政融資資金特別会計において旧財政融資資金特別会計法第十一条第二項の規定により国会の議決を経た金額のうち、平成十八年度において借入金の借入れ又は公債の発行をしなかった金額がある場合には、暫定財政融資資金特別会計の負担において、当該金額を限度として、かつ、財政融資資金の長期運用に対する特別措置に関する法律第三条の規定により平成十九年度において運用することができる金額の範囲内で、同年度において、読替え後の第十三条第一項及び附則第七十五条の規定により借入金をし、又は附則第七十六条第一項の規定により公債を発行することができる。

（暫定財政融資資金特別会計の廃止に伴う経過措置）

第二百二十三条　暫定財政融資資金特別会計の平成十九年度の収入及び支出並びに決算に関しては、なお従前の例による。この場合において、暫定財政融資資金特別会計の平成二十年度の歳入に繰り入れるべき金額があるときは、財政投融資特別会計の財政融資資金勘定の歳入に繰り入れるものとする。

2　暫定財政融資資金特別会計の平成十九年度の歳出予算の経費の金額のうち財政法第十四条の三第一項若しくは第四十二条ただし書又は附則第八十四条の規定による繰越しを必要とするものは、財政投融資特別会計の財政融資資金勘定に繰り越して使用することができる。

3　暫定財政融資資金特別会計の平成十九年度の出納の完結の際、暫定財政融資資金特別会計に所属する積立金は、第五十八条第一項の規定により、財政投融資特別会計の財政融資資金勘定に所属する積立金として積み立てられたものとみなす。

4　平成十九年度の末日において、暫定財政融資資金特別会計に所属する権利義務は、財政投融資特別会計の財政融資資金勘定に帰属するものとする。

5　前項の規定により財政投融資特別会計の財政融資資金勘定に帰属する権利義務に係る収入及び支出は、同勘定の歳入及び歳出とする。

6　暫定財政融資資金特別会計において第十三条第二項又は附則第七十六条第二項の規定により国会の議決を経た金額のうち、平成十九年度において借入金の借入れ又は公債の発行をしなかった金額がある場合には、財政投融資特別会計の財政融資資金勘定の負担において、当該金額を限度として、かつ、財政融資資金の長期運用に対する特別措置に関する法律第三条の規定により平成二十年度において運用することができる金額の範囲内で、同年度において、第十三条第一項及び第六十一条の規定により借入金をし、又は第六十二条第一項の規定により公債を発行することができる。

（産業投資特別会計法の廃止に伴う経過措置）

第二百二十四条　附則第六十六条第十五号の規定による廃止前の産業投資特別会計法（次項において「旧産業投資特別会計法」という。）に基づく産業投資特別会計（以下この条において「旧産業投資特別会計」という。）の平成十八年度の収入及び支出並びに同年度以前の年度の決算に関しては、なお従前の例による。この場合において、旧産業投資特別会計の平成十九年度の歳入に繰り入れるべき金額があるときは、附則第六十七条第一項第二号の規定により設置する産業投資特別会計（以下この条及び次条において「暫定産業投資特別会計」という。）の歳入に繰り入れるものとする。

2　旧産業投資特別会計の平成十八年度の歳出予算の経費の金額のうち財政法第四十二条ただし書又は旧産業投資特別会計法第十五条第一項の規定による繰越しを必要とするものは、暫定産業投資特別会計に繰り越して使用することができる。

3　旧産業投資特別会計の平成十八年度の出納の完結の際、旧産業投資特別会計に所属する資金は、附則第九十一条第一項の規定により、暫定産業投資特別会計に所属する投資財源資金として組み入れられたものとみなす。

4　この法律の施行の際、旧産業投資特別会計に所属する権利義務は、暫定産業投資特別会計に帰属するものとする。

5　前項の規定により暫定産業投資特別会計に帰属する権利義務に係る収入及び支出は、暫定産業投資特別会計の歳入及び歳出とする。

（暫定産業投資特別会計の廃止に伴う経過措置）

第二百二十五条　暫定産業投資特別会計の平成十九年度の収入及び支出並びに決算に関しては、なお従前の例による。この場合において、暫定産業投資特別会計の平成二十年度の歳入に繰り入れるべき金額があるときは、財政投融資特別会計の投資勘定の歳入に繰り入れるものとする。

2　暫定産業投資特別会計の平成十九年度の歳出予算の経費の金額のうち財政法第十四条の三第一項又は第四十二条ただし書の規定による繰越しを必要とするものは、財政投融資特別会計の投資勘定に繰り越して使用することができる。

3　暫定産業投資特別会計の平成十九年度の出納の完結の際、暫定産業投資特別会計に所属する投資財源資金は、第五十九条第一項の規定により、財政投融資特別会計の投資勘定に所属する投資財源資金として組み入れられたものとみなす。

4　平成十九年度の末日において、暫定産業投資特別会計に所属する権利義務は、財政投融資特別会計の投資勘定に帰属するものとする。

5　前項の規定により財政投融資特別会計の投資勘定に帰属する権利義務に係る収入及び支出は、同勘定の歳入及び歳出とする。

（交付税及び譲与税配付金特別会計法の廃止に伴う経過措置）

第二百二十六条　附則第六十六条第十六号の規定による廃止前の交付税及び譲与税配付金特別会計法（次項において「旧交付税及び譲与税配付金特別会計法」という。）に基づく交付税及び譲与税配付金特別会計（以下この条において「旧交付税特別会計」という。）の平成十八年度の収入及び支出並びに同年度以前の年度の決算に関しては、なお従前の例による。この場合において、旧交付税特別会計の交付税及び譲与税配付金勘定又は交通安全対策特別交付金勘定の平成十九年度の歳入に繰り入れるべき金額があるときは、それぞれ交付税特別会計の交付税及び譲与税配付金勘定又は交通安全対策特別交付金勘定の歳入に繰り入れるものとする。

2　旧交付税特別会計の交付税及び譲与税配付金勘定の平成十八年度の歳出予算の経費の金額のうち旧交付税特別会計法第十五条第一項の規定による繰越しを必要とするものは、交付税特別会計の交付税及び譲与税配付金勘定に繰り越して使用することができる。

3　この法律の施行の際、旧交付税特別会計の交付税及び譲与税配付金勘定又は交通安全対策特別交付金勘定に所属する権利義務は、それぞれ交付税特別会計の交付税及び譲与税配付金勘定又は交通安全対策特別交付金勘定に帰属するものとする。

4 前項の規定により交付税特別会計の交付税及び譲与税配付金勘定又は交通安全対策特別交付金勘定に帰属する権利義務に係る収入及び支出は、当該各勘定の歳入及び歳出とする。

（自動車損害賠償保障事業特別会計法の廃止に伴う経過措置）

第二百二十七条 附則第六十六条第十七号の規定による廃止前の自動車損害賠償保障事業特別会計法（次項において「旧自動車損害賠償保障事業特別会計法」という。）に基づく自動車損害賠償保障事業特別会計（以下この条において「旧自動車損害賠償保障事業特別会計」という。）の平成十八年度の収入及び支出並びに同年度以前の年度の決算に関しては、なお従前の例による。この場合において、旧自動車損害賠償保障事業特別会計の保障勘定、自動車事故対策勘定又は保険料等充当交付金勘定の平成十九年度の歳入に繰り入れるべき金額があるときは、それぞれ附則第六十七条第一項第八号の規定により設置する自動車損害賠償保障事業特別会計（以下この条及び次条において「暫定自動車損害賠償保障事業特別会計」という。）の保障勘定、自動車事故対策勘定又は保険料等充当交付金勘定の歳入に繰り入れるものとする。

2 旧自動車損害賠償保障事業特別会計の保障勘定、自動車事故対策勘定又は保険料等充当交付金勘定の平成十八年度の歳出予算の経費の金額のうち財政法第十四条の三第一項若しくは第四十二条ただし書又は旧自動車損害賠償保障事業特別会計法第十六条第一項の規定による繰越しを必要とするものは、それぞれ暫定自動車損害賠償保障事業特別会計の保障勘定、自動車事故対策勘定又は保険料等充当交付金勘定に繰り越して使用することができる。

3 旧自動車損害賠償保障事業特別会計の平成十八年度の出納の完結の際、旧自動車損害賠償保障事業特別会計の自動車事故対策勘定又は保険料等充当交付金勘定に所属する積立金は、附則第百五十四条第一項又は第二項の規定により、それぞれ暫定自動車損害賠償保障事業特別会計の自動車事故対策勘定又は保険料等充当交付金勘定に所属する積立金として積み立てられたものとみなす。

4 この法律の施行の際、旧自動車損害賠償保障事業特別会計の保障勘定、自動車事故対策勘定又は保険料等充当交付金勘定に所属する権利義務は、それぞれ暫定自動車損害賠償保障事業特別会計の保障勘定、自動車事故対策勘定又は保険料等充当交付金勘定に帰属するものとする。

5 前項の規定により暫定自動車損害賠償保障事業特別会計の保障勘定、自動車事故対策勘定又は保険料等充当交付金勘定に帰属する権利義務に係る収入及び支出は、当該各勘定の歳入及び歳出とする。

（暫定自動車損害賠償保障事業特別会計の廃止に伴う経過措置）

第二百二十八条 暫定自動車損害賠償保障事業特別会計の平成十九年度の収入及び支出並びに決算に関しては、なお従前の例による。この場合において、暫定自動車損害賠償保障事業特別会計の保障勘定又は保険料等充当交付金勘定の平成二十年度の歳入に繰り入れるべき金額があるときは自動車安全特別会計の保障勘定の歳入に、暫定自動車損害賠償保障事業特別会計の自動車事故対策勘定の平成二十年度の歳入に繰り入れるべき金額があるときは自動車安全特別会計の自動車事故対策勘定の歳入に、それぞれ繰り入れるものとする。

2 暫定自動車損害賠償保障事業特別会計の保障勘定又は保険料等充当交付金勘定の平成十九年度の歳出予算の経費（附則第百四十九条第一項第二号ロに掲げるものを除く。）の金額のうち財政法第四十二条ただし書の規定による繰越しを必要とするものは、自動車安全特別会計の保障勘定に繰り越して使用することができる。

3 暫定自動車損害賠償保障事業特別会計の保障勘定の平成十九年度の歳出予算の経費（附則第百四十九条第一項第二号ロに掲げるものに限る。）の金額のうち財政法第四十二条ただし書の規定による繰越しを必要とするものは、自動車安全特別会計の自動車検査登録勘定に繰り越して使用することができる。

4 暫定自動車損害賠償保障事業特別会計の自動車事故対策勘定の平成十九年度の歳出予算の経費の金額のうち財政法第十四条の三第一項又は第四十二条ただし書の規定による繰越しを必要とするものは、自動車安全特別会計の自動車事故対策勘定に繰り越して使用することができる。

5 暫定自動車損害賠償保障事業特別会計の平成十九年度の出納の完結の際、暫定自動車損害賠償保障事業特別会計の自動車事故対策勘定又は保険料等充当交付金勘定に所属する積立金は、附則第六十二条第一項又は附則第六十五条において読み替えて適用する附則第六十一条第一項の規定により、それぞれ自動車安全特別会計の自動車事故対策勘定又は保障勘定の積立金として積み立てられたものとみなす。

6 平成十九年度の末日において、暫定自動車損害賠償保障事業特別会計の保障勘定及び保険料等充当交付金勘定に所属する権利義務（附則第百四十九条第一項第二号ロに掲げる業務取扱費に係るものを除く。）は、自動車安全特別会計の保障勘定に帰属するものとする。

7 平成十九年度の末日において、暫定自動車損害賠償保障事業特別会計の保障勘定に所属する権利義務（附則第百四十九条第一項第二号ロに掲げる業務取扱費に係るものに限る。）は、自動車安全特別会計の自動車検査登録勘定に帰属するものとする。

8 平成十九年度の末日において、暫定自動車損害賠償保障事業特別会計の自動車事故対策勘定に所属する権利義務は、自動車安全特別会計の自動車事故対策勘定に帰属するものとする。

9 前三項の規定により自動車安全特別会計の保障勘定、自動車検査登録勘定又は自動車事故対策勘定に帰属する権利義務に係る収入及び支出は、当該各勘定の歳入及び歳出とする。

（国営土地改良事業特別会計法の廃止に伴う経過措置）

第二百二十九条　附則第六十六条第十八号の規定による廃止前の国営土地改良事業特別会計法（第五項において「旧国営土地改良事業特別会計法」という。）に基づく国営土地改良事業特別会計（以下この条において「旧国営土地改良事業特別会計」という。）の平成十八年度の収入及び支出並びに同年度以前の年度の決算に関しては、なお従前の例による。この場合において、旧国営土地改良事業特別会計の平成十九年度の歳入に繰り入れるべき金額があるときは、附則第六十七条第一項第十号の規定により設置する国営土地改良事業特別会計（以下この条及び次条において「暫定国営土地改良事業特別会計」という。）の歳入に繰り入れるものとする。

2　旧国営土地改良事業特別会計の平成十八年度の歳出予算の経費の金額のうち財政法第十四条の三第一項又は第四十二条ただし書の規定による繰越しを必要とするものは、暫定国営土地改良事業特別会計に繰り越して使用することができる。

3　この法律の施行の際、旧国営土地改良事業特別会計に所属する権利義務は、暫定国営土地改良事業特別会計に帰属するものとする。

4　前項の規定により暫定国営土地改良事業特別会計に帰属する権利義務に係る収入及び支出は、暫定国営土地改良事業特別会計の歳入及び歳出とする。

5　旧国営土地改良事業特別会計において旧国営土地改良事業特別会計法第十四条第二項の規定により国会の議決を経た金額のうち、平成十八年度において借入金の借入れをしなかった金額がある場合には、暫定国営土地改良事業特別会計の負担において、当該金額を限度として、かつ、歳出予算の繰越額（附則第百七十条第一項に規定する借入金対象経費に係るものに限る。）の財源として必要な金額の範囲内で、平成十九年度において、読替え後の第十三条第一項及び附則第百七十条第一項の規定により、借入金をすることができる。

（暫定国営土地改良事業特別会計の廃止に伴う経過措置）

第二百三十条　暫定国営土地改良事業特別会計の平成十九年度の収入及び支出並びに決算に関しては、なお従前の例による。この場合において、暫定国営土地改良事業特別会計の平成二十年度の歳入に繰り入れるべき金額があるときは、一般会計の歳入に繰り入れるものとする。ただし、当該金額のうち、借入事業（附則第二百六十六条の規定による改正前の土地改良法第八十八条の二及び附則第三百八十三条の規定によりなおその効力を有することとされる同法第八十八条の二の規定によりその工事（土地改良関係受託工事を含む。次条第三項を除き、以下この条及び次条において同じ。）に係る事業費の一部につき借入金をもってその財源とする同法により国が行う土地改良事業をいう。以下この条において同じ。）で平成十九年度の末日までにその工事の全部が完了しなかったもの（以下この条及び次条において「未完了借入事業」という。）に係るものは、食料安定供給特別会計の国営土地改良事業勘定（同条第二項を除き、以下この条から附則第二百三十二条までにおいて「国営土地改良事業経過勘定」という。）の歳入に繰り入れるものとする。

2　暫定国営土地改良事業特別会計の平成十九年度の歳出予算の経費（未完了借入事業の工事に係る経費を除く。）の金額のうち財政法第十四条の三第一項又は第四十二条ただし書の規定による繰越しを必要とするものは、一般会計に繰り越して使用することができる。

3　暫定国営土地改良事業特別会計の平成十九年度の歳出予算の経費（未完了借入事業の工事に係る経費に限る。）の金額のうち財政法第十四条の三第一項又は第四十二条ただし書の規定による繰越しを必要とするものは、国営土地改良事業経過勘定に繰り越して使用することができる。

4　平成十九年度の末日において、暫定国営土地改良事業特別会計に所属する権利義務は、一般会計に帰属するものとする。ただし、未完了借入事業の工事に係る権利義務（未完了借入事業によって生じた工作物及び未完了借入事業の用に供する施設（これらの用に供する土地を含む。）並びに未完了借入事業の工事に要する費用の財源に充てた借入金に係るものを除く。）は、政令で定めるところにより、国営土地改良事業経過勘定に帰属するものとする。

5　前項の規定により一般会計又は国営土地改良事業経過勘定に帰属する権利義務に係る収入及び支出は、それぞれ一般会計又は国営土地改良事業経過勘定の歳入及び歳出とする。

6　暫定国営土地改良事業特別会計において第十三条第二項の規定により国会の議決を経た金額のうち、平成十九年度において借入金の借入れをしなかった金額がある場合には、国営土地改良事業経過勘定の負担において、当該金額を限度として、かつ、歳出予算の繰越額（次条第六項において準用する附則第百七十条第一項に規定する借入金対象経費に係るものに限る。）の財源として必要な金額の範囲内で、平成二十年度において、読替え後の第十三条第一項及び次条第六項において準用する附則第百七十条第一項の規定により、借入金をすることができる。

7　第四十二条第五項の規定によるほか、第四項の規定により一般会計に帰属する借入金の償還金及び利子の額に相当する金額は、予算で定めるところにより、工事別の区分に従って、一般会計から国債整理基金特別会計に繰り入れるものとする。

8　第四項の規定により一般会計に帰属する借入金に対応する土地改良工事に係る土地改良法第九十条の規定による負担金及びその利息は、当該借入金の償還金及び利子の財源に充てなければならない。

9　財政融資資金において財政融資資金の長期運用に対する特別措置に関する法律第二条の規定により国会の議決を受けた長期運用予定額のうち、平成十九年度において暫定国営土地改良事業特別会計に貸付けをしなかったものがある場合には、当該貸付けをしなかった額に相当する金額を限度として、平成二十年度において、食料安定供給特別会計に貸し付けることができる。

第二百三十一条　未完了借入事業の工事に関する経理は、平成二十年度から工事完了年度（未完了借入事業の工事の全部が完了する年度として政令で定める年度をいう。次条において同じ。）の末日までの間、第百二十四条第一項の規定にかかわらず、食料安定供給特別会計において行うものとする。

2　前項の規定により未完了借入事業の工事に関する経理を食料安定供給特別会計において行う場合においては、第百二十六条の規定にかかわらず、同会計は、農業経営安定勘定、食糧管理勘定、農業共済再保険勘定、漁船再保険勘定、漁業共済保険勘定、業務勘定及び国営土地改良事業勘定に区分する。

3　国営土地改良事業経過勘定における歳入及び歳出は、次のとおりとする。

一　歳入
イ　一般会計からの繰入金
ロ　東日本大震災復興特別会計からの繰入金
ハ　未完了借入事業の工事に係る土地改良法第九十条第一項の規定による負担金及びその利息
ニ　未完了借入事業の工事に係る土地改良法第九十条の二の規定による徴収金
ホ　土地改良関係受託工事に係る納付金
ヘ　借入金
ト　土地改良法の規定に基づき国が施行する埋立て又は干拓の工事によって生じた用地の売払代金及び貸付料
チ　未完了借入事業の工事によって生じた土地改良施設に係る土地改良法第九十四条の四の二第二項の規定による共有持分の付与の対価
リ　附属雑収入

二　歳出
イ　未完了借入事業の工事に要する費用（北海道又は沖縄県で行う工事に係る職員の給与に要する費用その他の事務費を除く。）
ロ　土地改良関係受託工事に要する費用（北海道又は沖縄県で行う工事に係る職員の給与に要する費用その他の事務費を除く。）
ハ　借入金の償還金及び利子
ニ　土地改良法の規定に基づき国が施行する埋立て又は干拓の工事によって生じた用地で売り払うものの同法第九十四条の規定による管理及び処分のために直接要する費用
ホ　未完了借入事業の工事によって生じた土地改良施設に係る土地改良法第九十四条の四の二第二項の規定による共有持分の付与に伴う同条第三項の規定による交付金
ヘ　一般会計への繰入金
ト　東日本大震災復興特別会計への繰入金
チ　附属諸費

4　国営土地改良事業経過勘定における歳入歳出予定計算書等の添付書類については、第百二十八条の規定は適用せず、附則第百六十四条の規定を準用する。

5　国営土地改良事業経過勘定における歳入歳出決定計算書の添付書類については、第百三十五条の規定は適用せず、附則第百六十七条の規定を準用する。

6　附則第百六十五条、第百六十六条及び第百六十八条から第百七十二条までの規定は、国営土地改良事業経過勘定について準用する。

7　附則第三十九条の規定によるほか、国営土地改良事業経過勘定の業務のために使用する必要がある場合において、前条第四項の規定により一般会計に帰属した国有財産を、政令で定めるところにより、国営土地改良事業経過勘定において使用するときは、当分の間、食料安定供給特別会計と一般会計との間において無償として整理することができる。

8　社会資本整備特別措置法第七条第二項の規定により一般会計から国営土地改良事業経過勘定に繰入れを行う場合における第三項並びに第六項において準用する附則第百六十五条及び第百六十六条の規定の適用については、第三項第一号イ中「一般会計からの繰入金」とあるのは「第六項において準用する附則第百六十五条若しくは第十項又は社会資本整備特別措置法第七条第二項の規定による一般会計からの繰入金」と、同項第二号ヘ中「一般会計への繰入金」とあるのは「第六項において準用する附則第百六十五条、第百六十六条、第九項又は第十一項の規定による一般会計への繰入金」と、第六項において準用する附則第百六十五条中「費用と」とあるのは「費用（社会資本整備特別措置法第七条第二項の規定により一般会計から国営土地改良事業勘定に繰り入れられる金額をもって充てるものを除く。）と」と、同項において準用する附則第百六十六条第一項中「繰り入れるものとする。」とあるのは「繰り入れるものとする。社会資本整備特別措置法第七条第二項の規定により一般会計から国営土地改良事業勘定に繰入れがあった場合の当該繰入れの金額に対応するものについても、同様とする。」とする。

9　社会資本整備特別措置法第七条第二項の規定により一般会計から国営土地改良事業経過勘定に繰入れを行った場合においては、当該繰入金を国営土地改良事業経過勘定に繰り入れた会計年度及びこれに続く五箇年度以内に、当該繰入金に相当する金額（第十一項の規定により繰入れを行った場合においては、当該繰入金に相当する金額を控除した金額）に達するまでの金額を、予算で定めるところにより、国営土地改良事業経過勘定から一般会計に繰り入れるものとする。

10　読替え後の第六条の規定にかかわらず、前項の規定により繰入れを行う場合においては、当該繰入金に相当する金額を、一般会計から国営土地改良事業経過勘定に繰り入れるものとする。

11　社会資本整備特別措置法第七条第二項の規定により一般会計から国営土地改良事業経過勘定に繰り入れられた繰入金の額が、同項に規定する当該公共的建設事業であって国営土地改良事業経過勘定において経理されるものの当該年度において要した費用（当該年度において国が負担した費用に限る。）

を超過する場合においては、当該超過額に相当する金額は、翌年度において同項の規定による一般会計からの繰入金額から減額し、なお残余があるときは、翌々年度までに国営土地改良事業経過勘定から一般会計に繰り入れるものとする。

12　第二百二十九条第一項の規定により東日本大震災復興特別会計から国営土地改良事業経過勘定に繰入れを行う場合における第六項において準用する附則第百七十二条の規定の適用については、同条第三項中「一般会計」とあるのは、「一般会計又は東日本大震災復興特別会計」とする。

13　土地改良工事に係る土地改良法第九十条第一項の規定による負担金及びその利息の額のうち、第二百二十九条第一項の規定により東日本大震災復興特別会計から国営土地改良事業経過勘定に繰り入れた金額に対応するものは、当該負担金及びその利息の収納後、遅滞なく、政令で定めるところにより、同勘定から同会計に繰り入れるものとする。

（国営土地改良事業経過勘定の廃止に伴う経過措置）

第二百三十二条　国営土地改良事業経過勘定の工事完了年度の収入及び支出並びに工事完了年度以前の年度の決算に関しては、なお従前の例による。この場合において、国営土地改良事業経過勘定の工事完了年度の翌年度の歳入に繰り入れるべき金額があるときは、一般会計の歳入に繰り入れるものとする。

2　国営土地改良事業経過勘定の工事完了年度の歳出予算の経費の金額のうち財政法第十四条の三第一項又は第四十二条ただし書の規定による繰越しを必要とするものは、一般会計に繰り越して使用することができる。

3　国営土地改良事業経過勘定の工事完了年度の末日において、国営土地改良事業経過勘定に所属する権利義務は、一般会計に帰属するものとする。

4　前項の規定により一般会計に帰属する権利義務に係る収入及び支出は、一般会計の歳入及び歳出とする。

5　第四十二条第五項の規定によるほか、第三項の規定により一般会計に帰属する借入金の償還金及び利子の額に相当する金額は、予算で定めるところにより、工事別の区分に従って、一般会計から国債整理基金特別会計に繰り入れるものとする。

6　第三項の規定により一般会計に帰属する借入金に対応する土地改良工事に係る土地改良法第九十条の規定による負担金及びその利息は、当該借入金の償還金及び利子の財源に充てなければならない。

（特定国有財産整備特別会計法の廃止に伴う経過措置）

第二百三十三条　附則第六十六条第十九号の規定による廃止前の特定国有財産整備特別会計法に基づく特定国有財産整備特別会計（以下この条において「旧特定国有財産整備特別会計」という。）の平成十八年度の収入及び支出並びに同年度以前の年度の決算に関しては、なお従前の例による。この場合において、旧特定国有財産整備特別会計の平成十九年度の歳入に繰り入れるべき金額があるときは、附則第六十七条第一項第十一号の規定により設置する特定国有財産整備特別会計（以下この条、次条及び附則第二百三十七条において「暫定特定国有財産整備特別会計」という。）の歳入に繰り入れるものとする。

2　旧特定国有財産整備特別会計の平成十八年度の歳出予算の経費の金額のうち財政法第十四条の三第一項又は第四十二条ただし書の規定による繰越しを必要とするものは、暫定特定国有財産整備特別会計に繰り越して使用することができる。

3　この法律の施行の際、旧特定国有財産整備特別会計に所属する権利義務は、暫定特定国有財産整備特別会計に帰属するものとする。

4　前項の規定により暫定特定国有財産整備特別会計に帰属する権利義務に係る収入及び支出は、暫定特定国有財産整備特別会計の歳入及び歳出とする。

（暫定特定国有財産整備特別会計の廃止に伴う経過措置）

第二百三十四条　暫定特定国有財産整備特別会計の平成二十一年度の収入及び支出並びに同年度以前の年度の決算に関しては、なお従前の例による。この場合において、暫定特定国有財産整備特別会計の平成二十二年度の歳入に繰り入れるべき金額があるときは、一般会計の歳入に繰り入れるものとする。ただし、当該金額のうち、平成二十一年度の末日において定められている特定国有財産整備計画（平成二十二年度以後に変更された場合を含む。）に基づき実施される国有財産の取得及び処分に関する事業で同日において完了していないもの（以下この条及び次条において「未完了事業」という。）に係るものは、財政投融資特別会計の特定国有財産整備勘定（同条第三項及び第四項を除き、以下この条から附則第二百三十六条までにおいて「特定国有財産整備経過勘定」という。）の歳入に繰り入れるものとする。

2　暫定特定国有財産整備特別会計の平成二十一年度の歳出予算の経費の金額のうち財政法第十四条の三第一項又は第四十二条ただし書の規定による繰越しを必要とするものは、特定国有財産整備経過勘定に繰り越して使用することができる。

3　平成二十一年度の末日において、暫定特定国有財産整備特別会計に所属する権利義務は、一般会計に帰属するものとする。ただし、未完了事業に係る権利義務は、政令で定めるところにより、特定国有財産整備経過勘定に帰属するものとする。

4　前項の規定により一般会計又は特定国有財産整備経過勘定に帰属する権利義務に係る収入及び支出は、それぞれ一般会計又は特定国有財産整備経過勘定の歳入及び歳出とする。

5　暫定特定国有財産整備特別会計において第十三条第二項の規定により国会の議決を経た金額のうち、平成二十一年度において借入金の借入れをしなかった金額がある場合には、特定国有財産整備経過勘定の負担において、当該金額を限度として、かつ、歳出予算の繰越額（次条第六項において準用する附則第百七十七条に規定する借入金対象経費に係るものに限る。）の財源として必要な金額の範囲内で、平成二十二年度において、読替え後の第十三条第一項及び次条第六項において準用する附則第百七十七条の規定により、借入金をすることができる。

6 財政融資資金において財政融資資金の長期運用に対する特別措置に関する法律第二条の規定により国会の議決を受けた長期運用予定額のうち、平成二十一年度において暫定特定国有財産整備特別会計に貸付けしなかったものがある場合には、当該貸付けをしなかった額に相当する金額を限度として、平成二十二年度において、財政投融資特別会計に貸し付けることができる。

第二百三十五条 未完了事業に関する経理は、平成二十二年度から事業完了年度（未完了事業が完了する年度として政令で定める年度をいう。次条において同じ。）の末日までの間、第五十条の規定にかかわらず、財政投融資特別会計において行うものとする。

2 前項の規定により未完了事業に関する経理を財政投融資特別会計において行う場合においては、第五十一条の規定にかかわらず、同会計は、財務大臣及び国土交通大臣が、法令で定めるところに従い、管理する。

3 前項の場合において、財政投融資特別会計の管理に関する事務は、政令で定めるところにより、同会計全体の計算整理に関するものについては財務大臣が、その他のものについては財政融資資金勘定、投資勘定又は特定国有財産整備勘定及び所掌事務の区分に応じ所管大臣の全部又は一部が行うものとする。

4 第一項の規定により未完了事業に関する経理を財政投融資特別会計において行う場合においては、第五十二条の規定にかかわらず、同会計は、財政融資資金勘定、投資勘定及び特定国有財産整備勘定に区分する。

5 第一項の規定により未完了事業に関する経理を財政投融資特別会計において行う場合における第五十四条及び第六十条の規定の適用については、第五十四条中「書類（」とあるのは「書類（第一号及び第二号に掲げる書類については、特定国有財産整備勘定に係るものを除き、」と、第六十条中「損益計算書」とあるのは「損益計算書（特定国有財産整備勘定に係るものを除く。）」とする。

6 附則第百七十六条から第百七十九条までの規定は、特定国有財産整備経過勘定について準用する。

（特定国有財産整備経過勘定の廃止に伴う経過措置）

第二百三十六条 特定国有財産整備経過勘定の事業完了年度の収入及び支出並びに事業完了年度以前の年度の決算に関しては、なお従前の例による。この場合において、特定国有財産整備経過勘定の事業完了年度の翌年度の歳入に繰り入れるべき金額があるときは、一般会計の歳入に繰り入れるものとする。

2 特定国有財産整備経過勘定の事業完了年度の歳出予算の経費の金額のうち財政法第十四条の三第一項又は第四十二条ただし書の規定による繰越しを必要とするものは、一般会計に繰り越して使用することができる。

3 特定国有財産整備経過勘定の事業完了年度の末日において、特定国有財産整備経過勘定に所属する権利義務は、一般会計に帰属するものとする。

4 前項の規定により一般会計に帰属する権利義務に係る収入及び支出は、一般会計の歳入及び歳出とする。

（暫定特定国有財産整備特別会計の廃止に伴う検討）

第二百三十七条 政府は、暫定特定国有財産整備特別会計の廃止後の国の庁舎等の使用調整等に関する特別措置法の規定の円滑な実施を図るため、特定国有財産整備計画の策定の状況等を踏まえ、同法の在り方について検討を加え、その結果に基づいて必要な措置を講ずるものとする。

（道路整備特別会計法の廃止に伴う経過措置）

第二百三十八条 附則第六十六条第二十号の規定による廃止前の道路整備特別会計法に基づく道路整備特別会計（以下この条において「旧道路整備特別会計」という。）の平成十八年度の収入及び支出並びに同年度以前の年度の決算に関しては、なお従前の例による。この場合において、旧道路整備特別会計の平成十九年度の歳入に繰り入れるべき金額があるときは、附則第六十七条第一項第五号の規定により設置する道路整備特別会計（以下この条及び附則第二百四十条において「暫定道路整備特別会計」という。）の歳入に繰り入れるものとする。

2 旧道路整備特別会計の平成十八年度の歳出予算の経費の金額のうち財政法第十四条の三第一項又は第四十二条ただし書の規定による繰越しを必要とするものは、暫定道路整備特別会計に繰り越して使用することができる。

3 この法律の施行の際旧道路整備特別会計に所属する権利義務は、暫定道路整備特別会計に帰属するものとする。

4 前項の規定により暫定道路整備特別会計に帰属する権利義務に係る収入及び支出は、暫定道路整備特別会計の歳入及び歳出とする。

（社会資本整備事業特別会計の道路整備勘定に関する検討）

第二百三十九条 政府は、この法律の施行後平成二十年三月三十一日までの間に、簡素で効率的な政府を実現するための行政改革の推進に関する法律（平成十八年法律第四十七号）第二十条第三項に基づく平成十八年十二月八日に閣議において決定された道路特定財源の見直しに関する具体策に基づき特定財源制度の見直しを行うとともに、社会資本整備事業特別会計の道路整備勘定に関する規定について検討を加え、その結果に基づいて必要な措置を講ずるものとする。

（暫定道路整備特別会計の廃止に伴う経過措置）

第二百四十条 暫定道路整備特別会計の平成十九年度の収入及び支出並びに決算に関しては、なお従前の例による。この場合において、暫定道路整備特別会計の平成二十年度の歳入に繰り入れるべき金額があるときは、当該金額のうち、独立行政法人土木研究所に対して交付する交付金又は施設の整備のための補助金に係るものは一般会計の歳入に、第二百一条第五項第二号ロに規定するものに相当する金額は社会資本整備事業特別会計の業務勘定の歳入に、その他のものは社会資本整備事業特別会計の道路整備勘定の歳入に、それぞれ繰り入れるものとする。

2　暫定道路整備特別会計の平成十九年度の歳出予算の経費の金額のうち財政法第十四条の三第一項又は第四十二条ただし書の規定による繰越しを必要とするものであって、独立行政法人土木研究所に対して交付する交付金又は施設の整備のための補助金に係るものは一般会計に、第二百一条第五項第二号ロに規定するものは社会資本整備事業特別会計の業務勘定に、その他のものは社会資本整備事業特別会計の道路整備勘定に、それぞれ繰り越して使用することができる。

3　平成十九年度の末日において、暫定道路整備特別会計に所属する権利義務は、独立行政法人土木研究所に対して交付する交付金又は施設の整備のための補助金に係るものは一般会計に、第二百一条第五項第二号ロに規定するものは社会資本整備事業特別会計の業務勘定に、その他のものは社会資本整備事業特別会計の道路整備勘定に、それぞれ帰属するものとする。

4　前項の規定により一般会計又は社会資本整備事業特別会計の業務勘定若しくは道路整備勘定に帰属する権利義務に係る収入及び支出は、一般会計又は当該各勘定の歳入及び歳出とする。

（治水特別会計法の廃止に伴う経過措置）

第二百四十一条　附則第六十六条第二十一号の規定による廃止前の治水特別会計法に基づく治水特別会計（以下この条において「旧治水特別会計」という。）の平成十八年度の収入及び支出並びに同年度以前の年度の決算に関しては、なお従前の例による。この場合において、旧治水特別会計の治水勘定又は特定多目的ダム建設工事勘定の平成十九年度の歳入に繰り入れるべき金額があるときは、旧治水特別会計の治水勘定に係るものは附則第六十七条第一項第四号の規定により設置する治水特別会計（以下この条及び次条において「暫定治水特別会計」という。）の治水勘定の歳入に、旧治水特別会計の特定多目的ダム建設工事勘定に係るものは多目的ダム建設工事等に係る工事別等の区分に従って暫定治水特別会計の特定多目的ダム建設工事勘定の歳入に、それぞれ繰り入れるものとする。

2　旧治水特別会計の治水勘定又は特定多目的ダム建設工事勘定の平成十八年度の歳出予算の経費の金額のうち財政法第十四条の三第一項又は第四十二条ただし書の規定による繰越しを必要とするものであって、旧治水特別会計の治水勘定に係るものは暫定治水特別会計の治水勘定に、旧治水特別会計の特定多目的ダム建設工事勘定に係るものは多目的ダム建設工事等に係る工事別等の区分に従って暫定治水特別会計の特定多目的ダム建設工事勘定に、それぞれ繰り越して使用することができる。

3　この法律の施行の際、旧治水特別会計の治水勘定又は特定多目的ダム建設工事勘定に所属する権利義務は、旧治水特別会計の治水勘定に係るものは暫定治水特別会計の治水勘定に、旧治水特別会計の特定多目的ダム建設工事勘定に係るものは多目的ダム建設工事等に係る工事別等の区分に応じ暫定治水特別会計の特定多目的ダム建設工事勘定に、それぞれ帰属するものとする。

4　前項の規定により暫定治水特別会計の治水勘定又は特定多目的ダム建設工事勘定に帰属する権利義務に係る収入及び支出は、当該各勘定の歳入及び歳出とする。

（暫定治水特別会計の廃止に伴う経過措置）

第二百四十二条　暫定治水特別会計の平成十九年度の収入及び支出並びに決算に関しては、なお従前の例による。この場合において、暫定治水特別会計の平成二十年度の歳入に繰り入れるべき金額があるときは、当該金額のうち、附則第百三条第三項第七号に掲げるものは一般会計の歳入に、第二百一条第五項第二号イに規定するもので、暫定治水特別会計の治水勘定に係るものは社会資本整備事業特別会計の業務勘定の歳入に、暫定治水特別会計の特定多目的ダム建設工事勘定に係るものは多目的ダム建設工事等に係る工事別等の区分に従って社会資本整備事業特別会計の業務勘定の歳入に、その他のもので、暫定治水特別会計の治水勘定に係るものは社会資本整備事業特別会計の治水勘定の歳入に、暫定治水特別会計の特定多目的ダム建設工事勘定に係るものは多目的ダム建設工事等に係る工事別等の区分に従って社会資本整備事業特別会計の治水勘定の歳入に、それぞれ繰り入れるものとする。

2　暫定治水特別会計の平成十九年度の歳出予算の経費の金額のうち財政法第十四条の三第一項又は第四十二条ただし書の規定による繰越しを必要とするものであって、附則第百三条第三項第七号に掲げるものは一般会計に、第二百一条第五項第二号イに規定するもので、暫定治水特別会計の治水勘定に係るものは社会資本整備事業特別会計の業務勘定に、暫定治水特別会計の特定多目的ダム建設工事勘定に係るものは多目的ダム建設工事等に係る工事別等の区分に従って社会資本整備事業特別会計の業務勘定に、その他のもので、暫定治水特別会計の治水勘定に係るものは社会資本整備事業特別会計の治水勘定に、暫定治水特別会計の特定多目的ダム建設工事勘定に係るものは多目的ダム建設工事等に係る工事別等の区分に従って社会資本整備事業特別会計の治水勘定に、それぞれ繰り越して使用することができる。

3　平成十九年度の末日において、暫定治水特別会計に所属する権利義務は、附則第百三条第三項第七号に掲げるものは一般会計に、第二百一条第五項第二号イに規定するもので、暫定治水特別会計の治水勘定に係るものは社会資本整備事業特別会計の業務勘定に、暫定治水特別会計の特定多目的ダム建設工事勘定に係るものは多目的ダム建設工事等に係る工事別等の区分に応じ社会資本整備事業特別会計の業務勘定に、その他のもので、暫定治水特別会計の治水勘定に係るものは社会資本整備事業特別会計の治水勘定に、暫定治水特別会計の特定多目的ダム建設工事勘定に係るものは多目的ダム建設工事等に係る工事別等の区分に応じ社会資本整備事業特別会計の治水勘定に、それぞれ帰属するものとする。

4 前項の規定により一般会計又は社会資本整備事業特別会計の業務勘定若しくは治水勘定に帰属する権利義務に係る収入及び支出は、一般会計又は当該各勘定の歳入及び歳出とする。

（港湾整備特別会計法の廃止に伴う経過措置）

第二百四十三条 附則第六十六条第二十二号の規定による廃止前の港湾整備特別会計法に基づく港湾整備特別会計（以下この条において「旧港湾整備特別会計」という。）の平成十八年度の収入及び支出並びに同年度以前の年度の決算に関しては、なお従前の例による。この場合において、旧港湾整備特別会計の港湾整備勘定又は特定港湾施設工事勘定の平成十九年度の歳入に繰り入れるべき金額があるときは、旧港湾整備特別会計の港湾整備勘定に係るものは附則第六十七条第一項第六号の規定により設置する港湾整備特別会計（以下この条及び次条において「暫定港湾整備特別会計」という。）の港湾整備勘定の歳入に、旧港湾整備特別会計の特定港湾施設工事勘定に係るものは特定港湾施設工事等に係る工事別等の区分に従って暫定港湾整備特別会計の特定港湾施設工事勘定の歳入に、それぞれ繰り入れるものとする。

2 旧港湾整備特別会計の港湾整備勘定又は特定港湾施設工事勘定の平成十八年度の歳出予算の経費の金額のうち財政法第十四条の三第一項又は第四十二条ただし書の規定による繰越しを必要とするものであって、旧港湾整備特別会計の港湾整備勘定に係るものは暫定港湾整備特別会計の港湾整備勘定に、旧港湾整備特別会計の特定港湾施設工事勘定に係るものは特定港湾施設工事等に係る工事別等の区分に従って暫定港湾整備特別会計の特定港湾施設工事勘定に、それぞれ繰り越して使用することができる。

3 この法律の施行の際、旧港湾整備特別会計の港湾整備勘定又は特定港湾施設工事勘定に所属する権利義務は、旧港湾整備特別会計の港湾整備勘定に係るものは暫定港湾整備特別会計の港湾整備勘定に、旧港湾整備特別会計の特定港湾施設工事勘定に係るものは特定港湾施設工事等に係る工事別等の区分に応じ暫定港湾整備特別会計の特定港湾施設工事勘定に、それぞれ帰属するものとする。

4 前項の規定により暫定港湾整備特別会計の港湾整備勘定又は特定港湾施設工事勘定に帰属する権利義務に係る収入及び支出は、当該各勘定の歳入及び歳出とする。

（暫定港湾整備特別会計の廃止に伴う経過措置）

第二百四十四条 暫定港湾整備特別会計の平成十九年度の収入及び支出並びに決算に関しては、なお従前の例による。この場合において、暫定港湾整備特別会計の平成二十年度の歳入に繰り入れるべき金額があるときは、当該金額のうち、第二百一条第五項第二号ハに規定するもので、暫定港湾整備特別会計の港湾整備勘定に係るものは社会資本整備事業特別会計の業務勘定の歳入に、暫定港湾整備特別会計の特定港湾施設工事勘定に係るものは特定港湾施設工事等に係る工事別等の区分に従って社会資本整備事業特別会計の業務勘定の歳入に、その他のもので、暫定港湾整備特別会計の港湾整備勘定に係るものは社会資本整備事業特別会計の港湾勘定の歳入に、暫定港湾整備特別会計の特定港湾施設工事勘定に係るものは特定港湾施設工事等に係る工事別等の区分に従って社会資本整備事業特別会計の港湾勘定の歳入に、それぞれ繰り入れるものとする。

2 暫定港湾整備特別会計の平成十九年度の歳出予算の経費の金額のうち財政法第十四条の三第一項又は第四十二条ただし書の規定による繰越しを必要とするもので、第二百一条第五項第二号ハに規定するもので、暫定港湾整備特別会計の港湾整備勘定に係るものは社会資本整備事業特別会計の業務勘定に、暫定港湾整備特別会計の特定港湾施設工事勘定に係るものは特定港湾施設工事等に係る工事別等の区分に従って社会資本整備事業特別会計の業務勘定に、その他のもので、暫定港湾整備特別会計の港湾整備勘定に係るものは社会資本整備事業特別会計の港湾勘定に、暫定港湾整備特別会計の特定港湾施設工事勘定に係るものは特定港湾施設工事等に係る工事別等の区分に従って社会資本整備事業特別会計の港湾勘定に、それぞれ繰り越して使用することができる。

3 平成十九年度の末日において、暫定港湾整備特別会計に所属する権利義務は、第二百一条第五項第二号ハに規定するもので、暫定港湾整備特別会計の港湾整備勘定に係るものは社会資本整備事業特別会計の業務勘定に、暫定港湾整備特別会計の特定港湾施設工事勘定に係るものは特定港湾施設工事等に係る工事別等の区分に応じ社会資本整備事業特別会計の業務勘定に、その他のもので、暫定港湾整備特別会計の港湾整備勘定に係るものは社会資本整備事業特別会計の港湾勘定に、暫定港湾整備特別会計の特定港湾施設工事勘定に係るものは特定港湾施設工事等に係る工事別等の区分に応じ社会資本整備事業特別会計の港湾勘定に、それぞれ帰属するものとする。

4 前項の規定により社会資本整備事業特別会計の業務勘定又は港湾勘定に帰属する権利義務に係る収入及び支出は、当該各勘定の歳入及び歳出とする。

（国民年金特別会計法の廃止に伴う経過措置）

第二百四十五条 附則第六十六条第二十三号の規定による廃止前の国民年金特別会計法に基づく国民年金特別会計（以下この条において「旧国民年金特別会計」という。）の平成十八年度の収入及び支出並びに同年度以前の年度の決算に関しては、なお従前の例による。この場合において、旧国民年金特別会計の基礎年金勘定、国民年金勘定、福祉年金勘定又は業務勘定の平成十九年度の歳入に繰り入れるべき金額があるときは、それぞれ年金特別会計の基礎年金勘定、国民年金勘定、福祉年金勘定又は業務勘定の歳入に繰り入れるものとする。

2 旧国民年金特別会計の基礎年金勘定、国民年金勘定、福祉年金勘定又は業務勘定の平成十八年度の歳出予算の経費の金額のうち財政法第十四条の三第一項又は第四十二条ただし書の規定による繰越しを必要とするものは、それぞれ年金特別会計の基礎年金勘定、国民年金勘定、福祉年金勘定又は業務勘定に繰り越して使用することができる。

3　旧国民年金特別会計の平成十八年度の出納の完結の際、旧国民年金特別会計の基礎年金勘定に所属する積立金は、年金特別会計の基礎年金勘定に所属する積立金として積み立てられたものとする。

4　旧国民年金特別会計の平成十八年度の出納の完結の際、旧国民年金特別会計の国民年金勘定に所属する積立金は、第百十五条第一項の規定により、年金特別会計の国民年金勘定に所属する積立金として積み立てられたものとみなす。

5　この法律の施行の際、旧国民年金特別会計の基礎年金勘定、国民年金勘定、福祉年金勘定又は業務勘定に所属する権利義務は、それぞれ年金特別会計の基礎年金勘定、国民年金勘定、福祉年金勘定又は業務勘定に帰属するものとする。

6　前項の規定により年金特別会計の基礎年金勘定、国民年金勘定、福祉年金勘定又は業務勘定に帰属する権利義務に係る収入及び支出は、当該各勘定の歳入及び歳出とする。

（自動車検査登録特別会計法の廃止に伴う経過措置）

第二百四十六条　附則第六十六条第二十四号の規定による廃止前の自動車検査登録特別会計法（次項において「旧自動車検査登録特別会計法」という。）に基づく自動車検査登録特別会計（以下この条において「旧自動車検査登録特別会計」という。）の平成十八年度の収入及び支出並びに同年度以前の年度の決算に関しては、なお従前の例による。この場合において、旧自動車検査登録特別会計の平成十九年度の歳入に繰り入れるべき金額があるときは、附則第六十七条第一項第九号の規定により設置する自動車検査登録特別会計（以下この条及び次条において「暫定自動車検査登録特別会計」という。）の歳入に繰り入れるものとする。

2　旧自動車検査登録特別会計の平成十八年度の歳出予算の経費の金額のうち財政法第十四条の三第一項若しくは第四十二条ただし書又は旧自動車検査登録特別会計法第十四条第一項の規定による繰越しを必要とするものは、暫定自動車検査登録特別会計に繰り越して使用することができる。

3　この法律の施行の際、旧自動車検査登録特別会計に所属する権利義務は、暫定自動車検査登録特別会計に帰属するものとする。

4　前項の規定により暫定自動車検査登録特別会計に帰属する権利義務に係る収入及び支出は、暫定自動車検査登録特別会計の歳入及び歳出とする。

（暫定自動車検査登録特別会計の廃止に伴う経過措置）

第二百四十七条　暫定自動車検査登録特別会計の平成十九年度の収入及び支出並びに決算に関しては、なお従前の例による。この場合において、暫定自動車検査登録特別会計の平成二十年度の歳入に繰り入れるべき金額があるときは、自動車安全特別会計の自動車検査登録勘定の歳入に繰り入れるものとする。

2　暫定自動車検査登録特別会計の平成十九年度の歳出予算の経費の金額のうち財政法第十四条の三第一項又は第四十二条ただし書の規定による繰越しを必要とするものは、自動車安全特別会計の自動車検査登録勘定に繰り越して使用することができる。

3　平成十九年度の末日において、暫定自動車検査登録特別会計に所属する権利義務は、自動車安全特別会計の自動車検査登録勘定に帰属するものとする。

4　前項の規定により自動車安全特別会計の自動車検査登録勘定に帰属する権利義務に係る収入及び支出は、同勘定の歳入及び歳出とする。

（都市開発資金融通特別会計法の廃止に伴う経過措置）

第二百四十八条　附則第六十六条第二十五号の規定による廃止前の都市開発資金融通特別会計法に基づく都市開発資金融通特別会計（以下この条において「旧都市開発資金融通特別会計」という。）の平成十八年度の収入及び支出並びに同年度以前の年度の決算に関しては、なお従前の例による。この場合において、旧都市開発資金融通特別会計の平成十九年度の歳入に繰り入れるべき金額があるときは、附則第六十七条第一項第三号の規定により設置する都市開発資金融通特別会計（以下この条及び次条において「暫定都市開発資金融通特別会計」という。）の歳入に繰り入れるものとする。

2　旧都市開発資金融通特別会計の平成十八年度の歳出予算の経費の金額のうち財政法第十四条の三第一項又は第四十二条ただし書の規定による繰越しを必要とするものは、暫定都市開発資金融通特別会計に繰り越して使用することができる。

3　この法律の施行の際、旧都市開発資金融通特別会計に所属する権利義務は、暫定都市開発資金融通特別会計に帰属するものとする。

4　前項の規定により暫定都市開発資金融通特別会計に帰属する権利義務に係る収入及び支出は、暫定都市開発資金融通特別会計の歳入及び歳出とする。

（暫定都市開発資金融通特別会計の廃止に伴う経過措置）

第二百四十九条　暫定都市開発資金融通特別会計の平成十九年度の収入及び支出並びに決算に関しては、なお従前の例による。この場合において、暫定都市開発資金融通特別会計の平成二十年度の歳入に繰り入れるべき金額があるときは、社会資本整備事業特別会計の業務勘定の歳入に繰り入れるものとする。

2　暫定都市開発資金融通特別会計の平成十九年度の歳出予算の経費の金額のうち財政法第十四条の三第一項又は第四十二条ただし書の規定による繰越しを必要とするものは、社会資本整備事業特別会計の業務勘定に繰り越して使用することができる。

3　平成十九年度の末日において、暫定都市開発資金融通特別会計に所属する権利義務は、社会資本整備事業特別会計の業務勘定に帰属するものとする。

4　前項の規定により社会資本整備事業特別会計の業務勘定に帰属する権利義務に係る収入及び支出は、同勘定の歳入及び歳出とする。

（地震再保険特別会計法の廃止に伴う経過措置）

第二百五十条　附則第六十六条第二十六号の規定による廃止前の地震再保険特別会計法（次項において「旧地震再保険特別会計法」という。）に基づく地震再保険特別会計（以下この条において「旧地震再保険特別会計」という。）の平成十八年度の収入及び支出並びに同年度以前の年度の決算に関しては、なお従前の例による。この場合において、旧地震再保険特別会計の平成十九年度の歳入に繰り入れるべき金額があるときは、地震再保険特別会計の歳入に繰り入れるものとする。

2　旧地震再保険特別会計の平成十八年度の歳出予算の経費の金額のうち財政法第四十二条ただし書又は旧地震再保険特別会計法第十六条第一項の規定による繰越しを必要とするものは、地震再保険特別会計に繰り越して使用することができる。

3　旧地震再保険特別会計の平成十八年度の出納の完結の際、旧地震再保険特別会計に所属する積立金は、第三十四条第一項の規定により、地震再保険特別会計に所属する積立金として積み立てられたものとみなす。

4　この法律の施行の際、旧地震再保険特別会計に所属する権利義務は、地震再保険特別会計に帰属するものとする。

5　前項の規定により地震再保険特別会計に帰属する権利義務に係る収入及び支出は、同会計の歳入及び歳出とする。

（石油及びエネルギー需給構造高度化対策特別会計法の廃止に伴う経過措置）

第二百五十一条　附則第六十六条第二十七号の規定による廃止前の石油及びエネルギー需給構造高度化対策特別会計法（次項において「旧石油特別会計法」という。）に基づく石油及びエネルギー需給構造高度化対策特別会計（以下この条において「旧石油特別会計」という。）の平成十八年度の収入及び支出並びに同年度以前の年度の決算に関しては、なお従前の例による。この場合において、旧石油特別会計の平成十九年度の歳入に繰り入れるべき金額があるときは、エネルギー対策特別会計のエネルギー需給勘定の歳入に繰り入れるものとする。

2　旧石油特別会計の平成十八年度の歳出予算の経費の金額のうち旧石油特別会計法第十六条第一項の規定による繰越しを必要とするものは、エネルギー対策特別会計のエネルギー需給勘定に繰り越して使用することができる。

3　この法律の施行の際、旧石油特別会計に所属する権利義務は、エネルギー対策特別会計のエネルギー需給勘定に帰属するものとする。

4　前項の規定によりエネルギー対策特別会計のエネルギー需給勘定に帰属する権利義務に係る収入及び支出は、同勘定の歳入及び歳出とする。

（空港整備特別会計法の廃止に伴う経過措置）

第二百五十二条　附則第六十六条第二十八号の規定による廃止前の空港整備特別会計法（第五項において「旧空港整備特別会計法」という。）に基づく空港整備特別会計（以下この条において「旧空港整備特別会計」という。）の平成十八年度の収入及び支出並びに同年度以前の年度の決算に関しては、なお従前の例による。この場合において、旧空港整備特別会計の平成十九年度の歳入に繰り入れるべき金額があるときは、附則第六十七条第一項第七号の規定により設置する空港整備特別会計（以下この条及び次条において「暫定空港整備特別会計」という。）の歳入に繰り入れるものとする。

2　旧空港整備特別会計の平成十八年度の歳出予算の経費の金額のうち財政法第十四条の三第一項又は第四十二条ただし書の規定による繰越しを必要とするものは、暫定空港整備特別会計に繰り越して使用することができる。

3　この法律の施行の際、旧空港整備特別会計に所属する権利義務は、暫定空港整備特別会計に帰属するものとする。

4　前項の規定により暫定空港整備特別会計に帰属する権利義務に係る収入及び支出は、暫定空港整備特別会計の歳入及び歳出とする。

5　旧空港整備特別会計法第七条第二項の規定により国会の議決を経た金額のうち、平成十八年度において借入金の借入れをしなかった金額がある場合には、暫定空港整備特別会計の負担において、当該金額を限度として、かつ、歳出予算の繰越額（附則第百四十二条に規定する借入金対象経費に係るものに限る。）の財源として必要な金額の範囲内で、平成十九年度において、読替え後の第十三条第一項及び附則第百四十二条の規定により、借入金をすることができる。

（暫定空港整備特別会計の廃止に伴う経過措置）

第二百五十三条　暫定空港整備特別会計の平成十九年度の収入及び支出並びに決算に関しては、なお従前の例による。この場合において、暫定空港整備特別会計の平成二十年度の歳入に繰り入れるべき金額があるときは、当該金額のうち、独立行政法人電子航法研究所及び独立行政法人航空大学校に対して交付する交付金又は施設の整備のための補助金（一般会計の負担によるもの（附則第百四十四条第一項の規定に基づく一般会計からの繰入金を財源とするものを除く。）に限る。以下この条において同じ。）に係るものは一般会計の歳入に、第二百一条第五項第二号ニに規定するものに相当する金額は社会資本整備事業特別会計の業務勘定の歳入に、その他のものは同会計の空港整備勘定の歳入に、それぞれ繰り入れるものとする。

2　暫定空港整備特別会計の平成十九年度の歳出予算の経費の金額のうち財政法第十四条の三第一項又は第四十二条ただし書の規定による繰越しを必要とするものであって、独立行政法人電子航法研究所及び独立行政法人航空大学校に対して交付する交付金又は施設の整備のための補助金に係るものは一般会計に、第二百一条第五項第二号ニに規定するものは社会資本整備事業特別会計の業務勘定に、その他のものは同会計の空港整備勘定に、それぞれ繰り越して使用することができる。

3　平成十九年度の末日において、暫定空港整備特別会計に所属する権利義務は、独立行政法人電子航法研究所及び独立行政法人航空大学校に対して交付する交付金又は施設の整備のための補助金に係るものは一般会計に、第二百一条第五項第二号ニに規定するものは社会資本整備事業特別会計の業務勘定に、その他のものは同会計の空港整備勘定に、それぞれ帰属するものとする。

4　前項の規定により一般会計又は社会資本整備事業特別会計の業務勘定若しくは空港整備勘定に帰属する権利義務に係る収入及び支出は、一般会計又は当該各勘定の歳入及び歳出とする。

5　暫定空港整備特別会計において第十三条第二項の規定により国会の議決を経た金額のうち、平成十九年度において借入金の借入れをしなかった金額がある場合には、社会資本整備事業特別会計の空港整備勘定の負担において、当該金額を限度として、かつ、歳出予算の繰越額（第二百八条第一項に規定する借入金対象経費に係るものに限る。）の財源として必要な金額の範囲内で、平成二十年度において、第十三条第一項及び第二百八条第一項の規定により、借入金をすることができる。

（労働保険特別会計法の廃止に伴う経過措置）

第二百五十四条　附則第六十六条第二十九号の規定による廃止前の労働保険特別会計法に基づく労働保険特別会計（以下この条において「旧労働保険特別会計」という。）の平成十八年度の収入及び支出並びに同年度以前の年度の決算に関しては、なお従前の例による。この場合において、旧労働保険特別会計の労災勘定、雇用勘定又は徴収勘定の平成十九年度の歳入に繰り入れるべき金額があるときは、それぞれ労働保険特別会計の労災勘定、雇用勘定又は徴収勘定の歳入に繰り入れるものとする。

2　旧労働保険特別会計の労災勘定、雇用勘定又は徴収勘定の平成十八年度の歳出予算の経費の金額のうち財政法第十四条の三第一項又は第四十二条ただし書の規定による繰越しを必要とするものは、それぞれ労働保険特別会計の労災勘定、雇用勘定又は徴収勘定に繰り越して使用することができる。

3　旧労働保険特別会計の平成十八年度の出納の完結の際、旧労働保険特別会計の労災勘定若しくは雇用勘定に所属する積立金又は旧労働保険特別会計の雇用勘定に所属する雇用安定資金は、第百三条第一項若しくは第三項又は第百四条第三項の規定により、それぞれ労働保険特別会計の労災勘定若しくは雇用勘定に所属する積立金として積み立て、又は同会計の雇用勘定に所属する雇用安定資金として組み入れられたものとみなす。

4　この法律の施行の際、旧労働保険特別会計の労災勘定、雇用勘定又は徴収勘定に所属する権利義務は、それぞれ労働保険特別会計の労災勘定、雇用勘定又は徴収勘定に帰属するものとする。

5　前項の規定により労働保険特別会計の労災勘定、雇用勘定又は徴収勘定に帰属する権利義務に係る収入及び支出は、当該各勘定の歳入及び歳出とする。

（電源開発促進対策特別会計法の廃止に伴う経過措置）

第二百五十五条　附則第六十六条第三十号の規定による廃止前の電源開発促進対策特別会計法（次項において「旧電源特別会計法」という。）に基づく電源開発促進対策特別会計（以下この条において「旧電源特別会計」という。）の平成十八年度の収入及び支出並びに同年度以前の年度の決算に関しては、なお従前の例による。この場合において、旧電源特別会計の電源立地勘定及び電源利用勘定の平成十九年度の歳入に繰り入れるべき金額があるときは、電源立地対策（第八十五条第四項に規定する電源立地対策をいう。以下この条において同じ。）及び電源利用対策（第八十五条第五項に規定する電源利用対策をいう。以下この条において同じ。）の区分に従って、エネルギー対策特別会計の電源開発促進勘定の歳入に繰り入れるものとする。

2　旧電源特別会計法の電源立地勘定及び電源利用勘定の平成十八年度の歳出予算の経費の金額のうち旧電源特別会計法第十四条第一項の規定による繰越しを必要とするものは、電源立地対策及び電源利用対策の区分に従って、エネルギー対策特別会計の電源開発促進勘定に繰り越して使用することができる。

3　旧電源特別会計の平成十八年度の出納の完結の際、旧電源特別会計の電源立地勘定に所属する周辺地域整備資金は、第九十二条第三項の規定により、エネルギー対策特別会計の電源開発促進勘定に所属する周辺地域整備資金として組み入れられたものとみなす。

4　この法律の施行の際、旧電源特別会計の電源立地勘定及び電源利用勘定に所属する権利義務は、電源立地対策及び電源利用対策の区分に応じ、エネルギー対策特別会計の電源開発促進勘定に帰属するものとする。

5　前項の規定によりエネルギー対策特別会計の電源開発促進勘定に帰属する権利義務に係る収入及び支出は、電源立地対策及び電源利用対策の区分に応じ、同勘定の電源立地対策及び電源利用対策の歳入及び歳出とする。

（特許特別会計法の廃止に伴う経過措置）

第二百五十六条　附則第六十六条第三十一号の規定による廃止前の特許特別会計法に基づく特許特別会計（以下この条において「旧特許特別会計」という。）の平成十八年度の収入及び支出並びに同年度以前の年度の決算に関しては、なお従前の例による。この場合において、旧特許特別会計の平成十九年度の歳入に繰り入れるべき金額があるときは、特許特別会計の歳入に繰り入れるものとする。

2　旧特許特別会計の平成十八年度の歳出予算の経費の金額のうち財政法第十四条の三第一項又は第四十二条ただし書の規定による繰越しを必要とするものは、特許特別会計に繰り越して使用することができる。

3　この法律の施行の際、旧特許特別会計に所属する権利義務は、特許特別会計に帰属するものとする。

4　前項の規定により特許特別会計に帰属する権利義務に係る収入及び支出は、同会計の歳入及び歳出とする。

（登記特別会計法の廃止に伴う経過措置）

第二百五十七条　附則第六十六条第三十二号の規定による廃止前の登記特別会計法に基づく登記特別会計（以下この条において「旧登記特別会計」という。）の平成十八年度の収入及び支出並びに同年度以前の年度の決算に関しては、なお従前の例による。この場合において、旧登記特別会計の平成十九年度の歳入に繰り入れるべき金額があるときは、附則第六十七条第一項第十四号の規定により設置する登記特別会計（以下この条及び次条において「暫定登記特別会計」という。）の歳入に繰り入れるものとする。

2　旧登記特別会計の平成十八年度の歳出予算の経費の金額のうち財政法第十四条の三第一項又は第四十二条ただし書の規定による繰越しを必要とするものは、暫定登記特別会計に繰り越して使用することができる。

3　この法律の施行の際、旧登記特別会計に所属する権利義務は、暫定登記特別会計に帰属するものとする。

4　前項の規定により暫定登記特別会計に帰属する権利義務に係る収入及び支出は、暫定登記特別会計の歳入及び歳出とする。

（暫定登記特別会計の廃止に伴う経過措置）

第二百五十八条　暫定登記特別会計の平成二十二年度の収入及び支出並びに同年度以前の年度の決算に関しては、なお従前の例による。

2　平成二十二年度の暫定登記特別会計の歳出予算に係る経費の金額のうち財政法第十四条の三第一項又は第四十二条ただし書の規定による繰越しを必要とするものは、一般会計に繰り越して使用することができる。

3　平成二十二年度の末日において、暫定登記特別会計に所属する権利義務は、一般会計に帰属するものとする。

4　前項の規定により一般会計に帰属する権利義務に係る収入及び支出は、一般会計の歳入及び歳出とする。

（特別会計の平成十八年度の決算上の剰余金に係る一般会計への繰入れ）

第二百五十九条　附則第二百二十条第一項後段、第二百二十一条第一項ただし書、第二百二十四条第一項後段、第二百四十六条第一項後段、第二百四十八条第一項後段、第二百五十六条第一項後段及び第二百五十七条第一項後段の規定にかかわらず、附則第六十六条の規定による廃止前の同条第十二号、第十三号、第十五号、第二十四号、第二十五号、第三十一号及び第三十二号に掲げる法律に基づく特別会計の平成十八年度の歳入歳出の決算上の剰余金のうち、平成十九年度の歳入に繰り入れるものとされる金額の全部又は一部に相当する金額は、予算で定めるところにより、同年度の一般会計の歳入に繰り入れることができる。

（国有林野事業債務管理特別会計の廃止に伴う経過措置）

第二百五十九条の二　国有林野事業債務管理特別会計の債務処理終了年度の収入及び支出並びに債務処理終了年度以前の年度の決算に関しては、なお従前の例による。この場合において、同会計の債務処理終了年度の翌年度の歳入に繰り入れるべき金額があるときは、一般会計の歳入に繰り入れるものとする。

2　債務処理終了年度の末日において、国有林野事業債務管理特別会計に所属する権利義務は、一般会計に帰属するものとする。

3　前項の規定により一般会計に帰属する権利義務に係る収入及び支出は、一般会計の歳入及び歳出とする。

（自動車安全特別会計における空港整備事業等の経理等）

第二百五十九条の三　空港整備事業等に関する経理は、平成二十六年度から借入金償還完了年度（空港整備事業に要する費用に充てられた借入金で平成二十五年度の末日においてその償還が完了していないものの償還が完了する年度として政令で定める年度をいう。附則第二百五十九条の六において同じ。）の末日までの間、第二百十条第一項及び附則第五十五条の規定にかかわらず、自動車安全特別会計において行うものとする。

2　この条において「空港整備事業」とは、空港法（昭和三十一年法律第八十号）第二条に規定する空港及び同法附則第二条第一項の政令で定める飛行場（これらと併せて設置すべき政令で定める施設を含む。以下この条から附則第二百五十九条の五までにおいて「空港」という。）の設置、改良及び災害復旧並びに維持その他の管理に関する事業並びに空港の周辺における航空機の騒音により生ずる障害の防止その他の措置に関する事業並びにこれらの事業に要する費用についての国の出資金、負担金その他の経費の交付及び資金の貸付けで国土交通大臣が行うものをいう。

3　この条において「空港整備事業等」とは、空港整備事業及び次に掲げる事務又は事業をいう。

一　国土交通省設置法（平成十一年法律第百号）第四条第一項第百二十六号の政令で定める文教研修施設のうち航空保安業務に従事する職員に対しその業務を行うのに必要な研修を行う施設（以下この条において「航空保安職員研修施設」という。）の管理及び運営

二　航空機を使用して行う航空保安施設（航空法（昭和二十七年法律第二百三十一号）第二条第五項に規定する航空保安施設をいう。）の検査その他航空交通の安全の確保のための検査及び調査に関する業務（以下この条において「飛行検査業務等」という。）で国土交通大臣が行うもの

三　前二号に掲げるもののほか、空港整備事業に関する次に掲げるもの

イ　空港整備事業に属する工事に密接な関連のある工事で国土交通大臣が施行するもの（以下この条において「空港関係工事」という。）

ロ　空港整備事業に属する工事に密接な関連のある工事で

国土交通大臣が委託に基づき施行するもの（以下この条において「空港関係受託工事」という。）及び飛行検査業務等で国土交通大臣が委託に基づき行うもの（以下この条において「空港関係受託業務」という。）

ハ　イ及びロに掲げるもののほか、空港整備事業を施行する地方航空局の事務所（国土交通省設置法第三十九条第一項に規定する地方航空局の事務所で空港に所在するものをいう。以下この条において同じ。）の所掌する事務（以下この条において「地方航空局事務所所掌事務」という。）

4　第一項の規定により空港整備事業等に関する経理を自動車安全特別会計において行う場合においては、同会計は、自動車事故対策勘定、自動車検査登録勘定及び空港整備勘定に区分する。

5　空港整備勘定における歳入及び歳出は、次のとおりとする。

一　歳入

イ　国の空港（地方航空局の事務所が設置されているものに限る。）の使用料収入

ロ　空港法第六条第一項若しくは第二項（同法第九条第二項（同法附則第三条第三項において準用する場合を含む。）及び同法附則第三条第三項において準用する場合を含む。）、第九条第一項（同法附則第三条第三項において準用する場合を含む。）若しくは附則第三条第一項又は大規模災害からの復興に関する法律（平成二十五年法律第五十五号）第四十七条第三項（同法附則第五条第三項において準用する場合を含む。）の規定による負担金

ハ　一般会計からの繰入金

ニ　東日本大震災復興特別会計からの繰入金

ホ　借入金

ヘ　空港関係受託工事及び空港関係受託業務に係る納付金

ト　公共用飛行場周辺における航空機騒音による障害の防止等に関する法律（昭和四十二年法律第百十号）第三十三条、中部国際空港の設置及び管理に関する法律（平成十年法律第三十六号）第九条、民間資金等の活用による公共施設等の整備等の促進に関する法律第七十二条第一項、成田国際空港株式会社法（平成十五年法律第百二十四号）第八条若しくは附則第十二条第二項又は関西国際空港及び大阪国際空港の一体的かつ効率的な設置及び管理に関する法律（平成二十三年法律第五十四号）第十四条の規定による貸付金（この勘定に所属するものに限る。）の償還金

チ　空港整備事業に係る出資に対する配当金

リ　公共用飛行場周辺における航空機騒音による障害の防止等に関する法律第二十九条第三項の規定による納付金（この勘定に帰属するものに限る。）

ヌ　この勘定に所属する株式の処分による収入

ル　附属雑収入

二　歳出

イ　空港整備事業、空港関係工事及び空港関係受託工事に要する費用（北海道又は沖縄県における事業及び工事に関する事務費であって北海道開発局又は沖縄総合事務局に係るもの並びに政令で定める空港における事業及び工事に関する事務費であって地方整備局又は国土交通省の施設等機関で政令で定めるものに係るものを除く。）

ロ　航空保安職員研修施設の管理及び運営、飛行検査業務等、空港関係受託業務並びに地方航空局事務所所掌事務に要する費用

ハ　借入金の償還金及び利子

ニ　一時借入金の利子

ホ　附属諸費

6　第三条第二項第一号から第五号までに掲げる書類のほか、空港整備勘定においては、歳入歳出予定計算書等に、前々年度の事業実績表並びに前年度及び当該年度の事業計画表を添付しなければならない。

7　空港整備勘定における一般会計からの繰入対象経費は、空港整備事業に要する費用とする。

8　第九条第二項第一号から第三号までに掲げる書類のほか、空港整備勘定においては、歳入歳出決定計算書に、当該年度の事業実績表を添付しなければならない。

9　空港整備勘定における借入金対象経費は、空港整備事業に係る施設の整備に要する費用とする。

（自動車安全特別会計と一般会計との間における国有財産の所管換等の特例）

第二百五十九条の四　自動車安全特別会計に所属する国有財産で、空港における関税法（昭和二十九年法律第六十一号）その他の関税法規による関税の賦課徴収並びに輸出入貨物、航空機及び旅客の取締り並びに検疫法（昭和二十六年法律第二百一号）の規定による検疫のために使用する必要があるものその他政令で定めるものは、当分の間、政令で定めるところにより、各省各庁の長（国有財産法（昭和二十三年法律第七十三号）第四条第二項に規定する各省各庁の長をいう。）の所管に属する国有財産とするため、一般会計に所管換又は所属替をするものとする。

2　次に掲げる場合には、当分の間、自動車安全特別会計と一般会計との間において無償として整理することができる。

一　前項の規定により所管換又は所属替をする場合

二　前項の規定により自動車安全特別会計から一般会計に所管換又は所属替をした国有財産で一般会計において使用する必要がなくなったものその他一般会計に所属する国有財産のうち、空港整備勘定の業務の用に供するため必要があるものについて、政令で定めるところにより、自動車安全特別会計に所管換又は所属替をする場合

三　前項に規定する事務のために使用する場合その他政令で定める場合において、自動車安全特別会計に所属する国有財産を一般会計において使用させるとき。

四　空港整備勘定の業務のために使用する必要がある場合に

おいて、一般会計に所属する国有財産を、政令で定めるところにより、自動車安全特別会計において使用させるとき。

五 空港整備勘定に所属する株式で自動車安全特別会計において保有する必要がなくなったものについて、政令で定めるところにより、一般会計に所管換をする場合

3 自動車安全特別会計と一般会計との間において、第一項の規定により所管換又は所属替をする場合には、国有財産法第十二条本文及び第十四条本文の規定は、適用しない。

（空港整備勘定の歳入及び歳出の特例等）

第二百五十九条の五 当分の間、第六条の規定にかかわらず、毎会計年度、空港の緊急な整備等に資するため、次に掲げる額の合算額（当該年度の前々年度の航空機燃料税の収入見込額の十三分の十一に相当する額として同年度の一般会計の歳入予算に計上された金額（以下この項において「航空機燃料税の収入額の予算額」という。）が、同年度の航空機燃料税の収入額の決算額の十三分の十一に相当する金額（第二号において「航空機燃料税の収入額の決算額」という。）を超える場合は、第一号に掲げる額から当該超える額を控除した額）に相当する金額を、予算で定めるところにより、一般会計から空港整備勘定に繰り入れるものとする。

一 当該年度の航空機燃料税の収入額の予算額

二 当該年度の前々年度の航空機燃料税の収入額の予算額が当該前々年度の航空機燃料税の収入額の決算額に不足するときは、当該不足額

2 当分の間、附則第二百五十九条の三第五項の規定によるほか、離島における空港の効率的な利用及び整備に資するため、国が当該離島への旅客の運送の用に供される飛行機（短い離着陸距離で発着することができる政令で定める特別の性能を有するものに限る。）の購入に要する費用の一部を補助する場合における当該補助金は、空港整備勘定の歳出とする。

3 空港法附則第八条第一項から第四項まで若しくは中部国際空港の設置及び管理に関する法律附則第二条第一項の規定による無利子の貸付けに関する経理を空港整備勘定において行う場合又は社会資本整備特別措置法第七条第二項の規定により一般会計から同勘定に繰入れを行う場合における附則第二百五十九条の三第五項及び第七項の規定の適用については、同条第五項第一号ハ中「一般会計からの繰入金」とあるのは「第七項若しくは附則第二百五十九条の五第一項若しくは第七項又は日本電信電話株式会社の株式の売払収入の活用による社会資本の整備の促進に関する特別措置法（第二百五十九条の三第七項において「社会資本整備特別措置法」という。）第七条第一項若しくは第二項の規定による一般会計からの繰入金」と、同号ト中「公共用飛行場周辺における航空機騒音による障害の防止等に関する法律（昭和四十二年法律第百十号）第三十三条、中部国際空港の設置及び管理に関する法律（平成十年法律第三十六号）第九条」とあるのは「空港法附則第八条第一項から第四項まで、公共用飛行場周辺における航空機騒音による障害の防止等に関する法律（昭和四十二年法律第百十号）第三十三条、中部国際空港の設置及び管理に関する法律（平成十年法律第三十六号）第九条若しくは附則第二条第一項」と、同項第二号中「ホ 附属諸費」とあるのは

「ホ 附則第二百五十九条の五第四項から第六項まで又は第八項の規定による一般会計への繰入金

へ 附属諸費」

と、同条第七項中「費用」とあるのは「費用（社会資本整備特別措置法第七条第二項の規定により一般会計から同勘定に繰り入れられる金額をもって充てるものを除く。）」とする。

4 空港整備勘定において空港法附則第八条第一項から第四項まで又は中部国際空港の設置及び管理に関する法律附則第二条第一項の規定による無利子の貸付金の償還（返還を含む。以下この項において同じ。）を受けた場合においては、当該償還の日の属する年度に、当該貸付金の償還金（返還金を含む。）に相当する金額を、同勘定から一般会計に繰り入れるものとする。

5 社会資本整備特別措置法第七条第一項の規定により一般会計から空港整備勘定に繰り入れられた繰入金の額が、当該年度における空港法附則第八条第一項から第四項まで又は中部国際空港の設置及び管理に関する法律附則第二条第一項の規定による無利子の貸付金の合計額を超過する場合においては、当該超過額に相当する金額は、翌年度において社会資本整備特別措置法第七条第一項の規定による一般会計からの繰入金額から減額し、なお残余があるときは、翌々年度までに同勘定から一般会計に繰り入れるものとする。

6 社会資本整備特別措置法第七条第二項の規定により一般会計から空港整備勘定に繰入れを行った場合においては、当該繰入金を同勘定に繰り入れた会計年度及びこれに続く五箇年度以内に、当該繰入金に相当する金額（第八項の規定により繰入れを行った場合においては、当該繰入金に相当する金額を控除した金額）に達するまでの金額を、予算で定めるところにより、同勘定から一般会計に繰り入れるものとする。

7 第六条の規定にかかわらず、前項の規定により繰入れを行う場合には、同項の繰入金に相当する金額を、一般会計から空港整備勘定に繰り入れるものとする。

8 社会資本整備特別措置法第七条第二項の規定により一般会計から空港整備勘定に繰り入れられた繰入金の額が、同項に規定する当該公共的建設事業であって同勘定において経理されるものの当該年度において要した費用（当該年度において国が負担した費用に限る。）を超過する場合においては、当該超過額に相当する金額は、翌年度において同項の規定による一般会計からの繰入金額から減額し、なお残余があるときは、翌々年度までに同勘定から一般会計に繰り入れるものとする。

（空港整備勘定の廃止に伴う経過措置）

第二百五十九条の六 空港整備勘定の借入金償還完了年度の収入及び支出並びに借入金償還完了年度以前の年度の決算に関

しては、なお従前の例による。この場合において、空港整備勘定の借入金償還完了年度の翌年度の歳入に繰り入れるべき金額があるときは、一般会計の歳入に繰り入れるものとする。

2 空港整備勘定の借入金償還完了年度の歳出予算の経費の金額のうち財政法第十四条の三第一項又は第四十二条ただし書の規定による繰越しを必要とするものは、一般会計に繰り越して使用することができる。

3 空港整備勘定の借入金償還完了年度の末日において、空港整備勘定に所属する権利義務は、一般会計に帰属するものとする。

4 前項の規定により一般会計に帰属する権利義務に係る収入及び支出は、一般会計の歳入及び歳出とする。

5 前二条の規定は、空港整備勘定の借入金償還完了年度の末日の翌日以後は、適用しない。

（一般会計からの繰入れに関する他の法令の適用）

第三百九十条 第六条の規定は、この法律の施行前に他の法令において定められた一般会計から特別会計への繰入れに関する規定の適用を妨げるものではない。

（罰則に関する経過措置）

第三百九十一条 この法律の施行前にした行為及びこの附則の規定によりなお従前の例によることとされる場合におけるこの法律の施行後にした行為に対する罰則の適用については、なお従前の例による。

（その他の経過措置の政令への委任）

第三百九十二条 附則第二条から第六十五条まで、第六十七条から第二百五十九条まで及び第三百八十二条から前条までに定めるもののほか、この法律の施行に関し必要となる経過措置は、政令で定める。

附　則（平一九・四・二三法三〇）（抄）

最終改正　令二・六・五法四〇

（施行期日）

第一条 この法律は、公布の日から施行する。ただし、次の各号に掲げる規定は、当該各号に定める日から施行する。

一～二 〔略〕

三 〔前略〕附則〔中略〕第百三十七条、第百三十九条及び第百三十九条の二の規定　日本年金機構法の施行の日〔平二二・一・一〕

（船員保険特別会計の廃止に伴う経過措置）

第百三十八条 特別会計に関する法律附則第二百十六条第一項に規定する暫定船員保険特別会計（以下この条において単に「暫定船員保険特別会計」という。）の附則第一条第三号に掲げる規定の施行の日の前日の属する会計年度（以下この条において「最終会計年度」という。）は、同日に終わるものとする。

2 暫定船員保険特別会計の最終会計年度の収入及び支出並びに同年度以前の年度の決算に関しては、なお従前の例による。この場合において、暫定船員保険特別会計の最終会計年度の翌年度の歳入に繰り入れるべき金額があるときは、政令で定めるところにより、労働保険特別会計の労災勘定若しくは雇用勘定又は年金特別会計の健康勘定の歳入に繰り入れるものとする。

3 暫定船員保険特別会計の最終会計年度の出納の完結の際、暫定船員保険特別会計に所属する積立金は、政令で定めるところにより、協会に承継し、又は労働保険特別会計の労災勘定若しくは雇用勘定に所属する積立金として積み立てられたものとみなす。

4 最終会計年度の末日における暫定船員保険特別会計に所属する権利義務は、政令で定めるところにより、労働保険特別会計の労災勘定若しくは雇用勘定又は年金特別会計の健康勘定若しくは業務勘定に帰属するものとする。

5 前項の規定により労働保険特別会計の労災勘定若しくは雇用勘定又は年金特別会計の健康勘定若しくは業務勘定に帰属する権利義務に係る収入及び支出は、労働保険特別会計の労災勘定若しくは雇用勘定又は年金特別会計の健康勘定若しくは業務勘定の歳入及び歳出とする。

第百三十九条 前条第四項の規定により年金特別会計の業務勘定に帰属した権利義務に係る附則第一条第三号に掲げる規定の施行の日以後に生ずる収入のうち、独立行政法人福祉医療機構法附則第五条の二第八項及び第九項の規定による納付金その他の収入であって政令で定めるものに相当する金額は、政令で定めるところにより、労働保険特別会計の労災勘定若しくは雇用勘定又は年金特別会計の健康勘定に繰り入れるものとする。

2 前項の規定により年金特別会計の業務勘定から労働保険特別会計の労災勘定若しくは雇用勘定又は年金特別会計の健康勘定に繰り入れる場合には、特別会計に関する法律第九十九条第一項若しくは第二項又は第百十一条第五項若しくは第七項の規定によるほか、年金特別会計の業務勘定からの繰入金は労働保険特別会計の労災勘定若しくは雇用勘定又は年金特別会計の健康勘定の歳入とし、労働保険特別会計の労災勘定若しくは雇用勘定又は年金特別会計の健康勘定への繰入金は同会計の業務勘定の歳出とする。

第百三十九条の二 附則第百三十七条の規定による改正後の特別会計に関する法律第九十九条第一項、第百二条の二、第百三条第五項、第百八条、第百十一条第三項、第五項及び第七項、第百十三条第五項、第百十四条第七項並びに第百二十条第二項並びに附則第二十八条の二及び第二十九条の規定並びに前条の規定は、附則第一条第三号に掲げる規定の施行の日の属する年度の予算から適用する。

（検討）

第百四十二条 政府は、この法律の施行後五年を目途として、この法律の施行の状況等を勘案し、この法律により改正された雇用保険法等の規定に基づく規制の在り方について検討を加え、必要があると認めるときは、その結果に基づいて所要の措置を講ずるものとする。

（政令への委任）

第百四十三条　この附則に規定するもののほか、この法律の施行に伴い必要な経過措置は、政令で定める。

附　則（平二三・六・二四法七三）（抄）

（施行期日）

第一条　この法律は、公布の日から起算して三年を超えない範囲内において政令で定める日〔平二六・四・一〕から施行する。〔ただし書略〕

附　則（平二四・三・三一法一五）（抄）

（施行期日）

第一条　この法律は、平成二十四年四月一日から施行し、この法律による改正後の特別会計に関する法律（以下「新法」という。）の規定は、平成二十四年度の予算から適用する。

（東日本大震災復興特別会計の廃止等）

第二条　復興庁設置法（平成二十三年法律第百二十五号）第二十一条の規定により復興庁が廃止されたときは、東日本大震災復興特別会計は、別に法律で定めるところにより、廃止するものとする。

2　政府は、前項の規定により東日本大震災復興特別会計が廃止されるときは、復興事業（新法第二百二十二条第二項に規定する復興事業をいう。以下同じ。）の進捗状況等を踏まえ、復興事業に関する経理の在り方について検討を加え、必要があると認めるときは、その結果に基づいて所要の措置を講ずるものとする。

（権利義務の帰属等に関する経過措置）

第三条　この法律の施行の際一般会計に所属する権利義務であって、次に掲げるものは、政令で定めるところにより、東日本大震災復興特別会計に帰属するものとする。

一　平成二十三年度の一般会計補正予算（第3号）（以下「平成二十三年度第三次補正予算」という。）に計上された費用のうち東日本大震災からの復興のための施策を実施するために必要な財源の確保に関する特別措置法（平成二十三年法律第百十七号。以下「復興財源確保法」という。）第六十九条第五項の規定により国会の議決を受けた復興費用（以下単に「復興費用」という。）に関する権利義務（財政法（昭和二十二年法律第三十四号）第十四条の三第一項又は第四十二条ただし書の規定により繰り越して使用することとされたものに関する権利義務を除く。）

二　財政法第十五条第一項又は第二項の規定により国が負担した債務のうち復興事業に関するもの（当該債務を負担する行為により支出すべき費用について同法第十四条の三第一項又は第四十二条ただし書の規定により繰り越して使用することとされたものに関する債務を除く。）

三　東日本大震災に対処するための特別の財政援助及び助成に関する法律（平成二十三年法律第四十号）第百四十三条第一項に規定する地方公共団体等が講ずる措置について国が同項の規定により同法の規定に基づく補助金の交付その他の財政援助を行った場合に、当該財政援助に係る額に相当する額の限度において同項に規定する原子力事業者に対して求償する権利

四　国が平成二十三年原子力事故による被害に係る緊急措置に関する法律（平成二十三年法律第九十一号）第三条第一項の規定による仮払金を支払った場合に同法第九条第二項の規定により取得する特定原子力損害（同法第二条に規定する特定原子力損害をいう。）の賠償請求権

（平成二十三年度の復興債に係る経過措置）

第四条　復興財源確保法第六十九条第一項から第三項までの規定により発行した公債に関する権利義務は、東日本大震災復興特別会計に帰属する。

2　復興財源確保法第七十条の規定により平成二十四年六月三十日までの間に行われる公債の発行は、一般会計の負担において行うものとし、当該公債に関する権利義務は、同年七月一日において、東日本大震災復興特別会計に帰属する。

（平成二十四年度に繰り越した復興費用に関する経費に係る経過措置）

第五条　平成二十三年度第三次補正予算に計上された復興費用に関する経費（各特別会計への繰入れに係るものを除く。）であって、財政法第十四条の三第一項又は第四十二条ただし書の規定により繰越しをしたものについて、平成二十四年度以降、不用となった金額又は国に返納された金額（以下この項において「不用額等」という。）がある場合には、当該不用額等があった年度の翌々年度までに、当該不用額等（返納の際に当該金額に延滞利息又は加算金が付されている場合には、これらの金額を含む。）を、一般会計から東日本大震災復興特別会計に繰り入れるものとする。

2　前項の規定は、平成二十三年度に各特別会計において実施する復興事業について準用する。この場合において、同項中「復興費用に関する経費（各特別会計への繰入れに係るものを除く。）」とあるのは「復興費用に関する経費のうち各特別会計への繰入れに係るものとして一般会計から繰り入れられた金額を財源として各特別会計において実施した復興事業に関する経費」と、「一般会計」とあるのは「各特別会計」と読み替えるものとする。

（平成二十三年度における一般会計から各特別会計への繰入れに係る経過措置）

第六条　各特別会計において、平成二十三年度第三次補正予算に計上された復興費用に関する経費のうち各特別会計への繰入れに係るものとして一般会計から受け入れた金額が、当該年度における復興費用の支出に必要な金額として一般会計から受け入れるべき金額に対して超過し、又は不足する場合には、当該超過額に相当する金額は、平成二十四年度において新法第二百二十九条第一項の規定による繰入金として東日本大震災復興特別会計から受け入れる金額がある場合にあっては当該受け入れる金額から減額しなお残余があるときは平成二十五年度までに同会計に繰り入れ、当該受け入れる金額がない場合にあっては同年度までに同会計に繰り入れ、当該不足額に相当する金額は、同年度までに同会計から補塡するも

のとする。

（平成二十三年度における復興施策に必要な財源に関する経過措置）

第七条　平成二十三年度第三次補正予算に計上された復興費用の額及び復興施策に必要な財源として計上された額のうち、第一号、第五号及び第六号に掲げる額の合計額が第二号から第四号までに掲げる額の合計額を上回る場合には、予算で定めるところにより、平成二十五年度までにその上回る額を一般会計から東日本大震災復興特別会計に繰り入れ、第一号、第五号及び第六号に掲げる額の合計額が第二号から第四号までに掲げる額の合計額を下回る場合には、予算で定めるところにより、同年度までにその下回る額を同会計から一般会計に繰り入れるものとする。

一　平成二十三年度第三次補正予算に復興費用として計上された額（第四号において「平成二十三年度復興費用予算額」という。）

二　平成二十三年度第三次補正予算に復興財源確保法第七十二条第四項に規定する国会の議決を経た範囲に属する収入として計上された額（第五号において「平成二十三年度復興税外収入予算額」という。）

三　平成二十三年度第三次補正予算に復興財源確保法第七十条に規定する復興債の発行収入金として計上された額（第六号において「平成二十三年度復興債収入金予算額」という。）

四　平成二十三年度復興費用予算額に係る支出済歳出額及び翌年度繰越額の合計額

五　平成二十三年度復興税外収入予算額に係る収納済歳入額

六　平成二十三年度復興債収入金予算額に係る収納済歳入額

附　則（平二四・六・二七法四二）（抄）

（施行期日）

第一条　この法律は、平成二十五年四月一日から施行する。

〔ただし書略〕

（国有林野事業特別会計の廃止に伴う経過措置）

第四条　第三条の規定による改正前の特別会計に関する法律（以下この条において「旧特別会計法」という。）第二条第一項第十二号の規定により設置された国有林野事業特別会計（以下「旧国有林野事業特別会計」という。）の平成二十四年度の収入及び支出並びに同年度以前の年度の決算に関しては、なお従前の例による。

2　前項の場合において、旧国有林野事業特別会計の平成二十五年度の歳入に繰り入れるべき金額があるときは、当該金額のうち、復興事業（特別会計に関する法律第二百二十二条第二項に規定する復興事業をいう。以下この条において同じ。）に係るものは、同法第二条第一項第十八号の規定により設置する東日本大震災復興特別会計（以下この条において「東日本大震災復興特別会計」という。）の歳入に繰り入れるものとする。

3　旧国有林野事業特別会計の平成二十四年度の歳出予算の経費（復興事業に係る経費を除く。）の金額のうち財政法（昭和二十二年法律第三十四号）第十四条の三第一項若しくは第四十二条ただし書又は旧特別会計法第百七十条の規定による繰越しを必要とするものは、一般会計に繰り越して使用することができる。

4　旧国有林野事業特別会計の平成二十四年度の歳出予算の経費（復興事業に係る経費に限る。）の金額のうち財政法第十四条の三第一項若しくは第四十二条ただし書又は旧特別会計法第百七十条の規定による繰越しを必要とするものは、東日本大震災復興特別会計に繰り越して使用することができる。

5　この法律の施行の際、旧国有林野事業特別会計に所属する権利義務は、一般会計に帰属するものとする。ただし、当該権利義務のうち、復興事業に係るものは東日本大震災復興特別会計に、旧国有林野事業特別会計の負担に属する借入金に係るものは第三条の規定による改正後の特別会計に関する法律附則第六十七条の二第一項の規定により設置する国有林野事業債務管理特別会計（以下「国有林野事業債務管理特別会計」という。）に、それぞれ帰属するものとする。

6　前項の規定により一般会計、東日本大震災復興特別会計又は国有林野事業債務管理特別会計に帰属する権利義務に係る収入及び支出は、それぞれ一般会計、東日本大震災復興特別会計又は国有林野事業債務管理特別会計の歳入及び歳出とする。

附　則（平二四・六・二七法四七）（抄）

（施行期日）

第一条　この法律は、公布の日から起算して三月を超えない範囲内において政令で定める日〔平二四・九・一九〕から施行する。〔ただし書略〕

（特別会計に関する法律の一部改正に伴う経過措置）

第七十三条　前条の規定による改正後の特別会計に関する法律（以下この条において「新特会法」という。）の規定は、平成二十四年度の予算から適用し、同条の規定による改正前の特別会計に関する法律に基づくエネルギー対策特別会計の電源開発促進勘定（以下この条において「旧電源開発促進勘定」という。）における平成二十三年度の収入及び支出並びに同年度以前の年度の決算に関しては、なお従前の例による。この場合において、旧電源開発促進勘定の電源立地対策及び電源利用対策の平成二十四年度の歳入に繰り入れるべき金額があるときは、電源立地対策（新特会法第八十五条第四項に規定する電源立地対策をいう。）、電源利用対策（新特会法第八十五条第五項に規定する電源利用対策をいう。）及び原子力安全規制対策（新特会法第八十五条第六項に規定する原子力安全規制対策をいう。以下この条において同じ。）の区分に従って、新特会法に基づくエネルギー対策特別会計の電源開発促進勘定（以下この条において「新電源開発促進勘定」という。）の歳入に繰り入れるものとする。

2　この法律の施行の際、旧電源開発促進勘定の電源立地対策及び電源利用対策に所属する権利義務は、電源立地対策（新特会法第八十五条第四項に規定する電源立地対策をいう。次項において同じ。）、電源利用対策（新特会法第八十五条第五項に規定する電源利用対策をいう。次項において同じ。）及び原子力安全規制対策の区分に応じ、新電源開発促進勘定に帰属するものとする。

3 前項の規定により新電源開発促進勘定に帰属する権利義務に係る収入及び支出は、新電源立地対策、電源利用対策及び原子力安全規制対策の区分に応じ、新電源開発促進勘定の電源立地対策、電源利用対策及び原子力安全規制対策の歳入及び歳出とする。

附　則（平二四・八・二二法六三）（抄）

改正　平二四・一一・二六法九七

（施行期日）

第一条　この法律は、平成二十七年十月一日から施行する。ただし、次の各号に掲げる規定は、それぞれ当該各号に定める日から施行する。

一　〔略〕

二　〔前略〕附則第百七条、第百九条〔中略〕の規定　平成二十五年四月一日

三～五　〔略〕

（特別会計に関する法律の一部改正に伴う経過措置）

第百九条　附則第百七条の規定による改正後の特別会計に関する法律附則第二十二条第一項及び第二項の規定は、平成二十四年度の決算から適用する。

第百十条　附則第百八条の規定による改正後の特別会計に関する法律の規定は、平成二十七年度の予算から適用し、平成二十六年度の収入及び支出並びに同年度以前の年度の決算に関しては、なお従前の例による。

附　則（平二四・八・二二法六七）（抄）

この法律は、子ども・子育て支援法の施行の日〔平二七・四・一〕から施行する。〔ただし書略〕

附　則（平二四・八・二二法六九）（抄）

最終改正　令二・三・三一法五

（施行期日）

第一条　この法律は、平成二十六年四月一日から施行する。ただし、次の各号に掲げる規定は、当該各号に定める日から施行する。

一　〔略〕

二　〔前略〕附則〔中略〕第二十二条及び第二十三条の規定　平成三十一年四月一日

三　〔略〕

四　〔前略〕附則〔中略〕第二十四条及び第二十五条の規定　令和二年四月一日

（前条の規定による特別会計に関する法律の一部改正に伴う経過措置）

第二十一条　前条の規定による改正後の特別会計に関する法律の規定は、平成二十六年度分の予算から適用する。

（前条の規定による特別会計に関する法律の一部改正に伴う経過措置）

第二十三条　前条の規定による改正後の特別会計に関する法律の規定は、令和元年度分の予算から適用する。

（前条の規定による特別会計に関する法律の一部改正に伴う経過措置）

第二十五条　前条の規定による改正後の特別会計に関する法律の規定は、令和二年度分の予算から適用する。

附　則（平二五・三・三〇法四）（抄）

（施行期日）

第一条　この法律は、平成二十五年四月一日から施行する。

（特別会計に関する法律の一部改正に伴う経過措置）

第四条　第二条の規定による改正後の特別会計に関する法律の規定は、平成二十五年度分の予算から適用する。

附　則（平二五・五・三一法二五）（抄）

（施行期日）

第一条　この法律は、公布の日から起算して一年三月を超えない範囲内において政令で定める日〔平二六・四・一〕から施行する。ただし、〔中略〕附則〔中略〕第十二条の規定は、公布の日から施行する。

附　則（平二五・六・五法三〇）（抄）

（施行期日）

第一条　この法律は、公布の日から起算して三月を超えない範囲内において政令で定める日〔平二五・九・二〕から施行する。〔ただし書略〕

附　則（平二五・六・一二法三四）（抄）

改正　平二五・六・二六法六七

（施行期日）

第一条　この法律は、公布の日から起算して三月を超えない範囲内において政令で定める日〔平二五・九・五〕から施行する。ただし、附則第九条の規定は、民間の能力を活用した国管理空港等の運営等に関する法律（平成二十五年法律第六十七号）の公布の日又はこの法律の施行の日のいずれか遅い日〔平二五・九・五〕から施行する。

附　則（平二五・六・二一法五五）（抄）

（施行期日）

第一条　この法律は、公布の日から施行する。ただし、〔中略〕附則第五条から第十一条までの規定は、公布の日から起算して二月を超えない範囲内において政令で定める日〔平二五・八・二〇〕から施行する。

附　則（平二五・六・二六法六三）（抄）

（施行期日）

第一条　この法律は、公布の日から起算して一年を超えない範囲内において政令で定める日〔平二六・四・一〕から施行する。〔ただし書略〕

附　則（平二五・一一・二二法七六）（抄）

（施行期日）

第一条　この法律は、平成二十六年四月一日から施行し、この法律による改正後の特別会計に関する法律（以下「新特別会

計法」という。）の規定は、平成二十六年度の予算から適用する。

（交付税及び譲与税配付金勘定及び交通安全対策特別交付金勘定の廃止に伴う経過措置）

第二条　この法律による改正前の特別会計に関する法律（以下「旧特別会計法」という。）に基づく交付税及び譲与税配付金特別会計（以下この条において「旧交付税特別会計」という。）の交付税及び譲与税配付金勘定及び交通安全対策特別交付金勘定の平成二十五年度の収入及び支出並びに同年度以前の年度の決算に関しては、なお従前の例による。この場合において、旧交付税特別会計の交付税及び譲与税配付金勘定及び交通安全対策特別交付金勘定の平成二十六年度の歳入に繰り入れるべき金額があるときは、新特別会計法に基づく交付税及び譲与税配付金特別会計（以下この条において「新交付税特別会計」という。）の歳入に繰り入れるものとする。

２　旧交付税特別会計の交付税及び譲与税配付金勘定の平成二十五年度の歳出予算の経費の金額のうち財政法（昭和二十二年法律第三十四号）第十四条の三第一項若しくは第四十二条ただし書又は旧特別会計法第二十七条の規定による繰越しを必要とするものは、新交付税特別会計に繰り越して使用することができる。

３　この法律の施行の際、旧交付税特別会計の交付税及び譲与税配付金勘定及び交通安全対策特別交付金勘定に所属する権利義務は、新交付税特別会計に帰属するものとする。

４　前項の規定により新交付税特別会計に帰属する権利義務に係る収入及び支出は、新交付税特別会計の歳入及び歳出とする。

（国債整理基金特別会計に関する経過措置）

第三条　旧特別会計法に基づく国債整理基金特別会計の平成二十五年度の収入及び支出並びに同年度以前の年度の決算に関しては、なお従前の例による。

（財政投融資特別会計に関する経過措置）

第四条　旧特別会計法に基づく財政投融資特別会計の平成二十五年度の収入及び支出並びに同年度以前の年度の決算に関しては、なお従前の例による。

（外国為替資金特別会計に所属する積立金の廃止等に伴う経過措置）

第五条　旧特別会計法に基づく外国為替資金特別会計（次項において「旧外国為替資金特別会計」という。）の平成二十五年度の収入及び支出並びに同年度以前の年度の決算に関しては、なお従前の例による。

２　旧外国為替資金特別会計の平成二十五年度の出納の完結の際、旧外国為替資金特別会計に所属する積立金は、新特別会計法第八十条の規定により、新特別会計法に基づく外国為替資金特別会計に所属する外国為替資金として組み入れられたものとみなす。

（エネルギー対策特別会計に関する経過措置）

第六条　旧特別会計法に基づくエネルギー対策特別会計の平成二十五年度の収入及び支出並びに同年度以前の年度の決算に関しては、なお従前の例による。

（年金特別会計の福祉年金勘定の廃止に伴う経過措置）

第七条　旧特別会計法に基づく年金特別会計（以下この条において「旧年金特別会計」という。）の平成二十五年度の収入及び支出並びに同年度以前の年度の決算に関しては、なお従前の例による。この場合において、旧年金特別会計の福祉年金勘定の平成二十六年度の歳入に繰り入れるべき金額があるときは、新特別会計法に基づく年金特別会計（以下この条において「新年金特別会計」という。）の国民年金勘定の歳入に繰り入れるものとする。

２　旧年金特別会計の福祉年金勘定の平成二十五年度の歳出予算の経費の金額のうち財政法第十四条の三第一項又は第四十二条ただし書の規定による繰越しを必要とするものは、新年金特別会計の国民年金勘定に繰り越して使用することができる。

３　この法律の施行の際、旧年金特別会計の福祉年金勘定に所属する権利義務は、新年金特別会計の国民年金勘定に帰属するものとする。

４　前項の規定により新年金特別会計の国民年金勘定に帰属する権利義務に係る収入及び支出は、同勘定の歳入及び歳出とする。

（食料安定供給特別会計に関する経過措置）

第八条　旧特別会計法に基づく食料安定供給特別会計（以下この条において「旧食料安定供給特別会計」という。）の農業経営基盤強化勘定、農業経営安定勘定、米管理勘定、麦管理勘定、業務勘定及び調整勘定の平成二十五年度の収入及び支出並びに同年度以前の年度の決算に関しては、なお従前の例による。この場合において、旧食料安定供給特別会計の調整勘定の平成二十六年度の歳入に繰り入れるべき金額があるときは、政令で定めるところにより、一般会計又は新特別会計法に基づく食料安定供給特別会計（以下この条から附則第十条までにおいて「新食料安定供給特別会計」という。）の農業経営安定勘定、食糧管理勘定若しくは業務勘定の歳入に繰り入れるものとする。

２　旧食料安定供給特別会計の平成二十五年度の歳出予算の経費の金額のうち財政法第十四条の三第一項又は第四十二条ただし書の規定による繰越しを必要とするものであって、農業経営基盤強化勘定に係るものは一般会計に、米管理勘定又は麦管理勘定に係るものは新食料安定供給特別会計の食糧管理勘定に、それぞれ繰り越して使用することができる。

３　旧食料安定供給特別会計の平成二十五年度の末日において、旧食料安定供給特別会計の調整勘定に所属する調整資金は、新特別会計法第百三十二条第二項の規定により、新食料安定供給特別会計の食糧管理勘定に所属する調整資金として組み入れられたものとみなす。

４　この法律の施行の際、旧食料安定供給特別会計の農業経営基盤強化勘定、米管理勘定、麦管理勘定又は調整勘定に所属する権利義務は、政令で定めるところにより、旧食料安定供給特別会計の農業経営基盤強化勘定に係るものは一般会計に、旧食料安定供給特別会計の米管理勘定又は麦管理勘定に係るものは新食料安定供給特別会計の食糧管理勘定に、旧食料安定供給特別会計の調整勘定に係るものは一般会計又は新食料安定供給特別会計の農業経営安定勘定、食糧管理勘定若しくは業務勘定に帰属するものとする。

5　前項の規定により一般会計又は新食料安定供給特別会計の農業経営安定勘定、食糧管理勘定若しくは業務勘定に帰属する権利義務に係る収入及び支出は、それぞれ一般会計又は当該各勘定の歳入及び歳出とする。

（農業共済再保険特別会計の廃止に伴う経過措置）

第九条　旧特別会計法に基づく農業共済再保険特別会計（以下この条において「旧農業共済再保険特別会計」という。）の平成二十五年度の収入及び支出並びに同年度以前の年度の決算に関しては、なお従前の例による。この場合において、旧農業共済再保険特別会計の平成二十六年度の歳入に繰り入れるべき金額があるときは、当該金額のうち、旧農業共済再保険特別会計の農業勘定、家畜勘定、果樹勘定又は園芸施設勘定に係るものは新食料安定供給特別会計の農業共済再保険勘定の歳入に、旧農業共済再保険特別会計の業務勘定に係るものは新食料安定供給特別会計の業務勘定の歳入に、それぞれ繰り入れるものとする。

2　旧農業共済再保険特別会計の業務勘定の平成二十五年度の歳出予算の経費の金額のうち財政法第十四条の三第一項又は第四十二条ただし書の規定による繰越しを必要とするものは、新食料安定供給特別会計の業務勘定に繰り越して使用することができる。

3　旧農業共済再保険特別会計の平成二十五年度の出納の完結の際、旧農業共済再保険特別会計の再保険金支払基金勘定に属する現金及び旧農業共済再保険特別会計の農業勘定、家畜勘定、果樹勘定又は園芸施設勘定に所属する積立金は、新特別会計法第百三十四条第一項の規定により、新食料安定供給特別会計の農業共済再保険勘定に所属する積立金として積み立てられたものとみなす。

4　この法律の施行の際、旧農業共済再保険特別会計に所属する権利義務は、旧農業共済再保険特別会計の再保険金支払基金勘定、農業勘定、家畜勘定、果樹勘定又は園芸施設勘定に係るものは新食料安定供給特別会計の農業共済再保険勘定に、旧農業共済再保険特別会計の業務勘定に係るものは新食料安定供給特別会計の業務勘定に、それぞれ帰属するものとする。

5　前項の規定により新食料安定供給特別会計の農業共済再保険勘定又は業務勘定に帰属する権利義務に係る収入及び支出は、当該各勘定の歳入及び歳出とする。

（漁船再保険及び漁業共済保険特別会計の廃止に伴う経過措置）

第十条　旧特別会計法に基づく漁船再保険及び漁業共済保険特別会計（以下この条において「旧漁船再保険及び漁業共済保険特別会計」という。）の平成二十五年度の収入及び支出並びに同年度以前の年度の決算に関しては、なお従前の例による。この場合において、旧漁船再保険及び漁業共済保険特別会計の平成二十六年度の歳入に繰り入れるべき金額があるときは、当該金額のうち、旧漁船再保険及び漁業共済保険特別会計の漁船普通保険勘定、漁船特殊保険勘定又は漁船乗組員給与保険勘定に係るものは新食料安定供給特別会計の漁船再保険勘定の歳入に、旧漁船再保険及び漁業共済保険特別会計の漁業共済保険勘定に係るものは新食料安定供給特別会計の漁業共済保険勘定の歳入に、旧漁船再保険及び漁業共済保険特別会計の業務勘定に係るものは新食料安定供給特別会計の業務勘定の歳入に、それぞれ繰り入れるものとする。

2　旧漁船再保険及び漁業共済保険特別会計の業務勘定の平成二十五年度の歳出予算の経費の金額のうち財政法第十四条の三第一項又は第四十二条ただし書の規定による繰越しを必要とするものは、新食料安定供給特別会計の業務勘定に繰り越して使用することができる。

3　旧漁船再保険及び漁業共済保険特別会計の平成二十五年度の出納の完結の際、旧漁船再保険及び漁業共済保険特別会計に所属する積立金は、新特別会計法第百三十四条第一項の規定により、旧漁船再保険及び漁業共済保険特別会計の漁船普通保険勘定、漁船特殊保険勘定又は漁船乗組員給与保険勘定に係るものは新食料安定供給特別会計の漁船再保険勘定に、旧漁船再保険及び漁業共済保険特別会計の漁業共済保険勘定に係るものは新食料安定供給特別会計の漁業共済保険勘定に所属する積立金として、それぞれ積み立てられたものとみなす。

4　この法律の施行の際、旧漁船再保険及び漁業共済保険特別会計に所属する権利義務は、旧漁船再保険及び漁業共済保険特別会計の漁船普通保険勘定、漁船特殊保険勘定又は漁船乗組員給与保険勘定に係るものは新食料安定供給特別会計の漁船再保険勘定に、旧漁船再保険及び漁業共済保険特別会計の漁業共済保険勘定に係るものは新食料安定供給特別会計の漁業共済保険勘定に、旧漁船再保険及び漁業共済保険特別会計の業務勘定に係るものは新食料安定供給特別会計の業務勘定に、それぞれ帰属するものとする。

5　前項の規定により新食料安定供給特別会計の漁船再保険勘定、漁業共済保険勘定又は業務勘定に帰属する権利義務に係る収入及び支出は、当該各勘定の歳入及び歳出とする。

（貿易再保険特別会計に関する経過措置）

第十一条　旧特別会計法に基づく貿易再保険特別会計の平成二十五年度の収入及び支出並びに同年度以前の年度の決算に関しては、なお従前の例による。

（社会資本整備事業特別会計の廃止に伴う経過措置）

第十二条　旧特別会計法に基づく社会資本整備事業特別会計（以下この条において「旧社会資本整備事業特別会計」という。）の平成二十五年度の収入及び支出並びに同年度以前の年度の決算に関しては、なお従前の例による。この場合において、旧社会資本整備事業特別会計の治水勘定、道路整備勘定、港湾勘定、空港整備勘定又は業務勘定の平成二十六年度の歳入に繰り入れるべき金額があるときは、当該金額のうち、空港整備事業等（新特別会計法附則第二百五十九条の三第三項に規定する空港整備事業等をいう。以下この条において同じ。）に係るものは新特別会計法に基づく自動車安全特別会計（以下この条において「新自動車安全特別会計」という。）の空港整備勘定に、旧社会資本整備事業特別会計の治水勘定、道路整備勘定、港湾勘定及び業務勘定に係るもの（空港整備事業等に係るものを除く。）で復興事業（新特別会計法第二百二十二条第二項に規定する復興事業をいう。以下この条において同じ。）に係るものは新特別会計法に基づく東日本大震災復興特別会計（以下「新東日本大震災復興特別会計」という。）に、その他のものは一般会計に、それぞれ繰り入れるものとする。

２　旧社会資本整備事業特別会計の治水勘定、道路整備勘定、港湾勘定、空港整備勘定又は業務勘定の平成二十五年度の歳出予算の経費の金額のうち財政法第十四条の三第一項又は第四十二条ただし書の規定による繰越しを必要とするものであって、空港整備事業等に係るものは新自動車安全特別会計の空港整備勘定に、旧社会資本整備事業特別会計の治水勘定、道路整備勘定、港湾勘定又は業務勘定に係るもの（空港整備事業等に係るものを除く。）で復興事業に係るものは新東日本大震災復興特別会計に、その他のものは一般会計に、それぞれ繰り越して使用することができる。

３　この法律の施行の際、旧社会資本整備事業特別会計の治水勘定、道路整備勘定、港湾勘定、空港整備勘定又は業務勘定に所属する権利義務は、空港整備事業等に係るものは新自動車安全特別会計の空港整備勘定に、旧社会資本整備事業特別会計の治水勘定、道路整備勘定、港湾勘定又は業務勘定に係るもの（空港整備事業等に係るものを除く。）で復興事業に係るものは新東日本大震災復興特別会計に、その他のものは一般会計に、それぞれ帰属するものとする。

４　前項の規定により新自動車安全特別会計の空港整備勘定、新東日本大震災復興特別会計又は一般会計に帰属する権利義務に係る収入及び支出は、それぞれ新自動車安全特別会計の空港整備勘定、新東日本大震災復興特別会計又は一般会計の歳入及び歳出とする。

５　平成二十五年度の末日において、旧特別会計法附則第五十条の二第一項の規定により国債整理基金特別会計から旧社会資本整備事業特別会計の道路整備勘定に繰り入れられた繰入金の金額の合計額と、同条第二項の規定により旧社会資本整備事業特別会計の道路整備勘定から国債整理基金特別会計に繰り入れられた繰入金の金額の合計額との差額がある場合においては、後日、当該差額に相当する金額に達するまでの金額を、予算で定めるところにより、一般会計から国債整理基金特別会計に繰り入れるものとする。

（自動車安全特別会計に関する経過措置）

第十三条　旧特別会計法に基づく自動車安全特別会計の平成二十五年度の収入及び支出並びに同年度以前の年度の決算に関しては、なお従前の例による。

（東日本大震災復興特別会計に関する経過措置）

第十四条　旧特別会計法に基づく東日本大震災復興特別会計の平成二十五年度の収入及び支出並びに同年度以前の年度の決算に関しては、なお従前の例による。

（ポツダム宣言の受諾に伴い発する命令に関する件に基く大蔵省関係諸命令の措置に関する法律の一部改正に伴う経過措置）

第十五条　平成二十五年度の一般会計の歳入歳出決算に添付して国会に提出すべき第二条の規定による改正前のポツダム宣言の受諾に伴い発する命令に関する件に基く大蔵省関係諸命令の措置に関する法律（次項において「旧法」という。）第十条第二項に規定する計算書については、なお従前の例による。

２　財政法第四十一条の規定により平成二十五年度の歳入歳出の決算上の剰余金を翌年度の歳入に繰り入れる場合においては、当該剰余金から旧臨時軍事費特別会計（ポツダム宣言の受諾に伴い発する命令に関する件に基く大蔵省関係諸命令の措置に関する法律第九条の規定により廃止された臨時軍事費特別会計の終結に関する件（昭和二十一年勅令第百十号）第一条の規定により昭和二十一年二月二十八日においてその年度が終結された臨時軍事費特別会計をいう。以下この項において同じ。）の歳出の決算額と昭和二十一年度から平成二十五年度までの旧法第十条第一項の規定による歳出の整理金額との合計額が旧臨時軍事費特別会計の歳入の決算額と昭和二十一年度から平成二十五年度までの同項の規定による歳入の整理金額との合計額を上回る金額を控除して、なお残余があるときは、これを翌年度の歳入に繰り入れるものとする。

附　則（平二五・一一・二二法八二）（抄）

（施行期日）

第一条　この法律は、公布の日から起算して六月を超えない範囲内において政令で定める日〔平二六・三・一〕から施行する。〔ただし書略〕

附　則（平二六・三・三一法五）（抄）

（施行期日）

第一条　この法律は、平成二十六年四月一日から施行する。ただし、〔中略〕第四条並びに附則〔中略〕第六条の規定は、平成二十六年十月一日から施行する。

（第三条の規定による特別会計に関する法律の一部改正に伴う経過措置）

第五条　第三条の規定による改正後の特別会計に関する法律の規定は、平成二十六年度の予算から適用する。

（第四条の規定による特別会計に関する法律の一部改正に伴う経過措置）

第六条　第四条の規定による改正後の特別会計に関する法律の規定は、平成二十六年度の予算から適用する。

附　則（平二六・五・二一法四〇）（抄）

（施行期日）

第一条　この法律は、公布の日から起算して三月を超えない範囲内において政令で定める日〔平二六・八・一八〕から施行する。〔ただし書略〕

附　則（平二六・六・一三法六七）（抄）

（施行期日）

第一条　この法律は、独立行政法人通則法の一部を改正する法律（平成二十六年法律第六十六号。以下「通則法改正法」という。）の施行の日〔平二七・四・一〕から施行する。〔ただし書略〕

附　則（平二七・三・三一法三）（抄）

（施行期日）

第一条　この法律は、平成二十七年四月一日から施行する。

（特別会計に関する法律の一部改正に伴う経過措置）

第四条　第二条の規定による改正後の特別会計に関する法律の規定は、平成二十七年度の予算から適用する。

附　則（平二七・七・一七法五九）（抄）

（施行期日）

第一条　この法律は、平成二十九年四月一日から施行する。〔ただし書略〕

附　則（平二七・九・一一法六六）（抄）

（施行期日）

第一条　この法律は、平成二十八年四月一日から施行する。〔ただし書略〕

附　則（平二八・三・三一法一三）（抄）

最終改正　令二・三・三一法五

（施行期日）

第一条　この法律は、平成二十八年四月一日から施行する。ただし、次の各号に掲げる規定は、当該各号に定める日から施行する。

一・二　〔略〕

三　〔前略〕附則〔中略〕第四十二条から第四十八条まで、第五十条〔中略〕の規定　平成二十九年四月一日

四〜五の三　〔略〕

五の四　〔前略〕附則〔中略〕第四十二条から第四十八条まで〔中略〕の規定　令和元年十月一日

五の四の二　附則第四十九条及び第五十一条の規定　令和二年三月一日

五の五　〔略〕

六から十まで　削除

十一〜十五　〔略〕

（特別会計に関する法律の一部改正に伴う経過措置）

第五十条　附則第四十八条の規定による改正前の特別会計に関する法律に基づく交付税及び譲与税配付金特別会計の平成三十年度以前の年度の決算に関しては、なお従前の例による。

第五十一条　附則第四十九条の規定による改正前の特別会計に関する法律（以下この条において「旧特別会計法」という。）に基づく交付税及び譲与税配付金特別会計の令和元年度の決算に関しては、なお従前の例による。この場合において、旧特別会計法附則第十一条第二項中「ほか」とあるのは「ほか、廃止前暫定措置法（」と、「という。）」とあるのは「という。）第九条の規定による廃止前の地方法人特別税等に関する暫定措置法（平成二十年法律第二十五号）をいう。以下この項において同じ。）による地方法人特別税の収入及び平成二十八年地方税法等改正法」と、「（平成二十八年地方税法等改正法第九条の規定による廃止前の地方法人特別税等に関する暫定措置法（平成二十年法律第二十五号）をいう。以下この項において同じ。）第十二条第三項」とあるのは「第十二条第三項」と、「とし、」とあるのは「とし、廃止前暫定措置法による地方法人特別譲与税の譲与金及び」とする。

2　附則第三十一条第二項の規定によりなおその効力を有するものとされた第九条の規定による廃止前の地方法人特別税等に関する暫定措置法（平成二十年法律第二十五号）第十二条第三項の規定による都道府県から国に払い込まれた地方法人特別税の収入については、旧特別会計法附則第十一条第二項（地方法人特別税の収入に係る部分に限る。）の規定は、なおその効力を有する。

附　則（平二八・三・三一法一四）（抄）

（施行期日）

第一条　この法律は、平成二十八年四月一日から施行する。〔ただし書略〕

附　則（平二八・三・三一法一八）（抄）

（施行期日）

第一条　この法律は、平成二十八年三月三十一日から施行する。

附　則（平二八・三・三一法二三）（抄）

（施行期日）

1　この法律は、平成二十八年四月一日から施行する。

2　〔略〕

（特別会計に関する法律の一部改正に伴う経過措置）

3　前項の規定による改正後の特別会計に関する法律の規定は、平成二十八年度の予算から適用し、平成二十七年度の収入及び支出並びに同年度以前の年度の決算に関しては、なお従前の例による。

4　〔略〕

附　則（平二八・五・一八法三九）（抄）

（施行期日）

第一条　この法律は、公布の日から起算して一年を超えない範囲内において政令で定める日〔平二九・四・一〕から施行する。〔ただし書略〕

（特別会計に関する法律の一部改正に伴う経過措置）

第十四条　附則第六条第一項の規定によりなお従前の例によることとされる旧漁損法第二条第三号に規定する特殊保険再保険事業及び附則第八条第一項の規定によりなお従前の例によることとされる旧給与保険法第二条に規定する漁船乗組員給与保険事業に係る再保険事業に関する経理は、特別会計に関

する法律第百二十四条第一項の規定にかかわらず、食料安定供給特別会計において行うものとする。この場合における前条の規定による改正後の同法（以下この条において「新特別会計法」という。）第百二十七条第四項及び第六項、第百二十九条第四項、第百三十四条第一項並びに第百三十六条第三項及び第四項の規定の適用については、新特別会計法第百二十七条第四項第一号イ中「漁船再保険事業」とあるのは「漁船再保険事業、特殊保険再保険事業（漁業経営に関する補償制度の改善のための漁船損害等補償法及び漁業災害補償法の一部を改正する等の法律（平成二十八年法律第三十九号。以下このイにおいて「改正法」という。）附則第六条第一項の規定によりなお従前の例によることとされる改正法第二条の規定による改正前の漁船損害等補償法第二条第三号に規定する特殊保険再保険事業をいう。以下この節において同じ。）及び漁船乗組員給与保険再保険事業（改正法附則第八条第一項の規定によりなお従前の例によることとされる改正法第五条の規定による廃止前の漁船乗組員給与保険法（昭和二十七年法律第二百十二号）第二条に規定する漁船乗組員給与保険事業に係る再保険事業をいう。以下この節において同じ。）」と、同項第二号イ及びハ中「漁船再保険事業」とあるのは「漁船再保険事業、特殊保険再保険事業及び漁船乗組員給与保険再保険事業」と、同条第六項第二号イ中「漁船再保険事業」とあるのは「漁船再保険事業、特殊保険再保険事業、漁船乗組員給与保険再保険事業」と、新特別会計法第百二十九条第四項第二号、第百三十四条第一項第二号並びに第百三十六条第三項第二号及び第四項第二号中「漁船再保険事業」とあるのは「漁船再保険事業、特殊保険再保険事業及び漁船乗組員給与保険再保険事業」とする。

附　則（平二八・一〇・一九法七五）

この法律は、公布の日から施行する。

附　則（平二九・二・八法一）

この法律は、公布の日から施行する。

附　則（平二九・三・三一法三）（抄）

（施行期日）

第一条　この法律は、平成二十九年四月一日から施行する。〔ただし書略〕

附　則（平二九・三・三一法一四）（抄）

（施行期日）

第一条　この法律は、平成二十九年四月一日から施行する。〔ただし書略〕

附　則（平二九・四・一四法一五）（抄）

（施行期日）

第一条　この法律は、公布の日から起算して三年を超えない範囲内において政令で定める日〔令二・四・一〕から施行する。〔ただし書略〕

附　則（平二九・六・二三法七四）（抄）

（施行期日）

第一条　この法律は、平成三十年四月一日から施行する。〔ただし書略〕

（特別会計に関する法律の一部改正に伴う経過措置）

第二十二条　前条の規定による改正後の特別会計に関する法律（以下この条において「新特別会計法」という。）の規定は、平成三十年度の予算から適用し、前条の規定による改正前の特別会計に関する法律に基づく食料安定供給特別会計の農業共済再保険勘定（以下この条において「旧農業共済再保険勘定」という。）の平成二十九年度の収入及び支出並びに同年度以前の年度の決算に関しては、なお従前の例による。この場合において、旧農業共済再保険勘定の平成三十年度の歳入に繰り入れるべき金額があるときは、新特別会計法に基づく食料安定供給特別会計の農業再保険勘定（以下この条において「新農業再保険勘定」という。）の歳入に繰り入れるものとする。

2　旧農業共済再保険勘定の平成二十九年度の出納の完結の際、旧農業共済再保険勘定に所属する積立金は、新特別会計法第百三十四条第一項の規定により、新農業再保険勘定に所属する積立金として積み立てられたものとみなす。

3　この法律の施行の際、旧農業共済再保険勘定に所属する権利義務は、新農業再保険勘定に帰属するものとする。

4　前項の規定により新農業再保険勘定に帰属する権利義務に係る収入及び支出は、新農業再保険勘定の歳入及び歳出とする。

5　附則第七条から第九条までの規定によりなお従前の例によることとされる旧法第百三十四条の規定による再保険事業及び旧法第百四十一条の四の規定による保険事業に関する経理は、新特別会計法第百二十四条第一項の規定にかかわらず、食料安定供給特別会計において行うものとする。この場合における同条第四項並びに新特別会計法第百二十七条第三項第一号及び第二号、第百二十九条第三項第一号並びに附則第四十一条の規定の適用については、新特別会計法第百二十四条第四項中「保険事業を」とあるのは「保険事業並びに農業災害補償法の一部を改正する法律（平成二十九年法律第七十四号）附則第七条から第九条までの規定によりなお従前の例によることとされた同法による改正前の農業災害補償法（昭和二十二年法律第百八十五号。以下「旧農業災害補償法」という。）第百三十四条の規定による再保険事業及び旧農業災害補償法第百四十一条の四の規定による保険事業を」と、新特別会計法第百二十七条第三項第一号イ中「保険料を」とあるのは「保険料並びに旧農業災害補償法第百三十六条の再保険料及び旧農業災害補償法第百四十一条の六の保険料を」と、同項第二号イ中「保険金を」とあるのは「保険金並びに旧農業災害補償法第百三十七条の再保険金及び旧農業災害補償法第百四十一条の七の保険金を」と、同号ロ中「交付金」とあるのは「交付金及び旧農業災害補償法第十三条（旧農業災害補償法第十三条の六において準用する場合を含む。）の規定による交付金」と、新特別会計法第百二十九条第三項第一号中「もの」とあるのは「もの及び旧農業災害補償法第十二条第一項若しくは第二項又は第十三条の二から第十三条の五までの規定により国庫が負担するもの」と、新特別会計法附則第四十一条中「交付金」とあるのは「交付金及び旧農業災害補償法第百五十条の三第一項の交付金」とする。

附　則（平三〇・三・三一法四）（抄）

（施行期日）

第一条　この法律は、平成三十年四月一日から施行する。

（特別会計に関する法律の一部改正に伴う経過措置）

第四条　第二条の規定による改正後の特別会計に関する法律の規定は、平成三十年度の予算から適用する。

附　則（平三〇・三・三一法六）（抄）

（施行期日）

第一条　この法律は、公布の日から起算して六月を超えない範囲内において政令で定める日〔平三〇・九・三〇〕から施行する。〔ただし書略〕

附　則（平三〇・三・三一法一二）（抄）

（施行期日）

1　この法律は、平成三十年四月一日から施行する。

（特別会計に関する法律の一部改正に伴う経過措置）

3　前項の規定による改正後の特別会計に関する法律の規定は、平成三十年度の予算から適用し、平成二十九年度の収入及び支出並びに同年度以前の年度の決算に関しては、なお従前の例による。

附　則（平三〇・六・二〇法六〇）（抄）

（施行期日）

1　この法律は、公布の日から起算して六月を超えない範囲内において政令で定める日〔平三〇・一〇・一〕から施行する。ただし、〔中略〕次項及び附則第三項の規定は、公布の日から起算して三月を超えない範囲内において政令で定める日〔平三〇・八・一〕から施行する。

（特別会計に関する法律の一部改正に伴う経過措置）

3　前項の規定による改正後の特別会計に関する法律の規定は、平成三十年度の予算から適用し、平成二十九年度の収入及び支出並びに同年度以前の年度の決算に関しては、なお従前の例による。

附　則（平三一・三・二九法三）（抄）

改正　令二・三・三一法五

（施行期日）

第一条　この法律は、平成三十一年四月一日から施行する。ただし、〔中略〕附則〔中略〕第十七条（特別会計に関する法律（平成十九年法律第二十三号）第二十三条第一号ニの改正規定に限る。）〔中略〕の規定は、令和六年一月一日から施行する。

附　則（平三一・三・二九法四）（抄）

改正　令二・三・三一法五

（施行期日）

第一条　この法律は、令和元年十月一日から施行する。ただし、次の各号に掲げる規定は、当該各号に定める日から施行する。

一　附則第二十四条の規定　公布の日

二　〔略〕

附　則（平三一・三・二九法五）（抄）

改正　令二・二・五法一

（施行期日）

第一条　この法律は、平成三十一年四月一日から施行する。

（特別会計に関する法律の一部改正に伴う経過措置）

第四条　第二条の規定による改正後の特別会計に関する法律の規定は、令和元年度の予算から適用する。

附　則（令元・五・一七法七）（抄）

（施行期日）

第一条　この法律は、平成三十一年十月一日から施行する。〔ただし書略〕

（特別会計に関する法律の一部改正に伴う経過措置）

第十二条　前条の規定による改正後の特別会計に関する法律の規定は、平成三十一年度の予算から適用し、平成三十年度の収入及び支出並びに同年度以前の年度の決算に関しては、なお従前の例による。

附　則（令元・五・二四法一四）（抄）

改正　令元・五・三一法一六

（施行期日）

第一条　この法律は、公布の日から起算して一年を超えない範囲内において政令で定める日〔令二・四・一〕から施行する。ただし、次の各号に掲げる規定は、当該各号に定める日から施行する。

一～三　〔略〕

四　〔前略〕附則〔中略〕第二十一条の二の規定　公布の日から起算して一年六月を超えない範囲内において政令で定める日

五・六　〔略〕

附　則（令元・五・三一法一六）（抄）

（施行期日）

第一条　この法律は、公布の日から起算して九月を超えない範囲内において政令で定める日〔令元・一二・一六〕から施行する。〔ただし書略〕

附　則（令元・六・一二法三二）（抄）

（施行期日）

第一条　この法律は、平成三十二年四月一日から施行する。〔ただし書略〕

附　則（令二・二・五法一）（抄）

（施行期日）

1　この法律は、公布の日から施行する。

附　則（令二・三・三一法五）（抄）

（施行期日）

第一条　この法律は、令和二年四月一日から施行する。〔ただし書略〕

（特別会計に関する法律の一部改正に伴う経過措置）

第三十三条　前条の規定による改正前の特別会計に関する法律

（次項において「旧特別会計法」という。）に基づく交付税及び譲与税配付金特別会計の令和元年度の収入及び支出並びに同年度以前の年度の決算に関しては、なお従前の例による。

2　旧特別会計法附則第四条第二項の規定による借入金の同条第五項に規定する償還期限については、なお従前の例による。

附　則（令二・三・三一法六）（抄）

（施行期日）

第一条　この法律は、令和二年四月一日から施行する。

（特別会計に関する法律の一部改正に伴う経過措置）

第三条　第二条の規定による改正後の特別会計に関する法律の規定は、令和二年度の予算から適用する。

附　則（令二・三・三一法一四）（抄）

（施行期日）

第一条　この法律は、令和二年四月一日から施行する。ただし、次の各号に掲げる規定は、当該各号に定める日から施行する。

一～三　〔略〕

四　〔前略〕第六条中特別会計に関する法律第百二条第二項の改正規定及び同法附則第十九条の二の改正規定（「令和元年度」を「令和三年度」に改める部分を除く。）並びに附則第九条第二項及び第十一条第一項の規定　令和三年四月一日

五・六　〔略〕

（特別会計に関する法律の一部改正に伴う経過措置）

第九条　第六条の規定（附則第一条第四号に掲げる改正規定を除く。）による改正後の特別会計に関する法律の規定は、令和二年度の予算から適用し、令和元年度の収入及び支出並びに同年度以前の年度の決算に関しては、なお従前の例による。

2　第六条の規定（附則第一条第四号に掲げる改正規定に限る。）による改正後の特別会計に関する法律の規定は、令和三年度の予算から適用し、令和二年度の収入及び支出並びに同年度以前の年度の決算に関しては、なお従前の例による。

附　則（令二・六・五法四〇）（抄）

（施行期日）

第一条　この法律は、令和四年四月一日から施行する。〔ただし書略〕

（特別会計に関する法律の一部改正に伴う経過措置）

第八十七条　改正後機構法附則第五条の二第十七項の規定により読み替えて適用する改正後機構法第十六条第二項の規定による納付金に相当する金額は、前条の規定による改正前の特別会計に関する法律第百十一条第二項、第三項及び第六項並びに第百十四条第九項の規定の例により、年金特別会計の業務勘定から同会計の国民年金勘定及び厚生年金勘定に繰り入れるものとする。この場合において、前条の規定による改正前の特別会計に関する法律第百十一条第六項第二号ホ中「厚生年金勘定」とあるのは、「国民年金勘定及び厚生年金勘定」とする。

附　則（令二・六・一二法四六）（抄）

（施行期日）

第一条　この法律は、令和三年四月一日から施行する。ただし、〔中略〕第五条中特別会計に関する法律附則第十二条の二の見出しを削り、同条の前に見出しを付する改正規定、同条の改正規定、同法附則第十二条の三を同法附則第十二条の四とする改正規定及び同法附則第十二条の二の次に一条を加える改正規定〔中略〕は、公布の日から施行する。

附　則（令二・六・一二法五四）（抄）

（施行期日）

第一条　この法律は、公布の日から施行する。

附　則（令三・二・三法三）

この法律は、公布の日から施行する。

附　則（令三・三・三一法八）（抄）

（施行期日）

第一条　この法律は、令和三年四月一日から施行する。

（特別会計に関する法律の一部改正に伴う経過措置）

第四条　第二条の規定による改正後の特別会計に関する法律の規定は、令和三年度の予算から適用する。

附　則（令三・六・一一法六五）（抄）

（施行期日）

第一条　この法律は、公布の日から起算して九月を超えない範囲内において政令で定める日〔令四・三・一〇〕から施行する。ただし、次の各号に掲げる規定は、当該各号に定める日から施行する。

一　〔前略〕附則〔中略〕第十九条〔中略〕の規定　公布の日

二～四　〔略〕

附　則（令三・一二・二四法八八）（抄）

（施行期日）

第一条　この法律は、公布の日から施行する。

附　則（令四・三・三一法二）（抄）

（施行期日）

第一条　この法律は、令和四年四月一日から施行する。

（特別会計に関する法律の一部改正に伴う経過措置）

第四条　第二条の規定による改正後の特別会計に関する法律の規定は、令和四年度の予算から適用する。

附　則（令四・三・三一法一二）（抄）

（施行期日）

第一条　この法律は、令和四年四月一日から施行する。〔ただし書略〕

（特別会計に関する法律の一部改正に伴う経過措置）

第七条　第五条の規定による改正後の特別会計に関する法律（附則第九条第二項及び第三項において「新特別会計法」という。）の規定は、令和四年度の予算から適用し、令和三年度の収入及び支出並びに同年度以前の年度の決算に関しては、なお従前の例による。

附　則（令四・五・九法三九）（抄）

（施行期日）

第一条　この法律は、公布の日から起算して六月を超えない範

囲内において政令で定める日〔令四・一一・二〕から施行する。〔ただし書略〕

附　則（令四・五・二〇法四六）（抄）

（施行期日）

第一条 この法律は、令和五年四月一日から施行する。ただし、次の各号に掲げる規定は、当該各号に定める日から施行する。

一 〔略〕

二 〔前略〕附則〔中略〕第二十四条〔中略〕の規定 公布の日から起算して六月を超えない範囲内において政令で定める日〔令四・一一・一四〕

三 〔略〕

附　則（令四・六・一〇法六二）（抄）

（施行期日）

第一条 この法律は、公布の日から起算して六月を超えない範囲内において政令で定める日〔令四・一二・一〕から施行する。〔ただし書略〕

附　則（令四・六・一五法六五）（抄）

（施行期日）

第一条 この法律は、令和五年四月一日から施行する。〔ただし書略〕

（特別会計に関する法律の一部改正に伴う経過措置）

第三条 第二条の規定による改正後の特別会計に関する法律（以下この項及び第三項において「新特会法」という。）の規定は、令和五年度の予算から適用し、同条の規定による改正前の特別会計に関する法律（以下この項において「旧特会法」という。）に基づく自動車安全特別会計（第三項において「旧自動車安全特会」という。）の保障勘定（以下この条において「旧保障勘定」という。）及び自動車事故対策勘定（以下この条において「旧自動車事故対策勘定」という。）の令和四年度の収入及び支出並びに同年度以前の年度の決算に関しては、なお従前の例による。この場合において、この項前段の規定によりなお従前の例によることとされる旧特会法附則第六十一条第一項中「並びに一時借入金の利子に充てるために」とあるのは、「、一時借入金の利子並びに自動車損害賠償保障法及び特別会計に関する法律の一部を改正する法律（令和四年法律第六十五号）第一条の規定による改正前の自賠法附則第五項の規定による交付並びに出資及び貸付け並びに補助の財源に充てるために」とし、旧保障勘定及び旧自動車事故対策勘定の令和五年度の歳入に繰り入れるべき金額があるときは、新特会法に基づく自動車安全特別会計の自動車事故対策勘定（以下この条において「新自動車事故対策勘定」という。）の歳入に繰り入れるものとする。

2 旧保障勘定又は旧自動車事故対策勘定の令和四年度の歳出予算の経費の金額のうち財政法（昭和二十二年法律第三十四号）第十四条の三第一項又は第四十二条ただし書の規定による繰越しを必要とするものは、新自動車事故対策勘定に繰り越して使用することができる。

3 旧自動車安全特会の令和四年度の出納の完結の際、旧保障勘定及び旧自動車事故対策勘定に所属する積立金は、新特会法第二百十八条の二第一項（新特会法附則第五十六条の規定により読み替えて適用する場合を含む。）の規定により、新自動車事故対策勘定に所属する積立金として積み立てられたものとみなす。

4 この法律の施行の際、旧保障勘定又は旧自動車事故対策勘定に所属する権利義務は、新自動車事故対策勘定に帰属するものとする。

5 前項の規定により新自動車事故対策勘定に帰属する権利義務に係る収入及び支出は、新自動車事故対策勘定の歳入及び歳出とする。

附　則（令五・三・三一法二）（抄）

（施行期日）

第一条 この法律は、令和五年四月一日から施行する。

（特別会計に関する法律の一部改正に伴う経過措置）

第三条 第二条の規定による改正後の特別会計に関する法律の規定は、令和五年度の予算から適用する。

附　則（令五・五・一九法三二）（抄）

（施行期日）

第一条 この法律は、公布の日から起算して三月を超えない範囲内において政令で定める日〔令五・六・三〇〕から施行する。〔ただし書略〕

附　則（令五・五・二六法三四）（抄）

（施行期日）

第一条 この法律は、公布の日から起算して一年を超えない範囲内において政令で定める日〔令六・四・一〕から施行する。〔ただし書略〕

附　則（令五・一二・六法八三）（抄）

（施行期日）

第一条 この法律は、公布の日から施行する。

附　則（令六・三・三〇法五）（抄）

（施行期日）

第一条 この法律は、令和六年四月一日から施行する。

（特別会計に関する法律の一部改正に伴う経過措置）

第四条 第二条の規定による改正後の特別会計に関する法律の規定は、令和六年度の予算から適用する。

附　則（令六・五・一七法二六）（抄）

改正 令六・六・一二法四七

（施行期日）

第一条 この法律は、令和七年四月一日から施行する。ただし、次の各号に掲げる規定は、当該各号に定める日から施行する。

一 〔前略〕第五条並びに附則〔中略〕第二十六条第一項〔中略〕の規定 公布の日又は令和六年四月一日のいずれか遅い日

二〜四 〔略〕

（特別会計に関する法律の一部改正に伴う経過措置）

第二十六条 令和四年度及び令和五年度に係る第五条の規定による改正後の特別会計に関する法律附則第二十条の二第二項

の適用については、同項中「及び第五号並びに」とあるのは「から第五号まで及び」と、「附則第十三条第一項」とあるのは「雇用保険法等の一部を改正する法律（令和六年法律第二十六号）第一条の規定による改正前の雇用保険法附則第十三条第一項」と、「同法」とあるのは「雇用保険法」と、「第十四条第一項」とあるのは「第十四条の三第一項」とする。

2　第六条の規定（附則第二十条の二の改正規定を除く。）による改正後の特別会計に関する法律の規定は、令和七年度の予算から適用し、令和六年度の収入及び支出並びに同年度以前の年度の決算に関しては、なお従前の例による。

附　則（令六・五・二四法三七）（抄）

（施行期日）

第一条　この法律は、公布の日から起算して六月を超えない範囲内において政令で定める日から施行する。［ただし書略］

附　則（令六・六・七法四五）（抄）

（施行期日）

第一条　この法律は、公布の日から起算して三月を超えない範囲内において政令で定める日から施行する。［ただし書略］

附　則（令六・六・一二法四七）（抄）

（施行期日）

第一条　この法律は、令和六年十月一日から施行する。ただし、次の各号に掲げる規定は、当該各号に定める日から施行する。

一～三　［略］

四　次に掲げる規定　令和七年四月一日

　イ～ヘ　［略］

　ト　第十七条及び附則第十六条から第十八条までの規定

　チ～ツ　［略］

五・六　［略］

（第十六条の規定による特別会計に関する法律の一部改正に伴う経過措置）

第十五条　第十六条の規定による改正後の特別会計に関する法律の規定は、令和六年度の予算から適用し、令和五年度の収入及び支出並びに同年度以前の年度の決算に関しては、なお従前の例による。

（労働保険特別会計の雇用勘定に関する経過措置）

第十六条　第十七条の規定による改正前の特別会計に関する法律に基づく労働保険特別会計の雇用勘定（以下この条において「旧雇用勘定」という。）の令和六年度の収入及び支出並びに同年度以前の年度の決算に関しては、なお従前の例による。この場合において、旧雇用勘定の令和七年度の歳入に繰り入れるべき金額（育児休業給付に係る歳入額に限る。）があるときは、子ども・子育て支援特別会計の育児休業等給付勘定の歳入に繰り入れるものとする。

2　旧雇用勘定の令和六年度の歳出予算の経費の金額のうち財政法（昭和二十二年法律第三十四号）第十四条の三第一項又は第四十二条ただし書の規定による繰越しを必要とするものであって、育児休業給付に係るものは、子ども・子育て支援特別会計の育児休業等給付勘定に繰り越して使用することができる。

3　旧雇用勘定の令和六年度の出納の完結の際、旧雇用勘定に所属する育児休業給付資金は、第十七条の規定による改正後の特別会計に関する法律第百二十三条の十二第三項の規定により、子ども・子育て支援特別会計の育児休業等給付勘定に所属する育児休業給付資金として組み入れられたものとみなす。

4　第十七条の規定の施行の際、旧雇用勘定に帰属する権利義務であって、育児休業給付に係るものは、子ども・子育て支援特別会計の育児休業等給付勘定に帰属するものとする。

5　前項の規定により子ども・子育て支援特別会計の育児休業等給付勘定に帰属する収入及び支出は、子ども・子育て支援特別会計の育児休業等給付勘定の歳入及び歳出とする。

（年金特別会計の子ども・子育て支援勘定の廃止に伴う経過措置）

第十七条　第十七条の規定による改正前の特別会計に関する法律に基づく年金特別会計の子ども・子育て支援勘定（以下この条及び次条において「旧子ども・子育て支援勘定」という。）の令和六年度の収入及び支出並びに同年度以前の年度の決算に関しては、なお従前の例による。この場合において、旧子ども・子育て支援勘定の令和七年度の歳入に繰り入れるべき金額があるときは、子ども・子育て支援特別会計の子ども・子育て支援勘定の歳入に繰り入れるものとする。

2　旧子ども・子育て支援勘定の令和六年度の歳出予算の経費の金額のうち財政法第十四条の三第一項又は第四十二条ただし書の規定による繰越しを必要とするものは、子ども・子育て支援特別会計の子ども・子育て支援勘定に繰り越して使用することができる。

3　旧子ども・子育て支援勘定の令和六年度の出納の完結の際、旧子ども・子育て支援勘定に所属する積立金は、第十七条の規定による改正後の特別会計に関する法律第百二十三条の十第一項の規定により、子ども・子育て支援特別会計の子ども・子育て支援勘定に所属する積立金として積み立てられたものとみなす。

4　第十七条の規定の施行の際、旧子ども・子育て支援勘定に帰属する権利義務は、第四号施行日新支援法第六十九条第一項第一号の事業主からの拠出金及び当該拠出金に係る附属雑収入に係るものは年金特別会計の業務勘定に、その他のものは子ども・子育て支援特別会計の子ども・子育て支援勘定に、それぞれ帰属するものとする。

5　前項の規定により年金特別会計の業務勘定又は子ども・子育て支援特別会計の子ども・子育て支援勘定に帰属する収入及び支出は、年金特別会計の業務勘定又は子ども・子育て支援特別会計の子ども・子育て支援勘定の歳入及び歳出とする。

※経済協力開発機構金融支援基金への加盟に伴う措置に関する法律（昭五一・五・二九法三八）の附則第二項で本法が一部改正されましたが、協定の効力発生の日から施行のため、ここに別に掲げました。

最終改正　令二・六・一二法四六

（経済協力開発機構金融支援基金への加盟に伴う措置に関する法律の一部改正）

第三百三条　経済協力開発機構金融支援基金への加盟に伴う措置に関する法律（昭和五十一年法律第三十八号）の一部を次のように改正する。

附則第二項を次のように改める。

２　特別会計に関する法律（平成十九年法律第二十三号）の一部を次のように改正する。

附則第十二条の四の次に次の一条を加える。

（外国為替資金特別会計の歳入及び歳出の特例等）

第十二条の五　外国為替資金に属する実際上交換可能通貨（経済協力開発機構金融支援基金への加盟に伴う措置に関する法律（昭和五十一年法律第三十八号。以下この条において「加盟措置法」という。）第二条第二号に規定する実際上交換可能通貨をいう。以下この項において同じ。）は、加盟措置法第三条第一号に掲げる貸付け（同号に規定する貸付予約の履行を含む。）及び譲受けのために充てることができるものとし、同条第二号に掲げる取引並びに加盟措置法第四条の規定による預入の受入れ及び借入れに係る実際上交換可能通貨は、外国為替資金に受け入れられるものとする。

２　加盟措置法第三条各号に掲げる取引並びに加盟措置法第四条の規定による預入の受入れ及び借入れに係る利子又は手数料の収入又は支出は、外国為替資金特別会計の歳入又は歳出とする。

３　外国為替資金特別会計の負担に属する加盟措置法第三条第二号に掲げる借入れ及び加盟措置法第四条の規定による借入れに係る利子の支出に必要な金額は、毎会計年度、国債整理基金特別会計に繰り入れなければならない。

４　加盟措置法第三条各号に掲げる取引並びに加盟措置法第四条の規定による預入の受入れ及び借入れにより発生する加盟措置法第二条第一号に規定する特別引出権をもって表示される債権又は債務の価額並びに当該価額の改定及びこれに伴う損益の処理については、政令で定める。

附　則（抄）

１　この法律は、協定〔経済協力開発機構金融支援基金を設立する協定〕の効力発生の日から施行する。

※雇用保険法等の一部を改正する法律（令六・五・一七法二六）の第六条で本法が一部改正されましたが、未施行となる部分については、ここに別に掲げました。

改正　令六・六・一二法四七

第六条　特別会計に関する法律の一部を次のように改正する。

第百一条第二項中「第六十六条に規定する」の下に「教育訓練給付及び」を加える。

第百五条中「第一項第四号」を「第一項第五号」に改める。

第百二十三条の七第二項中「第六十六条第一項第四号」を「第六十六条第一項第五号」に改める。

附則第二十条の二第一項中「第一項第四号」を「第一項第五号」に、「第一項第三号から第五号まで」を「第一項第四号から第六号まで」に〔中略〕改め、同条第二項中〔中略〕「第一項第四号」を「第一項第五号」に、「第一項第三号から第五号まで」を「第一項第四号から第六号まで」に、〔中略〕「第六十六条第一項第五号」を「第六十六条第一項第六号」に〔中略〕改め、同条第三項を削る。

附　則（抄）

（施行期日）

第一条　この法律は、令和七年四月一日から施行する。ただし、次の各号に掲げる規定は、当該各号に定める日から施行する。

一・二　〔略〕

三　〔前略〕第六条中特別会計に関する法律第百一条第二項、第百五条及び第百二十三条の七第二項の改正規定、同法附則第二十条の二第一項の改正規定（「第一項第四号」を「第一項第五号」に、「第一項第三号から第五号まで」を「第一項第四号から第六号まで」に改める部分に限る。）並びに同条第二項の改正規定（「令和四年度」を「令和五年度」に改める部分、「第六項を」を「第五項を」に改める部分及び「第六十六条第六項」を「第六十六条第五項」に改める部分を除く。）〔中略〕　令和七年十月一日

四　〔略〕

※子ども・子育て支援法等の一部を改正する法律（令六・六・一二法四七）の第一八条及び第一九条で本法が一部改正されましたが、未施行のため、ここに別に掲げました。

第十八条　特別会計に関する法律の一部を次のように改正する。

第百二十三条の二中「子育てのための施設等利用給付」の下に「、乳児等のための支援給付」を加える。

第百二十三条の五第一項第二号中ワをカとし、ニからヲまでをホからワまでとし、ハの次に次のように加える。

ニ　乳児等のための支援給付交付金（子ども・子育て支援法第六十八条第四項の規定による交付金をいう。以下同じ。）及びこれに関する諸費

第百二十三条の七第一項中「第六十八条第三項の規定により国庫が負担するもの」の下に「、同法第六十五条の規定により市町村が支弁する同条第五号の二に掲げる費用で同法第六十八条第四項の規定により国庫が負担するもの、乳児等のための支援給付交付金に関する諸費で国庫が負担するもの」

を加え、「第百二十三条の五第一項第二号ル」を「第百二十三条の五第一項第二号ヲ」に改める。

第百二十三条の十六第一項中「子育てのための施設等利用給付交付金の額」の下に「、乳児等のための支援給付交付金の額」を加え、「及び第百二十三条の五第一項第二号ル」を「、乳児等のための支援給付交付金に関する諸費に係る国庫負担金の額及び第百二十三条の五第一項第二号ヲ」に改める。

附則第三十八条中「同項第二号ル」を「同項第二号ヲ」に改める。

附則第三十八条の二及び第三十八条の三中「同号ル」を「同号ヲ」に改める。

第十九条　特別会計に関する法律の一部を次のように改正する。

第百十一条第二項第一号中トをチとし、ニからへまでをホからトまでとし、ハの次に次のように加える。

ニ　子ども・子育て支援特別会計の子ども・子育て支援勘定からの繰入金

第百二十条第二項第七号を同項第八号とし、同項第六号の次に次の一号を加える。

七　毎会計年度子ども・子育て支援特別会計の子ども・子育て支援勘定から国民年金勘定に繰り入れた金額が、当該年度において国民年金法第八十八条の三第一項及び第二項の規定により納付することを要しないものとされた国民年金事業の保険料に相当する額の同条第三項の規定による補塡に要する費用に相当する金額に対して超過し、又は不足する場合

第百二十三条の五第一項第二号中カをヨとし、トからワまでをチからカまでとし、への次に次のように加える。

ト　年金特別会計の国民年金勘定への繰入金

第百二十三条の七第一項中「第百二十三条の五第一項第二号ヲ」を「第百二十三条の五第一項第二号ワ」に改める。

第百二十三条の九中第二項を第三項とし、第一項を第二項とし、同条に第一項として次の一項を加える。

国民年金法第八十八条の三第一項及び第二項の規定により納付することを要しないものとされた国民年金事業の保険料に相当する額の同条第三項の規定による補塡に要する費用に必要な額に相当する金額は、子ども・子育て支援勘定から年金特別会計の国民年金勘定に繰り入れるものとする。

第百二十三条の十二第五項中「第百二十三条の九第二項」を「第百二十三条の九第三項」に改める。

第百二十三条の十六第一項中「第百二十三条の五第一項第二号ヲ」を「第百二十三条の五第一項第二号ワ」に改める。

附則第三十八条中「第百二十三条の九第一項」を「第百二十三条の九第二項」に、「第百二十条第二項第七号」を「第百二十条第二項第八号」に、「同項第二号ヲ」を「同項第二号ワ」に改める。

附則第三十八条の二及び第三十八条の三中「第百二十三条の九第一項」を「第百二十三条の九第二項」に、「第百二十条第二項第七号」を「第百二十条第二項第八号」に、「同号ヲ」を「同号ワ」に改める。

附　則（抄）

（施行期日）

第一条　この法律は、令和六年十月一日から施行する。ただし、次の各号に掲げる規定は、当該各号に定める日から施行する。

一～四　［略］

五　次に掲げる規定　令和八年四月一日

イ～ト　［略］

チ　第十八条及び附則第十九条の規定

リ～ネ　［略］

六　次に掲げる規定　令和八年十月一日

イ・ロ　［略］

ハ　第十九条及び附則第二十条の規定

（第十八条の規定による特別会計に関する法律の一部改正に伴う経過措置）

第十九条　第十八条の規定による改正後の特別会計に関する法律の規定は、令和八年度の予算から適用し、令和七年度の収入及び支出並びに同年度以前の年度の決算に関しては、なお従前の例による。

（第十九条の規定による特別会計に関する法律の一部改正に伴う経過措置）

第二十条　第十九条の規定による改正後の特別会計に関する法律の規定は、令和八年度の予算から適用し、令和七年度の収入及び支出並びに同年度以前の年度の決算に関しては、なお従前の例による。

○特別会計に関する法律施行令

平一九・三・三一
政令一二四

最終改正　令六・五・一七政令一八六

目次〔略〕

第一章　総則

第一節　会計年度所属区分

（歳入の会計年度所属区分）

第一条　次の各号に掲げる収入は、当該各号に定める年度の歳入とする。

一　地震再保険特別会計における地震保険に関する法律（昭和四十一年法律第七十三号）第三条の規定による再保険の再保険料　再保険契約に係る再保険責任の開始日の属する年度

二　食料安定供給特別会計の農業再保険勘定における農業再保険事業等の再保険料等（特別会計に関する法律（以下「法」という。）第百二十七条第三項第一号イに規定する農業再保険事業等の再保険料等をいう。）　農業保険法（昭和二十二年法律第百八十五号）第百九十二条若しくは第二百五条に規定する再保険関係に係る再保険責任又は同法第二百一条に規定する保険関係に係る保険責任の開始日の属する年度

三　削除

四　食料安定供給特別会計の漁船再保険勘定における漁船再保険事業（法第百二十四条第五項に規定する漁船再保険事業をいう。第十六条第一項第六号において同じ。）の再保険料　漁船損害等補償法（昭和二十七年法律第二十八号）第百二十八条に規定する再保険関係に係る再保険責任の開始日の属する年度

五　食料安定供給特別会計の漁業共済保険勘定における漁業共済保険事業（法第百二十四条第六項に規定する漁業共済保険事業をいう。第十六条第一項第七号において同じ。）の保険料　漁業災害補償法（昭和三十九年法律第百五十八号）第百四十七条の四に規定する保険契約に係る保険責任の開始日の属する年度

第二条　削除

第二節　削除

第三条から第七条まで　削除

第三節　予算及び決算

（歳入歳出予定計算書等の内容及び送付期限）

第八条　各特別会計（勘定に区分する特別会計にあっては、勘定とする。第五項並びに次条第一項、第十条、第三十二条、第三十四条第二項並びに第三十六条第一項第一号及び第二項を除き、以下同じ。）の歳入歳出予定計算書は、歳入にあっては、その性質に従ってその金額を款及び項に区分し、更に、各項の金額を各目に区分し、見積りの理由及び計算の基づくところを示し、歳出にあっては、その金額を事項別に区分し、経費要求の説明、当該事項に対する項の金額等を示さなければならない。

2　各特別会計の繰越明許費要求書は、繰越明許費について、事項ごとに、その必要の理由を明らかにするとともに、繰越しを必要とする経費の項の名称を示さなければならない。

3　各特別会計の国庫債務負担行為要求書は、国庫債務負担行為について、事項ごとにその必要の理由を明らかにし、かつ、これをする年度及び債務負担の限度額を明らかにし、必要に応じてこれに基づいて支出をすべき年度、年限又は年割額を示さなければならない。

4　各特別会計の歳入歳出予定計算書には、当該特別会計の歳入歳出の予定全体に関する説明を付さなければならない。

5　各特別会計の歳入歳出予定計算書、繰越明許費要求書及び国庫債務負担行為要求書は、予算決算及び会計令（昭和二十二年勅令第百六十五号。以下「令」という。）第十一条第五項の規定の例により、財務大臣に送付しなければならない。

6　前項に規定する書類には、法第三条第二項各号に掲げる書類のほか、予算総則に規定する必要がある事項に関する調書を添付しなければならない。

（歳入歳出予定額各目明細書）

第九条　所管大臣（法第三条第一項に規定する所管大臣をいう。以下同じ。）は、財務大臣の定めるところにより、その管理する特別会計の歳入歳出予算に基づいて歳入歳出予定額各目明細書を作成し、予算が国会に提出された後、直ちに、財務大臣に送付しなければならない。

2　前項に規定する歳入歳出予定額各目明細書は、各項の金額を各目に区分し、必要に応じ、更に、各目の金額を細分し、かつ、これらの計算の基づくところを示さなければならない。

3　前項の規定による目の区分及び各目の細分は、当該歳入又は歳出に関する事務を管理する所管大臣が財務大臣に協議して定める。

（歳入歳出決定計算書の送付期限）

第十条　各特別会計の歳入歳出決定計算書は、翌年度の七月三十一日までに、財務大臣に送付しなければならない。

（貸借対照表等の様式）

第十一条　各特別会計の貸借対照表、損益計算書及び財産目録の様式は、所管大臣が財務大臣に協議して定める。

（歳入歳出等に関する計算書類の調製）

第十二条　エネルギー対策特別会計、年金特別会計及び東日本大震災復興特別会計の歳入歳出予定計算書、繰越明許費要求書、国庫債務負担行為要求書、歳入歳出決定計算書その他同会計全体の計算に関する書類で所管大臣が定めるものの調製は、エネルギー対策特別会計にあっては経済産業大臣が、年金特別会計にあっては厚生労働大臣が、東日本大震災復興特別会計にあっては復興大臣が、それぞれその指定する職員

（第十七条第三項及び第四項、第十八条第二項及び第三項、第三十四条第四項並びに第三十六条第三項において「総括部局長」という。）に行わせるものとする。

第四節　支出

（支払元受高）

第十三条　各特別会計（国債整理基金特別会計を除く。）においては、当該年度の収納済歳入額、法第十五条第一項の規定による一時借入金、融通証券の発行による収入金及び繰替金、同条第三項の規定による繰替金並びに同条第五項の規定による繰替金をもって支払元受高とし、歳出を支出するには、この支払元受高を超過することができない。

（資金前渡のできる経費）

第十四条　労働保険特別会計においては、会計法第十七条の規定により、同会計の労災勘定に属する保険給付費並びに社会復帰促進等事業費のうち労災就学等援護費及び労災援護給付金並びに同会計の雇用勘定に属する失業等給付費及び育児休業給付費並びに雇用安定事業費のうち雇用安定等給付金について、主任の職員に現金支払をさせるため、その資金を当該職員に前渡することができる。

（年度開始前に資金交付のできる経費）

第十五条　労働保険特別会計の雇用勘定においては、会計法第十八条第一項の規定により、同勘定に属する失業等給付費及び育児休業給付費について、会計年度開始前に主任の職員に対し資金を交付することができる。

（概算払のできる経費）

第十六条　各特別会計においては、会計法第二十二条の規定により、次に掲げる経費について、概算払をすることができる。

一　地震再保険特別会計における再保険金

二　削除

三　食料安定供給特別会計の食糧管理勘定の負担において買い入れる米穀又は麦について、当該買入れに係る契約の相手方が外国から直接買入れを行う場合における当該米穀又は麦の代価

四　食料安定供給特別会計の農業再保険勘定における農業再保険事業等の再保険金等（法第百二十七条第三項第二号イに規定する農業再保険事業等の再保険金等をいう。）

五　削除

六　食料安定供給特別会計の漁船再保険勘定における漁船再保険事業の再保険金

七　食料安定供給特別会計の漁業共済保険勘定における漁業共済保険事業の保険金

２　所管大臣は、前項の規定により概算払をしようとする場合には、あらかじめ、財務大臣に協議しなければならない。

第五節　報告

（徴収済額の報告）

第十七条　次の各号に掲げる特別会計の歳入徴収官は、毎月、徴収済額報告書を作成し、参照書類を添付して、その翌月十五日までに、当該各号に定める所管大臣又は長官（国家行政組織法（昭和二十三年法律第百二十号）第六条に規定する長官をいう。以下同じ。）に、それぞれ送付しなければならない。

一　交付税及び譲与税配付金特別会計　財務大臣

二　エネルギー対策特別会計　当該歳入に関する事務を管理する所管大臣

三　年金特別会計　当該歳入に関する事務を管理する所管大臣

四　特許特別会計　特許庁長官

五　東日本大震災復興特別会計　当該歳入に関する事務を管理する所管大臣

２　毎会計年度の翌年度の六月又は七月において、国税収納金整理資金に関する法律施行令（昭和二十九年政令第五十一号）第二十二条第一項又は第二項の規定により国税収納金整理資金（国税収納金整理資金に関する法律（昭和二十九年法律第三十六号）第三条に規定する国税収納金整理資金をいう。）から前年度の歳入に組み入れるべき金額が交付税及び譲与税配付金特別会計及び東日本大震災復興特別会計の歳入にそれぞれ組み入れられた場合における前項の規定の適用については、同項中「その翌月十五日」とあるのは、「財務大臣の定める日」とする。

３　エネルギー対策特別会計、年金特別会計又は東日本大震災復興特別会計の所管大臣がそれぞれ指定する職員（次条第二項において「所管部局長」という。）は、第一項の徴収済額報告書により、毎月、徴収済額集計表を作成し、参照書類を添付して、所管大臣の定める期限までに、総括部局長に送付するものとする。

４　第一項に規定する所管大臣又は長官は、同項の規定により送付された徴収済額報告書に基づき、徴収総報告書を作成し、参照書類を添付して、その月中に、所管大臣にあっては財務大臣に、長官にあっては所管大臣を経由して財務大臣に、それぞれ送付しなければならない。この場合において、エネルギー対策特別会計の徴収総報告書の調製は経済産業大臣が、年金特別会計の徴収総報告書の調製は厚生労働大臣が、東日本大震災復興特別会計の徴収総報告書の調製は復興大臣が、それぞれ総括部局長に行わせるものとする。

（支出済額の報告）

第十八条　次の各号に掲げる特別会計のセンター支出官（令第一条第三号に規定するセンター支出官をいう。以下同じ。）は、毎月、支出済額報告書を作成し、その翌月十五日までに、当該各号に定める所管大臣又は長官に、それぞれ送付しなければならない。

一　交付税及び譲与税配付金特別会計　総務大臣

二　エネルギー対策特別会計　当該歳出に関する事務を管理する所管大臣

三　年金特別会計　当該歳出に関する事務を管理する所管大臣

四　特許特別会計　特許庁長官

五　東日本大震災復興特別会計　当該歳出に関する事務を管理する所管大臣

2　所管部局長は、前項の支出済額報告書により、毎月、支出済額集計表を作成し、所管大臣の定める期限までに、総括部局長に送付するものとする。

3　第一項に規定する所管大臣又は長官は、同項の規定により送付された支出済額報告書に基づき、支出総報告書を作成し、その月中に、所管大臣にあっては財務大臣に、長官にあっては所管大臣を経由して財務大臣に、それぞれ送付しなければならない。この場合において、エネルギー対策特別会計の支出総報告書の調製は経済産業大臣が、年金特別会計の支出総報告書の調製は厚生労働大臣が、東日本大震災復興特別会計の支出総報告書の調製は復興大臣が、それぞれ総括部局長に行わせるものとする。

第六節　契約

（複数落札入札制度）

第十九条　食料安定供給特別会計の食糧管理勘定において、米穀の買入契約又は麦の輸入を目的とする買入契約をする場合において、一般競争又は指名競争に付するときは、その買入数量の範囲内において数量及び単価を入札させ、予定価格を超えない単価の入札者のうち、低価の入札者から順次買入数量に達するまでの入札者をもって落札者とすることができる。

2　食料安定供給特別会計の食糧管理勘定において、米穀の売渡契約をする場合において、一般競争又は指名競争に付するときは、その売渡数量の範囲内において数量及び単価を入札させ、予定価格を超える単価の入札者のうち、高価の入札者から順次売渡数量に達するまでの入札者をもって落札者とすることができる。

3　食料安定供給特別会計の食糧管理勘定において、米穀の寄託契約をする場合において、一般競争又は指名競争に付するときは、その寄託数量の範囲内において数量及び単価を入札させ、予定価格を超えない単価の入札者のうち、低価の入札者から順次寄託数量に達するまでの入札者をもって落札者とすることができる。

4　食料安定供給特別会計の食糧管理勘定において、委託契約（米穀の貯蔵、加工及び売渡しに関する業務を一括して委託するものに限る。）をする場合において、一般競争に付するときは、その委託数量の範囲内において数量及び単価を入札させ、予定価格を超えない単価の入札者のうち、低価の入札者から順次委託数量に達するまでの入札者をもって落札者とすることができる。

5　前各項の規定による競争において同価の入札をした者が二人以上ある場合には、入札数量の多い者を先順位の落札者とし、入札数量が同一である場合には、令第八十三条の規定に準じてくじで落札者を定めるものとする。

6　前各項の場合において、最後の順位の落札者の入札数量が他の落札者の入札数量と合計して買入数量、売渡数量、寄託数量又は委託数量を超えるときには、その超える数量については、落札がなかったものとする。

（複数落札入札制度による場合の公告記載事項）

第二十条　前条第一項から第四項までの規定による競争に付する場合における公告又は入札者に対する通知には、令第七十五条各号に掲げる事項のほか、前条第一項から第四項までのいずれの規定による競争入札であるかを明らかにし、かつ、同条第六項の規定により入札数量の一部について落札がなかったものとすることがある旨及び第二十二条第一項の規定により当該競争入札を取り消すことがある旨並びに端数の入札を制限する場合にはその旨の記載又は記録をしなければならない。

（複数落札入札制度による場合の予定価格の決定）

第二十一条　第十九条第一項又は第二項の規定による競争に付する場合の予定価格は、当該競争入札に付する物品の種類ごとの総価額を当該物品の種類ごとの買入数量又は売渡数量で除した金額をもって定めなければならない。

（複数落札入札の取消し）

第二十二条　第十九条第一項から第四項までの規定による競争に付する場合において、その競争に加わった者が五人に満たないときは、当該競争入札を取り消すことができる。

2　前項の規定により競争入札を取り消した場合には、入札書は、そのままこれを入札者に送付しなければならない。

3　第一項の規定により競争入札を取り消した場合には、令第九十九条の二の規定は、適用しない。

第二十三条　削除

（随意契約によることができる場合）

第二十四条　各特別会計においては、会計法第二十九条の三第五項の規定により、次に掲げる場合においては、随意契約によることができる。

一　第十九条第一項の規定による競争に付した場合において、落札数量が買入数量に達しないとき又は落札者のうち契約を結ばない者があるときに、買入数量に達するまで最低落札単価の制限内で契約を締結する場合

二　第十九条第二項の規定による競争に付した場合において、落札数量が売渡数量に達しないとき又は落札者のうち契約を結ばない者があるときに、売渡数量に達するまで最高落札単価を下らない価額で、契約を締結する場合

三　第十九条第三項の規定による競争に付した場合において、落札数量が寄託数量に達しないとき又は落札者のうち契約を結ばない者があるときに、寄託数量に達するまで最低落札単価の制限内で契約を締結する場合

四　第十九条第四項の規定による競争に付した場合において、落札数量が委託数量に達しないとき又は落札者のうち契約を結ばない者があるときに、委託数量に達するまで最低落札単価の制限内で契約を締結する場合

2　前項の規定により随意契約によろうとする場合には、令第九十九条の三及び第九十九条の四の規定に準じて行うものとする。

第二十五条　削除

第七節　帳簿

（各省各庁の帳簿）

第二十六条　各省各庁（財政法（昭和二十二年法律第三十四号）第二十一条に規定する各省各庁をいう。次項及び次条において同じ。）は、その管理する特別会計の日記簿、原簿及び補助簿を備え、当該特別会計に関する一切の計算を登記しなければならない。

2　前項の規定にかかわらず、次の各号に掲げる特別会計においては、当該各号に定める各省各庁又は外局において、日記簿、原簿及び補助簿を備え、当該特別会計に関する一切の計算を登記しなければならない。

一　交付税及び譲与税配付金特別会計　総務省

二　エネルギー対策特別会計　経済産業省

三　年金特別会計　厚生労働省

四　特許特別会計　特許庁

五　東日本大震災復興特別会計　復興庁

第二十七条　各省各庁は、前条第一項及び令第百三十条に規定する帳簿のほか、その管理する特別会計（交付税及び譲与税配付金特別会計、国債整理基金特別会計、エネルギー対策特別会計、年金特別会計及び東日本大震災復興特別会計を除く。）の支払元受高差引簿を備え、支払元受高、支出済歳出額及び残額を登記しなければならない。ただし、官署支出官（令第一条第二号に規定する官署支出官をいう。以下同じ。）が一人である場合においては、支払元受高差引簿は、備え付けないことができる。

2　前項の規定にかかわらず、前条第二項第四号及び第五号に掲げる特別会計にあっては、当該各号に定める各省各庁又は外局において、同項及び令第百三十条に規定する帳簿のほか、支払元受高差引簿を備え、支払元受高、支出済歳出額及び残額を登記しなければならない。ただし、官署支出官が一人である場合においては、支払元受高差引簿は、備え付けないことができる。

第二十八条　総務省は、第二十六条第二項に規定する帳簿並びに交付税及び譲与税配付金特別会計の歳出について令第百三十条に規定する歳出簿及び支払計画差引簿のほか、支払元受高差引簿を備え、同会計の歳出に係る支払元受高、支出済歳出額及び残額を登記しなければならない。

2　財務省は、交付税及び譲与税配付金特別会計の歳入について令第百三十条に規定する歳入簿を備え、所要の事項を登記しなければならない。

第二十九条　エネルギー対策特別会計の所管府省（内閣府、文部科学省、経済産業省及び環境省をいう。以下この条において同じ。）は、その所管に属する歳入及び歳出について、各勘定別に令第百三十条の規定により歳入簿、歳出簿及び支払計画差引簿を備え、所要の事項を登記しなければならない。

2　所管府省は、前項の帳簿のほか、各勘定別に所管別支払元受高差引簿を備え、その所管に属する歳出に係る支払元受高、支出済歳出額及び残額を登記しなければならない。ただし、官署支出官が一人である場合においては、所管別支払元受高差引簿は、備え付けないことができる。

3　経済産業省は、第二十六条第二項及び前二項に規定する帳簿のほか、エネルギー対策特別会計全体の歳入及び歳出について各勘定別に令第百三十条の規定により歳入簿及び歳出簿を備え、所要の事項を登記しなければならない。

4　経済産業省は、各勘定別に支払元受高総括簿を備え、エネルギー対策特別会計全体の歳出に係る支払元受高、所管府省への配分額その他所要の事項を登記しなければならない。

第二十九条の二　年金特別会計の所管府省（内閣府及び厚生労働省をいう。以下この条において同じ。）は、その所管に属する歳入及び歳出について、各勘定別に令第百三十条の規定により歳入簿、歳出簿及び支払計画差引簿を備え、所要の事項を登記しなければならない。

2　所管府省は、前項の帳簿のほか、各勘定別に所管別支払元受高差引簿を備え、その所管に属する歳出に係る支払元受高、支出済歳出額及び残額を登記しなければならない。ただし、官署支出官が一人である場合においては、所管別支払元受高差引簿は、備え付けないことができる。

3　厚生労働省は、第二十六条第二項及び前二項に規定する帳簿のほか、年金特別会計全体の歳入及び歳出について各勘定別に令第百三十条の規定により歳入簿及び歳出簿を備え、所要の事項を登記しなければならない。

4　厚生労働省は、各勘定別に支払元受高総括簿を備え、年金特別会計全体の歳出に係る支払元受高、所管府省への配分額その他所要の事項を登記しなければならない。

第二十九条の三　東日本大震災復興特別会計の所管機関（衆議院、参議院、最高裁判所、会計検査院、内閣、内閣府、デジタル庁、復興庁、総務省、法務省、外務省、財務省、文部科学省、厚生労働省、農林水産省、経済産業省、国土交通省、環境省及び防衛省をいう。以下この条において同じ。）は、その所管に属する歳入及び歳出について、令第百三十条の規定により歳入簿、歳出簿及び支払計画差引簿を備え、所要の事項を登記しなければならない。

2　所管機関は、前項の帳簿のほか、所管別支払元受高差引簿を備え、その所管に属する歳出に係る支払元受高、支出済歳出額及び残額を登記しなければならない。ただし、官署支出官が一人である場合においては、所管別支払元受高差引簿は、備え付けないことができる。

3　復興庁は、第二十六条第二項及び前二項に規定する帳簿のほか、東日本大震災復興特別会計全体の歳入及び歳出について令第百三十条の規定により歳入簿及び歳出簿を備え、所要の事項を登記しなければならない。

4　復興庁は、支払元受高総括簿を備え、東日本大震災復興特別会計全体の歳出に係る支払元受高、所管機関への配分額その他所要の事項を登記しなければならない。

（官署支出官の帳簿）

第三十条　各特別会計（国債整理基金特別会計を除く。）の官署支出官は、令第百三十二条及び第百三十四条に規定する帳簿のほか、支払元受高差引簿を備え、支払元受高、支出済歳出額及び残額を登記しなければならない。

（帳簿の様式及び記入の方法）

第三十一条　第二十六条、第二十七条、第二十八条第一項、第二十九条第二項及び第四項、第二十九条の二第二項及び第四項、第二十九条の三第二項及び第四項並びに前条に規定する帳簿の様式及び記入の方法は、財務大臣が定める。

（勘定別の登記）

第三十二条　勘定に区分する特別会計においては、令第百三十条から第百三十四条の二までに規定する帳簿の登記は、各勘定別にしなければならない。

第三十三条　削除

第八節　財務情報の開示

（書類の作成方法等）

第三十四条　各特別会計の法第十九条第一項の書類は、当該特別会計の当該年度末における資産及び負債の状況並びに当該年度に発生した費用の状況その他の財務大臣が定める事項を記載した書類とする。

2　前項に定める書類のほか、勘定に区分する特別会計においては、当該特別会計全体について同項に規定する事項を記載した書類を作成するものとする。

3　第一項に定める書類のほか、次に掲げる法人であって特別会計において経理されている事務及び事業と密接な関連を有する法人として財務大臣が定める要件に該当するものがある場合には、当該特別会計及び当該法人につき連結して同項に規定する事項を記載した書類を作成するものとする。

一　法律により直接に設立される法人

二　特別の法律により特別の設立行為をもって設立すべきものとされる法人

三　特別の法律により設立され、かつ、その設立に関し行政官庁の認可を要する法人

4　交付税及び譲与税配付金特別会計に関する第一項及び前項の書類は総務大臣が、エネルギー対策特別会計に関する前三項の書類は経済産業大臣が、年金特別会計に関する前三項の書類は厚生労働大臣が、東日本大震災復興特別会計に関する第一項及び前項の書類は復興大臣が、それぞれ調製するものとする。この場合において、エネルギー対策特別会計に関する前三項の書類の調製は経済産業大臣が、年金特別会計に関する前三項の書類の調製は厚生労働大臣が、東日本大震災復興特別会計に関する第一項及び前項の書類の調製は復興大臣が、それぞれ総括部局長に行わせるものとする。

（書類の送付期限等）

第三十五条　法第十九条第一項の書類は、翌年度の十月三十一日までに財務大臣に送付しなければならない。

2　内閣は、前項の書類を同項に規定する年度の十一月十五日までに会計検査院に送付しなければならない。

3　内閣は、会計検査院の検査を経た前項の書類を第一項に規定する年度に開会される常会において国会に提出するのを常例とする。

（情報開示の内容）

第三十六条　法第二十条に規定する情報として政令で定めるものは、次に掲げるものとする。

一　特別会計に関する次に掲げる情報

イ　特別会計の目的

ロ　特別会計において経理されている事務及び事業の内容並びに経理方法の概要

二　特別会計の各年度の予算に関する次に掲げる情報

イ　歳入歳出予算の概要

ロ　一般会計からの繰入金の額及び当該繰入れの理由

ハ　借入金並びに公債及び証券の発行収入金（以下この項において「借入金等」と総称する。）の額並びに借入金等を必要とする理由

ニ　その他特別会計において経理されている事務及び事業の内容に照らし必要と認める事項

三　特別会計の各年度の決算に関する次に掲げる情報

イ　歳入歳出決算の概要

ロ　一般会計からの繰入金の額及び当該繰入金の額が予算に計上した額と異なる場合にあってはその理由

ハ　借入金等の額及び借入金等の額が予算に計上した額と異なる場合にあってはその理由

ニ　歳入歳出の決算上の剰余金の額、当該剰余金が生じた理由及び当該剰余金の処理の方法

ホ　当該年度末における積立金及び資金の残高

ヘ　その他特別会計において経理されている事務及び事業の内容に照らし必要と認める事項

2　前項の場合において、勘定に区分する特別会計においては、同項第一号に定める情報は、当該特別会計全体について作成するものとする。

3　交付税及び譲与税配付金特別会計に関する第一項の情報は総務大臣が、エネルギー対策特別会計に関する前二項の情報は経済産業大臣が、年金特別会計に関する前二項の情報は厚生労働大臣が、東日本大震災復興特別会計に関する第一項の情報は復興大臣が、それぞれ調製するものとする。この場合において、エネルギー対策特別会計に関する前二項の情報の調製は経済産業大臣が、年金特別会計に関する前二項の情報の調製は厚生労働大臣が、東日本大震災復興特別会計に関する第一項の情報の調製は復興大臣が、それぞれ総括部局長に行わせるものとする。

（情報開示の時期）

第三十七条　法第二十条の情報は、次の各号に掲げる区分に従い、当該各号に定める日以後速やかに開示するものとする。

一　法第十九条第一項の書類に記載された情報　当該書類を国会に提出した日

二　前条第一項第一号に掲げる情報　特別会計を設置した日

三　前条第一項第二号に掲げる情報　予算を国会に提出した日
四　前条第一項第三号に掲げる情報　決算を国会に提出した日
2　前項の規定により開示した後、前条第一項第一号又は第二号に掲げる情報について変更があった場合には、速やかにその内容を修正するものとする。

（情報開示に関する細目）
第三十八条　第三十四条から前条までに規定するもののほか、法第十九条第一項の規定による書類の作成及び法第二十条の規定による情報の開示に関し必要な事項は、財務大臣が定める。

第二章　各特別会計の管理及び経理

第一節　交付税及び譲与税配付金特別会計

（交付税及び譲与税配付金特別会計の所管大臣の所掌区分等）
第三十九条　交付税及び譲与税配付金特別会計の歳入歳出予算は、財政法第三十一条第一項の規定により配賦のあった後、歳入予算にあっては財務大臣が執行し、歳出予算にあっては総務大臣が執行するものとする。ただし、総務大臣又は財務大臣は、他の職員に命じてその執行に関する事務の一部を行わせることができる。

第二節　国債整理基金特別会計

（国債の定義）
第四十条　法第三十八条第二項の政令で定めるものは、次に掲げるものとする。
一　次に掲げる規定に基づき発行する国債
イ　戦傷病者戦没者遺族等援護法（昭和二十七年法律第百二十七号）第三十七条第二項
ロ　引揚者給付金等支給法（昭和三十二年法律第百九号）第十四条第一項
ハ　戦没者等の妻に対する特別給付金支給法（昭和三十八年法律第六十一号）第四条第二項
ニ　戦没者等の遺族に対する特別弔慰金支給法（昭和四十年法律第百号）第五条第二項
ホ　戦傷病者等の妻に対する特別給付金支給法（昭和四十一年法律第百九号）第四条第二項
ヘ　戦没者の父母等に対する特別給付金支給法（昭和四十二年法律第五十七号）第五条第二項
ト　引揚者等に対する特別交付金の支給に関する法律（昭和四十二年法律第百十四号）第七条第二項
チ　原子爆弾被爆者に対する援護に関する法律（平成六年法律第百十七号）第三十四条第二項
二　次に掲げる規定に基づき発行する国債又は基金通貨代用証券
イ　国際通貨基金及び国際復興開発銀行への加盟に伴う措置に関する法律（昭和二十七年法律第百九十一号）第五条第二項、第七条第二項、第十条第二項、第十条の二第二項、第十条の三第三項又は第十三条第五項
ロ　国際金融公社への加盟に伴う措置に関する法律（昭和三十一年法律第百六十七号）第二条第二項
ハ　国際開発協会への加盟に伴う措置に関する法律（昭和三十五年法律第百五十三号）第四条第二項
ニ　アジア開発銀行への加盟に伴う措置に関する法律（昭和四十一年法律第百三十八号）第三条第二項
ホ　アフリカ開発基金への参加に伴う措置に関する法律（昭和四十八年法律第三十八号）第三条第二項
ヘ　米州開発銀行への加盟に伴う措置に関する法律（昭和五十一年法律第四十号）第三条第二項
ト　国際農業開発基金への加盟に伴う措置に関する法律（昭和五十二年法律第二十八号）第三条第二項
チ　アフリカ開発銀行への加盟に伴う措置に関する法律（昭和五十六年法律第四十一号）第三条第二項
リ　一次産品のための共通基金への加盟に伴う措置に関する法律（昭和五十六年法律第四十二号）第三条第二項
ヌ　多数国間投資保証機関への加盟に伴う措置に関する法律（昭和六十二年法律第三十六号）第三条第二項
ル　欧州復興開発銀行への加盟に伴う措置に関する法律（平成三年法律第二十二号）第三条第二項
ヲ　緑の気候基金への拠出及びこれに伴う措置に関する法律（平成二十七年法律第二十四号）第三条第二項
三　株式会社日本政策投資銀行法（平成十九年法律第八十五号）附則第二条の三第一項の規定に基づき発行する国債
四　原子力損害賠償・廃炉等支援機構法（平成二十三年法律第九十四号）第四十八条第一項の規定に基づき発行する国債

（一般会計の負担に属する公債及び借入金から除かれるもの）
第四十一条　法第四十二条第二項に規定する政令で定めるものは、次に掲げるものとする。
一　ポツダム宣言の受諾に伴い発する命令に関する件に基く大蔵省関係諸命令の措置に関する法律（昭和二十七年法律第四十三号）第九条の規定による廃止前の臨時軍事費特別会計の終結に関する件（昭和二十一年勅令第百十号）第五条の規定に基づき旧臨時軍事費特別会計（同令第一条の規定により昭和二十一年二月二十八日においてその年度が終結された臨時軍事費特別会計をいう。）から一般会計に承継された借入金
二　道路整備事業に係る国の財政上の特別措置に関する法律（昭和三十三年法律第三十四号）第七条第一項の規定に基づき独立行政法人日本高速道路保有・債務返済機構から一般会計に承継された債務に係る長期借入金（同項第一号に規定する長期借入金をいう。）及び機構債券等（同項第二号に規定する機構債券等をいう。）
三　法附則第二百三十条第四項の規定に基づき法附則第六十七条第一項第十号の規定により設置する国営土地改良事業

特別会計から一般会計に承継された借入金

四　独立行政法人通則法の一部を改正する法律の施行に伴う関係法律の整備に関する法律（平成二十六年法律第六十七号）第百三十条の規定による改正前の高度専門医療に関する研究等を行う独立行政法人に関する法律（平成二十年法律第九十三号）附則第十条第三項の規定に基づき法附則第六十七条第一項第十二号の規定により設置する国立高度専門医療センター特別会計から一般会計に承継された借入金

五　特別会計に関する法律等の一部を改正する等の法律（平成二十五年法律第七十六号）附則第十二条第三項の規定に基づき同条第一項に規定する旧社会資本整備事業特別会計から一般会計に承継された借入金

（国債の円滑な償還及び発行のための取引）

第四十二条　法第四十九条第一項の政令で定める取引は、財務大臣とその取引の相手方として財務大臣が定める要件に該当する者（以下この条において「取引当事者」という。）の一方の意思表示により取引当事者間において法第四十九条第二項に規定するスワップ取引を成立させることができる権利を相手方が取引当事者の一方に付与し、取引当事者の一方がこれに対して対価を支払うことを約する取引とする。

第三節　財政投融資特別会計

（財政融資資金勘定及び財政融資資金に係る財務省の帳簿）

第四十三条　財政投融資特別会計の財政融資資金勘定における第二十六条第一項の規定の適用については、同項中「当該特別会計」とあるのは、「財政融資資金勘定に関する一切の計算並びに財政融資資金の受払い及び運用」とする。

（繰越利益の貸借対照表における表示）

第四十四条　法第五十六条第一項の繰越利益は、貸借対照表において、次に掲げるところにより区分して表示する。

一　当該年度末における財政投融資特別会計の財政融資資金勘定の資産の合計額の千分の五十に相当する額（次号において「上限額」という。）以下の部分　金利変動準備金

二　上限額を超える部分　別途積立金

（積立金からの国債整理基金特別会計への繰入れに関する算定）

第四十五条　法第五十八条第三項に規定する政令で定めるところにより算定した金額は、同条第一項の積立金の額から法第五十六条第一項の繰越利益の額を控除した額に法第五十四条第二号に掲げる当該年度の予定貸借対照表上の資産の合計額の千分の五十に相当する額を加えた金額に相当する金額とする。

第四節　外国為替資金特別会計

（外国為替等の売買に伴う損益の計算の方法）

第四十六条　外国為替資金特別会計においては、毎会計年度における外国為替等（法第七十一条第二項に規定する外国為替等をいう。以下この節において同じ。）の売買に伴う差益の合計額が当該年度における外国為替等の売買に伴う差損の合計額を超過する場合には、その超過額に相当する金額をもって法第七十八条第一項に規定する外国為替等の売買に伴う利益とし、当該年度における当該差損の合計額が当該年度における当該差益の合計額を超過する場合には、その超過額に相当する金額をもって同項に規定する外国為替等の売買に伴う損失とする。

2　前項の「外国為替等の売買に伴う差益」とは、次に掲げるものをいう。

一　当該年度において売却した外国為替等の売却価額（当該外国為替等の売却が外国通貨又は特別引出権を対価として行われる場合には、その対価として取得した外国通貨又は特別引出権を当該売却時における外国為替相場（法第七十九条第一項に規定する外国為替相場をいう。以下この項及び第六項から第八項までにおいて同じ。）又は特別引出権について適用されるべきものとして財務大臣の指定する特別引出権の換算率（国際通貨基金協定第十五条第二項に規定する特別引出権の評価方法に基づき算定される特別引出権の本邦通貨換算率をいう。以下この節において同じ。）によって換算した価額。次項第一号において同じ。）が当該外国為替等の価額（外国通貨又は特別引出権をもって表示される外国為替等のうち外国通貨及び特別引出権以外のものについては、財務大臣の定める方法により算出した外国通貨又は特別引出権による評価額）を当該売却時における外国為替相場又は特別引出権について適用されるべきものとして財務大臣の指定する特別引出権の換算率によって換算した価額（次項第一号において「売却した外国為替等の換算価額」という。）を超過する金額

二　当該年度において買い取った外国為替等の価額（外国通貨又は特別引出権をもって表示される外国為替等のうち外国通貨及び特別引出権以外のものについては、財務大臣の定める方法により算出した外国通貨又は特別引出権による評価額）を当該買取時における外国為替相場又は特別引出権について適用されるべきものとして財務大臣の指定する特別引出権の換算率によって換算した価額（次項第二号において「買い取った外国為替等の換算価額」という。）が当該外国為替等の買取価額（当該外国為替等の買取りが外国通貨又は特別引出権を対価として行われる場合には、その対価として支払った外国通貨又は特別引出権を当該買取時における外国為替相場又は特別引出権について適用されるべきものとして財務大臣の指定する特別引出権の換算率によって換算した価額。次項第二号において同じ。）を超過する金額

3　第一項の「外国為替等の売買に伴う差損」とは、次に掲げるものをいう。

一　当該年度において売却した外国為替等の売却価額が売却した外国為替等の換算価額に不足する金額

二　当該年度において買い取った外国為替等の換算価額が当該外国為替等の買取価額に不足する金額

4　前二項の売却又は買取りには、国際通貨基金及び国際復興

開発銀行への加盟に伴う措置に関する法律第十七条の規定による取引及び特別な方法により決済されるべきものとして財務大臣が定める債権又は債務の当該債権又は債務が表示される外国通貨以外の外国通貨による取立て又は履行を含むものとする。

5　反対売買（外国為替等（特別引出権を除く。以下この項から第九項までにおいて同じ。）の売却にあっては外国為替等の買取りをいい、外国為替等の買取りにあっては外国為替等の売却をいう。以下この項から第九項までにおいて同じ。）を約して行う外国為替等の売買（以下この項から第八項までにおいて「当初売買」という。）を行った場合には、第二項又は第三項の規定にかかわらず、当該当初売買における第一項に規定する外国為替等の売買に伴う差益又は外国為替等の売買に伴う差損は生じなかったものとする。

6　当該年度において外国為替等の反対売買を行った場合には、第二項の規定にかかわらず、当該反対売買における第一項の「外国為替等の売買に伴う差益」とは、次に掲げるものをいう。

一　当該反対売買に係る当初売買において売却した外国為替等の売却価額が当該反対売買において買い取った外国為替等の買取価額を超過する金額（当該外国為替等の売買が外国通貨を対価として行われるときは、その対価として取得した外国通貨の価額がその対価として支払った外国通貨の価額を超過する金額を当該反対売買時における外国為替相場によって換算した金額。次号において同じ。）

二　当該反対売買において売却した外国為替等の売却価額が当該反対売買に係る当初売買において買い取った外国為替等の買取価額を超過する金額

7　当該年度において外国為替等の反対売買を行った場合には、第三項の規定にかかわらず、当該反対売買における第一項の「外国為替等の売買に伴う差損」とは、次に掲げるものをいう。

一　当該反対売買に係る当初売買において売却した外国為替等の売却価額が当該反対売買において買い取った外国為替等の買取価額に不足する金額（当該外国為替等の売買が外国通貨を対価として行われるときは、その対価として取得した外国通貨の価額がその対価として支払った外国通貨の価額に不足する金額を当該反対売買時における外国為替相場によって換算した金額。次号において同じ。）

二　当該反対売買において売却した外国為替等の売却価額が当該反対売買に係る当初売買において買い取った外国為替等の買取価額に不足する金額

8　前二項の反対売買において外国為替等を買い取った場合における当該外国為替等の価額は、当該反対売買に係る当初売買時における外国為替相場によって換算した価額とし、当該反対売買時に、当該反対売買時における外国為替相場により改定されたものとみなす。

9　前項の規定による反対売買に係る外国為替等の価額の改定に基づいて生ずる利益又は損失は、外国為替資金の評価益又は評価損として整理するものとする。

（利益の組入れ及び損失の補てんの時期）

第四十七条　外国為替資金特別会計において、毎会計年度における外国為替等の売買に伴って生じた利益は、翌年度の五月三十一日までに、同会計の歳入に組み入れるものとする。

2　前項の規定による利益の組入金は、当該利益の生じた年度所属の歳入金とする。

3　外国為替資金特別会計において、毎会計年度における外国為替等の売買に伴って生じた損失は、翌年度の五月三十一日までに、同会計の歳出をもって補てんするものとする。ただし、法第七十八条第一項ただし書の規定に該当する場合における補てんの時期は、翌々年度の五月三十一日までとする。

4　前項の規定による損失の補てん金は、当該損失の生じた年度（法第七十八条第一項ただし書の規定による補てん金については、当該損失の生じた年度の翌年度）所属の歳出金とする。

（外国為替等の価額の改定の例外）

第四十八条　法第七十九条第一項に規定する政令で定める場合は、外国為替等（特別引出権並びに特別引出権をもって表示される外貨証券及び外貨債権を除く。）に係る取引で財務大臣の定めるものが行われる場合とする。

（特別引出権及び特別引出権以外の資産で特別引出権をもって表示されるものの価額並びに当該価額の改定及びこれに伴う損益の処理）

第四十九条　外国為替資金に属する特別引出権並びに特別引出権及び国際通貨基金に対する出資（第四項及び第五項において「国際通貨基金出資」という。）以外の資産で特別引出権をもって表示されるもの（第三項において「特別引出権表示資産」と総称する。）の価額は、その取得（国際通貨基金及び国際復興開発銀行への加盟に伴う措置に関する法律第十六条の規定による特別引出権の配分の受入れを含む。）の日において当該取得について適用されるべきものとして財務大臣の指定する特別引出権の換算率により算出するものとする。

2　前項の価額は、同項の取得の日後財務大臣の定める取引があった場合には、当該取引の日において当該取引について適用されるべきものとして財務大臣の指定する特別引出権の換算率により改定するものとし、その後の改定についても同様とする。

3　前項の規定による特別引出権表示資産の価額の改定に基づいて生ずる利益又は損失は、外国為替資金の評価益又は評価損として整理するものとする。

4　外国為替資金に属する国際通貨基金出資の価額は、国際通貨基金が国際通貨基金協定第五条第十一項の規定に基づきその一般資金として保有する本邦通貨の額の調整を行ったときは、その都度、当該調整につき適用された特別引出権の換算率により改定するものとする。

5　前項の規定による国際通貨基金出資の価額の改定に基づい

て生ずる利益又は損失は、外国為替資金の評価益又は評価損として整理するものとする。

第五節　エネルギー対策特別会計

（燃料安定供給対策及びエネルギー需給構造高度化対策に係る財政上の措置等）

第五十条　法第八十五条第二項第二号ハに規定する補助で政令で定めるものは、次に掲げる措置とする。

一　石油及び可燃性天然ガスの探鉱及びこれに必要な地質構造の調査に要する費用に係る補助金又は委託費の交付

二　石油及び可燃性天然ガス資源の開発に係る技術の振興を図るために行う事業に要する費用に係る補助金若しくは委託費の交付又は拠出金の拠出

2　法第八十五条第二項第二号ヘに規定する補助で政令で定めるものは、次に掲げる措置とする。

一　石油貯蔵施設の設置がその区域内において行われており、又は行われることが確実であると認められる市町村の区域及びこれに隣接する市町村の区域（石油貯蔵施設の設置の円滑化に資するため特に必要があると認められる場合には、これらの市町村の区域及び当該隣接する市町村の区域に隣接する市町村の区域。以下この項において「対象区域」という。）内において当該対象区域の全部又は一部をその区域に含む都道府県が行う公共用の施設の整備に要する費用に充てるため当該都道府県に対して行う交付金の交付

二　対象区域内において市町村その他の者が行う公共用の施設の整備に要する費用について当該対象区域の全部又は一部をその区域に含む都道府県が行う補助に要する費用に充てるため当該都道府県に対して行う交付金の交付

3　法第八十五条第二項第二号トに規定する補助で政令で定めるものは、次に掲げる措置とする。

一　石油、可燃性天然ガス及び石炭の生産の合理化を図るために行う事業に要する費用に係る補助金、委託費又は利子補給金の交付

二　石油、可燃性天然ガス及び石炭の流通の合理化を図るために行う事業に要する費用に係る補助金、委託費又は利子補給金の交付

4　法第八十五条第二項第三号に規定する措置で政令で定めるものは、次に掲げる措置とする。

一　国有資産等所在市町村交付金法（昭和三十一年法律第八十二号）第二条第一項又は第十四条第一項の規定により同法第二条第一項第六号に規定する固定資産の所在する市町村又は都道府県に対して行う交付金の交付

二　海域における石油及び可燃性天然ガスの探鉱又は採取が当該海域の環境に及ぼす影響に関する調査に要する委託費の交付

三　海域における石油及び可燃性天然ガスの探鉱に必要な地質構造の調査の用に供する船舶の建造又は取得、維持及び運用

四　石油及び可燃性天然ガスの探鉱又は採取を目的とする坑井の封鎖並びにこれに必要な調査又は研究に要する費用に係る補助金又は委託費の交付

五　石油及び可燃性天然ガス資源の開発に必要な設備の設置のために行われる資金の貸付けに係る利子補給金の交付

六　石油、可燃性天然ガス及び石炭資源の開発の分野における人材の育成に資する事業に要する委託費の交付

七　海外における石炭の開発を促進するための石炭の生産に係る技術の開発に要する費用に係る補助金又は委託費の交付

八　石油貯蔵施設の設置がその区域内において予定されている都道府県に対して行う当該石油貯蔵施設の周辺の地域の住民に対する石油の備蓄に関する知識の普及に要する費用（当該知識の普及の用に供する施設の設置に要する費用を除く。）に充てるための交付金の交付

九　都道府県に対して行う第二項第二号に規定する交付金の交付に要する事務費に充てるための交付金の交付

十　石油、可燃性天然ガス及び石炭資源の開発の促進並びに石油、可燃性天然ガス及び石炭の生産及び流通の合理化に資する二国間及び多国間における協力に要する費用に係る補助金又は委託費の交付

5　法第八十五条第三項第一号に規定する太陽光、風力その他の化石燃料以外のエネルギーであって政令で定めるものは、次に掲げるエネルギーとする。

一　太陽光

二　風力

三　水力

四　地熱

五　太陽熱

六　廃熱（工場又は事業場において排出される熱で、その有効利用を図ることが可能なものをいう。第八項第五号において同じ。）

七　水素

八　アルコール

九　その他経済産業省令・環境省令で定める要件に該当するもの

6　法第八十五条第三項第一号イに規定する業務で政令で定めるものは、新エネルギー利用等の促進に関する特別措置法（平成九年法律第三十七号）第十条第一号に規定する債務の保証とする。

7　法第八十五条第三項第一号ヘに規定する補助で政令で定めるものは、次に掲げる措置とする。

一　非化石エネルギー（法第八十五条第三項第一号に規定する非化石エネルギーをいう。以下この条において同じ。）を利用する設備の設置の促進のために行う事業に要する費用に係る補助金（第十号に該当するものを除く。）の交付

二　石油の利用の高度化に資する設備の設置の促進のために行う事業に要する費用に係る補助金の交付

三　可燃性天然ガスを利用する設備の設置の促進のために行

う事業に要する費用に係る補助金（第十号に該当するものを除く。）の交付

四　可燃性天然ガス及び石炭を利用する設備の設置の促進を図るために必要な事項の調査に要する委託費の交付

五　地域の特性に応じて可燃性天然ガス、石炭及び非化石エネルギーを利用する設備の設置の促進のために行われる資金の貸付けに係る利子の補給に要する費用に係る補助金（第一号及び第三号に該当するものを除く。）の交付

六　可燃性天然ガス、石炭及び非化石エネルギーを利用する設備の設置、可燃性天然ガス及び石炭の導入の促進に寄与すると認められる設備の設置又はエネルギーの使用の合理化に資する設備の設置若しくは建築材料の使用の促進のために行われる資金の貸付けに係る利子補給金（第十号に該当するものを除く。）の交付

七　工場又は事業場においてエネルギーを使用して事業を行う者のうち当該工場又は事業場への可燃性天然ガス、石炭及び非化石エネルギーを利用する設備又はエネルギーの使用の合理化に資する設備の円滑な設置が困難であるものに対して当該設備の設置の促進のために行われる指導に要する費用に係る補助金の交付

八　再生可能エネルギー電気の利用の促進に関する特別措置法（平成二十三年法律第百八号）第二条の二第二項又は第十五条の二第一項の規定による交付金の交付に要する費用に係る補助金の交付

九　エネルギーの使用の合理化又は電気の需要の最適化に資する設備の設置の促進のために行う事業に要する費用に係る補助金（次号に該当するものを除く。）の交付

十　地域の特性に応じて可燃性天然ガス、石炭及び非化石エネルギーを利用する設備若しくはエネルギーの使用の合理化若しくは電気の需要の最適化に資する設備の普及の促進のために行うモデル事業（以下この号において「モデル事業」という。）に要する費用に係る補助金、委託費若しくは利子補給金の交付又は地方公共団体若しくは特定民間団体（事業者、国民その他の者により構成される民間の団体であって、可燃性天然ガス、石炭及び非化石エネルギーの利用の促進又はエネルギーの使用の合理化若しくは電気の需要の最適化を図ることを目的とするものをいう。以下この号において同じ。）が行うモデル事業に要する費用に充てるため当該地方公共団体若しくは特定民間団体に対して行う交付金の交付

十一　地域の特性に応じて可燃性天然ガス、石炭及び非化石エネルギーを利用する設備又はエネルギーの使用の合理化に資する設備の設置の促進を図るために行う調査に要する費用に係る補助金又は委託費の交付

8　法第八十五条第三項第一号トに規定する補助で政令で定めるものは、次に掲げる措置とする。

一　可燃性天然ガス、石炭及び非化石エネルギーの住宅への利用の促進を図るために必要な技術の開発に要する費用に係る補助金（第四号に該当するものを除く。）又は委託費（同号及び第五号に該当するものを除く。）の交付

二　事業の用に供する設備であってエネルギーを大量に使用し、又は可燃性天然ガス、石炭及び非化石エネルギーの利用が困難であるものにおける可燃性天然ガス、石炭及び非化石エネルギーの回収その他の可燃性天然ガス、石炭及び非化石エネルギーの利用の促進又はエネルギーの使用の合理化を図るために必要な技術のうち、速やかにその実用化を図ることが必要と認められるものの開発に要する費用に係る補助金の交付

三　石油の利用の高度化を図るために必要な技術のうち、速やかにその実用化を図ることが必要と認められるものの開発に要する費用に係る補助金（第八号に該当するものを除く。）又は委託費（同号に該当するものを除く。）の交付

四　石炭の燃焼に伴い生ずる公害の防止に関する技術、石炭を原料とする燃料の製造に関する技術その他の石炭の利用の促進を図るための技術の開発に要する費用に係る補助金（第二号に該当するものを除く。）、委託費その他の給付金の交付

五　廃熱の回収に関する技術その他の廃熱の利用の促進を図るために必要な技術の開発に要する委託費の交付

六　エネルギーの使用の合理化のための技術の開発のために行われる資金の貸付けに係る利子補給金の交付

七　非化石エネルギーを製造し、若しくは発生させ、若しくは利用するための技術又は可燃性天然ガス及び石炭の利用の高度化のための技術のうち、当該技術に係る開発の状況からみてその実用化の推進を図ることが特に必要と認められるもので、経済産業省令・環境省令で定める要件に該当するものの開発に要する費用に係る補助金（第一号、第二号、第四号及び次号に該当するものを除く。）又は委託費（第一号、第四号、第五号及び次号に該当するものを除く。）の交付

八　エネルギーの使用の合理化のための技術のうち、当該技術に係る開発の状況からみてその実用化の推進を図ることが特に必要と認められるもので、経済産業省令・環境省令で定める要件に該当するものの開発に要する費用に係る補助金（第二号に該当するものを除く。）又は委託費の交付

9　法第八十五条第三項第二号に規定する措置で政令で定めるものは、次に掲げる措置とする。

一　可燃性天然ガス、石炭及び非化石エネルギーを利用する設備の設置、エネルギーの使用の合理化に資する設備の設置若しくは建築材料の使用又はエネルギーの使用の合理化のための技術の開発を促進するための情報の収集及び提供に要する費用に係る補助金（次号に該当するものを除く。）又は委託費の交付

二　国立研究開発法人新エネルギー・産業技術総合開発機構が行う可燃性天然ガス及び石炭の利用若しくは非化石エネルギーの開発及び利用又はエネルギーの使用の合理化を促

進するための情報の収集及び提供並びに技術に関する指導に要する費用に係る補助金の交付

三　非化石エネルギーを利用する設備又はエネルギーの使用の合理化に資する設備の設置の促進のために行う調査又は研究に要する費用に充てるための拠出金の拠出又は分担金の支出

（電源立地対策、電源利用対策及び原子力安全規制対策に係る財政上の措置等）

第五十一条　法第八十五条第四項に規定する財政上の措置で政令で定めるものは、次に掲げる措置とする。

一　発電用施設周辺地域整備法（昭和四十九年法律第七十八号。以下この項において「整備法」という。）第七条（整備法第十条第四項において準用する場合を含む。）の規定に基づく交付金（以下この節において「周辺地域整備交付金」という。）の交付

二　整備法第二条に規定する発電用施設（以下この条において「発電用施設」という。）のうち原子力発電施設若しくは原子力発電に使用される核燃料物質の再処理施設（以下この条において「再処理施設」という。）その他の原子力発電と密接な関連を有する施設（以下この節において「原子力発電施設等」と総称する。）の設置がその区域内において行われ、若しくは予定されている都道府県（以下この号並びに第七項第一号及び第六号において「所在都道府県」という。）又は所在都道府県に隣接する都道府県（経済産業大臣が定める基準に適合するものに限る。）に対して行うイに掲げる交付金の交付、再処理施設であって文部科学大臣が定める規模以上のもの（ロにおいて「大型再処理施設」という。）の設置がその区域内において行われ、又は予定されている都道府県に対して行うロに掲げる交付金の交付、所在都道府県に対して行うハに掲げる交付金の交付、所在都道府県又は原子力発電施設等の設置がその区域内において行われ、若しくは予定されている市町村（ニ及び第十号ロにおいて「所在市町村」という。）に隣接する市町村（整備法第四条第七項の規定による同意を得た同条第一項前段に規定する公共用施設整備計画が同項後段の規定により作成された場合にあっては同項後段に規定する市町村に該当する市町村を含み、整備法第十条第三項の規定による同意を得た同条第一項に規定する利便性向上等事業計画が同条第四項において準用する整備法第四条第一項後段の規定によって作成された場合にあっては同項後段に規定する市町村に該当する市町村を含む。ニ及び第十号ロにおいて「隣接市町村」という。）をその区域に含む都道府県に対して行うニに掲げる交付金の交付、所在都道府県若しくは原子力発電施設（国立研究開発法人日本原子力研究開発機構が設置するものを除く。）の設置（電気の安定供給の確保のため当該施設の設置が特に重要と認められるものに限る。）がその区域内において見込まれる都道府県又は原子力に関する知識の普及に係る事業を行う一般社団法人若しくは一般財団法人に対して行うホに掲げる交付金の交付及び原子力その他のエネルギーに関する教育に係る環境の整備を行う都道府県に対して行うヘに掲げる交付金の交付

イ　原子力発電施設から排出される温水による当該原子力発電施設の周辺の水域における影響の調査に要する費用に充てるための交付金

ロ　大型再処理施設から排出される放射性物質による当該大型再処理施設の周辺の地域における影響の調査に要する費用に充てるための交付金

ハ　原子力発電施設等の周辺の地域の住民に対する原子力発電に関する知識の普及、原子力発電施設等がこれらの周辺の地域の住民の生活に及ぼす影響に関する調査並びにこれらの施設の設置及び当該設置をした施設がその周辺の地域の住民の生活に及ぼす影響に関する連絡調整（ニにおいて「広報・調査等」という。）に要する費用（ホに規定する費用に該当するものを除く。以下この号において同じ。）に充てるための交付金

ニ　所在市町村又は隣接市町村が行う広報・調査等に要する費用についてこれらの市町村をその区域に含む都道府県が行う交付金の交付に要する費用に充てるための交付金

ホ　原子力発電施設等の周辺の地域の住民に対する原子力発電に関する知識の普及の用に供する施設の整備に要する費用に充てるための交付金

ヘ　学校教育法（昭和二十二年法律第二十六号）第一条に規定する学校（幼稚園、大学及び高等専門学校を除く。）における原子力その他のエネルギーに関する教育に係る教材、教具その他の設備の整備、教員等の研修その他の必要な措置に要する費用に充てるための交付金

三　本邦外に設置され、又はその設置が見込まれる原子力発電施設に関する業務に従事する者との原子力発電施設に関する技術の交流（当該交流のために行う設備の設置を含む。）に要する費用に係る補助金又は委託費の交付

四　発電用施設のうち地熱発電施設又は火力発電施設の安全性を実証するために要する費用に係る補助金又は委託費の交付

五　発電用施設のうち水力発電施設の周辺の地域の住民の安全の確保又は当該水力発電施設の設置により生ずる自然環境若しくは生活環境への影響の緩和のための技術の有効性を実証するために要する費用に係る委託費の交付

六　発電用施設の設置がその周辺の地域の環境に及ぼす影響又は発電用施設のうち原子力発電施設等若しくは水力発電施設の設置が予定されている地点の地質に関しあらかじめ行う調査であって、それぞれの施設を設置する者による調査の結果を評価するために必要な調査に要する費用に係る委託費の交付

七　発電用施設のうち水力発電施設の設置又は発電用施設のうち原子力発電施設、地熱発電施設若しくは火力発電施設

において行う冷却水の採取及び温水の排出がその周辺の水域の水産動植物に及ぼす影響の調査に要する費用に係る委託費の交付

八　立地市町村等（発電の用に供する施設の設置が行われ、若しくは行われることが見込まれる市町村、これに隣接する市町村若しくは当該隣接する市町村に隣接する市町村又はこれらの市町村をその区域内に含む都道府県をいう。以下この号及び第十七号において同じ。）における発電の用に供する施設の設置及び運転の円滑化に資する知識の普及又は次に掲げる措置若しくは事業（次条第一項第六号の定めるところにより当該措置又は事業に係る交付金の交付に関する事務を行う所管大臣が発電の用に供する施設の設置及び運転の円滑化に資するため特に必要であると認めるものに限る。）に要する費用に充てるため当該立地市町村等に対して行う交付金（第一号に該当するものを除く。）の交付

イ　発電用施設のうち原子力発電施設、地熱発電施設若しくは火力発電施設から排出される温水の有効な利用に関する調査、研修、広報若しくは試験研究の実施若しくは計画の策定に係る措置若しくはこれらを支援する事業又は発電用施設のうち原子力発電施設、地熱発電施設若しくは火力発電施設から排出される温水若しくは蒸気の有効な利用を行うための施設の整備若しくは運営を行う事業（当該事業のために行う温水又は蒸気の有効な利用に関する調査又は試験研究の実施又は計画の策定に係る措置を含む。）

ロ　立地市町村等の振興に関する計画の作成に係る措置

ハ　立地市町村等における医療機関等の整備又は運営その他の立地市町村等の住民の福祉の向上を図るための措置

ニ　立地市町村等への企業の導入その他の立地市町村等の産業の活性化に資する措置

ホ　原子力発電施設等の立地市町村等において小売電気事業者（電気事業法（昭和三十九年法律第百七十号）第二条第一項第三号に規定する小売電気事業者をいう。）、一般送配電事業者（同項第九号に規定する一般送配電事業者をいう。）又は登録特定送配電事業者（同法第二十七条の十九第一項に規定する登録特定送配電事業者をいう。）から電気の供給を受けている者に給付金を交付する者に対する当該給付金の交付のための措置

ヘ　立地市町村等の環境の保全に資する措置

ト　立地市町村等における教育、スポーツ及び文化の振興に資する措置

九　地方公共団体（港湾法（昭和二十五年法律第二百十八号）第四条第一項の規定による港務局を含む。以下この号及び第十七号において同じ。）が整備法第七条の規定に基づく交付金の交付を受けて整備した公共用施設（整備法第四条第一項に規定する公共用施設をいう。第十七号において同じ。）の運営に要する費用に充てるため当該地方公共団体に対して行う交付金の交付

十　次に掲げる事務費に充てるための交付金の交付

イ　整備法第四条第二項（整備法第十条第四項において読み替えて準用する場合を含む。）に規定する当該周辺地域をその区域に含む都道府県に対して行う整備法第四条第一項に規定する公共用施設整備計画及び整備法第十条第一項に規定する利便性向上等事業計画の作成又は変更並びに周辺地域整備交付金の交付に要する事務費

ロ　所在市町村又は隣接市町村をその区域に含む都道府県に対して行う第二号ニに規定する交付金の交付に要する事務費

ハ　発電の用に供する施設の設置が行われ、若しくは行われることが見込まれる市町村、これに隣接する市町村又は当該隣接する市町村に隣接する市町村をその区域に含む都道府県に対して行う第八号に規定する交付金の交付に要する事務費

十一　原子力発電施設等がその区域内において設置されている都道府県が行う放射線の利用若しくは原子力に係る基盤技術に関する試験研究（文部科学大臣が原子力発電施設等の設置及び運転の円滑化に資するため特に必要であると認めるものに限る。）又は当該試験研究の推進のための措置（文部科学大臣が原子力発電施設等の設置及び運転の円滑化に資するため特に必要であると認めるものに限る。）に要する費用に充てるため当該都道府県に対して行う交付金の交付

十二　原子力緊急事態（原子力災害対策特別措置法（平成十一年法律第百五十六号）第二条第二号に規定する原子力緊急事態をいう。）又はこれに相当する事態により原子力損害（原子力損害の賠償に関する法律（昭和三十六年法律第百四十七号）第二条第二項に規定する原子力損害をいう。）を発生させた原子力発電施設等又は加工施設（核原料物質、核燃料物質及び原子炉の規制に関する法律（昭和三十二年法律第百六十六号）第十三条第二項第二号に規定する加工施設（発電用施設周辺地域整備法施行令（昭和四十九年政令第二百九十三号。以下「整備法施行令」という。）第三条第八号から第十号までに該当するものを除く。）をいう。以下この号、第六項第六号及び第十三号並びに第七項第一号、第二号、第五号、第十六号、第十七号及び第十九号において同じ。）の設置がその区域内において行われていた都道府県に対して行う、当該区域内の経済社会若しくは住民の生活への当該事態による影響の防止若しくは緩和又はその影響からの回復を図るために行う事業（当該原子力発電施設等又は加工施設の周辺地域の住民、滞在者その他の者に対する健康診断又は心身の健康に関する相談の実施その他当該事態に係る対策として事後に行う医療に関する措置を含む。）に要する費用に充てるための交付金の交付

十三　原子力損害賠償・廃炉等支援機構に対して行う原子力損害賠償・廃炉等支援機構法第六十八条の規定に基づく交

付金の交付

十四　発電用施設の設置がその区域内において行われ、若しくは行われることが見込まれる市町村、これに隣接する市町村又は当該隣接する市町村に隣接する市町村の区域（設置が行われ、又は見込まれる発電用施設が原子力発電施設又は再処理施設である場合にあっては、当該区域の住民が通常通勤することができる地域を含む。）内における産業の振興に資する措置であって、これらの市町村その他次条第一項第六号の定めるところによりこの号に規定する補助金の交付に関する事務を行う所管大臣が定める者が行うものに要する費用に係る補助金の交付

十五　原子力発電施設等（国立研究開発法人日本原子力研究開発機構が設置するものに限る。）がその区域内において設置されている都道府県の区域内における科学技術の振興のための措置（文部科学大臣が原子力発電施設等の設置及び運転の円滑化に資するため特に必要であると認めるものに限る。）であって当該都道府県又は一般社団法人若しくは一般財団法人が行うものに要する費用に係る補助金の交付

十六　第二十号ヘに掲げる施設を使用して行う試験研究（経済産業大臣が原子力発電施設等の設置及び運転の円滑化に資するため特に必要であると認めるものに限る。）又は当該試験研究の推進のための措置（経済産業大臣が原子力発電施設等の設置及び運転の円滑化に資するため特に必要であると認めるものに限る。）に要する費用に係る補助金又は委託費の交付

十七　地方公共団体が整備法第七条の規定に基づく交付金の交付を受けて整備した公共用施設又は立地市町村等が第八号に掲げる交付金の交付を受けて整備した施設の災害復旧事業（他の法令に国の負担又は補助に関し別段の定めがあるものを除く。）に要する費用に係る補助金の交付

十八　海外における原子力発電施設等の円滑な設置に必要な知識の普及又は情報の提供に要する費用に係る補助金の交付

十九　原子力発電施設等の設置、改造、運転又は解体に係る業務に必要な技術又は知識に関する研修の実施に要する費用に係る補助金又は委託費の交付

二十　次に掲げる施設の設置に関する知識の普及（ロに掲げる施設にあっては、当該施設の設置が見込まれる地点（電気の安定供給の確保のため当該施設の設置が特に重要と認められる地点に限る。）の周辺の地域の住民に対するものに限る。）に要する費用に係る補助金（イに掲げる施設に係るものに限る。）又は委託費の交付及びイに掲げる施設の円滑な設置に資するための電力市場に関する調査、イに掲げる施設が設置されている地点若しくはその設置が見込まれる地点（電気の安定供給の確保のため当該施設の設置が特に重要と認められる地点に限る。）の周辺の地域の振興に資する先導的な施策であって当該地域の特性を生かしたものの普及の促進のために行うモデル事業又はイ若しくはロに掲げる施設が設置されている地点若しくはその設置が見込まれる地点（電気の安定供給の確保のため当該施設の設置が特に重要と認められる地点に限る。）、ハに掲げる施設が設置されている地点若しくはその設置が見込まれる地点若しくはヘ若しくはトに掲げる施設の設置が見込まれる地点の地域をその区域に含む地方公共団体が行う当該地域の振興に関する計画の作成に必要な情報の提供に要する費用に係る委託費の交付

イ　発電用施設のうち原子力発電施設（国立研究開発法人日本原子力研究開発機構が設置するものを除く。）

ロ　発電用施設のうち、水力発電施設、地熱発電施設又は火力発電施設

ハ　発電用施設のうち、再処理施設、軽水型実用発電用原子炉において使用される混合酸化物燃料（ウランの酸化物及びプルトニウムの酸化物を含む核燃料物質をいう。第四項第六号において同じ。）の加工施設、実用ウラン濃縮施設、使用済燃料の貯蔵施設（原子力発電施設、発電用原子炉に燃料として使用された核燃料物質の再処理施設及び試験検査施設、使用済燃料の再処理施設に係る安全性に関する研究の用に供される施設（国立研究開発法人日本原子力研究開発機構が設置するものに限る。）又は高速増殖炉に燃料として使用された核燃料物質の再処理に必要な技術を実証するための施設（国立研究開発法人日本原子力研究開発機構が設置するものに限る。）に付随するものを除く。）又は廃棄施設（原子力発電施設から生ずる放射性廃棄物の廃棄施設に限るものとし、原子力発電施設を設置した工場又は事業所内におけるもので、主として当該工場又は事業所において生ずる放射性廃棄物を廃棄するためのものを除く。第二十四号において同じ。）

ニ　発電用施設のうち高速増殖炉（国立研究開発法人日本原子力研究開発機構が設置するものに限る。）

ホ　発電用施設のうち、整備法施行令第三条第二号若しくは第三号に掲げる施設又は新型転換炉に燃料として使用される核燃料物質の加工施設（国立研究開発法人日本原子力研究開発機構が設置するものに限る。）

ヘ　使用済燃料から核燃料物質その他の有用物質を分離した後に残存する放射性廃棄物を固型化した物の地層における最終的な処分に関する研究の用に供される施設（国立研究開発法人日本原子力研究開発機構が設置するものに限る。）

ト　発電用施設のうち特定放射性廃棄物の最終処分に関する法律（平成十二年法律第百十七号）第二条第十四項に規定する最終処分施設

二十一　原子力発電施設等がその区域内において設置されている都道府県の区域内における放射線の利用に関する技術又は原子力に係る基盤技術の普及に要する費用に係る委託

費の交付

二十二　第二十号イからハまで若しくはトに掲げる発電用施設（国立研究開発法人日本原子力研究開発機構が設置する再処理施設を除く。）の周辺地域（当該発電用施設の設置がその区域内において行われ、又は予定されている市町村の区域及びこれに隣接する市町村の区域をいう。以下この号において同じ。）又は当該発電用施設の周辺地域に隣接する市町村（経済産業大臣が当該発電用施設の設置及び運転の円滑化に資するためこの号に規定する措置の対象とすることが特に必要であると認めるものに限る。）の区域内において行う工業団地（製造業及びこれに関連する事業に係る工場又は事業場の用に供するための敷地並びにこれに隣接し、緑地、道路その他の施設の用に供するための敷地として計画的に取得され、又は造成される一団の土地をいう。）の取得、造成、管理又は譲渡に要する資金に充てるための地方債又は借入金について、地方公共団体その他経済産業大臣が定める者に対して行う利子補給金の交付

二十三　原子力発電施設等の設置の必要性に関する知識の普及を図るための調査であって国際原子力機関が行うものに要する費用に充てるための拠出金の拠出

二十四　原子力発電、ウラン濃縮、原子力発電に使用される核燃料物質の再処理及び放射性廃棄物の廃棄に関する調査（発電用施設のうち、原子力発電施設、実用ウラン濃縮施設、再処理施設又は廃棄施設の設置の必要性に関する知識の普及を図るためのものに限る。）に要する費用に充てるための拠出金の拠出

2　法第八十五条第五項第一号ロに規定する業務で政令で定めるものは、次に掲げる業務とする。

一　高速増殖炉及び新型転換炉（これらの実験炉を除く。）に関する開発並びにこれに必要な研究（基礎的なものを除く。）

二　原子力発電に使用される核燃料物質の再処理に関する技術の開発（基礎的なものを除く。）

三　ウラン濃縮に関する技術の開発（基礎的なものを除く。）

3　法第八十五条第五項第一号ニに規定する補助で政令で定めるものは、次に掲げる措置とする。

一　発電用施設による電気の供給の円滑化を図る上で効果を有する設備であって電気を変換して得られる熱を利用するもの又は発電用施設による電気の供給の円滑化を図る上で効果を有する電力の貯蔵を行うための設備の設置若しくは改造に要する費用に係る補助金の交付

二　国立研究開発法人日本原子力研究開発機構が行う前項各号に掲げる業務の実施に必要な施設の設置又は改造に要する費用に係る補助金の交付

4　法第八十五条第五項第一号ホに規定する補助で政令で定めるものは、次に掲げる措置とする。

一　実用発電用原子炉施設の改良のための技術の開発に要する費用に係る補助金（第十一号に該当するものを除く。）又は委託費（同号に該当するものを除く。）の交付

二　高速増殖炉（実証炉に限る。）を利用する原子力発電施設の設置を促進するために行う技術の開発（国立研究開発法人日本原子力研究開発機構が行うものを除く。）及び新型転換炉（実証炉に限る。）を利用する原子力発電施設の設置を促進するために行う技術の開発（法第八十五条第五項第一号ロに規定する出資を受けて国立研究開発法人日本原子力研究開発機構が行うものを除く。）に要する費用に係る委託費の交付

三　研究開発段階にある新型原子炉（実証炉を除く。）に関する技術の開発に要する費用に係る委託費の交付

四　実用発電用原子炉施設の燃料に用いるウラン濃縮に関する技術の開発（国立研究開発法人日本原子力研究開発機構が行うものを除く。）に要する費用に係る補助金又は委託費の交付

五　原子力発電に使用される核燃料物質の原子炉における燃料としての使用、再処理又は加工に関する技術の開発に要する費用に係る補助金又は委託費（次号に該当するものを除く。）の交付

六　軽水型実用発電用原子炉において使用される混合酸化物燃料の加工に関する技術の開発に要する費用に係る補助金又は委託費の交付

七　原子力発電施設等から生ずる放射性廃棄物の廃棄に関する技術の開発に要する費用に係る補助金又は委託費の交付

八　原子力発電施設等から生ずる使用済燃料の管理に関する技術の開発に要する費用に係る委託費の交付

九　原子炉施設の解体に関する技術の開発に要する費用に係る補助金又は委託費の交付

十　再処理施設の解体に関する技術の開発に要する費用に係る委託費の交付

十一　原子力発電施設等における被ばく放射線量の低減のための技術の開発に要する費用に係る補助金又は委託費の交付

十二　発電用施設の設置又は改造を促進するための技術のうち、当該技術に係る開発の状況からみてその実用化の推進を図ることが特に必要と認められるもの（基礎的なものを除く。）で経済産業省令で定める要件に該当するものの開発に要する費用に係る補助金（第一号、第四号、第六号、第七号及び前号に該当するものを除く。）又は委託費（前各号に該当するものを除く。）の交付

5　法第八十五条第五項第二号に規定する措置で政令で定めるものは、発電用施設の安全を確保するための規制の措置を適正に実施するために必要な審査、検査等に係る措置とする。

6　法第八十五条第五項第三号に規定する措置で政令で定めるものは、次に掲げる措置とする。

一　新型発電用原子炉の利用に関する調査に要する費用に係る委託費の交付

二　ウラン濃縮又は原子力発電に使用される核燃料物質の再処理の国産化及びこれに必要な基盤技術（材料、情報処理

及びレーザー発振器に係るもの並びに被ばく放射線量の評価又は低減に係るものに限る。）に関する調査に要する費用に係る補助金又は委託費の交付

三　原子力発電により生ずるプルトニウム及びその化合物の本邦外から本邦への引取りを円滑に行うために必要となる措置並びに再処理施設に係る保障措置の適用に関し原子力発電に使用される核燃料物質の再処理を円滑に行うために必要となる措置に関する調査に要する費用に係る委託費の交付

四　原子力発電施設等から生ずる放射性廃棄物の適正な廃棄に関する調査に要する費用に係る委託費の交付

五　原子力発電施設等に係る保障措置に関する調査（第十三号に規定する拠出金の拠出により行うものを除く。）に要する費用に係る委託費の交付

六　原子力発電施設等又は加工施設に係る原子力損害の賠償制度に関する調査（第十三号に規定する拠出金の拠出により行うものを除く。）に要する費用に係る委託費の交付

七　海外におけるウラン鉱の探鉱に要する費用に係る補助金の交付

八　原子力の分野における人材の育成に資する事業に要する費用に係る補助金又は委託費の交付

九　原子力発電に使用される核燃料物質の貯蔵に要する費用に係る補助金の交付

十　原子力発電に使用される核燃料物質の輸送経路の利用可能性を実証するために要する費用に係る補助金の交付

十一　発電用施設による電気の供給の円滑化を図る上で効果を有する設備であって電気を変換して得られる熱を利用するもの又は発電用施設による電気の供給の円滑化を図る上で効果を有する電力の貯蔵を行うための設備の普及の促進に要する費用に係る補助金又は委託費の交付

十二　発電用施設の利用の促進又は発電用施設による電気の供給の円滑化を図るために必要な技術の動向及びその実用化の可能性に関する調査に要する費用に係る補助金又は委託費（第一号から第六号までに該当するものを除く。）の交付

十三　原子力発電施設等又は加工施設の利用の促進に関する調査に要する費用に充てるための拠出金の拠出

7　法第八十五条第六項に規定する措置で政令で定めるものは、次に掲げる措置とする。

一　原子力発電施設等、加工施設若しくは試験研究炉等（原子力基本法（昭和三十年法律第百八十六号）第三条第四号に規定する原子炉であって試験研究の用に供するもの（核原料物質、核燃料物質及び原子炉の規制に関する法律施行令（昭和三十二年政令第三百二十四号）第一条第一号又は第二号に該当するもの及び船舶に設置するものを除く。）又は核原料物質、核燃料物質及び原子炉の規制に関する法律第五十二条第二項第十号に規定する使用施設等であって、原子力災害対策特別措置法第二条第四号に規定する原子力事業所に設置されるもののうち、整備法施行令第三条第一号、第二号、第六号、第七号又は第十号に該当するもの以外のものをいう。以下この号、第五号、第十六号及び第十九号において同じ。）の設置がその区域内において行われ、若しくは予定されている都道府県又は当該都道府県に隣接する都道府県（次条第一項各号の定めるところによりイ又はロに掲げる交付金の交付に関する事務を行う所管大臣が定める基準に適合するものに限る。）に対して行うイ又はロに掲げる交付金の交付及び所在都道府県又は所在都道府県に隣接する都道府県（環境大臣が定める基準に適合するものに限る。）に対して行うハに掲げる交付金の交付

イ　原子力発電施設等、加工施設又は試験研究炉等による災害が発生するおそれがあり、又は発生した場合の緊急時における当該原子力発電施設等、加工施設又は試験研究炉等の周辺の地域の住民の安全の確保のためにあらかじめ講ぜられる措置に要する費用に充てるための交付金

ロ　原子力発電施設等、加工施設又は試験研究炉等の周辺の地域における放射線監視施設の設置及び運営に要する費用に充てるための交付金

ハ　原子力発電施設等の周辺の地域における地震に関する観測並びに土地及び水域の測量を行うための施設の設置及び運営又は地震に関する情報の収集及び整理並びに原子力発電施設等の周辺の地域の住民に対する地震に関する情報の提供に要する費用に充てるための交付金

二　原子力事故（原子炉の運転等（原子力損害の賠償に関する法律第二条第一項に規定する原子炉の運転等をいう。）に起因する事故をいう。第九号及び第十一号において同じ。）を発生させた原子力発電施設等又は加工施設の設置がその区域内において行われていた都道府県に対して行う、当該原子力発電施設等又は加工施設の周辺地域の住民、滞在者その他の者に対する健康の管理その他健康被害の防止を図るために行う事業に要する費用に充てるための交付金の交付

三　原子力発電施設等の安全の確保のために行われる措置若しくは業務、第十二号に規定する措置又は第十三号に規定する放射線監視に従事し、又は従事することが予定されている者のための研修の実施に要する費用に係る補助金又は委託費の交付

四　原子力発電施設等の安全性、原子力発電に使用される核燃料物質の運搬容器若しくは原子力発電施設等から生ずる使用済燃料の運搬容器の安全性又は原子力発電施設等から生ずる放射性廃棄物の廃棄に係る安全性を実証するために要する費用に係る補助金又は委託費の交付

五　原子力発電施設等、加工施設又は試験研究炉等による災害が発生するおそれがあり、又は発生した場合の緊急時における当該原子力発電施設等、加工施設又は試験研究炉等の周辺の地域の住民の円滑な避難の確保のためにあらかじめ講ぜられる措置に要する費用に係る補助金の交付

六　原子力発電施設等による災害が発生するおそれがあり、又は発生した場合における当該原子力発電施設等の周辺の地域の住民の安全の確保のために講ぜられる措置（所在都道府県又は所在都道府県に隣接する都道府県の地域に係る地域防災計画（災害対策基本法（昭和三十六年法律第二百二十三号）第二条第十号に掲げる地域防災計画をいう。）に定めるものに限る。）に関する調査に要する費用に係る委託費の交付

七　発電用施設のうち、原子力発電施設（国立研究開発法人日本原子力研究開発機構が設置するものに限る。）及び再処理施設その他の原子力発電と密接な関連を有する施設（整備法施行令第三条第六号及び第七号に掲げる施設を除く。）の運転の管理に係る安全性に関する調査に要する費用に係る委託費の交付

八　原子力発電施設等の安全の確保のための規制に関する知識の普及に要する費用に係る委託費の交付

九　原子力事故により放出された放射性物質又は放射線による健康被害の防止に要する費用に係る委託費の交付

十　原子力発電施設等から生ずる放射性廃棄物の廃棄に関する安全の確保のための規制に関する調査に要する費用に係る委託費の交付

十一　原子力事故により放出された放射性物質による環境の汚染の状況を把握するための監視及び測定に要する費用に係る委託費の交付

十二　放射線量の測定及び被ばく者の救助その他の医療に係る措置に関する調査に要する費用に係る委託費の交付

十三　第一号ロに掲げる交付金の交付を受けた都道府県による放射能調査と相互にその結果を比較するために行う放射能調査及び当該都道府県による放射線監視の結果を収集して行う放射線に関する調査に要する費用に係る委託費の交付

十四　原子力発電施設等の周辺の海域における放射能に関する調査に要する費用に係る委託費の交付

十五　原子力発電施設等における放射線業務に従事し、又は従事したことのある者に対して行う放射線による人体への影響に関する調査に要する費用に係る委託費の交付

十六　原子力発電施設等、加工施設又は試験研究炉等による災害が発生するおそれがあり、又は発生した場合における当該原子力発電施設等、加工施設又は試験研究炉等の周辺の地域の住民の安全の確保のために講ずる措置を適正に実施するために必要な研修の実施に要する費用に係る委託費の交付

十七　原子力発電施設等又は加工施設の安全の確保に関する調査に要する費用に充てるための拠出金の拠出

十八　原子力発電施設等の安全を確保するための規制の措置を適正に実施するために必要な審査、検査等に係る措置

十九　原子力発電施設等、加工施設又は試験研究炉等による災害が発生するおそれがあり、又は発生した場合における当該原子力発電施設等、加工施設又は試験研究炉等の周辺の地域の住民の安全の確保のために講ずる措置を適正に実施するために必要な調査、研修、講習、訓練及び体制の整備に係る措置

（エネルギー対策特別会計の所管大臣の所掌区分等）

第五十二条　エネルギー対策特別会計の管理に関する事務は、次の各号に掲げる区分に応じ、当該各号に定める所管大臣が行うものとする。

一　エネルギー需給勘定に係る次に掲げる事務　経済産業大臣

イ　法第八十五条第二項及び第三項第一号イからホまでに掲げる措置に関する事務

ロ　第五十条第七項第一号から第九号までに規定する補助金、委託費又は利子補給金の交付、同条第八項第一号から第六号までに規定する補助金、委託費その他の給付金の交付及び同条第九項第二号に規定する補助金の交付に関する事務

二　エネルギー需給勘定に係る第五十条第七項第十号及び第十一号、第八項第七号及び第八号並びに第九項第一号及び第三号に規定する費用に係る補助金、委託費、交付金若しくは利子補給金の交付、拠出金の拠出又は分担金の支出に関する事務　経済産業省令・環境省令で定める区分に応じ、経済産業大臣又は環境大臣

三　電源開発促進勘定に係る事務のうち、前条第七項第一号イに掲げる交付金並びに同項第五号、第六号及び第十六号に規定する補助金又は委託費の交付に関する事務　内閣総理大臣

四　電源開発促進勘定に係る事務のうち、前条第七項第十九号に規定する措置に関する事務　内閣府令・環境省令で定める区分に応じ、内閣総理大臣又は環境大臣

五　電源開発促進勘定に係る次に掲げる事務　文部科学大臣

イ　前条第一項第二号ロ及びヘに掲げる交付金並びに同項第十一号、第十五号及び第二十一号に規定する補助金、委託費又は交付金の交付に関する事務

ロ　法第八十五条第五項第一号ロに規定する国立研究開発法人日本原子力研究開発機構に対する出資又は交付金の交付に関する事務

ハ　前条第三項第二号に規定する補助金並びに同条第四項第三号及び第六項第六号に規定する委託費の交付に関する事務

六　電源開発促進勘定に係る次に掲げる事務　文部科学省令・経済産業省令で定める区分に応じ、文部科学大臣又は経済産業大臣

イ　周辺地域整備交付金の交付に関する事務のうち、国立研究開発法人日本原子力研究開発機構が設置する原子力発電施設等に係るもの

ロ　前条第一項第三号、第八号、第十二号、第十四号、第十九号及び第二十号に規定する補助金、委託費又は交付

金の交付並びに同項第二十三号及び第二十四号に規定する拠出金の拠出に関する事務

ハ　前条第一項第二号ハからホまでに掲げる交付金並びに同項第九号及び第十号に規定する交付金の交付に関する事務のうち、イに規定する原子力発電施設等に係るもの

ニ　前条第四項第九号から第十一号まで並びに第六項第二号及び第八号に規定する補助金又は委託費の交付に関する事務

ホ　前条第四項第五号及び第六号並びに第六項第三号に規定する補助金又は委託費の交付並びに同項第十三号に規定する拠出金の拠出に関する事務（第八号イに掲げる事務を除く。）

七　電源開発促進勘定に係る次に掲げる事務　経済産業大臣

イ　周辺地域整備交付金の交付に関する事務のうち、前号イに掲げる事務以外のもの

ロ　前条第一項第二号イに掲げる交付金並びに同項第五号から第七号まで、第十三号、第十六号から第十八号まで及び第二十二号に規定する補助金、委託費、交付金又は利子補給金の交付に関する事務

ハ　前条第一項第二号ハからホまでに掲げる交付金の交付に関する事務のうち、前号イに規定する原子力発電施設等に係るもの以外のもの

ニ　前条第一項第四号に規定する補助金又は委託費の交付に関する事務

ホ　前条第一項第九号及び第十号に規定する交付金の交付に関する事務のうち、前号イに規定する原子力発電施設等に係るもの以外のもの

ヘ　法第八十五条第五項第一号イに規定する交付金の交付に関する事務

ト　法第八十五条第五項第一号ハに掲げる措置に関する事務

チ　前条第三項第一号に規定する補助金、同条第四項第一号、第二号、第四号、第七号、第八号及び第十二号に規定する補助金又は委託費並びに同条第六項第一号、第四号、第七号及び第九号から第十二号までに規定する補助金又は委託費の交付並びに同条第五項に規定する措置に関する事務

八　電源開発促進勘定に係る次に掲げる事務　環境大臣

イ　前条第四項第五号及び第六号並びに第六項第三号に規定する補助金又は委託費の交付並びに同項第十三号に規定する拠出金の拠出に関する事務のうち、保障措置に係るもの

ロ　前条第六項第五号に規定する委託費の交付に関する事務

ハ　前条第七項第一号ロ及びハに掲げる交付金並びに同項第二号から第四号まで及び第七号から第十五号までに規定する補助金、委託費又は交付金の交付に関する事務、同項第十七号に規定する拠出金の拠出に関する事務並びに同項第十八号に規定する措置に関する事務

九　原子力損害賠償支援勘定に係る事務　経済産業大臣

2　前項各号に掲げる事務以外のエネルギー対策特別会計の管理に関する事務のうち、一般会計からの繰入れ、予備費の管理、法第十一条の規定による余裕金の預託、法第十七条第一項及び第九十二条の四第一項の規定による国債整理基金特別会計への繰入れ、法第十七条第二項及び第九十二条の四第二項の規定による一般会計への繰入れ、周辺地域整備資金の管理その他エネルギー対策特別会計に属する現金の受入れ又は支払及び同会計全体の歳出に係る支払元受高の管理に関するものは同会計の所管大臣（エネルギー需給勘定に係るものについては内閣総理大臣及び文部科学大臣を除く。以下この項において同じ。）が協議して定めるところにより経済産業大臣が行い、その他のものは所管大臣の全部が行うものとする。

（電源開発促進勘定の歳入及び歳出等の区分）

第五十三条　法第八十九条に規定する整理は、歳入及び歳出並びに資産及び負債の性質又は目的に従って、所管大臣が財務大臣と協議するところにより行うものとする。

（剰余金の周辺地域整備資金への組入れ）

第五十四条　法第九十二条第三項に規定する費用で政令で定めるものは、第五十一条第一項第八号及び第九号に掲げる財政上の措置に要する費用とする。

2　法第九十二条第三項に規定する政令で定める金額は、エネルギー対策特別会計の電源開発促進勘定において、毎会計年度の歳入歳出の決算上の剰余金のうち、周辺地域整備交付金並びに第五十一条第一項第二号ニ、第十五号及び第十六号に掲げる財政上の措置に係る歳出予算における支出残額に相当する金額を限度として、財政法第十四条の三第一項及び第四十二条ただし書の規定により繰り越して使用されるものを除いて、周辺地域整備交付金並びに第五十一条第一項第二号ニ、第十五号及び第十六号に掲げる財政上の措置の見込額等を勘案し、経済産業大臣が財務大臣に協議して定める金額とする。

第六節　労働保険特別会計

（他の勘定への繰入れ）

第五十五条　法第百二条第一項の政令で定める額は、労働保険の保険料の徴収等に関する法律（昭和四十四年法律第八十四号。以下この項において「徴収法」という。）第二十一条第一項の追徴金及び徴収法第二十八条第一項の延滞金の額のうち労災保険に係る労働保険料の額（徴収法第十条第二項第一号の一般保険料の額のうち徴収法第十二条第二項の労災保険率に応ずる部分の額、徴収法第十条第二項第二号の第一種特別加入保険料の額、同項第三号の第二種特別加入保険料の額、同項第三号の二の第三種特別加入保険料の額及び法第九十九条第三項第一号イの労災保険の特別保険料の額をいう。第三項において同じ。）に係る部分の額と徴収法第二十一条第一項及び第二十五条第二項の追徴金並びに徴収法第二十八条第一項の延滞金以外の附属雑収入の額のうち厚生労働大臣が財務大臣に協議して定める額との合計額とする。

2　法第百二条第二項の政令で定める額は、附属雑収入の額から前項の合計額を控除した額とする。

3　法第百二条第三項の規定により労働保険特別会計の労災勘定から同会計の徴収勘定へ繰り入れる金額は、同勘定の歳出に係る労働保険料の返還金の額のうち労災保険に係る労働保険料の額に係る部分の額並びに同勘定の歳出に係る業務取扱費及び附属諸費の額のうち厚生労働大臣が財務大臣に協議して定める額の合計額とする。

4　法第百二条第三項の規定により労働保険特別会計の雇用勘定から同会計の徴収勘定へ繰り入れる金額は、同勘定の歳出に係る労働保険料の返還金、業務取扱費及び附属諸費の額から前項の合計額を控除した額とする。

（積立金等からの補足）

第五十六条　法第百三条第二項に規定する政令で定める場合は、労働保険特別会計の労災勘定の毎会計年度の収納済歳入額から支出済歳出額、歳出の翌年度への繰越額、未経過保険料（未経過特別保険料を含む。次項において同じ。）及び支払備金に相当する金額を控除して不足する場合とし、同条第二項の規定により同勘定の積立金から補足する金額は、当該不足する額に相当する金額とする。

2　前項に規定する未経過保険料及び支払備金の計算は、厚生労働大臣が財務大臣に協議して定める。

3　法第百三条第四項に規定する政令で定める場合は、労働保険特別会計の雇用勘定の毎会計年度の第一号に掲げる額から第二号に掲げる額を控除して不足する場合とし、同項の規定により同勘定の積立金から補足する金額は、当該不足する額に相当する金額とする。

一　収納済歳入額（育児休業給付に係る歳入額（次項において「育児休業給付費充当歳入額」という。）並びに雇用安定事業及び能力開発事業（雇用保険法（昭和四十九年法律第百十六号）第六十三条に規定するものに限る。）（次号において「二事業」という。）に係る歳入額（第五項において「二事業費充当歳入額」という。）の合計額を控除した残りの額とする。）

二　次に掲げる額の合計額

イ　支出済歳出額（育児休業給付に係る歳出額（以下この条において「育児休業給付費充当歳出額」という。）及び二事業に係る歳出額（以下この条において「二事業費充当歳出額」という。）の合計額を控除した残りの額とする。）

ロ　歳出の翌年度への繰越額（育児休業給付費充当歳出額に係る繰越額及び二事業費充当歳出額に係る繰越額の合計額を控除した残りの額とする。）

ハ　法第百五条に規定する超過額に相当する金額（以下この条において「超過額相当額」という。）（育児休業給付に係る超過額相当額を控除した残りの額とする。）

4　法第百三条の二第四項に規定する政令で定める場合は、労働保険特別会計の雇用勘定の毎会計年度の収納済みの育児休業給付費充当歳入額から支出済みの育児休業給付費充当歳出額、育児休業給付費充当歳出額に係る歳出の翌年度への繰越額及び育児休業給付に係る超過額相当額を控除して不足する場合とし、同項の規定により育児休業給付資金から補足する金額は、当該不足する額に相当する金額とする。

5　法第百四条第四項に規定する政令で定める場合は、労働保険特別会計の雇用勘定の毎会計年度の収納済みの二事業費充当歳入額から支出済みの二事業費充当歳出額及び二事業費充当歳出額に係る歳出の翌年度への繰越額を控除して不足する場合とし、同項の規定により雇用安定資金から補足する金額は、当該不足する額に相当する金額とする。

（年金特別会計の所管大臣の所掌区分等）

第五十六条の二　年金特別会計の管理に関する事務のうち子ども・子育て支援勘定に係るものは、次の各号に掲げる区分に応じ、当該各号に定める所管大臣が行うものとする。

一　次に掲げる事務　内閣総理大臣

イ　児童手当交付金の交付に関する事務

ロ　子ども・子育て支援法（平成二十四年法律第六十五号）第六十八条第一項の規定による交付金（第六十条第三項において「子どものための教育・保育給付交付金」という。）及びこれに関する諸費に要する経費の交付並びに子育てのための施設等利用給付交付金（同法第六十八条第二項の規定による交付金をいい、同法第六十六条の二の規定により国庫が支弁する費用を含む。）の交付に関する事務

ハ　子ども・子育て支援法第六十八条第三項の規定による交付金（以下「子ども・子育て支援交付金」という。）の交付及び同法第五十九条の二第一項の規定による補助金の交付に関する事務

ニ　一般会計からの繰入れ、予備費の管理、法第十一条の規定による余裕金の預託、法第十七条第一項の規定による国債整理基金特別会計への繰入れ、法第百十四条第八項の規定による業務勘定への繰入れ、法第百十八条の規定による積立金の管理その他子ども・子育て支援勘定に属する現金の受入れ又は支払に関する事務（次号に掲げる事務を除く。）

二　子ども・子育て支援法第六十九条第一項各号に掲げる者からの拠出金の徴収に関する事務　厚生労働大臣

2　内閣総理大臣は、前項第一号ニの事務を行うに当たっては、年金特別会計の所管大臣が協議して定めるところにより行うものとする。

3　第一項各号に掲げる事務以外の年金特別会計の管理に関する事務のうち、同会計全体の歳出に係る支払元受高の管理に関するものは同会計の所管大臣が協議して定めるところにより厚生労働大臣が行い、その他のものは厚生労働大臣が行うものとする。

第七節　年金特別会計

（国民年金勘定における積立金からの補足）

第五十七条　法第百十五条第二項に規定する政令で定める場合は、年金特別会計の国民年金勘定の毎会計年度の収納済歳入額から支出済歳出額、歳出の翌年度への繰越額及び法第百二十条第二項において準用する同条第一項第一号に規定する超過額に相当する金額（同条第二項第一号及び第四号に係るものに限る。）を控除して不足する場合とし、法第百十五条第二項の規定により同勘定の積立金から補足する金額は、当該不足する額に相当する金額とする。

（厚生年金勘定における積立金からの補足）

第五十八条　法第百十六条第二項に規定する政令で定める場合は、年金特別会計の厚生年金勘定の毎会計年度の収納済歳入額から支出済歳出額、歳出の翌年度への繰越額及び法第百二十条第二項において準用する同条第一項第一号に規定する超過額に相当する金額（同条第二項第二号及び第五号から第七号までに係るものに限る。）を控除して不足する場合とし、法第百十六条第二項の規定により同勘定の積立金から補足する金額は、当該不足する額に相当する金額とする。

第五十九条　削除

（子ども・子育て支援勘定における積立金からの補足）

第六十条　法第百十八条第二項に規定する政令で定める場合は、年金特別会計の子ども・子育て支援勘定の毎会計年度の収納済歳入額から支出済歳出額、歳出の翌年度への繰越額及び法第百二十条第二項において準用する同条第一項第一号に規定する超過額に相当する金額（同条第二項第三号に係るものに限る。）を控除して不足する場合とし、法第百十八条第二項の規定により同勘定の積立金から補足する金額は、当該不足する額のうち、子ども・子育て支援法第六十九条第一項各号に掲げる者からの拠出金に係るものに相当する金額とする。

2　前項の拠出金に係るものの範囲は、内閣総理大臣が財務大臣に協議して定める。

3　年金特別会計の子ども・子育て支援勘定の積立金は、児童手当法（昭和四十六年法律第七十三号）第十八条第一項に規定する被用者に係る児童手当交付金、子どものための教育・保育給付交付金並びに子ども・子育て支援交付金及び仕事・子育て両立支援事業費の財源に充てるために必要がある場合には、予算で定める金額を限り、同勘定の歳入に繰り入れることができる。

（業務勘定における剰余金の処理に関する計算等）

第六十一条　法第百十九条の年金特別会計の業務勘定における剰余金の処理の方法は、厚生労働大臣が財務大臣に協議して定める。

第八節　食料安定供給特別会計

（業務勘定における損益の整理）

第六十二条　食料安定供給特別会計の業務勘定において、毎会計年度の損益計算上生じた利益又は損失は、農林水産大臣が財務大臣に協議して定めるところにより当該年度の利益又は損失として処理することが適当と認められる限度において、同会計の食糧管理勘定に移して整理するものとする。

（主要食糧の価格の改定）

第六十三条　食料安定供給特別会計の食糧管理勘定において保有する主要食糧の価格は、毎会計年度、三月三十一日の市価に準拠して改定しなければならない。

（積立金からの補足）

第六十四条　法第百三十四条第二項に規定する政令で定める場合は、次の各号に掲げる食料安定供給特別会計の勘定の区分に応じ、当該各号に定める場合とし、同項の規定により当該各勘定の積立金から補足する金額は、それぞれ当該不足する額に相当する金額とする。

一　農業再保険勘定　毎会計年度の収納済歳入額から支出済歳出額、歳出の翌年度への繰越額、未経過再保険料（未経過保険料を含む。）に相当する金額及び支払備金に相当する金額を控除して不足する場合

二　漁船再保険勘定　毎会計年度の収納済歳入額から支出済歳出額、歳出の翌年度への繰越額、未経過再保険料に相当する金額及び支払備金に相当する金額を控除して不足する場合

三　漁業共済保険勘定　毎会計年度の収納済歳入額から支出済歳出額、歳出の翌年度への繰越額、未経過保険料に相当する金額及び支払備金に相当する金額を控除して不足する場合

2　前項各号に規定する未経過再保険料、未経過保険料及び支払備金の計算は、農林水産大臣が財務大臣に協議して定める。

第九節　自動車安全特別会計

（自動車事故対策勘定の損益計算上の利益及び損失の額の算定方法）

第六十五条　法第二百十八条第二項に規定する損益計算上の利益として政令で定めるところにより算定した金額は、第一号に掲げる金額から第二号に掲げる金額を控除した金額が零を上回る場合における当該上回る金額とする。

一　当該会計年度における次に掲げるものの合計額

イ　被害者保護増進等事業（法第二百十八条第二項に規定する被害者保護増進等事業をいう。以下この項において同じ。）に充てるための自動車事故対策事業賦課金（自動車損害賠償保障法（昭和三十年法律第九十七号。次号において「自賠法」という。）第七十八条に規定する自動車事故対策事業賦課金をいう。）

ロ　平成六年度における財政運営のための国債整理基金に充てるべき資金の繰入れの特例等に関する法律（平成六年法律第四十三号）第七条第二項及び平成七年度における財政運営のための国債整理基金に充てるべき資金の繰入れの特例等に関する法律（平成七年法律第六十号）第十条第二項の規定による一般会計からの繰入金のうち、被害者保護増進等事業に係るもの

ハ　イ及びロに掲げるもののほか、自動車事故対策勘定の益金のうち被害者保護増進等事業に係るものとして国土交通省令で定めるもの

二　当該会計年度における次に掲げるものの合計額

イ　自賠法第七十七条の四の規定による交付金

ロ　自賠法第七十七条の四の規定による補助金

ハ　イ及びロに掲げるもののほか、自動車事故対策勘定の損金のうち被害者保護増進等事業に係るものとして国土交通省令で定めるもの

2　法第二百十八条第三項に規定する損益計算上の損失として政令で定めるところにより算定した金額は、前項第一号に掲げる金額から同項第二号に掲げる金額を控除した金額が零を下回る場合における当該下回る金額とする。

第十節　東日本大震災復興特別会計

（歳入歳出予定計算書等の内容の特例）

第六十六条　第八条第一項の規定にかかわらず、東日本大震災復興特別会計の歳入歳出予定計算書は、歳入にあっては、その性質に従ってその金額を款及び項に区分し、更に、各項の金額を各目に区分し、見積りの理由及び計算の基づくところを示し、歳出にあっては、部局等ごとに歳出の金額を分ち、部局等のうちにおいては、これを事項別に区分し、経費要求の説明、当該事項に対する項の金額等を示さなければならない。

2　第八条第二項の規定にかかわらず、東日本大震災復興特別会計の繰越明許費要求書は、繰越明許費について、歳出予算に定める部局等ごとの区分に従い、事項ごとにその必要の理由を明らかにするとともに、繰越しを必要とする経費の項の名称を示さなければならない。

3　第八条第三項の規定にかかわらず、東日本大震災復興特別会計の国庫債務負担行為要求書は、国庫債務負担行為について部局等ごとの区分を設け、更に事項ごとにその必要な理由を明らかにし、かつ、これをする年度及び債務負担の限度額を明らかにし、必要に応じてこれに基づいて支出をすべき年度、年限又は年割額を示さなければならない。

（東日本大震災復興特別会計の所掌区分等）

第六十七条　東日本大震災復興特別会計の管理に関する事務は、次の各号に掲げる区分に応じ、当該各号に定める所管大臣が行うものとする。

一　法第二百二十二条第二項に規定する復興事業に関する事務　当該復興事業を所管する所管大臣

二　復興特別所得税及び復興特別法人税の収入の受入れ、法第二百二十七条の規定による一般会計からの繰入れ並びに東日本大震災からの復興のための施策を実施するために必要な財源の確保に関する特別措置法（平成二十三年法律第百十七号）第六十九条第四項の規定により発行する公債に係る収入の受入れに関する事務　財務大臣

三　法第十一条の規定による余裕金の預託その他東日本大震災復興特別会計に属する現金の受入れ又は支払及び同会計全体の歳出に係る支払元受高の管理に関する事務　内閣総理大臣

四　前三号に掲げる事務以外の事務　各所管大臣

2　内閣総理大臣は、前項第三号の事務を行うに当たっては、東日本大震災復興特別会計の所管大臣が協議して定めるところにより行うものとする。

（事務の委任）

第六十八条　法第二百二十三条第二項に規定する東日本大震災復興特別会計全体の計算整理に関する事務は、内閣総理大臣が復興大臣に命じて行わせるものとする。

附　則（抄）

（施行期日等）

第一条　この政令は、平成十九年四月一日から施行し、平成十九年度の予算から適用する。ただし、第八条第三項（社会資本整備事業特別会計に関する部分に限る。）、第十三条第三項及び第三十三条、第二章第三節及び第十四節並びに附則第二十二条及び第二十三条の規定は、平成二十年度の予算から適用する。

2　平成十九年度の予算に係る第三十六条第一項第二号に掲げる情報の開示については、第三十七条第一項第三号中「予算を国会に提出した日」とあるのは、「法の施行の日」とする。

（交通安全対策特別交付金の交付に関する経理を交付税及び譲与税配付金特別会計において行う場合における所管大臣の所掌区分等）

第二条　法附則第二条第一項の規定により交通安全対策特別交付金の交付に関する経理を交付税及び譲与税配付金特別会計において行う場合においては、第三十九条の規定にかかわらず、同会計の歳入歳出予算の執行は、次に定めるところによる。

一　地方交付税交付金、地方特例交付金及び地方譲与税譲与金の交付に関する経理に係る歳入歳出予算は、歳入予算にあっては財務大臣が執行し、歳出予算にあっては総務大臣が執行するものとする。

二　交通安全対策特別交付金の交付に関する経理に係る歳入歳出予算は、歳入予算並びに道路交通法（昭和三十五年法律第百五号）第百二十九条第四項の規定による返還金、同法第百二十七条第一項後段に規定する通告書の送付に要する費用に相当する額として都道府県に支出する支出金及び過誤納に係る反則金等（法附則第十条第二項に規定する反則金等をいう。）の返還金に係る歳出予算にあっては内閣総理大臣が執行し、交通安全対策特別交付金に係る歳出予算にあっては総務大臣が執行するものとする。

2　前項の場合において、内閣総理大臣、総務大臣及び財務大臣は、他の職員に命じてその執行に関する事務の一部を行わせることができる。

（交付税及び譲与税配付金特別会計に関する内閣府の帳簿）

第三条　法附則第二条第一項の規定により交通安全対策特別交付金の交付に関する経理を交付税及び譲与税配付金特別会計において行う場合においては、内閣府は、その所管に属する歳入及び歳出に係る令第百三十条に規定する歳入簿、歳出簿及び支払計画差引簿のほか、支払元受高差引簿を備え、その

所管に属する歳出に係る支払元受高、支出済歳出額及び残高を登記するとともに、同会計の交通安全対策特別交付金の交付に関する経理に係る支払元受高総括簿を備え、当該経理のうち歳出に係る支払元受高その他所要の事項を登記しなければならない。

（交付税及び譲与税配付金特別会計に関する総務省の帳簿の特例）

第四条　法附則第二条第一項の規定により交通安全対策特別交付金の交付に関する経理を交付税及び譲与税配付金特別会計において行う場合においては、総務省は、第二十六条第二項及び第二十八条第一項に規定する帳簿のほか、同会計全体の歳入及び歳出について令第百三十条の規定により歳入簿及び歳出簿を備え、所要の事項を登記しなければならない。

（交通安全対策特別交付金に関する読替え等）

第五条　法附則第二条第一項の規定により交通安全対策特別交付金の交付に関する経理を交付税及び譲与税配付金特別会計において行う場合における第十七条第一項第一号、第十八条第一項第一号及び第二十八条の規定の適用については、第十七条第一項第一号中「財務大臣」とあるのは「当該歳入に関する事務を管理する所管大臣」と、第十八条第一項第一号中「総務大臣」とあるのは「当該歳出に関する事務を管理する所管大臣」と、第二十八条第一項中「並びに」とあるのは「並びにその所管に属する」と、同条第二項中「交付税及び譲与税配付金特別会計」とあるのは「その所管に属する交付税及び譲与税配付金特別会計」とする。

2　前項の場合において、第十三条の規定にかかわらず、地方交付税交付金、地方特例交付金及び地方譲与税譲与金の交付に関する経理に関しては当該経理に係る当該年度の収納済歳入額、法第十五条第一項の規定による一時借入金及び繰替金並びに同条第三項の規定による繰替金をもって、交通安全対策特別交付金の交付に関する経理に関しては当該経理に係る当該年度の収納済歳入額をもって、それぞれ支払元受高とし、歳出を支出するには、それぞれこの支払元受高を超過することができない。

（交付税及び譲与税配付金特別会計の財務情報に関する書類及び情報の調製）

第六条　法附則第二条第一項の規定により交通安全対策特別交付金の交付に関する経理を交付税及び譲与税配付金特別会計において行う場合における第三十四条第一項から第三項までの書類並びに第三十六条第一項及び第二項の情報は、第三十四条第四項及び第三十六条第三項の規定にかかわらず、同会計全体に係るもの並びに地方交付税交付金、地方特例交付金及び地方譲与税譲与金の交付に関する経理に係るものにあっては総務大臣が、交通安全対策特別交付金の交付に関する経理に係るものにあっては内閣総理大臣が、それぞれ調製するものとする。

（国債整理基金特別会計の国債の定義の特例）

第六条の二　法第三十八条第二項に規定する政令で定めるものは、第四十条各号に掲げるもののほか、独立行政法人平和祈念事業特別基金等に関する法律の廃止等に関する法律（平成十八年法律第百十九号）第一条の規定による廃止前の独立行政法人平和祈念事業特別基金等に関する法律（昭和六十三年法律第六十六号）第二十四条第二項に基づき発行した国債とする。

（エネルギー対策特別会計の電源開発促進勘定における電源立地対策に係る財政上の措置の特例）

第七条　発電用施設周辺地域整備法及び電源開発促進対策特別会計法の一部を改正する法律（平成十五年法律第三十八号）附則第二条第一項の規定により同項に規定する新整備法（以下この条において「新整備法」という。）の規定を適用することとされる発電用施設（火力発電施設に限る。）は、同項の規定により新整備法の発電用施設とみなされる間は、第五十一条第一項第四号、第七号、第八号イ及び第二十号ロの火力発電施設又は同項第六号、第十四号及び第二十二号の発電用施設とみなして、この政令の規定を適用する。

（エネルギー対策特別会計の所掌区分等の特例）

第七条の二　令和四年度の一般会計補正予算（第2号）に計上された費用のうち脱炭素成長型経済構造移行費用（脱炭素成長型経済構造への円滑な移行の推進に関する法律（令和五年法律第三十二号）附則第三条第一項第一号に規定する脱炭素成長型経済構造移行費用をいい、同項の規定によりこれに関する権利義務がエネルギー対策特別会計のエネルギー需給勘定に帰属したものに限る。）についての第五十二条の規定の適用については、同条第一項第二号中「経済産業省令・環境省令」とあるのは「文部科学省令・経済産業省令・環境省令」と、「経済産業大臣」とあるのは「文部科学大臣、経済産業大臣」と、同条第二項中「内閣総理大臣及び文部科学大臣」とあるのは「内閣総理大臣」とする。

（労働保険特別会計の雇用勘定における積立金等からの補足の特例）

第七条の三　令和五年度における第五十六条第三項及び第五項の規定の適用については、同条第三項第二号ハ中「法」とあるのは「雇用保険法等の一部を改正する法律（令和六年法律第二十六号）附則第二十六条第一項の規定により読み替えられた法附則第二十条の二第二項の規定により読み替えて適用する法」と、「以下この条」とあるのは「ハ及び次項」と、同条第五項中「及び二事業費充当歳出額に係る歳出の翌年度への繰越額」とあるのは「、二事業費充当歳出額に係る歳出の翌年度への繰越額及び雇用安定事業（雇用保険法等の一部を改正する法律附則第六条第二項の規定によりなお従前の例によることとされた同法第一条の規定による改正前の雇用保険法附則第十四条の四第二項に規定するものに限る。）に係る法附則第二十条の二第三項の規定により読み替えて適用する同条第二項の規定により読み替えて適用する法第百五条に規定する超過額に相当する金額」とする。

2　令和六年度における第五十六条第三項及び第五項の規定の

適用については、同条第三項第二号ハ中「法」とあるのは「法附則第二十条の二第二項の規定により読み替えて適用する法」と、「以下この条」とあるのは「ハ及び次項」と、同条第五項中「及び二事業費充当歳出額に係る歳出の翌年度への繰越額」とあるのは「、二事業費充当歳出額に係る歳出の翌年度への繰越額及び雇用安定事業（雇用保険法等の一部を改正する法律（令和六年法律第二十六号）附則第六条第二項の規定によりなお従前の例によることとされた同法第一条の規定による改正前の雇用保険法附則第十四条の四第二項に規定するものに限る。）に係る法附則第二十条の二第三項の規定により読み替えて適用する同条第二項の規定により読み替えて適用する法第百五条に規定する超過額に相当する金額」とする。

（労働保険特別会計の雇用勘定における雇用安定資金の使用に関する特例の適用期限）

第八条　法附則第二十条第一項の政令で定める日は、平成二十年三月三十一日とする。

（年金特別会計の基礎年金勘定における積立金からの補足の特例）

第九条　法附則第二十二条第二項に規定する政令で定める場合は、年金特別会計の基礎年金勘定の毎会計年度の収納済歳入額から支出済歳出額、歳出の翌年度への繰越額及び法第百二十条第一項第一号に規定する超過額に相当する金額を控除して不足する場合とし、法附則第二十二条第二項の規定により同勘定の積立金から補足する金額は、当該不足する額に相当する金額とする。

（年金特別会計の基礎年金勘定における支払元受高の特例）

第十条　年金特別会計の基礎年金勘定における第十三条の規定の適用については、同条中「並びに同条第五項の規定による繰替金」とあるのは、「、同条第五項の規定による繰替金並びに法附則第二十二条第五項の規定による繰替金」とする。

（年金特別会計の厚生年金勘定における積立金からの補足の特例）

第十一条　法附則第二十四条第二項の規定により法第百二十条第一項を準用する場合における第五十八条の規定の適用については、同条中「及び法」とあるのは「、法」と、「限る。）」とあるのは「限る。）及び法附則第二十四条第二項において準用する法第百二十条第一項第一号に規定する超過額」とする。

（年金特別会計における私立学校教職員共済法附則第十七項の負担金の支出）

第十二条　法附則第二十五条の規定による負担金については、日本私立学校振興・共済事業団が支給した年金につき年金特別会計が私立学校教職員共済法施行令（昭和二十八年政令第四百二十五号）第四十条及び第四十一条の規定によりその費用の一部を負担すべき場合に該当する年度の翌年度において、これらの規定により計算した額を、日本私立学校振興・共済事業団の申請に基づき、同会計の厚生年金勘定から支出するものとする。

（年金特別会計の厚生年金勘定における積立金とする時期に関する経過措置）

第十二条の二　当分の間、公的年金制度の健全性及び信頼性の確保のための厚生年金保険法等の一部を改正する法律（平成二十五年法律第六十三号。以下この条において「平成二十五年厚生年金等改正法」という。）附則第五条第一項の規定によりなおその効力を有するものとされた平成二十五年厚生年金等改正法第二条の規定による改正前の確定給付企業年金法第百十四条第五項に規定する有価証券の価額として算定した額は、年金積立金管理運用独立行政法人又は年金積立金管理運用独立行政法人の理事長の指定する者が当該有価証券を受けた日に、年金特別会計の厚生年金勘定の積立金として積み立てられたものとみなす。

（年金特別会計の健康勘定における借入金の特例の対象とする債務）

第十三条　法附則第三十条第一項に規定する政令で定めるものは、附則第二十四条第五号の規定による廃止前の厚生保険特別会計法施行令（昭和十九年勅令第四百七十号。次条において「旧厚生保険特別会計法施行令」という。）附則第六項に規定する額とする。

（一般会計から年金特別会計の健康勘定への繰入れの特例の対象となるべき経費）

第十四条　法附則第三十一条第一項に規定する額として政令で定めるものは、旧厚生保険特別会計法施行令附則第七項及び第八項に規定する額とし、同条第一項に規定する経費として政令で定めるものは、旧厚生保険特別会計法施行令附則第七項及び第八項に規定する経費とする。

（年金特別会計における児童手当に関する経理）

第十四条の二　子ども・子育て支援法及び就学前の子どもに関する教育、保育等の総合的な提供の推進に関する法律の一部を改正する法律の施行に伴う関係法律の整備等に関する法律（平成二十四年法律第六十七号）第三十七条及び第三十八条の規定によりなお従前の例によることとされた同法第三十六条の規定による改正前の児童手当法による児童手当に関する政府の経理が年金特別会計において行われる場合における第五十六条の二第一項第二号並びに第六十条第一項及び第三項の規定の適用については、同号中「拠出金」とあるのは「拠出金（子ども・子育て支援法及び就学前の子どもに関する教育、保育等の総合的な提供の推進に関する法律の一部を改正する法律の施行に伴う関係法律の整備等に関する法律（平成二十四年法律第六十七号）第三十七条及び第三十八条の規定によりなお従前の例によることとされた同法第三十六条の規定による改正前の児童手当法（昭和四十六年法律第七十三号）第二十条第一項各号に掲げる者からの拠出金を含む。第六十条第一項において同じ。）」と、同項中「及び仕事・子育て両立支援事業費」とあるのは「、仕事・子育て両立支援事業費及び児童育成事業費」とする。

（年金特別会計における子ども手当に関する経理）

第十四条の三 平成二十二年度等における子ども手当の支給に関する法律（平成二十二年法律第十九号）による子ども手当に関する政府の経理が年金特別会計において行われる場合における第五十六条の二第一項並びに第六十条第一項及び第三項の規定の適用については、第五十六条の二第一項第一号イ中「児童手当交付金」とあるのは「児童手当交付金及び子ども手当交付金」と、同項第二号中「拠出金」とあるのは「拠出金（平成二十二年度等における子ども手当の支給に関する法律（平成二十二年法律第十九号）第二十条第一項の規定により適用される児童手当法の一部を改正する法律（平成二十四年法律第二十四号）附則第十一条の規定によりなおその効力を有するものとされた同法第一条の規定による改正前の児童手当法（昭和四十六年法律第七十三号）第二十条第一項各号に掲げる者からの拠出金を含む。第六十条第一項において同じ。）」と、第六十条第三項中「児童手当交付金」とあるのは「児童手当交付金及び平成二十二年度等における子ども手当の支給に関する法律第十八条第一項第一号に規定する被用者に係る子ども手当交付金」と、「及び仕事・子育て両立支援事業費」とあるのは「、仕事・子育て両立支援事業費及び児童育成事業費」とする。

2 平成二十三年度における子ども手当の支給等に関する特別措置法（平成二十三年法律第百七号）による子ども手当に関する政府の経理が年金特別会計において行われる場合における第五十六条の二第一項並びに第六十条第一項及び第三項の規定の適用については、第五十六条の二第一項第一号イ中「児童手当交付金」とあるのは「児童手当交付金及び子ども手当交付金」と、同項第二号中「拠出金」とあるのは「拠出金（平成二十三年度における子ども手当の支給等に関する特別措置法（平成二十三年法律第百七号）第二十条第一項、第三項及び第五項の規定により適用される児童手当法の一部を改正する法律（平成二十四年法律第二十四号）附則第十二条の規定によりなおその効力を有するものとされた同法第一条の規定による改正前の児童手当法（昭和四十六年法律第七十三号）第二十条第一項各号に掲げる者からの拠出金を含む。第六十条第一項において同じ。）」と、第六十条第三項中「並びに子ども・子育て支援交付金及び仕事・子育て両立支援事業費」とあるのは「及び平成二十三年度における子ども手当の支給等に関する特別措置法第十八条第一項第一号に規定する被用者に係る子ども手当交付金並びに子ども・子育て支援交付金、仕事・子育て両立支援事業費及び児童育成事業費」とする。

（年金特別会計における所管大臣の所掌区分等の特例）

第十四条の四 法附則第三十一条の六の規定により一般会計から年金特別会計の子ども・子育て支援勘定に繰り入れる場合における第五十六条の二第一項第一号ロの規定の適用については、同号ロ中「交付並びに」とあるのは「交付」と、「交付に」とあるのは「交付並びに同法附則第十四条第三項の規定による補助金の交付に」とする。

（年金特別会計における特別保健福祉事業の範囲）

第十五条 法附則第三十二条第二項第一号に規定する政令で定めるものは、社会保険診療報酬支払基金が行う高齢者の医療の確保に関する法律（昭和五十七年法律第八十号）第百三十九条第二項に規定する事業で次に掲げる者に係るもの（第五号に掲げる者に係るものにあっては、同号に規定する介護老人保健施設又は介護医療院の整備に係るものに限る。）に対する補助とする。

一 健康保険法（大正十一年法律第七十号）の規定による全国健康保険協会及び健康保険組合

二 国家公務員共済組合法（昭和三十三年法律第百二十八号）又は地方公務員等共済組合法（昭和三十七年法律第百五十二号）に基づく共済組合

三 私立学校教職員共済法（昭和二十八年法律第二百四十五号）の規定により私立学校教職員共済制度を管掌することとされた日本私立学校振興・共済事業団

四 第一号の健康保険組合又は第二号の共済組合をもって組織する法人で厚生労働大臣が財務大臣に協議して定めるもの

五 介護保険法（平成九年法律第百二十三号）第八条第二十八項に規定する介護老人保健施設又は同条第二十九項に規定する介護医療院を開設する医療法人、社会福祉法人その他厚生労働大臣が定める者

2 法附則第三十二条第二項第二号に規定する政令で定めるものは、健康保険法第百五十条第一項及び第五項に定める健康保険事業の保健事業及び福祉事業（被保険者及びその被扶養者の療養又は出産のために必要な費用に係る資金の貸付けを除く。）のうち、国民の高齢期における健康の保持及び適切な医療の確保を図るために行うものに係る財政上の措置とする。

（年金特別会計の業務勘定における剰余金の処理の特例）

第十六条 法附則第三十二条第一項の規定により特別保健福祉事業に関する経理を年金特別会計において行う場合における第六十一条の規定の適用については、同条中「法第百十九条」とあるのは、「法附則第三十七条第二項において読み替えて適用する法第百十九条」とする。

（食料安定供給特別会計と一般会計との間における国有財産の使用の特例）

第十七条 農林水産大臣は、食料安定供給特別会計に所属する国有財産を一般会計に使用させる場合において、法附則第三十九条第一号の規定により無償として整理しようとするときは、使用させる国有財産の範囲及び期間その他必要な事項について財務大臣に協議するものとする。

2 各省各庁の長（国有財産法（昭和二十三年法律第七十三号）第四条第二項に規定する各省各庁の長をいう。以下同じ。）は、一般会計に所属する国有財産を食料安定供給特別会計に使用させる場合において、法附則第三十九条第二号の

規定により無償として整理しようとするときは、使用させる国有財産の範囲及び期間その他必要な事項について財務大臣に協議するものとする。

第十八条から第二十条まで　削除

（特許特別会計と一般会計との間における国有財産の所管換等の特例）

第二十一条　経済産業大臣は、特許特別会計に所属する国有財産を一般会計に所管換又は所属替をしようとする場合において、法附則第四十八条の規定により無償として整理しようとするときは、所管換又は所属替をする国有財産の範囲及び時期その他必要な事項について財務大臣に協議するものとする。

（法附則第五十六条の規定により法第二百十八条第二項及び第三項の規定を読み替えて適用する場合における自動車事故対策勘定の損益計算上の利益及び損失の額の算定方法）

第二十二条　法附則第五十六条の規定により法第二百十八条第二項の規定を読み替えて適用する場合における同項に規定する損益計算上の利益として政令で定めるところにより算定した金額は、第六十五条第一項の規定にかかわらず、第一号に掲げる金額から第二号に掲げる金額を控除した金額が零を上回る場合における当該上回る金額とする。

一　当該会計年度における次に掲げる金額の合計額

　イ　第六十五条第一項第一号イからハまでに掲げるものの合計額

　ロ　自動車損害賠償責任再保険事業等（法附則第五十六条の規定により読み替えて適用する法第二百十二条の二第一項に規定する自動車損害賠償責任再保険事業等をいう。以下この項において同じ。）に充てるための次に掲げるものの合計額

　　(1)　なお効力を有する旧自賠法（法附則第五十六条の規定により読み替えて適用する法第二百十二条の二第一項に規定するなお効力を有する旧自賠法をいう。以下この項において同じ。）第四十六条（なお効力を有する旧自賠法第五十条第一項において準用する場合を含む。）の規定による納付金

　　(2)　自動車損害賠償責任再保険事業等に充てるための前会計年度から当該会計年度に繰り越された支払備金

　　(3)　(1)及び(2)に掲げるもののほか、自動車事故対策勘定の益金のうち自動車損害賠償責任再保険事業等に係るものとして国土交通省令で定めるもの

二　当該会計年度における次に掲げる金額の合計額

　イ　第六十五条第一項第二号イからハまでに掲げるものの合計額

　ロ　自動車損害賠償責任再保険事業等に係る次に掲げるものの合計額

　　(1)　なお効力を有する旧自賠法第四十条第一項の規定による再保険の再保険金及び同条第二項の規定による保険の保険金

　　(2)　自動車損害賠償責任再保険事業等に充てるための当該会計年度から翌会計年度に繰り越す支払備金

　　(3)　(1)及び(2)に掲げるもののほか、自動車事故対策勘定の損金のうち自動車損害賠償責任再保険事業等に係るものとして国土交通省令で定めるもの

2　法附則第五十六条の規定により法第二百十八条第三項の規定を読み替えて適用する場合における同項に規定する損益計算上の損失として政令で定めるところにより算定した金額は、第六十五条第二項の規定にかかわらず、前項第一号に掲げる金額から同項第二号に掲げる金額を控除した金額が零を下回る場合における当該下回る金額とする。

第二十三条　削除

（政令の廃止）

第二十四条　次に掲げる政令は、廃止する。

一　食糧管理特別会計法施行令（大正十年勅令第二百二十四号）

二　漁船再保険及漁業共済保険特別会計法施行令（昭和十二年勅令第二百三十四号）

三　森林保険特別会計法施行令（昭和十二年勅令第二百三十五号）

四　農業共済再保険特別会計法施行令（昭和十九年勅令第四百五十七号）

五　厚生保険特別会計法施行令

六　農業経営基盤強化措置特別会計法施行令（昭和二十一年勅令第六百二十三号）

七　国有林野事業特別会計法施行令（昭和二十二年政令第二百九十三号）

八　船員保険特別会計法施行令（昭和二十三年政令第十三号）

九　国立高度専門医療センター特別会計法施行令（昭和二十四年政令第百九十八号）

十　貿易再保険特別会計法施行令（昭和二十五年政令第二百六号）

十一　外国為替資金特別会計法施行令（昭和二十六年政令第百三十二号）

十二　財政融資資金特別会計法施行令（昭和二十六年政令第百四十三号）

十三　産業投資特別会計法施行令（昭和二十八年政令第百四十六号）

十四　交付税及び譲与税配付金特別会計法施行令（昭和二十九年政令第百六号）

十五　自動車損害賠償保障事業特別会計法施行令（昭和三十年政令第百七十八号）

十六　国営土地改良事業特別会計法施行令（昭和三十二年政令第百九十六号）

十七　道路整備特別会計法施行令（昭和三十三年政令第六十七号）

十八　治水特別会計法施行令（昭和三十五年政令第七十号）

十九　港湾整備特別会計法施行令（昭和三十六年政令第六十一号）

二十　国民年金特別会計法施行令（昭和三十六年政令第百号）
二十一　自動車検査登録特別会計法施行令（昭和三十九年政令第百九号）
二十二　都市開発資金融通特別会計法施行令（昭和四十一年政令第百二十三号）
二十三　地震再保険特別会計法施行令（昭和四十一年政令第百六十五号）
二十四　石油及びエネルギー需給構造高度化対策特別会計法施行令（昭和四十二年政令第七十六号）
二十五　国債整理基金特別会計法施行令（昭和四十三年政令第二百三十九号）
二十六　特定国有財産整備特別会計法施行令（昭和四十四年政令第四十八号）
二十七　空港整備特別会計法施行令（昭和四十五年政令第七十六号）
二十八　労働保険特別会計法施行令（昭和四十七年政令第百十八号）
二十九　電源開発促進対策特別会計法施行令（昭和四十九年政令第三百四十号）
三十　特許特別会計法施行令（昭和五十九年政令第二百三十七号）
三十一　登記特別会計法施行令（昭和六十年政令第百八十五号）

（暫定的に設置する特別会計の支払元受高に関する読替規定）
第二十五条　法附則第六十七条第一項各号に掲げる特別会計（法附則第二百三十一条第一項の規定による場合における食料安定供給特別会計及び法附則第二百三十五条第一項の規定による場合における財政投融資特別会計を含む。）における第十三条第一項の規定の適用については、同項中「法第十五条第一項」とあるのは「法第十五条第一項（法附則第六十七条第三項において読み替えて適用する場合を含む。）」と、「同条第三項」とあるのは「法第十五条第三項」と、「同条第五項」とあるのは「同条第五項（法附則第六十七条第三項において読み替えて適用する場合を含む。）」とする。

（財政融資資金特別会計及び財政融資資金に係る財務省の帳簿）
第二十六条　財政融資資金特別会計における第二十六条第一項の規定の適用については、同項中「当該特別会計」とあるのは、「財政融資資金特別会計に関する一切の計算並びに財政融資資金の受払い及び運用」とする。

（財政融資資金特別会計の繰越利益の貸借対照表における表示）
第二十七条　法附則第七十二条第一項の繰越利益については、第四十四条の規定を準用する。

（財政融資資金特別会計の積立金からの国債整理基金特別会計への繰入れに関する算定）
第二十八条　法附則第七十三条第三項に規定する政令で定めるところにより算定した金額については、第四十五条の規定を準用する。

（治水特別会計の特定多目的ダム建設工事勘定の国庫債務負担行為要求書）
第二十九条　治水特別会計における第八条第三項の規定の適用については、同項中「事項ごとに（社会資本整備事業特別会計の治水勘定に属する多目的ダム建設工事等（法第二百九条第一項に規定する多目的ダム建設工事等をいう。以下同じ。）又は港湾勘定に属する特定港湾施設工事等（同条第三項に規定する特定港湾施設工事等をいう。以下同じ。）に係るものについては、工事別に）」とあるのは、「事項ごとに（治水特別会計の特定多目的ダム建設工事勘定に係るものについては、工事別に）」とする。

（治水特別会計の特定多目的ダム建設工事勘定における支払元受高）
第三十条　附則第二十五条において読み替えて適用する第十三条第一項の規定にかかわらず、治水特別会計の特定多目的ダム建設工事勘定においては、多目的ダム建設工事等に係る工事別等の区分に従って、当該年度の収納済歳入額、法第十五条第一項の規定による一時借入金及び繰替金並びに同条第三項の規定による繰替金をもって支払元受高とし、歳出を支出するには、この支払元受高を超過することができない。

（治水特別会計の特定多目的ダム建設工事勘定における工事別等の登記）
第三十一条　治水特別会計の特定多目的ダム建設工事勘定においては、第二十六条第一項、第二十七条第一項及び第三十条並びに令第百三十条から第百三十四条までの規定により備える帳簿の登記は、多目的ダム建設工事等に係る工事別等の区分に従って行わなければならない。

（治水特別会計における一級河川又は海岸保全区域の管理に関する事務）
第三十二条　法附則第百三条第三項第三号に規定する政令で定める事務については、第八十七条の規定を準用する。

（治水特別会計から一般会計への繰入れ）
第三十三条　法附則第百十条に規定する政令で定める経費の額については、第八十八条第一項の規定を準用する。

（治水特別会計の多目的ダム建設工事等に係る工事別等の区分に応ずる剰余の処理）
第三十四条　法附則第百十二条第八項に規定する剰余の処理については、第八十九条第四項の規定を準用する。この場合において、同項中「法第六条及び第二百三条第一項」とあるのは「法附則第六十七条第三項において読み替えて適用する法第六条及び法附則第百八条第二項」と、「社会資本整備事業特別会計の治水勘定」とあるのは「治水特別会計の特定多目的ダム建設工事勘定」と読み替えるものとする。

（治水特別会計の多目的ダム建設工事等に係る工事別以外の区分の整理）
第三十五条　治水特別会計の特定多目的ダム建設工事勘定における歳入及び歳出並びに資産及び負債に関する多目的ダム建

設工事等に係る工事別等の区分に従った整理については、第八十九条第六項の規定を準用する。

（道路整備特別会計から一般会計への繰入れ）

第三十六条　法附則第百二十条に規定する政令で定める経費の額については、第八十八条第二項の規定を準用する。

（港湾整備特別会計の特定港湾施設工事勘定の国庫債務負担行為要求書）

第三十七条　港湾整備特別会計における第八条第三項の規定の適用については、同項中「事項ごとに（社会資本整備事業特別会計の治水勘定に属する多目的ダム建設工事等（法第二百九条第一項に規定する多目的ダム建設工事等をいう。以下同じ。）又は港湾勘定に属する特定港湾施設工事等（同条第三項に規定する特定港湾施設工事等をいう。以下同じ。）に係るものについては、工事別に）」とあるのは、「事項ごとに（港湾整備特別会計の特定港湾施設工事勘定に係るものについては、工事別に）」とする。

（港湾整備特別会計の特定港湾施設工事勘定における支払元受高）

第三十八条　附則第二十五条において読み替えて適用する第十三条第一項の規定にかかわらず、港湾整備特別会計の特定港湾施設工事勘定においては、特定港湾施設工事等に係る工事別等の区分に従って、当該年度の収納済歳入額、法第十五条第一項の規定による一時借入金及び繰替金並びに同条第三項の規定による繰替金をもって支払元受高とし、歳出を支出するには、この支払元受高を超過することができない。

（港湾整備特別会計の特定港湾施設工事勘定における工事別等の登記）

第三十九条　港湾整備特別会計の特定港湾施設工事勘定においては、第二十六条第一項、第二十七条第一項及び第三十条並びに令第百三十条から第百三十四条までの規定により備える帳簿の登記は、特定港湾施設工事等に係る工事別等の区分に従って行わなければならない。

（港湾整備特別会計の政令で定める工事）

第四十条　法附則第百二十三条第三項第五号に規定する政令で定める工事は、空港整備法（昭和三十一年法律第八十号）第二条第一項に規定する第一種空港に係る工事以外の工事とする。

（港湾整備特別会計から一般会計への繰入れ）

第四十一条　法附則第百三十条に規定する政令で定める経費の額については、第八十八条第三項の規定を準用する。

（港湾整備特別会計の特定港湾施設工事等に係る工事別等の区分に応ずる剰余の処理）

第四十二条　法附則第百三十二条第八項に規定する剰余の処理については、第八十九条第五項の規定を準用する。この場合において、同項中「法第六条及び第二百三条第三項」とあるのは「法附則第六十七条第三項において読み替えて適用する法第六条及び法附則第百二十八条第二項」と、「社会資本整備事業特別会計の港湾勘定」とあるのは「港湾整備特別会計の特定港湾施設工事勘定」と読み替えるものとする。

（港湾整備特別会計の特定港湾施設工事等に係る工事別以外の区分の整理）

第四十三条　港湾整備特別会計の特定港湾施設工事勘定における歳入及び歳出並びに資産及び負債に関する特定港湾施設工事等に係る工事別等の区分に従った整理については、第八十九条第六項の規定を準用する。

（空港整備特別会計から港湾整備特別会計への繰入れ）

第四十四条　法附則第百三十九条に規定する政令で定める額は、港湾整備特別会計の港湾整備勘定における法第十一条の規定による余裕金の預託によって生ずる収入、同勘定の不用物品の売払いによる収入その他の附属雑収入のうち、法附則第百二十三条第三項第五号に規定する空港整備特別会計所属空港関係工事に関する事務費の財源に充てられるものとして国土交通大臣が財務大臣に協議して定める額とする。

（空港整備特別会計から一般会計への繰入れ）

第四十五条　法附則第百四十条に規定する政令で定める経費の額については、第八十八条第四項の規定を準用する。

（空港整備特別会計と一般会計との間における国有財産の所管換等の特例）

第四十六条　法附則第百四十三条第一項に規定する政令で定めるものについては、附則第二十二条第一項の規定を準用する。

2　法附則第百四十三条第一項の規定による所管換又は所属替については、附則第二十二条第二項の規定を準用する。

3　一般会計に所属する国有財産を空港整備特別会計に所管換又は所属替をしようとする場合において、法附則第百四十三条第二項第二号の規定により無償として整理しようとするときは、附則第二十二条第三項の規定を準用する。

4　法附則第百四十三条第二項第三号に規定する政令で定める場合については、附則第二十二条第四項の規定を準用する。

5　一般会計に所属する国有財産を空港整備特別会計に使用させる場合において、法附則第百四十三条第二項第四号の規定により無償として整理しようとするときは、附則第二十二条第五項の規定を準用する。

6　空港整備特別会計に所属する株式を一般会計に所管換をする場合において、法附則第百四十三条第二項第五号の規定により無償として整理しようとするときは、附則第二十二条第六項の規定を準用する。

（空港整備特別会計の歳出の特例）

第四十七条　法附則第百四十四条第二項に規定する政令で定める特別の性能を有するものについては、附則第二十三条の規定を準用する。

（自動車損害賠償保障事業特別会計の保険料等充当交付金勘定から保障勘定への繰入れ）

第四十八条　法附則第百五十二条第二項に規定する政令で定める金額は、平成十九年度の収納済みの自動車損害賠償責任再保険料等（法附則第百四十九条第三項第一号ハに規定する自動車損害賠償責任再保険料等をいう。）の額から自動車損害賠償保障法及び自動車損害賠償責任再保険特別会計法の一部を改正する法律（平成十三年法律第八十三号）附則第二条第一項の規定によりなおその効力を有することとされる同法第一条の規定による改正前の自動車損害賠償保障法（昭和三十年法律第九十七号。以下この条において「旧自賠法」という。）第四十五条第一項（旧自賠法第五十条第一項において準用する場合を含む。）の規定による払戻金のうち同年度の支出済額を控除した残額に千分の三を乗じた金額とする。ただし、当該金額の一部を、同年度の中途において、自動車損害賠償保障事業特別会計の保険料等充当交付金勘定から保障勘定へ繰り入れることを妨げるものではない。

（国営土地改良事業特別会計における支払元受高）

第四十九条　附則第二十五条において読み替えて適用する第十三条第一項の規定にかかわらず、国営土地改良事業特別会計においては、工事別（法附則第百七十二条第一項に規定する工事別をいう。次条及び附則第五十一条において同じ。）の区分に従って、当該年度の収納済歳入額、法第十五条第一項の規定による一時借入金及び繰替金並びに同条第三項の規定による繰替金をもって支払元受高とし、歳出を支出するには、この支払元受高を超過することができない。

（国営土地改良事業特別会計における工事別の登記）

第五十条　国営土地改良事業特別会計においては、第二十六条第一項、第二十七条第一項及び第三十条並びに令第百三十条から第百三十四条までの規定により備える帳簿の登記は、工事別の区分に従って行わなければならない。

（国営土地改良事業特別会計から一般会計への繰入れ）

第五十一条　法附則第百六十六条第一項の規定による繰入れは、工事別の区分に従って繰り入れるものとする。

2　法附則第百六十六条第二項に規定する繰入金に相当する金額は、法附則第百六十九条第一項に規定する用地の売払代金の収納後、遅滞なく、工事別の区分に従って一般会計に繰り入れるものとする。

3　法附則第百六十六条第三項に規定する政令で定める額は、土地改良関係受託工事（法附則第百六十一条第二項第二号に規定する土地改良関係受託工事をいう。以下この条及び附則第五十四条において同じ。）及びこれに係る土地改良工事（法附則第百六十一条第二項第一号に規定する土地改良工事をいう。附則第五十四条及び第五十五条において同じ。）に要する事務取扱費のうち、農林水産大臣が財務大臣に協議して定めるところにより、当該土地改良関係受託工事において負担すべきものとして配分する額とする。

（国営土地改良事業特別会計における用地の売払代金の使途）

第五十二条　法附則第百六十九条第一項第二号に規定する借入金の償還金及び利子並びに一般会計への繰入金で政令で定めるものは、借入金の償還金及び利子にあっては第一号、一般会計への繰入金にあっては第二号に掲げるものとする。

一　埋立て又は干拓の工事に要した費用のうち法附則第百六十九条第一項に規定する埋立て又は干拓の工事によって生じた用地で売り払われたものに係る借入金の償還金及び利子

二　埋立て又は干拓の工事に要した費用のうち法附則第百六十九条第一項に規定する埋立て又は干拓の工事によって生じた用地で売り払われたものに係る一般会計からの繰入金で農林水産大臣が財務大臣に協議して定めた費用に対応するもの

（国営土地改良事業特別会計における借入金対象経費）

第五十三条　法附則第百七十条第一項に規定する都道府県に負担させる費用で政令で定めるものは、土地改良法（昭和二十四年法律第百九十五号）第九十条第一項の規定により都道府県に負担させる費用の額から農林水産大臣が財務大臣に協議して定めるものに相当する金額を控除した額に相当する費用を限度として、農林水産大臣が財務大臣に協議して定めるものとする。

（国営土地改良事業特別会計における工事別の区分）

第五十四条　法附則第百七十二条第一項に規定する政令で定める区分は、土地改良工事、土地改良関係受託工事及び土地改良関係直轄調査（法附則第百六十一条第二項第三号に規定する土地改良関係直轄調査をいう。）に区分し、更に、土地改良工事を土地改良法第九十条第一項の規定による負担金の算定の単位となる工事ごとに区分したものとする。ただし、経理上これらの区分によることが困難な特別の事情がある場合においては、農林水産大臣が財務大臣に協議して定めるその他の区分とすることができる。

（国営土地改良事業特別会計における工事別の区分に応ずる剰余の処理）

第五十五条　法附則第百七十二条第五項に規定する剰余の処理については、土地改良工事で廃止されたものに係る法附則第六十七条第三項において読み替えて適用する法第十三条第一項及び法附則第百七十条第一項の規定による借入金の償還金及び利子の財源に充てるものとするほか、農林水産大臣が財務大臣に協議して定めるところによる。

（特定国有財産整備特別会計の歳入歳出等に関する計算書類の調製）

第五十六条　特定国有財産整備特別会計の歳入歳出予定計算書、繰越明許費要求書、国庫債務負担行為要求書、歳入歳出決定計算書その他同会計全体の計算に関する書類で所管大臣が定めるものの調製は、財務大臣がその指定する職員（次条から附則第六十二条までにおいて「総括部局長」という。）に行わせるものとする。

（特定国有財産整備特別会計における徴収済額の報告）

第五十七条　特定国有財産整備特別会計の歳入徴収官は、毎月、徴収済額報告書を作成し、参照書類を添付して、その翌月十五日までに、当該歳入に関する事務を管理する所管大臣に送付しなければならない。

2　特定国有財産整備特別会計の所管大臣の指定する職員（次条第二項において「所管部局長」という。）は、前項の徴収済額報告書により、毎月、徴収済額集計表を作成し、参照書類を添付して、所管大臣の定める期限までに、総括部局長に送付するものとする。

3　第一項に規定する所管大臣は、同項の規定により送付された徴収済額報告書に基づき、徴収総報告書を作成し、参照書類を添付して、その月中に財務大臣に送付しなければならない。この場合において、徴収総報告書の調製は、財務大臣が総括部局長に行わせるものとする。

（特定国有財産整備特別会計における支出済額の報告）

第五十八条　特定国有財産整備特別会計のセンター支出官は、毎月、支出済額報告書を作成し、その翌月十五日までに、当該歳出に関する事務を管理する所管大臣に送付しなければならない。

2　所管部局長は、前項の支出済額報告書により、毎月、支出済額集計表を作成し、所管大臣の定める期限までに、総括部局長に送付するものとする。

3　第一項に規定する所管大臣は、同項の規定により送付された支出済額報告書に基づき、支出総報告書を作成し、その月中に財務大臣に送付しなければならない。この場合において、支出総報告書の調製は、財務大臣が総括部局長に行わせるものとする。

（特定国有財産整備特別会計に関する所管省の帳簿）

第五十九条　第二十六条第一項の規定にかかわらず、特定国有財産整備特別会計においては、財務省において、日記簿、原簿及び補助簿を備え、同会計に関する一切の計算を登記しなければならない。

第六十条　特定国有財産整備特別会計の所管省（財務省及び国土交通省をいう。以下この条において同じ。）は、その所管に属する歳入及び歳出について、令第百三十条の規定により歳入簿、歳出簿及び支払計画差引簿を備え、所要の事項を登記しなければならない。

2　第二十七条第一項の規定にかかわらず、所管省は、前項の帳簿のほか、所管別支払元受高差引簿を備え、その所管に属する歳出に係る支払元受高、支出済歳出額及び残額を登記しなければならない。ただし、官署支出官が一人である場合においては、所管別支払元受高差引簿は、備え付けないことができる。

3　財務省は、前条及び前二項に規定する帳簿のほか、特定国有財産整備特別会計全体の歳入及び歳出について令第百三十条の規定により歳入簿及び歳出簿を備え、所要の事項を登記しなければならない。

4　財務省は、支払元受高総括簿を備え、特定国有財産整備特別会計全体の歳出に係る支払元受高、所管省への配分額その他所要の事項を登記しなければならない。

（特定国有財産整備特別会計の帳簿の様式及び記入の方法）

第六十一条　附則第五十九条並びに前条第二項及び第四項に規定する帳簿の様式及び記入の方法は、財務大臣が定める。

（特定国有財産整備特別会計の財務情報に関する書類及び情報の調製）

第六十二条　特定国有財産整備特別会計に関する第三十四条第一項及び第三項の書類並びに第三十六条第一項の情報は、財務大臣が調製するものとする。この場合において、当該書類及び情報の調製は、財務大臣が総括部局長に行わせるものとする。

（特定国有財産整備特別会計の所管大臣の所掌区分）

第六十三条　特定国有財産整備特別会計の管理に関する事務のうち、特定国有財産整備計画の実施による国有財産の取得及び処分（法附則第百七十六条第一項第一号イに規定する処分をいう。以下この条及び附則第八十八条において同じ。）に関するものは、次の各号に掲げる区分に応じ、当該各号に定める所管大臣が行うものとする。

一　官公庁施設の建設等に関する法律（昭和二十六年法律第百八十一号）第十条の規定により国土交通大臣が行う建築物の営繕その他の国有財産の取得に関する事務　国土交通大臣

二　前号に掲げる事務以外の事務　財務大臣

2　前項各号に掲げる事務以外の特定国有財産整備特別会計の管理に関する事務のうち、同会計に所属する資産の処分、予備費の管理、法第十一条の規定による余裕金の預託、法第十七条の規定による国債整理基金特別会計への繰入れその他特定国有財産整備特別会計に属する現金の受入れ又は支払及び同会計全体の歳出に係る支払元受高の管理に関するものは、所管大臣が協議して定めるところにより財務大臣が行い、その他のものは、この政令に別段の定めがある場合を除き、財務大臣及び国土交通大臣が行うものとする。

（特定国有財産整備特別会計と一般会計との間における国有財産の所管換等の特例）

第六十四条　法附則第百七十九条第一項の規定による国有財産の特定国有財産整備特別会計への所管換若しくは所属替（以下この条において「所管換等」という。）又は同条第二項の規定による国有財産の一般会計への所管換等は、財務大臣の定めるところにより、それぞれ、当該国有財産に係る特定国有財産整備計画が定められた後又は当該国有財産を特定国有財産整備計画に定める施設の用に供することができることとなった後、遅滞なく、行うものとする。

2　法附則第百七十九条第三項第四号に規定する政令で定める事情は、次に掲げる事情とする。

一　特定国有財産整備計画の廃止があったことにより、法附則第百七十九条第一項の規定により特定国有財産整備特別会計に所管換等が行われた当該特定国有財産整備計画に係る国有財産（法附則第六十六条第十九号の規定による廃止前の特定国有財産整備特別会計法（昭和三十二年法律第百十六号。以下この項において「旧特定国有財産整備特別会計法」という。）第十六条第一項の規定により旧特定国有財産整備特別会計（以下この項において「旧特定国有財産整備特別会計」という。）に所管換等が行われたもので、法附則第二百三十三条第三項の規定により特定国有財産整備特別会計に帰属したもの及びこれらに代わるべきものとして財務大臣が定める他の国有財産を含む。）につき一般会計に所管換等をすることとなったこと。

二　特定国有財産整備特別会計において特定国有財産整備計画の実施により取得した国有財産（旧特定国有財産整備特別会計において特定国有財産整備計画の実施により取得したもので、法附則第二百三十三条第三項の規定により特定国有財産整備特別会計に帰属したものを含む。）でまだ一般会計に所管換等がされていないものを一般会計において使用させる必要があること。

三　行政機関の新設、特定の行政機関における増員、災害その他の特別の事情により庁舎等（国の庁舎等の使用調整等に関する特別措置法（昭和三十二年法律第百十五号）第二条第二項に規定する庁舎等をいう。）を緊急に確保する必要がある場合において、法附則第百七十九条第一項の規定により特定国有財産整備特別会計に所管換等が行われた国有財産（旧特定国有財産整備特別会計法第十六条第一項の規定により旧特定国有財産整備特別会計に所管換等が行われたもので、法附則第二百三十三条第三項の規定により特定国有財産整備特別会計に帰属したものを含む。）を、特定国有財産整備計画の遂行に支障のない限度において、一時的に一般会計において使用させる必要があること。

3　所管大臣は、特定国有財産整備特別会計に所属する国有財産につき一般会計に所管換等をし、又は一般会計において使用させる場合において、法附則第百七十九条第三項第四号の規定により無償として整理しようとするときは、あらかじめ、財務大臣に協議しなければならない。

（船員保険特別会計における資金前渡のできる経費）

第六十五条　船員保険特別会計においては、会計法第十七条の規定により、同会計に属する船員保険事業の保険給付費及び福祉事業給付金について、主任の職員に現金支払をさせるため、その資金を当該職員に前渡することができる。

（船員保険特別会計における年度開始前に資金交付のできる経費）

第六十六条　船員保険特別会計においては、会計法第十八条第一項の規定により、前条の保険給付費のうち失業等給付費について、会計年度開始前に主任の職員に対し資金を交付することができる。

（船員保険特別会計における概算払のできる経費）

第六十七条　船員保険特別会計においては、会計法第二十二条の規定により、附則第六十五条の保険給付費に係る社会保険診療報酬支払基金に支払う診療報酬について、概算払をすることができる。

2　第十六条第二項の規定は、前項の規定により概算払をしようとする場合について準用する。

（船員保険特別会計における徴収済額の報告）

第六十八条　船員保険特別会計の歳入徴収官は、毎月、徴収済額報告書を作成し、参照書類を添付して、その翌月十五日までに社会保険庁長官に送付しなければならない。

2　社会保険庁長官は、前項の規定により送付された徴収済額報告書に基づき、徴収総報告書を作成し、参照書類を添付して、その月中に、厚生労働大臣を経由して財務大臣に送付しなければならない。

（船員保険特別会計における支出済額の報告）

第六十九条　船員保険特別会計のセンター支出官は、毎月、支出済額報告書を作成し、翌月十五日までに社会保険庁長官に送付しなければならない。

2　社会保険庁長官は、前項の規定により送付された支出済額報告書に基づき、支出総報告書を作成し、その月中に、厚生労働大臣を経由して財務大臣に送付しなければならない。

（船員保険特別会計に係る社会保険庁の帳簿）

第七十条　社会保険庁は、船員保険特別会計の日記簿、原簿及び補助簿を備え、同会計に関する一切の計算を登記しなければならない。

第七十一条　社会保険庁は、前条及び令第百三十条に規定する帳簿のほか、船員保険特別会計の支払元受高差引簿を備え、支払元受高、支出済歳出額及び残額を登記しなければならない。

第七十二条　前二条に規定する帳簿の様式及び記入の方法は、財務大臣が定める。

（船員保険特別会計における積立金からの補足）

第七十三条　法附則第百九十七条第二項に規定する政令で定める場合は、船員保険特別会計の毎会計年度の収納済歳入額から支出済歳出額、歳出の翌年度への繰越額及び法附則第百九十八条に規定する超過額に相当する金額を控除して不足する場合とし、同項の規定により積立金から補足する金額は、当該不足する額に相当する金額とする。

（登記特別会計と一般会計との間における国有財産の所管換等の特例）

第七十四条　法務大臣は、登記特別会計に所属する国有財産を一般会計に所管換又は所属替をしようとする場合において、法附則第二百六条第一号の規定により無償として整理しようとするときは、所管換又は所属替をする国有財産の範囲及び時期その他必要な事項について財務大臣に協議するものとする。

2　法附則第二百六条第二号に規定する政令で定める場合は、次に掲げる場合とする。

一　登記特別会計に所属する国有財産を登記所に係る事務の遂行に支障のない範囲内で検察庁の事務その他の法務省の所掌事務（法務局若しくは地方法務局若しくはこれらの支局又はこれらの出張所の事務を除く。）のために使用する場合

二　前号に掲げる場合のほか、法務大臣が財務大臣に協議して定める場合

3　各省各庁の長は、一般会計に所属する国有財産を登記特別会計に使用させる場合において、法附則第二百六条第三号の規定により無償として整理しようとするときは、使用させる国有財産の範囲及び期間その他必要な事項について財務大臣に協議するものとする。

（国有林野事業債務管理特別会計における徴収済額の報告）

第七十四条の二　国有林野事業債務管理特別会計の歳入徴収官は、毎月、徴収済額報告書を作成し、参照書類を添付して、その翌月十五日までに林野庁長官に送付しなければならない。

2　林野庁長官は、前項の規定により送付された徴収済額報告書に基づき、徴収総報告書を作成し、参照書類を添付して、その月中に、農林水産大臣を経由して財務大臣に送付しなければならない。

（国有林野事業債務管理特別会計における支出済額の報告）

第七十四条の三　国有林野事業債務管理特別会計のセンター支出官は、毎月、支出済額報告書を作成し、その翌月十五日までに林野庁長官に送付しなければならない。

2　林野庁長官は、前項の規定により送付された支出済額報告書に基づき、支出総報告書を作成し、その月中に、農林水産大臣を経由して財務大臣に送付しなければならない。

（国有林野事業債務管理特別会計に係る林野庁の帳簿）

第七十四条の四　林野庁は、国有林野事業債務管理特別会計の日記簿、原簿及び補助簿を備え、同会計に関する一切の計算を登記しなければならない。

第七十四条の五　林野庁は、前条及び令第百三十条に規定する帳簿のほか、国有林野事業債務管理特別会計の支払元受高差引簿を備え、支払元受高、支出済歳出額及び残額を登記しなければならない。ただし、官署支出官が一人である場合においては、支払元受高差引簿は、備え付けないことができる。

第七十四条の六　前二条に規定する帳簿の様式及び記入の方法は、財務大臣が定める。

（食糧管理特別会計法の廃止に伴う歳入の繰入れ等に関する経過措置）

第七十五条　法附則第二百九条第一項の規定により旧食管特別会計（同項に規定する旧食管特別会計をいう。以下この条から附則第七十七条までにおいて同じ。）の国内米管理勘定、国内麦管理勘定、輸入食糧管理勘定、輸入飼料勘定、業務勘定又は調整勘定から食料安定供給特別会計の食糧管理勘定、業務勘定又は調整勘定の平成十九年度の歳入に繰り入れる場合には、次の各号に掲げる旧食管特別会計の勘定の区分に応じ、当該各号に定める食料安定供給特別会計の勘定に繰り入れるものとする。

一　旧食管特別会計の国内米管理勘定　食料安定供給特別会計の米管理勘定

二　旧食管特別会計の国内麦管理勘定又は輸入飼料勘定　食料安定供給特別会計の麦管理勘定

三　旧食管特別会計の輸入食糧管理勘定　食料安定供給特別会計の米管理勘定（麦に係るものにあっては、麦管理勘定）

四　旧食管特別会計の業務勘定　食料安定供給特別会計の業務勘定（倉庫の運営に関するものにあっては、米管理勘定）

五　旧食管特別会計の調整勘定　食料安定供給特別会計の調整勘定

第七十六条　法附則第二百九条第二項の規定により旧食管特別会計の国内米管理勘定、国内麦管理勘定、輸入食糧管理勘定、輸入飼料勘定、業務勘定又は調整勘定から食料安定供給特別会計の食糧管理勘定、業務勘定又は調整勘定に平成十八年度の歳出予算の経費の金額を繰り越して使用する場合には、次の各号に掲げる旧食管特別会計の勘定の区分に応じ、当該各号に定める食料安定供給特別会計の勘定に繰り越して使用するものとする。

一　旧食管特別会計の国内米管理勘定　食料安定供給特別会計の米管理勘定

二　旧食管特別会計の国内麦管理勘定又は輸入飼料勘定　食料安定供給特別会計の麦管理勘定

三　旧食管特別会計の輸入食糧管理勘定　食料安定供給特別会計の米管理勘定（麦に係るものにあっては、麦管理勘定）

四　旧食管特別会計の業務勘定　食料安定供給特別会計の業務勘定（倉庫の運営に関するものにあっては、米管理勘定）

五　旧食管特別会計の調整勘定　食料安定供給特別会計の調整勘定

第七十七条　法附則第二百九条第五項に規定する旧食管特別会計の国内米管理勘定、国内麦管理勘定、輸入食糧管理勘定、輸入飼料勘定、業務勘定又は調整勘定に所属する権利義務は、次の各号に掲げる権利義務の区分に応じ、当該各号に定める食料安定供給特別会計の勘定に帰属するものとする。

一　旧食管特別会計の国内米管理勘定に所属する権利義務　食料安定供給特別会計の米管理勘定

二　旧食管特別会計の国内麦管理勘定及び輸入飼料勘定に所属する権利義務　食料安定供給特別会計の麦管理勘定

三　旧食管特別会計の輸入食糧管理勘定に所属する権利義務　食料安定供給特別会計の米管理勘定（麦に係るものにあっては、麦管理勘定）

四　旧食管特別会計の業務勘定に所属する権利義務　食料安定供給特別会計の業務勘定（倉庫の運営に関するものにあっては、米管理勘定）

五　旧食管特別会計の調整勘定に所属する権利義務　食料安定供給特別会計の調整勘定

第七十八条　法附則第二百九条第七項に規定する一般会計に所属する権利義務で法第百二十四条第三項に規定する農業経営安定事業に係るものは、食料安定供給特別会計の業務勘定に帰属するものとする。

第七十九条　法附則第二百九条第八項に規定する政令で定める場合は、次に掲げる場合とする。

一　農林水産研修所が地方農政局又は地方農政事務所の職員の研修のために使用する場合

二　合同庁舎（官公庁施設の建設等に関する法律第二条第三

項に規定する合同庁舎をいう。）の一部である場合

三　国家公務員宿舎法（昭和二十四年法律第百十七号）第二条第三号に規定する宿舎として使用する場合

四　前三号に掲げる場合のほか、農林水産大臣が財務大臣に協議して定める場合

２　農林水産大臣は、法附則第二百九条第八項の規定により食料安定供給特別会計に所属する国有財産を一般会計に所管換又は所属替をしようとする場合においては、所管換又は所属替をする国有財産の範囲及び時期その他必要な事項について財務大臣に協議するものとする。

（農業経営基盤強化措置特別会計法の廃止に伴う権利義務の帰属に関する経過措置）

第八十条　法附則第二百十四条第四項に規定する旧基盤強化特別会計（同条第一項に規定する旧基盤強化特別会計をいう。）に所属する権利義務は、事務取扱費に係るものは食料安定供給特別会計の業務勘定に、それ以外のものは同会計の農業経営基盤強化勘定に、それぞれ帰属するものとする。

（暫定国営土地改良事業特別会計の廃止に伴う権利義務の帰属等に関する経過措置）

第八十一条　法附則第二百三十条第四項ただし書の規定により国営土地改良事業経過勘定（同条第一項に規定する国営土地改良事業経過勘定をいう。次条及び附則第八十三条において同じ。）に帰属する権利義務の範囲、帰属の時期その他帰属に関し必要な事項は、農林水産大臣が財務大臣に協議して定める。

第八十二条　農林水産大臣は、一般会計に所属する国有財産を国営土地改良事業経過勘定に使用させる場合において、法附則第二百三十一条第七項の規定により無償として整理しようとするときは、使用させる国有財産の範囲及び期間その他必要な事項について財務大臣に協議するものとする。

（国営土地改良事業経過勘定に関する準用）

第八十三条　附則第四十九条から第五十五条までの規定は、国営土地改良事業経過勘定について準用する。

（国営土地改良事業経過勘定から東日本大震災復興特別会計への繰入れ）

第八十三条の二　法附則第二百三十一条第十三項の規定による繰入れは、工事別の区分に従って繰り入れるものとする。

（特定国有財産整備経過勘定に帰属する権利義務の範囲等）

第八十四条　法附則第二百三十四条第三項ただし書の規定により特定国有財産整備経過勘定（同条第一項ただし書に規定する特定国有財産整備経過勘定をいう。附則第八十八条及び第八十九条において同じ。）に帰属する権利義務の範囲、帰属の時期その他帰属に関し必要な事項は、所管大臣が財務大臣に協議して定める。

（財政投融資特別会計に関する所管省の帳簿の特例）

第八十五条　法附則第二百三十五条第一項の規定により未完了事業（法附則第二百三十四条第一項ただし書に規定する未完了事業をいう。以下この条から附則第八十八条までにおいて同じ。）に関する経理を財政投融資特別会計において行う場合においては、同会計の所管省（財務省及び国土交通省をいう。次項において同じ。）は、その所管に属する歳入及び歳出について、各勘定別に令第百三十条の規定により歳入簿、歳出簿及び支払計画差引簿を備え、所要の事項を登記しなければならない。

２　法附則第二百三十五条第一項の規定により未完了事業に関する経理を財政投融資特別会計において行う場合においては、第二十七条第一項の規定にかかわらず、所管省は、前項の帳簿のほか、各勘定別に所管別支払元受高差引簿を備え、その所管に属する歳出に係る支払元受高、支出済歳出額及び残額を登記しなければならない。ただし、官署支出官が一人である場合においては、所管別支払元受高差引簿は、備え付けないことができる。

第八十六条　前条第二項に規定する帳簿の様式及び記入の方法は、財務大臣が定める。

（財政投融資特別会計の財務情報に関する書類及び情報の調製）

第八十七条　法附則第二百三十五条第一項の規定により未完了事業に関する経理を財政投融資特別会計において行う場合においては、同会計に関する第三十四条第一項から第三項までの書類並びに第三十六条第一項及び第二項の情報は、財務大臣が調製するものとする。この場合において、当該書類及び情報の調製は、財務大臣がその指定する職員に行わせるものとする。

（未完了事業に関する経理を財政投融資特別会計において行う場合における所管大臣の所掌区分）

第八十八条　法附則第二百三十五条第一項の規定により未完了事業に関する経理を財政投融資特別会計において行う場合においては、同会計の管理に関する事務は、次に定めるところにより行う。

一　財政融資資金勘定及び投資勘定に係る事務は、財務大臣が行うものとする。

二　特定国有財産整備経過勘定に係る事務は、次に定めるところにより行うものとする。

イ　特定国有財産整備計画の実施による国有財産の取得及び処分に関する事務は、附則第六十三条第一項各号に掲げる区分に応じ、当該各号に定める所管大臣が行うものとする。

ロ　イに規定する事務以外のもののうち、特定国有財産整備経過勘定に所属する資産の処分、予備費の管理、法第十一条の規定による余裕金の預託、法第十七条第一項の規定による国債整理基金特別会計への繰入れ、同条第二項の規定による一般会計への繰入れその他特定国有財産整備経過勘定に属する現金の受入れ又は支払及び特定国有財産整備経過勘定の全体の歳出に係る支払元受高の管理に関するものは、所管大臣が協議して定めるところにより財務大臣が行い、その他のものは、この政令に別段

の定めがある場合を除き、財務大臣及び国土交通大臣が行うものとする。

（特定国有財産整備経過勘定に関する準用）

第八十九条　附則第五十六条から第五十九条まで、第六十条第三項及び第四項、第六十一条並びに第六十四条の規定は、特定国有財産整備経過勘定について準用する。

（借入金償還完了年度）

第八十九条の二　法附則第二百五十九条の三第一項に規定する政令で定める年度は、東京国際空港に係る空港整備事業に要する費用に充てられた借入金で平成二十五年度の末日においてその償還が完了していないものの償還が完了する年度とする。

（空港に含まれる施設）

第八十九条の三　法附則第二百五十九条の三第二項に規定する政令で定める施設は、次に掲げる施設とする。

一　航空法（昭和二十七年法律第二百三十一号）第二条第五項に規定する航空保安施設

二　航空法第九十六条に規定する航空交通の安全に関する指示のために必要な施設

三　気象業務法（昭和二十七年法律第百六十五号）の規定による航空交通の安全を確保するために必要な気象業務のために使用する施設

四　飛行場における関税法（昭和二十九年法律第六十一号）その他の関税法規による関税の賦課徴収並びに輸出入貨物、航空機及び旅客の取締り、検疫法（昭和二十六年法律第二百一号）の規定による検疫、出入国管理及び難民認定法（昭和二十六年政令第三百十九号）の規定による出入国の管理並びに植物防疫法（昭和二十五年法律第百五十一号）、狂犬病予防法（昭和二十五年法律第二百四十七号）又は家畜伝染病予防法（昭和二十六年法律第百六十六号）の規定による検疫のために使用する施設

（法附則第二百五十九条の三第五項第二号イの政令で定める空港）

第八十九条の四　法附則第二百五十九条の三第五項第二号イに規定する政令で定める空港は、三沢飛行場、仙台空港、百里飛行場、新潟空港、小松飛行場、八尾空港、美保飛行場、広島空港、岩国飛行場、徳島飛行場、高松空港、松山空港、高知空港、福岡空港、北九州空港、長崎空港、熊本空港、大分空港、宮崎空港及び鹿児島空港とする。

（法附則第二百五十九条の三第五項第二号イの政令で定める施設等機関）

第八十九条の五　法附則第二百五十九条の三第五項第二号イに規定する政令で定める施設等機関は、国土交通省国土技術政策総合研究所とする。

（自動車安全特別会計と一般会計との間における国有財産の所管換等の特例）

第八十九条の六　法附則第二百五十九条の四第一項に規定する政令で定めるものは、国有財産のうち次に掲げるものとする。

一　出入国管理及び難民認定法の規定による出入国の管理のために使用する必要があるもの

二　植物防疫法、狂犬病予防法又は家畜伝染病予防法の規定による検疫のために使用する必要があるもの

三　航空法第五十六条の四第一項の規定により指定された施設のある自衛隊の設置する飛行場又は日本国とアメリカ合衆国との間の相互協力及び安全保障条約第六条に基づく施設及び区域並びに日本国における合衆国軍隊の地位に関する協定第二条第四項(a)の規定に基づき日本国政府若しくは日本国民が使用する飛行場に設置された空港整備事業（法附則第二百五十九条の三第二項に規定する空港整備事業をいう。）の対象となる国有財産で、これらの飛行場の管理をする者が管理することが適当であると認められるもの

2　国土交通大臣は、法附則第二百五十九条の四第一項の規定により自動車安全特別会計に所属する国有財産を一般会計に所管換又は所属替をしようとする場合においては、所管換又は所属替をする国有財産の範囲及び時期その他必要な事項について財務大臣に協議するものとする。

3　国土交通大臣は、一般会計に所属する国有財産を自動車安全特別会計に所管換又は所属替をしようとする場合において、法附則第二百五十九条の四第二項第二号の規定により無償として整理しようとするときは、所管換又は所属替をする国有財産の範囲及び時期その他必要な事項について財務大臣に協議するものとする。

4　法附則第二百五十九条の四第二項第三号に規定する政令で定める場合は、次に掲げる場合とする。

一　自動車安全特別会計に所属する国有財産を公共の使用に支障のない範囲内で海上保安庁の航空機による海難救助等の事務のために使用する場合

二　国土交通大臣が設置している飛行場で自衛隊の施設に隣接しているもの又は自衛隊が設置している飛行場にある自動車安全特別会計に所属する国有財産を、公共の使用に支障のない範囲内で自衛隊の航空機による業務のために使用する場合

三　前二号に掲げる場合のほか、国土交通大臣が財務大臣に協議して定める場合

5　各省各庁の長は、一般会計に所属する国有財産を自動車安全特別会計に使用させる場合において、法附則第二百五十九条の四第二項第四号の規定により無償として整理しようとするときは、使用させる国有財産の範囲及び期間その他必要な事項について財務大臣に協議するものとする。

6　国土交通大臣は、自動車安全特別会計の空港整備勘定に所属する株式を一般会計に所管換をする場合において、法附則第二百五十九条の四第二項第五号の規定により無償として整理しようとするときは、所管換をする株式の数及び時期その他必要な事項について財務大臣に協議するものとする。

（自動車安全特別会計の空港整備勘定の歳出の特例）

第八十九条の七　法附則第二百五十九条の五第二項に規定する

政令で定める特別の性能を有するものは、九人以上の旅客を乗せることができる飛行機で、国土交通省令で定める気象その他の条件において、千五百メートル以下の長さの滑走路で離陸及び着陸をすることができるものとする。

（東日本大震災復興特別会計における権利義務の帰属等に関する経過措置）

第八十九条の八　特別会計に関する法律の一部を改正する法律（平成二十四年法律第十五号）附則第三条の規定により東日本大震災復興特別会計に帰属する権利義務の範囲、帰属の時期その他帰属に関し必要な事項は、所管大臣が財務大臣に協議して定める。

○特別会計の情報開示に関する省令

平一九・三・三一
財務令三〇

（適用の一般原則）

第一条　特別会計に関する法律（平成十九年法律第二十三号。以下「法」という。）第十九条第一項に規定する企業会計の慣行を参考とした書類は、法、特別会計に関する法律施行令（平成十九年政令第百二十四号。以下「令」という。）及びこの省令に定めるもののほか、財務大臣が財政制度等審議会の議を経て定める基準に従って作成するものとする。

（企業会計の慣行を参考とした書類）

第二条　令第三十四条第一項の財務大臣が定める事項は、次に掲げるものとする。

一　当該年度末における資産及び負債の状況

二　当該年度において発生した費用の状況

三　当該年度における資産と負債との差額の増減の状況

四　当該年度における歳入歳出決算を業務及び財務に区分した収支の状況

五　第一号から前号までに掲げる事項に関する重要な会計方針、偶発債務（債務の保証（債務の保証と同様の効果を有するものを含む。）、係争事件に係る賠償義務その他現実に発生していない債務で、将来において債務となる可能性のあるものをいう。）の内容及び金額その他の特別会計の財務内容を理解するために必要となる事項

六　第一号から第四号までに掲げる事項に関する明細

（連結の範囲）

第三条　令第三十四条第三項の財務大臣が定める要件は、次に掲げるものとする。ただし、政策的な投資を目的とする特別会計が出資をした法人及び特別会計が国債の償還のために保有している株式の発行法人については、この限りでない。

一　特別会計からの出資金の比率が百分の五十以上であること。

二　特別会計からの出資金の比率が百分の二十以上百分の五十未満であり、かつ、当該特別会計から補助金、負担金、交付金その他の財政上の措置（次号において「財政措置」という。）を受けていること。

三　特別会計からの財政措置による収入金額が当該法人の総収入金額の全部又は大部分を占めていること。

（情報開示の期間）

第四条　法第二十条に基づく情報の開示の期間は、それぞれの開示を行った日から五年間とする。

附　則

この省令は、特別会計に関する法律施行の日（平成十九年四月一日）から施行し、平成十九年度の予算から適用する。

物品及び有価証券

○物品管理法

昭三一・五・二二
法 一 一 三

最終改正 令元・五・三一法一六

目次〔略〕

第一章 総則

（目的）

第一条 この法律は、物品の取得、保管、供用及び処分（以下「管理」という。）に関する基本的事項を規定することにより、物品の適正かつ効率的な供用その他良好な管理を図ることを目的とする。

参 **財政処理の基本原則**（憲法八三） **国の財産管理の基本原則**（財政法九） **物品以外の財産管理の法律**（会計法、債権管理法、財産法、国有林野法等）

（定義）

第二条 この法律において「物品」とは、国が所有する動産のうち次に掲げるもの以外のもの及び国が供用のために保管する動産をいう。

一 現金

二 法令の規定により日本銀行に寄託すべき有価証券

三 国有財産法（昭和二十三年法律第七十三号）第二条第一項第二号又は第三号に掲げる国有財産

2 この法律において「供用」とは、物品をその用途に応じて国において使用させることをいう。

3 この法律において「各省各庁の長」とは、財政法（昭和二十二年法律第三十四号）第二十条第二項に規定する各省各庁の長をいい、「各省各庁」とは、同法第二十一条に規定する各省各庁をいう。

参 **動産**（民法八五・八六） **現金の取扱い**（会計法三三・三四・三八、予決令一〇六・一一四等） **日本銀行に対する有価証券の寄託**（会計法三三・三五、予決令一〇四・一〇五、政府所有有価証券取扱規程、財産法二Ⅰ6） **国有財産法の適用を受ける動産**（財産法二Ⅰ2・3・6・附四等） **準用動産**（物品管理法三五、物品管理令四二）

（分類）

第三条 各省各庁の長は、その所管に属する物品について、物品の適正な供用及び処分（国の事務又は事業の目的に従い用途に応じて行う処分に限る。第十九条第一項中契約等担当職員の意義に係る部分、第三章第四節の節名及び第三十一条第一項を除き、以下同じ。）を図るため、供用及び処分の目的に従い、分類を設けるものとする。

2 前項の分類は、各省各庁の予算で定める物品に係る経費の目的に反しないものでなければならない。ただし、当該経費の目的に従つて分類を設けることが、その用途を勘案し、適正かつ効率的な供用及び処分の上から、不適当であると認められる物品については、これに係る事務又は事業の遂行のため必要な範囲内で、当該経費の目的によらない分類をすることは、さしつかえない。

3 各省各庁の長は、物品の管理のため必要があるときは、第一項の分類に基き、細分類を設けることができる。

改 一項…一部改正・四項…削除（昭四〇法四一）

参 **予算で定める経費の目的**（財政法二三・二五・三一Ⅱ、予決令一一・一二・一四） **分類の設定**（物品管理令三） **所属分類の決定及び分類換**（物品管理法四・五） **物品の供用及び処分の原則**（物品管理法一五） **国有財産の分類及び種類**（財産法三）

（所属分類の決定）

第四条 第八条第三項又は第六項に規定する物品管理官又は分任物品管理官は、その管理する物品の属すべき分類（前条第三項の規定による細分類を含む。以下同じ。）を、前条の規定による分類の趣旨に従つて、決定しなければならない。

改 本条…一部改正（昭四〇法四一・昭四六法九六）

参 **所属分類決定の手続**（物品管理規則三、大蔵大臣通達昭四〇蔵計七七一） **分類の設定**（物品管理法三）

（分類換）

第五条 各省各庁の長又は政令で定めるところによりその委任を受けた当該各省各庁所属の職員は、物品の効率的な供用又は処分のため必要があると認めるときは、前条の物品管理官又は分任物品管理官に対して、物品の分類換（物品をその属する分類から他の分類に所属を移すことをいう。以下同じ。）を命ずることができる。

2 物品管理官又は分任物品管理官は、前項の規定による命令に基づいて分類換をする場合を除くほか、物品の効率的な供用又は処分のため必要があると認めるときは、各省各庁の長（前項の委任を受けた職員があるときは、当該職員）の承認を経て、物品の分類換をすることができる。

改 本条…全部改正（昭四〇法四一）

参 **分類及び所属分類の決定**（物品管理法三・四） **分類換の整理手続**（物品管理規則五、大蔵大臣通達昭四〇蔵計七七一）

（他の法令との関係）

第六条 物品の管理については、他の法律又はこれに基く命令に特別の定がある場合を除くほか、この法律の定めるところによる。

参 **他の法令の特別の定の例**（道路法九二、民事訴訟費用等に関する法律二九等）

第二章 物品の管理の機関

（管理の機関）

第七条 各省各庁の長は、その所管に属する物品を管理するものとする。

参 **各省各庁の長の予算執行の責任**（財政法三一等、会計法四・一〇等） **国有財産の管理機関**（財産法五・五の二・六） **物品管理事務の委任等**（物品管理法八・九・一〇・一〇の二・一一・一二）

（物品管理官）

第八条 各省各庁の長は、政令で定めるところにより、当該各省各庁所属の職員に、その所管に属する物品の管理に関する事務を委任することができる。

2 各省各庁の長は、必要があるときは、政令で定めるところにより、他の各省各庁所属の職員に、前項の事務を委任することができる。

3 各省各庁の長又は前二項の規定により物品の管理に関する事務の委任を受けた職員は、物品管理官という。

4 各省各庁の長は、必要があるときは、政令で定めるところにより、当該各省各庁所属の職員又は他の各省各庁所属の職員に、物品管理官の事務の一部を分掌させることができる。

5 第一項、第二項又は前項の場合において、各省各庁の長は、当該各省各庁又は他の各省各庁に置かれた官職を指定することにより、その官職にある者に当該事務を委任し、又は分掌させることができる。

6 第四項の規定により物品管理官の事務の一部を分掌する職員は、分任物品管理官という。

改 四項…削り・旧五項…一項繰上・旧六・七項…一部改正し一項ずつ繰上（昭四六法九六）

参 **物品管理事務の委任手続**（物品管理令五） **物品管理事務の代理**（物品管理法一〇の二Ⅰ） **物品管理事務の一部処理**（物品管理法一〇の二Ⅱ） **物品管理官と物品出納官の兼職禁止**（物品管理規則六） **都道府県が行う物品管理事務**（物品管理法一一） **国の会計事務委任の例**（会計法四の二・一三・一三の三・二四・二九の二・四八、財産法九、債権管理法五）

（物品出納官）

第九条 物品管理官（分任物品管理官を含む。以下同じ。）は、政令で定めるところにより、その所属する各省各庁所属の職員に、その管理する物品の出納及び保管に関する事務（出納命令に係る事務を除く。）を委任するものとする。

2 前項の規定により物品の出納及び保管に関する事務の委任を受けた職員は、物品出納官という。

3 物品管理官は、必要があるときは、政令で定めるところにより、その所属する各省各庁所属の職員に、物品出納官の事務の一部を分掌させることができる。

4 前条第五項の規定は、第一項又は前項の場合について準用する。

5 第三項の規定により物品出納官の事務の一部を分掌する職員は、分任物品出納官という。

改 三項…削り・旧四項…一項繰上・旧五・六項…一部改正し一項ずつ繰上（昭四六法九六）

参 **物品出納保管事務の委任手続**（物品管理令六） **物品出納事務の代理**（物品管理法一〇の二Ⅰ） **物品保管事務の一部処理**（物品管理法一〇の二Ⅱ） **出納命令及び出納**（物品管理法二三・二四） **物品管理官と物品出納官の兼職禁止**（物品管理規則六）

（物品供用官）

第十条 物品管理官は、必要があるときは、政令で定めるところにより、その所属する各省各庁所属の職員に、物品の供用に関する事務を委任することができる。

2 前項の規定により物品の供用に関する事務の委任を受けた職員は、物品供用官という。

3 第八条第五項の規定は、第一項の場合について準用する。

改 三項…削り・旧四項…一部改正し一項繰上・五項…削る（昭四六法九六）

参 **物品供用事務の委任手続**（物品管理令七） **物品供用事務の代理**（物品管理法一〇の二Ⅰ） **物品供用事務の一部処理**（物品管理法一〇の二Ⅱ）

（事務の代理等）

第十条の二　各省各庁の長は、物品管理官若しくは物品出納官（分任物品出納官を含む。以下同じ。）又は物品供用官に事故がある場合（これらの者が第八条第五項（第九条第四項及び前条第三項において準用する場合を含む。）の規定により指定された官職にある者である場合には、その官職にある者が欠けたときを含む。）において必要があるときは、政令で定めるところにより、当該各省各庁所属の職員又は他の各省各庁所属の職員にその事務を代理させることができる。

２　各省各庁の長は、必要があるときは、政令で定めるところにより、当該各省各庁所属の職員又は他の各省各庁所属の職員に、物品管理官（前項の規定によりその事務を代理する職員を含む。）の事務の一部を処理させることができる。

改　本条…追加（昭四六法九六）

参　**事務の代理の手続**（物品管理令八、物品管理規則七）　**事務の一部処理の手続**（物品管理令九）

（都道府県の行う事務）

第十一条　国は、政令で定めるところにより、物品の管理に関する事務（第三十九条の規定による検査を含む。次項において同じ。）を都道府県の知事又は知事の指定する職員が行うこととすることができる。

２　前項の規定により都道府県が行う物品の管理に関する事務については、この法律その他の物品の管理に関する法令の当該事務の取扱に関する規定を準用する。

３　第一項の規定により都道府県が行うこととされる事務は、地方自治法（昭和二十二年法律第六十七号）第二条第九項第一号に規定する第一号法定受託事務とする。

改　一・二項…一部改正（昭三一法一四八）、一項…一部改正（昭四五法一一一）、一・二項…一部改正・三項…追加（平一一法八七）、一項…一部改正（平一八法五三）

参　**手続**（物品管理令一〇）　**物品の検査**（物品管理法三九、物品管理令四四）　**国の会計事務を都道府県が行う例**（会計法四八、予決令一四〇、財産法九、財産令六）

（管理事務の総括）

第十二条　財務大臣は、物品の管理の適正を期するため、物品の管理に関する制度を整え、その管理に関する事務を統一し、その増減及び現在額を明らかにし、並びにその管理について必要な調整をするものとする。

２　財務大臣は、物品の管理の適正を期するため必要があると認めるときは、各省各庁の長に対し、その所管に属する物品について、その状況に関する報告を求め、当該職員に実地監査を行わせ、又は閣議の決定を経て、分類換、第十六条第一項に規定する管理換その他必要な措置を求めることができる。

改　本条…一部改正（平一一法一六〇）

参　**物品の増減及び現在額報告**（物品管理法三七・三八）　**実地監査の方法**（物品管理規則四五）　**財務省における分掌**（財務省設置法四10、財務省組織令四9・二四3・二五2・二九、財務省組織規則九ⅢⅣ・二二七Ⅰ7）

第三章　物品の管理

第一節　通則

（物品の管理に関する計画）

第十三条　物品管理官は、毎会計年度、政令で定めるところにより、その管理する物品の効率的な供用又は処分を図るため、予算及び事務又は事業の予定を勘案して、物品の管理に関する計画を定めなければならない。

２　物品管理官は、前項の計画を定めたときは、当該計画のうち供用に係る部分を物品供用官に通知しなければならない。

改　本条…全部改正（昭四〇法四一）

参　**会計年度**（憲法八六・九〇、財政法一一）　**物品の管理に関する計画の定め方**（物品管理令一一）

第十四条　削除

改　本条…削除（昭四〇法四一）

（供用又は処分の原則）

第十五条　物品は、その属する分類の目的に従い、かつ、第十三条第一項の計画に基づいて、供用又は処分をしなければならない。

改　本条…一部改正（昭四〇法四一）

参　**分類の設定**（物品管理法三、物品管理令三）　**所属分類の決定**（物品管理法四）　**物品の管理に関する計画の作成等**（物品管理法一三、物品管理令一一）　**供用又は処分**（物品管理法二〇・二七～三〇、物品管理令二六・二七・三三～三六、物品管理規則二〇・二一・三二～三六）

（管理換）

第十六条　各省各庁の長又は政令で定めるところによりその委任を受けた当該各省各庁所属の職員は、物品の効率的な供用又は処分のため必要があると認めるときは、物品管理官に対して、物品の管理換（物品管理官の間において物品の所属を移すことをいう。以下同じ。）を命ずることができる。

2　物品管理官は、前項の規定による命令に基づいて管理換をする場合を除くほか、物品の効率的な供用又は処分のため必要があると認めるときは、政令で定めるところにより、各省各庁の長（前項の委任を受けた職員があるときは、当該職員）の承認を経て、物品の管理換をすることができる。

3　異なる会計の間において管理換をする場合には、政令で定める場合を除くほか、有償として整理するものとする。

改　一・二項…全部改正・三項…削り・旧四項…一項繰上（昭四〇法四一）

参　**管理換の承認の手続**（物品管理令一八）　**管理換の手続**（物品管理規則一四）　**管理換を有償として整理しない場合**（物品管理令二一、大蔵大臣通達昭四〇蔵計七七一）　**管理換を有償として整理する場合の対価**（物品管理令二二、物品管理規則一六）

（管理の義務）

第十七条　物品の管理に関する事務を行う職員は、この法律その他の物品の管理に関する法令の規定に従うほか、善良な管理者の注意をもつてその事務を行わなければならない。

参　**善良な管理者の注意**（民法六四四）　**物品管理職員の責任**（物品管理法三一Ⅰ）　**物品使用職員の責任**（物品管理法三一Ⅱ）

（関係職員の行為の制限）

第十八条　物品に関する事務を行う職員は、その取扱に係る物品（政令で定める物品を除く。）を国から譲り受けることができない。

2　前項の規定に違反してした行為は、無効とする。

参　**関係職員の譲受を制限しない物品**（物品管理令二三、印紙納付法三・四）　**一般職員に関する譲受制限**（徴収法九二）　**物品以外の財産の譲受制限の例**（財産法一六）

第二節　取得及び供用

（取得手続）

第十九条　物品管理官は、第十三条第一項の計画に基づいて、物品の供用又は処分のため必要な範囲内で、契約等担当職員（国のために契約その他物品の取得又は処分の原因となる行為をする職員をいう。以下同じ。）に対し、取得のため必要な措置を請求しなければならない。

2　契約等担当職員は、前項の請求に基づき、かつ、予算を要するものにあつてはその範囲内で、物品の取得のため必要な措置をするものとする。

改　本条…一部改正（昭四〇法四一）

参　**取得のための措置の請求手続**（物品管理令二四Ⅰ、物品管理規則一八）　**物品の管理に関する計画の作成等**（物品管理法一三、物品管理令一一）　**契約等担当職員の行為**（予算の範囲内（会計法一一、予決令三九の二、契約事務規則三）　**措置ができない旨の通知**（物品管理令二四Ⅱ）　**取得のための措置の請求等の省略**（物品管理令二四Ⅲ）　**法令の規定により国が取得すべき物品の例**（金管理法三等）　**物品関係職員等の物品の取得に関する物品管理官への通知**（物品管理令二五、物品管理規則一七）　**取得の手続**（物品管理規則一九）

（供用手続）

第二十条　物品供用官は、その供用すべき物品について、物品管理官に対し、供用のための払出しを請求しなければならない。

2　物品管理官は、物品の供用のための第二十三条の規定による命令をし、又は払出しをするときは、供用の目的を明らかにして、その旨を物品供用官に知らせなければならない。

改　本条…一部改正（昭四〇法四一）

参　**供用の原則**（物品管理法一五）　**供用のための払出しの請求及び払出命令等**（物品管理令二六、物品管理規則二〇）　**供用の場合における使用職員の明確化**（物品管理令二七、物品管理規則二一）　**供用物品の返納手続**（物品管理法二一、物品管理規則二二・二四）　**供用換**（物品管理規則二三）

（返納手続）

第二十一条　物品供用官は、供用中の物品で供用の必要がないもの、修繕若しくは改造を要するもの又は供用することができないものがあると認めるときは、その旨を物品管理官に報告しなければならない。

2　物品管理官は、前項の報告等により同項に規定する物品があると認めるときは、物品供用官に対し、当該物品の返納を命じなければならない。

3　前二項の規定は、供用中の物品で物品管理官が定める軽微な修繕又は改造を要するものについては、適用しない。

改 三項…追加（昭四〇法四一）

参 **返納の手続**（物品管理規則二二・二四） **供用換**（物品管理規則二三） **修繕又は改造のための措置の請求**（物品管理法二六Ⅱ）

第三節 保管

（保管の原則）

第二十二条 物品は、国の施設において、良好な状態で常に供用又は処分をすることができるように保管しなければならない。ただし、物品管理官が国の施設において保管することを物品の供用又は処分の上から不適当であると認める場合その他特別の理由がある場合は、国以外の者の施設に保管することを妨げない。

参 **国の財産管理の原則**（財政法九Ⅰ） **保管の方法**（物品管理規則二五） **保管中の供用不適品等の処理**（物品管理法二六Ⅰ） **国以外の者の施設における保管のための措置の請求等**（物品管理令二八、物品管理規則二六） **国以外の者の施設における保管の手続**（施設の借上の場合（物品管理規則二七Ⅰ）寄託の場合（物品管理規則二七Ⅱ）） **国以外の者が保管する物品の引渡手続**（物品管理規則二八）

（出納命令）

第二十三条 物品管理官は、物品を出納させようとするときは、物品出納官に対し、出納すべき物品の分類を明らかにして、その出納を命じなければならない。

改 本条…一部改正（昭四六法九六）

参 **出納命令で明らかにする事項**（物品管理令二九） **出納命令を行う場合の例**（管理換（物品管理規則一四）取得（物品管理規則一九）返納（物品管理規則二二）国以外の者への寄託（物品管理規則二七Ⅱ）解体又は廃棄（物品管理規則三一Ⅱ）修繕又は改造（物品管理規則三四）売払又は貸付（物品管理規則三五Ⅱ）） **出納**（物品管理法二四、物品管理令三〇） **出納の相手方との関係**（物品管理規則二九）

（出納）

第二十四条 物品出納官は、前条の規定による命令がなければ、物品を出納することができない。

参 **出納命令**（物品管理法二三、物品管理令二九） **出納の確認**（物品管理令三〇） **出納の相手方との関係**（物品管理規則二九）

第二十五条 削除

改 本条…削除（昭四〇法四一）

（供用不適品等の処理）

第二十六条 物品出納官は、その保管中の物品（修繕若しくは改造を要するもの又は供用できないものとして、第二十一条第二項の規定により返納された物品を除く。）のうちに供用若しくは処分をすることができないもの又は修繕若しくは改造を要するものがあると認めるときは、その旨を物品管理官に報告しなければならない。

2 物品管理官又は物品供用官は、修繕又は改造を要する物品（物品供用官にあつては、第二十一条第三項に規定する物品に限る。）があると認めるときは、契約等担当職員その他関係の職員に対し、修繕又は改造のため必要な措置を請求しなければならない。

3 第十九条第二項の規定は、前項の規定による請求があつた場合について準用する。

改 二項…一部改正・三項…追加（昭四〇法四一）

参 **修繕又は改造のための措置の請求等**（物品管理令三二、物品管理規則三一） **供用中の供用不適品等の処理**（物品管理法二一） **供用不適品等の不用の決定等**（物品管理法二七）

第四節 処分

（不用の決定等）

第二十七条 物品管理官は、供用及び処分の必要がない物品について管理換若しくは分類換により適切な処理をすることができないとき、又は供用及び処分をすることができない物品があるときは、これらの物品について不用の決定をすることができる。この場合において、政令で定める物品については、あらかじめ、各省各庁の長又は政令で定めるところによりその委任を受けた当該各省各庁所属の職員の承認を受けなければならない。

2 物品管理官は、前項の規定により不用の決定をした物品のうち売り払うことが不利又は不適当であると認めるもの及び売り払うことができないものは、廃棄することができる。

改 一項…一部改正（昭四〇法四一）

参 **不用の決定について承認を要する物品**（物品管理令三三、大蔵大臣通達昭四〇蔵計七七一） **不用の決定の承認を求める場合に明らかにすべき事項**（物品管理令三四、物品管理規則三二） **不用の決定及び廃棄の基準**（物品管理令三五） **解体又は廃棄の手続**（物品管理規則三三） **不用の決定の整理**（物品管理規則三四） **不用物品の売払**（物品管理法二八）

供用中又は保管中の供用不適品等の処理（物品管理法二一・二六）　**不用及び棄却処分についての他法令の定の例**（防衛省の職員の給与等に関する法律施行令一七Ⅰ～Ⅲ、道路法九三・九四）

（売払）

第二十八条　物品は、売払を目的とするもの又は不用の決定をしたものでなければ、売り払うことができない。

2　物品管理官は、第十三条第一項の計画に基づいて、契約等担当職員に対し、前項の物品の売払のため必要な措置を請求しなければならない。

3　契約等担当職員は、前項の請求に基づき、物品の売払のため必要な措置をするものとする。

改　二・三項…一部改正（昭四〇法四二）

参　**財産管理の原則**（財政法九、物品管理法一五）　**売払のための措置の請求等**（物品管理令三六、物品管理規則三五）　**減額売払**（物品無償貸付法三・四、経済及び技術協力のため必要な物品等の外国政府等に対する譲与等に関する法律）　**国有財産の処分の制限等**（財産法一八・二〇）　**法令の規定により国が売り払うべき物品の例**（通貨の単位及び貨幣の発行等に関する法律一〇、主要食糧の需給及び価格の安定に関する法律二九～三二）

（貸付）

第二十九条　物品は、貸付を目的とするもの又は貸し付けても国の事務若しくは事業に支障を及ぼさないと認められるものでなければ、貸し付けることができない。

2　前条第二項及び第三項の規定は、前項の物品を貸し付ける場合について準用する。

参　**財産管理の原則**（財政法九、物品管理法一五）　**貸付のための措置の請求等**（物品管理令三六、物品管理規則三五）　**減額貸付**（物品無償貸付法二）　**国有財産の貸付け**（財産法一八・二〇）

（出資等の制限）

第三十条　物品は、法律に基く場合を除くほか、出資の目的とし、又はこれに私権を設定することができない。

参　**財産管理の原則**（財政法九、物品管理法一五）　**物品以外の財産の処分制限の例**（財産法一八・二〇）

第四章　物品管理職員等の責任

（物品管理職員等の責任）

第三十一条　次に掲げる職員（以下「物品管理職員」という。）は、故意又は重大な過失により、この法律の規定に違反して物品の取得、所属分類の決定、分類換、管理換、出納命令、出納、保管、供用、不用の決定若しくは処分（以下「物品の管理行為」という。）をしたこと又はこの法律の規定に従つた物品の管理行為をしなかつたことにより、物品を亡失し、又は損傷し、その他国に損害を与えたときは、弁償の責に任じなければならない。

一　物品管理官
二　物品出納官
三　物品供用官
四　第十条の二第一項の規定により前三号に掲げる者の事務を代理する職員
五　第十条の二第二項の規定により第一号に掲げる者（その者の事務を代理する前号の職員を含む。）の事務の一部を処理する職員
六　第十一条の規定により前各号に掲げる者の事務を行う都道府県の知事又は知事の指定する職員
七　前各号に掲げる者の補助者

2　物品を使用する職員は、故意又は重大な過失によりその使用に係る物品を亡失し、又は損傷したときは、その損害を弁償する責めに任じなければならない。

3　前二項の規定により弁償すべき国の損害の額は、物品の亡失又は損傷の場合にあつては、亡失した物品の価額又は損傷による物品の減価額とし、その他の場合にあつては、当該物品の管理行為に関し通常生ずべき損害の額とする。

改　一項…一部改正（昭三二法一四八）、一項…一部改正・二項…追加・旧二項繰下（昭四〇法四二）、一項…一部改正（昭四六法九六）、一項…一部改正（平一一法八七）、一項…一部改正（平一八法五三）

参　**物品の亡失又は損傷等の通知**（物品管理法三二）　**物品の亡失等の報告及び通知**（物品管理令三七・三八）　**物品の亡失の整理**（物品管理規則三六）　**会計検査院の検定及び弁償命令等**（会計院法三二）　**検定前の弁償命令**（物品管理法三三、物品管理令三九）　**懲戒処分の要求**（会計院法三一）　**犯罪の通告**（会計院法三三）　**物品以外の弁償責任の規定の例**（会計法四一・四三・四五、予責法三・四）　**公庫の物品管理職員の弁償責任**（予責法一一）　**不法行為による損害賠償責任**（民法七〇九）

（亡失又は損傷等の通知）

第三十二条　各省各庁の長は、その所管に属する物品が亡失し、若しくは損傷したとき、又は物品管理職員がこの法律

の規定に違反して物品の管理行為をしたこと若しくはこの法律の規定に従つた物品の管理行為をしなかつたことにより国に損害を与えたと認めるときは、政令で定めるところにより、財務大臣及び会計検査院に通知しなければならない。

改 本条…一部改正（昭四〇法四一　平一一法一六〇）

参 **亡失又は損傷等の報告及び通知の手続**（物品管理令三七・三八、物品管理規則三七・三七の二、平一五財計一四九七、会計検査院事務総長通達昭四〇・四〇〇普五〇七）　**会計検査院の検査及び検定**（会計院法二一6・二二2・二三～二三の二）　**物品以外の亡失等の通知の例**（会計法四二、予決令一一五の二）

（検定前の弁償命令）

第三十三条　各省各庁の長又は政令で定めるところによりその委任を受けた当該各省各庁所属の職員は、物品管理職員が第三十一条第一項の規定に該当すると認めるときは、会計検査院の検定前においても、その物品管理職員に対して弁償を命ずることができる。

2　前項の規定により弁償を命じた場合において、会計検査院が物品管理職員に対し、弁償の責がないと検定したときは、その既納に係る弁償金は、直ちに還付しなければならない。

改 一項…一部改正（昭四〇法四一）

参 **検定及び弁償命令等**（会計院法三二II～V）　**検定の請求手続**（物品管理令三九）　**物品以外の検定前の弁償命令**（会計法四三、予責法四III・V・VI）

第三十四条　削除

改 本条…削除（昭四〇法四一）

第五章　雑則

（この法律の規定を準用する動産）

第三十五条　この法律（第三条から第五条まで、第十条、第十三条から第十六条まで、第十九条から第二十一条まで、第二十五条から第二十九条まで、第三十一条第二項、第三十四条、第三十七条及び第三十八条を除く。）の規定は、物品以外の動産で国が保管するもののうち政令で定めるものについて準用する。

改 本条…一部改正（昭四〇法四一）

参 **準用動産の範囲**（物品管理令四一）　**国が債権者として占有すべき金銭以外の担保物**（債権管理法二〇）　**国が保管する動産で物品に属するもの**（物品管理法二I）

（帳簿）

第三十六条　物品管理官、物品出納官及び物品供用官は、政令で定めるところにより、帳簿を備え、これに必要な事項を記載し、又は記録しなければならない。

改 本条…一部改正（平一四法一五二）

参 **帳簿の種類**（物品管理令四二）　**帳簿への記録事項**（物品管理規則三八、大蔵大臣通達昭四〇蔵計七七一）　**物品価格の記載**（物品管理規則三八II～IV、大蔵大臣通達昭三六蔵計八六二、昭四〇蔵計七七一、平一九財計一一二）　**交替及び廃止の場合の帳簿の引継等**（物品管理規則四二）

（物品増減及び現在額報告書）

第三十七条　各省各庁の長は、国が所有する物品のうち重要なものとして政令で定めるものにつき、毎会計年度間における増減及び毎会計年度末における現在額の報告書を作成し、翌年度の七月三十一日までに、財務大臣に送付しなければならない。

改 本条…一部改正（昭四〇法四一　平一一法一六〇）

参 **物品増減及び現在額報告書を作成する物品**（物品管理令四三I、大蔵大臣通達昭四〇蔵計七七一、平一九財計一一二）　**物品増減及び現在額報告書の様式及び作成の方法**（物品管理令四三II、物品管理規則四三・別表一、大蔵大臣通達昭四〇蔵計八〇八、主計局長通達昭四〇蔵計八〇九）　**物品増減及び現在額総計算書**（物品管理法三八）　**国有財産の増減及び現在額報告書、総計算書**（財産法三三I・II）

（国会への報告等）

第三十八条　財務大臣は、前条の報告書に基づき、物品増減及び現在額総計算書を作成しなければならない。

2　内閣は、前項の物品増減及び現在額総計算書を前条の報告書とともに、翌年度十月三十一日までに、会計検査院に送付しなければならない。

3　内閣は、第一項の物品増減及び現在額総計算書に基づき、毎会計年度間における物品の増減及び毎会計年度末における物品の現在額について、当該年度の歳入歳出決算の提出とともに、国会に報告しなければならない。

改 一・二項…一部改正・三項…全部改正・四項…削る（昭四〇法四一）、一項…一部改正（平一一法一六〇）

参　**物品増減及び現在額報告書**（物品管理法三七）　**物品管理官の計算証明**（計算規則五九～六二の四）　**国有財産の増減及び現在額総計算書**（財産法三三Ⅱ・Ⅲ・三四）

（検査）

第三十九条　各省各庁の長は、政令で定めるところにより、定期的に、及び物品管理官、物品出納官又は物品供用官が交替する場合その他必要がある場合は随時、その所管に属する物品の管理について検査しなければならない。

参　**検査の方法**（物品管理令四四）　**検査の立会い**（物品管理令四五）　**検査書の作成等**（物品管理令四六）　**出納官吏の検査等**（予決令一一六～一一九）

（適用除外）

第四十条　国の事務の運営に必要な書類その他政令で定める物品の管理については、政令で定めるところにより、この法律の一部を適用しないことができる。

改　本条…一部改正（平一四法九八）

参　**政令で定める適用除外の物品及び適用除外の規定**（物品管理令四七Ⅱ、物品管理規則四四、大蔵大臣通達昭四〇蔵計七七一）　**適用除外の物品についての必要な事項の定め**（物品管理令四七Ⅲ）

（電磁的記録による作成）

第四十条の二　この法律又はこの法律に基づく命令の規定により作成することとされている報告書等（報告書、物品増減及び現在額総計算書その他文字、図形その他の人の知覚によって認識することができる情報が記載された紙その他の有体物をいう。次条において同じ。）については、当該報告書等に記載すべき事項を記録した電磁的記録（電子的方式、磁気的方式その他人の知覚によっては認識することができない方式で作られる記録であって、電子計算機による情報処理の用に供されるものとして財務大臣が定めるものをいう。同条第一項において同じ。）の作成をもって、当該報告書等の作成に代えることができる。この場合において、当該電磁的記録は、当該報告書等とみなす。

改　本条…追加（平一四法一五二）、本条…一部改正（令元法一六）

（電磁的方法による提出）

第四十条の三　この法律又はこの法律に基づく命令の規定による報告書等の提出については、当該報告書等が電磁的記録で作成されている場合には、電磁的方法（電子情報処理組織を使用する方法その他の情報通信の技術を利用する方法であって財務大臣が定めるものをいう。次項において同じ。）をもって行うことができる。

2　前項の規定により報告書等の提出が電磁的方法によって行われたときは、当該報告書等の提出を受けるべき者の使用に係る電子計算機に備えられたファイルへの記録がされた時に当該提出を受けるべき者に到達したものとみなす。

改　本条…追加（平一四法一五二）、本条…一部改正（令元法一六）

（政令への委任）

第四十一条　この法律に定めるもののほか、この法律の施行に関し必要な事項は、政令で定める。

参　**実施規定**（物品管理令二五等）　**省令への委任**（物品管理令四八）

附　則（抄）

1　この法律は、公布の日から起算して八月をこえない範囲内で政令で定める日〔昭三二・一・一〇〕から施行する。

2　第十三条及び第十四条の規定は、昭和三十二年度分の需給計画又は運用計画から、第三十七条及び第三十八条の規定は、同年度分の報告書又は物品増減及び現在額総計算書からそれぞれ適用する。

9　改正前の会計法第三十八条に規定する出納官吏又は同法第四十条第二項に規定する出納員のうち物品の出納保管をつかさどるもの、改正前の予算執行職員等の責任に関する法律第十条第一項に規定する公団等の出納職員のうち物品の出納保管をつかさどることを命ぜられたもの及び改正前の日本国有鉄道法第四十八条又は日本電信電話公社法第六十九条に規定する物品出納職員のこの法律の施行前の事実に基く弁償責任については、なお従前の例による。

参　**施行期日**（物品管理法の施行期日を定める政令（昭和三十一年政令第三百三十八号）により昭和三十二年一月十日）

附　則（昭四六・六・一法九六）（抄）

（施行期日等）

1　この法律は、〔中略〕当該各号に掲げる日から施行する。

一　〔略〕

二　第五条から第十一条まで並びに附則第四項及び第二十三項　公布の日から起算して六月をこえない範囲内において政令で定める日〔昭四六・一一・三〇〕

4　（経過措置）
第五条の規定による改正前の会計法第三十九条第二項（同法第四十八条第二項において準用する場合を含む。）に規定する代理出納官吏又は第九条の規定による改正前の物品管理法第八条第七項、第九条第六項若しくは第十条第五項（これらの規定を同法第十一条第二項において準用する場合を含む。）に規定する代理物品管理官、代理物品出納官若しくは代理物品供用官若しくはこれらの補助者のこの法律の施行前の事実に基づく弁償責任については、なお従前の例による。

附　則（令元・五・三一法一六）（抄）

（施行期日）
第一条　この法律は、公布の日から起算して九月を超えない範囲内において政令で定める日〔令元・一二・一六〕から施行する。〔ただし書略〕

〇物品管理法施行令

昭三一・一一・一〇
政令三三九

最終改正　令六・五・二九政令一九七

目次〔略〕

第一章　総則

（定義）
第一条　この政令において「管理」、「物品」、「供用」、「各省各庁の長」、「各省各庁」、「分類」、「分類換」、「物品管理官」、「分任物品管理官」、「物品出納官」、「分任物品出納官」、「物品供用官」、「物品の管理に関する計画」、「管理換」、「契約等担当職員」、「物品管理職員」又は「物品の管理行為」とは、物品管理法（以下「法」という。）第一条、第二条、第三条第一項、第五条第一項、第八条第三項若しくは第六項、第九条第二項若しくは第五項、第十条第二項、第十三条第一項、第十六条第一項、第十九条第一項又は第三十一条第一項に規定する管理、物品、供用、各省各庁の長、各省各庁、分類、分類換、物品管理官、分任物品管理官、物品出納官、分任物品出納官、物品供用官、物品の管理に関する計画、管理換、契約等担当職員、物品管理職員又は物品の管理行為をいう。

（管理に関する権限の委任）
第二条　各省各庁の長は、法第五条第一項、法第十六条第一項、法第二十七条第一項又は法第三十三条第一項の規定により、分類換の命令、管理換の命令、不用決定の承認又は弁償の命令に関する権限を当該各省各庁所属の職員に委任する場合には、内閣府設置法（平成十一年法律第八十九号）第五十条の委員長若しくは長官、同法第四十三条若しくは第五十七条（宮内庁法（昭和二十二年法律第七十号）第十八条第一項において準用する場合を含む。）の地方支分部局の長、宮内庁長官、宮内庁法第十七条第一項の地方支分部局の長、国家行政組織法（昭和二十三年法律第百二十号）第六条の委員長若しくは長官、同法第九条の地方支分部局の長又はこれらに準ずる職員（以下「外局の長等」という。）に委任するものとする。

（分類）
第三条　法第三条第一項の分類は、会計の別及び予算で定める部局等の組織の別に区分し、更に当該区分の内において、予算で定める項の目的の別（資金（財政法（昭和二十二年法律第三十四号）第四十四条の規定による資金をいう。）の使用の目的の別を含む。）に区分して設けなければならない。ただし、当該目的の別の区分を更に区分し、又は統合する等当該目的の別によらない分類を設けることが物品の用途を勘案し、適正かつ効率的な供用及び処分の上から適当であると認められる場合は、この限りでない。

第四条　削除

第二章　物品の管理の機関

（物品の管理事務の委任）
第五条　各省各庁の長は、法第八条第一項又は第四項の規定により当該各省各庁所属の職員に物品の管理に関する事務を委任し、又は分掌させる場合において、必要があるときは、同条第一項又は第四項の権限を、当該各省各庁所属の外局の長等に委任することができる。
2　各省各庁の長は、法第八条第二項又は第四項の規定により他の各省各庁所属の職員に物品の管理に関する事務を委任し、又は分掌させる場合には、当該職員及びその官職並びに委任しようとする事務の範囲について、あらかじめ、当該他の各省各庁の長の同意を得なければならない。

3 前項の場合において、委任又は分掌が法第八条第五項の規定により官職を指定することにより行なわれるときは、前項の規定による同意は、その指定しようとする官職及び委任しようとする事務の範囲についてあれば足りる。

（物品の出納保管事務の委任）

第六条 物品管理官（分任物品管理官を含む。以下同じ。）は、法第九条第一項又は第三項の規定によりその所属する各省各庁所属の職員にその管理する物品の出納及び保管に関する事務を委任し、又は分掌させる場合には、各省各庁の長又はその委任を受けた当該各省各庁所属の外局の長等が物品の数量及び保管場所その他物品の管理上の条件を勘案して定める基準に従つてしなければならない。

（物品の供用事務の委任）

第七条 前条の規定は、物品管理官が法第十条第一項の規定によりその所属する各省各庁所属の職員に物品の供用に関する事務を委任する場合について準用する。

（事務の代理等）

第八条 各省各庁の長は、法第十条の二第一項の規定により当該各省各庁所属の職員又は他の各省各庁所属の職員に物品管理官の事務を代理させる場合において、当該各省各庁又は他の各省各庁に置かれた官職を指定することにより、その官職にある者に当該事務を代理させることができる。

2 第五条第一項の規定は、各省各庁の長が法第十条の二第一項の規定により当該各省各庁所属の職員に物品管理官の事務を代理させる場合について、第五条第二項及び第三項の規定は、各省各庁の長が法第十条の二第一項の規定により他の各省各庁所属の職員に物品管理官の事務を代理させ又は官職の指定により代理させる場合について、それぞれ準用する。

3 各省各庁の長は、法第十条の二第一項の規定により当該各省各庁所属の職員又は他の各省各庁所属の職員に物品出納官（分任物品出納官を含む。以下同じ。）又は物品供用官の事務を代理させる場合には、同項の権限を、当該物品出納官又は物品供用官に当該事務を委任した物品管理官に委任するものとし、当該物品管理官は、その所属する各省各庁所属の職員に当該事務を代理させるものとする。

4 第六条及び第一項の規定は、前項の規定により物品管理官が物品出納官又は物品供用官の事務を代理させる場合について準用する。

5 法第十条の二第一項の規定により物品管理官、物品出納官又は物品供用官の事務を代理する職員は、その取り扱う事務の区分に応じて、それぞれ物品管理官代理若しくは分任物品管理官代理、物品出納官代理若しくは分任物品出納官代理又は物品供用官代理という。

第九条 各省各庁の長は、法第十条の二第二項の規定により当該各省各庁所属の職員又は他の各省各庁所属の職員に物品管理官、物品管理官代理又は分任物品管理官代理（以下この条において「物品管理機関」という。）の事務の一部を処理させる場合には、その処理させる事務の範囲を明らかにしなければならない。

2 前条第一項の規定は、法第十条の二第二項の場合について準用する。

3 各省各庁の長は、法第十条の二第二項の規定により当該各省各庁所属の職員に物品管理機関の事務の一部を処理させる場合において、必要があるときは、同項の権限を、当該各省各庁所属の外局の長等に委任することができる。この場合において、各省各庁の長は、同項の規定により当該事務を処理させる職員（当該各省各庁に置かれた官職を指定することによりその官職にある者に当該事務を処理させる場合には、その官職）の範囲及びその処理させる事務の範囲を定めるものとする。

4 第五条第二項及び第三項の規定は、各省各庁の長が法第十条の二第二項の規定により他の各省各庁所属の職員に物品管理機関の事務の一部を処理させ又は官職の指定により処理させる場合について準用する。

5 法第十条の二第二項の規定により物品管理機関の事務の一部を処理する職員（次項において「代行機関」という。）は、当該物品管理機関に所属して、かつ、当該物品管理機関の名において、その事務を処理するものとする。

6 代行機関は、第一項又は第三項に規定する範囲内の事務であつても、その所属する物品管理機関において処理することが適当である旨の申出をし、かつ、当該物品管理機関がこれを相当と認めた事務及び物品管理機関が自ら処理する特別の必要があるものとして指定した事務については、その処理をしないものとする。

（都道府県が行う管理事務）

第十条 各省各庁の長は、法第十一条第一項の規定により物品の管理に関する事務を都道府県の知事又は知事の指定する職員が行うこととなる事務として定める場合には、当該知事又は知事の指定する職員が行うこととなる事務の範囲を明らかにして、当該知事又は知事の指定する職員が物品の管理に関する事務を行うこととなることについて、あらかじめ当該知事の同意を求めなければならない。

2 都道府県の知事は、各省各庁の長から前項の規定により同意を求められた場合には、その内容について同意をするかどうかを決定し、同意をするときは、知事が自ら行う場合を除き、事務を行う職員を指定するものとする。この場合において、当該知事は、都道府県に置かれた職を指定することにより、その職にある者に事務を取り扱わせることができる。

3　前項の場合において、都道府県の知事は、同意をする決定をしたときは同意をする旨及び事務を行う者（同項後段の規定により都道府県に置かれた職を指定した場合においてはその職）を、同意をしない決定をしたときは同意をしない旨を各省各庁の長に通知するものとする。

第三章　物品の管理

第一節　通則

（物品の管理に関する計画）

第十一条　物品管理官は、法第十三条第一項の規定により物品の管理に関する計画を定める場合には、各省各庁の長又はその委任を受けた当該各省各庁所属の外局の長等が物品の管理の目的の適正かつ円滑な達成に資するため物品の管理の実情を考慮して定めるところによらなければならない。

2　物品の管理に関する計画は、四半期ごとに定めるのを例とする。

第十二条から第十七条まで　削除

（管理換の承認）

第十八条　物品管理官は、法第十六条第二項の規定によりその管理する物品について管理換をし、又は他の物品管理官が管理する物品の管理換を受けようとするときは、これを受けるべき物品管理官又はこれをすべき物品管理官に協議し、その協議の内容を明らかにして所属の各省各庁の長（法第十六条第一項の委任を受けた外局の長等があるときは、当該外局の長等）の承認を受けなければならない。

第十九条及び第二十条　削除

（異なる会計の間における管理換を有償としない場合）

第二十一条　法第十六条第三項に規定する政令で定める場合は、次に掲げる場合とする。

一　一月以内に返還すべき条件を附した管理換に係る場合

二　事務又は事業を異なる会計に委託する場合において、その委託を受ける会計でその受託業務を行なうため必要とする物品の管理換に係る場合

三　各省各庁の長が財務大臣に協議して指定する管理換に係る場合

（管理換を有償として整理する場合の対価）

第二十二条　法第十六条第三項の規定により管理換を有償として整理する場合においては、当該管理換に係る対価は、時価によるものとする。

（関係職員の譲受を制限しない物品）

第二十三条　法第十八条に規定する政令で定める物品は、次に掲げる物品とする。

一　印紙をもつてする歳入金納付に関する法律（昭和二十三年法律第百四十二号）第三条及び第四条に規定する印紙その他一般に売り払うことを目的とする物品でその価格が法令の規定により一定しているもの

二　一般に売り払うことを目的とする物品その他の物品で各省各庁の長が財務大臣に協議して指定するもの

第二節　取得及び供用

（取得のための措置の請求）

第二十四条　物品管理官は、法第十九条第一項の規定により物品の取得のため必要な措置を請求する場合には、取得を必要とする物品の品目、規格及び数量並びに取得を必要とする時期及び場所を明らかにしてしなければならない。

2　契約等担当職員は、前項の請求があつた場合において、予算その他の事情により当該請求に基いて物品の取得のため必要な措置をすることができないときは、その旨を物品管理官に通知しなければならない。

3　前二項の請求及び通知は、次に掲げる場合には、省略することができる。

一　法令の規定により国において取得しなければならないこととなつている物品の取得に係る場合

二　物品管理官が契約等担当職員を兼ねる場合

（物品の取得に関する通知）

第二十五条　物品に係る事務又は事業を行う職員は、法第十九条第一項の規定による請求に基くものを除くほか、その職務を行うことにより国において取得する物品又は取得した物品があると認めるときは、すみやかにその旨を物品管理官に通知しなければならない。

（供用のための払出しの請求）

第二十六条　物品供用官は、法第二十条第一項の規定により供用のための払出しを請求する場合には、当該請求に係る物品の品目、規格、数量及び用途を明らかにしてしなければならない。

（供用する場合に明らかにする事項）

第二十七条　物品供用官（物品供用官を置かない場合にあつては、物品管理官）は、物品を供用する場合には、これを使用する職員を明らかにしておかなければならない。

第三節　保管

（国以外の者の施設における保管のための措置の請求）

第二十八条　物品管理官は、法第二十二条ただし書の規定により物品を国以外の者の施設に保管しようとする場合には、次に掲げる事項を明らかにして、契約等担当職員に対し、その保管のため必要な措置を請求しなければならない。

一　保管を必要とする物品の品目及び数量

二　保管の期間
三　物品の管理上保管について附すべき条件
2　第二十四条第二項又は第三項第二号の規定は、前項の請求があつた場合又はこれをすべき場合についてそれぞれ準用する。

（出納命令）
第二十九条　物品管理官は、法第二十三条の規定により物品の出納を命ずる場合には、次に掲げる事項を明らかにしてしなければならない。
一　出納すべき物品の分類、品目、規格及び数量
二　出納の時期
三　出納すべき物品の引渡を物品出納官から受け、又は物品出納官に対してすべき者

（出納）
第三十条　物品出納官は、前条の命令に係る物品の出納をしようとするときは、その出納が当該命令の内容に適合しているかどうかを確認しなければならない。

第三十一条　削除

（修繕又は改造のための措置の請求）
第三十二条　物品管理官又は物品供用官は、法第二十六条第二項の規定により物品の修繕又は改造のため必要な措置を請求する場合には、次に掲げる事項を明らかにしてしなければならない。
一　修繕又は改造を必要とする物品の品目及び数量
二　修繕又は改造の時期
三　修繕又は改造の内容
四　物品の管理上修繕又は改造について附すべき条件
2　第二十四条第二項又は第三項第二号の規定は、前項の請求があつた場合又はこれをすべき場合についてそれぞれ準用する。

第四節　処分

（不用の決定の承認を要する物品）
第三十三条　法第二十七条第一項に規定する政令で定める物品は、第四十三条第一項に規定する機械、器具及び美術品その他各省各庁の長が指定する物品とする。

（不用の決定の承認を求める場合に明らかにする事項）
第三十四条　物品管理官は、法第二十七条第一項の承認を求める場合には、その承認を受けようとする物品の処分の予定を明らかにしてしなければならない。

（不用の決定及び廃棄の基準）
第三十五条　法第二十七条第一項の規定による不用の決定及び同条第二項の規定による廃棄は、各省各庁の長の定める基準に従つてしなければならない。

（売払又は貸付のための措置の請求）
第三十六条　物品管理官は、法第二十八条第二項（法第二十九条第二項において準用する場合を含む。）の規定により物品の売払又は貸付のため必要な措置を請求する場合には、次に掲げる事項を明らかにしてしなければならない。
一　売払又は貸付を必要とする物品の品目及び数量
二　売払又は貸付の時期
三　物品の管理上売払又は貸付について附すべき条件
2　第二十四条第二項又は第三項の規定は、前項の請求があつた場合又はこれをすべき場合についてそれぞれ準用する。

第四章　物品管理職員等の責任

（亡失等の報告及び通知）
第三十七条　物品を使用する職員は、その使用中の物品が亡失し、又は損傷したときは、すみやかにその旨を物品供用官（物品供用官が置かれていない場合にあつては、物品管理官）に報告しなければならない。
2　物品出納官又は物品供用官は、その保管中若しくは供用中の物品が亡失し、若しくは損傷したとき、又は法の規定に違反して物品の出納、保管若しくは供用をし、若しくは法の規定に従つた物品の出納、保管若しくは供用をしなかつた事実があるときは、すみやかにその旨を物品管理官に報告しなければならない。
3　契約等担当職員は、その締結した契約（物品の処分の原因となる行為で契約以外のものを含む。）でこれにより処分された物品を後日返還すべきことをその内容又は条件としているものにより処分された物品が亡失し、又は損傷した事実があると認めるときは、すみやかにその旨を物品管理官に通知しなければならない。
4　物品管理官は、前三項の報告又は通知等により、その管理する物品が亡失し、若しくは損傷した事実又は当該物品について物品管理職員が法の規定に違反して物品の管理行為をし、若しくは法の規定に従つた物品の管理行為をしなかつた事実があると認めるときは、すみやかにその旨を各省各庁の長及び法第三十三条第一項の委任を受けた外局の長等に報告しなければならない。この場合において、物品が亡失し、又は損傷した事実が物品を使用する職員に係るものであるときは、物品管理官は、第四十条の委任を受けた職員にも、これをしなければならない。
5　第二十四条第三項第二号の規定は、第三項の通知をすべき場合について準用する。

（検定の請求）
第三十八条　各省各庁の長は、法第三十二条の規定に該当する事実があつた場合には、会計検査院又は財務大臣の定めるところにより、その旨をそれぞれ会計検査院又は財務大臣に通知しなければならない。

第三十九条　法第三十三条第一項の規定により弁償を命ぜられた物品管理職員は、その責を免かれるべき理由があると信ずるときは、その理由を明らかにする書面を作成し、証拠書類を添え、同項の委任を受けた外局の長等及び各省各庁の長を経由してこれを会計検査院に送付し、その検定を求めることができる。

2　各省各庁の長（法第三十三条第一項の委任を受けた外局の長等があるときは、当該外局の長等）は、前項の場合においても、その命じた弁償を猶予しない。

（使用職員に対する弁償命令）

第四十条　各省各庁の長又はその委任を受けた職員は、物品を使用する職員が法第三十一条第二項の規定に該当すると認めるときは、当該職員に対して弁償を命じなければならない。

第五章　雑則

（法の規定を準用する動産）

第四十一条　法第三十五条に規定する政令で定める動産は、次に掲げる動産のうち現金及び有価証券以外のものとする。

一　国が寄託を受けた動産

二　刑事収容施設及び被収容者等の処遇に関する法律（平成十七年法律第五十号）第四十七条第二項（同法第二百八十八条及び第二百八十九条第一項において準用する場合を含む。）、第四十八条第四項（同法第二百五十条第三項、第二百八十八条及び第二百八十九条第一項において準用する場合を含む。）若しくは第二百四十九条第二項、少年院法（平成二十六年法律第五十八号）第六十九条第一項若しくは第七十条第三項若しくは第四項（これらの規定を同法第百三十三条第三項において準用する場合を含む。）、少年鑑別所法（平成二十六年法律第五十九号）第五十三条第一項若しくは第五十四条第三項若しくは第四項又は出入国管理及び難民認定法（昭和二十六年政令第三百十九号）第五十五条の二十八第二項若しくは第五十五条の二十九第四項の規定により領置した動産

三　各省各庁の長が指定する動産

（帳簿）

第四十二条　物品管理官、物品出納官又は物品供用官は、物品管理簿、物品出納簿又は物品供用簿を備え、それぞれの職務に応じ、その管理する物品についての異動を記録しなければならない。ただし、財務大臣が指定する場合は、この限りでない。

（物品増減及び現在額報告書の作成）

第四十三条　法第三十七条に規定する政令で定める物品は、機械、器具及び美術品のうち財務大臣が指定するものとする。

2　法第三十七条に規定する物品増減及び現在額報告書は、財務省令で定める様式及び記入の方法により、毎会計年度末の物品管理簿における記録の内容に基づいて作成するものとする。

（検査）

第四十四条　各省各庁の長は、毎会計年度一回及び物品管理官、物品出納官又は物品供用官（以下「物品管理官等」という。）が交替するとき、又はその廃止があつたときはそのつど、検査員に、物品管理官等の物品の管理行為が法の規定に適合しているかどうかをその管理に係る物品及び帳簿について検査させなければならない。

2　前項の場合において、その検査が物品管理官に係るものであるときは、各省各庁の長が命ずる当該各省各庁所属の職員又は他の各省各庁所属の職員を、その検査が物品出納官又は物品供用官に係るものであるときは、これらの職員が所属する物品管理官又はその命ずる職員をそれぞれ検査員とする。

3　各省各庁の長は、第一項の規定によるほか、必要があると認めるときは、随時、当該各省各庁所属の職員又は他の各省各庁所属の職員のうちから検査員を命じて、物品管理官等の物品の管理の状況及び帳簿について検査させるものとする。

4　各省各庁の長は、前二項の規定により検査員を命ずる場合（他の各省各庁所属の職員のうちから検査員を命ずる場合を除く。）において、必要があるときは、当該各省各庁所属の職員にこれを行なわせることができる。

5　第五条第二項の規定は、各省各庁の長が第二項又は第三項の規定により他の各省各庁所属の職員のうちから検査員を命ずる場合について準用する。

（検査の立会い）

第四十五条　検査員は、前条の検査をするときは、これを受ける物品管理官等その他適当な者を立ち会わせなければならない。

（検査書の作成等）

第四十六条　検査員は、第四十四条第一項又は第三項の検査をしたときは、検査書二通を作成し、その一通はその検査を受けた物品管理官等に交付し、他の一通は、その検査が物品出納官又は物品供用官に係るものである場合であつて当該検査員が同条第二項に規定するこれらの者が所属する物品管理官である場合は当該検査員が自ら保有し、その他の場合は当該検査員を命じた者に提出しなければならない。

2　検査員は、前項の検査書に記名するとともに、前条の規定により立ち会つた者に記名させるものとする。

（適用除外）

第四十七条　国の事務の運営に必要な書類については、法第三条から法第五条まで、法第八条から法第十一条まで、法第十三条から法第十六条まで、法第十九条から法第二十一条まで、法第二十三条から法第二十七条まで、法第二十八条第二項及び第三項、法第二十九条第二項、法第三十一条から法第三十四条まで並びに法第三十六条から法第三十九条までの規定は、適用しない。

2　法第四十条に規定する政令で定める物品は、次に掲げる物品（第二号及び第七号に掲げる物品にあつては、各省各庁の長の定めるところにより物品管理官に引き継いだものを除く。）とし、第一号から第三号までに掲げる物品については、前項に規定する法の規定を、第四号に掲げる物品については法第九条、法第十条、法第十一条、法第十三条、法第十四条、法第二十条、法第二十一条、法第二十三条から法第二十五条まで、法第二十六条第一項、法第三十四条及び法第三十九条の規定を、第五号及び第六号に掲げる物品については、前項に規定する法の規定及び法第二十二条を、第七号に掲げる物品については法第三条から法第五条まで、法第八条から法第十一条まで、法第十三条から法第十六条まで、法第十九条から法第二十一条まで、法第二十三条から法第二十七条まで、法第二十八条第二項及び第三項、法第二十九条第二項、法第三十一条第一項、法第三十三条、法第三十四条並びに法第三十六条から法第三十九条までの規定をそれぞれ適用しない。

一　小切手用紙及び国庫金振替書用紙

二　法令の規定により国において没収し、没取し、若しくは収去し、又は国庫に帰属した物品

三　国の事務の処理に必要な物品で法令の規定により国の機関に占有のみを移して保管するもの

四　職員の数が僅少で物品の管理に関する事務の分掌を困難とする事情がある官署において管理する物品で財務省令で定めるもの

五　義務教育諸学校の教科用図書の無償措置に関する法律（昭和三十八年法律第百八十二号）第四条の規定に基づき購入した同法第二条第二項に規定する教科用図書

六　障害のある児童及び生徒のための教科用特定図書等の普及の促進等に関する法律（平成二十年法律第八十一号）第十一条の規定に基づき購入した同法第二条第一項に規定する教科用特定図書等

七　災害の発生に際し応急の用に供する物品で、各省各庁の長が財務大臣に協議して定めるもの

3　各省各庁の長は、前二項に規定する物品の管理について必要な事項を定めなければならない。

（省令への委任）

第四十八条　この政令で定めるもののほか、この政令の施行に関し必要な事項は、財務省令で定める。

附　則（抄）

1　この政令は、法の施行の日（昭和三十二年一月十日）から施行する。

2　物品会計規則（明治二十二年勅令第八十四号）は、廃止する。

3　旧物品会計規則の規定によつてした物品の管理に関する行為は、法及びこの政令の相当規定によつてした相当の物品の管理に関する行為とみなす。

4　従前の物品の管理に関する帳簿は、当分の間、これを取りつくろい、第四十二条第一項に規定する物品管理簿、物品出納簿又は物品供用簿として使用することができる。

○物品管理法施行規則

昭三一・一二・二九
大蔵令八五

最終改正　令二・一二・四財務令七三

目次〔略〕

第一章　総則

（定義）

第一条　この省令において「管理」、「物品」、「供用」、「各省各庁の長」、「各省各庁」、「分類」、「細分類」、「分類換」、「物品管理官」、「分任物品管理官」、「物品出納官」、「分任物品出納官」、「物品供用官」、「物品管理官代理」、「管理換」若しくは「契約等担当職員」又は「物品管理官代理」、「分任物品管理官代理」、「物品出納官代理」、「分任物品出納官代理」若しくは「物品供用官代理」とは、物品管理法（昭和三十一年法律第百十三号。以下「法」という。）第一条、第二条、第三条第一項若しくは第三項、第五条第一項、第八条第三項若しくは第六項、第九条第二項若しくは第五項、第十条第二項、第十六条第一項若しくは第十九条第一項又は物品管理法施行令（昭和三十一年政令第三百三十九号。以下「令」という。）第八条第五項に規定する管理、物品、供用、各省各庁の長、各省各庁、分類、細分類、分類換、物品管理官、分任物品管理官、物品出納官、分任物品出納官、物品供用官、管理換若しくは契約等担当職員又は物品管理官代理、分任物品管理官代理、物品出納官代理、分任物品出納官代理若しくは物品供用官代理をいう。

第二条　削除

（所属分類決定の手続）

第三条　物品管理官（分任物品管理官を含む。第六条、第三十七条の二第二項及び第四十二条を除き、以下同じ。）は、その管理する物品の属すべき分類（細分類を含む。第三十八条第一項を除き、以下同じ。）を決定したときは、当該物品を保管し、又は供用する物品出納官（分任物品出納官を含む。第六条、第三十七条の二第一項及び第四十二条を除き、以下同じ。）又は物品供用官にその分類、品目及び数量を明らかにして、所属分類を決定した旨を通知しなければならない。

２　物品出納官又は物品供用官は、前項の通知を受けたときは、その保管中又は供用中の物品について、各省各庁の長の定めるところに従い、分類、番号等の標示をしなければならない。

３　物品出納官又は物品供用官を置かない場合における前項の標示は、物品管理官がするものとする。

第四条　削除

（分類換の整理）

第五条　物品管理官は、その管理する物品の分類換をしたときは、当該物品を保管し、又は供用する物品出納官又は物品供用官に当該物品の分類、品目及び数量を明らかにして、分類換をした旨を通知しなければならない。

２　物品出納官又は物品供用官は、前項の通知を受けたときは、その保管中又は供用中の物品について、第三条第二項の規定による標示を変更しなければならない。

３　第三条第三項の規定は、前項の標示の変更について準用する。

第二章　物品の管理の機関

（物品管理官と物品出納官の兼職の禁止）

第六条　物品管理官（分任物品管理官、物品管理官代理及び分任物品管理官代理を含む。以下この条において同じ。）と物品出納官（分任物品出納官、物品出納官代理及び分任物品出納官代理を含む。以下この条において同じ。）は、兼ねることはできない。ただし、法第十条の二第二項の規定により物品管理官の事務の一部を処理する職員が、物品出納官を兼ねるときは、この限りでない。

（代理をさせる場合）

第七条　各省各庁の長（各省各庁の長が物品の管理に関する事務を委任し、代理させ又は分掌させる場合において、これらを令第五条第一項（令第八条第二項において準用する場合を含む。）の規定により令第五条第一項の外局の長等に委任するときは、当該外局の長等）は、物品管理官代理、分任物品管理官代理、物品出納官代理、分任物品出納官代理又は物品供用官代理がそれぞれ物品管理官、物品出納官又は物品供用官の事務を代理する場合をあらかじめ定めて置くものとする。ただし、やむを得ない事情がある場合には、代理させるつど定めることを妨げない。

２　物品管理官代理、分任物品管理官代理、物品出納官代理、分任物品出納官代理又は物品供用官代理は、前項の規定により各省各庁の長又は外局の長等の定める場合において、物品管理官、物品出納官又は物品供用官の事務を代理するものとする。

３　物品管理官、物品出納官又は物品供用官及び物品管理官代理、分任物品管理官代理、物品出納官代理、分任物品出納官代理又は物品供用官代理は、物品管理官代理、分任物品管理官代理、物品出納官代理、分任物品出納官代理又は物品供用官代理が前項の規定により物品管理官、物品出納官又は物品供用官の事務をそれぞれ代理するときは、代理開始及び終止の年月日並びに物品管理官代理、分任物品管理官代理、物品出納官代理、分任物品出納官代理又は物品供用官代理が取り扱つた物品の管理に関する事務の範囲を適宜の書面において明らかにしておかなければならない。

４　前項の規定は、物品管理官代理、分任物品管理官代理、物品出納官代理、分任物品出納官代理又は物品供用官代理が物品管理官、物品出納官又は物品供用官の事務を代理している間に当該物品管理官代理、分任物品管理官代理、物品出納官代理、分任物品出納官代理又は物品供用官代理に異動があつたときについて準用する。

第三章　物品の管理

第一節　通則

第八条から第十三条まで　削除

（管理換の手続）

第十四条　物品管理官は、その管理する物品の管理換をしようとするときは、当該物品を保管し、又は供用する物品出納官又は物品供用官（物品供用官を置かない場合にあつては、物品を使用する職員。以下第三項、第二十条第二項及び第二十九条において同じ。）に対し、物品の払出のための法第二十三条の規定による命令（以下「払出命令」という。）又は物品の返納のための命令（以下「返納命令」という。）をしなければならない。

２　物品管理官は、その管理する物品の管理換をしようとするときは、当該管理換を受けるべき物品管理官に、当該物品を引き渡すべき者及び当該物品を受け取るべき時期、場所その他必要な事項を通知しなければならない。

３　前項の物品の管理換を受けるべき物品管理官は、同項の規定による通知を受けたときは、当該物品について、関係の物品出納官又は物品供用官に対し、物品の受入のための法第二十三条の規定による命令（以下「受入命令」という。）をし、又は供用の目的を明らかにして、物品の受領のための命令（以下「受領命令」という。）をしなければならない。

第十五条　削除

（管理換を有償として整理する場合の対価）

第十六条　令第二十二条に規定する管理換に係る対価は、当該管理換が返還すべき条件を附したものである場合においては、当該管理換に係る物品についての賃貸料の額とし、その他の管理換の場合においては、当該物品についての売買代金の額とする。

第二節　取得及び供用

（物品の取得に関する通知）

第十七条　契約等担当職員その他物品に係る事務又は事業を行う職員は、取引の状況等を勘案して物品を取得することが適当であると認めるときその他その職務を行うことにより物品を取得する予定があるときは、その旨を物品管理官に通知しなければならない。

２　前項の通知又は令第二十五条の規定による物品の取得に関する通知は、次に掲げる事項を明らかにしてしなければならない。ただし、価格を明らかにする必要がないと認めるときは、これを省略することができる。

一　取得する物品又は取得した物品の品目、数量、規格及び価格

二　取得の時期及び場所

三　取得の原因

（取得のための措置についての通知）

第十八条　契約等担当職員は、令第二十四条第一項の規定による請求に基いて同項の措置をしたときは、すみやかに、当該措置により取得することとなる物品について同項に規定する事項を当該措置を請求した物品管理官に通知しなければならない。

（取得の手続）

第十九条　第十四条第三項の規定は、物品管理官が前二条の規定による通知を受けた場合について準用する。ただし、物品管理官が第十七条第一項の通知を受けた物品についてその取得を不適当と認めるときは、この限りでない。

（供用のための払出命令等）

第二十条　物品の供用のための払出命令又は払出しは、庁中常用の事務用雑品については、毎月通常必要と認められる数量を、その他の物品については、必要に応じ必要な数量を限りしなければならない。ただし、物品管理官が供用のため特に必要があると認めるときは、この限りでない。

２　物品管理官は、物品の供用のための払出命令をし、又は払出しをするときは、物品供用官に対し、供用の目的を明らかにして受領命令をしなければならない。

（物品を使用する職員のうちの主任者）

第二十一条　物品供用官（物品供用官を置かない場合にあつては、物品管理官。以下第二十四条及び第二十七条第二項において同じ。）は、二人以上の職員がともに使用する物品については、これらの職員のうちの主任者を明らかにしておかなければならない。

（返納手続）

第二十二条　法第二十一条第一項の規定による報告は、供用の必要がない物品、修繕又は改造を要する物品及び供用することができない物品の別に応じ、当該物品がこれらに該当する理由並びにその分類、品目、数量及び現況その他必要な事項を明らかにしてしなければならない。

２　物品管理官は、返納命令をした物品を物品出納官に保管させようとするときは、当該物品出納官に対し、受入命令をしなければならない。

（供用換）

第二十三条　物品管理官は、物品供用官の間において物品の所属を移すときは、当該物品を供用している物品供用官に対し、返納命令をし、当該物品を供用すべき物品供用官に対し、供用の目的を明らかにして受領命令をしなければならない。

（物品を使用する職員からの返納）

第二十四条　物品を使用する職員（第二十一条の物品にあつては、同条の主任者。以下次項において同じ。）は、当該物品を使用する必要がなくなつた場合には、すみやかに、その旨を物品供用官に通知しなければならない。

２　物品供用官は、前項の通知等により物品を供用する必要がないと認めるときは、当該物品を使用する職員に対し、返納命令をしなければならない。

第三節　保管

（保管の方法）

第二十五条　物品出納官（物品出納官を置かない場合にあつては、物品管理官）は、その保管に係る物品を供用又は処分に適する物品、修繕又は改造を要する物品及び供用又は処分をすることができない物品に区分して整理するものとし、これらの物品についての異動を常に明らかにしておかなければならない。

（国以外の者の施設における保管のための措置についての通知）

第二十六条　契約等担当職員は、令第二十八条第一項の規定による請求に基いて同項の措置をしたときは、すみやかに、当該措置について同項各号に掲げる事項を当該請求をした物品管理官に通知しなければならない。

（国以外の者の施設における保管の手続）
第二十七条　物品管理官は、前条の規定による通知を受けた場合において、当該通知に係る措置が国以外の者の施設を借り上げるためのものであるときは、関係の物品出納官に、当該施設の場所及び借上の期間並びにこれに保管すべき物品の品目及び数量その他必要な事項を通知しなければならない。
２　第十四条第一項の規定は、前項の措置が物品出納官の保管中の物品又は物品供用官の供用中の物品を国以外の者の施設に保管するためのものである場合について準用する。
（国以外の者が保管する物品の引渡）
第二十八条　物品管理官は、国以外の者が保管している物品を引き渡す場合には、当該物品を保管している者にその旨を通知するとともに、当該物品の引渡を受けるべき者にこれを証する書類を交付しなければならない。
２　前項の書類の交付を受けた者は、物品の引渡を受ける場合には、当該書類を当該物品を保管している者に示さなければならない。
（出納の相手方）
第二十九条　物品管理官は、払出命令若しくは返納命令又は受入命令若しくは受領命令をしたときは、これらの命令に係る物品の引渡を物品出納官若しくは物品供用官から受けるべき者又はこれらの命令に係る物品を物品出納官若しくは物品供用官に引き渡すべき者にこれらの命令の写その他適宜の証明書類を交付しなければならない。ただし、各省各庁の長が定める場合には、これを省略することができる。
２　前項の書類の交付を受けた者は、物品の引渡を受け、又は物品を引き渡す場合には、当該書類を当該物品を引き渡すべき物品出納官若しくは物品供用官又は当該物品の引渡を受けるべき物品出納官若しくは物品供用官に示さなければならない。
第三十条　削除
（修繕又は改造のための措置の通知）
第三十一条　契約等担当職員その他関係の職員は、令第三十二条第一項の規定による請求に基いて同項の措置をしたときは、すみやかに、当該措置について同項各号に掲げる事項を当該請求をした物品管理官又は物品供用官に通知しなければならない。
２　第十四条第一項の規定は、物品管理官が前項の通知を受けた場合について準用する。

第四節　処分

（不用の決定に係る物品の処分の予定）
第三十二条　令第三十四条に規定する物品の処分の予定には、売払、解体又は廃棄の別を明らかにし、売払の場合にあつては、その時期及び場所その他必要な事項を、解体の場合にあつては、解体が適当であると認める理由、解体の時期及び解体後の処理その他必要な事項を、廃棄の場合にあつては、廃棄が適当であると認める理由その他必要な事項を明らかにしなければならない。
（不用の決定の整理）
第三十三条　第五条の規定は、物品管理官が法第二十七条第一項の規定によりその管理する物品について不用の決定をした場合について準用する。
（解体又は廃棄の手続）
第三十四条　第十四条第一項の規定は、物品管理官が物品を解体し、又は廃棄する場合について準用する。
（売払又は貸付のための措置の通知等）
第三十五条　契約等担当職員は、令第三十六条第一項の規定による請求に基いて同項の措置をしたときは、すみやかに、当該措置について同項各号に掲げる事項を当該請求をした物品管理官に通知しなければならない。
２　第十四条第一項の規定は、物品管理官が前項の通知を受けた場合について準用する。
（亡失の整理）
第三十六条　第五条第一項の規定は、物品管理官がその管理する物品について亡失の事実を確認した場合について準用する。

第四章　物品管理職員等の責任

（物品供用官の亡失及び損傷の報告）
第三十七条　物品供用官は、令第三十七条第二項の規定によりその供用中の物品の亡失又は損傷の報告をする場合には、当該物品を使用する職員に係るもの及びそれ以外のものに区分してしなければならない。
（分任物品出納官等の亡失及び損傷等の報告）
第三十七条の二　物品出納官は、分任物品出納官の令第三十七条第二項の規定による報告をとりまとめて物品管理官に報告するものとする。
２　物品管理官は、分任物品管理官の令第三十七条第四項の規定による報告をとりまとめて当該報告を受けるべき者に報告するものとする。

第五章　雑則

（帳簿の記録等）
第三十八条　物品管理簿、物品出納簿及び物品供用簿には、物品の分類、細分類及び品目ごとに、その増減等の異動数量、現在高その他物品の異動に関する事項及びその他物品の管理上必要な事項を、それぞれ、各省各庁の長の定めるところにより記録しなければならない。
2　前項の場合において、令第四十三条第一項に規定する財務大臣が指定する機械及び器具については、その取得価格（取得価格がない場合又は取得価格が明らかでない場合には、見積価格）を、物品管理簿に記録しなければならない。
3　第一項の場合において、令第四十三条第一項に規定する財務大臣が指定する美術品については、その取得価格（当該取得価格と時価額とに著しい差がある場合、取得価格がない場合又は取得価格が明らかでない場合には、見積価格）を、物品管理簿に記録しなければならない。
4　物品管理官は、財務大臣の定めるところにより、前二項の規定により物品管理簿に記録された価格を、改定しなければならない。

第三十九条から第四十一条まで　削除

（交替及び廃止の場合の帳簿の引継等）
第四十二条　物品管理官、分任物品管理官、物品出納官、分任物品出納官又は物品供用官（以下「物品管理官等」という。）が交替するときは、前任の物品管理官等（物品管理官代理、分任物品管理官代理、物品出納官代理、分任物品出納官代理又は物品供用官代理が、物品管理官等の事務を代理しているときは、物品管理官代理、分任物品管理官代理、物品出納官代理、分任物品出納官代理又は物品供用官代理。以下本項において同じ。）は、引き継ぐべき物品管理簿、物品出納簿又は物品供用簿（以下「物品管理簿等」という。）及びこれらの関係書類の名称及び件数並びに引継の日付その他必要な事項を記載した引継書（以下「引継書」という。）を交替の日の前日をもつて作成し、後任の物品管理官等とともに記名し、当該引継書を物品管理簿等に添附して、これらを後任の物品管理官等に引き継ぐものとする。
2　物品管理官等が廃止されるときは、廃止される物品管理官等（物品管理官代理、分任物品管理官代理、物品出納官代理、分任物品出納官代理又は物品供用官代理が、物品管理官等の事務を代理しているときは、物品管理官代理、分任物品管理官代理、物品出納官代理、分任物品出納官代理又は物品供用官代理。以下本条において同じ。）は、引継を受ける物品管理官等に引き継ぐものとする。書を廃止される日の前日をもつて作成し、引継を受ける物品管理官等とともに記名し、当該引継書を物品管理簿等に添附して、引継を受ける物品管理官等に引き継ぐものとする。
3　前任の物品管理官等又は廃止される物品管理官等が第一項又は前項の規定による引継の手続をすることができない事由があるときは、後任の物品管理官等又は廃止に伴い引継を受ける物品管理官等が引継書を作成し、これに記名すれば足りる。

（物品増減及び現在額報告書の様式等）
第四十三条　法第三十七条に規定する物品増減及び現在額報告書の様式及び記入の方法は、別表第一に定めるところによる。

（適用除外）
第四十四条　令第四十七条第二項第四号に規定する財務省令で定める物品は、次の各号に掲げる物品とする。
一　会計法（昭和二十二年法律第三十五号）第十七条の規定により臨時に資金の前渡を受けた職員が当該資金により取得した物品
二　各省各庁の長が財務大臣に協議して定める官署において管理する物品

（実地監査）
第四十五条　法第十二条第二項の規定による当該職員の実地監査は、別に定める監査要領に従つてしなければならない。
2　当該職員は、前項の実地監査をする場合には、別表第二に定める監査証票を携帯し、関係者の請求があつたときは、呈示しなければならない。

（特例）
第四十六条　各省各庁の長は、その所管する物品の管理について、この省令の規定により難いときは、あらかじめ、財務大臣に協議してその特例を設けることができる。

附　則（抄）

1　この省令は、法の施行の日（昭和三十二年一月十日）から施行する。

別表第一　物品増減及び現在額報告書の様式及び記入の方法

1　様式

年度　物品増減及び現在額報告書

所属省庁＿＿＿＿＿＿　　　　　　会計＿＿＿＿＿＿

(1) 分類及び細分類	(2) 品目	(3) 年度末現在		(6) 年度間増減							(17) 年度末現在	
				(7) 増		(10) 減		(13) 差引		(16)価格改定による増又は減		
		(4) 数量	(5) 価格	(8) 数量	(9) 価格	(11) 数量	(12) 価格	(14) 数量	(15) 価格		(18) 数量	(19) 価格
		個	円	個	円	個	円	個	円	円	個	円

備考　1　用紙の大きさは、日本産業規格A列4とする。
　　　2　会計別に別葉とする。

2　記入の方法

一　(1)の欄には、物品の分類及び細分類を記入するものとする。

二　(2)の欄には、財務大臣が定める品目の区分により物品の品目を記入するものとする。

三　(3)の欄には、報告対象年度の前年度末において各省各庁所属の物品管理官が管理する物品について、品目ごとにその数量及び価格の合計を記入するものとする。

四　(7)の欄には、報告対象年度中に新たに各省各庁所属の物品管理官が管理することとなつた物品について、品目ごとにその数量及び価格の合計を記入するものとする。

五　(10)の欄には、報告対象年度中に各省各庁所属の物品管理官が管理しないこととなつた物品について、品目ごとにその数量及び価格の合計を記入するものとする。

六　(13)の欄には、(7)の欄の数量及び価格から(10)の欄の数量及び価格を差し引いた数量及び価格を記入するものとする。この場合において、差引減額のあるときは、その数字の左上部に△を付するものとする。

七　(16)の欄には、第三十八条第四項の規定による価格の改定が行なわれた場合にあつては当該改定による価格の差引増減額（差引減額のあるときは、その数字の左上部に△を付するものとする。）を、同条第一項の規定により記録された物品のうち当該物品の価格が明らかなものについて見積価格を算定した結果、令第四十三条第一項の規定に該当することとなつた場合にあつては当該見積価格と当該物品の価格との差引増額を記入するものとする。

八　(17)の欄には、(3)、(13)及び(16)の各欄の数量及び価格のそれぞれの合計を記入するものとする。

表 面

第　　号

年　月　日発行

官職氏名

物品管理法（昭和31年法律第113号）

第12条第２項の規定に基づく監査証票

財務大臣
財務局長
又は福岡財務支局長

裏 面

物品管理法（抄）

（管理事務の総括）

第12条（第１項　略）

２　財務大臣は、物品の管理の適正を期するため必要があると認めるときは、各省各庁の長に対し、その所管に属する物品について、その状況に関する報告を求め、当該職員に実地監査を行わせ、又は閣議の決定を経て、分類換、第16条第１項に規定する管理換その他必要な措置を求めることができる。

この監査証票の有効期限は、発行の日の属する会計年度の終了する日までとする。

備考

１　用紙は厚質青紙とし、寸法は日本産業規格Ｂ列８とする。

２　この監査証票は、財務本省所属の職員に係るものにあつては財務大臣が、財務局所属の職員に係るものにあつては財務局長が、福岡財務支局所属の職員に係るものにあつては福岡財務支局長が、それぞれ発行するものとする。

○物品管理法等の実施について

昭四〇・四・一蔵計七七一
大蔵大臣から各省各庁の長あて

最終改正 平二三・一一・一一財計二四八五

物品管理法（昭和三十一年法律第百十三号。以下「法」という。）、物品管理法施行令（昭和三十一年政令第三百三十九号。以下「令」という。）及び物品管理法施行規則（昭和三十一年大蔵省令第八十五号。以下「規則」という。）の実施については、下記によられたい。

なお、物品管理法施行令第五条第一号の規定等に基づく指定について（昭和三十二年一月十日付蔵計第千四百五十八号）、物品管理法等の実施について（昭和三十四年十二月二十一日付蔵計第三千五百七十号）、物品管理法の一部を適用しないことができる官署の指定に関する協議について（昭和三十八年三月十三日付蔵計第五百三十号）及び物品の分類換等に関する協議について（昭和三十八年三月十三日付蔵計第五百三十一号）は、廃止する。

記

1 令第二十一条第三号の規定による財務大臣への協議について

次の各号の一に該当する場合においては、令第二十一条第三号の規定による各省各庁の長と財務大臣との協議がととのつたものとして、各省各庁の長限りで処理することができることとする。

(1) 異なる会計に属する物品の管理を一体として行なう必要がある場合において、当該物品を一体として管理するため、関係の会計の間において当該物品の管理換をする場合

(2) 物品の無償貸付及び譲与等に関する法律（昭和二十二年法律第二百二十九号）第三条第一号、第三号若しくは第四号又は第四条第二号に規定する物品について、これらの規定に該当する管理換をする場合

2 令第四十二条ただし書に規定する「財務大臣が指定する場合」について

令第四十二条ただし書に規定する「財務大臣が指定する場合」は、取得後比較的すみやかに供用することを通例とする生鮮食料品、修繕用部品、薬品、新聞その他の定期刊行物等の物品で保存を目的としないものについて異動があつた場合とする。

3 令第四十三条第一項に規定する「機械、器具及び美術品のうち財務大臣が指定するもの」について

令第四十三条第一項に規定する「機械、器具及び美術品のうち財務大臣が指定するもの」は、取得価格（取得価格がない場合又は取得価格が明らかでない場合は、見積価格）が五十万円（注）防衛省所管防衛用品の分類に属する装備訓練に必要な機械及び器具（道路運送車両法第三条に規定する普通自動車及び小型自動車を除く。）については、当分の間、三百万円（平成十九年一月九日付財計第十二号財務大臣から防衛大臣あて））以上の機械及び器具並びに取得価格（当該取得価格と時価額とに著しい差がある場合、取得価格がない場合又は取得価格が明らかでない場合には、見積価格）が三百万円以上の美術品（皇室固有の伝来品、皇室用品として管理している美術品、王室等からの寄贈品、評価することが寄贈者の意向に反することが明らかな寄贈品、図書館資料並びに国会議員の肖像画及び胸像を除く。）とする。

4 所属分類の決定及び分類換の通知について

規則第三条第一項及び第五条第一項の規定による物品管理官（分任物品管理官を含む。）の通知については、物品の受入命令又は受領命令が行なわれる場合において、これらの命令中に当該物品の分類（細分類を含む。）、品目及び数量が明らかにされているときは、当該命令をもつてその通知が行なわれたものとして処理することができることとする。

5 帳簿に充てる記録手段について

令第四十二条及び規則第三十八条に規定する帳簿は、簿冊、ルーズリーフ、カード、磁気テープ等適宜の記録手段をもつて充てるものとする。また、二以上の物品管理機関が一の簿冊等をもつて、それぞれの帳簿に充ててもさしつかえない。

6 法の一部を適用しないことができる官署の指定について

次の各号に掲げる要件を充たす官署については、規則第四十四条第二号の規定による各省各庁の長と財務大臣との協議がととのつたものとして、各省各庁の長限りで法の一部を適用しないことができる官署として指定することができることとする。

(1) 職員の数がおおむね五十人以下であること。

(2) 毎会計年度の当該官署における物品の取得（管理換による増を含む。）及び維持管理に直接要する経費が事業を行なう官署又は物品の取扱を主な業務とする官署にあつては、おおむね二千万円以下、その他の官署にあつては、おおむね一千万円以下であること（行政組織に関する法令の制定又は改正に伴い新たに設置された官署にあつては、その新設された会計年度及びその翌会計年度においては、これらの金額以上であつても差し支えないこと。）。

○物品の無償貸付及び譲与等に関する法律

昭二二・一二・二三
法　二　二　九

最終改正　平二四・六・二七法四二

第一条　この法律において、物品とは、国の所有に属する動産であつて、国有財産法の適用を受けないものをいう。

第二条　物品を国以外のもの（宗教上の組織若しくは団体又は公の支配に属しない慈善、教育若しくは博愛の事業を営む者を除く。以下同じ。）に無償又は時価よりも低い対価で貸し付けることができるのは、他の法律に定める場合の外、左に掲げる場合に限る。

一　国の事務又は事業に関する施策の普及又は宣伝を目的として印刷物、写真、映写用器材その他これに準ずる物品を貸し付けるとき

二　国の事務又は事業の用に供する土地、工作物その他の物件の工事又は製造のため必要な物品を貸し付けるとき

三　教育、試験、研究及び調査のため必要な物品を貸し付けるとき

四　国の職員を以て組織する共済組合に対し、執務のため必要な机、椅子その他これに準ずる物品を貸し付けるとき

五　国で経営する保険事業において療養の給付として行う被保険者の療養の委託を受けた者に対し、その療養の給付のため必要な物品を貸し付けるとき

五の二　災害による被害者その他の者で応急救助を要するものの用に供するため寝具その他の生活必需品を貸し付け、又は災害の応急復旧を行う者に対し、当該復旧のため必要な機械器具を貸し付けるとき

六　地方公共団体又は開拓事業を行う者に対し、開拓のため必要なトラクター（ブルトーザーを含む。）、プロー、ハロー、抜根機その他の開拓用土木機械を貸し付けるとき

六の二　植物防疫法第二十七条の規定によりする場合を除き、地方公共団体、農業者の組織する団体又は植物の防疫事業を行う者に対し植物の防疫を行うため必要な動力噴霧機、動力散粉機、動力煙霧機その他の防除用機具を貸し付けるとき

七　家畜の改良、増殖又は有畜営農の普及を図るため家畜を貸し付けるとき

八　貸付期間中においても国が必要とする場合には国の事業に使用し得ることを条件として、家畜を貸し付けるとき

第三条　物品を国以外のものに譲与又は時価よりも低い対価で譲渡することができるのは、他の法律に定める場合の外、左に掲げる場合に限る。

一　国の事務又は事業に関する施策の普及又は宣伝を目的として印刷物、写真その他これに準ずる物品を配布するとき

二　公用に供するため寄附を受けた物品又は工作物のうち、寄附の条件としてその用途を廃止した場合には、当該物品又は工作物の解体又は撤去により物品となるものを寄附者又はその一般承継人に譲渡することを定めたものを、その条件に従い譲渡するとき

三　教育、試験、研究及び調査のため必要な印刷物、写真その他これに準ずる物品及び見本用又は標本用物品を譲渡するとき

四　予算に定める交際費又は報償費を以て購入した物品を贈与するとき

五　生活必需品、医薬品、衛生材料及びその他の救じゆつ品を災害による被害者その他の者で応急救助を要するものに対し譲渡するとき

六　農林水産物の改良又は増殖を図るため種苗、種卵又は稚魚を譲渡するとき

七　家畜の改良若しくは増殖を図るため家畜の無償貸付を受け、若しくは飼育管理の委託を受けた者又は有畜営農の普及を図るため無償若しくは時価よりも低い対価で家畜の貸付を受けた者が、主務大臣の定める条件に従い飼育管理したとき、その者に対し当該家畜を譲渡するとき

八　家畜の無償貸付若しくは飼育管理の委託を受けた者又は有畜営農の普及を図るため無償若しくは時価よりも低い対価で家畜の貸付を受けた者に対し、その果実を譲渡するとき

第四条　物品を国以外のものに時価よりも低い対価で譲渡することができるのは、前条及び他の法律に定める場合のほか、次に掲げる場合に限る。

一　家畜の改良又は増殖を図るため家畜を譲渡するとき

二　感染症予防のため必要な医薬品を譲渡するとき

三　国有林野の管理経営に関する法律（昭和二十六年法律第二百四十六号）第二条第一項に規定する国有林野の所在する地方の地方公共団体又は住民が震災、風水害、火災その他の災害により著しい被害を受けた場合において、当該地方公共団体に対し、当該林野の産物又はその加工品を災害救助法（昭和二十二年法律第百十八号）の規定による救助の用に供し、又は当該地方公共団体の管理に属する事務所、道路、橋その他の公用若しくは公共用施設の応急復旧の用に供するため譲渡するとき

第五条 この法律の施行に関し必要な事項は、各省各庁の長（財政法第二十条第二項に規定する各省各庁の長をいう。以下同じ。）がこれを定める。
② 前項の場合には、各省各庁の長は、あらかじめ、財務大臣に協議しなければならない。

附　則

第六条 この法律は、昭和二十二年四月一日から、これを適用する。
第七条 地方自治法施行の際都道府県においてその事務又は事業の用に供していた物品は、第三条の規定にかかわらず、これを当該都道府県に譲与することができる。
② 前項に規定する物品のうち、当該都道府県に譲与しない物品は、第二条の規定にかかわらず、当分の間、これを当該都道府県に無償で貸し付けるものとする。
③ 第一項の規定により物品を都道府県に譲与する場合には、当該物品を所掌する各省各庁の長は、あらかじめ、財務大臣に協議しなければならない。

○政府所有有価証券取扱規程

大一一・二・一
大蔵令七

最終改正　令二・一二・一一財務令七六

第一条　各官庁ニ於ケル政府所有有価証券ハ別段ノ定アル場合ヲ除クノ外本令ノ定ムル所ニ依リ之カ受払保管ヲ為スヘシ

第二条　各官庁ハ特殊ノ事由アルモノヲ除クノ外政府所有有価証券ヲ其ノ所在地日本銀行（本店、支店又ハ代理店ヲ謂フ以下同シ）ニ寄託スヘシ但シ其ノ地ニ日本銀行ナキトキハ最寄ノ日本銀行ニ之ヲ寄託スルモノトス

第三条　各官庁前条ノ寄託ヲ為サムトスルトキハ第一号書式ノ政府所有有価証券寄託書ヲ添ヘ有価証券ヲ日本銀行ニ送付シ政府所有有価証券受託証書ノ交付ヲ受クヘシ

第四条　各官庁日本銀行ニ寄託セル有価証券ノ払渡ヲ請求セムトスルトキハ第二号書式ノ政府所有有価証券払渡請求書ヲ日本銀行ニ提出シ之カ交付ヲ受クヘシ

②　各官庁日本銀行ニ寄託セル有価証券ノ一部払渡ヲ請求セムトスルトキハ政府所有有価証券受託証書ヲ添ヘ第二号ノ二書式ノ政府所有有価証券一部払渡請求書ヲ日本銀行ニ提出シ之ガ交付ヲ受クベシ

第五条　各官庁日本銀行ニ寄託セル有価証券附属利札又ハ有価証券附属賦札ノ交付ヲ請求セムトスルトキハ第三号書式ノ政府所有有価証券利札・賦札請求書ヲ提出シ之カ交付ヲ受クヘシ但シ各官庁日本銀行ニ対シ最後ノ政府所有有価証券附属賦札ノ交付ヲ請求セムトスルトキハ前条第一項ノ例ニ従ヒ有価証券ノ交付ヲ受クヘシ

第六条　各官庁日本銀行本店ヨリ政府所有有価証券払渡請求書ノ番号ヲ記載シタル書類ヲ添ヘ政府所有有価証券月計突合表ノ送付ヲ受ケタルトキハ之ヲ調査シ適正デアルト認メタルトキハ当該突合表ニ記名スベシ但シ相違アル点ニ付テハ其ノ事由ヲ付記スルモノトス

②　各官庁前項ノ規定ニ依リ送付ヲ受ケタル政府所有有価証券月計突合表ニ誤リガアルコトヲ発見シタルトキハ当該突合表ノ送付ヲ受ケタル月ノ第十二営業日（「営業日」トハ日本銀行ノ休日ヲ除ク日ヲ謂フ）迄ニ日本銀行統轄店ニ通知スベシ

③　第一項ノ規定ハ各官庁ガ前項ノ通知ヲシタル後本店ヨリ再度政府所有有価証券月計突合表ノ送付ヲ受ケタル場合ニ於テ之ヲ準用ス

第七条　各官庁第三条ノ政府所有有価証券寄託書ノ記載事項ニ誤謬アルコトヲ発見シタルトキ又ハ其ノ変更ヲ要スルトキハ之カ訂正ヲ為ス為訂正請求書ヲ日本銀行ニ送付スヘシ

第八条　各官庁政府所有有価証券受託証書ヲ亡失又ハ毀損シタルトキハ証明請求書ヲ日本銀行ニ提出シ之カ証明ヲ請求スルコトヲ得

第九条　削除

第十条　各官庁ハ取扱主任官ヲ新設シタル場合、取扱主任官ニ異動アリタル場合又ハ取扱主任官ヲ廃止シタル場合ハ直チニ第四号書式ノ取引関係通知書ヲ作成シ之ヲ日本銀行ニ送付スベシ

②　前項ノ規定ハ取扱主任官ヲ廃止シタル場合ニ於テ当該取扱主任官ノ残務ヲ引継グベキ取扱主任官ヲ定メタルトキニ之ヲ準用ス

③　前二項ノ取扱主任官ハ照較ノ用ニ供スルタメ其ノ印鑑ヲ日本銀行ニ提出スベシ但シ廃止サレタル取扱主任官ニ付テハ此ノ限ニ在ラズ

第十一条　各官庁日本銀行政府有価証券取扱規程第四十一条ノ二ノ規定ニ依リ日本銀行ヨリ政府所有有価証券現在額報告表ノ送付ヲ受ケタルトキハ一月内ニ之ガ副本ヲ財務省ニ提出スベシ

第十二条　各官庁本省令ニ規定スル書式ノ記載ニ付其ノ記載ニ係ル政府所有有価証券ガ外貨表示ノモノナルトキハ支出官事務規程（昭和二十二年大蔵省令第九十四号）第十一条第二項第四号ノ規定ニ基キ定メラレタル外国貨幣換算率ニ依リ換算シタル邦貨額及当該換算率ヲ附記スベシ

附　則

本令ハ大正十一年四月一日ヨリ之ヲ施行ス

第１号書式

（第一片）

政府所有有価証券寄託書（原符）
年　月　日発行
年　月　日寄託済

受託番号
会計名

発行者
取扱主任官　官職　氏名

証券名称	枚数	総額面	内		訳		備考
			額面	回記号	番号	附属利賦札	

（第二片）

政府所有有価証券寄託書
年　月　日

受託番号
会計名

日本銀行（何店）御中
下記の証券を寄託します。
（何庁）取扱主任官　官職　氏名

証券名称	枚数	総額面	内		訳		備考
			額面	回記号	番号	附属利賦札	

（第三片）

政府所有有価証券受託証書
年　月　日

受託番号
会計名

（何庁）取扱主任官殿
下記の証券を受託しました。
日本銀行（何店）

証券名称	枚数	総額面	内		訳		備考
			額面	回記号	番号	附属利賦札	

備考
1　用紙寸法は、各片とも日本産業規格Ａ列４とする。
2　無額面株券については、総額面を零とし、額面に代えて券面ごとの株数を記入すること。
3　本書が２枚以上にわたるときは、各葉間に記名すること。
4　利札又は賦札でけん欠のものがあるときは、備考欄にその旨を記入すること。

第２号書式

政府所有有価証券払渡請求書
（受託証書番号）
（会　計　名）
（受託証書日付）

日本銀行（何店）御中
年　月　日

（何庁）取扱主任官　官職　氏　　名㊞
下記の証券を払い渡して下さい。

日本銀行（何店）御中
年　月　日

（何庁）取扱主任官　官職　氏　　名㊞
下記の証券を受領しました。

証券名称	枚数	総額面	内訳			備考
			額面	回記号	番号	

備考
1　用紙寸法は、日本産業規格Ａ列４とする。
2　無額面株券については、総額面を零とし、額面に代えて券面ごとの株数を記入すること。
3　本書が２枚以上にわたるときは、各葉間に契印を押すこと。

第２号の２書式

政府所有有価証券一部払渡請求書

受託証書番号
受託証書日付
会　計　名

日本銀行（何店）御中
年　月　日

（何庁）取扱主任官　官職　氏名印
下記の証券を払い渡して下さい。

日本銀行（何店）御中
年　月　日

（何庁）取扱主任官　官職　氏名印
下記の証券を受領しました。

証券名称	枚数	総額面	内訳			備考
			額面	回記号	番号	

備考
1　用紙寸法は、日本産業規格Ａ列４とする。
2　無額面株券については、総額面を零とし、額面に代えて券面ごとの株数を記入すること。
3　本書が２枚以上にわたるときは、各葉間に契印を押すこと。

第3号書式

政府所有有価証券利札・賦札請求書

年　月　日

会計名

日本銀行（何店）御中

（何庁）取扱主任官　官職　氏名 印

下記証券の 利札
賦札 を交付して下さい。

受託証書の番号及び日付	証券名称	枚数	総額面	内訳			請求利賦札		備考
				額面	回記号	番号	渡期	枚数	

上記証券の 利札
賦札 を受領しました。　年　月　日

日本銀行（何店）御中

（何庁）取扱主任官　官職　氏名 印

備考

1　用紙寸法は、日本産業規格Ａ列４とする。
2　利札又は賦札のみの交付を請求するときは、不用の文字を抹消すること。
3　本書が２枚以上にわたるときは、各葉間に契印を押すこと。

第4号書式

番　号

年　月　日

日本銀行（何店）御中

（何庁）取扱主任官　官職　氏名 印

取引関係通知書

（官職氏名）は、本日付をもつて、貴店との間に政府所有有価証券の寄託に関する取引を 開始
終止 するので通知します。

（理由　　）

（附記）

日本銀行（何店）受付

年　月　日

備考

1　用紙寸法は、日本産業規格Ａ列４とする。
2　通知書を作成するときは、不用の文字を抹消すること。
3　第10条第１項の規定により取扱主任官に異動があつた場合において作成する通知書には、前任の取扱主任官の官職及び氏名を附記すること。
4　第10条第２項の規定により残務を引き継ぐべき取扱主任官が定められた場合において作成する通知書には、廃止される取扱主任官の官職及び氏名を附記すること。

○政府保管有価証券取扱規程

大一一・二・一
大蔵令八

最終改正　令二・一二・一一財務令七六

目次〔略〕

第一章　総則

第一条　政府ノ保管ニ係ル有価証券ハ別段ノ定アル場合ヲ除ク外本令ノ定ムル所ニ依リ之カ受払保管ヲ為スヘシ

第二条　政府ノ保管ニ係ル有価証券ハ取扱官庁之ヲ日本銀行（本店、支店又ハ代理店ヲ謂フ以下同シ）ニ寄託スヘシ但シ数日内ニ払渡ヲ為ス必要アルモノ又ハ特殊ノ事由アルモノニ付テハ此限ニ在ラス

② 取扱官庁前項ノ寄託ヲ為ス場合ニ於テハ其ノ所在地日本銀行ヲ以テ又其ノ地ニ日本銀行ナキトキハ最寄ノ日本銀行ヲ以テ保管有価証券取扱店（取扱店ト謂フ以下同シ）ト為スヘシ

第三条　取扱官庁ハ取扱主任官ヲ新設シタル場合、取扱主任官ニ異動アリタル場合又ハ取扱主任官ヲ廃止シタル場合ハ直チニ第九号書式ノ取引関係通知書ヲ作成シ之ヲ取扱店ニ送付スベシ

② 前項ノ規定ハ取扱主任官ヲ廃止シタル場合ニ於テ当該取扱主任官ノ残務ヲ引継グベキ取扱主任官ヲ定メタルトキニ之ヲ準用ス

③ 前二項ノ取扱主任官ハ照較ノ用ニ供スルタメ其ノ印鑑ヲ取扱店ニ提出スベシ但シ廃止サレタル取扱主任官ハ此ノ限ニ在ラズ

第四条　削除

第二章　保管有価証券ノ提出及寄託

第五条　保管有価証券ヲ提出スル者ハ第一号書式ノ政府保管有価証券提出書ヲ添ヘ有価証券ヲ取扱官庁ニ提出スヘシ

② 取扱官庁前項ノ提出書ノ必要ナシト認メタル場合ニ於テハ之ヲ省略セシムルコトヲ得

第六条　取扱官庁ハ保管有価証券ヲ提出スル者ヲシテ予メ有価証券ヲ其ノ取扱店ニ払込マシムルコトヲ得

第六条ノ二　取扱官庁ハ保管有価証券提出者ノ便宜ニ供スル為其ノ請求アリタルトキハ提出者ヲシテ予メ有価証券ヲ取扱店以外ノ日本銀行本店又ハ支店ニ払込マシムルコトヲ得

② 前項ノ場合ニ於テハ有価証券ノ払込ヲ受ケタル日本銀行本店又ハ支店ヲ取扱官庁ノ保管有価証券臨時取扱店（臨時取扱店ト謂フ以下同シ）トシ第三条ノ規定ヲ準用ス

③ 第一項ノ場合ニ於テハ取扱官庁ハ第二号ノ二書式ノ政府保管有価証券隔地払込認可書ヲ保管有価証券ヲ提出スル者ニ交付スヘシ

第七条　保管有価証券ヲ提出スル者第六条ノ規定ニヨリ払込ヲ為サムトスルトキハ第二号書式ノ政府保管有価証券払込書ヲ添ヘ有価証券ヲ取扱店ニ提出シ政府保管有価証券払込済通知書ノ交付ヲ受クヘシ

② 保管有価証券ヲ提出スル者前条第一項ノ規定ニ依リ払込ヲ為サムトスルトキハ政府保管有価証券払込書及前条第三項ニ依ル政府保管有価証券隔地払込認可書ヲ添ヘ有価証券ヲ臨時取扱店ニ提出シ政府保管有価証券払込済通知書ノ交付ヲ受クヘシ

③ 保管有価証券ヲ提出スル者前二項ノ手続ヲ為シタルトキハ其ノ交付ヲ受ケタル政府保管有価証券払込済通知書ヲ取扱官庁ニ提出スベシ

第八条　取扱官庁第五条又ハ前条第三項ノ規定ニ依リ有価証券又ハ政府保管有価証券払込済通知書ノ提出ヲ受ケタルトキハ第三号書式ノ政府保管有価証券受領証書ヲ提出者ニ交付スヘシ

第九条　取扱官庁第五条ノ規定ニ依リ提出ヲ受ケタル政府保管有価証券ヲ取扱店ニ寄託セムトスルトキハ政府保管有価証券提出書ヲ添ヘ之ヲ取扱店ニ送付シ政府保管有価証券受託証書ノ交付ヲ受クヘシ但シ第五条第二項ノ規定ニ依リ政府保管有価証券提出書ヲ省略セシメタルモノニ付テハ第四号書式ノ政府保管有価証券内訳書ヲ添附スルモノトス

第十条　取扱官庁ハ国税徴収法ノ規定又ハ国税徴収ノ例ニ依リ差押ヘタル有価証券ヲ寄託セムトスルトキハ前条ノ手続ヲ為スノ外其ノ旨ヲ取扱店ニ通知スヘシ

第十一条　削除

第三章　保管有価証券ノ払渡

第十二条　保管有価証券ノ払渡ヲ受クル権利ヲ有スル者ハ第五号書式ノ政府保管有価証券払渡請求書又ハ第八条ノ規定ニ依リ交付ヲ受ケタル政府保管有価証券受領証書ヲ取扱官庁ニ提出スルトトモニ本人確認書類ヲ提示シ其ノ払渡ヲ請求スベシ

第十三条　取扱官庁前条ノ請求ヲ受ケタルトキハ政府保管有価証券受託証書又ハ政府保管有価証券払込済通知書ニ払渡ヲ要スル旨ヲ記入シ之ヲ請求者ニ交付スヘシ

② 取扱官庁前条ノ請求ニ依リ政府保管有価証券ノ一部ノ払渡ヲ要スルトキハ政府保管有価証券受託証書又ハ政府保管有価証券払込済通知書ニ一部払渡ヲ要スル旨ヲ記入シ之ヲ取扱店又ハ臨時取扱店ニ送付シ請求者ニ対シテハ第六号書式ノ政府保管有価証券一部払渡請求書ヲ交付スヘシ

③ 前二項ノ規定ニ依リ受託証書、通知書又ハ一部払渡請求書ノ交付ヲ受ケタル者ハ之ヲ取扱店又ハ臨時取扱店ニ提出スルトトモニ本人確認書類ヲ提示シ有価証券ノ払渡ヲ受クベシ

第十四条　取扱官庁第十二条ノ請求ヲ受ケタルトキ第二条第一項但書ノ規定ニ依リ有価証券ヲ保管スル場合ニ於テハ之ヲ請

求者ニ払渡スヘシ

第十五条　保管有価証券附属利札又ハ保管有価証券附属賦札ノ交付ヲ受クル権利ヲ有スル者其ノ支払期到来シタルモノノ交付ヲ請求セムトスルトキハ第七号書式ノ政府保管有価証券利札・賦札請求書ヲ取扱店又ハ臨時取扱店ニ提出スルトトモニ本人確認書類ヲ提示シ之カ交付ヲ受クベシ但シ取扱店又ハ臨時取扱店ニ対シ政府保管有価証券附属賦札ノ交付ヲ請求セムトスル者ハ政府保管有価証券賦札ノ請求書ニ当該賦札ヲ交付スルモ妨ナキ旨ノ取扱官庁ノ承認ヲ受クヘシ又取扱店又ハ臨時取扱店ニ対シ最後ノ政府保管有価証券附属賦札ノ交付ヲ請求セムトスル者ハ第十二条及第十三条ノ例ニ従ヒ有価証券ノ交付ヲ受クヘシ

② 第二条第一項但書ノ規定ニ依リ取扱官庁ニ於テ有価証券ヲ保管スル場合ニ於テハ前項ノ権利者ハ前項ノ請求書ヲ取扱官庁ニ提出スヘシ

③ 取扱官庁前項ノ請求ヲ受ケタルトキハ有価証券附属ノ利札又ハ賦札ヲ請求者ニ交付スヘシ

第十六条　削除

第四章　保管有価証券ノ保管替

第十七条　甲官庁ニ身元保証金トシテ有価証券ヲ提出シタル者乙官庁ニ保管替ヲ請求セムトスルトキハ第八号書式ノ政府保管有価証券保管請求書二通ヲ甲官庁ニ提出スヘシ

第十八条　甲官庁前条ノ請求ヲ受ケタル場合ニ於テ該有価証券ニシテ第二条第一項但書ノ規定ニ依リ保管スルモノナルトキハ其ノ請求ヲ拒絶シ、甲官庁ノ取扱店ニ寄託セルモノニシテ保管替ノ理由アリト認メタルトキハ政府保管有価証券保管替請求書ノ一通ニ承認ノ旨ヲ記入シ之ヲ乙官庁ニ送付シ政府保管有価証券受託証書又ハ政府保管有価証券払込済通知書ニ寄託替ヲ要スル旨ヲ記入シ之ヲ甲官庁ノ取扱店ニ送付スヘシ

第十九条　乙官庁前条ノ請求書ノ送付及乙官庁ノ取扱店ヨリ政府保管有価証券受託証書ノ送付ヲ受ケタルトキハ政府保管有価証券受領証書ヲ保管替請求者ニ交付スヘシ

第五章　政府ノ所得ニ帰シタル保管有価証券

第二十条　政府保管有価証券ニシテ法令ノ規定又ハ契約ニ依リ政府ノ所得ニ帰シタルモノアルトキハ取扱官庁ハ其ノ都度之ヲ所管大臣ノ指定スル主務官庁ニ報告スヘシ

② 主務官庁前項ノ報告ヲ受ケタルトキハ別ニ定ムル所ニ依リ該有価証券ヲ換価シ歳入ニ納付スルノ手続ヲ為スヘシ但シ特殊ノ資金ニ組入ヲ要スルモノニ付テハ当該資金ニ組入ノ手続ヲ為スモノトス

第六章　調査等

第二十一条　取扱官庁日本銀行本店ヨリ政府保管有価証券払渡ノ請求書ノ番号ヲ記載シタル書類ヲ添ヘ政府保管有価証券月計突合表ノ送付ヲ受ケタルトキハ之ヲ調査シ適正デアルト認メタルトキハ当該突合表ニ記名スベシ但シ相違アル点ニ付テハ其ノ事由ヲ付記スルモノトス

② 各官庁前項ノ規定ニ依リ送付ヲ受ケタル政府保管有価証券月計突合表ニ誤リガアルコトヲ発見シタルトキハ当該突合表ノ送付ヲ受ケタル月ノ第十二営業日（「営業日」トハ日本銀行ノ休日ヲ除ク日ヲ謂フ）迄ニ日本銀行統轄店ニ通知スベシ

③ 第一項ノ規定ハ各官庁ガ前項ノ通知ヲシタル後本店ヨリ再度政府保管有価証券月計突合表ノ送付ヲ受ケタル場合ニ於テ之ヲ準用ス

第七章　雑則

第二十二条　取扱官庁政府保管有価証券受託証書又ハ政府保管有価証券払込済通知書ヲ亡失又ハ毀損シタルトキハ証明請求書ヲ取扱店又ハ臨時取扱店ニ提出シ之カ証明ヲ請求スルコトヲ得第七条第一項又ハ第二項ノ払込人政府保管有価証券払込済通知書ヲ亡失又ハ毀損シタルトキ亦同シ

第二十三条　政府保管有価証券ノ払渡ヲ受クル権利ヲ有スル者政府保管有価証券受託証書、政府保管有価証券払込済通知書又ハ政府保管有価証券一部払渡請求書ヲ亡失又ハ毀損シタルトキハ証明請求書ヲ取扱官庁ニ提出シ之カ証明ヲ請求スルコトヲ得

② 取扱官庁前項ノ請求ヲ受ケ其ノ理由アリト認メタルトキハ之カ証明ヲ為シ其ノ旨ヲ取扱店又ハ臨時取扱店ニ通知スヘシ

第二十四条　削除

第二十四条ノ二　取扱官庁ハ本省令ニ規定スル書式（次項ノ書式ハ除ク）ノ記載ニ付其ノ記載ニ係ル政府保管有価証券ガ外貨表示ノモノナルトキハ支出官事務規程（昭和二十二年大蔵省令第九十四号）第十一条第二項第四号ノ規定ニ基キ定メラレタル外国貨幣換算率ニ依リ換算シタル邦貨額及当該換算率ヲ附記スベシ

② 取扱官庁ハ有価証券ヲ提出スル者ガ作成スル本省令ニ規定スル書式ノ提出ヲ受ケタル場合ニ於テ当該有価証券ガ外貨表示ノモノナルトキハ前項ノ規定ノ例ニ従ヒ邦貨額及当該換算率ヲ附記スルモノトス

附　則（抄）

第二十五条　本令ハ大正十一年四月一日ヨリ之ヲ施行ス

第１号書式

政府保管有価証券提出書

（提出の事由）
（何庁）取扱主任官殿
　年　月　日

住所
氏　　名

下記の証券を提出します。

日本銀行（何店）御中
　年　月　日

（何庁）取扱主任官　官職　氏　　名

下記の証券を寄託します。

証券名称	枚数	総額面	内訳				備考
			額面	回記号	番号	附属利賦札	

備考
1　用紙寸法は、日本産業規格Ａ列４とする。
2　無額面株券については、総額面を零とし、額面に代えて券面ごとの株数を記入すること。
3　本書が２枚以上にわたるときは、各葉間に記名すること。
4　株券以外の記名式証券については、名義人の裏書をなし、又は名義人の白紙委任状及び処分承諾書を添附すること。

第２号書式

政府保管有価証券払込書

（払込の事由）
日本銀行（何店）御中
　年　月　日

住所
氏　　名

下記の証券を何庁の保管有価証券として払い込みます。

証券名称	枚数	総額面	内訳				備考
			額面	回記号	番号	附属利賦札	

備考
1　用紙寸法は、日本産業規格Ａ列４とする。
2　無額面株券については、総額面を零とし、額面に代えて券面ごとの株数を記入すること。
3　本書が２枚以上にわたるときは、各葉間に記名すること。
4　株券以外の記名式証券については、名義人の裏書をなし、又は名義人の白紙委任状及び処分承諾書を添附すること。

第２号の２書式

政府保管有価証券隔地払込認可請求書

（提出の事由）
（隔地払込の事由）
（何庁）取扱主任官殿
年　月　日
住　所
氏　名

下記の証券を日本銀行（何店）に払い込みたいから認可して下さい。

住　所
氏　名
年　月　日
（何庁）取扱主任官　官職　氏　名

上記の通り認可します。

証券名称	枚数	総額面	内訳				備考
			額面	回記号	番号	附属利賦札	

備考
1　用紙寸法は、日本産業規格Ａ列４とする。
2　無額面株券については、総額面を零とし、額面に代えて券面ごとの株数を記入すること。
3　本書が２枚以上にわたるときは、各葉間に記名すること。

第３号書式

政府保管有価証券受領証書

（保管の事由）
（有価証券の提出場所）
（提　出　年　月　日）

何　某殿
年　月　日
（何庁）取扱主任官　官職　氏　名㊞

下記の証券を領収しました。

（何庁）取扱主任官殿
年　月　日
住　所
氏　名

上記の証券払渡の証書領収しました。

証券名称	枚数	総額面	内訳			備考
			額面	回記号	番号	

備考
1　用紙寸法は、日本産業規格Ａ列４とする。
2　無額面株券については、総額面を零とし、額面に代えて券面ごとの株数を記入すること。
3　本書が２枚以上にわたるときは、各葉間に契印を押すこと。
4　本書をもって有価証券の払渡を請求するときは、書式中領収欄に記名すること。
5　利札又は賦札でけん欠のものがあるときは、備考欄にその旨記入すること。

第４号書式

政府保管有価証券内訳書

（提出者氏名）

日本銀行（何店）御中

年　月　日

（何庁）取扱主任官　官職　氏　　名

下記の証券を寄託します。

証券名称	枚数	総額面	内訳				備考
			額面	回記号	番号	附属利賦札	

備考

1　用紙寸法は、日本産業規格Ａ列４とする。

2　無額面株券については、総額面を零とし、額面に代えて券面ごとの株数を記入すること。

3　本書が２枚以上にわたるときは、各葉間に記名すること。

4　国税徴収法の規定又は国税徴収の例により差し押さえたものがあるときは、提出氏名欄に取扱主任官の氏名を記載すること。

第５号書式

政府保管有価証券払渡請求書

（受領証書日付）

（受領証書番号）

（払渡請求事由）

（何庁）取扱主任官殿

年　月　日

住所

氏　　名

下記の証券の払渡を請求します。

（何庁）取扱主任官殿

年　月　日

住所

氏　　名

上記の証券払渡の証書領収しました。

証券名称	枚数	総額面	内訳			備考
			額面	回記号	番号	

備考

1　用紙寸法は、日本産業規格Ａ列４とする。

2　無額面株券については、総額面を零とし、額面に代えて券面ごとの株数を記入すること。

3　本書が２枚以上にわたるときは、各葉間に記名すること。

4　政府保管有価証券受領証書記載の全部払渡を請求するときに限り内訳（額面、回記号及び番号）を省略してもよい。

第6号書式

政府保管有価証券一部払渡請求書

（受託証書又は払込済通知書の番号及び日付）

（提出者又は払込人氏名）

日本銀行（何店）御中

年　月　日

（何庁）取扱主任官　官職　氏　名 ㊞

下記の証券を払い渡して下さい。

日本銀行（何店）御中

年　月　日

住所

氏　名

下記の証券を受領しました。

証券名称	枚数	総額面	内訳			備考
			額面	回記号	番号	

備考

1　用紙寸法は、日本産業規格A列4とする。

2　無額面株券については、総額面を零とし、額面に代えて券面ごとの株数を記入すること。

3　本書が2枚以上にわたるときは、各葉間に契印を押すこと。

第7号書式

政府保管有価証券利札・賦札請求書

年　月　日

取扱庁名

日本銀行（何店）御中

住所

氏名

下記証券の 利札 賦札 を交付して下さい。

日本銀行（何店）御中

下記証券の賦札を交付してさしつかえありません。

（何庁）取扱主任官　官職　氏　名 印

受託証書又は払込済通知書の番号及び日付	証券名称	枚数	総額面	内訳			請求利賦札		備考
				額面	回記号	番号	渡期	枚数	

上記証券の 利札 賦札 を受領しました。　年　月　日

日本銀行（何店）御中

住所

氏名

備考

1　用紙寸法は、日本産業規格A列4とする。

2　利札又は賦札のみの交付を請求するときは、不用の文字を抹消すること。

3　本書が2枚以上にわたるときは、各葉間に記名すること。

第８号書式

政府保管有価証券保管替請求書

(受領証書日付及び番号)

（何庁）取扱主任官殿

年　月　日

住所

氏　名

下記の証券を「何庁」の保管有価証券に変更して下さい。

（何庁）取扱主任官殿

年　月　日

（何庁）取扱主任官　官職　氏　名

下記の証券の保管替を承認したから、貴庁の保管有価証券として取り扱われたい。

証券名称	枚数	総額面	内訳				備考
			額面	回記号	番号	附属利賦札	

備考

1　用紙寸法は、日本産業規格Ａ列４とする。

2　無額面株券については、総額面を零とし、額面に代えて券面ごとの株数を記入すること。

3　本書が２枚以上にわたるときは、各葉間に記名すること。

第９号書式

番　号

年　月　日

日本銀行（何店）御中

（何庁）取扱主任官　官職　氏　名㊞

取引関係通知書

（官職氏名）は、本日付をもって貴店との間に政府保管有価証券の寄託に関する取引を開始・終止するので通知します。

（理由　）

（附記）

日本銀行（何店）受付

年　月　日

備考

1　用紙寸法は、日本産業規格Ａ列４とする。

2　通知書を作成するときは、不用の文字を抹消すること。

3　第３条第１項の規定により取扱主任官に異動があつた場合において作成する通知書には、前任の取扱主任官の官職及び氏名を附記すること。

4　第３条第２項の規定により残務を引き継ぐべき取扱主任官が定められた場合において作成する通知書には、廃止される取扱主任官の官職及び氏名を附記すること。

○政府担保振替国債取扱規則

平二三・四・一
財務令一五

最終改正 令二・一二・四財務令七三

（総則）

第一条 政府に担保として提供される振替国債（その権利の帰属が社債、株式等の振替に関する法律（平成十三年法律第七十五号）の規定による振替口座簿の記載又は記録により定まるものとされるものをいう。以下同じ。）に係る振替その他に関する事務（供託に係るものを除く。）の取扱いについては、政府保管有価証券取扱規程（大正十一年大蔵省令第八号）、保管金取扱規程（大正十一年大蔵省令第五号）、保管金払込事務等取扱規程（昭和二十六年大蔵省令第三十号）及び政府所有有価証券取扱規程（大正十一年大蔵省令第七号）に定めるもののほか、この省令の定めるところによる。

（政府担保振替国債保管口座の開設等）

第二条 政府が担保として振替国債の提供を受けるときは、取扱官庁は、別紙第一号書式による政府担保振替国債保管口座開設等依頼書（以下「保管口座開設等依頼書」という。）を日本銀行（本店又は支店をいう。第五条第三項を除き、以下同じ。）に送付しなければならない。ただし、既に保管口座開設等依頼書を送付して開設された口座（以下「政府担保振替国債保管口座」という。）がある場合は、この限りでない。

2 取扱官庁は、日本銀行に保管口座開設等依頼書を送付するときは、政府保管有価証券取扱規程第三条第一項の取引関係通知書及び保管金払込事務等取扱規程第二条第一項の取引関係通知書並びにそれぞれの照合のための取扱主任官及び歳入歳出外現金出納官吏の印鑑を併せて送付しなければならない。ただし、既に当該日本銀行との間にこれらの規定による取引が開始されている場合は、この限りでない。

3 第一項の規定により保管口座開設等依頼書を送付した後において、取扱主任官が廃止された場合若しくは取扱主任官に異動があった場合又は取扱主任官が廃止された場合であって当該取扱主任官の残務を引き継ぐべき取扱主任官が定められたときも、同項と同様とする。

（担保の受入れの手続）

第三条 政府に担保を提供する義務を有する者（以下「担保提供義務者」という。）は、振替国債を担保として提供することを申し出ようとするときは、別紙第二号書式による政府担保振替国債提供書並びに提供しようとする振替国債の名称及び記号、利息の支払期並びに償還期限を確認するために必要な資料を取扱官庁に提出しなければならない。

2 取扱官庁は、前項の申出を承認したときは、政府担保振替国債提供書に、申出を承認する旨、政府担保振替国債保管口座に関する事項、一定の期日までに政府担保振替国債保管口座において提供しようとする振替国債に係る増額の記載又は記録がされるべき旨及びその期日までに増額の記載又は記録がされないときは承認は効力を失う旨を記載して記名し、これを担保提供義務者に交付しなければならない。

3 前項の期日までに、政府担保振替国債保管口座において担保として提供される振替国債に係る増額の記載又は記録がされないときは、承認は効力を失う。

4 取扱官庁は、保管口座開設等依頼書を送付した日本銀行（以下「取引店」という。）から日本銀行政府担保振替国債取扱規則（平成二十三年財務省令第十四号）第二条第一項の規定による通知を受け、政府担保振替国債保管口座において増額の記載又は記録がされたことを当該通知により確認したときは、別紙第三号書式による政府担保振替国債受入済通知書を担保提供義務者に交付しなければならない。

（担保解除による払渡しの手続）

第四条 政府に担保の解除を請求する権利を有する者（以下「担保解除請求権者」という。）は、政府に担保として提供された振替国債（以下「政府担保振替国債」という。）の払渡しを請求しようとするときは、別紙第四号書式による政府担保振替国債払渡請求書を取扱官庁に提出しなければならない。ただし、政府担保振替国債の償還期限の六営業日（「営業日」とは、日本銀行の振替業の休日でない日をいう。）前を経過しているときは、その払渡しを請求することができない。

2 取扱官庁は、前項の請求を受けたときは、取引店に対し、政府担保番号を示して担保解除請求権者の口座への振替を申請しなければならない。

3 取扱官庁は、取引店から日本銀行政府担保振替国債取扱規則第三条第二項の規定による通知を受け、政府担保振替国債保管口座において減額の記載又は記録がされたことを当該通知により確認したときは、政府担保番号とともに、その旨を担保解除請求権者に通知しなければならない。

（償還金又は利息の保管及び払渡しの手続等）

第五条 取扱官庁は、政府担保振替国債（国庫に帰属したものを除く。次項において同じ。）について元本の償還又は利息の支払がされたときは、償還金又は利息を当該政府担保振替国債に係る被担保債権のための担保として保管するものとする。この場合において、政府担保振替国債の所有者から利息の払渡しの請求を受けたときは、取扱官庁は、法令の規定又は契約に基づきこれを払い渡すことができる。

2 取扱官庁は、あらかじめ、取引店に対し償還金又は利息を取扱官庁の保管金として受け入れるよう指図を行うものとする。

3 保管金払込事務等取扱規程第八条第二項の規定は、取扱官庁が取引店において保管する償還金又は利息を、払渡しのため日本銀行の代理店に払い込む場合について適用する。この場合において、取扱官庁が発する国庫金振替書には、払出科目及び受入科目として「保管金」と、振替先として取扱官庁名を記載し、代理店名を付記しなければならない。

4 取扱官庁は、政府担保振替国債の所有者から、取扱官庁が保管する利息の明細に係る情報の提供を求められたときは、これに応じなければならない。

（国庫に帰属することとなった政府担保振替国債に係る手続）

第六条　取扱官庁は、法令の規定又は契約により政府担保振替国債が国庫に帰属することとなったときは、別紙第五号書式による政府担保振替国債所有口座開設等依頼書（以下「所有口座開設等依頼書」という。）を取引店に送付しなければならない。ただし、既に所有口座開設等依頼書を送付して開設された口座（次項において「政府担保振替国債所有口座」という。）がある場合は、この限りでない。

2　取扱官庁は、前項の場合において政府担保振替国債を国庫に帰属させようとするときは、取引店に対し、政府担保番号を示して政府担保振替国債所有口座への振替を申請しなければならない。

3　取扱官庁は、取引店に所有口座開設等依頼書を送付するときは、政府所有有価証券取扱規程第十条第一項の取引関係通知書を併せて送付しなければならない。ただし、既に当該取引店との間に同項の規定による取引が開始されている場合は、この限りでない。

4　第二条第三項の規定は、第一項の規定について準用する。

5　国庫に帰属した政府担保振替国債の償還金又は利息については、前条第二項の規定を準用し、また、保管金取扱規程第十八条に規定する「保管金ニシテ政府ノ所得ニ帰シタルモノ」とみなす。

（通知の保存等）

第七条　取扱官庁は、日本銀行政府担保振替国債取扱規則第二条又は第三条の規定による通知を受けたときは、当該通知を受けた日から少なくとも十年間、これを保存しなければならない。

2　政府保管有価証券取扱規程第二十三条の規定は、第三条第四項の政府担保振替国債受入済通知書について準用する。

（政府保管有価証券取扱規程の適用除外）

第八条　政府担保振替国債及びその償還金又は利息については、政府保管有価証券取扱規程第四章及び第二十一条第一項に規定する政府保管有価証券払渡請求書の番号を記載した書類の添付に係る部分の規定は適用しない。

附　則

この省令は、平成二十三年七月一日から施行する。ただし、第二条の規定は、同年五月二日から施行する。

別紙第一号書式（第二条第一項関係）

第　　号
年　月　日

日本銀行（何店）御中

（何庁）取扱主任官　官職　氏　　名 印

政府担保振替国債保管口座開設等依頼書

（官職　氏名）は、政府に担保として提供される振替国債の保管に係る口座の開設等を依頼します。

（依頼内容）
（理由）
（付記）

日本銀行（何店）受付
年　月　日

備　考
1　用紙の大きさは、日本産業規格Ａ列４とする。
2　依頼内容欄には、口座の開設、口座の廃止、口座の名義変更等の区分を記載すること。
3　付記欄には、取扱主任官に異動があった場合においては前任の取扱主任官の官職及び氏名を、取扱主任官の廃止に伴い残務を引き継ぐべき取扱主任官が定められた場合においては廃止した取扱主任官の官職及び氏名を記載すること。

別紙第二号書式（第三条第一項関係）

政府担保振替国債提供書

（提供の事由）
（何庁）取扱主任官殿
年　月　日

住　所
氏　　名

下記の振替国債を担保として提供したいから承認して下さい。

何　　某殿
年　月　日

（何庁）取扱主任官　官職　氏　　名

下記の振替国債の提供について承認します。

下記の振替国債について、　年　月　日までに、政府担保振替国債保管口座において増額の記載又は記録がされるように、振替申請を行って下さい。
同日までに増額の記載又は記録がされないときは、この承認は効力を失います。

（政府担保振替国債保管口座）
参　加　者（コード）：日本銀行（００００）
種　　　別（コード）：政府担保口（３３）
担保の受入先官庁（カナ）：
官　庁　コ　ー　ド：

記

合計金額	百 十 億 千 百 十 万 千 百 十 円

名　称		回記号	
金　額	百 十 億 千 百 十 万 千 百 十 円	償還期限	年　月　日
		利息支払期	月　日 年　回
所有者の住所氏名			
備　考			

名　称		回記号	
金　額	百 十 億 千 百 十 万 千 百 十 円	償還期限	年　月　日
		利息支払期	月　日 年　回
所有者の住所氏名			
備　考			

（注）担保提供義務者及び所有者が法人（法人でない社団又は財団で代表者又は管理人の定めがあるものを含む。）である場合は、住所氏名の欄に、法人の名称、代表者の氏名及び主たる事務所の所在地を記載して下さい。

備　考
1　用紙の大きさは、日本産業規格Ａ列４とする。
2　本書が２枚以上にわたるときは、各葉間に記名するとともに、１枚目の合計金額欄は担保として提供しようとする振替国債の合計金額を記載し、２枚目以降の合計金額欄は空欄とする。
3　官庁コードは、日本銀行より指定されたものを記載する。

別紙第三号書式（第三条第四項関係）

政府担保振替国債受入済通知書

第　　　号

（受 入 年 月 日）

何　　　某殿

年　月　日

（何庁）取扱主任官　官職　氏　　　名

下記の振替国債の受入れを確認しました。

記

合計金額	百 十	億 千 百	十 万 千	百 十 円

名　称		回記号	
金　額	百 十 億 千 百 十 万 千 百 十 円	償還期限	年　月　日
		利息支払期	月　日　年　回
所有者の住所氏名			
備　考			
政府担保番号			

名　称		回記号	
金　額	百 十 億 千 百 十 万 千 百 十 円	償還期限	年　月　日
		利息支払期	月　日　年　回
所有者の住所氏名			
備　考			
政府担保番号			

（注）担保提供義務者及び所有者が法人（法人でない社団又は財団で代表者又は管理人の定めがあるものを含む。）である場合は、住所氏名の欄に、法人の名称、代表者の氏名及び主たる事務所の所在地を記載して下さい。

備　考

別紙第二号書式の備考１及び２は、本書式について準用する。

別紙第四号書式（第四条第一項関係）

政府担保振替国債払渡請求書

（受入済通知書日付）

（受入済通知書番号）

（払渡請求事由）

（振替国債の振替先口座）

参　加　者（コード）：

種　　　別（コード）：

払渡先の口座管理機関：

本支店名：

口　座　番　号：

（何庁）取扱主任官殿

年　月　日

住　所

氏　　　名

下記の振替国債の払渡しを請求します。

記

合計金額	百 十	億 千 百	十 万 千	百 十 円

名　称		回記号	
金　額	百 十 億 千 百 十 万 千 百 十 円	償還期限	年　月　日
		利息支払期	月　日　年　回
所有者の住所氏名			
備　考			
政府担保番号			

名　称		回記号	
金　額	百 十 億 千 百 十 万 千 百 十 円	償還期限	年　月　日
		利息支払期	月　日　年　回
所有者の住所氏名			
備　考			
政府担保番号			

（注）担保提供義務者及び所有者が法人（法人でない社団又は財団で代表者又は管理人の定めがあるものを含む。）である場合は、住所氏名の欄に、法人の名称、代表者の氏名及び主たる事務所の所在地を記載して下さい。

備　考

1　別紙第二号書式の備考１及び２は、本書式について準用する。

2　担保として提供した振替国債の全部の払渡しを請求するときは、当該振替国債の名称、回記号、金額及び政府担保番号以外の欄を省略することができる。

別紙第五号書式（第六条第一項関係）

第　　　号
年　月　日

日本銀行（何店）御中

（何庁）取扱主任官　官職　氏　　　名 印

政府担保振替国債所有口座開設等依頼書

（官職　氏名）は、国庫に帰属することとなった政府担保振替国債の所有に係る口座の開設等を依頼します。

（依頼内容）
（理由）
（付記）

日本銀行（何店）受付
年　月　日

備　考

別紙第一号書式の備考は、本書式について準用する。

○供託有価証券取扱規程

大一一・二・一
大　蔵　令　九

最終改正　昭四八・一・一九大蔵令三

第一条　供託所ノ保管ニ係ル供託有価証券ハ之ヲ日本銀行ニ寄託スヘシ

第二条　供託所前条ノ寄託ヲ為サムトスルトキハ供託有価証券寄託書（書式ハ政府所有有価証券取扱規程第一号書式政府所有有価証券寄託書ニ準ス）及供託書ヲ添ヘ有価証券ヲ日本銀行ニ提出シ供託有価証券受託証書（書式ハ政府所有有価証券取扱規程第一号書式政府所有有価証券受託証書ニ準ズ）ノ交付ヲ受クヘシ

第三条　供託所日本銀行ニ寄託セル有価証券ノ払渡ヲ請求セムトスルトキハ供託有価証券払渡請求書（書式ハ政府所有有価証券取扱規程第二号書式政府所有有価証券払渡請求書ニ準ス）ヲ日本銀行ニ提出シ之カ交付ヲ受クヘシ但シ供託有価証券ノ還付又ハ取戻ヲ受クル権利ヲ有スル者ノ提出シタル請求書ニ証明ヲ為シタルモノヲ以テ供託有価証券払渡請求書ニ代フルコトヲ得

②　供託所日本銀行ニ寄託セル有価証券ノ一部払渡ヲ請求セムトスルトキハ供託有価証券一部払渡請求書（書式ハ政府所有有価証券取扱規程第二号ノ二書式政府所有有価証券一部払渡請求書ニ準ズ）ヲ日本銀行ニ提出シ之ガ交付ヲ受クベシ此ノ場合ニ於テ前項但書ノ規定ハ之ヲ準用ス

③　前二項ノ請求書又ハ一部払渡請求書ハ正副二通作成シ副本ハ払渡ノ請求ヲ為シタル旨ヲ記載シ之ヲ供託所ニ保管スベシ

④　第一項ノ場合ニ於テ供託所代供託ヲ認可シタルトキハ代供託請求書ヲ第一項ノ払渡請求書ニ添附スヘシ

⑤　供託所供託有価証券附属賦札ニ於ケル元金ニ付代供託ヲ認可シタル場合ニ於テ代供託セントスル者ハ最後ノ賦札ニ於ケル元金ニ対スル場合ハ第一項及第四項ノ規定ニ準シ其ノ他ノ場合ハ代供託請求書ヲ供託有価証券利札・賦札請求書（書式ハ政府所有有価証券取扱規程第三号書式政府所有有価証券利札・賦札請求書ニ準ズ）ニ添附シ日本銀行ニ提出スヘシ

第四条　供託所供託有価証券附属利札又ハ供託有価証券附属賦札ノ交付ヲ請求セムトスルトキハ供託有価証券利札・賦札請求書ヲ日本銀行ニ提出シ之カ交付ヲ受クヘシ但シ附属利札又ハ附属賦札ヲ受クル権利ヲ有スル者ノ提出シタル請求書ニ証明ヲ為シタルモノヲ以テ供託有価証券利札・賦札請求書ニ代フルコトヲ得但シ最後ノ供託有価証券附属賦札ノ交付ヲ請求セムトスル者ハ前条第一項ノ例ニ従ヒ有価証券ノ交付ヲ受クヘシ

第五条　供託所供託有価証券ノ利息又ハ配当金ニ付附属供託ヲ認可シタルトキハ供託有価証券利息（配当金）請求書（書式ハ政府所有有価証券取扱規程第三号書式政府所有有価証券利札・賦札請求書ニ準ス）及附属供託請求書ヲ日本銀行ニ提出スヘシ

第六条　政府所有有価証券取扱規程第二条及第六条乃至第十条ノ規定並政府保管有価証券取扱規程第二十四条ノ二ノ規定ハ供託有価証券ノ取扱手続ニ付之ヲ準用ス

附　則

本令ハ大正十一年四月一日ヨリ之ヲ施行ス

○国の所有に属する自動車等の交換に関する法律

昭二九・五・一七
法　一　〇　九

改正　昭四六・六・一法九六

1　各省各庁の長（財政法（昭和二十二年法律第三十四号）第二十条第二項に規定する各省各庁の長をいう。）は、必要があると認めるときは、政令で定めるところにより、下取り（物品を買い入れる際、当該物品と同一の用途に供されていた買受人の所有に属する物品を、対価の一部として、当該買入れに係る物品と引換えに売渡人に譲渡することをいう。）の商慣習がある自動車、医療用又は試験用の機械器具その他の政令で定める物品であつて国の所有に属するものを、国以外の者が所有するこれと同種の物品と交換することができる。

2　前項の規定により交換する場合において、その価額が等しくないときは、その差額を金銭で補足し、又は補足させなければならない。

附　則

この法律は、公布の日から施行する。

○国の所有に属する自動車等の交換に関する法律施行令

昭四六・一一・二六
政令三五七

改正 平一二・六・七政令三〇七

1 国の所有に属する自動車等の交換に関する法律（以下「法」という。）第一項に規定する政令で定める物品は、次に掲げる物品（以下「自動車等」という。）とする。

一 自動車（道路運送車両法（昭和二十六年法律第百八十五号）第二条第二項に規定する自動車をいう。）

二 次に掲げる機械器具又は装置のうち財務省令で定める機械器具又は装置

イ 医療用の機器又は装置

ロ 計測機器

ハ 事務用機器

ニ 電気器具（テレビジョン受像機又は音響機器を含む。）

三 前二号に掲げるもののほか、各省各庁の長（財政法（昭和二十二年法律第三十四号）第二十条第二項に規定する各省各庁の長をいう。）が財務大臣に協議して定める物品

2 法第一項の規定による交換をすることができる場合は、次に掲げる場合とし、当該交換により取得することができる物品は、当該交換のため引き渡す自動車等と同種の自動車等とする。ただし、第二号の場合にあつては、各省各庁の長は、財務大臣に協議しなければならない。

一 国の所有に属する自動車等が当該自動車等に係る耐用年数（法人税法施行令（昭和四十年政令第九十七号）第五十六条の規定に基づく財務省令で定める耐用年数をいう。）の二分の一に相当する年数を超えて使用に供されている場合において、当該自動車等に係る経費の低減を図る必要があるとき。

二 前号に掲げる場合のほか、国の医療、試験又は研究の用に供されている前項第二号又は第三号に掲げる物品の型式が陳腐化し、かつ、これを使用することがこれらの円滑な運営上支障があるため、新たにこれらの用に供されるこれらの物品と同種の物品を取得する必要があると認められる場合

附 則

この政令は、昭和四十六年十一月三十日から施行する。

○国の所有に属する自動車等の交換に関する法律施行規則

昭四六・一一・三〇
大蔵令八二

最終改正 平一二・九・二九大蔵令七五

国の所有に属する自動車等の交換に関する法律施行令第一項第二号に規定する財務省令で定める機械器具又は装置は、次に掲げるものとする。

一 医療用の機器又は装置

イ 手術台

ロ 高圧滅菌器

ハ 医療用エックス線装置

ニ 低周波治療器

ホ 高周波治療器

ヘ 筋電計

ト ファイバースコープ

チ 脳波計

リ 心電計

ヌ 医療用監視装置

ル 麻酔器

ヲ 顕微鏡

ワ 電子顕微鏡

カ 医科用ふ卵器

二 計測機器

イ 天びん

ロ オシロスコープ

ハ 波高分析装置

ニ 引張試験機

ホ 万能試験機

ヘ　比色計
ト　PH計
チ　分光光度計
リ　炎光光度計
ヌ　検糖計
ル　ガスクロマトグラフ
ヲ　液体クロマトグラフ
ワ　窒素定量装置
カ　排気ガス測定器
ヨ　トランシット
タ　経緯儀
レ　レベル
ソ　水準儀
ツ　測距儀
ネ　図化機
ナ　子午儀
三　事務用機器
イ　電子計算機
ロ　計算機械
ハ　会計機械
ニ　謄写機
ホ　複写機
ヘ　事務用印刷機
ト　タイプライター
四　電気器具（テレビジョン受像機及び音響機器を含む。）
イ　電気冷蔵庫
ロ　エアコンデショナー
ハ　扇風機
ニ　電気洗濯機
ホ　電気掃除機
ヘ　テレビジョン受像機
ト　磁気録音装置

附　則

この省令は、公布の日から施行する。

国有財産

○国有財産法

昭二三・六・三〇
法　七　三

最終改正　令三・五・一九法三七

目次〔略〕

第一章　総則

（この法律の趣旨）

第一条　国有財産の取得、維持、保存及び運用（以下「管理」という。）並びに処分については、他の法律に特別の定めのある場合を除くほか、この法律の定めるところによる。

（国有財産の範囲）

第二条　この法律において国有財産とは、国の負担において国有となつた財産又は法令の規定により、若しくは寄附により国有となつた財産であつて次に掲げるものをいう。

一　不動産

二　船舶、浮標、浮桟橋及び浮ドック並びに航空機

三　前二号に掲げる不動産及び動産の従物

四　地上権、地役権、鉱業権その他これらに準ずる権利

五　特許権、著作権、商標権、実用新案権その他これらに準ずる権利

六　株式、新株予約権、社債（特別の法律により法人の発行する債券に表示されるべき権利を含み、短期社債等を除く。）、地方債、信託の受益権及びこれらに準ずるもの並びに出資による権利（国が資金又は積立金の運用及びこれに準ずる目的のために臨時に所有するものを除く。）

2　前項第六号の「短期社債等」とは、次に掲げるものをいう。

一　社債、株式等の振替に関する法律（平成十三年法律第七十五号）第六十六条第一号に規定する短期社債

二　投資信託及び投資法人に関する法律（昭和二十六年法律第百九十八号）第百三十九条の十二第一項に規定する短期投資法人債

三　信用金庫法（昭和二十六年法律第二百三十八号）第五十四条の四第一項に規定する短期債

四　保険業法（平成七年法律第百五号）第六十一条の十第一項に規定する短期社債

五　資産の流動化に関する法律（平成十年法律第百五号）第二条第八項に規定する特定短期社債

六　農林中央金庫法（平成十三年法律第九十三号）第六十二条の二第一項に規定する短期農林債

（国有財産の分類及び種類）

第三条　国有財産は、行政財産と普通財産とに分類する。

2　行政財産とは、次に掲げる種類の財産をいう。

一　公用財産　国において国の事務、事業又はその職員（国家公務員宿舎法（昭和二十四年法律第百十七号）第二条第二号の職員をいう。）の住居の用に供し、又は供するものと決定したもの

二　公共用財産　国において直接公共の用に供し、又は供するものと決定したもの

三　皇室用財産　国において皇室の用に供し、又は供するものと決定したもの

四　森林経営用財産　国において森林経営の用に供し、又は供するものと決定したもの

3　普通財産とは、行政財産以外の一切の国有財産をいう。

（総括、所管換及び所属替の意義）

第四条　この法律において「国有財産の総括」とは、国有財産の適正な方法による管理及び処分を行うため、国有財産に関する制度を整え、その管理及び処分の事務を統一し、その増減、現在額及び現状を明らかにし、並びにその管理及び処分について必要な調整をすることをいう。

2　この法律において「国有財産の所管換」とは、衆議院議長、参議院議長、内閣総理大臣、各省大臣、最高裁判所長官及び会計検査院長（以下「各省各庁の長」という。）の間において、国有財産の所管を移すことをいう。

3　この法律において「国有財産の所属替」とは、同一所管内に二以上の部局等がある場合に、一の部局等の所属に属する国有財産を他の部局等の所属に移すことをいう。

第二章　管理及び処分の機関

（行政財産の管理の機関）

第五条　各省各庁の長は、その所管に属する行政財産を管理しなければならない。

第五条の二　二以上の各省各庁の長において使用する行政財産のうち統一的に管理する必要があるもので財務大臣が指定する財産は、これを使用する各省各庁の長のうち財務大臣が指定する者の所管に属するものとする。

（普通財産の管理及び処分の機関）

第六条　普通財産は、財務大臣が管理し、又は処分しなければならない。

（国有財産の総括の機関）

第七条　財務大臣は、国有財産の総括をしなければならない。

（国有財産の引継ぎ）

第八条　行政財産の用途を廃止した場合又は普通財産を取得した場合においては、各省各庁の長は、財務大臣に引き継

がなければならない。ただし、政令で定める特別会計に属するもの及び引き継ぐことを適当としないものとして政令で定めるものについては、この限りでない。

2　前項ただし書の普通財産については、第六条の規定にかかわらず、当該財産を所管する各省各庁の長が管理し、又は処分するものとする。

（事務の分掌及び地方公共団体の行う事務）

第九条　各省各庁の長は、その所管に属する国有財産に関する事務の一部を、部局等の長に分掌させることができる。

2　財務大臣は、国有財産の総括に関する事務の一部を部局等の長に分掌させることができる。

3　国有財産に関する事務の一部は、政令で定めるところにより、都道府県又は市町村が行うこととすることができる。

4　前項の規定により都道府県又は市町村が行うこととされる事務は、地方自治法（昭和二十二年法律第六十七号）第二条第九項第一号に規定する第一号法定受託事務とする。

（国有財産地方審議会）

第九条の二　財務局ごとに、国有財産地方審議会（以下「地方審議会」という。）を置く。

第九条の三　地方審議会は、財務局長の諮問に応じて国有財産の管理及び処分について調査審議し、並びにこれに関し財務局長に意見を述べることができる。

2　地方審議会は、前項に規定するもののほか、第二十八条の二第二項、第二十八条の四及び第三十一条の四第三項の規定により諮問される事項を調査審議する。

第九条の四　前条に定めるもののほか、地方審議会の組織及び委員その他の職員その他地方審議会に関し必要な事項については、政令で定める。

第三章　管理及び処分

第一節　通則

（管理及び処分の原則）

第九条の五　各省各庁の長は、その所管に属する国有財産について、良好な状態での維持及び保存、用途又は目的に応じた効率的な運用その他の適正な方法による管理及び処分を行わなければならない。

（管理及び処分の総括）

第十条　財務大臣は、前条に規定する国有財産の適正な方法による管理及び処分を行うため必要があると認めるときは、各省各庁の長に対し、その所管に属する国有財産について、その状況に関する資料若しくは報告を求め、実地監査をし、又は用途の変更、用途の廃止、所管換その他必要な措置を求めることができる。

2　財務大臣は、前項の規定により措置を求めたときは、各省各庁の長に対し、そのとつた措置について報告を求めることができる。

3　財務大臣は、前項の報告を求めた場合において、必要があると認めるときは、閣議の決定を経て、各省各庁の長に対し、その所管する国有財産について、用途の変更、用途の廃止、所管換その他必要な指示をすることができる。

4　財務大臣は、一定の用途に供する目的で国有財産の譲渡又は貸付けを受けた者に対し、その用途に供されているかどうかを確かめるため、自ら、又は各省各庁の長に委任して、当該財産について、その状況に関する資料若しくは報告を求め、又は当該職員に実地監査をさせることができる。

第十一条　財務大臣は、各省各庁の長の所管に属する国有財産につき、その現況に関する記録を備え、常時その状況を明らかにしておかなければならない。

第十二条　各省各庁の長が、国有財産の所管換を受けようとするときは、当該財産を所管する各省各庁の長及び財務大臣に協議しなければならない。ただし、次条の規定により国会の議決を経なければならない場合又は政令で定める場合に該当するときは、財務大臣への協議は、要しないものとする。

第十三条　公園又は広場として公共の用に供し、又は供するものと決定した公共用財産について、その用途を廃止し、若しくは変更し、又は公共用財産以外の行政財産としようとするときは、国会の議決を経なければならない。ただし、当該財産の価額が一億五千万円以上である場合を除くほか、毎年四月一日から翌年三月三十一日までの期間内に、その用途を廃止し、若しくは変更し、又は公共用財産以外の行政財産とする財産の価額の合計額が十五億円に達するに至るまでの場合については、この限りでない。

2　皇室用財産とする目的で寄附若しくは交換により財産を取得し、又は皇室用財産以外の国有財産を皇室用財産としようとするときは、国会の議決を経なければならない。ただし、当該財産の価額が一億五千万円以上である場合を除くほか、毎年四月一日から翌年三月三十一日までの期間内に、その寄附若しくは交換により取得し、又は皇室用財産とする財産の価額の合計額が十五億円に達するに至るまでの場合については、この限りでない。

第十四条　次に掲げる場合においては、当該国有財産を所管する各省各庁の長は、財務大臣に協議しなければならない。ただし、前条の規定により国会の議決を経なければならない場合又は政令で定める場合に該当するときは、この限りでない。

一　行政財産とする目的で土地又は建物を取得しようとす

るとき。
二　普通財産を行政財産としようとするとき。
三　行政財産の種類を変更しようとするとき。
四　行政財産である土地又は建物について、所属替をし、又は用途を変更しようとするとき。
五　行政財産である建物を移築し、又は改築しようとするとき。
六　行政財産を他の各省各庁の長に使用させようとするとき。
七　国以外の者に行政財産を使用させ、又は収益させようとするとき。
八　特別会計に属する普通財産である土地又は建物を貸し付け、若しくは貸付け以外の方法により使用させ若しくは収益させ、又は当該土地又は建物の売払いをしようとするとき。
九　普通財産である土地（その土地の定着物を含む。）を信託しようとするとき。

（異なる会計間の所管換等）
第十五条　国有財産を、所属を異にする会計の間において、所管換若しくは所属替をし、又は所属を異にする会計に使用させるときは、当該会計間において有償として整理するものとする。ただし、国において直接公共の用に供する目的をもつてする場合であつて、当該財産の価額が政令で定める金額に達しないときは、この限りでない。

（職員の行為の制限）
第十六条　国有財産に関する事務に従事する職員は、その取扱いに係る国有財産を譲り受け、又は自己の所有物と交換することができない。
2　前項の規定に違反する行為は、無効とする。
第十七条　削除

第二節　行政財産

（処分等の制限）
第十八条　行政財産は、貸し付け、交換し、売り払い、譲与し、信託し、若しくは出資の目的とし、又は私権を設定することができない。
2　前項の規定にかかわらず、行政財産は、次に掲げる場合には、その用途又は目的を妨げない限度において、貸し付け、又は私権を設定することができる。
一　国以外の者が行政財産である土地の上に政令で定める堅固な建物その他の土地に定着する工作物であつて当該行政財産である土地の供用の目的を効果的に達成することに資すると認められるものを所有し、又は所有しようとする場合（国と一棟の建物を区分して所有する場合を除く。）において、その者（当該行政財産を所管する各省各庁の長が当該行政財産の適正な方法による管理を行う上で適当と認める者に限る。）に当該土地を貸し付けるとき。
二　国が地方公共団体又は政令で定める法人と行政財産である土地の上に一棟の建物を区分して所有するためその者に当該土地を貸し付ける場合
三　国が行政財産である土地及びその隣接地の上に国以外の者と一棟の建物を区分して所有するためその者（当該建物のうち行政財産である部分を所管することとなる各省各庁の長が当該行政財産の適正な方法による管理を行う上で適当と認める者に限る。）に当該土地を貸し付ける場合
四　国の庁舎等の使用調整等に関する特別措置法（昭和三十二年法律第百十五号）第二条第二項に規定する庁舎等についてその床面積又は敷地に余裕がある場合として政令で定める場合において、国以外の者（当該庁舎等を所管する各省各庁の長が当該庁舎等の適正な方法による管理を行う上で適当と認める者に限る。）に当該余裕がある部分を貸し付けるとき（前三号に掲げる場合に該当する場合を除く。）。
五　行政財産である土地を地方公共団体又は政令で定める法人の経営する鉄道、道路その他政令で定める施設の用に供する場合において、その者のために当該土地に地上権を設定するとき。
六　行政財産である土地を地方公共団体又は政令で定める法人の使用する電線路その他政令で定める施設の用に供する場合において、その者のために当該土地に地役権を設定するとき。
3　前項第二号に掲げる場合において、当該行政財産である土地の貸付けを受けた者が当該土地の上に所有する一棟の建物の一部（以下この条において「特定施設」という。）を国以外の者に譲渡しようとするときは、当該特定施設を譲り受けようとする者（当該行政財産を所管する各省各庁の長が当該行政財産の適正な方法による管理を行う上で適当と認める者に限る。）に当該土地を貸し付けることができる。
4　前項の規定は、同項（この項において準用する場合を含む。）の規定により行政財産である土地の貸付けを受けた者が当該特定施設を譲渡しようとする場合について準用する。
5　前各項の規定に違反する行為は、無効とする。
6　行政財産は、その用途又は目的を妨げない限度において、その使用又は収益を許可することができる。
7　地方公共団体、特別の法律により設立された法人のうち政令で定めるもの又は地方道路公社が行政財産を道路、水道又は下水道の用に供する必要がある場合において、第二

項第一号の貸付け、同項第五号の地上権若しくは同項第六号の地役権の設定又は前項の許可をするときは、これらの者に当該行政財産を無償で使用させ、又は収益させることができる。

8　第六項の規定による許可を受けてする行政財産の使用又は収益については、借地借家法（平成三年法律第九十号）の規定は、適用しない。

（準用規定）

第十九条　第二十一条から第二十五条まで（前条第二項第五号又は第六号の規定により地上権又は地役権を設定する場合にあつては第二十一条及び第二十三条を除き、前条第六項の規定により使用又は収益を許可する場合にあつては第二十一条第一項第二号を除く。）の規定は、前条第二項第一号から第四号までの貸付け、同項第五号の地上権若しくは同項第六号の地役権の設定、同条第三項（同条第四項において準用する場合を含む。）の貸付け又は同条第六項の許可により行政財産の使用又は収益をさせる場合について準用する。

第三節　普通財産

（処分等）

第二十条　普通財産は、第二十一条から第三十一条までの規定により貸し付け、管理を委託し、交換し、売り払い、譲与し、信託し、又は私権を設定することができる。

2　普通財産は、法律で特別の定めをした場合に限り、出資の目的とすることができる。

（貸付期間）

第二十一条　普通財産の貸付けは、次の各号に掲げる場合に応じ、当該各号に定める期間とする。

一　植樹を目的として土地及び土地の定着物（建物を除く。以下この条及び第二十七条において同じ。）を貸し付ける場合　六十年以内

二　建物の所有を目的として土地及び土地の定着物を貸し付ける場合において、借地借家法第二十二条第一項の規定に基づく借地権の存続期間を設定するとき　五十年以上

三　前二号の場合を除くほか、土地及び土地の定着物を貸し付ける場合　三十年以内

四　建物その他の物件を貸し付ける場合　十年以内

2　前項の期間は、同項第二号に掲げる場合を除き、更新することができる。この場合においては、更新の日から同項各号に規定する期間とする。

（無償貸付）

第二十二条　普通財産は、次に掲げる場合においては、地方公共団体、水害予防組合及び土地改良区（以下「公共団体」という。）に、無償で貸し付けることができる。

一　公共団体において、緑地、公園、ため池、用排水路、火葬場、墓地、ごみ処理施設、し尿処理施設、と畜場又は信号機、道路標識その他公共用若しくは公用に供する政令で定める小規模な施設の用に供するとき。

二　公共団体において、保護を要する生活困窮者の収容の用に供するとき。

三　公共団体において、災害が発生した場合における応急措置の用に供するとき。

四　地方公共団体において、大規模地震対策特別措置法（昭和五十三年法律第七十三号）第二条第十四号の地震防災応急対策の実施の用に供するとき。

五　地方公共団体において、原子力災害対策特別措置法（平成十一年法律第百五十六号）第二条第五号の緊急事態応急対策の実施の用に供するとき。

六　地方公共団体において、武力攻撃事態等における国民の保護のための措置に関する法律（平成十六年法律第百十二号）第二条第三項の国民の保護のための措置又は同法第百七十二条第一項の緊急対処保護措置の実施の用に供するとき。

2　前項の無償貸付は、公共団体における当該施設の経営が営利を目的とし、又は利益をあげる場合には、行うことができない。

3　各省各庁の長は、第一項の規定により、普通財産を無償で貸し付けた場合において、公共団体の当該財産の管理が良好でないと認めるとき又は前項の規定に該当することとなつたときは、直ちにその契約を解除しなければならない。

（貸付料）

第二十三条　普通財産の貸付料は、毎年定期に納付させなければならない。ただし、数年分を前納させることを妨げない。

2　前項の場合において、当該財産を所管する各省各庁の長は、借受人から、預金又は貯金の払出しとその払い出した金銭による貸付料の納付をその預金口座又は貯金口座のある金融機関に委託して行うことを希望する旨の申出があつた場合には、その納付が確実と認められ、かつ、その申出を承認することが貸付料の徴収上有利と認められるときに限り、その申出を承認することができる。

（貸付契約の解除）

第二十四条　普通財産を貸し付けた場合において、その貸付期間中に国又は公共団体において公共用、公用又は公益事業の用に供するため必要を生じたときは、当該財産を所管する各省各庁の長は、その契約を解除することができる。

2　前項の規定により契約を解除した場合においては、借受人は、これによつて生じた損失につき当該財産を所管する各省各庁の長に対し、その補償を求めることができる。

第二十五条　前条第二項の規定により補償の請求があつたときは、当該財産を所管する各省各庁の長は、会計検査院の審査に付することができる。

2　各省各庁の長は、前項の審査の結果に関し、会計検査院の通知を受けたときは、その通知のあつた判定に基づき、適当な措置をとらなければならない。

（準用規定）

第二十六条　第二十一条から前条まで（鉄道、道路、電線路その他政令で定める施設の用に供される土地に地上権又は地役権を設定する場合にあつては、第二十一条及び第二十三条を除く。）の規定は、貸付け以外の方法により普通財産の使用又は収益をさせる場合（次条の規定に基づいて使用又は収益をさせる場合を除く。）について準用する。

（管理の委託）

第二十六条の二　普通財産は、各省各庁の長が当該財産の有効な利用を図るため特に必要があると認める場合には、政令で定めるところにより、その適当と認める者に管理を委託することができる。

2　前項の規定による管理の委託を受けた者（以下「管理受託者」という。）は、各省各庁の長の承認を受けて、管理の目的を妨げない限度において、当該普通財産を使用し、又は収益することができる。

3　管理受託者は、その管理の委託を受けた普通財産の管理の費用を負担しなければならない。

4　管理の委託を受けた普通財産から生ずる収益は、管理受託者の収入とする。ただし、その収益が前項の管理の費用を著しく超える場合として政令で定める場合には、管理受託者は、その超える金額の範囲内で各省各庁の長の定める金額を国に納付しなければならない。

（交換）

第二十七条　普通財産は、土地又は土地の定着物若しくは堅固な建物に限り、国又は公共団体において公共用、公用又は公益事業の用に供するため必要があるときは、それぞれ土地又は土地の定着物若しくは堅固な建物と交換することができる。ただし、価額の差額が、その高価なものの価額の四分の一を超えるときは、この限りでない。

2　前項の交換をする場合において、その価額が等しくないときは、その差額を金銭で補足しなければならない。

3　第一項の規定により堅固な建物を交換しようとするときは、各省各庁の長は、事前に、会計検査院に通知しなければならない。

（譲与）

第二十八条　普通財産は、次に掲げる場合においては、譲与することができる。

一　公共団体において維持及び保存の費用を負担した公共用財産の用途を廃止した場合において、当該用途の廃止によつて生じた普通財産をその負担した費用の額が当該用途の廃止時における当該財産の価額に対して占める割合に対応する価額の範囲内において当該公共団体に譲与するとき。

二　公共団体又は私人において公共用財産の用途に代わるべき他の施設をしたためその用途を廃止した場合において、当該用途の廃止によつて生じた普通財産をその負担した費用の額が当該用途の廃止時における当該財産の価額に対して占める割合に対応する価額の範囲内において当該公共団体又は当該私人若しくはその相続人その他の包括承継者に譲与するとき。

三　公共用財産のうち寄附に係るものの用途を廃止した場合において、当該用途の廃止によつて生じた普通財産をその寄附者又はその相続人その他の包括承継者に譲与するとき。ただし、寄附の際特約をした場合を除くほか、寄附を受けた後二十年を経過したものについては、この限りでない。

四　公共団体において火葬場、墓地、ごみ処理施設、し尿処理施設又はと畜場として公共の用に供する普通財産を当該公共団体に譲与するとき。ただし、公共団体における当該施設の経営が営利を目的とし、又は利益をあげる場合においては、この限りでない。

（信託）

第二十八条の二　普通財産は、土地（その土地の定着物を含む。以下この条、第二十八条の四及び第二十八条の五において同じ。）に限り、政令で定めるところにより、信託することができる。ただし、次に掲げる場合は、この限りでない。

一　第二十二条（第二十六条において準用する場合を含む。）、第二十七条又は前条の規定に該当しない無償貸付、交換又は譲与をすることを信託の目的とするとき。

二　国以外の者を信託の受益者とするとき。

三　土地の信託をすることにより国の通常享受すると見込まれる利益が、当該土地の貸付け又は売払いをすることにより国の通常享受すると見込まれる利益を下回ることが確実と見込まれるとき。

2　各省各庁の長は、前項の規定により土地を信託しようとする場合には、次に掲げる事項について、政令で定めるところにより、あらかじめ財政制度等審議会又は地方審議会に諮問し、その議を経なければならない。

一　信託の目的

二　信託の受託者の選定方法

三　信託の収支見積り

四　信託の受託者が当該信託に必要な資金の借入れをする

場合の当該借入金の限度額
五　その他政令で定める事項
3　各省各庁の長は、第一項の規定により土地を信託しようとする場合には、事前に、会計検査院に通知しなければならない。

（信託期間）
第二十八条の三　信託期間は、二十年を超えることができない。
2　前項の信託期間は、更新することができる。この場合においては、更新の日から二十年を超えることができない。

（信託に係る協議等）
第二十八条の四　各省各庁の長は、第二十八条の二第一項の規定により土地を信託した場合において当該信託の信託期間を更新しようとするときその他政令で定めるときは、財務大臣に協議するとともに、政令で定める事項について、同条第二項の規定により諮問した財政制度等審議会又は地方審議会に諮問し、その議を経なければならない。

（信託に係る実地監査等）
第二十八条の五　各省各庁の長は、第二十八条の二第一項の規定により土地を信託した場合には、当該土地に係る信託事務の処理を適正に行うため、政令で定めるところにより、その信託の受託者に対し、信託事務の処理状況に関する資料若しくは報告を求め、又は必要があると認めるときは、当該職員に実地監査をさせ、信託事務の処理について必要な指示をすることができる。

（用途指定の売払い等）
第二十九条　普通財産の売払い又は譲与をする場合は、当該財産を所管する各省各庁の長は、その買受人又は譲与を受けた者に対して用途並びにその用途に供しなければならない期日及び期間を指定しなければならない。ただし、政令で定める場合に該当するときは、この限りでない。

第三十条　前条の規定によって用途並びにその用途に供しなければならない期日及び期間を指定して普通財産の売払い又は譲与をした場合において、指定された期日を経過してもなおその用途に供せず、又はその用途に供した後指定された期間内にその用途を廃止したときは、当該財産を所管した各省各庁の長は、その契約を解除することができる。
2　前項の規定により契約を解除した場合において、損害の賠償を求めるときは、各省各庁の長は、その額について財務大臣に協議しなければならない。

（売払代金等の納付）
第三十一条　普通財産の売払代金又は交換差金は、当該財産の引渡前に納付させなければならない。ただし、当該財産の譲渡を受けた者が公共団体又は教育若しくは社会事業を営む団体である場合において、各省各庁の長は、その代金又は差金を一時に支払うことが困難であると認めるときは、確実な担保を徴し、利息を付し、五年以内の延納の特約をすることができる。
2　前項ただし書の規定により延納の特約をしようとする場合において、普通財産の譲渡を受けた者が地方公共団体であるときは、担保を徴しないことができる。
3　第一項ただし書の規定により延納の特約をしようとするときは、各省各庁の長は、延納期限、担保及び利率について、財務大臣に協議しなければならない。
4　第一項ただし書の規定により延納の特約をした場合において、当該財産の譲渡を受けた者のする管理が適当でないと認めるときは、各省各庁の長は、直ちにその特約を解除しなければならない。

第三章の二　立入り及び境界確定

（他人の土地への立入り）
第三十一条の二　各省各庁の長は、その所管に属する国有財産の調査又は測量を行うためやむを得ない必要があるときは、その所属の職員を他人の占有する土地に立ち入らせることができる。
2　各省各庁の長は、前項の規定によりその職員を他人の占有する土地に立ち入らせようとするときは、あらかじめその占有者にその旨を通知しなければならない。この場合において、通知を受けるべき者の所在が知れないときは、当該通知は、公告をもつてこれに代えることができる。
3　第一項の規定により宅地又は垣、さく等で囲まれた土地に立ち入ろうとする者は、立入りの際あらかじめその旨を当該土地の占有者に告げなければならない。
4　第一項の規定により他人の占有する土地に立ち入ろうとする者は、その身分を示す証明書を携帯し、関係人の請求があつたときは、提示しなければならない。
5　各省各庁の長は、第一項の規定による立入りにより損失を受けた者に対し、通常生ずべき損失を補償しなければならない。

（境界確定の協議）
第三十一条の三　各省各庁の長は、その所管に属する国有財産の境界が明らかでないためその管理に支障がある場合には、隣接地の所有者に対し、立会場所、期日その他必要な事項を通知して、境界を確定するための協議を求めることができる。
2　前項の規定により協議を求められた隣接地の所有者は、やむを得ない場合を除き、同項の通知に従い、その場所に立ち会つて境界の確定につき協議しなければならない。

3　第一項の協議が調つた場合には、各省各庁の長及び隣接地の所有者は、書面により、確定された境界を明らかにしなければならない。

4　第一項の協議が調わない場合には、境界を確定するためにいかなる行政上の処分も行われてはならない。

（境界の決定）

第三十一条の四　各省各庁の長は、前条第一項の規定により協議を求めた隣接地の所有者が立ち会わないため協議することができないときは、当該隣接地の所在する市町村の職員の立会いを求めて、境界を定めるための調査を行うものとする。ただし、当該隣接地の所有者が正当な理由により立ち会うことができない場合において、その旨をあらかじめ当該各省各庁の長に通知したときは、この限りでない。

2　各省各庁の長は、前項の調査に基づいてその調査に係る境界を定めることができる。

3　各省各庁の長は、前項の規定により境界を定めようとするときは、当該境界の存する地域を管轄する財務局に置かれた地方審議会に諮問し、その意見に基づいて、定めなければならない。

4　地方審議会は、前項の諮問に係る事案を調査審議する際、当該事案に係る隣接地の所有者及び当該隣接地の知れたその他の権利者に対して意見を述べる機会を与えなければならない。

5　各省各庁の長は、第二項の規定により境界を定めた場合には、当該境界及び当該境界を定めた経過を当該隣接地の所有者及び当該隣接地の知れたその他の権利者に通知するとともに公告しなければならない。この場合において、当該通知及び公告には、次条第一項の期間内に同項の規定による通告がないときは、境界の確定に関し、当該隣接地の所有者の同意があつたものとみなされる旨を付記しなければならない。

第三十一条の五　隣接地の所有者その他の権利者は、前条の規定により各省各庁の長が定めた境界に異議がある場合には、同条第五項の公告のあつた日から起算して六十日以内に、理由を付して、当該各省各庁の長に対し、その定めた境界に同意しない旨を通告することができる。

2　前項の期間内に前条第五項の通知を受けた隣接地の所有者から前項の規定による通告がなかつた場合には、当該期間満了の時に、境界の確定に関し、その者の同意があつたものとみなす。ただし、同項の期間内に当該隣接地のその他の権利者から同項の規定による通告があつたときは、この限りでない。

3　前項の規定により同意があつたものとみなされる場合には、各省各庁の長は、速やかに、境界が確定した旨を当該隣接地の所有者及び当該隣接地の知れたその他の権利者に通知するとともに公告しなければならない。

4　第三十一条の三第四項の規定は、第一項の期間内に同項の通告があつた場合について準用する。

第四章　台帳、報告書及び計算書

（台帳）

第三十二条　衆議院、参議院、内閣（内閣府及びデジタル庁を除く。）、内閣府、デジタル庁、各省、最高裁判所及び会計検査院（以下「各省各庁」という。）は、第三条の規定による国有財産の分類及び種類に従い、その台帳を備えなければならない。ただし、部局等の長において、国有財産に関する事務の一部を分掌するときは、その部局等ごとに備え、各省各庁には、その総括簿を備えるものとする。

2　各省各庁の長又は部局等の長は、その所管に属し、又は所属に属する国有財産につき、取得、所管換、処分その他の理由に基づく変動があつた場合においては、直ちに台帳に記載し、又は記録しなければならない。

（増減及び現在額報告書、総計算書）

第三十三条　各省各庁の長は、その所管に属する国有財産につき、毎会計年度間における増減及び毎会計年度末現在における現在額の報告書を作成し、翌年度七月三十一日までに、財務大臣に送付しなければならない。

2　財務大臣は、前項の規定により送付を受けた国有財産増減及び現在額報告書に基づき、国有財産増減及び現在額総計算書を作成しなければならない。

3　内閣は、前項の国有財産増減及び現在額総計算書を第一項の国有財産増減及び現在額報告書とともに、翌年度十月三十一日までに、会計検査院に送付し、その検査を受けなければならない。

第三十四条　内閣は、会計検査院の検査を経た国有財産増減及び現在額総計算書を、翌年度開会の国会の常会に報告することを常例とする。

2　前項の国有財産増減及び現在額総計算書には、会計検査院の検査報告のほか、国有財産の増減及び現在額に関する説明書を添付する。

（見込現在額報告書、総計算書）

第三十五条　各省各庁の長は、毎会計年度ごとに当該年度末及び翌年度末における国有財産見込現在額報告書を作成し、当該年度九月三十日までに、財務大臣に送付しなければならない。

2　財務大臣は、前項の規定により送付を受けた国有財産見込現在額報告書に基づき、当該年度末及び翌年度末における国有財産見込現在額総計算書を作成しなければならない。

（無償貸付状況報告書、総計算書）

第三十六条　各省各庁の長は、毎会計年度末において第二十二条第一項の規定（第十九条及び第二十六条において準用する場合を含む。）により無償貸付をした国有財産につき、毎会計年度末における国有財産無償貸付状況報告書を作成し、翌年度七月三十一日までに、財務大臣に送付しなければならない。

2　財務大臣は、前項の規定により送付を受けた国有財産無償貸付状況報告書に基づき、国有財産無償貸付状況総計算書を作成しなければならない。

3　内閣は、前項の国有財産無償貸付状況総計算書を、第一項の各省各庁の国有財産無償貸付状況報告書とともに、翌年度十月三十一日までに、会計検査院に送付し、その検査を受けなければならない。

第三十七条　内閣は、会計検査院の検査を経た国有財産無償貸付状況総計算書を、翌年度開会の国会の常会に報告することを常例とする。

2　前項の国有財産無償貸付状況総計算書には、会計検査院の検査報告のほか、国有財産の無償貸付状況に関する説明書を添付する。

（適用除外）

第三十八条　本章の規定は、公共の用に供する財産で政令で定めるものについては、適用しない。

第五章　雑則

（電磁的記録による作成）

第三十九条　この法律（第三十一条の三第三項を除く。）又はこの法律に基づく命令の規定により作成することとされている報告書等（報告書その他文字、図形その他の人の知覚によつて認識することができる情報が記載された紙その他の有体物をいう。次条において同じ。）については、当該報告書等に記載すべき事項を記録した電磁的記録（電子的方式、磁気的方式その他人の知覚によつては認識することができない方式で作られる記録であつて、電子計算機による情報処理の用に供されるものとして財務大臣が定めるものをいう。同条第一項において同じ。）の作成をもつて、当該報告書等の作成に代えることができる。この場合において、当該電磁的記録は、当該報告書等とみなす。

（電磁的方法による提出）

第四十条　この法律又はこの法律に基づく命令の規定による報告書等の提出については、当該報告書等が電磁的記録をもつて作成されている場合には、電磁的方法（電子情報処理組織を使用する方法その他の情報通信の技術を利用する方法であつて財務大臣が定めるものをいう。次項において同じ。）をもつて行うことができる。

2　前項の規定により報告書等の提出が電磁的方法によつて行われたときは、当該報告書等の提出を受けるべき者の使用に係る電子計算機に備えられたファイルへの記録がされた時に当該提出を受けるべき者に到達したものとみなす。

附　則（抄）

第一条　この法律は、昭和二十三年七月一日から施行する。ただし、第三十三条、第三十四条及び第三十六条から第三十八条までの規定は、昭和二十二年度分から適用し、第十三条の規定は、第四十五条の規定による国会の議決のあつた日から、これを施行する。

第二条　第三十三条第一項、第三十五条第一項及び第三十六条第一項の規定により作成すべき報告書には、外国に係る分は、省略することができる。

第三条　この法律施行前にした国有財産の交換、売払い、譲与及び出資並びに貸付け、私権の設定その他使用又は収益をさせる行為は、この法律の規定によつてしたものとみなす。

2　前項に掲げる行為であつてこの法律の規定に抵触するものは、その抵触する限りにおいて、この法律施行の日に、その効力を失う。

第四条　旧陸軍省、海軍省及び軍需省の所管に属していた機械及び重要な器具は、第二条に規定する国有財産とする。ただし、この法律施行前に物品として各省各庁の長に移管されたもの、各省各庁の長（大蔵大臣を除く。）に所管換（旧国有財産法（大正十年法律第四十三号）の規定による管理換を含む。）されたもの及び物品管理法（昭和三十一年法律第百十三号）の施行前に事業所、作業所、学校、病院、研究所その他これらに準ずる施設においてその用に供したものについては、この限りでない。

第五条　この法律施行の際現に存する法令の規定でこの法律の規定に抵触するものは、この法律施行の日から、その効力を失う。

第六条　国有財産法（大正十年法律第四十三号）は、廃止する。

〇国有財産法施行令

昭二三・八・二〇
政令二四六

最終改正　令五・一〇・一八政令三〇四

目次〔略〕

第一章　総則

（定義）

第一条　この政令において「国有財産の所管換」、「国有財産の所属替」、「各省各庁の長」、「公共団体」、「管理受託者」及び「国有財産の分類及び種類」とは、国有財産法（以下「法」という。）に規定する「国有財産の所管換」、「国有財産の所属替」、「各省各庁の長」、「公共団体」及び「国有財産の分類及び種類」をいう。

第二条　削除

第二章　管理及び処分

（引継ぎの通知）

第三条　法第八条第一項の規定により国有財産の引継ぎをする場合においては、各省各庁の長は、あらかじめ、次に掲げる事項を財務大臣に通知しなければならない。

一　当該財産の台帳記載事項
二　当該財産の用途廃止又は取得の事由
三　当該財産に関する事務を分掌する部局等の長
四　その他参考となるべき事項

2　前項の引継ぎは、なるべく実地に立会いの上、しなければならない。

3　財務大臣は、国有財産の引継ぎを完了したときは、受領書を当該各省各庁の長に送付しなければならない。

（引継不要の特別会計）

第四条　法第八条第一項ただし書の特別会計は、次に掲げるものとする。

一　国債整理基金特別会計
二　財政投融資特別会計
三　外国為替資金特別会計
四　エネルギー対策特別会計
五　労働保険特別会計
六　年金特別会計
七　食料安定供給特別会計
八　特許特別会計
九　自動車安全特別会計
十　東日本大震災復興特別会計

（引継不適当の財産）

第五条　法第八条第一項ただし書の引き継ぐことを適当としない財産は、次に掲げるものとする。

一　交換に供するため用途廃止をするもの
二　立木竹、建物で使用に堪えないもの、建物以外の工作物（第十二条の二を除き、以下「工作物」という。）、船舶及び航空機で用途廃止をするもの（財務大臣が定めるものを除く。）
三　前二号に掲げるもののほか、当該財産の管理及び処分を財務大臣においてすることが技術その他の関係から著しく不適当と認められるもの

2　各省各庁の長は、前項第二号又は第三号に該当する行政財産（財務大臣が定めるものを除く。）の用途を廃止しようとするときは、あらかじめ、財務大臣に通知しなければならない。

3　各省各庁の長は、第一項第三号に該当する普通財産を取得したときは、遅滞なく、財務大臣に通知しなければならない。

（事務の分掌及び地方公共団体の行う事務）

第六条　各省各庁の長は、法第九条第一項の規定により国有財産に関する事務の一部を部局等の長に分掌させようとするときは、あらかじめ、事由を付し、取り扱わせる事務の範囲及び取り扱わせる者を財務大臣に通知しなければならない。

2　法第九条第三項の規定により都道府県が行うこととする事務は、次に掲げる事務とする。ただし、次項各号に掲げる事務を除く。

一　次に掲げる国有財産の取得、維持、保存、運用及び処分。
イ　漁港及び漁場の整備等に関する法律（昭和二十五年法律第百三十七号）第六条第一項から第四項までの規定により指定された漁港の区域内に所在する国有財産で農林水産大臣の所管に属するもの（公用財産、森林経営用財産、土地改良法（昭和二十四年法律第百九十五号）第九十四条に規定する土地改良財産、漁港及び漁場の整備等に関する法律第二十四条の二第一項に規定する国が施行する特定漁港漁場整備事業によつて生じた土地又は工作物、農地法（昭和二十七年法律第二百二十九号）第四十五条第一項の規定による農林水産大臣の管理に係るもの、海岸法（昭和三十一年法律第百一号）第二条第一項に規定する海岸保全施設及び同条第二項に規定する公共海岸（土地に限る。）並びに食料安定供給特別会計（食糧管理勘定及び業務勘定に限る。）に属し、又は森林経営用財産の用途の廃止によつて生じた普通財産並びにハに掲げるものを除く。）
ロ　海岸法第二条第一項に規定する海岸保全施設（土地改良法第九十四条に規定する土地改良財産、漁港及び漁場の整備等に関する法律第二十四条の二第一項に規定する国が施行する特定漁港漁場整備事業によつて生じた工作物及び農地法第四十五条第一項の規定による農林水産大臣の管理に係るものを除く。）又は海岸法第二条第二項に規定する公共海岸（土地に限る。）である国有財産（当該用途の廃止により生じる法第八条第一項ただし書

の普通財産を含む。）で農林水産大臣の所管に属するもの（海岸法第三十七条の二第一項の規定による農林水産大臣の管理に係るものを除く。）

ハ　地すべり等防止法（昭和三十三年法律第三十号）第二条第三項に規定する地すべり防止施設（地すべり等防止法施行令（昭和三十三年政令第百十二号）第十四条で読み替えて同法の規定が適用されるぼた山崩壊防止施設を含む。）の用に供する国有財産（当該用途の廃止により生じる法第八条第一項ただし書の普通財産を含む。）で農林水産大臣の所管に属するもの（地すべり等防止法第十三条に規定する他の工作物、森林経営用財産、土地改良法第九十四条に規定する土地改良財産、農地法第四十五条第一項の規定による農林水産大臣の管理に係るもの及び森林経営用財産の用途の廃止によつて生じた普通財産を除く。）

ニ　港湾法（昭和二十五年法律第二百十八号）第二条第三項に規定する港湾区域内又は同法第三十七条の二第一項の規定により指定された港湾隣接地域内に所在する国有財産で国土交通大臣の所管に属するもの（公用財産、同法第二条第五項に規定する港湾施設（同条第六項の規定により港湾施設とみなされたものを含む。）の用に供するもの（公共空地であるものを除く。）、海岸法第二条第一項に規定する海岸保全施設及び同条第二項に規定する公共海岸（土地に限る。）を除く。）

ホ　海岸法第二条第一項に規定する海岸保全施設又は同条第二項に規定する公共海岸（土地に限る。）である国有財産（当該用途の廃止により生じる法第八条第一項ただし書の普通財産を含む。）で国土交通大臣の所管に属するもの（海岸法第三十七条の二第一項の規定による国土交通大臣の管理に係るものを除く。）

ヘ　職業能力開発促進法（昭和四十四年法律第六十四号）第十六条第四項の規定により都道府県に運営を委託した障害者職業能力開発校の用に供する国有財産（当該用途の廃止により生じる法第八条第一項ただし書の普通財産を含む。）

ト　砂防法（明治三十年法律第二十九号）第一条に規定する砂防設備（同法第三条において同法に規定する事項が準用される施設を含む。）の用に供する国有財産（当該用途の廃止により生じる法第八条第一項ただし書の普通財産を含む。）で国土交通大臣の所管に属するもの（砂防法第六条第一項の規定による国土交通大臣の管理、工事の施行又は維持に係るものを除く。）

チ　道路法（昭和二十七年法律第百八十号）第三条に規定する一般国道（同法第十三条第一項に規定する指定区間内のものを除く。）、都道府県道若しくは市町村道の用に供する国有財産又は同法第九十二条第一項に規定する不用物件である国有財産で国土交通大臣の所管に属するもの

リ　道路整備特別措置法（昭和三十一年法律第七号）第二条第四項に規定する会社又は同条第七項に規定する機構等が道路の用に供する国有財産（当該用途の廃止により生じる法第八条第一項ただし書の普通財産を含む。）で国土交通大臣の所管に属するもの

ヌ　地すべり等防止法第二条第三項に規定する地すべり防止施設（地すべり等防止法施行令第十四条で読み替えて同法の規定が適用されるぼた山崩壊防止施設を含む。）の用に供する国有財産（当該用途の廃止により生じる法第八条第一項ただし書の普通財産を含む。）で国土交通大臣の所管に属するもの

ル　下水道法（昭和三十三年法律第七十九号）第二条に規定する公共下水道、流域下水道又は都市下水路の用に供する国有財産（当該用途の廃止により生じる法第八条第一項ただし書の普通財産を含む。）で国土交通大臣の所管に属するもの

ヲ　河川法（昭和三十九年法律第百六十七号）第九条第二項に規定する指定区間内の一級河川、同法第五条第一項に規定する二級河川若しくは同法第百条第一項に規定する準用河川の用に供する国有財産又は同法第九十一条第一項に規定する廃川敷地等である国有財産で国土交通大臣の所管に属するもの

ワ　急傾斜地の崩壊による災害の防止に関する法律（昭和四十四年法律第五十七号）第二条第二項に規定する急傾斜地崩壊防止施設の用に供する国有財産（当該用途の廃止により生じる法第八条第一項ただし書の普通財産を含む。）で国土交通大臣の所管に属するもの

カ　ニ、ホ及びトからワまでに掲げるもののほか、国土交通大臣の所管に属する国有財産（法令の規定により国土交通大臣が自ら取得、維持、保存、運用及び処分することとされているものを除く。）

二　土地改良法第九十四条の九又は土地改良法施行令（昭和二十四年政令第二百九十五号）第七十二条第一項の規定により、地方自治法（昭和二十二年法律第六十七号）第二条第九項第一号に規定する第一号法定受託事務となつた事務であつて国有財産の取得、維持、保存、運用又は処分に該当するもの

3　次の各号に掲げる事務は、当該各号に定める各省各庁の長が行うものとする。

一　前項第一号イからハまでに掲げる国有財産に係る取得、維持、保存、運用及び処分のうち次に掲げるもの　農林水産大臣

イ　法第十二条又は法第十四条第七号の規定による協議（協議に係る財産が、その区分（第二十条第一号に規定する区分をいう。以下この章において同じ。）に応じ、土地にあつては面積が十万平方メートルを、建物にあつては延べ面積が一万五千平方メートルを、土地及び建物以外のものにあつては区分ごとに見積価格が一億円を、

それぞれ超えないときを除く。）

ロ　法第十四条第一号の規定による協議のうち交換の協議（協議に係る財産が、その区分に応じ、土地にあつては面積が一万平方メートルを、建物にあつては延べ面積が二千平方メートルを、それぞれ超えないときを除く。）

ハ　法第十四条第九号の規定による協議、法第二十八条の二第二項の規定による財政制度等審議会への諮問又は法第二十八条の四の規定による協議若しくは財政制度等審議会への諮問

ニ　法第三十条第二項、法第三十一条第三項、法第三十三条第一項、法第三十五条第一項若しくは法第三十六条第一項又は第八条第一項の規定による事務

二　前項第一号ニ、ホ及びトからカまでに掲げる国有財産に係る取得、維持、保存、運用及び処分のうち前号イからニまでに掲げるもの　国土交通大臣

三　前項第一号ヘに掲げる国有財産に係る取得、維持、保存、運用及び処分のうち次に掲げるもの　厚生労働大臣

イ　法第十二条の規定による協議（所管換を前提とした法第十四条第六号による行政財産の使用の協議につき財務大臣の同意を得たものを除く。）、法第十四条第一号の規定による協議（交換の協議を除く。）、同条第六号の規定による協議（所管換を前提としたものに限る。）及び同条第七号の規定による協議（これらの協議に係る財産が、その区分に応じ、土地にあつては面積が十万平方メートルを、建物にあつては延べ面積が一万五千平方メートルを、土地及び建物以外のものにあつては区分ごとに見積価格が一億円を、それぞれ超えないときを除く。）

ロ　法第二十五条第一項又は法第二十七条第三項の規定による事務

ハ　第一号ロからニまでに掲げる事務

4　第二項第一号イからハまでに掲げる国有財産に係る事務を行う都道府県は、次に掲げる場合には、農林水産大臣に協議し、その同意を得るものとする。

一　行政財産とする目的で土地又は建物を取得しようとする場合（次に掲げる場合を除く。）

イ　交換の場合において、当該財産が、その区分に応じ、土地にあつては面積が一万平方メートルを、建物にあつては延べ面積が二千平方メートルを、それぞれ超えないとき。

ロ　交換以外の場合において、当該財産が、その区分に応じ、土地にあつては面積が十万平方メートルを、建物にあつては延べ面積が一万五千平方メートルを、それぞれ超えないとき。

二　国有財産の所管換を受けよう、又はしようとする場合（当該財産が、その区分に応じ、土地にあつては面積が十万平方メートルを、建物にあつては延べ面積が一万五千平方メートルを、土地及び建物以外のものにあつては区分ごとに見積価格が一億円を、それぞれ超えないときを除く。）

三　行政財産の用途を廃止しようとする場合（当該財産が、その区分に応じ、土地にあつては面積が二千平方メートルを、建物にあつては延べ面積が千平方メートルを、土地及び建物以外のものにあつては区分ごとに見積価格が千万円を、それぞれ超えないときを除く。）

四　行政財産を他の各省各庁の長に使用させようとする場合（当該財産が、その区分に応じ、土地にあつては面積が十万平方メートルを、建物にあつては延べ面積が一万五千平方メートルを、土地及び建物以外のものにあつては区分ごとに見積価格が一億円を、それぞれ超えないときを除く。）

五　国以外の者に行政財産を使用させ、又は収益させようとする場合（当該財産が、その区分に応じ、土地にあつては面積が十万平方メートルを、建物にあつては延べ面積が一万五千平方メートルを、土地及び建物以外のものにあつては区分ごとに見積価格が一億円を、それぞれ超えないとき又は使用若しくは収益の許可につき法律（法を除く。）若しくはこれに基づく政令に特別の規定があるものについて、当該規定に基づく使用若しくは収益の許可をしようとするときを除く。）

六　普通財産の売払いをしようとする場合（当該財産が、その区分に応じ、土地にあつては面積が二千平方メートルを、建物にあつては延べ面積が千平方メートルを、土地及び建物以外のものにあつては区分ごとに台帳価格が千万円を、それぞれ超えないとき（ただし、当該財産の売払価格（法律の規定により減額するときは、減額する前の価格）が千万円を超えるときを除く。）を除く。）

七　普通財産を譲与しようとする場合

八　普通財産である土地（その土地の定着物を含む。）を信託しようとする場合及び当該財産を信託した場合において当該信託の信託期間を更新しようとするとき、又は第十六条の四各号に掲げるとき。

5　第二項第一号ニ、ホ及びトからカまでに掲げる国有財産に係る事務を行う都道府県は、次に掲げる場合には、国土交通大臣に協議し、その同意を得るものとする。

一　行政財産とする目的で土地又は建物を交換により取得しようとする場合（当該財産が、その区分に応じ、土地にあつては面積が一万平方メートルを、建物にあつては延べ面積が二千平方メートルを、それぞれ超えないときを除く。）

二　行政財産の用途を廃止しようとする場合（使用に堪えない建物若しくは工作物を取り壊す目的で用途を廃止しようとするとき、又は当該財産が、その区分に応じ、土地にあつては面積が三万平方メートルを、建物にあつては延べ面積が五千平方メートルを、土地及び建物以外のものにあつては区分ごとに見積価格が五千万円を、それぞれ超えないときを除く。）

三　普通財産の譲与をしようとする場合（当該財産が前条第一項第三号に掲げる財産である土地、道路法第九十二条第一項に規定する不用物件又は河川法第九十一条第一項に規

定する廃川敷地等である場合においては、その面積が十万平方メートルを超えるときに限る。）
四　前項第二号、第五号又は第八号に掲げる場合

6　第二項第一号へに掲げる国有財産に係る事務を行う都道府県は、次に掲げる場合には、厚生労働大臣に協議し、その同意を得るものとする。
一　行政財産とする目的で、土地若しくは建物を購入しようとする場合又は建物を新築し、若しくは増築しようとする場合（当該財産が、その区分に応じ、土地にあつては面積が十万平方メートルを、建物にあつては延べ面積が一万五千平方メートルを、それぞれ超えないときを除く。）
二　行政財産とする目的で、交換により土地又は建物を取得しようとする場合（当該財産が、その区分に応じ、土地にあつては面積が一万平方メートルを、建物にあつては延べ面積が二千平方メートルを、それぞれ超えないときを除く。）
三　行政財産とする目的で、寄附により土地、建物又はその他のものを取得しようとする場合
四　国有財産の所管換を受けようとする場合（当該財産が、その区分に応じ、土地にあつては面積が十万平方メートルを、建物にあつては延べ面積が一万五千平方メートルを、土地及び建物以外のものにあつては区分ごとに見積価格が一億円を、それぞれ超えないときを除く。）又はしようとする場合
五　行政財産の用途を廃止しようとする場合（使用に堪えない建物又は工作物を取り壊す目的で用途を廃止しようとする場合において、当該財産が、その区分に応じ、建物にあつては延べ面積が百平方メートルを、工作物にあつては台帳価格が五百万円を、それぞれ超えないときを除く。）
六　行政財産である建物を移築し、又は改築しようとする場合（当該建物の延べ面積が一万五千平方メートルを超えないときを除く。）
七　普通財産を貸し付け、又は貸付け以外の方法により使用させ、若しくは収益させようとする場合
八　法第二十四条第二項の規定により補償を求められた場合の補償に関する事務を行おうとするとき。
九　普通財産の売払いをしようとする場合
十　第四項第四号、第五号、第七号又は第八号に掲げる場合

7　法第九条第三項の規定により都道府県又は市町村が行うこととする事務は、文化財保護法（昭和二十五年法律第二百十四号）第二十七条第一項の規定により指定された重要文化財、同法第七十八条第一項の規定により指定された重要有形民俗文化財又は同法第百九条第一項の規定により指定された史跡名勝天然記念物である国有財産で、同法第百七十二条第一項の規定により文化庁長官が指定した都道府県又は市町村が当該規定に基づく事務を行うもののうち、文部科学大臣の所管に属するものの維持及び保存とする。ただし、法第三章の二（法第三十一条の三を除く。）、法第三十二条、法第三十三条第一項、法第三十五条第一項及び法第三十六条第一項並びに第二十三条の規定による事務を除く。

8　第二項第一号の事務若しくは前項の事務に係る国有財産を所管する各省各庁の長は、法第九条第三項の規定により事務を行う都道府県若しくは市町村に対し、当該国有財産に係る法第三十三条第一項、法第三十五条第一項若しくは法第三十六条第一項の規定による事務を行うために必要な資料若しくは報告を求め、又は当該国有財産の取得、維持、保存、運用及び処分（前項の事務に係る国有財産の場合にあつては維持及び保存に限る。）を適正に行うため必要があると認めるときは、当該国有財産について、実地監査をし、若しくは指示をすることができる。

9　財務大臣は、国有財産の取得、維持、保存、運用及び処分を適正に行うため必要があると認めるときは、法第九条第三項の規定により事務を行う都道府県又は市町村に対し、当該事務に係る国有財産について、実地監査をすることができる。

10　法第九条第三項の規定により事務を都道府県又は市町村が行うこととなつた場合においては、法中当該事務に係る各省各庁の長に関する規定は、都道府県又は市町村に関する規定として都道府県又は市町村に適用があるものとする。

（国有財産地方審議会）
第六条の二　国有財産地方審議会（以下「地方審議会」という。）は、委員二十人以内で組織する。
2　地方審議会に、特別の事項を調査審議させるため必要があるときは、臨時委員を置くことができる。

（委員等の任命）
第六条の三　地方審議会の委員及び臨時委員は、学識経験のある者のうちから、財務局長が任命する。

（委員の任期等）
第六条の四　地方審議会の委員の任期は、二年とする。ただし、補欠の委員の任期は、前任者の残任期間とする。
2　地方審議会の委員は、再任されることができる。
3　地方審議会の臨時委員は、その者の任命に係る当該特別の事項に関する調査審議が終了したときは、解任されるものとする。
4　地方審議会の委員及び臨時委員は、非常勤とする。

（会長）
第六条の五　地方審議会に、会長を置き、委員の互選により選任する。
2　地方審議会の会長は、会務を総理し、地方審議会を代表する。
3　地方審議会の会長に事故があるときは、あらかじめその指名する委員が、その職務を代理する。

（境界査定部会）
第六条の六　法第三十一条の四第三項の規定により諮問される事項を調査審議するため、地方審議会に、境界査定部会を置く。
2　境界査定部会は、地方審議会の委員五人以内で組織する。
3　境界査定部会に属すべき委員は、地方審議会の会長が指名

する。

4　境界査定部会に、部会長を置き、この部会に属する委員のうちから、地方審議会の会長が指名する。

5　境界査定部会の部会長は、この部会の事務を掌理する。

6　境界査定部会の部会長に事故があるときは、この部会に属する委員のうちから部会長があらかじめ指名する者が、その職務を代理する。

7　地方審議会は、その定めるところにより、境界査定部会の議決をもつて地方審議会の議決とすることができる。

（その他の部会）

第六条の七　前条第一項に定めるもののほか、地方審議会は、その定めるところにより、部会を置くことができる。

2　前条第三項から第七項までの規定は、前項の部会について準用する。この場合において、前条第三項及び第六項中「委員」とあるのは「委員及び臨時委員」と読み替えるものとする。

（議事）

第六条の八　地方審議会は、委員及び議事に関係のある臨時委員の半数以上が出席しなければ、会議を開き、議決することができない。

2　地方審議会の議事は、委員及び議事に関係のある臨時委員で会議に出席したものの過半数で決し、可否同数のときは、会長の決するところによる。

3　前二項の規定は、部会の議事について準用する。

（資料の提出等の要求）

第六条の九　地方審議会は、その所掌事務を遂行するため必要があると認めるときは、関係行政機関の長に対し、資料の提出、意見の開陳、説明その他必要な協力を求めることができる。

（その他運営に関する事項）

第六条の十　第六条の二から前条までに定めるもののほか、地方審議会の議事の手続その他その運営に関し必要な事項は、地方審議会の会長が、地方審議会に諮つて定める。

（国有財産の実地監査）

第六条の十一　法第十条第四項の規定により当該職員が実地監査をする場合においては、その身分を示す証明書を携帯し、関係人の請求があつたときは、提示しなければならない。

2　前項の証明書の様式は、財務大臣が定める。

（所管換の協議）

第七条　各省各庁の長は、法第十二条の規定により国有財産の所管換につき財務大臣に協議しようとするときは、次に掲げる事項を記載した協議書に、当該財産を所管する各省各庁の長の同意書その他の関係書類及び必要な図面並びに、有償の場合においては、評価調書を添付して、財務大臣に送付しなければならない。

一　所管換を受けようとする財産の台帳記載事項

二　所管換を受けようとする事由

三　有償の場合においては、その予算額及び経費の支出科目

四　その他参考となるべき事項

第七条の二　法第十二条ただし書に規定する政令で定める場合は、当該財産がその区分に応じ、土地にあつては面積が千五百平方メートルを、建物にあつては延べ面積が六百平方メートルを、土地及び建物以外のものにあつては区分ごとに見積価格が三千万円を、それぞれ超えない場合とする。

（公共用財産又は皇室用財産に関する規定）

第八条　公共用財産又は皇室用財産に関し、法第十三条の規定による国会の議決を経なければならない場合においては、各省各庁の長は、議決を要する事項について書類を作成し、関係書類を添付して財務大臣に送付しなければならない。

2　財務大臣は、前項の規定により送付を受けた書類について、調査の上適当と認めるときは、内閣に送付しなければならない。

（法第十四条による協議）

第九条　各省各庁の長は、法第十四条第一号の規定により財務大臣に協議しようとするときは、次に掲げる事項を記載した協議書に必要な図面その他の関係書類及び、寄附又は交換の場合においては、願書又は承諾書を添付して、財務大臣に送付しなければならない。

一　土地又は建物の所在及び地番

二　取得しようとする事由

三　土地の地目及び地積又は建物の構造、種目（第二十条第一号に規定する種目をいう。第十五条の三において同じ。）及び面積

四　評価調書

五　相手方の住所及び氏名

六　予算額及び経費の支出科目

七　交換の場合には、交換に供する国有財産の台帳記載事項

八　交換差金がある場合は、それについてとるべき措置

九　その他参考となるべき事項

2　相手方が公共団体であるときは、前項に掲げるもののほか、当該公共団体の議決機関の議決書の写しを添付しなければならない。

第十条　各省各庁の長は、法第十四条第二号から第五号までの規定により財務大臣に協議しようとするときは、次に掲げる事項を記載した協議書に必要な図面その他の関係書類を添付して、財務大臣に送付しなければならない。

一　当該国有財産の台帳記載事項

二　法第十四条第二号から第五号までに掲げる行為をしようとする事由

三　経費を要するものについては、その予算額及び経費の支出科目

四　その他参考となるべき事項

第十条の二　各省各庁の長は、法第十四条第六号の規定により財務大臣に協議しようとするときは、次に掲げる事項を記載した協議書に必要な図面その他の関係書類を添付して、財務大臣に送付しなければならない。

一　当該行政財産の台帳記載事項及び使用させようとする部分の数量
二　使用させようとする相手方及び理由
三　使用させようとする期間及び条件
四　有償の場合においては、使用料算定調書、使用しようとする各省各庁の予算額及び経費の支出科目
五　使用しようとする各省各庁の長に当該財産を所管換しない理由その他参考となるべき事項

第十条の三　各省各庁の長は、法第十四条第七号の規定により財務大臣に協議しようとするときは、次に掲げる事項を記載した協議書に必要な図面その他の関係書類を添付して、財務大臣に送付しなければならない。
一　当該行政財産の台帳記載事項及び使用させ、又は収益させようとする部分の数量
二　使用させ、又は収益させようとする相手方の住所及び氏名
三　使用させ、又は収益させようとする理由及び方法
四　使用させ、又は収益させようとする期間及び条件
五　使用又は収益の対価及びその算定調書
六　相手方の利用計画
七　その他参考となるべき事項

第十条の四　各省各庁の長は、法第十四条第八号の規定により財務大臣に協議しようとするときは、次に掲げる事項を記載した協議書に必要な図面その他の関係書類を添付して、財務大臣に送付しなければならない。
一　当該普通財産の台帳記載事項及び貸し付け、若しくは貸付け以外の方法により使用させ若しくは収益させ、又は売払いをしようとする部分の数量
二　相手方の住所及び氏名
三　貸し付け、若しくは貸付け以外の方法により使用させ若しくは収益させ、又は売払いをしようとする理由
四　貸付料、貸付け以外の方法による使用若しくは収益の対価又は売払代金
五　貸付料算定調書、貸付け以外の方法による使用若しくは収益の対価の算定調書又は売払評価調書
六　貸し付け、若しくは貸付け以外の方法により使用させ若しくは収益させる場合には、その期間
七　用途指定の有無及び相手方の利用計画
八　その他参考となるべき事項

第十条の五　各省各庁の長は、法第十四条第九号の規定により財務大臣に協議しようとするときは、次に掲げる事項を記載した協議書に必要な図面その他の関係書類を添付して、財務大臣に送付しなければならない。
一　当該普通財産の台帳記載事項及び信託しようとする部分の数量
二　信託の受託者の住所及び氏名
三　信託しようとする理由
四　信託の目的
五　信託期間
六　信託の収支見積り
七　信託の受託者が当該信託に必要な資金の借入れをする場合の当該借入金の限度額（以下この章において「借入金限度額」という。）
八　信託の事業計画及び資金計画
九　その他参考となるべき事項

第十一条　次に掲げる場合には、法第十四条の規定による財務大臣との協議を要しないものとする。
一　法第十四条第一号に掲げる場合（第二号、第三号及び第十一号に掲げる場合を除く。）において、行政財産とする目的で交換又は寄附により土地又は建物を取得しようとするときを除き、当該財産が、その区分に応じ、土地にあつては面積が千五百平方メートルを、建物にあつては延べ面積が六百平方メートルを、それぞれ超えないとき。
一の二　法第十四条第二号から第六号までに掲げる場合（次号から第四号まで及び第十一号に掲げる場合を除く。）において、当該財産が、その区分に応じ、土地にあつては面積が二千平方メートルを、建物にあつては延べ面積が千平方メートルを、土地及び建物以外のものにあつては区分ごとに見積価格が三千万円を、それぞれ超えないとき。
二　森林経営用財産とする目的で、交換若しくは寄附以外の方法により土地を取得しようとする場合又は国有林野の管理経営に関する法律（昭和二十六年法律第二百四十六号）第二条第一項第二号に掲げる普通財産である土地（当該土地の上に存する同号に掲げる普通財産である立木竹その他の物件を含む。）を森林経営用財産としようとする場合であつて、当該土地の面積が三ヘクタールを超えないとき。
三　公共用財産とする目的で、交換（土地改良法第九十四条の二、道路法第九十二条第四項（同法第九十一条第二項において準用する場合を含む。）又は河川法第九十二条の規定による交換を除く。）以外の方法により土地又は建物を取得しようとするとき、公共用財産（公園又は広場として公共の用に供し、又は供するものと決定した公共用財産を除く。以下本号及び第四号において同じ。）である土地又は建物について所属替をし、又は用途を変更しようとするとき、及び公共用財産である建物を移築し、又は改築しようとするとき。
四　公共用財産又は森林経営用財産を他の各省各庁の長に使用させようとするとき。
五　法第十四条第七号に掲げる場合（第八号及び第十一号に掲げる場合を除く。）であつて、当該使用又は収益が法第十八条第六項の許可による場合（次号及び第七号に掲げる場合を除く。）において、当該財産が、その区分に応じ、土地にあつては面積が三百平方メートルを、建物にあつては延べ面積が百五十平方メートルを、土地及び建物以外のものにあつては区分ごとに見積価格が三千万円を、それぞれ超えないとき。

六　河川、湖沼その他の水流若しくは水面又は道路の敷地である公共用財産であるものを国以外の者に使用又は収益の許可をしようとする場合
七　前号に規定する公共用財産以外の公共用財産で国以外の者に対する使用又は収益の許可につき法律（法を除く。）又はこれに基づく政令に特別の規定があるものについて、当該規定に基づく使用又は収益の許可をしようとする場合
八　森林経営用財産を国以外の者に使用させ、又は収益させようとする場合
九　法第十四条第八号に掲げる場合（次号から第十一号までに掲げる場合を除く。）において、貸付料若しくは貸付け以外の方法による使用若しくは収益の対価（法律の規定により減額するときは、減額する前の貸付料又は対価）の年額（貸付期間又は使用若しくは収益の期間が一年未満のときは、総額とする。）が五百万円を超えないとき、又は売払価格（法律の規定により減額するときは、減額する前の価格）が、競争契約によるときは一億円を、随意契約によるときは五千万円を、それぞれ超えないとき。
十　法第十四条第八号に掲げる場合において、無償で、普通財産を貸し付け、又は貸付け以外の方法により使用させ若しくは収益させようとするとき。
十一　前各号に掲げる場合のほか、法第十四条各号に掲げる措置を緊急にとる必要がある場合その他の特別の事情がある場合で、財務大臣が定める場合に該当するとき。

（異なる会計間の所管換等の場合の無償整理）
第十二条　法第十五条ただし書の金額は、五千万円とする。

（堅固な工作物）
第十二条の二　法第十八条第二項第一号に規定する政令で定める堅固な建物その他の土地に定着する工作物は、鉄骨造、コンクリート造、石造、れんが造その他これらに類する構造の土地に定着する工作物とする。

（行政財産の貸付けができる法人）
第十二条の三　法第十八条第二項第二号に規定する政令で定める法人は、次に掲げる法人とする。
一　特別の法律により設立された法人で国において出資しているもののうち、財務大臣が指定するもの
二　港務局、地方住宅供給公社、地方道路公社及び土地開発公社並びに地方公共団体が事業の財産的基礎に充てられる財産につき財務大臣が定める割合以上を拠出している公益社団法人及び公益財団法人
三　国家公務員共済組合及び国家公務員共済組合連合会並びに地方公務員共済組合、全国市町村職員共済組合連合会及び地方公務員共済組合連合会

（床面積等に余裕がある場合）
第十二条の四　法第十八条第二項第四号に規定する政令で定める場合は、同号に規定する庁舎等の床面積又は敷地のうち、国の事務又は事業の遂行に関し現に使用され、又は使用されることが確実であると見込まれる部分以外の部分がある場合とする。

（行政財産に地上権を設定することができる法人）
第十二条の五　法第十八条第二項第五号に規定する政令で定める法人は、次に掲げる法人とする。
一　独立行政法人鉄道建設・運輸施設整備支援機構、鉄道事業法（昭和六十一年法律第九十二号）第三条第一項の許可を受けた鉄道事業者及び軌道法（大正十年法律第七十六号）第三条の特許を受けた軌道経営者
二　独立行政法人日本高速道路保有・債務返済機構、高速道路株式会社法（平成十六年法律第九十九号）第一条に規定する会社及び地方道路公社
三　電気事業法（昭和三十九年法律第百七十号）第二条第一項第十七号に規定する電気事業者
四　ガス事業法（昭和二十九年法律第五十一号）第二条第十二項に規定するガス事業者
五　水道法（昭和三十二年法律第百七十七号）第三条第五項に規定する水道事業者
六　電気通信事業法（昭和五十九年法律第八十六号）第百二十条第一項に規定する認定電気通信事業者

（行政財産に地上権を設定することができる場合の施設）
第十二条の六　法第十八条第二項第五号に規定する政令で定める施設は、次に掲げる施設とする。
一　軌道
二　電線路
三　ガスの導管
四　水道（工業用水道を含む。）の導管
五　下水道の排水管及び排水渠
六　電気通信線路
七　鉄道、道路及び前各号に掲げる施設の附属設備

（行政財産に地役権を設定することができる法人等）
第十二条の七　法第十八条第二項第六号に規定する政令で定める法人は、電気事業法第二条第一項第十七号に規定する電気事業者とする。
2　法第十八条第二項第六号に規定する政令で定める施設は、電線路の附属設備とする。

（行政財産の無償使用等の相手方）
第十二条の八　法第十八条第七項に規定する政令で定める法人は、次に掲げるものとする。
一　独立行政法人日本高速道路保有・債務返済機構
二　高速道路株式会社法第一条に規定する会社

（普通財産を貸し付けた場合等の通知）
第十三条　法第八条第一項ただし書の普通財産を所管する各省各庁の長は、当該財産を貸し付け、交換し、売り払い、譲与し、又は貸付け以外の方法により使用若しくは収益をさせたとき（法第十四条第一号又は第八号の規定による協議を経たとき、次項の規定による通知をしたとき、及び道路法第九十四条第二項（同法第九十一条第二項において準用する場合を含む。）又は河川法第九十三条第一項の規定による協議を経

たときを除く。）は、その旨及び次に掲げる事項を財務大臣に通知しなければならない。法第二十一条第二項（法第二十六条において準用する場合を含む。）の規定により貸付期間（貸付け以外の方法により使用又は収益をさせる期間を含む。）を更新したときも同様とする。

一　当該財産の台帳記載事項及び時価
二　相手方の住所及び氏名
三　貸付料（貸付け以外の方法により使用又は収益をさせた場合には、その対価）又は売払代金（交換の場合には、交換差金）
四　貸付けの場合（貸付け以外の方法により使用又は収益をさせた場合を含む。）には、その期間
五　用途指定の有無及び用途を指定した場合には、相手方の利用計画
六　その他参考となるべき事項

2　第四条各号に掲げる特別会計に属する普通財産を所管する各省各庁の長は、当該普通財産のうち法第二条第一項第六号に掲げる財産で財務大臣が定めるものの売払いをしようとするときは、あらかじめ、その旨及び次に掲げる事項を財務大臣に通知しなければならない。

一　当該財産の台帳記載事項
二　相手方の住所及び氏名
三　売払いの時期及び売払予定価格
四　その他参考となるべき事項

3　第四条各号に掲げる特別会計に属する普通財産を所管する各省各庁の長は、信託の終了により土地又は建物を取得したときは、遅滞なく、次に掲げる事項を財務大臣に通知しなければならない。

一　当該土地又は建物の所在及び地番
二　当該土地の地積又は当該建物の構造及び面積
三　信託の終了の年月日
四　その他参考となるべき事項

第十四条　前条第一項の規定は、国以外の者に対し、行政財産のうち土地又は建物を使用させ、又は収益させた場合（法第十四条第七号の規定による協議を経た場合、法律（法を除く。）の規定に基づいて公共用財産の使用又は収益の許可をした場合その他財務大臣が定める場合を除く。）について準用する。

（小規模な施設）

第十五条　法第二十二条第一項第一号に規定する政令で定める小規模な施設は、掲示板、巡査派出所、公衆便所その他公共用又は公用に供する施設で財務大臣が定めるもののうち、その敷地面積が五十平方メートルを超えないものとする。

（地上権又は地役権の設定につき期間等に特例を設ける施設）

第十五条の二　法第二十六条に規定する政令で定める施設は、第十二条の六各号（第二号を除く。）に掲げる施設とする。

（管理の委託手続）

第十五条の三　法第二十六条の二第一項の規定により各省各庁の長が普通財産の管理をその適当と認める者に委託しようとするときは、当該管理を委託する契約において、次に掲げる事項を定めるものとする。

一　管理を委託する財産の所在地、区分及び種目、構造並びに数量
二　管理の委託を開始する年月日
三　管理の委託の期間
四　管理の方法
五　その他必要な事項

2　前項に規定するもののほか、同項の契約（以下「管理委託契約」という。）には、次に掲げる条件を付するものとする。

一　各省各庁の長は、国又は公共団体において、公共用、公用又は公益事業の用に供するため必要とする場合において管理委託契約を解除することができること。
二　管理受託者は、管理を委託された財産（以下「受託財産」という。）の原形に変更を及ぼす工事をしようとするときは、天災その他の事故のため応急の措置をする必要があるときを除き、あらかじめ、当該受託財産を所管する各省各庁の長の承認を受けなければならないこと。
三　管理受託者は、天災その他の事故により受託財産が滅失し、又は損傷したときは、直ちに、次に掲げる事項を当該受託財産を所管する各省各庁の長に報告しなければならないこと。
　イ　当該受託財産の所在地並びに区分及び種目
　ロ　被害の程度
　ハ　滅失又は損傷の原因
　ニ　損害見積額及び復旧可能なものについては復旧費見込額
　ホ　当該受託財産の保全又は復旧のためとつた応急措置
四　管理受託者は、受託財産について、毎年度の管理の状況を翌年度の四月三十日までに当該受託財産を所管する各省各庁の長に報告しなければならないこと。

（管理の費用を著しく超える場合）

第十五条の四　法第二十六条の二第四項に規定する政令で定める場合は、毎年四月一日から翌年三月三十一日までの間に受託財産から生じた収益の額として財務大臣が定める方法により算定した額から当該期間内に当該受託財産の管理に要した費用の額として財務大臣が定める方法により算定した額（以下この条において「管理費用」という。）を差し引いた額が、当該期間中の管理費用の額に二割を超えない範囲で財務大臣が定める割合を乗じて得た額に相当する額を超える場合とする。

（堅固な建物）

第十六条　法第二十七条に規定する堅固な建物は、鉄骨造、コンクリート造、石造若しくはれんが造又はこれらに準ずる建物をいう。

（信託の契約事項）

第十六条の二　各省各庁の長は、法第二十八条の二第一項の規定により土地（その土地の定着物を含む。次条第一項におい

て同じ。）を信託しようとするときは、当該信託の契約において、信託の目的、借入金限度額、信託期間その他財務大臣が定める事項を定めるほか、次に掲げる条件を付するものとする。

一 信託の受託者は、信託財産から信託事務の処理に関する費用及び信託報酬を支弁すること。

二 信託の受託者が信託期間中に災害その他の特別の事情が生じたことにより借入金限度額を超えて借入れをしようとする場合には、事前に、各省各庁の長の承認を受けなければならないこと。

三 信託の受託者が信託財産に係る売買、賃貸借、請負その他の契約を締結する場合においては、国が売買、賃貸借、請負その他の契約を締結する場合に準じて行うこと。

四 信託の受託者が信託法（平成十八年法律第百八号）第四十八条第一項若しくは第二項又は第五十三条第一項の規定により信託財産から償還若しくは前払又は賠償を受けようとする場合には、事前に、各省各庁の長の承認を受けなければならないこと。

五 国は、信託利益の全部を享受する場合において、必要があると認めるときは、当該信託を終了させることができること。

（財政制度等審議会及び地方審議会への諮問）

第十六条の三 法第二十八条の二第二項の規定による諮問は、次の各号に掲げる場合に応じ、それぞれ当該各号に定める審議会に対してするものとする。

一 信託しようとする土地が外国に存する場合又は借入金限度額が百億円を超えると見込まれる場合　財政制度等審議会

二 前号に該当しない場合　信託しようとする土地の存する地域を管轄する財務局に置かれた地方審議会

2 法第二十八条の二第二項第五号の政令で定める事項は、次に掲げる事項とする。

一 信託の事業計画及び資金計画

二 信託期間

第十六条の四 法第二十八条の四の政令で定めるときは、次に掲げるときとする。

一 信託契約の内容の変更（財務大臣が定める軽微な内容の変更を除く。）をしようとするとき。

二 信託の受託者が信託期間中に災害その他の特別の事情が生じたことにより借入金限度額を超えて借入れをすることについて、承認しようとするとき。

三 信託の受託者が信託法第四十八条第一項若しくは第二項又は第五十三条第一項の規定により信託財産から償還若しくは前払又は賠償を受けることについて、承認しようとするとき。

四 信託の受益権を売り払おうとするとき。

第十六条の五 法第二十八条の四の政令で定める事項は、次に掲げる事項とする。

一 信託期間を更新しようとするときは、更新後の信託の収支見積り、借入金限度額、信託の事業計画及び資金計画並びに信託期間

二 信託契約の内容を変更しようとする場合で信託の目的を変更しようとするときは、変更後の信託の目的、信託の収支見積り、借入金限度額、信託の事業計画及び資金計画並びに信託期間

（信託に係る実地監査等）

第十六条の六 各省各庁の長は、法第二十八条の五の規定により、信託の受託者に対し、信託事務の処理状況に関する資料若しくは報告を求めたとき、又は当該職員に実地監査をさせたときは、遅滞なく、その旨を財務大臣に通知しなければならない。

2 法第二十八条の五の規定により当該職員が実地監査をする場合においては、その身分を示す証明書を携帯し、関係人の請求があつたときは、提示しなければならない。

3 前項の証明書の様式は、財務大臣が定める。

4 各省各庁の長は、法第二十八条の五の規定により信託の受託者に対し信託事務の処理について指示しようとするときは、あらかじめ、その旨を財務大臣に通知しなければならない。

（用途指定を要しない場合）

第十六条の七 法第二十九条ただし書の政令で定める場合は、次に掲げる場合とする。

一 競争に付して売払いをする場合

二 法律の規定により減額して売払いをするときを除き、売払価格が千万円を超えない財産の売払いをする場合

三 建物、工作物、船舶若しくは航空機の解体、立木竹の伐採又は機械器具のくず化を条件とする売払い又は譲与をする場合で財務大臣が定める場合

四 法第二条第一項第六号に掲げる財産の売払いをする場合

五 土地、建物、工作物又は立木竹を特別の縁故がある者に対し売り払い、又は譲与する場合で財務大臣が定める場合

六 前各号に掲げる場合のほか、特別の事情があるため、用途並びにその用途に供しなければならない期日及び期間の指定を要しないものとして財務大臣が定める場合

（損害賠償の協議）

第十七条 各省各庁の長は、法第三十条第二項の規定により財務大臣に協議しようとするときは、次に掲げる事項を記載した協議書に必要な図面その他の関係書類を添付して、財務大臣に送付しなければならない。

一 物件の所在、区分、数量、売払い又は譲与の別、売払代金又は譲与時の評価額及び相手方

二 指定した用途並びにその用途に供しなければならない期日及び期間

三 契約を解除した事由

四 損害の賠償を求めようとする額及びその算定の基礎

五 その他参考となるべき事項

（延納の特約の協議）

第十八条　各省各庁の長は、法第三十一条第三項の規定により財務大臣に協議しようとするときは、次に掲げる事項を記載した協議書に、関係書類を添付して、財務大臣に送付しなければならない。

一　物件の所在、区分、数量、売払代金又は交換差金及び相手方

二　延納期限又は毎期の納付額及び利率

三　担保の種類

四　売払代金又は交換差金を一時に支払うことが困難である事由

五　その他参考となるべき事項

（国有財産の滅失又は損傷の通知）

第十九条　各省各庁の長は、天災その他の事故により国有財産を滅失又は損傷したときは、直ちに次に掲げる事項を財務大臣に通知しなければならない。ただし、当該滅失若しくは損傷による損害見積価額が五百万円を超えないとき、又は財務大臣が定める場合に該当するときは、この限りでない。

一　当該財産の台帳記載事項

二　滅失又は損傷の原因

三　当該国有財産の区分、数量及び被害の程度

四　損害見積価額及び復旧可能なものについては復旧費見込額

五　損傷した財産の保全又は復旧のためにとつた応急措置

第二章の二　立入り及び境界確定

（立入りの通知）

第十九条の二　法第三十一条の二第二項の規定による通知は、書面でしなければならない。

2　前項の通知は、立入期日の少なくとも五日前までに当該立ち入ろうとする土地の占有者に到達するようにしなければならない。ただし、その者が承諾した場合には、この限りでない。

（立入りの公告）

第十九条の三　法第三十一条の二第三項の規定による公告は、当該公告に係る土地の所在する地域を管轄する財務事務所（当該財務事務所がない場合には、当該地域を管轄する財務局（当該地域が福岡財務支局の管轄区域内にある場合には、福岡財務支局）。第十九条の五において同じ。）及び当該土地の所在する市町村（都の特別区の区域にあつては、特別区。第十九条の五において同じ。）の事務所に掲示場に少なくとも十日間掲示して、しなければならない。

2　前項の公告の始期は、立入期日の少なくとも二十日前でなければならない。

（境界確定に係る通知）

第十九条の四　法第三十一条の三第一項の規定による通知は、立会期日の少なくとも十日前までに当該隣接地の所有者に到達するようにしなければならない。ただし、その者が承諾した場合には、この限りでない。

2　第十九条の二第一項の規定は、法第三十一条の三第一項、法第三十一条の四第五項及び法第三十一条の五第三項の規定による通知について準用する。

（境界確定に係る公告）

第十九条の五　法第三十一条の四第五項及び法第三十一条の五第三項の規定による公告は、当該公告に係る境界の存する地域を管轄する財務事務所及び当該境界の存する市町村の事務所の掲示場に少なくとも二十日間掲示して、しなければならない。

第三章　台帳、報告書及び計算書

（台帳）

第二十条　国有財産の台帳は、その分類及び種類ごとに作成し、次に掲げる事項を記載しなければならない。ただし、財産の性質によりその記載事項を省略することができる。

一　区分（土地、建物等の区別で財務大臣が定めるものをいう。）及び種目（土地、建物等における用途の区別で財務大臣が定めるものをいう。）

二　所在

三　数量

四　価格

五　得喪変更の年月日及び事由

六　その他必要な事項

（台帳価格）

第二十一条　国有財産を新たに台帳に登録する場合において、その登録すべき価格は、購入に係るものは購入価格、交換に係るものは交換当時における評定価格、収用に係るものは補償金額、租税の物納に係るものは収納価格、代物弁済に係るものは当該物件により弁済を受けた債権の額により、その他のものは次に定めるところにより定めなければならない。

一　土地については、類地の時価を考慮して算定した金額

二　建物、工作物及び船舶その他の動産については、建築費又は製造費。ただし、建築費又は製造費によることの困難なものは、見積価格

三　立木竹については、その材積に単価を乗じて算定した金額。ただし、庭木その他材積を基準として算定することが困難なものは、見積価格

四　法第二条第一項第四号又は第五号に掲げる権利については、取得価格。ただし、取得価格によることが困難なものは、見積価格

五　法第二条第一項第六号に掲げる財産については、次に掲げる区分に応じそれぞれ次に掲げる金額又は価格

イ　株式　当該株式の発行に際して株主となる者が当該株式一株と引換えに株式会社に対して払込み又は給付をした財産の額（当該額がない場合にあつては、当該株式会社の資本金及び資本準備金の額の合計額を発行済株式の

総数で除して得た額）に株数を乗じて算定した金額

ロ　法第二条第一項第六号に規定する社債又は地方債　社債原簿又は地方債証券原簿に記載され、又は記録された当該社債又は当該地方債の金額

ハ　法第二十八条の二の規定による信託の受益権　当該受益権の取得時における信託財産の評定価格

ニ　国が出資により取得した権利　出資金額

ホ　その他の財産　財務大臣が定めるところにより算定した金額

（台帳等の様式）

第二十二条　法第三十二条、第三十三条、第三十五条及び第三十六条に規定する台帳、報告書及び計算書の様式については、財務大臣が定める。

（台帳、報告書及び計算書に関する法の規定の適用除外）

第二十二条の二　公共の用に供する財産で法第三十八条の規定により法第四章の規定を適用しないものは、次に掲げるものとする。

一　公共用財産のうち公園又は広場として公共の用に供し、又は供するものと決定したもの以外のもの

二　一般会計に属する普通財産のうち都道府県道又は市町村道の用に供するため貸し付けたもの

（台帳価格の改定）

第二十三条　各省各庁の長は、その所管に属する国有財産につき、毎会計年度、当該年度末の現況において、財務大臣の定めるところにより評価し、その評価額により国有財産の台帳価格を改定しなければならない。ただし、価格を改定することが適当でないものとして財務大臣が指定するものについては、この限りでない。

（端数計算）

第二十四条　第二十一条及び前条の場合において、国有財産の台帳に登録すべき価格に一円未満の端数があるときは、その端数を切り捨てて計算する。

附　則

第一条　この政令は、公布の日から施行し、昭和二十三年七月一日から、これを適用する。

第二条　次に掲げる法令は、廃止する。

一　国有財産法施行令（大正十一年勅令第十五号）

二　国有財産法制調査会に関する政令（昭和二十二年政令第百九十六号）

〇国有財産法施行細則

昭二三・九・二八
大蔵令九二

最終改正　令三・一〇・二二財務令七一

第一条　この省令において「分類及び種類」、「部局」、「所管換」、「所属替」及び「各省各庁の長」とは、国有財産法（昭和二十三年法律第七十三号。以下法という。）に規定する「国有財産の分類及び種類」、「部局」、「国有財産の所管換」、「国有財産の所属替」及び「各省各庁の長」をいう。

2　この省令において「地上権等」、「特許権等」及び「政府出資等」とは、それぞれ法第二条第一項第四号、第五号及び第六号に掲げる財産をいう。

第一条の二　国有財産法施行令（昭和二十三年政令第二百四十六号。以下「令」という。）第十三条第二項に規定する財務大臣が定める財産は、株式とする。

第一条の三　各省各庁の長は、法第三十一条の三第一項の規定による境界確定の協議がととのつた場合又は法第三十一条の四第二項の規定により境界の決定を行つた場合には、当該境界を明らかにするため、境界標を設定しなければならない。

第一条の四　法第三十一条の三第三項の書面には、左に掲げる事項を記載し、各省各庁の長及び隣接地の所有者が記名押印しなければならない。

一　境界を確定した国有財産及び隣接地の所在

二　隣接地所有者の氏名又は名称及び住所

三　立会期日及び協議がととのつた期日

四　境界標の番号及び位置

五　その他参考となるべき事項

第一条の五　法第三十一条の四第二項の規定により境界を定めた場合には、左に掲げる事項を記載した境界決定書を作成し、これに各省各庁の長及び立ち会つた市町村の職員が記名押印

しなければならない。
一　境界を定めた国有財産及び隣接地の所在
二　隣接地所有者の氏名又は名称及び住所
三　立会期日
四　境界標の番号及び位置
五　立ち会つた市町村の職員の職名及び氏名
六　境界を定めた経過
七　その他参考となるべき事項

第一条の六　法第三十一条の四第五項の通知及び公告には、第一条の五各号に掲げる事項及び法第三十一条の五第一項の期間内に同項の規定による通告がないときは、境界の確定に関し当該隣接地の所有者の同意があつたものとみなされる旨を記載しなければならない。

第一条の七　法第三十一条の五第一項の通告は、書面によつてしなければならない。

第二条　国有財産の台帳（以下「国有財産台帳」という。）は、第一号様式による。

第三条　国有財産台帳には、当該台帳に登録される土地、建物及び地上権等についての図面を付属させて置かなければならない。

2　前項に定める図面の調製基準は、財務大臣の定めるところによる。

3　国有財産台帳に登録される立木竹及び工作物については、必要と認める図面を付属させることができる。

4　国有財産台帳に登録される不動産の信託の受益権については、信託財産に係る必要な図面を付属させることができる。

第四条　国有財産の総括簿を備えるときは、第一号様式中総括に準じて、これを調製しなければならない。

2　前条の規定は、行政財産の総括簿を備える場合について、準用する。

第五条　国有財産台帳に登録すべき国有財産の区分及び種目は、別表第一による。

第六条　国有財産台帳に登録すべき数量の単位は、別表第一の定めるところによるものとし、その端数は、小数点以下二位未満を切り捨てる物とする。ただし、区分が立木竹のうち立木及び船舶の端数は、小数点以下三位未満を切り捨てるものとする。

第七条　削除

第八条　国有財産台帳に記入すべき増減事由用語は、別表第二による。

第九条　国有財産増減及び現在額報告書は、第二号様式に、国有財産見込現在額報告書は、第三号様式に、国有財産無償貸付状況報告書は、第四号様式による。

第十条　削除

第十条の二　令第六条の十一第一項に規定する証明書の様式は、別表第三による。

第十条の三　令第十六条の六第二項に規定する証明書の様式は、別表第四による。

第十条の四　法第三十一条の二第四項の規定による証明書の様式は、別表第五による。

（都道府県又は市町村が事務を行う場合の証明書の様式）

第十条の四の二　前二条に定める証明書の様式は、法第九条第三項の規定により事務を都道府県又は市町村が行うこととなつた場合においては、別表第六によることができる。

（電磁的記録による作成）

第十条の五　各省各庁の長が、法第三十九条の規定により報告書等（予算及び決算に係る情報通信の技術の利用に関する対象手続等を定める省令（平成十五年財務省令第二十四号）第一条に規定するものを除く。）の作成に代えて当該報告書等に係る電磁的記録の作成を行う場合においては、各省各庁の長の使用に係る電子計算機に備えられたファイルに記録する方法又は磁気ディスク（これに準ずる方法により一定の事項を確実に記録しておくことができる物を含む。）をもつて調製する方法により作成するものとする。

（電磁的方法による提出）

第十条の六　法第四十条第一項に規定する財務大臣が定める電磁的方法は、財務大臣の使用に係る電子計算機と各省各庁の長の使用に係る電子計算機とを電気通信回線で接続した電子情報処理組織を使用して行う方法によるものとする。

（手続の細目）

第十条の七　この省令に定めるもののほか、電磁的記録の作成の方法及び電磁的方法による提出に関し必要な事項及び手続の細目については、別に定めるところによる。

附　則（抄）

第十一条　この省令は、公布の日から、これを施行し、昭和二十三年七月一日から適用する。但し、第九条中国有財産増減及び現在額報告書の様式及び国有財産無償貸付状況報告書の様式（同様式調製要領二を除く。）に関する部分は、昭和二十二年度分から、これを適用する。

第十二条　国有財産法施行規則（大正十一年大蔵省令第十四号）は、これを廃止する。

様式〔略〕
別表〔略〕

○国有財産特別措置法

昭二七・六・三〇
法 二 一 九

最終改正 令五・五・八法二一

※令和四年一二月一六日法律第一〇四号の附則第二七条で本法が一部改正されましたが、未施行のため、本法の末尾に掲げました。

（目的）

第一条 この法律は、国有財産法（昭和二十三年法律第七十三号）第三条第三項に規定する普通財産（以下「普通財産」という。）を公共の利益の増進、民生の安定、産業の振興等に有効適切に寄与させるため、当分の間、その管理及び処分について同法の特例を設けることを目的とする。

（無償貸付）

第二条 普通財産は、国有財産法第二十二条第一項に規定する公共団体において水道施設又は防波堤、岸壁、桟橋、上屋等の臨港施設として公共の用に供するときは、当該公共団体に無償で貸し付けることができる。ただし、臨港施設については、港湾法（昭和二十五年法律第二百十八号）の規定の適用を妨げるものではない。

2 普通財産は、次の各号に掲げる場合においては、当該各号の地方公共団体、社会福祉法人、学校法人又は更生保護法人に対し、政令で定めるところにより、無償で貸し付けることができる。

一 地方公共団体において、生活保護法（昭和二十五年法律第百四十四号）第三十八条に規定する保護施設のうち政令で定めるものの用に供するとき、又は社会福祉法人（社会福祉法（昭和二十六年法律第四十五号）第二十二条に規定する社会福祉法人をいう。以下同じ。）において、生活保護法の規定に基づき都道府県知事若しくは市町村長の委託を受けて行う当該委託に係る保護の用に主として供する施設の用に供するとき。

二 地方公共団体において、児童福祉法（昭和二十二年法律第百六十四号）第七条第一項に規定する児童福祉施設のうち、政令で定めるものの用に供するとき、又は社会福祉法人において、次に掲げるいずれかの用に主として供する施設の用に供するとき。

イ 児童福祉法の規定に基づき都道府県又は市町村の委託を受けて行う当該委託に係る措置（就学前の子どもに関する教育、保育等の総合的な提供の推進に関する法律（平成十八年法律第七十七号）第二条第七項に規定する幼保連携型認定こども園（以下「幼保連携型認定こども園」という。）が委託を受けて行うものを除く。）の用

ロ 児童福祉法の規定に基づき都道府県又は市町村の委託を受けて行う当該委託に係る助産又は母子保護の実施の用

ハ 児童福祉法の規定に基づき都道府県の委託を受けて行う当該委託に係る児童自立生活援助の実施の用

ニ 児童福祉法の規定による障害児通所給付費の支給に係る者に対する障害児通所支援の用又は障害児入所給付費の支給に係る者に対する障害児入所支援の用

ホ 子ども・子育て支援法（平成二十四年法律第六十五号）の規定による施設型給付費又は特例施設型給付費の支給に係る同法に規定する小学校就学前子どもに対する保育（児童福祉法第三十五条第四項の認可を得た児童福祉施設において実施するものに限る。）の用

三 地方公共団体において、障害者の日常生活及び社会生活を総合的に支援するための法律（平成十七年法律第百二十三号）第五条第十一項に規定する障害者支援施設のうち政令で定めるものの用に供するとき、又は社会福祉法人において、次に掲げる用のうち一若しくは二以上の用に主として供する施設の用に供するとき（ハに掲げる用に供する場合には、ハに掲げる用に併せてイ又はロに掲げる用に供するときに限る。）。

イ 身体障害者福祉法（昭和二十四年法律第二百八十三号）の規定に基づき市町村の委託を受けて行う当該委託に係る措置の用

ロ 知的障害者福祉法（昭和三十五年法律第三十七号）の規定に基づき市町村の委託を受けて行う当該委託に係る措置の用

ハ 障害者の日常生活及び社会生活を総合的に支援するための法律の規定による介護給付費、特例介護給付費、訓練等給付費又は特例訓練等給付費の支給に係る者に対する障害福祉サービス（同法第五条第七項に規定する生活介護、同条第十二項に規定する自立訓練、同条第十三項に規定する就労移行支援又は同条第十四項に規定する就労継続支援に限る。）の用

四 地方公共団体において、老人福祉法（昭和三十八年法律第百三十三号）第五条の三に規定する老人福祉施設のうち、政令で定めるものの用に供するとき、又は社会福祉法人において、次に掲げる用のうち一若しくは二以上の用に主として供する施設の用に供するとき。

イ 老人福祉法の規定に基づき市町村の委託を受けて行う当該委託に係る措置の用

ロ 介護保険法（平成九年法律第百二十三号）の規定による通所介護若しくは短期入所生活介護に係る居宅介護サービス費の支給に係る者に対する居宅サービス、地域密着型通所介護若しくは認知症対応型通所介護に係る地域密着型介護サービス費の支給に係る者に対する地域密着型サービス、介護予防短期入所生活介護に係る介護予防サービス費の支給に係る者に対する介護予防サービス、介護予防認知症対応型通所介護に係る地域密着型介護予防サービス費の支給に係る者に対する地域密着型介護予防サービス又は同法第百十五条の四十五第一項第一号ロ

に規定する第一号通所事業であつて老人福祉法第二十条の二の二に規定する厚生労働省令で定めるものその他これに類するものとして政令で定めるものの用

ハ　介護保険法の規定による地域密着型介護老人福祉施設入所者生活介護に係る地域密着型介護サービス費の支給に係る者に対する地域密着型サービス又は介護福祉施設サービスに係る施設介護サービス費の支給に係る者に対する施設サービスその他これに類するものとして政令で定めるものの用

五　地方公共団体、社会福祉法人又は私立学校法（昭和二十四年法律第二百七十号）第三条に規定する学校法人（以下「学校法人」という。）において、幼保連携型認定こども園の施設の用に供するとき。

六　地方公共団体又は更生保護法人（更生保護事業法（平成七年法律第八十六号）第二条第六項に規定する更生保護法人をいう。以下同じ。）において、更生保護事業法第四十九条に規定する保護観察所の長の委託を受けて行う保護の用に主として供する施設の用に供するとき。

七　地方公共団体において、学校教育法（昭和二十二年法律第二十六号）第一条に規定する小学校、中学校、義務教育学校、中等教育学校（前期課程に限る。）又は特別支援学校の施設（学校給食の実施に必要な施設を含む。）で、災害による著しい被害、児童又は生徒の急増その他の特別の事由がある地域として政令で定める地域にあるものの用に供するとき。

3　国有財産法第二十二条第二項及び第三項の規定は、前二項の規定により普通財産を無償で貸し付ける場合に準用する。

（減額譲渡又は貸付）

第三条　普通財産は、次の各号に掲げる場合においては、当該各号の地方公共団体又は法人に対し、時価からその五割以内を減額した対価で譲渡し、又は貸し付けることができる。

一　地方公共団体において次に掲げる施設の用に供するとき。

イ　医療施設及び地域保健法（昭和二十二年法律第百一号）第五条第一項の規定により設置される保健所の施設

ロ　社会福祉法第二条に規定する社会福祉事業の用に供する施設（以下「社会福祉事業施設」という。）

ハ　学校教育法第一条に規定する学校の施設（学校給食の実施に必要な施設を含む。以下「学校施設」という。）

ニ　社会教育法（昭和二十四年法律第二百七号）第二十一条第一項の規定により設置される公民館の施設

ホ　図書館法（昭和二十五年法律第百十八号）第二条第二項に規定する公立図書館の施設

ヘ　博物館法（昭和二十六年法律第二百八十五号）第二条第二項に規定する公立博物館の施設

ト　職業能力開発促進法（昭和四十四年法律第六十四号）第十六条第一項又は第二項の規定により設置される職業能力開発校並びに同項の規定により設置される職業能力開発短期大学校、職業能力開発大学校、職業能力開発促進センター及び障害者職業能力開発校の施設

チ　更生保護事業法第二条第一項に規定する更生保護事業の用に供する施設（以下「更生保護事業施設」という。）

リ　農業改良助長法（昭和二十三年法律第百六十五号）第七条第一項第五号の事業の遂行のために設置する農業者研修教育施設その他これに準ずる施設

ヌ　住民に賃貸する目的で経営する住宅施設

ル　公害の防止のために必要な事業に係る施設で政令で定めるもの

ヲ　一般の利用に供するための体育館、水泳プールその他のスポーツ施設で政令で定めるもの

ワ　水防、消防その他の防災に関する施設で政令で定めるもの

二　国の設置する研究所、試験所その他国が公共の利益の増進を主たる目的とする事務又は事業の用に供する施設で政令で定めるものについてその用途を廃止した場合において、当該施設の用に供していた財産を地方公共団体において引き続き同種の施設の用に供するとき。

三　削除

四　学校法人、社会福祉法人、更生保護法人又は日本赤十字社において学校施設、社会福祉事業施設、更生保護事業施設又は日本赤十字社の業務の用に供する施設の用に供するとき。

2　前項第四号の場合においては、学校法人にあつては私立学校法第百三十二条の規定により助成を行うことができる場合、社会福祉法人にあつては社会福祉法第五十八条第一項の規定により助成を行うことができる場合又は生活保護法第七十四条第一項、児童福祉法第五十六条の二第一項若しくは老人福祉法第二十四条第二項の規定により補助を行うことができる場合、更生保護法人にあつては更生保護事業法第五十八条の規定により補助を行うことができる場合、日本赤十字社にあつては日本赤十字社法（昭和二十七年法律第三百五号）第三十九条第一項の規定により助成を行うことができる場合に限り、前項の規定を適用する。

第四条　削除

（譲与）

第五条　普通財産は、次に掲げる場合においては、当該地方公共団体に対し、譲与することができる。ただし、第三号及び第四号の場合にあつては、普通財産である土地については、この限りでない。

一　地方公共団体から国に対し特定の用途に供する目的で寄附された財産について、国が当該用途を廃止した場合において当該地方公共団体（当該地方公共団体に当該財産を寄附した地方公共団体及びこれらの地方公共団体の区域に変更があつた場合にその区域が新たに属した地方公共団体を含む。）が公共の用又は直接その用に供するとき。

二　地方自治法（昭和二十二年法律第六十七号）施行の際都道府県において事務、事業又は職員の住居の用に供してい

た公用財産であつたものを、当該都道府県において引き続き当該用途に供しているとき。

三　この法律施行の際地方公共団体において、戦災者、引揚者又は保護を要する生活困窮者の収容施設の用に供しているとき。

四　地方公共団体において水道施設として公共の用に供するとき。

五　河川等（河川、湖沼その他の水流又は水面をいい、河川法（昭和三十九年法律第百六十七号）が適用又は準用される河川及び下水道法（昭和三十三年法律第七十九号）が適用される下水道を除く。以下この号において同じ。）又は道路（道路法（昭和二十七年法律第百八十号）が適用される道路を除く。以下この号において同じ。）の用に供されている国土交通大臣の所管に属する土地（その土地の定着物を含む。）について、国が当該用途を廃止した場合において市町村が河川等又は道路の用に供するとき。

2　前項第一号の規定により譲与する場合において、寄附された財産に対し国が有益費を著しく多く出しているときは、各省各庁の長（国有財産法第四条第二項に規定する各省各庁の長をいう。以下同じ。）は、譲与を受けようとする地方公共団体に対し当該有益費の支出によつて増加した価格で現に存するものの価額をあらかじめ納付させなければならない。

（準用規定）

第六条　国有財産法第二十八条第四号ただし書の規定は、前条第一項第四号の場合に、同法第二十九条本文及び第三十条の規定は、第三条又は前条第一項第三号若しくは第四号の規定により普通財産の譲渡、貸付け又は譲与をする場合にそれぞれ準用する。この場合において、同法第二十九条本文中「買受人又は譲与を受けた者」とあるのは、「譲渡、貸付け又は譲与を受けた者」と読み替えるものとする。

（居住用施設の譲与等）

第六条の二　地方公共団体が、普通財産のうち次に掲げる建物を取り壊して、その敷地を住民に賃貸する目的で経営する住宅施設又は公共の用に供する施設（これらの施設と併せて建設する施設で政令で定めるものを含む。）の用に供する場合において、当該建物の居住者を当該住宅施設に収容し、又は他の住宅施設の提供等他の場所へ移転させるため必要な措置をとるときは、当該財産を所管する各省各庁の長は、政令で定めるところにより、当該地方公共団体に対し、当該建物を譲与し、又はその敷地のうち国有のものを時価からその七割以内を減額した対価で譲渡することができる。

一　地方公共団体又は社会福祉法人に対し住民の居住の用に供する施設として貸し付けている建物で、保安上危険なものその他その管理が困難なもの

二　共同住宅施設又は集団的に所在する居住の用に供する建物で、住民に貸し付けているもののうち保安上危険なものその他その管理が困難なもの

2　前項の規定により譲与又は譲渡をした場合において、地方公共団体が、各省各庁の長の指定する期間内に、同項に規定する施設の用に供しないとき、又は同項の収容をしようとせず若しくは同項の必要な措置をとらないときは、各省各庁の長は、その契約を解除することができる。

（条件付の売払い又は貸付け）

第七条　普通財産について水害、風害その他の災害の防除若しくは復旧又は土地の開拓、水面の埋立て若しくは干拓その他の天然資源の開発事業を行おうとする者がある場合は、各省各庁の長は、政令で定めるところにより、事業者に対し事業の成功を条件としてその財産の売払い又は貸付けの契約をすることができる。

2　前項の契約をした場合においては、事業者は、各省各庁の長がその事業の成功に要すると認めて定める期間中無償でその財産を使用し、又は収益することができる。

3　各省各庁の長は、第一項の規定により売払い又は貸付けの契約をした場合において、その指定する期間内に事業者がその事業に着手しないときは、その契約を解除することができる。

第八条　前条第一項の規定により売払い又は貸付けの契約をした場合において、同条第二項に規定する期間内に事業が成功しなかつたときでも、土地又は水面の状況により支障がないと認めるときは、各省各庁の長は、事業者に対しその成功した部分につき当該契約に定める条項に準じて売払い又は貸付けをすることができる。

（交換の特例）

第九条　普通財産のうち土地又は建物その他の土地の定着物は、国又は公共団体において公共用、公用又は公益事業の用に供するため必要があるときは、国有財産法第二十七条第一項の規定による場合のほか、土地又は建物その他の土地の定着物と交換することができる。

2　前項に規定するもののほか、普通財産のうち土地及び土地の定着物（以下この項において「土地等」という。）は、所管する各省各庁の長が当該土地を円滑に売り払うため必要があると認めるときは、当該土地等の一部について、隣接する土地等の一部若しくは全部又は当該土地の上に存する借地権の一部と交換することができる。

3　前二項の交換は、交換に係る財産の価額の差額がその価額の多いものの四分の一を超えるときは、行うことができない。

第十条　国有財産法第二十七条第二項及び第三項の規定は、前条の規定による交換について準用する。この場合において、同法第二十七条第三項中「第一項の規定により堅固な建物を」とあるのは、「国有財産特別措置法第九条の規定により」と読み替えるものとする。

（特定普通財産の処理の特例）

第十条の二　賃借権その他の不動産を使用する権利の目的となつている普通財産で居住の用に供されているもの（居住の用に供する部分と事業の用に供する部分とが結合して併用住宅と認められる施設の用に供されているものを含む。）のうち

政令で定めるもの（当該財産と一体として処分することが適当と認められる普通財産を含む。以下「特定普通財産」という。）を売り払うため特に必要がある場合において、当該特定普通財産につき使用する権利を有する者（当該特定普通財産が建物である場合におけるその敷地の所有者その他当該特定普通財産の譲渡を受けることについて特別の事情を有する者として政令で定める者を含む。以下「権利者等」という。）に対し、政令で定めるところにより、売払価額その他売払いに関し必要な事項を提示して当該売払価額で買い受けるよう勧奨したときは、その勧奨を行つた特定普通財産は、当該権利者等に対し、当該勧奨の日から一年以内に限り、当該勧奨に係る売払価額により売り払うことができる。

（延納の特約）

第十一条　普通財産を譲渡した場合において当該財産の譲渡を受けた者が売払代金又は交換差金を一時に支払うことが困難であると認められるときは、確実な担保を徴し、かつ、利息を付して、五年以内の延納の特約をすることができる。ただし、次の各号に掲げる場合には、当該各号に掲げる期間以内とすることができる。

一　地方公共団体、学校法人、社会福祉法人、更生保護法人、日本赤十字社又は公益事業その他の政令で定める事業を営む者に譲渡するとき。　十年

二　居住の用に供されている普通財産を現に使用している者に譲渡するとき。　十年

三　特定普通財産を当該財産の権利者等に譲渡するとき。　二十年

2　国有財産法第二十三条第二項の規定は、前項の規定による売払代金又は交換差金及びそれらの利息の納付について準用する。この場合において、同条第二項中「借受人」とあるのは「当該財産の譲渡を受けた者」と、「貸付料」とあるのは「売払代金又は交換差金及びそれらの利息」と読み替えるものとする。

3　国有財産法第三十一条第二項から第四項までの規定は、第一項の規定により延納の特約をする場合に準用する。

附　則（抄）

1　この法律は、公布の日から施行する。

2　旧軍用財産の貸付及び譲渡の特例等に関する法律（昭和二十三年法律第七十四号。以下「旧法」という。）は、廃止する。

3　旧法は、旧軍港市転換法（昭和二十五年法律第二百二十号）第四条の規定の適用については、この法律施行後も、引き続き、なおその効力を有するものとする。

※障害者の日常生活及び社会生活を総合的に支援するための法律等の一部を改正する法律（令四・一二・一六法一〇四）の附則第二七条で本法が一部改正されましたが、未施行のため、ここに別に掲げました。

（国有財産特別措置法及び激甚災害に対処するための特別の財政援助等に関する法律の一部改正）

第二十七条　次に掲げる法律の規定中「同条第十三項」を「同条第十四項」に、「同条第十四項」を「同条第十五項」に改める。

一　国有財産特別措置法（昭和二十七年法律第二百十九号）第二条第二項第三号ハ

二　〔略〕

附　則（抄）

（施行期日）

第一条　この法律は、令和六年四月一日から施行する。ただし、次の各号に掲げる規定は、当該各号に定める日から施行する。

一〜三　〔略〕

四　〔前略〕附則〔中略〕第二十七条〔中略〕の規定　公布の日から起算して三年を超えない範囲内において政令で定める日

○国有財産特別措置法施行令

昭二七・七・一〇
政令二六四

最終改正　令三・三・三一政令一三七

（無償貸付）

第一条　各省各庁の長（国有財産特別措置法（以下「法」という。）第五条第二項に規定する各省各庁の長をいう。以下同じ。）は、法第二条第二項の規定により普通財産を無償で貸し付ける場合には、同項各号に規定する施設の種類、当該施設に係る事業の規模等を勘案して財務大臣が定める数量に関する基準に従つて当該貸付けを行うものとする。

2　各省各庁の長は、法第二条第二項第七号の規定により普通財産を無償で貸し付ける場合には、次の各号に掲げる施設の区分に応じ、当該各号に掲げる期間の範囲内において当該貸付けを行うものとする。

一　次条第八項第一号に掲げる区域にある法第二条第二項第七号に規定する施設（以下「義務教育等諸学校施設」という。）　次条第七項第一号の告示があつた日の属する年度の末日の翌日から五年間

二　次条第七項第二号又は第三号に掲げる区域にある義務教育等諸学校施設　国有財産法及び国有財産特別措置法の一部を改正する法律（昭和四十八年法律第六十七号）の施行の日（同日後において同項第二号の規定に該当することとなる市町村の区域にある義務教育等諸学校施設にあつては、その該当することとなつた日）から令和十三年三月三十一日（同日以前において同項第二号の規定に該当しないこととなる市町村の区域にある義務教育等諸学校施設にあつては、その該当しないこととなつた日の前日）までの間

第二条　法第二条第二項第一号に規定する政令で定める保護施設は、生活保護法（昭和二十五年法律第百四十四号）第三十八条に規定する救護施設、更生施設、医療保護施設、授産施設及び宿所提供施設とする。

一　生活保護法（昭和二十五年法律第百四十四号）第三十八条に規定する救護施設、更生施設、医療保護施設、授産施設及び宿所提供施設

二　身体障害者福祉法（昭和二十四年法律第二百八十三号）第五条第一項に規定する身体障害者更生援護施設のうち、身体障害者更生施設、身体障害者療護施設及び身体障害者授産施設（通所のみにより利用される施設であつて、常時利用する者が二十人未満であるものを除く。）

三　知的障害者福祉法（昭和三十五年法律第三十七号）第五条に規定する知的障害者援護施設のうち、知的障害者更生施設及び知的障害者授産施設（通所のみにより利用される施設であつて、常時利用する者が二十人未満であるものを除く。）

2　法第二条第二項第二号に規定する政令で定める施設は、児童福祉法（昭和二十二年法律第百六十四号）第七条第一項に規定する児童福祉施設のうち、助産施設、乳児院、母子生活支援施設、保育所、児童養護施設、障害児入所施設、児童発達支援センター、児童心理治療施設及び児童自立支援施設とする。

3　法第二条第二項第三号に規定する政令で定める障害者支援施設は、次に掲げる用のうち一又は二以上の用に主として供するもの（第三号に掲げる用に供する場合には、同号に掲げる用に併せて第一号又は第二号に掲げる用に供するものに限る。）とする。

一　身体障害者福祉法（昭和二十四年法律第二百八十三号）第十八条第二項の規定に基づき市町村（特別区を含む。次号において同じ。）が行う措置（他の地方公共団体に委託して行う措置を含む。）の用

二　知的障害者福祉法（昭和三十五年法律第三十七号）第十六条第一項第二号の規定に基づき市町村が行う措置（他の地方公共団体に委託して行う措置を含む。）の用

三　障害者の日常生活及び社会生活を総合的に支援するための法律（平成十七年法律第百二十三号）の規定による介護給付費、特例介護給付費、訓練等給付費又は特例訓練等給付費の支給に係る者に対する障害福祉サービス（同法第五条第七項に規定する生活介護、同条第十二項に規定する自立訓練、同条第十三項に規定する就労移行支援又は同条第十四項に規定する就労継続支援に限る。）の用

4　法第二条第二項第四号に規定する政令で定める老人福祉施設は、老人福祉法（昭和三十八年法律第百三十三号）第五条の三に規定する老人福祉施設のうち、老人デイサービスセンター、老人短期入所施設、養護老人ホーム及び特別養護老人ホームとする。

5　法第二条第二項第四号ロに規定する政令で定めるものは、次に掲げるサービスとする。

一　介護保険法（平成九年法律第百二十三号）の規定による通所介護若しくは短期入所生活介護に係る特例居宅介護サービス費の支給に係る者に対する居宅サービス、地域密着型通所介護若しくは認知症対応型通所介護に係る特例地域密着型介護サービス費の支給に係る者に対する地域密着型サービス、介護予防短期入所生活介護に係る特例介護予防サービス費の支給に係る者に対する介護予防サービス又は介護予防認知症対応型通所介護に係る特例地域密着型介護予防サービス費の支給に係る者に対する地域密着型介護予防サービス

二　生活保護法の規定による通所介護、短期入所生活介護、地域密着型通所介護若しくは認知症対応型通所介護に係る介護扶助に係る者に対する居宅介護、介護予防短期入所生活介護若しくは介護予防認知症対応型通所介護に係る介護扶助に係る者に対する介護予防又は介護保険法第百十五条の四十五第一項第一号ロに規定する第一号通所事業であつて老人福祉法第二十条の二の二に規定する厚生労働省令で

定めるものによる支援に相当する支援に係る介護扶助に係る者に対する介護予防・日常生活支援

6　法第二条第二項第四号ハに規定する政令で定めるものは、生活保護法の規定による地域密着型介護老人福祉施設入所者生活介護又は介護福祉施設サービスに係る介護扶助に係る者に対する施設介護とする。

7　法第二条第二項第七号に規定する政令で定める地域は、次に掲げる地域とする。

一　激甚災害に対処するための特別の財政援助等に関する法律（昭和三十七年法律第百五十号）第三条第一項の特定地方公共団体（以下「激甚災害を受けた地方公共団体」という。）として告示された地方公共団体の区域

二　過疎地域の持続的発展の支援に関する特別措置法（令和三年法律第十九号）の規定の適用を受けている市町村の区域

三　東京都小笠原村の区域

8　前項第一号の場合において、当該告示をされた地方公共団体が都道府県であるときは、当該都道府県が設置する義務教育等諸学校施設について法第二条第二項第七号の規定を適用する場合に限り、当該都道府県を激甚災害を受けた地方公共団体とする。

（減額譲渡等をすることができる施設）

第三条　法第三条第一項第一号ルに規定する政令で定める施設は、次に掲げる施設とする。

一　公害の状況を把握し、又は公害の防止のための規制の措置を適正に実施するために必要な監視又は測定に関する施設

二　廃棄物の処理及び清掃に関する法律（昭和四十五年法律第百三十七号）第二条第一項に規定する廃棄物の処理施設（ごみ処理施設及びし尿処理施設を除く。）

2　法第三条第一項第一号ヲに規定する政令で定める施設は、体育館、水泳プール及び運動場とする。

3　法第三条第一項第一号ワに規定する政令で定める施設は、次に掲げる施設とする。

一　排水ポンプ、俵、丸太その他の水防に必要な器具又は資材を保管するための施設

二　消防自動車、動力消防ポンプその他の消防の用に供する機械器具を保管するための施設

三　消防の用に供する望楼及び警鐘台その他の防災上必要な監視又は通信に関する施設

四　救急自動車を保管するための施設

第四条　法第三条第一項第二号に規定する政令で定める施設は、魚類のふ化場とする。

（居住用施設等と併せて建設する施設）

第五条　法第六条の二第一項に規定する政令で定める施設は、店舗及び事務所とする。

（居住用施設の譲与等の申請手続）

第六条　各省各庁の長は、法第六条の二第一項の規定により同項各号に掲げる建物を譲与し、又はその敷地を譲渡しようとするときは、その譲与又は譲渡を受けようとする地方公共団体から、次に掲げる事項を記載した計画書及び必要な図面並びに当該建物の居住者（当該建物が同項第一号に掲げる建物のうち当該譲与若しくは譲渡を受けようとする地方公共団体以外の地方公共団体又は社会福祉法人に対して貸し付けられているものである場合には、その地方公共団体又は社会福祉法人及び当該建物の居住者）の当該建物の取壊しについての承諾書を添付した申請書を提出させなければならない。

一　当該建物又は敷地の所在、数量及び現況

二　建設しようとする法第六条の二第一項の住宅施設又は公共の用に供する施設の位置、規模（住宅施設については、戸数を含む。）及び構造

三　当該建物の取壊し及び当該住宅施設又は公共の用に供する施設の建設に係る工事の施行の方法並びにその着手予定日及び完了予定日

四　当該工事に関する資金計画

五　当該建物の居住者を当該住宅施設に収容する計画又は他の住宅施設の提供等他の場所へ移転させるための計画

六　その他参考となる事項

（条件付の売払い又は貸付けの申請手続）

第七条　各省各庁の長は、法第七条第一項の規定により普通財産の売払い又は貸付けの契約をしようとするときは、その売払い又は貸付けを受けようとする者から、次に掲げる事項を記載した事業計画書及び事業計画図を添附した申請書を提出させなければならない。

一　当該財産の所在地及び面積

二　事業の目的

三　事業の施行の方法及び順序

四　事業の成功に要する期間

五　事業に関する資金計画

六　事業が成功した場合において公共の用に供しようとする部分があるときは、その位置及び面積

（成功予定期限及び事業着手期限の指定）

第八条　各省各庁の長は、法第七条第一項の規定による契約をしようとするときは、当該契約の日から十年以内において事業の成功に要する期間を定め、当該契約の日から二年以内において事業に着手すべき期間を定めなければならない。

2　各省各庁の長は、天災その他やむを得ない事由により必要があると認めるときは、前項の規定により定めた事業の成功に要する期間又は事業に着手すべき期間を、当該期間の二分の一に相当する期間内において、延長することができる。

（特定普通財産）

第九条　法第十条の二に規定する政令で定める財産は、次に掲げる財産（財務大臣が定める規模を超えるものを除く。）とする。

一　法令の規定により国有となつた財産で、当該財産が国有となつた日前から引き続き賃借権その他の不動産を使用す

る権利の目的となつているもの

二　旧陸軍省、海軍省及び軍需省の所管に属していた普通財産（以下「旧軍用財産」という。）である建物及びその敷地（旧軍用財産であつた建物の敷地を含む。）

三　地方公共団体又は旧住宅営団が引揚者、戦災者等の居住の用に供するため建設した建物で財務大臣が定めるものの敷地

四　沖縄県の区域内に所在する財産で、昭和四十七年五月十五日前から引き続き賃借権その他の不動産を使用する権利の目的となつているもの

五　その他前各号に掲げる財産に類する特別の事情があると認められる財産として財務大臣が定めるもの

（特定普通財産の譲受けについて特別の事情を有する者）

第十条　法第十条の二に規定する政令で定める者は、特定普通財産（同条に規定する特定普通財産をいう。以下同じ。）である土地の上に存する国以外の者の所有する建物の賃借人とする。

（買受けの勧奨）

第十一条　各省各庁の長は、法第十条の二の規定により特定普通財産を当該財産の権利者等（同条に規定する権利者等をいう。）に対し、買い受けるよう勧奨するときは、次に掲げる事項を記載した書面により行わなければならない。

一　当該財産の所在地、区分及び種目（国有財産法施行令（昭和二十三年政令第二百四十六号）第二十条第一号に規定する区分及び種目をいう。）並びに数量

二　買受けの勧奨の相手方の住所及び氏名

三　売払価額及びその価額により当該財産を買い受けることができる期限

四　買受けの勧奨に応じて当該財産の買受けの申込みを行うことができる期限

五　売払代金の納付方法

六　買受けを希望する場合の申請方法

七　その他参考となる事項

（公益事業その他の事業の指定）

第十二条　法第十一条第一項第一号に規定する政令で定める事業は、次に掲げる事業とする。

一　電気事業

二　ガス事業

三　水道事業

四　熱供給事業

五　鉄道事業（軌道事業を含む。）

六　自動車運送事業

七　海上運送事業

八　倉庫業

九　自動車ターミナル事業

十　耕作又は養畜の事業（農業振興地域の整備に関する法律（昭和四十四年法律第五十八号）第八条第二項第一号の農用地区域内にある同法第三条第一号又は第二号の土地に係るものに限る。）

附　則

この政令は、公布の日から施行する。

○普通財産取扱規則

昭四〇・四・一
大蔵訓令二

最終改正　令四・四・二八財訓令一二

目次〔略〕

第一章　総則

（管理及び処分事務の準則）

第一条　財務局長又は福岡財務支局長（以下「財務局長等」という。）は、別に定めるものを除くほか、この訓令の定めるところにより、普通財産の管理及び処分をしなければならない。

2　財務局長等は、この訓令に定める普通財産の管理及び処分に関する事務の一部を財務事務所長、財務局出張所長、福岡財務支局出張所長及び財務事務所出張所長（以下「財務事務所長等」という。）に取り扱わせることができる。

3　財務局長等は、前項の規定により普通財産の管理及び処分に関する事務の一部を財務事務所長等に取り扱わせる場合には、その取扱いの準則を定めなければならない。

4　財務局長等は、前項に規定する取扱いの準則を定めようとする場合又はこれを変更しようとする場合には、あらかじめ、財務大臣の承認を受けなければならない。ただし、この訓令が改正された場合において、当該改正に伴い準則の一部を変更しようとするときは、この限りでない。

5　財務局長等は、前項ただし書の規定に該当する場合においては、変更された準則の写しを添付して、遅滞なく財務大臣に報告しなければならない。

（定義）

第二条　この訓令において「管理」、「所管換」、「所属替」、「各

省各庁」及び「公共団体」とは、国有財産法（昭和二十三年法律第七十三号。以下「法」という。）に規定する「管理」、「国有財産の所管換」、「国有財産の所属替」、「各省各庁」及び「公共団体」を、「区分」及び「種目」とは、国有財産法施行令（昭和二十三年政令第二百四十六号）に規定する「区分」及び「種目」をいう。

2　この訓令において「使用承認」とは、各省各庁の長に普通財産の使用を承認することをいう。

3　この訓令において「有価証券」とは、株式、新株予約権、社債（特別の法律により法人の発行する債券に表示されるべき権利を含み、法第二条第二項に規定する短期社債等を除く。）、地方債、信託の受益権及びこれらに準ずるもの並びに出資による権利をいう。

4　この訓令において「建築交換」とは、相手方に新たに建物等を建築させて国有財産と交換（売払い及び購入の形式により実質的に交換を行う場合を含む。）をすることをいう。

5　この訓令において「書面等」、「電磁的記録」、「申請等」、「処分通知等」又は「作成等」とは、情報通信技術を活用した行政の推進等に関する法律（平成十四年法律第百五十一号）に規定する「書面等」、「電磁的記録」、「申請等」、「処分通知等」又は「作成等」をいう。

（管理及び処分の基本）

第三条　財務局長等は、管轄区域（九州財務局にあつては、福岡財務支局の管轄区域以外の管轄区域。以下同じ。）内の普通財産について、常にその現状を適確に把握し、地域や社会の要請及び国の財政事情を踏まえつつ、その特性に応じた有効活用を図るための措置を講じることにより、効率的かつ適正に管理及び処分しなければならない。

第二章　管理及び処分の権限及び一般原則

第一節　処理権限

（財務局長等の処理権限）

第四条　財務局長等は、次の各号に掲げる事務を処理することができる。

(一)　普通財産となるべき財産の寄附の受入れ、購入及び引受け

(二)　普通財産（特別の法律により設立された法人及び財務大臣が特に指定する法人に係る出資による権利を除く。以下本条第八号を除き同じ。）の維持及び保存

(三)　普通財産の貸付け（法第二十六条に規定する貸付け以外の方法により、普通財産の使用又は収益をさせる場合を含む。）

(四)　普通財産の管理の委託及び使用承認

(五)　普通財産の所管換（第六条第一号に掲げるものを除く。）、所属替、交換、売払い、譲与及び信託

(六)　第六条第一号に掲げる普通財産の所管換に附帯する事務

(七)　普通財産の現物出資に附帯する事務

(八)　前各号に掲げるもののほか、普通財産の管理及び処分に附帯する事務

（承認事項）

第五条　財務局長等は、別に定めるもののほか、次の各号の一に該当する場合は、財務大臣の承認（第九号においては承認又は指示）を受けなければならない。

(一)　普通財産となるべき財産の寄附を受けようとするとき。

(二)　指名競争に付し又は随意契約により、新規に貸付けをしようとする場合で、予算決算及び会計令（昭和二十二年勅令第百六十五号。以下「予決令」という。）第百二条の四本文又は予算決算及び会計令臨時特例（昭和二十一年勅令第五百五十八号）第五条第二項本文に規定する財務大臣との協議（以下「財務大臣との協議」という。）を必要とするとき（当該協議が既に調つているものを除く。）

(三)　公園又は広場の用に供する目的をもつて所管換をしようとする場合で、無償で整理するとき、又は有償で整理するもののうち分割で行うものであるとき。

(四)　使用承認をしようとする場合で、次に掲げるとき。

イ　無償所管換（次に掲げる無償所管換を除く。）が前提となり、又は想定されるとき。

(i)　国家公務員宿舎法（昭和二十四年法律第百十七号）第八条の二の規定により定められた設置計画に基づく無償所管換

(ii)　国の庁舎等の使用調整等に関する特別措置法（昭和三十二年法律第百十五号）第五条の規定により定められた特定国有財産整備計画に基づく無償所管換

(iii)　各省各庁において庁舎等の取得等を予定しているものについて理財局長が策定する計画に基づく無償所管換

(iv)　単独で利用することが困難な土地の無償所管換（無償所管換以外の方法による管理及び処分を行うことができないときに限る。）

(v)　公園又は広場以外の公共の用に供するための無償所管換

ロ　時期が確定していない有償所管換が前提となり、又は想定されるとき。

ハ　イ及びロのほか、その期間が長期にわたるとき。ただし、第三十二条第二項第三号に該当する場合（別に定める場合を除く。）は、この限りでない。

(五)　交換をしようとする場合で、第十四条から第二十五条までに規定する条件と異なつた条件で交換差金の延納の特約をしようとするとき。

(六)　次に掲げる売払い（第七号へに規定する信託の受益権の売払い及び有価証券の売払いを除く。）をしようとするとき。

イ　指名競争に付し又は随意契約によろうとする場合で、財務大臣との協議を必要とするとき（当該協議が既に調

つているものを除く。）

ロ　第十四条から第二十五条までに規定する条件と異なった条件で売払代金の延納の特約をしようとするとき。

(七)　信託に関し、次に掲げる行為をしようとするとき。

イ　信託をしようとするとき。

ロ　信託の期間を更新しようとするとき。

ハ　信託契約の内容の変更（別に定める軽微な内容の変更を除く。）をしようとするとき。

ニ　信託の受託者が信託期間中に災害その他の特別の事情が生じたことにより借入金限度額を超えて借入れをすることについて、承認しようとするとき。

ホ　信託の受託者が信託法（平成十八年法律第百八号）第四十八条第一項若しくは第二項又は第五十三条第一項の規定により信託財産から償還若しくは前払又は賠償を受けることについて、承認しようとするとき。

ヘ　信託の受益権を売り払おうとするとき。

(八)　財務大臣の承認を受けて普通財産の管理及び処分に関する契約を締結したものについて、その契約を解除しようとするとき。ただし、その事案の内容が軽微なものを除く。

(九)　次に掲げる行為（以下「訴の提起等」という。）をしようとするとき。ただし、イからニまで及びへの場合においては、事案の内容が異例に属するもの又は重要なものに限る。

イ　訴の提起

ロ　裁判上の和解又は調停の申立て

ハ　訴の変更若しくは取下げ、訴訟参加、訴訟脱退、反訴の提起、変更若しくは取下げ、又は請求の認諾若しくは放棄

ニ　上告、特別上告、抗告、準抗告又は特別抗告

ホ　国に不利な判決があつた場合において、上訴しないこと

ヘ　国において損害賠償若しくは損失補償の責に任ずべき行為をする必要がある場合、又は国に対して損害賠償若しくは損失補償の請求があつた場合におけるその処理

ト　貸付関係終了後地上に存する建物その他の物件について買取りの請求をする必要がある場合又は国に対して買取りの請求があつた場合におけるその処理

(十)　普通財産の管理及び処分に関し事案の内容が異例に属するもの又は重要なものであるとき。

（進達事項）

第六条　財務局長等は、次の各号の一に該当するときは財務大臣に進達しなければならない。

(一)　所管換の場合で、皇室の用に供するものに係るとき（国有財産総轄事務処理規則（昭和二十九年大蔵省訓令第五号）第二十二条の二第二号に該当しない場合を除く。）

(二)　現物出資をするとき。

第二節　一般原則

（国有財産地方審議会）

第七条　財務局長等は、普通財産を管理及び処分しようとする場合において、財務局長が国有財産地方審議会に諮問したときは、その意見を尊重しなければならない。

（契約の原則）

第八条　普通財産の管理及び処分に関する契約は、会計法（昭和二十二年法律第三十五号）等関係法令の定めるところにより適正に行わなければならない。

2　普通財産の管理及び処分に関する契約（第六十七条に規定する金融商品市場で売り払う場合の売買契約を除く。）を締結するときは、会計法第二十九条の八第一項ただし書の規定にかかわらず、契約書を作成しなければならない。ただし、予決令第百条の二第一項第一号に該当するときであつて別に定めるものについては、この限りでない。

（数量及び権利関係の把握）

第九条　財務局長等は、普通財産の数量の把握及びその権利関係の明確化に努め、普通財産の適正な方法による管理及び処分を行わなければならない。

（価格評定の原則）

第十条　財務局長等は、普通財産の評価に当たつては、別に定める評価基準により適正に行わなければならない。

第三章　管理及び処分の事務手続

第一節　通則

第十一条　削除

（競争入札の実施）

第十二条　財務局長等は、競争入札を実施しようとするときは、入札公告をその入札期日の前日から起算して少なくとも十日前（急を要する場合は五日前）に官報、新聞紙等に掲載し、又は財務局（福岡財務支局長が競争入札を実施しようとするときは、福岡財務支局。）その他の場所において掲示する等の方法により行い、できるだけ多数の入札参加者を得ることに努めなければならない。

（契約保証金）

第十三条　財務局長等は、普通財産の管理及び処分に関する契約を締結しようとするときは、会計法第二十九条の九の規定により、相手方に契約金額の一〇〇分の一〇以上に相当する金額を契約保証金として納めさせなければならない。ただし、他の法令に基づき延納が認められる場合において確実な担保が提供されるとき、予決令第百条の三第一号若しくは第二号に該当する場合又は予決令第百条の三第三号に該当するものとして次の各号の一に該当する場合（契約の履行を確保するために必要な場合として別に定める場合を除く。）は、契約保証金の全部又は一部を納めさせないことができる。

(一)　契約の相手方が地方自治法（昭和二十二年法律第六十七号）第一条の三に規定する地方公共団体、港湾法（昭和二十五年法律第二百十八号）に定める港務局、土地改良法（昭和二十四年法律第百九十五号）に定める土地改良区及

び同連合、水害予防組合法（明治四十一年法律第五十号）に定める水害予防組合及び同連合、土地区画整理法（昭和二十九年法律第百十九号）に定める土地区画整理組合、地方住宅供給公社法（昭和四十年法律第百二十四号）に定める地方住宅供給公社、地方道路公社法（昭和四十五年法律第八十二号）に定める地方道路公社、公有地の拡大の推進に関する法律（昭和四十七年法律第六十六号）に定める土地開発公社又は特別の法律により設立された法人のうち国が出資している法人である場合

㈡　売払いの場合において、買受人が契約締結と同時に売買代金の全額を納付して直ちに売買物件を引き取る場合

㈢　有償貸付又は交換の契約をする場合

㈣　建築交換のうち特別枠予算方式（庁舎等特別取得費及び庁舎等特別売払代として予算に計上の上、購入及び売払いとして処理するもの（建設に要する期間が二年度以上にわたるものについて国庫債務負担行為により処理するものを含む。）をいう。）によつて交換渡財産を売り払う場合

㈤　前各号に掲げるもののほか、予決令第百条の三第三号に該当するものとして別に定める場合

（延納申請）

第十四条　財務局長等は、法第三十一条第一項ただし書又は国有財産特別措置法（昭和二十七年法律第二百十九号。以下「措置法」という。）第十一条第一項の規定により普通財産の売払代金又は交換差金について延納の申請をしようとする者に対しては、申請書を提出させなければならない。

2　前項の規定による延納の申請書の提出は、次の各号に該当する場合において、これを認めるものとする。

㈠　公共用、公用又は公益事業の用に供するため必要な普通財産を地方公共団体に対して譲渡する場合

㈡　居住の用に供されている普通財産を現に使用している者のうち、個人に対して譲渡する場合

㈢　特定普通財産を当該財産の権利者等のうち、個人に対して譲渡する場合

（延納特約の基準）

第十五条　財務局長等は、前条の規定により申請書の提出があつたときは、財務諸表等及び事業計画書のほか、必要に応じて関係官署、地方公共団体、当該申請者の取引金融機関（出資の受入れ、預り金及び金利等の取締りに関する法律（昭和二十九年法律第百九十五号）第三条に規定する金融機関をいう。以下同じ。）及び取引先等について当該申請者の資産及び事業の状況を十分調査し、交換差金又は売払代金を一時に支払うことが客観的な根拠に基づき真に困難であり、かつ、将来の納付が確実であると判定できる場合に限り、延納の特約をすることができる。この場合において、単に相手方の申し出のみによつて適否を判断することのないように留意しなければならない。

2　財務局長等は、一般競争入札による売払いにあつては、売払代金の延納の特約をすることができない。

（延納期限及び納付方法）

第十六条　財務局長等は、延納期限及び毎期の納付額を決定しようとするときは、別表「延納金納付基準」に定める範囲内において、これを定めなければならない。ただし、別に定めるものについては、この限りでない。

（延納利率）

第十七条　財務局長等は、延納の特約をする場合においては、基準日（各年の四月一日から六月三十日までに契約をするときは当該年の三月三十一日、各年の七月一日から九月三十日までに契約をするときは当該年の六月三十日、各年の十月一日から十二月三十一日までに契約をするときは当該年の九月三十日、各年の一月一日から三月三十一日までに契約をするときは当該年の前年の十二月三十一日とする。以下この条において同じ。）における次の各号に掲げるところにより算出した延納利率によらなければならない。ただし、別に定めるものについては、この限りでない。

㈠　延納期間が三年以内の場合にあつては、基準日において適用されている元金均等方式による貸付期間五年以内で据置期間が最短の財政融資資金の貸付金利（基準日において適用されている当該財政融資資金の貸付金利が基準日又はそれ以前の日において、改定されることが公表されている場合には、公表された改定後の財政融資資金の貸付金利。以下同じ。）に、十分の八を乗じ、〇・九％を加えた利率（〇・一％未満の端数については、これを切り捨てる。）

㈡　延納期間が三年超五年以内の場合にあつては、基準日において適用されている元金均等方式による貸付期間五年以内で据置期間が最短の財政融資資金の貸付金利に、〇・九％を加えた利率

㈢　延納期間が五年超十年以内の場合にあつては、基準日において適用されている元金均等方式による貸付期間九年超十年以内で据置期間が最短の財政融資資金の貸付金利に、〇・九％を加えた利率

㈣　延納期間が十年超二十年以内の場合にあつては、基準日において適用されている元金均等方式による貸付期間十九年超二十年以内で据置期間が最短の財政融資資金の貸付金利に、〇・九％を加えた利率

（担保の種類）

第十八条　財務局長等は、延納代金（売払代金又は交換差金の金額から契約締結後、即納する金額を差し引いた金額をいう。以下同じ。）について、財務局長等が適当と認める次の各号に掲げる担保を提供させなければならない。ただし、相手方が地方公共団体であるとき及び売払財産について、民法（明治二十九年法律第八十九号）第三百二十五条第三号の規定により取得すべき先取特権で十分であると認めるときは、この限りでない。

㈠　国債及び地方債（港湾法第三十条第一項の規定により港務局が発行する債券を含む。以下同じ。）

㈡　社債その他の有価証券（株式については金融商品取引所

（金融商品取引法（昭和二十三年法律第二十五号）第二条第十六項に規定する金融商品取引所をいう。次条第二項第三号において同じ。）に上場されているものに限り、新株予約権を除く。）

(三) 土地及び保険に付した建物

(四) 鉄道財団、工場財団、鉱業財団、軌道財団、運河財団、漁業財団、港湾運送事業財団及び道路交通事業財団

(五) 金融機関その他の保証人の保証

(六) 前各号に掲げるもののほか、財務大臣の承認を受けたもの

2　前項の場合において、第一号及び第二号に掲げる財産については質権を、第三号及び第四号に掲げる財産については、抵当権を設定させるものとする。

（担保価額及び担保価値）

第十九条　財務局長等は、前条第一項本文の場合においては、延納代金の金額と当該延納代金に対する一年分の利息に相当する金額との合計額に相当する価額以上の担保価値（財産の担保物件として有する価値をいう。以下同じ。）を有するものを担保として提供させなければならない。

2　前条第一項各号に掲げるものの担保の価値の金額は、次の各号に掲げる金額とする。

(一) 国債又は地方債にあつては、政府ニ納ムヘキ保証金其ノ他ノ担保ニ充用スル国債ノ価額ニ関スル件（明治四十一年勅令第二百八十七号）に規定する金額又は同令の例による金額

(二) 社債、特別の法律により法人の発行する債券及び貸付信託の受益権にあつては、額面金額（発行価額が額面金額と異なるときは、発行価額）の八割に相当する金額

(三) 金融商品取引所に上場されている株式、出資による権利及び投資信託の受益権にあつては、時価の八割以内において別に定めるところにより財務局長等が決定する金額

(四) 金融機関の引受け、保証又は裏書きのある手形にあつては、手形金額（その手形の満期の日が当該担保を付することとなつている債権の履行期限後であるときは、当該履行期限の翌日から手形の満期の日までの期間に応じ当該手形金額を一般金融市場における割引率により割り引いた金額）

(五) 土地にあつては、時価（土地のみを担保として提供させる場合において、当該土地上に建物があるとき又はその建設計画があるときは、更地価格から地上権に相当する割合を控除した価額）の八割五分以内において別に定めるところにより財務局長等が決定する金額

(六) 保険に付した建物、鉄道財団、工場財団、鉱業財団、軌道財団、運河財団、漁業財団、港湾運送事業財団並びに道路交通事業財団にあつては、時価の七割以内において別に定めるところにより財務局長等が決定する金額

(七) 金融機関その他の保証人の保証にあつては、その保証する金額

(八) 前各号に掲げる担保以外の担保にあつては、財務大臣の承認を受けて財務局長等が決定する金額

（担保の選定）

第二十条　財務局長等は、担保として提供させる財産を選定しようとする場合は、次の各号に掲げる事項に留意しなければならない。

(一) 換価処分の難易

(二) 延納期間中に担保価値が著しく低下するおそれの有無

(三) 不動産又は船舶については、当該物件の現在の利用状況、抵当権等の担保物権設定の有無及び設定済みのときは当該担保物権の内容（順位、権利者及び被担保債権の額等）

（担保物件の付保）

第二十一条　財務局長等は、第十八条第一項第三号（土地を除く。）、第四号及び第六号に掲げるもののうち付保を要するものを担保として提供させるときは、あらかじめその担保としての評価額に相当する金額を保険金額とし、相手方を被保険者とする損害保険契約を締結させ、その保険金請求権を財務局長等に譲渡させ又はその保険金請求権について財務局長等のために質権を設定させ、かつ、確定日付のある証書をもつてその旨を保険者に通知させたうえ、その保険証券を提出させなければならない。

2　前項の場合において、当該担保物件について、既に保険が付されているときは、相手方の有する保険金請求権について、前項に定める手続きをとらなければならない。ただし、その保険金額がその担保としての評価額に満たないときは、その差額について前項の規定を適用する。

3　前二項の規定により相手方から保険証券の提出があつたときは、直ちに当該証券に第一項に規定する保険金請求権の譲渡又は質権の設定について裏書を受けなければならない。

4　財務局長等は、第十八条第一項ただし書の規定により担保の提供をさせないで普通財産の売払代金の延納の特約をしようとする場合において、当該売払財産が同項第三号（土地を除く。）及び第四号に掲げるものに該当するときは、当該担保物件を保険に付させなければならない。

5　財務局長等は、第一項、第二項又は前項の規定による保険契約が満期になつたときは、これを更新させなければならない。

6　第一項及び第三項の規定は、前二項の場合に準用する。

（増担保）

第二十二条　財務局長等は、担保価値が減少したと認めるときは、増担保又は代りの担保を、担保物件が滅失したときは代りの担保を提供させなければならない。

2　前四条の規定は増担保又は代りの担保を提供させる場合に準用する。

（有価証券の供託）

第二十三条　財務局長等は、担保として第十八条第一項第一号又は第二号に掲げる有価証券を提供しようとする者があるときは、債権管理事務取扱規則（昭和三十一年大蔵省令第八十

六号）第二十六条第一項本文の規定に基づき、当該有価証券を供託所に供託させ、供託書正本を提出させなければならない。

2　財務局長等は、国債ニ関スル法律（明治三十九年法律第三十四号）に定める登録国債については、前項の規定にかかわらず、当該担保に係る登録を受けさせ、登録済通知書を提出させなければならない。

（担保の解除）

第二十四条　財務局長等は、延納代金及び延納利息が完納されたときは、遅滞なく、担保解除の手続をとらなければならない。

2　財務局長等は、延納代金及び延納利息の一部が納付された後、相手方から担保の一部解除の申請があつた場合において、残存担保物件の担保価値をもつて、当該債権及び当該債権に係る一年分の利息についての債権の額が十分に保全されており、当該債権の管理上支障がないと認めるときは、担保の一部を解除することができる。

（延納特約の解除等）

第二十五条　財務局長等は、延納の特約をした相手方が第二十一条第五項又は第二十二条第一項に規定する措置に従わないときは、直ちにその特約を解除しなければならない。

2　財務局長等は、延納の特約をした相手方が納付期日までに納付すべき延納代金を完納しない場合には、その未納に係る部分について第三十条第二項及び第三項の規定に準じ延滞金を徴するほか、延納の特約を解除しなければならない。ただし、やむを得ない事情がある場合は、この限りでない。

3　財務局長等は、前二項の規定により延納の特約を解除したときは、遅滞なく、未納の延納代金及び延納利息を一時に支払わせなければならない。

第二十六条　削除

（用途指定の事務処理）

第二十七条　財務局長等は、普通財産の貸付け、売払い又は譲与をしようとする場合においては、別に定める普通財産に係る用途指定の処理要領により、その相手方に対して当該財産の用途（以下「指定用途」という。）、指定用途に供しなければならない期日及び指定用途に供しなければならない期間を指定（以下「用途指定」という。）し、適正に行わなければならない。

2　財務局長等は、前項の規定により指定した期間中、当該用途指定をした財産について、必要に応じ、実地に調査し又は所要の報告を求めなければならない。

3　財務局長等は、相手方が指定用途に供しない等用途指定に違反する事実があると認めるときは、遅滞なく指定用途に供すべきことの督促、違約金の徴収、契約の解除、損害賠償の請求等適切な措置を講じなければならない。

第二節　承認申請手続

（寄附の受入れ）

第二十八条　財務局長等は、普通財産となるべき財産の寄附を受けようとする場合において、第五条第一号の規定により財務大臣の承認を受けようとするときは、承認申請書に、次の各号に掲げる事項を記載した調書、契約書案、評価に関する調書、図面（位置図、配置図及び実測図をいう。以下同じ。）、その他関係書類及び寄附申出書を添付して財務大臣に申請しなければならない。

一　財産の所在地（船舶法（明治三十二年法律第四十六号）の適用を受ける船舶については船籍港。以下同じ。）、区分、種目、構造及び数量
二　財産の評価額
三　寄附申出者の住所及び氏名又は名称
四　寄附に附帯する条件の有無及び条件のあるときはその内容
五　寄附の受入れを適当と認める理由
六　財産が建物又は工作物でその敷地が借地である場合は、当該借地に係る借地契約の内容並びに土地所有者の住所、氏名又は名称及び寄附についての同意書
七　その他参考となる事項

（購入）

第二十九条　財務局長等は、普通財産となるべき財産の購入をしようとする場合において、第五条第十号の規定により財務大臣の承認を受けようとするときは、承認申請書に、次の各号に掲げる事項を記載した調書、契約書案、評価に関する調書、図面、その他関係書類及び相手方の内諾書を添付して財務大臣に申請しなければならない。

一　財産の所在地、区分、種目、構造及び数量
二　財産の評価額及び相手方の希望価額
三　予算額及び経費の支出科目
四　財産の所有権の確認及び当該財産についての私権設定の有無
五　相手方の住所及び氏名又は名称
六　購入を必要とする理由及び利用計画
七　購入に附帯する条件の有無及び条件のあるときはその内容
八　財産が建物又は工作物でその敷地が借地である場合は、当該借地に係る借地契約の内容並びに土地所有者の住所、氏名又は名称及び購入についての同意書
九　その他参考となる事項

（貸付け）

第三十条　財務局長等は、普通財産の貸付けをしようとする場合において、第五条第二号又は第十号の規定により財務大臣の承認を受けようとするときは、承認申請書に、次の各号に掲げる事項を記載した調書、契約書案、図面（実測図を除く。以下第三十一条、第三十二条、第三十六条及び第四十条において同じ。）、その他関係書類及び相手方からの申請書又は要望書（いずれも必要と認める添付書類を含む。以下交換、売払い及び譲与の場合の申請書について同じ。）を添付して財務大臣に申請しなければならない。

㈠ 財産の国有財産台帳（以下「台帳」という。）記載事項
㈡ 相手方の利用計画又は事業計画
㈢ 貸付期間
㈣ 貸付料の概算額又は貸付料
㈤ 無償貸付け若しくは減額貸付けをする必要があるとき又は指名競争契約若しくは随意契約により貸付けをしようとするときは、その適用しようとする法令の条項
㈥ その他参考となる事項

2 財務局長等は、普通財産の借受人が貸付料を納付期日までに納付しない場合は、延滞金を徴しなければならない。ただし、国の債権の管理等に関する法律（昭和三十一年法律第百十四号）第三十三条の規定により、これを付さない場合又はこれを免除することができる場合は、この限りでない。

3 前項の場合における延滞金の利率は国の債権の管理等に関する法律施行令（昭和三十一年政令第三百三十七号）第二十九条本文に規定する率とする。

4 財務局長等は、普通財産の使用又は収益を目的とする権利の譲渡又は転貸を禁止しなければならない。ただし、特別の事情があるものとして別に定める場合又は財務大臣の承認を得た場合は、この限りでない。

5 財務局長等は、普通財産の新規の有償貸付をしようとする場合には、別に定めるところにより適正に行わなければならない。

（管理の委託）

第三十一条 財務局長等は、普通財産の管理を委託しようとする場合において、第五条第十号の規定により財務大臣の承認を受けようとするときは、承認申請書に、次の各号に掲げる事項を記載した調書、契約書案、図面、その他関係書類及び相手方からの申請書を添付して財務大臣に申請しなければならない。

㈠ 財産の台帳記載事項
㈡ 財産の現況
㈢ 財産の評価額
㈣ 相手方の管理計画又は事業計画
㈤ 管理の委託につき適用する法令の条項
㈥ 管理の委託に附帯する条件の内容
㈦ 管理の委託を適当と認める理由
㈧ その他参考となる事項

（使用承認）

第三十二条 財務局長等は、使用承認をしようとする場合において、第五条第四号又は第十号の規定により財務大臣の承認を受けようとするときは、承認申請書に、次の各号に掲げる事項を記載した調書、申請者に対し当該財産の使用を承認することを通知するための使用承認書案、申請者が当該財産の使用について財務局長等の付す条件を承諾する旨を記載した承諾書案、図面、その他関係書類及び相手方からの申請書を添付して財務大臣に申請しなければならない。

㈠ 財産の台帳記載事項
㈡ 相手方の利用計画又は事業計画及び予算上の措置
㈢ 使用期間
㈣ 使用料
㈤ その他参考となる事項

2 財務局長等は、使用承認をしようとするときは、次の各号の一に該当する場合に限りこれを行うことができる。

㈠ 各省各庁の部局等において、事務又は事業の遂行上、所管換の手続前に早急に使用させる必要があると認める場合
㈡ 普通財産の処分計画に支障がない場合であつて、処分するまでの期間内において、臨時に一定期間に限つて使用させる必要があると認める場合
㈢ 提供財産として使用させる必要があると認める場合

（所管換）

第三十三条 財務局長等は、普通財産の所管換をしようとする場合において、第五条第三号又は第十号の規定により財務大臣の承認を受けようとするときには、承認申請書に、次の各号に掲げる事項を記載した調書、評価に関する調書（無償所管換の場合を除く。）及び協議書（各省各庁の部局等の長が所管換を受けることについて、財務局長等に協議する場合の協議書をいう。）を添付して財務大臣に申請しなければならない。

㈠ 財産の台帳記載事項
㈡ 相手方の利用計画又は事業計画
㈢ 財産の評価額又は見積価額
㈣ その他参考となる事項

（交換）

第三十四条 財務局長等は、普通財産の交換をしようとする場合において、第五条第五号又は第十号の規定により財務大臣の承認を受けようとするときは、承認申請書に、次の各号に掲げる事項を記載した調書、契約書案、評価に関する調書、図面、交換差金の延納を認めようとする場合にあつては相手方からの延納に関する申請書、その他関係書類及び相手方からの交換に関する申請書を添付して財務大臣に申請しなければならない。

㈠ 交換に供する財産の台帳記載事項及び評価額
㈡ 交換により取得する財産の明細（区分、種目、構造、数量及び評価額）
㈢ 理由
㈣ 利用計画
㈤ 交換差金がある場合は、その価額、納付方法及び契約保証金の価額
㈥ その他参考となる事項

2 財務局長等は、措置法第九条第二項の規定により普通財産の交換をしようとするときは、当該普通財産のうち土地が次の各号の一に該当する場合に限り行うことができる。

㈠ 建築物の敷地として使用するならば建築基準法（昭和二十五年法律第二百一号）第四十三条の規定に適合しないこととなる場合

(二) 形状が不整形である場合（前号に該当する場合を除く。）
(三) 借地権の目的となつている場合

（売払い）

第三十五条 財務局長等は、普通財産の売払いをしようとする場合において、第五条第六号又は第十号の規定により財務大臣の承認を受けようとするときは、承認申請書に、次の各号に掲げる事項を記載した調書、契約書案、評価に関する調書、図面、延納売払い（延納の特約のある売払いをいう。以下同じ。）の場合にあつては、相手方からの延納に関する申請書、その他関係書類並びに相手方からの売払いに関する申請書又は要望書を添付して財務大臣に申請しなければならない。

(一) 財産の台帳記載事項
(二) 財産の概算評価額又は売払価額（減額売払いの場合には、法令の条項及びその理由）
(三) 売払代金の納期及び方法
(四) 指名競争契約の場合は相手方及び指名した理由、また随意契約の場合は相手方及びその利用計画又は事業計画
(五) 売払いに附帯する条件の有無及び条件のあるときはその内容
(六) その他参考となる事項

（譲与）

第三十六条 財務局長等は、普通財産の譲与をしようとする場合において、第五条第十号の規定により財務大臣の承認を受けようとするときは、承認申請書に、次の各号に掲げる事項を記載した調書、契約書案、評価に関する調書、図面、その他関係書類及び相手方からの申請書を添付して財務大臣に申請しなければならない。

(一) 財産の台帳記載事項
(二) 財産の評価額（用途を指定しないものについては見積評価額）
(三) 相手方及び利用計画又は事業計画
(四) 譲与につき適用する法令の条項
(五) 譲与に附帯する条件の有無及び条件のあるときはその内容
(六) その他参考となる事項

（信託）

第三十六条の二 財務局長等は、普通財産の信託をしようとする場合において、第五条第七号イの規定により財務大臣の承認を受けようとするときは、承認申請書に、次の各号に掲げる事項を記載した調書、契約書案、図面その他関係書類及び相手方からの申請書を添付して財務大臣に申請しなければならない。

(一) 財産の台帳記載事項
(二) 財産の評価額
(三) 相手方の事業計画及び資金計画
(四) 信託を可とする理由
(五) 信託の収支見積り
(六) 信託の受託者が当該信託に必要な資金の借入れをする場合の当該借入金の限度額
(七) 信託報酬
(八) 土地の売払い又は貸付けをした場合に通常享受すると見込まれる利益
(九) その他参考となる事項

2 財務局長等は、普通財産の信託をしようとする場合において、第五条第七号ロからヘまでの規定により財務大臣の承認を受けようとするときは、承認申請書に、次の各号に掲げる事項を記載した調書、その他関係書類及び相手方からの申請書を添付して財務大臣に申請しなければならない。

(一) 受託者の住所及び氏名又は名称
(二) 信託財産の現況
(三) 受託者の申請の趣旨
(四) 受託者からの申請を適当と認める理由
(五) その他参考となる事項

（契約の解除）

第三十七条 財務局長等は、財務大臣の承認を受けた普通財産の管理及び処分に関する契約を解除しようとする場合において、第五条第八号の規定により財務大臣の承認を受けようとするときは、承認申請書に、当該事案の決議書の写しその他の関係書類を添付して財務大臣に申請しなければならない。

（訴の提起等）

第三十八条 財務局長等は、普通財産の管理及び処分に関し訴の提起等をしようとする場合において、第五条第九号又は第十号の規定により財務大臣の承認を受けようとするときは、承認申請書に、次の各号に掲げる事項又は当該事項に準ずる事項を記載した調書その他の関係書類を添付して財務大臣に申請しなければならない。

(一) 相手方の住所及び氏名又は名称
(二) 提訴裁判所名
(三) 請求の趣旨
(四) 提訴の理由（提訴の法的根拠及び経緯概要）
(五) 請求の原因等を立証する資料の状況
(六) 法務局又は地方法務局の意見
(七) その他参考となる事項（弁護士の選任を必要とする場合はその弁護士名及び選任の理由）

第三節 進達手続

（所管換）

第三十九条 財務局長等は、第六条第一号に掲げる財産の所管換について財務大臣に進達しようとするときは、進達書に、次の各号に掲げる事項を記載した調書を添付して財務大臣に進達しなければならない。

(一) 財産の台帳記載事項
(二) 財産の見積評価額
(三) 利用計画
(四) 所管換を可とする理由
(五) その他参考となる事項

（現物出資）

第四十条　財務局長等は、普通財産の現物出資の申請があった場合において、財務大臣に進達しようとするときは、進達書に、次の各号に掲げる事項を記載した調書、図面、その他関係書類及び現物出資申請書を添付して財務大臣に進達しなければならない。

(一)　財産の台帳記載事項
(二)　財産の現況
(三)　財産の評価額
(四)　出資に関する処理意見
(五)　その他参考となる事項

第四十一条　削除

第四節　削除

第五節　その他

（引受け）

第四十二条　財務局長等は、管轄区域内にある行政財産で用途が廃止されたもの若しくは法令の規定により国庫に帰属した財産について、各省各庁の部局等の長若しくは清算人等から引継ぎがあった場合又は相続税法（昭和二十五年法律第七十三号）の規定により国庫に納付された財産について、これを収納した税務署長（以下「収納官庁」という。）から引継ぎ（有価証券を除く。）があった場合は、引継書等と当該財産とを照合のうえ、その引受けをしなければならない。

2　財務局長等は、前項の規定により財産の引継ぎを受けたときは、引継年月日及び当該財産を受領した旨を記載した普通財産引受書を作成し、これを相手方又は収納官庁に送付しなければならない。

第四十三条及び第四十四条　削除

（境界確定）

第四十五条　財務局長等は、普通財産である土地とこれに隣接する土地との境界の確定をしようとする者に対しては、次に掲げる事項を記載した申請書に、必要な挙証書類及び現況図を添付して申請させなければならない。

(一)　境界確定を必要とする土地の所在、種目及び数量（所有者ごとに区分を明示すること。）
(二)　境界確定を必要とする個所
(三)　境界確定を必要とする理由
(四)　その他参考となる事項

2　財務局長等は、前項の申請書を受理したときは、遅滞なく次に掲げる事項を調査するとともに、現地立会のうえ、境界を明らかにし、財産の維持保全に努めなければならない。

(一)　その土地が台帳、土地台帳又はそれらの付図と符合しているかどうか
(二)　申請書及び挙証書類が正当であるかどうか

（所管換財産の引渡し）

第四十六条　財務局長等は、その管理する普通財産を所管換することとなった場合には、相手方と実地に立会のうえ当該財産を引き渡し、所管換財産受渡証書を作成しなければならない。

2　財務局長等は、前項の場合において当該事案が有償所管換であるときは、対価の納付があった後でなければ、所管換をする財産の引渡しを行ってはならない。ただし、特別の事情があるものとして別に定める場合又は財務大臣の承認を得た場合は、この限りでない。

（権利の登記等）

第四十七条　財務局長等は、普通財産である不動産に関する権利の得喪変更があったときは、遅滞なく、不動産登記法（平成十六年法律第百二十三号）の定めるところにより、その登記を嘱託しなければならない。

2　財務局長等は、普通財産である船舶に関する権利の得喪変更があったときは、遅滞なく船舶登記令（平成十七年政令第十一号）の定めるところにより、その登記を嘱託するとともに、船舶法の定めるところにより登録しなければならない。

3　財務局長等は、第十八条第二項（第二十二条第二項の規定により準用する場合を含む。）の規定により抵当権を設定させるときは、遅滞なく、不動産登記法の定めるところによりその登記を嘱託しなければならない。

4　財務局長等は、第十八条第一項ただし書の規定により担保を提供させないときは、遅滞なく、不動産登記法の定めるところにより、民法第三百四十条に規定する先取特権の登記と、売払財産の所有権移転の登記とを同時に、嘱託しなければならない。

5　財務局長等は、国が登記義務者となるときは、遅滞なく、登記権利者に対して次の各号に掲げる事項を記載した請求書を提出させるとともに、登録免許税を負担させた上、不動産登記法の定めるところにより登記を嘱託し、登記識別情報の通知を希望しない旨の申出をした場合を除き、登記完了後に通知を受けた登記識別情報を登記権利者に通知しなければならない。

(一)　相手方の氏名及び住所
(二)　財産の所在、区分、種目、構造及び数量
(三)　登録免許税
(四)　登記識別情報の通知を希望しない場合にはその旨
(五)　その他参考となる事項

第四十八条及び第四十九条　削除

（民有地の借受け）

第五十条　財務局長等は、普通財産である建物等の敷地として借り受けている土地については、常に現況を明らかにしておかなければならない。

（滅失又は損傷の報告）

第五十一条　財務局長等は、会計検査院法（昭和二十二年法律第七十三号）第二十七条の規定により普通財産の亡失を報告しようとするときは、写しを添付のうえ財務大臣を経由して報告しなければならない。

（検査の報告等）

第五十二条　財務局長等は、会計検査院からの質問又は照会に回答しようとするときは、

遅滞なく、財務大臣を経由して提出しなければならない。ただし、緊急やむを得ないときは、その写しを財務大臣に送付し、回答書を直接会計検査院に提出することができる。

第五十三条　削除

第四章　台帳、報告書及び計算書

（台帳）

第五十四条　財務局長等は、その管理する普通財産（以下「管理財産」という。）について、法第三十二条第一項の規定により台帳を備えなければならない。

（台帳の整理）

第五十五条　財務局長等は、管理財産について、取得、所管換、処分その他の理由に基づく変動が生じたときは、その都度遅滞なく、台帳に増減異動を登録し、付属図面を修正しなければならない。

2　前項の規定により台帳に増減異動を登録し、付属図面を修正したときは、決議書類に台帳整理年月日を記載しなければならない。

（増減及び現在額報告書）

第五十六条　財務局長等は、毎会計年度末において、管理財産について、法第三十三条第一項に規定する国有財産増減及び現在額報告書を作成し、別に定める国有財産増減事由別調書を添付して翌年度七月二十日までに財務大臣に提出しなければならない。

（見込現在額報告書）

第五十七条　財務局長等は、管理財産について、毎会計年度ごとに、法第三十五条第一項に規定する国有財産見込現在額報告書を作成し、別に定める国有財産見込現在額増減事由別調書を添付して当該年度八月三十一日までに財務大臣に提出しなければならない。

（無償貸付状況報告書）

第五十八条　財務局長等は、毎年会計年度末において、管理財産について、法第三十六条第一項に規定する国有財産無償貸付状況報告書を作成し、翌年度七月二十日までに財務大臣に提出しなければならない。

（増減及び現在額計算書及び無償貸付状況計算書）

第五十九条　財務局長等、財務事務所長、小樽出張所長及び北見出張所長は、毎会計年度末において、その直轄区域内（財務局出張所（小樽出張所及び北見出張所を除く。）を置く財務局又は福岡財務支局にあつては当該財務局出張所又は福岡財務支局出張所の、財務事務所出張所を置く財務事務所にあつては当該財務事務所出張所の、それぞれ管轄区域を含む。）に所在する普通財産について、計算証明規則（昭和二十七年会計検査院規則第三号）第六十四条第二項に規定する国有財産増減及び現在額計算書及び国有財産無償貸付状況計算書を作成し、同条第三項に規定する期間内に会計検査院に提出しなければならない。

第六十条　削除

第六十一条　削除

第五章　削除

第六十二条　削除

第六十三条　削除

第六十四条　削除

第六章　有価証券に関する特例

（物納有価証券の引受け）

第六十五条　財務局長等は、管轄区域内にある収納官庁から物納された有価証券（以下「物納有価証券」という。）の引継ぎがあつた場合は、引継書等と照合のうえ、その引受けをしなければならない。

2　財務局長等は、前項の規定により物納有価証券の引継ぎを受けたときは、引継年月日及び物納有価証券を受領した旨を記載した物納有価証券引受書を作成し、これを収納官庁に送付しなければならない。

3　財務局長等は、物納有価証券のうち記名有価証券で名義変更未済のものの引継ぎを受けたときは、遅滞なく名義変更の手続をしなければならない。

（その他の有価証券の引受け等）

第六十六条　財務局長等は、法令の規定により若しくは寄附により国庫に帰属した有価証券又は国が資金若しくは積立金の運用及びこれに準ずる目的のために臨時に所有する有価証券でその目的に該当しなくなつたものについて、各省各庁の部局等の長から引継ぎがあつた場合には、その引受けをしなければならない。

2　会社法（平成十七年法律第八十六号）、会社更生法（平成十四年法律第百五十四号）その他の法の規定により又は国の有する債権の弁済として、国が取得する有価証券については、当該有価証券を発行する法人の住所又は当該債権に係る債務の履行地を管轄する財務局長等（当該住所又は履行地が福岡財務支局の管轄区域内にある場合にあつては、福岡財務支局長。）がその交付を受けなければならない。

3　前二項の規定により引継ぎ又は交付を受ける場合の手続については、前条の例による。

（所属替）

第六十七条　財務局長等は、前二条の規定により引継ぎ又は交付を受けた有価証券で、次の各号に掲げるものについて当該各号に定める者に所属替をしなければならない。

(一)　財務大臣が特に指定する有価証券については、財務大臣

(二)　前号に掲げる有価証券以外のもので、イ又はロに掲げる有価証券については、イ又はロに定める財務局長等

イ　金融商品取引法第二条第十七項に規定する取引所金融商品市場若しくは金融商品取引法第六十七条第二項に規

定する店頭売買有価証券市場（以下「金融商品市場」という。）において売買されている有価証券、又はこれら有価証券を発行する法人が発行する有価証券であつて財務大臣が特に指定するもの以外のものについては、関東財務局長

ロ　イに掲げる有価証券以外のもので、他の財務局長等の管轄区域内に本店の住所を有する法人の発行した有価証券（投資信託の受益権にあつては、他の財務局長等の管轄区域内に本店の住所を有する管理法人が管理するもの）については、当該他の財務局長等

2　財務局長等は、前項の規定により有価証券の所属替をしようとするときは、次の各号に掲げる事項を記載した調書を作成し、これに当該有価証券を添付して、確実な方法によりその都度財務大臣又は他の財務局長等に送付しなければならない。ただし、金融商品市場において売買されている有価証券の所属替をしようとするときは、原則として関東財務局において有価証券の処分を委託している金融商品取引業者（金融商品取引法第二条第九項に規定する金融商品取引業者をいう。）の本店又は支店に当該有価証券を預け入れ、その際徴した受領書を調書に添付するものとする。

一　財産の台帳記載事項
二　収納事由
三　その他参考となる事項

（受払い及び保管）

第六十八条　財務局長等は、前三条の規定により有価証券の引継ぎ、交付又は所属替を受けた場合は、政府所有有価証券取扱規程（大正十一年大蔵省令第七号。以下「有価証券取扱規程」という。）の定めるところにより、当該有価証券の受払い及び保管をしなければならない。

2　財務局長等は、前三条の規定により引継ぎ、交付又は所属替を受けた有価証券については、有価証券取扱規程第二条の規定により、遅滞なく日本銀行本店、支店又は代理店に寄託しなければならない。

3　財務局長等は、取扱主任官として、有価証券取扱規程第十条に規定する手続をしなければならない。

（代理官の通知）

第六十九条　財務局長等は、その管理することとなつた記名有価証券について、当該有価証券を発行する法人に対して官職氏名及び財務大臣の代理官である旨を通知し、その官印を届け出なければならない。

第七十条　削除

（株主権等の管理）

第七十一条　財務局長等は、その管理する有価証券に係る株主権等の権利の管理に当たつては、当該有価証券を発行した法人の財務諸表を調査する等の方法により当該法人の実態を常に把握するとともに、株主総会等の招集の通知を受けた場合には、当該株主総会等に付議される事案の内容を検討し、株主権等を適正に行使する等、その権利の保全に努めなければならない。

第七十二条　削除

（売払いの承認）

第七十三条　財務局長等は、有価証券の売払いをしようとする場合で、次の各号の一に該当するときは、財務大臣の承認を受けなければならない。

一　随意契約によろうとするとき。ただし、財務大臣との協議が既に調つているもの又は金融商品市場で売り払うものを除く。
二　事案の内容が異例に属するもの又は重要なものであるとき。

（売払いの承認申請手続）

第七十四条　財務局長等は、前条に規定する財務大臣の承認を受けようとするときは、承認申請書に、次の各号に掲げる事項を記載した調書、評価に関する調書、その他参考書類及び相手方からの申請書を添付して財務大臣に申請しなければならない。

一　種目及び銘柄
二　数量及び売払見込価格
三　売払時期及び方法
四　指名競争入札の場合は指名する相手方、指名する理由、指名競争入札によろうとする理由及び適用法令の条項
五　随意契約の場合は相手方、随意契約によろうとする理由及び適用法令の条項
六　発行法人の概要
七　その他参考となる事項

第七十五条　削除

（入札保証金等）

第七十六条　財務局長等は、競争入札により有価証券の売払いをしようとする場合は、当該入札に加わろうとする者に、その者の見積る契約金額の一〇〇分の三〇以上に相当する金額の入札保証金を納めさせなければならない。

2　財務局長等は、有価証券の売払契約を締結しようとするときは、第十三条本文の規定にかかわらず、相手方に契約金額の一〇〇分の三〇以上に相当する金額の契約保証金を納めさせなければならない。

（売払代金及び有価証券の受渡し）

第七十七条　財務局長等は、有価証券の売払いが確定した場合は、入札による落札価額又は随意契約による売払価額の決定後遅くとも七日以内に売払代金を納付させなければならない。

2　財務局長等は、買受人から売払代金を納付したことを証する領収証書の提示を受けたときは、有価証券を買受人に引き渡さなければならない。この場合において、引渡しに際し法令の規定により特別の手続を必要とするものについては、当該手続を行つた後に引き渡すものとする。

（新株予約権）

第七十八条　第七十三条から前条までの規定は、株式に係る新株予約権の売払いをする場合について準用する。

第七章　雑則

（電磁的記録による作成等）
第七十九条　この訓令の規定に基づき財務局長等又は手続の相手方が作成等を行う書面等については、当該書面等に係る電磁的記録により作成等を行うことができる。
2　前項の規定により電磁的記録による作成等を行うときは、財務局長等又は手続の相手方の使用に係る電子計算機を使用し、当該書面等に記載すべき事項を記録して行うものとする。
3　前二項の規定は、第五十九条の規定により財務事務所長、小樽出張所長及び北見出張所長が作成等を行う書面等について準用する。

（電子情報処理組織による申請等）
第八十条　この訓令の規定に基づき財務局長等が書面等により財務大臣若しくは手続の相手方に対し申請等を行うとき又は手続の相手方が書面等により財務局長等に対し申請等を行うときは、当該財務局長等又は当該手続の相手方は、当該申請等につき電子情報処理組織（財務大臣の使用に係る電子計算機と当該財務局長等の使用に係る電子計算機とを電気通信回線で接続した電子情報処理組織又は財務局長等の使用に係る電子計算機と当該手続の相手方の使用に係る電子計算機とを電気通信回線で接続した電子情報処理組織をいう。以下同じ。）を使用して行うことができる。
2　前項の規定により電子情報処理組織を使用して申請等を行うときは、前条の規定により作成等が行われた電磁的記録をもって行うものとする。
3　前二項の規定は、第五十九条の規定により財務事務所長、小樽出張所長及び北見出張所長が申請等を行う場合について準用する。

（電子情報処理組織による処分通知等）
第八十一条　この訓令の規定に基づき財務局長等が書面等により手続の相手方に対し処分通知等を行うときは、当該財務局長等は、当該処分通知等につき電子情報処理組織を使用して行うことができる。
2　前項の規定により電子情報処理組織を使用して処分通知等を行うときは、第七十九条の規定により作成等が行われた電磁的記録をもって行うものとする。

（適用除外）
第八十二条　第七十九条及び第八十条の規定は、次に掲げる場合については、適用しない。
㈠　第八条第二項の規定により契約書を作成する場合
㈡　第十四条第一項の規定により申請書を提出する場合
㈢　第二十三条第一項の規定により供託書正本を提出する場合
㈣　第二十三条第二項の規定により登録済通知書を提出する場合
㈤　第四十五条第一項の規定により申請書を提出する場合

附　則

1　この訓令は、昭和四十年四月一日から適用する。ただし、第四十三条、第四十四条、第四十七条第六項、第四十八条及び第四十九条の規定は、別に定める日から適用する。
2　普通財産取扱規則（昭和二十四年大蔵省訓令特第七号。以下「旧訓令」という。）は、これを廃止する。
3　この訓令施行前に、旧訓令に定めるところにより財務局長等から大蔵大臣に申請したものについては、なお従前の例による。
4　国有財産総轄事務処理規程の一部を改正する訓令（昭和三十一年大蔵省訓令第一号）の一部を次のように改正する。
［次のよう略］

別表

延　納　金　納　付　基　準

1　国有財産特別措置法第11条第1項本文の規定によつて、延納の特約をする場合。ただし、次号から5号までに該当するときを除く。

1件の売払代金又は交換差金	延納期限	即　納　金　額	延納期限内の納付方法
60万円を超え200万円未満	1年以内	売払代金又は交換差金の5割以上	各納期につき元金の均等若しくは逓減又は元利均等
200万円以上400万円未満	2年以内		
400万円以上800万円未満	3年以内		
800万円以上1,600万円未満	4年以内		
1,600万円以上	5年以内		

備考　延納期限内の納付方法を定める場合においては、年賦を原則とするが、買受人の資産及び所得の状況等を参しやくし、半年賦、四半期年賦又は月賦等の分割払いの方法を認めることができる。

2　国有財産特別措置法第11条第1項ただし書の規定によつて、地方公共団体と延納の特約をする場合。

1件の売払代金又は交換差金	延納期限	即　納　金　額	延納期限内の納付方法
2億円以上	10年以内	売払代金又は交換差金の5割以上	各納期につき元金の均等若しくは逓減又は元利均等

備考　前号に同じ。

3　国有財産特別措置法第11条第1項ただし書の規定によつて、居住の用に供されている普通財産を現に使用している者のうち、個人と延納の特約をする場合。

1件の売払代金又は交換差金	延納期限	即　納　金　額	延納期限内の納付方法
5万円を超え10万円未満	1年以内	5万円以上	各納期につき元金の均等若しくは逓減又は元利均等
10万円以上15万円未満	2年以内	売払代金又は交換差金の5割以上	
15万円以上20万円未満	3年以内		
20万円以上25万円未満	4年以内		
25万円以上30万円未満	5年以内		
30万円以上35万円未満	6年以内		
35万円以上40万円未満	7年以内		
40万円以上45万円未満	8年以内		
45万円以上50万円未満	9年以内		
50万円以上	10年以内		

備考　1号に同じ。

4　国有財産特別措置法第11条第1項ただし書の規定によつて、特定普通財産の権利者等のうち、個人と延納の特約をする場合。

1件の売払代金又は交換差金	延納期限	即納金額	延納期限内の納付方法
5万円を超え10万円未満	1年以内	5万円以上	各納期につき元金の均等若しくは逓減又は元利均等
10万円以上15万円未満	2年以内	売払代金又は交換差金の5割以上	
15万円以上20万円未満	3年以内		
20万円以上25万円未満	4年以内		
25万円以上30万円未満	5年以内		
30万円以上35万円未満	6年以内		
35万円以上40万円未満	7年以内		
40万円以上45万円未満	8年以内		
45万円以上50万円未満	9年以内		
50万円以上55万円未満	10年以内		
55万円以上60万円未満	11年以内		
60万円以上65万円未満	12年以内		
65万円以上70万円未満	13年以内		
70万円以上75万円未満	14年以内		
75万円以上80万円未満	15年以内		
80万円以上85万円未満	16年以内		
85万円以上90万円未満	17年以内		
90万円以上95万円未満	18年以内		
95万円以上100万円未満	19年以内		
100万円以上	20年以内		

備考　1号に同じ。

5　国有財産法第31条第１項ただし書の規定によつて、地方公共団体と延納の特約をする場合。

１件の売払代金又は交換差金	延納期限	即　納　金　額	延納期限内の納付方法
２億円以上	５年以内	売払代金又は交換差金の５割以上	各納期につき元金の均等若しくは逓減又は元利均等

備考　１号に同じ。

○国家公務員宿舎法

昭二四・五・三〇
法　一　一　七

最終改正　令三・六・一一法六一

目次〔略〕

第一章　総則

（目的）

第一条　この法律は、国が国家公務員等に貸与する宿舎の設置並びに維持及び管理に関する基本的事項を定めてその適正化を図ることにより、国家公務員等の職務の能率的な遂行を確保し、もつて国等の事務及び事業の円滑な運営に資することを目的とする。

（定義）

第二条　この法律において、次の各号に掲げる用語の意義は、それぞれ当該各号に定めるところによる。

一　国等　国及び独立行政法人（独立行政法人通則法（平成十一年法律第百三号）第二条第一項に規定する独立行政法人をいう。以下同じ。）をいう。

二　職員　次に掲げる者をいう。

イ　常時勤務に服することを要する国家公務員（国家公務員法（昭和二十二年法律第百二十号）第七十九条又は第八十二条の規定による休職又は停職の処分を受けた者その他法令の規定により職務に専念する義務を免除された者、同法第六十条の二第一項に規定する短時間勤務の官職を占める者で政令で定める者その他常時勤務に服することを要しない国家公務員で政令で定める者を含む。）

ロ　独立行政法人通則法第二条第四項に規定する行政執行法人以外の独立行政法人に常時勤務することを要する者（法令の規定により休業が認められた者その他政令で定める者を含む。）

三　宿舎　職員及び主としてその収入により生計を維持する者を居住させるため国が設置する居住用の家屋及び家屋の部分並びにこれらに附帯する工作物その他の施設（共同浴場、簡易な児童遊園その他政令で定める共同施設を含む。）をいい、これらの用に供する土地を含むものとする。

四　各省各庁　衆議院、参議院、裁判所、会計検査院並びに内閣（内閣府及びデジタル庁を除く。）、内閣府、デジタル庁及び各省をいう。

五　各省各庁の長　衆議院議長、参議院議長、最高裁判所長官、会計検査院長並びに内閣総理大臣及び各省大臣をいう。

（宿舎の種類）

第三条　宿舎は、公邸、無料宿舎及び有料宿舎の三種類とする。

第二章　宿舎の設置並びに維持及び管理に関する機関

（設置の機関）

第四条　宿舎の設置は、財務大臣が行うものとする。

2　同一の各省各庁に所属する職員（当該各省各庁の所管する独立行政法人の職員を含む。）のみに貸与する目的で設置する宿舎（以下「省庁別宿舎」という。）を設置する場合で次の各号に掲げる場合には、前項の規定にかかわらず、当該各号に掲げる各省各庁の長がその設置を行うものとする。

一　転用（宿舎の用に供し、又は供するものと決定した国有財産（以下この号において「宿舎用財産」という。）以外の国有財産を宿舎用財産とすることをいう。第九条において同じ。）、交換又は寄附の方法により設置する場合　当該転用若しくは交換をし、又は当該寄附を受ける各省各庁の長

二　特定の官署（独立行政法人の事業所を含む。以下同じ。）に勤務する職員のために一時に多数の宿舎を設置する必要がある場合その他特別の事情がある場合で財務大臣が指定する場合　当該宿舎の貸与を受けるべき職員の所属する各省各庁の長（当該職員が独立行政法人の職員の場合には、当該独立行政法人を所管する各省各庁の長。次条において同じ。）

（維持及び管理の機関）

第五条　合同宿舎（省庁別宿舎以外の宿舎をいう。以下第八条の二第二項において同じ。）は財務大臣が、省庁別宿舎は当該宿舎の貸与を受けるべき職員の所属する各省各庁の長がそれぞれ維持及び管理を行うものとする。

（総括の機関）

第六条　財務大臣は、宿舎の設置並びに維持及び管理（以下「設置等」という。）の適正を期するため、宿舎に関する制度を整え、その設置等に関する事務を統一し、及びその設置等について必要な調整をするものとする。

2　財務大臣は、宿舎の設置等の適正を期するため必要があると認めるときは、各省各庁の長に対し、当該各省各庁所属の職員若しくは当該各省各庁が所管する独立行政法人の職員の住宅事情に関する資料を求め、又は当該各省各庁の長が設置し、若しくは維持及び管理を行う省庁別宿舎について、その状況に関する報告を求め、部下の職員に実地監査を行わせ、若しくは閣議の決定を経て、宿舎の種類（第三条に規定する宿舎の種類をいう。第十三条の二第一号において同じ。）の変更その他の措置を求めることができる。

3　独立行政法人を所管する各省各庁の長は、当該独立行政法人の長に対し、当該独立行政法人の職員の住宅事情に関する資料の提出を求めることができる。

4　前項の規定により資料の提出を求められた独立行政法人の長は、遅滞なく、これを提出しなければならない。

（事務の委任）

第七条　各省各庁の長は、政令で定めるところにより、当該各

省各庁所属の職員又は他の各省各庁所属の職員に、宿舎の設置に関する事務の一部を委任することができる。

2　各省各庁の長は、政令で定めるところにより、当該各省各庁所属の職員に、宿舎の維持及び管理に関する事務の一部を委任することができる。

3　財務大臣は、財務局長又は財務支局長に、前条の規定による宿舎の設置等の総括に関する事務の一部を委任することができる。

第三章　宿舎の設置及び廃止等

（設置計画）

第八条　宿舎の設置は、宿舎の設置に関する年度計画（以下次条において「設置計画」という。）に基いて行わなければならない。

第八条の二　各省各庁の長は、毎会計年度、政令で定めるところにより、宿舎設置に関する要求についての書類を作成し、これを財務大臣に提出しなければならない。

2　財務大臣は、前項の要求を調整して、政令で定めるところにより、合同宿舎及び省庁別宿舎の別（省庁別宿舎については、さらに各省各庁別）に設置計画を定め、各年度分の予算成立の日から二月以内に、これを関係の各省各庁の長に通知しなければならない。

3　各省各庁の長は、前項の通知を受けた後において、設置計画を変更する必要があると認めるときは、そのつど、政令で定めるところにより、財務大臣に対し、設置計画の変更を求めることができる。

4　財務大臣は、前項の要求がやむを得ないものであると認めるときは、すみやかに設置計画を変更し、その変更の内容をその要求に係る各省各庁の長に通知するものとする。

5　前二項に規定する場合のほか、財務大臣は、設置計画を変更する必要があると認めるときは、関係の各省各庁の長と協議して、設置計画を変更することができる。

6　財務大臣は、設置計画を定め、又は変更する場合においては、各省各庁及び独立行政法人における職員の職務の性質、宿舎の現況及び不足数その他宿舎を必要とする事情を考慮しなければならない。

（設置の方法）

第九条　宿舎の設置は、建設（土地を宅地に造成することを含む。）、購入、交換、寄付、転用及び借受の方法により行うものとする。

（公邸）

第十条　公邸は、次に掲げる職員のために予算の範囲内で設置し、無料で貸与する。

一　衆議院議長及び衆議院副議長
二　参議院議長及び参議院副議長
三　内閣総理大臣及び国務大臣
四　最高裁判所裁判官
五　会計検査院長
六　人事院総裁
七　国立国会図書館長
七の二　衆議院事務総長及び参議院事務総長
七の三　衆議院法制局長及び参議院法制局長
八　宮内庁長官及び侍従長
九　検事総長
十　内閣法制局長官
十一　在外公館の長

第十一条　公邸には、いす、テーブル等公邸に必要とする備品（もつぱら居住者の私用に供するものを除く。）を備え付け、無料で貸与する。

（無料宿舎）

第十二条　無料宿舎は、次に掲げる職員のうち政令で定める者のために予算の範囲内で設置し、無料で貸与する。

一　本来の職務に伴つて、通常の勤務時間外において、生命若しくは財産を保護するための非常勤務、通信施設に関連する非常勤務又はこれらと類似の性質を有する勤務に従事するためその勤務する官署の構内又はこれに近接する場所に居住しなければならない者
二　研究又は実験施設に勤務する者であつて継続的に行うことを必要とする研究又は実験に直接従事するため当該施設の構内又はこれに近接する場所に居住しなければならないもの
三　へき地にある官署又は特に隔離された官署に勤務する者
四　官署の管理責任者であつて、その職務を遂行するために官署の構内又はこれに近接する場所に居住しなければならないもの

2　無料宿舎は、職員の職務に対する給与の一部として貸与されるものとする。

（有料宿舎）

第十三条　有料宿舎は、次に掲げる場合において、公邸又は無料宿舎の貸与を受ける職員以外の職員のために予算の範囲内で設置し、有料で貸与することができる。

一　職員の職務に関連して国等の事務又は事業の運営に必要と認められる場合
二　職員の在勤地における住宅不足により国等の事務又は事業の運営に支障を来たすおそれがあると認められる場合

（省庁別宿舎の廃止等についての財務大臣への協議）

第十三条の二　次に掲げる場合においては、省庁別宿舎の維持及び管理を行う各省各庁の長は、政令で定めるところにより、財務大臣に協議しなければならない。

一　当該省庁別宿舎について、宿舎の廃止（宿舎をその用に供しないことと決定することをいう。以下第十八条第一項第五号において同じ。）をし、又は宿舎の種類の変更をしようとするとき。
二　当該省庁別宿舎を他の各省各庁の長が維持及び管理を行う省庁別宿舎としようとするとき。

第四章　宿舎の維持及び管理

（被貸与者に対する監督）

第十三条の三　宿舎の維持及び管理を行う各省各庁の長（以下「維持管理機関」という。）は、被貸与者（宿舎の貸与を受けた者及び第十八条第一項の規定の適用を受ける同居者（以下「同居者」という。）をいう。以下同じ。）がこの法律に定める義務を守つているかどうかを監督し、常に宿舎の維持及び管理の適正を図らなければならない。

（無料宿舎を貸与する者の選定）

第十三条の四　一の無料宿舎について当該宿舎の貸与を受けるべき職員が二人以上存する場合においては、当該宿舎の維持管理機関は、これらの者のうち職務の性質上最も必要と認められるものに当該宿舎を貸与しなければならない。

（有料宿舎を貸与する者の選定）

第十四条　有料宿舎を貸与する者の選定に当たつては、当該宿舎の維持管理機関は、政令で定めるところにより、国等の事務又は事業の円滑な運営の必要に基づき公平に行わなければならない。

（有料宿舎の使用料）

第十五条　有料宿舎の使用料は、月額によるものとし、その標準的な建設費用の償却額、修繕費、地代及び火災保険料に相当する金額を基礎とし、かつ、第十八条第一項に規定する居住の条件その他の事情を考慮して政令で定める算定方法により、各宿舎につきその維持管理機関が決定する。

2　新たに宿舎の貸与を受け、又はこれを明け渡した場合におけるその月分の使用料は、日割により計算した額とする。

3　有料宿舎の貸与を受けた者に報酬を支給する機関は、毎月報酬を支給する際その者の報酬から使用料に相当する金額を控除して、その金額をその者に代りその使用料として国に払い込まなければならない。

4　有料宿舎の貸与を受けた者が第十八条第一項第一号又は第二号の規定に該当することとなつた場合においては、その者又はその同居者は、その該当することとなつた日から同項又は同条第二項の規定による明渡期日までの期間の宿舎の使用料を、毎月その月末までに、国に払い込まなければならない。

5　前項の規定により同居者が払い込むべき宿舎の使用料に係る債務については、同居者の全員が連帯してその責に任ずるものとする。

（宿舎の使用上の義務）

第十六条　被貸与者は、善良な管理者の注意をもつてその貸与を受けた宿舎を使用しなければならない。

2　被貸与者は、その貸与を受けた宿舎の全部若しくは一部を第三者に貸し付け、若しくは居住の用以外の用に供し、又は当該宿舎につきその維持管理機関の承認を受けないで改造、模様替その他の工事を行つてはならない。

3　被貸与者は、その責に帰すべき事由によりその貸与を受けた宿舎を滅失し、損傷し、又は汚損したときは、遅滞なく、これを原状に回復し、又はその損害を賠償しなければならない。ただし、その滅失、損傷又は汚損が故意又は重大な過失によらない火災に基くものである場合には、この限りでない。

4　前条第五項の規定は、被貸与者（同居者に限る。）の第一項又は第二項の規定に違反したことに基因する債務及び前項の規定による原状回復又は損害賠償に係る債務について準用する。

（宿舎の修繕費等）

第十七条　公邸の修繕（被貸与者の責に帰すべき事由（前条第三項ただし書の火災を除く。）による損傷又は汚損に係る修繕を除く。）に要する費用及び公邸の使用につき必要とする電気、水道、ガス等に要する費用（もつぱら居住者の私用に係るものを除く。）は、国が負担する。

2　天災、時の経過その他被貸与者の責に帰することのできない事由により無料宿舎又は有料宿舎が損傷し、又は汚損した場合においては、その修繕に要する費用は、国が負担する。ただし、その損傷又は汚損が軽微である場合には、この限りでない。

（宿舎の明渡し等）

第十八条　宿舎の貸与を受けた者が次の各号の一に該当することとなつた場合においては、その者（その者が第二号の規定に該当することとなつた場合には、その該当することとなつた時においてその者と同居していた者）は、その該当することとなつた日から二十日以内に当該宿舎を明け渡さなければならない。ただし、相当の事由がある場合には、その維持管理機関の承認を受けて、その該当することとなつた日から、公邸及び無料宿舎にあつては二月、有料宿舎にあつては六月の範囲内において当該維持管理機関の指定する期間、引き続き当該宿舎を使用することができる。

一　職員でなくなつたとき。

二　死亡したとき。

三　転任、配置換、勤務する官署の移転その他これらに類する事由により当該宿舎に居住する資格を失い、又はその必要がなくなつたとき。

四　当該宿舎について国等の事務又は事業の運営の必要に基づき先順位者が生じたためその明渡しを請求されたとき。

五　国において当該宿舎につき宿舎の廃止をする必要が生じたためその明渡しを請求されたとき。

2　有料宿舎の被貸与者は、当該宿舎の維持管理機関が、第十六条の規定に違反する事実でその宿舎の維持及び管理に重大な支障を及ぼすおそれがあると認められるものにつき、期限を附してその是正を要求した場合において、その期限までにその要求に従わなかつたときは、直ちに当該宿舎を明け渡さなければならない。

3　被貸与者が前二項の規定に違反して宿舎を明け渡さないときは、その者は、政令で定めるところにより、これらの規定による明渡期日の翌日から明け渡した日までの期間に応ずる損害賠償金を支払わなければならない。この場合において、その損害賠償金の額は、当該宿舎の当該期間に応ずる使用料の額（当該宿舎が公邸又は無料宿舎である場合には、これらを有料宿舎であるとみなして第十五条第一項に規定する算定方法により算定した使用料に相当する額）の三倍に相当する金額をこえることができない。

4 第十五条第五項の規定は、前項の規定により被貸与者（同居者に限る。）が支払うべき損害賠償金に係る債務について準用する。

5 独立行政法人の長は、当該独立行政法人の職員で宿舎の貸与を受けている者が第一項第一号から第三号までの規定に該当することとなつた場合には、直ちに当該独立行政法人を所管する各省各庁の長にその旨を報告しなければならない。

第五章 雑則

（費用及び使用料の所属区分）

第十九条 宿舎の設置等に要する費用及び宿舎の使用料は、当該宿舎の所属する会計の所属とする。

（宿舎の現況に関する記録）

第二十条 維持管理機関は、その維持及び管理を行う宿舎の現況に関する記録を備え、常時その状況を明らかにして置かなければならない。

（国家公務員法との関係）

第二十一条 第八条の二、第十条、第十二条、第十三条及び第十三条の四から第十五条までに規定する事項は、国家公務員法第二十二条及び第二十八条第一項の規定による人事院の勧告に係る事項に含まれるものとする。

（施行に関する細目）

第二十二条 この法律の施行に関し必要な細目は、財務省令で定める。

附 則

1 この法律は、公布の日後二月を経過した日から施行する。

2 この法律施行の際現に国家公務員のために設置されている宿舎は、左の各号の区分に応じ、それぞれこの法律により設置された宿舎となるものとする。

一 第十条各号に掲げる国家公務員のために設置せられている宿舎にあつては、公邸

二 第十二条第一項各号に掲げる国家公務員のうち政令で定める者のために設置せられている宿舎にあつては、無料宿舎

三 その他の宿舎にあつては、有料宿舎

3 宿舎審議会は、第三条第二項に掲げる事項につき調査審議の結果を国会に報告しなければならない。

4 宿舎審議会が第三条第二項に掲げる事項につき調査審議を完了するまでは、国家公務員に貸与すべき宿舎に関しては、この法律の規定にかかわらず、なお従前の例による。

5 左に掲げる勅令等は、廃止する。

官舎貸渡規則（明治九年太政官達第五十三号）

巡査給与令（明治三十九年勅令第二百五十九号）

官設鉄道の職員に宿舎料を支給するの件（明治三十九年勅令第二百九十四号）

監獄看守手当等給与令（大正十一年勅令第四百三十八号）

矯正院補導手当等給与令（大正十一年勅令第四百九十一号）

副看守長の俸給及び給与に関する件（昭和十五年勅令第八百六十八号）

○国家公務員宿舎法施行令

昭三三・一二・二三
政令三四一

最終改正 令五・四・七政令一六三

（定義）

第一条 この政令において「独立行政法人」、「職員」、「宿舎」、「各省各庁」、「各省各庁の長」、「宿舎の種類」、「省庁別宿舎」、「官署」、「合同宿舎」、「設置計画」又は「宿舎の廃止」とは、国家公務員宿舎法（以下「法」という。）第二条、第三条、第四条第二項、第五条、第八条又は第十三条の二第一号に規定する独立行政法人、職員、宿舎、各省各庁、各省各庁の長、宿舎の種類、省庁別宿舎、官署、合同宿舎、設置計画又は宿舎の廃止をいう。

2 この政令において「自動車の保管場所」とは、法第二条第三号に規定する工作物その他の施設のうち、自動車の保管場所の確保等に関する法律（昭和三十七年法律第百四十五号）第二条第一号に規定する自動車の同条第三号に規定する保管場所として職員に使用させるため国が設置するものをいう。

（職員）

第二条 法第二条第二号イに規定する短時間勤務の官職を占める者で政令で定める者は、次に掲げる者のうち、各省各庁の長が財務大臣に協議して指定する者とする。

一 次に掲げる官署に勤務する者のうち、本来の職務に伴つて、通常の勤務時間外において、国民の生命又は財産を保護するための非常勤務に従事するために当該官署の構内又はこれに隣接する場所に居住する必要がある者

イ 警察官署

ロ 刑務所、少年刑務所、拘置所、少年院及び少年鑑別所並びに入国者収容所及び地方出入国在留管理局

ハ 国立の病院、療養所、児童自立支援施設及び障害児入

所施設

二　独立行政法人の開設する病院（医療法（昭和二十三年法律第二百五号）第一条の五に規定する病院をいう。第九条第一号において同じ。）

二　本来の職務に伴つて、通常の勤務時間外において、著しく異常かつ激甚な非常災害が発生した場合に、国民の生命又は財産を保護するための非常勤務に従事するためにその勤務する官署に近接する場所に居住する必要がある者

三　自然科学に関する研究又は実験を行う施設に勤務する者のうち、継続的に行うことを必要とする研究又は実験に直接従事するために当該施設の構内又はこれに隣接する場所に居住する必要がある者

四　へき地にある官署に勤務する者

2　法第二条第二号イに規定する常時勤務に服することを要しない国家公務員で政令で定める者は、次に掲げる者とする。

一　国の一般会計の歳出予算の常勤職員給与又は非常勤職員手当の目から俸給が支給される者のうち、専ら合同宿舎の維持及び管理の業務を行う管理人

二　前号に定めるもののほか、その職務の性質上宿舎を貸与することが適当である者として各省各庁の長が財務大臣に協議して指定するもの

3　法第二条第二号ロに規定する政令で定める者は、常時勤務に服することを要しない国家公務員であつて法及びこの政令の規定により宿舎の貸与を受けることができる者に準ずる者として独立行政法人を所管する各省各庁の長が財務大臣に協議して指定する者とする。

（共同施設）

第三条　法第二条第三号に規定する政令で定める共同施設は、次に掲げる共同施設とする。

一　共同の洗たく場及び物干場

二　共同物置

三　簡易な共同ごみ処理場

四　集会場

五　前各号に掲げるもののほか、共同利用のため必要な施設として財務大臣が定めるもの

第四条　削除

（事務の委任）

第五条　各省各庁の長は、法第七条第一項の規定により当該各省各庁所属の職員若しくは他の各省各庁所属の職員に宿舎の設置に関する事務の一部を委任し、又は同条第二項の規定により当該各省各庁所属の職員に宿舎の維持及び管理に関する事務の一部を委任する場合においては、当該職員及びその官職並びに委任しようとする事務の範囲について、あらかじめ、財務大臣に協議しなければならない。

2　各省各庁の長は、法第七条第一項の規定により他の各省各庁所属の職員に宿舎の設置に関する事務の一部を委任する場合においては、当該職員及びその官職並びに委任しようとする事務の範囲について、あらかじめ、当該他の各省各庁の長の同意を得なければならない。

3　各省各庁の長は、法第七条第一項又は第二項の場合において、当該各省各庁又は他の各省各庁に置かれた官職を指定することにより、その官職にある者に当該事務の一部を委任することができる。

4　前項の場合においては、第一項の協議又は第二項の同意は、その指定しようとする官職及び委任しようとする事務の範囲についてあれば足りる。

（宿舎設置に関する要求についての書類）

第六条　法第八条の二第一項に規定する宿舎設置に関する要求についての書類は、法第四条第一項の規定により設置すべき宿舎に係る書類と同条第二項の規定により設置すべき宿舎に係る書類とに区分して作成するものとし、それぞれその要求に係る宿舎について、宿舎の種類別に、次に掲げる事項を明らかにしなければならない。

一　宿舎の構造、規格及び数量

二　宿舎の設置の場所及び方法

三　宿舎の貸与を受けるべき職員の勤務する官署

四　その他参考となるべき事項

2　各省各庁の長は、前項の書類のうち、法第四条第一項の規定により設置すべき宿舎に係るものにあつては前年度の十一月三十日までに、同条第二項の規定により設置すべき宿舎に係るものにあつては同年度の二月二十日までにそれぞれ財務大臣に提出しなければならない。

3　各省各庁の長は、前項の規定により第一項の書類のうち法第四条第一項の規定により設置すべき宿舎に係るものを提出する場合においては、当該各省各庁における宿舎の現況及び不足数その他宿舎を必要とする事情を明らかにした書類を添附しなければならない。

4　第一項の書類及び前項の規定により添附すべき書類の様式及び作成の方法については、財務省令で定める。

（設置計画）

第七条　財務大臣は、法第八条の二第二項の規定により設置計画を定める場合においては、合同宿舎設置計画書及び各省各庁別に省庁別宿舎設置計画書を作成しなければならない。

2　合同宿舎設置計画書には、当該年度において設置すべき合同宿舎について、宿舎の種類別に、前条第一項第一号、第二号及び第四号に掲げる事項を明らかにしなければならない。

3　省庁別宿舎設置計画書には、当該年度において設置すべき省庁別宿舎について、宿舎の種類別に、前条第一項各号に掲げる事項を明らかにしなければならない。

4　前条第四項の規定は、第一項の計画書について準用する。

第八条　法第八条の二第三項の規定による設置計画の変更の要求は、当該変更の内容及び理由を明らかにした書面により行わなければならない。

（無料宿舎を貸与する者の範囲）

第九条　法第十二条第一項に規定する政令で定める者は、次に掲げる者として各省各庁の長が財務大臣に協議して指定する

者とする。

一　次に掲げる官署に勤務する職員のうち、本来の職務に伴つて、通常の勤務時間外において、国民の生命又は財産を保護するための非常勤務に従事するために当該官署の構内又はこれに近接する場所（ロ、ハ又はヘに掲げる官署に勤務する職員にあつては、隣接する場所）に居住する必要がある者

イ　警察官署

ロ　刑務所、少年刑務所、拘置所、少年院及び少年鑑別所並びに入国者収容所及び地方出入国在留管理局

ハ　国立の病院、療養所、児童自立支援施設及び障害児入所施設

ニ　海上保安官署

ホ　自衛隊

ヘ　独立行政法人の開設する病院（第一条の五に規定する病院をいう。）

二　本来の職務に伴つて、通常の勤務時間外において、著しく異常かつ激甚な非常災害が発生した場合に、国民の生命又は財産を保護するための非常勤務に従事するためにその勤務する官署に近接する場所に居住する必要がある職員

三　自然科学に関する研究又は実験を行う施設に勤務する職員のうち、継続的に行うことを必要とする研究又は実験に直接従事するために当該施設の構内又はこれに隣接する場所に居住する必要がある者

四　へき地にある官署に勤務する職員

（法第十三条の二の規定による協議）

第十条　各省各庁の長は、法第十三条の二第一号の規定により財務大臣に協議する場合においては、次に掲げる事項を記載した協議書に必要な図面その他の関係書類を添付して、これを財務大臣に送付しなければならない。

一　宿舎の所在地

二　宿舎の種類

三　宿舎の構造及び面積

四　宿舎の廃止をし、又は宿舎の種類の変更をしようとする理由

五　現に宿舎の貸与を受けている職員の勤務する官署並びにその官職及び職務の級又はこれらに準ずるもの

六　その他参考となるべき事項

第十一条　各省各庁の長は、法第十三条の二第二号の規定により財務大臣に協議する場合においては、次に掲げる事項を記載した協議書に必要な図面その他の関係書類を添附して、これを財務大臣に送付しなければならない。

一　前条第一号から第三号まで、第五号及び第六号に掲げる事項

二　その維持及び管理を行う省庁別宿舎を他の各省各庁の長が維持及び管理を行う省庁別宿舎としようとする理由

（有料宿舎を貸与する者の選定）

第十二条　省庁別宿舎である有料宿舎を貸与する者の選定は、特別の事情がある場合を除き、次の順序に従つて行わなければならない。

一　各省各庁において内部部局の部長以上の職にある職員又はこれに準ずる職員（公邸又は無料宿舎の貸与を受ける職員を除く。以下この条において同じ。）

二　各省各庁において内部部局の課長以上の職にある職員又はこれに準ずる職員（前号に掲げる職員を除く。）

三　一般職の職員の給与に関する法律（昭和二十五年法律第九十五号。以下「給与法」という。）別表第一の行政職俸給表(一)の三級以上の職務の級に属する職員又はこれに準ずる職員（前二号に掲げる職員を除く。）

四　犯罪の捜査、国税の賦課徴収その他公権力を行使する事務に従事する職員（前三号に掲げる職員を除く。）

五　前各号に掲げる職員以外の職員

2　前項の場合において、同順位にある職員が二人以上存するときは、これらの者の職務の性質、住居の困窮度その他の事情を考慮し、その最も必要と認められる者に当該宿舎を貸与しなければならない。

3　合同宿舎である有料宿舎を貸与する者の選定は、各省各庁における宿舎の充足状況を考慮し、かつ、前二項の規定による選定の方法に準拠して行わなければならない。

（有料宿舎の使用料の算定方法）

第十三条　有料宿舎の使用料（自動車の保管場所に係るものを除く。）は、一平方メートル当たりの基準使用料の額（延べ面積（当該宿舎のうち家屋又は家屋の部分の延べ面積をいう。以下この条において同じ。）の区分及び有料宿舎の所在地の区分（別表で定める有料宿舎の所在地の区分をいう。次条第一項において同じ。）に応じた次の表に掲げる額をいい、次項の規定による調整を加えたときは、その調整後の額とする。）に当該宿舎の延べ面積（同項の規定による調整を加えたときは、その調整後の面積とし、一平方メートル未満の端数があるときは、その端数を切り捨てた面積とする。）を乗じて算定した額とする。

2　前項の場合において、当該宿舎が建築後相当の年数を経過しているとき、その立地条件、構造又は施設が著しく他と異なるとき、その家屋又は家屋の部分に公用に供する部分があるとき、その土地又は家屋若しくは家屋の部分の延べ面積が著しく大きいとき、その他特別の事情があるときは、財務省令で定めるところにより、同項に規定する一平方メートル当たりの基準使用料の額又は当該宿舎の延べ面積に調整を加えることができる。

㊟次の表⇒八六四頁下段の表

第十四条　有料宿舎の使用料（自動車の保管場所に係るものに限る。）は、一平方メートル当たりの基準使用料の額（自動車の保管場所の区分及び有料宿舎の所在地の区分に応じた次の表に掲げる額をいい、次項の規定による調整を加えたときは、その調整後の額とする。）に自動車一台当たりの駐車面積として財務省令で定める面積を乗じて算定した額とする。

2　前項の場合において、自動車の保管場所につき、その立地条件、施設の差異その他特別の事情があるときは、財務省令で定めるところにより、同項に規定する一平方メートル当たりの基準使用料の額に調整を加えることができる。

第十五条　在外公館に勤務する職員に貸与する有料宿舎の使用料は、前二条の規定にかかわらず、外務大臣が財務大臣に協議して定める。

㊟次の表⇒八六四頁下段の表

（宿舎を明け渡さない場合に支払うべき損害賠償金）

第十六条　法第十八条第三項に規定する損害賠償金の額は、同項に規定する明渡期日の翌日から明け渡した日までの期間に応ずる当該宿舎の使用料の額（当該宿舎が公邸又は無料宿舎である場合には、これらを有料宿舎であるものとみなして前三条の規定により算定した使用料に相当する額）の三倍（宿舎の貸与を受けた者が、公庫その他特別の法律により設立された法人に使用されるため退職した場合その他の場合でその額を軽減することがやむを得ないものとして財務大臣が定める場合には、その定める期間に限り、一・一倍）に相当する金額とする。

附　則（抄）

1　この政令は、昭和三十四年四月一日から施行する。

㊟第十三条の付表

延べ面積	有料宿舎の所在地の区分				
	一級地	二級地	三級地	四級地	その他の地域
五十五平方メートル未満	六百九十六円	四百九十八円	四百四十七円	四百十四円	三百九十二円
五十五平方メートル以上七十平方メートル未満	八百七十円	六百二十二円	五百五十九円	五百十八円	四百九十円
七十平方メートル以上八十平方メートル未満	千三百五円	八百九円	六百七十一円	六百二十二円	五百八十八円
八十平方メートル以上百平方メートル未満	千五百六十六円	九百九十五円	八百三十九円	七百七十七円	七百三十五円
百平方メートル以上	千八百二十七円	千二百十三円	千六円	九百三十二円	八百八十二円

㊟第十四条の付表

自動車の保管場所	有料宿舎の所在地の区分				
	一級地	二級地	三級地	四級地	その他の地域
自動車の保管場所の敷地の地面に一定の区画を限つて設置するもの	千二百三十四円	五百二十六円	三百九十九円	三百十六円	二百六十二円
地下に設置するもの又は居住の用に供する建物の一部に設置するもの（以下この表において「地下駐車場等」という。）	二千五十円	千三百四十二円	千二百十五円	千百三十二円	千七十八円
専ら自動車の駐車のための施設で複数の階に設置するもの（地下駐車場等を除く。）	千三百九十四円	六百八十五円	五百五十八円	四百七十五円	四百二十一円

別表（第十三条関係）

有料宿舎の所在地の区分	地　域
一級地	東京都の特別区の存する地域
二級地	埼玉県のうちさいたま市　千葉県のうち千葉市　東京都のうち八王子市、立川市、武蔵野市、三鷹市、府中市、調布市、町田市、小金井市、国分寺市、国立市、狛江市、多摩市、稲城市及び西東京市　神奈川県のうち横浜市、川崎市、横須賀市、鎌倉市及び三浦郡葉山町　愛知県のうち名古屋市　京都府のうち京都市　大阪府のうち大阪市、堺市、岸和田市、豊中市、池田市、吹田市、泉大津市、高槻市、貝塚市、守口市、枚方市、茨木市、八尾市、泉佐野市、富田林市、寝屋川市、和泉市、箕面市、高石市及び東大阪市　兵庫県のうち神戸市、尼崎市、西宮市、芦屋市、伊丹市及び宝塚市　福岡県のうち福岡市
三級地	北海道のうち札幌市　宮城県のうち仙台市　茨城県のうちつくば市　埼玉県のうち川越市、川口市、所沢市、狭山市、草加市、越谷市、戸田市、朝霞市、志木市及び和光市　千葉県のうち市川市、船橋市、松戸市、習志野市、柏市、八千代市、浦安市及び四街道市　東京都のうち青梅市、昭島市、小平市、日野市、東村山市、福生市、清瀬市、武蔵村山市及びあきる野市　神奈川県のうち相模原市、平塚市、藤沢市、小田原市、茅ヶ崎市、三浦市、厚木市、大和市及び海老名市　静岡県のうち静岡市　愛知県のうち岡崎市　滋賀県のうち大津市　京都府のうち宇治市及び向日市　大阪府のうち柏原市、羽曳野市及び門真市　兵庫県のうち姫路市　奈良県のうち奈良市、大和郡山市及び生駒市　和歌山県のうち和歌山市　岡山県のうち岡山市　広島県のうち広島市　福岡県のうち北九州市　長崎県のうち長崎市
四級地	北海道のうち旭川市　青森県のうち青森市　岩手県のうち盛岡市　秋田県のうち秋田市　山形県のうち山形市　福島県のうち福島市、郡山市及びいわき市　茨城県のうち水戸市　栃木県のうち宇都宮市　群馬県のうち前橋市及び高崎市　新潟県のうち新潟市　富山県のうち富山市　石川県のうち金沢市　福井県のうち福井市　山梨県のうち甲府市　長野県のうち長野市　岐阜県のうち岐阜市　静岡県のうち浜松市　愛知県のうち豊橋市、一宮市、春日井市及び豊田市　三重県のうち津市及び四日市市　鳥取県のうち鳥取市　島根県のうち松江市　岡山県のうち倉敷市　広島県のうち福山市　山口県のうち山口市　徳島県のうち徳島市　香川県のうち高松市　愛媛県のうち松山市　高知県のうち高知市　福岡県のうち久留米市　佐賀県のうち佐賀市　熊本県のうち熊本市　大分県のうち大分市　宮崎県のうち宮崎市　鹿児島県のうち鹿児島市　沖縄県のうち那覇市
その他の地域	一級地から四級地まで以外の地域

会計検査

検査

○会計検査院法

昭二二・四・一九
法 七 三

最終改正 令四・六・一七法六八

※令和四年六月一七日法律第六八号の第六八条で本法が一部改正されましたが、未施行のため、本法の末尾に掲げました。

目次〔略〕

第一章 組織

第一節 総則

第一条 会計検査院は、内閣に対し独立の地位を有する。

第二条 会計検査院は、三人の検査官を以て構成する検査官会議と事務総局を以てこれを組織する。

第三条 会計検査院の長は、検査官のうちから互選した者について、内閣においてこれを命ずる。

第二節 検査官

第四条 検査官は、両議院の同意を経て、内閣がこれを任命する。

② 検査官の任期が満了し、又は欠員を生じた場合において、国会が閉会中であるため又は衆議院の解散のために両議院の同意を経ることができないときは、内閣は、前項の規定にかかわらず、両議院の同意を経ないで、検査官を任命することができる。

③ 前項の場合においては、任命の後最初に召集される国会において、両議院の承認を求めなければならない。両議院の承認が得られなかつたときは、その検査官は、当然退官する。

④ 検査官の任免は、天皇がこれを認証する。

⑤ 検査官の給与は、別に法律で定める。

第五条 検査官の任期は、五年とし、一回に限り再任されることができる。

② 検査官が任期中に欠けたときは、後任の検査官は、前任者の残任期間在任する。

③ 検査官は、満七十歳に達したときは、退官する。

第六条 検査官は、他の検査官の合議により、心身の故障のため職務の執行ができないと決定され、又は職務上の義務に違反する事実があると決定された場合において、両議院の議決があつたときは、退官する。

第七条 検査官は、刑事裁判により禁錮以上の刑に処せられたときは、その官を失う。

第八条 検査官は、第四条第三項後段及び前二条の場合を除いては、その意に反してその官を失うことがない。

第九条 検査官は、他の官を兼ね、又は国会議員、若しくは地方公共団体の職員若しくは議会の議員となることができない。

第三節 検査官会議

第十条 検査官会議の議長は、院長を以て、これに充てる。

第十一条 次の事項は、検査官会議でこれを決する。

一 第三十八条の規定による会計検査院規則の制定又は改廃
二 第二十九条の規定による検査報告
二の二 第三十条の二の規定による報告
三 第三十三条の規定による検査を受けるものの決定
四 第三十四条の規定による計算証明に関する事項
五 第三十一条及び政府契約の支払遅延防止等に関する法律（昭和二十四年法律第二百五十六号）第十三条第二項の規定並びに予算執行職員等の責任に関する法律（昭和二十五年法律第百七十二号）第六条第一項及び第四項の規定（同法第九条第二項において準用する場合を含む。）による処分の要求に関する事項
六 第三十二条（予算執行職員等の責任に関する法律第十条第三項及び同法第十一条第二項において準用する場合を含む。）並びに予算執行職員等の責任に関する法律第四条第一項及び同法第五条（同法第八条第三項及び同法第九条第二項において準用する場合を含む。）の規定による検定及び再検定
七 第三十五条の規定による審査決定
八 第三十六条の規定による意見の表示又は処置の要求
九 第三十七条及び予算執行職員等の責任に関する法律第九条第五項の規定による意見の表示

第四節 事務総局

第十二条 事務総局は、検査官会議の指揮監督の下に、庶務並びに検査及び審査の事務を掌る。

② 事務総局に官房及び左の五局を置く。

第一局
第二局
第三局
第四局
第五局

③ 官房及び各局の事務の分掌及び分課は、会計検査院規則の定めるところによる。

第十三条 事務総局に、事務総長一人、事務総局次長一人、秘書官、事務官、技官その他所要の職員を置く。

第十四条 前条の職員の任免、進退は、検査官の合議で決するところにより、院長がこれを行う。

② 院長は、前項の権限を、検査官の合議で決するところに

より、事務総長に委任することができる。

第十五条 事務総長は、事務総局の局務を統理し、公文に署名する。

② 次長は、事務総長を補佐し、その欠けたとき又は事故があるときは、その職務を行う。

第十六条 各局に、局長を置く。

② 局長は、事務総長の命を受け、局務を掌理する。

第十七条 秘書官は、検査官の命を受けて、機密に関する事務に従事する。

第十八条 技官は、上官の指揮を受け、技術に従事する。

② 事務官は、上官の指揮を受け、庶務、検査又は審査の事務に従事する。

第十九条 会計検査院は、会計検査院規則の定めるところにより事務総局の支局を置くことができる。

第五節 会計検査院情報公開・個人情報保護審査会

第十九条の二 行政機関の保有する情報の公開に関する法律(平成十一年法律第四十二号)第十九条第一項及び個人情報の保護に関する法律(平成十五年法律第五十七号)第百五条第一項の規定による院長の諮問に応じ審査請求について調査審議するため、会計検査院に、会計検査院情報公開・個人情報保護審査会を置く。

② 会計検査院情報公開・個人情報保護審査会は、委員三人をもつて組織する。

③ 委員は、非常勤とする。

第十九条の三 委員は、優れた識見を有する者のうちから、両議院の同意を得て、院長が任命する。

② 委員の任期が満了し、又は欠員を生じた場合において、国会の閉会又は衆議院の解散のために両議院の同意を得ることができないときは、院長は、前項の規定にかかわらず、同項に定める資格を有する者のうちから、委員を任命することができる。

③ 前項の場合においては、任命後最初の国会で両議院の事後の承認を得なければならない。この場合において、両議院の事後の承認が得られないときは、院長は、直ちにその委員を罷免しなければならない。

④ 委員の任期は、三年とする。ただし、補欠の委員の任期は、前任者の残任期間とする。

⑤ 委員は、再任されることができる。

⑥ 委員の任期が満了したときは、当該委員は、後任者が任命されるまで引き続きその職務を行うものとする。

⑦ 院長は、委員が心身の故障のため職務の執行ができないと認めるとき、又は委員に職務上の義務違反その他委員たるに適しない非行があると認めるときは、両議院の同意を得て、その委員を罷免することができる。

⑧ 委員は、職務上知ることができた秘密を漏らしてはならない。その職を退いた後も、同様とする。

⑨ 委員は、在任中、政党その他の政治的団体の役員となり、又は積極的に政治運動をしてはならない。

⑩ 委員の給与は、別に法律で定める。

第十九条の四 情報公開・個人情報保護審査会設置法(平成十五年法律第六十号)第三章の規定は、会計検査院情報公開・個人情報保護審査会の調査審議の手続について準用する。この場合において、同章の規定中「審査会」とあるのは、「会計検査院情報公開・個人情報保護審査会」と読み替えるものとする。

第十九条の五 第十九条の三第八項の規定に違反して秘密を漏らした者は、一年以下の懲役又は五十万円以下の罰金に処する。

第十九条の六 第十九条の二から前条までに定めるもののほか、会計検査院情報公開・個人情報保護審査会に関し必要な事項は、会計検査院規則で定める。

第二章 権限

第一節 総則

第二十条 会計検査院は、日本国憲法第九十条の規定により国の収入支出の決算の検査を行う外、法律に定める会計の検査を行う。

② 会計検査院は、常時会計検査を行い、会計経理を監督し、その適正を期し、且つ、是正を図る。

③ 会計検査院は、正確性、合規性、経済性、効率性及び有効性の観点その他会計検査上必要な観点から検査を行うものとする。

第二十一条 会計検査院は、検査の結果により、国の収入支出の決算を確認する。

第二節 検査の範囲

第二十二条 会計検査院の検査を必要とするものは、左の通りである。

一 国の毎月の収入支出
二 国の所有する現金及び物品並びに国有財産の受払
三 国の債権の得喪又は国債その他の債務の増減
四 日本銀行が国のために取り扱う現金、貴金属及び有価証券の受払
五 国が資本金の二分の一以上を出資している法人の会計
六 法律により特に会計検査院の検査に付するものと定められた会計

第二十三条 会計検査院は、必要と認めるとき又は内閣の請求があるときは、次に掲げる会計経理の検査をすることができる。

一　国の所有又は保管する有価証券又は国の保管する現金及び物品
二　国以外のものが国のために取り扱う現金、物品又は有価証券の受払
三　国が直接又は間接に補助金、奨励金、助成金等を交付し又は貸付金、損失補償等の財政援助を与えているものの会計
四　国が資本金の一部を出資しているものの会計
五　国が資本金を出資したものが更に出資しているものの会計
六　国が借入金の元金又は利子の支払を保証しているものの会計
七　国若しくは前条第五号に規定する法人（以下この号において「国等」という。）の工事その他の役務の請負人若しくは事務若しくは業務の受託者又は国等に対する物品の納入者のその契約に関する会計

②　会計検査院が前項の規定により検査をするときは、これを関係者に通知するものとする。

第三節　検査の方法

第二十四条　会計検査院の検査を受けるものは、会計検査院の定める計算証明の規程により、常時に、計算書（当該計算書に記載すべき事項を記録した電磁的記録（電子的方式、磁気的方式その他人の知覚によつては認識することができない方式で作られる記録であつて、電子計算機による情報処理の用に供されるものとして会計検査院規則で定めるものをいう。次項において同じ。）を含む。以下同じ。）及び証拠書類（当該証拠書類に記載すべき事項を記録した電磁的記録を含む。以下同じ。）を、会計検査院に提出しなければならない。

②　国が所有し又は保管する現金、物品及び有価証券の受払いについては、前項の計算書及び証拠書類に代えて、会計検査院の指定する他の書類（当該書類に記載すべき事項を記録した電磁的記録を含む。）を会計検査院に提出することができる。

第二十五条　会計検査院は、常時又は臨時に職員を派遣して、実地の検査をすることができる。この場合において、実地の検査を受けるものは、これに応じなければならない。

第二十六条　会計検査院は、検査上の必要により検査を受けるものに帳簿、書類その他の資料若しくは報告の提出を求め、又は関係者に質問し若しくは出頭を求めることができる。この場合において、帳簿、書類その他の資料若しくは報告の提出の求めを受け、又は質問され若しくは出頭の求めを受けたものは、これに応じなければならない。

第二十七条　会計検査院の検査を受ける会計経理に関し左の事実があるときは、本属長官又は監督官庁その他これに準ずる責任のある者は、直ちに、その旨を会計検査院に報告しなければならない。
一　会計に関係のある犯罪が発覚したとき
二　現金、有価証券その他の財産の亡失を発見したとき

第二十八条　会計検査院は、検査上の必要により、官庁、公共団体その他の者に対し、資料の提出、鑑定等を依頼することができる。

第四節　検査報告

第二十九条　日本国憲法第九十条により作成する検査報告には、左の事項を掲記しなければならない。
一　国の収入支出の決算の確認
二　国の収入支出の決算金額と日本銀行の提出した計算書の金額との不符合の有無
三　検査の結果法律、政令若しくは予算に違反し又は不当と認めた事項の有無
四　予備費の支出で国会の承諾をうける手続を採らなかつたものの有無
五　第三十一条及び政府契約の支払遅延防止等に関する法律第十三条第二項並びに予算執行職員等の責任に関する法律第六条第一項（同法第九条第二項において準用する場合を含む。）の規定により懲戒の処分を要求した事項及びその結果
六　第三十二条（予算執行職員等の責任に関する法律第十条第三項及び同法第十一条第二項において準用する場合を含む。）並びに予算執行職員等の責任に関する法律第四条第一項及び同法第五条（同法第八条第三項及び同法第九条第二項において準用する場合を含む。）の規定による検定及び再検定
七　第三十四条の規定により意見を表示し又は処置を要求した事項及びその結果
八　第三十六条の規定により意見を表示し又は処置を要求した事項及びその結果

第三十条　会計検査院は、前条の検査報告に関し、国会に出席して説明することを必要と認めるときは、検査官をして出席せしめ又は書面でこれを説明することができる。

第三十条の二　会計検査院は、第三十四条又は第三十六条の規定により意見を表示し又は処置を要求した事項その他特に必要と認める事項については、随時、国会及び内閣に報告することができる。

第三十条の三　会計検査院は、各議院又は各議院の委員会若しくは参議院の調査会から国会法（昭和二十二年法律第七十九号）第百五条（同法第五十四条の四第一項において準用する場合を含む。）の規定による要請があつたときは、当該要請に係る特定の事項について検査を実施してその検査の結果を報告することができる。

第五節　会計事務職員の責任

第三十一条　会計検査院は、検査の結果国の会計事務を処理する職員が故意又は重大な過失により著しく国に損害を与えたと認めるときは、本属長官その他監督の責任に当る者に対し懲戒の処分を要求することができる。

② 前項の規定は、国の会計事務を処理する職員が計算書及び証拠書類の提出を怠る等計算証明の規程を守らない場合又は第二十六条の規定による要求を受けこれに応じない場合に、これを準用する。

第三十二条　会計検査院は、出納職員が現金を亡失したときは、善良な管理者の注意を怠つたため国に損害を与えた事実があるかどうかを審理し、その弁償責任の有無を検定する。

② 会計検査院は、物品管理職員が物品管理法（昭和三十一年法律第百十三号）の規定に違反して物品の管理行為をしたこと又は同法の規定に従つた物品の管理行為をしなかつたことにより物品を亡失し、又は損傷し、その他国に損害を与えたときは、故意又は重大な過失により国に損害を与えた事実があるかどうかを審理し、その弁償責任の有無を検定する。

③ 会計検査院が弁償責任があると検定したときは、本属長官その他出納職員又は物品管理職員を監督する責任のある者は、前二項の検定に従つて弁償を命じなければならない。

④ 第一項又は第二項の弁償責任は、国会の議決に基かなければ減免されない。

⑤ 会計検査院は、第一項又は第二項の規定により出納職員又は物品管理職員の弁償責任がないと検定した場合においても、計算書及び証拠書類の誤謬脱漏等によりその検定が不当であることを発見したときは五年間を限り再検定をすることができる。前二項の規定はこの場合に、これを準用する。

第三十三条　会計検査院は、検査の結果国の会計事務を処理する職員に職務上の犯罪があると認めたときは、その事件を検察庁に通告しなければならない。

第六節　雑則

第三十四条　会計検査院は、検査の進行に伴い、会計経理に関し法令に違反し又は不当であると認める事項がある場合には、直ちに、本属長官又は関係者に対し当該会計経理について意見を表示し又は適宜の処置を要求し及びその後の経理について是正改善の処置をさせることができる。

第三十五条　会計検査院は、国の会計事務を処理する職員の会計経理の取扱に関し、利害関係人から審査の要求があつたときは、これを審査し、その結果是正を要するものがあると認めるときは、その判定を主務官庁その他の責任者に通知しなければならない。

② 主務官庁又は責任者は、前項の通知を受けたときは、その通知された判定に基いて適当な措置を採らなければならない。

第三十六条　会計検査院は、検査の結果法令、制度又は行政に関し改善を必要とする事項があると認めるときは、主務官庁その他の責任者に意見を表示し又は改善の処置を要求することができる。

第三十七条　会計検査院は、左の場合には予めその通知を受け、これに対し意見を表示することができる。

一　国の会計経理に関する法令を制定し又は改廃するとき

二　国の現金、物品及び有価証券の出納並びに簿記に関する規程を制定し又は改廃するとき

② 国の会計事務を処理する職員がその職務の執行に関し疑義のある事項につき会計検査院の意見を求めたときは、会計検査院は、これに対し意見を表示しなければならない。

第三章　会計検査院規則

第三十八条　この法律に定めるものの外、会計検査に関し必要な規則は、会計検査院がこれを定める。

附　則（抄）

第一条　この法律は、日本国憲法施行の日から、これを施行する。

第二条　左の法律は、これを廃止する。

明治二十九年法律第九十一号（会計検査官退官ニ関スル法律）

会計検査官懲戒法

第三条　この法律施行前の事由に因る出納官吏の弁償責任に関する第三十二条第三項及び第四項の改正規定の適用については、従前の規定による判決は、これを同条第一項の改正規定による検定とみなす。

第四条　この法律施行の際現に存する会計検査院事務章程その他会計検査院の制定に係る会計検査に関する諸規程に定めた事項は、第三十八条の改正規定による会計検査院規則の制定があるまでは、なお従前の例による。

第六条　この法律施行の際現に在職する部長、検査官、書記官、副検査官、理事官及び書記は、別に辞令を発せられないときは、同俸給を以て事務官に任ぜられ、勅任の者は一級、奏任の者は二級、判任の者は三級に叙せられたものとする。

② この法律施行の際現に休職中の会計検査院の職員は、別に辞令を発せられないときは、休職のまま、前項の例により事務官に任ぜられたものとする。

第七条　この法律により初めて任命される検査官のうち二人の任期は、第五条第一項の規定にかかわらず、一人については三年、他の一人については五年とする。

附　則〔令三・六・一一法六二〕（抄）

（施行期日）

第一条　この法律は、令和五年四月一日から施行する。〔ただし書略〕

（会計検査院法の一部改正に伴う経過措置）

第十四条　この法律の施行後最初に任命される検査官（任期中に欠けた検査官の後任として任命される検査官を除く。）の任期は、第十条の規定による改正後の会計検査院法（次項において「新会計検査院法」という。）第五条第一項の規定にかかわらず、四年とする。

2　この法律の施行の際現に在職する検査官の任期及び定年は、新会計検査院法第五条第一項及び第三項の規定にかかわらず、なお従前の例による。

※刑法等の一部を改正する法律の施行に伴う関係法律の整理等に関する法律（令四・六・一七法六八）の第六八条で本法が一部改正されましたが、未施行のため、ここに別に掲げました。

（会計検査院法の一部改正）

第六十八条　会計検査院法（昭和二十二年法律第七十三号）の一部を次のように改正する。

第七条中「禁錮」を「拘禁刑」に改める。

第十九条の五中「懲役」を「拘禁刑」に改める。

附　則（抄）

（施行期日）

1　この法律は、刑法等一部改正法施行日〔令七・六・一〕から施行する。〔ただし書略〕

○会計検査院法施行規則

昭二二・五・三
会計院規四

最終改正　令三・六・一会計院規三

目次〔略〕

第一章　検査官会議

第一条　検査官会議は、検査官の要求又は事務総長の申出により、院長がこれを開く。

第二条　検査官会議は、検査官又は事務総長の提出した文書（図画及び電磁的記録（電子的方式、磁気的方式その他人の知覚によつては認識することができない方式で作られた記録をいう。）を含む。以下同じ。）をもつて議案とする。

②　事務総長は、検査官会議に出席しなければならない。

第三条　検査官会議の決議に関する文書は、事務総長においてこれを保存する。

第四条　前三条の規定は、会計検査院法（昭和二十二年法律第七十三号。以下「法」という。）第十四条又は第八条第一項の規定による検査官の合議を経る場合に、これを準用する。

第五条　法第六条の規定により、検査官に心身の故障のため、職務の執行ができないか、又は職務上の義務に違反する事実があると決定しようとするときは、他の検査官は、その事実を記録した文書に、これを証明する資料を添えて検査官の合議に附さなければならない。

②　検査官の合議により、前項の事実があると決定したときは、合議した検査官は、前項の文書及び資料を添え、その旨を両議院の議長に通告しなければならない。

第六条　次の事項は、検査官会議の議決を経なければならない。

一　法第三十条の三の規定による検査の実施及び検査の結果の報告

二　法第三十三条の規定による検察庁への通告

三　法第三十四条の規定による意見の表示又は処置の要求（いずれも軽微なものを除く。）

四　国有財産法（昭和二十三年法律第七十三号）第二十五条の規定による審査の決定

五　国有財産法第三十四条第二項及び第三十七条第二項に規定する検査報告

六　放送法（昭和二十五年法律第百三十二号）第七十四条第一項に規定する書類の検査を行つた旨の通知

七　特別会計に関する法律（平成十九年法律第二十三号）第十九条第一項に規定する書類の検査を行つた旨の通知

八　法律に定める会計の検査を行うことの決定（法第二十三条第一項に規定する会計経理の検査を行うことの決定を除く。）

第二章　院長

第七条　次の事項は、院長の職権に属する。

一　会計検査院を代表すること

二　職員の栄典授与に関すること

三　検査官会議の議決又は検査官の合議を経た事項につき、その名を以て文書を発すること

四　顧問を委嘱すること

第八条　院長が欠けたとき又は事故のあるときは、検査官の合議によりあらかじめ定められた検査官が代わつてその職務を行う。

②　院長は、前項の規定により院長の職務を行う検査官が定められたときは、その氏名を官報で公示するものとする。

第三章　事務総局

第九条　次の事項は、事務総長の職権に属する。

一　法第三条の規定による互選に関する事務を管理すること

二　検査官会議の議決又は検査官の合議を経た事項につき発する公文に署名すること

三　官房及び各局から提出する文書で検査官会議の議決又は検査官の合議を要しないものを処理すること

四　検査事務の規程その他事務総局の諸規程を制定し、又は改廃すること

第十条　次長は、事務総長を補佐し、官房の事務及び各局間の事務の調整、連絡を図る。

第十一条　次の事項は、局長の職権に属する。

一　各課、第十四条の四第一項に規定する上席調査官又は第十四条の五第一項に規定する監理官から提出する文書で事務総長に提出することを要しないものを処理すること

二　その主管に属する事務につき、定期又は臨時に協議を行い、その連絡、調整を図ること

三　法第二十六条の規定により、その主管に属する事務につき、帳簿、書類その他の資料若しくは報告の提出を求め、又は関係者に質問し若しくは出頭を求めること

四　法第二十八条の規定により、その主管に属する事務につき、官庁、公共団体その他の者に対し、資料の提出、鑑定等を依頼すること

五　その局の職員をして、局主管の事務につき、一時相互に援助させること

第十二条　官房に、総括審議官一人、公文書監理官一人（関係のある他の職を占める者をもって充てられるものとする。）、サイバーセキュリティ・情報化審議官一人及び審議官十三人を置く。

②　総括審議官は、命を受け、事務総局の所掌事務のうち重要事項についての企画、立案及び総合調整に関する事務を総括整理する。

③　公文書監理官は、命を受け、事務総局の所掌事務に関する

公文書類の管理並びにこれに関連する情報の公開及び個人情報の保護の適正な実施の確保に係る重要事項についての事務並びに関係事務を総括整理する。

④　サイバーセキュリティ・情報化審議官は、命を受け、事務総局の所掌事務に関するサイバーセキュリティ（サイバーセキュリティ基本法（平成二十六年法律第百四号）第二条に規定するサイバーセキュリティをいう。）の確保並びに情報システムの整備及び管理並びにこれらと併せて行われる事務の運営の改善及び効率化に関する重要事項についての企画及び立案に関する事務並びに関係事務を総括整理する。

⑤　審議官は、命を受け、事務総局の所掌事務のうち重要事項についての企画及び立案に参画し、関係事務を総括整理する。

⑥　審議官のうち一人は、命を受け、懲戒処分の要求、弁償責任の検定及び検察庁に対する通告に関する事務を総括整理する。

⑦　審議官のうち一人は、命を受け、情報システムに関する事務（第四項に規定する事務を除く。）を総括整理する。

⑧　前条の規定は、総括審議官及び前二項に規定する審議官の職権について準用する。

第十二条の二　官房及び各局に、課を置く。

第十三条　各課に、課長を置く。

②　課長は、命を受け、課務を掌理する。

第十四条　次の事項は、課長の職権に属する。

一　その主管に属する事務を常時続行するため課員を配置し、帳簿、書類その他の資料の整備を行うこと。

二　その主管に属する事務の執行に関する文書を調製し、事務総長又は局長に提出すること。

三　法第二十六条の規定により、その主管に属する事務につき、帳簿、書類その他の資料若しくは報告の提出を求め、又は関係者に質問し若しくは出頭を求めること

四　法第二十八条の規定により、その主管に属する事務につき、官庁、公共団体その他の者に対し、資料の提出、鑑定等を依頼すること

第十四条の二　官房に、上席検定調査官、上席企画調査官、厚生管理官、上席情報システム調査官及び能力開発官それぞれ一人を置く。

②　上席検定調査官、上席企画調査官、厚生管理官、上席情報システム調査官及び能力開発官は、命を受け、主管の事務をつかさどる。

③　前条の規定は、上席検定調査官、上席企画調査官、厚生管理官、上席情報システム調査官及び能力開発官の職権について準用する。

第十四条の三　官房に、技術参事官三人を置く。

②　技術参事官は、命を受け、各局の検査事務のうち技術に関する重要事項の調整に参画する。

第十四条の四　第二局、第三局及び第四局に、上席調査官各一人を、第五局に、上席調査官三人を置く。

②　上席調査官は、命を受け、主管の事務をつかさどる。

③　第十四条の規定は、上席調査官の職権について準用する。

第十四条の五　各局に、監理官各一人を置く。

②　監理官は、命を受け、主管の事務をつかさどる。

③　第十四条の規定は、監理官の職権について準用する。

第十四条の六　課の名称並びに課、上席検定調査官、上席企画調査官、厚生管理官、上席情報システム調査官、能力開発官、上席調査官及び監理官の事務分掌は、会計検査院事務総局事務分掌及び分課規則（昭和二十二年会計検査院規則第三号）の定めるところによる。

第四章　検査報告

第十五条　会計検査院は、法第二十九条の規定により掲記するものの外、法第三十三条の規定により検察庁に通告した事項、法第三十五条の規定により審査の要求に対し是正を要する旨の判定をした事項その他必要と認める事項を、検査報告に掲記することができる。

第十五条の二　会計検査院は、法第三十条の三の規定により、各議院又は各議院の委員会若しくは参議院の調査会に検査の結果を報告したときは、その旨を内閣に通知するものとする。

第五章　雑則

第十六条　会計検査院は、法第三十三条の規定により、検察庁に通告する場合においては、国の会計事務を処理する職員に職務上の犯罪があると認めたときから、十日以内に行う。

第十七条　第六条の規定により、法律に定める会計の検査を行うことを決定したときは、これを関係者に通知するものとする。

第十八条　会計検査院に、顧問若干人を置くことができる。

②　顧問は、会計検査院の所掌する事務のうち、重要な事項について、会計検査院の諮問に答える。

③　顧問の任期は、二年とする。

④　顧問は、非常勤とする。

附　則

この規則は、昭和二十二年五月三日から、これを施行する。

○会計検査院審査規則

平一八・三・三一
会計院規六

最終改正　令四・三・二九会計院規三

目次〔略〕

第一章　会計検査院法第三十五条第一項の規定による審査

（この章の趣旨）

第一条　会計検査院法第三十五条第一項の規定による審査については、この章の定めるところによる。

（法人でない社団又は財団の審査要求）

第二条　法人でない社団又は財団で代表者又は管理人の定めがあるものは、その名で審査の要求（以下この章において「審査要求」という。）をすることができる。

（総代）

第三条　多数の者が共同して審査要求をしようとするときは、三人を超えない総代を互選することができる。

2　会計検査院は、共同審査要求人が総代を互選しない場合において、必要があると認めるときは、総代の互選を求めることができる。

3　総代は、各自、他の共同審査要求人のために、審査要求の取下げを除き、当該審査要求に関する一切の行為をすることができる。

4　共同審査要求人は、総代が選任されている場合は、総代を通じてのみ前項の行為をすることができる。

5　共同審査要求人に対する会計検査院の通知その他の行為は、二人以上の総代が選任されている場合においても、一人の総代に対してすれば足りる。

6　共同審査要求人は、必要があると認めるときは、総代を解任することができる。

（代理人による審査要求）

第四条　審査要求は、代理人によってすることができる。

2　代理人は、各自、審査要求人のために、当該審査要求に関する一切の行為をすることができる。ただし、審査要求の取下げは、特別の委任を受けた場合に限り、することができる。

（代表者の資格の証明等）

第五条　代表者若しくは管理人、総代又は代理人の資格は、書面で証明しなければならない。前条第二項ただし書に規定する特別の委任についても、同様とする。

2　審査要求人は、代表者若しくは管理人、総代又は代理人がその資格を失ったときは、書面でその旨を会計検査院に届け出なければならない。

（審査要求の方式）

第六条　審査要求は、次の各号に掲げる事項を記載した審査要求書を提出してしなければならない。

一　審査要求人の氏名又は名称及び住所
二　審査要求の趣旨及び理由
三　審査要求をしようとする事項についての訴訟の提起の有無
四　審査要求の年月日
五　添付資料の表示

2　審査要求人が、法人その他の社団若しくは財団であるとき、総代を互選したとき、又は代理人によって審査要求をするときは、審査要求書には、前項各号に掲げる事項のほか、その代表者若しくは管理人、総代又は代理人の氏名（以下「法人の代表者等の氏名」という。）及び住所を記載しなければならない。

3　第一項第二号に規定する審査要求の趣旨は、審査要求人が求める是正の内容を明らかにするものとする。

4　第一項第二号に規定する審査要求の理由は、審査要求の根拠となる事実を具体的に記載するものとする。

5　審査要求書には、前項の事実を立証する資料を添付しなければならない。

6　審査要求書及び資料は、正副二通を提出しなければならない。

7　会計検査院は、審査要求書に形式上の不備があると認めるときは、相当の期間を定めて、その補正を求めることができる。

（審査要求書等の副本の送付）

第七条　会計検査院は、審査要求書及び資料の提出があったときは、その副本を主務官庁その他の責任者（以下「主務官庁等」という。）に送付し、相当の期間を定めて、審査要求に対する意見を記載した書面又は当該意見を記録した電磁的記録（電子的方式、磁気的方式その他人の知覚によっては認識することができない方式で作られる記録であって、電子計算機による情報処理の用に供されるものをいう。以下同じ。）（以下これを「意見書」という。）及び意見書に記載し、又は記録した事実を立証する資料の提出を求めることができる。

2　意見書及び資料は、正副二通を提出しなければならない。

3　会計検査院は、主務官庁等から意見書及び資料の提出があったときは、その副本を審査要求人に送付する。

4　審査要求人は、意見書の副本の送付を受けたときは、意見に対する反論を記載した反論書及び反論書に記載した事実を立証する資料を提出することができる。この場合において、会計検査院が反論書を提出すべき期限を定めたときは、その期限までに提出しなければならない。

5　反論書及び資料は、正副二通を提出しなければならない。

6　会計検査院は、審査要求人から反論書及び資料の提出があったときは、その副本を主務官庁等に送付する。

（審査の方法）

第八条　審査は、書面により行う。

2　会計検査院は、必要に応じ、審査要求人又は主務官庁等その他の関係者に、書面、電磁的記録若しくは口頭による説明又は資料の提出を求めることができる。

3　会計検査院は、必要に応じ、職員を派遣して実地の調査をすることができる。

（訴訟との関係）

第九条　会計検査院は、審査要求が行われた事項について、訴訟その他の裁判上の手続が係属するときは、当該審査要求の審査を中止することができる。

（手続の併合又は分離）

第十条　会計検査院は、必要があると認めるときは、数個の審査要求を併合し、又は併合された数個の審査要求を分離することができる。

（手続の承継）

第十一条　審査要求人が死亡したときは、相続人その他法令により審査要求が行われた事項に係る権利を承継した者は、審査要求人の地位を承継する。

2　審査要求人について合併又は分割（審査要求が行われた事項に係る権利を承継させるものに限る。）があったときは、合併後存続する法人その他の社団若しくは財団又は合併により設立された法人その他の社団若しくは財団又は分割により当該権利を承継した法人は、審査要求人の地位を承継する。

3　前二項の場合において、審査要求人の地位を承継した者は、書面でその旨を会計検査院に届け出なければならない。この場合において、当該書面には、相続等による権利の承継の事実を証明する書面を添付しなければならない。

4　第一項又は第二項の場合において、前項の規定による届出がされるまでの間に、死亡者又は合併前の法人その他の社団若しくは財団若しくは分割をした法人にあてられた通知その他の行為が審査要求人の地位を承継した者に到達したときは、これらの者に対する通知その他の行為としての効力を有する。

5　第一項の場合において、審査要求人の地位を承継した相続人その他の者が二人以上あるときは、その一人に対する通知その他の行為は、全員に対してされたものとみなす。

（審査要求の取下げ）

第十二条　審査要求人は、第十四条の規定による通知があるまでは、いつでも審査要求を取り下げることができる。

2　審査要求の取下げは、書面でしなければならない。

（審査要求の却下）

第十三条　会計検査院は、審査要求が次の各号のいずれかに該当するときは、当該審査要求を却下する。

一　国の会計事務を処理する職員の会計経理の取扱いに関するものでないとき

二　利害関係人からされたものでないとき

三　自己に不利益な会計経理の取扱いの是正を求めるものでないとき

2　会計検査院は、審査要求人が死亡し、第十一条の規定による手続の承継が行われなかった場合その他審査を継続する必要がなくなった場合には、審査を打ち切り、当該審査要求を却下することができる。

3　会計検査院は、前二項の規定により審査要求を却下したときは、その旨を審査要求人及び審査要求書の副本を送付した主務官庁等に通知する。

（審査の結果の通知）

第十四条　会計検査院は、審査の結果、審査要求に係る会計経理の取扱いについて是正を要すると判定したときは、その内容及び理由を明らかにした審査判定書を主務官庁等に送付するとともに、その写しを審査要求人に送付する。

2　会計検査院は、審査の結果、審査要求に係る会計経理の取扱いについて、是正を要しないと判定したとき、又は是正の要否の判定をし難いと認めたときは、その旨及び理由を審査要求人及び主務官庁等に通知する。

第二章　国有財産法第二十五条第一項の規定による審査

（この章の趣旨）

第十五条　国有財産法（昭和二十三年法律第七十三号）第二十五条第一項（同法又は他の法律において準用する場合を含む。）に規定する補償の請求（以下「補償請求」という。）に係る審査については、この章の定めるところによる。

（審査要求の方式）

第十六条　各省各庁の長は、補償請求を審査に付する（以下この章において「審査要求」という。）ときは、次の各号に掲げる事項を記載した書面又はこれらの事項を記録した電磁的記録（以下これらをこの章において「審査要求書」という。）を提出してしなければならない。

一　補償請求人の氏名又は名称及び住所

二　補償請求に係る国有財産に関する事務を分掌している部局等の長の官職及び氏名

三　補償請求に係る国有財産の国有財産台帳の記載事項

四　補償請求に係る事務を担当する職員の官職及び氏名

五　審査要求に至った経緯

六　補償請求人が補償すべき額等を申し出ているときは、その額等及びその額等に対する各省各庁の長の意見

七　審査要求をしようとする事項についての訴訟の係属の有無

八　審査要求の年月日

九　添付資料の表示

2　審査要求書には、前項第六号の各省各庁の長の意見の基礎とした資料及び補償請求人の補償請求の意思が明らかにされた書面を添付しなければならない。

3　審査要求書及び資料は、正副二通を提出しなければならない。

4 各省各庁の長は、第一項の規定による審査要求書を提出しようとするときは、その旨及び会計検査院から意見書の提出を求められることがある旨を、補償請求人に通知しなければならない。

（審査要求書等の副本の送付）

第十七条 会計検査院は、審査要求書及び資料の提出があったときは、その副本を補償請求人に送付し、相当の期間を定めて、補償額等の算定に対する意見を記載し、又は記録した意見書及び意見書に関連する資料の提出を求めることができる。

2 意見書及び資料は、正副二通を提出しなければならない。

3 会計検査院は、補償請求人から意見書及び資料の提出があったときは、その副本を各省各庁の長に送付する。

（審査要求の取下げ）

第十八条 各省各庁の長は、次条の規定による通知があるまでは、いつでも審査要求を取り下げることができる。

2 審査要求の取下げは、書面でしなければならない。

（審査の決定の通知）

第十九条 会計検査院は、審査の決定をしたときは、審査結果通知書を各省各庁の長に送付するとともに、その写しを補償請求人に送付する。

（準用）

第二十条 第八条から第十条までの規定は、本章の審査について準用する。

第三章 雑則

（提出書類への記名）

第二十一条 この規則の規定により会計検査院に提出する書類には、提出する者が記名するものとする。

（電子情報処理組織を使用する方法により行うことができる申請等の指定）

第二十二条 情報通信技術を活用した行政の推進等に関する法律（平成十四年法律第百五十一号。以下「情報通信技術活用法」という。）第六条第一項の規定により電子情報処理組織を使用する方法により行うことができる申請等（情報通信技術活用法第三条第八号に規定する申請等をいう。以下同じ。）は、この規則の規定により会計検査院に対して行われる申請等とする。

（申請等に係る電子情報処理組織）

第二十三条 情報通信技術活用法第六条第一項に規定する会計検査院規則で定める電子情報処理組織は、会計検査院の使用に係る電子計算機（入出力装置を含む。以下同じ。）と申請等をする者の使用に係る電子計算機とを電気通信回線で接続した電子情報処理組織をいう。

2 前項に規定する申請等をする者の使用に係る電子計算機は、会計検査院の使用に係る電子計算機と電気通信回線を通じて接続でき、正常に通信できる機能を備えたものとする。

（電子情報処理組織による申請等）

第二十四条 情報通信技術活用法第六条第一項の規定により電子情報処理組織を使用する方法により申請等を行う者は、当該申請等を書面等（情報通信技術活用法第三条第五号に規定する書面等をいう。以下同じ。）により行うときに記載すべきこととされている事項を、申請等をする者の使用に係る電子計算機から入力して、申請等を行わなければならない。

2 前項の規定により申請等を行う者は、その氏名（法人の代表者等の氏名を含む。）を同項の電子計算機から入力しなければならない。

3 情報通信技術活用法第六条第四項に規定する氏名又は名称を明らかにする措置であって会計検査院規則で定めるものは、第一項の規定により申請等を行う者が、その氏名又は名称及び法人の代表者等の氏名を同項の電子計算機から入力することをいう。

4 この規則の規定により、同一内容の書面等を複数必要とする申請等について、第一項の規定に基づき当該書面等のうち一通に記載すべき又は記載されている事項を入力した場合は、その他の同一内容の書面等に記載すべき事項又は記載されている事項の入力がなされたものとみなす。

（電子情報処理組織を使用する方法により行うことができる処分通知等の指定）

第二十五条 情報通信技術活用法第七条第一項の規定により電子情報処理組織を使用する方法により行うことができる処分通知等（情報通信技術活用法第三条第九号に規定する処分通知等をいう。以下同じ。）は、この規則の規定により会計検査院が行う処分通知等とする。

（処分通知等に係る電子情報処理組織）

第二十六条 情報通信技術活用法第七条第一項に規定する会計検査院規則で定める電子情報処理組織は、会計検査院の使用に係る電子計算機と処分通知等を受ける者の使用に係る電子計算機とを電気通信回線で接続した電子情報処理組織をいう。

2 前項に規定する処分通知等を受ける者の使用に係る電子計算機は、会計検査院の使用に係る電子計算機と電気通信回線を通じて接続でき、正常に通信できる機能を備えたものとする。

（電子情報処理組織による処分通知等）

第二十七条 会計検査院は、情報通信技術活用法第七条第一項の規定により電子情報処理組織を使用する方法により処分通知等を行うときは、当該処分通知等を書面等により行うときに記載すべきこととされている事項を会計検査院の使用に係る電子計算機に備えられたファイルに記録しなければならない。

（処分通知等を受ける旨の表示の方式）

第二十八条 情報通信技術活用法第七条第一項ただし書に規定する会計検査院規則で定める方式は、第二十六条第一項に規定する電子情報処理組織を使用する方法により処分通知等を受けることを希望する旨の会計検査院に対する届出とする。

附 則

1　この規則は、公布の日から施行する。

2　この規則の施行前にした改正前の会計検査院審査規則の規定による手続は、改正後の会計検査院審査規則（以下「新規則」という。）に相当する規定がある場合には、新規則によってしたものとみなす。

○計算証明規則

昭二七・六・七
会計院規三

最終改正　令六・四・一会計院規三

目次〔略〕

第一章　総則

第一節　通則

（通則）

第一条　会計検査院の検査を受けるものの計算証明に関しては、この規則の定めるところによる。

（定義）

第一条の二　この規則において、次の各号に掲げる用語の意義は、当該各号に定めるところによる。

一　証明責任者　この規則の定めるところにより計算証明をする者をいう。

二　証明期間　証明責任者が計算書を作成する単位となる所定の期間をいう。

三　電磁的記録　会計検査院法第二十四条第一項に規定する電磁的記録をいう。

四　計算証明書類　この規則の規定に基づき会計検査院に提出しなければならない書類をいう。

五　電磁的方式　電子的方式、磁気的方式その他人の知覚によっては認識することができない方式をいう。

六　原情報　会計経理の過程において一定の内容を表示するため確定的なものとして電磁的方式により、作成し、取得し、又は利用した情報（当該情報の全部又は一部を電磁的方式により複写した情報を含む。）をいう。

第二節　電磁的記録による計算証明

（電磁的記録による計算証明）

第一条の三　計算証明書類については、当該計算証明書類を提出することに代えて、当該計算証明書類に記載すべき事項を記録した電磁的記録を提出することができる。

第一条の四　会計検査院法第二十四条第一項に規定する会計検査院規則で定めるものは、光ディスク（日本産業規格X六二四一、X六二四五、X六二四九、X六二八一又はX六二八二に適合する直径百二十ミリメートルのものに限る。）に計算証明書類に記載すべき事項を記録したものとする。

2　電磁的記録には、会計検査院の定める基準に従い、計算証明書類に記載すべき事項を記録しなければならない。

3　会計検査院は、前項に規定する基準を定めたときは、インターネットの利用その他適切な方法により公表するものとする。

（電磁的記録に係る記録媒体の記載事項等）

第一条の五　電磁的記録に係る記録媒体には、次の各号に掲げる事項を記載し、又は当該事項を記載した書面を貼り付けなければならない。

一　計算証明書類の名称

二　証明年度及び証明年月

三　証明責任者の職（官）又は役職及び氏名

四　提出年月日

五　整理番号（同時に二枚以上の電磁的記録に係る記録媒体を提出する場合に限る。）

2　電磁的記録には、当該電磁的記録に記録された計算証明書類に記載すべき事項の内容を明らかにした資料を添付しなければならない。ただし、当該事項の内容がファイルの名称等から明らかであるときは、この限りでない。

（電磁的記録における証拠書類等の付記の取扱い）

第一条の六　証拠書類又は次条第一項第三号に規定する添付書類に記載すべき事項を記録した電磁的記録を提出するときは、この規則の規定によりこれらの書類に付記すべきこととされている事項を当該電磁的記録に併せて記録するものとする。

第三節　計算書及び証拠書類の提出

（計算書の提出期限）

第二条　証明責任者は、証明期間ごとに計算書（計算書に記載すべき事項を記録した電磁的記録を含む。以下同じ。）を作成し、次の各号に掲げるものを添えて、当該期間が満了する日の属する月の翌月末日までに会計検査院に到達するように提出しなければならない。

一　この規則において計算書に添付しなければならないとされている書類（当該書類に記載すべき事項を記録した電磁的記録を含む。）

二　証拠書類（証拠書類に記載すべき事項を記録した電磁的記録を含む。第六条、第七条第一項、第九条、第十条、第十五条第二項及び第三項、第十六条から第十八条まで、第十九条の五第二項、第十九条の七第二項、第二十三条から第三十条まで、第三十九条第五項、第四十条から第四十四条まで、第六十二条第二項並びに第七十九条において同じ。）

三　この規則において証拠書類に添付しなければならないとされている書類（以下「添付書類」という。）（添付書類に記載すべき事項を記録した電磁的記録を含む。第六条、第七条第一項、第九条、第十条及び第十九条の五第二項において同じ。）

2　証明責任者が、国の債権の管理に関する事務の一部を分掌する歳入徴収官等、分任歳入徴収官、分任国税収納命令官、分任支出負担行為担当官、分任物品管理官、分任出納官吏若しくはこれらの者の代理官又は出納員の取り扱った計算を併算して計算証明をする場合における前項の規定の適用については、同項中「翌月末日」とあるのは「翌々月十五日」とする。

3　第一項に規定する書類及び電磁的記録を監督官庁等を経由して会計検査院に提出する場合は、証明責任者は第一項又は前項の期限までに監督官庁等に提出し、監督官庁等は受理後一月を超えない期間に会計検査院に到達するように提出しなければならない。この場合において、監督官庁等は計算書に、その受理の年月日を記載し、又は記録しなければならない。

（証明責任者の交替等があったときの計算証明）

第三条　証明責任者が交替し前任者の計算証明が済んでいないときは、前任者の計算を後任者が計算証明をしなければならない。ただし、監督官庁等は、特別の事由があるときは、後任者以外の職員を証明責任者として指名して、計算証明をさせることができる。

2　前項の交替が証明期間中で、後任者が計算証明をする場合は、前任者の取り扱った計算を併算して計算証明をすることができる。

3　前二項の場合においては、計算書に、その旨並びに前任者の職氏名及び管理期を記載し、又は記録しなければならない。

4　前三項の規定は、証明責任者に交替以外の異動があったときの計算証明について準用する。

（計算書の訂正）

第四条　提出済みの計算書に記載し、又は記録された事項について、誤記等を発見したときは、その事項及び事由を明らかにした報告書を提出しなければならない。

（証拠書類の形式）

第五条　証拠書類は、原本を提出しなければならない。ただし、原本を提出し難いときは、証明責任者が原本と相違ない旨を証明した謄本をもって、原本に代えることができる。

2　証拠書類につきその作成に代えて電磁的方式により証拠書類に記載すべき事項に係る情報が作成されているときは、当該事項に係る原情報を電磁的記録に記録して提出しなければならない。

3　原情報を電磁的記録に記録して提出し難いときは、証明責任者が原情報と相違がない旨を証明した原情報を出力した書面を証拠書類として提出することができる。この場合において、当該書面には原情報を出力したものである旨を付記しなければならない。

（外国貨幣換算に関する書類等の添付）

第六条　外国貨幣を基礎とし、又は外国貨幣で収支をしたものは、換算に関する書類を証拠書類に添附しなければならない。ただし、支出官事務規程（昭和二十二年大蔵省令第九十四号）第十一条第二項第四号又は出納官吏事務規程（昭和二十二年大蔵省令第九十五号）第十四条から第十六条までに規定する外国貨幣換算率によって収支をしたものは、証拠書類にその換算価格を付記して、換算に関する書類の添付を省略することができる。

2　証拠書類又は添付書類のうち、外国語で記載し、又は記録されたものについては、その訳文を添付しなければならない。

（提出済みの証拠書類等のある場合の処理）

第七条　証拠書類又は添付書類のうち、計算証明のため既に提出したものがあるとき、又は他の区分に編集して提出するものがあるときは、その旨を関係する証拠書類又は添付書類に付記し、又はその旨及び金額等を記載した書類を計算書に添付しなければならない。

２　証拠書類又は添付書類に記載すべき事項を記録した電磁的記録を提出する場合において、当該電磁的記録であって、計算証明のため既に提出したものがあるとき又は他の区分に編集して提出するものがあるときは、前項の規定にかかわらず、既に提出し、又は他の区分に編集して提出する電磁的記録を複写した電磁的記録を提出することができる。

（証拠書類等の編集）

第八条　証拠書類及び添付書類は、一の歳入の徴収、支出の決定その他の会計経理に係る行為ごとに取りまとめ、これを歳入及び歳出については目別に、その他のものについては受払い等別、種類別に、事情によりなお適宜細分して区分して編集しなければならない。

２　証拠書類及び添付書類には、前項の区分に仕切紙を付して編集し、かつ、表紙を付さなければならない。

３　前項の仕切紙には次の各号に掲げる事項を記載しなければならない。

一　科目、受払、種類等の区分の名称

二　証拠書類及び添付書類の紙数

三　証拠書類及び添付書類の金額

４　第二項の表紙には次の各号に掲げる事項を記載しなければならない。

一　証拠書類及び添付書類の名称（所管（主管）及び会計（勘定）名を含む。）

二　証明年度及び証明年月

三　証明責任者の職（官）又は役職及び氏名

四　証拠書類及び添付書類の総紙数

五　証拠書類及び添付書類の総金額

六　総冊数のうち第何冊分（分冊にして提出する場合に限る。）

第八条の二　前条第一項の規定は、証拠書類及び添付書類に記載すべき事項を電磁的記録に記録して提出する場合（次項に規定するときを除く。）に準用する。この場合において、当該電磁的記録には、前条第三項第一号及び第三号並びに同条第四項第一号から第三号まで及び第五号に掲げる事項を併せて記録しなければならない。

２　一の歳入の徴収、支出の決定その他の会計経理に係る行為について、証拠書類及び添付書類とこれらの書類に記載すべき事項を記録した電磁的記録とを提出するときは、証拠書類及び添付書類の各区分ごとの仕切紙には、前条第三項に規定する事項のほか、電磁的記録により提出するものがある旨を記載しなければならない。この場合において、証拠書類及び添付書類には、次の各号に掲げる事項を付記しなければならない。

一　電磁的記録により提出するものがある旨

二　当該電磁的記録との関連性を確認することができる事項

３　証拠書類及び添付書類とこれらの書類に記載すべき事項を記録した電磁的記録を提出する場合において、一の歳入の徴収、支出の決定その他の会計経理に係る行為について、証拠書類及び添付書類に記載すべき事項を記録した電磁的記録のみを提出するとき（次項に規定するときを除く。）は、証拠書類及び添付書類の各区分ごとの仕切紙には、前条第三項に規定する事項のほか、電磁的記録により提出するものがある旨及びその金額を記載しなければならない。

４　証拠書類及び添付書類とこれらの書類に記載すべき事項を記録した電磁的記録を提出する場合において、一の仕切紙を付すべき区分に編集するものの全部が電磁的記録であるときは、証拠書類及び添付書類に当該区分についても仕切紙を付し、当該仕切紙には、次の各号に掲げる事項を記載しなければならない。

一　前条第三項第一号に掲げる事項

二　次条第一項に規定する事項

三　第二十二条第二項及び第三十九条第三項に規定する事項

四　電磁的記録により提出する旨及びその金額

（未到達の証拠書類等に関する処理）

第九条　証明責任者は、証拠書類又は添付書類のうち到達しないため計算書に添えて提出することができないものがあるときは、その旨及び金額を仕切紙に記載し、又は電磁的記録に併せて記録しなければならない。

２　前項の証拠書類又は添付書類が到達したときは、到達したときの証明期間の計算書に添えて提出しなければならない。この場合において、当該証拠書類又は添付書類は支払等のあった証明期間ごとに区分して編集し、その旨及びその証明期間を表紙に記載し、又は電磁的記録に併せて記録しなければならない。

（証拠書類等が滅失した場合の計算証明）

第十条　天災地変その他のやむを得ない事故により、証拠書類又は添付書類が滅失したときは、その事故についての関係官公署の証明書及び監督官庁等の証明した科目別金額等の明細書を計算書に添付しなければならない。

（特別の事情がある場合の計算証明）

第十一条　特別の事情がある場合には、会計検査院の指定により、又はその承認を経て、この規則の規定と異なる取扱いをすることができる。

第二章　国の会計事務を処理する職員の計算証明

第一節　通則

第十一条の二　会計検査院法第二十二条第一号から第三号まで及び第二十三条第一項第一号の規定により会計検査院の検査を受けるものの証明責任者、証明期間及び計算証明書類に関しては、この章の定めるところによる。

第二節　国の債権の管理に関する事務を行う職員の計算証明

（国の債権の証明責任者、証明期間及び計算書）

第十一条の三　歳入徴収官等（国の債権の管理等に関する法律（昭和三十一年法律第百十四号）第二条第四項に規定する歳入徴収官等をいう。以下同じ。）の管理に属する債権については、証明責任者は、主任歳入徴収官等（歳入徴収官等のうち次条第一項に規定する分任歳入徴収官等及びその事務を代理する歳入徴収官等を除いたものをいう。以下同じ。）とし、証明期間は、会計検査院の別に指定するものは三月、その他のものは一年とする。

2　計算書は、債権管理計算書（第一号書式）とする。

（分任歳入徴収官等の分等の計算証明）

第十一条の四　分任歳入徴収官等（債権の管理に関する事務の一部を分掌する歳入徴収官等をいう。以下同じ。）又はその事務を代理する歳入徴収官等の取り扱った計算は、所属の主任歳入徴収官等の計算に併算する。

2　主任歳入徴収官等が、前項の規定により計算証明をするときは、分任歳入徴収官等又はその事務を代理する歳入徴収官等の取り扱った計算についての証拠書類は、分任歳入徴収官等ごとに別冊とし、第八条及び第九条の規定により区分して編集し、当該分任歳入徴収官等の職氏名を証拠書類の表紙に記載しなければならない。

3　前項の規定は、証拠書類に記載すべき事項を記録した電磁的記録について準用する。この場合において、前項中「ごとに別冊とし、第八条」とあるのは「の別に、第八条の二」と、「の表紙に記載」とあるのは「に記載すべき事項を記録した電磁的記録に併せて記録」と読み替えるものとする。

（一の計算書による計算証明）

第十一条の五　同一の官署に二人以上の主任歳入徴収官等がいるときは、当該関係の主任歳入徴収官等は、それぞれの所掌区分を明らかにして、一の計算書によって計算証明をすることができる。ただし、所管若しくは会計又は証明期間が異なる債権については、この限りでない。

（債権管理計算書の証拠書類）

第十一条の六　債権管理計算書の証拠書類は、会計検査院が別に指定する。

（債権に関する特別の書類）

第十一条の七　国の債権の管理等に関する法律第三条第一項ただし書に規定する債権については、会計検査院が別に指定する書類を提出しなければならない。

第三節　歳入徴収官の計算証明

（歳入の証明責任者、証明期間及び計算書）

第十二条　歳入については、証明責任者は、歳入徴収官（歳入徴収官代理を含む。以下同じ。）とし、証明期間は、会計検査院の別に指定するものは一月、その他のものは三月とする。

2　計算書は、歳入徴収額計算書（第一号の二書式）とする。

（分任歳入徴収官の分等の計算証明）

第十三条　分任歳入徴収官又は分任歳入徴収官代理の取り扱った計算は、所属の歳入徴収官の計算に併算する。

2　歳入徴収官が、前項の規定により計算証明をするときは、分任歳入徴収官又は分任歳入徴収官代理の取り扱った計算についての証拠書類及び添付書類は、分任歳入徴収官ごとに別冊とし、第八条及び第九条の規定により区分して編集し、当該分任歳入徴収官の職氏名を証拠書類及び添付書類の表紙に記載しなければならない。

3　前項の規定は、証拠書類及び添付書類に記載すべき事項を記録した電磁的記録について準用する。この場合において、前項中「ごとに別冊とし、第八条」とあるのは「の別に、第八条の二」と、「の表紙に記載」とあるのは「に記載すべき事項を記録した電磁的記録に併せて記録」と読み替えるものとする。

（歳入金月計突合表等の添付）

第十四条　歳入徴収額計算書には、日本銀行国庫金取扱規程（昭和二十二年大蔵省令第九十三号）第七十九条に規定する歳入金月計突合表を添付しなければならない。ただし、やむを得ない事由により添付し難いときは、その旨を計算書の備考欄に記入して、別に提出することができる。

2　前項に定めるもののほか、歳入徴収額計算書に添付しなければならない書類は、会計検査院が別に指定する。

（歳入徴収額計算書の証拠書類）

第十五条　歳入徴収額計算書の証拠書類は、次の各号に掲げる書類とする。

一　歳入徴収官事務規程（昭和二十七年大蔵省令第百四十一号）第三条第四項に規定する歳入の内容を示す書類

二　契約書（契約書の作成を省略したときは、請書その他契約の内容を明らかにした書類）

三　契約を変更し、若しくは違約処分をしたものについて徴収決定をしたもの又は徴収決定をしたものについて契

約を解除したものがあるときは、その関係書類

四　民事再生法（平成十一年法律第二百二十五号）による再生計画案若しくは変更計画案若しくは会社更生法（平成十四年法律第百五十四号）若しくは金融機関等の更生手続の特例等に関する法律（平成八年法律第九十五号）による更生計画案若しくは変更計画案に同意したもの、民事訴訟法（平成八年法律第百九号）による和解をしたもの又は民事調停法（昭和二十六年法律第二百二十二号）による調停に応じたものについて徴収決定をしたものがあるときは、その関係書類

五　履行期限を延長する特約若しくは処分又は延納の特約若しくは処分をしたものについて、徴収決定をしたものがあるときは、その関係書類

六　滞納処分をしたものがあるときは、その関係書類

七　不納欠損処分をしたものがあるときは、その関係書類

2　次の各号に掲げる歳入について、歳入証明書（第一号の三書式）を提出したときは、前項各号に規定する証拠書類を会計検査院から要求のあった際に提出することができるように歳入徴収官が保管することができる。

一　分割納付債権（法令の規定に基づく特約又は処分により分割して納付することとされているものをいう。以下同じ。）及び貸付料債権等（貸付料債権その他法令又は契約により継続して一定金額を定期に納付することとされているものをいう。以下同じ。）の二回目以降の徴収決定に係る歳入（分割納付債権又は貸付料債権等の内容が変更された場合においては、変更後の初回分を除く。）

二　前号に定めるもののほか、会計検査院が別に指定する歳入

3　延納の特約をしたものについて徴収決定をしたものがあるとき又は不納欠損処分をしたものがあるときは、前項の規定にかかわらず、その証拠書類を提出しなければならない。

（競争契約に関する書類の添付）

第十六条　一般競争に付した財産の売渡し又は貸付けその他の契約による歳入については、次の各号に掲げる書類を証拠書類に添付しなければならない。ただし、千万円（賃貸料については、年額又は総額の計算とする。）を超えない契約に関するものについては、証拠書類に添付することに代えて、会計検査院から要求のあった際に提出することができるように歳入徴収官が保管することができる。

一　公告に関する書類

二　予定価格及びその算出の基礎を明らかにした書類

三　全ての入札書又は入札者氏名及び入札金額を明らかにした関係職員の証明書

四　契約書の附属書類

2　前項の規定は、指名競争又はせり売りによった契約による歳入について準用する。

（随意契約に関する書類の添付）

第十七条　随意契約によった財産の売渡し又は貸付けその他の契約による歳入については、次の各号に掲げる書類を証拠書類に添付しなければならない。ただし、五百万円（貸付料については、年額又は総額の計算とする。）を超えない契約に関するものについては、証拠書類に添付することに代えて、会計検査院から要求のあった際に提出することができるように歳入徴収官が保管することができる。

一　予定価格及びその算出の基礎を明らかにした書類

二　見積書

三　契約書の附属書類

四　予算決算及び会計令（昭和二十二年勅令第百六十五号）第九十九条の二又は第九十九条の三の規定により随意契約をした場合は、前回までの競争に関する概要を明らかにした調書

（証拠書類に付記する事項）

第十八条　次の各号に掲げるときは、当該各号に定める事項を関係する証拠書類に付記しなければならない。

一　予算決算及び会計令第百条の二第一項第四号の規定により契約書の作成を省略したとき　その旨

二　財産の売渡し又は貸付けその他の契約について、指名競争に付したとき、又は随意契約によったとき（予算決算及び会計令第九十四条第一項第四号から第六号まで又は第九十九条第五号から第七号までの規定に基づく場合を除く。）　適用した法令の条項

三　法令の規定により分割して徴収決定をしたとき　前回までの徴収決定年月日及び金額

（誤びゅう及び訂正の報告）

第十九条　最終の歳入徴収額計算書を提出した後において、計算書に記載し、又は記録した年度、科目その他の事項について誤りを発見し、その訂正の処理をしたときは、その都度その内容を記載した報告書を提出しなければならない。

第四節　国税収納命令官等の計算証明

（国税等の徴収の証明責任者、証明期間及び計算書）

第十九条の二　国税等の徴収については、証明責任者は、国税収納命令官（国税収納命令官代理を含む。以下同じ。）とし、証明期間は、一月とする。

2　計算書は、国税収納金整理資金徴収額計算書（第二号の二書式）とする。

3　国税収納金整理資金事務取扱規則（昭和二十九年大蔵省令第三十九号）第七条の二第一項に規定する期限（以下「整理期限」という。）が翌年度の六月一日又は同月二日となる場合には、前二項の規定（前項の規定に基づく第二号

の二書式を含む。）の適用については、これらの日を五月末日とみなす。

（分任国税収納命令官の分等の計算証明）

第十九条の三　分任国税収納命令官又は分任国税収納命令官代理の取り扱った計算は、所属の国税収納命令官の計算に併算する。

２　国税収納命令官が、前項の規定により計算証明をするときは、分任国税収納命令官又は分任国税収納命令官代理の取り扱った計算についての証拠書類及び添付書類は、分任国税収納命令官ごとに別冊とし、第九条及び第十九条の五第二項の規定により区分して編集し、当該分任国税収納命令官の職氏名を証拠書類及び添付書類の表紙に記載しなければならない。

３　前項の規定は、証拠書類及び添付書類に記載すべき事項を記録した電磁的記録について準用する。この場合において、前項中「ごとに別冊とし」とあるのは「の別に」と、「の表紙に記載」とあるのは「に記載すべき事項を記録した電磁的記録に併せて記録」と読み替えるものとする。

（国税収納金整理資金受入金月計突合表等の添付）

第十九条の四　国税収納金整理資金徴収額計算書には、日本銀行国庫金取扱規程第八十一条の二に規定する国税収納金整理資金受入金月計突合表を添付しなければならない。ただし、やむを得ない事由により添付し難いときは、その旨を計算書の備考欄に記入して、別に提出することができる。

２　前項に定めるもののほか、国税収納金整理資金徴収額計算書に添付しなければならない書類は、会計検査院が別に指定する。

（国税収納金整理資金徴収額計算書の証拠書類等）

第十九条の五　国税収納金整理資金徴収額計算書の証拠書類及び添付書類は、会計検査院が別に指定する。

２　前項に規定する証拠書類及び添付書類の編集の方法は、第八条及び第八条の二の規定にかかわらず、会計検査院が別に指定する。

（国税収納金整理資金からする支払の証明責任者、証明期間及び計算書）

第十九条の六　国税収納金整理資金からする支払については、証明責任者は、国税収納金整理資金支払命令官（国税資金支払命令官代理を含む。以下同じ。）とし、証明期間は、一月とする。

２　計算書は、国税収納金整理資金支払命令額計算書（第二号の三書式）とする。

（国税収納金整理資金支払命令額計算書の証拠書類）

第十九条の七　国税収納金整理資金支払命令額計算書の証拠書類は、会計検査院が別に指定する。

２　前項に規定する証拠書類の編集の方法は、第八条及び第八条の二の規定にかかわらず、会計検査院が別に指定する。

（国税等の収納の証明責任者、証明期間及び計算書）

第十九条の八　国税等の収納については、証明責任者は、国税収納官吏（国税収納官吏代理を含む。以下同じ。）並びに次条第一項ただし書の規定により計算証明をする分任国税収納官吏（分任国税収納官吏代理を含む。次条第二項（同条第三項において準用する場合を含む。）を除き、以下同じ。）及び出納員とし、証明期間は、三月とする。

２　計算書は、国税収納金等現金出納計算書（第二号の四書式）とする。

（分任国税収納官吏の分等の計算証明）

第十九条の九　分任国税収納官吏又は出納員の取り扱った計算は、所属の主任国税収納官吏の計算に併算する。ただし、財務大臣又は国税庁長官の指示があった場合は、分任国税収納官吏又は出納員が単独で計算証明をすることができる。

２　主任国税収納官吏が、前項本文の規定により計算証明をするときは、分任国税収納官吏、分任国税収納官吏代理又は出納員の取り扱った計算についての証拠書類は、分任国税収納官吏又は出納員ごとに別冊とし、第八条及び第九条の規定により区分して編集し、当該分任国税収納官吏又は出納員の職氏名を証拠書類の表紙に記載しなければならない。

３　前項の規定は、証拠書類に記載すべき事項を記録した電磁的記録について準用する。この場合において、前項中「ごとに別冊とし、第八条」とあるのは「の別に、第八条の二」と、「の表紙に記載」とあるのは「に記載すべき事項を記録した電磁的記録に併せて記録」と読み替えるものとする。

（検査書の添付）

第十九条の十　国税収納金等現金出納計算書には、予算決算及び会計令第百十八条の規定による検査書を添付しなければならない。

（国税収納金等現金出納計算書の証拠書類）

第十九条の十一　国税収納金等現金出納計算書の証拠書類は、会計検査院が別に指定する。

（国税収納金整理資金に関する特別の書類）

第十九条の十二　この節に定めるもののほか、国税収納金整理資金に関して提出しなければならない書類は、会計検査院が別に指定する。

第五節　物納を取り扱う職員の計算証明

（物納の証明責任者、証明期間及び計算書）

第十九条の十三　物納については、証明責任者は、税務署長又は国税通則法（昭和三十七年法律第六十六号）第四十三条第三項の規定により物納に関する事務の引継ぎを受けた国税局長とし、証明期間は、一年とする。

２　計算書は、物納額計算書（第二号の五書式）とする。

（物納額計算書の証拠書類等）

第十九条の十四　物納額計算書の証拠書類及び添付書類は、会計検査院が別に指定する。

第六節　官署支出官の計算証明

（官署支出官が取り扱う支出の証明責任者、証明期間及び計算書）

第二十条　官署支出官が取り扱う支出については、証明責任者は、官署支出官（官署支出官代理を含む。以下同じ。）とし、証明期間は、一月とする。

2　計算書は、支出計算書（官署分）（第三号書式）とする。

（支出済みの通知の添付）

第二十一条　支出計算書（官署分）には、支出官事務規程第四十一条の規定によりセンター支出官から官署支出官に送信された支出済みの通知に係る事項を記載した書類を添付しなければならない。

2　前項の書類は、項別に区分し、各区分ごとに項名、紙数及び金額を記載した仕切紙を付して編集し、総紙数及び総金額を記載した表紙を付さなければならない。

3　第一項の書類に記載すべき事項を電磁的記録に記録するときは、項別に区分し、各区分ごとの項名及び金額並びに総金額を電磁的記録に併せて記録しなければならない。

4　第一項に規定する書類又は前項に規定する電磁的記録には、支出済みとなったものの整理番号を目別に記載し、又は記録した資料を添付しなければならない。

（主要経費別内訳表等の添付）

第二十一条の二　最終の支出計算書（官署分）には、次の各号に掲げる書類を添付しなければならない。

一　主要経費別内訳表（第三号の三書式）

二　事項別内訳表（第三号の二書式）

（支出計算書（官署分）の証拠書類）

第二十二条　支出計算書（官署分）の証拠書類は、次の各号に掲げる書類とする。

一　支出官事務規程第五条に規定する支出の決定の内容を明らかにした書類

二　請求書

三　契約書（契約書の作成を省略したときは、請書その他契約の内容を明らかにした書類）

四　契約の変更、解除又は違約処分をしたものがあるときは、その関係書類

五　予算決算及び会計令第百一条の九第一項の規定による検査調書又は契約事務取扱規則（昭和三十七年大蔵省令第五十二号）第二十三条第一項の規定による検査に係る書面

六　前各号に定めるもののほか、会計検査院が別に指定する書類

2　前金払又は概算払をしたものがあるときは、前金払又は概算払の別にその金額を証拠書類及び添付書類の仕切紙に内数として記載し、又はこれらの書類に記載すべき事項を記録した電磁的記録に内数として併せて記録しなければならない。

（競争契約に関する書類の添付）

第二十三条　一般競争に付した財産の購入又は借入れその他の契約による支出については、次の各号に掲げる書類を証拠書類に添付しなければならない。ただし、五千万円を超えない工事の請負及び三千万円（賃借料については、年額又は総額の計算とする。）を超えないその他の契約に関するものについては、証拠書類に添付することに代えて、会計検査院から要求のあった際に提出することができるように官署支出官が保管することができる。

一　公告に関する書類

二　予定価格及びその算出の基礎を明らかにした書類

三　全ての入札書又は入札者氏名及び入札金額を明らかにした関係職員の証明書

四　契約書の附属書類

2　前項の規定は、指名競争によった契約による支出について準用する。

（随意契約に関する書類の添付）

第二十四条　随意契約によった財産の購入又は借入れその他の契約による支出については、次の各号に掲げる書類を証拠書類に添付しなければならない。ただし、三千万円を超えない工事の請負及び二千万円（賃借料については、年額又は総額の計算とする。）を超えないその他の契約に関するものについては、証拠書類に添付することに代えて、会計検査院から要求のあった際に提出することができるように官署支出官が保管することができる。

一　予定価格及びその算出の基礎を明らかにした書類

二　見積書

三　契約書の附属書類

四　予算決算及び会計令第九十九条の二又は第九十九条の三の規定により随意契約をした場合は、前回までの競争に関する概要を明らかにした調書

（国の材料等を使用するものに関する書類の添付）

第二十五条　請負に付した工事、製造等について、請負価格に算入されない国の材料又は物件若しくは施設を使用するものがあるときは、その品名等、数量、単価及び価格を証拠書類に付記し、又はその仕訳書を証拠書類に添付しなければならない。

2　前項の規定は、国の労力を使用するものがある場合について準用する。

（直営工事に関する書類の添付等）

第二十六条　直営工事の最初の支出について計算証明をするときは、その工事の設計書及びその附属書類を証拠書類に添付しなければならない。ただし、工事費総額が五千万円を超えないものについては、証拠書類に添付することに代えて、会計検査院から要求のあった際に提出することができるように官署支出官が保管することができる。

2　直営工事の設計書及びその附属書類を提出した後において、その工事の設計等の変更等があった場合には、その設計書等を、変更した後の最初の支出について計算証明をするときの証拠書類に添付しなければならない。

3　第一項の直営工事については、年度内施行部分に関する報告書を年度経過後二月を超えない期間に会計検査院に到達するように提出しなければならない。

（補助金等に関する書類の添付等）

第二十七条　補助金、負担金その他これらに類するものの支出については、次の各号に掲げる書類を証拠書類に添付しなければならない。ただし、三千万円を超えない補助金、負担金その他これらに類するものについては、証拠書類に添付することに代えて、会計検査院から要求のあった際に提出することができるように官署支出官が保管することができる。

一　補助金等に係る予算の執行の適正化に関する法律（昭和三十年法律第百七十九号。以下「補助金等適正化法」という。）第五条に規定する申請書及びその添付書類（補助金等適正化法の適用を受けない補助金、負担金その他これらに類するものについては、これらに準ずる書類）の写し

二　補助金等適正化法第八条に規定する交付決定の通知に関する書類（補助金等適正化法の適用を受けない補助金、負担金その他これらに類するものについては、これに準ずる書類）の写し

2　前項の規定により申請書等を会計検査院に提出した補助事業等については、次の各号に掲げる場合には、遅滞なく、当該各号に掲げる書類を会計検査院に提出しなければならない。

一　補助金等適正化法第十四条後段に規定する補助事業等実績報告書（実績報告に関し、補助金等適正化法の適用を受けないものについては、これに準ずる書類。以下この号において同じ。）の提出があった場合　当該補助事業等実績報告書の写し

二　補助金等適正化法第十五条に規定する補助金等の額の確定があった場合　補助金等適正化法第十四条前段に規定する補助事業等実績報告書の写し及び額の確定に関する書類の写し

（委託に関する書類の添付等）

第二十八条　委託による支出については、計画書その他委託の内容を明らかにした関係書類を証拠書類に添付しなければならない。ただし、三千万円を超えない委託に関するものについては、証拠書類に添付することに代えて、会計検査院から要求のあった際に提出することができるように官署支出官が保管することができる。

2　前項の委託に関する事項については、年度内実施部分に関する報告書を年度経過後三月を超えない期間に会計検査院に到達するように提出しなければならない。

（部分払調書の添付）

第二十九条　一件の支出負担行為について、二回以上の支出をしたときは、前回までの支出の年月日及び金額を記載した調書を第二回以後の証拠書類に添付しなければならない。

（証拠書類に付記する事項）

第三十条　次の各号に掲げるときは、当該各号に定める事項を関係する証拠書類に付記しなければならない。

一　予算決算及び会計令第百条の二第一項第四号の規定により契約書の作成を省略したとき　その旨

二　財産の購入又は借入れその他の契約について、指名競争に付したとき、又は随意契約によったとき（予算決算及び会計令第九十四条第一項第一号から第三号まで若しくは第六号又は第九十九条第二号から第四号まで若しくは第七号の規定に基づく場合を除く。）　適用した法令の条項

三　予算決算及び会計令第八十八条又は第八十九条の規定により次順位者を落札者としたとき　その旨

四　予算決算及び会計令第百一条の五の規定により数量以外のものの検査を省略したとき　その旨

五　継続費又は国庫債務負担行為に基づく支出負担行為をしたものについて、支出をしたものがあるとき　継続費又は国庫債務負担行為に基づく支出負担行為の年月日及び金額

六　財産の購入又は運送についての支出（前金払及び概算払の場合を除く。）をしたとき　国有財産台帳若しくは物品管理簿に記載し、若しくは記録した年月日又は運送済みの年月日

（前金払等の精算に関する明細書の添付）

第三十条の二　前金払又は概算払をしたもの（旅費を除く。）について、それに相当する反対給付等があったとき、又は支払額と反対給付等との差額分についての返納があったときは、精算の事実についての計算を明らかにした明細書を支出計算書（官署分）に添付しなければならない。

2　前項の明細書は、前金払及び概算払に区分し、科目ごとに細分して仕切紙を付して編集しなければならない。

3　第一項の明細書に記載すべき事項を電磁的記録に記録す

るときは、前金払及び概算払に区分し、科目ごとに細分して編集しなければならない。

（未処理事項の調書の添付等）

第三十条の三　最終の証明期間の末日において、次の各号のいずれかに該当するものがあるときは、一件ごとにその金額、事由及び処理の完結予定期限を記載した調書を最終の支出計算書（官署分）に添付しなければならない。

一　歳出予算に基づく支出負担行為をしたもので、支出が済まないもの（予算の繰越しをしたものを除く。）

二　前金払又は概算払をしたもので、その支払額に相当する反対給付等のない場合で、その差額又は全額の返納を受けていないもの（補助金等適正化法の適用を受ける補助金等（次条において「補助金等」という。）の支出に係る場合を除く。）

三　資金の前渡又は交付をしたもので、使用残額の返納を受けていないもの

四　年度、科目その他の誤りで、その処理が済まないもの

2　前項の調書（当該調書に記載すべき事項を記録した電磁的記録を含む。）に記載し、又は記録した事項についてその処理が完結したときは、その都度その内容を記載した報告書を提出しなければならない。

（補助金等に関する未精算状況の報告）

第三十条の四　補助金等に係る支出で、翌年度以降の各年度の九月三十日及び三月三十一日（以下これらの日を「基準日」という。）現在において補助金等適正化法第十五条に規定する額の確定が済んでいないもの（額の確定の結果返納を要するものについては、返納が済んでいないもの）があるときは、基準日現在において、補助金等の未精算状況報告書（第三号の四書式）を作成し、基準日の属する月の翌々月末日までに会計検査院に到達するように提出しなければならない。

2　前項の書類のほか、会計検査院から要求があった場合には、その要求するところに従って、一件ごとにその金額、理由及び処理の完結予定期限を記載した調書を提出しなければならない。

3　前項の調書（当該調書に記載すべき事項を記録した電磁的記録を含む。）に記載し、又は記録した事項についてその処理が完結したときは、その都度その内容を記載した報告書を提出しなければならない。

（誤びゅう及び訂正の報告）

第三十条の五　最終の支出計算書（官署分）を提出した後において、計算書に記載し、又は記録した年度、科目その他の事項について誤りを発見し、その訂正の処理をしたときは、その都度その内容を記載した報告書を提出しなければならない。

（前金払又は概算払のために予算決算及び会計令第五十一条第十三号に規定する経費に充てるための資金を交付した場合の取扱い）

第三十条の六　前金払又は概算払のために予算決算及び会計令第五十一条第十三号に規定する経費に充てるための資金を交付したときは、前金払又は概算払をしたものとみなして第二十二条第二項、第三十条第六号、第三十条の二及び第三十条の三の規定並びに第三号書式の乙前金払の表及び丙概算払の表の規定を適用する。

第七節　センター支出官の計算証明

（センター支出官が取り扱う支出の証明責任者、証明期間及び計算書）

第三十条の七　センター支出官が取り扱う支出については、証明責任者は、センター支出官（センター支出官代理を含む。以下同じ。）とし、証明期間は、一月とする。

2　計算書は、支出計算書（センター分）（第三号の五書式）とする。

（主要経費別内訳表等の添付）

第三十条の八　最終の支出計算書（センター分）には、次の各号に掲げる書類を添付しなければならない。

一　主要経費別内訳表（第三号の二書式）

二　事項別内訳表（第三号の三書式）

三　官署支出官別科目別支出済額内訳表（第三号の六書式）

（支出計算書（センター分）の証拠書類）

第三十条の九　支出計算書（センター分）の証拠書類は、次の各号に掲げる書類とする。

一　領収証書（会計法（昭和二十二年法律第三十五号）第二十一条の規定により日本銀行に資金を交付した場合は、日本銀行の領収証書）。ただし、領収証書を得難いときは、その事由、支払先及び支払金額を明らかにしたセンター支出官の証明書

二　日本銀行の振替済書

三　日本銀行の支払済書

四　支出官事務規程第三十条に規定する小切手の振出し又は支払指図書若しくは国庫金振替書の交付若しくは送信の内容を明らかにした書類

（証拠書類の編集方法の特例）

第三十条の十　前条の証拠書類又は証拠書類に記載すべき事項を記録した電磁的記録については、第八条及び第八条の二の規定は適用しない。

2　前条の証拠書類は、日別に編集し、第八条第四項各号に掲げる事項を記載した表紙を付さなければならない。

3　前条の証拠書類に記載すべき事項を記録した電磁的記録は、日別に編集し、第八条第四項第一号から第三号まで及び第五号に掲げる事項を併せて記録しなければならない。

4　前条の証拠書類と当該証拠書類に記載すべき事項を記録した電磁的記録とを提出するときは、当該証拠書類の表紙には、第二項に規定する事項のほか、電磁的記録により提出するものがある旨を記載しなければならない。

（証拠書類に付記する事項）

第三十条の十一　第三十条の九第三号に規定する日本銀行の支払済書（当該支払済書に記載すべき事項を記録した電磁的記録を含む。）には、支払時期、支払方法その他支払の内容を明らかにした事項を付記しなければならない。

（誤びゅう及び訂正の報告）

第三十条の十二　最終の支出計算書（センター分）を提出した後において、計算書に記載し、又は記録した年度、科目その他の事項について誤りを発見し、その訂正の処理をしたときは、その都度その内容を記載した報告書を提出しなければならない。

第八節　収入官吏の計算証明

（収入金の証明責任者、証明期間及び計算書）

第三十一条　収入金については、証明責任者は、収入官吏（収入官吏代理を含む。以下同じ。）並びに次条第一項ただし書の規定により計算証明をする分任収入官吏（分任収入官吏代理を含む。次条第二項（同条第三項において準用する場合を含む。）を除き、以下同じ。）及び出納員とし、証明期間は、会計検査院の別に指定するものは三月、その他のものは一年とする。

2　計算書は、収入金現金出納計算書（第四号書式）とする。

（分任収入官吏の分等の計算証明）

第三十二条　分任収入官吏又は出納員の取り扱った計算は、所属の主任収入官吏の計算に併算する。ただし、各省各庁の長の指示があった場合は、分任収入官吏又は出納員が単独で計算証明をすることができる。

2　主任収入官吏が、前項本文の規定により計算証明をするときは、分任収入官吏、分任収入官吏代理又は出納員の取り扱った計算についての証拠書類は、分任収入官吏又は出納員ごとに別冊とし、第八条及び第九条の規定により区分して編集し、当該分任収入官吏又は出納員の職氏名を証拠書類の表紙に記載しなければならない。

3　前項の規定は、証拠書類に記載すべき事項を記録した電磁的記録について準用する。この場合において、前項中「ごとに別冊とし、第八条」とあるのは「の別に、第八条の二」と、「の表紙に記載」とあるのは「に記載すべき事項を記録した電磁的記録に併せて記録」と読み替えるものとする。

（検査書の添付）

第三十三条　収入金現金出納計算書には、予算決算及び会計令第百十八条の規定による検査書を添付しなければならない。

（収入金現金出納計算書の証拠書類）

第三十四条　収入金現金出納計算書の証拠書類は、日本銀行又は他の出納職員の領収証書とする。

第九節　資金前渡官吏の計算証明

（前渡資金の証明責任者、証明期間及び計算書）

第三十五条　前渡資金については、証明責任者は、資金前渡官吏（資金前渡官吏代理を含む。第三号書式を除き、以下同じ。）並びに次条第一項ただし書の規定により計算証明をする分任資金前渡官吏（分任資金前渡官吏代理を含む。次条第二項（同条第三項において準用する場合を含む。）及び第三号書式を除き、以下同じ。）及び出納員とし、証明期間は、一月とする。

2　計算書は、前渡資金出納計算書（第五号書式）とする。

（分任資金前渡官吏の分等の計算証明）

第三十六条　分任資金前渡官吏又は出納員の取り扱った計算は、所属の主任資金前渡官吏の計算に併算する。ただし、各省各庁の長の指示があった場合は、分任資金前渡官吏又は出納員が単独で計算証明をすることができる。

2　主任資金前渡官吏が、前項本文の規定により計算証明をするときは、分任資金前渡官吏、分任資金前渡官吏代理又は出納員の取り扱った計算についての証拠書類及び添付書類は、分任資金前渡官吏又は出納員ごとに別冊とし、第八条及び第九条の規定により区分して編集し、当該分任資金前渡官吏又は出納員の職氏名を証拠書類及び添付書類の表紙に記載しなければならない。

3　前項の規定は、証拠書類及び添付書類に記載すべき事項を記録した電磁的記録について準用する。この場合において、前項中「ごとに別冊とし、第八条」とあるのは「の別に、第八条の二」と、「の表紙に記載」とあるのは「に記載すべき事項を記録した電磁的記録に併せて記録」と読み替えるものとする。

（預託金月計突合表の添付）

第三十七条　前渡資金出納計算書には、日本銀行国庫金取扱規程第八十二条に規定する預託金月計突合表（法令の規定に基づき日本銀行以外の銀行に預託したものがある場合は、その現在高を証明する書類）を添付しなければならない。ただし、やむを得ない事由により添付し難いときは、その旨を計算書の備考欄に記入して、別に提出することができる。

（検査書の添付）

第三十八条　前渡資金出納計算書には、予算決算及び会計令第百十八条の規定による検査書を添付しなければならない。

（前渡資金出納計算書の証拠書類）

第三十九条　前渡資金出納計算書の証拠書類は、次の各号に掲げる書類とする。

一　領収証書（出納官吏事務規程第四十八条又は第五十二条第一項から第三項までの規定により日本銀行に送金又は振込みの請求をした場合は、日本銀行の領収証書、国庫内移換のため日本銀行に国庫金振替書を交付した場合は、日本銀行の振替済書）。ただし、領収証書を得難いときは、その事由、支払先及び支払金額を明らかにした資金前渡官吏の証明書

二　支払の内容を明らかにした決議書の類

三　請求書

四　契約書（契約書の作成を省略したときは、請書その他契約の内容を明らかにした書類）

五　契約の変更、解除又は違約処分をしたものがあるときは、その関係書類

六　予算決算及び会計令第百一条の九第一項の規定による検査調書又は契約事務取扱規則第二十三条第一項の規定による検査に係る書面

2　国家公務員の給与又は児童手当については、前項第一号の領収証書（当該領収証書に記載すべき事項を記録した電磁的記録を含む。）に代えて、給与証明書（第五号の二書式）又は児童手当支払証明書（第五号の三書式）によることができる。

3　前金払又は概算払をしたものがあるときは、前金払又は概算払の別にその金額を証拠書類及び添付書類の仕切紙に内数として記載し、又はこれらの書類に記載すべき事項を記録した電磁的記録に内数として併せて記録しなければならない。

4　予算決算及び会計令第五十一条第十三号に規定する経費に充てるために交付を受けた資金に係る前渡資金出納計算書の証拠書類は、第一項の規定にかかわらず、次の各号に掲げる書類とする。

一　領収証書（国庫内移換のため日本銀行に国庫金振替書を交付した場合は、日本銀行の振替済書）。ただし、領収証書を得難いときは、その事由、支払先及び支払金額を明らかにした資金前渡官吏の証明書

二　支払の内容を明らかにした決議書の類

三　支出官事務規程第十五条第一項に規定する支払請求書

5　前項の証拠書類は、第一項の証拠書類と区分して編集しなければならない。

（競争契約に関する書類の添付）

第四十条　一般競争に付した財産の購入又は借入れその他の契約による支払については、次の各号に掲げる書類を証拠書類に添付しなければならない。ただし、五百万円（賃借料については、年額又は総額の計算とする。）を超えない契約に関するものについては、証拠書類に添付することに代えて、会計検査院から要求のあった際に提出することができるように資金前渡官吏等（資金前渡官吏並びに第三十六条第一項ただし書の規定により計算証明をする分任資金前渡官吏及び出納員をいう。第三号書式を除き、以下同じ。）が保管することができる。

一　公告に関する書類

二　予定価格及びその算出の基礎を明らかにした書類

三　全ての入札書又は入札者氏名及び入札金額を明らかにした関係職員の証明書

四　契約書の附属書類

2　前項の規定は、指名競争によった契約による支払について準用する。

（随意契約に関する書類の添付）

第四十一条　随意契約によった財産の購入又は借入れその他の契約による支払については、次の各号に掲げる書類を証拠書類に添付しなければならない。ただし、三百万円（賃借料については、年額又は総額の計算とする。）を超えない契約に関するものについては、証拠書類に添付することに代えて、会計検査院から要求のあった際に提出することができるように資金前渡官吏等が保管することができる。

一　予定価格及びその算出の基礎を明らかにした書類

二　見積書

三　契約書の附属書類

四　予算決算及び会計令第九十九条の二又は第九十九条の三の規定により随意契約をした場合は、前回までの競争に関する概要を明らかにした調書

（国の材料等を使用するものに関する書類の添付）

第四十二条　請負に付した工事、製造等について、請負価格に算入されない国の材料又は物件若しくは施設を使用するものがあるときは、その品名等、数量、単価及び価格を証拠書類に付記し、又はその仕訳書を証拠書類に添付しなければならない。

2　前項の規定は、国の労力を使用するものがある場合について準用する。

（直営工事に関する書類の添付等）

第四十三条　直営工事の最初の支払について計算証明をするときは、その工事の設計書及びその附属書類を証拠書類に添付しなければならない。ただし、工事費総額が七百万円を超えないものについては、証拠書類に添付することに代えて、会計検査院から要求のあった際に提出することができるように資金前渡官吏等が保管することができる。

2　直営工事の設計書及びその附属書類を提出した後において、その工事の設計等の変更等があった場合には、その設計書等を、変更した後の最初の支払について計算証明をするときの証拠書類に添付しなければならない。

3　第一項の直営工事については、年度内施行部分に関する報告書を年度経過後二月を超えない期間に会計検査院に到達するように提出しなければならない。

（証拠書類に付記する事項）

第四十四条　次の各号に掲げるときは、当該各号に定める事項を関係する証拠書類（第五号にあっては、第二回以後の支払の領収証書）に付記しなければならない。

一　予算決算及び会計令第百条の二第一項第四号の規定により契約書の作成を省略したとき　その旨

二　財産の購入又は借入れその他の契約について、指名競争に付したとき、又は随意契約によったとき（予算決算及び会計令第九十四条第一項第一号から第三号まで若しくは第六号又は第九十九条第二号から第四号まで若しくは第七号の規定に基づく場合を除く。）　適用した法令の条項

三　予算決算及び会計令第八十八条又は第八十九条の規定により次順位者を落札者としたとき　その旨

四　予算決算及び会計令第百一条の五の規定により数量以外のものの検査を省略したとき　その旨

五　一件の契約等について、二回以上の支払をしたとき　前回までの支払の年月日及び金額

六　継続費又は国庫債務負担行為に基づく支出負担行為をしたものについて、支払をしたものがあるとき　継続費又は国庫債務負担行為に基づく支出負担行為の年月日及び金額

七　財産の購入又は運送についての支払（前金払及び概算払の場合を除く。）をしたとき　国有財産台帳若しくは物品管理簿に記載し、若しくは記録した年月日又は運送済みの年月日

（前金払等の精算に関する明細書の添付）

第四十五条　前金払又は概算払をしたもの（旅費、定額制供給に係る電灯電力料及び日本放送協会に対し支払う受信料を除く。）について、それに相当する反対給付等があったとき、又は支払額と反対給付等との差額分についての返納があったときは、精算の事実についての計算を明らかにした明細書を前渡資金出納計算書に添付しなければならない。

2　前項の明細書は、前金払及び概算払に区分し、科目ごとに細分して仕切紙を付して編集しなければならない。

3　第一項の明細書に記載すべき事項を電磁的記録に記録するときは、前金払及び概算払に区分し、科目ごとに細分して編集しなければならない。

（振出小切手支払未済の調書の添付等）

第四十六条　最終の証明期間の末日において、振出小切手に対し、日本銀行で支払未済のものがあるときは、その振出日付、番号、科目、金額及び債権者名を記載した調書を最終の前渡資金出納計算書に添付しなければならない。

2　前項の調書（当該調書に記載すべき事項を記録した電磁的記録を含む。）に記載し、又は記録した事項についてその処理が完結したときは、その都度その内容を記載した報告書を提出しなければならない。

（未処理事項の調書の添付等）

第四十七条　最終の証明期間の末日において、次の各号のいずれかに該当するものがあるときは、一件ごとにその金額、事由及び処理の完結予定期限を記載した調書を最終の前渡資金出納計算書に添付しなければならない。

一　契約等により債務を負担したもので、支払が済まないもの

二　前金払又は概算払をしたもので、その支払額に相当する反対給付等のない場合で、その差額又は全額の返納を受けていないもの

三　資金の残額で、返納が済まないもの

四　年度、科目その他の誤りで、その処理が済まないもの

2　前項の調書（当該調書に記載すべき事項を記録した電磁的記録を含む。）に記載し、又は記録した事項についてその処理が完結したときは、その都度その内容を記載した報告書を提出しなければならない。

（誤びゅう及び訂正の報告）

第四十七条の二　最終の前渡資金出納計算書を提出した後において、計算書に記載し、又は記録した年度、科目その他の事項について誤りを発見し、その訂正の処理をしたときは、その都度その内容を記載した報告書を提出しなければならない。

（予算決算及び会計令第五十一条第十三号に規定する経費に充てるために交付を受けた資金に係る計算証明の特例）

第四十七条の三　予算決算及び会計令第五十一条第十三号に規定する経費に充てるために交付を受けた資金に係る計算証明については、第四十条から第四十五条まで及び第四十七条の規定は適用しない。

第十節　歳入歳出外現金出納官吏の計算証明

（歳入歳出外現金の証明責任者、証明期間及び計算書）

第四十八条　歳入歳出外現金については、証明責任者は、歳入歳出外現金出納官吏（歳入歳出外現金出納官吏代理を含む。以下同じ。）並びに次条第一項ただし書の規定により計算証明をする分任歳入歳出外現金出納官吏（分任歳入歳出外現金出納官吏代理を含む。次条第二項（同条第三項において準用する場合を含む。）を除き、以下同じ。）及び出納員とし、証明期間は、会計検査院の別に指定するものは三月、その他のものは一年とする。

2　計算書は、歳入歳出外現金出納計算書（第六号書式）とする。

（分任歳入歳出外現金出納官吏の分等の計算証明）

第四十九条　分任歳入歳出外現金出納官吏又は出納員の取り扱った計算は、所属の主任歳入歳出外現金出納官吏の計算に併算する。ただし、各省各庁の長の指示があった場合は、分任歳入歳出外現金出納官吏又は出納員が単独で計算証明をすることができる。

2　主任歳入歳出外現金出納官吏が、前項本文の規定により計算証明をするときは、分任歳入歳出外現金出納官吏、分任歳入歳出外現金出納官吏代理又は出納員の取り扱った計算についての証拠書類は、分任歳入歳出外現金出納官吏又は出納員ごとに別冊とし、第八条及び第九条の規定により区分して編集し、当該分任歳入歳出外現金出納官吏又は出納員の職氏名を証拠書類の表紙に記載しなければならない。

3　前項の規定は、証拠書類に記載すべき事項を記録した電磁的記録について準用する。この場合において、前項中「ごとに別冊とし、第八条」とあるのは「の別に、第八条の二」と、「の表紙に記載」とあるのは「に記載すべき事項を記録した電磁的記録に併せて記録」と読み替えるものとする。

（検査書等の添付）

第五十条　歳入歳出外現金出納計算書には、予算決算及び会計令第百十八条の規定による検査書を添付しなければならない。

2　前項の書類のほか、歳入歳出外現金出納計算書に添付しなければならない書類は、会計検査院が別に指定する。

（歳入歳出外現金出納計算書の証拠書類）

第五十一条　歳入歳出外現金出納計算書の証拠書類は、受入れについては、金額及び事由等を明らかにした他の職員の証明書とし、払出しについては、領収証書等払出しの事実を証明する書類とする。

（振出小切手支払未済の調書の添付等）

第五十二条　最終の証明期間の末日において、振出小切手に対し、日本銀行で支払未済のものがあるときは、その振出日付、番号、種別、金額及び債権者名を記載した調書を最終の歳入歳出外現金出納計算書に添付しなければならない。

2　前項の調書（当該調書に記載すべき事項を記録した電磁的記録を含む。）に記載し、又は記録した事項についてその処理が完結したときは、その都度その内容を記載した報告書を提出しなければならない。

第十一節　国庫金の運用を管掌する職員の計算証明

（国庫金の運用の証明責任者、証明期間及び計算書）

第五十三条　国庫金の運用については、証明責任者は、会計検査院が別に指定する国庫金の運用を管掌する職員とし、証明期間は、一月とする。

2　計算書は、会計検査院が別に指定する国庫金運用計算書（貨幣回収準備資金にあっては、貨幣回収準備資金受払計算書。以下この節において同じ。）とする。

（国庫金運用計算書の添付書類）

第五十四条　国庫金運用計算書に添付しなければならない書類は、会計検査院が別に指定する。

（国庫金運用計算書の証拠書類）

第五十五条　国庫金運用計算書の証拠書類は、会計検査院が別に指定する。

（財政融資資金に関する特別の書類）

第五十六条　財政融資資金については、会計検査院が別に指定する書類を提出しなければならない。

第十二節　国債その他の債務に関する事務を管掌する職員の計算証明

（国債の証明責任者、証明期間及び計算書）

第五十七条　国債については、証明責任者は、会計検査院が別に指定する国債事務を管掌する職員とし、証明期間は、三月とする。

2　計算書は、会計検査院が別に指定する国債増減計算書とする。

（国債増減計算書の証拠書類）

第五十八条　国債増減計算書の証拠書類は、会計検査院が別に指定する。

（国の債務の証明責任者、証明期間及び計算書）

第五十八条の二　国の債務（国債を除く。以下同じ。）については、証明責任者は、次の各号に掲げる債務の区分に応じ、当該各号に定める者とし、証明期間は、一年とする。

一　継続費又は国庫債務負担行為に基づく支出負担行為に係る債務　支出負担行為担当官（支出負担行為担当官代理を含む。以下同じ。）

二　次に掲げる債務　当該債務に関する事務を管掌する職員

イ　予算総則で債務負担の限度額が定められているものに係る債務

ロ　法律、条約等で債務の総額又は債務負担の限度額が定められているものに係る債務（法律、条約等で債務の総額又は債務負担の限度額が具体的な金額をもって明確に定められていない債務のうち、次のいずれにも該当する債務を含む。）

(1)　国の後年度の財政負担となる、又はなることがある債務であること。

(2)　法律、条約等で債務負担の権限が付与されている債務であること。

(3)　次項に規定する債務負担額計算書に記載し、又は記録する金額の計数が同計算書の作成時までに制度上具体的に把握できる債務であること。
ハ　他会計への繰入未済金（他会計への繰戻未済金を含む。）
三　歳出予算の繰越しに係る債務　歳出予算の繰越しの手続に関する事務を委任された支出負担行為担当官その他の職員
2　計算書は、債務負担額計算書（第六号の二書式）とする。

（分任支出負担行為担当官の分等の計算証明）
第五十八条の三　分任支出負担行為担当官又は分任支出負担行為担当官代理の取り扱った計算は、所属の支出負担行為担当官の計算に併算する。
2　支出負担行為担当官が前項の規定により計算証明をするときは、分任支出負担行為担当官又は分任支出負担行為担当官代理の取り扱った計算についての証拠書類は、分任支出負担行為担当官ごとに別冊とし、第八条及び第九条の規定により区分して編集し、当該分任支出負担行為担当官の職氏名を証拠書類の表紙に記載しなければならない。
3　前項の規定は、証拠書類に記載すべき事項を記録した電磁的記録について準用する。この場合において、前項中「ごとに別冊とし、第八条」とあるのは「の別に、第八条の二」と、「の表紙に記載」とあるのは「に記載すべき事項を記録した電磁的記録に併せて記録」と読み替えるものとする。

（債務負担額計算書の証拠書類）
第五十八条の四　第五十八条の二第一項第一号に掲げる債務に係る債務負担額計算書の証拠書類は、次の各号に掲げる書類とする。
一　契約書
二　支出負担行為等取扱規則（昭和二十七年大蔵省令第十八号）第十三条に規定する支出負担行為の内容等を示す書類
2　第五十八条の二第一項第二号及び第三号に掲げる債務に係る債務負担額計算書の証拠書類は、会計検査院が別に指定する。

第十三節　物品管理官等の計算証明

（物品の証明責任者、証明期間及び計算書）
第五十九条　物品（物品管理官の管理に属しないものを除く。第六十二条の四及び第六十二条の五を除き、以下この節において同じ。）については、証明責任者は、物品管理官（物品管理官代理を含む。以下同じ。）及び次条第一項ただし書の規定により計算証明をする分任物品管理官（分任物品管理官代理を含む。次条第三項（同条第四項において準用する場合を含む。）を除き、以下同じ。）とし、証明期間は、会計検査院の別に指定するものは三月、その他のものは一年とする。
2　計算書は、物品管理計算書（第七号書式）とする。

（分任物品管理官の分等の計算証明）
第六十条　分任物品管理官の取り扱った計算は、所属の主任物品管理官の計算に併算する。ただし、各省各庁の長の指示があった場合は、分任物品管理官が単独で計算証明をすることができる。
2　主任物品管理官は、計算書に分任物品管理官が物品管理計算書に準じて作成した報告書を添付して、前項本文の併算に代えることができる。
3　主任物品管理官が、第一項本文の規定により計算証明をするときは、分任物品管理官又は分任物品管理官代理の取り扱った計算についての証拠書類は、分任物品管理官ごとに別冊とし、第八条及び第九条の規定により区分して編集し、当該分任物品管理官の職氏名を証拠書類の表紙に記載しなければならない。
4　前項の規定は、証拠書類に記載すべき事項を記録した電磁的記録について準用する。この場合において、前項中「ごとに別冊とし、第八条」とあるのは「の別に、第八条の二」と、「の表紙に記載」とあるのは「に記載すべき事項を記録した電磁的記録に併せて記録」と読み替えるものとする。

（未供用物品等調書等の添付）
第六十一条　物品管理計算書には、同計算書の本年度末に係る何年度末現在欄に記入した物品のうち、供用していないものについて、次の各号に掲げる区分ごとに、それぞれ当該各号に規定する事項を記載した調書を添付しなければならない。
一　貸付け　数量並びに有償で貸し付けたものの貸付年月日、貸付期間、貸付先及び貸付けの事由
二　寄託　数量並びに寄託年月日、寄託先及び寄託の事由
三　保管　数量並びに取得年月日及び供用していない事由
2　前項の書類のほか、物品管理計算書に添付しなければならない書類は、会計検査院が別に指定する。

（物品管理計算書の証拠書類）
第六十二条　物品管理計算書の証拠書類は、次の各号に掲げる書類とする。
一　物品の増減に関する命令の内容を明らかにした書類（命令によらない増減については、当該増減に関する決議書、確認書その他これらに類するもの）
二　物品の分類換えをしたものがあるときは、その事由を明らかにした関係書類
三　無償で物品を譲り受け、又は譲渡したものがあるときは、その事由並びに品目、数量及び価格を明らかにした関係書類
四　無償で物品を貸し付け、又は貸付条件を変更し、若し

くは契約を解除したものがあるときは、その事由を明らかにした関係書類
五　物品を交換したものがあるときは、その事由を明らかにした関係書類及び価格評定調書
六　物品を出資の目的としたものがあるときは、その事由を明らかにした関係書類及び価格評定調書
七　物品を廃棄したものがあるときは、品目、数量、不用の決定及び廃棄の事由並びに廃棄の方法を明らかにした関係書類

2　前項第一号及び第二号に規定する証拠書類については、第二条第一項の規定にかかわらず、会計検査院から要求のあった際に提出することができるように物品管理官が保管することができる。

（検査書の提出）
第六十二条の二　物品管理官等（物品管理官及び第六十条第一項ただし書の規定により計算証明をする分任物品管理官をいう。以下同じ。）は、物品管理法施行令（昭和三十一年政令第三百三十九号）第四十六条の規定による検査書を年度経過後二月を超えない期間に会計検査院に到達するように提出しなければならない。

（検査書による計算証明）
第六十二条の三　証明期間が一年である物品のうち、物品管理法施行令第四十三条第一項に規定する物品以外の物品については、会計検査院法第二十四条第二項の規定により、前条の規定による検査書（当該検査書に記載すべき事項を記録した電磁的記録を含む。）（同令第四十七条第二項第四号に掲げる物品については、検査書の様式に準じて作成した物品管理官等の報告書）の提出をもって計算書の提出に代えることができる。この場合において、物品管理官等は、第六十二条に規定する書類を会計検査院から要求のあった際に提出することができるように保管しなければならない。

（物品管理官の管理に属しない物品の証明責任者、証明期間及び計算書）
第六十二条の四　物品管理官の管理に属しない物品については、証明責任者は、当該物品を管理する職員とし、証明期間は、会計検査院が別に指定する。

2　計算書は、会計検査院が別に指定する。

（物品管理官の管理に属しない物品の計算書の証拠書類）
第六十二条の五　物品管理官の管理に属しない物品の計算書の証拠書類は、会計検査院が別に指定する。

第十四節　有価証券を取り扱う職員の計算証明

（有価証券の証明責任者、証明期間及び計算書）
第六十三条　会計検査院が別に指定する国の所有し、又は保管する有価証券については、証明責任者は、有価証券を取り扱う職員とし、証明期間は、一年とする。

2　計算書は、会計検査院が別に指定する有価証券増減計算書とする。

（有価証券増減計算書の証拠書類）
第六十三条の二　有価証券増減計算書の証拠書類は、会計検査院が別に指定する。

第十五節　国有財産の管理及び処分を行う職員の計算証明

（国有財産の証明責任者、証明期間及び計算書）
第六十四条　国有財産については、証明責任者は、各省各庁の長又は国有財産に関する事務の一部を分掌する部局等の長とし、証明期間は、一年とする。

2　計算書は、国有財産増減及び現在額計算書（第八号書式）及び国有財産無償貸付状況計算書（第九号書式）とする。

3　前項の計算書は、第二条の規定にかかわらず、証明期間経過後四月を超えない期間に会計検査院に到達するように提出しなければならない。この場合において、監督官庁等を経由して提出するときは、監督官庁等は計算書にその受理の年月日を記載し、又は記録しなければならない。

（国有財産の増減事由別の調書の添付）
第六十四条の二　国有財産増減及び現在額計算書には、土地、建物等の区分ごとにその増減額を国有財産法施行細則（昭和二十三年大蔵省令第九十二号）別表第二に定める増減事由用語別に分類した調書を添付しなければならない。この場合において、行政財産にあっては、その種類別に作成するものとする。

2　前項の調書（当該調書に記載すべき事項を記録した電磁的記録を含む。）には、区分ごとに一件三億円以上の増又は減となるものについて、一件ごとに口座別名称、所在地名、区分、種目、数量、価格、増減年月日及び増減事由を明らかにした調書を添付しなければならない。

（国有財産増減及び現在額計算書の証拠書類）
第六十五条　国有財産増減及び現在額計算書の証拠書類は、次の各号に掲げる書類とする。
一　国有財産の分類若しくは種類を変更し、又は国有財産法（昭和二十三年法律第七十三号）第十四条第四号の規定により土地若しくは建物の用途を変更したものがあるときは、その事由を明らかにした決議書類
二　国有財産が滅失し、又はこれを取り壊したものがあるときは、その事由を明らかにした調書
三　無償で国有財産を取得し、又は譲与したものがあるときは、その事由を明らかにした決議書類
四　公債を交付して国有財産を取得したものがあるときは、その事由を明らかにした決議書類及び価格算定の基礎を明らかにした書類
五　交換をしたものがあるときは、その事由を明らかにし

た決議書類、契約書及び価格評定調書

六　信託契約を締結し、又はこれを変更若しくは解除したものがあるときは、その事由を明らかにした決議書類及び契約書

七　出資の目的としたものがあるときは、その事由を明らかにした決議書類及び出資額算定の基礎を明らかにした書類

八　分収造林契約（部分林契約を含む。）又は共用林野契約を締結し、又はこれを変更若しくは解除したものがあるときは、その事由を明らかにした決議書類及び契約書

（国有財産無償貸付状況計算書の証拠書類）

第六十六条　国有財産無償貸付状況計算書の証拠書類は、次の各号に掲げる書類とする。

一　無償の貸付け（使用又は収益をさせる場合を含む。以下同じ。）に関する事由を明らかにした決議書類及び契約書

二　無償の貸付けを変更又は解除したものがあるときは、その関係書類

第十六節　都道府県の知事、知事の指定する職員等の計算証明

第六十六条の二　第二章第二節の規定は、国の債権の管理等に関する法律第五条第二項の規定により、各省各庁の所掌事務に係る債権の管理に関する事務を行うこととされた都道府県の知事又は知事の指定する職員（以下この条において「知事等」という。）について、同章第三節、第六節、第八節から第十節まで及び第十二節の規定は、会計法第四十八条第一項の規定により、国の歳入、歳出、歳入歳出外現金、支出負担行為又は繰越しの手続及び繰越明許費に係る翌年度にわたる債務の負担の手続に関する事務を行うこととされた知事等について、同章第十三節の規定は、物品管理法（昭和三十一年法律第百十三号）第十一条第一項の規定により物品の管理に関する事務を行うこととされた知事等について、同章第十五節の規定は、国有財産法第九条第三項の規定により、国有財産に関する事務の一部を行うこととされた都道府県について、それぞれ準用する。

第三章　国庫金及び有価証券を取り扱う日本銀行の計算証明

（通則）

第六十六条の三　会計検査院法第二十二条第四号の規定により会計検査院の検査を受けるものの証明責任者、証明期間及び計算証明書類に関しては、この章の定めるところによる。

（国庫金の証明責任者、証明期間及び計算書等）

第六十七条　日本銀行が取り扱う国庫金については、証明責任者は、日本銀行総裁とし、証明期間は、一月とする。

2　計算書は、会計検査院が別に指定する国庫金出納計算書とする。

3　第一項の国庫金のうち、国税収納金整理資金に属する国庫金については、整理期限が翌年度の六月一日又は同月二日となる場合には、前二項の規定（前項の規定に基づき会計検査院が指定した書式を含む。）の適用については、これらの日を五月末日とみなす。

（国庫金出納計算書の添付書類）

第六十七条の二　国庫金出納計算書に添付しなければならない書類は、会計検査院が別に指定する。

（国庫金出納計算書の証拠書類）

第六十七条の三　国庫金出納計算書の証拠書類は、会計検査院が別に指定する。

（日本銀行が取り扱う国庫金に関する特別の書類）

第六十七条の四　前三条に定めるもののほか、日本銀行が取り扱う国庫金に関して提出しなければならない書類は、会計検査院が別に指定する。

（有価証券の証明責任者、証明期間及び計算書）

第六十八条　日本銀行が取り扱う国の所有又は保管に係る有価証券については、証明責任者は、日本銀行総裁とし、証明期間は、一月とする。

2　計算書は、会計検査院が別に指定する有価証券受払計算書とする。

（有価証券受払計算書の証拠書類）

第六十八条の二　有価証券受払計算書の証拠書類は、会計検査院が別に指定する。

（日本銀行が取り扱う国の所有又は保管に係る有価証券に関する特別の書類）

第六十八条の三　前二条に定めるもののほか、日本銀行が取り扱う国の所有又は保管に係る有価証券に関して提出しなければならない書類は、会計検査院が別に指定する。

第四章　出資法人等の計算証明

第一節　通則

（通則）

第六十九条　会計検査院法第二十二条第五号、第六号及び第二十三条第一項第二号から第七号まで並びに他の法律の規定により会計検査院の検査を受けるもの（以下「出資法人等の会計」という。）の証明責任者、証明期間及び計算証明書類に関しては、この章の定めるところによる。

（証拠書類の形式の特例）

第六十九条の二　第五条第一項の規定にかかわらず、電磁的

記録により出資法人等の会計の計算証明をするときは、証拠書類をスキャナにより読み取る方法により作成した証拠書類に記載すべき事項を記録した電磁的記録をもって原本又は謄本に代えることができる。

第二節 独立行政法人の計算証明

（独立行政法人の証明責任者、証明期間及び計算書等）

第七十条 別表第一の第一欄に掲げる独立行政法人（独立行政法人通則法（平成十一年法律第百三号。以下「通則法」という。）第二条第一項に規定する独立行政法人をいう。以下同じ。）の会計については、証明責任者は、法人の長とし、証明期間は、一月とする。

2 計算書は、合計残高試算表（合計試算表、残高試算表その他これらに類するものを含む。以下同じ。）とする。

3 次条から第七十五条までに定めるもののほか、前項の計算書の証拠書類その他会計検査院に提出しなければならない書類については、会計検査院が別に指定する。

（合計残高試算表の添付書類）

第七十一条 合計残高試算表には、次の各号に掲げる書類を添付しなければならない。

一 会計単位別、経理単位別、勘定別等（以下「単位別」という。）に会計を区分して経理している場合において、単位別の合計残高試算表を作成しているときは、当該合計残高試算表

二 仮払金及び仮受金の勘定内訳表（単位別に会計を区分して経理している場合において、単位別の合計残高試算表を作成しているときは、単位別の仮払金及び仮受金の勘定内訳表とする。以下同じ。）

三 契約一覧表（第十号書式）

2 前項の書類のほか、別表第一の第二欄に掲げる規定に規定する長期借入金又は債券の償還計画又は返済計画を立て、主務大臣の認可を受けたときは、毎事業年度の最初の月の合計残高試算表に、これを添付しなければならない。償還計画又は返済計画に変更があったときは、変更後の償還計画又は返済計画をその月の合計残高試算表に添付しなければならない。

3 前二項の書類のほか、別表第一の第三欄に掲げる規定による納付金を国庫に納付したときは、同表の第四欄に掲げる規定に規定する書類をその月の合計残高試算表に添付しなければならない。

（中期計画等）

第七十二条 通則法第三十条第一項に規定する中期計画を作成し、主務大臣の認可を受けたときは、遅滞なく、これを会計検査院に提出しなければならない。中期計画に変更があったときも、同様とする。

2 通則法第三十一条第一項に規定する年度計画を定め、主務大臣に届け出たときは、遅滞なく、これを会計検査院に提出しなければならない。年度計画に変更があったときも、同様とする。

3 通則法第三十二条第二項に規定する報告書を作成したときは、各事業年度終了後三月以内に会計検査院に到達するように提出しなければならない。

（中長期計画等）

第七十三条 通則法第三十五条の五第一項に規定する中長期計画を作成し、主務大臣の認可を受けたときは、遅滞なく、これを会計検査院に提出しなければならない。中長期計画に変更があったときも、同様とする。

2 通則法第三十五条の八において読み替えて準用する通則法第三十一条第一項に規定する年度計画を定め、主務大臣に届け出たときは、遅滞なく、これを会計検査院に提出しなければならない。年度計画に変更があったときも、同様とする。

3 通則法第三十五条の六第三項に規定する報告書を作成したときは、各事業年度終了後三月以内に会計検査院に到達するように提出しなければならない。

4 通則法第三十五条の六第四項に規定する報告書を作成したときは、同条第二項に規定する末日を含む事業年度終了後三月以内に会計検査院に到達するように提出しなければならない。

（事業計画等）

第七十四条 通則法第三十五条の十第一項に規定する事業計画を作成し、主務大臣の認可を受けたときは、遅滞なく、これを会計検査院に提出しなければならない。事業計画に変更があったときも、同様とする。

2 通則法第三十五条の十一第三項に規定する報告書を作成したときは、各事業年度終了後三月以内に会計検査院に到達するように提出しなければならない。

3 通則法第三十五条の十一第四項に規定する報告書を作成したときは、同条第二項に規定する主務省令で定める期間の最後の事業年度終了後三月以内に会計検査院に到達するように提出しなければならない。

（財務諸表及びその添付書類）

第七十五条 通則法第三十八条第一項に規定する財務諸表を作成し、主務大臣の承認を受けたときは、遅滞なく、これを会計検査院に提出しなければならない。

2 前項の財務諸表には、通則法第三十八条第二項に規定する事業報告書及び決算報告書並びに財務諸表及び決算報告書に関する監査報告（通則法第三十九条第一項の規定により会計監査人の監査を受けなければならない独立行政法人にあっては、監査報告及び会計監査報告）を添付しなければならない。

第三節　国立大学法人等の計算証明

（国立大学法人等の証明責任者、証明期間及び計算書等）

第七十六条　国立大学法人等（国立大学法人法（平成十五年法律第百十二号）第二条第五項に規定する国立大学法人等をいう。以下同じ。）の会計については、証明責任者は、国立大学法人（同条第一項に規定する国立大学法人をいう。以下同じ。）にあっては学長又は理事長、大学共同利用機関法人（同条第三項に規定する大学共同利用機関法人をいう。以下同じ。）にあっては機構長とし、証明期間は、一月とする。

2　計算書は、合計残高試算表とする。

3　次条から第八十一条までに定めるもののほか、前項の計算書の証拠書類その他会計検査院に提出しなければならない書類については、会計検査院が別に指定する。

（合計残高試算表の添付書類）

第七十七条　合計残高試算表には、次の各号に掲げる書類を添付しなければならない。

一　単位別に会計を区分して経理している場合において、単位別の合計残高試算表を作成しているときは、当該合計残高試算表

二　仮払金及び仮受金の勘定内訳表

三　契約一覧表（第十号書式）

2　前項の書類のほか、国立大学法人法第三十三条の二に規定する長期借入金又は債券の償還計画を立て、文部科学大臣の認可を受けたときは、毎事業年度の最初の月の合計残高試算表に、これを添付しなければならない。償還計画に変更があったときは、変更後の償還計画をその月の合計残高試算表に添付しなければならない。

3　前二項の書類のほか、国立大学法人法第三十二条第二項の規定による納付金を国庫に納付したときは、国立大学法人法施行令（平成十五年政令第四百七十八号）第五条第一項本文に規定する書類をその月の合計残高試算表に添付しなければならない。

（合計残高試算表の証拠書類）

第七十八条　大学に医学に関する学部を置く国立大学法人及び大学共同利用機関法人の合計残高試算表の証拠書類は、次の各号に掲げる書類とする。

一　五千万円を超える工事の請負及び三千万円を超えるその他の契約に関する契約書

二　前号に規定する契約の変更又は解除に関する書類

（合計残高試算表の証拠書類の添付書類）

第七十九条　前条に規定する契約については、次の各号に掲げる書類を証拠書類に添付しなければならない。

一　契約書の附属書類

二　予定価格及びその算出の基礎を明らかにした書類

三　入札又は見積り合せに関する書類

（中期計画等）

第八十条　国立大学法人法第三十一条第一項に規定する中期計画を作成し、文部科学大臣の認可を受けたときは、遅滞なく、これを会計検査院に提出しなければならない。中期計画に変更があったときも、同様とする。

2　国立大学法人法第三十一条の二第二項に規定する報告書を作成したときは、同条第一項各号に掲げる事業年度終了後三月以内に会計検査院に到達するように提出しなければならない。

（財務諸表及びその添付書類）

第八十一条　国立大学法人法第三十五条の二において読み替えて準用する通則法（以下「準用通則法」という。）第三十八条第一項に規定する財務諸表を作成し、文部科学大臣の承認を受けたときは、遅滞なく、これを会計検査院に提出しなければならない。

2　前項の財務諸表には、準用通則法第三十八条第二項に規定する事業報告書及び決算報告書並びに財務諸表及び決算報告書に関する監査報告及び会計監査報告を添付しなければならない。

第四節　株式会社の計算証明

（株式会社の証明責任者、証明期間及び計算書等）

第八十二条　別表第二の第一欄に掲げる株式会社の会計については、証明責任者は、代表取締役（指名委員会等設置会社（会社法（平成十七年法律第八十六号）第二条第十二号に規定する指名委員会等設置会社をいう。以下同じ。）にあっては、代表執行役）とし、証明期間は、一月とする。

2　計算書は、合計残高試算表とする。

3　次条及び第八十四条に定めるもののほか、前項の計算書の証拠書類その他会計検査院に提出しなければならない書類については、会計検査院が別に指定する。

（合計残高試算表の添付書類）

第八十三条　合計残高試算表には、次の各号に掲げる書類を添付しなければならない。

一　単位別に会計を区分して経理している場合において、単位別の合計残高試算表を作成しているときは、当該合計残高試算表

二　仮払金及び仮受金の勘定内訳表

三　契約一覧表（第十号書式）

2　前項の書類のほか、毎事業年度の最初の月の合計残高試算表には、別表第二の第二欄に掲げる法律の規定に規定する当該事業年度の予算、事業計画又は資金計画（以下「予算等」という。）及びその添付書類（当該法律に基づく命令の規定により、予算等に添付しなければならないとされている書類をいう。以下この項において同じ。）を添付し

なければならない。予算等に変更があったときは、変更後の予算等及びその添付書類をその月の合計残高試算表に添付しなければならない。

（計算書類等及びその添付書類等）

第八十四条　会社法第四百三十五条第二項に規定する計算書類及び事業報告並びにこれらの附属明細書（以下「計算書類等」という。）を作成したときは、定時株主総会の終結後遅滞なく、これを会計検査院に提出しなければならない。

2　前項の書類のほか、連結計算書類（会社法第四百四十四条第一項に規定する連結計算書類をいう。以下同じ。）を作成したときは、定時株主総会の終結後遅滞なく、これを会計検査院に提出しなければならない。

3　計算書類等には、次の各号に掲げる株式会社の区分に応じ、当該各号に定める監査報告又は会計監査報告を添付しなければならない。連結計算書類についても、同様とする。

一　会社法第二条第九号に規定する監査役設置会社　監査役の監査報告

二　会社法第二条第十号に規定する監査役会設置会社　監査役会の監査報告

三　会社法第二条第十一号の二に規定する監査等委員会設置会社　監査等委員会の監査報告

四　指名委員会等設置会社　監査委員会の監査報告

五　会社法第二条第十一号に規定する会計監査人設置会社　会計監査報告

第五節　その他の出資法人等の計算証明

第八十五条　出資法人等の会計（独立行政法人、国立大学法人等及び株式会社の会計を除く。）の証明責任者、証明期間、計算書、証拠書類その他会計検査院に提出しなければならない書類については、会計検査院が別に指定する。

第五章　電子情報処理組織を使用して計算証明をする場合の特則

（電子情報処理組織を使用した計算証明）

第八十六条　情報通信技術を活用した行政の推進等に関する法律（平成十四年法律第百五十一号。以下「情報通信技術活用法」という。）第六条第一項の規定に基づき、電子情報処理組織を使用する方法により計算証明をする場合については、この章の定めるところによる。

第八十六条の二　証明責任者又は監督官庁等（計算証明書類に記載すべき事項に係る情報（以下「計算証明情報」という。）を会計検査院に送信する際に経由する監督官庁等をいう。以下同じ。）が計算証明情報を会計検査院に送信するときに使用する情報通信技術活用法第六条第一項に規定する会計検査院規則で定める電子情報処理組織は、会計検査院の使用に係る電子計算機（入出力装置を含む。以下同じ。）と証明責任者又は監督官庁等の使用に係る電子計算機とを電気通信回線で接続した電子情報処理組織をいう。

2　前項に規定する証明責任者又は監督官庁等の使用に係る電子計算機は、会計検査院の使用に係る電子計算機と電気通信回線を通じて接続でき、正常に通信できる機能を備えたものとする。

3　証明責任者が計算証明情報を監督官庁等に送信するときに使用する情報通信技術活用法第六条第一項に規定する会計検査院規則で定める電子情報処理組織は、監督官庁等の使用に係る電子計算機と証明責任者の使用に係る電子計算機とを電気通信回線で接続した電子情報処理組織をいう。

4　前項に規定する証明責任者の使用に係る電子計算機は、監督官庁等の使用に係る電子計算機と電気通信回線を通じて接続でき、正常に通信できる機能を備えたものとする。

（電子情報処理組織を使用した計算証明の方法）

第八十七条　電子情報処理組織を使用して計算証明をするときは、会計検査院の定める基準に従い、計算証明情報を証明責任者又は監督官庁等の使用に係る電子計算機から入力し、送信しなければならない。

2　会計検査院は、前項に規定する基準を定めたときは、インターネットの利用その他適切な方法により公表するものとする。

3　第一項の規定により計算証明情報を会計検査院に送信するときは、同項に規定する基準の定めるところにより設定され若しくは付与された識別符号及び暗証符号を証明責任者若しくは監督官庁等の使用に係る電子計算機から入力し、送信する措置又は同項に規定する基準で定める措置を講じなければならない。

4　第一項の規定により計算証明情報を送信するときは、送信する計算証明情報の内容を明らかにした資料を添付しなければならない。ただし、計算証明情報の内容を明らかにした情報が、ファイルの名称等から明らかであるときは、この限りでない。

（電子情報処理組織を使用する方法により行うことが困難又は著しく不適当と認められる部分がある場合）

第八十七条の二　情報通信技術活用法第六条第六項に規定する会計検査院規則で定める場合は、第五条第一項の規定により証拠書類の原本を提出しなければならない場合（証拠書類の原本と共に編集するものがある場合を含む。）とする。

第八十八条　削除

第八十九条　削除

第九十条 削除

（証拠書類の形式の特例）

第九十一条 第五条第一項の規定にかかわらず、第二章及び第三章に規定する証明責任者が電子情報処理組織を使用して計算証明をするときは、証拠書類の原本をスキャナにより読み取る方法により作成した証拠書類に記載すべき事項に係る情報をもって原本に代えることができる。この場合において、当該情報は、次の各号に掲げる要件の全てを満たすものでなければならない。

一 一の歳入の徴収、支出の決定その他の会計経理に係る行為に関する意思決定が電磁的方式により行われ、第八十七条第一項に規定する基準の定める方法により、当該意思決定に係る情報に関連付けられて管理されているものであること。

二 証明責任者が原本と相違がない旨を証明したものであること。

2 第五条第二項及び第三項の規定は、証拠書類に記載すべき事項に係る情報を電子情報処理組織を使用して送信する場合について準用する。

3 第六十九条の二の規定は、証拠書類に記載すべき事項に係る情報を電子情報処理組織を使用して送信する場合について準用する。この場合において、同条中「記録した電磁的記録」とあるのは、「電子情報処理組織を使用して送信すること」と読み替えるものとする。

（証拠書類等の付記の取扱いの特例）

第九十二条 第一条の六の規定は、証拠書類又は添付書類に記載すべき事項に係る情報を電子情報処理組織を使用して送信する場合について準用する。

（提出済みの証拠書類等のある場合の処理の特例）

第九十三条 第七条第二項の規定は、証拠書類又は添付書類に記載すべき事項に係る情報を電子情報処理組織を使用して送信する場合について準用する。

（証拠書類等の編集の特例）

第九十四条 証拠書類及び添付書類に記載すべき事項に係る情報を電子情報処理組織を使用して送信する場合は、第八条の規定は適用しない。

2 前項に規定する場合は、第八条の二の規定を準用する。この場合において、同条第二項及び第三項中「電磁的記録により提出するものがある旨」とあるのは「電子情報処理組織を使用して提出するものがある旨」と、同条第四項中「電磁的記録により提出する旨」とあるのは「電子情報処理組織を使用して提出する旨」と読み替えるものとする。

第九十四条の二 証拠書類及び添付書類（第三十条の九に規定する証拠書類を除く。以下この条において同じ。）に記載すべき事項に係る情報を第八十七条第一項に規定する基準で特に認める方法（以下この条において単に「特に認める方法」という。）により電子情報処理組織を使用して送信する場合において、このほかに、証拠書類及び添付書類を提出するときは、当該証拠書類及び添付書類（分冊にして提出する場合は第一冊目）には、次の各号に掲げる事項を第八条第一項に規定する区分ごとに記載した一覧表（以下「区分別一覧表」という。）を付さなければならない。

一 科目、受払、種類等の区分の名称

二 証拠書類及び添付書類が編集されている箇所（分冊にして提出する場合に限る。）

三 証拠書類及び添付書類の金額

2 証拠書類及び添付書類に区分別一覧表を付すときは、第八条第二項及び第八条の二第四項の規定（第九十四条第二項において読み替えて準用する場合を含む。）にかかわらず、証拠書類及び添付書類に仕切紙を付すことを要しない。この場合において、区分別一覧表には、この規則の規定により仕切紙に記載すべきこととされている事項（第八条第三項各号に掲げる事項を除く。）を記載しなければならない。

3 第一項に規定する場合において、次の各号に掲げる事項に係る情報を電子情報処理組織を使用して併せて送信するときは、前項の規定にかかわらず、当該事項は区分別一覧表に記載することを要しない。

一 第九条第一項に規定する事項

二 第二十二条第二項に規定する事項

三 第九十四条第二項において準用する第八条の二第三項に規定する金額

四 第九十四条第二項において準用する第八条の二第四項第四号に規定する金額

4 証拠書類及び添付書類に記載すべき事項に係る情報を特に認める方法により電子情報処理組織を使用して送信する場合において、証拠書類及び添付書類に記載すべき事項に係る情報を電子情報処理組織を使用して送信するほか、証拠書類及び添付書類に記載すべき事項を記録した電磁的記録を提出する場合には、当該情報を送信するときに、電磁的記録により提出するものがある旨及び当該電磁的記録に関する事項に係る情報を併せて送信しなければならない。

5 証拠書類及び添付書類に記載すべき事項に係る情報を特に認める方法により電子情報処理組織を使用して送信する場合における前条第二項及び前四項に規定する編集に関する細目は、会計検査院が別に定める。

6 会計検査院は、前項に規定する細目を定めたときは、インターネットの利用その他適切な方法により公表するものとする。

（分任歳入徴収官等の分等の証拠書類の編集の特例）

第九十五条　主任歳入徴収官等が、第十一条の四第一項の規定により計算証明をする場合において、分任歳入徴収官等又はその事務を代理する歳入徴収官等の取り扱った計算についての証拠書類に記載すべき事項に係る情報を電子情報処理組織を使用して送信するときは、同条第二項の規定は適用しない。この場合において、当該情報は、分任歳入徴収官等の別に、第九条及び第九十四条第二項において読み替えて準用する第八条の二の規定により区分して編集し、当該分任歳入徴収官等の職氏名に係る情報を併せて送信しなければならない。

（分任歳入徴収官の分等の証拠書類等の編集の特例）

第九十六条　歳入徴収官が、第十三条第一項の規定により計算証明をする場合において、分任歳入徴収官又は分任歳入徴収官代理の取り扱った計算についての証拠書類及び添付書類に記載すべき事項に係る情報を電子情報処理組織を使用して送信するときは、同条第二項の規定は適用しない。この場合において、当該情報は、分任歳入徴収官の別に、第九条及び第九十四条第二項において読み替えて準用する第八条の二の規定により区分して編集し、当該分任歳入徴収官の職氏名に係る情報を併せて送信しなければならない。

（分任国税収納命令官の分等の証拠書類等の編集の特例）

第九十七条　国税収納命令官が、第十九条の三第一項の規定により計算証明をする場合において、分任国税収納命令官又は分任国税収納命令官代理の取り扱った計算についての証拠書類及び添付書類に記載すべき事項に係る情報を電子情報処理組織を使用して送信するときは、同条第二項の規定は適用しない。この場合において、当該情報は、分任国税収納命令官の別に、第九条及び第十九条の五第二項の規定により区分して編集し、当該分任国税収納命令官の職氏名に係る情報を併せて送信しなければならない。

（分任国税収納官吏の分等の証拠書類の編集の特例）

第九十八条　主任国税収納官吏が、第十九条の九第一項本文の規定により計算証明をする場合において、分任国税収納官吏、分任国税収納官吏代理又は出納員の取り扱った計算についての証拠書類に記載すべき事項に係る情報を電子情報処理組織を使用して送信するときは、同条第二項の規定は適用しない。この場合において、当該情報は、分任国税収納官吏又は出納員の別に、第九条及び第九十四条第二項において読み替えて準用する第八条の二の規定により区分して編集し、当該分任国税収納官吏又は出納員の職氏名に係る情報を併せて送信しなければならない。

２　前項の場合における第十九条の八第一項の適用については、同項中「次条第二項（同条第三項において準用する場合を含む。）」とあるのは、「第九十八条第一項」とする。

（支出済みの通知の編集の特例）

第九十九条　第二十一条第一項に規定する支出済みの通知に係る情報を電子情報処理組織を使用して送信するときは、同条第二項の規定は適用しない。この場合において、当該情報は、項別に区分し、各区分ごとの項名及び金額並びに総金額に係る情報を併せて送信しなければならない。

（前金払等の精算に関する明細書の編集の特例）

第百条　第三十条の二第一項に規定する明細書に記載すべき事項に係る情報を電子情報処理組織を使用して送信するときは、同条第二項の規定は適用しない。この場合において、当該情報は、前金払及び概算払に区分し、科目ごとに細分して編集しなければならない。

（センター支出官の証拠書類の編集の特例）

第百一条　第三十条の九に規定する証拠書類に記載すべき事項に係る情報を電子情報処理組織を使用して送信するときは、第三十条の十第二項の規定は適用しない。

２　前項に規定する場合は、第三十条の十第三項及び第四項の規定を準用する。この場合において、同条第四項中「電磁的記録により提出するものがある旨」とあるのは、「電子情報処理組織を使用して提出するものがある旨」と読み替えるものとする。

３　第三十条の九に規定する証拠書類に記載すべき事項に係る情報を電子情報処理組織を使用して送信するほか、同条に規定する証拠書類に記載すべき事項を記録した電磁的記録を提出する場合（これらのほかに同条に規定する証拠書類を提出する場合を除く。）には、当該情報を送信するときに、電磁的記録により提出するものがある旨を併せて送信しなければならない。

（分任収入官吏の分等の証拠書類の編集の特例）

第百二条　主任収入官吏が、第三十二条第一項本文の規定により計算証明をする場合において、分任収入官吏、分任収入官吏代理又は出納員の取り扱った計算についての証拠書類に記載すべき事項に係る情報を電子情報処理組織を使用して送信するときは、同条第二項の規定は適用しない。この場合において、当該情報は、分任収入官吏又は出納員の別に、第九条及び第九十四条第二項において読み替えて準用する第八条の二の規定により区分して編集し、当該分任収入官吏又は出納員の職氏名に係る情報を併せて送信しなければならない。

２　前項の場合における第三十一条第一項の適用については、同項中「次条第二項（同条第三項において準用する場合を含む。）」とあるのは、「第百二条第一項」とする。

（分任資金前渡官吏の分等の証拠書類等の編集の特例）

第百三条　主任資金前渡官吏が、第三十六条第一項本文の規定により計算証明をする場合において、分任資金前渡官吏、分任資金前渡官吏代理又は出納員の取り扱った計算についての証拠書類及び添付書類に記載すべき事項に係る情報を電子情報処理組織を使用して送信するときは、同条第二項の規定は適用しない。この場合において、当該情報は、分任資金前渡官吏又は出納員の別に、第九条及び第九十四条第二項において読み替えて準用する第八条の二の規定により区分して編集し、当該分任資金前渡官吏又は出納員の職氏名に係る情報を併せて送信しなければならない。

2 前項の場合における第三十五条第一項の適用については、同項中「次条第二項（同条第三項において準用する場合を含む。）」とあるのは、「第百三条第一項」とする。

（前金払等の精算に関する明細書の編集の特例）

第百四条 第四十五条第一項に規定する明細書に記載すべき事項に係る情報を電子情報処理組織を使用して送信するときは、同条第二項の規定は適用しない。この場合において、当該情報は、前金払及び概算払に区分し、科目ごとに細分して編集しなければならない。

（分任歳入歳出外現金出納官吏の分等の証拠書類の編集の特例）

第百五条 主任歳入歳出外現金出納官吏が、第四十九条第一項本文の規定により計算証明をする場合において、分任歳入歳出外現金出納官吏、分任歳入歳出外現金出納官吏代理又は出納員の取り扱った計算についての証拠書類に記載すべき事項に係る情報を電子情報処理組織を使用して送信するときは、同条第二項の規定は適用しない。この場合において、当該情報は、分任歳入歳出外現金出納官吏又は出納員の別に、第九条及び第九十四条第二項において読み替えて準用する第八条の二の規定により区分して編集し、当該分任歳入歳出外現金出納官吏又は出納員の職氏名に係る情報を併せて送信しなければならない。

2 前項の場合における第四十八条第一項の適用については、同項中「次条第二項（同条第三項において準用する場合を含む。）」とあるのは、「第百五条第一項」とする。

（分任支出負担行為担当官の分等の証拠書類の編集の特例）

第百六条 支出負担行為担当官が、第五十八条の三第一項の規定により計算証明をする場合において、分任支出負担行為担当官又は分任支出負担行為担当官代理の取り扱った計算についての証拠書類に記載すべき事項に係る情報を電子情報処理組織を使用して送信するときは、同条第二項の規定は適用しない。この場合において、当該情報は、分任支出負担行為担当官の別に、第九条及び第九十四条第二項において読み替えて準用する第八条の二の規定により区分して編集し、当該分任支出負担行為担当官の職氏名に係る情報を併せて送信しなければならない。

（分任物品管理官の分等の証拠書類の編集の特例）

第百七条 主任物品管理官が、第六十条第一項本文の規定により計算証明をする場合において、分任物品管理官又は分任物品管理官代理の取り扱った計算についての証拠書類に記載すべき事項に係る情報を電子情報処理組織を使用して送信するときは、同条第三項の規定は適用しない。この場合において、当該情報は、分任物品管理官の別に、第九条及び第九十四条第二項において読み替えて準用する第八条の二の規定により区分して編集し、当該分任物品管理官の職氏名に係る情報を併せて送信しなければならない。

2 前項の場合における第五十九条第一項の適用については、同項中「次条第三項（同条第四項において準用する場合を含む。）」とあるのは、「第百七条第一項」とする。

（書式の記載事項の特例）

第百八条 証拠書類又は添付書類に記載すべき事項に係る情報を電子情報処理組織を使用して送信するときは、計算書には、電子情報処理組織を使用して提出する旨を記載し、又は記録しなければならない。

附　則

1 この規則は、昭和二十七年七月一日から施行する。

2 計算証明規則（昭和二十二年会計検査院規則第六号）は、廃止する。

3 昭和二十七年六月分までの計算証明については、なお、従前の例による。

4 この規則又はこの規則に基づく指定において、証拠書類を会計検査院に提出することとされているものについては、当分の間、第七十一条第一項第三号、第七十七条第一項第三号又は第八十三条第一項第三号の規定にかかわらず、契約一覧表を添付することを要しない。

別表第一（第七十条、第七十一条関係）

一	二	三	四
独立行政法人酒類総合研究所		独立行政法人酒類総合研究所法（平成十一年法律第百六十四号）第十三条第二項	独立行政法人の組織、運営及び管理に係る共通的な事項に関する政令（平成十二年政令第三百十六号。以下「共通政令」という。）第二十二条第一項本文
独立行政法人国立特別支援教育総合研究所		独立行政法人国立特別支援教育総合研究所法（平成十一年法律第百六十五号）第十三条第三項	共通政令第二十二条第一項本文
独立行政法人大学入試センター		独立行政法人大学入試センター法（平成十一年法律第百六十六号）第十五条第三項	共通政令第二十二条第一項本文
独立行政法人国立青少年教育振興機構		独立行政法人国立青少年教育振興機構法（平成十一年法律第百六十七号）第十二条第三項	共通政令第二十二条第一項本文
独立行政法人国立女性教育会館		独立行政法人国立女性教育会館法（平成十一年法律第百六十八号）第十二条第三項	共通政令第二十二条第一項本文
独立行政法人国立科学博物館		独立行政法人国立科学博物館法（平成十一年法律第百七十二号）第十三条第三項	共通政令第二十二条第一項本文
独立行政法人国立美術館		独立行政法人国立美術館法（平成十一年法律第百七十七号）第十二条第三項	共通政令第二十二条第一項本文
独立行政法人国立文化財機構		独立行政法人国立文化財機構法（平成十一年法律第百七十八号）第十三条第三項	共通政令第二十二条第一項本文
独立行政法人家畜改良センター		独立行政法人家畜改良センター法（平成十一年法律第百八十五号）第十二条第三項	共通政令第二十二条第一項本文
独立行政法人海技教育機構		独立行政法人海技教育機構法（平成十一年法律第二百十四号）第十二条第三項	共通政令第二十二条第一項本文
独立行政法人航空大学校		独立行政法人航空大学校法（平成十一年法律第二百十五号）第十三条第三項	共通政令第二十二条第一項本文
独立行政法人自動車技術総合機構		独立行政法人自動車技術総合機構法（平成十一年法律第二百十八号）第十六条第三項	共通政令第二十二条第一項本文
独立行政法人教職員支援機構		独立行政法人教職員支援機構法（平成十二年法律第八十八号）第十一条第三項	共通政令第二十二条第一項本文
独立行政法人エネルギー・金属鉱物資源機構	独立行政法人エネルギー・金属鉱物資源機構	同法第十三条第二項	独立行政法人エネルギー・金属鉱物資源機構

構	構法（平成十四年法律第九十四号）第十六条		構法施行令（平成十五年政令第五百五十四号）第二条第一項本文
独立行政法人国民生活センター	独立行政法人国民生活センター法（平成十四年法律第百二十三号）第四十三条の二第二項	同法第四十三条第三項	共通政令第二十二条第一項本文
独立行政法人農畜産業振興機構	独立行政法人農畜産業振興機構法（平成十四年法律第百二十六号）第十六条	同法第十三条第二項	共通政令第二十二条第一項本文
独立行政法人農業者年金基金		独立行政法人農業者年金基金法（平成十四年法律第百二十七号）第六十三条第三項	共通政令第二十二条第一項本文
独立行政法人農林漁業信用基金	独立行政法人農林漁業信用基金法（平成十四年法律第百二十八号）第十九条	同法第十六条第二項	共通政令第二十二条第一項本文
独立行政法人北方領土問題対策協会	独立行政法人北方領土問題対策協会法（平成十四年法律第百三十二号）第十四条第二項	同法第十三条第三項	共通政令第二十二条第一項本文
独立行政法人国際協力機構		独立行政法人国際協力機構法（平成十四年法律第百三十六号）第三十一条第二項	共通政令第二十二条第一項本文
		独立行政法人国際協力機構法第三十一条第七項	独立行政法人国際協力機構法施行令（平成二十年政令第二百五十八号）第六条
独立行政法人国際交流基金		独立行政法人国際交流基金法（平成十四年法律第百三十七号）第十四条第二項	共通政令第二十二条第一項本文
独立行政法人情報処理推進機構		情報処理の促進に関する法律（昭和四十五年法律第九十号）第五十三条第三項（同条第五項において準用する場合を含む。）	情報処理の促進に関する法律施行令（昭和四十五年政令第二百七十号）第九条第一項本文
独立行政法人中小企業基盤整備機構	独立行政法人中小企業基盤整備機構法（平成十四年法律第百四十七号）第二十四条	同法第十九条第二項（同条第四項において準用する場合を含む。）	独立行政法人中小企業基盤整備機構法施行令（平成十六年政令第百八十二号）第六条第一項本文
独立行政法人日本学術振興会		独立行政法人日本学術振興会法（平成十四年法律第百五十九号）第二十条第三項	共通政令第二十二条第一項本文
独立行政法人日本スポーツ振興センター	独立行政法人日本スポーツ振興センター法（平成十四年法律第百六十二号）第二十六条及び附則第八条の八	同法第二十二条第一項	独立行政法人日本スポーツ振興センター法施行令（平成十五年政令第三百六十九号）第十五条第一項
		同法第二十四条第二項	共通政令第二十二条第一項本文
独立行政法人日本芸術文化振興会		独立行政法人日本芸術文化振興会法（平成十四年法律第百六十三	共通政令第二十二条第一項本文

		号）第十五条第三項	
独立行政法人勤労者退職金共済機構	中小企業退職金共済法（昭和三十四年法律第百六十号）第七十五条の三	同法第七十五条第二項	共通政令第二十二条第一項本文
独立行政法人高齢・障害・求職者雇用支援機構		独立行政法人高齢・障害・求職者雇用支援機構法（平成十四年法律第百六十五号）第十七条第二項	独立行政法人高齢・障害・求職者雇用支援機構法施行令（平成二十三年政令第百六十七号）第三条第一項本文
独立行政法人福祉医療機構	独立行政法人福祉医療機構法（平成十四年法律第百六十六号）第二十二条	同法第十六条第二項（同法附則第五条の二第十七項の規定により読み替えて適用する場合を含む。）又は第三項	共通政令第二十二条第一項本文（独立行政法人福祉医療機構法施行令（平成十五年政令第三百九十三号）附則第五条の二第十二項の規定により読み替えて適用する場合を含む。）
		同法附則第五条の二第八項又は第九項	独立行政法人福祉医療機構法施行令附則第五条の二第一項又は第二項
独立行政法人国立重度知的障害者総合施設のぞみの園		独立行政法人国立重度知的障害者総合施設のぞみの園法（平成十四年法律第百六十七号）第十二条第三項	共通政令第二十二条第一項本文
独立行政法人労働政策研究・研修機構		独立行政法人労働政策研究・研修機構法（平成十四年法律第百六十九号）第十四条第三項	共通政令第二十二条第一項本文

独立行政法人労働者健康安全機構	独立行政法人労働者健康安全機構法（平成十四年法律第百七十一号）第十五条	同法第十三条第二項	共通政令第二十二条第一項本文
独立行政法人日本貿易振興機構		独立行政法人日本貿易振興機構法（平成十四年法律第百七十二号）第十三条第三項	共通政令第二十二条第一項本文
独立行政法人鉄道建設・運輸施設整備支援機構	独立行政法人鉄道建設・運輸施設整備支援機構法（平成十四年法律第百八十号）第二十一条	同法第十八条第三項（同条第五項において準用する場合を含む。）	独立行政法人鉄道建設・運輸施設整備支援機構法施行令（平成十五年政令第二百九十三号）第十四条第一項本文
独立行政法人国際観光振興機構		独立行政法人国際観光振興機構法（平成十四年法律第百八十一号）第十一条第三項	共通政令第二十二条第一項本文
独立行政法人水資源機構	独立行政法人水資源機構法（平成十四年法律第百八十二号）第三十四条	同法第三十一条第二項	共通政令第二十二条第一項本文
独立行政法人自動車事故対策機構	独立行政法人自動車事故対策機構法（平成十四年法律第百八十三号）第十七条	同法第十五条第二項	共通政令第二十二条第一項本文
独立行政法人空港周辺整備機構	公共用飛行場周辺における航空機騒音による障害の防止等に関する法律（昭和四十二年法律第百十号）第三十二	同法第二十九条第二項	共通政令第二十二条第一項本文

	条		
独立行政法人国立病院機構	独立行政法人国立病院機構法（平成十四年法律第百九十一号）第二十条	同法第十七条第二項	共通政令第二十二条第一項本文
独立行政法人医薬品医療機器総合機構	独立行政法人医薬品医療機器総合機構法（平成十四年法律第百九十二号）第三十三条	同法第三十一条第二項	独立行政法人医薬品医療機器総合機構法施行令（平成十六年政令第八十三号）第二十八条第一項本文
独立行政法人環境再生保全機構	独立行政法人環境再生保全機構法（平成十五年法律第四十三号）附則第十四条	同法第十三条第二項	共通政令第二十二条第一項本文
独立行政法人日本学生支援機構	独立行政法人日本学生支援機構法（平成十五年法律第九十四号）第二十一条	同法第十八条第二項	共通政令第二十二条第一項本文
独立行政法人都市再生機構	独立行政法人都市再生機構法（平成十五年法律第百号）第三十九条	同法第三十三条第三項	独立行政法人都市再生機構法施行令（平成十六年政令第百六十号）第二十一条第一項本文
独立行政法人国立高等専門学校機構		独立行政法人国立高等専門学校機構法（平成十五年法律第百十三号）第十三条第三項	共通政令第二十二条第一項本文
独立行政法人大学改革支援・学位授与機構	独立行政法人大学改革支援・学位授与機構法（平成十五年法律第百十四号）第二十一条	同法第十八条第二項	共通政令第二十二条第一項本文
独立行政法人奄美群島振興開発基金	奄美群島振興開発特別措置法（昭和二十九年法律第百八十九号）第五十六条		
独立行政法人日本高速道路保有・債務返済機構	独立行政法人日本高速道路保有・債務返済機構法（平成十六年法律第百号）第二十四条	同法第二十一条第四項	共通政令第二十二条第一項本文
年金積立金管理運用独立行政法人		年金積立金管理運用独立行政法人法（平成十六年法律第百五号）第二十五条第四項	年金積立金管理運用独立行政法人法施行令（平成十六年政令第三百六十六号）第十九条第一項
独立行政法人地域医療機能推進機構	独立行政法人地域医療機能推進機構法（平成十七年法律第七十一号）第十八条	同法第十六条第二項	独立行政法人地域医療機能推進機構法施行令（平成十七年政令第二百七十九号）第二条第一項本文
独立行政法人住宅金融支援機構	独立行政法人住宅金融支援機構法（平成十七年法律第八十二号）第二十四条	同法第十八条第三項（同条第五項において準用する場合を含む。）、附則第七条第八項又は第十項	独立行政法人住宅金融支援機構法施行令（平成十九年政令第三十号）第十条本文又は附則第九条本文（附則第十三条において読み替えて準用する場合を含む。）
独立行政法人郵便貯金簡易生命保険管理・郵便局ネットワーク支援機構	独立行政法人郵便貯金簡易生命保険管理・郵便局ネットワーク支援機構法（平成十七年法律第百一号）第二十七条	同法第二十五条第二項	独立行政法人郵便貯金簡易生命保険管理・郵便局ネットワーク支援機構法施行令（平成十九年政令第二百三十四号）第二条第一項本文

国立研究開発法人情報通信研究機構		国立研究開発法人情報通信研究機構法（平成十一年法律第百六十二号）第十七条第三項（同条第六項において読み替えて準用する場合を含む。）	国立研究開発法人情報通信研究機構法施行令（平成十六年政令第十三号）第四条第一項本文
国立研究開発法人物質・材料研究機構		国立研究開発法人物質・材料研究機構法（平成十一年法律第百七十三号）第十六条第三項	共通政令第二十二条第二項において読み替えて準用する同条第一項本文
国立研究開発法人防災科学技術研究所		国立研究開発法人防災科学技術研究所法（平成十一年法律第百七十四号）第十六条第三項	共通政令第二十二条第二項において読み替えて準用する同条第一項本文
国立研究開発法人量子科学技術研究開発機構		国立研究開発法人量子科学技術研究開発機構法（平成十一年法律第百七十六号）第十七条第三項	共通政令第二十二条第二項において読み替えて準用する同条第一項本文
国立研究開発法人農業・食品産業技術総合研究機構		国立研究開発法人農業・食品産業技術総合研究機構法（平成十一年法律第百九十二号）第十六条第二項	国立研究開発法人農業・食品産業技術総合研究機構法施行令（平成十五年政令第三百八十九号）第三条第一項本文
国立研究開発法人国際農林水産業研究センター		国立研究開発法人国際農林水産業研究センター法（平成十一年法律第百九十七号）第十二条第三項	共通政令第二十二条第二項において読み替えて準用する同条第一項本文
国立研究開発法人森林研究・整備機構	国立研究開発法人森林研究・整備機構法（平成十一年法律第百九十八号）第二十条	同法第十七条第二項	共通政令第二十二条第二項において読み替えて準用する同条第一項本文
国立研究開発法人水産研究・教育機構		国立研究開発法人水産研究・教育機構法（平成十一年法律第百九十九号）第十五条第三項	共通政令第二十二条第二項において読み替えて準用する同条第一項本文
国立研究開発法人産業技術総合研究所		国立研究開発法人産業技術総合研究所法（平成十一年法律第二百三号）第十二条第三項	共通政令第二十二条第二項において読み替えて準用する同条第一項本文
国立研究開発法人土木研究所		国立研究開発法人土木研究所法（平成十一年法律第二百五号）第十四条第三項	共通政令第二十二条第二項において読み替えて準用する同条第一項本文
国立研究開発法人建築研究所		国立研究開発法人建築研究所法（平成十一年法律第二百六号）第十三条第三項	共通政令第二十二条第二項において読み替えて準用する同条第一項本文
国立研究開発法人海上・港湾・航空技術研究所		国立研究開発法人海上・港湾・航空技術研究所法（平成十一年法律第二百八号）第十二条第三項	共通政令第二十二条第二項において読み替えて準用する同条第一項本文
国立研究開発法人国立環境研究所		国立研究開発法人国立環境研究所法（平成十一年法律第二百十六号）第十二条第三項	共通政令第二十二条第二項において読み替えて準用する同条第一項本文

国立研究開発法人新エネルギー・産業技術総合開発機構		国立研究開発法人新エネルギー・産業技術総合開発機構法（平成十四年法律第百四十五号）第十九条第三項（同条第五項において準用する場合を含む。）	国立研究開発法人新エネルギー・産業技術総合開発機構法施行令（平成十五年政令第三百六十四号）第九条第一項本文
国立研究開発法人科学技術振興機構	国立研究開発法人科学技術振興機構法（平成十四年法律第百五十八号）第三十五条	同法第三十二条第五項（同条第七項及び第八項において準用する場合を含む。）	国立研究開発法人科学技術振興機構法施行令（平成十五年政令第四百三十九号）第十六条第一項本文
国立研究開発法人理化学研究所	国立研究開発法人理化学研究所法（平成十四年法律第百六十号）第十八条第二項	同法第十七条第三項	共通政令第二十二条第二項において読み替えて準用する同条第一項本文
国立研究開発法人宇宙航空研究開発機構		国立研究開発法人宇宙航空研究開発機構法（平成十四年法律第百六十一号）第二十五条第二項	国立研究開発法人宇宙航空研究開発機構法施行令（平成十五年政令第三百六十八号）第七条第一項本文
国立研究開発法人海洋研究開発機構		国立研究開発法人海洋研究開発機構法（平成十五年法律第九十五号）第十八条第三項	共通政令第二十二条第二項において読み替えて準用する同条第一項本文
国立研究開発法人医薬基盤・健康・栄養研究所		国立研究開発法人医薬基盤・健康・栄養研究所法（平成十六年法律第百三十五号）第十八条第三項（附則第十二条第六項（附則第十四条第二項において読み替えて準用する場合を含む。）において準用する場合を含む。）	国立研究開発法人医薬基盤・健康・栄養研究所法施行令（平成十六年政令第三百五十六号）第二条第一項本文（附則第九条（附則第十二条において読み替えて準用する場合を含む。）において読み替えて準用する場合を含む。）
国立研究開発法人日本原子力研究開発機構	国立研究開発法人日本原子力研究開発機構法（平成十六年法律第百五十五号）第二十四条	同法第二十一条第二項	共通政令第二十二条第二項において読み替えて準用する同条第一項本文
国立研究開発法人国立がん研究センター	高度専門医療に関する研究等を行う国立研究開発法人に関する法律（平成二十年法律第九十三号）第二十三条	同法第二十条第二項	共通政令第二十二条第二項において読み替えて準用する同条第一項本文
国立研究開発法人国立循環器病研究センター			
国立研究開発法人国立精神・神経医療研究センター			
国立研究開発法人国立国際医療研究センター			
国立研究開発法人国立成育医療研究センター			
国立研究開発法人国立長寿医療研究センター			
国立研究開発法人日本医療研究開発機構		国立研究開発法人日本医療研究開発機構法（平成二十六年法律第四十九号）第十七条第三項	共通政令第二十二条第二項において読み替えて準用する同条第一項本文
独立行政法人国立公文書館		国立公文書館法（平成十一年法律第七十九号）第十二条第三項	共通政令第二十二条第三項において読み替えて準用する同条第一項

			本文
独立行政法人農林水産消費安全技術センター		独立行政法人農林水産消費安全技術センター法（平成十一年法律第百八十三号）第十一条第三項	共通政令第二十二条第三項において読み替えて準用する同条第一項本文
独立行政法人製品評価技術基盤機構		独立行政法人製品評価技術基盤機構法（平成十一年法律第二百四号）第十二条第三項	共通政令第二十二条第三項において読み替えて準用する同条第一項本文
独立行政法人駐留軍等労働者労務管理機構		独立行政法人駐留軍等労働者労務管理機構法（平成十一年法律第二百十七号）第十一条第三項	共通政令第二十二条第三項において読み替えて準用する同条第一項本文
独立行政法人造幣局	独立行政法人造幣局法（平成十四年法律第四十号）第十七条	同法第十五条第一項	独立行政法人造幣局法施行令（平成十四年政令第三百八十号）第一条
独立行政法人国立印刷局	独立行政法人国立印刷局法（平成十四年法律第四十一号）第十七条	同法第十五条第一項	独立行政法人国立印刷局法施行令（平成十四年政令第三百八十二号）第一条

別表第二（第八十二条、第八十三条関係）

一	二
東京地下鉄株式会社	東京地下鉄株式会社法（平成十四年法律第百八十八号）第六条
中間貯蔵・環境安全事業株式会社	中間貯蔵・環境安全事業株式会社法（平成十五年法律第四十四号）第十二条
成田国際空港株式会社	成田国際空港株式会社法（平成十五年法律第百二十四号）第十一条
東日本高速道路株式会社	高速道路株式会社法（平成十六年法律第九十九号）第十条
中日本高速道路株式会社	
西日本高速道路株式会社	
本州四国連絡高速道路株式会社	
日本郵政株式会社	日本郵政株式会社法（平成十七年法律第九十八号）第十条
株式会社日本政策金融公庫	
株式会社日本政策投資銀行	株式会社日本政策投資銀行法（平成十九年法律第八十五号）第十七条
輸出入・港湾関連情報処理センター株式会社	電子情報処理組織による輸出入等関連業務の処理等に関する法律（昭和五十二年法律第五十四号）第十四条第一項
株式会社国際協力銀行	
新関西国際空港株式会社	関西国際空港及び大阪国際空港の一体的かつ効率的な設置及び管理に関する法律（平成二十三年法律第五十四号）第二十二条
株式会社農林漁業成長産業化支援機構	株式会社農林漁業成長産業化支援機構法（平成二十四年法律第八十三号）第二十八条
株式会社民間資金等活用事業推進機構	民間資金等の活用による公共施設等の整備等の促進に関する法律（平成十一年法律第百十七号）第五十八条
株式会社海外需要開拓支援機構	株式会社海外需要開拓支援機構法（平成二十五年法律第五十一号）第二十九条
株式会社産業革新投資機構	産業競争力強化法（平成二十五年法律第九十八号）第百十六

	条
株式会社海外交通・都市開発事業支援機構	株式会社海外交通・都市開発事業支援機構法（平成二十六年法律第二十四号）第三十条
株式会社海外通信・放送・郵便事業支援機構	株式会社海外通信・放送・郵便事業支援機構法（平成二十七年法律第三十五号）第三十条
株式会社日本貿易保険	貿易保険法（昭和二十五年法律第六十七号）第十八条
株式会社脱炭素化支援機構	地球温暖化対策の推進に関する法律（平成十年法律第百十七号）第三十六条の三十
横浜川崎国際港湾株式会社	港湾法（昭和二十五年法律第二百十八号）第四十三条の二十六第一項
北海道旅客鉄道株式会社	旅客鉄道株式会社及び日本貨物鉄道株式会社に関する法律（昭和六十一年法律第八十八号）第七条
四国旅客鉄道株式会社	
日本貨物鉄道株式会社	
東京湾横断道路株式会社	東京湾横断道路の建設に関する特別措置法（昭和六十一年法律第四十五号）第五条
中部国際空港株式会社	中部国際空港の設置及び管理に関する法律（平成十年法律第三十六号）第十四条
東日本電信電話株式会社	日本電信電話株式会社等に関する法律（昭和五十九年法律第八十五号）第十二条
西日本電信電話株式会社	
日本電信電話株式会社	
首都高速道路株式会社	高速道路株式会社法第十条
阪神高速道路株式会社	
日本郵便株式会社	日本郵便株式会社法（平成十七年法律第百号）第十条
株式会社ゆうちょ銀行	
株式会社かんぽ生命保険	
株式会社整理回収機構	
日本アルコール産業株式会社	日本アルコール産業株式会社法（平成十七年法律第三十二号）第六条
株式会社商工組合中央金庫	
株式会社地域経済活性化支援機構	株式会社地域経済活性化支援機構法（平成二十一年法律第六十三号）第三十九条
株式会社東日本大震災事業者再生支援機構	株式会社東日本大震災事業者再生支援機構法（平成二十三年法律第百十三号）第三十三条
関西国際空港土地保有株式会社	関西国際空港及び大阪国際空港の一体的かつ効率的な設置及び管理に関する法律第十三条第五項
東京電力ホールディングス株式会社	
日本たばこ産業株式会社	日本たばこ産業株式会社法（昭和五十九年法律第六十九号）第九条
阪神国際港湾株式会社	港湾法第四十三条の二十六第一項
株式会社ＩＮＣＪ	

書式

［書式目次略］

第一号書式（第十一条の三関係）

何省（何庁）所管
令和何年度
何々会計
債権管理計算書

添付書類
何々
証拠書類
書面　何冊何枚
記録媒体　何枚

庁名

職官氏名
年月日提出

債権管理（その1）

区分及び債権の種類	前年度末現在額	本年度発生額	前年度以前発生債権増減額	消滅額		本年度末現在額	備考
				本年度発生債権分	前年度以前発生債権分		
何々（区分） 何々（部） 何々（款） 何々（項） 何々（目）	円	円	円	円	円	円	

債権管理（その2）

区分及び債権の種類	本年度						（とじしろ）	（とじしろ）	末現在額							備考
	一								般分			徴収停止分			総合計	
	本年度発生債権分			前年度以前発生債権分					合計			本年度発生債権分	前年度以前発生債権分	合計		
	履行期限到来額	履行期限未到来額	計	履行期限到来額	履行期限未到来額	計			履行期限到来額	履行期限未到来額	計					
何々(区分) 何々(部) 何々(款) 何々(項) 何々(目)	円	円	円	円	円	円			円	円	円	円	円	円	円	

参考

1　用紙の寸法は、（その1）及び（その2）の各片とも、それぞれ、日本産業規格A列4とすること。

2　（その1）及び（その2）の表とも、債権管理簿に確定金額をもって記載され、又は記録された債権について作成すること。

3　（その1）及び（その2）の表の区分及び債権の種類の欄の「何々（区分）」には、債権現在額報告書における歳入、歳入外等の区分を記入することとし、勘定のある特別会計にあっては、区分ごとに勘定別の債権の種類を記入すること。

4　（その1）の表の前年度末現在額の欄には、前年度の計算書における年度末現在額を記入すること。

5　（その１）の表の本年度発生額の欄には、本年度又は前年度において国の債権の管理等に関する法律第11条第１項の規定により債権管理簿に記載され、若しくは記録され又は他の歳入徴収官等から引継ぎを受けた債権で発生年度が本年度であるものの金額を記入すること。この場合において、本年度における種類又は金額の変更（他の歳入徴収官等への引継ぎを含む。）による増減額があるときは、当該債権の金額の記入については、次に定めるところによること。

ア　増加額及びイの減少額以外の減少額は、これを加算し、又は減額する。

イ　債権管理事務取扱規則（昭和31年大蔵省令第86号。以下「債権管理規則」という。）別表第４の五の１のイに掲げる理由（貸付契約の解除その他これに類する理由を除く。）及び同ロに掲げる理由並びに引継ぎによる減少額は、これを減額しないで、当該減少額を上段にマイナスの記号を付して記載する。

6　（その１）の表の前年度以前発生債権増減額の欄には、次に定める金額を記入すること。この場合において、アの金額に係る債権について本年度における種類又は金額の変更（他の歳入徴収官等への引継ぎを含む。）による増減額があるときは、５の後段に定めるところに準じて記入し、イの増減額のうちの減少額は、マイナスの記号を付して記入すること。

ア　本年度において国の債権の管理等に関する法律第11条第１項の規定により債権管理簿に記載され、若しくは記録され又は他の歳入徴収官等から引継ぎを受けた債権で発生年度が前年度以前であるものの金額

イ　前年度末現在額の欄に記入する金額に係る債権について本年度における種類又は金額の変更（他の歳入徴収官等への引継ぎを含む。）による増減額がある場合における当該増減額

7　（その１）の表の前年度以前発生債権増減額の欄に記入された債権の金額については、債権の種類ごとに、その増減の理由別の件数及び金額を備考欄に記入すること。

8　（その１）の表の消滅額の欄中本年度発生債権分の欄又は前年度以前発生債権分の欄には、それぞれ本年度発生額の欄又は前年度末現在額の欄及び前年度以前発生債権増減額の欄に記入する金額に係る債権の本年度における減少額で債権管理規則別表第４の五の２及び３に該当するものを記入すること。

9　５、６及び８の適用に当たっては、次に定める金額は、本年度における減少額とみなすこと。

ア　国の債権の管理等に関する法律施行令（昭和31年政令第337号）第39条の規定に該当する債権の金額のうち翌年度の４月30日までに消滅した金額

イ　国の債権の管理等に関する法律施行令第８条第１号括弧書きに該当する債権で発生年度が本年度であるものの金額のうち前年度の３月中における減少額

10　（その２）の表の本年度末現在額の欄中一般分の欄には、徴収停止をした債権以外の債権の現在額を記入し、徴収停止分の欄には、徴収停止をした債権の現在額を記載すること。

11　（その１）及び（その２）の表とも、区分ごとに（勘定のある特別会計にあっては、更に勘定ごとに）合計を付すること。

12　証明期間が三月の場合の計算書には「令和何年度」の下に「何年何月から何年何月までの分」と記入し、債権管理の表は、この表の書式に準じて作成すること。

甲　債権減少額内訳

債権の種類	減少の理由	債務者名	減少額	発生又は帰属年月日	減少年月日	減少に至った原因	備考
何々(部) 何々(款) 何々(項) 何々(目)			円				

参　考

1　この表は、債権管理（その１）の表の本年度発生額の欄、前年度以前発生債権増減額の欄及び消滅額の欄に記入された債権の減少額のうち、次に定めるものについて作成すること。

ア　債権管理規則別表第４の五の１のイに掲げる理由（貸付契約の解除その他これに類する理由を除く。）及び同ロに掲げる理由による減少額

イ　債権管理規則別表第４の五の３に掲げる減少額

2　勘定のある特別会計にあっては、債権の種類を勘定別に記入すること。

3　債権の減少額は、減少の理由別に区分し、１件ごとに記入すること。ただし、既に計算証明されている不納欠損額に係る減少額については、減少の理由別（不納欠損として整理をした歳入徴収官が２以上ある場合には、更に歳入徴収官別）に一括して記入することができる。

乙　徴収停止額内訳

債権の種類	債務者名	徴収停止額	備考
何々（部） 何々（款） 何々（項） 何々（目）		円	

参考

1　この表は、証明期間が三月の場合にあっては、最終の債権管理計算書に添付すること。

2　この表は、債権管理（その2）の表の本年度末現在額の欄中徴収停止分の欄に記入された債権のうち、本年度において徴収停止をしたものについて作成すること。

3　徴収停止をした債権については、1件ごとに債務者の氏名及び徴収停止額を記入し、徴収停止をした事由を備考欄に記入すること。ただし、債権金額が少額で、取立てに要する費用に満たないと認められたため徴収停止をした債権については、一括して記入することができる。

4　勘定のある特別会計にあっては、勘定別に種類を設けること。

5　2以上の部の徴収停止中の債権があるときは、合計を付すること。

丙　履行延期等明細書

事由	債権の種類	区分	前年度末現在額	本年度					本年度末現在額	備考
				増				減		
				期限の延長1年未満のもの	期限の延長1年以上5年以内のもの	期限の延長5年を超えるもの	計			
	何々(部)	件数 金額	件　円	件　円	件　円	件　円	件　円	件　円	件　円	
	何々(款)	件数 金額								
	何々(項)	件数 金額								
	何々(目)	件数 金額								

参考

1　この表は、証明期間が三月の場合にあっては、最終の債権管理計算書に添付すること。

2　この表は、履行延期の特約又は処分をした債権、延納の特約又は処分をした債権、和解又は調停により履行期限を延長した債権、定期貸又は据置貸をした債権及びその他の理由により履行期限を延長した債権の事由別に記入し、事由ごとの計を付すること。

3　本年度の欄中増には、本年度において、新規に履行延期等をした債権及び履行延期等による期限の到来以前に更に履行延期等をした債権を記入すること。

4　他の歳入徴収官等から履行延期等をした債権を引き継いだ場合には、本年度の欄中増にこれを含めること。この場合において、期限の延長年数は、引継ぎを受けた日から履行延期等による期限までの期間をもって計算するものとする。

5　本年度の欄中減には、本年度において、履行延期等による期限の到来した債権、履行延期等による期限の到来以前に更に履行延期等をした場合の当初の債権、延長した期限を繰り上げた債権及び履行延期等による期限の到来以前に消滅した債権を記入すること。

6　他の歳入徴収官等に、履行延期等をした債権を引き渡した場合には、本年度の欄中減にこれを含めること。

7　勘定のある特別会計にあっては、勘定別に種類を設けること。

第一号の二書式（第十二条関係）

何省（何庁）主管（所管）

令和何年度（最終の計算書のときは、その旨を記入すること。）

何年何月から何年何月までの分

何々会計

歳入徴収額計算書

添付書類

何々

証拠書類

書面　何冊何枚

記録媒体　何枚

庁　名

職官氏　名

年　月　日提出

歳入徴収

科目	摘要	徴収決定済額		収納済歳入額		不納欠損額		収納未済歳入額	備考
		本期分	本期までの累計	本期分	本期までの累計	本期分	本期までの累計		
何々（部） 何々（款） 何々（項） 何々（目）		円	円	円	円	円	円	円	

参考

1　用紙の寸法は、日本産業規格Ａ列４とすること。

2　勘定の区分のある特別会計にあっては、科目の欄中「何々（部）」とあるのは「何々（勘定）」として記入すること。

3　２以上の部又は勘定（勘定の区分のない特別会計にあっては、款）の歳入があるときは、合計を付すること。

4　既往年度の収納未済歳入額で本年度に繰り越したもの又は徴収決定外に誤納したものがあるときは、その金額を徴収決定済額の欄に記入すること。

5　既往年度の収納未済歳入額で翌年度に繰り越したもの（歳入徴収官事務規程第38条各号に掲げる特別会計及び歳入に係るものを除く。）又は誤びゅう訂正等により徴収決定済額を減額したものがあるときは、その金額を徴収決定済額の欄にマイナスの記号を付して記入すること。

6　収納済歳入額で、日本銀行の歳入金月計突合表と符合しないものがあるときは、その理由を備考欄に記入すること。

7　滞納処分の執行を停止中のものがあるときは、収納未済歳入額の欄にその額を内数として記入すること。

8　この表は、事情により１証明期間に属する各月ごとに、この書式に準じて作成し、当該証明期間分として取りまとめることができる。この場合においては、各月分の「歳入徴収」の下に「何年何月分」と記入すること。

9　証明期間が一月の場合の計算書は、この書式に準じて作成すること。

甲 収入官吏現金領収額

摘要	金額	備考
	円	
本年度3月31日までの分		
何庁 収入官吏氏名		
計		
その後出納整理期限までの分		
何庁 収入官吏氏名		
計		
合計		

参考 この表は、最終の歳入徴収額計算書に添付すること。

乙 収納未済歳入額内訳（その1）

摘要		金額	備考
（科目）	（官署コード） （債権番号） （納付者名）	円	

乙 収納未済歳入額内訳（その2）

納付者名（番号）		収納未済総額	収納未済の内訳							備考
			科目名	債権番号	分割番号	調定年度	調定年月日	履行期限	金額	
		円							円	

参考

1 （その1）及び（その2）の表は、最終の歳入徴収額計算書に添付すること。

2 （その1）の表は、年度末現在の収納未済歳入額について、1件ごとに氏名及び金額を記入し、かつ、徴収決定をした年度別に作成すること。

3 （その1）の表に2以上の部の収納未済歳入額があるときは、合計を付すること。

4 （その2）の表は、各人ごとの総額の金額が50万円を超える収納未済歳入額について各人ごとに氏名、金額及びその合計を記入して作成すること。

5 （その2）の表に記入した収納未済歳入額については、収納済みとならなかった事由を同表の備考欄に記入すること。

丙　収納済額と日本銀行領収済額との対照

摘　　要	金　　額	備　　考
収納済歳入額	円	
何年度歳入を本年度歳入として日本銀行に払込みをしたもの		何年何月何日据置整理の分
何会計歳入を本会計歳入として日本銀行に払込みをしたもの		〃
何　々		〃
計		
出納整理期限までに日本銀行に払込みをしなかったもの		何円は某扱いの分何々の理由による。
本年度歳入を何年度歳入として日本銀行に払込みをしたもの		何年何月何日据置整理の分
本会計歳入を何会計歳入として日本銀行に払込みをしたもの		〃
何　々		〃
計		
差引計		
日本銀行領収済通知総額		

参　考　この表は、最終の歳入徴収額計算書に添付すること。

第一号の三書式（第十五条関係）

歳　入　証　明　書

（何科目）

調定年月日	摘　　要	徴収決定済額	納　期　日	納付者（数）	備　　考
		円			
合　　計					

上記のとおり相違ないことを証明する。

年　月　日

職　官　氏　　名

参　考

1　この表には、歳入証明書の対象とならない徴収決定分を含めて記入することができる。

2　摘要欄には、第15条第2項第1号の歳入は、区分を、同項第2号の歳入は、会計検査院が別に指定する事項を、それぞれ記入すること。

3　会計検査院が別に指定する歳入については、一括して記入することができる。この場合においては、納付者（数）欄には納付者数を記入すること。

4　備考欄には、次の表に掲げる区分に該当する場合は、当該区分に応じ、備考欄記入事項を記入すること。

区　　分	備考欄記入事項
歳入証明書の対象とならない徴収決定分を含めて記入した場合	1歳入証明書の対象となるものとならないものとの区別の表示 2歳入証明書の対象となるものの合計額
分割納付債権の2回目以降の徴収決定に係る歳入	1当初の徴収決定年月日 2当該債権全体の総納付回数及び今回の納付回数
分割納付債権に係る延納利子収入（当該延納利子が付される債権と同時に徴収決定をした初回分を除く。）	当該延納利子収入が付される債権に係る当初の徴収決定年月日
貸付料債権等の2回目以降の徴収決定に係る歳入	当初の徴収決定年月日

第二号書式　削除

第二号の二書式（第十九条の二関係）

令　和　何　年　度（最終の計算書のときは、その旨を記入すること。）

何　年　何　月　分

国税収納金整理資金徴収額計算書

添付書類

何　々

証拠書類
書面　何冊何枚
記録媒体　何枚

庁　　　名

職官氏　　名

年　月　日提出

国税収納金整理資金徴収

<table>
<tr><th colspan="3">受入科目</th><th rowspan="2">区　分</th><th colspan="3">徴収決定済額</th><th rowspan="2">収納済額</th><th rowspan="2">不納欠損額</th><th rowspan="2">収納未済額</th><th rowspan="2">備　考</th></tr>
<tr><th>款</th><th>項</th><th>目</th><th>徴収決定</th><th>繰越し</th><th>計</th></tr>
<tr><td rowspan="4">何々</td><td rowspan="2">何々</td><td rowspan="2">何々</td><td>本月分</td><td>円</td><td>円</td><td>円</td><td>円</td><td>円</td><td rowspan="2">円</td><td rowspan="6"></td></tr>
<tr><td>本月までの累計</td><td></td><td></td><td></td><td></td><td></td></tr>
<tr><td colspan="2" rowspan="2">項　計</td><td>本月分</td><td></td><td></td><td></td><td></td><td></td><td rowspan="2"></td></tr>
<tr><td>本月までの累計</td><td></td><td></td><td></td><td></td><td></td></tr>
<tr><td colspan="3" rowspan="2">款　計</td><td>本月分</td><td></td><td></td><td></td><td></td><td></td><td rowspan="2"></td></tr>
<tr><td>本月までの累計</td><td></td><td></td><td></td><td></td><td></td></tr>
</table>

参　考

1　用紙の寸法は、日本産業規格Ａ列４とすること。

2　２以上の款があるときは、合計を付すること。

3　既往年度の収納未済額で翌年度に繰り越したものがあるときは、その金額を徴収決定済額の繰越しの欄にマイナスの記号を付して記入すること。

4　収納済額で、日本銀行の国税収納金整理資金受入金月計突合表と符合しないものがあるときは、その事由を備考欄に記入すること。

5　滞納処分の執行を停止中のものがあるときは、収納未済額の欄にその金額を内数として記入すること。

6　徴収決定済額の欄には、必要に応じ徴収決定及び繰越し以外の内訳欄を追加することができる。

甲　国税収納官吏現金領収額

摘　　　要	金　　　額	備　　　考
本年度３月31日までの分	円	
何庁　　国税収納官吏氏名		
計		
その後整理期限までの分		
何庁　　国税収納官吏氏名		
計		
合　計		

参　考　この表は、最終の国税収納金整理資金徴収額計算書に添付すること。

乙　収納未済額内訳

摘　　　要	金　　　額	備　　　考
何　々（款）	円	
何　々（項）		
何　々（目）		
氏　　名		
氏名ほか何名		

参　考

1　この表は、最終の国税収納金整理資金徴収額計算書に添付すること。

2　この表は、年度末現在の収納未済額（本年度徴収決定分については、整理期限までに収納された額を除く。）について、徴収決定した年度別（ただし、徴収決定した年度が本年度の前々年度以前である分については、各年度分を一括）に作成すること。

3　収納未済額について、１件の金額又は各人ごとの総額の金額が5000万円を超えるものがあるときは、各人ごとに氏名及び金額を記入すること。

4　２以上の款の収納未済額があるときは、合計を付すること。

5　収納済みとならなかった事由を備考欄に記入すること。

丙　収納済額と日本銀行領収済額との対照

摘　　　要	金　　　額	備　　　考
収納済額	円	
前年度整理期限までに国税収納官吏が領収した収納金のうち前年６月30日までに日本銀行に払込みをしなかったもので、本年６月30日までに日本銀行に払込みをしたもの		何円は某扱いの分何々の理由による。
何会計歳入金を国税収納金として日本銀行に払込みをしたもの		何年何月据置整理の分
何　　々		〃
計		
本年度整理期限までに国税収納官吏が領収した収納金のうち本年６月30日までに日本銀行に払込みをしなかったもの		何円は某扱いの分何々の理由による。
国税収納金を何会計歳入金として日本銀行に払込みをしたもの		何年何月据置整理の分
何　　々		〃
計		
差引計		
日本銀行領収済通知総額（何年４月から何年６月までの分）		

参　考　この表は、最終の国税収納金整理資金徴収額計算書に添付すること。

第二号の三書式（第十九条の六関係）

令　　和　　何　　年　　度（最終の計算書のときは、その旨を記入すること。）

何　年　何　月　分

国税収納金整理資金支払命令額計算書

証　拠　書　類
書面　　何冊何枚
記録媒体　何枚

庁　　　　　名

職　官　氏　名

年　月　日提出

国税収納金整理資金支払命令

支払科目			摘　要	支払決定済額				再支払決定済額	支払命令済額	支払命令未済額	備考
				本年度分	前年度以前分		計				
款	項	目			繰越額	支払決定減少額					
何々	何々	何々	本月分	円	円	円	円	円	円	円	
			本月までの累計								
	項計		本月分								
			本月までの累計								
款計			本月分								
			本月までの累計								

（付表）

摘　要	支払計画示達額	支払決定済額（本年度分）	再支払決定済額	支払決定済額（前年度以前分）	支払計画残額
本月分	円	円	円	円	円
本月までの累計					

参　考
1　用紙の寸法は、国税収納金整理資金支払命令の表は、日本産業規格Ａ列４とすること。
2　２以上の款の支払があるときは、合計を付すること。
3　支払決定減少額の欄に記入するものについては、マイナスの記号を付して記入すること。
4　付表の支払決定済額（本年度分）の欄には、償還金に係る支払決定済額を、同表の再支払決定済額及び支払決定済額（前年度以前分）の欄には、支払命令済額をそれぞれ内数として記入すること。

第二号の四書式（第十九条の八関係）

令　和　何　年　度（最終の計算書のときは、その旨を記入すること。）

何年何月から何年何月までの分

国税収納金等現金出納計算書

添付書類

何々

証拠書類

書面　何冊何枚

記録媒体　何枚

庁　名

職　官　氏　名

年　月　日提出

国税収納金等現金

摘要	本期領収済額	前期までの領収済額	計	本期払込済額	前期までの払込済額	計	払込未済額	備考
何年度 何年度	円	円	円	円	円	円	円	
計								
取扱官吏別内訳 主任国税収納官吏氏名 分任国税収納官吏所属官署名・氏名 何々	円	円					円	

参考

1　用紙の寸法は、日本産業規格Ａ列４とすること。

2　取扱官吏別内訳の項については、この書式に準じて別に作成することができる。

3　現金を亡失し、又はその補塡を受けたものがあるときは、その旨及び金額を備考欄に記入すること。

4　弁償を命ぜられたものがあるときは、その旨及び金額を備考欄に記入すること。

5　払込未済のものがあるときは、その金額及び事由を備考欄に記入すること。

6　前年度払込未済額は、前期までの領収済額の欄に記入すること。

第二号の五書式（第十九条の十三関係）

令　和　何　年　度

物　納　額　計　算　書

証拠書類
書面　　何冊何枚
記録媒体　何枚

庁　　　名

職　官　氏　　名

年　月　日提出

税　　目	摘　　要	収　納　額	備　　考
何　々	土　地 建　物 そ の 他	円	
	合　計		

参　考　用紙の寸法は、日本産業規格Ａ列４とすること。

第三号書式（第二十条関係）

何省（何庁）所管

令　和　何　年　度（最終の計算書のときは、その旨を記入すること。）

何年何月分

何々会計

支出計算書（官署分）

添付書類

何々

証拠書類

書面　何冊何枚

記録媒体　何枚

庁　名

職　官　氏　名

年　月　日提出

支　出

部局等及び科目	支払計画示達額本月までの累計	支出済額						備考
		本月分	本月戻入額	本月科目等更正額	本月分差引計	前月までの差引計	差引計	
何々(部局等) 何々(項) 何々(目)	円	円	円	円	円	円	円	円

参考

1　用紙の寸法は、日本産業規格A列4とすること。

2　勘定の区分のある特別会計にあっては、部局等及び科目の欄中「何々（部局等）」とあるのは「何々（勘定）」として記入すること。

3　部局等（勘定区分のある特別会計にあっては、勘定とする。）ごとに区分し、合計を付すること。

4　本月科目等更正額の欄には、科目、年度、所管、会計、部局等及び勘定の更正をした額を記入すること。この場合において、減額は、マイナスの記号を付して記入すること。

5　本月戻入額並びに本月科目等更正額のうち科目、部局等及び勘定の更正に係るものについては、1件ごとにその理由及び金額を備考欄に記入すること。ただし、通勤手当の返納（過誤払によるものを除く。）に係る本月戻入額については、件数及び金額を一括して記入することができる。

甲　資金の前渡、交付

摘　要	本月分	前月の差引計	本月戻入額	差引計	備　考
何庁氏名 集合の部 日本銀行	円	円	円	円	
合　計					

参　考

1　この表は、資金前渡官吏若しくは分任資金前渡官吏又はこれらの者の代理官に対し資金を交付したもの及び日本銀行に対し国債の元利払等のために資金を交付したものについて作成すること。

2　資金前渡官吏若しくは分任資金前渡官吏又はこれらの者の代理官に対し資金を交付したものの記入については、次に定めるところによること。

ア　資金前渡官吏及び第36条第１項ただし書の規定により単独で計算証明をすることとされている分任資金前渡官吏別にそれぞれ記入することとし、同項本文の規定によりその取り扱った計算を主任資金前渡官吏の計算に併算することとされている分任資金前渡官吏又は分任資金前渡官吏代理に対して資金を交付したものについては、当該主任資金前渡官吏の計算に併算する。

イ　資金前渡官吏等（資金前渡官吏及び第36条第１項ただし書の規定により単独で計算証明をすることとされている分任資金前渡官吏をいう。以下同じ。）が官職指定により任命されているときは、氏名の記入に代えて官職を記入することができる。

ウ　資金前渡官吏等が交替したときは、後任の資金前渡官吏等の分に計算を併算し、その月に限り前任の資金前渡官吏等の氏名を備考欄に記入する。

エ　資金前渡官吏等の事務が完結したときは、その翌月分から集合の部に計算を併算し、その月に限りその氏名を備考欄に記入する。

3　官署支出官と同一の官署に置かれた資金前渡官吏については、予算決算及び会計令第51条第13号に規定する経費に充てるための資金の交付と他の資金の交付との内訳を記入すること。

乙　前金払

科　目	前金払額		精算済額			未精算額	備　考
	本月分	本月までの累計	本月分	本月戻入額	本月までの累計		
何々（部局等） 何々（項）	円	円	円	円	円	円	
合　計							

参　考

1　この表は、前金払をしたものについて作成すること。

2　前金払額の欄には、前金払をした額を記入すること。

3　精算済額の欄には、前金払をしたものに対し、その支払額に相当する反対給付等があったとき、又はその支払額に相当する反対給付等がないためその差額若しくは全額の返納を受けたとき記入すること。この場合において、歳入組入れがあったときは、当該金額を精算済額の欄中本月分の欄の金額に加算して記入し、備考欄にその旨及び金額を記入すること。

4　精算済額の欄には、精算の結果の支払額を含めないこと。

5　２以上の部局等の支出に関する前金払があるときは、合計を付すること。

6　最終分の表の未精算額の欄のうち、補助金等適正化法の適用を受ける補助金等に係るものについては、その旨、件数及び金額を備考欄に記入すること。

7　予算決算及び会計令第51条第13号に規定する経費については、他の前金払をしたものと区分して記入すること。

丙　概算払

科目	概算払額		精算済額			未精算額	備考
	本月分	本月までの累計	本月分	本月戻入額	本月までの累計		
何々（部局等） 何々（項）	円	円	円	円	円	円	
合計							

参考

1　この表は、概算払をしたものについて作成すること。

2　概算払額の欄には、概算払をした額を記入すること。

3　精算済額の欄には、概算払をしたものに対し、その支払額に相当する反対給付等があったとき、又はその支払額に相当する反対給付等がないためその差額若しくは全額の返納を受けたとき記入すること。この場合において、歳入組入れがあったときは、当該金額を精算済額の欄中本月分の欄の金額に加算して記入し、備考欄にその旨及び金額を記入すること。なお、旅費については、その旨及び金額を備考欄に記入すること。

4　精算済額の欄には、精算の結果の支払額を含めないこと。

5　２以上の部局等の支出に関する概算払があるときは、合計を付すること。

6　最終分の表の未精算額の欄のうち、補助金等適正化法の適用を受ける補助金等に係るものについては、その旨、件数及び金額を備考欄に記入すること。

7　予算決算及び会計令第51条第13号に規定する経費については、他の概算払をしたものと区分して記入すること。

丁　年度、所管及び会計名の更正、歳入組入れ、過年度支出内訳

区分	科目	金額	備考
	何々（部局等） 何々（項） 何々（目）	円	

参考

1　この表は、年度、所管及び会計名の更正、歳入組入れ又は過年度支出をしたものについて作成すること。ただし、資金前渡（予算決算及び会計令第51条第13号に規定する経費については、前金払又は概算払のために資金を交付したものに限る。）、資金交付、前金払又は概算払の結果による歳入組入れ及び財政法（昭和22年法律第34号）第35条第３項ただし書の規定により財務大臣が指定した経費に係る過年度支出については、記入を要しない。

2　区分の欄には、年度の更正、所管の更正、会計名の更正、歳入組入れ及び過年度支出の別を記入すること。

3　更正等の処理を必要とする当初の支出に係る小切手等の振出し等の年月日、番号及び受取人名並びに当該処理をした事由を備考欄に記入すること。

第三号の二書式（第二十一条の二、第三十条の八関係）

主要経費別内訳表

官署　何々
　所管　何々
　　会計　何々

主要経費別分類	支出済額
何々（主要経費（大分類）） 　何々（主要経費（小分類））	円
合計	

参考

1　支出計算書（官署分）に添付する場合には、最終の支出計算書（官署分）の支出の表の支出済額の欄中差引計の欄の金額について作成すること。

2　支出計算書（センター分）に添付する場合には、最終の支出計算書（センター分）の支出の表の支出済額の欄中差引計の欄の金額について作成すること。この場合においては、官署名は記入しないものとする。

3　勘定の区分のある特別会計にあっては、勘定の別に区分して記入すること。

第三号の三書式（第二十一条の二、第三十条の八関係）

事項別内訳表

官署　何々
　所管　何々
　　会計　何々

部局等、項及び事項	支出済額
何々（部局等） 　何々（項） 　　何々（事項）	円
合計	

参考

1　支出計算書（官署分）に添付する場合には、最終の支出計算書（官署分）の支出の表の支出済額の欄中差引計の欄の金額について作成すること。

2　支出計算書（センター分）に添付する場合には、最終の支出計算書（センター分）の支出の表の支出済額の欄中差引計の欄の金額について作成すること。この場合においては、官署名は記入しないものとする。

3　勘定の区分のある特別会計にあっては、部局等、項及び事項の欄中「何々（部局等）」とあるのは「何々（勘定）」として記入すること。

第三号の四書式（第三十条の四関係）

補助金等の未精算状況報告書

庁　　名

職　官　氏　　名

年　月　日提出

年　度	会　計	科目名	何年何月何日現在未精算のもの		備　考
			件　数	金　額	
				円	
合　計					

参　考

1　年度の欄には、前金払又は概算払をした年度を記入すること。

2　何年何月何日現在未精算のものの欄には、翌年度以降の各年度の基準日現在において額の確定が済んでいないもの（額の確定の結果返納を要するものについては、返納が済んでいないもの）の交付決定の件数及び当該交付決定に係る前金払又は概算払の金額を記入すること。

3　年度別及び会計別の計を付すること。

第三号の五書式（第三十条の七関係）

令　和　何　年　度（最終の計算書のときは、その旨を記入すること。）

何　年　何　月　分

支出計算書（センター分）

添付書類

何　々

証拠書類

書面　何冊何枚

記録媒体　何枚

庁　　名

職　官　氏　　名

年　月　日提出

支　　出

所管　何々

会計　何々

部局等及び科目	支払計画示達額本月までの累計	支出済額						備　考
		本月分	本月戻入額	本月科目等更正額	本月分差引計	前月までの差引計	差引計	
何々(部局等) 何々(項) 何々(目)	円	円	円	円	円	円	円	

参　考

1　用紙の寸法は、日本産業規格A列4とすること。

2　勘定の区分のある特別会計にあっては、部局等及び科目の欄中「何々（部局等）」とあるのは「何々（勘定）」として記入すること。

3　会計及び所管ごとの合計並びに総合計を付すること。

4　本月科目等更正額の欄には、科目、年度、所管、会計、部局等及び勘定の更正をした額を記入すること。この場合において、減額は、マイナスの記号を付して記入すること。

甲　日別支出

日	支出済額	戻入額	科目等更正額		差引計	備考
			増	減		
	円	円	円	円	円	
月計						

乙　官署支出官別支出

所管　何々
　会計　何々

官署支出官	支出済額						備考
	本月分	本月戻入額	本月科目等更正額	本月分差引計	前月までの差引計	差引計	
何々（官職）	円	円	円	円	円	円	
合計							

参　考　本月科目等更正額の欄には、科目、年度、所管、会計、部局等及び勘定の更正をした額を記入すること。この場合において、減額は、マイナスの記号を付して記入すること。

第三号の六書式（第三十条の八関係）

官署支出官別科目別支出済額内訳表

所管　何々
　会計　何々

官署支出官／部局等及び科目	何々（官職）			計
何々（部局等） 　何々（項） 　　何々（目）	円			円
合計				

参　考

1　この表は、最終の支出計算書（センター分）の支出の表の支出済額の欄中差引計の欄の金額について作成すること。

2　勘定の区分のある特別会計にあっては、部局等及び科目の欄中「何々（部局等）」とあるのは「何々（勘定）」として記入すること。

第四号書式（第三十一条関係）

何省（何庁）主管（所管）

令　和　何　年　度

何　々　会　計

収入金現金出納計算書

添付書類

何　々

証拠書類
書面　何冊何枚
記録媒体　何枚

庁　名

職　官　氏　名

年　月　日提出

収入金現金

摘要	前年度領収したものの払込未済額	本年度領収済額	計	払込済額	払込未済額	備考
何年度歳入	円	円	円	円	円	
計						
取扱官吏別内訳 主任収入官吏氏名 分任収入官吏所属官署名・氏名 何々		円			円	

参考
1　用紙の寸法は、日本産業規格A列4とすること。
2　取扱官吏別内訳の項については、この書式に準じて別に作成することができる。
3　現金を亡失し、又はその補塡を受けたものがあるときは、その旨及び金額を備考欄に記入すること。
4　弁償を命ぜられたものがあるときは、その旨及び金額を備考欄に記入すること。
5　払込未済のものがあるときは、その金額及び事由を備考欄に記入すること。

第五号書式（第三十五条関係）

何省（何庁）所管
令　和　何　年　度　（最終の計算書のときは、その旨を記入すること。）
何　年　何　月　分
何　々　会　計
前　渡　資　金　出　納　計　算　書

添　付　書　類
何　　々
証　拠　書　類
書面　　何冊何枚
記録媒体　何枚

庁　　　名

職　官　氏　　名
年　　月　　日　提　出

前　渡　資　金

本　月 領収額	前月の 差引計	本　月 還納額	差引計	科　　目	本　月 支払額	前月の 差引計	本　月 科　目 更正額	本　月 回収額	差引計	残　額	備　考
円	円	円	円	何々（部局等） 何々（項） 何々（目）	円	円	円	円	円	円	残額内訳　円 手元保管高 ____ 日本銀行預託高 ____ 何々銀行預託高 ____ 計 ____ 振出小切手支払未済額　円 前月までの支払未済額 ____ 本月支払済額 ____ 差引残額 ____ 本月分支払未済額 ____ 計 ____

参　考

1　用紙の寸法は、日本産業規格Ａ列４とすること。
2　前金払、概算払及び年度更正等の内訳は、第三号書式を準用すること。
3　他の出納官吏と資金の授受をした場合は、その氏名及び金額を備考欄に記入すること。ただし、計算証明をする出納官吏に資金を交付した場合は、本月還納額の欄に、同官吏から返納を受けた場合は、本月領収額の欄に記入し、それぞれその旨及び金額を備考欄に記入すること。
4　本月回収額の欄には、過誤払等の金額を回収した場合に記入すること。
5　現金を亡失し、又はその補塡を受けたものがあるときは、その旨及び金額を備考欄に記入すること。
6　繰替払をしたときは、これを支払額に併算し、当月中に資金の補塡を受けていないものがあるときは、その旨及び金額を備考欄に記入すること。後の月にこれに対する補塡を受けたときも、また同様とする。
7　弁償を命ぜられたものがあるときは、その旨及び金額を備考欄に記入すること。
8　本月科目更正額及び本月回収額については、１件ごとにその事由及び金額を備考欄に記入すること。ただし、通勤手当の返納（過誤払によるものを除く。）に係る本月回収額については、件数及び金額を一括して記入することができる。
9　備考欄については、この書式に準じて別に作成することができる。
10　本月科目更正額が減額の場合は、マイナスの記号を付して記入すること。
11　２以上の部局等の支払等があるときは、合計を付すること。
12　予算決算及び会計令第51条第13号に規定する経費に充てるために交付を受けた資金については、他の資金と区分して記入すること。
13　予算決算及び会計令第51条第13号に規定する経費に充てるために交付を受けた資金については、２及び８の規定は適用しない。

領収証書未到達内訳

科　　目	前月末未到達額	本月分未到達額	計	本月到達額	未到達額	備　　考
何々（部局等） 何々（項） 何々（目）	円	円	円	円	円	円

参　考　2以上の部局等に領収証書未到達があるときは、合計を付すること。

第五号の二書式（第三十九条関係）

給　与　証　明　書

（支給日　月　日）

項		目	金　額	備　考
給与額	職員基本給		円	
	内訳	職員俸給		
		扶養手当		
		何々（以下「目の細分」による。）		
	職員諸手当			
	内訳	管理職手当		
		初任給調整手当		
		通勤手当		
		何々（以下「目の細分」による。）		
	超過勤務手当			
	短時間勤務職員給与			
	内訳	定年前再任用短時間勤務職員給与		
		暫定再任用短時間勤務職員給与		
		任期付短時間勤務職員給与		
		何々（以下「目の細分」による。）		
	何々（以下「目」による。）			
	内訳	何々（以下「目の細分」による。）		
	計			
控除額	共済組合	短期掛金		
		介護掛金		
		退職等年金掛金		
		厚生年金保険料		
	所得税			
	何々			
	計			
差引支給額				

差引支給額は、何某ほか何名に給与として支払ったことを証明する。

年　月　日　職官氏名

参　考

1　この証明書は、主任資金前渡官吏、分任資金前渡官吏又は出納員の支払った給与について、当該出納職員ごとに作成すること。ただし、資金前渡官吏が給与の支払だけ又は給与及び児童手当の支払だけを行う出納員の取り扱った計算を併算して計算証明をする場合には、当該出納員の支払った分を所属の主任資金前渡官吏又は分任資金前渡官吏の分に含めて作成することができる。この場合においては、出納員別の差引支給額を備考欄に記入すること。

2　給与簿制度の適用される一般職の職員の給与の分とその他の職員の給与の分とは、区分して作成すること。

3　給与の振込み又は隔地払のため日本銀行に資金を交付した場合には、振込みの分については、その員数及び振込額を、隔地払の分については、その員数及び送金額を、それぞれ備考欄に記入すること。

4　控除額の払込みに対する領収証書は、この証明書のほかに提出すること。

第五号の三書式（第三十九条関係）

児童手当支払証明書

（　年　月支給分）

支給額	備考
円	

上記支給額は、何某ほか何名に支払ったことを証明する。

年　月　日　職官　氏　名

第六号書式（第四十八条関係）

何　省　（何　庁）　所　管

令　和　何　年　度

歳入歳出外現金出納計算書

添付書類

何　　々

証拠書類

書面　　何冊何枚

記録媒体　何枚

庁　　　名

職官氏　　名

年　月　日提出

歳入歳出外現金

越高	受領高	計	摘要	払出高	歳入組入額	計	残高		計	備考
							現金	預入		
円	円	円	供託金 保証金 拾得金 何　々	円	円	円	円	円	円	
			合　計							

参　考

1　用紙の寸法は、日本産業規格Ａ列４とすること。

2　現金を亡失し、又はその補塡を受けたものがあるときは、その旨及び金額を備考欄に記入すること。

3　弁償を命ぜられたものがあるときは、その旨及び金額を備考欄に記入すること。

4　証明期間が三月の場合の計算書には、「令和何年度」の下に「何年何月から何年何月までの分」と記入すること。

第六号の二書式（第五十八条の二関係）

何　省　（何　庁）　所　管

令　和　何　年　度

何　々　会　計

債　務　負　担　額　計　算　書

添　付　書　類

何　　々

証　拠　書　類

書面　　何冊何枚

記録媒体　何枚

庁　　　名

職　官　氏　名

年　月　日提出

（その1）

債　務　負　担

何々（債務の種類）

区　分	継続費又は国庫債務負担行為に基づく支出負担行為計画示達額	前年度までの債務の増減		本年度の債務の増減				本年度末現在額	備　考
		前年度までの債権負担額	前年度までの債務消滅額	既往年度からの繰越債務額	本年度の債務負担額	計	本年度の債務消滅額		
	円	円	円	円	円	円	円	円	

参　考

1　用紙の寸法は、日本産業規格A列4とすること。

2　この表は、第58条の2第1項第1号及び第2号の規定に該当する債務について作成すること。

3　この表は、次の表に掲げる債務の種類の別に作成し、債務の種類に応じ、次の表に掲げる区分ごとに区分して記入すること。

種　　　類	区　　　分
継続費に基づく支出負担行為	部局等及び項
国庫債務負担行為に基づく支出負担行為（財政法第15条第１項の規定によるもの）	部局等及び事項
国庫債務負担行為に基づく支出負担行為（財政法第15条第２項の規定によるもの）	部局等及び事項
予算総則で債務負担の限度額が定められているものに係る債務（保証債務及び損失補償契約に係る債務を除く。）	債務負担の根拠法令等を明示した当該債務の名称
法律、条約等で債務の総額又は債務負担の限度額が定められているものに係る債務（保証債務及び損失補償契約に係る債務を除く。）	債務負担の根拠法令等を明示した当該債務の名称
予算総則で保証（損失補償契約を含む。）の限度額が定められているものに係る保証債務（損失補償契約に係る債務を含む。）	債務負担の根拠法令等を明示した当該債務の名称
法律、条約等で保証（損失補償契約を含む。）の限度額が定められているものに係る保証債務（損失補償契約に係る債務を含む。）	債務負担の根拠法令等を明示した当該債務の名称
他会計への繰入未済金（他会計への繰戻未済金を含む。）	繰入先会計名

4　勘定の区分のある特別会計にあっては、勘定の別に区分したうえ、参考３により区分して記入し、工事別等の区分のある特別会計にあっては、参考３により区分したうえ、工事別等に区分して記入すること。

5　各債務の本年度の債務消滅額のうち、支出及び支払以外の原因により債務が消滅したものがあるときは、区分ごとに備考欄にその理由及び金額を記入すること。

6　前年度までの債務の増減の欄は、継続費に基づく支出負担行為、国庫債務負担行為に基づく支出負担行為及び法律、条約等で債務の総額又は債務負担の限度額が定められているものに係る債務（法律、条約等で債務の総額又は債務負担の限度額が具体的な金額をもって明確に定められていない債務を除く。）について記入すること。ただし、これらの債務についても、区分ごとの債務が前年度までに全額消滅したものについては、記入することを要しない。

7　外国貨幣を基礎とする債務については、外貨額をもって記入し、その外貨額の下に会計検査院が別に指定する邦貨換算要領による邦貨換算額を付すること。この場合において、本年度の債務負担額に外国為替相場の変更若しくは変動に伴う増加額が含まれているとき、又は本年度の債務消滅額に外国為替相場の変更若しくは変動に伴う減少額が含まれているときは、その旨及び金額を備考欄に記入すること。

（その２）

債　務　負　担

歳出予算の繰越しに係る債務

区　　分	既往年度からの繰越債務額	左のうち本年度の債務消滅額	差　引　額	本年度の債務負担額中翌年度へ繰越額	本年度末現在額	備　　考
	円	円	円	円	円	円

参　考

1　用紙の寸法は、日本産業規格Ａ列４とすること。

2　この表は、第58条の２第１項第３号の規定に該当する債務について作成すること。

3　この表は、部局等及び項に区分して記入すること。

4　勘定の区分のある特別会計にあっては、勘定の別に区分したうえ、参考３により区分して記入し、工事別等の区分のある特別会計にあっては、参考３により区分したうえ、工事別等に区分して記入すること。

5　本年度の債務消滅額のうち、支出及び支払以外の原因により債務が消滅したものがあるときは、区分ごとに備考欄にその理由及び金額を記入すること。

第七号書式（第五十九条関係）

何 省 （何 庁） 所 管

令 和 何 年 度

何 々 会 計

物 品 管 理 計 算 書

添 付 書 類

何 々

証 拠 書 類

書面 何冊何枚

記録媒体 何枚

庁 名

職 官 氏 名

年 月 日 提 出

物 品 管 理

分類及び細分類	品 目	何年度末現在		何年度間増減							何年度末現在	
				増		減		差 引		価格改定による増又は減		
		数量	価格	数量	価格	数量	価格	数量	価格		数量	価格
何 々（分類名） 何 々（細分類名） 何々会計合計	何 々		円		円		円		円	円		円
品目別内訳	何 々											

参 考

1 用紙の寸法は、日本産業規格Ａ列４とすること。

2 品目の欄には、物品管理法施行令第43条第１項に規定する物品については、財務大臣が定める品目を、その他の物品については、各省各庁の長において定める品目を、それぞれ記入すること。

3 数量及び価格の欄は、物品管理簿に記録された数量及び価格に基づいて記入すること。

4 何年度間増減の欄中差引の欄に差引減があるときは、その数字にマイナスの記号を付して記入すること。

5 何年度間増減の欄中価格改定による増又は減の欄には、価格改定による価格の差引増減額を記入するものとし、差引減額があるときは、その数字にマイナスの記号を付して記入すること。

6 証明期間が三月の場合の計算書には、「令和何年度」の下に「何年何月から何年何月までの分」と記入し、物品管理の表は、この表の書式に準じて作成すること。

第八号書式（第六十四条関係）

何 省（何 庁）所 管

令 和 何 年 度

何 々 会 計

国 有 財 産 増 減 及 び 現 在 額 計 算 書

添 付 書 類

何　々

証 拠 書 類

書面　何冊何枚

記録媒体　何枚

庁　名

職 官　氏　名

年　月　日 提出

国 有 財 産 増 減 及 び 現 在 額

（分類）何々　（種類）何々　（部局名）何々

区　分	数量単位	何年度末現在		何年度間増減						何年度末現在		備　考
				増		減		差引				
		数量	価格	数量	価格	数量	価格	数量	価格	数量	価格	
口座別名称 所在地名			円		円		円		円		円	
土地	平方メートル											
立木竹（樹木）	本											
立木竹（立木）	立方メートル											
立木竹（ 竹 ）	束											
立木竹　計												
建　物（建面積）	平方メートル											
建　物（延べ面積）	平方メートル											
工作物												
機械器具												
船舶（汽船）	隻											
船舶（汽船）	トン											
船舶（艦船）	隻											
船舶（艦船）	トン											
船舶（雑船）	隻											
船舶　計	隻											
航空機	機											
地上権等	平方メートル											
特許権等	件											
政府出資等												
不動産の信託の受益権	件											
合　計												

ページ

参　考

1　用紙の寸法は、日本産業規格B列4を標準とし、左とじとすること。

2　この表は、国有財産法施行令（昭和23年政令第246号）第22条の2各号に掲げる国有財産及び国有財産法附則第2条の規定により国有財産増減及び現在額報告書の作成を省略することとされた国有財産については、作成することを要しない。

3　口座別名称及び所在地名は、口座の設定に当たり土地を基準としている国有財産のうち、行政財産にあっては、国有財産台帳の口座名及び所在地名を、普通財産にあっては、当該財産の所在する都道府県名を記入し、口座の設定に当たり土地を基準としていない国有財産のうち、行政財産にあっては、当該財産を管理する官署等の名称を、普通財産にあっては、当該財産を管理する官署等の所在する都道府県名を記入すること。

4　区分のうち、該当する財産がないものについては、その欄の記入を省略することができる。
5　何年度間増減の欄中差引の欄に差引減があるときは、その数字にマイナスの記号を付すること。
6　計算書には、国有財産の種類別及び分類別の区分別合計並びにその会計の区分別総計を記入すること。

第九号書式（第六十四条関係）

何省（何庁）所管

令和何年度

何々会計

国有財産無償貸付状況計算書

証拠書類

書面　何冊何枚

記録媒体　何枚

庁　　名

職　官　氏　名

年　月　日提出

国有財産無償貸付状況

用途区分		数量単位	何年度末現在		何年度間増減						何年度末現在		備考
					増		減		差引				
			数量	価格	数量	価格	数量	価格	数量	価格	数量	価格	
用途別名称 所在地名 土地		平方メートル		円		円		円		円		円	
立木竹	樹木	本											
	立木	立方メートル											
	竹	束											
	小計												
建物	建面積	平方メートル											
	延べ面積	平方メートル											
工作物													
何々													
計		件											

参　考

1　用紙の寸法は、日本産業規格B列４を標準とし、左とじとすること。
2　この表は、国有財産法第22条の規定（同法第19条及び第26条において準用する場合を含む。）により無償貸付をした国有財産について作成すること。
3　用途別名称は、緑地、公園、ため池、用排水路、火葬場、墓地、ごみ処理施設、し尿処理施設、と畜場、信号機等の小規模施設、生活困窮者の収容施設、災害の応急施設、地震防災の応急施設又は緊急事態の応急施設の別を記入すること。
4　この表は、用途別に区分して記入すること。この場合において、同一の用途別名称を用いる国有財産が複数の所在地にある場合には、最初の国有財産以外の国有財産について用途別名称の記入を省略することができる。
5　所在地名は、行政財産にあっては、国有財産台帳の所在地名を、普通財産にあっては、当該財産の所在する都道府県名を記入すること。
6　何年度間増減の欄中差引の欄に差引減があるときは、その数字にマイナスの記号を付すること。
7　件数は、１契約をもって１件とし、計の数量の欄に記入すること。
8　計算書には、用途別の区分別合計及びその会計の区分別総計を記入すること。

第十号書式（第七十一条、第七十七条、第八十三条関係）

契　約　一　覧　表

何年何月分

件名又は品目	契約年月日	契約金額	契約方式	しゅん工又は納入期限	施行又は納入場所	相手方住所氏名	備考
		円					
合計							

参　考

1　この表は、1件100万円を超える契約について作成すること。

2　物品購入契約については、備考欄に品目別数量及び単価を記入すること。

○会計検査院懲戒処分要求及び検定規則

平一八・三・三一
会計院規四

最終改正 令二・一二・二五会計院規八

目次〔略〕

第一章 懲戒処分の要求

（懲戒処分の要求）

第一条 会計検査院は、会計検査院法（以下「法」という。）第三十一条の規定により、会計事務を処理する職員の懲戒処分を要求するときは、当該職員の本属長官その他監督の責任に当たる者に対し、その理由を明らかにした懲戒処分要求書を送付する。

第二条 会計検査院は、政府契約の支払遅延防止等に関する法律（昭和二十四年法律第二百五十六号）第十三条第二項の規定により、会計事務を処理する職員の懲戒処分を要求するときは、当該職員の任命権者に対し、その理由を明らかにした懲戒処分要求書を送付する。

第三条 会計検査院は、予算執行職員等の責任に関する法律（昭和二十五年法律第百七十二号。以下「予責法」という。）第六条第一項（同法第九条第二項において準用する場合を含む。）の規定により、予算執行職員（予責法第二条第一項に規定する予算執行職員、同法第九条第一項に規定する公庫予算執行職員及び特別調達資金設置令（昭和二十六年政令第二百五号）第八条又は国税収納金整理資金に関する法律（昭和二十九年法律第三十六号）第十七条の規定により予責法の適用を受ける職員をいう。以下同じ。）の懲戒処分を要求するときは、当該職員の任命権者に対し、その理由を明らかにした懲戒処分要求書を送付する。

2 前項の規定による懲戒処分要求書には、適当と認める処分の種類及び内容を参考のため明示するものとする。

3 会計検査院は、予責法第六条第二項（同法第九条第二項において準用する場合を含む。）の規定により人事院に通知するときは、懲戒処分要求書の写しを添えた通知書を送付する。

（再審の請求）

第四条 予算執行職員の任命権者は、予責法第六条第四項（同法第九条第二項において準用する場合を含む。以下同じ。）の規定により再審を請求するときは、次の各号に掲げる事項を記載した再審請求書に関係書類を添えて、会計検査院に提出しなければならない。

一 予算執行職員の職名、氏名及び生年月日
二 懲戒処分要求書の日付及び発送番号
三 懲戒処分執行の済否、執行済みのものについてはその種類、内容及び年月日
四 懲戒処分の要求が不当であるとする理由
五 再審の請求に関する事務を担当する職員の所属及び氏名

（再審の結果の通知）

第五条 会計検査院は、予責法第六条第四項の規定により、再審の結果、予算執行職員に対する懲戒処分の要求を取り消すと決定したときは、当該職員の任命権者に対し、その理由を明らかにした懲戒処分要求取消通知書を送付するとともに、当該職員が都道府県の職員又は公庫予算執行職員である場合を除き、その写しを添えた通知書を人事院に送付する。

2 会計検査院は、前条の規定により予算執行職員の任命権者から再審請求書の提出があった場合において、実情を調査した結果、懲戒処分の要求を取り消さないと決定したときは、当該任命権者に対し、その旨及び理由を通知する。

第二章 検定

第一節 出納職員又は物品管理職員等に対する検定

（検定の請求）

第六条 出納職員（会計法（昭和二十二年法律第三十五号）第三十八条第一項に規定する出納官吏、同法第三十九条第二項に規定する分任出納官吏又は出納官吏代理、同法第四十条第二項に規定する出納員並びに同法第四十八条第一項の規定により出納官吏又は出納員の事務を行う都道府県の知事又は知事の指定する職員をいう。以下同じ。）は、予算決算及び会計令（昭和二十二年勅令第百六十五号）第百十五条第一項の規定により検定を求めるときは、同項に定める書類及び計算書として、次の各号に掲げる事項を記載した検定請求書を作成し、証拠書類及び弁償を命ぜられた書面の写しを添えて、各省各庁の長（財政法（昭和二十二年法律第三十四号）第二十条第二項に規定する各省各庁の長をいう。第十八条第一項において同じ。）を経由して会計検査院に提出しなければならない。

一 職名、氏名、住所及び生年月日
二 弁償の済否、弁償済みのものについてはその年月日
三 弁償の責めを免れるべき金額及び理由

2 会計検査院は、前項の書類に形式上の不備があると認めるときは、相当の期間を定めて、その補正を求めることができる。

3 前二項の規定は、物品管理職員（物品管理法（昭和三十一年法律第百十三号）第三十一条第一項に規定する物品管理職員をいう。以下同じ。）が物品管理法施行令（昭和三十一年政令第三百三十九号）第三十九条第一項の規定により検定を求める場合について準用する。

（検定の申出）

第七条　予責法第十条第一項に規定する公庫の現金出納職員又は同法第十一条第一項に規定する公庫の物品管理職員は、弁償を命ぜられたときは、次の各号に掲げる事項を記載した検定申出書に、証拠書類及び弁償を命ぜられた書面の写しを添えて、会計検査院に提出することができる。

一　職名、氏名、住所及び生年月日
二　弁償の済否、弁償済みのものについてはその年月日
三　弁償の責めを免れるべき金額及び理由

2　会計検査院は、前項の書類に形式上の不備があると認めるときは、相当の期間を定めて、その補正を求めることができる。

（検定のための検査）

第八条　会計検査院は、法第二章第三節に規定するところにより検査を行い、出納職員若しくは前条第一項の公庫の現金出納職員又は物品管理職員若しくは前条第一項の公庫の物品管理職員（以下この節において「出納職員等」という。）の弁償責任の有無を検定する。

（資料の提出）

第九条　出納職員等は、前条の規定による検査において提出するもののほか、次条（第十二条第三項において準用する場合を含む。）の規定による通知を受けるまでは、その弁償責任の有無に関する主張を記載した書面及び証拠書類を会計検査院に提出することができる。この場合において、会計検査院が書面及び証拠書類を提出すべき期限を定めたときは、その期限までに提出しなければならない。

（検定結果の通知）

第十条　会計検査院は、法第三十二条第一項（予責法第十条第三項において準用する場合を含む。）又は第二項（予責法第十一条第二項において準用する場合を含む。）の規定により、出納職員等に弁償責任があると検定したときは、本属長官等（本属長官、予責法第九条第一項に規定する公庫の長その他出納職員等を監督する責任のある者をいう。以下同じ。）及び出納職員等に対し、弁償すべき額及びその理由を明らかにした有責任通知書を送付し、出納職員等に弁償責任がないと検定したときは、本属長官等及び出納職員等に対し、その旨を通知する。

（再検定の申出）

第十一条　出納職員等は、前条の規定による有責任通知書を受領した場合において、その責めを免れるべき理由があると信じるときは、次の各号に掲げる事項を記載した再検定申出書に、証拠書類を添えて、会計検査院に提出することができる。

一　職名、氏名、住所及び生年月日
二　有責任通知書の日付及び発送番号
三　弁償の責めを免れるべき金額及び理由
四　弁償を命ぜられているときは、命ぜられた年月日並びに命じた者の職名及び氏名
五　弁償の済否、弁償済みのものについてはその年月日
六　口頭審理を請求するときはその旨
七　口頭審理に出席する代理人及び証人の氏名、住所及び職業
八　口頭審理の公開を請求するときはその旨

2　前項第三号の弁償の責めを免れるべき理由には、計算書及び証拠書類の誤謬脱漏等その責めを免れるべき根拠となる事実を具体的に記載しなければならない。

3　第一項第七号の代理人の資格は、書面で証明しなければならない。

4　会計検査院は、第一項及び前項の書類に形式上の不備があると認めるときは、相当の期間を定めて、その補正を求めることができる。

（再検定）

第十二条　会計検査院は、法第三十二条第五項の規定により、又は前条第一項の規定による再検定申出書の提出があった場合その他必要と認めた場合において、再検定のための審理を開始するときは、本属長官等及び出納職員等に対し、当該事案の内容及び審理を開始する理由を明らかにした再検定開始通知書を送付する。

2　会計検査院は、前条第一項の規定による再検定申出書の提出があった場合において、再検定のための審理を開始しないときは、出納職員等に対し、その旨及び理由を通知する。

3　第八条から第十条までの規定は、第一項の規定により再検定のための審理を開始した事案につき再検定をする場合について準用する。

（口頭審理）

第十三条　会計検査院は、再検定のための審理をする場合において、第十一条第一項に規定する再検定申出書に口頭審理を請求する旨の記載があったときその他必要と認めるときは、口頭審理を行うものとする。この場合において、口頭審理の公開の請求があったときは、口頭審理を公開して行うものとする。

2　前項の口頭審理は、会計検査院が指名する職員が主宰する。

3　主宰者は、口頭審理を行うときは、日時及び場所を関係者に通知する。

（陳述等）

第十四条　出納職員等又はその代理人は、口頭審理に出席し、陳述を行い、証人を出席させ、並びに書類、計算書その他あらゆる適切な事実及び資料を提出することができる。

（口頭審理の記録）

第十五条　主宰者は、口頭審理を行ったときは、次の各号に掲げる事項を記録した口頭審理に関する記録を作成するものとする。

一　事件の名称
二　審理に出席した出納職員等、代理人及び証人の氏名
三　審理の日時及び場所
四　審理の公開の有無
五　審理の内容
六　その他必要と認める事項

第二節　予算執行職員又はその上司に対する検定

（検定の申出）

第十六条　予算執行職員は、弁償を命ぜられたときは、次の各号に掲げる事項を記載した検定申出書に、証拠書類及び弁償を命ぜられた書面の写しを添えて、会計検査院に提出することができる。

一　職名、氏名、住所及び生年月日
二　弁償の済否、弁償済みのものについてはその年月日
三　弁償の責めを免れるべき金額及び理由

2　会計検査院は、前項の書類に形式上の不備があると認めるときは、相当の期間を定めて、その補正を求めることができる。

（予責法による検定）

第十七条　会計検査院は、予責法第四条第一項（同法第八条第三項及び第九条第二項において準用する場合を含む。）の規定により、予算執行職員又はその上司（以下この節において「予算執行職員等」という。）に弁償責任があると検定したときは、予算執行職員等の任命権者及び予算執行職員等に対し、弁償すべき額及びその理由を明らかにした有責任通知書を送付し、予算執行職員等に弁償責任がないと検定したときは、予算執行職員等の任命権者及び予算執行職員等に対し、その旨を通知する。

2　会計検査院は、前条第一項に規定する検定申出書の提出があった場合において、予責法第四条第一項ただし書に該当するときは、予算執行職員等に対し、検定しない旨を通知する。

3　第八条及び第九条の規定は、第一項の規定により検定する場合について準用する。この場合において、第八条中「出納職員若しくは前条第一項の公庫の現金出納職員又は物品管理職員若しくは前条第一項の公庫の物品管理職員（以下この節において「出納職員等」という。）」とあるのは「予算執行職員等」と、第九条中「出納職員等」とあるのは「予算執行職員等」と、「前条」とあるのは「第十七条第三項において準用する第八条」と、「次条（第十二条第三項において準用する場合を含む。）」とあるのは「第十七条第一項」と読み替えるものとする。

（再審の請求）

第十八条　各省各庁等の長（各省各庁の長及び予責法第九条第一項に規定する公庫の長をいう。以下同じ。）又は予算執行職員等は、予責法第五条第一項（同法第八条第三項及び第九条第二項において準用する場合を含む。以下同じ。）の規定により再審を請求するときは、同項に定める書類及び計算書として、次の各号に掲げる事項を記載した再検定請求書を作成し、証拠書類を添えて、会計検査院に提出しなければならない。

一　職名、氏名、住所及び生年月日
二　有責任通知書の日付及び発送番号
三　弁償の責めを免れるべき金額及び理由
四　口頭審理を請求するときはその旨
五　口頭審理に出席する代理人及び証人の氏名、住所及び職業
六　各省各庁等の長が再審を請求するときは、再審の請求に関する事務を担当する職員の所属及び氏名

2　予算執行職員等が前項の書類を提出する場合において、弁償を命ぜられているときは、当該書面の写しを提出しなければならない。この場合においては、弁償の済否及び弁償済みのものについてはその年月日を前項の書類に記載しなければならない。

3　第一項第三号の弁償の責めを免れるべき理由には、各省各庁等の長又は予算執行職員等において、責めを免れるべき根拠となる事実を具体的に記載しなければならない。

4　第一項第五号の代理人の資格は書面で証明しなければならない。

5　予算執行職員等は、第一項の書類に、口頭審理の公開を請求する旨を記載することができる。

6　会計検査院は、第一項及び第四項の書類に形式上の不備があると認めるときは、相当の期間を定めて、その補正を求めることができる。

（予責法による再検定）

第十九条　会計検査院は、予責法第五条第一項の規定による再検定のための審理を開始するときは、関係する各省各庁等の長及び予算執行職員等に対し、当該事案の内容及び審理を開始する理由を明らかにした再検定開始通知書を送付する。

2　会計検査院は、予責法第五条第一項の規定による再審の請求があった場合において、再検定のための審理を開始しないときは、各省各庁等の長又は予算執行職員等に対し、その旨及び理由を通知する。

3　第八条、第九条、第十三条から第十五条まで及び第十七条第一項の規定は、第一項の規定により再検定のための審理を開始した事案につき再検定をする場合について準用する。この場合において、第八条中「出納職員若しくは前条第一項の公庫の現金出納職員又は物品管理職員若しくは前条第一項の公庫の物品管理職員（以下この節において「出納職員等」という。）」とあるのは「予算執行職員等」と、「検定する」とあるのは「再検定する」と、第九条中「出納職員等」とあるのは「予算執行職員等」と、「前条」とあるのは「第十九条第三項において準用する第八条」と、「次条（第十二条第三項において準用する場合を含む。）」とあるのは「第十九条第三項において準用する第十七条第一項」と、第十三条第一項中「第十一条第一項に規定する再検定申出書」とあるのは「第十八条第一項に規定する再検定請求書」と、第十四条中「出納職員等」とあるのは「予算執行職員等」と、第十五条第二号中「出納職員等」とあるのは「予算執行職員等」と、第十七条第一項中「第四条第一項」とあるのは「第五条第五項において準用する同法第四条第一項」と、「予算執行職員又はその上司（以下この節において「予算執行職員等」という。）」とあるのは「予算執行職員等」と、「検定した」とあ

るのは「再検定した」と、「予算執行職員等の任命権者」とあるのは「各省各庁等の長」と読み替えるものとする。

第三章　雑則

（提出書類への記名）
第二十条　この規則の規定により会計検査院に提出する書類には、提出する者が記名するものとする。

（公示による送付）
第二十一条　会計検査院は、この規則の規定による書類の送付を受けるべき者の住所、居所その他送付をすべき場所が知れない場合においては、公示の方法によって書類の送付をすることができる。

２　公示の方法による送付は、送付すべき書類を送付を受けるべき者にいつでも交付する旨を官報に掲載して行うものとする。

３　会計検査院が前項の規定による掲載をしたときは、その掲載した日から起算して二週間を経過した日に送付されたものとみなす。

（電子情報処理組織を使用する方法により行うことができる申請等の指定）
第二十二条　情報通信技術を活用した行政の推進等に関する法律（平成十四年法律第百五十一号。以下「情報通信技術活用法」という。）第六条第一項の規定により電子情報処理組織を使用する方法により行うことができる申請等（同法第三条第八号に規定する申請等をいう。以下同じ。）は、この規則の規定により会計検査院に対して行われる申請等（第六条第一項（同条第三項の規定において準用する場合を含む。次条において同じ。）の規定により経由して申請等を行う場合を含む。）とする。

（申請等に係る電子情報処理組織）
第二十三条　情報通信技術活用法第六条第一項に規定する会計検査院規則で定める電子情報処理組織は、会計検査院又は第六条第一項の規定により経由する者の使用に係る電子計算機（入出力装置を含む。以下同じ。）と申請等をする者の使用に係る電子計算機とを電気通信回線で接続した電子情報処理組織をいう。

２　前項に規定する申請等をする者の使用に係る電子計算機は、会計検査院の使用に係る電子計算機と電気通信回線を通じて接続でき、正常に通信できる機能を備えたものとする。

（電子情報処理組織による申請等）
第二十四条　情報通信技術活用法第六条第一項の規定により電子情報処理組織を使用する方法により申請等を行う者は、当該申請等を書面等により行うときに記載すべきこととされている事項を、申請等をする者の使用に係る電子計算機から入力して、申請等を行わなければならない。

２　前項の規定により申請等を行う者は、その氏名を同項の電子計算機から入力しなければならない。

３　情報通信技術活用法第六条第四項に規定する氏名又は名称を明らかにする措置であって会計検査院規則で定めるものは、第一項の規定により申請等を行う者が、その氏名を同項の電子計算機から入力することをいう。

（電子情報処理組織を使用する方法により行うことができる処分通知等の指定）
第二十五条　情報通信技術活用法第七条第一項の規定により電子情報処理組織を使用する方法により行うことができる処分通知等（同法第三条第九号に規定する処分通知等をいう。以下同じ。）は、この規則の規定により会計検査院が行う処分通知等とする。

（処分通知等に係る電子情報処理組織）
第二十六条　情報通信技術活用法第七条第一項に規定する会計検査院規則で定める電子情報処理組織は、会計検査院の使用に係る電子計算機と処分通知等を受ける者の使用に係る電子計算機とを電気通信回線で接続した電子情報処理組織をいう。

２　前項に規定する処分通知等を受ける者の使用に係る電子計算機は、会計検査院の使用に係る電子計算機と電気通信回線を通じて接続でき、正常に通信できる機能を備えたものとする。

（電子情報処理組織による処分通知等）
第二十七条　会計検査院は、情報通信技術活用法第七条第一項の規定により電子情報処理組織を使用する方法により処分通知等を行うときは、当該処分通知等を書面等により行うときに記載すべきこととされている事項を会計検査院の使用に係る電子計算機に備えられたファイルに記録しなければならない。

（処分通知等を受ける旨の表示の方式）
第二十八条　情報通信技術活用法第七条第一項ただし書に規定する会計検査院規則で定める方式は、第二十六条第一項に規定する電子情報処理組織を使用する方法により処分通知等を受けることを希望する旨の会計検査院に対する届出とする。

（電磁的記録による作成）
第二十九条　予責法第十二条に規定する会計検査院規則で定める電磁的記録は、磁気ディスクその他これに準ずる方法により一定の情報を確実に記録しておくことができる物をもって調製するファイルに情報を記録したものとする。

（電磁的方法による提出）
第三十条　予責法第十三条第一項に規定する会計検査院規則で定める電磁的方法は、前条の規定により作成された電磁的記録を第二十三条第一項に規定する電子情報処理組織を使用して提出する方法とする。

２　第二十四条第一項及び第二項の規定は、前項に規定する方法により申請等を行う場合に準用する。

３　第一項に規定する方法により申請等を行う場合においては、前項において準用する第二十四条第二項の氏名の入力をもって第二十条の規定による記名に代えるものとする。

附　則

1　この規則は、公布の日から施行する。
2　この規則の施行前にした改正前の会計検査院懲戒処分要求及び検定規則の規定による手続は、改正後の会計検査院懲戒処分要求及び検定規則（以下「新規則」という。）に相当する規定がある場合には、新規則によってしたものとみなす。

地方財政

〇地方財政法

昭二三・七・七
法　一〇九

最終改正　令六・六・一二法四七

※令和六年六月一二日法律第四七号の附則第二二条で本法が一部改正されましたが、未施行となる部分については、本法の末尾に掲げました。

（この法律の目的）

第一条　この法律は、地方公共団体の財政（以下地方財政という。）の運営、国の財政と地方財政との関係等に関する基本原則を定め、もつて地方財政の健全性を確保し、地方自治の発達に資することを目的とする。

（地方財政運営の基本）

第二条　地方公共団体は、その財政の健全な運営に努め、いやしくも国の政策に反し、又は国の財政若しくは他の地方公共団体の財政に累を及ぼすような施策を行つてはならない。

2　国は、地方財政の自主的な且つ健全な運営を助長することに努め、いやしくもその自律性をそこない、又は地方公共団体に負担を転嫁するような施策を行つてはならない。

（予算の編成）

第三条　地方公共団体は、法令の定めるところに従い、且つ、合理的な基準によりその経費を算定し、これを予算に計上しなければならない。

2　地方公共団体は、あらゆる資料に基いて正確にその財源を捕そくし、且つ、経済の現実に即応してその収入を算定し、これを予算に計上しなければならない。

（予算の執行等）

第四条　地方公共団体の経費は、その目的を達成するための必要且つ最少の限度をこえて、これを支出してはならない。

2　地方公共団体の収入は、適実且つ厳正に、これを確保しなければならない。

（地方公共団体における年度間の財政運営の考慮）

第四条の二　地方公共団体は、予算を編成し、若しくは執行し、又は支出の増加若しくは収入の減少の原因となる行為をしようとする場合においては、当該年度のみならず、翌年度以降における財政の状況をも考慮して、その健全な運営をそこなうことがないようにしなければならない。

（地方公共団体における年度間の財源の調整）

第四条の三　地方公共団体は、当該地方公共団体の当該年度における地方交付税の額とその算定に用いられた基準財政収入額との合算額が、当該地方交付税の算定に用いられた基準財政需要額を著しく超えることとなるとき、又は当該地方公共団体の当該年度における一般財源の額（普通税、地方揮発油譲与税、石油ガス譲与税、自動車重量譲与税、特別法人事業譲与税、特別とん譲与税、国有資産等所在市町村交付金、国有資産等所在都道府県交付金、国有提供施設等所在市町村助成交付金及び地方交付税又は特別区財政調整交付金の額の合算額をいう。以下同じ。）が当該地方公共団体の前年度における一般財源の額を超えることとなる場合において、当該超過額が新たに増加した当該地方公共団体の義務に属する経費に係る一般財源の額を著しく超えることとなるときは、その著しく超えることとなる額を、災害により生じた経費の財源若しくは災害により生じた減収を埋めるための財源、前年度末までに生じた歳入欠陥を埋めるための財源又は緊急に実施することが必要となつた大規模な土木その他の建設事業の経費その他必要やむを得ない理由により生じた経費の財源に充てる場合のほか、翌年度以降における財政の健全な運営に資するため、積み立て、長期にわたる財源の育成のためにする財産の取得等のための経費の財源に充て、又は償還期限を繰り上げて行う地方債の償還の財源に充てなければならない。

2　前項の規定により積み立てた金額（次項及び次条において「積立金」という。）から生ずる収入は、全て積立金に繰り入れなければならない。

3　積立金は、銀行その他の金融機関への預金、国債証券、地方債証券、政府保証債券（その元本の償還及び利息の支払について政府が保証する債券をいう。）その他の証券の買入れ等の確実な方法により運用しなければならない。

（積立金の処分）

第四条の四　積立金は、次の各号の一に掲げる場合に限り、これを処分することができる。

一　経済事情の著しい変動等により財源が著しく不足する場合において当該不足額をうめるための財源に充てるとき。

二　災害により生じた経費の財源又は災害により生じた減収をうめるための財源に充てるとき。

三　緊急に実施することが必要となつた大規模な土木その他の建設事業の経費その他必要やむを得ない理由により生じた経費の財源に充てるとき。

四　長期にわたる財源の育成のためにする財産の取得等のための経費の財源に充てるとき。

五　償還期限を繰り上げて行なう地方債の償還の財源に充てるとき。

（割当的寄附金等の禁止）

第四条の五　国（国の地方行政機関及び裁判所法（昭和二十二年法律第五十九号）第二条に規定する下級裁判所を含む。）は地方公共団体又はその住民に対し、地方公共団体は他の地方公共団体又は住民に対し、直接であると間接であるとを問わず、寄附金（これに相当する物品等を含む。）を割り当てて強制的に徴収（これに相当する行為を含む。）するようなことをしてはならない。

（地方債の制限）

第五条　地方公共団体の歳出は、地方債以外の歳入をもつて、その財源としなければならない。ただし、次に掲げる場合においては、地方債をもつてその財源とすることができる。

一　交通事業、ガス事業、水道事業その他地方公共団体の行う企業（以下「公営企業」という。）に要する経費の財源とする場合
二　出資金及び貸付金の財源とする場合（出資又は貸付けを目的として土地又は物件を買収するために要する経費の財源とする場合を含む。）
三　地方債の借換えのために要する経費の財源とする場合
四　災害応急事業費、災害復旧事業費及び災害救助事業費の財源とする場合
五　学校その他の文教施設、保育所その他の厚生施設、消防施設、道路、河川、港湾その他の土木施設等の公共施設又は公用施設の建設事業費（公共的団体又は国若しくは地方公共団体が出資している法人で政令で定めるものが設置する公共施設の建設事業に係る負担又は助成に要する経費を含む。）及び公共用若しくは公用に供する土地又はその代替地としてあらかじめ取得する土地の購入費（当該土地に関する所有権以外の権利を取得するために要する経費を含む。）の財源とする場合

（地方債の償還年限）
第五条の二　前条第五号の規定により起こす同号の建設事業費に係る地方債の償還年限は、当該地方債を財源として建設した公共施設又は公用施設の耐用年数を超えないようにしなければならない。当該地方債を借り換える場合においても、同様とする。

（地方債の協議等）
第五条の三　地方公共団体は、地方債を起こし、又は起こそうとし、若しくは起こした地方債の起債の方法、利率若しくは償還の方法を変更しようとする場合には、政令で定めるところにより、総務大臣又は都道府県知事に協議しなければならない。ただし、軽微な場合その他の総務省令で定める場合は、この限りでない。
2　前項の規定による協議は、地方債の起債の目的、限度額、起債の方法、資金、利率、償還の方法その他政令で定める事項を明らかにして行うものとする。
3　実質公債費比率が政令で定める数値未満である地方公共団体（実質赤字額が政令で定める額を超えるもの、連結実質赤字比率が政令で定める数値を超えるもの又は将来負担比率が地方公共団体の財政の健全化に関する法律（平成十九年法律第九十四号）第二条第五号の規定に基づく政令で定める数値以上のものを除く。第五項及び第六項において「協議不要対象団体」という。）は、政令で定める公的資金（以下この条において「特定公的資金」という。）以外の資金をもつて地方債を起こし、又は特定公的資金以外の資金をもつて起こそうとし、若しくは起こした地方債の起債の方法、利率若しくは償還の方法を変更しようとする場合（特定公的資金をもつて起こすことについて、第一項の規定による協議において同意を得、又は次条第一項若しくは第三項から第五項まで若しくは同法第十三条第一項に規定する許可を得た地方債の資金を変更し、第七項に規定する公的資金以外の資金をもつて地方債を起こそうとする場合を除く。）には、第一項の規定にかかわらず、同項の規定による協議をすることを要しない。
4　前項において、次の各号に掲げる用語の意義は、当該各号に定めるところによる。
一　実質公債費比率　政令で定める地方債に係る元利償還金（政令で定めるものを除く。以下この号において「地方債の元利償還金」という。）の額と地方債の元利償還金に準ずるものとして政令で定めるもの（以下この号において「準元利償還金」という。）の額との合算額から地方債の元利償還金又は準元利償還金の財源に充当することのできる特定の歳入に相当する金額と地方交付税法（昭和二十五年法律第二百十一号）の定めるところにより地方債の元利償還金及び準元利償還金に係る経費として普通交付税の額の算定に用いる基準財政需要額に算入される額として総務省令で定めるところにより算定した額（特別区にあつては、これに相当する額として総務大臣が定める額とする。以下この号において「算入公債費等の額」という。）との合算額を控除した額を標準的な規模の収入の額として政令で定めるところにより算定した額から算入公債費等の額を控除した額で除して得た数値で当該年度前三年度内の各年度に係るものを合算したものの三分の一の数値
二　実質赤字額　当該年度の前年度の歳入（政令で定めるところにより算定した歳入をいう。以下この号において同じ。）が歳出（政令で定めるところにより算定した歳出をいう。以下この号において同じ。）に不足するため当該年度の歳入を繰り上げてこれに充てた額並びに実質上当該年度の前年度の歳入が歳出に不足するため、当該年度の前年度に支払うべき債務でその支払を当該年度に繰り延べた額及び当該年度の前年度に執行すべき事業に係る歳出に係る予算の額で当該年度に繰り越した額の合算額
三　連結実質赤字比率　地方公共団体の財政の健全化に関する法律第二条第二号に規定する連結実質赤字比率
四　将来負担比率　地方公共団体の財政の健全化に関する法律第二条第四号に規定する将来負担比率
5　次に掲げる公営企業を経営する協議不要対象団体は、特定公的資金以外の資金をもつて当該公営企業に要する経費の財源とする地方債を起こし、又は特定公的資金以外の資金をもつて起こそうとし、若しくは起こした当該公営企業に要する経費の財源とする地方債の起債の方法、利率若しくは償還の方法を変更しようとする場合には、第三項の規定にかかわらず、第一項の規定による協議をしなければならない。
一　地方公営企業法（昭和二十七年法律第二百九十二号）第二条第一項に規定する地方公営企業及び地方公営企業以外の企業で同条第二項又は第三項の規定により同法の規定の全部又は一部を適用するもので、政令で定めるところにより算定した当該年度の前年度の資金の不足額が政令で定めるところにより算定した額を超えるもの

二　前号に掲げるもののほか、第六条に規定する公営企業で政令で定めるもののうち政令で定めるところにより算定した当該年度の前年度の資金の不足額が政令で定めるところにより算定した額を超えるもの

6　協議不要対象団体は、特定公的資金以外の資金をもつて地方債を起こし、又は特定公的資金以外の資金をもつて起こそうとし、若しくは起こした地方債の起債の方法、利率若しくは償還の方法を変更しようとする場合において第三項の規定により第一項の規定による協議をしないときは、政令で定めるところにより、あらかじめ、地方債の起債の目的、限度額、起債の方法、資金、利率、償還の方法その他政令で定める事項を総務大臣又は都道府県知事に届け出なければならない。ただし、軽微な場合その他の総務省令で定める場合は、この限りでない。

7　地方公共団体は、次の各号に掲げる地方債についてのみ、当該各号に定める公的資金（政令で定める公的資金をいう。以下この項において同じ。）を借り入れることができる。

一　第一項の規定による協議において総務大臣又は都道府県知事の同意を得た地方債　当該同意に係る公的資金

二　前項の規定による届出がされた地方債のうち、総務大臣又は都道府県知事が第一項の規定による協議を受けたならば同意をすることとなると認められる地方債　当該届出に係る特定公的資金以外の公的資金

8　前項各号に掲げる地方債に係る元利償還に要する経費は、地方交付税法第七条の定めるところにより、同条第二号の地方団体の歳出総額の見込額に算入されるものとする。

9　地方公共団体が、第一項の規定による協議の上、総務大臣又は都道府県知事の同意を得ないで、地方債を起こし、又は起こそうとし、若しくは起こした地方債の起債の方法、利率若しくは償還の方法を変更しようとする場合には、当該地方公共団体の長は、その旨をあらかじめ議会に報告しなければならない。ただし、地方公共団体の長において特に緊急を要するため議会を招集する時間的余裕がないことが明らかであると認める場合その他政令で定める場合には、当該地方公共団体が、当該同意を得ないで、地方債を起こし、又は起こそうとし、若しくは起こした地方債の起債の方法、利率若しくは償還の方法を変更した後に、次の会議においてその旨を議会に報告することをもつて足りる。

10　総務大臣は、毎年度、政令で定めるところにより、総務大臣又は都道府県知事が第一項の規定による協議における同意並びに次条第一項及び第三項から第五項まで並びに地方公共団体の財政の健全化に関する法律第十三条第一項に規定する許可をするかどうかを判断するために必要とされる基準を定め、並びに第七項各号に掲げる地方債並びに次条第一項及び第三項から第五項まで並びに同法第十三条第一項の規定により許可をする地方債の予定額の総額その他政令で定める事項に関する書類を作成し、これらを公表するものとする。

11　総務大臣は、第一項の規定による協議における総務大臣の同意並びに前項に規定する基準の作成及び同項の書類の作成については、地方財政審議会の意見を聴かなければならない。

（地方債についての関与の特例）

第五条の四　次に掲げる地方公共団体は、地方債を起こし、又は起こそうとし、若しくは起こした地方債の起債の方法、利率若しくは償還の方法を変更しようとする場合には、政令で定めるところにより、総務大臣又は都道府県知事の許可を受けなければならない。この場合においては、前条第一項の規定による協議又は同条第六項の規定による届出をすることを要しない。

一　前条第四項第二号に規定する実質赤字額が政令で定めるところにより算定した額以上である地方公共団体

二　前条第四項第一号に規定する実質公債費比率が政令で定める数値以上である地方公共団体

三　地方債の元利償還金の支払を遅延している地方公共団体

四　過去において地方債の元利償還金の支払を遅延したことがある地方公共団体のうち、将来において地方債の元利償還金の支払を遅延するおそれのあるものとして政令で定めるところにより総務大臣が指定したもの

五　前条第一項の規定による協議をせず、若しくは同条第六項の規定による届出をせず、又はこの項及び第三項から第五項までの規定による許可を受けずに、地方債を起こし、又は起こそうとし、若しくは起こした地方債の起債の方法、利率若しくは償還の方法を変更した地方公共団体のうち、政令で定めるところにより総務大臣が指定したもの

六　前条第一項の規定による協議をし、若しくは同条第六項の規定による届出をし、又はこの項及び第三項から第五項までの規定による許可を受けるに当たつて、当該協議若しくは届出又は許可に関する書類に虚偽の記載をすることその他不正の行為をした地方公共団体のうち、政令で定めるところにより総務大臣が指定したもの

2　総務大臣は、前項第四号から第六号までの規定による指定の必要がなくなつたと認めるときは、政令で定めるところにより、当該指定を解除するものとする。

3　経営の状況が悪化した公営企業で次に掲げるものを経営する地方公共団体（第一項各号に掲げるものを除く。）は、当該公営企業に要する経費の財源とする地方債を起こし、又は起こそうとし、若しくは起こした地方債の起債の方法、利率若しくは償還の方法を変更しようとする場合には、政令で定めるところにより、総務大臣又は都道府県知事の許可を受けなければならない。この場合においては、前条第一項の規定による協議又は同条第六項の規定による届出をすることを要しない。

一　地方公営企業法第二条第一項に規定する地方公営企業のうち繰越欠損金があるもの並びに地方公営企業以外の企業で同条第二項又は第三項の規定により同法の規定の全部又は一部を適用するもののうち繰越欠損金があるもの及び当該年度において新たに同法の規定の全部又は一部を適用し

たもので、政令で定めるところにより算定した当該年度の前年度の資金の不足額が政令で定めるところにより算定した額以上であるもの

二　前号に掲げるもののほか、第六条に規定する公営企業で政令で定めるもののうち政令で定めるところにより算定した当該年度の前年度の資金の不足額が政令で定めるところにより算定した額以上であるもの

4　普通税（地方消費税、道府県たばこ税、市町村たばこ税、鉱区税、特別土地保有税及び法定外普通税を除く。）の税率のいずれかが標準税率未満である地方公共団体（第一項各号に掲げるものを除く。）は、第五条第五号に規定する経費の財源とする地方債を起こし、又は起こそうとし、若しくは起こした地方債の起債の方法、利率若しくは償還の方法を変更しようとする場合には、政令で定めるところにより、総務大臣又は都道府県知事の許可を受けなければならない。この場合においては、前条第一項の規定による協議又は同条第六項の規定による届出をすることを要しない。

5　地方税法（昭和二十五年法律第二百二十六号）第五条第二項に掲げる税のうち同法第七百三十四条第一項及び第二項（第二号に係る部分に限る。）の規定により都が課するもの（特別土地保有税を除く。）の税率のいずれかが標準税率未満である場合において、特別区（第一項各号に掲げるもの及び前項の規定により許可を受けなければならないものとされるものを除く。）は、第五条第五号に規定する経費の財源とする地方債を起こし、又は起こそうとし、若しくは起こした地方債の起債の方法、利率若しくは償還の方法を変更しようとするときは、政令で定めるところにより、都知事の許可を受けなければならない。この場合においては、前条第一項の規定による協議又は同条第六項の規定による届出をすることを要しない。

6　前条第一項ただし書の規定は、第一項及び第三項から前項までの規定により許可を受けなければならないものとされる場合について、同条第七項（第一号に係る部分に限る。）の規定は、第一項及び第三項から前項までに規定する許可を得た地方債について、同条第八項の規定は、第一項及び第三項から前項までに規定する許可を得た地方債に係る元利償還に要する経費について、それぞれ準用する。

7　総務大臣は、第一項、第三項及び第四項の総務大臣の許可並びに第一項第四号から第六号までの規定による指定及び第二項の規定による指定の解除については、地方財政審議会の意見を聴かなければならない。

（証券発行の方法による地方債）

第五条の五　地方公共団体は、証券を発行する方法によつて地方債を起こす場合においては、政令の定めるところにより、募集、売出し又は交付の方法によることができる。

2　前項の証券は、割引の方法によつて発行することができる。

（会社法の準用）

第五条の六　会社法（平成十七年法律第八十六号）第六百八十三条、第七百一条、第七百五条第一項から第三項まで及び第七百九条の規定は、前条第一項の地方債について準用する。この場合において、これらの規定中「会社」とあるのは「地方公共団体」と、「社債原簿管理人」とあるのは「地方債原簿管理人」と、「社債原簿」とあるのは「地方債原簿」と、「社債管理者」とあるのは「地方債の募集又は管理の委託を受けた者」と、「社債権者」とあるのは「地方債権者」と、「社債券」とあるのは「地方債証券」と読み替えるものとする。

（地方債証券の共同発行）

第五条の七　証券を発行する方法によつて地方債を起こす場合においては、二以上の地方公共団体は、議会の議決を経て共同して証券を発行することができる。この場合においては、これらの地方公共団体は、連帯して当該地方債の償還及び利息の支払の責めに任ずるものとする。

（政令への委任）

第五条の八　第五条から前条までに定めるもののほか、地方債の発行に関し必要な事項は、政令で定める。

（公営企業の経営）

第六条　公営企業で政令で定めるものについては、その経理は、特別会計を設けてこれを行い、その経費は、その性質上当該公営企業の経営に伴う収入をもつて充てることが適当でない経費及び当該公営企業の性質上能率的な経営を行なつてもなおその経営に伴う収入のみをもつて充てることが客観的に困難であると認められる経費を除き、当該企業の経営に伴う収入（第五条の規定による地方債による収入を含む。）をもつてこれに充てなければならない。但し、災害その他特別の事由がある場合において議会の議決を経たときは、一般会計又は他の特別会計からの繰入による収入をもつてこれに充てることができる。

（剰余金）

第七条　地方公共団体は、各会計年度において歳入歳出の決算上剰余金を生じた場合においては、当該剰余金のうち二分の一を下らない金額は、これを剰余金を生じた翌翌年度までに、積み立て、又は償還期限を繰り上げて行なう地方債の償還の財源に充てなければならない。

2　第四条の三第二項及び第三項並びに第四条の四の規定は、前項の規定により積み立てた金額について準用する。

3　前条の公営企業について、歳入歳出の決算上剰余金を生じた場合においては、第一項の規定にかかわらず、議会の議決を経て、その全部又は一部を一般会計又は他の特別会計に繰り入れることができる。

4　第一項及び前項の剰余金の計算については、政令でこれを定める。

（財産の管理及び運用）

第八条　地方公共団体の財産は、常に良好の状態においてこれを管理し、その所有の目的に応じて最も効率的に、これを運用しなければならない。

（地方公共団体がその全額を負担する経費）

第九条　地方公共団体の事務（地方自治法（昭和二十二年法律第六十七号）第二百五十二条の十七の二第一項及び第二百九十一条の二第二項の規定に基づき、都道府県が条例の定めるところにより、市町村の処理することとした事務及び都道府県の加入しない同法第二百八十四条第一項の広域連合（第二十八条第二項及び第三項において「広域連合」という。）の処理することとした事務を除く。）を行うために要する経費については、当該地方公共団体が全額これを負担する。ただし、次条から第十条の四までに規定する事務を行うために要する経費については、この限りでない。

（国がその全部又は一部を負担する法令に基づいて実施しなければならない事務に要する経費）

第十条　地方公共団体が法令に基づいて実施しなければならない事務であつて、国と地方公共団体相互の利害に関係がある事務のうち、その円滑な運営を期するためには、なお、国が進んで経費を負担する必要がある次に掲げるものについては、国が、その経費の全部又は一部を負担する。

一　義務教育職員の給与（退職手当、退職年金及び退職一時金並びに旅費を除く。）に要する経費
二　削除
三　義務教育諸学校の建物の建築に要する経費
四　生活保護に要する経費
五　感染症の予防に要する経費
六　臨時の予防接種並びに予防接種を受けたことによる疾病、障害及び死亡について行う給付に要する経費
七　精神保健及び精神障害者の福祉に要する経費
八　麻薬、大麻及びあへんの慢性中毒者の医療に要する経費
九　身体障害者の更生援護に要する経費
十　女性相談支援センターに要する経費
十一　知的障害者の援護に要する経費
十二　後期高齢者医療の療養の給付並びに入院時食事療養費、入院時生活療養費、保険外併用療養費、療養費、訪問看護療養費、特別療養費、移送費、高額療養費及び高額介護合算療養費の支給並びに財政安定化基金への繰入れに要する経費
十三　介護保険の介護給付及び予防給付並びに財政安定化基金への繰入れに要する経費
十四　児童一時保護所、未熟児、小児慢性特定疾病児童等、身体障害児及び結核にかかつている児童の保護、児童福祉施設（地方公共団体の設置する保育所及び幼保連携型認定こども園を除く。）並びに里親に要する経費
十五　児童手当に要する経費
十六　国民健康保険の療養の給付並びに入院時食事療養費、入院時生活療養費、保険外併用療養費、療養費、訪問看護療養費、特別療養費、移送費、高額療養費及び高額介護合算療養費の支給、前期高齢者納付金及び後期高齢者支援金並びに介護納付金の納付、特定健康診査及び特定保健指導並びに財政安定化基金への繰入れに要する経費
十七　原子爆弾の被爆者に対する介護手当の支給及び介護手当に係る事務の処理に要する経費
十八　重度障害児に対する障害児福祉手当及び特別障害者に対する特別障害者手当の支給に要する経費
十九　児童扶養手当に要する経費
二十　職業能力開発校及び障害者職業能力開発校の施設及び設備に要する経費
二十一　家畜伝染病予防に要する経費
二十二　民有林の森林計画、保安林の整備その他森林の保続培養に要する経費
二十三　森林病害虫等の防除に要する経費
二十四　国土交通大臣が定める特定計画又は国土調査事業十箇年計画に基づく地籍調査に要する経費
二十五　特別支援学校への就学奨励に要する経費
二十六　公営住宅の家賃の低廉化に要する経費
二十七　消防庁長官の指示により出動した緊急消防援助隊の活動に要する経費
二十八　武力攻撃事態等における国民の保護のための措置及び緊急対処事態における緊急対処保護措置に要する経費並びにこれらに係る損失の補償若しくは実費の弁償、損害の補償又は損失の補てんに要する経費並びに国の機関と共同して行う国民の保護のための措置及び緊急対処保護措置についての訓練に要する経費
二十九　高等学校等就学支援金の支給に要する経費
三十　新型インフルエンザ等緊急事態における埋葬及び火葬に要する経費並びに新型インフルエンザ等対策に係る臨時の医療施設における医療の提供、損失の補償若しくは実費の弁償又は損害の補償に要する経費
三十一　地域における医療及び介護の総合的な確保の促進に関する基金への繰入れに要する経費
三十二　指定難病に係る特定医療費の支給に要する経費
三十三　妊婦のための支援給付に要する経費、子どものための教育・保育給付に要する経費（地方公共団体の設置する教育・保育施設に係るものを除く。）及び子育てのための施設等利用給付に要する経費（地方公共団体又は公立大学法人の設置する認定こども園、幼稚園又は特別支援学校に係るものを除く。）
三十四　生活困窮者自立相談支援事業に要する経費及び生活困窮者住居確保給付金の支給に要する経費
三十五　都道府県知事の確認を受けた専門学校（地方公共団体又は地方独立行政法人が設置するものを除く。）に係る授業料等減免に要する経費

（国がその全部又は一部を負担する建設事業に要する経費）

第十条の二　地方公共団体が国民経済に適合するように総合的に樹立された計画に従つて実施しなければならない法律又は政令で定める土木その他の建設事業に要する次に掲げる経費については、国が、その経費の全部又は一部を負担する。

一　道路、河川、砂防、海岸、港湾等に係る重要な土木施設の新設及び改良に要する経費
二　林地、林道、漁港等に係る重要な農林水産業施設の新設及び改良に要する経費
二の二　地すべり防止工事及びぼた山崩壊防止工事に要する経費
三　重要な都市計画事業に要する経費
四　公営住宅の建設に要する経費
五　児童福祉施設その他社会福祉施設の建設に要する経費
六　土地改良及び開拓に要する経費

（国がその一部を負担する災害に係る事務に要する経費）

第十条の三　地方公共団体が実施しなければならない法律又は政令で定める災害に係る事務で、地方税法又は地方交付税法によつてはその財政需要に適合した財源を得ることが困難なものを行うために要する次に掲げる経費については、国が、その経費の一部を負担する。
一　災害救助事業に要する経費
二　災害弔慰金及び災害障害見舞金に要する経費
三　道路、河川、砂防、海岸、港湾等に係る土木施設の災害復旧事業に要する経費
四　林地荒廃防止施設、林道、漁港等に係る農林水産業施設の災害復旧事業に要する経費
五　都市計画事業による施設の災害復旧に要する経費
六　公営住宅の災害復旧に要する経費
七　学校の災害復旧に要する経費
八　社会福祉施設及び保健衛生施設の災害復旧に要する経費
九　土地改良及び開拓による施設又は耕地の災害復旧に要する経費

（地方公共団体が負担する義務を負わない経費）

第十条の四　専ら国の利害に関係のある事務を行うために要する次に掲げるような経費については、地方公共団体は、その経費を負担する義務を負わない。
一　国会議員の選挙、最高裁判所裁判官国民審査及び国民投票に要する経費
二　国が専らその用に供することを目的として行う統計及び調査に要する経費
三　検疫に要する経費
四　医薬品の検定に要する経費
五　あへんの取締に要する経費（第十条第八号に係るものを除く。）
六　国民年金、雇用保険及び特別児童扶養手当に要する経費
七　土地の農業上の利用関係の調整に要する経費
八　未引揚邦人の調査に要する経費

（国と地方公共団体とが経費を負担すべき割合等の規定）

第十一条　第十条から第十条の三までに規定する経費の種目、算定基準及び国と地方公共団体とが負担すべき割合は、法律又は政令で定めなければならない。

（地方公共団体が負担すべき経費の財政需要額への算入）

第十一条の二　第十条から第十条の三までに規定する経費のうち、地方公共団体が負担すべき部分（第十条第十二号に掲げる経費のうち地方公共団体が負担すべき部分にあつては後期高齢者医療の財政安定化基金拠出金をもつて充てるべき部分を、同条第十三号に掲げる経費のうち地方公共団体が負担すべき部分にあつては介護保険の財政安定化基金拠出金をもつて充てるべき部分を除く。）は、地方交付税法の定めるところにより地方公共団体に交付すべき地方交付税の額の算定に用いる財政需要額に算入するものとする。ただし、第十条第十六号に掲げる経費（国民健康保険に関する特別会計への繰入れに要する経費のうち、国民健康保険の財政の安定化及び調整を行うもの、高額医療費負担対象額に係るもの、所得の少ない者、六歳に達する日以後の最初の三月三十一日以前である被保険者又は出産する予定の被保険者若しくは出産した被保険者について行う保険料又は国民健康保険税の減額に係るもの、所得の少ない者の数に応じて国民健康保険の財政の状況その他の事情を勘案して行うもの並びに特定健康診査及び特定保健指導に要するもの並びに財政安定化基金への繰入れに要する経費のうち都道府県の負担に係るものを除く。）、第十条の二第四号に掲げる経費及び第十条の三第六号に掲げる経費については、この限りでない。

（地方公共団体が処理する権限を有しない事務に要する経費）

第十二条　地方公共団体が処理する権限を有しない事務を行うために要する経費については、法律又は政令で定めるものを除く外、国は、地方公共団体に対し、その経費を負担させるような措置をしてはならない。
2　前項の経費は、次に掲げるようなものとする。
一　国の機関の設置、維持及び運営に要する経費
二　警察庁に要する経費
三　防衛省に要する経費
四　海上保安庁に要する経費
五　司法及び行刑に要する経費
六　国の教育施設及び研究施設に要する経費

（新たな事務に伴う財源措置）

第十三条　地方公共団体又はその経費を地方公共団体が負担する国の機関が法律又は政令に基づいて新たな事務を行う義務を負う場合においては、国は、そのために要する財源について必要な措置を講じなければならない。
2　前項の財源措置について不服のある地方公共団体は、内閣を経由して国会に意見書を提出することができる。
3　内閣は、前項の意見書を受け取つたときは、その意見を添えて、遅滞なく、これを国会に提出しなければならない。

第十四条及び第十五条　削除

（補助金の交付）

第十六条　国は、その施策を行うため特別の必要があると認めるとき又は地方公共団体の財政上特別の必要があると認めるときに限り、当該地方公共団体に対して、補助金を交付することができる。

（国の負担金の支出）

第十七条　国は、第十条から第十条の四までに規定する事務で地方公共団体又はその経費を地方公共団体が負担する国の機関が行うものについて第十条から第十条の四までの規定により国が負担する金額（以下「国の負担金」という。）を、当該地方公共団体に対して支出するものとする。

（地方公共団体の負担金）

第十七条の二　国が第十条の二及び第十条の三に規定する事務を自ら行う場合において、地方公共団体が法律又は政令の定めるところによりその経費の一部を負担するときは、当該地方公共団体は、その負担する金額（以下「地方公共団体の負担金」という。）を国に対して支出するものとする。

２　国の行う河川、道路、砂防、港湾等の土木事業で地方公共団体を利するものに対する当該地方公共団体の負担金の予定額は、当該工事の着手前にあらかじめ当該地方公共団体に通知しなければならない。事業計画の変更等により負担金の予定額に著しい変更があつた場合も、同様とする。

３　地方公共団体は、前項の通知を受けた場合において負担金の予定額に不服があるときは、総務大臣を経由して、内閣に対し意見を申し出ることができる。

（国の支出金の算定の基礎）

第十八条　国の負担金、補助金等の地方公共団体に対する支出金（以下国の支出金という。）の額は、地方公共団体が当該国の支出金に係る事務を行うために必要で且つ充分な金額を基礎として、これを算定しなければならない。

（国の支出金の支出時期）

第十九条　国の支出金は、その支出金を財源とする経費の支出時期に遅れないように、これを支出しなければならない。

２　前項の規定は、地方公共団体の負担金等の国に対する支出金にこれを準用する。

（委託工事の場合における準用規定）

第二十条　前二条の規定は、国の工事をその委託を受けて地方公共団体が行う場合及び地方公共団体の工事をその委託を受けて国が行う場合において、国又は地方公共団体の負担に属する支出金に、これを準用する。

（支出金の算定又は支出時期等に関する意見書の提出）

第二十条の二　国の支出金又は前条の国の負担に属する支出金の算定、支出時期、支出金又は支出金の交付に当つて附された条件その他支出金の交付に当つてされた指示その他の行為について不服のある地方公共団体は、総務大臣を経由して内閣に対し意見を申し出、又は内閣を経由して国会に意見書を提出することができる。

２　第十三条第三項の規定は、前項の場合にこれを準用する。

（地方公共団体の負担を伴う法令案）

第二十一条　内閣総理大臣及び各省大臣は、その管理する事務で地方公共団体の負担を伴うものに関する法令案について、法律案及び政令案にあつては閣議を求める前、命令案にあつては公布の前、あらかじめ総務大臣の意見を求めなければならない。

２　総務大臣は、前項に規定する法令案のうち重要なものについて意見を述べようとするときは、地方財政審議会の意見を聴かなければならない。

（地方公共団体の負担を伴う経費の見積書）

第二十二条　内閣総理大臣及び各省大臣は、その所掌に属する歳入歳出及び国庫債務負担行為の見積のうち地方公共団体の負担を伴う事務に関する部分については、財政法（昭和二十二年法律第三十四号）第十七条第二項に規定する書類及び同法第三十五条第二項に規定する調書を財務大臣に送付する際、総務大臣の意見を求めなければならない。

２　総務大臣は、前項に規定する書類及び調書のうち重要なものについて意見を述べようとするときは、地方財政審議会の意見を聴かなければならない。

（国の営造物に関する使用料）

第二十三条　地方公共団体が管理する国の営造物で当該地方公共団体がその管理に要する経費を負担するものについては、当該地方公共団体は、条例の定めるところにより、当該営造物の使用について使用料を徴収することができる。

２　前項の使用料は、当該地方公共団体の収入とする。

（国が使用する地方公共団体の財産等に関する使用料）

第二十四条　国が地方公共団体の財産又は公の施設を使用するときは、当該地方公共団体の定めるところにより、国においてその使用料を負担しなければならない。但し、当該地方公共団体の議会の同意があつたときは、この限りでない。

（負担金等の使用）

第二十五条　国の負担金及び補助金並びに地方公共団体の負担金は、法令の定めるところに従い、これを使用しなければならない。

２　地方公共団体が前項の規定に従わなかつたときは、その部分については、国は、当該地方公共団体に対し、その負担金又は補助金の全部又は一部を交付せず又はその返還を命ずることができる。

３　地方公共団体の負担金について、国が第一項の規定に従わなかつたときは、その部分については、当該地方公共団体は、国に対し当該負担金の全部又は一部を支出せず又はその返還を請求することができる。

（地方交付税の減額）

第二十六条　地方公共団体が法令の規定に違背して著しく多額の経費を支出し、又は確保すべき収入の徴収等を怠つた場合においては、総務大臣は、当該地方公共団体に対して交付すべき地方交付税の額を減額し、又は既に交付した地方交付税の額の一部の返還を命ずることができる。

２　前項の規定により減額し、又は返還を命ずる地方交付税の額は、当該法令の規定に違背して支出し、又は徴収等を怠つた額をこえることができない。

３　総務大臣は、第一項の規定により地方交付税の額を減額し、又は地方交付税の額の一部の返還を命じようとするときは、地方財政審議会の意見を聴かなければならない。

（都道府県の行う建設事業に対する市町村の負担）

第二十七条　都道府県の行う土木その他の建設事業（高等学校の施設の建設事業を除く。）でその区域内の市町村を利するものについては、都道府県は、当該建設事業による受益の限度において、当該市町村に対し、当該建設事業に要する経費の一部を負担させることができる。

２　前項の経費について市町村が負担すべき金額は、当該市町村の意見を聞き、当該都道府県の議会の議決を経て、これを定めなければならない。

３　前項の規定による市町村が負担すべき金額について不服がある市町村は、当該金額の決定があつた日から二十一日以内に、総務大臣に対し、異議を申し出ることができる。

４　総務大臣は、前項の異議の申出を受けた場合において特別の必要があると認めるときは、当該市町村の負担すべき金額を更正することができる。

５　地方自治法第二百五十七条の規定は、前項の場合に、これを準用する。

６　総務大臣は、第四項の規定により市町村の負担すべき金額を更正しようとするときは、地方財政審議会の意見を聴かなければならない。

（都道府県が市町村に負担させてはならない経費）

第二十七条の二　都道府県は、国又は都道府県が実施し、国及び都道府県がその経費を負担する道路、河川、砂防、港湾及び海岸に係る土木施設についての大規模かつ広域にわたる事業で政令で定めるものに要する経費で都道府県が負担すべきものとされているものの全部又は一部を市町村に負担させてはならない。

（都道府県が住民にその負担を転嫁してはならない経費）

第二十七条の三　都道府県は、当該都道府県立の高等学校の施設の建設事業費について、住民に対し、直接であると間接であるとを問わず、その負担を転嫁してはならない。

（市町村が住民にその負担を転嫁してはならない経費）

第二十七条の四　市町村は、法令の規定に基づき当該市町村の負担に属するものとされている経費で政令で定めるものについて、住民に対し、直接であると間接であるとを問わず、その負担を転嫁してはならない。

（都道府県がその事務を市町村等が行うこととする場合の経費）

第二十八条　都道府県がその事務を市町村が行うこととする場合においては、都道府県は、当該市町村に対し、その事務を執行するに要する経費の財源について必要な措置を講じなければならない。

２　前項の規定は、都道府県がその事務を都道府県の加入しない広域連合が行うこととする場合について準用する。

３　前二項の財源措置について不服のある市町村又は都道府県の加入しない広域連合は、関係都道府県知事を経由して、総務大臣に意見書を提出することができる。

４　都道府県知事は、前項の意見書を受け取つたときは、その意見を添えて、遅滞なく、これを総務大臣に提出しなければならない。

５　前項の意見は、当該都道府県の議会の議決を経て、これを定めなければならない。

（地方公共団体相互間における経費の負担関係）

第二十八条の二　地方公共団体は、法令の規定に基づき経費の負担区分が定められている事務について、他の地方公共団体に対し、当該事務の処理に要する経費の負担を転嫁し、その他地方公共団体相互の間における経費の負担区分をみだすようなことをしてはならない。

（都道府県及び市町村の負担金の支出）

第二十九条　都道府県は、法律又は政令の定めるところによりその区域内の市町村の行う事務に要する経費について都道府県が負担する金額（以下都道府県の負担金という。）を、当該市町村に対して支出するものとする。

２　市町村は、第二十七条第一項の規定により都道府県に対して、負担する金額（以下市町村の負担金という。）を、当該都道府県に対して支出するものとする。

（都道府県及び市町村の負担金等における準用規定）

第三十条　第十八条、第十九条及び第二十五条の規定は、都道府県及び市町村の負担金並びに都道府県が市町村に対して交付する補助金等の支出金に、これを準用する。

（地方財政の状況に関する報告）

第三十条の二　内閣は、毎年度地方財政の状況を明らかにして、これを国会に報告しなければならない。

２　総務大臣は、前項に規定する地方財政の状況に関する報告の案を作成しようとするときは、地方財政審議会の意見を聴かなければならない。

（事務の区分）

第三十条の三　都道府県が第五条の三第一項の規定により処理することとされている事務（都道府県が申出を受けた協議に係るものに限る。）、同条第六項の規定により処理することとされている事務（都道府県に対する届出に係るものに限る。）、同条第七項（第一号に係る部分に限る。）の規定により処理することとされている事務（都道府県の行う同意に係るものに限る。）、第五条の四第一項、第三項及び第四項の規定により処理することとされている事務（都道府県の行う許可に係るものに限る。）並びに同条第五項の規定により処理することとされている事務は、地方自治法第二条第九項第一号に規定する第一号法定受託事務とする。

附　則（抄）

（施行期日）

第三十一条　この法律は、公布の日から、これを施行する。但し、第十四条及び第十五条の規定は、昭和二十四年度分から、これを施行する。

（当せん金付証票の発売）

第三十二条　都道府県並びに地方自治法第二百五十二条の十九

第一項の指定都市及び戦災による財政上の特別の必要を勘案して総務大臣が指定する市は、当分の間、公共事業その他公益の増進を目的とする事業で地方行政の運営上緊急に推進する必要があるものとして総務省令で定める事業の財源に充てるため必要があるときは、当せん金付証票法（昭和二十三年法律第百四十四号）の定めるところにより、当せん金付証票を発売することができる。

（公営競技を行う地方公共団体の納付金）

第三十二条の二　地方公共団体は、昭和四十五年度から令和七年度までの間に法律の定めるところにより公営競技を行うときは、地方債の利子の軽減に資するための資金として、毎年度、政令で定めるところにより、当該公営競技の収益のうちから、その売得金又は売上金の額に千分の十二以内において政令で定める率を乗じて得た金額に相当する金額を地方公共団体金融機構に納付するものとする。

（個人の道府県民税又は市町村民税に係る特別減税等に伴う地方債の特例）

第三十三条　地方公共団体は、平成六年度及び平成七年度に限り、地方税法等の一部を改正する法律（平成六年法律第百十一号。次条第一項及び第三十三条の四第一項において「地方税法等改正法」という。）第一条の規定による改正前の地方税法（次項第一号並びに次条第二項及び第三項において「旧地方税法」という。）附則第三条の四の規定による個人の道府県民税若しくは市町村民税に係る特別減税又は租税特別措置法（昭和三十二年法律第二十六号）第八十六条の四第一項に規定する普通乗用自動車の譲渡等に係る消費税の税率の特例の適用期間の終了による平成六年度における消費税の収入の減少に伴う都道府県若しくは市町村に対して譲与される消費譲与税の額の減少による当該各年度の減収額を埋めるため、第五条の規定にかかわらず、地方債を起こすことができる。

2　前項の規定により起こすことができる当該各年度の地方債の額は、次に掲げる額の合算額とする。

一　旧地方税法附則第三条の四の規定の適用がないものとした場合における当該地方公共団体の当該各年度の個人の道府県民税又は市町村民税の所得割の収入見込額から当該地方公共団体の当該各年度の個人の道府県民税又は市町村民税の所得割の収入見込額を控除した額として自治省令で定めるところにより算定した額

二　租税特別措置法第八十六条の四第一項に規定する普通乗用自動車の譲渡等に係る消費税の税率の特例の適用期間の終了による平成六年度における消費税の収入の減少に伴う当該各年度における都道府県及び市町村に対して譲与すべき消費譲与税の額の減少による当該地方公共団体の当該各年度の消費譲与税の減少額として自治省令で定めるところにより算定した額

（個人の道府県民税又は市町村民税に係る減税に伴う地方債の特例）

第三十三条の二　地方公共団体は、平成六年度から平成八年度までの間に限り、地方税法等改正法の施行による個人の道府県民税又は市町村民税に係る当該各年度の減収額を埋めるため、第五条の規定にかかわらず、地方債を起こすことができる。

2　前項の規定により起こすことができる当該各年度の地方債の額は、旧地方税法の規定を適用するものとした場合における当該地方公共団体の当該各年度の個人の道府県民税又は市町村民税の所得割の収入見込額から当該地方公共団体の当該各年度の個人の道府県民税又は市町村民税の所得割の収入見込額（平成八年度においては、地方税法等の一部を改正する法律（平成八年法律第十二号）第一条の規定による改正後の地方税法（次条において「平成八年改正後の地方税法」という。）附則第三条の四の規定の適用がないものとした場合における当該地方公共団体の同年度の個人の道府県民税又は市町村民税の所得割の収入見込額）を控除した額として自治省令で定めるところにより算定した額とする。

3　平成八年度において前項の控除した額を算定する場合における平成八年度分の個人の道府県民税又は市町村民税に係る旧地方税法の規定の適用については、旧地方税法第二十三条第四項及び第二百九十二条第四項中「前年」とあるのは、「前々年」とする。

（個人の道府県民税又は市町村民税に係る特別減税に伴う地方債の特例）

第三十三条の三　地方公共団体は、平成八年度に限り、平成八年改正後の地方税法附則第三条の四の規定による個人の道府県民税又は市町村民税に係る特別減税による同年度の減収額を埋めるため、第五条の規定にかかわらず、地方債を起こすことができる。

2　前項の規定により起こすことができる平成八年度の地方債の額は、平成八年改正後の地方税法附則第三条の四の規定の適用がないものとした場合における当該地方公共団体の同年度の個人の道府県民税又は市町村民税の所得割の収入見込額から当該地方公共団体の同年度の個人の道府県民税又は市町村民税の所得割の収入見込額を控除した額として自治省令で定めるところにより算定した額とする。

（平成九年度における地方債の特例）

第三十三条の四　地方公共団体は、平成九年度に限り、当該地方公共団体の同年度の地方消費税又は地方消費税交付金（地方税法第七十二条の百十五の規定により市町村に対し交付するものとされる地方消費税に係る交付金をいう。以下この条、第三十三条の五の九及び第三十三条の五の十三において同じ。）の収入見込額及び消費譲与税相当額（地方税法等改正法附則第十四条第一項の規定により同年度に譲与される廃止前の消費譲与税に相当する額をいう。以下この条において同じ。）の収入見込額の合算額が当該地方公共団体の平成十年度以降の各年度の地方消費税又は地方消費税交付金の収入見込額に比して過少であることにより財政の安定が損なわれることのないよう、適正な財政運営を行うにつき必要とされる財源に充てるため、第五条の規定にかかわらず、地方債を起こすことができる。

２　前項の規定により起こすことができる平成九年度の地方債の額は、都道府県にあつては当該都道府県の同年度の地方消費税の収入見込額及び消費譲与税相当額の収入見込額の合算額から地方消費税交付金の交付見込額を控除した額が当該都道府県の平成十年度以降の各年度の地方消費税の収入見込額から地方消費税交付金の交付見込額を控除した額に比して過少と認められる額として、地方税法第七十二条の百十四第一項に規定する消費に相当する額を基礎として自治省令で定める方法により算定した額とし、市町村にあつては当該市町村の平成九年度の地方消費税交付金の収入見込額及び消費譲与税相当額の収入見込額の合算額が当該市町村の平成十年度以降の各年度の地方消費税交付金の収入見込額に比して過少と認められる額として、同法第七十二条の百十五第一項に規定する人口及び従業者数を基礎として自治省令で定める方法により算定した額とする。

（個人の道府県民税又は市町村民税に係る特別減税等に伴う地方債の特例）

第三十三条の五　地方公共団体は、平成十年度及び平成十一年度に限り、地方税法の一部を改正する法律（平成十一年法律第十五号。次項において「地方税法改正法」という。）による改正前の地方税法（以下この条において「旧地方税法」という。）附則第三条の四の規定による個人の道府県民税又は市町村民税に係る特別減税による当該各年度の減収額及び旧地方税法附則第十一条の四第十三項及び第十四項の規定による不動産取得税の減額に係る平成十年度の減収額を埋めるため、第五条の規定にかかわらず、地方債を起こすことができる。

２　前項の規定により起こすことができる平成十年度及び平成十一年度の地方債の額は、都道府県にあつては第一号に掲げる額とし、市町村にあつては第二号に掲げる額とする。

一　イ及びロに掲げる額の合算額（平成十一年度にあつては、イに掲げる額）

イ　旧地方税法附則第三条の四の規定の適用がないものとした場合における当該都道府県の当該各年度の個人の道府県民税の所得割の収入見込額から当該都道府県の当該各年度の個人の道府県民税の所得割の収入見込額を控除した額として自治省令で定めるところにより算定した額

ロ　旧地方税法附則第十一条の四第十三項及び第十四項の規定の適用がないものとした場合における当該都道府県の平成十年度の不動産取得税の収入見込額から当該都道府県の同年度の不動産取得税の収入見込額を控除した額として自治省令で定めるところにより算定した額

二　旧地方税法附則第三条の四の規定の適用がないものとした場合における当該市町村の当該各年度の個人の市町村民税の所得割の収入見込額から当該市町村の当該各年度の個人の市町村民税の所得割の収入見込額を控除した額として自治省令で定めるところにより算定した額

（令和五年度から令和七年度までの間における地方債の特例等）

第三十三条の五の二　地方公共団体は、令和五年度から令和七年度までの間に限り、第五条ただし書の規定により起こす地方債のほか、適正な財政運営を行うにつき必要とされる財源に充てるため、地方交付税法附則第六条の三第一項の規定により控除する額についての同項の規定に従つて総務省令で定める方法により算定した額の範囲内で、地方債を起こすことができる。

２　前項の規定により地方公共団体が起こすことができることとされた地方債の元利償還金に相当する額については、地方交付税法の定めるところにより、当該地方公共団体に交付すべき地方交付税の額の算定に用いる基準財政需要額に算入するものとする。

（地方税の減収に伴う地方債の特例）

第三十三条の五の三　地方公共団体は、当分の間、各年度において、都道府県にあつては道府県民税の法人税割及び利子割、法人の行う事業に対する事業税並びに特別法人事業譲与税の減収により、市町村にあつては市町村民税の法人税割、地方税法第七十一条の二十六の規定により市町村に対し交付するものとされる利子割に係る交付金及び同法第七十二条の七十六又は第七百三十四条第四項の規定により市町村に対し交付するものとされる法人の行う事業に対する事業税に係る交付金（第三十三条の五の九において「法人事業税交付金」という。）の減収により、第五条ただし書の規定により地方債を起こしても、なお適正な財政運営を行うにつき必要とされる財源に不足を生ずると認められる場合には、その不足額に充てるため、同条の規定にかかわらず、当該不足を生ずると認められる額として総務省令で定めるところにより算定した額の範囲内で、地方債を起こすことができる。

（地方税法等の改正に伴う地方債の特例）

第三十三条の五の四　地方公共団体は、当分の間、地方税法等の一部を改正する法律（平成十五年法律第九号）及び所得税法等の一部を改正する法律（平成十五年法律第八号）の施行による地方税に係る各年度の減収額を埋めるため、第五条の規定にかかわらず、当該各年度の減収額を勘案して総務省令で定めるところにより算定した額の範囲内で、地方債を起こすことができる。

（退職手当の財源に充てるための地方債の特例）

第三十三条の五の五　地方公共団体は、平成十八年度から令和七年度までの間に限り、当該各年度に支給すべき退職手当（都道府県にあつては市町村立学校職員給与負担法（昭和二十三年法律第百三十五号）第一条及び第二条の規定に基づき都道府県が負担する退職手当を含み、市町村にあつては当該都道府県が負担する退職手当を除く。以下この条及び第三十三条の八において同じ。）の合計額が著しく多額であることにより財政の安定が損なわれることのないよう、退職手当

（公営企業に係るものを除く。）の財源に充てるため、第五条の規定にかかわらず、当該年度に支給すべき退職手当の合計額のうち著しく多額であると認められる部分として総務省令で定めるところにより算定した額の範囲内で、地方債を起こすことができる。

（廃止前暫定措置法に係る地方債の特例）

第三十三条の五の六　都道府県は、令和元年度に限り、地方税法等の一部を改正する等の法律（平成二十八年法律第十三号。以下この条及び第三十三条の五の十において「平成二十八年地方税法等改正法」という。）第九条の規定による廃止前の地方法人特別税等に関する暫定措置法（平成二十年法律第二十五号。以下この条及び第三十三条の五の十において「廃止前暫定措置法」という。）第三章及び第四章並びに平成二十八年地方税法等改正法附則第三十一条第二項の規定によりなおその効力を有するものとされる廃止前暫定措置法第三章及び平成二十八年地方税法等改正法附則第三十二条の規定によりなおその効力を有するものとされる廃止前暫定措置法第四章の規定による減収額がある場合には、当該減収額を埋めるため、第五条の規定にかかわらず、当該減収額を勘案して総務省令で定めるところにより算定した額の範囲内で、地方債を起こすことができる。

（公営企業の廃止等に係る地方債の特例）

第三十三条の五の七　地方公共団体（都道府県、市町村及び特別区に限る。以下この条において同じ。）は、平成二十一年度から平成二十五年度まで（総務省令で定めるところにより、次の各号に掲げる行為を行うことその他の総務省令で定める事項を定めた計画を平成二十六年五月三十一日までに総務大臣に提出して、その承認を受けた地方公共団体にあつては、平成二十一年度から平成二十八年度まで）の間に限り、次の各号に掲げる行為が当該地方公共団体の将来における財政の健全な運営に資すると認められる場合には、当該各号に定める経費の財源に充てるため、第五条の規定にかかわらず、地方債を起こすことができる。

一　当該地方公共団体が経営する公営企業（地方公共団体の財政の健全化に関する法律第二条第二号イに規定する公営企業に限る。次号において同じ。）の廃止　当該廃止に伴い一般会計又は他の特別会計において一時に負担する必要がある経費として総務省令で定める経費

二　当該地方公共団体が加入する地方公共団体の組合が経営する公営企業の廃止　当該廃止に伴い当該地方公共団体が当該地方公共団体の組合に対して交付する負担金又は補助金のうち、前号に定める経費に相当する経費の財源に充てる必要があると認められるものとして総務省令で定めるもの

三　当該地方公共団体が単独で又は他の地方公共団体と共同して設立した地方道路公社又は土地開発公社（以下この号及び次号において「公社」という。）の解散又は当該公社が行う業務の一部の廃止　当該地方公共団体がその元金若しくは利子の支払を保証し、又は損失補償を行つている当該公社の借入金の償還に要する経費のうち、当該解散又は廃止を行うために当該地方公共団体が負担する必要があると認められるものとして総務省令で定めるもの及び当該解散又は廃止を行うために当該地方公共団体が当該公社に対する当該地方公共団体の貸付金であつて総務省令で定めるものに係る債務を免除する必要がある場合において当該債務を免除するため必要となる経費

四　当該地方公共団体がその借入金について損失補償を行つている法人（公社及び地方独立行政法人を除く。以下この号において同じ。）及び当該地方公共団体が貸付金の貸付けを行つている法人の解散（破産手続その他の総務省令で定める手続によりこれらの法人が清算をする場合に限る。以下この号において同じ。）又はこれらの法人の事業の再生（再生手続その他の総務省令で定める手続によるものに限る。以下この号において同じ。）　当該地方公共団体がその借入金について損失補償を行つている法人の借入金について当該解散又は事業の再生に伴い当該地方公共団体と当該法人の債権者との損失補償に係る契約に基づき負担する必要がある損失補償に要する経費及び当該解散又は事業の再生に伴い当該地方公共団体が貸付金の貸付けを行つている法人に対する当該地方公共団体の貸付金であつて総務省令で定めるものが償還されないこととなつたため必要となる経費

2　地方公共団体は、前項の規定による地方債（当該地方債の借換えのために要する経費の財源に充てるために起こす地方債を含む。）を起こし、又は起こそうとし、若しくは起こした地方債の起債の方法、利率若しくは償還の方法を変更しようとする場合には、第五条の三第一項及び第六項並びに第五条の四第一項の規定にかかわらず、政令で定めるところにより、総務大臣又は都道府県知事の許可を受けなければならない。ただし、軽微な場合その他の総務省令で定める場合は、この限りでない。

3　地方公共団体は、前項に規定する許可の申請をしようとするときは、あらかじめ、議会の議決を経なければならない。

4　第二項に規定する許可を受けようとする地方公共団体は、第一項各号に掲げる行為により見込まれる財政の健全化の効果、第五条の三第四項第一号に規定する実質公債費比率及び同項第四号に規定する将来負担比率の将来の見通し、これらの比率を抑制するために必要な措置その他の総務省令で定める事項を定めた計画を作成し、これを第二項に規定する許可の申請書に添えて提出しなければならない。

5　第五条の三第七項（第一号に係る部分に限る。）の規定は、第二項に規定する許可を得た地方債について、同条第八項の規定は、第二項に規定する許可を得た地方債に係る元利償還に要する経費について、それぞれ準用する。

6　総務大臣は、第二項の総務大臣の許可については、地方財政審議会の意見を聴かなければならない。

7　第二項の規定により都道府県が処理することとされている事務（都道府県の行う許可に係るものに限る。）は、地方自治法第二条第九項第一号に規定する第一号法定受託事務とする。

（公共施設等の除却に係る地方債の特例）

第三十三条の五の八　地方公共団体は、当分の間、公共施設、公用施設その他の当該地方公共団体が所有する建築物その他の工作物（公営企業に係るものを除く。以下この条において「公共施設等」という。）の除却であつて、総務省令で定める事項を定めた当該地方公共団体における公共施設等の総合的かつ計画的な管理に関する計画に基づいて行われるものに要する経費の財源に充てるため、第五条の規定にかかわらず、地方債を起こすことができる。

（地方税法の改正に伴う地方債の特例）

第三十三条の五の九　地方公共団体は、当分の間、各年度において、社会保障の安定財源の確保等を図る税制の抜本的な改革を行うための地方税法及び地方交付税法の一部を改正する法律（平成二十四年法律第六十九号）、地方税法等の一部を改正する法律（平成二十六年法律第四号）及び地方税法等の一部を改正する等の法律（平成二十八年法律第十三号）の施行により、都道府県にあつては道府県民税の法人税割の減収額及び法人事業税交付金の交付額の合算額が地方消費税の増収額を超える場合には、市町村にあつては市町村民税の法人税割の減収額が法人事業税交付金の収入額及び地方消費税交付金の増収額の合算額を超える場合には、これらの減収により財政の安定が損なわれることのないよう、適正な財政運営を行うにつき必要とされる財源に充てるため、第五条の規定にかかわらず、総務省令で定めるところにより算定した額の範囲内で、地方債を起こすことができる。

（特別法人事業税及び特別法人事業譲与税に関する法律等の施行等に伴う地方債の特例）

第三十三条の五の十　都道府県は、当分の間、各年度において、特別法人事業税及び特別法人事業譲与税に関する法律（平成三十一年法律第四号）及び地方税法等の一部を改正する法律（平成三十一年法律第二号）の施行並びに平成二十八年地方税法等改正法附則第三十一条第二項の規定によりなおその効力を有するものとされる廃止前暫定措置法第三章の規定により、法人の行う事業に対する事業税の減収額が特別法人事業譲与税の収入額を超える場合には、これによる減収額を埋めるため、第五条の規定にかかわらず、当該減収額を勘案して総務省令で定めるところにより算定した額の範囲内で、地方債を起こすことができる。

（河川等におけるしゆんせつ等に係る地方債の特例）

第三十三条の五の十一　地方公共団体は、令和二年度から令和六年度までの間に限り、河川（河川法（昭和三十九年法律第百六十七号）第三条第一項に規定する河川（同法第百条の規定により同法の二級河川に関する規定が準用される河川を含む。）及び同法第百条の二第一項に規定する普通河川をいう。）、ダム（同法第三条第二項に規定する河川管理施設であるダムをいう。）、砂防設備（砂防法（明治三十年法律第二十九号）第一条に規定する砂防設備をいう。）、治山事業（森林法（昭和二十六年法律第二百四十九号）第十条の十五第四項第四号に規定する治山事業をいう。）により設置された施設、農業用ため池（農業用ため池の管理及び保全に関する法律（平成三十一年法律第十七号）第二条第一項に規定する農業用ため池をいう。）その他総務省令で定める施設において実施されるしゆんせつ及び樹木の伐採（以下この条において「河川等におけるしゆんせつ等」という。）に係る事業であつて、総務省令で定める事項を定めた当該地方公共団体における河川等におけるしゆんせつ等に関する計画に基づいて行われるものに要する経費のうち総務省令で定めるものの財源に充てるため、第五条の規定にかかわらず、地方債を起こすことができる。

（地方税法附則第五十九条第一項の規定による徴収の猶予等に伴う地方債の特例）

第三十三条の五の十二　地方公共団体は、令和二年度及び令和三年度に限り、地方税法附則第五十九条第一項（地方税法等の一部を改正する法律（令和二年法律第二十六号）附則第二条の規定により読み替えて適用する場合を含む。）の規定による徴収の猶予をする場合及び国が新型コロナウイルス感染症等の影響に対応するための国税関係法律の臨時特例に関する法律（令和二年法律第二十五号）第三条第一項（同法附則第二条の規定により読み替えて適用する場合を含む。）の規定により読み替えて適用される国税通則法（昭和三十七年法律第六十六号）第四十六条第一項の規定による納税の猶予をする場合には、地方公共団体のこれらによる減収額を埋めるため、第五条の規定にかかわらず、当該減収額を勘案して総務省令で定めるところにより算定した額の範囲内で、地方債を起こすことができる。

（令和二年度における地方消費税等の減収に伴う地方債の特例）

第三十三条の五の十三　地方公共団体は、令和二年度に限り、都道府県にあつては地方消費税、不動産取得税、道府県たばこ税、ゴルフ場利用税、軽油引取税、地方税法第四百八十五条の十三第一項の規定により都道府県に対し交付するものとされる市町村たばこ税に係る交付金、地方揮発油譲与税及び航空機燃料譲与税の減収により、市町村にあつては市町村たばこ税、地方消費税交付金、同法第百三条の規定によりゴルフ場所在の市町村に対し交付するものとされるゴルフ場利用税に係る交付金、同法第百四十四条の六十第一項の規定により道路法（昭和二十七年法律第百八十号）第七条第三項に規定する指定市に対し交付するものとされる軽油引取税に係る交付金、地方揮発油譲与税及び航空機燃料譲与税の減収により、第五条ただし書の規定により地方債を起こしても、なお適正な財政運営を行うにつき必要とされる財源に不足を生ずると認められる場合には、その不足額に充てるため、同条の規定にかかわらず、当該不足を生ずると認められる額として総務省令で定めるところにより算定した額の範囲内で、地方債を起こすことができる。

（鉱害復旧事業に係る地方債の特例）

第三十三条の六　地方公共団体が地方公共団体以外の者が施行する鉱害復旧事業につき石炭鉱業の構造調整の完了等に伴う関係法律の整備等に関する法律（平成十二年法律第十六号。以下この条において「整備法」という。）附則第二条第一項の規定によりなおその効力を有するものとされる整備法第二条の規定による廃止前の臨時石炭鉱害復旧法（昭和二十七年法律第二百九十五号。以下この条において「旧復旧法」という。）第五十三条の規定により負担するために要する経費若しくは整備法附則第二条第三項の規定によりなお従前の例によることとされる応急工事に関し旧復旧法第五十三条の三第一項の規定により支弁するために要する経費又は都道府県が整備法附則第二条第一項若しくは第四項の規定によりなおその効力を有するものとされる旧復旧法第九十四条第二項の規定により補助金を交付するために要する経費については、第五条の規定にかかわらず、当分の間、地方債をもつてその財源とすることができる。

（国の無利子貸付金に係る地方債の特例）

第三十三条の六の二　地方公共団体は、別に法律で定めるところにより、国から日本電信電話株式会社の株式の売払収入の活用による社会資本の整備の促進に関する特別措置法（昭和六十二年法律第八十六号）第二条第一項に規定する公共的建設事業に要する費用に充てるための無利子の資金の貸付けを受ける場合に限り、当該費用のうち当該貸付けを受ける資金の額に相当する部分については、第五条の規定にかかわらず、当分の間、地方債をもつてその財源とすることができる。

（石綿健康等被害防止事業に係る地方債の特例）

第三十三条の六の三　地方公共団体が石綿による人の健康又は生活環境に係る被害の防止に資する事業で総務省令で定めるものを行うために要する経費については、第五条の規定にかかわらず、当分の間、地方債をもつてその財源とすることができる。

（地方債の許可等）

第三十三条の七　平成十七年度までの間における第五条第五号の規定の適用については、同号中「学校その他の文教施設」とあるのは、「普通税（地方消費税、道府県たばこ税、市町村たばこ税、鉱区税、特別土地保有税及び法定外普通税を除く。）の税率がいずれも標準税率以上である地方公共団体において、学校その他の文教施設」とする。

2　前項に規定する年度までの間、特別区が地方債をもつて同項の規定により読み替えられる第五条第五号に掲げる事業費及び購入費の財源とすることができる場合は、地方税法第五条第二項に掲げる税のうち同法第七百三十四条第一項及び第二項（第二号に係る部分に限る。）の規定により都が課するもの（特別土地保有税を除く。）の税率がいずれも標準税率以上である場合でなければならない。

3　第五条の三、第五条の四及び第三十条の三の規定は、第一項に規定する年度までの間、適用しない。

4　第一項に規定する年度までの間、地方公共団体は、地方債を起こし、又は起こそうとし、若しくは起こした地方債の起債の方法、利率若しくは償還の方法を変更しようとする場合には、政令で定めるところにより、総務大臣又は都道府県知事の許可を受けなければならない。ただし、軽微な場合その他の総務省令で定める場合は、この限りでない。

5　総務大臣は、前項の総務大臣の許可については、地方財政審議会の意見を聴かなければならない。

6　総務大臣又は都道府県知事が第四項の規定により許可をした地方債に係る元利償還に要する経費並びに自治大臣又は都道府県知事が中央省庁等改革関係法施行法（平成十一年法律第百六十号）第百八十条の規定による改正前の地方財政法第三十三条の七第四項及び地方分権の推進を図るための関係法律の整備等に関する法律（平成十一年法律第八十七号）第一条の規定による改正前の地方自治法第二百五十条の規定によつて許可をした地方債に係る元利償還に要する経費は、平成十八年度以後における第五条の三第八項の規定の適用については、同項に規定する地方債に係る元利償還に要する経費とみなす。

7　第四項の規定により都道府県が処理することとされている事務（都道府県の行う許可に係るものに限る。）は、地方自治法第二条第九項第一号に規定する第一号法定受託事務とする。

（退職手当の財源に充てるための地方債についての関与の特例）

第三十三条の八　地方公共団体は、平成十八年度から令和七年度までの間（次項において「特例期間」という。）に限り、退職手当の財源に充てるための地方債（当該地方債の借換えのために要する経費の財源に充てるために起こす地方債を含む。）を起こし、又は起こそうとし、若しくは起こした地方債の起債の方法、利率若しくは償還の方法を変更しようとする場合には、第五条の三第一項及び第六項並びに第五条の四第一項及び第三項の規定にかかわらず、政令で定めるところにより、総務大臣又は都道府県知事の許可を受けなければならない。ただし、軽微な場合その他の総務省令で定める場合は、この限りでない。

2　前項の許可を受けようとする地方公共団体は、当該年度以後特例期間内における各年度に支給すべき退職手当の合計額の見込額、職員の数の現況及び将来の見通し、給与の適正化に関する事項その他の総務省令で定める事項を定めた計画を作成し、これを同項に規定する許可の申請書に添えて提出しなければならない。

3　第五条の三第七項（第一号に係る部分に限る。）の規定は、第一項に規定する許可を得た地方債について、同条第八項の規定は、第一項に規定する許可を得た地方債に係る元利償還に要する経費について、それぞれ準用する。

4　総務大臣は、第一項の総務大臣の許可については、地方財政審議会の意見を聴かなければならない。

5　第一項の規定により都道府県が処理することとされている事務（都道府県の行う許可に係るものに限る。）は、地方自治法第二条第九項第一号に規定する第一号法定受託事務とする。

（地方債の許可の基準等の特例）

第三十三条の八の二　平成二十八年度における第五条の三第三項及び第十項の規定の適用については、同条第三項中「第五項まで若しくは」とあるのは「第五項まで、第三十三条の五の七第二項若しくは第三十三条の八第一項若しくは」と、同条第十項中「第五項まで」とあるのは「第五項まで、第三十三条の五の七第二項並びに第三十三条の八第一項」とする。

2　平成二十九年度から令和七年度までにおける第五条の三第三項及び第十項の規定の適用については、同条第三項中「第五項まで若しくは」とあるのは「第五項まで若しくは第三十三条の八第一項若しくは」と、同条第十項中「第五項まで」とあるのは「第五項まで並びに第三十三条の八第一項」とする。

（旧資金運用部資金等の繰上償還に係る措置）

第三十三条の九　政府は、平成二十二年度から平成二十四年度までの間に、地方公共団体から平成四年五月三十一日までに当該地方公共団体に対して貸し付けられた旧資金運用部資金（資金運用部資金法等の一部を改正する法律（平成十二年法律第九十九号）第一条の規定による改正前の資金運用部資金法（昭和二十六年法律第百号）第六条第一項に規定する資金運用部資金をいう。以下この項において同じ。）若しくは旧簡易生命保険資金（旧簡易生命保険特別会計法（昭和十九年法律第十二号）第七条第一項に規定する積立金をいう。以下この項において同じ。）又は平成五年八月三十一日までに当該地方公共団体に対して貸し付けられた旧公営企業金融公庫資金（地方公共団体金融機構法（平成十九年法律第六十四号）附則第九条第一項の規定による解散前の公営企業金融公庫の資金をいう。以下この項において同じ。）のうち年利五パーセント以上のものについて繰上償還を行おうとする旨の申出があつた場合において、当該地方公共団体から行政の簡素化及び効率化に関し政令で定める事項を定めた計画が提出され、当該計画の内容が当該地方公共団体の行財政改革に相当程度資するものであり、かつ、当該計画の円滑な実施のため地方債の金利に係る負担の軽減が必要であると認めるときは、政令で定めるところにより、当該繰上償還に係る資金が旧資金運用部資金であるときは当該繰上償還に応ずるものとし、当該繰上償還に係る資金が旧簡易生命保険資金又は旧公営企業金融公庫資金であるときは独立行政法人郵便貯金簡易生命保険管理・郵便局ネットワーク支援機構又は地方公共団体金融機構に対して繰上償還に応ずるよう要請するものとする。

2　前項の場合において、政府は、繰上償還に応ずるために必要な金銭として繰上償還に係る地方債の元金償還金以外の金銭を受領しないものとする。

3　前項の規定は、独立行政法人郵便貯金簡易生命保険管理・郵便局ネットワーク支援機構又は地方公共団体金融機構が第一項の規定に基づく政府の要請により繰上償還に応ずる場合について準用する。

（地方公共団体がその全額を負担する経費の特例）

第三十四条　地方公共団体が行う引揚者への援護に要する経費については、第九条の規定にかかわらず、当分の間、国が、その経費の全部又は一部を負担する。

2　前項に規定する経費の種目、算定基準及び国と地方公共団体とが負担すべき割合は、法律又は政令で定めなければならない。

（北海道に関する特例）

第三十五条　左に掲げる経費は、当分の間、第十条から第十条の四までの規定にかかわらず、なお、従前の例による。

一　政令で定める北海道の開発に要する経費

二　政令で定める北海道の河川、道路、砂防、港湾等の土木事業、災害応急事業及び災害復旧事業に要する経費

（児童扶養手当に要する経費に係る特例）

第三十六条　児童扶養手当法の一部を改正する法律（昭和六十年法律第四十八号）附則第五条に規定する費用については、第十条の規定にかかわらず、国が、その全額を負担する。

（病床転換助成事業に要する経費に係る特例）

第三十七条　高齢者の医療の確保に関する法律（昭和五十七年法律第八十号）附則第二条に規定する政令で定める日までの間における第十条第十六号の規定の適用については、同号中「及び後期高齢者支援金」とあるのは、「、後期高齢者支援金及び病床転換支援金」とする。

（子ども手当に要する経費に係る特例）

第三十八条　平成二十三年度における子ども手当の支給等に関する特別措置法（平成二十三年法律第百七号）の規定が適用される場合における第十条第十五号の規定の適用については、同号中「児童手当」とあるのは、「児童手当及び子ども手当」とする。

※子ども・子育て支援法等の一部を改正する法律（令六・六・一二法四七）の附則第二二条で本法が一部改正されましたが、未施行となる部分については、ここに別に掲げました。

（地方財政法の一部改正）

第二十二条　地方財政法の一部を次のように改正する。

第十条第三十三号中［中略］「除く。）及び」を「除く。）、」に改め、「特別支援学校に係るものを除く。）」の下に「及び乳児等のための支援給付に要する経費」を加える。

附　則（抄）

（施行期日）

第一条　この法律は、令和六年十月一日から施行する。ただし、次の各号に掲げる規定は、当該各号に定める日から施行する。
一～四　〔略〕
五　次に掲げる規定　令和八年四月一日
イ～チ　〔略〕
リ　附則第二十二条中地方財政法第十条第三十三号の改正規定〔後略〕
ヌ～ネ　〔略〕
六　〔略〕

○地方財政法施行令

昭三二・八・二七
政令二六七

最終改正　令六・三・三〇政令一三九

（法第五条第五号の政令で定める法人）
第一条　地方財政法（以下「法」という。）第五条第五号に規定する国又は地方公共団体が出資している法人で政令で定めるものは、国、地方公共団体又は国若しくは地方公共団体の全額出資に係る法人が資本金、基本金その他これらに準ずるもの（以下この条において「資本金等」という。）の二分の一以上を出資し、かつ、国又は地方公共団体が資本金等の三分の一以上を出資している法人とする。

（地方債の協議の相手方等）
第二条　法第五条の三第一項の規定による協議は、第一号に掲げる地方公共団体にあつては総務大臣に、第二号に掲げる地方公共団体にあつては都道府県知事にするものとする。
一　都道府県若しくは地方自治法（昭和二十二年法律第六十七号）第二百五十二条の十九第一項の指定都市（以下「指定都市」という。）（以下この項において「都道府県等」という。）又は地方公共団体の組合で都道府県等が加入するもの
二　市町村（指定都市を除き、特別区を含む。以下この号において同じ。）又は地方公共団体の組合で市町村が加入するもの（都道府県等が加入するものを除く。）
2　法第五条の三第一項の規定による協議をしようとする地方公共団体は、起債の目的となる事業の内容に応じて総務大臣が定める区分（以下「事業区分」という。）ごとに次条に規定する事項を記載した協議書を作成し、総務大臣又は都道府県知事の定める期間内に、これを提出しなければならない。
3　都道府県知事は、法第五条の三第一項の規定による協議において同意をしようとするときは、当該同意に係る地方債の限度額及び資金について、あらかじめ総務大臣に協議し、その同意を得なければならない。
4　総務大臣は、法第五条の三第一項又は前項の規定による協議において同意をしようとするときは、当該同意に係る地方債の限度額及び資金について、あらかじめ、財務大臣に協議するものとする。ただし、当該同意に係る地方債が総務省令・財務省令で定める要件に該当する場合は、この限りでない。
5　総務大臣は、第三項の規定による協議における同意については、地方財政審議会の意見を聴かなければならない。

（地方債の協議において明らかにすべき事項）
第三条　法第五条の三第二項に規定する政令で定める事項は、次に掲げるものとする。
一　地方債をもつてその経費の財源とする事業（次号及び第十八条において「起債対象事業」という。）に要する経費の総額
二　起債対象事業に要する経費に充てる財源の内訳
三　地方債の資金の借入先
四　当該協議に係る地方公共団体が当該年度において起こす地方債の予定額の総額
五　当該協議に係る地方公共団体の決算の状況
六　その他参考となるべき事項

（協議不要対象団体の判定のための実質公債費比率の数値）
第四条　法第五条の三第三項に規定する実質公債費比率に係る政令で定める数値は、百分の十八とする。

（協議不要対象団体の判定のための実質赤字額の額）
第五条　法第五条の三第三項に規定する実質赤字額に係る政令で定める額は、零とする。

（協議不要対象団体の判定のための連結実質赤字比率の数値）
第六条　法第五条の三第三項に規定する連結実質赤字比率に係る政令で定める数値は、零とする。

（特定公的資金の種類）

第七条　法第五条の三第三項に規定する政令で定める公的資金は、次に掲げる資金とする。

一　財政融資資金（地方公共団体が次に掲げる者に対して、それぞれ次に定める費用に充てるため、貸付けを行う場合に必要となる資金を除く。）

イ　国土交通大臣が港湾法施行令（昭和二十六年政令第四号）第二条に規定する基準に適合すると認める者　港湾法（昭和二十五年法律第二百十八号）第五十五条の七第一項の規定による資金の貸付けが行われる同条第二項に規定する特定用途港湾施設の建設又は改良に要する費用

ロ　港湾法第四十三条の十一第十二項に規定する港湾運営会社　同法第五十五条の九第一項の規定による資金の貸付けが行われる同項に規定する港湾施設の建設又は改良に要する費用

ハ　独立行政法人奄美群島振興開発基金　奄美群島振興開発特別措置法（昭和二十九年法律第百八十九号）第五十二条第一項第二号又は第三号に掲げる業務に要する費用

ニ　地方道路公社法（昭和四十五年法律第八十二号）第一条に規定する地方道路公社　道路整備特別措置法（昭和三十一年法律第七号）第二十条第一項の規定による資金の貸付けが行われる同法第十二条第一項の許可に係る同項に規定する指定都市高速道路の新設又は改築に要する費用

ホ　独立行政法人空港周辺整備機構　公共用飛行場周辺における航空機騒音による障害の防止等に関する法律（昭和四十二年法律第百十号）第三十三条の規定による資金の貸付けが行われる同法第二十八条第一項第二号に掲げる業務に要する費用

ヘ　特定外貿埠頭の管理運営に関する法律（昭和五十六年法律第二十八号）第三条第三項に規定する指定会社　同法第六条第一項の規定による資金の貸付けが行われる同法第二条第一項に規定する外貿埠頭の建設又は改良に要する費用

二　地方公共団体金融機構の資金

第八条及び第九条　削除

（実質公債費比率の算定に用いる地方債）

第十条　法第五条の三第四項第一号に規定する政令で定める地方債は、一般会計及び特別会計のうち公営企業（法第五条第一号に規定する公営企業をいう。以下同じ。）に係る収入及び支出を経理する特別会計以外のもの（第十二条第二号及び第三十条第一項において「一般会計等」という。）の歳出の財源に充てるために起こした地方債とする。

（実質公債費比率の算定に用いない元利償還金）

第十一条　法第五条の三第四項第一号に規定する政令で定める元利償還金は、次に掲げるものとする。

一　地方債の元金償還金のうち、償還期限を繰り上げて償還を行つたもの

二　地方債の元金償還金のうち、借換債（地方債の借換えのために要する経費の財源とするために起こした地方債をいう。）を財源として償還を行つたもので前号に掲げるもの以外のもの

三　満期一括償還地方債（償還期限の満了の日において元金の全部を償還することとして起こした地方債のうち、総務省令で定めるもの以外のものをいう。以下この号及び次条第一号において同じ。）の元金償還金のうち、前二号に掲げるもの以外のもの（満期一括償還地方債の償還に必要な資金の額と減債基金（地方債の償還の財源に充てるため地方自治法第二百四十一条の規定により設けられた基金をいう。次号において同じ。）に満期一括償還地方債の償還の財源として積み立てた額との差額を考慮して総務省令で定めるところにより算定した額に相当する部分を除く。）

四　地方債の利子の支払金のうち、減債基金の運用によつて生じた利子その他の収入金を財源として支払を行つたもの

（実質公債費比率の算定に用いる準元利償還金）

第十二条　法第五条の三第四項第一号に規定する地方債の元利償還金に準ずるものとして政令で定めるものは、次に掲げるものとする。

一　満期一括償還地方債について償還期間を三十年とする元金均等年賦償還の方法により償還することとした場合における当該満期一括償還地方債の一年当たりの元金償還金に相当するものとして総務省令で定めるもの

二　一般会計等から一般会計等以外の特別会計への繰入金のうち、公営企業に要する経費の財源とする地方債の償還の財源に充てたと認められるものとして総務省令で定めるもの

三　当該地方公共団体が加入する地方公共団体の組合に対する負担金又は補助金のうち、当該地方公共団体の組合が起こした地方債の償還の財源に充てたと認められるものとして総務省令で定めるもの

四　地方自治法第二百十四条に規定する債務負担行為に基づく支出のうち、法第五条各号に規定する経費の支出で総務省令で定めるもの及び利子補給に要する経費の支出

五　一時借入金の利子

（標準的な規模の収入の額）

第十三条　法第五条の三第四項第一号に規定する標準的な規模の収入の額として政令で定めるところにより算定した額は、次の各号に掲げる地方公共団体の区分に応じ、当該各号に定めるところにより算定した額とする。

一　都　イ及びロに掲げる額の合算額

イ　地方交付税法（昭和二十五年法律第二百十一号）第十条の規定により算定した普通交付税の額、都の全区域を道府県とみなして同法第十四条の規定により算定した基準財政収入額から同条の規定により算定した地方揮発油譲与税、石油ガス譲与税、森林環境譲与税、自動車重量譲与税及び航空機燃料譲与税の収入見込額（以下イ及び次号において「特定収入見込額」という。）を控除した

額の七十五分の百に相当する額並びに特定収入見込額の合算額

ロ 特別区の存する区域を市町村とみなして地方交付税法第十四条の規定により算定した地方税法（昭和二十五年法律第二百二十六号）第五条第二項各号に掲げる税のうち同法第七百三十四条第一項及び第二項第二号の規定により都が課する税（以下ロにおいて「調整税」という。）並びに同法第七百三十五条第一項の規定により都が課する同法第五条第五項の税の収入見込額から調整税に係る当該収入見込額に地方自治法第二百八十二条第二項に規定する条例で定める割合を乗じて得た額を控除した額の七十五分の百に相当する額、特別区の存する区域を市町村とみなして地方交付税法第十四条の規定により算定した特別とん譲与税の収入見込額並びに特別区の存する区域を市町村とみなして同条の規定により算定した国有資産等所在市町村交付金の収入見込額の七十五分の百に相当する額の合算額

二 道府県 地方交付税法第十条の規定により算定した普通交付税の額、同法第十四条の規定により算定した基準財政収入額から特定収入見込額を控除した額の七十五分の百に相当する額及び特定収入見込額の合算額

三 指定都市 地方交付税法第十条の規定により算定した普通交付税の額、同法第十四条の規定により算定した基準財政収入額から同条の規定により算定した特別とん譲与税、自動車重量譲与税、航空機燃料譲与税、地方揮発油譲与税、石油ガス譲与税及び森林環境譲与税の収入見込額（以下この号において「特定収入見込額」という。）を控除した額の七十五分の百に相当する額並びに特定収入見込額の合算額

四 市町村（指定都市を除く。） 地方交付税法第十条の規定により算定した普通交付税の額、同法第十四条の規定により算定した基準財政収入額から同条の規定により算定した特別とん譲与税、自動車重量譲与税、航空機燃料譲与税、地方揮発油譲与税及び森林環境譲与税の収入見込額（以下この号において「特定収入見込額」という。）を控除した額の七十五分の百に相当する額並びに特定収入見込額の合算額

五 特別区 地方自治法施行令（昭和二十二年政令第十六号）第二百十条の十二第一項及び第二項の規定により算定した普通交付金の額、これらの規定により算定した基準財政収入額からこれらの規定により算定した自動車重量譲与税、航空機燃料譲与税、地方揮発油譲与税及び森林環境譲与税の収入見込額（以下この号において「特定収入見込額」という。）を控除した額の八十五分の百に相当する額並びに特定収入見込額の合算額

（実質赤字額の算定に用いる歳入及び歳出の算定方法）

第十四条 法第五条の三第四項第二号に規定する政令で定めるところにより算定した歳入又は歳出は、一般会計及び特別会計のうち次に掲げるもの以外のものに係る歳入又は歳出で、これらの一般会計及び特別会計相互間の重複額を控除した純計によるものとする。

一 法適用企業（地方公営企業法（昭和二十七年法律第二百九十二号）第二条の規定により同法の規定の全部又は一部を適用する公営企業をいう。以下同じ。）に係る特別会計

二 法非適用企業（第四十六条各号に掲げる事業を行う公営企業のうち、法適用企業以外のものをいう。以下同じ。）に係る特別会計

三 前二号に掲げるもののほか、国民健康保険事業、介護保険事業、後期高齢者医療事業、農業共済事業その他事業の実施に伴う収入をもつて当該事業に要する費用を賄うべきものとして総務省令で定める事業に係る特別会計

（起債に協議を要する法適用企業の判定のための資金の不足額の算定方法等）

第十五条 法第五条の三第五項第一号の政令で定めるところにより算定した当該年度の前年度の資金の不足額は、第一号及び第二号に掲げる額の合算額が第三号に掲げる額を超える場合において、その超える額とする。

一 当該年度の前年度の末日における地方公営企業法施行令（昭和二十七年政令第四百三号）第十五条第二項の流動負債（以下この号及び次号において「流動負債」という。）の額から次に掲げる額の合算額を控除した額

イ 建設改良費等（公営企業の建設又は改良に要する経費及び当該経費に準ずる経費として総務省令で定める経費をいう。以下この号、次号及び次条第一項第三号において同じ。）の財源に充てるために起こした地方債のうち、当該年度の前年度の末日において流動負債として整理されているものの額

ロ 建設改良費等の財源に充てるためにした他の会計からの長期借入金のうち、当該年度の前年度の末日において流動負債として整理されているものの額

ハ 当該年度の前年度の末日における一時借入金又は未払金で建設改良費等に係るもののうち、その支払に充てるため当該年度において地方債を起こすこととしているもの又は他の会計からの長期借入金をすることとしているものの額

二 当該年度の前年度の末日における建設改良費等以外の経費の財源に充てるために起こした地方債の現在高から当該地方債のうち同日において流動負債として整理されているものの現在高を控除した額

三 当該年度の前年度の末日における地方公営企業法施行令第十四条の流動資産の額から当該年度の前年度において執行すべき事業に係る支出予算の額のうち当該年度に繰り越した事業の財源に充当することができる特定の収入で当該年度の前年度において収入された部分に相当する額を控除した額

2 法第五条の三第五項第一号の政令で定めるところにより算

定した額は、零とする。

（起債に協議を要する法非適用企業の判定のための資金の不足額の算定方法等）

第十六条　法第五条の三第五項第二号の政令で定めるところにより算定した当該年度の前年度の資金の不足額は、次に掲げる額の合算額とする。

一　当該年度の前年度の歳入が歳出に不足するため当該年度の歳入を繰り上げてこれに充てた額

二　実質上当該年度の前年度の歳入が歳出に不足するため、当該年度の前年度に支払うべき債務でその支払を当該年度に繰り延べた額及び当該年度の前年度に執行すべき事業に係る歳出に係る予算の額で当該年度に繰り越した額の合算額から、これらの支払又は事業の財源に充当することができる特定の歳入で当該年度の前年度に収入されなかつた部分に相当する額を控除した額

三　当該年度の前年度の末日における建設改良費等以外の経費の財源に充てるために起こした地方債の現在高

2　法第五条の三第五項第二号の政令で定めるところにより算定した額は、零とする。

（地方債の届出の相手方等）

第十七条　法第五条の三第六項の規定による届出は、第二条第一項第一号に掲げる地方公共団体にあつては総務大臣に、同項第二号に掲げる地方公共団体にあつては都道府県知事にするものとする。

2　法第五条の三第六項の規定による届出をしようとする地方公共団体は、事業区分ごとに次条に規定する事項を記載した届出書を作成し、総務大臣又は都道府県知事の定める期間内に、これを提出しなければならない。

3　都道府県知事は、法第五条の三第六項の規定による届出を受けたときは、当該届出を取りまとめ、総務大臣の定める期間内に、総務大臣に報告しなければならない。

4　総務大臣は、法第五条の三第六項の規定による届出又は前項の規定による報告を受けたときは、当該届出又は報告に係る地方債の限度額及び資金を財務大臣に通知するものとする。ただし、当該届出又は報告に係る地方債が総務省令・財務省令で定める要件に該当する場合については、この限りでない。

（地方債の届出において明らかにすべき事項）

第十八条　法第五条の三第六項に規定する政令で定める事項は、次に掲げるものとする。

一　起債対象事業に要する経費の総額

二　起債対象事業に要する経費に充てる財源の内訳

三　地方債の資金の借入先

四　当該届出に係る地方公共団体が当該年度において起こす地方債の予定額の総額

五　当該届出に係る地方公共団体の決算の状況

六　その他参考となるべき事項

（公的資金の種類）

第十八条の二　法第五条の三第七項に規定する政令で定める公的資金は、次に掲げる資金とする。

一　財政融資資金

二　地方公共団体金融機構の資金

三　前二号に掲げるもののほか、国、独立行政法人（独立行政法人通則法（平成十一年法律第百三号）第二条第一項に規定する独立行政法人をいう。）又は特殊法人（法律により直接に設立された法人又は特別の法律により特別の設立行為をもつて設立された法人であつて、総務省設置法（平成十一年法律第九十一号）第四条第一項第八号の規定の適用を受けるものをいう。）が、法令の規定に基づき、特定の事業を行う地方公共団体に対して貸し付ける資金

（議会への事後報告で足りる場合）

第十九条　法第五条の三第九項ただし書に規定する政令で定める場合は、地方公共団体の議会が成立しない場合又は地方自治法第百十三条ただし書の場合においてなお会議を開くことができないときとする。

（地方債計画等）

第二十条　法第五条の三第十項に規定する政令で定める事項は、次に掲げるものとする。

一　法第五条の三第十項に規定する地方債における起債の目的となる事業の内容を参酌して総務大臣が定める区分ごとの予定額の総額

二　法第五条の三第十項に規定する地方債における地方債の償還の財源を参酌して総務大臣が定める区分ごとの予定額の総額

三　法第五条の三第十項に規定する地方債における地方債の資金に応じて総務大臣が定める区分ごとの予定額の総額

2　総務大臣は、法第五条の三第十項に規定する基準（第四項において「同意等基準」という。）を定めようとするときは、その基本的事項について、あらかじめ、財務大臣に協議するものとする。

3　総務大臣は、法第五条の三第十項に規定する書類（次項において「地方債計画」という。）を作成しようとするときは、あらかじめ、財務大臣に協議するものとする。

4　総務大臣は、毎年度、地方債計画の内容を考慮し、事業区分ごとに、地方債充当率（地方公共団体が事業を行うに当たり、当該事業に係る経費のうち、地方債をもつてその財源とする部分の割合の上限となるべき率をいう。）を定め、同意等基準と併せてこれを公表するものとする。

（地方債の許可手続）

第二十一条　法第五条の四第一項、第三項又は第四項の規定により、地方公共団体が地方債を起こし、又は起こそうとし、若しくは起こした地方債の起債の方法、利率若しくは償還の方法を変更しようとする場合には、第二条第一項第一号に掲げる地方公共団体にあつては総務大臣、同項第二号に掲げる地方公共団体にあつては都道府県知事の許可を受けなければならない。

2　前項に規定する許可を受けようとする地方公共団体は、事

業区分ごとに申請書を作成し、総務大臣又は都道府県知事の定める期間内に、これを提出しなければならない。

3　都道府県知事は、第一項に規定する許可をしようとするときは、当該許可に係る地方債の限度額及び資金について、あらかじめ総務大臣に協議し、その同意を得なければならない。

4　総務大臣は、第一項に規定する許可又は前項に規定する同意をしようとするときは、当該許可又は同意に係る地方債の限度額及び資金について、あらかじめ、財務大臣に協議するものとする。ただし、当該許可又は同意に係る地方債が総務省令・財務省令で定める要件に該当する場合は、この限りでない。

5　総務大臣は、第三項に規定する同意については、地方財政審議会の意見を聴かなければならない。

（起債許可団体の判定のための実質赤字額の額）

第二十二条　法第五条の四第一項第一号に規定する政令で定めるところにより算定した額は、第十三条各号に掲げる地方公共団体の区分に応じ、当該年度の前年度について、当該各号に定めるところにより算定した額（以下この項において「標準財政規模の額」という。）に四十分の一を乗じて得た額とする。ただし、地方公共団体の標準財政規模の額が、五百億円未満二百億円以上の場合にあつては標準財政規模の額に千億円を加えて得た額に百二十分の一を乗じて得た額とし、二百億円未満五十億円以上の場合にあつては標準財政規模の額に百億円を加えて得た額に三十分の一を乗じて得た額とし、五十億円未満の場合にあつては標準財政規模の額に十分の一を乗じて得た額とする。

（起債許可団体の判定のための実質公債費比率の数値）

第二十三条　法第五条の四第一項第二号に規定する政令で定める数値は、百分の十八とする。

（起債許可団体の指定の手続）

第二十四条　総務大臣は、法第五条の四第一項第四号から第六号までの規定による指定に関し必要があると認めるときは、地方公共団体の長に対し、地方公共団体の財務に関係のある資料その他の資料の提出を求めることができる。

2　総務大臣は、法第五条の四第一項第四号から第六号までの規定により地方公共団体を指定しようとするときは、あらかじめ、次の各号に掲げる地方公共団体の区分に応じ、当該各号に定める者の意見を聴かなければならない。

一　第二条第一項第一号に掲げる地方公共団体　当該地方公共団体の長

二　第二条第一項第二号に掲げる地方公共団体　当該地方公共団体の長及び法第五条の三第一項若しくは第六項又は第五条の四第一項若しくは第三項から第五項までの規定により当該地方公共団体の地方債の協議若しくは届出を受け又は許可をする都道府県知事

3　総務大臣は、法第五条の四第一項第四号から第六号までの規定により地方公共団体を指定したときは、その旨を告示するとともに、前項各号に掲げる地方公共団体の区分に応じ、当該各号に定める者に通知しなければならない。

（起債許可団体の指定の解除についての準用）

第二十五条　前条第一項及び第三項の規定は、法第五条の四第二項の規定による解除について準用する。

（起債に許可を要する法適用企業の判定のための資金の不足額の算定方法等）

第二十六条　法第五条の四第三項第一号の政令で定めるところにより算定した当該年度の前年度の資金の不足額は、第十五条第一項第一号及び第二号に掲げる額の合算額が同項第三号に掲げる額を超える場合において、その超える額とする。

2　法第五条の四第三項第一号の政令で定めるところにより算定した額は、公営競技以外の事業を行う法適用企業にあつては当該年度の前年度の営業収益の額から受託工事収益の額を控除した額に十分の一を乗じて得た額とし、公営競技を行う法適用企業にあつては零とする。

（起債に許可を要する法非適用企業の判定のための資金の不足額の算定方法等）

第二十七条　法第五条の四第三項第二号の政令で定めるところにより算定した当該年度の前年度の資金の不足額は、第十六条第一項各号に掲げる額の合算額とする。

2　法第五条の四第三項第二号の政令で定めるところにより算定した額は、当該年度の前年度の営業収益に相当する収入の額から受託工事収益に相当する収入の額を控除した額に十分の一を乗じて得た額とする。

（都が課する税が標準税率未満である場合の特別区の地方債の許可手続）

第二十八条　法第五条の四第五項に規定する許可を受けようとする特別区は、事業区分ごとに申請書を作成し、都知事の定める期間内に、これを提出しなければならない。

2　都知事は、法第五条の四第五項に規定する許可をしようとするときは、当該許可に係る地方債の限度額及び資金について、あらかじめ総務大臣に協議し、その同意を得なければならない。

3　総務大臣は、前項に規定する同意をしようとするときは、当該同意に係る地方債の限度額及び資金について、あらかじめ、財務大臣に協議するものとする。ただし、当該同意に係る地方債が総務省令・財務省令で定める要件に該当する場合については、この限りでない。

4　総務大臣は、第二項に規定する同意については、地方財政審議会の意見を聴かなければならない。

（地方公共団体の組合における起債の協議等についての特例）

第二十九条　地方公共団体の組合についての法第五条の三の規定の適用については、同条第三項に規定する協議不要対象団体（この項の規定により同条第三項に規定する協議不要対象団体とみなされる地方公共団体の組合を含む。）のみが加入する地方公共団体の組合を同項に規定する協議不要対象団体とみなす。

2　地方公共団体の組合についての法第五条の四の規定の適用

については、同条第一項第一号に規定する地方公共団体（この項の規定により同号に規定する地方公共団体とみなされる地方公共団体の組合を含む。）が加入する地方公共団体の組合を同号に規定する地方公共団体と、同条第一項第二号に規定する地方公共団体（この項の規定により同号に規定する地方公共団体とみなされる地方公共団体の組合を含む。）が加入する地方公共団体の組合を同号に規定する地方公共団体とみなす。

（決算未提出期間における起債の協議等についての特例）

第三十条　地方自治法第二百三十三条第一項の規定により一般会計等の決算が地方公共団体の長に提出されるまでの間における第五条の三第三項及び第五条の四第一項の規定並びに第二十二条の規定の適用については、次の表の上欄に掲げる規定中同表の中欄に掲げる字句は、それぞれ同表の下欄に掲げる字句とする。

法第五条の三第三項	実質公債費比率	当該年度の前年度の実質公債費比率
	実質赤字額	当該年度の前年度の実質赤字額
	連結実質赤字比率	当該年度の前年度の連結実質赤字比率
	将来負担比率	当該年度の前年度の将来負担比率
法第五条の四第一項第一号	前条第四項第二号	当該年度の前年度の前条第四項第二号
法第五条の四第一項第二号	前条第四項第一号	当該年度の前年度の前条第四項第一号
第二十二条	前年度	前々年度

2　地方公営企業法第三十条第一項の規定により法適用企業に係る特別会計の決算が地方公共団体の長に提出されるまでの間における法第五条の三第五項（第二号を除く。）及び第五条の四第三項（第二号を除く。）の規定並びに第十五条第一項及び第二十六条の規定の適用については、次の表の上欄に掲げる規定中同表の中欄に掲げる字句は、それぞれ同表の下欄に掲げる字句とする。

法第五条の三第五項（第二号を除く。）	次に掲げる	当該年度の前年度において次に掲げる
	当該年度の前年度	当該年度の前々年度
法第五条の四第三項（第二号を除く。）	経営の	当該年度の前年度において経営の
	当該年度に	当該年度の前年度に
	当該年度の前年度	当該年度の前々年度
第十五条第一項	当該年度の前年度	当該年度の前々年度
	当該年度に	当該年度の前年度に
第二十六条第一項	当該年度の前年度	当該年度の前々年度
	第十五条第一項第一号	第三十条第二項の規定により読み替えられた第十五条第一項第一号
第二十六条第二項	当該年度の前年度	当該年度の前々年度

3　地方自治法第二百三十三条第一項の規定により法非適用企業に係る特別会計の決算が地方公共団体の長に提出されるまでの間における法第五条の三第五項（第一号を除く。）及び第五条の四第三項（第一号を除く。）の規定並びに第十六条第一項及び第二十七条の規定の適用については、次の表の上欄に掲げる規定中同表の中欄に掲げる字句は、それぞれ同表の下欄に掲げる字句とする。

法第五条の三第五項（第一号を除く。）	次に掲げる	当該年度の前年度において次に掲げる
	当該年度の前年度	当該年度の前々年度
法第五条の四第三項（第一号を除く。）	経営の	当該年度の前年度において経営の
	当該年度の前年度	当該年度の前々年度
第十六条第一項	当該年度の前年度	当該年度の前々年度
	当該年度の歳入	当該年度の前年度の歳入
	当該年度に	当該年度の前年度に
第二十七条第一項	当該年度の前年度	当該年度の前々年度

	第十六条第一項各号	第三十条第三項の規定により読み替えられた第十六条第一項各号
第二十七条第二項	当該年度の前年度	当該年度の前々年度

（地方公共団体の廃置分合又は境界変更があつた場合の総務省令への委任）

第三十一条　当該年度の中途又は当該年度前四年度のいずれかの年度の中途において地方公共団体の廃置分合又は境界変更があつた場合における法第五条の三及び第五条の四（これらの規定を前条第一項の規定により読み替えて適用する場合を含む。）の規定の適用に関し必要な事項は、総務省令で定める。

（様式の総務省令への委任）

第三十二条　第二条第二項の協議書、第十七条第二項の届出書並びに第二十一条第二項及び第二十八条第一項の申請書の様式は、総務省令で定める。

（経過措置）

第三十二条の二　地方公営企業法第二条の規定により同法の規定の全部又は一部を適用する公営企業に係る会計処理の基準が同法の規定に基づく命令の制定又は改廃により変更された場合においては、第十五条及び第二十六条の規定の適用について、総務省令で、その変更に伴い合理的に必要と判断される範囲内において、所要の経過措置を定めることができる。

（募集の方法による地方債証券の発行）

第三十三条　地方公共団体は、募集の方法によつて地方債証券を発行する場合においては、地方債証券申込証を作成し、これに次に掲げる事項を記載しなければならない。

一　地方公共団体の名称
二　地方債証券の総額
三　地方債証券の発行の目的
四　地方債証券の券面金額
五　地方債証券の申込期日及び支払期日
六　地方債の利率
七　地方債の償還の方法及び期限
八　利息支払の方法及び期限
九　地方債証券の発行の価額
十　地方債証券を記名式又は無記名式に限つたときは、その旨
十一　地方債証券の募集又は管理の委託を受けた会社があるときは、その商号
十二　地方債証券の応募額が総額に達しない場合において、その残額を引き受けることを契約した者があるときは、その旨
十三　法第五条の七の規定による地方債であるときは、その事実及び各地方公共団体の負担部分
十四　名義書換代理人を置いたときは、その氏名及び住所並びに営業所

2　地方債証券の募集に応じようとする者は、前項の地方債証券申込証に、その取得しようとする地方債証券の数並びにその氏名又は名称及び住所を記載するものとする。

（地方債証券の引受けの場合の特則）

第三十四条　前条の規定は、契約により地方債証券の総額を引き受ける者がある場合においては、適用しない。地方債証券の募集の委託を受けた会社が自ら地方債証券の一部を引き受ける場合において、その一部についても、同様とする。

（地方債証券の応募額がその総額に達しない場合の特則）

第三十五条　地方債証券の応募額が第三十三条第一項の地方債証券申込証に記載した地方債証券の総額に達しない場合においても、当該地方債証券を成立させる旨を同項の地方債証券申込証に記載したときは、その応募額をもつて当該地方債証券の総額とする。

（地方債証券の払込み及び発行）

第三十六条　地方公共団体は、地方債証券の募集が完了したときは、遅滞なく、各地方債証券につきその全額の払込みをさせなければならない。

2　地方公共団体は、前項の払込みがあつたときは、遅滞なく、地方債証券を発行しなければならない。

（売出しの方法による地方債証券の発行）

第三十七条　地方公共団体は、売出しの方法によつて地方債証券を発行する場合においては、次に掲げる事項を公告しなければならない。

一　第三十三条第一項第一号から第四号まで、第六号から第八号まで、第十号、第十三号及び第十四号に掲げる事項
二　地方債証券の売出しの期間
三　地方債証券の売出しの価額
四　地方債証券の売出しを委託した会社があるときは、その商号
五　次条に規定する事項

（地方債証券の売上額がその総額に達しない場合の特則）

第三十八条　売出期間内に売り上げた地方債証券の総額が前条の規定により公告した地方債証券の総額に達しない場合においては、その売上総額をもつて当該地方債証券の総額とする。

（振替地方債への準用等）

第三十九条　第三十三条から第三十五条まで、第三十六条第一項、第三十七条及び前条の規定は、社債、株式等の振替に関する法律（平成十三年法律第七十五号）の規定の適用がある地方債（以下この条、次条及び第四十三条第二項において「振替地方債」という。）を起こす場合について準用する。この場合において、第三十三条第一項第四号中「券面金額」とあるのは「金額」と、同項第十号中「地方債証券を記名式又は無記名式に限つたときは、その旨」とあるのは「社債、株式等の振替に関する法律の規定の適用がある旨」と、同条第二項中「数」とあるのは「数、第三十九条第二項に規定する

振替口座」と読み替えるものとする。

2　前項において準用する第三十四条の規定の適用がある場合においては、振替地方債を引き受けようとする者は、その引受けの際に、自己のために開設された当該振替地方債の振替を行うための口座（次項及び次条第二項において「振替口座」という。）を当該振替地方債を発行する地方公共団体に示さなければならない。

3　振替地方債の売出しに応じようとする者は、振替口座を当該振替地方債を起こす地方公共団体に示さなければならない。

（交付の方法による振替地方債の発行）

第四十条　地方公共団体は、交付の方法によつて振替地方債を起こす場合においては、社債、株式等の振替に関する法律の規定の適用がある旨を交付を受けようとする者に告げなければならない。

2　前項の場合において、振替地方債の交付を受けようとする者は、振替口座を当該振替地方債を発行する地方公共団体に示さなければならない。

（地方債証券の記載事項）

第四十一条　地方債証券には、次に掲げる事項を記載し、地方公共団体の長がこれに記名押印しなければならない。

一　第三十三条第一項第一号から第四号まで、第六号から第八号まで、第十号、第十一号、第十三号及び第十四号に掲げる事項

二　地方債証券の番号

三　地方債証券の発行の年月日

（地方債証券の記名式と無記名式との間の転換）

第四十二条　地方公共団体は、地方債権者の請求があつたときは、その記名式の地方債証券を無記名式とし、又はその無記名式の地方債証券を記名式としなければならない。ただし、地方債証券を発行する場合においてあらかじめ記名式又は無記名式に限ることにしたときは、この限りでない。

（地方債証券原簿）

第四十三条　地方公共団体は、その事務所に地方債証券原簿を備えて置かなければならない。

2　前項の地方債証券原簿には、次に掲げる事項を記載し、又は記録しなければならない。

一　地方債証券又は振替地方債の発行の年月日

二　地方債証券又は振替地方債の数

三　地方債証券の番号

四　第三十三条第一項第二号から第十一号まで、第十三号及び第十四号（これらの規定を第三十九条第一項において準用する場合を含む。）に掲げる事項

五　振替地方債については、社債、株式等の振替に関する法律の規定の適用がある旨

六　元利金の支払に関する事項

3　地方公共団体は、地方債証券を記名式としたときは、前項に掲げる事項のほか、その地方債権者の氏名及び住所並びに取得の年月日を地方債証券原簿に記載し、又は記録しなければならない。

4　地方公共団体は、記名式の地方債証券が質権の目的となつた旨を質権設定者から通知を受けたときは、質権者の氏名及び住所を地方債証券原簿に記載し、又は記録しなければならない。

5　地方公共団体は、地方債証券原簿を電磁的記録（電子的方式、磁気的方式その他人の知覚によつては認識することができない方式で作られる記録であつて、電子計算機による情報処理の用に供されるものとして総務省令で定めるものをいう。）をもつて作成することができる。

（地方債証券の利札が欠けている場合の特則）

第四十四条　地方公共団体は、無記名式の地方債証券を償還する場合において、まだ支払期日の到来していない利札で欠けているものがあるときは、これに相当する金額を償還額から控除するものとする。

2　前項の利札の所持人がこれと引換えに控除金額の支払を請求したときは、地方公共団体は、これに応じなければならない。

（国外地方債証券の特例）

第四十五条　国外地方債証券（本邦以外の地域において発行する地方債証券をいう。以下同じ。）の発行、国外地方債証券の記名式と無記名式との間の転換、国外地方債証券に関する帳簿並びに欠けている利札のある国外地方債証券の償還及び当該利札の所持人に対する支払については、第三十三条から前条までの規定にかかわらず、当該国外地方債証券の準拠法又は発行市場の慣習によることができる。

（公営企業）

第四十六条　法第六条の政令で定める公営企業は、次に掲げる事業とする。

一　水道事業

二　工業用水道事業

三　交通事業

四　電気事業

五　ガス事業

六　簡易水道事業

七　港湾整備事業（埋立事業並びに荷役機械、上屋、倉庫、貯木場及び船舶の離着岸を補助するための船舶を使用させる事業に限る。）

八　病院事業

九　市場事業

十　と畜場事業

十一　観光施設事業

十二　宅地造成事業

十三　公共下水道事業

（剰余金の計算方法）

第四十七条　法第七条第一項の剰余金は、当該年度において新たに生じた剰余金から、当該年度の翌年度に繰り越した歳出予算の財源に充てるべき金額（継続費の支出財源として逓次

繰り越した金額を含む。以下同じ。）を控除して、これを計算する。

（公営企業に係る剰余金）

第四十八条　法第七条第三項の剰余金は、当該年度において新たに生じた剰余金から、次に掲げる金額の合計額を控除して、これを計算する。

一　当該年度の翌年度に繰り越した歳出予算の財源に充てるべき金額

二　固定資産の減価償却に充てるべき金額

三　議会の定めるところにより積み立てるべき金額

（国の負担金等の交付時期）

第四十九条　国の負担金及び法第十六条の補助金は、毎年度四月、七月、十月及び一月の四回に分けて、前金払又は概算払により、これを交付するものとする。ただし、当該負担金又は補助金のうち、支払期日の特定した地方公共団体の債務に対するもの及び小額のものについては、概算払又は前金払によらないでこれを交付し、追加予算又は予備費支出によるもの及び災害その他臨時緊急の場合において交付するものについては、当該交付時期によらないで交付することができる。

2　前項の場合において、各省各庁の長（財政法（昭和二十二年法律第三十四号）第二十条第二項に規定する各省各庁の長をいう。）は、あらかじめ、財務大臣に協議しなければならない。

（国の負担金等を返還させる場合等の措置）

第五十条　次に掲げる場合においては、国、地方公共団体又は総務大臣は、その理由、金額及び金額算定の基礎を記載した文書をもつて、当該命令又は請求をしなければならない。

一　法第二十五条第二項（法第三十条において準用する場合を含む。）の規定により、負担金又は補助金の全部又は一部を交付せず、又は返還を命ずる場合

二　法第二十五条第三項（法第三十条において準用する場合を含む。）の規定により、負担金の全部又は一部を交付せず、又は返還を請求する場合

三　法第二十六条第一項の規定により、地方交付税の額を減額し、又は既に交付した地方交付税の一部の返還を命ずる場合

（都道府県が市町村に経費を負担させてはならない事業）

第五十一条　法第二十七条の二に規定する事業で政令で定めるものは、次に掲げるものとする。

一　道路法（昭和二十七年法律第百八十号）第十二条及び第十三条の規定により、国土交通大臣又は都道府県が行う一般国道の新設、改築及び災害復旧に関する工事

二　次に掲げる都道府県道（道路法第三条第三号の都道府県道をいう。以下この号において同じ。）の新設、改築及び災害復旧に関する工事

イ　道路法第五十六条の規定による国土交通大臣の指定を受けた都道府県道

ロ　イに掲げるもののほか、資源の開発、産業の振興その他国の施策上特に整備を行う必要があると認められる都道府県道

三　砂防法（明治三十年法律第二十九号）第六条第一項の規定により国土交通大臣が施行する砂防工事

四　海岸法（昭和三十一年法律第百一号）第六条第一項の規定により、主務大臣が都道府県知事である海岸管理者に代わつて施行する海岸保全施設の新設、改良及び災害復旧に関する工事

（市町村が住民にその負担を転嫁してはならない経費）

第五十二条　法第二十七条の四に規定する経費で政令で定めるものは、次に掲げるものとする。

一　市町村の職員の給与に要する経費

二　市町村立の小学校、中学校及び義務教育学校の建物の維持及び修繕に要する経費

附　則

（施行期日）

第一条　この政令は、公布の日から、これを施行し、地方財政法施行の日（昭和二十三年七月七日）から、これを適用する。

（公営競技納付金の納付）

第二条　法第三十二条の二の規定により公営競技を行う都道府県又は市町村（特別区を含む。以下この条において「施行団体」という。）が地方公共団体金融機構（第五項において「機構」という。）に納付すべき納付金（以下この条において「公営競技納付金」という。）の額は、当該年度の公営競技につき、次に掲げる売得金又は売上金の額（施行団体が公営競技を行うことを目的とする一部事務組合又は広域連合（第四項において「一部事務組合等」という。）を組織して公営競技を行う場合にあつては、当該売得金又は売上金を収益配分率によつて按分して得た額。以下この条において「売上額」という。）の合計額から四十億円を控除した額（次項第七号において「控除後売上額」という。）に、同項に定める率を乗じて得た額とする。ただし、その額が当該年度の公営競技の収益の額から七千万円を控除した額（第四項において「調整後収益額」という。）から当該年度の公営競技の売上額の合計額に応じ第三項に定めるところにより算定した額を控除した額（以下この項において「納付限度額」という。）を超えるときは、公営競技納付金の額は、当該納付限度額とする。

一　競馬法（昭和二十三年法律第百五十八号）第八条第一項の勝馬投票券の売得金

二　自転車競技法（昭和二十三年法律第二百九号）第十二条第一項の車券の売上金

三　小型自動車競走法（昭和二十五年法律第二百八号）第十六条第一項の勝車投票券の売上金

四　モーターボート競走法（昭和二十六年法律第二百四十二号）第十五条第一項の舟券の売上金

2　法第三十二条の二に規定する政令で定める率は、次の各号に掲げる公営競技が行われる年度の区分に応じ、それぞれ当該各号に定める率とする。

一　昭和四十五年度から昭和五十年度までの各年度　千分の五
二　昭和五十一年度　千分の七
三　昭和五十二年度　千分の八
四　昭和五十三年度から昭和六十一年度までの各年度　千分の十
五　昭和六十二年度及び昭和六十三年度　千分の十一
六　平成元年度から平成十七年度までの各年度　千分の十二
七　平成十八年度から平成二十二年度までの各年度　次に掲げる金額の区分に応じ、それぞれ次に定める率
イ　当該年度の控除後売上額のうち三十億円以下の金額　千分の十一
ロ　当該年度の控除後売上額のうち三十億円を超える金額　千分の十二
八　平成二十三年度から令和七年度までの各年度　千分の十

3　第一項に規定する当該年度の公営競技の売上額の合計額に応じ算定した額とは、当該合計額（六百五十億円を超える部分を除く。）を次の各号に掲げる金額に区分し、それぞれの金額に当該各号に定める率を乗じて得た額の合計額に、更に当該年度の調整後収益率を乗じて得た額をいう。
一　二百五十億円以下の金額　十分の五
二　二百五十億円超三百五十億円以下の金額　十分の四
三　三百五十億円超四百五十億円以下の金額　十分の三
四　四百五十億円超五百五十億円以下の金額　十分の二
五　五百五十億円超六百五十億円以下の金額　十分の一

4　この条において、次の各号に掲げる用語の意義は、当該各号に定めるところによる。
一　公営競技の収益の額　施行団体の公営競技に係る会計の当該年度の支出のうち他の会計に繰り入れられた金額又は施行団体の公営競技を行うことを目的とする一部事務組合等の当該年度の支出のうち当該一部事務組合等を組織する施行団体に配分された金額を基礎として、総務省令で定めるところにより算定した金額をいう。
二　調整後収益率　調整後収益額の売上額の合計額に対する割合をいう。
三　収益配分率　施行団体が公営競技を行うことを目的とする一部事務組合等を組織して公営競技を行う場合において、当該一部事務組合等を組織する各施行団体に収益として配分されるべき金額の割合をいう。

5　施行団体は、各年度ごとに、第一項の規定により算定した公営競技納付金の額を翌年度の十一月三十日までに機構に納付するものとする。

6　第一項の規定にかかわらず、公営競技納付金の額は、当分の間、同項の規定により算定した額に、十分の八を乗じて得た額とする。この場合において、前項の規定の適用については、同項中「第一項」とあるのは、「次項」とする。

7　前項の規定により読み替えられた第五項の規定にかかわらず、施行団体は、当分の間、前項の規定により算定した公営競技納付金の額を公営競技が行われた年度後三年度内の各年度に均等に分割して当該各年度の十一月三十日までに納付することができる。

（公営企業の廃止等に係る地方債の許可手続）

第三条　法第三十三条の五の七第二項の規定により、同項に規定する地方公共団体が同項に規定する地方債を起こし、又は起こそうとし、若しくは起こした地方債の起債の方法、利率若しくは償還の方法を変更しようとする場合には、都道府県又は指定都市にあつては総務大臣、市町村（指定都市を除き、特別区を含む。）にあつては都道府県知事の許可を受けなければならない。

2　前項に規定する許可を受けようとする地方公共団体は、総務大臣又は都道府県知事の定める期間内に、申請書を提出しなければならない。

3　都道府県知事は、第一項に規定する許可をしようとするときは、当該許可に係る地方債の限度額及び資金について、あらかじめ総務大臣に協議し、その同意を得なければならない。

4　総務大臣は、第一項に規定する許可又は前項に規定する同意をしようとするときは、当該許可又は同意に係る地方債の限度額及び資金について、あらかじめ、財務大臣に協議するものとする。ただし、当該許可又は同意に係る地方債が総務省令・財務省令で定める要件に該当する場合は、この限りでない。

5　総務大臣は、第三項に規定する同意については、地方財政審議会の意見を聴かなければならない。

（地方債の許可等）

第四条　法第三十三条の七第四項の規定により、地方公共団体が地方債を起こし、又は起こそうとし、若しくは起こした地方債の起債の方法、利率若しくは償還の方法を変更しようとする場合には、第二条第一項第一号に掲げる地方公共団体にあつては総務大臣、同項第二号に掲げる地方公共団体にあつては都道府県知事の許可を受けなければならない。

2　都道府県知事は、前項に規定する許可をしようとする場合は、当該許可に係る地方債の限度額及び資金について、あらかじめ総務大臣に協議し、その同意を得なければならない。

3　前二項に定めるもののほか、法第三十三条の七第四項に規定する許可に関し必要な事項は、総務省令・財務省令で定める。

4　総務大臣は、第二項の同意については、地方財政審議会の意見を聴かなければならない。

（退職手当の財源に充てる地方債の許可手続）

第五条　法第三十三条の八第一項の規定により、地方公共団体が同項に規定する地方債を起こし、又は起こそうとし、若しくは起こした地方債の起債の方法、利率若しくは償還の方法を変更しようとする場合には、第二条第一項第一号に掲げる地方公共団体にあつては総務大臣、同項第二号に掲げる地方公共団体にあつては都道府県知事の許可を受けなければならない。

2　前項に規定する許可を受けようとする地方公共団体は、総

務大臣又は都道府県知事の定める期間内に、申請書を提出しなければならない。

3　都道府県知事は、第一項に規定する許可をしようとするときは、当該許可に係る地方債の限度額及び資金について、あらかじめ総務大臣に協議し、その同意を得なければならない。

4　総務大臣は、第一項に規定する許可又は前項に規定する同意をしようとするときは、当該許可又は同意に係る地方債の限度額及び資金について、あらかじめ、財務大臣に協議するものとする。ただし、当該許可又は同意に係る地方債が総務省令・財務省令で定める要件に該当する場合は、この限りでない。

5　総務大臣は、第三項に規定する同意については、地方財政審議会の意見を聴かなければならない。

（行政の簡素化等に関する計画に定めるべき事項等）

第六条　法第三十三条の九第一項に規定する政令で定める事項は、次の各号に掲げる場合の区分に応じ、当該各号に定める事項とする。

一　第十条に規定する一般会計等の歳出の財源に充てるために起こした地方債の繰上償還を行おうとする場合　次に掲げる事項

イ　行政の簡素化及び効率化の基本方針

ロ　次に掲げる措置及びこれに伴う歳入又は歳出の増減額

(1)　歳入の増加を図るための措置

(2)　事務及び事業の見直し、組織の合理化その他の歳出の削減を図るための措置

ハ　財政状況を示す数値として総務省令・財務省令で定める数値の見通し

ニ　イからハまでに掲げるもののほか、総務省令・財務省令で定める事項

二　公営企業に要する経費の財源に充てるために起こした地方債の繰上償還を行おうとする場合　当該公営企業に係る次に掲げる事項

イ　公営企業の経営の健全化の基本方針

ロ　次に掲げる措置及びこれに伴う収入又は支出の増減額

(1)　収入の増加を図るための措置

(2)　事務及び事業の見直し、組織の合理化その他の支出の削減を図るための措置

ハ　公営企業の経営の状況を示す数値として総務省令・財務省令で定める数値の見通し

ニ　イからハまでに掲げるもののほか、総務省令・財務省令で定める事項

2　法第三十三条の九第一項に規定する行政の簡素化及び効率化に関し政令で定める事項を定めた計画（次項及び次条において「行政の簡素化等に関する計画」という。）の計画期間は、五年間とする。

3　法第三十三条の九第一項の規定による繰上償還の申出を行う地方公共団体が、地方公共団体の財政の健全化に関する法律（平成十九年法律第九十四号）第四条第一項に規定する財政健全化計画又は同法第八条第一項に規定する財政再生計画を定めている場合にはこれらの計画を第一項第一号及び第二号に定める事項を定めた行政の簡素化等に関する計画と、同法第二十三条第一項に規定する経営健全化計画を定めている場合には当該計画を第一項第二号に定める事項を定めた行政の簡素化等に関する計画と、それぞれみなして、法第三十三条の九第一項の規定を適用する。

（旧資金運用部資金等の繰上償還に係る手続）

第七条　法第三十三条の九第一項の規定による繰上償還の申出及び行政の簡素化等に関する計画の提出は、総務大臣及び財務大臣に対して行うものとする。

2　総務大臣及び財務大臣は、地方公共団体から提出された行政の簡素化等に関する計画の内容が当該地方公共団体の行財政改革に相当程度資するものであり、かつ、当該行政の簡素化等に関する計画の円滑な実施のため地方債の金利に係る負担の軽減が必要であると認めたときは、遅滞なく、その旨を当該地方公共団体に通知するものとする。

3　前項の規定による通知をした場合において、当該繰上償還に係る資金が法第三十三条の九第一項に規定する旧簡易生命保険資金（次項において「旧簡易生命保険資金」という。）であるときは総務大臣は独立行政法人郵便貯金簡易生命保険管理・郵便局ネットワーク支援機構に対し、当該繰上償還に係る資金が同条第一項に規定する旧公営企業金融公庫資金（次項において「旧公営企業金融公庫資金」という。）であるときは総務大臣及び財務大臣は地方公共団体金融機構に対し、それぞれ、遅滞なく、当該通知に係る地方公共団体の繰上償還に応ずるよう要請するものとする。

4　第二項の規定による通知を受けた地方公共団体は、繰上償還の額、繰上償還の期日その他の繰上償還を行うために必要な事項を記載した申請書を、当該繰上償還に係る資金が法第三十三条の九第一項に規定する旧資金運用部資金である場合にあつては財務大臣に、当該繰上償還に係る資金が旧簡易生命保険資金である場合にあつては独立行政法人郵便貯金簡易生命保険管理・郵便局ネットワーク支援機構に、当該繰上償還に係る資金が旧公営企業金融公庫資金である場合にあつては地方公共団体金融機構に、それぞれ提出するものとする。

（北海道に関する特例）

第八条　法第三十五条第一号の経費は、北海道の開発のために北海道が行う土地開発、土地改良、河川、道路、港湾、電力開発、農畜水産、森林、開拓移住者等に関する事業に要する経費で主務大臣が指定するものとする。

2　法第三十五条第二号の経費は、北海道が行う河川、道路、砂防、港湾等の土木事業（前項に掲げるものを除く。）、災害応急事業及び災害復旧事業に要する経費で主務大臣が指定するものとする。

3　前二項の場合において、主務大臣が指定をしようとするときは、総務大臣及び財務大臣に協議しなければならない。

（臨時財政対策債に係る標準的な規模の収入の額の特例）

第九条　令和二年度から令和四年度までの各年度における第十三条の規定による額の算定に係る同条の規定の適用については、同条第一号イ中「並びに特定収入見込額」とあるのは「、特定収入見込額並びに地方交付税法等の一部を改正する法律（令和五年法律第二号）第三条の規定による改正前の法第三十三条の五の二第一項の規定により起こすことができることとされた地方債（次号から第五号までにおいて「臨時財政対策債」という。）の額」と、同条第二号中「及び特定収入見込額」とあるのは「、特定収入見込額及び臨時財政対策債の額」と、同条第三号から第五号までの規定中「並びに特定収入見込額」とあるのは「、特定収入見込額並びに臨時財政対策債の額」とする。

２　令和五年度から令和七年度までの各年度における第十三条の規定による額の算定に係る同条の規定の適用については、同条第一号イ中「並びに特定収入見込額」とあるのは「、特定収入見込額並びに法第三十三条の五の二第一項の規定により起こすことができることとされた地方債（次号から第五号までにおいて「臨時財政対策債」という。）の額」と、同条第二号中「及び特定収入見込額」とあるのは「、特定収入見込額及び臨時財政対策債の額」と、同条第三号から第五号までの規定中「並びに特定収入見込額」とあるのは「、特定収入見込額並びに臨時財政対策債の額」とする。

（令和二年度及び令和三年度における標準的な規模の収入の額の特例）

第十条　令和二年度及び令和三年度における第十三条の規定による額の算定に係る同条の規定の適用については、次の表の上欄に掲げる同条の規定中同表の中欄に掲げる字句は、それぞれ同表の下欄に掲げる字句とする。

第一号イ	第十四条	附則第七条の二及び第七条の三の規定の適用がないものとした場合における地方交付税法等の一部を改正する法律（令和四年法律第二号）第三条の規定による改正前の地方特例交付金等の地方財政の特別措置に関する法律（平成十一年法律第十七号）第八条第一項の規定により読み替えられた地方交付税法第十四条（以下この条において「読替え後の地方交付税法第十四条」という。）
	から同条	に読替え後の地方交付税法第十四条の規定により算定した分離課税所得割交付金（地方税法（昭和二十五年法律第二百二十六号）附則第七条の四の規定により指定都市に対し交付するものとされる分離課税に係る所得割に係る交付金をいう。第三号において同じ。）の交付見込額（以下イ及び次号において「特定交付見込額」という。）を加算した額から読替え後の地方交付税法第十四条
	及び航空機燃料譲与税	、航空機燃料譲与税及び交通安全対策特別交付金
	合算額	合算額から特定交付見込額を控除した額
第一号ロ	地方交付税法第十四条	読替え後の地方交付税法第十四条
	地方税法（昭和二十五年法律第二百二十六号）	地方税法
	同条	読替え後の地方交付税法第十四条
第二号	同法第十四条	読替え後の地方交付税法第十四条
	から	に特定交付見込額を加算した額から
	合算額	合算額から特定交付見込額を控除した額
第三号	同法第十四条	読替え後の地方交付税法第十四条
	同条	読替え後の地方交付税法第十四条
	及び森林環境譲与税	、森林環境譲与税、交通安全対策特別交付金及び分離課税所得割交付金
第四号	同法第十四条	読替え後の地方交付税法第十四条

	同条	読替え後の地方交付税法第十四条
	及び森林環境譲与税	、森林環境譲与税及び交通安全対策特別交付金
第五号	地方自治法施行令（昭和二十二年政令第十六号）	地方財政法施行令等の一部を改正する政令（令和四年政令第百三十二号）第二条の規定による改正前の地方特例交付金等の地方財政の特別措置に関する法律施行令（平成十一年政令第九十五号）第二条の規定により読み替えられた地方自治法施行令（昭和二十二年政令第十六号）附則第七条の二の規定により読み替えられた同令
	第二項	地方自治法施行令第二百十条の十二第二項
	基準財政収入額	基準財政収入額（地方交付税法附則第七条の二第二項及び第七条の三第二項に規定する算定方法におおむね準ずる算定方法により加算した額がある場合には当該額に相当する額を控除した額とし、当該算定方法により控除した額がある場合には当該額に相当する額を加算した額とする。）
	及び森林環境譲与税	、森林環境譲与税及び交通安全対策特別交付金

（令和四年度及び令和五年度における標準的な規模の収入の額の特例）

第十一条 令和四年度及び令和五年度における第十三条の規定による額の算定に係る同条の規定の適用については次の表の上欄に掲げる同条の規定中同表の中欄に掲げる字句は、それぞれ同表の下欄に掲げる字句とする。

第一号イ	第十四条	附則第七条の二及び第七条の三の規定の適用がないものとした場合における地方交付税法等の一部を改正する法律（令和六年法律第五号）第三条の規定による改正前の地方特例交付金等の地方財政の特別措置に関する法律（平成十一年法律第十七号）第八条第一項の規定により読み替えられた地方交付税法第十四条（以下この条において「読替え後の地方交付税法第十四条」という。）
	から同条	に読替え後の地方交付税法第十四条の規定により算定した分離課税所得割交付金（地方税法（昭和二十五年法律第二百二十六号）附則第七条の四の規定により指定都市に対し交付するものとされる分離課税に係る所得割に係る交付金をいう。第三号において同じ。）の交付見込額（以下イ及び次号において「特定交付見込額」という。）を加算した額から読替え後の地方交付税法第十四条
	及び航空機燃料譲与税	、航空機燃料譲与税及び交通安全対策特別交付金
	合算額	合算額から特定交付見込額を控除した額
第一号ロ	地方交付税法第十四条	読替え後の地方交付税法第十四条
	地方税法（昭和二十五年法律第二百二十六号）	地方税法
	同条	読替え後の地方交付税法第十四条
第二号	同法第十四条	読替え後の地方交付税法第十四条
	から	に特定交付見込額を加算した額から
	合算額	合算額から特定交付見込額を控除した額

第三号	同法第十四条	読替え後の地方交付税法第十四条
	同条	読替え後の地方交付税法第十四条
	及び森林環境譲与税	、森林環境譲与税、交通安全対策特別交付金及び分離課税所得割交付金
第四号	同法第十四条	読替え後の地方交付税法第十四条
	同条	読替え後の地方交付税法第十四条
	及び森林環境譲与税	、森林環境譲与税及び交通安全対策特別交付金
第五号	地方自治法施行令（昭和二十二年政令第十六号）	地方財政法施行令等の一部を改正する政令（令和六年政令第百三十五号）第二条の規定による改正前の地方財政の特別措置に関する法律施行令（平成十一年政令第九十五号）第二条の規定により読み替えられた地方自治法施行令（昭和二十二年政令第十六号）附則第七条の二の規定により読み替えられた同令
	第二項	地方自治法施行令第二百十条の十二第二項
	基準財政収入額	基準財政収入額（地方交付税法附則第七条の二第二項及び第七条の三第二項に規定する算定方法により加算した額がある場合には当該額に相当する額を控除した額とし、当該算定方法により控除した額がある場合には当該額に相当する額を加算した額とする。）
	及び森林環境譲与税	、森林環境譲与税及び交通安全対策特別交付金

（令和六年度以後における標準的な規模の収入の額の特例）

第十二条 令和六年度以後の各年度における第十三条の規定による額の算定に係る同条の規定の適用については、当分の間、次の表の上欄に掲げる同条の規定中同表の中欄に掲げる字句は、それぞれ同表の下欄に掲げる字句とする。

第一号イ	第十四条	附則第七条の二及び第七条の三の規定の適用がないものとした場合における地方特例交付金等の地方財政の特別措置に関する法律（平成十一年法律第十七号）第八条第一項の規定により読み替えられた地方交付税法第十四条（以下この条において「読替え後の地方交付税法第十四条」という。）
	から同条	に読替え後の地方交付税法第十四条の規定により算定した分離課税所得割交付金（地方税法（昭和二十五年法律第二百二十六号）附則第七条の四の規定により指定都市に対し交付するものとされる分離課税に係る所得割に係る交付金をいう。第三号において同じ。）の交付見込額（以下イ及び次号において「特定交付見込額」という。）を加算した額から読替え後の地方交付税法第十四条
	及び航空機燃料譲与税	、航空機燃料譲与税及び交通安全対策特別交付金
	合算額	合算額から特定交付見込額を控除した額
第一号ロ	地方交付税法第十四条	読替え後の地方交付税法第十四条
	地方税法（昭和二十五年法律第二百二十六号）	地方税法
	同条	読替え後の地方交付税法第十四条

第二号	同法第十四条	読替え後の地方交付税法第十四条
	から	に特定交付見込額を加算した額から
	合算額	合算額から特定交付見込額を控除した額
第三号	同法第十四条	読替え後の地方交付税法第十四条
	同条	読替え後の地方交付税法第十四条
	及び森林環境譲与税	、森林環境譲与税、交通安全対策特別交付金及び分離課税所得割交付金
第四号	同法第十四条	読替え後の地方交付税法第十四条
	同条	読替え後の地方交付税法第十四条
	及び森林環境譲与税	、森林環境譲与税及び交通安全対策特別交付金
第五号	地方自治法施行令（昭和二十二年政令第十六号）	地方特例交付金等の地方財政の特別措置に関する法律施行令（平成十一年政令第九十五号）第二条の規定により読み替えられた地方自治法施行令（昭和二十二年政令第十六号）附則第七条の二の規定により読み替えられた同令
	第二項	地方自治法施行令第二百十条の十二第二項
	基準財政収入額	基準財政収入額（地方交付税法附則第七条の二第二項及び第七条の三第二項に規定する算定方法におおむね準ずる算定方法により加算した額がある場合には当該額に相当する額を控除した額とし、当該算定方法により控除した額がある場合には当該額に相当する額を加算した額とする。）
	及び森林環境譲与税	、森林環境譲与税及び交通安全対策特別交付金

（令和五年度における赤字により起債許可団体となる額の特例）

第十三条 令和五年度における第二十二条の規定による額の算定に係る同条の規定の適用については、同条中「第十三条各号」とあるのは、「附則第九条第一項及び第十一条の規定により読み替えられた第十三条各号」とする。

（令和六年度における赤字により起債許可団体となる額の特例）

第十四条 令和六年度における第二十二条の規定による額の算定に係る同条の規定の適用については、同条中「第十三条各号」とあるのは、「附則第九条第二項及び第十一条の規定により読み替えられた第十三条各号」とする。

（令和七年度及び令和八年度における赤字により起債許可団体となる額の特例）

第十五条 令和七年度及び令和八年度における第二十二条の規定による額の算定に係る同条の規定の適用については、同条中「第十三条各号」とあるのは、「附則第九条第二項及び第十二条の規定により読み替えられた第十三条各号」とする。

（令和九年度以後における赤字により起債許可団体となる額の特例）

第十六条 令和九年度以後の各年度における第二十二条の規定による額の算定に係る同条の規定の適用については、当分の間、同条中「第十三条各号」とあるのは、「附則第十二条の規定により読み替えられた第十三条各号」とする。

（土地の利用関係の調整に要する経費のうち地方公共団体が負担すべき経費）

第十七条 法第十条の四第七号に掲げる経費のうち、当分の間、地方公共団体が負担するものは、次に掲げるものとする。

一 農地又は採草放牧地の権利の移動についての農地法（昭和二十七年法律第二百二十九号）第三条第一項の農業委員会の許可に要する経費

二 農地の転用についての農地法第四条第一項の都道府県知事等（同項に規定する都道府県知事等をいう。次号において同じ。）の許可に要する経費

三 農地又は採草放牧地の転用のための権利の移動についての農地法第五条第一項の都道府県知事等の許可に要する経費

四 農地又は採草放牧地の賃貸借の解約等についての農地法第十八条第一項の都道府県知事の許可に要する経費

五 土地の状況等に関する農地法第五十条の農業委員会の報告に要する経費

附　則（平二四・一・二七政令一九）（抄）

（施行期日）

第一条　この政令は、地域の自主性及び自立性を高めるための改革の推進を図るための関係法律の整備に関する法律附則第一条第六号に掲げる規定の施行の日（平成二十四年二月一日）から施行する。

（経過措置）

第二条　第一条の規定による改正後の地方財政法施行令の規定は、平成二十四年度の地方債から適用し、平成二十三年度以前の年度の地方債については、なお従前の例による。

附　則（平二四・一・二七政令二〇）（抄）

（施行期日）

第一条　この政令は、平成二十四年二月一日から施行する。

（地方財政法施行令の一部改正に伴う経過措置）

第五条　第二条の規定による改正後の地方財政法施行令（次項において「新地方財政法施行令」という。）第十五条第一項及び第二十六条第一項の規定は、平成二十七年度以後の年度における地方財政法第五条の三第五項第一号及び第五条の四第三項第一号に規定する当該年度の前年度の資金の不足額（以下この条において「当該年度の前年度の資金の不足額」という。）の算定について適用し、平成二十六年度以前の年度における当該年度の前年度の資金の不足額の算定については、なお従前の例による。

２　附則第二条第二項の規定により新令第十二条等の規定を平成二十四年度又は平成二十五年度の事業年度から適用する同項に規定する公営企業に係る当該年度の前年度の資金の不足額の算定については、前項の規定にかかわらず、それぞれ平成二十五年度又は平成二十六年度から新地方財政法施行令第十五条第一項及び第二十六条第一項の規定を適用するものとする。

附　則（平二七・三・三一政令一六二）（抄）

（施行期日）

第一条　この政令は、平成二十七年四月一日から施行する。ただし、第二条中地方財政法施行令附則第二条第六項の改正規定、同項を同条第七項とする改正規定及び同条第五項の次に一項を加える改正規定並びに附則第三条の規定は、平成二十八年四月一日から施行する。

（地方財政法施行令の一部改正に伴う経過措置）

第三条　第二条の規定による改正後の地方財政法施行令附則第二条第六項の規定は、平成二十八年四月一日以後に行われる公営競技に係る地方交付税法等の一部を改正する法律第三条の規定による改正後の地方財政法第三十二条の二の規定により納付すべき納付金について適用する。

附　則（平三一・三・二九政令八七）（抄）

（施行期日）

第一条　この政令は、平成三十一年四月一日から施行する。〔ただし書略〕

（地方財政法施行令の一部改正に伴う経過措置）

第九条　平成三十年度以前の年度における地方財政法第五条の三第四項第一号に規定する標準的な規模の収入の額の算定については、第四条の規定による改正後の地方財政法施行令（次項において「新地方財政法施行令」という。）第十三条の規定にかかわらず、なお従前の例による。

２　施行日から平成三十一年九月三十日までの間における新地方財政法施行令附則第十条から第十三条までの規定の適用については、新地方財政法施行令附則第十条の表第一号イの項、第十一条の表第一号イの項及び第十二条の表第一号イの項中「及び地方税法等の一部を改正する等の法律（平成二十八年法律第十三号。以下イにおいて「平成二十八年地方税法等改正法」という。）第九条の規定による廃止前の」とあるのは「及び」と、「平成二十八年地方税法等改正法附則第三十七条の規定による改正前の地方交付税法」とあるのは「地方交付税法」と、新地方財政法施行令附則第十三条の表第一号イの項中「地方税法等の一部を改正する等の法律（平成二十八年法律第十三号。以下イにおいて「平成二十八年地方税法等改正法」という。）第九条の規定による廃止前の地方法人特別税等に関する暫定措置法（平成二十年法律第二十五号。以下イにおいて「廃止前暫定措置法」という。）第三十九条又は平成二十八年地方税法等改正法附則第三十二条の規定によりなおその効力を有するものとされた廃止前暫定措置法」とあるのは「地方法人特別税等に関する暫定措置法（平成二十年法律第二十五号）」とする。

附　則（平三一・三・二九政令八八）（抄）

（施行期日）

第一条　この政令は、平成三十一年四月一日から施行する。

（地方財政法施行令の一部改正に伴う経過措置）

第三条　第二条の規定による改正後の地方財政法施行令第十三条の規定は、平成三十一年度以後の年度における地方財政法第五条の三第四項第一号に規定する標準的な規模の収入の額の算定について適用する。

附　則（令六・三・三〇政令一三五）

この政令は、令和六年四月一日から施行する。

附　則（令六・三・三〇政令一三九）

この政令は、令和六年四月一日から施行する。

○地方交付税法

昭二五・五・三〇
法　二　一　一

最終改正　令六・五・二九法四〇

※平成三一年三月二九日法律第二号の附則第三〇条第三項に本法の経過措置等が規定されましたが、未施行のため、本法の末尾に掲げました。

（この法律の目的）

第一条　この法律は、地方団体が自主的にその財産を管理し、事務を処理し、及び行政を執行する権能をそこなわずに、その財源の均衡化を図り、及び地方交付税の交付の基準の設定を通じて地方行政の計画的な運営を保障することによつて、地方自治の本旨の実現に資するとともに、地方団体の独立性を強化することを目的とする。

（用語の意義）

第二条　この法律において、次の各号に掲げる用語の意義は、当該各号に定めるところによる。

一　地方交付税　第六条の規定により算定した所得税、法人税、酒税及び消費税のそれぞれの一定割合の額並びに地方法人税の額で地方団体がひとしくその行うべき事務を遂行することができるように国が交付する税をいう。

二　地方団体　都道府県及び市町村をいう。

三　基準財政需要額　各地方団体の財政需要を合理的に測定するために、当該地方団体について第十一条の規定により算定した額をいう。

四　基準財政収入額　各地方団体の財政力を合理的に測定するために、当該地方団体について第十四条の規定により算定した額をいう。

五　測定単位　地方行政の種類ごとに設けられ、かつ、この種類ごとにその量を測定する単位で、毎年度の普通交付税を交付するために用いるものをいう。

六　単位費用　道府県又は市町村ごとに、標準的条件を備えた地方団体が合理的、かつ、妥当な水準において地方行政を行う場合又は標準的な施設を維持する場合に要する経費を基準とし、補助金、負担金、手数料、使用料、分担金その他これらに類する収入及び地方税の収入のうち基準財政収入額に相当するもの以外のものを財源とすべき部分を除いて算定した各測定単位の単位当りの費用（当該測定単位の数値につき第十三条第一項の規定の適用があるものについては、当該規定を適用した後の測定単位の単位当たりの費用）で、普通交付税の算定に用いる地方行政の種類ごとの経費の額を決定するために、測定単位の数値に乗ずべきものをいう。

（運営の基本）

第三条　総務大臣は、常に各地方団体の財政状況の的確な把握に努め、地方交付税（以下「交付税」という。）の総額を、この法律の定めるところにより、財政需要額が財政収入額をこえる地方団体に対し、衡平にその超過額を補てんすることを目途として交付しなければならない。

2　国は、交付税の交付に当つては、地方自治の本旨を尊重し、条件をつけ、又はその使途を制限してはならない。

3　地方団体は、その行政について、合理的、且つ、妥当な水準を維持するように努め、少くとも法律又はこれに基く政令により義務づけられた規模と内容とを備えるようにしなければならない。

（総務大臣の権限と責任）

第四条　総務大臣は、この法律を実施するため、次に掲げる権限と責任とを有する。

一　毎年度分として交付すべき交付税の総額を見積もること。

二　各地方団体に交付すべき交付税の額を決定し、及びこれを交付すること。

三　第十条、第十五条、第十九条又は第二十条の二に規定する場合において、各地方団体に対する交付税の額を変更し、減額し、又は返還させること。

四　第十八条に定める地方団体の審査の申立てを受理し、これに対する決定をすること。

五　第十九条第七項（第二十条の二第四項において準用する場合を含む。）に定める異議の申出を受理し、これに対する決定をすること。

六　第二十条に定める意見の聴取を行うこと。

七　交付税の総額の見積り及び各地方団体に交付すべき交付税の額の算定のために必要な資料を収集し、及び整備すること。

八　収集した資料に基づき、常に地方財政の状況を把握し、交付税制度の運用について改善を図ること。

九　前各号に定めるもののほか、この法律に定める事項

（交付税の算定に関する資料）

第五条　都道府県知事は、総務省令で定めるところにより、当該都道府県の基準財政需要額及び基準財政収入額に関する資料、特別交付税の額の算定に用いる資料その他必要な資料を総務大臣に提出するとともに、これらの資料の基礎となる事項を記載した台帳をそなえておかなければならない。

2　市町村長は、総務省令で定めるところにより、当該市町村の基準財政需要額及び基準財政収入額に関する資料、特別交付税の額の算定に用いる資料その他必要な資料を都道府県知事に提出するとともに、これらの資料の基礎となる事項を記載した台帳をそなえておかなければならない。

3　都道府県知事は、前項の規定により提出された資料を審査し、総務大臣に送付しなければならない。

4　基準財政需要額の中に含まれる経費に係る地方行政に関係がある国の行政機関（内閣府、宮内庁並びに内閣府設置法（平成十一年法律第八十九号）第四十九条第一項及び第二項の機関、デジタル庁並びに国家行政組織法（昭和二十三年法

律第百二十号）第三条第二項の機関をいう。以下「関係行政機関」という。）は、総務大臣が要求した場合においては、その所管に係る行政に関し、総務大臣の要求に係る交付税の総額の算定又は交付に関し必要な資料を総務大臣に提出しなければならない。

（交付税の総額）

第六条　所得税及び法人税の収入額のそれぞれ百分の三十三・一、酒税の収入額の百分の五十、消費税の収入額の百分の十九・五並びに地方法人税の収入額をもつて交付税とする。

2　毎年度分として交付すべき交付税の総額は、当該年度における所得税及び法人税の収入見込額のそれぞれ百分の三十三・一、酒税の収入見込額の百分の五十、消費税の収入見込額の百分の十九・五並びに地方法人税の収入見込額に相当する額の合算額に当該年度の前年度以前の年度における交付税で、まだ交付していない額を加算し、又は当該前年度以前の年度において交付すべきであつた額を超えて交付した額を当該合算額から減額した額とする。

（交付税の種類等）

第六条の二　交付税の種類は、普通交付税及び特別交付税とする。

2　毎年度分として交付すべき普通交付税の総額は、前条第二項の額の百分の九十四に相当する額とする。

3　毎年度分として交付すべき特別交付税の総額は、前条第二項の額の百分の六に相当する額とする。

（特別交付税の額の変更等）

第六条の三　毎年度分として交付すべき普通交付税の総額が第十条第二項本文の規定によつて各地方団体について算定した額の合算額をこえる場合においては、当該超過額は、当該年度の特別交付税の総額に加算するものとする。

2　毎年度分として交付すべき普通交付税の総額が引き続き第十条第二項本文の規定によつて各地方団体について算定した額の合算額と著しく異なることとなつた場合においては、地方財政若しくは地方行政に係る制度の改正又は第六条第一項に定める率の変更を行うものとする。

（歳入歳出総額の見込額の提出及び公表の義務）

第七条　内閣は、毎年度左に掲げる事項を記載した翌年度の地方団体の歳入歳出総額の見込額に関する書類を作成し、これを国会に提出するとともに、一般に公表しなければならない。

一　地方団体の歳入総額の見込額及び左の各号に掲げるその内訳

イ　各税目ごとの課税標準額、税率、調定見込額及び徴収見込額

ロ　使用料及び手数料

ハ　起債額

ニ　国庫支出金

ホ　雑収入

二　地方団体の歳出総額の見込額及び左の各号に掲げるその内訳

イ　歳出の種類ごとの総額及び前年度に対する増減額

ロ　国庫支出金に基く経費の総額

ハ　地方債の利子及び元金償還金

（交付税の額の算定期日）

第八条　各地方団体に対する交付税の額は、毎年度四月一日現在により、算定する。

（廃置分合又は境界変更の場合の交付税の措置）

第九条　前条の期日後において、地方団体の廃置分合又は境界変更があつた場合における当該地方団体に対する交付税の措置については、左の各号の定めるところによる。

一　廃置分合に因り一の地方団体の区域がそのまま他の地方団体の区域となつたときは、当該廃置分合の期日後は、当該廃置分合前の地方団体に対して交付すべきであつた交付税の額は、当該地方団体の区域が新たに属することとなつた地方団体に交付する。

二　廃置分合に因り一の地方団体の区域が分割されたとき、又は境界変更があつたときは、当該廃置分合又は境界変更の期日後は、当該廃置分合又は境界変更前の地方団体に対し交付すべきであつた交付税の額は、総務省令で定めるところにより、廃置分合若しくは境界変更に係る区域又は境界変更に係る区域を除いた当該地方団体の区域を基礎とする独立の地方団体がそれぞれ当該年度の四月一日に存在したものと仮定した場合において、これらの地方団体に対し交付すべきであつた交付税の額にあん分し、当該あん分した額を廃置分合若しくは境界変更に係る区域が属することとなつた地方団体又は境界変更に係る区域が属していた地方団体に対し、それぞれ交付する。

（普通交付税の額の算定）

第十条　普通交付税は、毎年度、基準財政需要額が基準財政収入額をこえる地方団体に対して、次項に定めるところにより交付する。

2　各地方団体に対して交付すべき普通交付税の額は、当該地方団体の基準財政需要額が基準財政収入額をこえる額（以下本項中「財源不足額」という。）とする。ただし、各地方団体について算定した財源不足額の合算額が普通交付税の総額をこえる場合においては、次の式により算定した額とする。

$$\text{当該地方団体の財源不足額} - \text{当該地方団体の基準財政需要額} \times \frac{\text{財源不足額の合算額} - \text{普通交付税の総額}}{\text{基準財政需要額が基準財政収入額をこえる地方団体の基準財政需要額の合算額}}$$

3　総務大臣は、前二項の規定により交付すべき普通交付税の額を、遅くとも毎年八月三十一日までに決定しなければならない。但し、交付税の総額の増加その他特別の事由がある場合においては、九月一日以後において、普通交付税の額を決定し、又は既に決定した普通交付税の額を変更することができる。

4　総務大臣は、前項の規定により普通交付税の額を決定し、

又は変更したときは、これを当該地方団体に通知しなければならない。

5　第三項ただし書の規定により一部の地方団体について既に決定した普通交付税の額を変更した場合においては、それがために他の地方団体について既に決定している普通交付税の額を変更することはしないものとする。

6　当該年度分として交付すべき普通交付税の総額が第二項但書の規定により算定した各地方団体に対して交付すべき普通交付税の合算額に満たない場合においては、当該不足額は、当該年度の特別交付税の総額を減額してこれに充てるものとする。

（基準財政需要額の算定方法）

第十一条　基準財政需要額は、測定単位の数値を第十三条の規定により補正し、これを当該測定単位ごとの単位費用に乗じて得た額を当該地方団体について合算した額とする。

（測定単位及び単位費用）

第十二条　地方行政に要する経費のうち各地方団体の財政需要を合理的に測定するために経費の種類を区分してその額を算定するもの（次項において「個別算定経費」という。）の測定単位は、地方団体の種類ごとに次の表の経費の種類の欄に掲げる経費について、それぞれその測定単位の欄に定めるものとする。

地方団体の種類	経費の種類	測定単位
道府県	一　警察費	警察職員数
	二　土木費 1　道路橋りよう費	道路の面積 道路の延長
	2　河川費	河川の延長
	3　港湾費	港湾における係留施設の延長 港湾における外郭施設の延長 漁港における係留施設の延長 漁港における外郭施設の延長
	4　その他の土木費	人口
	三　教育費 1　小学校費	教職員数
	2　中学校費	教職員数
	3　高等学校費	教職員数 生徒数
	4　特別支援学校費	教職員数 学級数
	5　その他の教育費	人口 高等専門学校及び大学の学生の数 私立の学校の幼児、児童及び生徒の数
	四　厚生労働費 1　生活保護費	町村部人口
	2　社会福祉費	人口
	3　衛生費	人口
	4　こども子育て費	十八歳以下人口
	5　高齢者保健福祉費	六十五歳以上人口 七十五歳以上人口
	6　労働費	人口
	五　産業経済費 1　農業行政費	農家数
	2　林野行政費	公有以外の林野の面積 公有林野の面積
	3　水産行政費	水産業者数
	4　商工行政費	人口
	六　総務費 1　徴税費	世帯数
	2　恩給費	恩給受給権者数
	3　地域振興費	人口
	七　災害復旧費	災害復旧事業費の財源に充てるため発行について同意又は許可を得た地方債（発行について地方財政法（昭和二十三年法律第百九号）第五条の三第六項の規定による届出がされた地方債のうち同条第一項の規定による協議を受けたならば同条第十項に規定する基準に照らして同意をすることとなると認められるものとして総務大臣が指定するものを含む。以下同じ。）に係る元利償還金（償還期限の満了の日において元金の全部を償還することとして発行について同意又は許可を得た地方債にあつては、その償還が元金均等半年賦償還の方法によることとした場合における元利償

地方団体の種類	経費の種類	測定単位
		還金に相当する額。以下同じ。）
	八　補正予算債償還費	平成四年度から平成十年度までの各年度において国の補正予算等に係る事業費の財源に充てるため発行を許可された地方債に係る元利償還金
		平成十六年度から令和五年度までの各年度において国の補正予算等に係る事業費の財源に充てるため発行について同意又は許可を得た地方債の額
	九　地方税減収補填債償還費	地方税の減収補填のため平成十六年度から令和五年度までの各年度において特別に発行について同意又は許可を得た地方債の額
	十　財源対策債償還費	平成十六年度から令和五年度までの各年度の財源対策のため当該各年度において発行について同意又は許可を得た地方債の額
	十一　減税補填債償還費	個人の道府県民税に係る特別減税等による平成六年度から平成八年度まで及び平成十六年度から平成十八年度までの各年度の減収を補填するため当該各年度において特別に起こすことができることとされた地方債の額
	十二　臨時財政対策債償還費	臨時財政対策のため平成十六年度から令和五年度までの各年度において特別に起こすことができることとされた地方債の額
	十三　東日本大震災全国緊急防災施策等債償還費	平成二十五年度から令和五年度までの各年度において東日本大震災全国緊急防災施策等に要する費用に充てるため発行について同意又は許可を得た地方債の額
	十四　国土強靱化施策債償還費	令和元年度から令和五年度までの各年度において国土強靱化施策に要する費用に充てるため発行について同意又は許可を得た地方債の額
市町村	一　消防費	人口
	二　土木費 1　道路橋りよう費	道路の面積 道路の延長
	2　港湾費	港湾における係留施設の延長 港湾における外郭施設の延長 漁港における係留施設の延長 漁港における外郭施設の延長
	3　都市計画費	都市計画区域における人口
	4　公園費	人口 都市公園の面積
	5　下水道費	人口
	6　その他の土木費	人口
	三　教育費 1　小学校費	児童数 学級数 学校数
	2　中学校費	生徒数 学級数 学校数
	3　高等学校費	教職員数 生徒数
	4　その他の教育費	人口
	四　厚生費 1　生活保護費	市部人口
	2　社会福祉費	人口
	3　保健衛生費	人口
	4　こども子育て費	十八歳以下人口
	5　高齢者保健福祉費	六十五歳以上人口 七十五歳以上人口
	6　清掃費	人口

五 産業経済費	
1 農業行政費	農家数
2 林野水産行政費	林業及び水産業の従業者数
3 商工行政費	人口
六 総務費	
1 徴税費	世帯数
2 戸籍住民基本台帳費	戸籍数 世帯数
3 地域振興費	人口 面積
七 災害復旧費	災害復旧事業費の財源に充てるため発行について同意又は許可を得た地方債に係る元利償還金
八 辺地対策事業債償還費	辺地対策事業費の財源に充てるため発行について同意又は許可を得た地方債に係る元利償還金
九 補正予算債償還費	平成四年度から平成十年度までの各年度において国の補正予算等に係る事業費の財源に充てるため発行を許可された地方債に係る元利償還金 平成十六年度から令和五年度までの各年度において国の補正予算等に係る事業費の財源に充てるため発行について同意又は許可を得た地方債の額
十 地方税減収補塡債償還費	地方税の減収補塡のため平成十七年度から令和五年度までの各年度において特別に発行について同意又は許可を得た地方債の額
十一 財源対策債償還費	平成十三年度から令和五年度までの各年度の財源対策のため当該各年度において発行について同意又は許可を得た地方債の額
十二 減税補塡債償還費	個人の市町村民税に係る特別減税等による平成六年度から平成八年度まで及び平成十六年度から平成十八年度までの各年度の減収を補塡するため当該各年度において特別に起こすことができることとされた地方債の額
十三 臨時財政対策債償還費	臨時財政対策のため平成十六年度から令和五年度までの各年度において特別に起こすことができることとされた地方債の額
十四 東日本大震災全国緊急防災施策等債償還費	平成二十五年度から令和五年度までの各年度において東日本大震災全国緊急防災施策等に要する費用に充てるため発行について同意又は許可を得た地方債の額
十五 国土強靱化施策債償還費	令和元年度から令和五年度までの各年度において国土強靱化施策に要する費用に充てるため発行について同意又は許可を得た地方債の額

2 地方行政に要する経費のうち個別算定経費以外のものの測定単位は、道府県又は市町村ごとに、人口及び面積とする。

3 前二項の測定単位の数値は、次の表の上欄に掲げる測定単位につき、それぞれ中欄に定める算定の基礎により、下欄に掲げる表示単位に基づいて、総務省令で定めるところにより算定する。

測定単位の種類	測定単位の数値の算定の基礎	表示単位
一 人口	官報で公示された最近の国勢調査の結果による当該地方団体の人口	人
二 面積	国土地理院において公表した最近の当該地方団体の面積	平方キロメートル
三 警察職員数	警察法（昭和二十九年法律第百六十二号）第五十七条に規定する政令で定める基準によ	人

	り算定した当該道府県の警察職員数	
四　道路の面積	道路法（昭和二十七年法律第百八十号）第二十八条に規定する道路台帳（以下「道路台帳」という。）に記載されている道路で当該地方団体が管理するものの面積	千平方メートル
五　道路の延長	道路台帳に記載されている道路で当該地方団体が管理するものの延長	キロメートル
六　河川の延長	河川法（昭和三十九年法律第百六十七号）第十二条第二項に規定する河川現況台帳に記載されている河川で当該地方団体がその経費を負担するものの河岸のうち、当該地方団体の区域内に所在するものの延長	キロメートル
七　港湾における係留施設の延長	港湾法（昭和二十五年法律第二百十八号）第四十八条の二第一項の港湾台帳（以下「港湾台帳」という。）に記載されている係留施設の延長で当該地方団体が経費を負担する港湾に係るもの	メートル
八　港湾における外郭施設の延長	港湾台帳に記載されている外郭施設（港湾法第二条第五項第九号の二に掲げる廃棄物処理施設のうち廃棄物埋立護岸を含む。）の延長で当該地方団体が経費を負担する港湾に係るもの	メートル
九　漁港における係留施設の延長	漁港及び漁場の整備等に関する法律（昭和二十五年法律第百三十七号）第三十六条の二第一項の漁港台帳（以下「漁港台帳」という。）に記載されている係留施設の延長で当該地方団体が経費を負担する漁港に係るもの	メートル
十　漁港における外郭施設の延長	漁港台帳に記載されている外郭施設の延長で当該地方団体が経費を負担する漁港に係るもの	メートル
十一　都市計画区域における人口	最近の国勢調査の結果による当該地方団体の人口で都市計画法（昭和四十三年法律第百号）第四条第二項の都市計画区域に係るもの	人
十二　都市公園の面積	都市公園法（昭和三十一年法律第七十九号）第十七条第一項に規定する都市公園台帳に記載されている都市公園で当該市町村が管理するものの面積	千平方メートル
十三　小学校の教職員数	公立義務教育諸学校の学級編制及び教職員定数の標準に関する法律（昭和三十三年法律第百十六号）に規定する学級編制の標準及び教職員定数の標準により算定した当該道府県の区域内の市町村立の小学校（義務教育学校の前期課程を含む。次号から第十六号までにおいて同じ。）の教職員に係る当該道府県の定数	人
十四　小学校の児童数	最近の統計法（平成十九年法律第五十三号）第二条第六項に規定する基幹統計調査（以下「基幹統計調査」という。）で学校に係るもの（以下「学校基本調査」という。）の結果による当該市町村立の小学校に在学する学齢児童の数	人
十五　小学校の学級数	公立義務教育諸学校の学級編制及び教職員定数の標準に関する法律に規定する学級編制の標準により算定した当該市町村立の小学校の学級数	学級
十六　小学校の学校数	最近の学校基本調査の結果による当該市町村立の小学校の数	校
十七　中学校の教職員数	公立義務教育諸学校の学級編制及び教職員定数の標準に関する法律に規定する学級編制の標準及び教職員定数の標準により算定した当該道府県の区域内の市町村立の中学校、義務教育学校の後期課程及び中等教育学校の前期課程並びに当該道府県立の中学校（学校教育法（昭和二十二年法律第二十六号）第七十一条の規定により高等学校における教育と一貫した教育を施すもの	人

	及び夜間その他特別の時間において主として学齢を経過した者に対して指導を行うための教育課程を実施するものに限る。）及び中等教育学校の前期課程の教職員に係る当該道府県の定数	
十八 中学校の生徒数	最近の学校基本調査の結果による当該市町村立の中学校（義務教育学校の後期課程及び中等教育学校の前期課程を含む。次号及び第二十号において同じ。）に在学する学齢生徒の数	人
十九 中学校の学級数	公立義務教育諸学校の学級編制及び教職員定数の標準に関する法律に規定する学級編制の標準により算定した当該市町村立の中学校の学級数	学級
二十 中学校の学校数	最近の学校基本調査の結果による当該市町村立の中学校の数	校
二十一 高等学校の教職員数	道府県にあつては公立高等学校の適正配置及び教職員定数の標準等に関する法律（昭和三十六年法律第百八十八号）の規定により算定した当該道府県立の高等学校（中等教育学校の後期課程を含む。以下この号において同じ。）の教職員定数（地方自治法（昭和二十二年法律第六十七号）第二百五十二条の十九第一項の指定都市（以下「指定都市」という。）以外の当該道府県の区域内の市町村立の高等学校の定時制の課程に係る校長、副校長、教頭、主幹教諭、指導教諭、教諭、助教諭及び講師の数を含む。）、市町村にあつては公立高等学校の適正配置及び教職員定数の標準等に関する法律の規定により算定した当該市町村立の高等学校の教職員定数（指定都市以外の市町村にあつては、当該市町村立の高等学校の定時制の課程に係る校長、副校長、教頭、主幹教諭、指導教諭、教諭、助教諭及び講師の数を除く。）	人
二十二 高等学校の生徒数	最近の学校基本調査の結果による当該地方団体立の高等学校（中等教育学校の後期課程を含む。）の全日制の課程又は定時制の課程に在学する生徒の数	人
二十三 特別支援学校の教職員数	公立義務教育諸学校の学級編制及び教職員定数の標準に関する法律に規定する学級編制の標準及び教職員定数の標準により算定した当該道府県の区域内の公立の特別支援学校の小学部及び中学部の教職員に係る当該道府県の定数並びに公立高等学校の適正配置及び教職員定数の標準等に関する法律に規定する教職員定数の標準により算定した当該道府県の区域内の公立の特別支援学校の高等部の教職員に係る当該道府県の定数	人
二十四 特別支援学校の学級数	公立義務教育諸学校の学級編制及び教職員定数の標準に関する法律に規定する学級編制の標準により算定した当該道府県立の特別支援学校の小学部及び中学部の学級数並びに最近の学校基本調査の結果による当該道府県立の特別支援学校の高等部の学級数	学級
二十五 高等専門学校及び大学の学生の数	最近の学校基本調査の結果による当該道府県立の高等専門学校（当該道府県が地方独立行政法人法（平成十五年法律第百十八号）第六条第三項に規定する設立団体である同法第六十八条第一項の公立大学法人の設置する高等専門学校を含む。）及び短期大学の学科及び専攻科並びに大学（当該道府県が同法第六条第三項に規定する設立団体である同法第六十八条第一項の公立大学法人の設置する大学を含む。）の学部、専攻科及び大学院に在学する学生の数	人

二十六　私立の学校の幼児、児童及び生徒の数	最近の学校基本調査の結果による当該道府県の区域内の私立の幼稚園（子ども・子育て支援法（平成二十四年法律第六十五号）第二十七条第一項の確認を受けたものを除く。）、小学校、中学校、義務教育学校、高等学校、中等教育学校及び特別支援学校に在学する幼児、児童及び生徒の数	人
二十七　町村部人口	官報で公示された最近の国勢調査の結果による当該道府県の人口のうち町村（社会福祉法（昭和二十六年法律第四十五号）に規定する福祉に関する事務所を設置する町村（次号において「福祉事務所設置町村」という。）を除く。）に係るもの	人
二十八　市部人口	官報で公示された最近の国勢調査の結果による当該市（福祉事務所設置町村を含む。）の人口	人
二十九　十八歳以下人口	最近の国勢調査の結果による当該地方団体の十八歳以下の人口	人
三十　六十五歳以上人口	最近の国勢調査の結果による当該地方団体の六十五歳以上の人口	人
三十一　七十五歳以上人口	最近の国勢調査の結果による当該地方団体の七十五歳以上の人口	人
三十二　農家数	最近の農業に係る基幹統計調査（以下「農林業センサス」という。）の結果による当該地方団体の農家（農地法（昭和二十七年法律第二百二十九号）第二条第三項に規定する農地所有適格法人を含む。）の数	戸
三十三　公有以外の林野の面積	最近の農林業センサスの結果による当該道府県の林野（国有林野並びに道府県及び分収林特別措置法（昭和三十三年法律第五十七号）第十条第二号に掲げる森林整備法人（以下「森林整備法人」という。）の所管する林野を除く。）の面積	ヘクタール
三十四　公有林野の面積	最近の農林業センサスの結果による当該道府県の区域内の道府県及び森林整備法人の所管する林野の面積	ヘクタール
三十五　水産業者数	最近の漁業に係る基幹統計調査の結果による当該道府県の水産業者数	人
三十六　林業及び水産業の従業者数	最近の国勢調査の結果による当該市町村の林業及び水産業の従業者数	人
三十七　戸籍数	当該市町村の戸籍法（昭和二十二年法律第二百二十四号）第七条の規定により戸籍簿につづられた戸籍及び同法第百十九条第二項の規定により戸籍簿に蓄積された戸籍の数	籍
三十八　世帯数	最近の国勢調査の結果による当該市町村の世帯数	世帯
三十九　恩給受給権者数	恩給法（大正十二年法律第四十八号）を準用する法律の規定により当該年度の前年度において当該道府県から恩給を受ける権利を有する者及び当該道府県の退職年金に関する条例により当該年度の前年度において当該道府県から退職年金を受ける権利を有する者の数	人
四十　災害復旧事業費の財源に充てるため発行について同意又は許可を得た地方債に係る元利償還金	(1)　国庫の負担金を受けて施行した災害復旧事業に係る経費又は国の行う災害復旧事業に係る負担金に充てるため発行について同意又は許可を得た地方債（平成二十三年度から令和五年度までの各年度において発行について同意又は許可を得た地方債で総務大臣の指定するものを除く。）の当該年度における元利償還金及び国庫の負担金を受けないで施行した災害復旧事業に係る経費に充てるため発行について同意又は許可を得た地方債（平成二十二年度から令和五年度までの各年度において発行について同意	千円

又は許可を得た地方債で総務大臣の指定するものを除く。）の当該年度における元利償還金（(6)に掲げるものを除く。）

(2)　国庫の負担金を受けて施行した地盤沈下、地盤変動若しくは海岸侵食の防除のための事業に係る経費又は国の行う地盤沈下、地盤変動若しくは海岸侵食の防除のための事業に係る負担金に充てるため発行について同意又は許可を得た地方債（平成二十三年度から令和五年度までの各年度において発行について同意又は許可を得た地方債で総務大臣の指定するものを除く。）の当該年度における元利償還金

(3)　国庫の負担金を受けて施行した災害に伴う緊急の砂防事業、地すべり対策事業、治山事業若しくは河川事業に係る経費又は国の行う災害に伴う緊急の砂防事業、地すべり対策事業、治山事業若しくは河川事業に係る負担金に充てるため起こした地方債で総務大臣の指定するものの当該年度における元利償還金

(4)　国庫の負担金を受けて施行した特殊土壌地帯災害防除及び振興臨時措置法（昭和二十七年法律第九十六号）第三条第一項の事業計画に基づく事業に係る経費又は国の行う当該計画に基づく事業に係る負担金に充てるため起こした地方債で総務大臣の指定するものの当該年度における元利償還金

(5)　国庫の補助金を受けて施行した臨時石炭鉱害復旧法（昭和二十七年法律第二百九十五号）の規定に基づく鉱害復旧事業に係る経費又は地方公共団体以外の者が施行する鉱害復旧事業につき同法第五十三条の規定により負担し、若しくは同法第五十三条の三第一項の規定により支弁するために要する経費若しくは同法第九十四条第二項の規定により補助金を交付するために要する経費に充てるため起こした地方債の当該年度における元利償還金

(6)　激甚災害に対処するための特別の財政援助等に関する法律（昭和三十七年法律第百五十号）第二十四条第一項及び第二項に規定する地方債の当該年度における元利償還金

四十一　辺地対策事業費の財源に充てるため発行について同意又は許可を得た地方債に係る元利償還金	辺地に係る公共的施設の総合整備のための財政上の特別措置等に関する法律（昭和三十七年法律第八十八号）第六条に規定する地方債に係る当該年度における元利償還金	千円
四十二　平成四年度から平成十年度までの各年度において国の補正予算等に係る事業費の財源に充てるため発行を許可された地方債に係る元利償還金	国庫の負担金若しくは補助金を受けて施行した事業に係る経費又は国等の行う事業に係る負担金に充てるため平成四年度から平成十年度までの各年度において発行を許可された地方債で当該国庫の負担金若しくは補助金又は国等の行う事業が当該各年度の国の補正予算により追加された歳出又は国の公共事業等予備費の使用に係るもののうち総務大臣が指定するものに係る当該年度における元利償還金	千円
四十三　平成十六年度から令和五年度までの各年度において国の補正予算等に係る	国庫の負担金若しくは補助金を受けて施行した事業に係る経費又は国等の行う事業に係る負担金に充てるため平成十六年度から令和五年度までの各年度において発行について	千円

事業費の財源に充てるため発行について同意又は許可を得た地方債の額

同意又は許可を得た地方債で当該国庫の負担金若しくは補助金又は国等の行う事業が当該各年度の国の補正予算により追加された歳出又は国の公共事業等予備費の使用に係るもののうち総務大臣が指定するものの額

四十四　地方税の減収補塡のため平成十六年度から令和五年度までの各年度において特別に発行について同意又は許可を得た地方債の額

(1)　道府県にあつては道府県民税の法人税割及び利子割、法人の行う事業に対する事業税、地方法人特別譲与税並びに特別法人事業譲与税の減収補塡のため平成十六年度から令和五年度までの各年度において特別に発行について同意又は許可を得た地方債の額の百分の七十五に相当する額、市町村にあつては市町村民税の法人税割、地方税法（昭和二十五年法律第二百二十六号）第七十一条の二十六の規定により市町村に対し交付するものとされる利子割に係る交付金（以下「利子割交付金」という。）及び同法第七十二条の七十六又は第七百三十四条第四項の規定により市町村に対し交付するものとされる法人の行う事業に対する事業税に係る交付金（以下「法人事業税交付金」という。）の減収補塡のため平成十七年度から令和五年度までの各年度において特別に発行について同意又は許可を得た地方債の額の百分の七十五に相当する額　千円

(2)　道府県にあつては地方消費税、不動産取得税、道府県たばこ税、ゴルフ場利用税、軽油引取税、地方税法第四百八十五条の十三第一項の規定により都道府県に対し交付するものとされる市町村たばこ税に係る交付金（第十四条第一項及び第三項において「市町村たばこ税都道府県交付金」という。）、地方揮発油譲与税及び航空機燃料譲与税の減収補塡のため令和二年度において特別に発行について同意又は許可を得た地方債の額、市町村にあつては市町村たばこ税、同法第七十二条の百十五の規定により市町村に対し交付するものとされる地方消費税に係る交付金（第十四条第一項及び第三項において「地方消費税交付金」という。）、同法第百三条の規定によりゴルフ場所在の市町村に対し交付するものとされるゴルフ場利用税に係る交付金（第十四条第一項及び第三項において「ゴルフ場利用税交付金」という。）、同法第百四十四条の六十第一項の規定により道路法第七条第三項に規定する指定市（第十四条第一項において「指定市」という。）に対し交付するものとされる軽油引取税に係る交付金（第十四条第一項及び第三項において「軽油引取税交付金」という。）、地方揮発油譲与税及び航空機燃料譲与税の減収補塡のため令和二年度において特別に発行について同意又は許可を得た地方債の額

四十五　平成十三年度から令和五年度までの各年度の財源対策のため当該各年度において発行について同意又は許可を得た地方債の額

一般公共事業、空港整備事業、義務教育施設及び廃棄物処理施設の建設事業等に係る経費に充てるため平成十三年度から令和五年度までの各年度において発行について同意又は許可を得た地方債のうち当該各年度の財源対策のため発行について同意又は許可を得た地方債と　千円

して総務大臣が指定するものの額

四十六　個人の道府県民税又は市町村民税に係る特別減税等による平成六年度から平成八年度まで及び平成十六年度から平成十八年度までの各年度の減収を補填するため当該各年度において特別に起こすことができることとされた地方債の額

(1) 地方税法等の一部を改正する法律（平成六年法律第百十一号。以下この号において「地方税法等改正法」という。）第一条の規定による改正前の地方税法附則第三条の四の規定による個人の道府県民税又は市町村民税に係る特別減税による平成六年度及び平成七年度の減収額

(2) 所得税法等の一部を改正する法律（平成十九年法律第六号）第十二条の規定による改正前の租税特別措置法（昭和三十二年法律第二十六号）第八十六条の四第一項に規定する普通乗用自動車の譲渡等に係る消費税の税率の特例の適用期間の終了による平成六年度における消費税の収入の減少に伴う道府県又は市町村に対して譲与される消費譲与税の額の減少による同年度及び平成七年度の減収額

(3) 地方税法等改正法の施行による個人の道府県民税又は市町村民税の平成六年度から平成八年度までの各年度の減収額

(4) 地方税法及び国有資産等所在市町村交付金法の一部を改正する法律（平成九年法律第九号）第一条の規定による改正前の地方税法附則第三条の四の規定による個人の道府県民税又は市町村民税に係る特別減税による平成八年度の減収額

(5) 地方交付税法等の一部を改正する法律（平成十八年法律第八号）第八条による改正前の地方特例交付金等の地方財政の特別措置に関する法律（平成十一年法律第十七号）第十三条の規定により平成十六年度から平成十八年度までの各年度において起こすことができることとされた地方債の額

(6) 地方財政法第三十三条の五の四の規定により平成十六年度から平成十八年度までの各年度において起こすことができることとされた地方債の額

千円

四十七　臨時財政対策のため平成十六年度から令和五年度までの各年度において特別に起こすことができることとされた地方債の額

(1) 地方交付税法等の一部を改正する法律（平成十九年法律第二十四号）第三条の規定による改正前の地方財政法第三十三条の五の二第一項の規定により平成十六年度から平成十八年度までの各年度において起こすことができることとされた地方債の額

(2) 地方交付税法等の一部を改正する法律（平成二十二年法律第五号）第三条の規定による改正前の地方財政法第三十三条の五の二第一項の規定により平成十九年度から平成二十一年度までの各年度において起こすことができることとされた地方債の額

(3) 地方交付税法等の一部を改正する法律（平成二十三年法律第五号）第三条の規定による改正前の地方財政法第三十三条の五の二第一項の規定により平成二十二年度において起こすことができることとされた地方債の額

(4) 地方交付税法等の一部を改正する法律（平成二十六年法律第五号）第五条の規定による改正前の地方財政法第三十三条の五の二第一項の規定により平成二十三年度から平成二十五年度までの各年度において起こす

	ことができることとされた地方債の額 (5)　地方交付税法等の一部を改正する法律（平成二十九年法律第三号）第三条の規定による改正前の地方財政法第三十三条の五の二第一項の規定により平成二十六年度から平成二十八年度までの各年度において起こすことができることとされた地方債の額 (6)　地方交付税法等の一部を改正する法律（令和二年法律第六号）第三条の規定による改正前の地方財政法第三十三条の五の二第一項の規定により平成二十九年度から令和元年度までの各年度において起こすことができることとされた地方債の額 (7)　地方交付税法等の一部を改正する法律（令和五年法律第二号）第三条の規定による改正前の地方財政法第三十三条の五の二第一項の規定により令和二年度から令和四年度までの各年度において起こすことができることとされた地方債の額 (8)　地方財政法第三十三条の五の二第一項の規定により令和五年度において起こすことができることとされた地方債の額	
四十八　平成二十五年度から令和五年度までの各年度において東日本大震災全国緊急防災施策等に要する費用に充てるため発行について同意又は許可を得た地方債の額	(1)　東日本大震災（平成二十三年三月十一日に発生した東北地方太平洋沖地震及びこれに伴う原子力発電所の事故による災害をいう。以下同じ。）からの復興を図ることを目的として東日本大震災復興基本法（平成二十三年法律第七十六号）第二条に定める基本理念に基づき平成二十五年度から平成二十七年度までの間において実施する施策のうち全国的に、かつ、緊急に実施する防災及び減災のための施策に要する費用に充てるため平成二十五年度から平成二十七年度までの各年度において発行について同意又は許可を得た地方債で総務大臣の指定するものの額 (2)　全国的に、かつ、緊急に実施する防災及び減災のための施策に要する費用に充てるため平成二十五年度から令和五年度までの各年度において発行について同意又は許可を得た地方債で総務大臣の指定するものの額（(1)に掲げるものを除く。）	千円
四十九　令和元年度から令和五年度までの各年度において国土強靱化施策に要する費用に充てるため発行について同意又は許可を得た地方債の額	全国的に、かつ、緊急に実施する国土強靱化のための施策に要する費用に充てるため令和元年度から令和五年度までの各年度において発行について同意又は許可を得た地方債で総務大臣の指定するものの額	千円

4　第一項の測定単位ごとの単位費用は、別表第一に定めるとおりとする。

5　第二項の測定単位ごとの単位費用は、別表第二に定めるとおりとする。

6　地方行政に係る制度の改正その他特別の事由により前二項の単位費用を変更する必要が生じた場合には、国会の閉会中であるときに限り、政令で前二項の単位費用についての特例を設けることができる。この場合においては、政府は、次の国会でこの法律を改正する措置をとらなければならない。

（測定単位の数値の補正）

第十三条　面積、高等学校の生徒数その他の測定単位で、そのうちに種別があり、かつ、その種別ごとに単位当たりの費用に差があるものについては、その種別ごとの単位当たりの費用の差に応じ当該測定単位の数値を補正することができる。

2　前項の測定単位の数値の補正（以下「種別補正」という。）は、当該測定単位の種別ごとの数値に、その単位当たりの費用の割合を基礎として総務省令で定める率を乗じて行うものとする。

3 前条第三項及び前二項の規定により算定された測定単位の数値は、地方団体ごとに、当該測定単位につき次に掲げる事項を基礎として次項に定める方法により算定した補正係数を乗じて補正するものとする。

一 人口その他測定単位の数値の多少による段階

二 人口密度、道路一キロメートル当たりの自動車台数その他これらに類するもの

三 地方団体の態容

四 寒冷度及び積雪度

4 前項の測定単位の数値に係る補正係数は、経費の種類ごとに、かつ、測定単位ごとにそれぞれ次に定める方法を基礎として、総務省令で定めるところにより算定した率とする。

一 前項第一号の補正（以下「段階補正」という。）は、当該行政に要する経費の額が測定単位の数値の増減に応じて逓減し、又は逓増するものについて行うものとし、当該段階補正に係る係数は、超過累退又は超過累進の方法により総務省令で定める率を用いて算定した数値を当該率を用いないで算定した数値で除して算定する。この場合において、行政権能等の差があることにより経費の額が割高又は割安となるため第三号イの補正の適用される経費については、当該経費の測定単位の数値に当該割高となり、又は割安となる度合に応じて総務省令で定める率を乗じた数値を用いて当該段階補正に係る係数を算定することができるものとする。

二 前項第二号の補正（以下「密度補正」という。）は、当該行政に要する経費の額が人口密度、道路一キロメートル当たりの自動車台数その他これらに類するもの（以下この号において「人口密度等」という。）の増減に応じて逓減し、又は逓増するものについて行うものとし、当該密度補正に係る係数は、超過累退又は超過累進の方法により、総務省令で定める率を用いて算定した人口密度等を当該率を用いないで算定した人口密度等で除して算定する。

三 前項第三号の補正（以下「態容補正」という。）は、当該行政に要する経費の測定単位当たりの額が、地方団体の態容に応じてそれぞれ割高となり、又は割安となるものについて行うものとし、当該態容補正に係る係数は、次に掲げるところにより算定する。

イ 道府県の態容に係るものにあつては、当該道府県の区域内の市町村について行政の質及び量の差又は行政権能等の差に基づいて割高となり、又は割安となる度合を基礎として市町村の全部又は一部の種類に応じ、総務省令で定める率を当該区域内の市町村の種類ごとの測定単位の数値（当該市町村の種類ごとの測定単位の数値によることができないか、又は適当でないと認められる経費で総務省令で定めるものについては、人口その他総務省令で定める数値）に乗じて得た数値を合算した数値を当該率を乗じないで算定した市町村ごとの数値を合算した数値で除して算定する。

ロ 市町村の態容に係るものにあつては、行政の質及び量の差又は行政権能等の差に基づいてその割高となり、又は割安となる度合を基礎として市町村の種類に応じ、総務省令で定める率を乗じて算定した数値を当該率を乗じないで算定した数値で除して算定する。

ハ 小学校費、中学校費、社会福祉費その他の経費で総務省令で定めるものに係るものにあつては、人口の年齢別構成、公共施設の整備の状況その他地方団体の態容に応じて当該経費を必要とする度合について、総務省令で定める指標により測定した総務省令で定める率を乗じて算定した数値を当該率を乗じないで算定した数値で除して算定する。

四 前項第四号の補正（以下「寒冷補正」という。）は、当該行政に要する経費の測定単位当たりの額が寒冷又は積雪の度合により割高となるものについて行うものとし、当該寒冷補正に係る係数は、その割高となる給与の差、寒冷の差又は積雪の差ごとに、地域の区分に応じそれぞれその割高となる度合を基礎として総務省令で定める率を当該地域における測定単位の数値（当該地域における測定単位の数値によることができないか、又は適当でないと認められる経費で総務省令で定めるものについては、人口）に乗じて得た数を当該率を用いないで算定した数値で除して得た数値の合計数に一を加えて算定する。

5 前条第一項の測定単位の数値については、第十一項に定めるもののほか、地方団体の種類ごとに次の表の経費の種類の欄に掲げる経費に係る測定単位の欄に掲げる測定単位につき、それぞれ補正の種類の欄に掲げる補正を行うものとする。

地方団体の種類	経費の種類	測定単位	補正の種類
道府県	一 警察費	警察職員数	段階補正
	二 土木費 1 道路橋りよう費	道路の面積	密度補正、態容補正及び寒冷補正
		道路の延長	態容補正及び寒冷補正
	2 河川費	河川の延長	態容補正
	3 港湾費	港湾における係留施設の延長	種別補正
		港湾における外郭施設の延長	態容補正
		漁港における外郭施設の延長	態容補正

	長	
4　その他の土木費	人口	段階補正及び密度補正
三　教育費		
1　小学校費	教職員数	態容補正及び寒冷補正
2　中学校費	教職員数	密度補正、態容補正及び寒冷補正
3　高等学校費	教職員数	態容補正及び寒冷補正
	生徒数	態容補正
4　特別支援学校費	教職員数	態容補正及び寒冷補正
	学級数	密度補正
5　その他の教育費	人口	段階補正、密度補正及び態容補正
	高等専門学校及び大学の学生の数	種別補正
	私立の学校の幼児、児童及び生徒の数	種別補正
四　厚生労働費		
1　生活保護費	町村部人口	密度補正及び寒冷補正
2　社会福祉費	人口	段階補正、密度補正及び態容補正
3　衛生費	人口	段階補正、密度補正及び態容補正
		正
4　こども子育て費	十八歳以下人口	段階補正、密度補正及び態容補正
5　高齢者保健福祉費	六十五歳以上人口	段階補正、密度補正及び態容補正
	七十五歳以上人口	密度補正
6　労働費	人口	段階補正
五　産業経済費		
1　農業行政費	農家数	段階補正、密度補正及び態容補正
2　林野行政費	公有以外の林野の面積	段階補正、密度補正及び態容補正
3　水産行政費	水産業者数	段階補正
4　商工行政費	人口	段階補正及び態容補正
六　総務費		
1　徴税費	世帯数	段階補正
2　地域振興費	人口	段階補正、密度補正、態容補正及び寒冷補正
七　災害復旧費	災害復旧事業費の財源に充てるため発行について同意又は許可を得た地方債に係る元利償還金	種別補正
八　補正予算債償還費	平成十六年度から令和五年度までの各年度において国の補正予算等に係る事業費の財源に充てるため発行について同意又は許可を得た地方債の額	種別補正
九　地方税減収補塡債償還費	地方税の減収補塡のため平成十六年度から令和五年度までの各年度において特別に発行について同意又は許可を得た地方債の額	種別補正
十　財源対策債償還費	平成十六年度から令和五年度までの各年度の財源対策のため当該各年度において発行について同意又は許可を得た地方債の額	種別補正

経費の種類	測定単位	補正の種類
十一 減税補塡債償還費	個人の道府県民税に係る特別減税等による平成六年度から平成八年度まで及び平成十六年度から平成十八年度までの各年度の減収を補塡するため当該各年度において特別に起こすことができることとされた地方債の額	種別補正
十二 臨時財政対策債償還費	臨時財政対策のため平成十六年度から令和五年度までの各年度において特別に起こすことができることとされた地方債の額	種別補正
十三 東日本大震災全国緊急防災施策等債償還費	平成二十五年度から令和五年度までの各年度において東日本大震災全国緊急防災施策等に要する費用に充てるため発行について同意又は許可を得た地方債の額	種別補正
十四 国土強靭化施策債償還費	令和元年度から令和五年度までの各年度において国土強靭化施策に要する費用に充てるため発行について同意又は許可を得た地方債の額	種別補正
市町村		
一 消防費	人口	段階補正、密度補正及び態容補正
二 土木費 1 道路橋りよう費	道路の面積	種別補正、態容補正及び寒冷補正
	道路の延長	態容補正及び寒冷補正
2 港湾費	港湾における係留施設の延長	種別補正、態容補正及び寒冷補正
	港湾における外郭施設の延長	態容補正
	漁港における係留施設の延長	態容補正及び寒冷補正
	漁港における外郭施設の延長	態容補正
3 都市計画費	都市計画区域における人口	態容補正
4 公園費	人口	態容補正
5 下水道費	人口	密度補正及び態容補正
6 その他の土木費	人口	段階補正、密度補正及び態容補正
三 教育費 1 小学校費	児童数	密度補正
	学級数	態容補正及び寒冷補正
2 中学校費	生徒数	密度補正
	学級数	態容補正及び寒冷補正
3 高等学校費	教職員数	種別補正、態容補正及び寒冷補正
	生徒数	種別補正、態容補正及び寒冷補正
4 その他の教育費	人口	段階補正、密度補正及び態容補正

経費の種類	測定単位	補正の種類
四　厚生費		
1　生活保護費	市部人口	段階補正、密度補正、態容補正及び寒冷補正
2　社会福祉費	人口	段階補正、密度補正及び態容補正
3　保健衛生費	人口	段階補正、密度補正及び態容補正
4　こども子育て費	十八歳以下人口	段階補正、密度補正及び態容補正
5　高齢者保健福祉費	六十五歳以上人口	段階補正、密度補正及び態容補正
	七十五歳以上人口	密度補正
6　清掃費	人口	密度補正及び態容補正
五　産業経済費		
1　農業行政費	農家数	段階補正、密度補正、態容補正及び寒冷補正
2　林野水産行政費	林業及び水産業の従業者数	密度補正、態容補正及び寒冷補正
3　商工行政費	人口	段階補正及び態容補正
六　総務費		
1　徴税費	世帯数	段階補正、密度補正及び態容補正
2　戸籍住民基本台帳費	戸籍数	段階補正、密度補正及び態容補正
	世帯数	段階補正、密度補正及び態容補正
3　地域振興費	人口	段階補正、密度補正、態容補正及び寒冷補正
	面積	種別補正、態容補正及び寒冷補正
七　災害復旧費	災害復旧事業費の財源に充てるため発行について同意又は許可を得た地方債に係る元利償還金	種別補正
八　補正予算債償還費	平成十六年度から令和五年度までの各年度において国の補正予算等に係る事業費の財源に充てるため発行について同意又は許可を得た地方債の額	種別補正
九　地方税減収補塡債償還費	地方税の減収補塡のため平成十七年度から令和五年度までの各年度において特別に発行について同意又は許可を得た地方債の額	種別補正
十　財源対策債償還費	平成十三年度から令和五年度までの各年度の財源対策のため当該各年度において発行について同意又は許可を得た地方債の額	種別補正
十一　減税補塡債償還費	個人の市町村民税に係る特別減税等による平成六年度から平成八年度まで及び平成十六年度から平成十八年度までの各年度の減収を補塡するため当該各年度において特別に起	種別補正

	こすことができることとされた地方債の額	
十二　臨時財政対策債償還費	臨時財政対策のため平成十六年度から令和五年度までの各年度において特別に起こすことができることとされた地方債の額	種別補正
十三　東日本大震災全国緊急防災施策等債償還費	平成二十五年度から令和五年度までの各年度において東日本大震災全国緊急防災施策等に要する費用に充てるため発行について同意又は許可を得た地方債の額	種別補正
十四　国土強靱化施策債償還費	令和元年度から令和五年度までの各年度において国土強靱化施策に要する費用に充てるため発行について同意又は許可を得た地方債の額	種別補正

6　前条第二項の測定単位の数値については、道府県又は市町村ごとに、人口にあつては段階補正を、面積にあつては種別補正を行うものとする。

7　段階補正、密度補正、態容補正及び寒冷補正のうち二以上を併せて行う場合には、測定単位の数値に係る補正係数は、二以上の事由を通じて一の率を定め、又は各事由ごとに算定した率（二以上の事由を通じて定めた率を用いて算定した率を含む。）を総務省令で定めるところにより連乗し、又は加算して得た率によるものとする。

8　態容補正を行う場合には、第四項第三号の市町村は、総務省令で定めるところにより、人口集中地区人口、経済構造その他行政の質及び量の差を表現する指標ごとに算定した点数に基づいて区分し、又はその有する行政権能等の差によつて区分するものとする。

9　寒冷補正を行う場合には、第四項第四号の地域は、総務省令で定めるところにより、給与の差、寒冷の差及び積雪の差ごとに、市町村の区域によつて区分するものとする。

10　人口、学校数その他の測定単位の数値が急激に増加し、又は減少した地方団体、廃置分合又は境界変更のあつた地方団体及び組合（地方自治法第二百八十四条第一項の一部事務組合又は広域連合をいう。）を組織している地方団体に係る補正係数の算定方法及び測定単位の数値の補正後の数値の算定方法については、総務省令で前各項の規定の特例を設けることができる。

11　災害復旧費に係る測定単位の数値については、総務省令で定めるところにより、当該数値の当該地方団体の税収入額に対する比率に応じ、補正するものとする。

12　前各項に定めるもののほか、補正係数の算定方法につき必要な事項は、総務省令で定める。

（基準財政収入額の算定方法）

第十四条　基準財政収入額は、道府県にあつては基準税率をもつて算定した当該道府県の普通税（法定外普通税を除く。）の収入見込額（利子割の収入見込額については基準税率をもつて算定した当該道府県の利子割の収入見込額から利子割交付金の交付見込額の百分の七十五に相当する額を控除した額とし、配当割の収入見込額については基準税率をもつて算定した当該道府県の配当割の収入見込額から地方税法第七十一条の四十七の規定により市町村に対し交付するものとされる配当割に係る交付金（以下この項及び第三項において「配当割交付金」という。）の交付見込額の百分の七十五に相当する額を控除した額とし、株式等譲渡所得割の収入見込額については基準税率をもつて算定した当該道府県の株式等譲渡所得割の収入見込額から同法第七十一条の六十七の規定により市町村に対し交付するものとされる株式等譲渡所得割に係る交付金（以下この項及び第三項において「株式等譲渡所得割交付金」という。）の交付見込額の百分の七十五に相当する額を控除した額とし、法人の行う事業に対する事業税の収入見込額については基準税率をもつて算定した当該道府県の法人の行う事業に対する事業税の収入見込額から当該収入見込額を基礎として同法第七十二条の七十六の規定の例により算定した法人事業税交付金の交付見込額を控除した額とし、地方消費税の収入見込額については基準税率をもつて算定した当該道府県の地方消費税の収入見込額から地方消費税交付金の交付見込額の百分の七十五に相当する額を控除した額とし、ゴルフ場利用税の収入見込額については基準税率をもつて算定した当該道府県のゴルフ場利用税の収入見込額からゴルフ場利用税交付金の交付見込額の百分の七十五に相当する額を控除した額とし、指定市を包括する道府県の軽油引取税の収入見込額については基準税率をもつて算定した当該道府県の軽油引取税の収入見込額から軽油引取税交付金の交付見込額の百分の七十五に相当する額を控除した額とし、環境性能割の収入見込額については基準税率をもつて算定した当該道府県の環境性能割の収入見込額から同法第百七十七条の六の規定により市町村に対し交付するものとされる環境性能割に係る交付金（以下「環境性能割交付金」という。）の交付見込額の百分の七十五に相当する額を控除した額とする。）、当該道府県の市町村たばこ税都道府県交付金の収入見込額の百分の七十五の額、当該道府県の特別法人事業譲与税の収入見込額の百分の七十五の額、当該道府県の地方揮発油譲与税、石油ガス譲与税、自動車重量譲与税、航空機燃料譲与税及び森林環境譲与税の収入見込額並びに基準率をもつて算定した当該道府県の国有資産等所在市町村交付金法（昭和三十一年法律第八十二号）第十四条第一項の国有資産等所在都道府県交付金（次項及び第三項において「都道府県交付金」という。）の収入見込額の合算額、市町村にあつては基準税率をもつて算定した当該市町村の普通税（法定外普通税を除く。）及び事業所税の収入見込額（市町村たばこ税の収入見込額については、基準税率をもつて算定した当該市町村の市町村たばこ税の収入見込額から市町村たばこ税都道府県交付金の交付見込額の百分の七十五に相当する額を控除した額とする。）、当該市町村の利子割交付金の収入見込額の百分の七十五の額、当該市町村の配当割交付金の収入見込額の百分の七十五の額、当該市町村の株式等譲渡所得割交付金の収入見込額の百分の七十五の額、基準税率をもつて算定した当該市町村を包括する道府県の法人の行う事業に対する事業税の収入見込額を基礎として地方税法第七十二条の七十六の規定の例により算定した当該市町村の法人事業税交付金の収入見込額、当該市町村の地方消費税交付金の収入見込額の百分の七十五の額、当該市町村のゴルフ場利用税交付金の収入見込額の百分の七十五の額、当該市町村の環境性能割交付金の収入見込額の百分の七十五の額、当該市町村の地方揮発油譲与税、特別とん譲与税、自動車重量譲与税、航空機燃料譲与税及び森林環境譲与税の収入見込額並びに基準率をもつて算定した国有資産等所在市町村交付金法第二条第一項の国有資産等所在市町村交付金（以下この条において「市町村交付金」という。）の収入見込額の合算額（指定市については、基準税率をもつて算定した当該指定市の普通税（法定外普通税を除く。）及び事業所税の収入見込額（市町村たばこ税の収入見込額については、基準税率をもつて算定した当該指定市の市町村たばこ税の収入見込額から市町村たばこ税都道府県交付金の交付見込額の百分の七十五に相当する額を控除した額とする。）、当該指定市の利子割交付金の収入見込額の百分の七十五の額、当該指定市の配当割交付金の収入見込額の百分の七十五の額、当該指定市の株式等譲渡所得割交付金の収入見込額の百分の七十五の額、基準税率をもつて算定した当該指定市を包括する道府県の法人の行う事業に対する事業税の収入見込額を基礎として地方税法第七十二条の七十六の規定の例により算定した当該指定市の法人事業税交付金の収入見込額、当該指定市の地方消費税交付金の収入見込額の百分の七十五の額、当該指定市のゴルフ場利用税交付金の収入見込額の百分の七十五の額、当該指定市の軽油引取税交付金の収入見込額の百分の七十五の額、当該指定市の環境性能割交付金の収入見込額の百分の七十五の額、当該指定市の地方揮発油譲与税、特別とん譲与税、石油ガス譲与税、自動車重量譲与税、航空機燃料譲与税及び森林環境譲与税の収入見込額並びに基準率をもつて算定した当該指定市の市町村交付金の収入見込額の合算額）とする。

2　前項の基準税率は、地方税法第一条第一項第五号に規定する標準税率（標準税率の定めのない地方税については、同法に定める税率とする。）の道府県税にあつては百分の七十五に相当する率（同法第七十二条の二十四の四に規定する課税標準により課する事業税については、当該道府県が同法第七十二条の二十四の七第十項の規定により定める税率を基礎として総務省令で定める率の百分の七十五に相当する率とする。）、市町村税にあつては百分の七十五に相当する率とし、前項の基準率は、都道府県交付金にあつては国有資産等所在市町村交付金法第三条第一項に規定する率の百分の七十五に相当する率、市町村交付金にあつては同項に規定する率の百分の七十五に相当する率とする。

3　第一項の基準財政収入額は、次の表の上欄に掲げる地方団体につき、それぞれ同表の中欄に掲げる収入の項目ごとに、当該下欄に掲げる算定の基礎により、総務省令で定める方法により、算定するものとする。

地方団体の種類	収入の項目	基準税額等の算定の基礎
道府県	一　道府県民税	
	1　均等割	前年度分の均等割の課税の基礎となつた納税義務者数
	2　所得割	前年度分の所得割の課税の基礎となつた納税義務者等の数及び課税標準等の額
	3　法人税割	当該道府県の区域内に事務所又は事業所を有する法人に係る前年度分の法人税割の課税標準等の額
	4　利子割	前年度の利子割の課税標準等の額
	5　配当割	前年度の配当割の課税標準等の額
	6　株式等譲渡所得割	前年度の株式等譲渡所得割の課税標準等の額
	二　事業税	

1 個人の行う事業に対する事業税	前年度分の個人の事業税の課税の基礎となつた課税標準の数値及び納税義務者数
2 法人の行う事業に対する事業税	当該道府県の区域内に事務所又は事業所を有する法人に係る前年度分の事業税の課税標準等の数値
三 地方消費税	
1 譲渡割	前年度の譲渡割の課税標準等の額
2 貨物割	前年度の貨物割の課税標準等の額
四 不動産取得税	前年度及び前々年度における不動産取得税の課税標準等の額
五 道府県たばこ税	前年度の道府県たばこ税の課税標準数量
六 ゴルフ場利用税	当該道府県に所在するゴルフ場の延利用人員
七 軽油引取税	前年度の軽油引取税に係る課税標準たる数量
八 自動車税	
1 環境性能割	前年度中における当該道府県の区域内に定置場を有した自動車（地方税法第百四十五条第三号に規定する自動車をいう。以下この号において同じ。）の取得件数
2 種別割	当該道府県の区域内に定置場を有する自動車の台数
九 鉱区税	鉱業法（昭和二十五年法律第二百八十九号）第五十九条に規定する鉱業原簿に登録されている鉱区の面積（地方税法附則第十三条に規定する鉱区にあつては、当該鉱区に係る河床の延長）及び日本国と大韓民国との間の両国に隣接する大陸棚の南部の共同開発に関する協定の実施に伴う石油及び可燃性天然ガス資源の開発に関する特別措置法（昭和五十三年法律第八十一号）第三十二条に規定する特定鉱業原簿に登録されている共同開発鉱区の面積
十 固定資産税	当該道府県の区域内における地方税法第三百四十九条の四に規定する大規模の償却資産又は同法第三百四十九条の五に規定する新設大規模償却資産で同法第七百四十条の規定により当該道府県が固定資産税を課することができるものに係る当該年度の固定資産税の課税標準となるべき額の合計額から同法第三百四十九条の四又は第三百四十九条の五の規定により市町村が課することができる固定資産税の課税標準額を控除した額
十一 市町村たばこ税都道府県交付金	当該都道府県が包括する市町村の前年度の市町村たばこ税の課税標準数量等
十二 特別法人事業譲与税	前年度の特別法人事業譲与税の譲与額
十三 地方揮発油譲与税	前年度の地方揮発油譲与税の譲与額
十四 石油ガス譲与税	前年度の石油ガス譲与税の譲与額
十五 自動車重量譲与税	前年度の自動車重量譲与税の譲与額
十六 航空機燃料譲与税	前年度の航空機燃料譲与税の譲与額
十七 森林環境譲与税	前年度の森林環境譲与税の譲与額
十八 都道府県交付金	当該道府県の区域内における国有資産等所在市町村交付金法第五条第一項に規定する大規模の償却資産又は同法第六条第一項に規定する新設大規模償却資産で同法第十四条第一項の規定により当該道府県に都道府県交付金が交付されるべきものに係る当該年度の交付金算定標準額（同法第三条第二項に規定する交付金算定標準額をいう。以下この号において同じ。）の合計額から同法第五条又は第六条の規定により市町村に交付されるべき市町村交付金に係る当該大規模の償却資産又は新設大規模償却資産の交付金算定標準額を控除した額

区分	項目	基準
市町村	一 市町村民税 1 均等割	前年度分の均等割の課税の基礎となつた納税義務者数
	2 所得割	前年度分の所得割の課税の基礎となつた納税義務者等の数及び課税標準等の額
	3 法人税割	当該市町村の区域内に事務所又は事業所を有する法人に係る前年度分の法人税割の課税標準等の額
	二 固定資産税 1 土地	当該市町村における土地の地目ごとの一平方メートル当たりの平均価格及びその地積
	2 家屋	当該市町村における家屋の一平方メートル当たりの平均価格及び床面積
	3 償却資産	(1) 地方税法第三百八十九条の規定により総務大臣又は都道府県知事が価格を決定し、決定した価格を配分するもの　当該配分額 (2) その他の償却資産　当該市町村が課することができる固定資産税の課税標準となるべき額
	三 軽自動車税 1 環境性能割	前年度中における当該市町村の区域内に定置場を有した三輪以上の地方税法第四百四十二条第五号に規定する軽自動車の取得件数
	2 種別割	当該市町村の区域内に定置場を有する地方税法第四百四十二条第三号に規定する軽自動車等の種類別の台数
	四 市町村たばこ税	前年度の市町村たばこ税の課税標準数量
	五 鉱産税	鉱物の生産量及び山元価格
	六 特別土地保有税	前年度における特別土地保有税の課税標準額
	七 事業所税	前年度における事業所税の課税標準額（当該年度において新たに事業所税を課することとなる市にあつては、当該年度における事業所税の課税標準となるべき事業所床面積及び従業者給与総額）
	八 利子割交付金	前年度の利子割交付金の交付額
	九 配当割交付金	前年度の配当割交付金の交付額
	十 株式等譲渡所得割交付金	前年度の株式等譲渡所得割交付金の交付額
	十一 法人事業税交付金	当該市町村を包括する道府県の区域内に事務所又は事業所を有する法人に係る前年度分の事業税の課税標準等の数値並びに前年度の法人事業税交付金の交付額の算定に用いた当該道府県の従業者数及び当該市町村の従業者数
	十二 地方消費税交付金	前年度の地方消費税交付金の交付額
	十三 ゴルフ場利用税交付金	当該市町村に所在するゴルフ場の延利用人員
	十四 軽油引取税交付金	前年度の軽油引取税交付金の交付額
	十五 環境性能割交付金	前年度の環境性能割交付金の交付額
	十六 地方揮発油譲与税	前年度の地方揮発油譲与税の譲与額
	十七 特別とん譲与税	前年度の特別とん譲与税の譲与額
	十八 石油ガス譲与税	前年度の石油ガス譲与税の譲与額
	十九 自動車重量譲与税	前年度の自動車重量譲与税の譲与額
	二十 航空機燃料譲与税	前年度の航空機燃料譲与税の譲与額
	二十一 森林環境譲与税	前年度の森林環境譲与税の譲与額
	二十二 市町村交付金	国有資産等所在市町村交付金法第七条、第八条又は第十条第一項の規定により各省各庁の長又は地方公共団体の長が当該固定資産の所在地の市町村長に通知した固定資産の価格

（地方税の課税免除等に伴う基準財政収入額の算定方法の特例）

第十四条の二 地方税法第六条の規定により、市町村が次の各号に掲げる土地若しくは家屋に対する固定資産税を課さなかつた場合又は当該固定資産税に係る不均一の課税をした場合において、その措置が政令で定める場合に該当するものと認められるときは、前条の規定による当該市町村の各年度における基準財政収入額は、同条の規定にかかわらず、当該市町村の当該各年度の減収額のうち総務省令で定めるところにより算定した額を同条の規定による当該市町村の当該各年度（その措置が総務省令で定める日以後において行なわれたときは、当該減収額について当該各年度の翌年度）における基準財政収入額となるべき額から控除した額とする。

一　文化財保護法（昭和二十五年法律第二百十四号）第百九条第一項の規定により指定を受けた史跡、名勝若しくは天然記念物又は同条第二項の規定により指定を受けた特別史跡、特別名勝若しくは特別天然記念物である土地

二　古都における歴史的風土の保存に関する特別措置法（昭和四十一年法律第一号）第六条第一項の規定により指定を受けた特別保存地区（同法第八条の規定により、特別保存地区として同法の規定が適用される地区を含む。）の区域内における家屋又は土地

（特別交付税の額の算定）

第十五条　特別交付税は、第十一条に規定する基準財政需要額の算定方法によつては捕捉されなかつた特別の財政需要があること、第十四条の規定により算定された基準財政収入額のうちに著しく過大に算定された財政収入があること、交付税の額の算定期日後に生じた災害（その復旧に要する費用が国の負担によるものを除く。）等のため特別の財政需要があり、又は財政収入の減少があることその他特別の事情があることにより、基準財政需要額又は基準財政収入額の算定方法の画一性のため生ずる基準財政需要額の算定過大又は基準財政収入額の算定過少を考慮しても、なお、普通交付税の額が財政需要に比して過少であると認められる地方団体に対して、総務省令で定めるところにより、当該事情を考慮して交付する。

2　総務大臣は、総務省令で定めるところにより、前項の規定により各地方団体に交付すべき特別交付税の額を、毎年度、二回に分けて決定するものとし、その決定は、第一回目は十二月中に、第二回目は三月中に行わなければならない。この場合において、第一回目の特別交付税の額の決定は、その総額が当該年度の特別交付税の総額のおおむね三分の一に相当する額以内の額となるように行うものとする。

3　激甚災害に対処するための特別の財政援助等に関する法律第二条第一項に規定する激甚災害その他の事由であつて、関係地方団体の財政運営に特に著しい影響を及ぼし、又は及ぼすおそれがあると認められるものが発生したことにより、前項の規定により難い場合における関係地方団体に交付すべき特別交付税の額の決定については、総務省令で定めるところにより、決定時期及び決定時期ごとに決定すべき額に関し特例を設けることができる。

4　総務大臣は、第二項前段又は前項の規定により特別交付税の額を決定したときは、これを当該地方団体に通知しなければならない。

（交付時期）

第十六条　交付税は、毎年度、左の表の上欄に掲げる時期に、それぞれの下欄に定める額を交付する。ただし、四月及び六月において交付すべき交付税については、当該年度において交付すべき普通交付税の額が前年度の普通交付税の額に比して著しく減少することとなると認められる地方団体又は前年度においては普通交付税の交付を受けたが、当該年度においては普通交付税の交付を受けないこととなると認められる地方団体に対しては、当該交付すべき額の全部又は一部を交付しないことができる。

交付時期	交付時期ごとに交付すべき額
四月及び六月	前年度の当該地方団体に対する普通交付税の額に当該年度の交付税の総額の前年度の交付税の総額に対する割合を乗じて得た額のそれぞれ四分の一に相当する額
九月	当該年度において交付すべき当該地方団体に対する普通交付税の額から四月及び六月に交付した普通交付税の額を控除した残額の二分の一に相当する額
十一月	当該年度において交付すべき当該地方団体に対する普通交付税の額から既に交付した普通交付税の額を控除した額
十二月	前条第二項の規定により十二月中に総務大臣が決定する額
三月	前条第二項の規定により三月中に総務大臣が決定する額

2　当該年度の国の予算の成立しないこと、国の予算の追加又は修正により交付税の総額に変更があつたこと、大規模な災害があつたこと等の事由により、前項の規定により難い場合における交付税の交付時期及び交付時期ごとに交付すべき額については、国の暫定予算の額及びその成立の状況、交付税の総額の変更の程度、前年度の交付税の額、大規模な災害による特別の財政需要の額等を参しやくして、総務省令で定めるところにより、特例を設けることができる。

3　道府県又は市町村が前二項の規定により各交付時期に交付を受けた交付税の額が当該年度分として交付を受けるべき交付税の額をこえる場合においては、当該道府県又は市町村は、その超過額を遅滞なく、国に還付しなければならない。

4　第一項の場合において、四月一日以前一年内及び四月二日から当該年度の普通交付税の四月又は六月に交付すべき額が交付されるまでの間に地方団体の廃置分合又は境界変更があ

つた場合における前年度の関係地方団体の交付税の額の算定方法は、第九条の規定に準じ、総務省令で定める。

（市町村交付税の算定及び交付に関する都道府県知事の義務）

第十七条　都道府県知事は、政令で定めるところにより、当該都道府県の区域内における市町村に対し交付すべき交付税の額の算定及び交付に関する事務を取り扱わなければならない。

2　都道府県知事は、前項の事務を取り扱うため当該市町村の財政状況を的確に知つているように努めなければならない。

（国税に関する書類の閲覧又は記録）

第十七条の二　都道府県知事が前条第一項の規定により市町村に対し交付すべき交付税の額を算定する場合において、市町村に係る第十四条の基準財政収入額を算定するため、政府に対し、その基礎に用いる国税の課税の基礎となるべき所得額及び課税額に関する書類を閲覧し、又は記録することを請求したときは、政府は、関係書類を都道府県知事又はその指定する職員に閲覧させ、又は記録させるものとする。

（交付税の額の算定に用いた資料に関する検査）

第十七条の三　総務大臣は、都道府県及び政令で定める市町村について、交付税の額の算定に用いた資料に関し、検査を行わなければならない。

2　都道府県知事は、当該都道府県の区域内における市町村（前項の政令で定める市町村を除く。）について、交付税の額の算定に用いた資料に関し検査を行い、その結果を総務大臣に報告しなければならない。

（交付税の額の算定方法に関する意見の申出）

第十七条の四　地方団体は、交付税の額の算定方法に関し、総務大臣に対し意見を申し出ることができる。この場合において、市町村にあつては、当該意見の申出は、都道府県知事を経由してしなければならない。

2　総務大臣は、前項の意見の申出を受けた場合においては、これを誠実に処理するとともに、その処理の結果を、地方財政審議会に、第二十三条の規定により意見を聴くに際し、報告しなければならない。

（交付税の額に関する審査の申立て）

第十八条　地方団体は、第十条第四項又は第十五条第四項の規定により交付税の額の決定又は変更の通知を受けた場合において、当該地方団体に対する交付税の額の算定の基礎について不服があるときは、通知を受けた日から三十日以内に、総務大臣に対し審査を申し立てることができる。この場合において、市町村にあつては、当該審査の申立ては、都道府県知事を経由してしなければならない。

2　総務大臣は、前項の審査の申立てを受けた場合においては、その申立てを受けた日から三十日以内にこれを審査して、その結果を当該地方団体に通知しなければならない。この場合において、市町村の審査の申立てに係るものにあつては、当該通知は、都道府県知事を経由してしなければならない。

（交付税の額の算定に用いる数の錯誤等）

第十九条　総務大臣は、第十条第四項の規定により普通交付税の額を通知した後において、又は前条第一項の規定による審査の申立てを受けた際に、普通交付税の額の算定の基礎に用いた数について錯誤があつたことを発見した場合（当該錯誤に係る数を普通交付税の額の算定の基礎に用いた年度（次項において「交付年度」という。）以降五箇年度内に発見した場合に限る。）で、当該地方団体について基準財政需要額又は基準財政収入額を増加し、又は減少する必要が生じたときは、錯誤があつたことを発見した年度又はその翌年度において、総務省令で定めるところにより、それぞれその増加し、又は減少すべき額を当該地方団体に交付すべき普通交付税の額の算定に用いられるべき基準財政需要額若しくは基準財政収入額に加算し、又はこれから減額した額をもつて当該地方団体の当該年度における基準財政需要額又は基準財政収入額とすることができる。

2　普通交付税の額の算定の基礎に用いた数について錯誤があつたことを発見した年度又はその翌年度においては、総務大臣は、総務省令で定めるところにより、前項の規定が適用される地方団体で、同項の規定を適用しない場合でも当該地方団体に交付すべき普通交付税の額の算定に用いられるべき当該年度の基準財政収入額が基準財政需要額をこえるもの又は同項の規定が適用される結果基準財政収入額が基準財政需要額をこえることとなる地方団体について、交付年度分として交付を受けた普通交付税の額が交付を受けるべきであつた普通交付税の額に満たないときは、当該不足額を限度として、これを当該年度の交付税から交付し、交付年度分として交付を受けた普通交付税の額が交付を受けるべきであつた普通交付税の額をこえるときは、当該超過額を限度として、これを返還させることができる。但し、返還させる場合においては、その方法について、あらかじめ、当該地方団体の意見を聞かなければならない。

3　廃置分合又は境界変更のあつた市町村及び錯誤に係る額が著しく多額である地方団体に対する前二項の規定の適用については、総務省令で特例を設けることができる。

4　地方団体がその提出に係る交付税の算定に用いる資料につき作為を加え、又は虚偽の記載をすることによつて、不当に交付税の交付を受けた場合においては、総務大臣は、当該地方団体が受けるべきであつた額を超過する部分（「超過額」という。以下本項及び次項において同じ。）については、当該事実を発見したとき、直ちに当該超過額を返還させなければならない。

5　前項の場合において、当該地方団体は、当該超過額に、当該地方団体が当該地方交付税を受領した日の翌日から返還の日までの期間の日数に応じ、年十・九五パーセントの割合を乗じて計算した金額に相当する加算金を国に納付しなければならない。ただし、当該地方交付税の交付を受けた後災害があつたことその他特別の理由によりやむを得ない事情があると認められるときは、総務大臣は、当該加算金を減免し、又は期限を指定して延納を許可することができる。

6 総務大臣は、前五項の規定による措置をする場合においては、その理由、金額その他必要な事項を当該地方団体に対し文書をもつて示さなければならない。この場合において、前二項の規定に該当する地方団体は、総務大臣が示した文書の記載事項をその住民に周知させなければならない。

7 地方団体は、第一項から第五項までの場合においては、前項の文書を受け取つた日から三十日以内に、総務大臣に対し異議を申し出ることができる。この場合において、市町村にあつては、当該異議の申出は、都道府県知事を経由してしなければならない。

8 総務大臣は、前項の異議の申出を受けた場合においては、その申出を受けた日から三十日以内に決定をして、当該団体にこれを通知しなければならない。この場合において、市町村の異議の申出に係るものにあつては、当該通知は、都道府県知事を経由してしなければならない。

（交付税の額の減額等の意見の聴取）

第二十条 総務大臣は、第十条第三項及び第四項、第十五条第二項から第四項まで並びに前二条に規定する措置をとる場合において必要があると認めるときは、関係地方団体について意見の聴取をすることができる。

2 総務大臣は、第十条第三項、第十五条第二項及び第三項、第十八条第二項並びに前条第一項から第五項まで及び第八項の規定による決定又は処分について関係地方団体が十分な証拠を添えて衡平又は公正を欠くものがある旨を申し出たときは、公開による意見の聴取を行わなければならない。

3 総務大臣は、前項の意見の聴取の結果、同項の申出に正当な理由があると認めるときは、当該決定又は処分を取消し、又は変更しなければならない。

4 前三項に定めるものを除くほか、意見の聴取の手続その他意見の聴取に関し必要な事項は、総務省令で定める。

（関係行政機関の勧告等）

第二十条の二 関係行政機関は、その所管に関係がある地方行政につき、地方団体が法律又はこれに基く政令により義務づけられた規模と内容とを備えることを怠つているために、その地方行政の水準を低下させていると認める場合においては、当該地方団体に対し、これを備えるべき旨の勧告をすることができる。

2 関係行政機関は、前項の勧告をしようとする場合においては、あらかじめ総務大臣に通知しなければならない。

3 地方団体が第一項の勧告に従わなかつた場合においては、関係行政機関は、総務大臣に対し、当該地方団体に対し交付すべき交付税の額の全部若しくは一部を減額し、又は既に交付した交付税の全部若しくは一部を返還させることを請求することができる。

4 総務大臣は、前項の請求があつたときは、当該地方団体の弁明を聞いた上、災害その他やむを得ない事由があると認められる場合を除き、当該地方団体に対し交付すべき交付税の額の全部若しくは一部を減額し、又は既に交付した交付税の全部若しくは一部を返還させなければならない。第十九条第六項から第八項までの規定は、この場合について準用する。

5 前項の規定により減額し、又は返還させる交付税の額は、当該行政につき法律又はこれに基く政令により義務づけられた規模と内容とを備えることを怠つたことに因り、その地方行政の水準を低下させたために不用となるべき額をこえることができない。

（減額し、又は返還された交付税の額の措置）

第二十条の三 前条第四項又は地方財政法第二十六条第一項の規定により、交付すべき交付税の額の全部又は一部を減額した場合においては、その減額した額は、当該年度の特別交付税の総額に算入する。

2 第十九条第二項から第五項まで、前条第四項又は地方財政法第二十六条第一項の規定により、すでに交付した交付税の額の全部若しくは一部を返還させ、又は加算金を納付させた場合においては、その返還され、又は納付された額は、当該返還され、若しくは納付された年度の翌年度又は翌翌年度において、第六条第二項の規定により当該年度分として交付すべき交付税の総額に算入し、当該算入した年度の特別交付税の総額に算入する。

（都の特例）

第二十一条 都にあつては、道府県に対する交付税の算定に関してはその全区域を道府県と、市町村に対する交付税の算定に関してはその特別区の存する区域を市町村と、それぞれみなして算定した基準財政需要額の合算額及び基準財政収入額の合算額をもつてその基準財政需要額及び基準財政収入額とする。

（端数計算）

第二十二条 毎年度分として交付すべき交付税の総額又は各地方団体に対して交付すべき交付税の額を算定する場合及び各地方団体に対して交付税を交付する場合並びに加算金を納付させる場合において、五百円未満の端数があるときはその端数金額を切り捨て、五百円以上千円未満の端数があるときはその端数金額を千円として計算するものとする。

（地方財政審議会の意見の聴取）

第二十三条 総務大臣は、次に掲げる場合には、地方財政審議会の意見を聴かなければならない。

一 交付税の交付に関する命令の制定又は改廃の立案をしようとするとき。

二 第七条に規定する翌年度の地方団体の歳入歳出総額の見込額に関する書類の原案を作成しようとするとき。

三 第十条又は第十五条の規定により各地方団体に交付すべき交付税の額を決定し、又は変更しようとするとき。

四 第十八条第二項の規定により地方団体の審査の申立てについて決定をしようとするとき。

五 第十九条第四項の規定により交付税を返還させようとするとき。

六 第十九条第八項（第二十条の二第四項において準用する

場合を含む。）の規定により地方団体の異議の申出について決定をしようとするとき。

七　第二十条第三項の規定により同条第二項に規定する決定又は処分を取り消し、又は変更しようとするとき。

八　第二十条の二第四項の規定により交付税を減額し、又は返還させようとするとき。

（事務の区分）

第二十四条　第五条第三項、第十七条第一項、第十七条の三第二項、第十七条の四第一項後段、第十八条第一項後段及び第二項後段の規定並びに第十九条第七項後段及び第八項後段（これらの規定を第二十条の二第四項及び附則第十五条第四項において準用する場合を含む。）の規定により都道府県が処理することとされている事務は、地方自治法第二条第九項第一号に規定する第一号法定受託事務とする。

附　則（抄）

（施行期日）

第一条　この法律は、公布の日から施行し、昭和二十五年四月一日から適用する。

（関係法律の廃止）

第二条　地方配付税法（昭和二十三年法律第百十一号）及び地方配付税配付金特別会計法（昭和十五年法律第六十七号）は、廃止する。

（交付税の総額についての特例措置）

第三条　政府は、地方財政の状況等にかんがみ、当分の間、第六条第二項の規定により算定した交付税の総額について、法律の定めるところにより、交付税の総額の安定的な確保に資するため必要な特例措置を講ずることとする。

（令和六年度分の交付税の総額の特例）

第四条　令和六年度に限り、同年度分として交付すべき交付税の総額は、第一号から第三号までに掲げる額の合算額に五千億円を加算した額から第四号から第七号までに掲げる額の合算額を減額した額に東日本大震災に係る災害復旧事業、復興事業その他の事業の実施のため特別の財政需要があること及び東日本大震災のため財政収入の減少があることを考慮して地方団体に対して交付する特別交付税（附則第十三条第一項並びに第十五条第一項及び第二項において「震災復興特別交付税」という。）に充てるための六百十一億千七百二十万七千円を加算した額とする。

一　第六条第二項の規定により算定した額

二　地方交付税法等の一部を改正する法律（令和六年法律第五号）第一条の規定による改正前の地方交付税法（以下「旧法」という。）附則第四条の二第一項及び第三項の規定において令和六年度分の交付税の総額に加算することとされていた額　九百八十八億円

三　令和六年度における借入金の額に相当する額　二十八兆千百二十二億九千五百四十万八千円

四　令和五年度における借入金の額に相当する額　二十八兆六千百二十二億九千五百四十万八千円

五　令和六年度における特別会計に関する法律（平成十九年法律第二十三号）第十五条第一項の規定による交付税及び譲与税配付金特別会計の一時借入金に係る利子及び同法附則第四条第一項の規定による借入金に係る利子の支払に充てるため必要な額　千九百六十五億円

六　旧法附則第四条の二第四項の規定において令和六年度分の交付税の総額から減額することとされていた額　二千四百六十億七千七百八万二千円

七　旧法附則第四条の二第四項の規定において令和七年度から令和二十六年度までの各年度分の交付税の総額から減額することとされていた額の合算額から次条第四項の規定において当該各年度分の交付税の総額から減額することとされている額の合算額を控除した額に相当する額　二千二百二十三億五千五十四万三千円

2　令和六年度分として交付すべき交付税の総額に係る第六条第二項の規定による額の算定については、旧法附則第四条の二第五項の規定において同年度における第六条第二項に規定する合算額から減額することとされていた四百四十九億百七十二万円を減額する。

（令和七年度以降の各年度分の交付税の総額の特例等）

第四条の二　令和七年度以降の各年度分の交付税の総額は、当分の間、第六条第二項の規定により算定した額に百五十四億円を加算した額とする。

2　令和七年度から令和三十六年度までの各年度に限り、当該各年度分として交付すべき交付税の総額は、前項の規定による額に第一号に掲げる額を加算した額から第二号及び第三号に掲げる額の合算額を減額した額とする。

一　当該各年度における借入金の額に相当する額

二　当該各年度の前年度における借入金の額に相当する額

三　当該各年度における特別会計に関する法律第十五条第一項の規定による交付税及び譲与税配付金特別会計の一時借入金に係る利子及び同法附則第四条第一項の規定による借入金に係る利子の支払に充てるため必要な額

3　令和七年度から令和十四年度までの各年度分の交付税の総額は、前項の規定による額に次の表の上欄に掲げる当該各年度に応ずる同表の下欄に定める金額を加算した額とする。

年度	金額
令和七年度	七百七十五億円
令和八年度	五百三十五億円
令和九年度	五百四十八億円
令和十年度	五百九十九億円
令和十一年度	九百六十一億円
令和十二年度	九百六十一億円
令和十三年度	三億円
令和十四年度	三億円

4　地方交付税法等の一部を改正する法律（平成二十一年法律第十号）第一条の規定による改正前の地方交付税法附則第四条第一項第六号に掲げる額に相当する額、地方交付税法等の一部を改正する法律（平成二十二年法律第五号）第一条の規定による改正前の地方交付税法附則第四条第一項第五号に掲げる額に相当する額、地方交付税法等の一部を改正する法律（令和二年法律第六号）第一条の規定による改正前の地方交付税法附則第四条第三号に掲げる額に相当する額及び地方交付税法等の一部を改正する法律（令和三年法律第八号）第一条の規定による改正前の地方交付税法附則第四条第四号に掲げる額に相当する額を令和七年度から令和二十六年度までの間に交付税の総額から減額するため、当該各年度における交付税の総額は、令和七年度及び令和八年度にあつては前項の規定による額から二千四百六十億七千七百八万二千円を、令和九年度から令和十二年度までの各年度にあつては同項の規定による額から二千二百十九億千三百八十万二千円を、令和十三年度から令和二十六年度までの各年度にあつては同項の規定による額から五百八十五億七千三百二十二万円をそれぞれ減額した額とする。

5　令和七年度から令和十八年度までの各年度分として交付すべき交付税の総額に係る第六条第二項の規定による額の算定については、同項に規定する当該年度の前年度以前の年度において交付すべきであつた額を超えて交付された額のうち、平成二十八年度において交付すべきであつた額を超えて交付された額のうち八百九十八億三百四十四万円及び令和元年度において交付すべきであつた額を超えて交付された額である四千八百十一億八百七十八万二千円について、令和七年度及び令和八年度にあつては同項に規定する合算額から四百四十九億百七十二万円を、令和九年度から令和十七年度までの各年度にあつては同項に規定する合算額から四百八十一億千八十七万八千円を、令和十八年度にあつては同項に規定する合算額から四百八十一億千八十八万円をそれぞれ減額する。

6　第二項第一号及び第二号の借入金の額は、特別会計に関する法律附則第四条第一項の規定による借入金の額としてそれぞれ当該各年度及び当該各年度の前年度の予算で定める額とする。

（令和七年度における臨時財政対策のための特例加算）

第四条の三　令和七年度において、地方財政の状況等に鑑み、交付税の総額の確保を図るため必要があるときは、同年度分の交付税の総額については、前条第四項の規定による額に、一般会計から交付税及び譲与税配付金特別会計に繰り入れることが必要なものとして、臨時財政対策のための特例加算額を加算するものとする。

2　前項の臨時財政対策のための特例加算額は、地方財政法第三十三条の五の二第一項に規定する地方債（第一号において「臨時財政対策債」という。）で令和七年度において総務大臣又は都道府県知事が発行について同意又は許可をするもの（発行について同法第五条の三第六項の規定による届出がされるもののうち、同条第一項の規定による協議を受けたならば同意をすることとなると認められるものを含む。）の予定額の総額から次に掲げる額の合算額を控除した額に相当する額として法律で定めるものとする。

一　第十二条第三項の表第四十七号(1)から(7)までに規定する地方債及び臨時財政対策債に係る令和七年度における元利償還金の支払に充てるため必要な額の総額の見込額

二　その他総務大臣及び財務大臣が協議して定める額

（特別の地方債に係る償還費の基準財政需要額への算入）

第五条　当分の間、各地方団体に対して交付すべき普通交付税の額の算定に用いる第十一条の規定による基準財政需要額は、同条の規定によつて算定した額に、次の表の上欄に掲げる経費の種類につきそれぞれ同表の中欄に掲げる測定単位の数値を同表の下欄に掲げる単位費用に乗じて得た額を当該地方団体について合算した額を加算した額とする。

経費の種類	測定単位	単位費用
		円
一　地域改善対策特定事業債等償還費	地域改善対策特定事業費又は同和対策事業費の財源に充てるため発行を許可された地方債に係る元利償還金	千円につき　八〇〇
二　過疎地域の持続的発展等のための地方債償還費	過疎地域の持続的発展等のための事業費の財源に充てるため発行について同意又は許可を得た地方債に係る元利償還金	千円につき　七〇〇
三　公害防止事業債償還費	公害防止事業費の財源に充てるため発行について同意又は許可を得た地方債に係る元利償還金	千円につき　五〇〇
四　石油コンビナート等特別防災区域に係る緑地等の設置のための地方債償還費	石油コンビナート等特別防災区域に係る緑地等の設置のための事業費の財源に充てるため発行について同意又は許可を得た地方債に係る元利償還金	千円につき　五〇〇
五　地震対策緊急整	地震対策緊急整備事業費の財源に充てるため	千円につき　五〇〇

備事業債償還費	発行について同意又は許可を得た地方債に係る元利償還金	
六　被災者生活再建支援法人への拠出のための地方債償還費	被災者生活再建支援法人に対する拠出の財源に充てるため発行について同意又は許可を得た地方債に係る元利償還金	千円につき　八〇〇
七　合併特例債償還費	合併市町村の建設のための事業費の財源に充てるため発行について同意又は許可を得た地方債に係る元利償還金	千円につき　七〇〇
八　原子力発電施設等立地地域の振興のための地方債償還費	原子力発電施設等立地地域の振興のための事業費の財源に充てるため発行について同意又は許可を得た地方債に係る元利償還金	千円につき　七〇〇

2　前項に規定する測定単位の数値は、次の表の上欄に掲げる測定単位につき、それぞれ同表の中欄に定める算定の基礎により、同表の下欄に掲げる表示単位に基づいて、総務省令の定めるところにより算定する。

測定単位の種類	測定単位の算定の基礎	表示単位
一　地域改善対策特定事業費、地域改善対策事業費又は同和対策事業費の財源に充てるため発行を許可された地方債に係る元利償還金	地域改善対策特定事業費、地域改善対策事業費又は同和対策事業費の財源に充てるため発行を許可された地方債で地域改善対策特定事業に係る国の財政上の特別措置に関する法律（昭和六十二年法律第二十二号）第五条、旧地域改善対策特別措置法（昭和五十七年法律第十六号）第五条又は旧同和対策事業特別措置法（昭和四十四年法律第六十号）第十条の規定により総務大臣が指定したものに係る当該年度における元利償還金	千円
二　過疎地域の持続的発展等のための事業費の財源に充てるため発行について同意又は許可を得た地方債に係る元利償還金	過疎地域の持続的発展等のための事業費の財源に充てるため発行について同意又は許可を得た地方債で過疎地域の持続的発展の支援に関する特別措置法（令和三年法律第十九号）第十四条第三項（同法附則第五条において準用する場合を含む。）若しくは旧過疎地域自立促進特別措置法（平成十二年法律第十五号）第十二条第三項（同法附則第五条第二項において準用する場合を含む。）の規定により総務大臣が指定したもの又は旧過疎地域活性化特別措置法（平成二年法律第十五号）第十二条第二項（同法附則第十二項又は旧過疎地域自立促進特別措置法附則第十七条の規定による改正前の市町村の合併の特例に関する法律（昭和四十年法律第六号）第十二条において準用する場合を含む。）若しくは旧過疎地域振興特別措置法（昭和五十五年法律第十九号）第十二条第二項（同法附則第七項において準用する場合を含む。）の規定により自治大臣が指定したものに係る当該年度における元利償還金	千円
三　公害防止事業費の財源に充てるため発行について同意又は許可を得た地方債に係る元利償還金	公害防止事業費の財源に充てるため発行について同意又は許可を得た地方債で旧公害の防止に関する事業に係る国の財政上の特別措置に関する法律（昭和四十六年法律第七十号）第五条の規定により総務大臣が指定したものに係る当該年度における元利償還金	千円
四　石油コンビナート等特別防災区域に係る緑地等の設置のための事業費の財源に充てるため発行について同意又は許可を得た地方債に係る元利償還	石油コンビナート等特別防災区域に係る緑地等の設置のための事業費の財源に充てるため発行について同意又は許可を得た地方債で石油コンビナート等災害防止法（昭和五十年法律第八十四号）第三十六条第二項の規定により総務大臣が指定したものに係る当該年度における元利償還金	千円

金		
五 地震対策緊急整備事業費の財源に充てるため発行について同意又は許可を得た地方債に係る元利償還金	地震対策緊急整備事業費の財源に充てるため発行について同意又は許可を得た地方債で地震防災対策強化地域における地震対策緊急整備事業に係る国の財政上の特別措置に関する法律（昭和五十五年法律第六十三号）第六条の規定により自治大臣が指定したものに係る当該年度における元利償還金	千円
六 被災者生活再建支援法人に対する拠出の財源に充てるため発行について同意又は許可を得た地方債に係る元利償還金	被災者生活再建支援法（平成十年法律第六十六号）第六条第一項に基づき内閣総理大臣が指定した被災者生活再建支援法人に対する拠出の財源に充てるため発行について同意又は許可を得た地方債のうち総務大臣が指定したものに係る元利償還金	千円
七 合併市町村の建設のための事業費の財源に充てるため発行を許可された地方債に係る元利償還金	合併市町村の建設のための事業費の財源に充てるため発行について同意又は許可を得た地方債で旧市町村の合併の特例に関する法律第十一条の二第二項（同法附則第二条第二項の規定によりなおその効力を有するものとされる場合を含む。）の規定により総務大臣が指定したものに係る当該年度における元利償還金	千円
八 原子力発電施設等立地地域の振興のための事業費の財源に充てるため発行について同意又は許可を得た地方債に係る元利償還金	原子力発電施設等立地地域の振興のための事業費の財源に充てるため発行について同意又は許可を得た地方債で原子力発電施設等立地地域の振興に関する特別措置法（平成十二年法律第百四十八号）第八条の規定により総務大臣が指定したものに係る当該年度における元利償還金	千円

（地域の元気創造事業費の基準財政需要額への算入）

第五条の二 当分の間、各地方団体に対して交付すべき普通交付税の額の算定に用いる第十一条の規定による基準財政需要額は、同条の規定によつて算定した額に、次の表に掲げる地方団体の種類、経費の種類及び測定単位ごとの単位費用に次項の規定により算定した測定単位の数値を乗じて得た額を加算した額とする。

地方団体の種類	経費の種類	測定単位	単位費用
道府県	地域の元気創造事業費	人口	一人につき 九五〇円
市町村	地域の元気創造事業費	人口	一人につき 二、五三〇円

2 前項の測定単位の数値は、次の表の上欄に掲げる測定単位につき、同表の中欄に定める算定の基礎により、同表の下欄に掲げる表示単位に基づいて、総務省令で定めるところにより算定する。ただし、当該測定単位の数値は、人口の多少による段階その他の事情を参酌して、総務省令で定めるところにより、その数値を補正することができる。

測定単位	測定単位の数値の算定の基礎	表示単位
人口	官報で公示された最近の国勢調査の結果による当該地方団体の人口	人

（人口減少等特別対策事業費の基準財政需要額への算入）

第五条の三 当分の間、各地方団体に対して交付すべき普通交付税の額の算定に用いる第十一条の規定による基準財政需要額は、同条の規定により算定した額に、次の表に掲げる地方団体の種類、経費の種類及び測定単位ごとの単位費用に次項の規定により算定した測定単位の数値を乗じて得た額を加算した額とする。

地方団体の種類	経費の種類	測定単位	単位費用
道府県	人口減少等特別対策事業費	人口	一人につき 一、七〇〇円
市町村	人口減少等特別対策事業費	人口	一人につき 三、四〇〇円

2 前項の測定単位の数値は、次の表の上欄に掲げる測定単位につき、同表の中欄に定める算定の基礎により、同表の下欄に掲げる表示単位に基づいて、総務省令で定めるところによ

り算定する。ただし、当該測定単位の数値は、人口の多少による段階その他の事情を参酌して、総務省令で定めるところにより、その数値を補正することができる。

測定単位	測定単位の数値の算定の基礎	表示単位
人口	官報で公示された最近の国勢調査の結果による当該地方団体の人口	人

（地域社会再生事業費の基準財政需要額への算入）

第五条の四　当分の間、各地方団体に対して交付すべき普通交付税の額の算定に用いる第十一条の規定による基準財政需要額は、同条の規定により算定した額に、次の表に掲げる地方団体の種類、経費の種類及び測定単位ごとの単位費用に次項の規定により算定した測定単位の数値を乗じて得た額を加算した額とする。

地方団体の種類	経費の種類	測定単位	単位費用
道府県	地域社会再生事業費	人口	円 一人につき 一、九五〇
市町村	地域社会再生事業費	人口	円 一人につき 一、九五〇

2　前項の測定単位の数値は、次の表の上欄に掲げる測定単位につき、同表の中欄に定める算定の基礎により、同表の下欄に掲げる表示単位に基づいて、総務省令で定めるところにより算定する。ただし、当該測定単位の数値は、人口の多少による段階その他の事情を参酌して、総務省令で定めるところにより、その数値を補正することができる。

測定単位	測定単位の数値の算定の基礎	表示単位
人口	官報で公示された最近の国勢調査の結果による当該地方団体の人口	人

（地域デジタル社会推進費の基準財政需要額への算入）

第六条　令和六年度及び令和七年度に限り、各地方団体に対して交付すべき普通交付税の額の算定に用いる第十一条の規定による基準財政需要額は、同条の規定により算定した額に、次の表に掲げる地方団体の種類、経費の種類及び測定単位ごとの単位費用に次項の規定により算定した測定単位の数値を乗じて得た額を加算した額とする。

地方団体の種類	経費の種類	測定単位	単位費用
道府県	地域デジタル社会推進費	人口	円 一人につき 五二〇
市町村	地域デジタル社会推進費	人口	円 一人につき 七六〇

2　前項の測定単位の数値は、次の表の上欄に掲げる測定単位につき、同表の中欄に定める算定の基礎により、同表の下欄に掲げる表示単位に基づいて、総務省令で定めるところにより算定する。ただし、当該測定単位の数値は、人口の多少による段階その他の事情を参酌して、総務省令で定めるところにより、その数値を補正することができる。

測定単位	測定単位の数値の算定の基礎	表示単位
人口	官報で公示された最近の国勢調査の結果による当該地方団体の人口	人

（臨時財政対策債償還費に係る基準財政需要額の算定方法の特例）

第六条の二　令和六年度分及び令和七年度分の交付税に係る基準財政需要額の算定については、第十一条中「当該測定単位ごとの単位費用に乗じて得た額」とあるのは、「当該測定単位ごとの単位費用に乗じて得た額（次条第一項に規定する臨時財政対策債償還費については、令和六年度にあつては地方交付税法及び特別会計に関する法律の一部を改正する法律（令和五年法律第八十三号）附則第二条の規定により算定した同条第一項に規定する臨時財政対策債償還基金費の額（以下この条において「基金費の額」という。）の百分の五十に相当する額（以下この条において「控除額」という。）を控除した額とし、令和七年度にあつては基金費の額から令和六年度における控除額を控除した額を控除した額とする。）」とする。

（令和六年度分及び令和七年度分の交付税に係る基準財政需要額の算定方法の特例）

第六条の三　令和六年度分及び令和七年度分の交付税に限り、道府県及び市町村の基準財政需要額は、令和六年度にあつては第十一条の規定により算定した額から、道府県にあつては第一号に掲げる額を、市町村にあつては第二号に掲げる額を控除した額とし、令和七年度にあつては同条の規定により算定した額から法律で定めるところにより算定した額を控除した額とする。

一　二千三百九十九億三千五百五十万四千円に当該道府県の

控除前財源不足額（この条の規定の適用がないものとした場合における基準財政需要額が基準財政収入額を超える額（当該額が零を下回る場合には、零とする。）をいう。以下この条において同じ。）を各道府県の控除前財源不足額の合算額で除して得た割合を乗じて得た額

二　二千百四十四億八千七百七十九万九千円に当該市町村の控除前財源不足額を各市町村の控除前財源不足額の合算額で除して得た割合を乗じて得た額

2　控除前財源不足額については、当該地方団体における次の各号に掲げる数値を合算したものの五分の一の数値に応じ、総務省令で定めるところにより、補正することができる。

一　令和五年度における基準財政収入額を旧法附則第六条の三の規定の適用がないものとした場合における当該年度の基準財政需要額で除して得た数値

二　令和四年度における基準財政収入額を地方交付税法等の一部を改正する法律（令和五年法律第二号）第一条の規定による改正前の地方交付税法附則第六条の二の規定の適用がないものとした場合における当該年度の基準財政需要額で除して得た数値

三　令和三年度における基準財政収入額を地方交付税法等の一部を改正する法律（令和四年法律第二号）第一条の規定による改正前の地方交付税法附則第六条の二の規定の適用がないものとした場合における当該年度の基準財政需要額で除して得た数値

四　令和二年度における基準財政収入額を地方交付税法等の一部を改正する法律（令和三年法律第八号）第一条の規定による改正前の地方交付税法附則第六条の規定の適用がないものとした場合における当該年度の基準財政需要額で除して得た数値

五　令和元年度における基準財政収入額を地方交付税法等の一部を改正する法律（令和二年法律第六号）第一条の規定による改正前の地方交付税法附則第六条の二の規定の適用がないものとした場合における当該年度の基準財政需要額で除して得た数値

3　都にあつては、その全区域を道府県とその特別区の存する区域を市町村とそれぞれみなして算定したこの条の規定の適用がないものとした場合における基準財政需要額の合算額が、その全区域を道府県とその特別区の存する区域を市町村とそれぞれみなして算定した基準財政収入額の合算額を超える額（当該額が零を下回る場合には、零とする。）をもつて、総務省令で定めるところにより、その控除前財源不足額とする。

（交通安全対策特別交付金の基準財政収入額への算入）

第六条の四　当分の間、各地方団体に対して交付すべき普通交付税の額の算定に用いる第十四条の規定による基準財政収入額は、同条第一項の規定により算定した額に、道路交通法（昭和三十五年法律第百五号）附則第十六条第一項の規定による交通安全対策特別交付金の収入見込額を加算した額とする。

2　前項に規定する交通安全対策特別交付金の収入見込額は、前年度において各地方団体に交付された道路交通法附則第十六条第一項の規定による交通安全対策特別交付金の額を算定の基礎として総務省令で定める方法により、算定するものとする。

（分離課税所得割交付金の基準財政収入額への算入）

第七条　当分の間、各地方団体に対して交付すべき普通交付税の額の算定に用いる第十四条の規定による基準財政収入額は、指定都市を包括する道府県にあつては同条第一項の規定により算定した額から当該道府県の地方税法附則第七条の四の規定により指定都市に対し交付するものとされる分離課税に係る所得割に係る交付金（以下この条において「分離課税所得割交付金」という。）の交付見込額として総務省令で定めるところにより算定した額を控除した額とし、指定都市にあつては同項の規定により算定した額に当該指定都市の分離課税所得割交付金の収入見込額として総務省令で定めるところにより算定した額を加算した額とする。

（個人の道府県民税及び市町村民税の所得割に係る基準財政収入額の算定方法の特例）

第七条の二　当分の間、指定都市を包括する各道府県に対して交付すべき普通交付税の額の算定に用いる第十四条の規定による基準財政収入額は、同条第一項の規定により算定した額に第二号に掲げる額から第三号に掲げる額を控除した額の百分の二十五に相当する額を加算した額から、第二号に掲げる額から第一号に掲げる額を控除した額の百分の二十五に相当する額を控除した額とし、指定都市を包括する道府県以外の各道府県に対して交付すべき普通交付税の額の算定に用いる同条の規定による基準財政収入額は、同項の規定により算定した額に同号に掲げる額から第三号に掲げる額を控除した額の百分の二十五に相当する額を加算した額とする。

一　各年度の個人の道府県民税の所得割の収入見込額として総務省令で定めるところにより算定した額

二　個人の道府県民税の所得割について地方税法及び航空機燃料譲与税法の一部を改正する法律（平成二十九年法律第二号。附則第七条の四において「平成二十九年地方税法等改正法」という。）第一条の規定による改正前の地方税法（次項第二号において「平成二十九年改正前の地方税法」という。）第三十五条の規定の適用があるものとした場合における各年度の個人の道府県民税の所得割の収入見込額として総務省令で定めるところにより算定した額

三　個人の道府県民税の所得割について地方税法第三十七条の規定の適用がなく、かつ、地方税法等の一部を改正する法律（平成十八年法律第七号）第一条の規定による改正前の地方税法（次項第三号において「平成十八年改正前の地方税法」という。）第三十五条及び第五十条の四の規定の適用があるものとした場合における各年度の個人の道府県民税の所得割の収入見込額として総務省令で定めるところにより算定した額

2　当分の間、各指定都市に対して交付すべき普通交付税の額の算定に用いる第十四条の規定による基準財政収入額は、第二号に掲げる額が第三号に掲げる額を超える場合には同条第一項の規定により算定した額に第一号に掲げる額から第三号に掲げる額を控除した額の百分の二十五に相当する額を加算した額とし、同号に掲げる額が第二号に掲げる額を超える場合には同項の規定により算定した額から当該超える額の百分の二十五に相当する額を控除した額に、第一号に掲げる額から第二号に掲げる額を控除した額の百分の二十五に相当する額を加算した額とし、指定都市以外の各市町村に対して交付すべき普通交付税の額の算定に用いる同条の規定による基準財政収入額は、第一号に掲げる額が第三号に掲げる額を超える場合には同項の規定により算定した額に当該超える額の百分の二十五に相当する額を加算した額とし、同号に掲げる額が第一号に掲げる額を超える場合には同項の規定により算定した額から当該超える額の百分の二十五に相当する額を控除した額とする。

一　各年度の個人の市町村民税の所得割の収入見込額として総務省令で定めるところにより算定した額

二　個人の市町村民税の所得割について平成二十九年改正前の地方税法第三百十四条の三の規定の適用があるものとした場合における各年度の個人の市町村民税の所得割の収入見込額として総務省令で定めるところにより算定した額

三　個人の市町村民税の所得割について地方税法第三百十四条の六の規定の適用がなく、かつ、平成十八年改正前の地方税法附則第四十条第五項の規定により読み替えられた平成十八年改正前の地方税法第三百十四条の三及び第三百二十八条の三の規定の適用があるものとした場合における各年度の個人の市町村民税の所得割の収入見込額として総務省令で定めるところにより算定した額

（地方消費税及び地方消費税交付金に係る基準財政収入額の算定方法の特例）

第七条の三　当分の間、各道府県に対して交付すべき普通交付税の額の算定に用いる第十四条の規定による基準財政収入額は、同条第一項の規定によつて算定した額に、地方税法第七十二条の百十五第二項に規定する合計額の見込額から同項の規定により当該道府県内の市町村に交付する額の見込額を控除した額の百分の二十五に相当する額を加算した額とする。

2　当分の間、各市町村に対して交付すべき普通交付税の算定に用いる第十四条の規定による基準財政収入額は、同条第一項の規定によつて算定した額に、地方税法第七十二条の百十五第二項の規定により道府県から交付を受ける額の見込額の百分の二十五に相当する額を加算した額とする。

（令和六年度における基準財政収入額の算定方法の特例）

第七条の四　令和六年度分の交付税に限り、各地方団体に対して交付すべき普通交付税の額の算定に用いる第十四条の規定による基準財政収入額は、同条第一項の規定により算定した額に、道府県にあつては第一号に掲げる額の百分の七十五の額、市町村にあつては第二号に掲げる額の百分の七十五の額を加算した額とする。

一　イからチまでに掲げる額の合算額

イ　地方税法の一部を改正する法律（平成二十三年法律第三十号。以下この条において「平成二十三年法律第三十号」という。）、地方税法の一部を改正する法律（平成二十三年法律第百二十号。以下この条において「平成二十三年法律第百二十号」という。）、地方税法及び国有資産等所在市町村交付金法の一部を改正する法律（平成二十四年法律第十七号。以下この条において「平成二十四年地方税法等改正法」という。）、地方税法の一部を改正する法律（平成二十五年法律第三号。以下この条において「平成二十五年地方税法改正法」という。）、地方税法等の一部を改正する法律（平成三十一年法律第二号。以下この条において「平成三十一年地方税法等改正法」という。）、地方税法等の一部を改正する法律（令和二年法律第五号。次号において「令和二年法律第五号」という。）、地方税法等の一部を改正する法律（令和二年法律第二十六号。次号において「令和二年法律第二十六号」という。）、地方税法等の一部を改正する法律（令和三年法律第七号。以下この条において「令和三年地方税法等改正法」という。）、地方税法等の一部を改正する法律（令和四年法律第一号。以下この条において「令和四年地方税法等改正法」という。）、地方税法等の一部を改正する法律（令和五年法律第一号。次号において「令和五年地方税法等改正法」という。）、地方税法等の一部を改正する法律（令和六年法律第四号。以下この条において「令和六年地方税法等改正法」という。）、東日本大震災の被災者等に係る国税関係法律の臨時特例に関する法律（平成二十三年法律第二十九号。以下この条において「震災特例法」という。）、東日本大震災の被災者等に係る国税関係法律の臨時特例に関する法律の一部を改正する法律（平成二十三年法律第百十九号。以下この条において「震災特例法改正法」という。）、所得税法等の一部を改正する法律（平成二十五年法律第五号。以下この条において「平成二十五年所得税法等改正法」という。）、所得税法等の一部を改正する法律（平成二十六年法律第十号。以下この条において「平成二十六年所得税法等改正法」という。）、所得税法等の一部を改正する法律（平成二十七年法律第九号。以下この条において「平成二十七年所得税法等改正法」という。）、所得税法等の一部を改正する法律（平成二十八年法律第十五号。以下この条において「平成二十八年所得税法等改正法」という。）、所得税法等の一部を改正する等の法律（平成二十九年法律第四号。以下この条において「平成二十九年所得税法等改正法」という。）、所得税法等の一部を改正する法律（平成三十一年法律第六号。以下この条において「平成三十一年所得税法等改正法」という。）、所得税法等の一部を改

正する法律（令和二年法律第八号。以下この条において「令和二年所得税法等改正法」という。）、新型コロナウイルス感染症等の影響に対応するための国税関係法律の臨時特例に関する法律（令和二年法律第二十五号。次号において「新型コロナウイルス感染症特例法」という。）、所得税法等の一部を改正する法律（令和三年法律第十一号。以下この条において「令和三年所得税法等改正法」という。）、所得税法等の一部を改正する法律（令和四年法律第四号。次号において「令和四年所得税法等改正法」という。）、所得税法等の一部を改正する法律（令和五年法律第三号。以下この条において「令和五年所得税法等改正法」という。）及び所得税法等の一部を改正する法律（令和六年法律第八号。以下この条において「令和六年所得税法等改正法」という。）の施行による個人の道府県民税に係る令和六年度の東日本大震災に係る減収見込額として総務省令で定めるところにより算定した額

ロ　平成二十三年法律第三十号、地方税法等の一部を改正する等の法律（平成二十八年法律第十三号。以下この条において「平成二十八年地方税法等改正法」という。）、令和三年地方税法等改正法、震災特例法、震災特例法改正法、租税特別措置法等の一部を改正する法律（平成二十四年法律第十六号。以下この条において「平成二十四年租税特別措置法等改正法」という。）、平成二十五年所得税法等改正法、平成二十六年所得税法等改正法、平成二十七年所得税法等改正法、平成二十八年所得税法等改正法、平成二十九年所得税法等改正法、平成三十一年所得税法等改正法、令和二年所得税法等改正法、令和三年所得税法等改正法、令和五年所得税法等改正法及び令和六年所得税法等改正法の施行による法人の道府県民税に係る令和六年度の東日本大震災に係る減収見込額として総務省令で定めるところにより算定した額

ハ　震災特例法、震災特例改正法、平成二十五年所得税法等改正法、平成二十六年所得税法等改正法、平成二十七年所得税法等改正法、平成二十八年所得税法等改正法、平成二十九年所得税法等改正法、平成三十一年所得税法等改正法、令和三年所得税法等改正法及び令和五年所得税法等改正法の施行による個人の行う事業に対する事業税に係る令和六年度の東日本大震災に係る減収見込額として総務省令で定めるところにより算定した額

ニ　平成二十三年法律第三十号、平成二十八年地方税法等改正法、令和三年地方税法等改正法、震災特例法、震災特例法改正法、平成二十四年租税特別措置法等改正法、平成二十五年所得税法等改正法、平成二十六年所得税法等改正法、平成二十七年所得税法等改正法、平成二十八年所得税法等改正法、平成二十九年所得税法等改正法、平成三十一年所得税法等改正法、令和三年所得税法等改正法、令和五年所得税法等改正法及び令和六年所得税法等改正法の施行による法人の行う事業に対する事業税に係る令和六年度の東日本大震災に係る減収見込額として総務省令で定めるところにより算定した額

ホ　平成二十三年法律第三十号、東日本大震災における原子力発電所の事故による災害に対処するための地方税法及び東日本大震災に対処するための特別の財政援助及び助成に関する法律の一部を改正する法律（平成二十三年法律第九十六号。以下この条において「平成二十三年法律第九十六号」という。）、平成二十三年法律第百二十号、平成二十四年地方税法等改正法、平成二十五年地方税法改正法、地方税法等の一部を改正する法律（平成二十六年法律第四号。以下この条において「平成二十六年地方税法等改正法」という。）、地方税法等の一部を改正する法律（平成二十七年法律第二号）、平成二十八年地方税法等改正法、平成二十九年地方税法等改正法、平成三十一年地方税法等改正法、令和三年地方税法等改正法及び令和四年地方税法等改正法の施行による不動産取得税に係る令和六年度の東日本大震災に係る減収見込額として総務省令で定めるところにより算定した額

ヘ　平成二十三年法律第三十号、平成二十三年法律第九十六号、平成二十四年地方税法等改正法、平成二十六年地方税法等改正法、平成二十八年地方税法等改正法及び平成三十一年地方税法等改正法の施行による自動車税に係る令和六年度の東日本大震災に係る減収見込額として総務省令で定めるところにより算定した額

ト　平成二十三年法律第三十号、平成二十三年法律第九十六号、平成二十三年法律第百二十号、平成二十四年地方税法等改正法、平成二十八年地方税法等改正法、平成三十一年地方税法等改正法、令和三年地方税法等改正法、令和四年地方税法等改正法及び令和六年地方税法等改正法の施行による固定資産税に係る令和六年度の東日本大震災に係る減収見込額として総務省令で定めるところにより算定した額

チ　平成二十三年法律第三十号、平成二十八年地方税法等改正法、令和三年地方税法等改正法、震災特例法、震災特例法改正法、平成二十四年租税特別措置法等改正法、平成二十五年所得税法等改正法、平成二十六年所得税法等改正法、平成二十七年所得税法等改正法、平成二十八年所得税法等改正法、平成二十九年所得税法等改正法、平成三十一年所得税法等改正法、令和三年所得税法等改正法、令和五年所得税法等改正法及び令和六年所得税法等改正法の施行による特別法人事業譲与税に係る令和六年度の東日本大震災に係る減収見込額として総務省令で定めるところにより算定した額

二　イからヘまでに掲げる額の合算額

イ　平成二十三年法律第三十号、平成二十三年法律第百二十号、平成二十四年地方税法等改正法、平成二十五年地方税法改正法、平成三十一年地方税法等改正法、令和二

年法律第五号、令和二年法律第二十六号、令和三年地方税法等改正法、令和四年地方税法等改正法、令和五年地方税法等改正法、令和六年地方税法等改正法、震災特例法、震災特例法改正法、平成二十五年所得税法等改正法、平成二十六年所得税法等改正法、平成二十七年所得税法等改正法、平成二十八年所得税法等改正法、平成二十九年所得税法等改正法、平成三十一年所得税法等改正法、令和二年所得税法等改正法、新型コロナウイルス感染症特例法、令和三年所得税法等改正法、令和四年所得税法等改正法、令和五年所得税法等改正法及び令和六年所得税法等改正法の施行による個人の市町村民税に係る令和六年度の東日本大震災に係る減収見込額として総務省令で定めるところにより算定した額

ロ　平成二十三年法律第三十号、平成二十八年地方税法等改正法、令和三年地方税法等改正法、震災特例法、震災特例法改正法、平成二十四年租税特別措置法等改正法、平成二十五年所得税法等改正法、平成二十六年所得税法等改正法、平成二十七年所得税法等改正法、平成二十八年所得税法等改正法、平成二十九年所得税法等改正法、平成三十一年所得税法等改正法、令和二年所得税法等改正法、令和三年所得税法等改正法、令和五年所得税法等改正法及び令和六年所得税法等改正法の施行による法人の市町村民税に係る令和六年度の東日本大震災に係る減収見込額として総務省令で定めるところにより算定した額

ハ　平成二十三年法律第三十号、平成二十三年法律第九十六号、平成二十三年法律第百二十号、平成二十四年地方税法等改正法、平成二十五年地方税法改正法、平成二十六年地方税法等改正法、平成二十八年地方税法等改正法、平成三十一年地方税法等改正法、令和三年地方税法等改正法、令和四年地方税法等改正法及び令和六年地方税法等改正法の施行による固定資産税に係る令和六年度の東日本大震災に係る減収見込額として総務省令で定めるところにより算定した額

ニ　平成二十三年法律第三十号、平成二十三年法律第九十六号、平成二十四年地方税法等改正法、平成二十六年地方税法等改正法、平成二十八年地方税法等改正法及び平成三十一年地方税法等改正法の施行による軽自動車税に係る令和六年度の東日本大震災に係る減収見込額として総務省令で定めるところにより算定した額

ホ　平成二十三年法律第三十号、平成二十八年地方税法等改正法、令和三年地方税法等改正法、震災特例法、震災特例法改正法、平成二十四年租税特別措置法等改正法、平成二十五年所得税法等改正法、平成二十六年所得税法等改正法、平成二十七年所得税法等改正法、平成二十八年所得税法等改正法、平成二十九年所得税法等改正法、平成三十一年所得税法等改正法、令和三年所得税法等改正法、令和五年所得税法等改正法及び令和六年所得税法等改正法の施行による法人事業税交付金に係る令和六年度の東日本大震災に係る減収見込額として総務省令で定めるところにより算定した額

ヘ　平成三十一年地方税法等改正法の施行による環境性能割交付金に係る令和六年度の東日本大震災に係る減収見込額として総務省令で定めるところにより算定した額

（基準税額等の算定方法の特例）

第八条　当分の間、第十四条第三項の表の中欄に掲げる収入の項目のうち、道府県民税の所得割、法人税割及び利子割、法人の行う事業に対する事業税、特別法人事業譲与税、市町村民税の所得割及び法人税割、利子割交付金、法人事業税交付金並びに特別とん譲与税に係る同表の基準税額等（以下この条において「基準税額等」という。）を算定する場合において、これらの収入の項目に係る当該年度の前年度分の基準税額等（道府県民税の法人税割及び利子割、法人の行う事業に対する事業税並びに特別法人事業譲与税にあつてはこれらの収入の項目に係る同年度分の基準税額等からこれらの収入の項目の減収補塡のため同年度において特別に発行について同意又は許可を得た地方債の額の百分の七十五に相当する額を控除した額とし、市町村民税の法人税割、利子割交付金及び法人事業税交付金にあつてはこれらの収入の項目に係る同年度分の基準税額等からこれらの収入の項目の減収補塡のため同年度において特別に発行を許可された地方債の額の百分の七十五に相当する額を控除した額とする。）のうち算定過少又は算定過大と認められる額として総務省令の定めるところにより算定した額について第十五条第一項の規定による当該前年度の特別交付税の算定の基礎に算入されなかつた部分に相当する額があるときは、当該算入されなかつた部分に相当する額（当該部分に相当する額のうち、当該年度及び当該年度の翌年度において同項の規定により特別交付税の算定の基礎に算入される額がある場合には、当該算入される額に相当する額を除く。）を総務省令で定めるところにより当該年度以後三年度以内の年度分の基準税額等に加算し、又は減額することができる。

（特別土地保有税に係る基準税額等の算定方法の特例）

第八条の二　当分の間、第十四条第三項の表の中欄に掲げる収入の項目のうち、特別土地保有税に係る同表の基準税額等は算定しないものとする。

（沖縄県に係る基準財政需要額の算定方法等の特例）

第九条　沖縄県及び沖縄県の区域内の市町村に対して交付すべき昭和四十七年度から令和十三年度までの各年度分の普通交付税の額を算定する場合においては、第十二条第三項の測定単位の算定方法、第十三条の測定単位の数値の補正、第十四条の基準財政収入額の算定方法その他普通交付税の額の算定上必要な事項について、総務省令で特例を設けることができる。

（特定被災地方公共団体に係る基準財政需要額及び基準財政収入額の算定方法の特例）

第九条の二　東日本大震災に対処するための特別の財政援助及び助成に関する法律（平成二十三年法律第四十号）第二条第二項に規定する特定被災地方公共団体に対して交付すべき令和六年度分の普通交付税の額を算定する場合において、第十二条第三項の測定単位の数値の算定の基礎及び算定方法、第十三条の測定単位の数値の補正又は第十四条第三項の表の基準税額等の算定の基礎及び算定方法によることができず、又は適当でないと認められるときは、これらの事項について、総務省令で特例を設けることができる。

（新たに指定された指定都市に係る基準税額等の算定基礎の特例）

第十条　新たに指定された指定都市に対して交付すべき当該指定があつた日の属する年度分の普通交付税の額を算定する場合において、第十四条第三項に規定する基準税額等の算定の基礎によることができず又は適当でないと認められるときは、当該算定の基礎について、総務省令で特例を設けることができる。

（令和六年度分の普通交付税及び特別交付税の総額の特例）

第十一条　令和六年度に限り、同年度分として交付すべき普通交付税の総額は、同年度分として交付すべき交付税の総額から返還金等の額（第二十条の三第二項の規定により同年度分の交付税の総額に算入される額をいう。以下この条において同じ。）及び令和六年度震災復興特別交付税額（旧法附則第十二条第一項の規定により令和六年度分として交付すべき交付税の総額に加算された旧法附則第十一条に規定する令和五年度震災復興特別交付税額の一部及び附則第四条第一項に規定する震災復興特別交付税に充てるための六百十一億千七百二十万七千円の合算額をいう。以下この条及び次条において同じ。）の合算額を控除した額の百分の九十四に相当する額とし、令和六年度分として交付すべき特別交付税の総額は、同年度分として交付すべき交付税の総額から返還金等の額及び令和六年度震災復興特別交付税額の合算額を控除した額の百分の六に相当する額に返還金等の額及び令和六年度震災復興特別交付税額の合算額を加算した額とする。

（令和六年度震災復興特別交付税額の一部の令和七年度における交付等）

第十二条　令和六年度分として交付すべき交付税の総額のうち令和六年度震災復興特別交付税額については、東日本大震災に係る災害復旧事業、復興事業その他の事業の実施状況を勘案して総務大臣が定める額以内の額を令和六年度内に交付しないで、当該総務大臣が定める額以内の額（旧法附則第十二条第一項の規定により令和六年度分として交付すべき交付税の総額に加算された旧法附則第十一条に規定する令和五年度震災復興特別交付税額の一部のうち、令和六年度内に交付しない額を除く。）を第六条第二項の当該年度の前年度以前の年度における交付税でまだ交付していない額として、令和七年度分として交付すべき交付税の総額に加算して交付することができる。

2　前項の規定により令和六年度震災復興特別交付税額の一部を令和七年度分の交付税の総額に加算して交付する場合には、同年度分として交付すべき普通交付税の総額は、同項の規定による令和六年度震災復興特別交付税額の一部の加算がなかつたものとした場合における令和七年度分の交付税の総額から返還金等の額（第二十条の三第二項の規定により同年度分の交付税の総額に算入される額をいう。以下この項において同じ。）を控除した額の百分の九十四に相当する額とし、同年度分として交付すべき特別交付税の総額は、前項の規定による令和六年度震災復興特別交付税額の一部の加算がなかつたものとした場合における令和七年度分の交付税の総額から返還金等の額を控除した額の百分の六に相当する額に返還金等の額及び同項の規定により加算された令和六年度震災復興特別交付税額の一部の合算額を加算した額とする。

（震災復興特別交付税の額の決定時期及び決定時期ごとに決定すべき額の特例）

第十三条　令和六年度及び令和七年度において、各地方団体に交付すべき震災復興特別交付税の額の決定については、第十五条第二項の規定にかかわらず、東日本大震災に係る災害復旧事業、復興事業その他の事業の実施状況及び東日本大震災のための財政収入の減少の状況を勘案して、総務省令で定めるところにより、決定時期及び決定時期ごとに決定すべき額に関し特例を設けるものとする。

2　前項の場合における第十五条、第十六条、第十八条から第二十条まで、第二十三条及び第二十四条の規定の適用については、第十五条第二項中「額を」とあるのは「額（附則第四条第一項に規定する震災復興特別交付税の額を除く。以下この項において同じ。）を」と、「当該年度の特別交付税の総額」とあるのは「、令和六年度にあつては同年度の特別交付税の総額から附則第十一条に規定する令和六年度震災復興特別交付税額を、令和七年度にあつては同年度の特別交付税の総額から附則第十二条第一項の規定により加算された附則第十一条に規定する令和六年度震災復興特別交付税額の一部をそれぞれ控除した額」と、同条第四項中「又は前項」とあるのは「若しくは前項又は附則第十三条第一項」と、第二十条第一項中「前二条」とあるのは「前二条並びに附則第十三条第一項」と、同条第二項中「第八項」とあるのは「第八項並びに附則第十三条第一項」と、第二十三条第三号中「又は第十五条」とあるのは「若しくは第十五条又は附則第十三条第一項」とする。

（令和六年度及び令和七年度における交付時期ごとに交付すべき額の特例）

第十四条　令和六年度及び令和七年度における第十六条第一項の規定の適用については、同項の表四月及び六月の項中「の前年度の交付税の総額」とあるのは、令和六年度にあつては「から附則第十一条に規定する令和六年度震災復興特別交付税額を控除した額の前年度の交付税の総額から地方交付税法等の一部を改正する法律（令和六年法律第五号）第一条の規定による改正前の地方交付税法附則第十一条に規定する令和五年度震災復興特別交付税額のうち令和五年度において交付された額を控除した額」と、令和七年度にあつては「から附則第十二条第一項の規定により加算された附則第十一条に規定する令和六年度震災復興特別交付税額の一部を控除した額の前年度の交付税の総額から同条に規定する令和六年度震災復興特別交付税額のうち令和六年度において交付された額を控除した額」とする。

（震災復興特別交付税の額の加算、減額及び返還）

第十五条　令和六年度及び令和七年度において、総務大臣は、東日本大震災に係る災害復旧事業、復興事業その他の事業の実績、東日本大震災のための財政収入の減少の状況その他の事由により、平成二十三年度以降に地方団体に交付した震災復興特別交付税の額が、当該地方団体に交付すべきであつた震災復興特別交付税の額に満たないときは当該満たない額を、当該地方団体に交付すべきであつた震災復興特別交付税の額を超えるときは当該超える額（次項及び第三項において「超過交付額」という。）を、総務省令で定めるところにより、総務省令で定める時期に当該地方団体に交付すべき震災復興特別交付税の額に加算し、又はこれから減額した額をもつて当該時期に当該地方団体に交付すべき震災復興特別交付税の額とすることができる。

2　前項の場合において、総務大臣は、超過交付額が総務省令で定める時期に交付すべき震災復興特別交付税の額を超える地方団体について、総務省令で定めるところにより、当該超える額を限度として、総務大臣が定める額を返還させることができる。ただし、当該地方団体から当該額を返還させる場合には、その方法について、あらかじめ、当該地方団体の意見を聴かなければならない。

3　令和八年度以降の各年度において、総務大臣は、超過交付額が生じた地方団体について、総務省令で定めるところにより、当該超過交付額を返還させることができる。ただし、当該地方団体から当該超過交付額を返還させる場合には、その方法について、あらかじめ、当該地方団体の意見を聴かなければならない。

4　前三項の場合においては、第十九条第三項、第六項前段、第七項及び第八項並びに第二十条の規定を準用する。

5　第二項及び第三項の場合における第四条及び第二十三条の規定の適用については、第四条第三号中「第十九条」とあるのは「第十九条（附則第十五条第四項において準用する場合を含む。）」と、同条第五号中「第二十条の二第四項」とあるのは「第二十条の二第四項及び附則第十五条第四項」と、同条第六号中「第二十条」とあるのは「第二十条（附則第十五条第四項において準用する場合を含む。）」と、第二十三条第六号中「第二十条の二第四項」とあるのは「第二十条の二第四項及び附則第十五条第四項」と、同条第七号中「の規定により同条第二項」とあるのは「（附則第十五条第四項において準用する場合を含む。）の規定により第二十条第二項（附則第十五条第四項において準用する場合を含む。）」とする。

附　則（平二八・三・三一法一三）（抄）

最終改正　令二・三・三一法五

（施行期日）

第一条　この法律は、平成二十八年四月一日から施行する。ただし、次の各号に掲げる規定は、当該各号に定める日から施行する。

一〜五の二　〔略〕

五の三　〔前略〕附則第三十七条、第三十七条の三第一項〔中略〕の規定　平成三十一年四月一日

五の四　〔前略〕附則〔中略〕第三十七条の三第二項〔中略〕の規定　令和元年十月一日

五の四の二　〔略〕

五の五　〔前略〕附則〔中略〕第三十七条の二、第三十八条〔中略〕の規定　令和二年四月一日

六〜十五　〔略〕

（地方交付税法の一部改正に伴う経過措置）

第三十七条の三　附則第三十七条の規定による改正後の地方交付税法第十四条第一項及び第三項の規定は、令和元年度分の地方交付税に係る同条の規定による基準財政収入額の算定から適用し、平成三十年度分までの地方交付税に係る附則第三十七条の規定による改正前の地方交付税法第十四条の規定による基準財政収入額の算定については、なお従前の例による。

2　令和元年度分の地方交付税について、附則第一条第五号の四に掲げる規定の施行の日以後において、地方交付税法第十条第三項ただし書の規定により、普通交付税の額を決定し、又は既に決定した普通交付税の額を変更する場合における同法第十四条の規定による基準財政収入額の算定に係る同条第一項及び第三項の規定の適用については、次の表の上欄に掲げる同条の規定中同表の中欄に掲げる字句は、それぞれ同表の下欄に掲げる字句とする。

第一項	、自動車取得税	、地方税法等の一部を改正する等の法律（平成二十八年法律第十三号）第二条の規定による改正前の地方税法（以下この項及び第三項において「改正前地方税法」という。）に規定する自動車取得税
	同法第百四十三条	改正前地方税法第百四十三条
	地方税法等の一部を改正する等の法律（平成	環境性能割

	二十八年法律第十三号）第二条の規定による改正後の地方税法（以下この項及び第三項において「改正後地方税法」という。）第百四十五条第一号に規定する環境性能割（以下この項及び第三項の表道府県の項第九号の二1において「環境性能割」という。）	
	から改正後地方税法	から同法
	道府県の地方税法	道府県の同法
第三項の表道府県の項第七号	地方税法	改正前地方税法
第三項の表道府県の項第九号	自動車税	改正前地方税法に規定する自動車税
	地方税法	改正前地方税法
第三項の表道府県の項第九号の二	改正後地方税法に規定する自動車税	自動車税
	（改正後地方税法	（地方税法
	改正後地方税法第百四十五条第二号に規定する種別割	種別割
第三項の表市町村の項第三号	軽自動車税	改正前地方税法に規定する軽自動車税
	地方税法	改正前地方税法
第三項の表市町村の項第三号の二	改正後地方税法に規定する軽自動車税の改正後地方税法第四百四十二条第一号に規定する	軽自動車税の
	改正後地方税法第四百四十二条第五号	地方税法第四百四十二条第五号

第三十八条　附則第三十七条の二の規定による改正後の地方交付税法（次項において「二年新地方交付税法」という。）第十四条第一項及び第三項の規定は、令和二年度分の地方交付税に係る同条の規定による基準財政収入額の算定から適用し、令和元年度分までの地方交付税に係る附則第三十七条の二の規定による改正前の地方交付税法（次項において「二年旧地方交付税法」という。）第十四条の規定による基準財政収入額の算定については、なお従前の例による。

2　二年新地方交付税法附則第八条の規定は、令和二年度以降の年度分に係る同条に規定する基準税額等のうち算定過少又は算定過大と認められる額の算定について適用し、平成二十九年度分、平成三十年度分及び令和元年度分に係る二年旧地方交付税法附則第八条に規定する基準税額等のうち算定過少又は算定過大と認められる額の算定については、なお従前の例による。

3　令和二年度分の地方交付税に係る地方交付税法第十四条の規定による基準財政収入額の算定に係る同条第一項及び第三項の規定の適用については、次の表の上欄に掲げる同条の規定中同表の中欄に掲げる字句は、それぞれ同表の下欄に掲げる字句とする。

第一項	同法第七十二条の七十六	地方税法等の一部を改正する等の法律（平成二十八年法律第十三号。以下この項において「平成二十八年地方税法等改正法」という。）附則第六条第二項の規定により読み替えられた地方税法第七十二条の七十六
	地方税法第七十二条の七十六	平成二十八年地方税法等改正法附則第六条第二項の規定により読み替えられた地方税法第七十二条の七十六
第三項の表道府県の項第八号及び同表市町村の項第三号	前年度中	当該年度中
	取得件数	取得見込件数として総務大臣が定める数
第三項の表市町村の項第十一号	並びに前年度の法人事業税交付金の交付額の算定に用いた当該道府県の従業者数及び当該	及び当該市町村の市町村民税の法人税割額

	市町村の従業者数	
第三項の表市町村の項第十五号	前年度の環境性能割交付金の交付額	当該年度の環境性能割交付金の交付見込額として総務大臣が定める額

4　令和三年度分の地方交付税に係る地方交付税法第十四条の規定による基準財政収入額の算定に係る同条第一項及び第三項の規定の適用については、次の表の上欄に掲げる同条の規定中同表の中欄に掲げる字句は、それぞれ同表の下欄に掲げる字句とする。

第一項	同法第七十二条の七十六	地方税法等の一部を改正する等の法律（平成二十八年法律第十三号。以下この項において「平成二十八年地方税法等改正法」という。）附則第六条第三項の規定により読み替えられた地方税法第七十二条の七十六
	地方税法第七十二条の七十六	平成二十八年地方税法等改正法附則第六条第三項の規定により読み替えられた地方税法第七十二条の七十六
第三項の表市町村の項第十一号	並びに前年度の法人事業税交付金の交付額の算定に用いた市町村の従業者数	、当該年度における市町村の従業者数として総務大臣が定める数並びに当該市町村の市町村民税の法人税割額

5　令和四年度分の地方交付税に係る地方交付税法第十四条の規定による基準財政収入額の算定に係る同条第一項及び第三項の規定の適用については、次の表の上欄に掲げる同条の規定中同表の中欄に掲げる字句は、それぞれ同表の下欄に掲げる字句とする。

第一項	同法第七十二条の七十六	地方税法等の一部を改正する等の法律（平成二十八年法律第十三号。以下この項において「平成二十八年地方税法等改正法」という。）附則第六条第三項の規定により読み替えられた地方税法第七十二条の七十六
	地方税法第七十二条の七十六	平成二十八年地方税法等改正法附則第六条第三項の規定により読み替えられた地方税法第七十二条の七十六
第三項の表市町村の項第十一号	数値並びに	数値、
	市町村の従業者数	市町村の従業者数並びに当該市町村の市町村民税の法人税割額

附　則（平三〇・三・三一法四）（抄）

（施行期日）

第一条　この法律は、平成三十年四月一日から施行する。

（地方交付税法の一部改正に伴う経過措置）

第二条　第一条の規定による改正後の地方交付税法（次条において「新地方交付税法」という。）の規定は、平成三十年度分の地方交付税から適用し、平成二十九年度分までの地方交付税については、なお従前の例による。

（平成三十年度における基準財政収入額の算定方法の特例）

第三条　平成三十年度分の地方交付税に係る新地方交付税法第十四条の規定による基準財政収入額の算定に係る同条第三項の規定の適用については、同項の表市町村の項第十一号中「前年度の地方消費税交付金の交付額」とあるのは、「当該年度の地方消費税交付金の交付見込額として総務大臣が定める額」とする。

附　則（平三一・三・二九法二）（抄）

改正　令二・三・三一法五

（施行期日）

第一条　この法律は、平成三十一年四月一日から施行する。〔ただし書略〕

（地方交付税法の一部改正に伴う経過措置等）

第三十条　前条の規定による改正後の地方交付税法（次項及び第三項において「新地方交付税法」という。）第十四条第一項及び第三項の規定は、令和元年度分の地方交付税に係る同条の規定による基準財政収入額の算定から適用し、平成三十年度分までの地方交付税に係る前条の規定による改正前の地方交付税法第十四条の規定による基準財政収入額の算定については、なお従前の例による。

2　令和元年度分の地方交付税に係る新地方交付税法第十四条の規定による基準財政収入額の算定に係る同条第三項の規定の適用については、同項の表道府県の項第十五号中「前年度の自動車重量譲与税の譲与額」とあるのは、「当該年度の自動車重量譲与税の譲与見込額として総務大臣が定める額」とする。

3 〔略〕

附 則（平三一・三・二九法三）（抄）

改正 令二・三・三一法五

（施行期日）

第一条 この法律は、平成三十一年四月一日から施行する。〔ただし書略〕

（地方交付税法の一部改正に伴う経過措置）

第七条 前条の規定による改正後の地方交付税法（次項において「新地方交付税法」という。）第十四条第一項及び第三項の規定は、令和元年度分の地方交付税に係る同条の規定による基準財政収入額の算定から適用し、平成三十年度分までの地方交付税に係る前条の規定による改正前の地方交付税法第十四条の規定による基準財政収入額の算定については、なお従前の例による。

2 令和元年度分の地方交付税に係る新地方交付税法第十四条の規定による基準財政収入額の算定に係る同条第三項の規定の適用については、同項の表道府県の項第十七号中「前年度の森林環境譲与税の譲与額」とあるのは「当該年度の森林環境譲与税の譲与見込額として総務大臣が定める額」と、同表市町村の項第二十一号中「前年度の森林環境譲与税の譲与額」とあるのは「当該年度の森林環境譲与税の譲与見込額として総務大臣が定める額」とする。

附 則（平三一・三・二九法四）（抄）

改正 令二・三・三一法五

（施行期日）

第一条 この法律は、令和元年十月一日から施行する。ただし、次の各号に掲げる規定は、当該各号に定める日から施行する。

一 附則第二十四条の規定 公布の日

二 附則〔中略〕第十三条から第十五条までの規定 平成三十二年四月一日

（地方交付税法の一部改正に伴う経過措置）

第十四条 前条の規定による改正後の地方交付税法（次項及び第三項において「新地方交付税法」という。）第十四条第一項及び第三項の規定は、令和二年度分の地方交付税に係る同条の規定による基準財政収入額の算定から適用し、令和元年度分までの地方交付税に係る前条の規定による改正前の地方交付税法（次項において「旧地方交付税法」という。）第十四条の規定による基準財政収入額の算定については、なお従前の例による。

2 新地方交付税法附則第八条の規定は、令和二年度以降の年度分に係る同条に規定する基準税額等のうち算定過小又は算定過大と認められる額の算定について適用し、平成二十九年度分、平成三十年度分及び令和元年度分に係る旧地方交付税法附則第八条に規定する基準税額等のうち算定過小又は算定過大と認められる額の算定については、なお従前の例による。この場合において、平成二十九年度分、平成三十年度分及び令和元年度分に係る同条の規定の適用については、同条中「当該年度以後三年度以内の年度分の基準税額等」とあるのは、「当該年度以後三年度以内の年度分の基準税額等（令和二年度以降の年度分においては特別法人事業税及び特別法人事業譲与税に関する法律（平成三十一年法律第四号）附則第十三条による改正後の第十四条第三項の表の中欄に掲げる収入の項目のうち、特別法人事業譲与税に係る同表の基準税額等を含む。）」とする。

3 令和二年度分の地方交付税に係る新地方交付税法第十四条の規定による基準財政収入額の算定に係る同条第三項の規定の適用については、同項の表道府県の項第十二号中「前年度の特別法人事業譲与税の譲与額」とあるのは、「当該年度の特別法人事業譲与税の譲与見込額として総務大臣が定める額」とする。

附 則（平三一・三・二九法五）（抄）

改正 令二・二・五法一

（施行期日）

第一条 この法律は、平成三十一年四月一日から施行する。

（地方交付税法の一部改正に伴う経過措置）

第二条 第一条の規定による改正後の地方交付税法（次条において「新地方交付税法」という。）の規定は、令和元年度分の地方交付税から適用し、平成三十年度分までの地方交付税については、なお従前の例による。

（令和元年度における基準財政収入額の算定方法の特例）

第三条 令和元年度分の地方交付税に係る新地方交付税法第十四条の規定による基準財政収入額の算定に係る同条第三項の規定の適用については、同項の表市町村の項第十一号中「前年度の地方消費税交付金の交付額」とあるのは、「当該年度の地方消費税交付金の交付見込額として総務大臣が定める額」とする。

2 この法律の施行の日（附則第五条第二項において「施行日」という。）から地方税法等の一部を改正する法律（平成三十一年法律第二号）附則第一条第二号に掲げる規定の施行の日の前日までの間における新地方交付税法附則第七条の四の規定の適用については、同条第一号ヘ中「平成二十八年地方税法等改正法第二条の規定による改正前の地方税法（次号ホにおいて「平成二十八年改正前の地方税法」という。）に規定する自動車取得税」とあるのは「自動車取得税」と、同号リ中「平成二十八年地方税法等改正法第九条の規定による廃止前の地方法人特別譲与税」とあるのは「地方法人特別譲与税」と、同条第二号ホ中「平成二十八年改正前の地方税法に規定する自動車取得税交付金」とあるのは「自動車取得税交付金」と、同号ヘ中「地方税法第百七十七条の六」とあるのは「平成三十一年地方税法等改正法第二条の規定による改正後の地方税法第百七十七条の六」とする。

附 則（令二・三・三一法六）（抄）

（施行期日）

第一条 この法律は、令和二年四月一日から施行する。

（地方交付税法の一部改正に伴う経過措置）

第二条 第一条の規定による改正後の地方交付税法の規定は、

令和二年度分の地方交付税から適用し、令和元年度分までの地方交付税については、なお従前の例による。

附　則（令三・二・三法三）

この法律は、公布の日から施行する。

附　則（令三・三・三一法八）（抄）

（施行期日）

第一条　この法律は、令和三年四月一日から施行する。

（地方交付税法の一部改正に伴う経過措置）

第二条　第一条の規定による改正後の地方交付税法（次条において「新地方交付税法」という。）の規定は、令和三年度分の地方交付税から適用し、令和二年度分までの地方交付税については、なお従前の例による。

（令和三年度における基準財政収入額の算定方法の特例）

第三条　令和三年度分の地方交付税に係る新地方交付税法第十四条の規定による基準財政収入額の算定に係る同条第三項の規定の適用については、同項の表道府県の項第十二号中「前年度の特別法人事業譲与税の譲与額」とあるのは「当該年度の特別法人事業譲与税の譲与見込額として総務大臣が定める額」と、同項第十七号中「前年度の森林環境譲与税の譲与額」とあるのは「当該年度の森林環境譲与税の譲与見込額として総務大臣が定める額」と、同表市町村の項第十二号中「前年度の地方消費税交付金の交付額」とあるのは「当該年度の地方消費税交付金の交付見込額として総務大臣が定める額」と、同項第二十一号中「前年度の森林環境譲与税の譲与額」とあるのは「当該年度の森林環境譲与税の譲与見込額として総務大臣が定める額」とする。

附　則（令三・三・三一法一九）（抄）

（施行期日）

第一条　この法律は、令和三年四月一日から施行する。

（地方交付税法の一部改正等）

第十条　〔中略〕

2　前項の規定による改正後の地方交付税法附則第五条の規定は、令和三年度分の地方交付税から適用する。

附　則（令三・五・一九法三六）（抄）

（施行期日）

第一条　この法律は、令和三年九月一日から施行する。〔ただし書略〕

附　則（令三・一二・二四法八八）

（施行期日）

第一条　この法律は、公布の日から施行する。

（臨時経済対策費及び臨時財政対策債償還基金費の基準財政需要額への算入）

第二条　令和三年度に限り、各地方団体に対して交付すべき普通交付税の額の算定に用いる第一条の規定による改正後の地方交付税法（次条において「新法」という。）第十一条の規定による基準財政需要額は、同条の規定により算定した額に、次の表に掲げる地方団体の種類、経費の種類及び測定単位ごとの単位費用に次項の規定により算定した測定単位の数値を乗じて得た額を加算した額とする。

地方団体の種類	経費の種類	測定単位	単位費用
道府県	一　臨時経済対策費	人口	一人につき　一、七〇〇円
	二　臨時財政対策債償還基金費	臨時財政対策のため令和三年度において特別に起こすことができることとされた地方債の額	千円につき　二七四
市町村	一　臨時経済対策費	人口	一人につき　一、七〇〇円
	二　臨時財政対策債償還基金費	臨時財政対策のため令和三年度において特別に起こすことができることとされた地方債の額	千円につき　二七四

2　前項の測定単位の数値は、次の表の上欄に掲げる測定単位につき、同表の中欄に定める算定の基礎により、同表の下欄に掲げる表示単位に基づいて、総務省令で定めるところにより算定する。ただし、臨時経済対策費に係る測定単位の数値は、人口の多少による段階その他の事情を参酌して、総務省令で定めるところにより、その数値を補正することができる。

測定単位	測定単位の数値の算定の基礎	表示単位
一　人口	官報で公示された最近の国勢調査の結果による当該地方団体の人口	人
二　臨時財政対策のため令和三年度において特別に起こ	地方財政法（昭和二十三年法律第百九号）第三十三条の五の二第一項の規定により令和三年度において起こすことが	千円

すことができることとされた地方債の額	できることとされた地方債の額

（令和三年度分として交付すべき地方交付税の総額の一部の令和四年度における交付）

第三条 令和三年度分として交付すべき地方交付税の総額のうち新法附則第十一条に規定する令和三年度震災復興特別交付税額以外の額については、第一号に掲げる額から第二号に掲げる額を控除した額以内の額を、同年度内に交付しないで、新法第六条第二項の当該年度の前年度以前の年度における地方交付税でまだ交付していない額として、令和四年度分として交付すべき地方交付税の総額に加算して交付することができる。

一 新法附則第四条の規定により算定された令和三年度分として交付すべき地方交付税の総額から新法附則第十一条に規定する令和三年度震災復興特別交付税額を控除した額

二 イ及びロに掲げる額の合算額

イ 令和三年度分に係る新法第十条第二項本文の規定により各地方団体に対して交付すべき普通交付税の額の合算額

ロ イに規定する合算額から一兆五千億円を控除した額の九十四分の六に相当する額に新法第二十条の三第二項の規定により令和三年度分の地方交付税の総額に算入された額を加算した額

附 則（令四・三・三一法一）（抄）

（施行期日）

第一条 この法律は、令和四年四月一日から施行する。〔ただし書略〕

附 則（令四・三・三一法二）（抄）

（施行期日）

第一条 この法律は、令和四年四月一日から施行する。

（地方交付税法の一部改正に伴う経過措置）

第二条 第一条の規定による改正後の地方交付税法（次条において「新地方交付税法」という。）の規定は、令和四年度分の地方交付税から適用し、令和三年度分までの地方交付税については、なお従前の例による。

（令和四年度における基準財政収入額の算定方法の特例）

第三条 令和四年度分の地方交付税に係る新地方交付税法第十四条の規定による基準財政収入額の算定に係る同条第三項の規定の適用については、同項の表道府県の項第十二号中「前年度の特別法人事業譲与税の譲与額」とあるのは「当該年度の特別法人事業譲与税の譲与見込額として総務大臣が定める額」と、同項第十七号中「前年度の森林環境譲与税の譲与額」とあるのは「当該年度の森林環境譲与税の譲与見込額として総務大臣が定める額」と、同表市町村の項第十二号中「前年度の地方消費税交付金の交付額」とあるのは「当該年度の地方消費税交付金の交付見込額として総務大臣が定める額」と、同項第二十一号中「前年度の森林環境譲与税の譲与額」とあるのは「当該年度の森林環境譲与税の譲与見込額として総務大臣が定める額」とする。

附 則（令四・六・二二法七六）（抄）

（施行期日）

第一条 この法律は、こども家庭庁設置法（令和四年法律第七十五号）の施行の日〔令五・四・一〕から施行する。〔ただし書略〕

附 則（令四・一一・一八法八七）（抄）

（施行期日）

第一条 この法律は、公布の日から起算して一月を超えない範囲内において政令で定める日〔令四・一二・一六〕から施行する。〔ただし書略〕

附 則（令四・一二・九法九五）

（施行期日）

第一条 この法律は、公布の日から施行する。

（臨時経済対策費の基準財政需要額への算入）

第二条 令和四年度に限り、各地方団体に対して交付すべき普通交付税の額の算定に用いる地方交付税法（次条において「法」という。）第十一条の規定による基準財政需要額は、同条の規定により算定した額に、次の表に掲げる地方団体の種類、経費の種類及び測定単位ごとの単位費用に次項の規定により算定した測定単位の数値を乗じて得た額を加算した額とする。

地方団体の種類	経費の種類	測定単位	単位費用
道府県	臨時経済対策費	人口	一人につき 一、八〇〇 円
市町村	臨時経済対策費	人口	一人につき 一、八〇〇 円

2 前項の測定単位の数値は、次の表の上欄に掲げる測定単位につき、同表の中欄に定める算定の基礎により、同表の下欄に掲げる表示単位に基づいて、総務省令で定めるところにより算定する。ただし、当該測定単位の数値は、人口の多少による段階その他の事情を参酌して、総務省令で定めるところにより、その数値を補正することができる。

測定単位	測定単位の数値の算定の基礎	表示単位
人口	官報で公示された最近の国勢調査の結果による当該地方団	人

体の人口		

(令和四年度分として交付すべき地方交付税の総額の一部の令和五年度における交付)

第三条 令和四年度分として交付すべき地方交付税の総額のうち法附則第十一条に規定する令和四年度震災復興特別交付税額以外の額については、第一号に掲げる額から第二号に掲げる額を控除した額以内の額を、同年度内に交付しないで、法第六条第二項の当該年度の前年度以前の年度における地方交付税でまだ交付していない額として、令和五年度分として交付すべき地方交付税の総額に加算して交付することができる。

一 法附則第四条の規定により算定された令和四年度分として交付すべき地方交付税の総額から法附則第十一条に規定する令和四年度震災復興特別交付税額を控除した額

二 イ及びロに掲げる額の合算額

イ 令和四年度分に係る法第十条第二項本文の規定により各地方団体に対して交付すべき普通交付税の額の合算額

ロ イに規定する合算額の九十四分の六に相当する額に法第二十条の三第二項の規定により令和四年度分の地方交付税の総額に算入された額を加算した額

附 則(令五・三・三一法二)(抄)

(施行期日)

第一条 この法律は、令和五年四月一日から施行する。

(地方交付税法の一部改正に伴う経過措置)

第二条 第一条の規定による改正後の地方交付税法の規定は、令和五年度分の地方交付税から適用し、令和四年度分までの地方交付税については、なお従前の例による。

附 則(令五・五・二六法三四)(抄)

(施行期日)

第一条 この法律は、公布の日から起算して一年を超えない範囲内において政令で定める日〔令六・四・一〕から施行する。

〔ただし書略〕

附 則(令五・一二・六法八三)(抄)

(施行期日)

第一条 この法律は、公布の日から施行する。

(臨時経済対策費及び臨時財政対策債償還基金費の基準財政需要額への算入)

第二条 令和五年度に限り、各地方団体に対して交付すべき普通交付税の額の算定に用いる第一条の規定による改正後の地方交付税法(次条において「新法」という。)第十一条の規定による基準財政需要額は、同条の規定により算定した額に、次の表に掲げる地方団体の種類、経費の種類及び測定単位ごとの単位費用に次項の規定により算定した測定単位の数値を乗じて得た額を加算した額とする。

地方団体の種類	経費の種類	測定単位	単位費用
道府県	一 臨時経済対策費	人口	一人につき 円 九五〇
	二 臨時財政対策債償還基金費	臨時財政対策のため平成十六年度から令和五年度までの各年度において特別に起こすことができることとされた地方債の額	千円につき 二
市町村	一 臨時経済対策費	人口	一人につき 円 九五〇
	二 臨時財政対策債償還基金費	臨時財政対策のため平成十六年度から令和五年度までの各年度において特別に起こすことができることとされた地方債の額	千円につき 二

2 前項の測定単位の数値は、次の表の上欄に掲げる測定単位につき、同表の中欄に定める算定の基礎により、同表の下欄に掲げる表示単位に基づいて、総務省令で定めるところにより算定する。ただし、当該測定単位の数値は、臨時経済対策費に係るものにあっては人口の多少による段階その他の事情を参酌して、臨時財政対策債償還基金費に係るものにあっては当該測定単位に係る種別ごとの単位当たりの費用の差に応じて、総務省令で定めるところにより、その数値を補正することができる。

測定単位	測定単位の数値の算定の基礎	表示単位
一 人口	官報で公示された最近の国勢調査の結果による当該地方団体の人口	人
二 臨時財政対	(1) 地方交付税法等の一部を	千円

策のため平成十六年度から令和五年度までの各年度において特別に起こすことができることとされた地方債の額

改正する法律（平成十九年法律第二十四号）第三条の規定による改正前の地方財政法（昭和二十三年法律第百九号）第三十三条の五の二第一項の規定により平成十六年度から平成十八年度までの各年度において起こすことができることとされた地方債の額

(2) 地方交付税法等の一部を改正する法律（平成二十二年法律第五号）第三条の規定による改正前の地方財政法第三十三条の五の二第一項の規定により平成十九年度から平成二十一年度までの各年度において起こすことができることとされた地方債の額

(3) 地方交付税法等の一部を改正する法律（平成二十三年法律第五号）第三条の規定による改正前の地方財政法第三十三条の五の二第一項の規定により平成二十二年度において起こすことができることとされた地方債の額

(4) 地方交付税法等の一部を改正する法律（平成二十六年法律第五号）第五条の規定による改正前の地方財政法第三十三条の五の二第一項の規定により平成二十三年度から平成二十五年度までの各年度において起こすことができることとされた地方債の額

(5) 地方交付税法等の一部を改正する法律（平成二十九年法律第三号）第三条の規定による改正前の地方財政法第三十三条の五の二第一項の規定により平成二十六年度から平成二十八年度までの各年度において起こすことができることとされた地方債の額

(6) 地方交付税法等の一部を改正する法律（令和二年法律第六号）第三条の規定による改正前の地方財政法第三十三条の五の二第一項の規定により平成二十九年度から令和元年度までの各年度において起こすことができることとされた地方債の額

(7) 地方交付税法等の一部を改正する法律（令和五年法律第二号）第三条の規定による改正前の地方財政法第三十三条の五の二第一項の規定により令和二年度から令和四年度までの各年度において起こすことができることとされた地方債の額

(8) 地方財政法第三十三条の五の二第一項の規定により令和五年度において起こすことができることとされた地方債の額

（令和五年度分として交付すべき地方交付税の総額の一部の令和六年度における交付）

第三条 令和五年度分として交付すべき地方交付税の総額のうち新法附則第十一条に規定する令和五年度震災復興特別交付税額以外の額については、第一号に掲げる額から第二号に掲げる額を控除した額以内の額を、同年度内に交付しないで、新法第六条第二項の当該年度の前年度以前の年度における地方交付税でまだ交付していない額として、令和六年度分として交付すべき地方交付税の総額に加算して交付することができる。

一 新法附則第四条の規定により算定された令和五年度分として交付すべき地方交付税の総額から新法附則第十一条に規定する令和五年度震災復興特別交付税額を控除した額

二 イ及びロに掲げる額の合算額

イ 令和五年度分に係る新法第十条第二項本文の規定により各地方団体に対して交付すべき普通交付税の額の合算額

ロ イに規定する合算額から三千億円を控除した額の九十四分の六に相当する額に新法第二十条の三第二項の規定により令和五年度分の地方交付税の総額に算入された額及び百五十億円を加算した額

附　則（令六・三・三〇法五）（抄）

(施行期日)

第一条　この法律は、令和六年四月一日から施行する。

(地方交付税法の一部改正に伴う経過措置)

第二条　第一条の規定による改正後の地方交付税法(次条において「新地方交付税法」という。)の規定は、令和六年度分の地方交付税から適用し、令和五年度分までの地方交付税については、なお従前の例による。

(令和六年度における基準財政収入額の算定方法の特例)

第三条　令和六年度分の地方交付税に係る新地方交付税法第十四条の規定による基準財政収入額の算定に係る同条第三項の規定の適用については、同項の表道府県の項第十六号中「前年度の航空機燃料譲与税の譲与額」とあるのは「当該年度の航空機燃料譲与税の譲与見込額として総務大臣が定める額」と、同項第十七号中「前年度の森林環境譲与税の譲与額」とあるのは「当該年度の森林環境譲与税の譲与見込額として総務大臣が定める額」と、同表市町村の項第十二号中「前年度の地方消費税交付金の交付額」とあるのは「当該年度の地方消費税交付金の交付見込額として総務大臣が定める額」と、同項第二十号中「前年度の航空機燃料譲与税の譲与額」とあるのは「当該年度の航空機燃料譲与税の譲与見込額として総務大臣が定める額」と、同項第二十一号中「前年度の森林環境譲与税の譲与額」とあるのは「当該年度の森林環境譲与税の譲与見込額として総務大臣が定める額」とする。

附　則(令六・五・二九法四〇)(抄)

(施行期日)

第一条　この法律は、公布の日から起算して六月を超えない範囲内において政令で定める日から施行する。〔ただし書略〕

別表第一(第十二条第四項関係)

地方団体の種類	経費の種類	測定単位	単位費用
			円
道府県	一　警察費	警察職員数	一人につき 八、六六七、〇〇〇
	二　土木費 1 道路橋りよう費	道路の面積	千平方メートルにつき 一三七、〇〇〇
		道路の延長	一キロメートルにつき 一、八九三、〇〇〇
	2 河川費	河川の延長	一キロメートルにつき 一九二、〇〇〇
	3 港湾費	港湾における係留施設の延長	一メートルにつき 二九、五〇〇
		港湾における外郭施設の延長	一メートルにつき 五、二〇〇
		漁港における係留施設の延長	一メートルにつき 一〇、三〇〇
		漁港における外郭施設の延長	一メートルにつき 四、六二〇
	4 その他の土木費	人口	一人につき 一、二八〇
	三　教育費 1 小学校費	教職員数	一人につき 五、九六八、〇〇〇
	2 中学校費	教職員数	一人につき 五、九〇九、〇〇〇
	3 高等学校費	教職員数	一人につき 六、七三六、〇〇〇
		生徒数	一人につき 六二、一〇〇
	4 特別支援学校費	教職員数	一人につき 五、五八三、〇〇〇
		学級数	一学級につき 二、一八八、〇〇〇
	5 その他の教育費	人口	一人につき 二、一八〇
		高等専門学校及び大学の学生の数	一人につき 二二四、〇〇〇
		私立の学校の幼児、児童及び生徒の数	一人につき 三二、七四〇
	四　厚生労働費 1 生活保護費	町村部人口	一人につき 九、四五〇
	2 社会福祉費	人口	一人につき 七、五一〇
	3 衛生費	人口	一人につき 一四、九〇〇
	4 こども子育て費	十八歳以下人口	一人につき 九八、六〇〇
	5 高齢者保健福祉費	六十五歳以上人口	一人につき 五八、二〇〇
		七十五歳以上人口	一人につき 九八、三〇〇
	6 労働費	人口	一人につき 四五〇

経費の種類	測定単位	単位費用
五 産業経済費		
1 農業行政費	農家数	一戸につき 一二七、〇〇〇
2 林野行政費	公有以外の林野の面積	一ヘクタールにつき 五、三一〇
	公有林野の面積	一ヘクタールにつき 一五、五〇〇
3 水産行政費	水産業者数	一人につき 三六五、〇〇〇
4 商工行政費	人口	一人につき 二、〇五〇
六 総務費		
1 徴税費	世帯数	一世帯につき 五、七一〇
2 恩給費	恩給受給権者数	一人につき 八二九、〇〇〇
3 地域振興費	人口	一人につき 五五三
七 災害復旧費	災害復旧事業費の財源に充てるため発行について同意又は許可を得た地方債に係る元利償還金	千円につき 九五〇
八 補正予算債償還費	平成四年度から平成十年度までの各年度において国の補正予算等に係る事業費の財源に充てるため発行を許可された地方債に係る元利償還金	千円につき 八〇〇
	平成十六年度から令和五年度までの各年度において国の補正予算等に係る事業費の財源に充てるため発行について同意又は許可を得た地方債の額	千円につき 三三
九 地方税減収補塡債償還費	地方税の減収補塡のため平成十六年度から令和五年度までの各年度において特別に発行について同意又は許可を得た地方債の額	千円につき 六〇
十 財源対策債償還費	平成十六年度から令和五年度までの各年度の財源対策のため当該各年度において発行について同意又は許可を得た地方債の額	千円につき 三三
十一 減税補塡債償還費	個人の道府県民税に係る特別減税等による平成六年度から平成八年度まで及び平成十六年度から平成十八年度までの各年度の減収を補塡するため当該各年度において特別に起こすことができることとさ	千円につき 五九

経費の種類	測定単位	単位費用	
	れた地方債の額		
十二 臨時財政対策債償還費	臨時財政対策のため平成十六年度から令和五年度までの各年度において特別に起こすことができることとされた地方債の額	千円につき	六〇
十三 東日本大震災全国緊急防災施策等債償還費	平成二十五年度から令和五年度までの各年度において東日本大震災全国緊急防災施策等に要する費用に充てるため発行について同意又は許可を得た地方債の額	千円につき	四一
十四 国土強靱化施策債償還費	令和元年度から令和五年度までの各年度において国土強靱化施策に要する費用に充てるため発行について同意又は許可を得た地方債の額	千円につき	二八

地方団体の種類	経費の種類	測定単位	単位費用
市町村	一 消防費	人口	一人につき 一一、八〇〇 円
	二 土木費 1 道路橋りょう費	道路の面積	千平方メートルにつき 七一、九〇〇
		道路の延長	一キロメートルにつき 一八八、〇〇〇
	2 港湾費	港湾における係留施設の延長	一メートルにつき 二八、三〇〇
		港湾における外郭施設の延長	一メートルにつき 五、二〇〇
		漁港における係留施設の延長	一メートルにつき 一〇、〇〇〇
		漁港における外郭施設の延長	一メートルにつき 三、二六〇
	3 都市計画費	都市計画区域における人口	一人につき 九八一
	4 公園費	人口	一人につき 五三八
		都市公園の面積	千平方メートルにつき 三七、六〇〇
	5 下水道費	人口	一人につき 一〇五
	6 その他の土木費	人口	一人につき 一、四二〇
	三 教育費 1 小学校費	児童数	一人につき 五一、三〇〇
		学級数	一学級につき 八一八、〇〇〇
		学校数	一校につき 一三、七〇八、〇〇〇
	2 中学校費	生徒数	一人につき 四七、四〇〇
		学級数	一学級につき 一、〇三五、〇〇〇
		学校数	一校につき 一一、〇三九、〇〇〇
	3 高等学校費	教職員数	一人につき 六、五五四、〇〇〇
		生徒数	一人につき 七八、五〇〇
	4 その他の教育費	人口	一人につき 四、四二〇
	四 厚生費 1 生活保護費	市部人口	一人につき 九、四三〇
	2 社会福祉費	人口	一人につき 八、〇五〇
	3 保健衛生費	人口	一人につき 七、一八〇
	4 こども	十八歳以下	一人につき

経費の種類	測定単位	単位費用
子育て費	人口	一五九、〇〇〇
5 高齢者保健福祉費	六十五歳以上人口	一人につき 七三、一〇〇
	七十五歳以上人口	一人につき 八四、九〇〇
6 清掃費	人口	一人につき 五、一六〇
五 産業経済費		
1 農業行政費	農家数	一戸につき 九二、〇〇〇
2 林野水産行政費	林業及び水産業の従業者数	一人につき 五五五、〇〇〇
3 商工行政費	人口	一人につき 一、三六〇
六 総務費		
1 徴税費	世帯数	一世帯につき 四、三一〇
2 戸籍住民基本台帳費	戸籍数	一籍につき 一、三一〇
	世帯数	一世帯につき 二、〇九〇
3 地域振興費	人口	一人につき 一、七四〇
	面積	一平方キロメートルにつき 一、〇二四、〇〇〇
七 災害復旧費	災害復旧事業費の財源に充てるため発行について同意又は許可を得た地方債に係る元利償還金	千円につき 九五〇
八 辺地対策事業債償還費	辺地対策事業費の財源に充てるため発行について同意又は許可を得た地方債に係る元利償還金	千円につき 八〇〇
九 補正予算債償還費	平成四年度から平成十年度までの各年度において国の補正予算等に係る事業費の財源に充てるため発行を許可された地方債に係る元利償還金	千円につき 八〇〇
	平成十六年度から令和五年度までの各年度において国の補正予算等に係る事業費の財源に充てるため発行について同意又は許可を得た地方債の額	千円につき 三
十 地方税減収補塡債償還費	地方税の減収補塡のため平成十七年度から令和五年度までの各年度において特別に発行について同意又は許可を得た地方債の額	千円につき 二九
十一 財源対策債償還費	平成十三年度から令和五年度までの各年度の財源対策のため当該各年度において発行について同意又は許可を得た地方債の額	千円につき 三三
十二 減税補塡債償還費	個人の市町村民税に係る特別減税等による平	千円につき 六〇

	成六年度から平成八年度まで及び平成十六年度から平成十八年度までの各年度の減収を補塡するため当該各年度において特別に起こすことができることとされた地方債の額		
十三 臨時財政対策債償還費	臨時財政対策のため平成十六年度から令和五年度までの各年度において特別に起こすこととされた地方債の額	千円につき	六〇
十四 東日本大震災全国緊急防災施策等債償還費	平成二十五年度から令和五年度までの各年度において東日本大震災全国緊急防災施策等に要する費用に充てるため発行について同意又は許可を得た地方債の額	千円につき	五二
十五 国土強靱化施策債償還費	令和元年度から令和五年度までの各年度において国土強靱化施策に要する費用に充てるため発行について同意又は許可を得た地方債の額	千円につき	二七

別表第二（第十二条第五項関係）

地方団体の種類	測定単位	単位費用
道府県	人口 面積	一人につき 九、七四〇円 一平方キロメートルにつき 一、〇六二、〇〇〇
市町村	人口 面積	一人につき 一九、四〇〇円 一平方キロメートルにつき 二、二〇〇、〇〇〇

※地方税法等の一部を改正する法律（平三一・三・二九法二）の附則第三〇条第三項に本法の経過措置等が規定されましたが、未施行のため、ここに別に掲げました。

改正　令二・三・三一法五

（地方交付税法の一部改正に伴う経過措置等）

第三十条　〔略〕

2　〔略〕

3　令和十六年度分の地方交付税に係る新地方交付税法第十四条の規定による基準財政収入額の算定に係る同条第三項の規定の適用については、同項の表道府県の項第十三号中「前年度の地方揮発油譲与税の譲与額」とあるのは、「当該年度の地方揮発油譲与税の譲与見込額として総務大臣が定める額」とする。

附　則（抄）

（施行期日）

第一条　この法律は、平成三十一年四月一日から施行する。ただし、次の各号に掲げる規定は、当該各号に定める日から施行する。

一～八　〔略〕

九　〔前略〕附則〔中略〕第三十条第三項の規定　令和十六年四月一日

十～十三　〔略〕

諸　法

○国会法

昭二二・四・三〇
法 七 九

最終改正 令四・四・二二法二九

第一章 国会の召集及び開会式

〔召集詔書〕

第一条 国会の召集詔書は、集会の期日を定めて、これを公布する。

② 常会の召集詔書は、少なくとも十日前にこれを公布しなければならない。

③ 臨時会及び特別会（日本国憲法第五十四条により召集された国会をいう。）の召集詔書の公布は、前項によることを要しない。

〔常会の召集〕

第二条 常会は、毎年一月中に召集するのを常例とする。

〔特別会の召集〕

第二条の二 特別会は、常会と併せてこれを召集することができる。

〔任期満了後の臨時会の召集〕

第二条の三 衆議院議員の任期満了による総選挙が行われたときは、その任期が始まる日から三十日以内に臨時会を召集しなければならない。但し、その期間内に常会が召集された場合又はその期間が参議院議員の通常選挙を行うべき期間にかかる場合は、この限りでない。

② 参議院議員の通常選挙が行われたときは、その任期が始まる日から三十日以内に臨時会を召集しなければならない。但し、その期間内に常会若しくは特別会が召集された場合又はその期間が衆議院議員の任期満了による総選挙を行うべき期間にかかる場合は、この限りでない。

〔臨時会召集の要求〕

第三条 臨時会の召集の決定を要求するには、いずれかの議院の総議員の四分の一以上の議員が連名で、議長を経由して内閣に要求書を提出しなければならない。

第四条 削除

〔議員の参集〕

第五条 議員は、召集詔書に指定された期日に、各議院に集会しなければならない。

〔議長及び副議長の選挙〕

第六条 各議院において、召集の当日に議長若しくは副議長がないとき、又は議長及び副議長が共にないときは、その選挙を行わなければならない。

〔事務総長の議長職務の代行〕

第七条 議長及び副議長が選挙されるまでは、事務総長が、議長の職務を行う。

〔開会式〕

第八条 国会の開会式は、会期の始めにこれを行う。

〔開会式の主宰〕

第九条 開会式は、衆議院議長が主宰する。

② 衆議院議長に事故があるときは、参議院議長が、主宰する。

第二章 国会の会期及び休会

〔常会の会期〕

第十条 常会の会期は、百五十日間とする。但し、会期中に議員の任期が満限に達する場合には、その満限の日をもつて、会期は終了するものとする。

〔臨時会及び特別会の会期〕

第十一条 臨時会及び特別会の会期は、両議院一致の議決で、これを定める。

〔会期の延長〕

第十二条 国会の会期は、両議院一致の議決で、これを延長することができる。

② 会期の延長は、常会にあつては一回、特別会及び臨時会にあつては二回を超えてはならない。

〔衆議院議決の優位〕

第十三条 前二条の場合において、両議院の議決が一致しないとき、又は参議院が議決しないときは、衆議院の議決したところによる。

〔会期の起算〕

第十四条 国会の会期は、召集の当日からこれを起算する。

〔休会〕

第十五条 国会の休会は、両議院一致の議決を必要とする。

② 国会の休会中、各議院は、議長において緊急の必要があると認めたとき、又は総議員の四分の一以上の議員から要求があつたときは、他の院の議長と協議の上、会議を開くことができる。

③ 前項の場合における会議の日数は、日本国憲法及び法律に定める休会の期間にこれを算入する。

④ 各議院は、十日以内においてその院の休会を議決することができる。

第三章 役員及び経費

〔議院の役員〕

第十六条 各議院の役員は、左の通りとする。

一 議長
二 副議長
三 仮議長
四 常任委員長
五 事務総長

〔議長及び副議長の定員〕

第十七条 各議院の議長及び副議長は、各〻一人とする。

〔議長及び副議長の任期〕
第十八条　各議院の議長及び副議長の任期は、各々議員としての任期による。

〔議長の職務権限〕
第十九条　各議院の議長は、その議院の秩序を保持し、議事を整理し、議院の事務を監督し、議院を代表する。

〔議長の委員会への出席〕
第二十条　議長は、委員会に出席し発言することができる。

〔副議長の議長職務の代行〕
第二十一条　各議院において、議長に事故があるとき又は議長が欠けたときは、副議長が、議長の職務を行う。

〔仮議長〕
第二十二条　各議院において、議長及び副議長に共に事故があるときは、仮議長を選挙し議長の職務を行わせる。
②　前項の選挙の場合には、事務総長が、議長の職務を行う。
③　議院は、仮議長の選任を議長に委任することができる。

〔議長及び副議長の選挙〕
第二十三条　各議院において、議長若しくは副議長が欠けたとき、又は議長及び副議長が共に欠けたときは、直ちにその選挙を行う。

〔事務総長の議長職務の代行〕
第二十四条　前条前段の選挙において副議長若しくは議長に事故がある場合又は前条後段の選挙の場合には、事務総長が、議長の職務を行う。

〔常任委員長の選挙〕
第二十五条　常任委員長は、各議院において各々その常任委員の中からこれを選挙する。

〔議院の職員〕
第二十六条　各議院に、事務総長一人、参事その他必要な職員を置く。

〔事務総長の選挙及び職員の任免〕
第二十七条　事務総長は、各議院において国会議員以外の者からこれを選挙する。
②　参事その他の職員は、事務総長が、議長の同意及び議院運営委員会の承認を得てこれを任免する。

〔事務総長の職務権限〕
第二十八条　事務総長は、議長の監督の下に、議院の事務を統理し、公文に署名する。
②　参事は、事務総長の命を受け事務を掌理する。

〔参事の事務総長職務の代行〕
第二十九条　事務総長に事故があるとき又は事務総長が欠けたときは、その予め指定する参事が、事務総長の職務を行う。

〔役員の辞任〕
第三十条　役員は、議院の許可を得て辞任することができる。但し、閉会中は、議長において役員の辞任を許可することができる。

〔常任委員長の解任〕
第三十条の二　各議院において特に必要があるときは、その院の議決をもつて、常任委員長を解任することができる。

〔役員の兼職禁止〕
第三十一条　役員は、特に法律に定めのある場合を除いては、国又は地方公共団体の公務員と兼ねることができない。
②　議員であつて前項の職を兼ねている者が、役員に選任されたときは、その兼ねている職は、解かれたものとする。

〔議院の予算〕
第三十二条　両議院の経費は、独立して、国の予算にこれを計上しなければならない。
②　前項の経費中には、予備金を設けることを要する。

第四章　議員

〔不逮捕特権〕
第三十三条　各議院の議員は、院外における現行犯罪の場合を除いては、会期中その院の許諾がなければ逮捕されない。

〔逮捕許諾請求の手続〕
第三十四条　各議院の議員の逮捕につきその院の許諾を求めるには、内閣は、所轄裁判所又は裁判官が令状を発する前に内閣へ提出した要求書の受理後速かに、その要求書の写を添えて、これを求めなければならない。

〔被逮捕議員の通知〕
第三十四条の二　内閣は、会期前に逮捕された議員があるときは、会期の始めに、その議員の属する議院の議長に、令状の写を添えてその氏名を通知しなければならない。
②　内閣は、会期前に逮捕された議員について、会期中に勾留期間の延長の裁判があつたときは、その議員の属する議院の議長にその旨を通知しなければならない。

〔釈放要求の手続〕
第三十四条の三　議員が、会期前に逮捕された議員の釈放の要求を発議するには、議員二十人以上の連名で、その理由を附した要求書をその院の議長に提出しなければならない。

〔歳費〕
第三十五条　議員は、一般職の国家公務員の最高の給与額（地域手当等の手当を除く。）より少なくない歳費を受ける。

〔退職金〕
第三十六条　議員は、別に定めるところにより、退職金を受けることができる。

第三十七条　削除

〔通信費〕
第三十八条　議員は、国政に関する調査研究、広報、国民との交流、滞在等の議員活動を行うため、別に定めるところにより手当を受ける。

〔議員の兼職禁止〕
第三十九条　議員は、内閣総理大臣その他の国務大臣、内閣官房副長官、内閣総理大臣補佐官、副大臣、大臣政務官、大臣補佐官及び別に法律で定めた場合を除いては、その任期中国又は地方公共団体の公務員と兼ねることができない。ただし、両議院一致の議決に基づき、その任期中内閣行政各部における各種の委員、顧問、参与その他これらに準ずる職に就く場合は、この限りでない。

第五章　委員会及び委員

〔委員会の種類〕

第四十条　各議院の委員会は、常任委員会及び特別委員会の二種とする。

〔常任委員会の種類〕

第四十一条　常任委員会は、その部門に属する議案（決議案を含む。）、請願等を審査する。

② 衆議院の常任委員会は、次のとおりとする。

一　内閣委員会
二　総務委員会
三　法務委員会
四　外務委員会
五　財務金融委員会
六　文部科学委員会
七　厚生労働委員会
八　農林水産委員会
九　経済産業委員会
十　国土交通委員会
十一　環境委員会
十二　安全保障委員会
十三　国家基本政策委員会
十四　予算委員会
十五　決算行政監視委員会
十六　議院運営委員会
十七　懲罰委員会

③ 参議院の常任委員会は、次のとおりとする。

一　内閣委員会
二　総務委員会
三　法務委員会
四　外交防衛委員会
五　財政金融委員会
六　文教科学委員会
七　厚生労働委員会
八　農林水産委員会
九　経済産業委員会
十　国土交通委員会
十一　環境委員会
十二　国家基本政策委員会
十三　予算委員会
十四　決算委員会
十五　行政監視委員会
十六　議院運営委員会
十七　懲罰委員会

〔常任委員〕

第四十二条　常任委員は、会期の始めに議院において選任し、議員の任期中その任にあるものとする。

② 議員は、少なくとも一箇の常任委員となる。ただし、議長、副議長、内閣総理大臣その他の国務大臣、内閣官房副長官、内閣総理大臣補佐官、副大臣、大臣政務官及び大臣補佐官は、その割り当てられた常任委員を辞することができる。

③ 前項但書の規定により常任委員を辞した者があるときは、その者が属する会派の議員は、その委員を兼ねることができる。

〔専門員等〕

第四十三条　常任委員会には、専門の知識を有する職員（これを専門員という）及び調査員を置くことができる。

〔合同審査会〕

第四十四条　各議院の常任委員会は、他の議院の常任委員会と協議して合同審査会を開くことができる。

〔特別委員会〕

第四十五条　各議院は、その院において特に必要があると認めた案件又は常任委員会の所管に属しない特定の案件を審査するため、特別委員会を設けることができる。

② 特別委員は、議院において選任し、その委員会に付託された案件がその院で議決されるまで、その任にあるものとする。

③ 特別委員長は、委員会においてその委員がこれを互選する。

〔委員の各会派割当〕

第四十六条　常任委員及び特別委員は、各会派の所属議員数の比率により、これを各会派に割り当て選任する。

② 前項の規定により委員が選任された後、各会派の所属議員数に異動があつたため、委員の各会派割当数を変更する必要があるときは、議長は、第四十二条第一項及び前条第二項の規定にかかわらず、議院運営委員会の議を経て委員を変更することができる。

〔委員会の審査〕

第四十七条　常任委員会及び特別委員会は、会期中に限り、付託された案件を審査する。

② 常任委員会及び特別委員会は、各議院の議決で特に付託された案件（懲罰事犯の件を含む。）については、閉会中もなお、これを審査することができる。

③ 前項の規定により懲罰事犯の件を閉会中審査に付する場合においては、その会期中に生じた事犯にかかるものでなければならない。

④ 第二項の規定により閉会中もなお審査することに決したときは、その院の議長から、その旨を他の議院及び内閣に通知する。

〔委員長の職務権限〕

第四十八条　委員長は、委員会の議事を整理し、秩序を保持する。

〔委員会の定足数〕

第四十九条　委員会は、その委員の半数以上の出席がなければ、議事を開き議決することができない。

〔委員会の表決〕

第五十条　委員会の議事は、出席委員の過半数でこれを決し、可否同数のときは、委員長の決するところによる。

〔委員会の法律案提出〕

第五十条の二　委員会は、その所管に属する事項に関し、法律案を提出することができる。

②　前項の法律案については、委員長をもつて提出者とする。

〔公聴会〕

第五十一条　委員会は、一般的関心及び目的を有する重要な案件について、公聴会を開き、真に利害関係を有する者又は学識経験者等から意見を聴くことができる。

②　総予算及び重要な歳入法案については、前項の公聴会を開かなければならない。但し、すでに公聴会を開いた案件と同一の内容のものについては、この限りでない。

〔委員会の非公開及び秘密会〕

第五十二条　委員会は、議員の外傍聴を許さない。但し、報道の任務にあたる者その他の者で委員長の許可を得たものについては、この限りでない。

②　委員会は、その決議により秘密会とすることができる。

③　委員長は、秩序保持のため、傍聴人の退場を命ずることができる。

〔委員長報告〕

第五十三条　委員長は、委員会の経過及び結果を議院に報告しなければならない。

〔少数意見の報告〕

第五十四条　委員会において廃棄された少数意見で、出席委員の十分の一以上の賛成があるものは、委員長の報告に次いで、少数意見者がこれを議院に報告することができる。この場合においては、少数意見者は、その賛成者と連名で簡明な少数意見の報告書を議長に提出しなければならない。

②　議長は、少数意見の報告につき、時間を制限することができる。

③　第一項後段の報告書は、委員会の報告書と共にこれを会議録に掲載する。

第五章の二　参議院の調査会

〔調査会〕

第五十四条の二　参議院は、国政の基本的事項に関し、長期的かつ総合的な調査を行うため、調査会を設けることができる。

②　調査会は、参議院議員の半数の任期満了の日まで存続する。

③　調査会の名称、調査事項及び委員の数は、参議院の議決でこれを定める。

〔調査会の委員〕

第五十四条の三　調査会の委員は、議院において選任し、調査会が存続する間、その任にあるものとする。

②　調査会の委員は、各会派の所属議員数の比率により、これを各会派に割り当て選任する。

③　前項の規定により委員が選任された後、各会派の所属議員数に異動があつたため、委員の各会派割当数を変更する必要があるときは、議長は、第一項の規定にかかわらず、議院運営委員会の議を経て委員を変更することができる。

④　調査会長は、調査会においてその委員がこれを互選する。

〔委員会等に関する規定の準用〕

第五十四条の四　調査会については、第二十条、第四十七条第一項、第二項及び第四項、第四十八条から第五十条の二まで、第五十一条第一項、第五十二条、第六十条、第六十九条から第七十三条まで、第百四条から第百五条まで第百二十条、第百二十一条第二項並びに第百二十四条の規定を準用する。

②　前項において準用する第五十条の二第一項の規定により調査会が提出する法律案については、第五十七条の三の規定を準用する。

第六章　会議

〔議事日程〕

第五十五条　各議院の議長は、議事日程を定め、予めこれを議院に報告する。

②　議長は、特に緊急の必要があると認めたときは、会議の日時だけを議員に通知して会議を開くことができる。

〔議事協議会〕

第五十五条の二　議長は、議事の順序その他必要と認める事項につき、議院運営委員長及び議院運営委員会が選任する議事協議員と協議することができる。この場合において、その意見が一致しないときは、議長は、これを裁定することができる。

②　議長は、議事協議会の主宰を議院運営委員長に委任することができる。

③　議長は、会期中であると閉会中であるとを問わず、何時でも議事協議会を開くことができる。

〔議案の発議及び付託〕

第五十六条　議員が議案を発議するには、衆議院においては議員二十人以上、参議院においては議員十人以上の賛成を要する。但し、予算を伴う法律案を発議するには、衆議院においては議員五十人以上、参議院においては議員二十人以上の賛成を要する。

②　議案が発議又は提出されたときは、議長は、これを適当の委員会に付託し、その審査を経て会議に付する。但し、特に緊急を要するものは、発議者又は提出者の要求に基き、議院の議決で委員会の審査を省略することができる。

③　委員会において、議院の会議に付するを要しないと決定した議案は、これを会議に付さない。但し、委員会の決定の日から休会中の期間を除いて七日以内に議員二十人以上の要求があるものは、これを会議に付さなければならない。

④ 前項但書の要求がないときは、その議案は廃案となる。
⑤ 前二項の規定は、他の議院から送付された議案については、これを適用しない。

〔趣旨説明〕
第五十六条の二 各議院に発議又は提出された議案につき、議院運営委員会が特にその必要を認めた場合は、議院の会議において、その議案の趣旨の説明を聴取することができる。

〔中間報告〕
第五十六条の三 各議院は、委員会の審査中の案件について特に必要があるときは、中間報告を求めることができる。
② 前項の中間報告があつた案件について、議院が特に緊急を要すると認めたときは、委員会の審査に期限を附け又は議院の会議において審議することができる。
③ 委員会の審査に期限を附けた場合、その期間内に審査を終らなかつたときは、議院の会議においてこれを審議するものとする。但し、議院は、委員会の要求により、審査期間を延長することができる。

〔同一議案の審議禁止〕
第五十六条の四 各議院は、他の議院から送付又は提出された議案と同一の議案を審議することができない。

〔修正動議〕
第五十七条 議案につき議院の会議で修正の動議を議題とするには、衆議院においては議員二十人以上、参議院においては議員十人以上の賛成を要する。但し、法律案に対する修正の動議で、予算の増額を伴うもの又は予算を伴うこととなるものについては、衆議院においては議員五十人以上、参議院においては議員二十人以上の賛成を要する。

〔予算の修正動議〕
第五十七条の二 予算につき議院の会議で修正の動議を議題とするには、衆議院においては議員五十人以上、参議院においては議員二十人以上の賛成を要する。

〔予算増額修正と内閣の意見聴取〕
第五十七条の三 各議院又は各議院の委員会は、予算総額の増額修正、委員会の提出若しくは議員の発議にかかる予算を伴う法律案又は法律案に対する修正で、予算の増額を伴うもの若しくは予算を伴うこととなるものについては、内閣に対して、意見を述べる機会を与えなければならない。

〔内閣提出案の予備審査のための送付〕
第五十八条 内閣は、一の議院に議案を提出したときは、予備審査のため、提出の日から五日以内に他の議院に同一の案を送付しなければならない。

〔内閣提出議案の修正及び撤回〕
第五十九条 内閣が、各議院の会議又は委員会において議題となつた議案を修正し、又は撤回するには、その院の承諾を要する。但し、一の議院で議決した後は、修正し、又は撤回することはできない。

〔委員長及び発議者の他院における説明〕
第六十条 各議院が提出した議案については、その委員長（その代理者を含む）又は発議者は、他の議院において、提案の理由を説明することができる。

〔発言時間の制限〕
第六十一条 各議院の議長は、質疑、討論その他の発言につき、予め議院の議決があつた場合を除いて、時間を制限することができる。
② 議長の定めた時間制限に対して、出席議員の五分の一以上から異議を申し立てたときは、議長は、討論を用いないで、議院に諮らなければならない。
③ 議員が時間制限のため発言を終らなかつた部分につき特に議院の議決があつた場合を除いては、議長の認める範囲内において、これを会議録に掲載する。

〔秘密会議〕
第六十二条 各議院の会議は、議長又は議員十人以上の発議により、出席議員の三分の二以上の議決があつたときは、公開を停めることができる。

〔秘密会議記録の非公表〕
第六十三条 秘密会議の記録中、特に秘密を要するものとその院において議決した部分は、これを公表しないことができる。

〔内閣総理大臣欠缺の通知〕
第六十四条 内閣は、内閣総理大臣が欠けたとき、又は辞表を提出したときは、直ちにその旨を両議院に通知しなければならない。

〔公布奏上等〕
第六十五条 国会の議決を要する議案について、最後の議決があつた場合にはその院の議長から、衆議院の議決が国会の議決となつた場合には衆議院議長から、その公布を要するものは、これを内閣を経由して奏上し、その他のものは、これを内閣に送付する。
② 内閣総理大臣の指名については、衆議院議長から、内閣を経由してこれを奏上する。

〔法律の公布の期限〕
第六十六条 法律は、奏上の日から三十日以内にこれを公布しなければならない。

〔憲法九五条の特別法制定〕
第六十七条 一の地方公共団体のみに適用される特別法については、国会において最後の可決があつた場合は、別に法律で定めるところにより、その地方公共団体の住民の投票に付し、その過半数の同意を得たときに、さきの国会の議決が、確定して法律となる。

〔案件の後会不継続〕
第六十八条 会期中に議決に至らなかつた案件は、後会に継続しない。但し、第四十七条第二項の規定により閉会中審査した議案及び懲罰事犯の件は、後会に継続する。

第六章の二 日本国憲法の改正の発議

第六十八条の二　議員が日本国憲法の改正案（以下「憲法改正案」という。）の原案（以下「憲法改正原案」という。）を発議するには、第五十六条第一項の規定にかかわらず、衆議院においては議員百人以上、参議院においては議員五十人以上の賛成を要する。

第六十八条の三　前条の憲法改正原案の発議に当たつては、内容において関連する事項ごとに区分して行うものとする。

第六十八条の四　憲法改正原案につき議院の会議で修正の動議を議題とするには、第五十七条の規定にかかわらず、衆議院においては議員百人以上、参議院においては議員五十人以上の賛成を要する。

第六十八条の五　憲法改正原案について国会において最後の可決があつた場合には、その可決をもつて、国会が日本国憲法第九十六条第一項に定める日本国憲法の改正（以下「憲法改正」という。）の発議をし、国民に提案したものとする。この場合において、両議院の議長は、憲法改正の発議をした旨及び発議に係る憲法改正案を官報に公示する。

② 憲法改正原案について前項の最後の可決があつた場合には、第六十五条第一項の規定にかかわらず、その院の議長から、内閣に対し、その旨を通知するとともに、これを送付する。

第六十八条の六　憲法改正の発議に係る国民投票の期日は、当該発議後速やかに、国会の議決でこれを定める。

第七章　国務大臣等の出席等

［議院の会議・委員会の出席］

第六十九条　内閣官房副長官、副大臣及び大臣政務官は、内閣総理大臣その他の国務大臣を補佐するため、議院の会議又は委員会に出席することができる。

② 内閣は、国会において内閣総理大臣その他の国務大臣を補佐するため、両議院の議長の承認を得て、人事院総裁、内閣法制局長官、公正取引委員会委員長、原子力規制委員会委員長及び公害等調整委員会委員長を政府特別補佐人として議院の会議又は委員会に出席させることができる。

［発言通告］

第七十条　内閣総理大臣その他の国務大臣並びに内閣官房副長官、副大臣及び大臣政務官並びに政府特別補佐人が、議院の会議又は委員会において発言しようとするときは、議長又は委員長に通告しなければならない。

［委員会の出席要求］

第七十一条　委員会は、議長を経由して内閣総理大臣その他の国務大臣並びに内閣官房副長官、副大臣及び大臣政務官並びに政府特別補佐人の出席を求めることができる。

［会計検査院長及び最高裁判所長官等の出席説明］

第七十二条　委員会は、議長を経由して会計検査院長及び検査官の出席説明を求めることができる。

② 最高裁判所長官又はその指定する代理者は、その要求により、委員会の承認を得て委員会に出席説明することができる。

［報告の配付及び送付］

第七十三条　議院の会議及び委員会の会議に関する報告は、議員に配付すると同時に、これを内閣総理大臣その他の国務大臣並びに内閣官房副長官、副大臣及び大臣政務官並びに政府特別補佐人に送付する。

第八章　質問

［質問］

第七十四条　各議院の議員が、内閣に質問しようとするときは、議長の承認を要する。

② 質問は、簡明な主意書を作り、これを議長に提出しなければならない。

③ 議長の承認しなかつた質問について、その議員から異議を申し立てたときは、議長は、討論を用いないで、議院に諮らなければならない。

④ 議長又は議院の承認しなかつた質問について、その議員から要求があつたときは、議長は、その主意書を会議録に掲載する。

［答弁及びその期限］

第七十五条　議長又は議院の承認した質問については、議長がその主意書を内閣に転送する。

② 内閣は、質問主意書を受け取つた日から七日以内に答弁をしなければならない。その期間内に答弁をすることができないときは、その理由及び答弁をすることができる期限を明示することを要する。

［緊急質問］

第七十六条　質問が、緊急を要するときは、議院の議決により口頭で質問することができる。

第七十七条及び第七十八条　削除

第九章　請願

［請願書の提出］

第七十九条　各議院に請願しようとする者は、議員の紹介により請願書を提出しなければならない。

［請願の議決］

第八十条　請願は、各議院において委員会の審査を経た後これを議決する。

② 委員会において、議院の会議に付するを要しないと決定した請願は、これを会議に付さない。但し、議員二十人以上の要求があるものは、これを会議に付さなければならない。

［内閣への送付］

第八十一条　各議院において採択した請願で、内閣において措置するを適当と認めたものは、これを内閣に送付する。

② 内閣は、前項の請願の処理の経過を毎年議院に報告しなければならない。

［請願の各院不干預］

第八十二条 各議院は、各別に請願を受け互に干預しない。

第十章 両議院関係

〔議案の送付、通知及び回付〕

第八十三条 国会の議決を要する議案を甲議院において可決し、又は修正したときは、これを乙議院に送付し、否決したときは、その旨を乙議院に通知する。

② 乙議院において甲議院の送付案に同意し、又はこれを否決したときは、その旨を甲議院に通知する。

③ 乙議院において甲議院の送付案を修正したときは、これを甲議院に回付する。

④ 甲議院において乙議院の回付案に同意し、又は同意しなかつたときは、その旨を乙議院に通知する。

〔法律案、予算案及び条約の返付〕

第八十三条の二 参議院は、法律案について、衆議院の送付案を否決したときは、その議案を衆議院に返付する。

② 参議院は、法律案について、衆議院の回付案に同意しないで、両院協議会を求めたが衆議院がこれを拒んだとき、又は両院協議会を求めないときは、その議案を衆議院に返付する。

③ 参議院は、予算又は衆議院先議の条約を否決したときは、これを衆議院に返付する。衆議院は、参議院先議の条約を否決したときは、これを参議院に返付する。

〔衆議院の議決の優越に関する通知〕

第八十三条の三 衆議院は、日本国憲法第五十九条第四項の規定により、参議院が法律案を否決したものとみなしたときは、その旨を参議院に通知する。

② 衆議院は、予算及び条約について、日本国憲法第六十条第二項又は第六十一条の規定により衆議院の議決が国会の議決となつたときは、その旨を参議院に通知する。

③ 前二項の通知があつたときは、参議院は、直ちに衆議院の送付案又は回付案を衆議院に返付する。

第八十三条の四 憲法改正原案について、甲議院の送付案を乙議院が否決したときは、その議案を甲議院に返付する。

② 憲法改正原案について、甲議院は、乙議院の回付案に同意しなかつた場合において両院協議会を求めないときは、その議案を乙議院に返付する。

〔継続審査議案の送付等〕

第八十三条の五 甲議院の送付案を、乙議院において継続審査し後の会期で議決したときは、第八十三条による。

〔法律案についての両院協議会〕

第八十四条 法律案について、衆議院において参議院の回付案に同意しなかつたとき、又は参議院において衆議院の送付案を否決し及び衆議院の回付案に同意しなかつたときは、衆議院は、両院協議会を求めることができる。

② 参議院は、衆議院の回付案に同意しなかつたときに限り前項の規定にかかわらず、その通知と同時に両院協議会を求めることができる。但し、衆議院は、この両院協議会の請求を拒むことができる。

〔予算及び条約についての両院協議会〕

第八十五条 予算及び衆議院先議の条約について、衆議院において参議院の回付案に同意しなかつたとき、又は参議院において衆議院の送付案を否決したときは、衆議院は、両院協議会を求めなければならない。

② 参議院先議の条約について、参議院において衆議院の回付案に同意しなかつたとき、又は衆議院において参議院の送付案を否決したときは、参議院は、両院協議会を求めなければならない。

〔内閣総理大臣の指名の通知及び両院協議会〕

第八十六条 各議院において、内閣総理大臣の指名を議決したときは、これを他の議院に通知する。

② 内閣総理大臣の指名について、両議院の議決が一致しないときは、参議院は、両院協議会を求めなければならない。

第八十六条の二 憲法改正原案について、甲議院において乙議院の回付案に同意しなかつたとき、又は乙議院において甲議院の送付案を否決したときは、甲議院は、両院協議会を求めることができる。

② 憲法改正原案について、甲議院が、乙議院の回付案に同意しなかつた場合において両院協議会を求めなかつたときは、乙議院は、両院協議会を求めることができる。

〔その他の両院協議会〕

第八十七条 法律案、予算、条約及び憲法改正原案を除いて、国会の議決を要する案件について、後議の議院が先議の議院の議決に同意しないときは、その旨の通知と共にこれを先議の議院に返付する。

② 前項の場合において、先議の議院は、両院協議会を求めることができる。

〔両院協議会に応ずる義務〕

第八十八条 第八十四条第二項但書の場合を除いては、一の議院から両院協議会を求められたときは、他の議院は、これを拒むことができない。

〔両院協議会の組織〕

第八十九条 両院協議会は、各議院において選挙された各〻十人の委員でこれを組織する。

〔両院協議会の議長〕

第九十条 両院協議会の議長には、各議院の協議委員において夫々互選された議長が、毎会更代してこれに当る。その初会の議長は、くじでこれを定める。

〔両院協議会の定足数〕

第九十一条 両院協議会は、各議院の協議委員の各〻三分の二以上の出席がなければ、議事を開き議決することができない。

〔欠席協議委員の措置〕

第九十一条の二 協議委員が、正当な理由がなくて欠席し、又は両院協議会の議長から再度の出席要求があつてもなお出席しないときは、その協議委員の属する議院の議長は、当該協議委員は辞任したものとみなす。

② 前項の場合において、その協議委員の属する議院は、直ちにその補欠選挙を行わなければならない。

〔両院協議会の表決〕

第九十二条 両院協議会においては、協議案が出席協議委員の三分の二以上の多数で議決されたとき成案となる。

② 両院協議会の議事は、前項の場合を除いては、出席協議委員の過半数でこれを決し、可否同数のときは、議長の決するところによる。

〔成案の審議〕

第九十三条 両院協議会の成案は、両院協議会を求めた議院において先ずこれを議し、他の議院にこれを送付する。

② 成案については、更に修正することができない。

〔成案不成立の報告〕

第九十四条 両院協議会において、成案を得なかつたときは、各議院の協議委員議長は、各〻その旨を議院に報告しなければならない。

〔各院議長の出席〕

第九十五条 各議院の議長は、両院協議会に出席して意見を述べることができる。

〔国務大臣等の出席要求〕

第九十六条 両院協議会は、内閣総理大臣その他の国務大臣並びに内閣官房副長官、副大臣及び大臣政務官並びに政府特別補佐人の出席を要求することができる。

〔傍聴禁止〕

第九十七条 両院協議会は、傍聴を許さない。

〔両院協議会規程〕

第九十八条 この法律に定めるものの外、両院協議会に関する規程は、両議院の議決によりこれを定める。

第十一章 参議院の緊急集会

〔緊急集会の請求と集会〕

第九十九条 内閣が参議院の緊急集会を求めるには、内閣総理大臣から、集会の期日を定め、案件を示して、参議院議長にこれを請求しなければならない。

② 前項の規定による請求があつたときは、参議院議長は、これを各議員に通知し、議員は、前項の指定された集会の期日に参議院に集会しなければならない。

〔緊急集会と不逮捕特権〕

第百条 参議院の緊急集会中、参議院の議員は、院外における現行犯罪の場合を除いては、参議院の許諾がなければ逮捕されない。

② 内閣は、参議院の緊急集会前に逮捕された参議院の議員があるときは、集会の期日の前日までに、参議院議長に、令状の写を添えてその氏名を通知しなければならない。

③ 内閣は、参議院の緊急集会前に逮捕された参議院の議員について、緊急集会中に勾留期間の延長の裁判があつたときは、参議院議長にその旨を通知しなければならない。

④ 参議院の緊急集会前に逮捕された参議院の議員は、参議院の要求があれば、緊急集会中これを釈放しなければならない。

⑤ 議員が、参議院の緊急集会前に逮捕された議員の釈放の要求を発議するには、議員二十人以上の連名で、その理由を附した要求書を参議院議長に提出しなければならない。

〔議案の発議〕

第百一条 参議院の緊急集会においては、議員は、第九十九条第一項の規定により示された案件に関連のあるものに限り、議案を発議することができる。

〔請願〕

第百二条 参議院の緊急集会においては、請願は、第九十九条第一項の規定により示された案件に関連のあるものに限り、これをすることができる。

〔閉会宣告〕

第百二条の二 緊急の案件がすべて議決されたときは、議長は、緊急集会が終つたことを宣告する。

〔公布奏上等〕

第百二条の三 参議院の緊急集会において案件が可決された場合には、参議院議長から、その公布を要するものは、これを内閣を経由して奏上し、その他のものは、これを内閣に送付する。

〔衆議院の同意〕

第百二条の四 参議院の緊急集会において採られた措置に対する衆議院の同意については、その案件を内閣から提出する。

〔読替規定〕

第百二条の五 第六条、第四十七条第一項、第六十七条及び第六十九条第二項の規定の適用については、これらの規定中「召集」とあるのは「集会」と、「会期中」とあるのは「緊急集会中」と、「国会において最後の可決があつた場合」とあるのは「参議院の緊急集会において可決した場合」と、「国会」とあるのは「参議院の緊急集会」と、「両議院」とあるのは「参議院」と読み替え、第百二十一条の二の規定の適用については、「会期の終了日又はその前日」とあるのは「参議院の緊急集会の終了日又はその前日」と、「閉会中審査の議決に至らなかつたもの」とあるのは「委員会の審査を終了しなかつたもの」と、「前の国会の会期」とあるのは「前の国会の会期終了後の参議院の緊急集会」と読み替えるものとする。

第十一章の二 憲法審査会

第百二条の六 日本国憲法及び日本国憲法に密接に関連する基本法制について広範かつ総合的に調査を行い、憲法改正原案、日本国憲法に係る改正の発議又は国民投票に関する法律案等を審査するため、各議院に憲法審査会を設ける。

第百二条の七 憲法審査会は、憲法改正原案及び日本国憲法に係る改正の発議又は国民投票に関する法律案を提出することができる。この場合における憲法改正原案の提出については、

第六十八条の三の規定を準用する。

② 前項の憲法改正原案及び日本国憲法に係る改正の発議又は国民投票に関する法律案については、憲法審査会の会長をもつて提出者とする。

第百二条の八 各議院の憲法審査会は、憲法改正原案に関し、他の議院の憲法審査会と協議して合同審査会を開くことができる。

② 前項の合同審査会は、憲法改正原案に関し、各議院の憲法審査会に勧告することができる。

③ 前二項に定めるもののほか、第一項の合同審査会に関する事項は、両議院の議決によりこれを定める。

第百二条の九 第五十三条、第五十四条、第五十六条第二項本文、第六十条及び第八十条の規定は憲法審査会について、第四十七条（第三項を除く。）、第五十六条第三項から第五項まで、第五十七条の三及び第七章の規定は日本国憲法に係る改正の発議又は国民投票に関する法律案に係る憲法審査会について準用する。

② 憲法審査会に付託された案件についての第六十八条の規定の適用については、同条ただし書中「第四十七条第二項の規定により閉会中審査した議案」とあるのは、「憲法改正原案、第四十七条第二項の規定により閉会中審査した議案」とする。

第百二条の十 第百二条の六から前条までに定めるもののほか、憲法審査会に関する事項は、各議院の議決によりこれを定める。

第十一章の三 国民投票広報協議会

〔国民投票広報協議会〕

第百二条の十一 憲法改正の発議があつたときは、当該発議に係る憲法改正案の国民に対する広報に関する事務を行うため、国会に、各議院においてその議員の中から選任された同数の委員で組織する国民投票広報協議会を設ける。

② 国民投票広報協議会は、前項の発議に係る国民投票に関する手続が終了するまでの間存続する。

③ 国民投票広報協議会の会長は、その委員がこれを互選する。

第百二条の十二 前条に定めるもののほか、国民投票広報協議会に関する事項は、別に法律でこれを定める。

第十一章の四 情報監視審査会

〔情報監視審査会の設置〕

第百二条の十三 行政における特定秘密（特定秘密の保護に関する法律（平成二十五年法律第百八号。以下「特定秘密保護法」という。）第三条第一項に規定する特定秘密をいう。以下同じ。）の保護に関する制度の運用を常時監視するため特定秘密の指定（同項の規定による指定をいう。）及びその解除並びに適性評価（特定秘密保護法第十二条第一項に規定する適性評価をいう。）の実施の状況について調査し、並びに各議院又は各議院の委員会若しくは参議院の調査会からの第百四条第一項（第五十四条の四第一項において準用する場合を含む。）の規定による特定秘密の提出の要求に係る行政機関の長（特定秘密保護法第三条第一項に規定する行政機関の長をいう。以下同じ。）の判断の適否等を審査するため、各議院に情報監視審査会を設ける。

〔審査会の調査のための報告〕

第百二条の十四 情報監視審査会は、調査のため、特定秘密保護法第十九条の規定による報告を受ける。

〔特定秘密の提出又は提示の手続〕

第百二条の十五 各議院の情報監視審査会から調査のため、行政機関の長に対し、必要な特定秘密の提出（提示を含むものとする。以下第百四条の三までにおいて同じ。）を求めたときは、その求めに応じなければならない。

② 前項の場合における特定秘密保護法第十条第一項及び第二十三条第二項の規定の適用については、特定秘密保護法第十条第一項第一号イ中「各議院又は各議院の委員会若しくは参議院の調査会」とあるのは「各議院の情報監視審査会」と、「第百四条第一項（同法第五十四条の四第一項において準用する場合を含む。）又は議院における証人の宣誓及び証言等に関する法律（昭和二十二年法律第二百二十五号）第一条」とあるのは「第百二条の十五第一項」と、「審査又は調査であって、国会法第五十二条第二項（同法第五十四条の四第一項において準用する場合を含む。）又は第六十二条の規定により公開しないこととされたもの」とあるのは「調査（公開しないで行われるものに限る。）」と、特定秘密保護法第二十三条第二項中「第十条」とあるのは「第十条（国会法第百二条の十五第二項の規定により読み替えて適用する場合を含む。）」とする。

③ 行政機関の長が第一項の求めに応じないときは、その理由を疎明しなければならない。その理由をその情報監視審査会において受諾し得る場合には、行政機関の長は、その特定秘密の提出をする必要がない。

④ 前項の理由を受諾することができない場合は、その情報監視審査会は、更にその特定秘密の提出が我が国の安全保障に著しい支障を及ぼすおそれがある旨の内閣の声明を要求することができる。その声明があつた場合は、行政機関の長は、その特定秘密の提出をする必要がない。

⑤ 前項の要求後十日以内に、内閣がその声明を出さないときは、行政機関の長は、先に求められた特定秘密の提出をしなければならない。

〔運用改善の勧告〕

第百二条の十六 情報監視審査会は、調査の結果、必要があると認めるときは、行政機関の長に対し、行政における特定秘密の保護に関する制度の運用について改善すべき旨の勧告をすることができる。

② 情報監視審査会は、行政機関の長に対し、前項の勧告の結果とられた措置について報告を求めることができる。

〔提出の勧告〕

第百二条の十七　情報監視審査会は、第百四条の二（第五十四条の四第一項において準用する場合を含む。）の規定による審査の求め又は要請を受けた場合は、各議院の議決により定めるところにより、これについて審査するものとする。

② 各議院の情報監視審査会から審査のため、行政機関の長に対し、必要な特定秘密の提出を求めたときは、その求めに応じなければならない。

③ 前項の場合における特定秘密保護法第十条第一項及び第二十三条第二項の規定の適用については、特定秘密保護法第十条第一項第一号イ中「各議院又は各議院の委員会若しくは参議院の調査会」とあるのは「各議院の情報監視審査会」と、「第百四条第一項（同法第五十四条の四第一項において準用する場合を含む。）又は議院における証人の宣誓及び証言等に関する法律（昭和二十二年法律第二百二十五号）第一条」とあるのは「第百二条の十七第二項」と、「審査又は調査であって、国会法第五十二条第二項（同法第五十四条の四第一項において準用する場合を含む。）又は第六十二条の規定により公開しないこととされたもの」とあるのは「審査（公開しないで行われるものに限る。）」と、特定秘密保護法第二十三条第二項中「第十条」とあるのは「第十条（国会法第百二条の十七第三項の規定により読み替えて適用する場合を含む。）」とする。

④ 第百二条の十五第三項から第五項までの規定は、行政機関の長が第二項の求めに応じない場合について準用する。

⑤ 情報監視審査会は、第一項の審査の結果に基づき必要があると認めるときは、行政機関の長に対し、当該審査の求め又は要請をした議院又は委員会若しくは参議院の調査会の求めに応じて報告又は記録の提出をすべき旨の勧告をすることができる。この場合において、当該勧告は、その提出を求める報告又は記録の範囲を限定して行うことができる。

⑥ 第百二条の十五第三項から第五項までの規定は、行政機関の長が前項の勧告に従わない場合について準用する。この場合において、同条第三項及び第四項中「その特定秘密の提出」とあり、並びに同条第五項中「先に求められた特定秘密の提出」とあるのは、「その勧告に係る報告又は記録の提出」と読み替えるものとする。

⑦ 情報監視審査会は、第一項の審査の結果を、当該審査の求め又は要請をした議院又は委員会若しくは参議院の調査会に対して通知するものとする。

〔適性評価〕

第百二条の十八　各議院の情報監視審査会の事務は、その議院の議長が別に法律で定めるところにより実施する適性評価（情報監視審査会の事務を行つた場合に特定秘密を漏らすおそれがないことについての職員又は職員になることが見込まれる者に係る評価をいう。）においてその事務を行つた場合に特定秘密を漏らすおそれがないと認められた者でなければ、行つてはならない。

〔特定秘密の利用等の制限〕

第百二条の十九　第百二条の十五及び第百二条の十七の規定により、特定秘密が各議院の情報監視審査会に提出されたときは、その特定秘密は、その情報監視審査会の委員及び各議院の議決により定める者並びにその事務を行う職員に限り、かつ、その調査又は審査に必要な範囲で、利用し、又は知ることができるものとする。

〔議院の会議・委員会の出席等に関する規定の準用〕

第百二条の二十　情報監視審査会については、第六十九条から第七十二条まで及び第百四条の規定を準用する。

〔審査会に関する事項〕

第百二条の二十一　この法律及び他の法律に定めるもののほか、情報監視審査会に関する事項は、各議院の議決によりこれを定める。

第十二章　議院と国民及び官庁との関係

〔議員の派遣〕

第百三条　各議院は、議案その他の審査若しくは国政に関する調査のために又は議院において必要と認めた場合に、議員を派遣することができる。

〔官公署に対する報告及び記録の提出要求〕

第百四条　各議院又は各議院の委員会から審査又は調査のため、内閣、官公署その他に対し、必要な報告又は記録の提出を求めたときは、その求めに応じなければならない。

② 内閣又は官公署が前項の求めに応じないときは、その理由を疎明しなければならない。その理由をその議院又は委員会において受諾し得る場合には、内閣又は官公署は、その報告又は記録の提出をする必要がない。

③ 前項の理由を受諾することができない場合は、その議院又は委員会は、更にその報告又は記録の提出が国家の重大な利益に悪影響を及ぼす旨の内閣の声明を要求することができる。その声明があつた場合は、内閣又は官公署は、その報告又は記録の提出をする必要がない。

④ 前項の要求後十日以内に、内閣がその声明を出さないときは、内閣又は官公署は、先に求められた報告又は記録の提出をしなければならない。

〔情報監視審査会への審査要請〕

第百四条の二　各議院又は各議院の委員会が前条第一項の規定によりその内容に特定秘密である情報が含まれる報告又は記録の提出を求めた場合において、行政機関の長が同条第二項の規定により理由を疎明してその求めに応じなかつたときは、その議院又は委員会は、同条第三項の規定により内閣の声明を要求することに代えて、その議院の情報監視審査会に対し、行政機関の長がその求めに応じないことについて審査を求め、又はこれを要請することができる。

〔特定秘密の利用等の制限〕

第百四条の三　第百四条の規定により、その内容に特定秘密である情報を含む報告又は記録が各議院又は各議院の委員会に提出されたときは、その報告又は記録は、その議院の議員又は委員会の委員及びその事務を行う職員に限り、かつ、その審査又は調査に必要な範囲で、利用し、又は知ることができるものとする。

第百五条　各議院又は各議院の委員会は、審査又は調査のため必要があるときは、会計検査院に対し、特定の事項について会計検査を行い、その結果を報告するよう求めることができる。

〔証人等の旅費及び日当〕

第百六条　各議院は、審査又は調査のため、証人又は参考人が出頭し、又は陳述したときは、別に定めるところにより旅費及び日当を支給する。

第十三章　辞職、退職、補欠及び資格争訟

〔議員辞職の許可〕

第百七条　各議院は、その議員の辞職を許可することができる。但し、閉会中は、議長においてこれを許可することができる。

〔退職〕

第百八条　各議院の議員が、他の議院の議員となつたときは、退職者となる。

第百九条　各議院の議員が、法律に定めた被選の資格を失つたときは、退職者となる。

第百九条の二　衆議院の比例代表選出議員が、議員となつた日以後において、当該議員が衆議院名簿登載者（公職選挙法（昭和二十五年法律第百号）第八十六条の二第一項に規定する衆議院名簿登載者をいう。以下この項において同じ。）であつた衆議院名簿届出政党等（同条第一項の規定による届出をした政党その他の政治団体をいう。以下この項において同じ。）以外の政党その他の政治団体で、当該議員が選出された選挙における衆議院名簿届出政党等であるもの（当該議員が衆議院名簿登載者であつた衆議院名簿届出政党等（当該衆議院名簿届出政党等に係る合併又は分割（二以上の政党その他の政治団体の設立を目的として一の政党その他の政治団体が解散し、当該二以上の政党その他の政治団体が設立されることをいう。次項において同じ。）が行われた場合における当該合併後に存続する政党その他の政治団体若しくは当該合併により設立された政党その他の政治団体又は当該分割により設立された政党その他の政治団体を含む。）を含む二以上の政党その他の政治団体の合併により当該合併後に存続するものを除く。）に所属する者となつたとき（議員となつた日において所属する者である場合を含む。）は、退職者となる。

② 参議院の比例代表選出議員が、議員となつた日以後において、当該議員が参議院名簿登載者（公職選挙法第八十六条の三第一項に規定する参議院名簿登載者をいう。以下この項において同じ。）であつた参議院名簿届出政党等（同条第一項の規定による届出をした政党その他の政治団体をいう。以下この項において同じ。）以外の政党その他の政治団体で、当該議員が選出された選挙における参議院名簿届出政党等であるもの（当該議員が参議院名簿登載者であつた参議院名簿届出政党等（当該参議院名簿届出政党等に係る合併又は分割が行われた場合における当該合併後に存続する政党その他の政治団体若しくは当該合併により設立された政党その他の政治団体又は当該分割により設立された政党その他の政治団体を含む。）を含む二以上の政党その他の政治団体の合併により当該合併後に存続するものを除く。）に所属する者となつたとき（議員となつた日において所属する者である場合を含む。）は、退職者となる。

〔欠員の通知〕

第百十条　各議院の議員に欠員が生じたときは、その院の議長は、内閣総理大臣に通知しなければならない。

〔資格争訟〕

第百十一条　各議院において、その議員の資格につき争訟があるときは、委員会の審査を経た後これを議決する。

② 前項の争訟は、その院の議員から文書でこれを議長に提起しなければならない。

〔弁護人〕

第百十二条　資格争訟を提起された議員は、二人以内の弁護人を依頼することができる。

② 前項の弁護人の中一人の費用は、国費でこれを支弁する。

〔被告議員の地位〕

第百十三条　議員は、その資格のないことが証明されるまで、議院において議員としての地位及び権能を失わない。但し、自己の資格争訟に関する会議において弁明はできるが、その表決に加わることができない。

第十四章　紀律及び警察

〔議院警察権〕

第百十四条　国会の会期中各議院の紀律を保持するため、内部警察の権は、この法律及び各議院の定める規則に従い、議長が、これを行う。閉会中もまた、同様とする。

〔警察官の派出〕

第百十五条　各議院において必要とする警察官は、議長の要求により内閣がこれを派出し、議長の指揮を受ける。

〔議長の秩序保持権〕

第百十六条　会議中議員がこの法律又は議事規則に違いその他議場の秩序をみだし又は議院の品位を傷けるときは、議長は、これを警戒し、又は制止し、又は発言を取り消させる。命に従わないときは、議長は、当日の会議を終るまで、又は議事が翌日に継続した場合はその議事を終るまで、発言を禁止し、

又は議場の外に退去させることができる。

第百十七条　議長は、議場を整理し難いときは、休憩を宣告し、又は散会することができる。

〔傍聴人の退場命令〕

第百十八条　傍聴人が議場の妨害をするときは、議長は、これを退場させ、必要な場合は、これを警察官庁に引渡すことができる。

② 傍聴席が騒がしいときは、議長は、すべての傍聴人を退場させることができる。

〔議員以外の者の退去命令〕

第百十八条の二　議員以外の者が議院内部において秩序をみだしたときは、議長は、これを院外に退去させ、必要な場合は、これを警察官庁に引渡すことができる。

〔無礼の言論の禁止〕

第百十九条　各議院において、無礼の言を用い、又は他人の私生活にわたる言論をしてはならない。

〔侮辱に対する処分要求〕

第百二十条　議院の会議又は委員会において、侮辱を被つた議員は、これを議院に訴えて処分を求めることができる。

第十五章　懲罰

〔懲罰の手続〕

第百二十一条　各議院において懲罰事犯があるときは、議長は、先ずこれを懲罰委員会に付し審査させ、議院の議を経てこれを宣告する。

② 委員会において懲罰事犯があるときは、委員長は、これを議長に報告し処分を求めなければならない。

③ 議員は、衆議院においては四十人以上、参議院においては二十人以上の賛成で懲罰の動議を提出することができる。この動議は、事犯があつた日から三日以内にこれを提出しなければならない。

〔会期末の懲罰事犯の後会付議〕

第百二十一条の二　会期の終了日又はその前日に生じた懲罰事犯で、議長が懲罰委員会に付することができなかつたもの並びに懲罰委員会に付され、閉会中審査の議決に至らなかつたもの及び委員会の審査を終了し議院の議決に至らなかつたものについては、議長は、次の国会の召集の日から三日以内にこれを懲罰委員会に付することができる。

② 議員は、会期の終了日又はその前日に生じた事犯で、懲罰の動議を提出するいとまがなかつたもの及び動議が提出され議決に至らなかつたもの並びに懲罰委員会に付され、閉会中審査の議決に至らなかつたもの及び委員会の審査を終了し議院の議決に至らなかつたものについては、前条第三項に規定する定数の議員の賛成で、次の国会の召集の日から三日以内に懲罰の動議を提出することができる。

③ 前二項の規定は、衆議院にあつては衆議院議員の総選挙の後最初に召集される国会において、参議院にあつては参議院議員の通常選挙の後最初に召集される国会において、前の国会の会期の終了日又はその前日における懲罰事犯については、それぞれこれを適用しない。

〔閉会中の懲罰事犯〕

第百二十一条の三　閉会中、委員会その他議院内部において懲罰事犯があるときは、議長は、次の国会の召集の日から三日以内にこれを懲罰委員会に付することができる。

② 議員は、閉会中、委員会その他議院内部において生じた事犯について、第百二十一条第三項に規定する定数の議員の賛成で、次の国会の召集の日から三日以内に懲罰の動議を提出することができる。

〔懲罰の種類〕

第百二十二条　懲罰は、左の通りとする。

一　公開議場における戒告
二　公開議場における陳謝
三　一定期間の登院停止
四　除名

〔除名議員の再選〕

第百二十三条　両議院は、除名された議員で再び当選した者を拒むことができない。

〔欠席議員の懲罰〕

第百二十四条　議員が正当な理由がなくて召集日から七日以内に召集に応じないため、又は正当な理由がなくて会議又は委員会に欠席したため、若しくは請暇の期限を過ぎたため、議長が、特に招状を発し、その招状を受け取つた日から七日以内に、なお、故なく出席しない者は、議長が、これを懲罰委員会に付する。

第十五章の二　政治倫理

〔政治倫理綱領等の遵守〕

第百二十四条の二　議員は、各議院の議決により定める政治倫理綱領及びこれにのつとり各議院の議決により定める行為規範を遵守しなければならない。

〔政治倫理審査会の設置〕

第百二十四条の三　政治倫理の確立のため、各議院に政治倫理審査会を設ける。

第百二十四条の四　前条に定めるもののほか、政治倫理審査会に関する事項は、各議院の議決によりこれを定める。

第十六章　弾劾裁判所

〔弾劾裁判所〕

第百二十五条　裁判官の弾劾は、各議院においてその議員の中から選挙された同数の裁判員で組織する弾劾裁判所がこれを行う。

② 弾劾裁判所の裁判長は、裁判員がこれを互選する。

〔訴追委員会〕

第百二十六条　裁判官の罷免の訴追は、各議院においてその議員の中から選挙された同数の訴追委員で組織する訴追委員会がこれを行う。

② 訴追委員会の委員長は、その委員がこれを互選する。

〔兼職禁止〕

第百二十七条　弾劾裁判所の裁判員は、同時に訴追委員となることができない。

〔予備員〕

第百二十八条　各議院は、裁判員又は訴追委員を選挙する際、その予備員を選挙する。

〔裁判官弾劾法〕

第百二十九条　この法律に定めるものの外、弾劾裁判所及び訴追委員会に関する事項は、別に法律でこれを定める。

第十七章　国立国会図書館、法制局、議員秘書及び議員会館

〔国立国会図書館〕

第百三十条　議員の調査研究に資するため、別に定める法律により、国会に国立国会図書館を置く。

〔議院法制局〕

第百三十一条　議員の法制に関する立案に資するため、各議院に法制局を置く。

② 各法制局に、法制局長一人、参事その他必要な職員を置く。

③ 法制局長は、議長が議院の承認を得てこれを任免する。但し、閉会中は、議長においてその辞任を許可することができる。

④ 法制局長は、議長の監督の下に、法制局の事務を統理する。

⑤ 法制局の参事その他の職員は、法制局長が議長の同意及び議院運営委員会の承認を得てこれを任免する。

⑥ 法制局の参事は、法制局長の命を受け事務を掌理する。

〔議員秘書〕

第百三十二条　各議員に、その職務の遂行を補佐する秘書二人を付する。

② 前項に定めるもののほか、主として議員の政策立案及び立法活動を補佐する秘書一人を付することができる。

〔議員会館〕

第百三十二条の二　議員の職務の遂行の便に供するため、議員会館を設け、各議員に事務室を提供する。

第十八章　補則

〔期間の計算〕

第百三十三条　この法律及び各議院の規則による期間の計算は、当日から起算する。

附　則（抄）

① この法律は、日本国憲法施行の日〔昭二二・五・三〕から、これを施行する。

○内閣法

昭二二・一・一六
法　　　　五

最終改正　令五・四・二八法一四

第一条　内閣は、国民主権の理念にのつとり、日本国憲法第七十三条その他日本国憲法に定める職権を行う。

2 内閣は、行政権の行使について、全国民を代表する議員からなる国会に対し連帯して責任を負う。

第二条　内閣は、国会の指名に基づいて任命された首長たる内閣総理大臣及び内閣総理大臣により任命された国務大臣をもつて、これを組織する。

2 前項の国務大臣の数は、十四人以内とする。ただし、特別に必要がある場合においては、三人を限度にその数を増加し、十七人以内とすることができる。

第三条　各大臣は、別に法律の定めるところにより、主任の大臣として、行政事務を分担管理する。

② 前項の規定は、行政事務を分担管理しない大臣の存することを妨げるものではない。

第四条　内閣がその職権を行うのは、閣議によるものとする。

② 閣議は、内閣総理大臣がこれを主宰する。この場合において、内閣総理大臣は、内閣の重要政策に関する基本的な方針その他の案件を発議することができる。

③ 各大臣は、案件の如何を問わず、内閣総理大臣に提出して、閣議を求めることができる。

第五条　内閣総理大臣は、内閣を代表して内閣提出の法律案、予算その他の議案を国会に提出し、一般国務及び外交関係について国会に報告する。

第六条　内閣総理大臣は、閣議にかけて決定した方針に基いて、行政各部を指揮監督する。

第七条　主任の大臣の間における権限についての疑義は、内閣

総理大臣が、閣議にかけて、これを裁定する。

第八条　内閣総理大臣は、行政各部の処分又は命令を中止せしめ、内閣の処置を待つことができる。

第九条　内閣総理大臣に事故のあるとき、又は内閣総理大臣が欠けたときは、その予め指定する国務大臣が、臨時に、内閣総理大臣の職務を行う。

第十条　主任の国務大臣に事故のあるとき、又は主任の国務大臣が欠けたときは、内閣総理大臣又はその指定する国務大臣が、臨時に、その主任の国務大臣の職務を行う。

第十一条　政令には、法律の委任がなければ、義務を課し、又は権利を制限する規定を設けることができない。

第十二条　内閣に、内閣官房を置く。

② 内閣官房は、次に掲げる事務をつかさどる。

一　閣議事項の整理その他内閣の庶務

二　内閣の重要政策に関する基本的な方針に関する企画及び立案並びに総合調整に関する事務

三　閣議に係る重要事項に関する企画及び立案並びに総合調整に関する事務

四　行政各部の施策の統一を図るために必要となる企画及び立案並びに総合調整に関する事務

五　前三号に掲げるもののほか、行政各部の施策に関するその統一保持上必要な企画及び立案並びに総合調整に関する事務

六　内閣の重要政策に関する情報の収集調査に関する事務

七　国家公務員に関する制度の企画及び立案に関する事務

八　国家公務員法（昭和二十二年法律第百二十号）第十八条の二（独立行政法人通則法（平成十一年法律第百三号）第五十四条第一項において準用する場合を含む。）に規定する事務に関する事務

九　国家公務員の退職手当制度に関する事務

十　特別職の国家公務員の給与制度に関する事務

十一　国家公務員の総人件費の基本方針及び人件費予算の配分の方針の企画及び立案並びに調整に関する事務

十二　第七号から前号までに掲げるもののほか、国家公務員の人事行政に関する事務（他の行政機関の所掌に属するものを除く。）

十三　行政機関の機構及び定員に関する企画及び立案並びに調整に関する事務

十四　各行政機関の機構の新設、改正及び廃止並びに定員の設置、増減及び廃止に関する審査を行う事務

十五　前各号に掲げるもののほか、法律（法律に基づく命令を含む。）に基づき、内閣官房に属させられた事務

③ 前項の外、内閣官房は、政令の定めるところにより、内閣の事務を助ける。

④ 内閣官房の外、内閣に、別に法律の定めるところにより、必要な機関を置き、内閣の事務を助けしめることができる。

第十三条　内閣官房に内閣官房長官一人を置く。

2　内閣官房長官は、国務大臣をもつて充てる。

3　内閣官房長官は、内閣官房の事務を統轄し、所部の職員の服務につき、これを統督する。

第十四条　内閣官房に、内閣官房副長官三人を置く。

2　内閣官房副長官の任免は、天皇がこれを認証する。

3　内閣官房副長官は、内閣官房長官の職務を助け、命を受けて内閣官房の事務（内閣感染症危機管理統括庁及び内閣人事局の所掌に属するものを除く。）をつかさどり、及びあらかじめ内閣官房長官の定めるところにより内閣官房長官不在の場合その職務を代行する。

第十五条　内閣官房に、内閣危機管理監一人を置く。

2　内閣危機管理監は、内閣官房長官及び内閣官房副長官を助け、命を受けて第十二条第二項第一号から第六号までに掲げる事務のうち危機管理（国民の生命、身体又は財産に重大な被害が生じ、又は生じるおそれがある緊急の事態への対処及び当該事態の発生の防止をいう。次項、第十六条第二項第一号及び第十七条第三項において同じ。）に関するもの（国の防衛に関するもの及び内閣感染症危機管理統括庁の所掌に属するものを除く。）を統理する。

3　前項に定めるもののほか、内閣危機管理監は、臨時に命を受け、感染症に係る危機管理に関する事務について、内閣感染症危機管理統括庁の事務の処理に協力する。

4　内閣危機管理監の任免は、内閣総理大臣の申出により、内閣において行う。

5　国家公務員法第九十六条第一項、第九十八条第一項、第九十九条並びに第百条第一項及び第二項の規定は、内閣危機管理監の服務について準用する。

6　内閣危機管理監は、在任中、内閣総理大臣の許可がある場合を除き、報酬を得て他の職務に従事し、又は営利事業を営み、その他金銭上の利益を目的とする業務を行つてはならない。

第十五条の二　内閣官房に、内閣感染症危機管理統括庁を置く。

2　内閣感染症危機管理統括庁は、次に掲げる事務をつかさどる。

一　新型インフルエンザ等対策特別措置法（平成二十四年法律第三十一号）第六条第一項に規定する政府行動計画の策定及び推進に関する事務

二　新型インフルエンザ等対策特別措置法第十七条第二項の規定により内閣感染症危機管理統括庁が処理することとされた新型インフルエンザ等対策本部に関する事務

三　新型インフルエンザ等対策特別措置法第七十条の七の規定により内閣感染症危機管理統括庁が処理することとされた新型インフルエンザ等対策推進会議に関する事務

四　前三号に掲げるもののほか、第十二条第二項第二号から第五号まで及び第十五号に掲げる事務のうち感染症の発生及びまん延の防止に関するもの（国家安全保障局、内閣広報官及び内閣情報官の所掌に属するものを除く。）

3　内閣感染症危機管理統括庁に、内閣感染症危機管理監一人を置く。

4　内閣感染症危機管理監は、内閣官房長官を助け、命を受けて庁務を掌理するものとし、内閣総理大臣が内閣官房副長官の中から指名する者をもつて充てる。
5　内閣感染症危機管理統括庁に、内閣感染症危機管理監補一人を置く。
6　内閣感染症危機管理監補は、内閣感染症危機管理監を助け、庁務を整理するものとし、内閣総理大臣が内閣官房副長官補の中から指名する者をもつて充てる。
7　内閣感染症危機管理統括庁に、内閣感染症危機管理対策官一人を置く。
8　内閣感染症危機管理対策官は、内閣感染症危機管理監及び内閣感染症危機管理監補を助け、命を受けて、内閣感染症危機管理統括庁の所掌事務に係る重要な政策に関する事務を総括整理し、及びその所掌事務のうち重要事項に係るものに参画するものとし、厚生労働省の医務技監をもつて充てる。

第十六条　内閣官房に、国家安全保障局を置く。
2　国家安全保障局は、次に掲げる事務をつかさどる。
一　第十二条第二項第二号から第五号までに掲げる事務のうち我が国の安全保障（第二十一条第三項において「国家安全保障」という。）に関する外交政策、防衛政策及び経済政策の基本方針並びにこれらの政策に関する重要事項に関するもの（危機管理に関するもの並びに内閣広報官及び内閣情報官の所掌に属するものを除く。）
二　国家安全保障会議設置法（昭和六十一年法律第七十一号）第十二条の規定により国家安全保障局が処理することとされた国家安全保障会議の事務
三　国家安全保障会議設置法第六条の規定により国家安全保障会議に提供された資料又は情報その他の前二号に掲げる事務に係る資料又は情報を総合して整理する事務
3　国家安全保障局に、国家安全保障局長を置く。
4　国家安全保障局長は、内閣官房長官及び内閣官房副長官を助け、命を受けて局務を掌理する。
5　第十五条第四項から第六項までの規定は、国家安全保障局長について準用する。
6　国家安全保障局に、国家安全保障局次長二人を置く。
7　国家安全保障局次長は、国家安全保障局長を助け、局務を整理するものとし、内閣総理大臣が内閣官房副長官補の中から指名する者をもつて充てる。

第十七条　内閣官房に、内閣官房副長官補三人を置く。
2　内閣官房副長官補は、内閣官房長官、内閣官房副長官及び内閣危機管理監を助け、命を受けて内閣官房の事務（第十二条第二項第一号に掲げるもの並びに内閣感染症危機管理統括庁、国家安全保障局、内閣広報官、内閣情報官及び内閣人事局の所掌に属するものを除く。）を掌理する。
3　前項に定めるもののほか、内閣官房副長官補（第十五条の二第六項の規定により内閣総理大臣が指名した者を除く。）は、臨時に命を受け、感染症に係る危機管理に関する事務について、内閣感染症危機管理統括庁の事務の処理に協力する。
4　第十五条第四項から第六項までの規定は、内閣官房副長官補について準用する。

第十八条　内閣官房に、内閣広報官一人を置く。
2　内閣広報官は、内閣官房長官、内閣官房副長官及び内閣危機管理監を助け、第十二条第二項第二号から第五号までに掲げる事務について必要な広報に関することを処理するほか、同項第二号から第五号までに掲げる事務のうち広報に関するものを掌理する。
3　第十五条第四項から第六項までの規定は、内閣広報官について準用する。

第十九条　内閣官房に、内閣情報官一人を置く。
2　内閣情報官は、内閣官房長官、内閣官房副長官及び内閣危機管理監を助け、第十二条第二項第二号から第五号までに掲げる事務のうち特定秘密（特定秘密の保護に関する法律（平成二十五年法律第百八号）第三条第一項に規定する特定秘密をいう。）の保護に関するもの（内閣広報官の所掌に属するものを除く。）及び第十二条第二項第六号に掲げる事務を掌理する。
3　第十五条第四項から第六項までの規定は、内閣情報官について準用する。

第二十条　内閣官房に、内閣人事局を置く。
2　内閣人事局は、第十二条第二項第七号から第十四号までに掲げる事務をつかさどる。
3　内閣人事局に、内閣人事局長を置く。
4　内閣人事局長は、内閣官房長官を助け、命を受けて局務を掌理するものとし、内閣総理大臣が内閣官房副長官の中から指名する者をもつて充てる。

第二十一条　内閣官房に、内閣総理大臣補佐官五人以内を置く。
2　内閣総理大臣補佐官は、内閣総理大臣の命を受け、国家として戦略的に推進すべき基本的な施策その他の内閣の重要政策のうち特定のものに係る内閣総理大臣の行う企画及び立案について、内閣総理大臣を補佐する。
3　内閣総理大臣は、内閣総理大臣補佐官の中から、国家安全保障に関する重要政策を担当する者を指定するものとする。
4　内閣総理大臣補佐官は、非常勤とすることができる。
5　第十五条第四項及び第五項の規定は内閣総理大臣補佐官について、同条第六項の規定は常勤の内閣総理大臣補佐官について準用する。

第二十二条　内閣官房に、内閣総理大臣に附属する秘書官並びに内閣総理大臣及び各省大臣以外の各国務大臣に附属する秘書官を置く。
2　前項の秘書官の定数は、政令で定める。
3　第一項の秘書官で、内閣総理大臣に附属する秘書官は、内閣総理大臣の、国務大臣に附属する秘書官は、国務大臣の命を受け、機密に関する事務をつかさどり、又は臨時に命を受け内閣官房その他関係各部局の事務を助ける。

第二十三条　内閣官房に、内閣事務官その他所要の職員を置く。
2　内閣事務官は、命を受けて内閣官房の事務を整理する。

第二十四条　この法律に定めるもののほか、内閣官房の所掌事務を遂行するため必要な内部組織については、政令で定める。

第二十五条　内閣官房に係る事項については、この法律にいう主任の大臣は、内閣総理大臣とする。

2　内閣総理大臣は、内閣官房に係る主任の行政事務について、法律又は政令の制定、改正又は廃止を必要と認めるときは、案をそなえて、閣議を求めなければならない。

3　内閣総理大臣は、内閣官房に係る主任の行政事務について、法律若しくは政令を施行するため、又は法律若しくは政令の特別の委任に基づいて、内閣官房の命令として内閣官房令を発することができる。

4　内閣官房令には、法律の委任がなければ、罰則を設け、又は義務を課し、若しくは国民の権利を制限する規定を設けることができない。

5　内閣総理大臣は、内閣官房の所掌事務について、公示を必要とする場合においては、告示を発することができる。

6　内閣総理大臣は、内閣官房の所掌事務について、命令又は示達をするため、所管の諸機関及び職員に対し、訓令又は通達を発することができる。

第二十六条　内閣総理大臣は、管区行政評価局及び沖縄行政評価事務所に、内閣官房の所掌事務のうち、第十二条第二項第十三号及び第十四号に掲げる事務に関する調査並びに資料の収集及び整理に関する事務を分掌させることができる。

附　則（抄）

1　この法律は、日本国憲法施行の日〔昭二二・五・三〕から、これを施行する。

○国家行政組織法

昭二三・七・一〇
法　一　二　〇

最終改正　令三・五・一九法三六

（目的）

第一条　この法律は、内閣の統轄の下における行政機関で内閣府及びデジタル庁以外のもの（以下「国の行政機関」という。）の組織の基準を定め、もつて国の行政事務の能率的な遂行のために必要な国家行政組織を整えることを目的とする。

（組織の構成）

第二条　国家行政組織は、内閣の統轄の下に、内閣府及びデジタル庁の組織と共に、任務及びこれを達成するため必要となる明確な範囲の所掌事務を有する行政機関の全体によつて、系統的に構成されなければならない。

2　国の行政機関は、内閣の統轄の下に、その政策について、自ら評価し、企画及び立案を行い、並びに国の行政機関相互の調整を図るとともに、その相互の連絡を図り、全て、一体として、行政機能を発揮するようにしなければならない。内閣府及びデジタル庁との政策についての調整及び連絡についても、同様とする。

（行政機関の設置、廃止、任務及び所掌事務）

第三条　国の行政機関の組織は、この法律でこれを定めるものとする。

2　行政組織のため置かれる国の行政機関は、省、委員会及び庁とし、その設置及び廃止は、別に法律の定めるところによる。

3　省は、内閣の統轄の下に第五条第一項の規定により各省大臣の分担管理する行政事務及び同条第二項の規定により当該大臣が掌理する行政事務をつかさどる機関として置かれるものとし、委員会及び庁は、省に、その外局として置かれるものとする。

4　第二項の国の行政機関として置かれるものは、別表第一にこれを掲げる。

第四条　前条の国の行政機関の任務及びこれを達成するため必要となる所掌事務の範囲は、別に法律でこれを定める。

（行政機関の長）

第五条　各省の長は、それぞれ各省大臣とし、内閣法（昭和二十二年法律第五号）にいう主任の大臣として、それぞれ行政事務を分担管理する。

2　各省大臣は、前項の規定により行政事務を分担管理するほか、それぞれ、その分担管理する行政事務に係る各省の任務に関連する特定の内閣の重要政策について、当該重要政策に関して閣議において決定された基本的な方針に基づいて、行政各部の施策の統一を図るために必要となる企画及び立案並びに総合調整に関する事務を掌理する。

3　各省大臣は、国務大臣のうちから、内閣総理大臣が命ずる。ただし、内閣総理大臣が、自ら当たることを妨げない。

第六条　委員会の長は、委員長とし、庁の長は、長官とする。

（内部部局）

第七条　省には、その所掌事務を遂行するため、官房及び局を置く。

2　前項の官房又は局には、特に必要がある場合においては、部を置くことができる。

3　庁には、その所掌事務を遂行するため、官房及び部を置くことができる。

4　官房、局及び部の設置及び所掌事務の範囲は、政令でこれを定める。

5　庁、官房、局及び部（その所掌事務が主として政策の実施に係るものである庁として別表第二に掲げるもの（以下「実施庁」という。）並びにこれに置かれる官房及び部を除く。）には、課及びこれに準ずる室を置くことができるものとし、これらの設置及び所掌事務の範囲は、政令でこれを定める。

6　実施庁並びにこれに置かれる官房及び部には、政令の定める数の範囲内において、課及びこれに準ずる室を置くことができるものとし、これらの設置及び所掌事務の範囲は、省令でこれを定める。

7　委員会には、法律の定めるところにより、事務局を置くことができる。第三項から第五項までの規定は、事務局の内部組織について、これを準用する。

8　委員会には、特に必要がある場合においては、法律の定めるところにより、事務総局を置くことができる。

（審議会等）

第八条　第三条の国の行政機関には、法律の定める所掌事務の範囲内で、法律又は政令の定めるところにより、重要事項に関する調査審議、不服審査その他学識経験を有する者等の合議により処理することが適当な事務をつかさどらせるための合議制の機関を置くことができる。

（施設等機関）

第八条の二　第三条の国の行政機関には、法律の定める所掌事務の範囲内で、法律又は政令の定めるところにより、試験研究機関、検査検定機関、文教研修施設（これらに類する機関及び施設を含む。）、医療更生施設、矯正収容施設及び作業施設を置くことができる。

（特別の機関）

第八条の三　第三条の国の行政機関には、特に必要がある場合においては、前二条に規定するもののほか、法律の定める所掌事務の範囲内で、法律の定めるところにより、特別の機関を置くことができる。

（地方支分部局）

第九条　第三条の国の行政機関には、その所掌事務を分掌させる必要がある場合においては、法律の定めるところにより、地方支分部局を置くことができる。

（行政機関の長の権限）

第十条　各省大臣、各委員会の委員長及び各庁の長官は、その機関の事務を統括し、職員の服務について、これを統督する。

第十一条　各省大臣は、主任の行政事務について、法律又は政令の制定、改正又は廃止を必要と認めるときは、案をそなえて、内閣総理大臣に提出して、閣議を求めなければならない。

第十二条　各省大臣は、主任の行政事務について、法律若しくは政令を施行するため、又は法律若しくは政令の特別の委任に基づいて、それぞれその機関の命令として省令を発することができる。

2　各外局の長は、その機関の所掌事務について、それぞれ主任の各省大臣に対し、案をそなえて、省令を発することを求めることができる。

3　省令には、法律の委任がなければ、罰則を設け、又は義務を課し、若しくは国民の権利を制限する規定を設けることができない。

第十三条　各委員会及び各庁の長官は、別に法律の定めるところにより、政令及び省令以外の規則その他の特別の命令を自ら発することができる。

2　前条第三項の規定は、前項の命令に、これを準用する。

第十四条　各省大臣、各委員会及び各庁の長官は、その機関の所掌事務について、公示を必要とする場合においては、告示を発することができる。

2　各省大臣、各委員会及び各庁の長官は、その機関の所掌事務について、命令又は示達をするため、所管の諸機関及び職員に対し、訓令又は通達を発することができる。

第十五条　各省大臣、各委員会及び各庁の長官は、その機関の任務（各省にあつては、各省大臣が主任の大臣として分担管理する行政事務に係るものに限る。）を遂行するため政策について行政機関相互の調整を図る必要があると認めるときは、その必要性を明らかにした上で、関係行政機関の長に対し、必要な資料の提出及び説明を求め、並びに当該関係行政機関の政策に関し意見を述べることができる。

第十五条の二　各省大臣は、第五条第二項に規定する事務の遂行のため必要があると認めるときは、関係行政機関の長に対し、必要な資料の提出及び説明を求めることができる。

2　各省大臣は、第五条第二項に規定する事務の遂行のため特に必要があると認めるときは、関係行政機関の長に対し、勧告することができる。

3　各省大臣は、前項の規定により関係行政機関の長に対し勧告したときは、当該関係行政機関の長に対し、その勧告に基づいてとつた措置について報告を求めることができる。

4　各省大臣は、第二項の規定により勧告した事項に関し特に必要があると認めるときは、内閣総理大臣に対し、当該事項について内閣法第六条の規定による措置がとられるよう意見を具申することができる。

（副大臣）

第十六条　各省に副大臣を置く。

2　副大臣の定数は、それぞれ別表第三の副大臣の定数の欄に定めるところによる。

3　副大臣は、その省の長である大臣の命を受け、政策及び企画をつかさどり、政務を処理し、並びにあらかじめその省の長である大臣の命を受けて大臣不在の場合その職務を代行する。

4　副大臣が二人置かれた省においては、各副大臣の行う前項の職務の範囲及び職務代行の順序については、その省の長である大臣の定めるところによる。

5　副大臣の任免は、その省の長である大臣の申出により内閣が行い、天皇がこれを認証する。

6　副大臣は、内閣総辞職の場合においては、内閣総理大臣その他の国務大臣がすべてその地位を失つたときに、これと同時にその地位を失う。

（大臣政務官）

第十七条　各省に大臣政務官を置く。

2　大臣政務官の定数は、それぞれ別表第三の大臣政務官の定数の欄に定めるところによる。

3　大臣政務官は、その省の長である大臣を助け、特定の政策及び企画に参画し、政務を処理する。
4　各大臣政務官の行う前項の職務の範囲については、その省の長である大臣の定めるところによる。
5　大臣政務官の任免は、その省の長である大臣の申出により、内閣がこれを行う。
6　前条第六項の規定は、大臣政務官について、これを準用する。

（大臣補佐官）

第十七条の二　各省に、特に必要がある場合においては、大臣補佐官一人を置くことができる。
2　大臣補佐官は、その省の長である大臣の命を受け、特定の政策に係るその省の長である大臣の行う企画及び立案並びに政務に関し、その省の長である大臣を補佐する。
3　大臣補佐官の任免は、その省の長である大臣の申出により、内閣がこれを行う。
4　大臣補佐官は、非常勤とすることができる。
5　国家公務員法（昭和二十二年法律第百二十号）第九十六条第一項、第九十八条第一項、第九十九条並びに第百条第一項及び第二項の規定は、大臣補佐官の服務について準用する。
6　常勤の大臣補佐官は、在任中、その省の長である大臣の許可がある場合を除き、報酬を得て他の職務に従事し、又は営利事業を営み、その他金銭上の利益を目的とする業務を行つてはならない。

（事務次官及び庁の次長等）

第十八条　各省には、事務次官一人を置く。
2　事務次官は、その省の長である大臣を助け、省務を整理し、各部局及び機関の事務を監督する。
3　各庁には、特に必要がある場合においては、長官を助け、庁務を整理する職として次長を置くことができるものとし、その設置及び定数は、政令でこれを定める。
4　各省及び各庁には、特に必要がある場合においては、その所掌事務の一部を総括整理する職を置くことができるものとし、その設置、職務及び定数は、法律（庁にあつては、政令）でこれを定める。

（秘書官）

第十九条　各省に秘書官を置く。
2　秘書官の定数は、政令でこれを定める。
3　秘書官は、それぞれ各省大臣の命を受け、機密に関する事務を掌り、又は臨時命を受け各部局の事務を助ける。

（官房及び局の所掌に属しない事務をつかさどる職等）

第二十条　各省には、特に必要がある場合においては、官房及び局の所掌に属しない事務の能率的な遂行のためこれを所掌する職で局長に準ずるものを置くことができるものとし、その設置、職務及び定数は、政令でこれを定める。
2　各庁には、特に必要がある場合においては、官房及び部の所掌に属しない事務の能率的な遂行のためこれを所掌する職で部長に準ずるものを置くことができるものとし、その設置、職務及び定数は、政令でこれを定める。
3　各省及び各庁（実施庁を除く。）には、特に必要がある場合においては、前二項の職のつかさどる職務の全部又は一部を助ける職で課長に準ずるものを置くことができるものとし、その設置、職務及び定数は、政令でこれを定める。
4　実施庁には、特に必要がある場合においては、政令の定める数の範囲内において、第二項の職のつかさどる職務の全部又は一部を助ける職で課長に準ずるものを置くことができるものとし、その設置、職務及び定数は、省令でこれを定める。

（内部部局の職）

第二十一条　委員会の事務局並びに局、部、課及び課に準ずる室に、それぞれ事務局長並びに局長、部長、課長及び室長を置く。
2　官房には、長を置くことができるものとし、その設置及び職務は、政令でこれを定める。
3　局、部又は委員会の事務局には、次長を置くことができるものとし、その設置、職務及び定数は、政令でこれを定める。
4　官房、局若しくは部（実施庁に置かれる官房及び部を除く。）又は委員会の事務局には、その所掌事務の一部を総括整理する職又は課（課に準ずる室を含む。）の所掌に属しない事務の能率的な遂行のためこれを所掌する職で課長に準ずるものを置くことができるものとし、これらの設置、職務及び定数は、政令でこれを定める。官房又は部を置かない庁（実施庁を除く。）にこれらの職に相当する職を置くときも、同様とする。
5　実施庁に置かれる官房又は部には、政令の定める数の範囲内において、その所掌事務の一部を総括整理する職又は課（課に準ずる室を含む。）の所掌に属しない事務の能率的な遂行のためこれを所掌する職で課長に準ずるものを置くことができるものとし、これらの設置、職務及び定数は、省令でこれを定める。官房又は部を置かない実施庁にこれらの職に相当する職を置くときも、同様とする。

（現業の行政機関に関する特例）

第二十二条　削除

（官房及び局の数）

第二十三条　第七条第一項の規定に基づき置かれる官房及び局の数は、内閣府設置法（平成十一年法律第八十九号）第十七条第一項の規定に基づき置かれる官房及び局の数と合わせて、九十七以内とする。

第二十四条　削除

（国会への報告等）

第二十五条　政府は、第七条第四項（同条第七項において準用する場合を含む。）、第八条、第八条の二、第十八条第三項若しくは第四項、第二十条第一項若しくは第二項又は第二十一条第二項若しくは第三項の規定により政令で設置される組織その他これらに準ずる主要な組織につき、その新設、改正及び廃止をしたときは、その状況を次の国会に報告しなければならない。

2 政府は、少なくとも毎年一回国の行政機関の組織の一覧表を官報で公示するものとする。

附則

第二十六条 この法律は、昭和二十四年六月一日から、これを施行する。但し、第二十七条の規定は、公布の日から、これを施行する。

第二十七条 この法律の施行に関し必要な細目は、他に別段の定のある場合を除く外、政令でこれを定める。

別表第一（第三条関係）

省	委員会	庁
総務省	公害等調整委員会	消防庁
法務省	司法試験管理委員会 公安審査委員会	出入国在留管理庁 公安調査庁
外務省		
財務省		国税庁
文部科学省		スポーツ庁 文化庁
厚生労働省	中央労働委員会	
農林水産省		林野庁 水産庁
経済産業省		資源エネルギー庁 特許庁 中小企業庁
国土交通省	運輸安全委員会	観光庁 気象庁 海上保安庁
環境省	原子力規制委員会	
防衛省		防衛装備庁

別表第二（第七条関係）

公安調査庁
国税庁
特許庁
気象庁
海上保安庁

別表第三（第十六条、第十七条関係）

省	副大臣の定数	大臣政務官の定数
総務省	二人	三人
法務省	一人	一人
外務省	二人	三人
財務省	二人	二人
文部科学省	二人	二人
厚生労働省	二人	二人
農林水産省	二人	二人
経済産業省	二人	二人
国土交通	二人	三人
環境省	二人	二人
防衛省	一人	二人

○国家賠償法

昭二二・一〇・二七
法　一　二　五

第一条　国又は公共団体の公権力の行使に当る公務員が、その職務を行うについて、故意又は過失によつて違法に他人に損害を加えたときは、国又は公共団体が、これを賠償する責に任ずる。

②　前項の場合において、公務員に故意又は重大な過失があつたときは、国又は公共団体は、その公務員に対して求償権を有する。

第二条　道路、河川その他の公の営造物の設置又は管理に瑕疵があつたために他人に損害を生じたときは、国又は公共団体は、これを賠償する責に任ずる。

②　前項の場合において、他に損害の原因について責に任ずべき者があるときは、国又は公共団体は、これに対して求償権を有する。

第三条　前二条の規定によつて国又は公共団体が損害を賠償する責に任ずる場合において、公務員の選任若しくは監督又は公の営造物の設置若しくは管理に当る者と公務員の俸給、給与その他の費用又は公の営造物の設置若しくは管理の費用を負担する者とが異なるときは、費用を負担する者もまた、その損害を賠償する責に任ずる。

②　前項の場合において、損害を賠償した者は、内部関係でその損害を賠償する責任ある者に対して求償権を有する。

第四条　国又は公共団体の損害賠償の責任については、前三条の規定によるの外、民法の規定による。

第五条　国又は公共団体の損害賠償の責任について民法以外の他の法律に別段の定があるときは、その定めるところによる。

第六条　この法律は、外国人が被害者である場合には、相互の保証があるときに限り、これを適用する。

附　則（抄）

①　この法律は、公布の日から、これを施行する。

⑥　この法律施行前の行為に基づく損害については、なお従前の例による。

○独立行政法人通則法（抄）

平一一・七・一六
法　一　〇　三

最終改正　令四・六・一七法六八

目次〔略〕

第一章　総則

第一節　通則

（目的等）

第一条　この法律は、独立行政法人の運営の基本その他の制度の基本となる共通の事項を定め、各独立行政法人の名称、目的、業務の範囲等に関する事項を定める法律（以下「個別法」という。）と相まって、独立行政法人制度の確立並びに独立行政法人が公共上の見地から行う事務及び事業の確実な実施を図り、もって国民生活の安定及び社会経済の健全な発展に資することを目的とする。

2　各独立行政法人の組織、運営及び管理については、個別法に定めるもののほか、この法律の定めるところによる。

（定義）

第二条　この法律において「独立行政法人」とは、国民生活及び社会経済の安定等の公共上の見地から確実に実施されることが必要な事務及び事業であって、国が自ら主体となって直接に実施する必要のないもののうち、民間の主体に委ねた場合には必ずしも実施されないおそれがあるもの又は一の主体に独占して行わせることが必要であるもの（以下この条において「公共上の事務等」という。）を効果的かつ効率的に行わせるため、中期目標管理法人、国立研究開発法人又は行政執行法人として、この法律及び個別法の定めるところにより設立される法人をいう。

2　この法律において「中期目標管理法人」とは、公共上の事務等のうち、その特性に照らし、一定の自主性及び自律性を発揮しつつ、中期的な視点に立って執行することが求められるもの（国立研究開発法人が行うものを除く。）を国が中期的な期間について定める業務運営に関する目標を達成するための計画に基づき行うことにより、国民の需要に的確に対応した多様で良質なサービスの提供を通じた公共の利益の増進を推進することを目的とする独立行政法人として、個別法で定めるものをいう。

3　この法律において「国立研究開発法人」とは、公共上の事務等のうち、その特性に照らし、一定の自主性及び自律性を発揮しつつ、中長期的な視点に立って執行することが求められる科学技術に関する試験、研究又は開発（以下「研究開発」という。）に係るものを主要な業務として国が中長期的な期間について定める業務運営に関する目標を達成するための計画に基づき行うことにより、我が国における科学技術の水準の向上を通じた国民経済の健全な発展その他の公益に資するため研究開発の最大限の成果を確保することを目的とする独立行政法人として、個別法で定めるものをいう。

4　この法律において「行政執行法人」とは、公共上の事務等のうち、その特性に照らし、国の行政事務と密接に関連して行われる国の指示その他の国の相当な関与の下に確実に執行することが求められるものを国が事業年度ごとに定める業務運営に関する目標を達成するための計画に基づき行うことにより、その公共上の事務等を正確かつ確実に執行することを目的とする独立行政法人として、個別法で定めるものをいう。

（業務の公共性、透明性及び自主性等）

第三条　独立行政法人は、その行う事務及び事業が国民生活及び社会経済の安定等の公共上の見地から確実に実施されることが必要なものであることに鑑み、適正かつ効率的にその業務を運営するよう努めなければならない。

2　独立行政法人は、この法律の定めるところによりその業務の内容を公表すること等を通じて、その組織及び運営の状況を国民に明らかにするよう努めなければならない。

3　この法律及び個別法の運用に当たっては、独立行政法人の事務及び事業が内外の社会経済情勢を踏まえつつ適切に行われるよう、独立行政法人の事務及び事業の特性並びに独立行政法人の業務運営における自主性は、十分配慮されなければならない。

（名称）

第四条　各独立行政法人の名称は、個別法で定める。

2　国立研究開発法人については、その名称中に、国立研究開発法人という文字を使用するものとする。

（目的）

第五条　各独立行政法人の目的は、第二条第二項、第三項又は第四項の目的の範囲内で、個別法で定める。

（法人格）

第六条　独立行政法人は、法人とする。

（事務所）

第七条　各独立行政法人は、主たる事務所を個別法で定める地に置く。

2　独立行政法人は、必要な地に従たる事務所を置くことができる。

（財産的基礎等）

第八条　独立行政法人は、その業務を確実に実施するために必要な資本金その他の財産的基礎を有しなければならない。

2　政府は、その業務を確実に実施させるために必要があると認めるときは、個別法で定めるところにより、各独立行政法人に出資することができる。

3　独立行政法人は、業務の見直し、社会経済情勢の変化その他の事由により、その保有する重要な財産であって主務省令（当該独立行政法人を所管する内閣府又は各省の内閣府令又は省令をいう。ただし、原子力規制委員会が所管する独立行政法人については、原子力規制委員会規則とする。以下同じ。）で定めるものが将来にわたり業務を確実に実施する上で必要がなくなったと認められる場合には、第四十六条の二又は第四十六条の三の規定により、当該財産（以下「不要財産」という。）を処分しなければならない。

（登記）

第九条　独立行政法人は、政令で定めるところにより、登記しなければならない。

2　前項の規定により登記しなければならない事項は、登記の後でなければ、これをもって第三者に対抗することができない。

（名称の使用制限）

第十条　独立行政法人又は国立研究開発法人でない者は、その名称中に、独立行政法人又は国立研究開発法人という文字を用いてはならない。

（一般社団法人及び一般財団法人に関する法律の準用）

第十一条　一般社団法人及び一般財団法人に関する法律（平成十八年法律第四十八号）第四条及び第七十八条の規定は、独立行政法人について準用する。

第二節　独立行政法人評価制度委員会

（設置）

第十二条　総務省に、独立行政法人評価制度委員会（以下「委員会」という。）を置く。

（所掌事務等）

第十二条の二　委員会は、次に掲げる事務をつかさどる。

一　第二十八条の二第二項の規定により、総務大臣に意見を述べること。

二　第二十九条第三項、第三十二条第五項、第三十五条第三項、第三十五条の四第三項、第三十五条の六第八項、第三十五条の七第四項又は第三十五条の十一第七項の規定により、主務大臣に意見を述べること。

三　第三十五条第四項又は第三十五条の七第五項の規定により、主務大臣に勧告をすること。

四　第三十五条の二（第三十五条の八において読み替えて準用する場合を含む。）の規定により、内閣総理大臣に対し、意見を具申すること。

五　独立行政法人の業務運営に係る評価（次号において「評価」という。）の制度に関する重要事項を調査審議し、必要があると認めるときは、総務大臣に意見を述べること。

六　評価の実施に関する重要事項を調査審議し、評価の実施が著しく適正を欠くと認めるときは、主務大臣に意見を述べること。

七　その他法律によりその権限に属させられた事項を処理すること。

2　委員会は、前項第一号若しくは第二号に規定する規定又は同項第五号若しくは第六号の規定により意見を述べたときは、その内容を公表しなければならない。

（組織）

第十二条の三　委員会は、委員十人以内で組織する。

2　委員会に、特別の事項を調査審議させるため必要があるときは、臨時委員を置くことができる。

3　委員会に、専門の事項を調査させるため必要があるときは、専門委員を置くことができる。

（委員等の任命）

第十二条の四　委員及び臨時委員は、学識経験のある者のうちから、内閣総理大臣が任命する。

2　専門委員は、当該専門の事項に関し学識経験のある者のうちから、内閣総理大臣が任命する。

（委員の任期等）

第十二条の五　委員の任期は、二年とする。ただし、補欠の委員の任期は、前任者の残任期間とする。

2　委員は、再任されることができる。

3　臨時委員は、その者の任命に係る当該特別の事項に関する調査審議が終了したときは、解任されるものとする。

4　専門委員は、その者の任命に係る当該専門の事項に関する調査が終了したときは、解任されるものとする。

5　委員、臨時委員及び専門委員は、非常勤とする。

（委員長）

第十二条の六　委員会に、委員長を置き、委員の互選により選任する。

2　委員長は、会務を総理し、委員会を代表する。

3　委員長に事故があるときは、あらかじめその指名する委員が、その職務を代理する。

（資料の提出等の要求）

第十二条の七　委員会は、その所掌事務を遂行するため必要があると認めるときは、関係行政機関の長に対し、資料の提出、意見の表明、説明その他必要な協力を求めることができる。

（政令への委任）

第十二条の八　この節に定めるもののほか、委員会の組織及び委員その他の職員その他委員会に関し必要な事項は、政令で定める。

第三節　設立

（設立の手続）

第十三条　各独立行政法人の設立に関する手続については、個別法に特別の定めがある場合を除くほか、この節の定めるところによる。

（法人の長及び監事となるべき者）

第十四条　主務大臣は、独立行政法人の長（以下「法人の長」という。）となるべき者及び監事となるべき者を指名する。

2　前項の規定により指名された法人の長又は監事となるべき者は、独立行政法人の成立の時において、この法律の規定により、それぞれ法人の長又は監事に任命されたものとする。

3　第二十条第一項の規定は、第一項の法人の長となるべき者の指名について準用する。

（設立委員）

第十五条　主務大臣は、設立委員を命じて、独立行政法人の設立に関する事務を処理させる。

2　設立委員は、独立行政法人の設立の準備を完了したときは、遅滞なく、その旨を主務大臣に届け出るとともに、その事務を前条第一項の規定により指名された法人の長となるべき者に引き継がなければならない。

（設立の登記）

第十六条　第十四条第一項の規定により指名された法人の長となるべき者は、前条第二項の規定による事務の引継ぎを受けたときは、遅滞なく、政令で定めるところにより、設立の登記をしなければならない。

第十七条　独立行政法人は、設立の登記をすることによって成立する。

第二章　役員及び職員

（役員）

第十八条　各独立行政法人に、個別法で定めるところにより、役員として、法人の長一人及び監事を置く。

2　各独立行政法人には、前項に規定する役員のほか、個別法で定めるところにより、他の役員を置くことができる。

3　各独立行政法人の法人の長の名称、前項に規定する役員の名称及び定数並びに監事の定数は、個別法で定める。

（役員の職務及び権限）

第十九条　法人の長は、独立行政法人を代表し、その業務を総理する。

2　個別法で定める役員（法人の長を除く。）は、法人の長の定めるところにより、法人の長に事故があるときはその職務を代理し、法人の長が欠員のときはその職務を行う。

3　前条第二項の規定により置かれる役員の職務及び権限は、個別法で定める。

4　監事は、独立行政法人の業務を監査する。この場合において、監事は、主務省令で定めるところにより、監査報告を作成しなければならない。

5　監事は、いつでも、役員（監事を除く。）及び職員に対して事務及び事業の報告を求め、又は独立行政法人の業務及び財産の状況の調査をすることができる。

6　監事は、独立行政法人が次に掲げる書類を主務大臣に提出しようとするときは、当該書類を調査しなければならない。

一　この法律の規定による認可、承認、認定及び届出に係る書類並びに報告書その他の総務省令で定める書類

二　その他主務省令で定める書類

7　監事は、その職務を行うため必要があるときは、独立行政法人の子法人（独立行政法人がその経営を支配している法人として総務省令で定めるものをいう。以下同じ。）に対して事業の報告を求め、又はその子法人の業務及び財産の状況の調査をすることができる。

8　前項の子法人は、正当な理由があるときは、同項の報告又は調査を拒むことができる。

9　監事は、監査の結果に基づき、必要があると認めるときは、法人の長又は主務大臣に意見を提出することができる。

（法人の長等への報告義務）

第十九条の二　監事は、役員（監事を除く。）が不正の行為をし、若しくは当該行為をするおそれがあると認めるとき、又はこの法律、個別法若しくは他の法令に違反する事実若しくは著しく不当な事実があると認めるときは、遅滞なく、その旨を法人の長に報告するとともに、主務大臣に報告しなければならない。

（役員の任命）

第二十条　法人の長は、次に掲げる者のうちから、主務大臣が任命する。

一　当該独立行政法人が行う事務及び事業に関して高度な知識及び経験を有する者

二　前号に掲げる者のほか、当該独立行政法人が行う事務及び事業を適正かつ効率的に運営することができる者

2　監事は、主務大臣が任命する。

3　主務大臣は、前二項の規定により法人の長又は監事を任命しようとするときは、必要に応じ、公募（当該法人の長又は監事の職務の内容、勤務条件その他必要な事項を公示して行う候補者の募集をいう。以下この項において同じ。）の活用に努めなければならない。公募によらない場合であっても、透明性を確保しつつ、候補者の推薦の求めその他の適任と認める者を任命するために必要な措置を講ずるよう努めなければならない。

4　第十八条第二項の規定により置かれる役員は、第一項各号に掲げる者のうちから、法人の長が任命する。

5　法人の長は、前項の規定により役員を任命したときは、遅滞なく、主務大臣に届け出るとともに、これを公表しなければならない。

（中期目標管理法人の役員の任期）

第二十一条　中期目標管理法人の長の任期は、任命の日から、当該任命の日を含む当該中期目標管理法人の第二十九条第二項第一号に規定する中期目標の期間（次項において単に「中期目標の期間」という。）の末日までとする。

2　中期目標管理法人の監事の任期は、各中期目標の期間に対応して定めるものとし、任命の日から、当該対応する中期目標の期間の最後の事業年度についての財務諸表承認日（第三十八条第一項の規定による同項の財務諸表の承認の日をいう。以下同じ。）までとする。ただし、補欠の中期目標管理法人の監事の任期は、前任者の残任期間とする。

3　中期目標管理法人の役員（中期目標管理法人の長及び監事を除く。以下この項において同じ。）の任期は、個別法で定める。ただし、補欠の中期目標管理法人の役員の任期は、前任者の残任期間とする。

4　中期目標管理法人の役員は、再任されることができる。

（国立研究開発法人の役員の任期）

第二十一条の二　国立研究開発法人の長の任期は、任命の日か

ら、当該任命の日を含む当該国立研究開発法人の第三十五条の四第二項第一号に規定する中長期目標の期間（以下この項及び次項において単に「中長期目標の期間」という。）の末日までとする。ただし、中長期目標の期間が六年又は七年の場合であって、より適切と認める者を任命するため主務大臣が特に必要があると認めるときは、中長期目標の期間の初日（以下この項及び次項において単に「初日」という。）以後最初に任命される国立研究開発法人の長の任期は、任命の日から、次の各号に掲げる区分に応じ当該各号に定める日までとすることができる。

一　中長期目標の期間が六年の場合　初日から三年を経過する日

二　中長期目標の期間が七年の場合　初日から三年又は四年を経過する日

2　前項の規定にかかわらず、第十四条第一項の規定により国立研究開発法人の長となるべき者としてより適切と認める者を指名するため特に必要があると認める場合であって、中長期目標の期間が六年以上七年以下のときは、同条第二項の規定によりその成立の時において任命されたものとされる国立研究開発法人の長の任期は、任命の日から、次の各号に掲げる区分に応じ当該各号に定める日までとすることができる。

一　中長期目標の期間が六年の場合　初日から三年を経過する日

二　中長期目標の期間が六年を超え七年未満の場合　初日から四年を経過する日までの間に終了する最後の事業年度の末日

三　中長期目標の期間が七年の場合　初日から三年又は四年を経過する日

3　前二項の規定にかかわらず、補欠の国立研究開発法人の長の任期は、前任者の残任期間とする。

4　国立研究開発法人の監事の任期は、各国立研究開発法人の長の任期（補欠の国立研究開発法人の長の任期を含む。以下この項において同じ。）と対応するものとし、任命の日から、当該対応する国立研究開発法人の長の任期の末日を含む事業年度についての財務諸表承認日までとする。ただし、補欠の国立研究開発法人の監事の任期は、前任者の残任期間とする。

5　国立研究開発法人の役員（国立研究開発法人の長及び監事を除く。以下この項において同じ。）の任期は、個別法で定める。ただし、補欠の国立研究開発法人の役員の任期は、前任者の残任期間とする。

6　国立研究開発法人の役員は、再任されることができる。

（行政執行法人の役員の任期）

第二十一条の三　行政執行法人の長の任期は、任命の日から、当該任命の日から年を単位として個別法で定める期間を経過する日までの間に終了する最後の事業年度の末日までとする。ただし、補欠の行政執行法人の長の任期は、前任者の残任期間とする。

2　行政執行法人の監事の任期は、各行政執行法人の長の任期（補欠の行政執行法人の長の任期を含む。以下この項において同じ。）と対応するものとし、任命の日から、当該対応する行政執行法人の長の任期の末日を含む事業年度についての財務諸表承認日までとする。ただし、補欠の行政執行法人の監事の任期は、前任者の残任期間とする。

3　行政執行法人の役員（行政執行法人の長及び監事を除く。以下この項において同じ。）の任期は、個別法で定める。ただし、補欠の行政執行法人の役員の任期は、前任者の残任期間とする。

4　行政執行法人の役員は、再任されることができる。

（役員の忠実義務）

第二十一条の四　独立行政法人の役員は、その業務について、法令、法令に基づいてする主務大臣の処分及び当該独立行政法人が定める業務方法書その他の規則を遵守し、当該独立行政法人のため忠実にその職務を遂行しなければならない。

（役員の報告義務）

第二十一条の五　独立行政法人の役員（監事を除く。）は、当該独立行政法人に著しい損害を及ぼすおそれのある事実があることを発見したときは、直ちに、当該事実を監事に報告しなければならない。

（役員の欠格条項）

第二十二条　政府又は地方公共団体の職員（非常勤の者を除く。）は、役員となることができない。

（役員の解任）

第二十三条　主務大臣又は法人の長は、それぞれその任命に係る役員が前条の規定により役員となることができない者に該当するに至ったときは、その役員を解任しなければならない。

2　主務大臣又は法人の長は、それぞれその任命に係る役員が次の各号の一に該当するとき、その他役員たるに適しないと認めるときは、その役員を解任することができる。

一　心身の故障のため職務の遂行に堪えないと認められるとき。

二　職務上の義務違反があるとき。

3　前項に規定するもののほか、主務大臣又は法人の長は、それぞれその任命に係る役員（監事を除く。）の職務の執行が適当でないため当該独立行政法人の業務の実績が悪化した場合であって、その役員に引き続き当該職務を行わせることが適切でないと認めるときは、その役員を解任することができる。

4　法人の長は、前二項の規定によりその任命に係る役員を解任したときは、遅滞なく、主務大臣に届け出るとともに、これを公表しなければならない。

（代表権の制限）

第二十四条　独立行政法人と法人の長その他の代表権を有する役員との利益が相反する事項については、これらの者は、代表権を有しない。この場合には、監事が当該独立行政法人を代表する。

（代理人の選任）

第二十五条　法人の長その他の代表権を有する役員は、当該独立行政法人の代表権を有しない役員又は職員のうちから、当該独立行政法人の業務の一部に関し一切の裁判上又は裁判外の行為をする権限を有する代理人を選任することができる。

（役員等の損害賠償責任）

第二十五条の二　独立行政法人の役員又は会計監査人（第四項において「役員等」という。）は、その任務を怠ったときは、独立行政法人に対し、これによって生じた損害を賠償する責任を負う。

2　前項の責任は、主務大臣の承認がなければ、免除することができない。

3　主務大臣は、前項の承認をしようとするときは、総務大臣に協議しなければならない。

4　前二項の規定にかかわらず、独立行政法人は、第一項の責任について、役員等が職務を行うにつき善意でかつ重大な過失がない場合において、責任の原因となった事実の内容、当該役員等の職務の執行の状況その他の事情を勘案して特に必要と認めるときは、当該役員等が賠償の責任を負う額から独立行政法人の事務及び事業の特性並びに役員等の職責その他の事情を考慮して総務大臣が定める額を控除して得た額を限度として主務大臣の承認を得て免除することができる旨を業務方法書で定めることができる。

（職員の任命）

第二十六条　独立行政法人の職員は、法人の長が任命する。

第三章　業務運営

第一節　通則

（業務の範囲）

第二十七条　各独立行政法人の業務の範囲は、個別法で定める。

（業務方法書）

第二十八条　独立行政法人は、業務開始の際、業務方法書を作成し、主務大臣の認可を受けなければならない。これを変更しようとするときも、同様とする。

2　前項の業務方法書には、役員（監事を除く。）の職務の執行がこの法律、個別法又は他の法令に適合することを確保するための体制その他独立行政法人の業務の適正を確保するための体制の整備に関する事項その他主務省令で定める事項を記載しなければならない。

3　独立行政法人は、第一項の認可を受けたときは、遅滞なく、その業務方法書を公表しなければならない。

（評価等の指針の策定）

第二十八条の二　総務大臣は、第二十九条第一項の中期目標、第三十五条の四第一項の中長期目標及び第三十五条の九第一項の年度目標の策定並びに第三十二条第一項、第三十五条の六第一項及び第二項並びに第三十五条の十一第一項及び第二項の評価に関する指針を定め、これを主務大臣に通知するとともに、公表しなければならない。これを変更したときも、同様とする。

2　総務大臣は、前項の指針を定め、又はこれを変更しようとするときは、総合科学技術・イノベーション会議が次条の規定により作成する研究開発の事務及び事業に関する事項に係る指針の案の内容を適切に反映するとともに、あらかじめ、委員会の意見を聴かなければならない。

3　主務大臣は、第一項の指針に基づき、第二十九条第一項の中期目標、第三十五条の四第一項の中長期目標及び第三十五条の九第一項の年度目標を定めるとともに、第三十二条第一項、第三十五条の六第一項及び第二項並びに第三十五条の十一第一項及び第二項の評価を行わなければならない。

（研究開発の事務及び事業に関する事項に係る指針の案の作成）

第二十八条の三　総合科学技術・イノベーション会議は、総務大臣の求めに応じ、研究開発の事務及び事業の特性を踏まえ、前条第一項の指針のうち、研究開発の事務及び事業に関する事項に係る指針の案を作成する。

（評価結果の取扱い等）

第二十八条の四　独立行政法人は、第三十二条第一項、第三十五条の六第一項若しくは第二項又は第三十五条の十一第一項若しくは第二項の評価の結果を、第三十条第一項の中期計画及び第三十一条第一項の年度計画、第三十五条の五第一項の中長期計画及び第三十五条の八において読み替えて準用する第三十一条第一項の年度計画又は第三十五条の十第一項の事業計画並びに業務運営の改善に適切に反映させるとともに、毎年度、評価結果の反映状況を公表しなければならない。

第二節　中期目標管理法人

（中期目標）

第二十九条　主務大臣は、三年以上五年以下の期間において中期目標管理法人が達成すべき業務運営に関する目標（以下「中期目標」という。）を定め、これを当該中期目標管理法人に指示するとともに、公表しなければならない。これを変更したときも、同様とする。

2　中期目標においては、次に掲げる事項について具体的に定めるものとする。

一　中期目標の期間（前項の期間の範囲内で主務大臣が定める期間をいう。以下同じ。）

二　国民に対して提供するサービスその他の業務の質の向上に関する事項

三　業務運営の効率化に関する事項

四　財務内容の改善に関する事項

五　その他業務運営に関する重要事項

3　主務大臣は、中期目標を定め、又はこれを変更しようとするときは、あらかじめ、委員会の意見を聴かなければならない。

（中期計画）

第三十条　中期目標管理法人は、前条第一項の指示を受けたときは、中期目標に基づき、主務省令で定めるところにより、当該中期目標を達成するための計画（以下この節において「中期計画」という。）を作成し、主務大臣の認可を受けなければならない。これを変更しようとするときも、同様とする。

2　中期計画においては、次に掲げる事項を定めるものとする。

一　国民に対して提供するサービスその他の業務の質の向上に関する目標を達成するためとるべき措置

二　業務運営の効率化に関する目標を達成するためとるべき措置

三　予算（人件費の見積りを含む。）、収支計画及び資金計画

四　短期借入金の限度額

五　不要財産又は不要財産となることが見込まれる財産がある場合には、当該財産の処分に関する計画

六　前号に規定する財産以外の重要な財産を譲渡し、又は担保に供しようとするときは、その計画

七　剰余金の使途

八　その他主務省令で定める業務運営に関する事項

3　主務大臣は、第一項の認可をした中期計画が前条第二項第二号から第五号までに掲げる事項の適正かつ確実な実施上不適当となったと認めるときは、その中期計画を変更すべきことを命ずることができる。

4　中期目標管理法人は、第一項の認可を受けたときは、遅滞なく、その中期計画を公表しなければならない。

（年度計画）

第三十一条　中期目標管理法人は、毎事業年度の開始前に、前条第一項の認可を受けた中期計画に基づき、主務省令で定めるところにより、その事業年度の業務運営に関する計画（次項において「年度計画」という。）を定め、これを主務大臣に届け出るとともに、公表しなければならない。これを変更したときも、同様とする。

2　中期目標管理法人の最初の事業年度の年度計画については、前項中「毎事業年度の開始前に、前条第一項の認可を受けた」とあるのは、「その成立後最初の中期計画について前条第一項の認可を受けた後遅滞なく、その」とする。

（各事業年度に係る業務の実績等に関する評価等）

第三十二条　中期目標管理法人は、毎事業年度の終了後、当該事業年度が次の各号に掲げる事業年度のいずれに該当するかに応じ当該各号に定める事項について、主務大臣の評価を受けなければならない。

一　次号及び第三号に掲げる事業年度以外の事業年度　当該事業年度における業務の実績

二　中期目標の期間の最後の事業年度の直前の事業年度　当該事業年度における業務の実績及び中期目標の期間の終了時に見込まれる中期目標の期間における業務の実績

三　中期目標の期間の最後の事業年度　当該事業年度における業務の実績及び中期目標の期間における業務の実績

2　中期目標管理法人は、前項の評価を受けようとするときは、主務省令で定めるところにより、各事業年度の終了後三月以内に、同項第一号、第二号又は第三号に定める事項及び当該事項について自ら評価を行った結果を明らかにした報告書を主務大臣に提出するとともに、公表しなければならない。

3　第一項の評価は、同項第一号、第二号又は第三号に定める事項について総合的な評定を付して、行わなければならない。この場合において、同項各号に規定する当該事業年度における業務の実績に関する評価は、当該事業年度における中期計画の実施状況の調査及び分析を行い、その結果を考慮して行わなければならない。

4　主務大臣は、第一項の評価を行ったときは、遅滞なく、当該中期目標管理法人に対して、その評価の結果を通知するとともに、公表しなければならない。この場合において、同項第二号に規定する中期目標の期間の終了時に見込まれる中期目標の期間における業務の実績に関する評価を行ったときは、委員会に対しても、遅滞なく、その評価の結果を通知しなければならない。

5　委員会は、前項の規定により通知された評価の結果について、必要があると認めるときは、主務大臣に意見を述べなければならない。

6　主務大臣は、第一項の評価の結果に基づき必要があると認めるときは、当該中期目標管理法人に対し、業務運営の改善その他の必要な措置を講ずることを命ずることができる。

第三十三条及び第三十四条　削除

（中期目標の期間の終了時の検討）

第三十五条　主務大臣は、第三十二条第一項第二号に規定する中期目標の期間の終了時に見込まれる中期目標の期間における業務の実績に関する評価を行ったときは、中期目標の期間の終了時までに、当該中期目標管理法人の業務の継続又は組織の存続の必要性その他その業務及び組織の全般にわたる検討を行い、その結果に基づき、業務の廃止若しくは移管又は組織の廃止その他の所要の措置を講ずるものとする。

2　主務大臣は、前項の検討の結果及び同項の規定により講ずる措置の内容を委員会に通知するとともに、公表しなければならない。

3　委員会は、前項の規定により通知された事項について、必要があると認めるときは、主務大臣に意見を述べなければならない。

4　前項の場合において、委員会は、中期目標管理法人の主要な事務及び事業の改廃に関し、主務大臣に勧告をすることができる。

5　委員会は、前項の勧告をしたときは、当該勧告の内容を内閣総理大臣に報告するとともに、公表しなければならない。

6　委員会は、第四項の勧告をしたときは、主務大臣に対し、その勧告に基づいて講じた措置及び講じようとする措置について報告を求めることができる。

（内閣総理大臣への意見具申）

第三十五条の二　委員会は、前条第四項の規定により勧告をした場合において特に必要があると認めるときは、内閣総理大臣に対し、当該勧告をした事項について内閣法（昭和二十二

年法律第五号）第六条の規定による措置がとられるよう意見を具申することができる。

（違法行為等の是正等）

第三十五条の三　主務大臣は、中期目標管理法人若しくはその役員若しくは職員が、不正の行為若しくはこの法律、個別法若しくは他の法令に違反する行為をし、若しくは当該行為をするおそれがあると認めるとき、又は中期目標管理法人の業務運営が著しく適正を欠き、かつ、それを放置することにより公益を害することが明白である場合において、特に必要があると認めるときは、当該中期目標管理法人に対し、当該行為の是正又は業務運営の改善のため必要な措置をとるべきことを命ずることができる。

第三節　国立研究開発法人

（中長期目標）

第三十五条の四　主務大臣は、五年以上七年以下の期間において国立研究開発法人が達成すべき業務運営に関する目標（以下「中長期目標」という。）を定め、これを当該国立研究開発法人に指示するとともに、公表しなければならない。これを変更したときも、同様とする。

2　中長期目標においては、次に掲げる事項について具体的に定めるものとする。

一　中長期目標の期間（前項の期間の範囲内で主務大臣が定める期間をいう。以下同じ。）

二　研究開発の成果の最大化その他の業務の質の向上に関する事項

三　業務運営の効率化に関する事項

四　財務内容の改善に関する事項

五　その他業務運営に関する重要事項

3　主務大臣は、中長期目標を定め、又はこれを変更しようとするときは、あらかじめ、委員会の意見を聴かなければならない。

4　主務大臣は、前項の規定により中長期目標に係る意見を聴こうとするときは、研究開発の事務及び事業（軽微なものとして政令で定めるものを除く。第三十五条の六第六項及び第三十五条の七第二項において同じ。）に関する事項について、あらかじめ、審議会等（内閣府設置法（平成十一年法律第八十九号）第三十七条若しくは第五十四条又は国家行政組織法（昭和二十三年法律第百二十号）第八条に規定する機関をいう。）で政令で定めるもの（以下「研究開発に関する審議会」という。）の意見を聴かなければならない。

5　主務大臣は、研究開発に関して高い識見を有する外国人（日本の国籍を有しない者をいう。次項において同じ。）を研究開発に関する審議会の委員に任命することができる。

6　前項の場合において、外国人である研究開発に関する審議会の委員は、研究開発に関する審議会の会務を総理し、研究開発に関する審議会を代表する者となることはできず、当該委員の数は、研究開発に関する審議会の委員の総数の五分の一を超えてはならない。

（中長期計画）

第三十五条の五　国立研究開発法人は、前条第一項の指示を受けたときは、中長期目標に基づき、主務省令で定めるところにより、当該中長期目標を達成するための計画（以下この節において「中長期計画」という。）を作成し、主務大臣の認可を受けなければならない。これを変更しようとするときも、同様とする。

2　中長期計画においては、次に掲げる事項を定めるものとする。

一　研究開発の成果の最大化その他の業務の質の向上に関する目標を達成するためとるべき措置

二　業務運営の効率化に関する目標を達成するためとるべき措置

三　予算（人件費の見積りを含む。）、収支計画及び資金計画

四　短期借入金の限度額

五　不要財産又は不要財産となることが見込まれる財産がある場合には、当該財産の処分に関する計画

六　前号に規定する財産以外の重要な財産を譲渡し、又は担保に供しようとするときは、その計画

七　剰余金の使途

八　その他主務省令で定める業務運営に関する事項

3　主務大臣は、第一項の認可をした中長期計画が前条第二項第二号から第五号までに掲げる事項の適正かつ確実な実施上不適当となったと認めるときは、その中長期計画を変更すべきことを命ずることができる。

4　国立研究開発法人は、第一項の認可を受けたときは、遅滞なく、その中長期計画を公表しなければならない。

（各事業年度に係る業務の実績等に関する評価等）

第三十五条の六　国立研究開発法人は、毎事業年度の終了後、当該事業年度が次の各号に掲げる事業年度のいずれに該当するかに応じ当該各号に定める事項について、主務大臣の評価を受けなければならない。

一　次号及び第三号に掲げる事業年度以外の事業年度　当該事業年度における業務の実績

二　中長期目標の期間の最後の事業年度の直前の事業年度　当該事業年度における業務の実績及び中長期目標の期間の終了時に見込まれる中長期目標の期間における業務の実績

三　中長期目標の期間の最後の事業年度　当該事業年度における業務の実績及び中長期目標の期間における業務の実績

2　国立研究開発法人は、前項の規定による評価のほか、中長期目標の期間の初日以後最初に任命される国立研究開発法人の長の任期が第二十一条の二第一項ただし書の規定により定められた場合又は第十四条第二項の規定によりその成立の時において任命されたものとされる国立研究開発法人の長の任期が第二十一条の二第二項の規定により定められた場合には、それらの国立研究開発法人の長（以下この項において「最初の国立研究開発法人の長」という。）の任期（補欠の国立研究開発法人の長の任期を含む。）の末日を含む事業年度の終

了後、当該最初の国立研究開発法人の長の任命の日を含む事業年度から当該末日を含む事業年度の事業年度末までの期間における業務の実績について、主務大臣の評価を受けなければならない。

3　国立研究開発法人は、第一項の評価を受けようとするときは、主務省令で定めるところにより、各事業年度の終了後三月以内に、同項第一号、第二号又は第三号に定める事項及び当該事項について自ら評価を行った結果を明らかにした報告書を主務大臣に提出するとともに、公表しなければならない。

4　国立研究開発法人は、第二項の評価を受けようとするときは、主務省令で定めるところにより、同項に規定する末日を含む事業年度の終了後三月以内に、同項に規定する業務の実績及び当該業務の実績について自ら評価を行った結果を明らかにした報告書を主務大臣に提出するとともに、公表しなければならない。

5　第一項又は第二項の評価は、第一項第一号、第二号若しくは第三号に定める事項又は第二項に規定する業務の実績について総合的な評定を付して、行わなければならない。この場合において、第一項各号に規定する当該事業年度における業務の実績に関する評価は、当該事業年度における中長期計画の実施状況の調査及び分析を行い、その結果を考慮して行わなければならない。

6　主務大臣は、第一項又は第二項の評価を行おうとするときは、研究開発の事務及び事業に関する事項について、あらかじめ、研究開発に関する審議会の意見を聴かなければならない。

7　主務大臣は、第一項又は第二項の評価を行ったときは、遅滞なく、当該国立研究開発法人に対して、その評価の結果を通知するとともに、公表しなければならない。この場合において、第一項第二号に規定する中長期目標の期間の終了時に見込まれる中長期目標の期間における業務の実績に関する評価を行ったときは、委員会に対しても、遅滞なく、その評価の結果を通知しなければならない。

8　委員会は、前項の規定により通知された評価の結果について、必要があると認めるときは、主務大臣に意見を述べなければならない。

9　主務大臣は、第一項又は第二項の評価の結果に基づき必要があると認めるときは、当該国立研究開発法人に対し、業務運営の改善その他の必要な措置を講ずることを命ずることができる。

（中長期目標の期間の終了時の検討）

第三十五条の七　主務大臣は、前条第一項第二号に規定する中長期目標の期間の終了時に見込まれる中長期目標の期間における業務の実績に関する評価を行ったときは、中長期目標の期間の終了時までに、当該国立研究開発法人の業務の継続又は組織の存続の必要性その他その業務及び組織の全般にわたる検討を行い、その結果に基づき、業務の廃止若しくは移管又は組織の廃止その他の所要の措置を講ずるものとする。

2　主務大臣は、前項の規定による検討を行うに当たっては、研究開発の事務及び事業に関する事項について、研究開発に関する審議会の意見を聴かなければならない。

3　主務大臣は、第一項の検討の結果及び同項の規定により講ずる措置の内容を委員会に通知するとともに、公表しなければならない。

4　委員会は、前項の規定により通知された事項について、必要があると認めるときは、主務大臣に意見を述べなければならない。

5　前項の場合において、委員会は、国立研究開発法人の主要な事務及び事業の改廃に関し、主務大臣に勧告をすることができる。

6　委員会は、前項の勧告をしたときは、当該勧告の内容を内閣総理大臣に報告するとともに、公表しなければならない。

7　委員会は、第五項の勧告をしたときは、主務大臣に対し、その勧告に基づいて講じた措置及び講じようとする措置について報告を求めることができる。

（業務運営に関する規定の準用）

第三十五条の八　第三十一条、第三十五条の二及び第三十五条の三の規定は、国立研究開発法人について準用する。この場合において、第三十一条第一項中「前条第一項」とあるのは「第三十五条の五第一項」と、「中期計画」とあるのは「同項の中長期計画」と、同条第二項中「、前条第一項の認可を受けた」とあるのは「、第三十五条の五第一項の認可を受けた同項の」と、「中期計画について前条第一項」とあるのは「中長期計画（第三十五条の五第一項の中長期計画をいう。以下この項において同じ。）について同条第一項」と、第三十五条の二中「前条第四項」とあるのは「第三十五条の七第五項」と読み替えるものとする。

第四節　行政執行法人

（年度目標）

第三十五条の九　主務大臣は、行政執行法人が達成すべき業務運営に関する事業年度ごとの目標（以下「年度目標」という。）を定め、これを当該行政執行法人に指示するとともに、公表しなければならない。これを変更したときも、同様とする。

2　年度目標においては、次に掲げる事項について具体的に定めるものとする。

一　国民に対して提供するサービスその他の業務の質の向上に関する事項
二　業務運営の効率化に関する事項
三　財務内容の改善に関する事項
四　その他業務運営に関する重要事項

3　前項の年度目標には、同項各号に掲げる事項に関し中期的な観点から参考となるべき事項についても記載するものとする。

（事業計画）

第三十五条の十　行政執行法人は、各事業年度に係る前条第一項の指示を受けたときは、当該事業年度の開始前に、年度目標に基づき、主務省令で定めるところにより、当該年度目標を達成するための計画（以下この条において「事業計画」という。）を作成し、主務大臣の認可を受けなければならない。これを変更しようとするときも、同様とする。

2　行政執行法人の最初の事業年度の事業計画については、前項中「各事業年度」とあるのは「その成立後最初の事業年度」と、「当該事業年度の開始前に」とあるのは「遅滞なく」とする。

3　事業計画においては、次に掲げる事項を定めるものとする。

一　国民に対して提供するサービスその他の業務の質の向上に関する目標を達成するためとるべき措置

二　業務運営の効率化に関する目標を達成するためとるべき措置

三　予算（人件費の見積りを含む。）、収支計画及び資金計画

四　短期借入金の限度額

五　不要財産又は不要財産となることが見込まれる財産がある場合には、当該財産の処分に関する計画

六　前号に規定する財産以外の重要な財産を譲渡し、又は担保に供しようとするときは、その計画

七　その他主務省令で定める業務運営に関する事項

4　主務大臣は、第一項の認可をした事業計画が前条第二項各号に掲げる事項の適正かつ確実な実施上不適当となったと認めるときは、その事業計画を変更すべきことを命ずることができる。

5　行政執行法人は、第一項の認可を受けたときは、遅滞なく、その事業計画を公表しなければならない。

（各事業年度に係る業務の実績等に関する評価）

第三十五条の十一　行政執行法人は、毎事業年度の終了後、当該事業年度における業務の実績について、主務大臣の評価を受けなければならない。

2　行政執行法人は、前項の規定による評価のほか、三年以上五年以下の期間で主務省令で定める期間の最後の事業年度の終了後、当該期間における年度目標に定める業務運営の効率化に関する事項の実施状況について、主務大臣の評価を受けなければならない。

3　行政執行法人は、第一項の評価を受けようとするときは、主務省令で定めるところにより、各事業年度の終了後三月以内に、同項に規定する業務の実績及び当該業務の実績について自ら評価を行った結果を明らかにした報告書を主務大臣に提出するとともに、公表しなければならない。

4　行政執行法人は、第二項の評価を受けようとするときは、主務省令で定めるところにより、同項に規定する事業年度の終了後三月以内に、同項に規定する事項の実施状況及び当該事項の実施状況について自ら評価を行った結果を明らかにした報告書を主務大臣に提出するとともに、公表しなければならない。

5　第一項又は第二項の評価は、第一項に規定する業務の実績又は第二項に規定する事項の実施状況について総合的な評定を付して、行わなければならない。

6　主務大臣は、第一項又は第二項の評価を行ったときは、遅滞なく、当該行政執行法人に対して、その評価の結果を通知するとともに、公表しなければならない。この場合において、同項の評価を行ったときは、委員会に対しても、遅滞なく、その評価の結果を通知しなければならない。

7　委員会は、前項の規定により通知された評価の結果について、必要があると認めるときは、主務大臣に意見を述べなければならない。

（監督命令）

第三十五条の十二　主務大臣は、年度目標を達成するためその他この法律又は個別法を施行するため特に必要があると認めるときは、行政執行法人に対し、その業務に関し監督上必要な命令をすることができる。

第四章　財務及び会計

（事業年度）

第三十六条　独立行政法人の事業年度は、毎年四月一日に始まり、翌年三月三十一日に終わる。

2　独立行政法人の最初の事業年度は、前項の規定にかかわらず、その成立の日に始まり、翌年の三月三十一日（一月一日から三月三十一日までの間に成立した独立行政法人にあっては、その年の三月三十一日）に終わるものとする。

（企業会計原則）

第三十七条　独立行政法人の会計は、主務省令で定めるところにより、原則として企業会計原則によるものとする。

（財務諸表等）

第三十八条　独立行政法人は、毎事業年度、貸借対照表、損益計算書、利益の処分又は損失の処理に関する書類その他主務省令で定める書類及びこれらの附属明細書（以下「財務諸表」という。）を作成し、当該事業年度の終了後三月以内に主務大臣に提出し、その承認を受けなければならない。

2　独立行政法人は、前項の規定により財務諸表を主務大臣に提出するときは、これに主務省令で定めるところにより作成した当該事業年度の事業報告書及び予算の区分に従い作成した決算報告書並びに財務諸表及び決算報告書に関する監査報告（次条第一項の規定により会計監査人の監査を受けなければならない独立行政法人にあっては、監査報告及び会計監査報告。以下同じ。）を添付しなければならない。

3　独立行政法人は、第一項の規定による主務大臣の承認を受けたときは、遅滞なく、財務諸表を官報に公告し、かつ、財務諸表並びに前項の事業報告書、決算報告書及び監査報告を、各事務所に備えて置き、主務省令で定める期間、一般の閲覧に供しなければならない。

4　独立行政法人は、第一項の附属明細書その他主務省令で定

める書類については、前項の規定による公告に代えて、次に掲げる方法のいずれかにより公告することができる。

一　時事に関する事項を掲載する日刊新聞紙に掲載する方法

二　電子公告（電子情報処理組織を使用する方法その他の情報通信の技術を利用する方法であって総務省令で定めるものにより不特定多数の者が公告すべき内容である情報の提供を受けることができる状態に置く措置であって総務省令で定めるものをとる公告の方法をいう。次項において同じ。）

5　独立行政法人が前項の規定により電子公告による公告をする場合には、第三項の主務省令で定める期間、継続して当該公告をしなければならない。

（会計監査人の監査）

第三十九条　独立行政法人（その資本の額その他の経営の規模が政令で定める基準に達しない独立行政法人を除く。以下この条において同じ。）は、財務諸表、事業報告書（会計に関する部分に限る。）及び決算報告書について、監事の監査のほか、会計監査人の監査を受けなければならない。この場合において、会計監査人は、主務省令で定めるところにより、会計監査報告を作成しなければならない。

2　会計監査人は、いつでも、次に掲げるものの閲覧及び謄写をし、又は役員（監事を除く。）及び職員に対し、会計に関する報告を求めることができる。

一　会計帳簿又はこれに関する資料が書面をもって作成されているときは、当該書面

二　会計帳簿又はこれに関する資料が電磁的記録（電子的方式、磁気的方式その他人の知覚によっては認識することができない方式で作られる記録であって、電子計算機による情報処理の用に供されるものとして総務省令で定めるものをいう。以下この号において同じ。）をもって作成されているときは、当該電磁的記録に記録された事項を総務省令で定める方法により表示したもの

3　会計監査人は、その職務を行うため必要があるときは、独立行政法人の子法人に対して会計に関する報告を求め、又は独立行政法人若しくはその子法人の業務及び財産の状況の調査をすることができる。

4　前項の子法人は、正当な理由があるときは、同項の報告又は調査を拒むことができる。

5　会計監査人は、その職務を行うに当たっては、次の各号のいずれかに該当する者を使用してはならない。

一　第四十一条第三項第一号又は第二号に掲げる者

二　第四十条の規定により自己が会計監査人に選任されている独立行政法人又はその子法人の役員又は職員

三　第四十条の規定により自己が会計監査人に選任されている独立行政法人又はその子法人から公認会計士（公認会計士法（昭和二十三年法律第百三号）第十六条の二第五項に規定する外国公認会計士を含む。第四十一条第一項及び第三項第二号において同じ。）又は監査法人の業務以外の業務により継続的な報酬を受けている者

（監事に対する報告）

第三十九条の二　会計監査人は、その職務を行うに際して役員（監事を除く。）の職務の執行に関し不正の行為又はこの法律、個別法若しくは他の法令に違反する重大な事実があることを発見したときは、遅滞なく、これを監事に報告しなければならない。

2　監事は、その職務を行うため必要があると認めるときは、会計監査人に対し、その監査に関する報告を求めることができる。

（会計監査人の選任）

第四十条　会計監査人は、主務大臣が選任する。

（会計監査人の資格等）

第四十一条　会計監査人は、公認会計士又は監査法人でなければならない。

2　会計監査人に選任された監査法人は、その社員の中から会計監査人の職務を行うべき者を選定し、これを独立行政法人に通知しなければならない。この場合においては、次項第二号に掲げる者を選定することはできない。

3　次に掲げる者は、会計監査人となることができない。

一　公認会計士法の規定により、財務諸表について監査をすることができない者

二　監査の対象となる独立行政法人の子法人若しくはその役員から公認会計士若しくは監査法人の業務以外の業務により継続的な報酬を受けている者又はその配偶者

三　監査法人でその社員の半数以上が前号に掲げる者であるもの

（会計監査人の任期）

第四十二条　会計監査人の任期は、その選任の日以後最初に終了する事業年度についての財務諸表承認日までとする。

（会計監査人の解任）

第四十三条　主務大臣は、会計監査人が次の各号の一に該当するときは、その会計監査人を解任することができる。

一　職務上の義務に違反し、又は職務を怠ったとき。

二　会計監査人たるにふさわしくない非行があったとき。

三　心身の故障のため、職務の遂行に支障があり、又はこれに堪えないとき。

（利益及び損失の処理）

第四十四条　独立行政法人は、毎事業年度、損益計算において利益を生じたときは、前事業年度から繰り越した損失を埋め、なお残余があるときは、その残余の額は、積立金として整理しなければならない。ただし、第三項の規定により同項の使途に充てる場合は、この限りでない。

2　独立行政法人は、毎事業年度、損益計算において損失を生じたときは、前項の規定による積立金を減額して整理し、なお不足があるときは、その不足額は、繰越欠損金として整理しなければならない。

3　中期目標管理法人及び国立研究開発法人は、第一項に規定する残余があるときは、主務大臣の承認を受けて、その残余

の額の全部又は一部を中期計画（第三十条第一項の認可を受けた同項の中期計画（同項後段の規定による変更の認可を受けたときは、その変更後のもの）をいう。以下同じ。）の同条第二項第七号又は中長期計画（第三十五条の五第一項の認可を受けた同項の中長期計画（同項後段の規定による変更の認可を受けたときは、その変更後のもの）をいう。以下同じ。）の第三十五条の五第二項第七号の剰余金の使途に充てることができる。

4　第一項の規定による積立金の処分については、個別法で定める。

（借入金等）

第四十五条　独立行政法人は、中期目標管理法人の中期計画の第三十条第二項第四号、国立研究開発法人の中長期計画の第三十五条の五第二項第四号又は行政執行法人の事業計画（第三十五条の十第一項の認可を受けた同項の事業計画（同項後段の規定による変更の認可を受けたときは、その変更後のもの）をいう。以下同じ。）の第三十五条の十第三項第四号の短期借入金の限度額の範囲内で、短期借入金をすることができる。ただし、やむを得ない事由があるものとして主務大臣の認可を受けた場合は、当該限度額を超えて短期借入金をすることができる。

2　前項の規定による短期借入金は、当該事業年度内に償還しなければならない。ただし、資金の不足のため償還することができないときは、その償還することができない金額に限り、主務大臣の認可を受けて、これを借り換えることができる。

3　前項ただし書の規定により借り換えた短期借入金は、一年以内に償還しなければならない。

4　独立行政法人は、個別法に別段の定めがある場合を除くほか、長期借入金及び債券発行をすることができない。

（財源措置）

第四十六条　政府は、予算の範囲内において、独立行政法人に対し、その業務の財源に充てるために必要な金額の全部又は一部に相当する金額を交付することができる。

2　独立行政法人は、業務運営に当たっては、前項の規定による交付金について、国民から徴収された税金その他の貴重な財源で賄われるものであることに留意し、法令の規定及び中期目標管理法人の中期計画、国立研究開発法人の中長期計画又は行政執行法人の事業計画に従って適切かつ効率的に使用するよう努めなければならない。

（不要財産に係る国庫納付等）

第四十六条の二　独立行政法人は、不要財産であって、政府からの出資又は支出（金銭の出資に該当するものを除く。）に係るもの（以下この条において「政府出資等に係る不要財産」という。）については、遅滞なく、主務大臣の認可を受けて、これを国庫に納付するものとする。ただし、中期目標管理法人の中期計画において第三十条第二項第五号の計画を定めた場合、国立研究開発法人の中長期計画において第三十五条の五第二項第五号の計画を定めた場合又は行政執行法人の事業計画において第三十五条の十第三項第五号の計画を定めた場合であって、これらの計画に従って当該政府出資等に係る不要財産を国庫に納付するときは、主務大臣の認可を受けることを要しない。

2　独立行政法人は、前項の規定による政府出資等に係る不要財産（金銭を除く。以下この項及び次項において同じ。）の国庫への納付に代えて、主務大臣の認可を受けて、政府出資等に係る不要財産を譲渡し、これにより生じた収入の額（当該財産の帳簿価額を超える額（次項において「簿価超過額」という。）がある場合には、その額を除く。）の範囲内で主務大臣が定める基準により算定した金額を国庫に納付することができる。ただし、中期目標管理法人の中期計画において第三十条第二項第五号の計画を定めた場合、国立研究開発法人の中長期計画において第三十五条の五第二項第五号の計画を定めた場合又は行政執行法人の事業計画において第三十五条の十第三項第五号の計画を定めた場合であって、これらの計画に従って当該金額を国庫に納付するときは、主務大臣の認可を受けることを要しない。

3　独立行政法人は、前項の場合において、政府出資等に係る不要財産の譲渡により生じた簿価超過額があるときは、遅滞なく、これを国庫に納付するものとする。ただし、その全部又は一部の金額について国庫に納付しないことについて主務大臣の認可を受けた場合における当該認可を受けた金額については、この限りでない。

4　独立行政法人が第一項又は第二項の規定による国庫への納付をした場合において、当該納付に係る政府出資等に係る不要財産が政府からの出資に係るものであるときは、当該独立行政法人の資本金のうち当該納付に係る政府出資等に係る不要財産に係る部分として主務大臣が定める金額については、当該独立行政法人に対する政府からの出資はなかったものとし、当該独立行政法人は、その額により資本金を減少するものとする。

5　前各項に定めるもののほか、政府出資等に係る不要財産の処分に関し必要な事項は、政令で定める。

（不要財産に係る民間等出資の払戻し）

第四十六条の三　独立行政法人は、不要財産であって、政府以外の者からの出資に係るもの（以下この条において「民間等出資に係る不要財産」という。）については、主務大臣の認可を受けて、当該民間等出資に係る不要財産に係る出資者（以下この条において単に「出資者」という。）に対し、主務省令で定めるところにより、当該民間等出資に係る不要財産に係る出資額として主務大臣が定める額の持分の全部又は一部の払戻しの請求をすることができる旨を催告しなければならない。ただし、中期目標管理法人の中期計画において第三十条第二項第五号の計画を定めた場合、国立研究開発法人の中長期計画において第三十五条の五第二項第五号の計画を定めた場合又は行政執行法人の事業計画において第三十五条の十第三項第五号の計画を定めた場合であって、これらの計画に従って払戻しの請求をすることができる旨を催告するときは、主務大臣の認可を受けることを要しない。

2　出資者は、独立行政法人に対し、前項の規定による催告を受けた日から起算して一月を経過する日までの間に限り、同項の払戻しの請求をすることができる。

3　独立行政法人は、前項の規定による請求があったときは、遅滞なく、当該請求に係る民間等出資に係る不要財産又は当該請求に係る民間等出資に係る不要財産（金銭を除く。）の譲渡により生じた収入の額（当該財産の帳簿価額を超える額がある場合には、その額を除く。）の範囲内で主務大臣が定める基準により算定した金額により、同項の規定により払戻しを請求された持分（当該算定した金額が当該持分の額に満たない場合にあっては、当該持分のうち主務大臣が定める額の持分）を、当該請求をした出資者に払い戻すものとする。

4　独立行政法人が前項の規定による払戻しをしたときは、当該独立行政法人の資本金のうち当該払戻しをした持分の額については、当該独立行政法人に対する出資者からの出資はなかったものとし、当該独立行政法人は、その額により資本金を減少するものとする。

5　出資者が第二項の規定による払戻しの請求をしなかったとき又は同項の規定による民間等出資に係る不要財産に係る持分の一部の払戻しの請求をしたときは、独立行政法人は、払戻しの請求がされなかった持分については、払戻しをしないものとする。

（余裕金の運用）

第四十七条　独立行政法人は、次の方法による場合を除くほか、業務上の余裕金を運用してはならない。

一　国債、地方債、政府保証債（その元本の償還及び利息の支払について政府が保証する債券をいう。）その他主務大臣の指定する有価証券の取得

二　銀行その他主務大臣の指定する金融機関への預金

三　信託業務を営む金融機関（金融機関の信託業務の兼営等に関する法律（昭和十八年法律第四十三号）第一条第一項の認可を受けた金融機関をいう。）への金銭信託

（財産の処分等の制限）

第四十八条　独立行政法人は、不要財産以外の重要な財産であって主務省令で定めるものを譲渡し、又は担保に供しようとするときは、主務大臣の認可を受けなければならない。ただし、中期計画において第三十条第二項第六号の計画を定めた場合、国立研究開発法人の中長期計画において第三十五条の五第二項第六号の計画を定めた場合又は行政執行法人の事業計画において第三十五条の十第三項第六号の計画を定めた場合であって、これらの計画に従って当該重要な財産を譲渡し、又は担保に供するときは、この限りでない。

（会計規程）

第四十九条　独立行政法人は、業務開始の際、会計に関する事項について規程を定め、これを主務大臣に届け出なければならない。これを変更したときも、同様とする。

（主務省令への委任）

第五十条　この法律及びこれに基づく政令に規定するもののほか、独立行政法人の財務及び会計に関し必要な事項は、主務省令で定める。

第五章　人事管理

第一節　中期目標管理法人及び国立研究開発法人

（役員の報酬等）

第五十条の二　中期目標管理法人の役員に対する報酬及び退職手当（以下「報酬等」という。）は、その役員の業績が考慮されるものでなければならない。

2　中期目標管理法人は、その役員に対する報酬等の支給の基準を定め、これを主務大臣に届け出るとともに、公表しなければならない。これを変更したときも、同様とする。

3　前項の報酬等の支給の基準は、国家公務員の給与及び退職手当（以下「給与等」という。）、民間企業の役員の報酬等、当該中期目標管理法人の業務の実績その他の事情を考慮して定められなければならない。

（役員の兼職禁止）

第五十条の三　中期目標管理法人の役員（非常勤の者を除く。）は、在任中、任命権者の承認のある場合を除くほか、営利を目的とする団体の役員となり、又は自ら営利事業に従事してはならない。

（他の中期目標管理法人役職員についての依頼等の規制）

第五十条の四　中期目標管理法人の役員又は職員（非常勤の者を除く。以下「中期目標管理法人役職員」という。）は、密接関係法人等に対し、当該中期目標管理法人の他の中期目標管理法人役職員をその離職後に、若しくは当該中期目標管理法人の中期目標管理法人役職員であった者を、当該密接関係法人等の地位に就かせることを目的として、当該他の中期目標管理法人役職員若しくは当該中期目標管理法人役職員であった者に関する情報を提供し、若しくは当該地位に関する情報の提供を依頼し、又は当該他の中期目標管理法人役職員をその離職後に、若しくは当該中期目標管理法人役職員であった者を、当該密接関係法人等の地位に就かせることを要求し、若しくは依頼してはならない。

2　前項の規定は、次に掲げる場合には、適用しない。

一　基礎研究、福祉に関する業務その他の円滑な再就職に特に配慮を要する業務として政令で定めるものに従事し、若しくは従事していた他の中期目標管理法人役職員又はこれらの業務に従事していた中期目標管理法人役職員であった者を密接関係法人等の地位に就かせることを目的として行う場合

二　退職手当通算予定役職員を退職手当通算法人等の地位に就かせることを目的として行う場合

三　大学その他の教育研究機関の研究者であった者であって任期（十年以内に限る。）を定めて専ら研究に従事する職

員として採用された他の中期目標管理法人役職員を密接関係法人等の地位に就かせることを目的として行う場合

四　第三十二条第一項の評価（同項第二号に規定する中期目標の期間の終了時に見込まれる中期目標の期間における業務の実績に関する評価を除く。）の結果に基づき中期目標管理法人の業務の縮小又は内部組織の合理化が行われることにより、当該中期目標管理法人の組織の意思決定の権限を実質的に有しない地位として主務大臣が指定したもの以外の地位に就いたことがない他の中期目標管理法人役職員が離職を余儀なくされることが見込まれる場合において、当該他の中期目標管理法人役職員を密接関係法人等の地位に就かせることを目的として行うとき。

五　第三十五条第一項の規定による措置であって政令で定める人数以上の中期目標管理法人役職員が離職を余儀なくされることが見込まれるものを行うため、当該中期目標管理法人役職員の離職後の就職の援助のための措置に関する計画を作成し、主務大臣の認定を受けている場合において、当該計画における離職後の就職の援助の対象者である他の中期目標管理法人役職員を密接関係法人等の地位に就かせることを目的として行うとき。

3　前二項の「密接関係法人等」とは、営利企業等（商業、工業又は金融業その他営利を目的とする私企業（以下この項において「営利企業」という。）及び営利企業以外の法人（国、国際機関、地方公共団体、行政執行法人及び地方独立行政法人法（平成十五年法律第百十八号）第二条第二項に規定する特定地方独立行政法人を除く。）をいう。以下同じ。）のうち、資本関係、取引関係等において当該中期目標管理法人と密接な関係を有するものとして政令で定めるものをいう。

4　第二項第二号の「退職手当通算法人等」とは、営利企業等でその業務が中期目標管理法人の事務又は事業と密接な関連を有するもののうち総務大臣が定めるもの（退職手当（これに相当する給付を含む。）に関する規程において、中期目標管理法人役職員が当該中期目標管理法人の長の要請に応じ、引き続いて当該営利企業等の役員又は当該営利企業等に使用される者となった場合に、中期目標管理法人役職員としての勤続期間を当該営利企業等の役員又は当該営利企業等に使用される者としての勤続期間に通算することと定めている営利企業等に限る。）をいう。

5　第二項第二号の「退職手当通算予定役職員」とは、中期目標管理法人の長の要請に応じ、引き続いて退職手当通算法人等（前項に規定する退職手当通算法人等をいう。以下同じ。）の役員又は退職手当通算法人等に使用される者となるため退職することとなる中期目標管理法人役職員であって、当該退職手当通算法人等に在職した後、特別の事情がない限り引き続いて採用が予定されている者のうち政令で定めるものをいう。

6　第一項の規定によるもののほか、中期目標管理法人の役員又は職員は、この法律、個別法若しくは他の法令若しくは当該中期目標管理法人が定める業務方法書、第四十九条に規定する規程その他の規則に違反する職務上の行為（以下「法令等違反行為」という。）をすること若しくはしたこと又は当該中期目標管理法人の他の役員若しくは職員に法令等違反行為をさせること若しくはさせたことに関し、営利企業等に対し、当該中期目標管理法人の他の役員若しくは職員をその離職後に、又は当該中期目標管理法人の役員若しくは職員であった者を、当該営利企業等の地位に就かせることを要求し、又は依頼してはならない。

（法令等違反行為に関する在職中の求職の規制）

第五十条の五　中期目標管理法人の役員又は職員は、法令等違反行為をすること若しくはしたこと又は中期目標管理法人の他の役員若しくは職員に法令等違反行為をさせること若しくはさせたことに関し、営利企業等に対し、離職後に当該営利企業等の地位に就くことを要求し、又は約束してはならない。

（再就職者による法令等違反行為の依頼等の届出）

第五十条の六　中期目標管理法人の役員又は職員は、次に掲げる要求又は依頼を受けたときは、政令で定めるところにより、当該中期目標管理法人の長にその旨を届け出なければならない。

一　中期目標管理法人役職員であった者であって離職後に営利企業等の地位に就いている者（以下この条において「再就職者」という。）が、離職後二年を経過するまでの間に、離職前五年間に在職していた当該中期目標管理法人の内部組織として主務省令で定めるものに属する役員又は職員に対して行う、当該中期目標管理法人と当該営利企業等との間で締結される売買、賃借、請負その他の契約又は当該営利企業等に対して行われる行政手続法（平成五年法律第八十八号）第二条第二号に規定する処分に関する事務（当該中期目標管理法人の業務に係るものに限る。次号において「契約等事務」という。）であって離職前五年間の職務に属するものに関する法令等違反行為の要求又は依頼

二　前号に掲げるもののほか、再就職者のうち、当該中期目標管理法人の役員又は管理若しくは監督の地位として主務省令で定めるものに就いていた者が、離職後二年を経過するまでの間に、当該中期目標管理法人の役員又は職員に対して行う、契約等事務に関する法令等違反行為の要求又は依頼

三　前二号に掲げるもののほか、再就職者が行う、当該中期目標管理法人と営利企業等（当該再就職者が現にその地位に就いているものに限る。）との間の契約であって当該中期目標管理法人においてその締結について自らが決定したもの又は当該中期目標管理法人による当該営利企業等に対する行政手続法第二条第二号に規定する処分であって自らが決定したものに関する法令等違反行為の要求又は依頼

（中期目標管理法人の長への届出）

第五十条の七　中期目標管理法人役職員（第五十条の四第五項に規定する退職手当通算予定役職員を除く。）は、離職後に

営利企業等の地位に就くことを約束した場合には、速やかに、政令で定めるところにより、中期目標管理法人の長に政令で定める事項を届け出なければならない。

2　前項の規定による届出を受けた中期目標管理法人の長は、当該中期目標管理法人の業務の公正性を確保する観点から、当該届出を行った中期目標管理法人役職員の職務が適正に行われるよう、人事管理上の措置を講ずるものとする。

（中期目標管理法人の長がとるべき措置等）

第五十条の八　中期目標管理法人の長は、当該中期目標管理法人の役員又は職員が第五十条の四から前条までの規定に違反する行為をしたと認めるときは、当該役員又は職員に対する監督上の措置及び当該中期目標管理法人における当該規定の遵守を確保するために必要な措置を講じなければならない。

2　第五十条の六の規定による届出を受けた中期目標管理法人の長は、当該届出に係る要求又は依頼の事実があると認めるときは、当該要求又は依頼に係る法令等違反行為を確実に抑止するために必要な措置を講じなければならない。

3　中期目標管理法人の長は、毎年度、第五十条の六の規定による届出及び前二項の措置の内容を取りまとめ、政令で定めるところにより、主務大臣に報告しなければならない。

（政令への委任）

第五十条の九　第五十条の四から前条までの規定の実施に関し必要な手続は、政令で定める。

（職員の給与等）

第五十条の十　中期目標管理法人の職員の給与は、その職員の勤務成績が考慮されるものでなければならない。

2　中期目標管理法人は、その職員の給与等の支給の基準を定め、これを主務大臣に届け出るとともに、公表しなければならない。これを変更したときも、同様とする。

3　前項の給与等の支給の基準は、一般職の職員の給与に関する法律（昭和二十五年法律第九十五号）の適用を受ける国家公務員の給与等、民間企業の従業員の給与等、当該中期目標管理法人の業務の実績並びに職員の職務の特性及び雇用形態その他の事情を考慮して定められなければならない。

（国立研究開発法人への準用）

第五十条の十一　第五十条の二から前条までの規定は、国立研究開発法人について準用する。この場合において、第五十条の四第二項第四号中「第三十二条第一項」とあるのは「第三十五条の六第一項」と、「中期目標の期間」とあるのは「中長期目標の期間」と、同項第五号中「第三十五条第一項」とあるのは「第三十五条の七第一項」と読み替えるものとする。

第二節　行政執行法人

（役員及び職員の身分）

第五十一条　行政執行法人の役員及び職員は、国家公務員とする。

（役員の報酬等）

第五十二条　行政執行法人の役員に対する報酬等は、その役員の業績が考慮されるものでなければならない。

2　行政執行法人は、その役員に対する報酬等の支給の基準を定め、これを主務大臣に届け出るとともに、公表しなければならない。これを変更したときも、同様とする。

3　前項の報酬等の支給の基準は、国家公務員の給与等を参酌し、かつ、民間企業の役員の報酬等、当該行政執行法人の業務の実績及び事業計画の第三十五条の十第三項第三号の人件費の見積りその他の事情を考慮して定められなければならない。

（役員の服務）

第五十三条　行政執行法人の役員（以下この条から第五十六条まで及び第六十九条において単に「役員」という。）は、職務上知ることのできた秘密を漏らしてはならない。その職を退いた後も、同様とする。

2　前項の規定は、次条第一項において準用する国家公務員法（昭和二十二年法律第百二十号）第十八条の四及び次条第六項の規定により権限の委任を受けた再就職等監視委員会で扱われる調査の際に求められる情報に関しては、適用しない。

3　役員は、前項の調査に際して再就職等監視委員会から陳述し、又は証言することを求められた場合には、正当な理由がないのにこれを拒んではならない。

4　役員は、在任中、政党その他の政治的団体の役員となり、又は積極的に政治運動をしてはならない。

5　役員（非常勤の者を除く。次条において同じ。）は、在任中、任命権者の承認のある場合を除くほか、報酬を得て他の職務に従事し、又は営利事業を営み、その他金銭上の利益を目的とする業務を行ってはならない。

（役員の災害補償）

第五十五条　役員の公務上の災害又は通勤による災害に対する補償及び公務上の災害又は通勤による災害を受けた役員に対する福祉事業については、行政執行法人の職員の例による。

（役員に係る労働者災害補償保険法の適用除外）

第五十六条　労働者災害補償保険法（昭和二十二年法律第五十号）の規定は、役員には適用しない。

（職員の給与）

第五十七条　行政執行法人の職員の給与は、その職務の内容と責任に応ずるものであり、かつ、職員が発揮した能率が考慮されるものでなければならない。

2　行政執行法人は、その職員の給与の支給の基準を定め、これを主務大臣に届け出るとともに、公表しなければならない。これを変更したときも、同様とする。

3　前項の給与の支給の基準は、一般職の職員の給与に関する法律の適用を受ける国家公務員の給与を参酌し、かつ、民間企業の従業員の給与、当該行政執行法人の業務の実績及び事業計画の第三十五条の十第三項第三号の人件費の見積りその他の事情を考慮して定められなければならない。

（職員の勤務時間等）

第五十八条　行政執行法人は、その職員の勤務時間、休憩、休日及び休暇について規程を定め、これを主務大臣に届け出るともに、公表しなければならない。これを変更したときも、同様とする。

2 前項の規程は、一般職の職員の勤務時間、休暇等に関する法律（平成六年法律第三十三号）の適用を受ける国家公務員の勤務条件その他の事情を考慮したものでなければならない。

（国会への報告等）

第六十条 行政執行法人は、政令で定めるところにより、毎事業年度、常時勤務に服することを要するその職員（国家公務員法第七十九条又は第八十二条の規定による休職又は停職の処分を受けた者、法令の規定により職務に専念する義務を免除された者その他の常時勤務に服することを要しない職員で政令で定めるものを含む。次項において「常勤職員」という。）の数を主務大臣に報告しなければならない。

2 政府は、毎年、国会に対し、行政執行法人の常勤職員の数を報告しなければならない。

3 行政執行法人は、国家公務員法第三章第八節及び第四章（第五十四条第一項において準用する場合を含む。）の規定を施行するために必要な事項として内閣総理大臣が定める事項を、内閣総理大臣が定める日までに、内閣総理大臣に届け出なければならない。

第六十一条から第六十三条まで 削除

第六章 雑則

（報告及び検査）

第六十四条 主務大臣は、この法律を施行するため必要があると認めるときは、独立行政法人に対し、その業務並びに資産及び債務の状況に関し報告をさせ、又はその職員に、独立行政法人の事務所に立ち入り、業務の状況若しくは帳簿、書類その他の必要な物件を検査させることができる。

2 前項の規定により職員が立入検査をする場合には、その身分を示す証明書を携帯し、関係人にこれを提示しなければならない。

3 第一項の規定による立入検査の権限は、犯罪捜査のために認められたものと解してはならない。

（解散）

第六十五条 削除

第六十六条 独立行政法人の解散については、別に法律で定める。

（財務大臣との協議）

第六十七条 主務大臣は、次の場合には、財務大臣に協議しなければならない。

一 第二十九条第一項の規定により中期目標を定め、又は変更しようとするとき。

二 第三十五条の四第一項の規定により中長期目標を定め、又は変更しようとするとき。

三 第三十五条の九第一項の規定により年度目標を定め、又は変更しようとするとき。

四 第三十条第一項、第三十五条の五第一項、第三十五条の十第一項、第四十五条第一項ただし書若しくは第二項ただし書又は第四十八条の規定による認可をしようとするとき。

五 第四十四条第三項の規定による承認をしようとするとき。

六 第四十六条の二第一項、第二項若しくは第三項ただし書又は第四十六条の三第一項の規定による認可をしようとするとき。

七 第四十七条第一号又は第二号の規定による指定をしようとするとき。

（主務大臣等）

第六十八条 この法律における主務大臣及び主務省令は、個別法で定める。

附 則（抄）

（施行期日）

第一条 この法律は、内閣法の一部を改正する法律（平成十一年法律第八十八号）の施行の日〔平一三・一・六〕から施行する。

附　　録

会計制度のあらまし(図解)

1. 収入制度

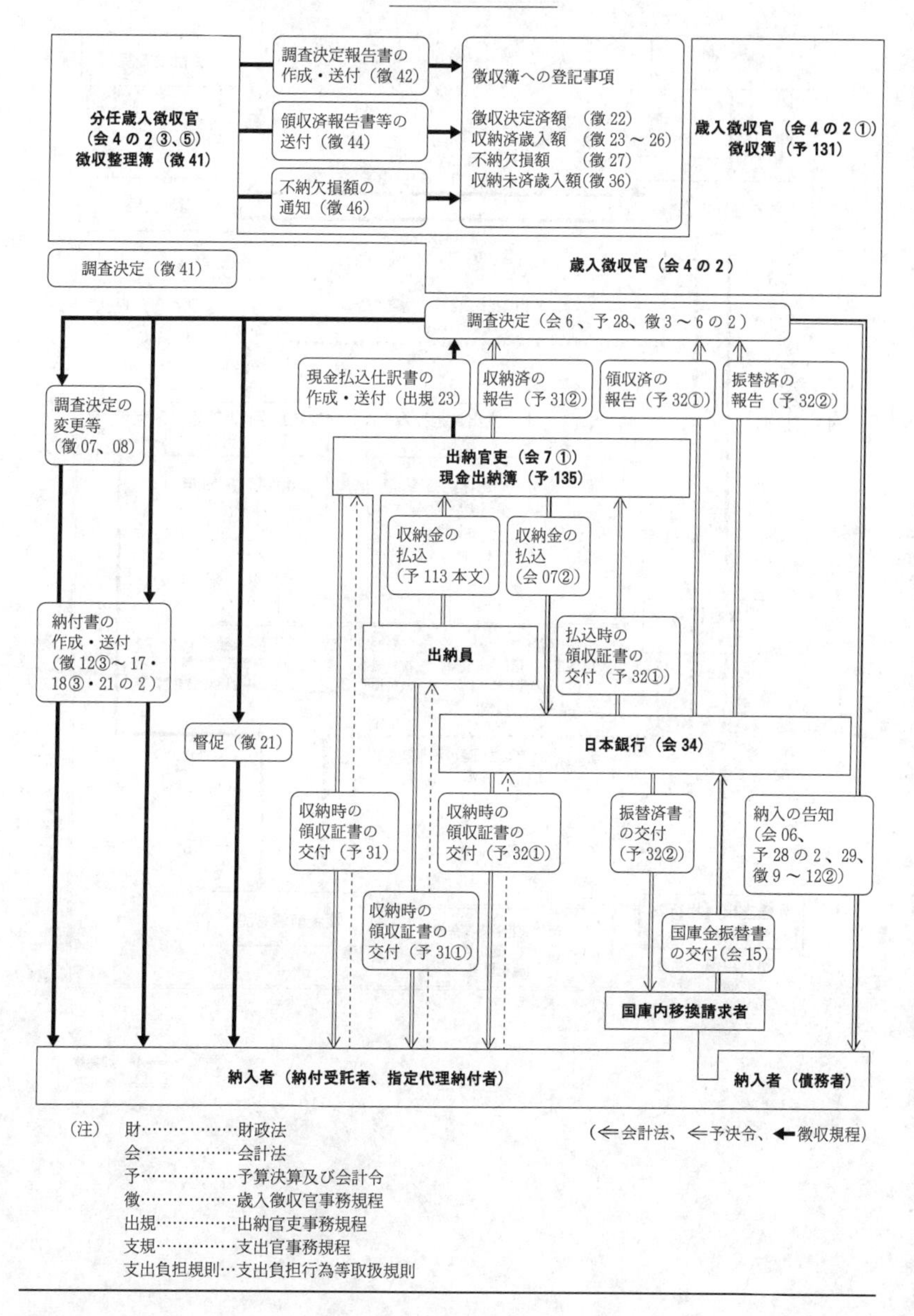

(注) 財……………財政法
会……………会計法
予……………予算決算及び会計令
徴……………歳入徴収官事務規程
出規…………出納官吏事務規程
支規…………支出官事務規程
支出負担規則…支出負担行為等取扱規則

2. 支出負担行為制度

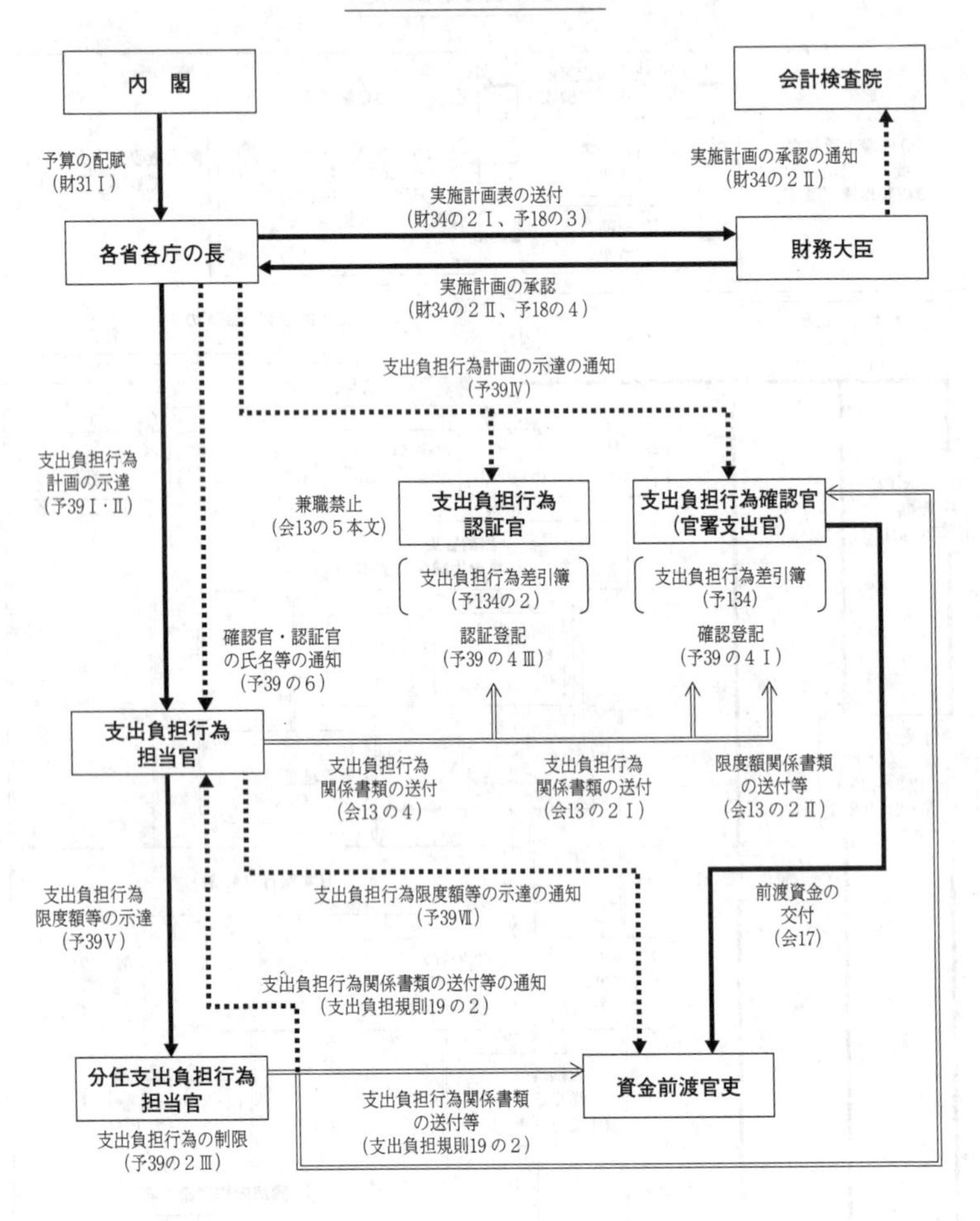
内 閣
会計検査院
予算の配賦
（財31Ⅰ）
実施計画の承認の通知
（財34の２Ⅱ）
実施計画表の送付
（財34の２Ⅰ、予18の３）
各省各庁の長
財務大臣
実施計画の承認
（財34の２Ⅱ、予18の４）
支出負担行為計画の示達の通知
（予39Ⅳ）
支出負担行為
計画の示達
（予39Ⅰ・Ⅱ）
兼職禁止
（会13の５本文）
支出負担行為
認証官
支出負担行為確認官
（官署支出官）
支出負担行為差引簿
（予134の２）
支出負担行為差引簿
（予134）
確認官・認証官
の氏名等の通知
（予39の６）
認証登記
（予39の４Ⅲ）
確認登記
（予39の４Ⅰ）
支出負担行為
担当官
支出負担行為
関係書類の送付
（会13の４）
支出負担行為
関係書類の送付
（会13の２Ⅰ）
限度額関係書類
の送付等
（会13の２Ⅱ）
支出負担行為
限度額等の示達
（予39Ⅴ）
支出負担行為限度額等の示達の通知
（予39Ⅶ）
前渡資金の
交付
（会17）
支出負担行為関係書類の送付等の通知
（支出負担規則19の２）
分任支出負担行為
担当官
資金前渡官吏
支出負担行為関係書類
の送付等
（支出負担規則19の２）
支出負担行為の制限
（予39の２Ⅲ）

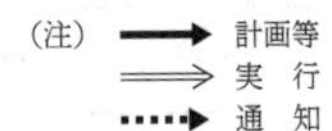
（注）
計画等
実 行
通 知

3. 支出制度

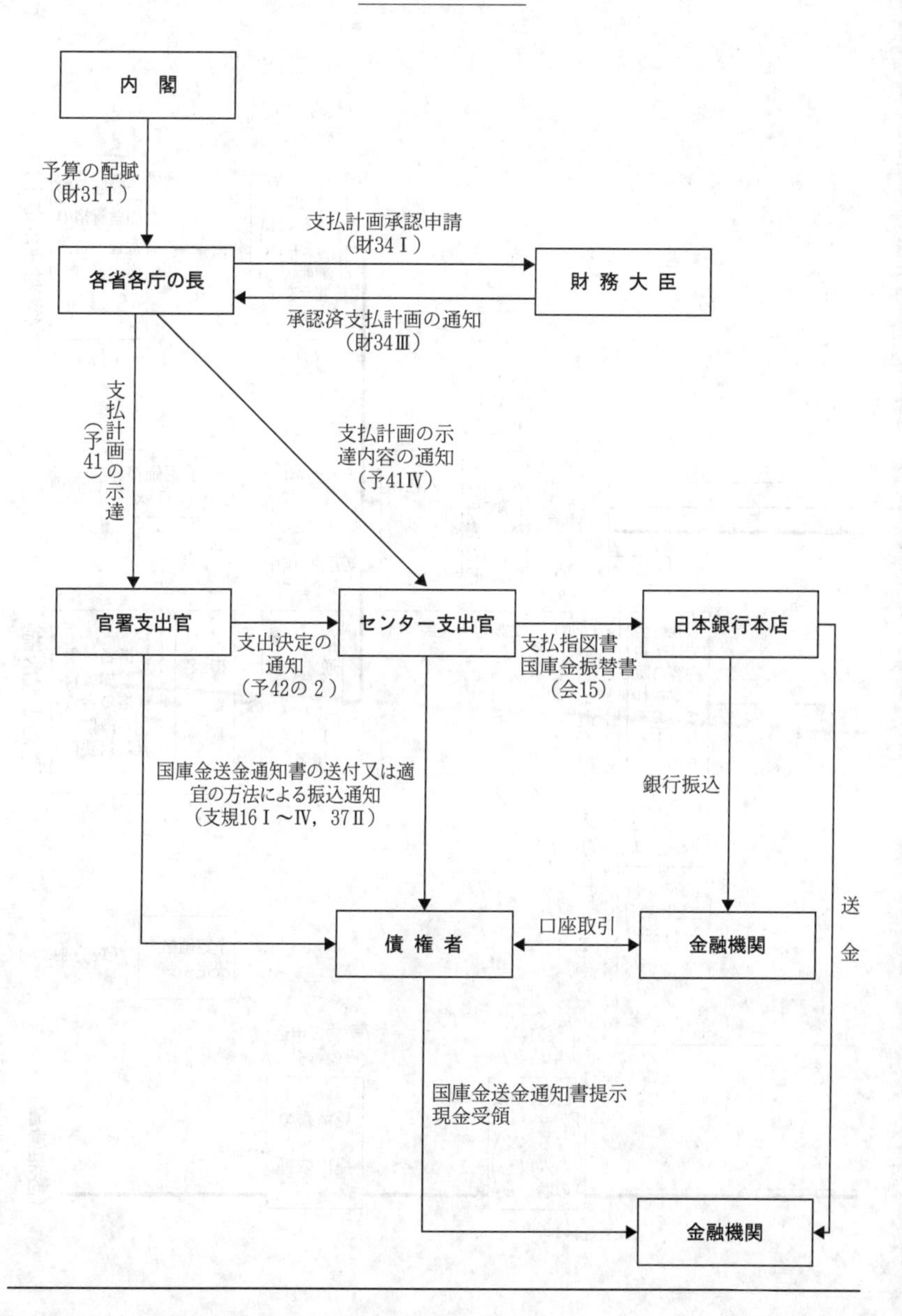
内閣
予算の配賦
（財31Ⅰ）
支払計画承認申請
（財34Ⅰ）
各省各庁の長
財務大臣
承認済支払計画の通知
（財34Ⅲ）
支払計画の示達
（予41）
支払計画の示
達内容の通知
（予41Ⅳ）
官署支出官
センター支出官
日本銀行本店
支出決定の
通知
（予42の２）
支払指図書
国庫金振替書
（会15）
国庫金送金通知書の送付又は適
宜の方法による振込通知
（支規16Ⅰ～Ⅳ，37Ⅱ）
銀行振込
送
金
債権者
口座取引
金融機関
国庫金送金通知書提示
現金受領
金融機関

制　度

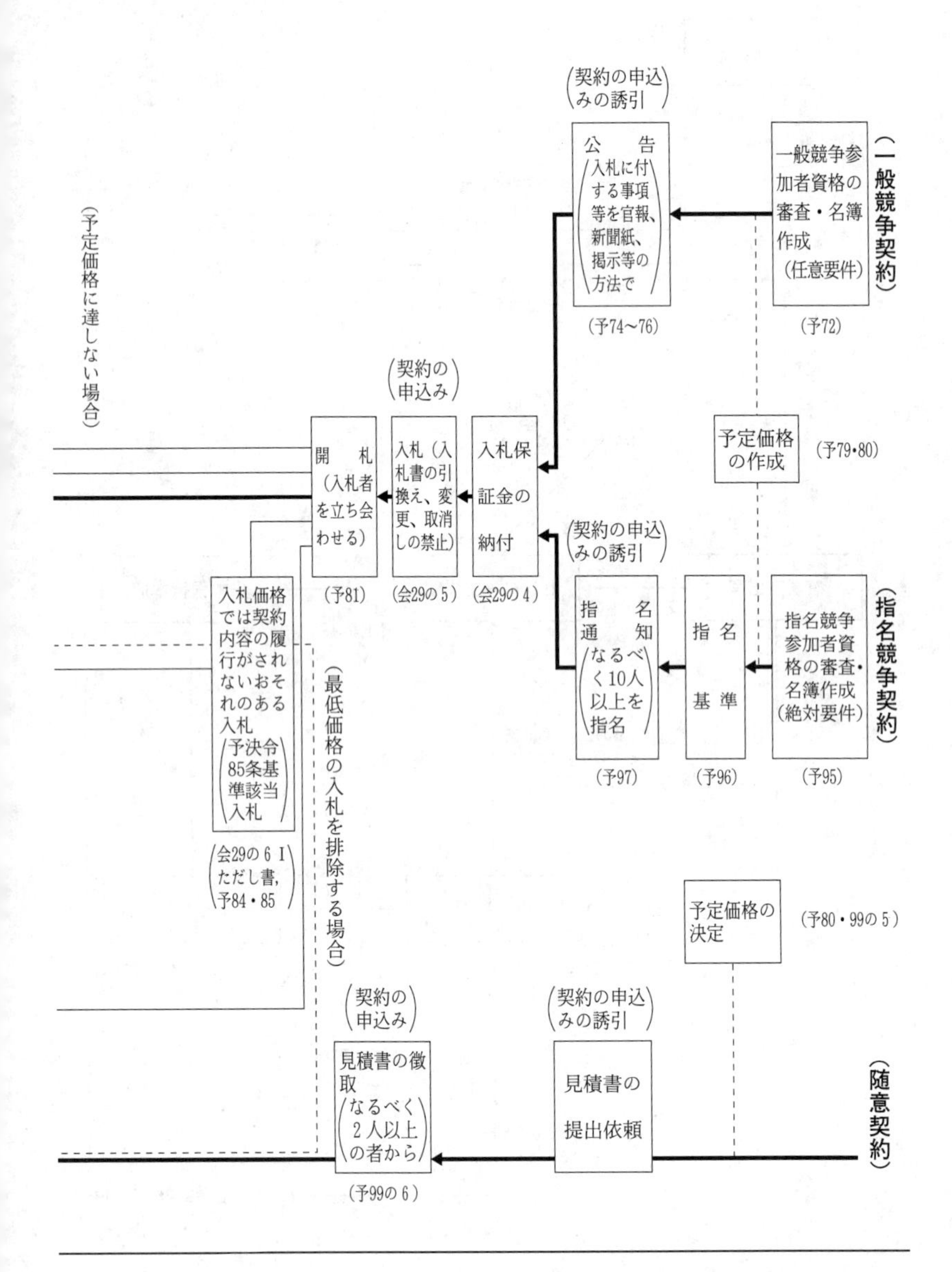
（一般競争契約）
一般競争参加者資格の審査・名簿作成（任意要件）
（予72）
（契約の申込みの誘引）
公告（入札に付する事項等を官報、新聞紙、掲示等の方法で）
（予74～76）
予定価格の作成
（予79・80）
入札保証金の納付
（会29の4）
（契約の申込み）
入札（入札書の引換え、変更、取消しの禁止）
（会29の5）
開札（入札者を立ち会わせる）
（予81）
（予定価格に達しない場合）
（指名競争契約）
指名競争参加者資格の審査・名簿作成（絶対要件）
（予95）
指名基準
（予96）
（契約の申込みの誘引）
指名通知（なるべく10人以上を指名）
（予97）
入札価格では契約内容の履行がされないおそれのある入札（予決令85条基準該当入札）
（会29の6Ⅰただし書，予84・85）
（最低価格の入札を排除する場合）
（随意契約）
予定価格の決定
（予80・99の5）
（契約の申込みの誘引）
見積書の提出依頼
（契約の申込み）
見積書の徴取（なるべく2人以上の者から）
（予99の6）

4. 契約

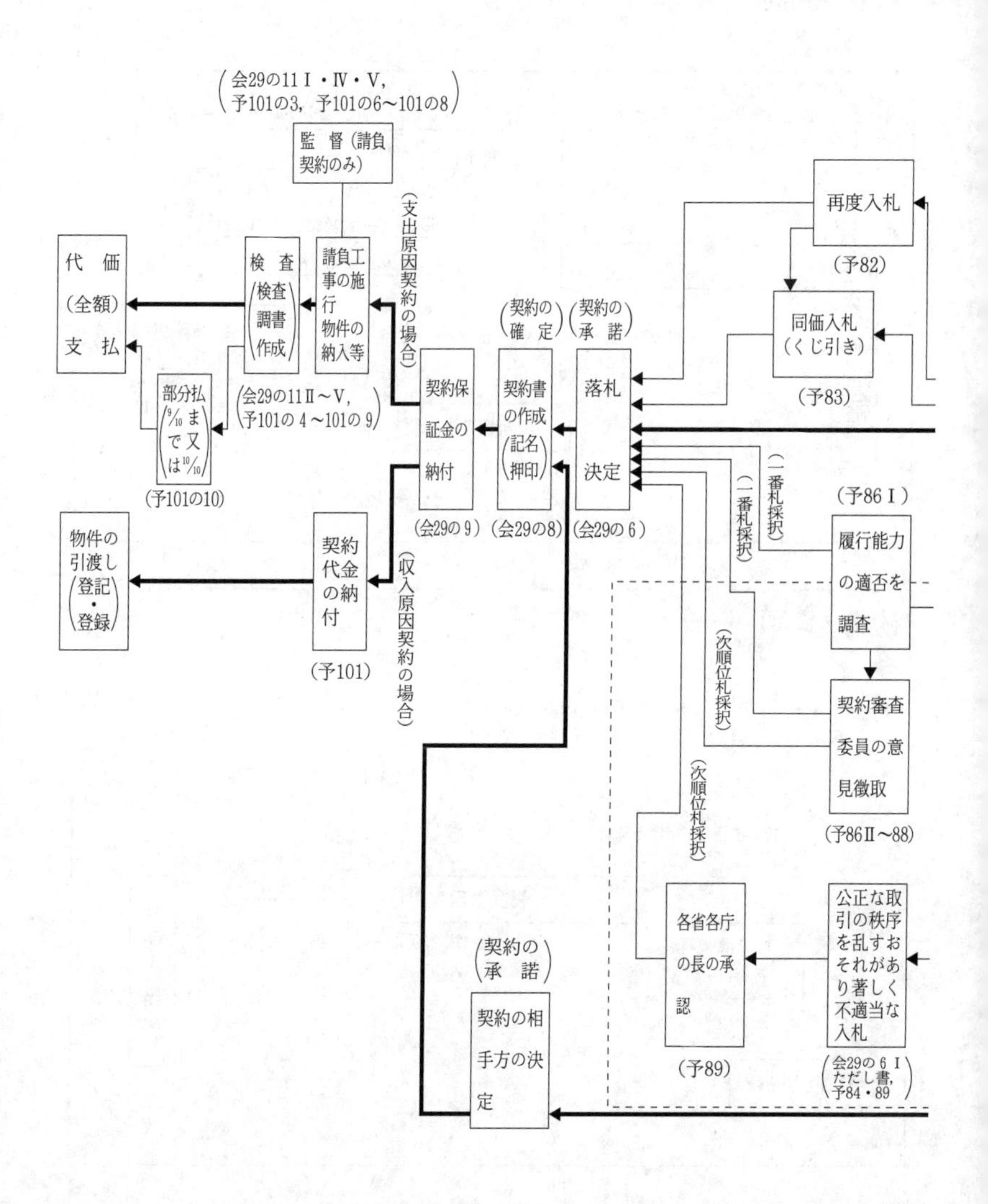

会29の11 Ⅰ・Ⅳ・Ⅴ,
予101の3, 予101の6～101の8
監督（請負契約のみ）
代価（全額）支払
検査（検査調書作成）
請負工事の施行 物件の納入等
支出原因契約の場合
部分払（9/10まで又は10/10）
会29の11 Ⅱ～Ⅴ,
予101の4～101の9
予101の10
契約保証金の納付
会29の9
契約の確定
契約書の作成（記名押印）
会29の8
契約の承諾
落札決定
会29の6
再度入札
予82
同価入札（くじ引き）
予83
一番札採択
一番札採択
予86 Ⅰ
履行能力の適否を調査
物件の引渡し（登記・登録）
契約代金の納付
予101
収入原因契約の場合
次順位札採択
契約審査委員の意見徴取
予86Ⅱ～88
次順位札採択
各省各庁の長の承認
予89
公正な取引の秩序を乱すおそれがあり著しく不適当な入札
会29の6 Ⅰ ただし書,
予84・89
契約の承諾
契約の相手方の決定

管理制度

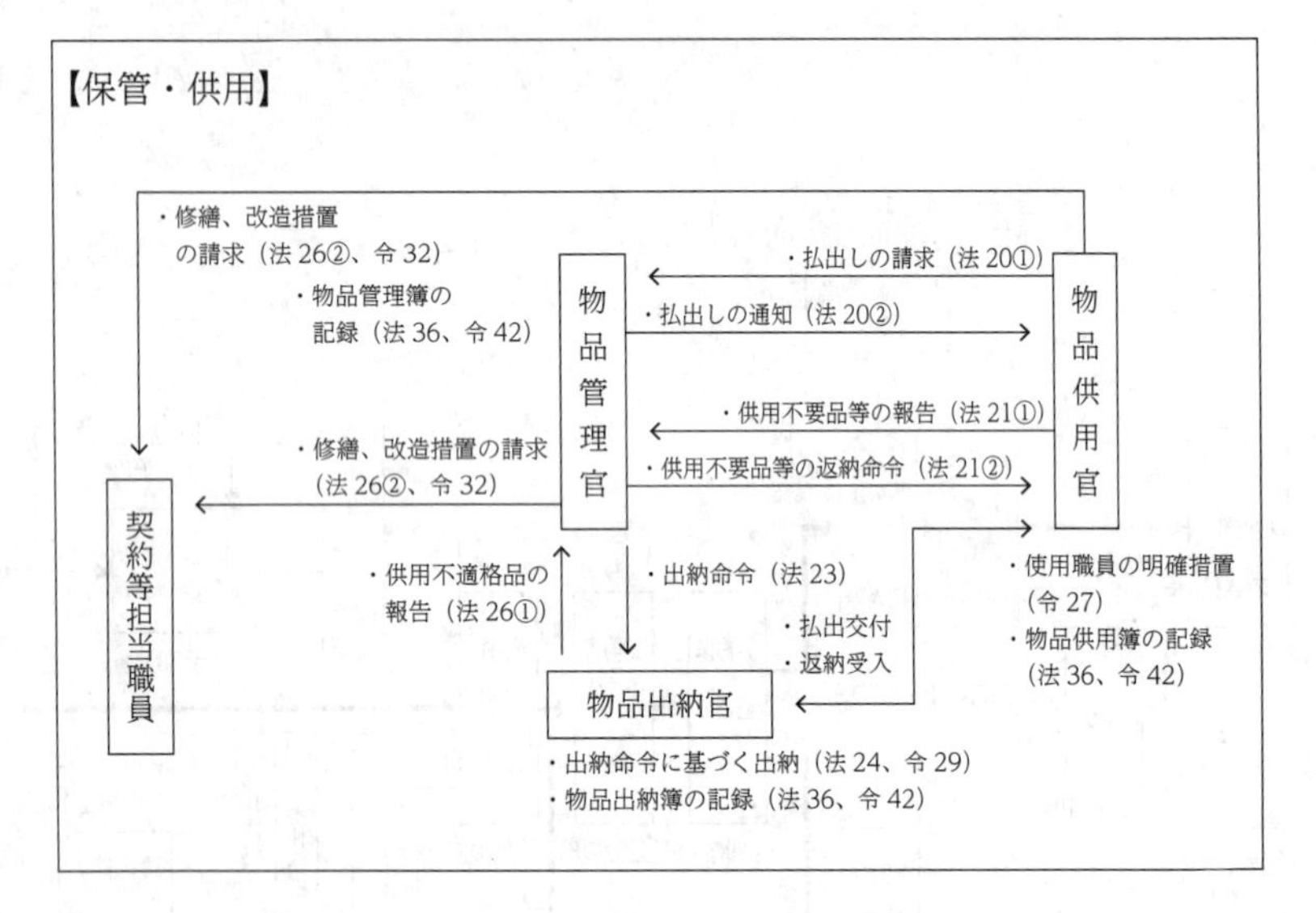
【保管・供用】
・修繕、改造措置
の請求（法26②、令32）
・物品管理簿の
記録（法36、令42）
・払出しの請求（法20①）
・払出しの通知（法20②）
物品管理官
物品供用官
・供用不要品等の報告（法21①）
・修繕、改造措置の請求
（法26②、令32）
・供用不要品等の返納命令（法21②）
契約等担当職員
・供用不適格品の
報告（法26①）
・出納命令（法23）
・払出交付
・返納受入
・使用職員の明確措置
（令27）
・物品供用簿の記録
（法36、令42）
物品出納官
・出納命令に基づく出納（法24、令29）
・物品出納簿の記録（法36、令42）

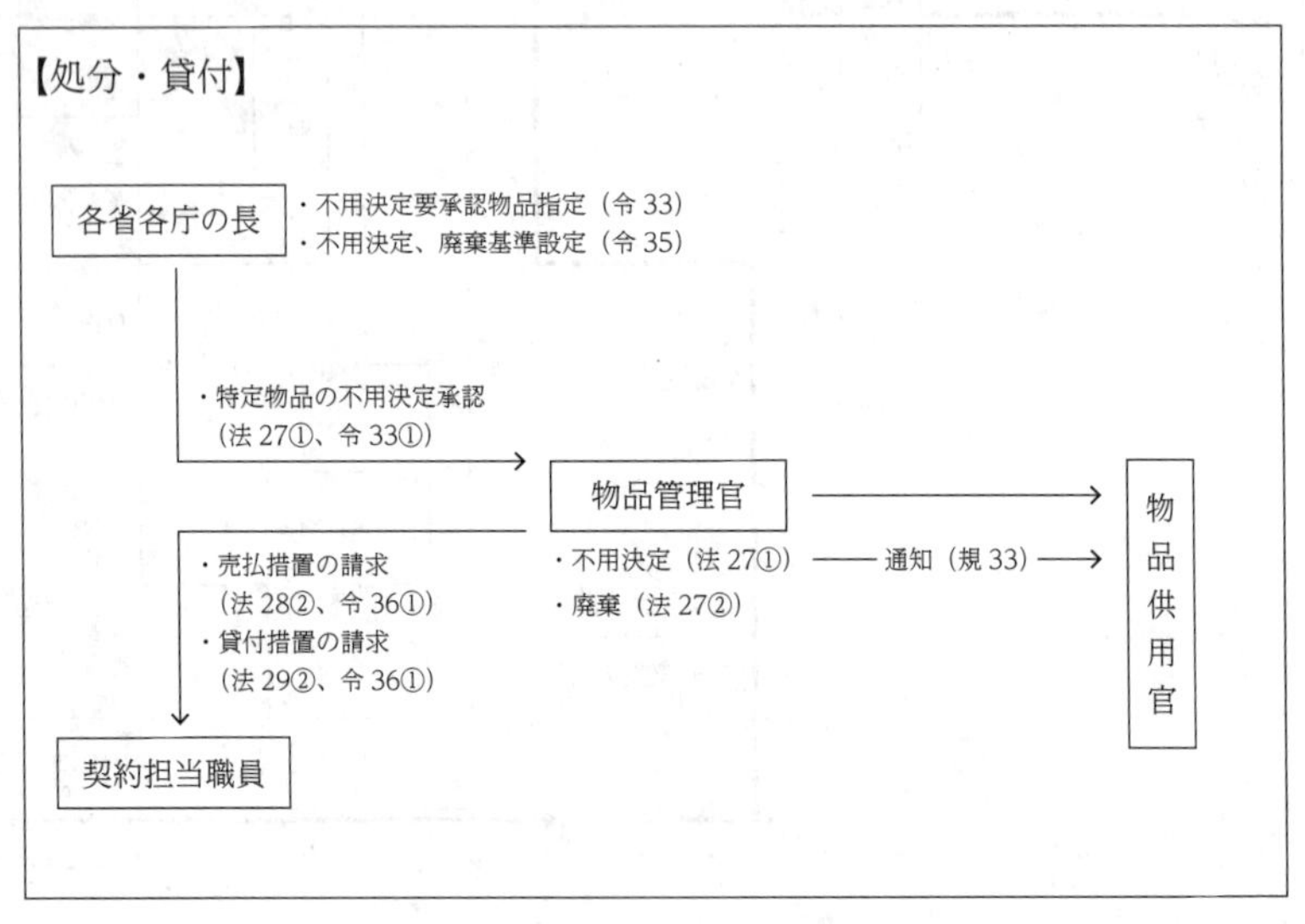
【処分・貸付】
各省各庁の長
・不用決定要承認物品指定（令33）
・不用決定、廃棄基準設定（令35）
・特定物品の不用決定承認
（法27①、令33①）
物品管理官
物品供用官
・売払措置の請求
（法28②、令36①）
・貸付措置の請求
（法29②、令36①）
・不用決定（法27①）
通知（規33）
・廃棄（法27②）
契約担当職員

5. 物品

【物品の管理の諸原則】

・物品管理法の目的（法１）
　物品の適正かつ効率的な供用その他良好な管理（取得、保管、供用及び処分）を図る
・供用、処分の原則（法15）
　分類の目的に従い、物品管理計画に基づき、供用・処分をしなければならない
・管理の義務（法17）
　管理事務担当職員は、善管注意義務を負う
・保管の原則（法22）
　国の施設における良好な状態で保管しなければならない
・売払の制限（法28①）
　売払を目的とするもの、不用決定したものでなければ売払いできない
・貸付の制限（法29①）
　貸付を目的とするもの、貸付けても支障ないものでなければ貸付けできない
・出資の禁止（法30）
　出資の目的、私権の設定の禁止（法律により解除）
・弁償責任（法31～33）
　故意又は重大な過失によりこの法律の規定に違反した管理行為をして物品を亡失・損傷した管理職員と、故意又は重大な過失によりその使用に係る物品を亡失・損傷した使用職員は、その損害を弁償する責任を負わなければならない。

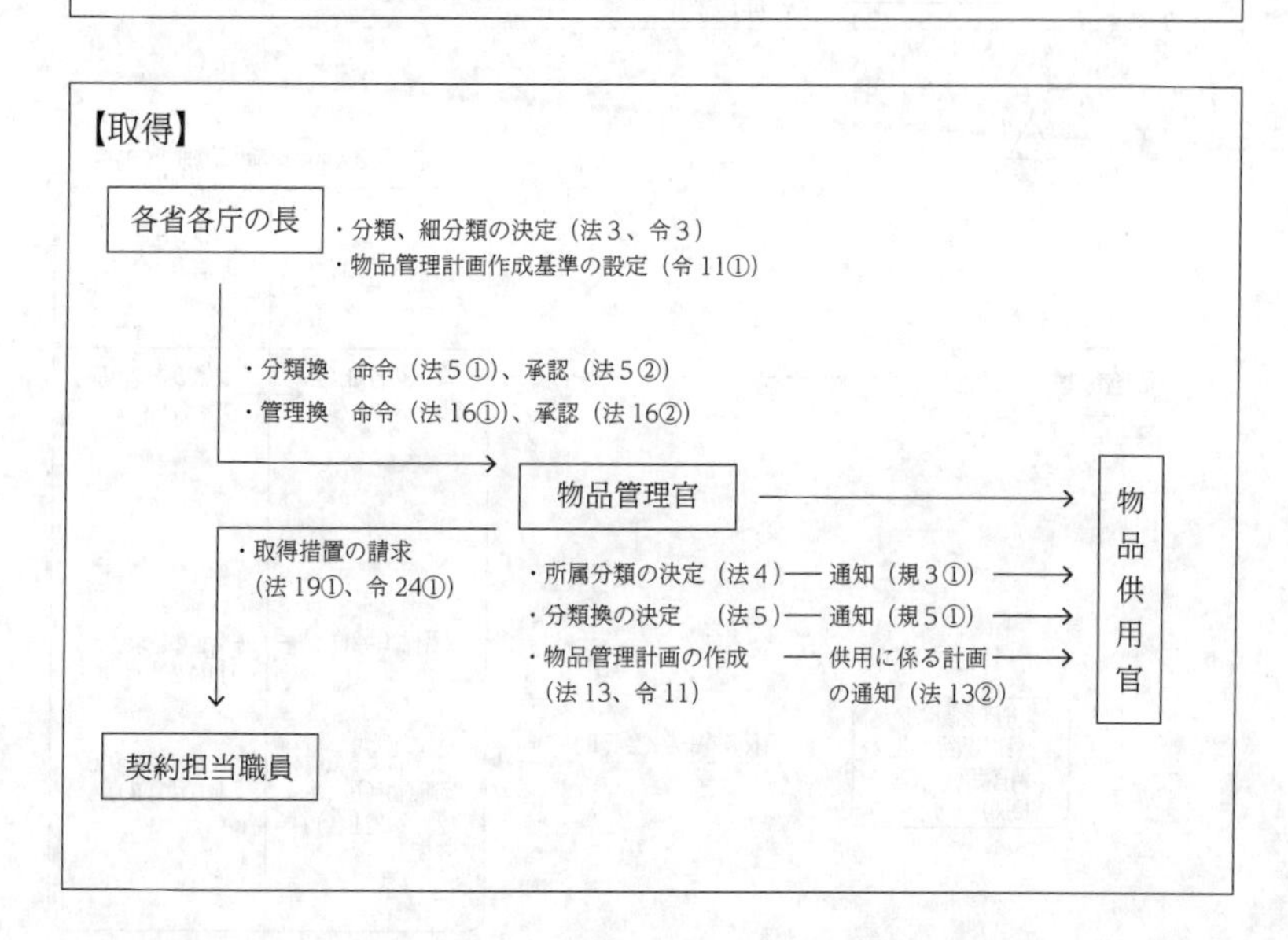

6. 債権管理制度（通常の管理制度）

（注）法…国の債権の管理等に関する法律
令…国の債権の管理等に関する法律施行令
則…債権管理事務取扱規則
会…会計法
民…民法
民訴…民事訴訟法
徴…歳入徴収官事務規程
△印…歳入外債権の取扱を示す。

債権管理事務担当職員（歳入徴収官等（法２Ⅳ））

債権の調査確認及び記載又は記録（法11Ⅰ前段）
債権の調査確認及び記載又は記録の変更（法11Ⅰ後段）
納入の告知（法13Ⅰ、会６）
督　促（法13Ⅱ、徴21）
相殺又は充当の請求(法22Ⅰ)、相殺又は充当済みの通知（法22Ⅲ）
記載(消滅の記載又は記録(法11Ⅱ))

契約担当官その他債権の発生又は帰属事務担当職員
債権の発生又は帰属の通知(法12)
同上異動の通知（令12）
債務者
支払事務担当職員（支出官、資金前渡官吏等）
相殺又は充当済みの通知（法22Ⅱ）
相殺又は充当の通知（法22Ⅱ）
弁　済
弁済受領機関（日本銀行、出納官吏等）
弁済の受領による債権消滅の通知（法23、会47Ⅱ）
契約の解除等による債権消滅の通知（法23）

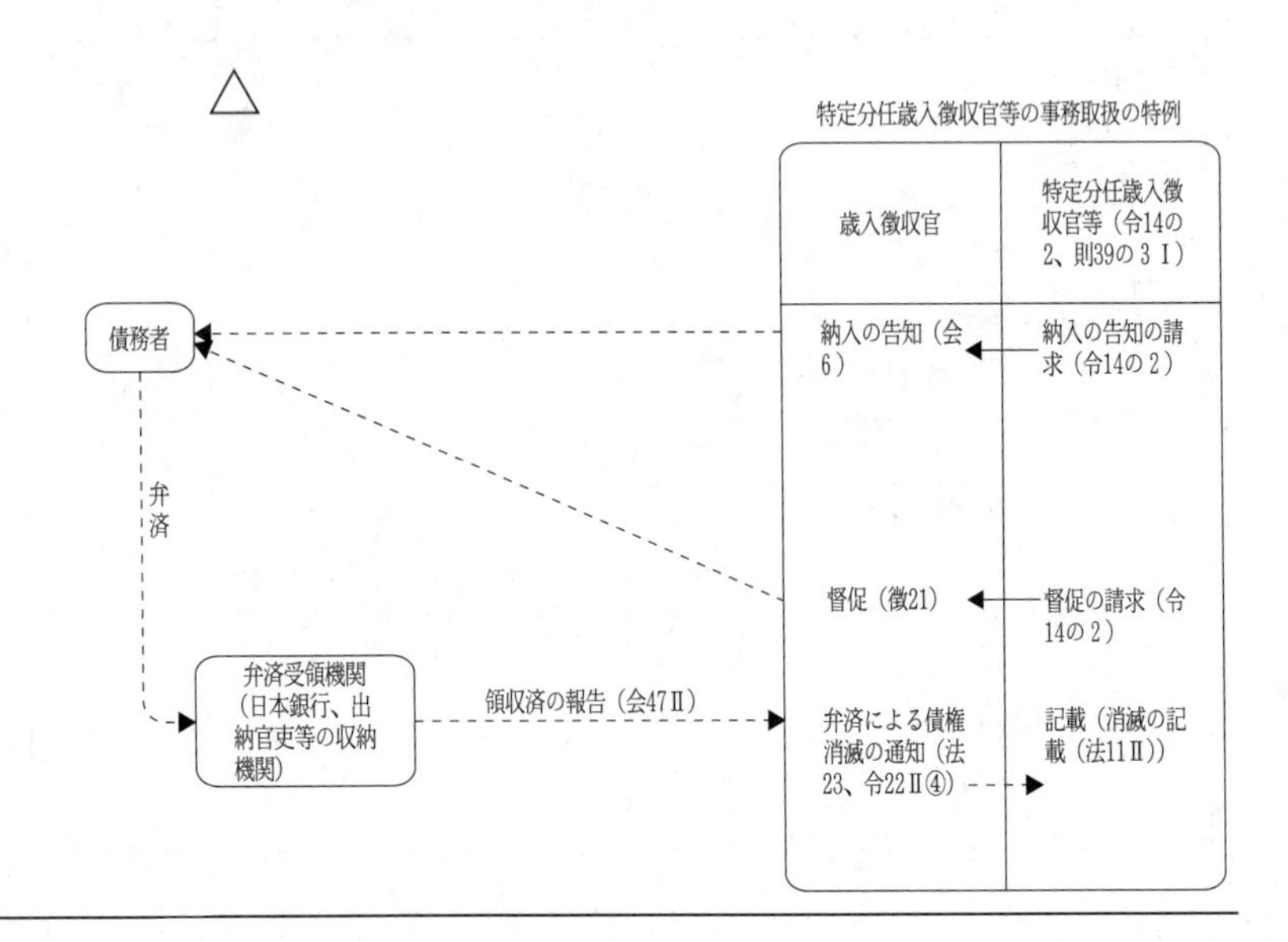

（参考）特別の管理手続としては、次の事項がある。

<table>
<tr><td>取　　立</td><td>⑴ 強制履行の請求等（法15）
｛担保の処分｛担保権の実行
　　　　　　　保証人に対する履行の請求
　強制執行手続の請求
　訴訟手続又は非訟事件手続による履行の請求｛訴訟手続…訴訟の提起、支払督促の申立、起訴前の和解の申立又は破産手続開始の申立
　　　　　　　　　　　　　　　　　　　　　非訟事件手続…調停の申立、民事再生手続開始の申立又は会社更生手続開始の申立
⑵ 履行期限の繰上げ（法16）
　繰上げ後の履行期限による納入の告知又は納付書の送付</td></tr>
<tr><td>保　　全</td><td>⑴ 債権の申出（法17）
｛強制執行、競売の開始等があった場合における配当要求又は交付要求
　破産債権の届出
　解散した法人に対する債権の届出等
⑵ 担保提供等の請求、担保の保全（法18Ⅰ・19）
　提供を求める担保の種類（令17Ⅰ）、担保の価値、提供の手続等（令17Ⅱ、則25・26）
⑶ 仮差押又は仮処分の請求（法18Ⅱ）
⑷ 債権者代位権〔民423〕の行使（法18Ⅲ）
⑸ 詐害行為取消権〔民424〕の行使（法18Ⅳ）
⑹ 時効中断の措置（法18Ⅴ）
⑺ 担保及び証拠書類・物件の整備保存（法20）</td></tr>
<tr><td>内容の変更</td><td>⑴ 履行延期の特約若しくは処分又はこれらに代わる即決和解の手続（法24～28）
⑵ 利率引下げの特約（法29）
⑶ 更生計画案等についての同意（法30…法務大臣）
⑷ 和解又は調停による譲歩（法31…法務大臣）</td></tr>
<tr><td>消　　滅</td><td>⑴ 債権の免除（法32）
｛履行延期の特約等をした債権の免除（法32Ⅰ・Ⅱ）
　履行延期の特約等に係る延納利息債権の免除（法32Ⅲ）
⑵ 延滞金債権の免除等（法33）
⑶ 債権の「みなし消滅」の整理（則30）</td></tr>
<tr><td>徴収停止</td><td>徴収停止の整理（法21）</td></tr>
</table>

7. 補助金制度

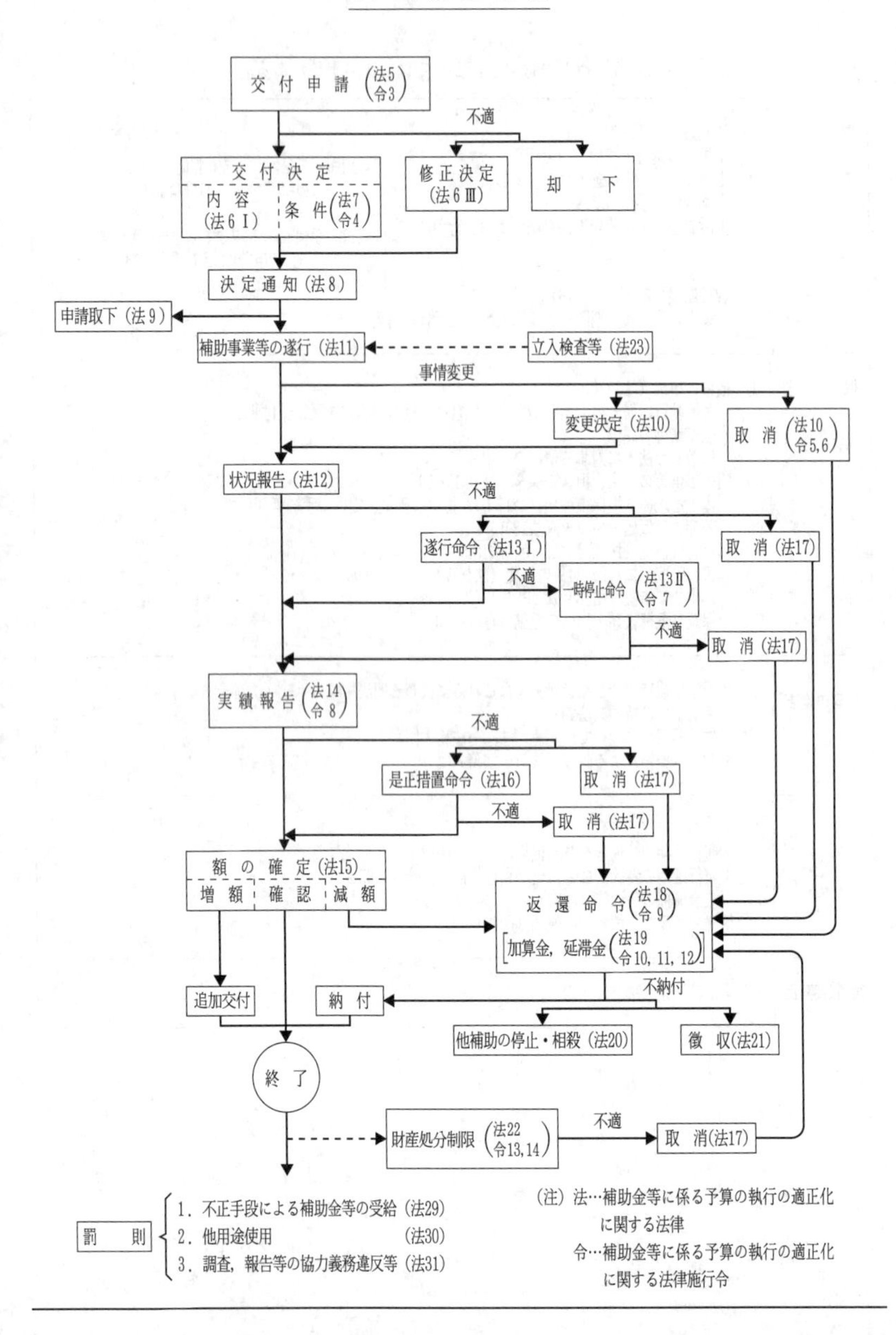

罰則
1．不正手段による補助金等の受給（法29）
2．他用途使用（法30）
3．調査，報告等の協力義務違反等（法31）

（注）法…補助金等に係る予算の執行の適正化に関する法律
令…補助金等に係る予算の執行の適正化に関する法律施行令

8. 予算・決算事務の流れ

(1) 予算

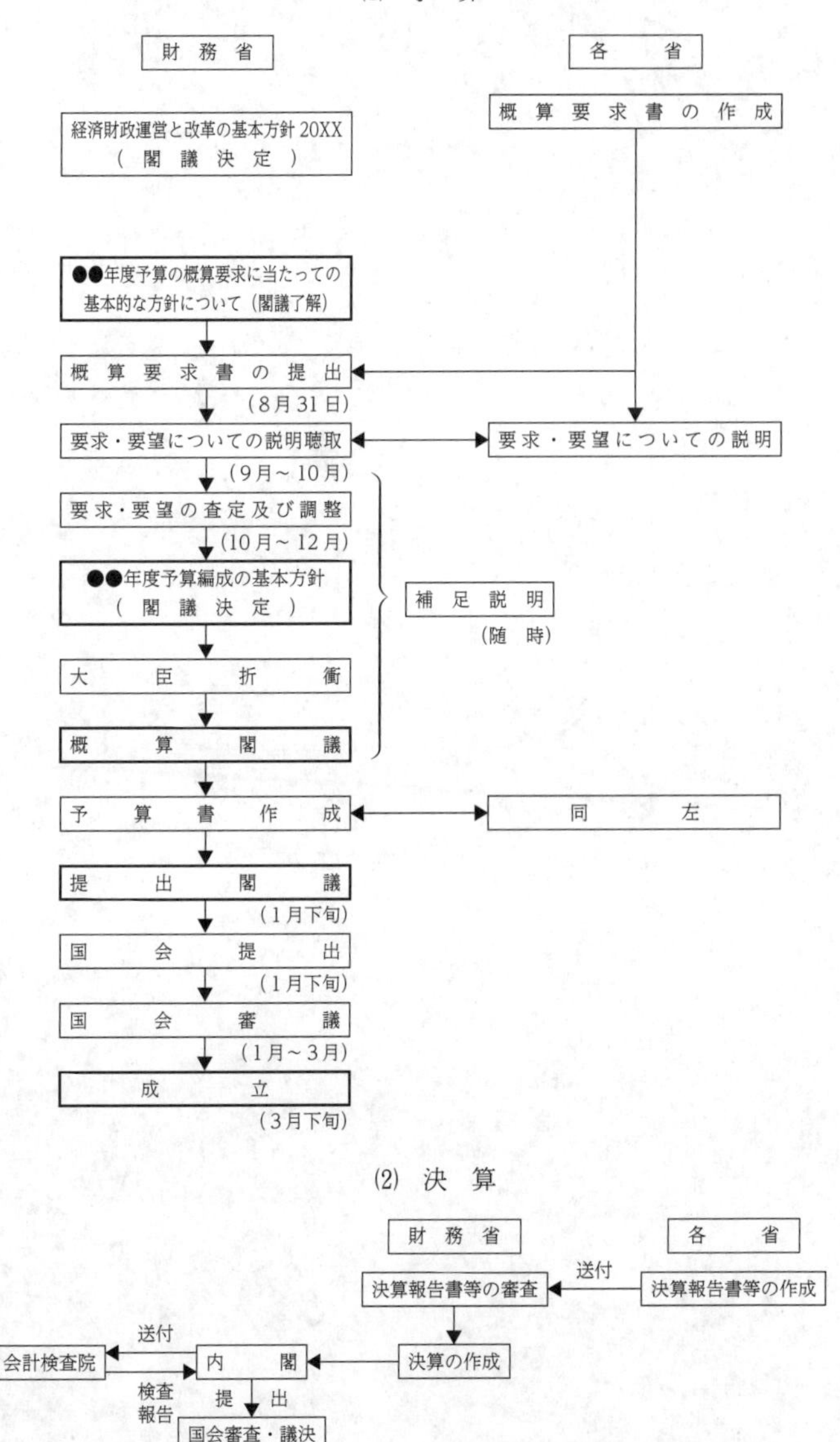

事項索引

☆本事項索引の条文は、原則として基幹的条文のみを掲示することとした。その詳細は、関係条文末尾の参照条文を参照されたい。

凡　例　1．法令の略語は、巻初の凡例によられたい。

2．条文の省略例は次の通り。

例　国有財産法第三条第二項第二号――財産法３Ⅱ②

こ

《日本図書館協会選定図書》

財政小六法〔令和7年版〕

昭和28年8月15日　初　版　発　行
令和6年9月20日　令和7年版発行

不許
複製

編　集　学　陽　書　房
　　　　財政会計法規編集室
発行者　佐久間　重　嘉

発行所　学陽書房
（営業）　東京都千代田区飯田橋1-9-3
TEL　03（3261）1111
FAX　03（5211）3300
http://www.gakuyo.co.jp/

ISBN978-4-313-00207-4 C2032　加藤文明社・東京美術紙工
落丁・乱丁本は、送料小社負担にてお取り替えいたします。